BOUQUINS
Collection fondée par Guy Schoeller

GW00671532

PUBLIÉ AVEC LE CONCOURS DU
CENTRE NATIONAL DES LETTRES

LA LÉGENDE ARTHURIENNE

ARTHURIENNE

LE GRAAL ET LA TABLE RONDE

ÉDITION ÉTABLIE SOUS LA DIRECTION DE
DANIELLE RÉGNIER-BOHLER

ROBERT LAFFONT

Première édition 1989
Première réimpression 1989
Deuxième réimpression 1990
Troisième réimpression 1991
Quatrième réimpression 1991
Cinquième réimpression 1992
Sixième réimpression 1993
Septième réimpression 1994
Huitième réimpression 1995
Neuvième réimpression 1996
Dixième réimpression 1998
Onzième réimpression 2002

ISBN: 2-221-05259-5
Dépôt légal : janvier 2002 - N° d'éditeur : L 05259 (E12)

Ce volume contient :

PRÉFACE DE DANIELLE RÉGNIER-BOHLER
TABLEAUX GÉNÉALOGIQUES ÉTABLIS PAR
MICHEL PASTOUREAU

PERCEVAL LE GALLOIS OU LE CONTE DU GRAAL
par Chrétien de Troyes
Traduit de l'ancien français par Lucien Foulet
Introduction et notes de Lucien Foulet et Danielle Régnier-Bohler,
bibliographie de Danielle Régnier-Bohler,

PERLESVAUS, LE HAUT LIVRE DU GRAAL
Anonyme
Traduit de l'ancien français par Christiane Marchello-Nizia
Introduction, bibliographie et notes de Christiane Marchello-Nizia

MERLIN ET ARTHUR : LE GRAAL ET LE ROYAUME
Attribué à Robert de Boron
Traduit de l'ancien français par Emmanuèle Baumgartner
Introduction, bibliographie et notes de Emmanuèle Baumgartner

LE LIVRE DE CARADOC
Anonyme
Traduit de l'ancien français par Michelle Szkilnik
Introduction, bibliographie et notes de Michelle Szkilnik

LE CHEVALIER À L'ÉPÉE
Anonyme
Traduit de l'ancien français par Emmanuèle Baumgartner
Introduction, bibliographie et notes de Emmanuèle Baumgartner

HUNBAUT
Anonyme
Traduit de l'ancien français par Marie-Luce Chênerie
Introduction, bibliographie et notes de Marie-Luce Chênerie

LA DEMOISELLE À LA MULE
Attribué à Païen de Maisières
Traduit de l'ancien français par Romaine Wolf-Bonvin
Introduction et notes de Romaine Wolf-Bonvin

L'ATRE PÉRILLEUX
Anonyme
Traduit de l'ancien français par Marie-Louise Ollier
Introduction, bibliographie et notes de Marie-Louise Ollier

GLIGLOIS
Anonyme
Traduit de l'ancien français par Marie-Luce Chênerie
Introduction, bibliographie et notes de Marie-Luce Chênerie

MÉRAUGIS DE PORTLESGUEZ
par Raoul de Houdenc
Traduit de l'ancien français par Mireille Demaules
Introduction, bibliographie et notes de Mireille Demaules

LE ROMAN DE JAUFRÉ
Anonyme
Traduit de la langue d'oc par Michel Zink
Introduction et bibliographie de Michel Zink

BLANDIN DE CORNOUAILLE
Anonyme
Traduit de la langue d'oc par Jean-Charles Huchet
Introduction, bibliographie et notes de Jean-Charles Huchet

LES MERVEILLES DE RIGOMER
Anonyme
Traduit de l'ancien français par Marie-Luce Chênerie
Introduction, bibliographie et notes de Marie-Luce Chênerie

MELIADOR (extraits)
par Jean Froissart
Traduit du moyen français par Florence Bouchet
Introduction, bibliographie et notes de Florence Bouchet

LE CHEVALIER AU PAPEGAU
Anonyme
Traduit du moyen français par Danielle Régnier-Bohler
Introduction, bibliographie et notes de Danielle Régnier-Bohler

*LEXIQUE DES TERMES DE CIVILISATION, TABLE DES NOMS PROPRES,
TABLEAU CHRONOLOGIQUE, CARTES ET BIBLIOGRAPHIE GÉNÉRALE
ÉTABLIS PAR DANIELLE RÉGNIER-BOHLER*

Avertissement

Cette édition
est établie sous la direction de
Danielle Régnier-Bohler, maître de conférences à l'université
de Paris III - Sorbonne nouvelle.

Y ont collaboré :

Emmanuèle Baumgartner, professeur
à l'université de Paris III - Sorbonne nouvelle ;
Florence Bouchet, agrégée de lettres ;
Marie-Luce Chênerie, professeur à l'université de Toulouse-Le Mirail ;
Mireille Demaules, agrégée,
détachée à l'École normale supérieure de Fontenay ;
Jean-Charles Huchet, chargé de cours
à l'université de Paris VIII - Vincennes Saint-Denis ;
Christiane Marchello-Nizia, professeur
à l'École normale supérieure de Fontenay ;
Marie-Louise Ollier, professeur à l'université de Montréal ;
Michelle Szkilnik, professeur
associé à l'université de Madison (USA) ;
Romaine Wolf-Bonvin, assistante à l'université de Genève ;
Michel Zink, professeur à l'université de Paris IV - Sorbonne.

PRÉFACE

Il était une fois... vers l'an 1200 un monastère de Rhénanie où une assemblée de moines et de frères convers écoutait les exhortations de leur abbé, mais ils sommeillaient, certains allaient jusqu'à ronfler ! Soudain l'abbé leva la voix : « Écoutez-moi, mes frères, écoutez bien ! Je vais vous raconter un fait nouveau et extraordinaire : il était une fois un roi qui s'appelait Arthur ! » Sur ces mots, il s'arrêta et dit : « Voyez, mes frères, combien grande est votre misère ! Lorsque je parlais de Dieu, vous dormiez, mais quand j'ai introduit des paroles divertissantes, vous vous êtes réveillés, vous vous êtes mis à m'écouter, en ouvrant tout grand vos oreilles ! » Peu nous importe la leçon sévère qu'en tirait l'abbé pour ses frères ! Qu'il suffise de savoir que même en l'espace clos d'un monastère, une légende avait pénétré, dont les mots d'inauguration suffisaient à sortir de la torpeur des esprits dont l'imaginaire était affamé[1] ! Tel était en effet le prestige du roi Arthur !

Cette faim de légendes a dû se faire connaître bien souvent pour que puisse, durant des siècles et presque jusqu'à l'aube de la Renaissance, se constituer et se développer la légende du roi Arthur. Cet ensemble de récits en vers et de récits en prose est si vaste que le lecteur d'aujourd'hui peut encore rêver de la Table Ronde, des aventureux exploits de ses chevaliers, du roi Arthur et d'une Guenièvre dont on ne sait pas trop si elle a été l'amante de Lancelot ou une fée !

---

1. Césaire d'Heisterbach, *Dialogus miraculorum* : « De l'abbé Gevard qui réveilla des moines en train de dormir pendant le sermon en leur parlant de la légende d'Arthur », éd. Joseph Strange, 1981, p. 205.

ARTURUS REX : LE BERCEAU DE LA LÉGENDE

L'extraordinaire phénomène de la genèse, du développement et de la durée de la littérature arthurienne ne cesse depuis longtemps de hanter les érudits. A travers la diversité des récits qui appartiennent au patrimoine médiéval, le sujet de la légende est l'univers utopique dont le roi Arthur est le centre, entouré de chevaliers d'élite qu'il rassemble autour de la Table Ronde, et qui ne cessent de vouloir accomplir des quêtes et de partir pour l'*aventure*.

Avant les témoignages littéraires cependant, il a dû exister l'archétype d'une légende ou de plusieurs légendes. Si le Moyen Age français a réussi à nous faire parvenir un nombre d'œuvres si important que seuls quelques classiques — dont les romans de Chrétien de Troyes — sont aujourd'hui connus du public, il a dû se nourrir à la source d'une tradition féconde, que l'on pourrait dire pré-littéraire. Le mystère reste encore entier, qui concerne l'actualisation de ce qui, jusque-là, n'était connu que par quelques rares témoignages écrits, mais qui faisait certainement l'objet d'une transmission orale importante.

A l'époque médiévale déjà, cet ensemble narratif a été perçu comme un fonds tout à fait spécifique. On cite volontiers les vers de Jean Bodel, composés à la même époque que l'anecdote de la vie monastique chez Césaire d'Heisterbach : le poète affirmait qu'il existait trois « matières » — trois grands fonds de récits — « celles de France, de Bretagne et de Rome la Grande », et il ajoutait : « Ces trois matières ne se ressemblent pas. Les contes de Bretagne sont tellement irréels et séduisants ! Tandis que ceux de Rome sont savants et chargés de signification, et que ceux de France voient chaque jour leur authenticité confirmée ! »

La chanson de geste en effet revendique l'ordre de la réalité, les récits tirés de l'Antiquité témoignent d'une longue transmission d'un savoir. Que dire alors de ces contes de Bretagne « vains et plaisants », irréels et séduisants [1] ?

On conviendra sans peine, à lire les récits que propose ce livre aujourd'hui, que le légendaire roi Arthur méritait un éveil salutaire, non pour le salut de l'âme, mais pour notre jouissance. Et le mythe du Graal, vestige d'un monde archaïque peu à peu christianisé, ainsi

---

1. « Ne sont que trois materes a nul home entendant :
   De France et de Bretaigne et de Rome la Grant ;
   Et de ces trois materes n'i a nule semblant
   Li conte de Bretaigne sont si vain et plaisant
   Cil de Rome sont sage et de sens aprendant
   Cil de France sont voir chascun jour apparant. »
                              (*Chanson des Saisnes*, v. 6 à 11.)

que les *aventures* qui, en arborescences jaillissantes, tireront leur origine du dynamisme spirituel et chevaleresque de la Table Ronde, constituent un monde imaginaire d'une étonnante richesse.

Hors des monastères, des laïcs et des clercs l'ont très vite pressenti, dont certains ont voulu investir la légende, venue du monde celtique, d'une signification religieuse si forte que la quête du Graal est devenue synonyme d'une quête d'absolu.

C'est dans le domaine celtique, dans un espace géographique entouré de mers — l'Irlande, le pays de Galles, la Cornouaille, l'Armorique — qu'il faut chercher la naissance de la célèbre légende et qu'on devine les premières traces de la figure mythique. Des bribes d'abord qui font remonter très loin en amont, dans le temps.

A Geoffroy de Monmouth revient le mérite d'avoir introduit dans la tradition littéraire européenne ce qui devait être le noyau de la légende. Vers 1135 il écrit l'*Historia Regum Britanniae,* que ses contemporains considérèrent comme une invention, et les érudits modernes comme une mystification étonnante ; quoi qu'il en soit, cette fabulation fut répandue par de nombreux manuscrits gallois, anglais et français. Très vite l'œuvre fut traduite en anglo-normand par Wace ; cette traduction donnait la possibilité de prendre plus largement connaissance de la légende.

Arturus Rex : il a été longuement débattu de l'historicité du personnage. Avant Geoffroy en effet, les traces en sont peu nombreuses, mais on a quelque raison de croire en l'existence d'un personnage portant ce nom, dont on trouve mention dès le début du IXe siècle dans l'œuvre de Nennius, l'*Historia Brittonum.* Lors de l'invasion des Saxons appelés par le roi Vortiger, un certain Arthur aurait combattu contre eux aux côtés du roi des Bretons ; il n'est alors que « dux bellorum », un chef de guerre, mais on lui attribue une victoire remarquable où il aurait tué jusqu'à neuf cent soixante ennemis ! Pourtant des textes antérieurs — qui doivent également être considérés comme des sources de la légende, Gildas au VIe siècle et Bède au VIIIe siècle — ne mentionnent pas Arthur.

Son nom — mais rien sur ce point n'est assuré — pourrait provenir du latin *Artorius,* le nom d'un officier romain dont l'existence en Angleterre — du moins en ce qui concerne le nom — est bien attestée vers le milieu du IIe siècle. Quant à l'œuvre de Nennius qui relate toutes sortes de prodiges, deux d'entre eux concernent Arthur, à la fois l'allié et le chef des Bretons. Une tradition locale existait donc au début du IXe siècle. Plus tard, au cours de la deuxième moitié du Xe siècle, les *Annales Cambriae* relatent une bataille de l'an 516 ou 518, au cours de laquelle Arthur aurait porté durant trois jours et trois nuits la croix du Christ sur ses épaules. La victoire serait ainsi revenue aux Bretons.

Ainsi quelques traces, quelques emprunts aux traditions indigènes, galloise et armoricaine, suffirent à Geoffroy pour développer une figure presque entièrement inventée par lui. Des *Vies de saints* d'origine galloise ont encore pu lui fournir des matériaux, telle la vie de saint Cadoc où la figure d'Arthur est utilisée pour mettre en valeur le saint lui-même. Devant la popularité croissante d'Arthur, un contemporain de Geoffroy, Guillaume de Malmesbury, pouvait regretter qu'on ne puisse saisir, à travers les fabulations des Bretons, la figure du personnage dans sa vérité première. Il est certain à le lire, que les Bretons de l'époque passaient pour rêver amplement sur des bribes d'un héros national !

A leur tour, quelques poèmes gallois, difficiles à dater, seront des témoignages : le *Livre Noir* de Carmarthen, un fragment de quatre-vingt-huit vers de la fin du xiie siècle, raconte qu'Arthur, pour pouvoir pénétrer dans une forteresse, doit célébrer devant le portier Glwelwyd Gefaelvawr les exploits de ses hommes, de Keu en particulier :

> « Qui est le portier ?
> — Glwelwyd Gefaelvawr !
> — Qui le sollicite ?
> — Arthur et Keu le Béni !
> — Qui t'accompagne ?
> — Les hommes les meilleurs du monde !
> — Dans ma demeure tu n'entreras, si tu ne réponds d'eux.
> — Je répondrai d'eux : tu t'en apercevras [1] ! »

Une attention toute particulière doit être accordée à *Kulhwh ac Olwen,* un récit des *Mabinogion* qui nous livre la pure tradition locale à propos d'Arthur [2]. Le héros Kulhwch doit conquérir la fiancée qu'il a choisie au prix de nombreuses épreuves. Comme il est le neveu du roi Arthur, il se rend à sa cour pour implorer son aide. Dans ce récit, la reine Gwenhwyfar — nom gallois de Guenièvre — ainsi que les noms de l'épée et de la lance d'Arthur sont déjà mentionnés. Dès le récit de la fin du xie siècle, Arthur apparaît comme une stature royale de très grand prestige.

C'est à Geoffroy cependant qu'il appartient d'avoir développé avec maîtrise la figure du souverain que lui livrait la légende celtique. Grâce à lui l'apparition de la matière dite « de Bretagne » a pris une remarquable ampleur dans notre littérature, et c'est à partir de Geoffroy que la séduction des motifs de légende celtique est

---

1. Les spécialistes pensent que ce poème peut avoir été écrit aux ixe-xe siècles : cf. Léon Fleuriot, Jean-Claude Lozach'meur et Louis Prat, *Récits et poèmes celtiques. Domaine brittonique.* Stock Moyen Age, 1981, p. 133.

2. Les *Mabinogion,* récits gallois, relatent les *Enfances* d'un héros (irlandais : *macgnimartha*).

venue solliciter l'imaginaire de l'Europe occidentale. Il fallait désormais qu'Arthur puisse alimenter un idéal chevaleresque, non plus comme chef de guerre luttant contre les Saxons, mais comme roi prestigieux qui ose entreprendre une guerre contre les Romains, qui lui aurait d'ailleurs réussi si la trahison ne s'était infiltrée dans son propre royaume. Ainsi, comparable à Charlemagne, Arthur pouvait véritablement flatter les rêves bretons. A cette époque d'ailleurs, de nombreux descendants des Bretons exilés en Petite Bretagne étaient rentrés dans leur patrie avec les Normands. Geoffroy, en dédiant son œuvre à Robert de Gloucester, est visiblement animé du désir de plaire à la nouvelle dynastie anglo-normande.

L'*Historia Regum Britanniae* veut relater toute l'histoire bretonne depuis le déclin de l'ancien royaume breton : afin de rehausser la grandeur de ce royaume, se fiant à la crédulité de ses contemporains, le chroniqueur ne craint pas d'inventer des événements fabuleux. Et, à vrai dire, la cour anglo-normande pouvait tirer quelque fierté de ce beau modèle de souverain qui lui était proposé, heureusement pourvu de toutes les vertus chevaleresques. La dynastie Plantagenêt héritait ainsi de l'un des plus grands rois de l'histoire ! Grâce à son savoir et à sa parole prophétique, Merlin préside à la naissance légendaire d'Arthur et à son couronnement. Contre les païens saxons, le jeune roi use de son épée Excalibur forgée en Avalon, et il tient une cour solennelle à Caerleon avec son épouse Gwenhwyfar. Mais la guerre contre les Romains lui fait quitter son royaume et il doit confier son épouse à son neveu Mordret. Il combat un géant qui répand l'épouvante autour du Mont Saint-Michel et obtient de belles victoires sur l'armée romaine mais, au moment où il se dirige vers Rome, lui parvient la nouvelle que Mordret lui a pris sa femme et son royaume. Arthur rebrousse alors chemin, traverse la mer, affronte Mordret et le tue. Il est mortellement blessé lui-même et amené sur l'Ile d'Avalon [1].

Voilà déjà réunis les éléments essentiels de la légende, qui se diffuse très vite par les versions en vers qu'ont données Wace en anglo-normand et Layamon en anglais. Vers 1155 Wace écrit un *Roman de Brut,* où il interprète avec une certaine liberté l'*Historia* de Geoffroy. L'œuvre est dédiée à Aliénor qui vient d'épouser Henri II. Arthur est cette fois présenté comme un grand seigneur féodal, auréolé de toutes les qualités utopiques susceptibles de plaire à des vassaux. Aucun témoignage ne serait plus éloquent que la description de la Table dont Wace est le premier à faire mention :

« Pour ses nobles seigneurs dont chacun s'estimait le meilleur,

---

1. Lieu mythique, l'Ile d'Avalon est parfois identifiée avec Glastonbury dans le Somerset. Voir table des noms propres.

dont nul ne savait qui était le moins bon, Arthur fit faire la Table Ronde dont les Bretons racontent bien des récits. Les seigneurs y prennent place, tous chevaliers, tous égaux. Ils avaient à la table une place égale et étaient servis de la même manière. Aucun d'eux ne pouvait se vanter d'être assis plus haut que son égal. » En effet, s'il n'y a pas d'ordre de préséance, chacun peut être conscient de sa valeur et de son mérite propre.

En tout cas l'œuvre de Wace rejoint plus précisément encore les intentions d'Henri II et d'Aliénor, lorsqu'il écrit vers les années 1160 le *Roman de Rou* qui relate l'histoire des ducs de Normandie, et que suivra vers 1170, dans le même milieu de cour, la *Chronique des ducs de Normandie* par Benoît de Sainte Maure. On doit reconnaître à la cour d'Henri II un rayonnement culturel remarquable : les deux filles nées du premier mariage d'Aliénor, Marie qui épouse le comte de Champagne et Alix le comte de Blois, contribuent à l'élaboration de ce qu'on peut désormais reconnaître comme un grand milieu de culture, qui agit en centre littéraire de prestige. C'est à Marie de Champagne que Chrétien de Troyes dédiera *Le Chevalier à la charrette*, et le prologue de *Perceval* rend hommage à Philippe de Flandre que Chrétien aurait rencontré à la cour de Champagne.

Ces cours ont ainsi favorisé à un niveau tout à fait international la circulation de l'information culturelle et des modes littéraires. Une politique d'alliances attache la cour anglo-normande à des cours d'Allemagne et il se crée un milieu de mécènes qui aura beaucoup compté pour la diffusion de la légende arthurienne : il faisait naître l'émulation nécessaire aux commandes de manuscrits et favorisait l'appel probable à des clercs attachés au milieu de cour. L'auteur d'un *Tristan*, Thomas, et une certaine Marie de France, l'auteur des *Lais*, ont également appartenu à ce milieu ; tous deux ont de leur côté joué un rôle non négligeable dans la diffusion des légendes d'origine celtique. On comprend ainsi que l'*Historia Regum Britanniae* de Geoffroy de Monmouth, qui développait la figure la plus propice à encourager et à rehausser le prestige d'une dynastie, ait eu une telle diffusion. Quant à Wace, il semble personnellement engagé à l'égard du souverain puisque son œuvre est dédiée à Henri II.

La volonté de la dynastie de se constituer en centre de prestige, avec le pouvoir d'une mainmise culturelle de premier ordre, devait en effet se prévaloir d'un passé fondant le prestige du présent : c'est ainsi que l'abbaye de Glastonbury, dans le Somerset, fut conçue comme le pendant de Saint-Denis en France, lieu dynastique des rois français. Glastonbury devint le haut lieu de la légende arthurienne. C'est alors que furent « inventées », en 1191, les tombes de Guenièvre et d'Arthur. La nécropole arthurienne créée à Glastonbury par les rois Plantagenêt fait d'Avalon — le nom littéraire de l'abbaye ? — un lieu charismatique [1]. Bien souvent les lieux prestigieux, on le sait, servent à consolider la mémoire légendaire, et c'est dans ce contexte, où l'écrit des chroniqueurs rejoint la mission assignée aux lieux, que Wace écrit son œuvre.

Robert de Boron, qui relate au début du XIIIe siècle le périple du Graal parti de Jérusalem pour aller précisément vers le royaume de Logres, c'est-à-dire l'Angleterre, a-t-il eu quelque rapport avec le milieu anglais ? Aucune preuve ne permet d'affirmer qu'il y ait puisé de quoi christianiser la légende car ses contacts avec l'Orient ont pu également le nourrir des matériaux nécessaires à l'élaboration très particulière de la légende dans son œuvre. Chez Robert de Boron en tout cas l'insertion dans un projet divin fait que désormais, le temps de la Passion du Christ est lié au temps légendaire d'Arthur, puisque Joseph d'Arimathie se voit confier la mission d'évangéliser la Grande Bretagne !

Le *Brut* de Layamon, achevé un peu avant 1205, développe la matière de Wace : citant ce dernier comme sa source essentielle, il relate l'histoire des Bretons depuis les ancêtres de Brutus, fils d'Énée. Son œuvre est plus rude et plus barbare que celle de Wace, et il a eu un rôle moins important que son prédécesseur ; ce qui nous intéresse pour la circulation de la légende, est qu'il semble avoir puisé plus largement que Geoffroy et Wace dans les traditions orales des Gallois et des Irlandais, en particulier celles qui concernent les banquets fertiles en querelles et la coutume celte de s'asseoir en cercle autour du roi.

Aux côtés d'Arthur se dessine la figure de Merlin. Geoffroy s'était servi des bribes d'une tradition celtique, mais il lui appartient, là encore, d'avoir attribué une signification importante au personnage dans la constitution du monde arthurien. Avant de terminer son *Historia Regum*, Geoffroy avait dédié à l'évêque de Lincoln un manuscrit des *Prophetiae Merlini* : se rattachant à Nennius, il relatait l'histoire de l'enfant merveilleux qui a le pouvoir de prédire l'avenir au roi Vortiger. On estime cependant qu'il faut chercher l'origine de la figure de l'enchanteur sous les traits du héros brittonique Myrddin, auquel sont attribués des poèmes [2]. Le document le plus intéressant, le *Livre de Taliesin*, daté des environs de l'année 930, concerne la tradition d'un prophète qui annonce un sombre destin pour la Bretagne, plus précisément la bataille d'Arfderydd qui opposa en 573 Gwenddoleu aux fils d'Eliffer Gosgorddfawr [3]. Un autre poème

---

1. Glastonbury : Glastonia ? Glaestinbyrig ? Ile de Verre ? Ynis-witrin ? Le nom d'Avalon fut attaché à Glastonbury à cause d'Arthur qui y est porté après la bataille de Salesbières.
2. *Récits et poèmes celtiques*, p. 217 et ss.
3. *ibid.*, p. 221-222.

affirme déjà ce qui sera un leitmotiv des textes médiévaux : « Quant à moi, je prédis et ce sera vérifié... ! » A partir de cette tradition, Myrddin pouvait devenir un personnage de récit chez Geoffroy, qui vers 1150 devait rédiger une *Vita Merlini* où le don de prophétie est clairement affirmé. C'est dans ce texte aussi qu'apparaît l'Ile d'Avalon, l'Ile des Pommes, l'Ile Fortunée où vit la fée Morgain avec ses sœurs : Geoffroy se livre à une ample description de l'île mystérieuse où vivent neuf sœurs dont l'aînée, la plus belle, est Morgain, qui connaît l'art de guérir, l'art de la métamorphose et de la divination. Chez Geoffroy elle n'est pas encore, cependant, la demi-sœur d'Arthur.

Genèse complexe de la légende : deux traditions pour Merlin se joindraient ici, l'une qui concerne Myrddin, et l'autre, d'origine écossaise, qui aurait gardé le souvenir de Lailoken, prophète devenu fou à la suite d'une vision, et qui se réfugie dans la forêt, revenant de temps à autre pour prophétiser. Voici en tout cas, et sans rien hasarder sur les liens qui les attacheraient les uns aux autres, les éléments qui plus tard, au début du XIIIe siècle, seront développés chez Robert de Boron qui fera de Merlin une figure cohérente dans le récit et lui accordera la dimension d'un personnage chargé d'une importante mission. C'est alors que le monde du Graal pourra être rattaché aux légendes d'Arthur et de Myrddin, conjonction féconde qui assurera à la légende sa pérennité.

« Matière de Bretagne », « roman breton », « roman arthurien » : il n'y a pas d'équivalence stricte entre ces termes. C'est le premier d'entre eux qui a l'extension la plus grande, car il embrasse tous les récits issus du domaine celtique, les *Tristan* aussi bien que les récits qui se développent autour de la figure d'Arthur. La désignation « roman arthurien » centre le type de récit sur le personnage d'Arthur. Mais la « matière de Bretagne », ou le « roman breton », désigne bien tout l'ensemble des récits dont nous parlons ici, d'où émerge avec éclat le nom de Chrétien de Troyes.

Pour imaginer la genèse de son œuvre, il faut certes tenir compte de la tradition d'un Geoffroy ou d'un Wace, et par surcroît d'une tradition orale qui devait être intense, et qui n'a pas peu contribué à donner à la légende une *aura* considérable. Il faut en effet deviner une circulation importante de ces contes par voie orale, et par suite envisager des contacts directs entre le pays de Galles, les seigneurs anglo-normands et le continent. Les urgences politiques ont créé un accueil favorable à la légende et expliquent que la cour ait tant eu besoin de souligner son rôle culturel. Après la mort d'Henri Ier Beauclerc, la montée sur le trône d'Henri II Plantagenêt sera difficile ; ainsi la politique d'alliance avec les Bretons sera singulièrement confortée par la mise en scène de ce qu'on a pu appeler une « mythologie anglo-angevine », qui précisément permettait de rattacher la dynastie au roi Arthur.

A partir de ce moment le rythme de la diffusion sera frappant, et durant les années 1160 on assiste à une fermentation étonnante de la matière arthurienne, dont témoigne déjà la diffusion iconographique. Entre 1170 et 1210 la légende prend son assise et c'est alors que notre littérature s'enrichit d'une extraordinaire floraison de textes.

LE DÉVELOPPEMENT DE LA LÉGENDE : CHRÉTIEN DE TROYES

Comment les écrivains français ont-ils pu connaître cette « matière de Bretagne » ? L'Irlande, à cause de son isolement géographique, n'a probablement pas joué un rôle important. Il faut plutôt envisager les zones de contact entre celtes et français, entre le pays de Galles et la Cornouailles qui sont proches du continent, du domaine normand et de l'Armorique [1]. Deux thèses se sont affrontées : celle qui affirme que l'Armorique aurait été le lieu et la source de cette diffusion, l'autre qui ne reconnaît de rôle important qu'au pays de Galles et à la Cornouailles. On suivra une position médiane pour laquelle la « thèse continentale » et la « thèse insulaire » ne s'excluent pas, mais se complètent.

Imaginons ainsi un monde où, grâce à l'importance de la transmission orale, la légende fut confiée spontanément à une forme de colportage par les harpeurs et les jongleurs. Par ailleurs, et parallèlement, le rôle croissant du manuscrit et la fonction valorisée de l'écrit font connaître les récits et contribuent au prestige de la légende de Bretagne.

Si dans l'écrit jusque-là, la légende était prise en charge par la chronique imaginaire et par l'historiographie fabulée, elle sera désormais le sujet de genres narratifs précis. Pourtant à l'origine le mot « roman » ne désigne pas un genre de récit : il concerne la langue que parle tout le monde, la langue dite vulgaire, la langue romane qui n'est précisément pas la langue savante, le latin, langue des clercs. Puis, toujours maintenu dans un registre linguistique, le terme « roman » désigne un texte traduit du latin, et peu à peu un texte narratif rédigé directement en langue romane ; il désignera, pour finir, un genre narratif précis très éloigné de l'univers épique. Ainsi le genre romanesque et la langue ont-ils eu à l'origine des rapports étroits [2].

---

1. Jean Frappier, *Chrétien de Troyes,* Paris 1957, pour l'ensemble de la mise en situation de l'œuvre de Chrétien.
2. La langue d'oc, en revanche, utilisera plutôt le terme de « novas ».

Sources orales, sources écrites : il faut imaginer que Chrétien, le véritable créateur de notre « roman », a dû travailler aussi bien à partir de sources orales qu'à partir de manuscrits dont il aurait pris connaissance, de ce « livre » par exemple dont il parle au début de son *Perceval*, qui lui aurait été transmis par Philippe de Flandre. Cette oralité, la transmission de bouche à oreille était déjà bien soulignée par Wace :

> En cele grant pais ke jo di
> Ne sai si vus l'avez oï
> Furent les merveilles pruvées
> Et les aventures truvées
> Ki d'Artur sunt racuntees
> Ki a fable sunt aturnees.

Or dans le *lai*, récit court d'origine celtique qui se développe parallèlement au roman, dans le dernier tiers du XIIe siècle, sans pour autant jouir de la renommée du roman ni se léguer à la durée, l'acte d'écouter, d'apprendre par l'écoute, l'action d'« oïr », est fréquent. Cet accent sur l'oralité nous intéresse pour ce que nous imaginons de la diffusion de la légende arthurienne, car Marie de France affirme dans son prologue, vers les années 1170, qu'elle a entendu des lais bretons qu'elle veut mettre par écrit :

« [...] je me suis mise à former le projet d'écrire quelque belle histoire et de la traduire du latin en langue commune. Mais ce travail ne m'aurait pas valu grande estime car tant d'autres l'avaient déjà fait ! Alors j'ai songé aux lais que j'avais entendus. Je ne doutais pas, et même j'étais certaine, que leurs premiers auteurs et propagateurs les avaient composés pour perpétuer le souvenir des aventures qu'ils avaient entendu raconter. J'ai entendu le récit d'un certain nombre et je ne veux pas les laisser perdre dans l'oubli. J'en ai donc fait des contes en vers, ce qui m'a coûté bien des veilles ! »

Dans le prologue d'*Érec et Énide*, Chrétien semble, lui aussi, avoir eu une conscience très nette de l'usage d'un « conte d'aventure » dont il va tirer un « roman » : « Chrétien de Troyes [...] tire d'un conte d'aventure une histoire bien ordonnée. » Entendre un conte ou le trouver dans un livre : c'est le flux et la conjonction des deux apports qui explique la genèse du genre romanesque chez Chrétien de Troyes. Roman en vers à l'époque, car dans ce dernier tiers du XIIe siècle, la forme narrative est le vers de huit syllabes. La prose dont on faisait usage concernait des textes latins ou la traduction de textes latins, bien souvent sacrés. La prose romanesque ne naîtra qu'au début du XIIIe siècle.

Quant à l'arrière-plan celtique, il est tout à fait évident chez Chrétien de Troyes, par les noms de ses héros et surtout par les motifs des fictions qui montrent que nos romans arthuriens sont vraiment alimentés par la « matière de Bretagne ». Sans reprendre fidèlement les trames mythiques des récits d'Irlande, ces thèmes peuvent être aisément localisés : il s'agit des amours de mortels et de fées, de la quête d'objets magiques, d'interdictions et de transgressions, de métamorphoses aussi, et surtout de voyages vers des séjours merveilleux où le temps s'abolit, vers un « Autre Monde », qui évoque cet Autre Monde des Celtes, bien souvent évoqué par des îles, des domaines sous la mer ou des tertres que l'on croyait le pays des morts. Les deux mondes communiquent par des frontières que l'on peut reconnaître chez Chrétien de Troyes, bien qu'elles aient pris les aspects plus familiers de l'époque féodale : un pont, un gué, le parcours d'une forêt au cours d'une chasse. Les *aventures* de nos récits arthuriens sont très largement organisées sur ces motifs, rationalisés par un revêtement féodal et courtois. La tradition celtique qui faisait une large part à des séquences de navigation (les *Imrama*) avait d'ailleurs très vite été intégrée dans des récits chrétiens comme le *Voyage de saint Brendan* au XIIᵉ siècle, car l'accès à un monde merveilleux où règne l'abondance rejoint sans peine la quête symbolique de Dieu.

Clerc cultivé de la cour de Marie de Champagne, Chrétien de Troyes met en scène des héros déjà attestés par des récits celtiques qui sont aussi à la source de *Gereint et Enid,* d'*Owein et Lunet* et de *Peredur.* Mais les textes gallois correspondant à ces récits de Chrétien ne sont pas des traductions résumées des romans de Chrétien, pas plus qu'ils n'ont été la source de Chrétien. Aujourd'hui, on s'oriente volontiers vers la théorie d'une source commune. Survivance d'une source locale ? importation de cette source en territoire français ? Même ces incertitudes permettent de deviner à quel point l'activité de Chrétien a été novatrice, à quel point il a su tirer parti d' une croisée de traditions. Le sénéchal Keu est investi d'un rôle relativement important, plus précisément encore Gauvain et Guenièvre. Si la Guenièvre galloise possédait des traits féeriques, nombre d'autres traditions soulignent qu'elle est bien venue d'un Autre Monde. Or chez Chrétien la figure féerique devient le modèle d'une souveraine pourvue de qualités courtoises remarquables, de sagesse et de générosité, le digne pôle d'Arthur. Quant à la figure royale, elle prend belle allure chez le romancier français : Arthur cautionne la « chevalerie » et les exigences d'un code idéal de comportement. Il est le roi qui sait témoigner de la libéralité sans fin, selon le mérite de chacun, en toute justice. Il est la clef de voûte d'un beau rêve.

Ainsi, dans les récits de Chrétien de Troyes, un cycle de personnages se constitue, qui fournira la matrice dans laquelle puiseront les continuateurs. Si nous lui devons ce qu'on a appelé la naissance du véritable roman français, c'est par l'estompage des données mythologiques, qui continuent à fournir une structure narrative stable, en faveur d'un approfondissement psychologique des personnages. Le chemin initiatique de Perceval en est la meilleure illustration.

Dans son premier roman déjà, *Érec et Énide*, vers les années 1165-1170, Chrétien entend bien souligner le lien de l'amour et de la prouesse, la nécessité de l'accomplissement de soi dont le désir amoureux est l'origine. Érec, fils du roi Lac, doit apprendre à concilier l'amour et l'aventure. Sa *recreantise* après son mariage avec Énide engendre la consternation de son entourage et de son épouse. Il lui faut reconquérir son mérite et regagner Énide. Inversement, dans *Le Chevalier au lion*, Yvain a oublié la promesse faite à sa femme Laudine ; emporté par l'amour de la gloire chevaleresque, il a rompu un contrat qui lui assignait le terme du retour. Repoussé, il part fou de chagrin et amnésique vers la forêt où il vit en homme sauvage. Il lui faudra parcourir un long chemin d'accomplissements pour parvenir à l'aventure qui lui fera regagner Laudine. Mais pour cela, en ultime épreuve, il devra délivrer les prisonnières du Château de Pesme Aventure.

Cligès vers 1170 fait la part belle à l'héritage antique et c'est aussi le récit où se confirme le raffinement de l'investigation psychologique. Si Chrétien a largement emprunté à la tradition celtique, il l'a nourrie de références tirées d'un monde littéraire qu'il connaissait. Et les éléments de sa psychologie de l'amour, qui disent assez l'influence des lettres antiques au Moyen Age, nous rappellent en même temps que le romancier s'était intéressé à ses débuts à des adaptations d'Ovide.

Le Chevalier à la charrette fut commandé à Chrétien par Marie de Champagne : si la trame est constituée par les épreuves des récits celtiques (en particulier un récit d'enlèvement, l'*aithed* celtique) la dominante, l'idée directrice, ce qu'on appelle le « sen », est celle d'un grand enseignement sur ce que doit être l'amour courtois, la *fin'amor*. Lancelot doit à tout moment se montrer un amant parfait, et dans le cadre de ces relations, singulières pour le lecteur d'aujourd'hui, qui attachent l'amant à sa dame, laquelle se comporte en seigneur parfois impitoyable, c'est l'absolu de l'amour qui imprègne le roman.

Perceval ou le Conte du Graal, commencé vers 1180 mais resté inachevé, ne cessera d'être le grand référent des cycles qui vont le continuer. Ce récit d'un enfant tenu volontairement à l'écart de la vie chevaleresque, se poursuit par l'apprentissage difficile du code amoureux et de l'exploit, roman d'initiation jusqu'à l'épreuve énigmatique du Château du Graal qui restera chez Chrétien de Troyes une quête non aboutie [1].

---

1. *Perceval le Gallois ou le Conte du Graal* est traduit dans ce volume et précédé d'une introduction spécifique.

C'est à Chrétien de Troyes que revient le mérite d'avoir tiré du fonds breton la matière de ses romans. Par ailleurs l'affirmation de son rôle de créateur est claire dans le prologue du *Chevalier à la charrette,* dans les vers célèbres qui en décrivent l'activité : c'est l'idée organisatrice, la signification, qui engage la responsabilité d'une architecture de l'ensemble et de l'agencement des éléments tirés d'une matière :

« Chrétien commence à rimer son livre sur *Le Chevalier à la charrette.* Il tient de la comtesse, en présent généreux, la *matière* avec l'*idée maîtresse,* et lui veille à la *façon* » (*matiere, sen et conjointure*).

Chez Chrétien, le roi Arthur est véritablement installé « en littérature », sa cour est le centre de ralliement des meilleurs chevaliers du monde. C'est la première fois dans la littérature européenne qu'on évoque la légende du Graal : à Chrétien revient, semble-t-il, l'initiative de lier à Arthur la légende du Graal. C'est à lui aussi que revient l'idée de rattacher l'histoire de Perceval et celle du Graal. A partir de ces éléments le romancier permettait le développement de ce que proposaient les textes qui l'avaient précédé, il offrait matière à des créations nouvelles. Le mythe et ses virtualités, nourri d'éléments chrétiens, fait place au héros élu, prédestiné dont l'ascendance se devine douloureusement et dont l'initiation restera ouverte aux récits qui suivront.

Ainsi l'œuvre de Chrétien devient un pivot autour duquel vont s'organiser tous les récits des temps à venir, qu'il s'agisse des *Continuations de Perceval* — puisque son roman est resté inachevé — ou des références explicites à son œuvre dans tel ou tel récit en vers du xiiiᵉ siècle ; qu'il s'agisse de l'usage des personnages de la cour d'Arthur, tel que le roman occitan *Jaufré*[1] saura l'évoquer ; qu'il s'agisse enfin de l'influence de la casuistique amoureuse qu'il a si remarquablement développée dans le *Cligès* et dont font usage des récits comme le roman de Raoul de Houdenc, ou *Jaufré* et *Le Chevalier au Papegau*[2], sur des registres malicieux et probablement volontairement parodiques.

On n'interrogera jamais assez la symbiose des demandes du public et de la genèse des œuvres : il est un fait, c'est que la légende arthurienne en fut fortement stimulée, autant pour la production des œuvres que pour l'imprégnation de la société par cet imaginaire qui lui fournira un monde de rêves dont elle avait bien besoin, à travers un idéal de comportements qu'elle voudra mettre en acte dans un réel souvent difficile. Ainsi c'est à un niveau largement international

---

1. Ce roman en langue d'oc est traduit dans ce volume et précédé d'une introduction spécifique.
2. Ce récit tardif de la légende arthurienne est traduit dans ce volume et précédé d'une introduction spécifique.

que la légende se répand à partir des années 1180-1190. Imitant la dynastie des Plantagenêt, de grands personnages de l'époque se mettent à commander des œuvres, suscitent la création d'épisodes nouveaux, qui développent les aventures de personnages connus, en choisissant par exemple un personnage typiquement « courtois » comme Gauvain, ou en inventant dans leur entourage des héros secondaires qui deviennent personnages principaux d'un récit, tel Gliglois dans le roman du XIIIe siècle qui porte son nom [1].

A titre d'exemple : un témoignage de cette expansion est la pénétration précoce de la légende en Italie et en Allemagne au début du XIIIe siècle, en Scandinavie vers les années 1220-1230, aux Pays-Bas vers les années 1230-1250. Le passage du vers à la prose semble avoir largement favorisé cette expansion, bien que les romans en vers de Chrétien aient constitué directement pour Hartmann von Aue, en Allemagne, la base des remaniements d'*Yvain* et d'*Érec*.

Et parallèlement à la connaissance des écrits, on aimerait cerner à l'époque l'importance de la diffusion orale. Au niveau d'un colportage de cour en cour, il importe d'évoquer plus précisément la façon dont on prenait connaissance des textes. Le public de l'époque écoutait plus qu'il ne lisait. Si l'on en croit les enquêtes d'une sociologie de la culture médiévale, la lecture silencieuse et solitaire semble ne s'être répandue, et avec lenteur, qu'au cours du XIIIe siècle. Telle formule du *Perlesvaus* [2] semble faire allusion aussi bien à une transmission individuelle qu'à une transmission d'individu à individu par la voix. Mais peut-être ne s'agit-il que d'une formule de récit ! Dans la diffusion du légendaire il faut en tout cas signaler une inauguration de poids chez Chrétien, dont les romans constituent le premier genre narratif en langue vernaculaire destiné à être lu. Et pour situer Chrétien dans son siècle, si avec Wace la « Table » Ronde rime avec « fable » (« ... la Rounde Table/ Dunt Bretun dient mainte fable »), désormais la littérature marque bien qu'elle est fiction et elle revendique ce statut comme un acte fondateur. Ainsi par la suite, et non sans fierté, l'auteur de chaque récit pourra-t-il pressentir qu'il prend place dans un ensemble culturel que Chrétien préside, comme un maître. Chaque œuvre se sent la partie émergée, ou l'excroissance, d'une vaste histoire [3].

---

1. *Gliglois* est traduit dans ce volume et précédé d'une introduction spécifique.
2. Le *Perlesvaus* est traduit dans ce volume et précédé d'une introduction spécifique.
3. Michel Zink, « Chrétien et ses contemporains », *The Legacy of Chrétien de Troyes*, p. 5-32 : pour le rôle du romancier champenois, son innovation essentielle semble bien la revendication de la *fable*.

APRÈS CHRÉTIEN DE TROYES

Il faut rendre justice à ces textes, trop peu connus, qui ont voulu prendre la suite de Chrétien de Troyes et que l'on appelle les *Continuations Perceval.* La première est représentée dans ce volume par un récit d'une grande cohérence qui relate la naissance et l'aventure magique du héros Caradoc (*Le Livre de Caradoc* [1]). Pour la diffusion et la structure de la légende, les *Continuations* sont d'une grande importance. De la *Première Continuation* qui date de la fin du XIIe ou du début du XIIIe siècle, il faut savoir qu'elle suit le personnage de Gauvain et comporte des versions différentes, une version longue et une version courte, la plus longue d'environ 12 000 vers. Il en est de même pour la *Seconde Continuation* qui concerne Perceval (13 000 vers) et qui a dû être rédigée sous l'autorité de Wauchier de Denain, clerc à la cour de Flandre. La *Troisième Continuation* attribuée à Manessier, vers 1230, termine l'histoire de Perceval qui succède au Roi Pêcheur ; la *Quatrième Continuation,* qui date du deuxième quart du XIIIe siècle, attribuée à Gerbert de Montreuil, n'a pas mené à son terme l'aventure du Graal. Ces deux dernières *Continuations* orientent le motif du Graal dans un sens nettement religieux et témoignent de la christianisation progressive de l'aventure singulière.

Une étape importante sera franchie par Robert de Boron, chez qui le Graal est véritablement christianisé : il rassemble en un projet d'ensemble les éléments souvent groupés déjà dans le passé, qui s'intègrent ici dans une intention explicative très ample. Chez Robert de Boron la cour du roi Arthur a été voulue par Merlin, maître du temps et agent de Dieu ; le Graal est devenu une relique, le plat de la dernière Cène, et le récipient dans lequel Joseph d'Arimathie a recueilli le sang du Christ.

Clerc de grande culture, Robert de Boron a certainement lu Wace et Chrétien, et probablement certains historiographes. Comme auteur, il est difficile cependant de le cerner : on lui a attribué l' *Estoire dou Graal* qui relate l'origine biblique du Graal et l'arrivée de Joseph d'Arimathie avec la relique à Glastonbury. A sa suite son fils Joséphé devient le gardien du Graal. De son *Merlin,* cinq cents vers seulement sont conservés ; en revanche une version en prose nous est restée. Quant à son *Perceval,* dont la version en vers est perdue, il nous est connu par deux manuscrits en prose que l'on appelle le *Didot-Perceval* et *Perceval de Modène* [2].

---

1. *Le Livre de Caradoc* est ici traduit et précédé d'une introduction spécifique.
2. Le *Merlin* et le *Perceval* en prose, attribués à Robert de Boron, ont été traduits dans ce volume et présentés sous le titre : *Merlin et Arthur : le Graal et le royaume.*

Les mises en prose de Robert de Boron ont été effectuées vers 1200-1210, ce qu'attestent plusieurs manuscrits de l'époque. Or le phénomène important est l'usage de la prose. Grâce à cette forme nouvelle, la matière du Graal se trouve authentifiée : comme la prose servait auparavant une fonction grave — traduction ou commentaire de textes sacrés — il est significatif qu'elle vienne ici valoriser ce qui est raconté, apporter au récit un crédit qui favorisera la diffusion de la légende arthurienne. Dès lors il se crée même une relation étroite entre prose et récit du Graal, à tel point que si les *Continuations de Perceval* sont encore en vers, à partir du xiiie siècle chaque nouvelle version d'un récit sur le Graal sera en prose [1]. L'ensemble ici traduit sous le titre *Merlin et Arthur : le Graal et le royaume* veut rendre hommage à l'ampleur du projet de Robert de Boron.

L'inachèvement du *Perceval* avait suscité une fièvre de continuations, et si dans ce volume le *Perlesvaus* est placé à la suite de *Perceval,* c'est bien qu'il constitue la suite directe du roman de Chrétien. Il reprend en effet à l'endroit où s'interrompent les aventures de Perceval dans le *Conte du Graal,* au moment où Perceval va quitter l'ermitage de son oncle. Cet admirable récit diversifie les quêtes : il suit celle de Gauvain, dont le succès est contestable, il suit la quête de Lancelot, mais mène à son terme la quête de Perceval. A la portée religieuse et allégorique, le récit associe une qualité de fantastique surprenante.

Si au xiiie siècle le roman en vers fait une large place à Gauvain, qui devient le héros central de sept récits qui s'attachent à ses aventures, ce héros, dans le roman en prose, n'est qu'un personnage secondaire. Dans *La Quête du Saint Graal,* Gauvain souffre en effet d'un jugement de valeur : il est exclu de la quête, étant trop attaché aux valeurs « terriennes » : « Gauvain, lui dit l'ermite, voici bien longtemps que tu es chevalier et durant tout ce temps tu n'as guère servi ton Créateur. Tu es un vieil arbre qui ne porte plus ni fleur ni fruit. Fais donc en sorte que Notre-Seigneur ait au moins de toi l'écorce et la moelle puisque le Diable a eu la fleur et le fruit [2]. » C'est dire qu'il apparaîtra peu dans les proses qui témoignent d'un projet spirituel. Loin d'être un simple outil formel, la prose démontre ainsi qu'elle illustre un choix d'intentions : elle prendra pour personnages principaux Perceval, Lancelot et son fils Galaad,

---

1. Emmanuèle Baumgartner, *The Legacy of Chrétien de Troyes,* « Les techniques narratives dans le roman en prose », p. 167-190 : inversement tout roman en prose au xiiie siècle sera proche du Graal.
2. *La Quête du Saint Graal,* trad. E. Baumgartner, Paris, 1979, p. 149.

marquant quel est son propos essentiel par rapport aux récits en vers, l'élaboration d'un univers romanesque soucieux de son origine et de ses fins, qui s'intéresse par suite à l'inscription dans le temps de tous les récits préexistants [1].

Au XIIIe siècle les textes en vers resteront cependant nombreux. Signe des temps : après les *Continuations* le Graal y sera peu à peu abandonné. Arthur et Lancelot semblent moins importants ; en revanche les romans privilégient Gauvain, tantôt à travers l'exaltation des vertus courtoises, tantôt comme personnage décidément bien futile.

De cette vogue notre livre veut rendre compte en proposant une sorte d'ensemble dont Gauvain est le héros. *L'Atre périlleux* en est le cœur, mais *La Demoiselle à la mule* et *Hunbaut* [2] apportent beaucoup à l'image du personnage, par une forme de mondanité témoignant d'un goût romanesque qui aura probablement longue portée dans la société médiévale.

Dans le domaine de la prose, entre 1215 et 1235, un grand ensemble est élaboré en cinq parties dont voici l'ordre de composition : le *Lancelot, La Quête du Saint Graal, La Mort le roi Artu*, auxquelles sont venues s'ajouter *L'Estoire del Saint Graal* et *L'Estoire Merlin* qui ne sont pas celles de Robert de Boron. Le *Lancelot*, dit *Lancelot-propre* [3], constitue la moitié de ce très vaste ensemble ; il relate l'histoire de Lancelot : son origine, sa jeunesse, son arrivée à la cour d'Arthur, l'inclination naissante pour Guenièvre, l'amitié de Galehaut, l'épisode de la fausse Guenièvre, les quêtes entreprises par divers chevaliers dont Gauvain, pour retrouver Lancelot, puis les aventures d'Agravain frère de Gauvain, la conception de Galaad, à l'insu de Lancelot même, dans le château du roi Pellés, et vers la fin de cet ensemble, le jeune Perceval se joint aux personnages principaux. *La Quête du Saint Graal* est spécifiquement consacrée à la quête de l'objet mythique, qui apparaît au cours de la Pentecôte. Les chevaliers décident alors d'entreprendre leur quête. Si Lancelot n'aperçoit que très rapidement le Graal, Bohort, Perceval et Galaad partent sur la nef de Salomon et arrivent au pays de Sarras où Galaad voit les secrets ultimes du Graal. Seul Bohort reviendra à Camaalot pour relater les événements prodigieux. Le récit, d'une facture admirable, très moderne par l'abondance des songes qui

---

1. Voir les judicieuses analyses d'Emmanuèle Baumgartner, *The Legacy of Chrétien de Troyes*, « Les techniques narratives dans le roman en prose », p. 170.
2. *L'Atre périlleux, La Demoiselle à la mule* et *Hunbaut* sont traduits dans ce volume et précédés d'une introduction spécifique.
3. Le *Lancelot-propre* est souvent divisé en trois parties : 1. *Galehaut* (jusqu'à la mort de celui-ci) 2. *La Charrette* (proche du roman de Chrétien de Troyes) 3. *L'Agravain*.

cherchent une élucidation, est tout imprégné d'esprit cistercien. Le dernier récit de l'ensemble est *La Mort le roi Artu* — dont une autre version, celle de Robert de Boron, plus succincte, conclut dans ce volume *Merlin et Arthur : le Graal et le royaume* — se consacre au crépuscule de l'univers de la Table Ronde. Les amours de Guenièvre et de Lancelot sont désormais connues et condamnées. Par la perfidie de Morgain, Arthur en a la funeste révélation. Lancelot et Gauvain s'affrontent. Depuis la mort du Christ jusqu'à l'effondrement arthurien : la belle architecture se conclut par la bataille de Salesbières où Mordret, le fils bâtard, porte à Arthur son père le coup dont il mourra.

Ce grand cycle en prose sera pour les remanieurs qui vont suivre un grand réservoir de récits. Il s'attache en effet à une temporalité ample et féconde, depuis les origines dans l'Écriture sainte, depuis l'histoire de Joseph d'Arimathie jusqu'au premier roi du Graal à Corbénic, de la naissance de Merlin jusqu'à la conception d'Arthur. A travers la création de la Table Ronde par Merlin, il suit la marche progressive vers la dégradation du monde arthurien.

La fortune de l'histoire de Tristan est parallèle à ces créations : c'est à la même époque que naît un *Tristan* en prose, dont il existe une version courte et une version longue qui intégrera Tristan au monde arthurien.

Parallèlement se poursuit la création de récits en vers, dont beaucoup, on l'a vu, ont pris Gauvain pour personnage central ou l'un de ses proches — son fils par exemple qui est Guinglain, dans *Le Bel Inconnu* —, ou d'autres personnages, liés d'une façon ou d'une autre au monde arthurien. Ainsi Méraugis est un fils naturel du roi Màrc de Cornouailles (*Méraugis de Portlesguez* [1]), Yder roi de Cornouailles (*Le Roman d'Yder*), Mériadeuc (*Le Chevalier aux deux épées*), Gliglois un proche de Gauvain (*Gliglois*), Durmart fils du roi de Galles et de Danemark (*Durmart le Gallois*), Fergus fils d'un « riche vilain » et d'une mère noble (*Le Roman de Fergus*). De longs récits seront composés en vers, tel *Claris et Laris,* qui témoignent que le goût du public n'était pas encore désenchanté. Dans le domaine provençal la présence d'éléments arthuriens est attestée par *Le Roman de Jaufré* et par *Blandin de Cornouaille* [2].

Pour les temps qui vont suivre, la légende arthurienne fournira à la société médiévale — qu'il s'agisse de la grande noblesse, de la moyenne ou petite noblesse ou du patriciat — des fantasmes d'identification. Les pratiques sociales intègrent les personnages et les rituels de la Table Ronde. Durant la première moitié du xive siècle,

---

1. *Méraugis de Portlesguez* est traduit ici et précédé d'une introduction spécifique.
2. *Blandin de Cornouaille* est traduit dans ce volume, et précédé d'une introduction spécifique.

Le Roman de Perceforest et, durant la seconde moitié de ce siècle, le long roman de Froissart *Méliador* [1], *Le Roman d'Isaïe le Triste* et, plus tard encore, *Le Chevalier au Papegau*, témoignent de la vitalité de la légende.

Durant le Moyen Age dit finissant, période non de déclin mais de distance apaisée avec les héritages, la survivance de la matière de Bretagne est tout à fait intéressante chez l'auteur des *Chroniques* et des *Dits* : Froissart nous livre ce qui a bien été le dernier roman arthurien en vers: Et d'une façon originale, par une distance critique et un type d'écriture que l'on a dit « déceptive » [2] : le cadre arthurien est repris, mais l'écrivain s'en affranchit et prend de l'audace vis-à-vis de sa matière. Ainsi il sait créer des « indices » qui semblent annoncer une séquence tirée de la tradition, mais cette attente est gommée, forme de suspense qui témoigne d'un art fort savant. La chasse au cerf ne débouche pas sur le merveilleux attendu. Froissart réécrit de façon ludique, avec une conscience délibérément affirmée des pouvoirs de l'écrivain. Un point tout à fait intéressant pour la temporalité de ces récits : le *Méliador* aussi bien que *Le Chevalier au Papegau* — et dans ce dernier cas le stratagème est subtil, puisque le héros du récit est Arthur lui-même — situent la fiction avant les grands exploits de la Table Ronde, avant même qu'on ait entendu parler de Merlin, disent quelques vers du *Méliador,* tout au début du règne et avant le mariage avec Guenièvre, disent les premières lignes du *Chevalier au Papegau.*

Des questions sur la transmission de la légende resteront, hélas, sans réponse : la belle floraison des textes a été léguée par de nombreux manuscrits, mais le Moyen Age est une longue époque aux témoignages lacunaires. Ainsi on ne sera jamais en mesure de connaître une information complète sur les commandes de manuscrits, leur élaboration, leurs différentes versions, sur un flux que l'on a tenté de cerner, que l'on a bien souvent été condamné à imaginer.

Le monde de l'imprimé, qui donne stabilité aux matières narratives, rendra justice à la mémoire de ces textes. Il ne faut pas négliger cette transmission de l'art nouveau qui prospère pour les récits à partir de 1480. Ce sont des preuves matérielles d'un goût prononcé pour les romans de la Table Ronde : le *Lancelot* en prose *(Le Lancelot propre, La Quête du Saint Graal, La Mort le roi Artu)* est imprimé huit fois entre 1488 et 1591 ; de même l'*Histoire de Merlin* et les *Prophéties de Merlin* entre 1498 et 1528, et le *Tristan* en prose

---

1. De larges extraits du *Méliador* de Froissart sont traduits et présentés dans ce volume.
2. Florence Bouchet : « Froissart et la matière de Bretagne ; une écriture déceptive », dans *Actes du XVᵉ congrès international arthurien* de Louvain en 1987 (à paraître).

entre 1489 et 1533. *Le Roman de Jaufré* sera imprimé trois fois dans sa version en prose française ; on a imprimé une mise en prose du *Bel Inconnu*, deux éditions de *Perlesvaus* en 1514-16 et 1523, deux de *Perceforest* en 1528 et 1531-32, une édition en 1530 de *Perceval le Gallois*, qui est une version en prose du roman de Chrétien de Troyes. C'est le milieu des imprimeurs dans les grands centres de diffusion du livre de l'époque, à Paris et à Lyon, à Rouen aussi, qui témoigne ainsi de son activité. « Plusieurs milliers de volumes consacrés à la légende arthurienne furent imprimés et vendus au public avant 1600 [1].» Les romans de la Table Ronde ont été lus et appréciés au temps de l'Humanisme : les inventaires de bibliothèques privées ont laissé leurs preuves. Si les récits arthuriens ne sont pas passés à l'édition populaire, et si Montaigne en parlait avec condescendance (« tel fatras de livres à quoy l'enfance s'amuse... »), l'accueil a été plus que bienveillant auprès des grands lettrés de l'époque, qui ont au moins su y voir l'ingéniosité des procédés narratifs.

LA LÉGENDE ARTHURIENNE :
LE MYSTÈRE DU GRAAL

Dans l'imaginaire du Moyen Age, dans le nôtre aussi, le Graal occupe une place de privilège. Dans sa nature indéterminée et variable, selon l'écrit médiéval aussi bien que dans nos métaphores, le Graal signifie la recherche de l'impossible. Lié à la symbolique du repas, le Graal jouissait de belles promesses pour la durée, par la séquence énigmatique qui se propose de texte en texte, tantôt christianisée, tantôt bien proche encore de la tradition celtique.

Diverses explications ont été proposées. Des défenseurs d'une thèse chrétienne veulent voir dans le Graal — qui chez Chrétien n'est qu'un large plat creux où l'on sert une hostie — un ciboire ou un calice, et dans le tailloir d'argent une patène, dans la lance qui saigne la sainte Lance. Le cortège serait alors le processus liturgique d'une communion de malade qui reçoit le saint Viatique.

D'autres, suivant Frazer, ont défendu une thèse païenne et rituelle qui rattacherait le cortège à un culte de la fécondité et de la végétation. Il est vrai que la stérilité des terres redit la blessure du Roi Mehaignié, et Perceval aurait ainsi manqué son initiation à un mys-

---

1. Cedric Pickford, cité par Jean Frappier dans son article sur « La Table ronde au xviᵉ siècle », dans *Amour courtois et Table Ronde*, Genève, 1973, p. 266. L'ensemble des chiffres relevés concernant les éditions des récits de la Table Ronde provient de l'article de Jean Frappier, ainsi que les informations concernant la réception de la légende arthurienne dans les milieux du xviᵉ siècle.

tère, puisque Lance et Graal seraient deux symboles de la sexualité. Mais les excès d'une vieille mythologie comparée ont été soulignés [1]. Ceux, nombreux, qui défendent la thèse celtique [2] invoquent des motifs qui se retrouvent dans nombre de récits d'Irlande et du pays de Galles, où un récipient magique, une écuelle ou un chaudron d'abondance possèdent la vertu magique de dispenser boisson et nourriture à volonté. Talismans de l'Autre Monde : la lance elle aussi apparaît fréquemment dans le domaine celtique, celle du dieu Lug, celle du dieu Œngus, la lance rouge et noire de Mac Cecht, la lance de Celtchar, enfin la lance du roi Arthur, capable de faire saigner le vent [3].

Le Graal pose la question non résolue de la christianisation d'un conte, celle aussi de l'agencement d'éléments provenant de plusieurs contes différents. Des scénarios énigmatiques défilent ainsi dans notre littérature arthurienne : à chaque fois, des objets mystérieux et un héros fasciné qui contemple, dont le silence dure trop... La liturgie du regard, du silence et de l'échec renvoie Perceval et Gauvain à leur misère. Christianisation progressive et discontinue du mystère du Graal, on l'a souvent dit : des significations religieuses sont venues surdéterminer des motifs, des lieux et des noms celtiques.

Le Graal aujourd'hui reste encore partiellement attaché à son mystère. Mystère du nom d'abord : Chrétien emploie le mot *Graal* pour désigner un récipient, un objet précis. Le sens du mot est attesté comme *écuelle* ou *plat*. Un passage de la chronique d'Hélinand au début du xiiie siècle, rapporte une certaine histoire « quae dicitur de Gradali » : il donne la définition de l'objet, l'image d'un plat creux, probablement large [4]. Cette image a pour ancêtre dans le latin médiéval le mot *gradalis,* mais il existe aussi en provençal, ce qui le ramène à la représentation d'une écuelle, d'une jatte, d'un grand plat, il évoque donc un service de table.

Cet étrange objet, qui apparaît avec obsession dans les séquences du Graal, ne se trouve que chez le Roi Mehaigné dont la terre est stérile. Chez Chrétien d'abord, Perceval voit passer une lance blanche d'où tombe une goutte de sang. Un Graal porté par une

---

1. J.H. Grisward, « Des Scythes aux Celtes. Le Graal et les talismans royaux des Indo-Européens », dans *Artus,* n° 14, 1983, p. 15-22.
2. Comme l'ont fait R.S. Loomis, J. Marx et J. Frappier (voir bibliographie générale en fin de volume).
3. Jean Frappier, *Chrétien de Troyes et le mythe du Graal. Étude sur Perceval ou le Conte du Graal,* Paris, 1972 et 1979, en particulier le chapitre VIII « Les origines du mythe et le symbolisme des objets merveilleux dans le *Conte du Graal* », p. 163-212.
4. « Gradalis autem sive gradale gallice dicitur scutella lata et aliquantulum profunda, in qua pretiosae dapes cum suo jure divitibus solent apponi gradatim, [...] et dicitur vulgari nomine *Graalz* », cité par J. Frappier dans *Chrétien de Troyes,* Paris, 1957 et 1969, p. 188.

demoiselle répand une étrange clarté. Il est d'or pur, serti de pierres précieuses. « Aucun mot n'est sorti de ma bouche » : Perceval le Gallois au nom enfin retrouvé est en même temps Perceval l'Infortuné ! Comme pour ceux qui vont le suivre, la Terre restera Gaste.

Dans la *Première Continuation* — et ceci parallèlement au moment où Robert de Boron donnait une interprétation très religieuse de la scène — le lien est affirmé avec la matière celtique. Gauvain se trouve devant une scène funèbre : une bière, un cadavre, une épée brisée. Il reste aussi silencieux que Perceval ; on apprend pourtant qu'il s'agit de la lance de Longin qui a percé le côté du Christ mort sur la Croix. La vision du Graal est ici sanglante ; le plat magique effectue un mystérieux service sous les yeux de Gauvain qui voit ensuite une lance saignant abondamment. Le sang repart dans un tuyau d'or.

Dans la *Seconde Continuation*, Perceval tente d'éclaircir le mystère, et la *Troisième Continuation* fait aboutir la visite du héros au Château du Graal : la lance qui saigne est la lance de Longin, le Graal est le récipient qui a recueilli le sang du Christ. Quant au « tailloir » il recouvrait le Graal. Ainsi Perceval est couronné roi du Graal après la mort du Roi Pêcheur, il règne sept années durant, puis se retire dans un ermitage avec les trois objets sacrés, le Graal, la lance et le tailloir.

Un texte étrange, l'*Élucidation* placée en tête d'un manuscrit de *Perceval* et des *Continuations* parle plus clairement d'un arrière-plan celtique. Des fées des puits, raconte ce court récit, auraient possédé des coupes d'or et d'argent. Violées, elles auraient laissé dépérir le pays ; plus de feuilles, plus de fleurs, les cours d'eau sont raréfiés, la cour du riche Roi Pêcheur, roi de fécondité, est perdue. Mais ceci se passait avant le temps du roi Arthur, dont les chevaliers tenteront de protéger les demoiselles des puits et de rendre au pays la prospérité.

En revanche chez Robert de Boron, le Graal apparaît bien comme la relique précieuse qui a servi au Christ à Pâques. Il faut faire revivre le rituel qui redit la Cène et qui se perpétue, après la mort de Joseph, par le Roi Pêcheur, nommé Bron.

Dans le *Lancelot* en prose, Lancelot pourrait espérer approcher le Graal, car seule la perfection courtoise en procure l'accès mais il ne pourra qu'apercevoir l'objet sacré. Dans le *Perlesvaus*, une séquence au rythme singulier décrit l'extase et l'hébétude de Gauvain : devant le spectacle de la lance d'où tombe le sang vermeil, devant le Graal dans lequel il croit apercevoir un enfant, Gauvain en proie à une joie intense oublie tout : il ne pense qu'à Dieu. Mais il ne dit mot et tous sont alarmés et consternés. Car la Terre est Gaste là aussi, que traversent Gauvain et la demoiselle entrant dans la plus effroyable des forêts, là où « il semblait que jamais il n'y avait eu la moindre verdure ; les branches étaient dénudées et sèches, les arbres noirs et comme brûlés par le feu, et la terre à leurs pieds noire et comme incendiée ne portait aucune végétation et était parcourue de profondes crevasses ».

Dans *La Quête du Saint Graal,* à la fin du récit, Galaad voit une lance qui saigne si fort que les gouttes de sang tombent dans un coffret. Un homme nu, tout ensanglanté apparaît : « C'est l'écuelle où Jésus-Christ mangea l'agneau le jour de Pâques avec ses disciples. C'est l'écuelle qui a servi à leur gré tous ceux que j'ai trouvés à mon service. C'est l'écuelle que nul impie n'a pu voir sans en pâtir, et parce qu'elle agrée ainsi à toutes gens, elle est à juste titre appelée le Saint Graal [1]. »

Dans la version allemande de Wolfram von Eschenbach, qui a eu pour sources des manuscrits du roman de Chrétien de Troyes, Parzival devient chevalier arthurien et même roi du Graal. L'ermite Trevizent, oncle de Parzival, lui révèle que le Graal est une « pierre », dont le nom ne se traduit pas : *lapsit exillis.* L'objet magique dispense là aussi nourriture et boisson à volonté et il est source de vie, vertus qui lui sont conférées par l'hostie que dépose sur la pierre tous les vendredis saints une colombe ; la pierre est ainsi « la quintessence de toutes les perfections du Paradis [2] ».

Si le Graal fait éclater la simplicité et la « niceté » de Perceval devant la merveille, et révèle l'inaptitude de ceux qui vont le suivre, il peut exprimer aussi l'espoir d'un approfondissement du héros et d'un aboutissement de la quête. Mais le Graal fait plus encore : il indique la souffrance du royaume stérile et la blessure du roi. Ou plutôt, pour suivre Daniel Poirion, « le Graal ne dit pas, il fait signe [3] ». L'obsession de l'énigme dans les scénarios que nous ont laissés les récits médiévaux — qu'il s'agisse d'un vestige de mythe archaïque ou d'un objet religieux lié à l'ère du Christ — suggère en tout cas que l'Occident médiéval a subi une grande fascination pour le réseau des sens que l'objet porte avec lui et qui ne semblent pouvoir être épuisés.

---

1. *La Quête du Saint Graal,* trad. E. Baumgartner, Paris, 1979, p. 239 : le jeu de mots sur Graal, agréer, servir à gré (et grâce) est repris au *Joseph* de Robert de Boron : « Qui a droit le vourra nummer/ Par droit Graal l'apelera ; / Car nus le Graal ne verra, /Ce croi je, qu'il ne li agree. »
2. *Scènes du Graal,* textes traduits et présentés par Danielle Buschinger, Anne Labia et Daniel Poirion. Préface de Daniel Poirion, Stock, 1987. L'ouvrage est consacré aux différentes apparitions du cortège énigmatique, dans la littérature médiévale française et allemande.
3. Dans la préface de *Scènes du Graal.*

LA TABLE RONDE : SES ORIGINES

C'est dans le récit de Wace qu'est mentionnée pour la première fois la Table Ronde. L'origine, on le sait, en est le désir d'Arthur de prévenir toute querelle de préséance. Mais Layamon au début du XIIIᵉ siècle relate une querelle, lors d'un grand festin, qui avait débouché sur un affrontement violent : un charpentier de Cornouailles aurait alors créé une immense Table Ronde susceptible de recevoir mille six cents hommes. La source de ce récit semble bien une vieille coutume celte qui voulait que les guerriers fussent assis en cercle autour de leur roi.

Une tradition plus tardive, que rapportent les récits en prose du XIIIᵉ siècle, assigne l'origine de la Table à Merlin. Perceval, dans un passage de *La Quête du Saint Graal*, apprend de la recluse qui est en fait sa propre tante, qu'il y a eu trois Tables depuis l'avènement de Jésus-Christ. La première était celle où le Christ avait pris place avec ses apôtres, table instituée par l'Agneau sans tache sacrifié pour la rédemption des hommes. Une autre table fut alors faite en mémoire de la première, la table du Saint Graal, par Joseph d'Arimathie à l'époque de l'évangélisation de la Grande Bretagne.

A cette époque-là les compagnons de Joseph, très nombreux, arrivent dans l'île et cherchent de la nourriture. Ils trouvent une vieille femme qui porte douze pains. Mais le partage ne se fait pas sans querelle. Joseph « partagea les pains, en répartit les morceaux sur la table, et mit à la place d'honneur le Saint Graal dont la présence fit si bien se multiplier les douze pains que tout le peuple — les quatre mille personnes — en fut miraculeusement nourri et rassasié [1] ». L'un des sièges de la table fut gardé pour le fils de Joseph nommé Joséphé, qui sera le seigneur de tous ceux qui prendront place à la table du Graal. Pris de jalousie, deux frères, parents de Joséphé, s'opposent à cette décision. L'un des deux frères y prend place : sa transgression est sévèrement punie, la terre s'ouvre et l'engloutit. Ainsi le siège sera appelé le Siège Redouté ou Périlleux.

« Après cette table, il y eut la Table Ronde, instituée selon les conseils de Merlin, et non sans grande signification. Elle est en effet appelée Table Ronde parce qu'elle signifie la rotondité du monde et le cours des planètes et des éléments du firmament dans lequel on peut voir les étoiles et les autres astres. Aussi peut-on à juste titre affirmer que la Table Ronde représente le monde. Au reste, comme vous le savez, là où la chevalerie existe, que ce soit en terre païenne

---

1. *La Quête du Saint Graal*, trad. cit., p. 81

ou chrétienne, ses membres viennent à la Table Ronde et, si Dieu leur accorde la grâce d'y prendre place, ils s'estiment plus comblés que s'ils avaient le monde entier en leur possession, et ils en oublient parents, femmes et enfants [1]. »

Ainsi Merlin préside à l'institution de la troisième Table, celle de nos récits, celle dont le rôle, moins spirituel souvent, est constant comme centre de ralliement et comme point spatial, à la fois réel et symbolique. Merlin rattache donc les quêtes des chevaliers et les secrets du Saint Graal : il annonce qu'un jour Notre-Seigneur enverra parmi eux un chevalier pour qui est fait un siège « de très grande dimension » qui attend le Vrai Chevalier. Lorsque Perceval demande à occuper le siège, il s'ensuit un tremblement de terre et les « enchantements de Bretagne » se déclenchent, qui ne prendront point de fin jusqu'à ce que l'un des chevaliers de la Table Ronde dépasse tous les autres en chevalerie et pose auprès du riche Roi Pêcheur la question tant attendue. Au début de *La Quête du Saint Graal*, Galaad, enfin, occupera le Siège Périlleux.

Désigné par Dieu, tout en étant né du diable pour être l'Antéchrist, Merlin par cette instauration de la Table et les conseils qu'il prodigue à Arthur prouve qu'il est le maître du temps dans la légende arthurienne. Il détient tous les savoirs, sur le passé, le présent et l'avenir : « Il faut, tu le sais bien, discerner les bons des mauvais et honorer chacun selon ce qu'il est, dit Merlin à Arthur. Et voici ce que je te conseille : dès qu'un chevalier se mettra en quête de faits d'armes, tu lui demanderas de jurer, avant son départ, de raconter la vérité à son retour, au sujet de ce qu'il aura trouvé durant sa quête, que ce soit à son honneur ou à sa honte. Ainsi tu connaîtras les prouesses de tous, car je sais qu'ils ne seront pas parjures. — Au nom de Dieu, répond le roi, voici un enseignement précieux, et je vous promets que cette coutume sera observée dans ma maison aussi longtemps que je vivrai ! »

Ainsi donc par ses origines, par ses finalités, par les itinéraires que vont suivre et dont vont parler les chevaliers d'Arthur, la Table Ronde s'intègre dans un parcours d'accomplissement ; une éthique véritable s'y attachera pour longtemps, à laquelle la Table fournit un ancrage spatial et symbolique. Elle est, comme le disait excellemment Jean Frappier, l'expression de l'idéal chevaleresque, le centre à la fois géométrique et poétique de toutes les aventures [2].

Le chevalier de la Table Ronde est attendu pour rendre la terre à sa prospérité ou faire cesser les enchantements. « Il faut absolument

---

1. *op. cit.*, p. 82.
2. Dans le *Grundriss der romanischen Literaturen des Mittelalters*, p. 199 (voir bibliographie générale).

que vienne le chevalier errant d'un pays lointain » disent *Les Merveilles de Rigomer* [1]. Les blessures peuvent rester béantes jusqu'à ce qu'arrive le héros rédempteur. Or venir d'un pays lointain signifie partir, et ce départ est la recherche de l'*Aventure*.

« Errer » : aller son chemin, ne pas s'attarder, partir pour une quête... Le « chevalier errant », dont les contours romanesques ont réellement été inventés par Chrétien de Troyes, est un chevalier disponible, plus encore, un type littéraire [2]. Fiction et réalité : le Moyen Age féodal a connu le chevalier sans fortune et sans fief qui allait de tournoi en tournoi, dont la disponibilité était une façon de survivre. Cette réalité, qui n'explique certes pas la légende arthurienne, se profile derrière l'image idéale du chevalier de la Table, toujours « en errance ». A tel point qu'Érec, qui s'est abandonné aux délices de l'amour, est accusé de « recreantise ». Il a oublié l'Aventure.

LA TABLE RONDE : L'AVENTURE

De l'éthique de l'Aventure, une interprétation sociologique a été proposée : la tension entre la petite noblesse et la grande féodalité aurait mené à la création d'un idéal de classe dont le meilleur territoire est celui du rêve que permet la littérature. En expansion à la cour des Plantagenêt et dans les cours de Champagne et de Flandre, cet idéal souligne une forte valorisation de l'individu, car le héros du récit est un élu qui doit faire ses preuves, il est destiné à rendre à la communauté de la fiction les plus grands services [3]. Le roman d'*Érec* se termine par l'apothéose de la Joie de la Cour, la délivrance de ceux qui sont enfermés dans le verger magique de Maboagrain ; le roman d'*Yvain* se clôt par la délivrance des jeunes filles dans le château de Pesme Aventure. Ces issues messianiques se retrouvent jusqu'au *Chevalier au Papegau*.

Ainsi pour la société de l'époque, se voir proposer des modèles culturels dans la littérature ne devait pas être sans effet : ce n'est pas un hasard si les historiens se sont intéressés aux figures arthuriennes et à la formation de l'éthique chevaleresque [4]. C'est autour d'Arthur, souverain idéal et généreux, que se développe cette exigence d'un accomplissement personnel, bien éloigné des exploits des chrétiens contre les musulmans dans la chanson de geste. La société ima-

---

1. Ce récit est en grande partie traduit dans ce volume et précédé d'une introduction spécifique.
2. Marie-Luce Chênerie, *Le Chevalier errant dans les romans arthuriens en vers des XIIᵉ et XIIIᵉ siècles*, Genève 1988.
3. Erich Köhler, *L'Aventure chevaleresque. Idéal et réalité dans le roman courtois. Études sur la forme des plus anciens poèmes d'Arthur et du Graal*, Paris, trad. 1974.
4. Georges Duby, *Le Dimanche de Bouvines*, Paris 1973.

ginaire verra son temps structuré par l'aventure chevaleresque dont
la dynamique ne se figera peut-être qu'au xvᵉ siècle. Encore *Le Chevalier au Papegau* est-il là pour nous rappeler qu'après avoir épuisé
toutes les aventures possibles, la légende peut mettre Arthur au service, pour un ultime récit, de la notion d'*Aventure* [1].

L'aventure, le départ pour une quête, est un élément si important
qu'elle donne vie à la cour d'Arthur, qui meurt si une aventure n'y
survient. Lorsque les aventures se taisent, la cour est morne. Arthur
ne veut pas manger et il attend, le temps est suspendu. Le roi est
« pensif », plongé dans ses pensées, sombre et nerveux. Il peut
même se montrer « mélancolique », ce qui arrive dans le *Perlesvaus* :
« Un jour, sa volonté se trouva comme paralysée, et il perdit le désir
de se montrer généreux. Il n'avait plus envie de tenir sa cour, ni à
Noël, ni à Pâques, ni à la Pentecôte. Voyant ses bienfaits se raréfier,
les chevaliers de la Table se dispersèrent et commencèrent à délaisser sa cour. Des trois cent soixante-dix chevaliers qu'il avait habituellement auprès de lui, il n'en conserva que vingt-cinq tout au plus.
Aucune aventure n'arrivait plus à la cour.» Arthur a donc cessé
d'être le souverain modèle, Guenièvre est consternée. En effet
l'aventure survient dans une cour qui n'a pas démérité !

Le plus souvent la cour n'y est pour rien et, dans un récit de tonalité moins grave, le roi lui-même veut secouer l'inertie du temps :
« Mon neveu, dit le roi à Jaufré, faites seller. Nous irons chercher les
aventures, puisque je vois qu'elles ne viennent pas à notre cour !»
Pourtant il s'agit en général d'un départ solitaire. Chez Chrétien de
Troyes, au début du *Chevalier au lion,* Calogrenant raconte en ces
termes son départ pour l'une de ses aventures :
« Il advint, il y a plus de sept ans, que j'allais, cherchant aventure,
seul comme un manant, armé de pied en cap, comme un chevalier
doit être. Prenant à droite, je m'engageai dans une forêt épaisse. Le
chemin était malaisé, plein de ronces et d'épines ; ce ne fut pas sans
peine ni sans difficulté que je m'y engageai et poursuivis ma route.
Je chevauchai ainsi presque tout le jour, jusqu'à ce que je sortisse de
la forêt (c'était Brocéliande) ; j'entrai alors dans une lande... » Calogrenant fait partie de ces « chevaliers errants qui vont en quête
d'aventures » : il va en effet trouver l'aventure de la Fontaine. Yvain
prendra sa suite.

Le chevalier errant fait partie d'une élite : il est souvent d'origine
royale, fils ou neveu de roi, comme Érec fils du roi Lac, ou Yvain fils
d'Urien, ou d'autres qui sont fils de chevaliers. L'éventail « social »
de l'imaginaire est relativement large, mais la notion d'élite est tou-

---

1. Pour ceux qui abordent la littérature du Moyen Age, voir l'excellente *Introduction à la vie littéraire du Moyen Age,* de Pierre-Yves Badel, Paris, 1969 et rééd.

jours prononcée. Si le chevalier peut être « sans nom », Perceval se découvre bien vite l'unique descendant mâle d'une lignée royale ! Aux chevaliers de la Table Ronde s'ajoutent enfin des chevaliers « nouveaux », et le nombre en est élevé. Merlin en avait prévu cent cinquante, dans *Le Chevalier aux deux épées* on prévoit trois cent soixante-six chevaliers, réserve quasi inépuisable pour l'aventure dont le roman de *Claris et Laris* saura bien faire usage pour ses itinéraires compliqués.

La cause des départs est d'ordre éthique : leur origine est le désir d'éprouver sa hardiesse et d'accomplir des exploits. Le chevalier qui part pour l'aventure part seul, sans compagnon, et ces départs sont des rituels souvent solennels. Le chevalier quitte l'espace social pour l'inconnu. Cet espace, on l'a vu pour Calogrenant, est celui qui mène hors de l'espace social [1] : si le cadre spatial ne prétend pas à une vraisemblance documentaire, la forêt reste terrifiante et périlleuse. Si elle apporte de bonnes rencontres, celle des ermites par exemple, elle suscite surtout des chevaliers inconnus, un bestiaire singulier et des épreuves difficiles. La lande et la prairie sont, elles aussi, des lieux où peut surgir l'aventure.

Les légendes celtiques ont laissé des traces dans un espace littéraire que Chrétien de Troyes a sensiblement tiré dans le sens d'un paysage vraisemblable pour les regards de l'époque. Le passage des frontières liquides est l'indice d'un passage vers l'Autre Monde ; au-delà de la rivière, outre le Pont Périlleux, peut se trouver l'aventure. Géographie complexe pour le lecteur qui, les yeux confrontés à la lettre, doit imaginer l'espace derrière les mots : les îles ne sont pas forcément des îles, mais des lieux d'accès périlleux et aventureux. Des châteaux désolés, déserts ˉd'habitants, disent d'emblée que l'aventure s'y cache. Des lieux ambigus, tels les cimetières qui évoquent la mort, sont des épreuves pour le chevalier qui « erre ». Le substrat folklorique est ici largement embrassé par le désir de christianisation.

A travers ce qui pourrait être un pur décor — un espace en vérité qui annonce la « merveille » ou l'épouvante, l'antiphrase des territoires déserts, désolés ou bienveillants, l'indétermination de la lande susceptible d'apporter le meilleur ou le pire — le choix même des héros élude les schèmes trop figés. Selon les récits Arthur lui-même peut dicter l'itinéraire. Lancelot et Gauvain partant ensemble se distribuent le territoire à parcourir : l'un prend à gauche, l'autre à droite. Gauvain dans *L'Atre périlleux* peut se trouver devant deux

---

1. Jacques Le Goff et Pierre Vidal-Naquet : « Levi-Strauss en Brocéliande », article publié d'abord dans *Critique*, n° 325, juin 1974, puis dans *L'Imaginaire médiéval*, Paris, 1985.

aventures à suivre. Que faire ? suivre la première ou la seconde ? Le temps du récit s'en complique : il peut choisir l'une avec le ferme projet de revenir à l'autre ! Ce suspens d'aventure, sous forme plus simple, intervient encore dans *Le Chevalier au Papegau*. Il peut y avoir quelque palpitation lorsqu'un héros se trouve devant trois voies, peu engageantes par leur nom même : la Voie sans Merci, la Route de l'Injustice, la Route sans Nom. C'est celle que prendra Méraugis, comme un défi. Le lecteur sera frappé par les notations de chevauchées et l'abondance des trajets. Les héros arthuriens voyagent beaucoup, ils sillonnent de nombreux pays : « Ils rencontrèrent bien des aventures et mirent toute leur ardeur dans cette quête » *(Méraugis)*. La linéarité d'une recherche d'aventure peut s'interrompre pour le temps particulier d'une aventure plus *merveilleuse* que les autres, celle qui condamne le héros au temps cyclique de l'ensorcellement, de la carole magique par exemple dans laquelle se trouve pris Méraugis.

Parfois même la perception de l'espace, interrogé du regard ou parcouru à cheval, fait surgir une rêverie sur le temps et la mémoire, sur ces paralysies de la volonté que pourraient entraîner les errances répétées, si la diversité renouvelée des lieux ne venait nourrir l'appétence du chevalier en quête et lui rappeler le plaisir d'être.

Mais les errances ont souvent une issue guerrière, avec les comportements que l'on attend d'un chevalier. D'ailleurs l'« errant », pour être hardi, n'en sort pas forcément indemne. La vie chevaleresque mise en œuvre dans les récits implique un idéal du chevalier, modifié par rapport à celui que met en œuvre la chanson de gestes. A la limite de l'irréel parfois, les aventures, fictives dans leur essence même, permettent toutes les victoires du courage et du défi. Souvent elles font appel au code de la chevalerie : sauver les faibles et les opprimés, les dames en détresse, les demoiselles assiégées. C'est bien l'un des premiers commandements de Gornemant de Goort au jeune Perceval.

Dans le *Merlin*, l'ermite rappelle au chevalier aux deux épées que tout chevalier errant doit prendre « les aventures comme elles arrivent, bonnes ou mauvaises ». Guerrières ou mystérieuses, coutumes cruelles et cataclysmes d'un Autre Monde, les aventures tiennent le chevalier en haleine, tout comme la cour en vit, quitte à voir l'aventure se transformer en transgression de la personne royale elle-même, un verre renversé sur la robe de Guenièvre ou l'enlèvement de la reine par Méléagant dans *Le Chevalier à la charrette*.

L'axe des quêtes et la dynamique des aventures fournissent un répertoire infini de combinaisons narratives. Ainsi, à partir de Chrétien de Troyes et pour le reste de la légende à venir, se consolide une structure stable qui est celle des quêtes multipliées. Un scénario aux issues variables, mais toujours, comme le voulait Merlin, un retour à la cour : le cycle de l'aventure se boucle solennellement par l'éternel retour à la Table Ronde. Si pour le départ un rassemblement de fête donnait le grand branle au monde arthurien, le retour se fait aussi au moment des rassemblements fastueux pour que le héros puisse consigner dans la mémoire orale de tous, les hauts faits qu'il a accomplis, et Merlin confie à Blaise la tâche de consigner tous les événements jusqu'à la fin des temps.

Ainsi le roman se montre propice à l'élaboration de modèles d'identification : on comprend pourquoi dans les pratiques sociales, à partir du xive siècle, tant de Tables Rondes seront instituées par de grands seigneurs, tables profanes où l'on joute et où l'on danse, en mimant Arthur et ses chevaliers, où des signes sont distribués, noms et armoiries, qui font de l'individu un personnage de récit. Pour comprendre cette fièvre de la société de l'époque, écoutons les propos vigoureux adressés par Arthur à ses seigneurs dans le *Merlin* :

« Seigneurs, sachez-le, vous devrez tous revenir à ma cour à la Pentecôte, car je voudrais, en ce jour, y donner la plus grande fête qu'un roi ait jamais donnée en quelque royaume que ce soit ! Et j'ordonne à chacun de vous de venir avec sa femme, car j'entends donner tout son éclat à la Table Ronde, celle que Merlin institua sous le règne d'Uterpendragon mon père, et installer alors les douze pairs de ma cour dans les douze sièges. D'autre part, tous ceux qui assisteront à la fête et qui voudront demeurer avec moi feront à tout jamais partie de cette Table et seront accueillis avec honneur partout où ils iront car chacun recevra un pennon ou les armoiries de la Table Ronde ! »

La cour est en effet source de toutes vertus : tous, relate *Le Roman de Jaufré*, peuvent s'adresser à Arthur, enfants orphelins, dames veuves, petits et grands, à qui on fait injustement la guerre ou dont on prend l'héritage par la force. Cette utopie de la disponibilité de la cour idéale, autour de la Table, inclut — il s'agit là d'une gestuelle constante — les actes de libéralité et les témoignages de *largesse*. Car, tout imaginaire qu'elle soit, la cour d'Arthur vit d'un beau circuit de dons et de contre-dons. A Arthur, les chevaliers qui l'entourent et qui donnent à la cour son dynamisme ; aux chevaliers, le souverain généreux qui les incite à l'exploit : « Largesse donne tout son éclat à Prouesse. Largesse est un élixir qui stimule Prouesse. Nul ne saurait, sans Largesse, conquérir la gloire par la seule vertu de son bouclier » (*Méraugis de Portlesguez*).

A la prouesse et à la recherche de l'aventure, la femme aimée n'est pas étrangère. Chrétien de Troyes a construit le roman d'*Érec* autour de la problématique de l'amour et l'aventure. Quelles conceptions, peut-on à juste titre se demander, avaient trouvères et troubadours avant que la matière de Bretagne n'ait exercé son influence ? Dans les chansons de geste, on le sait, le rôle de l'amour est restreint, mais dans le roman arthurien l'amour dit « courtois », la *fin'amor*, fait partie de l'idéal chevaleresque. La qualité aristocratique du lien amoureux apparaît dans tous nos récits. Culte de la dame et raffinements de la relation amoureuse : c'est dans la !égende arthurienne que le lecteur peut trouver les vraies histoires d'amour du Moyen Age. L'histoire tragique de Tristan et Iseut appartient certes à l'horizon celtique, mais le monde d'Arthur est riche d'amours qui conjoignent quelque élément qui resterait des amours avec les fées et cette représentation de l'amour, née au XIIe siècle, qui fait de la dame un seigneur dont l'amant est le vassal. Ainsi Merlin est-il prisonnier de Viviane qui lui a dérobé son art d'enchanteur. Lancelot est le parangon de toutes les vertus amoureuses : son obéissance à Guenièvre, la disponibilité au moindre de ses désirs est bien évidente dans *Le Chevalier à la charrette*. Le Lancelot du *Perlesvaus* est tout aussi inconditionnel : quand il apprend la mort de Guenièvre « il se dit tout bas que son bonheur est perdu désormais, et ses exploits terminés, dès lors qu'il a perdu la noble reine dont lui venaient le désir, le courage et la hardiesse de se montrer valeureux. Les larmes coulent de ses yeux à travers la ventaille, et s'il avait osé donner libre cours à sa douleur, elle aurait été bien plus violente ».

Si ces passions secrètes sont rares, l'amour courtois en revanche — ses métaphores, sa mise en scène de l'intériorité au moyen d'un dialogue avec l'allégorie Amour — est bien représenté dans nos récits. L'amour courtois est réservé à l'élite de ceux qui savent progresser, étape par étape,sur le parcours initiatique du désir. L'amour courtois est charnel, mais veut se faire attendre. L'amour peut naître dans l'instant, mais la possession exige d'abord la modération et la mesure. Chrétien de Troyes avait montré les difficultés qu'il y avait à conjoindre l'amour et l'aventure, le goût de l'accomplissement de soi et le mariage. Surtout dans *Cligès*, l'écrivain s'était attaché à la dévotion amoureuse, au service que l'amant doit à la femme qu'il aime. D'où la création de moyens d'expression pour l'analyse du sentiment naissant. L'amour frappe comme une maladie. Ainsi nos récits affirment l'existence d'une casuistique amoureuse, fût-ce sur le mode parodique, des amants qui se risquent au dialogue ; il faudra oublier la préciosité du Grand Siècle pour retrouver ici la fraîcheur des premières images et des premières explorations intérieures. La sophistication, non dénuée d'humour, de tel ou tel récit montre bien l'influence qu'a exercée notre premier grand romancier.

PERSONNAGES ET STRUCTURES DE PARENTÉ

Le choix d'un mode formel, vers ou prose, va dans le sens d'une distribution des personnages. Si pour Chrétien de Troyes la forme narrative était d'emblée le vers octosyllabique — tout récit de cette époque en langue vernaculaire suivant cette forme —, lorsque la prose entre en littérature, le roman en vers tend à se spécialiser en donnant un privilège au grand nombre des exploits chevaleresques et amoureux de Gauvain, ou à ceux attribués à d'autres acteurs proches et bénéficiant de son *aura*, tel Méraugis ou Gliglois.

Dans les récits en prose en revanche, à partir de *La Quête du Saint Graal*, on a justement remarqué que les personnages s'organisent en couples : tel le Roi Pêcheur (ou Mehaignié) et Perceval *(Didot-Perceval, Perlesvaus),* ou Lancelot et Galaad (dans le cycle du *Lancelot-Graal*), ou encore Merlin et Arthur (dans le cycle du pseudo-Robert de Boron, appelé *Cycle Post-Vulgate*). Tous ces couples, on le voit, « sont liés au Graal par le motif de la quête (Perceval, Galaad) ou de l'annonce prophétique (Merlin) ou par une relation de parenté [1] ».

A travers un nombre toujours codifié de situations et de personnages, les récits s'élaborent en une sorte de *Comédie humaine* dont les acteurs réapparaissent d'un récit à l'autre [2]. Cette permanence de héros connus permet aux lecteurs de l'œuvre un phénomène de reconnaissance et la compréhension des innombrables variations parmi lesquelles il garde au moins des repères. Que les récits apparaissent plus volontiers en cycles, que d'autres soient plutôt des bourgeons, des excroissances, des épisodes attribués à tel personnage attaché à tel autre personnage stable de la légende, dans l'univers de la Table Ronde la stabilité fait d'Arthur l'acteur indispensable, le centre du récit lorsque Merlin programme la Table Ronde, et ceci jusqu'au mariage avec Guenièvre. Il ne redeviendra héros central qu'au xvᵉ siècle, dans le tout dernier récit de la légende.

A travers le foisonnement des personnages d'un univers romanesque complexe, la stabilité assure au lecteur des balises sûres, mais déjà la spécificité des caractères en facilite la perception. Ainsi certains personnages sont caractérisés par une permanence de comportement. Lancelot, l'amant parfait face à Gauvain toujours disponible aux dames et demoiselles, le chevalier courtois par excellence ; Keu

---

1. Voir les constats pertinents effectués par E. Baumgartner et Ch. Méla dans le chapitre « La mise en roman », *Précis de littérature française du Moyen Age*, Paris, 1983 (sous la dir. de D. Poirion).
2. La comparaison avec la grande architecture balzacienne est suggérée par P. Y. Badel, *Introduction à la vie littéraire du Moyen Age*, Paris, 1969.

le sénéchal, frère de lait d'Arthur, mais de moindre valeur car il n'a pas été nourri par sa propre mère dont le lait devait aller à l'enfant confié par Merlin, en est resté un peu mesquin, aigre, jaloux et vantard, persifleur à la raillerie discourtoise, tout à fait indélicat au moment où il tente, dans le *Perceval* de Chrétien, d'arracher le jeune héros à son extase devant les trois gouttes de sang sur la neige. Keu sera généralement fidèle à son rôle.

Quant à Guenièvre, restée étrangement belle et jeune — dont Geoffroy de Monmouth disait déjà qu'elle surpassait toutes les femmes de l'île en beauté —, on n'a pas manqué de souligner que le bénéfice de ce temps, qui pour elle ne passe pas, retient des traits de son ancienne nature de fée. Venue de l'Autre Monde, souvent enlevée de la cour, elle est représentée dans un témoignage iconographique de la première heure, tel le portail de Modène qui illustre dès le xII^e siècle l'un de ses enlèvements. Sur le support de pierre, elle s'appelle Winlogee, dont le nom a été rapproché de Gwenhwyfar, nom gallois qui rappelle ses origines de « blanc fantôme ». Les témoignages écrits évoquent le personnage avec une tonalité assez détestable parfois, par des allusions aux enlèvements trop consentants. Geoffroy de Monmouth ne manque pas de dire qu'Arthur a été trompé et Wace le suivra.

Gauvain est un personnage très attachant de la légende. Malgré une interprétation récente qui en a fait une figure du Christ dans le *Perceval*, plus généralement, dans les textes qui insistent sur les quêtes spirituelles, Gauvain souffre de sa réputation de jouisseur. Il tente l'aventure du Graal dans la *Première Continuation*, mais ne pouvant ressouder l'épée brisée, il se couvre de honte. Son échec semble irrémédiable : le matin il se réveille dans un marais, comme il se réveille dans la *Seconde Continuation* sur un escarpement au bord de la mer. Ni dans l'*Élucidation*, ni dans le *Perlesvaus*, le héros ne peut accomplir l'aventure du château du Roi Pêcheur. Il assiste bouleversé au service du Graal, mais garde le silence. Le matin, là aussi, il est seul, exclu, devant une porte fermée [1].

Gauvain est en revanche le héros éblouissant d'autres récits, en vers cette fois. « Parangon de sagesse et de courtoisie » (*Livre de Caradoc*), il est souvent prestigieux, même s'il subit un traitement teinté de parodie dans *L'Atre périlleux*. Trace archaïque, sa force suit le cours du soleil, comme dans *La Mort Artu* et *L'Atre périlleux*. Il est toujours prêt pour l'aventure. L'auteur du *Chevalier à l'épée* [2] peut annoncer dès le début de son récit :

---

1. Jean Marx, « La quête manquée de Gauvain » dans *Nouvelles Recherches sur la littérature arthurienne*, Paris, 1965, p. 205 à 227.
2. Ce court récit est traduit dans ce volume et précédé d'une introduction.

« Le héros en est le bon chevalier qui sut garder loyauté, prouesse et honneur et qui jamais n'aima les êtres lâches, perfides et dépourvus de courtoisie. Je veux en effet vous conter de monseigneur Gauvain. Ses manières étaient si raffinées, il avait une telle réputation de prouesse que personne ne saurait en parler : quiconque voudrait retracer tous ses mérites et les mettre par écrit ne pourrait en venir à bout. » Sa gloire est telle en effet que d'autres personnages se situent avec prestige dans son sillage, tel Gliglois qui est le favori de Gauvain et qu'Arthur lui-même chérit entre tous.

La permanence de certains traits, le retour régulier de personnages clefs, la stabilité des structures de parenté ont dû faciliter la réception de l'œuvre et sa permanence dans la durée. Dans son approche anthropologique de la société imaginaire d'Arthur, Michel Pastoureau insiste sur cette fermeté des structures. Même les variantes de noms, d'un récit à l'autre, ne les estompent pas. Le fil du temps est parfois livré sur cinq ou six générations, qu'évoque le retour en arrière, ou que décrit la linéarité même des narrations. Si l'on suit les historiens des sociétés, le lien du neveu à son oncle maternel est un écho des réalités sociales de l'époque qui a connu la légende arthurienne. Nombreuses sont les histoires d'inceste et d'adultère, où les femmes restent souvent innommées.

La bâtardise est obsédante : Merlin est un enfant bâtard, Arthur aussi, qui passe pour être le fils du duc de Tintagel, mais qui est en fait le fils d'Uterpendragon et qui se croit le fils d'Antor jusqu'à l'épreuve de l'enclume. Mordret est né, lui aussi, de l'union aveuglée d'Arthur et de sa sœur, épouse du roi Lot d'Orcanie. Galaad est engendré au cours d'une nuit des dupes par Lancelot qui croit passer la nuit avec Guenièvre, alors que gît à ses côtés la fille du roi Pellés. La génération des pères porte souvent le poids d'une faute : le diable engendre Merlin ; Lancelot est coupable d'adultère mais son fils sera le chevalier chaste élu pour le Graal ; le Roi Mehaignié est impuissant, frappé d'un Coup Douloureux qui est malédiction pour sa Terre devenue Gaste. Le flou des généalogies est déjà perceptible dans le *Perceval* de Chrétien, dont l'auteur a décalé d'une génération le Roi Pêcheur, en en faisant le cousin de Perceval, alors qu'à l'origine il devait être son oncle : le Roi Pêcheur y est une figure dédoublée, puisqu'il a pour père le reclus qui vit de l'hostie portée par le Graal. Ces variations mystérieuses et des modulations d'un texte à l'autre expliquent que la quête des origines puisse devenir une hantise, et la découverte des origines un véritable traumatisme. Dans *Perlesvaus* Arthur apprend son origine, et non sans honte. Il en est de même pour Gauvain. La révélation des origines de Caradoc, fils de l'enchanteur Eliavrés et non du roi Caradoc de Vannes comme il le croyait, n'est pas agréable au héros, qui se venge cruellement.

Parmi les structures de parenté, certaines fratries font l'objet
d'une élaboration particulière. Ainsi, dans le lignage de Gauvain,
parmi les quatre fils du roi Lot d'Orcanie, Gauvain est la figure de
premier plan, la plus développée dans ses traits d'individu, galant,
courtois, parfois proche de la luxure, capable d'orgueil farouche et
de démesure. Son frère Agravain reste mauvais et envieux, il est
largement responsable de la dégradation du monde arthurien.
Gaheriet en revanche est indéfectiblement loyal. Mordret, chargé
de la tradition des anciens temps, celle du lieutenant d'Arthur, sera
longtemps parmi les neveux d'Arthur le rebelle jaloux de son oncle.
C'est au XIIIe siècle seulement qu'il devient le fils incestueux
d'Arthur ; l'affrontement final de *La Mort Artu* est un règlement de
compte entre père et fils dont la psychanalyse s'est enchantée. Ainsi
l'individualisation psychologique des personnages, lorsqu'elle
devient un élément récurrent, facilite la compréhension des liens
entre les récits eux-mêmes.

Pour le public médiéval qui pouvait avoir connaissance des récits
dans les manuscrits, les repères étaient facilités par le fait que si tel
personnage a quelque difficulté à démêler ses origines, il reçoit — à
la fois dans le récit et dans l'illustration — des marques d'identification qui concernent également celles qu'ont connues les lignages de
l'époque, dans la grande ou dans la petite et moyenne noblesse.
Ainsi dans le domaine de l'héraldique, les armoiries stables, qui
sont en même temps une séduisante invite aux yeux — même aux
yeux du lecteur moderne pour qui ces signes d'identification appartiennent à une époque révolue — proposent des couleurs, des
formes et des figures [1]. L'écu de Méliador porte un soleil d'or, écho
coloré de son nom. Tel chevalier dans *L'Atre périlleux* porte un écu
« de gueules, à un lion rampant d'hermine », tel autre dans *Hunbaut*
un écu d'hermine à lion vermeil, son frère aîné portant les mêmes
armes sans figure de lion. Les historiens pourront dire la portée de
ces subtiles différences qui se font l'écho des tensions qui divisaient
les familles de l'époque. Pour un cadet, avoir des armoiries légèrement et discrètement différenciées par rapport à celle de l'aîné pouvait être durement ressenti. Le système héraldique arthurien est
ainsi en mimétisme par rapport au système héraldique de la société
médiévale. Perceval dans l'illustration porte des armoiries qui
évoquent l'élu de la quête du Graal : deux griffons d'argent inter-
prétés comme gardiens d'un trésor ou d'un lieu sacré, rôle qu'ils
assurent dans la symbolique antique et médiévale. Une remarque
importante : quelle que soit leur position dans leur famille propre,
les héros de la légende arthurienne sont dans leurs armoiries consi-

---

1. M. Pastoureau, *Figures et couleurs. Étude sur la symbolique et la sensibilité médiévales.* Le Léopard d'or, Paris, 1986.

dérés comme « chefs d'armes de leur lignage, même du vivant de leur père, même s'ils sont des puînés. La notoriété semble primer le rang [1] ». C'est dire l'impact de cette littérature sur tout ce qui entoure les narrations, à commencer par l'illustration des manuscrits. Pour Mordret aux armes de pourpre à l'aigle bicéphale d'or, au chef d'argent, rien ne rappelle son père : les armoiries font silence sur l'inceste. Tout au contraire elles évoquent le père putatif, Lot d'Orcanie. Les armes de Lancelot, d'argent à trois bandes de gueules, sont les plus stables de toutes celles des chevaliers de la Table Ronde. Elles proviennent d'un épisode littéraire du *Lancelot* en prose où la demoiselle de la Douloureuse Garde lui remet trois écus d'argent. Quant au sénéchal Keu dont la fonction est permanente à la cour du roi, il porte ce qu'on appelle des « armes parlantes » : elles sont d'azur à deux clefs d'argent, et son cimier porte une clef d'argent : son nom en effet se prononçait Ké [2] !

Les généalogies sont parfois bien compliquées. Dans le sillage des apports de l'anthropologie contemporaine, il conviendrait d'étudier plus avant ces structures de parenté. Cinq héros ont été privilégiés par les récits dans la complexité des liens du sang et les silences qui les recouvrent souvent. Les tableaux généalogiques établis par M. Pastoureau tentent ici de les mettre en lumière : il s'agit de quatre lignages dont les liens de solidarité éclairent bien des épisodes de la légende. Celui d'Arthur et de Gauvain, fils de la demi-sœur du roi ; celui de Lancelot, venu du continent, étranger à l'origine au monde de la Table Ronde ; celui de Perceval qui s'intègre dans un long récit généalogique ; celui de Tristan et de son lignage, qui sera rattaché à la légende arthurienne, représenté ici par un bâtard du roi Marc de Cornouailles, Méraugis. La mouvance des noms suppose que le lecteur accepte de les superposer et de les voir en échos ; à la question non posée de Perceval chez Chrétien répond la suite de sa quête par Perlesvaus, qui est Perceval.

Dans la légende arthurienne, le Moyen Age laisse parler avec véhémence son obsession du nom propre et de l'identité. Le cas de Perceval est emblématique ; ce n'est qu'après son échec au Château du Graal, devant les malédictions qui l'accablent, qu'il découvre son propre nom. Gauvain dans *L'Atre périlleux* est dit « cil sans nom », celui qui n'a pas de nom. Il est en effet obligé de taire son nom : « J'ai perdu mon nom. Je suis le chevalier sans nom ! » Ce nom, il le

---

1. Ces renseignements nous sont fournis par M. Pastoureau, *Armorial des chevaliers de la Table Ronde,* Le Léopard d'or, Paris, 1983.
2. *ibid.*

recouvre et, interrogé par l'Orgueilleux Faé, répond fièrement : « Je suis Gauvain [...]. Au prix de longues errances, j'ai recouvré mon nom que je n'avais plus depuis longtemps ! »

LA DIFFUSION DE LA LÉGENDE ARTHURIENNE

L'expansion en Europe du vaste ensemble des récits arthuriens dit à la fois le prestige de la légende et l'éclat des cours qui lui ont donné ses chances de durée. Du nord au sud, il faut parcourir ici un champ géographique fort large : en effet, et très tôt, parallèlement souvent à la genèse d'œuvres nouvelles, les récits s'expatrient, essaiment et s'enrichissent. La dimension européenne de la légende est sans égale. Déjà vers les années 1200-1230, deux textes en vieux norrois apparaissent en Scandinavie, notamment une *saga* de Perceval ; en pays de Galles de nombreuses traductions de récits français témoignent du bel échange entre les régions celtiques et la France. Un roman qui correspond au *Perceval* de Chrétien, le *Peredur,* dans les mêmes années donne une version du Graal bien différente du roman français, en mettant l'accent sur une histoire de vengeance familiale. L'Allemagne et l'Angleterre seront les lieux où la légende se diffuse avec le plus de vitalité ; de grands noms ou de grands textes anonymes viennent dire à quel point le Graal et la Table Ronde ont été des signes de ralliement pour un imaginaire de haut prestige : Wolfram von Eschenbach, Hartmann von Aue, Gottfried von Strasbourg, Thomas Malory...

Comme l'on ne saurait prétendre ici à l'exhaustivité, le flux de lectures et de demandes sera esquissé, ainsi que la circulation des manuscrits, le monde des commanditaires, quelques éléments d'une sociologie de la culture, qui ont fait l'objet d'hypothèses et de controverses parfois passionnées parmi les érudits ! On n'oubliera pas — si l'on a la nostalgie des certitudes — que la date d'un manuscrit n'est pas nécessairement celle de la composition d'un texte...

Ainsi en Scandinavie, vers 1218, un poème sur Merlin est tiré de l'*Historia Regum Britanniae.* Le roman de *Tristan* de Thomas a suscité une version norvégienne (*Tristrams saga ok Isöndar*) et plus tard une version parodique islandaise (*Saga of Tristram ok Isodd*). La renommée de Chrétien est à l'origine d'une version norvégienne abrégé d'*Érec* (*Erex Saga,* d'un auteur anonyme) et d'une version abrégée d'*Yvain* (*Ivens Saga*) dont la version a été composée pour le roi Hakon, et très tôt d'un *Perceval* (*Parcevals Saga*) qui suit attentivement le roman de Chrétien. On notera le rôle culturel du roi Hakon Hakonarson (1217-1263) qui est à l'origine d'une série de traductions commandées pour des raisons de prestige, dans le but de faire pénétrer la culture courtoise dans son entourage. De nombreux textes attestent ce rôle de commanditaire, ainsi la *Möttuls Saga* qui reprend *Le Lai du Mantel.* C'était d'ailleurs l'époque de la grande rédaction des sagas. Snorri Sturluson était en train de compiler l'*Edda.*

Malgré la proximité géographique des îles Britanniques, on ne peut affirmer qu'il y ait eu une circulation orale, bien plutôt un transfert de manuscrits : les traductions les plus anciennes furent faites en Norvège, mais les manuscrits en furent conservés en Islande qui apparaît ainsi comme une zone de sécurité pour tout ce qui avait disparu de la péninsule scandinave. Ce transfert a dû se faire avant le xive siècle.

Aux Pays-Bas, la matière arthurienne a joui très tôt d'un grand succès, ce que l'anthroponymie prouve largement pour le xiie siècle. Un grand nombre de textes a été puisé dans la légende arthurienne de langue française, et en grande partie des œuvres qui proviennent des deux cycles en prose, le cycle de *Joseph* et de *Merlin* et le cycle de *Lancelot.* Le premier cycle est illustré par trois œuvres : l'*Historie van den Grale* de Jacob van Maerlant, en 1261, est traduite en vers à partir de la version en prose du *Joseph* de Robert de Boron. Le récit marque une fidélité particulière à l'Écriture sainte. Commencé par Jacob van Maerlant, le *Bœck van Merline* fut continué et terminé en 1326 par Lodewijk van Velthem *(Merlijn-Continuatie).* Pour le cycle de *Lancelot,* on trouvera un *Perchevael,* qui présente des ressemblances avec un épisode du *Parzival* de Wolfram, contenu dans le deuxième livre de la *Lancelot-Compilatie* de Lodewijk van Velthem, un *Moriaen,* une *Vengeance Raguidel* plus courte que le récit français et en même temps enrichie d'autres épisodes *(De Wrake van Ragisel), De Ridder metter Mouwen (Chevalier à la manche,* vers 1300), enfin un *Walewein ende Keye,* dont on ne sait pas s'il a existé une source française. Ces fictions dont les héros sont Gauvain et Keu, sont très proches de l'univers arthurien. Deux romans indépendants en vers nous sont parvenus, un *Walewein* et un *Ferguut* ; le premier récit écrit par Penninc et Pieter Vostaert vers 1250 s'attache à nombre de motifs connus de la matière de Bretagne, le pont périlleux, l'épée magique, l'échiquier, d'autres encore ; le deuxième récit suit avec quelque liberté le roman français de *Fergus.*

D'autres œuvres moins directement liées à la matière arthurienne seront gagnées par ses sujets et ses techniques narratives. Mais comme ailleurs, ce sont les pratiques sociales qui viendront à leur tour témoigner de l'intérêt qu'a suscité dans cette partie de l'Europe la matière arthurienne.

La pénétration des œuvres arturiennes en Allemagne ne se laisse pas aisément cerner. L'Allemagne a été largement imprégnée par la légende, mais nous ne connaissons le trajet des œuvres que dans le cas particulier du *Lanzelet* d'Ulrich von Zatzikhoven. La pénétration littéraire n'est d'ailleurs qu'un aspect du très grand prestige dont a joui la culture française en Allemagne durant la deuxième moitié du XIIᵉ siècle déjà. Des nobles allemands séjournaient alors auprès des cours françaises, ou étaient entrés lors des croisades en contact avec la littérature nouvelle. Ils se procuraient des manuscrits, les faisaient traduire ou adapter par des clercs de leur cour. Le meilleur exemple de ces princes cultivés est le Landgraf Hermann de Thüringe qui passa une partie de sa jeunesse à la cour de Louis VII. Mécène de Heinrich von Veldeke et d'Albrecht von Halberstadt, il fit venir pour Wolfram la source du *Willehalm,* la chanson de geste *Les Aliscans.* On imagine que Eilhart von Oberg a dû connaître des conditions analogues, c'est d'ailleurs dans son *Tristan* en 1170 que le nom d'Arthur apparaît pour la première fois.

Iwein et *Erec,* les romans arthuriens de Hartmann von Aue, sont des remaniements, scrupuleux et en même temps retravaillés des romans de Chrétien, *Yvain* et *Érec.* Quant au *Lanzelet* d'Ulrich von Zatzikhoven, on sait que le livre (« das welsche Buoch ») en fut apporté par un Hugues de Morville, chevalier venu en otage pour la libération de Richard Iᵉʳ Cœur de Lion, vers 1195-1200. Curieusement l'amour de Lancelot pour Guenièvre n'est pas relaté dans ce récit.

L'œuvre la plus importante est certainement celle de Wolfram von Eschenbach, qui retravaille en profondeur ses modèles. L'espace imaginaire du royaume de Logres ne lui suffit pas : il veut aller jusqu'en Orient, afin de faire une part au rêve d'une chrétienté dont il relate le déroulement temporel depuis les origines jusqu'au temps des croisades. Dans le *Parzival,* composé entre 1200 et 1210, la véritable faute commise par Parzival n'est pas la mort de sa mère, mais le meurtre d'Ither, qui serait un proche parent. La question qu'il fallait poser au Château du Graal n'est plus une question de curiosité, elle concerne plus gravement la compassion. Quant à la transformation du Graal, on sait que l'objet est devenu chez Wolfram une pierre très précieuse.

Un mystère est resté attaché à l'hypothèse des sources utilisées par Wolfram. Il revient à Jean Fourquet d'avoir suggéré et démontré que Wolfram aurait utilisé deux manuscrits différents de Chrétien, l'un donnant le seul texte sans le prologue, un autre lui fournissant le prologue et une partie des *Continuations Perceval.*

Pour la postérité tristanienne, citons ici le *Tristrant* d'Eilhart ainsi que le récit de Gottfried von Strasbourg. Eilhart serait plus proche de Béroul, Gottfried plus proche de Thomas. En grand nombre, des œuvres moins importantes sont consacrées aux aventures arthuriennes. Le *Wigalois* de Wirnt von Grafenberg, écrit entre 1210 et 1215, s'est servi d'une source française dont on a cru retrouver des traces dans *Le Chevalier au Papegau*. Heinrich von dem Türlin écrit vers 1230 *Diu Crône*, récit qui s'attache au Graal. Un auteur que l'on nomme le Stricker écrit vers 1220-1230 un *Daniel vom blühenden Tal*. Un curieux récit, *Der Jüngere Titurel* d'Albrecht von Scharfenberg, développe un fragment du *Titurel* de Wolfram von Eschenbach dans un sens allégorique. On trouve également un *Lancelot* en prose qui est une traduction du grand ensemble du *Lancelot-Graal*.

En Angleterre, la légende arthurienne a joui d'une très grande popularité dans les chroniques et les romans du xiie au xvie siècle ; c'est aussi le seul domaine géographique où la légende ait continué à vivre jusqu'à l'époque moderne. Des facteurs ont certainement assuré cette permanence : le héros de la légende, Arthur, est roi d'Angleterre et, pour les raisons dynastiques esquissées plus haut, on peut ici imaginer combien ont été appréciés les récits arthuriens. Écrit avant 1205, le *Brut* de Layamon est l'une des premières histoires d'Arthur en anglais. Relatant l'histoire des Bretons depuis les ancêtres de Brutus, fils d'Énée, jusqu'au refoulement des Bretons au pays de Galles, il se fonde sur Wace, ôte les traits courtois que l'auteur français avait ajoutés et retrouve volontiers le roi guerrier de Geoffroy de Monmouth.

L'Angleterre nous a légué des récits en vers aussi bien qu'en prose. En général il s'agit de récits plus simples et moins « courtois », a-t-on dit,que les modèles français ; ils mettent l'accent sur l'action et l'aventure plutôt que sur les finesses de l'amour courtois. Les structures très élaborées de l'entrelacement, bien connu des proses françaises, sont également décantées au profit d'une plus grande linéarité. On retrouve les héros de la légende dans les vingt-trois récits anglais en vers et en prose, Thomas Malory mis à part : ainsi en 1250-1300 *Arthour and Merlin*, en 1300 *Sir Tristrem*, une version du *Bel Inconnu* avant 1340, *Sir Perceval of Galles* avant 1340 également, *Sir Launfal (Le Lai de Lanval)* avant 1340, vers 1350 *Ywain and Gawain*, un conte de Chaucer entre 1392-et 1394, une *Morte Arthure* vers 1400 en vers allitératifs, *The Avowing of King Arthur* au milieu du xve siècle, un *Merlin* en prose au milieu du xve siècle aussi, à la fin du xve siècle un *Lancelot of the Laik*, une prose du *Joseph d'Arimathie* encore au début du xvie siècle, bref tous ne seront pas énumérés ici. Un foisonnement significatif en vérité [1].

---

1. Une très ample information est donnée sur cette diffusion européenne dans R.S. Loomis, *Arthurian Literature in the Middle Ages* (ouvrage collectif sous la direction de) Oxford, 1959 : la diffusion dans les divers pays, les manuscrits, le trajet des manuscrits lorsqu'on a pu en suivre la trace, les demandes des commanditaires, etc.

possède de nombreuses traductions remaniées des proses françaises, ainsi une œuvre cyclique traduite par le frère Juan Vivas, *Libro de Josep Abarimatia* en castillan, et un *Livro de Josep Abaramatia* en portugais ; une rédaction du *Merlin*, l'*Estoria de Merlin*, et un texte castillan imprimé à Burgos en 1498 *Baladro del sabio Merlin con sus profecias*.

Les récits de la quête du Graal sont connus à travers un texte portugais, la *Demanda do Santo Graal* entre 1400 et 1438, et un texte castillan la *Demanda del Sancto Grial con los maravillosos fechos de Lançarote y de Galaz su hijo*, imprimé à Tolède en 1515 et à Séville un peu plus tard. Il existe aussi un *Lançarote* galégo-portugais, dans un manuscrit de 1350. Dès cette date, la propagande politique a fait d'ailleurs appel à de nouvelles prophéties de Merlin pour chaque avènement d'un roi au trône. La bibliothèque des princes a laissé de précieux témoignages : dans la bibliothèque de Dom Duarte, fils de Philippa de Lancaster, se trouvaient un *Livro de Tristam*, un *Merlim* et un *Livro de Galaaz*. On constate aussi une grande popularité de la matière de Bretagne à travers quelques textes lyriques, non narratifs, appelés *Lais de Bretanha*. La Catalogne était particulièrement bien placée pour l'établissement de contacts avec la France et le domaine provençal.

Il faut — et ceci tout particulièrement pour la péninsule Ibérique — imaginer de vastes cercles de lecteurs, et surtout au moment où l'imprimerie fournit de nouveaux modes de diffusion. Comme en Italie, les œuvres furent d'abord appréciées dans la langue originale par une élite aristocratique, puis elles furent traduites en langue vernaculaire et adaptées pour des publics plus larges.

Le plus ancien roman de chevalerie en Espagne, le *Libro del caballero Zifar*, écrit vers 1300, contient des références arthuriennes certaines, des allusions à l'histoire d'Yvain notamment. Une longue version du *Lancelot* fut traduite du dialecte du Nord-Ouest en castillan, vers 1414. L'*Amadis de Gaula*, probablement composé durant la première moitié du xive siècle, imitait sensiblement l'intrigue et le style du *Lancelot* et du *Tristan* en prose. Cette consommation importante de la légende arthurienne alimentera les pratiques sociales, qui ont laissé de nombreux témoignages de Tables Rondes, de tournois et de joutes, à Barcelone, à Saragosse et ailleurs.

RECHERCHES NOUVELLES : LE MYTHE ET LE CONTE

La bibliographie sur la légende arthurienne est éblouissante. Aussi bien par le nombre que par la qualité des travaux, le célèbre ensemble a été exploré et analysé par les passions et par les exigences des méthodologies de l'heure : l'analyse interne des œuvres, leurs structures narratives — l'architecture de l'ensemble de la légende qui donnent au roman en vers le statut d'une excroissance, alors que le récit en prose tente de cerner l'histoire du Graal depuis son origine, dans le projet de faire de cette histoire une sorte de *somme* romanesque — les origines mythiques enfin, ont suscité les fièvres des chercheurs.

Le livre ici constitué tente de montrer les finalités de ces choix, du récit long au récit court, de la linéarité que produit une écriture parfois neutre de certains récits, aux flamboyances de certains autres, tel ce *Perlesvaus* inconnu du public.

La matière arthurienne est le carrefour des réécritures, des échos de texte à texte, des mouvances de motifs rassemblés, parfois éclatés, dispersés dans d'autres contextes. Un pivot : Chrétien de Troyes auquel se réfèrent les récits. Mais l'auteur champenois est relayé par une autre autorité, celle de Merlin qui transmet le récit à Blaise, dans la forêt de Northumberland : « Mais Chrétien de Troyes ne parle pas de cela, pas plus que les autres trouvères qui en ont fait la matière de leurs rimes délectables. Nous cependant, nous n'en disons que ce qui concerne notre récit, que ce qu'en fit transcrire Merlin à Blaise, son maître » (*Le Chevalier à l'épée*).

Malgré les bilans déjà effectués, d'autres démarches novatrices, en particulier l'esprit nouveau de la recherche enrichie par l'anthropologie, doivent cependant être mis en relief ici.

Ainsi Georges Dumézil, en mettant en rapport la conception indo-européenne des trois fonctions et la théorie médiévale des trois ordres [1], a conféré une belle impulsion aux recherches qui éclairent le roman arthurien par la structure trifonctionnelle. Féconde rencontre effectuée par Joël H. Grisward dans une étude sur « Uterpendragon, Arthur et l'idéologie royale des Indo-Européens [2] » : La figure du souverain, le premier des *bellatores,* est à la jonction de la fonction sacrée et de la fonction militaire. Mieux encore, le prince surplombe les trois fonctions. Voici que les documents littéraires viennent alimenter l'analyse des textes de grands clercs médiévaux : la naissance d'Arthur et l'épisode de son élection, la duperie d'Uterpendragon prenant grâce à l'art de Merlin les traits du duc de Tintagel, le jeune Arthur arrachant, sous les yeux émerveillés de tous, l'épée Excalibur du perron. La métamorphose du père et l'épée arrachée à l'enclume sont réintégrées par le chercheur dans un

---

1. Georges Dumézil, *Apollon sonore,* Paris, 1982, p. 207 ; voir aussi les analyses de Georges Duby dans *Les Trois Ordres ou l'Imaginaire du féodalisme,* Paris, 1978.
2. Dans *Europe,* « Le Moyen Age maintenant », n° 654, octobre 1983, p. 111-120.

groupe de motifs qui leur donnent sens. Car, Joël Grisward le dit fort justement, la conception d'Arthur pourrait être une histoire de vaudeville, au mieux une reprise des amours antiques de Jupiter et d'Alcmène, épouse d'Amphitryon. Mais pour vaincre Ygerne, Uter a recours à une série de moyens : or et bijoux, force guerrière et magie, richesse, force physique et art de l'enchanteur. Or dans l'*Edda*, le dieu Freyr tombe amoureux de la géante Gerdr et son messager utilise la série de trois moyens : présents d'or, menace de l'épée, baguette magique et incantation runique. La même structure se retrouve dans le troisième livre des *Gesta Danorum* de Saxo Grammaticus.

Selon la même approche, l'épée arrachée du perron ne doit pas faire oublier le temps qui s'écoule entre la réussite de l'épreuve et le sacre d'Arthur : l'usage des trois fonctions permet aussi de comprendre la suite des trois épreuves d'Arthur ; celui-ci témoigne d'abord de sagesse et d'intelligence, il teste sa force guerrière, il prouve qu'il sait faire un usage heureux des biens et de l'abondance féconde [1].

Un autre témoignage peut éclairer ceux qui s'intéressent à la légende arthurienne : le Graal a été mis en rapport avec les talismans royaux des Indo-Européens [2]. L'énigmatique séquence, le regard stupéfait et le silence qui s'ensuit : les tenants de la thèse celtique ont exposé l'ampleur de l'héritage où le chaudron et l'arme magique, la lance des dieux, sont des objets de l'Autre Monde. Que faire cependant du « tailloir » ? Des ensembles cohérents d'objets — depuis Hérodote relatant les débuts de la nation scythe jusqu'à Quinte-Curce —, un joug de bœuf, une charrue, une lance et une flèche, enfin une coupe, représentent l'univers symbolique des trois fonctions sociales indo-européennes. Ces talismans seront rapprochés des quatre joyaux des anciens dieux de l'épopée irlandaise.

Dans ce cas le Graal de Wolfram von Eschenbach serait à rapprocher de ces talismans royaux, la Pierre de Fal, symbole de la terre d'Irlande, l'omphalos d'Irlande et l'or sacré des Scythes. L'épopée irlandaise des Tûatha Dê Dânann, les anciens dieux de l'Irlande, et les objets sacrés des Scythes, enfin le cortège sacré du Graal, voici bien les quatre talismans qui s'articulent sur les fonctions : le Graal, récipient lié au culte pour symboliser la fonction magico-religieuse ; l'épée et la lance, symboles de la fonction guerrière, le tailloir enfin pour la fonction nourricière, en partie assumée également par le Graal.

---

1. J.H. Grisward, « Des Scythes aux Celtes : le Graal et les talismans royaux des Indo-Européens » dans *Artus*, n° 14, été 1983.
2. *Op. cit.*, p. 15 à 22.

Cette insistance sur la notion de groupe structuré d'objets dans leur relation à la personne du roi permet de faire échapper à l'arbitraire la singulière apparition du scénario : ainsi « l'aventure du Graal se lit et se livre comme la métamorphose médiévale d'un très vieux récit, transmis par les Celtes et qui, quelque quatre mille ans plus tôt, racontait comment un apprenti roi parvenait, à travers un certain nombre d'épreuves, à conquérir les talismans de souveraineté (instruments et symboles des trois fonctions sociales) dont l'harmonieux groupement et la conservation dans des mains qualifiées garantit la prospérité du royaume, et à restaurer une royauté déchue, indigne ou impuissante, dans un pays frappé de stérilité [1] ». Héritage d'une légende royale, le *Perceval* marque les étapes d'une initiation.

Par ailleurs le merveilleux arthurien *(mirabilia* : étonnement, crainte et admiration, ces contes « irréels et séduisants » dont parlait le poète !), le foisonnement croissant des éléments qui échappent à toute rationalisation n'ont pas manqué d'attirer l'attention des ethnologues, de tous ceux qui s'attachent à la mémoire collective et à la transmission orale. Ainsi il serait temps de voir autrement qu'en récits d'épigones *Les Merveilles de Rigomer,* la juxtaposition parfois abrupte des épreuves étonnantes, les châteaux tournoyants de *La Demoiselle à la mule* ou du *Chevalier au Papegau.*

Les recherches très vivantes dans le domaine des contes ont d'heureux effets sur notre lecture de la légende arthurienne. Les récentes mises au point sur l'héritage celtique, l'Autre Monde et ses enchantements, les Terres Gastes, les mythes de disette et d'abondance invitent à affiner les clefs d'interprétation.

Nourri de lectures savantes, le merveilleux arthurien témoigne à quel point la société médiévale a tiré parti d'un fonds ancien, en l'imprégnant de ses propres structures mentales et imaginaires ; il montre aussi à quel point les instances ecclésiastiques ont réussi à entraîner un mouvement de christianisation des héritages païens. Les travaux de Jacques Le Goff et de son entourage ont déjà bien cerné cet effort de maîtrise d'un imaginaire qui n'allait guère audevant des vœux de régulation de l'Église.

Certains récits arthuriens donnent réellement l'impression au lecteur que l'auteur a fait place à des fantasmagories qui circulaient aussi bien dans l'écrit que par la transmission orale de son époque. Le fait d'ailleurs que des prédicateurs, dans ces anecdotes édifiantes dont ils se servaient pour attirer l'attention de leur public, aient intégré des éléments folkloriques, et en particulier la légende arthurienne, dit assez que le schématisme des contes populaires peut ali-

1. J.H. Grisward, « Des Scythes aux Celtes : le Graal et les talismans royaux des Indo-Européens » dans *Artus,* n° 14, été 1983, p. 20.

menter les questions que le spécialiste de la littérature posera aux récits écrits ; les études sur les contes sont un instrument inappréciable dans la mesure où « le folkloriste est en mesure de réaliser les seules expérimentations sur le vivant qui soient accessibles au médiéviste [1]. »

Des schémas de contes, en nombre généreux, jaillissent du *Livre de Caradoc* : ainsi le serpent enroulé qui ne fait plus qu'un avec le bras du héros, les deux cuves placées une nuit de pleine lune, l'une remplie de vinaigre, l'autre de lait pour attirer le serpent ; les fantasmagories nocturnes de Lancelot dans *Les Merveilles de Rigomer,* la sorcière et sa nièce, l'ensorcellement de Lancelot, et dans le *Papegau,* le tournoi fantôme, la fleur placée sur la poitrine qui protège des revenants diabolisés. Un ordre de l'imaginaire, sinon du récit, ou peut-être un autre ordre du récit auquel on n'opposera pas les projets, plus graves, d'autres récits nourris de références tirées de l'Écriture sainte !

Des études récentes ont analysé les rapports du roman médiéval et du conte populaire. Ainsi pour le thème du château désert, Edina Bozoky examinait cet espace apparemment désert que le héros rencontre souvent sur son chemin, dans les deux premières *Continuations Perceval* : deux contes présentent un château-piège où un combat s'engage entre le héros et le seigneur du lieu. Les prisonniers du château seront délivrés. Parfois ils ont été victimes d'un enchantement que brise le héros. *Le Bel Inconnu* en donne un excellent exemple, car l'enchantement a entraîné la métamorphose en « guivre » d'une princesse que seul le « fier baiser » rendra à sa forme première [2]. Ce château désert peut aussi être un lieu utopique, un palais de l'Autre Monde tel que le décrit le *Lai de Guingamor,* qui rappelle des récits gallois (*Manawyddan, fils de Llyr*) ou des contes populaires dont la structure se retrouve aisément.

Un excellent témoin de l'appropriation par la symbolique chrétienne d'un motif merveilleux est la « bête glatissant » de la légende arthurienne, une sorte de monstre dont Merlin explique la signification dans la *Suite du Merlin.* Il s'agit d'un animal blanc, portant une croix vermeille et répandant une odeur délicieuse. C'est cette bête que l'on trouve dans le *Perlesvaus* où elle signifie le Christ sacrifié. A partir de Gerbert de Montreuil, le fantastique de l'aventure et l'aspect monstrueux de la bête seront accentués, peu à peu elle devient créature diabolique [3]. Mais plus tard, dans *Le Chevalier au Papegau,*

---

1. B.A. Rosenberg, « Folkloristes et médiévistes face au texte littéraire : problèmes de méthode » dans *Annales,* 1979, 2, p. 953.
2. Edina Bozoky, « Roman médiéval et conte populaire : le château désert » dans *Ethnologie française,* N.S. t. IV, 1974, p. 349-356.
3. Edina Bozoky, « La " Bête Glatissant " et le Graal. Les transformations d'un thème allégorique dans quelques romans arthuriens », dans la *Revue de l'histoire des religions,* n° 186, octobre 1974.

une bête merveilleuse, au pelage vermeil, guide le héros vers un revenant aux cheveux blancs, aux vêtements éclatants de blancheur, qui mène le héros vers l'arbre odorant. Hasard des agencements, éclatement d'un motif ? La durée joue parfois comme un gobelet où des dés sont agités, puis relancés pour une nouvelle configuration. A ceux qui seraient tentés de s'enfermer dans le seul système littéraire de récits parfaitement architecturés, ces comparaisons montreront tout l'intérêt qu'il y a à évoquer un imaginaire collectif, ce qui contribuerait à éclairer la manière dont les œuvres ont été appréciées, et par suite leur évolution au fil des décennies, leurs mutations et la vie des traditions narratives.

En marge d'une enquête à l'initiative de Jacques Le Goff sur les *exempla*, des recherches fécondes sont menées dans le domaine du conte par le *Groupe d'anthropologie historique de l'Occident médiéval*. On sait l'importance des traditions populaires dans les *exempla*. Ainsi les récits de la littérature à proprement parler sont des jalons qui permettent de comprendre un autre pan de la diffusion des contes. Le conte merveilleux médiéval, dans sa brièveté, peut éclairer l'agencement tantôt savant, tantôt abrupt qui en est fait dans les récits que nous lisons. Aucun clerc n'a jamais, en vérité, rédigé de recueil de contes, mais le genre a bien existé par transmission orale, l'écrit n'en recueillant qu'une très infime partie [1].

L'imaginaire celtique, si souvent invoqué lorsqu'on voulait traquer les sources de Chrétien de Troyes, est maintenant bien cerné comme réservoir d'éléments merveilleux venus alimenter les récits de la chevalerie errante. Les « enchantements de Bretagne », les invites de l'Autre Monde, les amours avec des êtres venus d'ailleurs — souvent soigneusement estompés chez Chrétien de Troyes où les femmes aimées sont de grandes dames ou des reines —, tous ces éléments ont subi une christianisation et une rationalisation parfois poussées. Restent ces objets qui ne proposent aux yeux que leur mystère, et le lecteur demeure aussi hébété que Gauvain : une épée brisée qui attend une soudure magique, une arme forgée dans l'Autre Monde, l'épée d'Arthur qu'une main mystérieuse ramène au fond du lac, objets enchantés, cor ou mantel. Les pionniers des analyses narratologiques ont parfois mal jugé la juxtaposition des motifs. Le rapport nouveau au monde des contes, favorisé par les ethnologues et les historiens des mentalités, incite à réexaminer cette tradition narrative. A ceux donc qui seraient tentés de parler d'un déclin et d'une apogée de la légende, l'anthropologie contemporaine apporte quelques raisons de lire autrement ces textes qui, dans le

---

1. *Formes médiévales du conte merveilleux*, sous la direction de Jacques Berlioz, Claude Bremond et Catherine Velay-Vallantin. Stock. 1989.

système interne, ne prétendent pas toujours à une signification concertée, mais qui relèvent de fantasmes et d'affects débordant le seul écrit médiéval. Non en termes d'archétypes, mais en constantes d'imaginaire prises en charge par des sociétés données : non seulement des lieux enchantés, mais des guérisseurs et des touchers magiques ; des boucliers du centre desquels une tête de dragon jette du feu ; une ville mythique où le feu a pris le jour de la mort du roi, et dont seul le roi à venir pourrait éteindre l'incendie s'il acceptait de se jeter dans les flammes ; des envoûtements et des amnésies ; des corps disloqués et pourtant entiers ; des bustes maléfiques et des décapitations qui sont des leurres... en somme, ce que nous promet le récit de *Rigomer*, « tout est enchantement, magie noire et féerie », et par suite « mettre fin aux merveilles, ce serait prétendre passer la mer à pied sec » !

RECHERCHES NOUVELLES : UNE SOCIÉTÉ IMAGINAIRE

Le domaine de la réception des romans arthuriens est un chantier largement ouvert. Certaines cours ont été motrices de créations et de diffusion, mais le plus grand rôle n'a pas été joué par la haute noblesse. L'imaginaire arthurien a agi surtout sur la petite noblesse et ceci jusqu'au début du xive siècle. Les enquêtes en anthroponymie montrent l'importance des schèmes de parenté. Les couples de frères — tel Bohort et Lionel — interviennent dans la nomination, et fréquemment à partir de la fin du xiiie siècle. Ce sont les bourgeois qui s'attachent ainsi aux valeurs de la noblesse, par la traversée de l'imaginaire littéraire, en marquant une passion pour un patrimoine de personnages mythiques ; les chevaliers, quant à eux, s'accrochent à des valeurs qui leur semblent sur le point de disparaître.

La recherche des marques qu'a pu laisser l'imaginaire littéraire au sein de l'espace social peut faire mesurer l'importance qu'a eue la légende arthurienne. A cet égard les travaux de Michel Pastoureau, déjà évoqués pour les structures de parenté et l'héraldique imaginaire, sont particulièrement novateurs. Dès le xiiie siècle, des témoignages indiquent qu'une forme de frémissement parcourt une large partie de l'Europe. Le modèle du « chevalier errant » imprègne les initiatives individuelles. On se met à rêver de vivre en arthurien ! Ainsi, comme les chevaliers de la Table Ronde, on formule un vœu, celui de défendre un « pas », passage ou gué, pendant un temps déterminé, en espérant que vont entrer ainsi dans la vie réelle les aventures chevaleresques. Comme le disait vigoureusement Arthur dans *Jaufré* : si les aventures ne viennent pas à nous, nous irons les chercher ! Vers le milieu du xiiie siècle un petit seigneur d'Autriche du Sud, Ulrich von Lichtenstein, se croit Arthur en personne, il envoie des messagers pour provoquer au combat tous les chevaliers, il parcourt plus de 4 000 kilomètres. Ceux qui réussiront à briser contre lui trois lances sans être désarçonnés seront admis à sa Table Ronde et recevront de lui un nom arthurien ! Il n'est pas le seul à avoir rêvé de la sorte. Pourrait-on parler d'une « névrose arthurienne [1] » ?

Les rituels prouvent à leur tour la longue vie du phénomène arthurien. Les chroniqueurs ont légué de nombreux récits de Pas d'Armes. La mythologie littéraire et les pratiques sociales semblent avoir entretenu au XIVe et au XVe siècle des rapports serrés. Les différentes cours — à l'exception de la cour de Bourgogne qui a voulu nourrir d'autres rêves — organisent des rituels, joutes, tournois et Tables Rondes [2].

La liste de ces rituels organisés durant un siècle, de 1230 à 1330, est impressionnante : aussi bien en Flandre qu'en Angleterre, en Espagne qu'en Allemagne. Quelques exemples parmi d'autres : le témoignage le plus ancien d'une fondation d'une Table Ronde (*Societas tabulae rotundae*) vient d'Italie du Nord, à la fin du XIIe siècle ou au tout début du XIIIe siècle. Une autre Table fut inaugurée à Chypre en 1223, en 1346 Édouard III organisa une Table à Windsor. En 1446 encore René d'Anjou devait faire construire pour une Table Ronde un château arthurien. La vie devient spectacle. Le théâtre dans lequel on veut tenir un rôle se mêle d'ailleurs à des gestes actifs qui favorisent la diffusion de la légende, comme en témoigne, Édouard Ier (1271-1307), arthurien passionné comme son épouse Éléonore de Castille, qui organisait des cérémonies arthuriennes et commandait des copies de manuscrits arthuriens.

L'anthroponymie est un champ particulièrement riche pour cerner le symptôme arthurien. Dès que le corpus littéraire s'est constitué, voici que les noms s'en diffusent dans la société. « Petrus dictus Perceval » : toutes les classes sociales sont touchées par le phénomène, et ceci d'autant plus facilement que la frontière est floue entre culture paysanne et culture aristocratique en milieu rural. On constate une forte primauté du nom de Tristan, puis viennent Lancelot et Arthur à titre égal, puis Gauvain et Perceval ! A l'occasion d'un tournoi, on peut se faire appeler d'un nom arthurien, ce surnom peut se perpétuer et devenir héréditaire, devenir nom de baptême ou patronyme. Même les animaux bénéficient du phénomène puisque les deux lévriers d'Isabeau de Bavière furent appelés Tristan

---

1. C'est en tout cas la question que se posait Michel Pastoureau, face à ces témoignages.
2. R.S. Loomis, sur les rituels sociaux, « Arthurian influence on sport and spectacle », dans *Arthurian Literature in the Middle Ages*, p. 553-559.

et Lancelot, les deux faucons du frère d'Alphonse X en Espagne se
nommèrent Lanzarote et Galvan ! Les spectacles sont évanouis, et les œuvres nous restent, qui les
ont inspirés. Il reste cependant aussi des « reliques » arthuriennes,
ces tombes prétendues d'Arthur et de Guenièvre à Glastonbury, et
vers la fin du Moyen Age déjà, on découvrait, comme pour les
saints, des objets ayant appartenu à tel ou tel héros de la légende.
Les témoignages visuels sont les meilleurs pour authentifier une
légende : nous le savions par l'archivolte de la cathédrale de Modène
déjà, vers 1130, par une mosaïque de la cathédrale d'Otrante, vers
1165, qui montre le héros de la légende avec la mention « Rex Arturus ». Le domaine iconographique est désormais soigneusement
exploré. Pour le prestige de la légende aux yeux des publics médiévaux, l'image est un témoignage de premier ordre, sa complexité
croissante, la structure à trois épisodes, les trois dimensions, le système complexe des couleurs, son rapport au texte qu'elle illustre.
Cette iconographie arthurienne qui prend un bel essor vers 1240-
1250 s'accélère pendant la deuxième moitié du siècle. Autour des
années 1450 nombre de manuscrits arthuriens sont magnifiquement
illustrés. Désirer, commander puis posséder un bel ouvrage illustré
est signe de grand pouvoir [1].

Un domaine encore, important, a été exploré, qui concerne les
signes sociaux de l'identification, dont le monde arthurien a fait
large usage, au point que cet usage s'est reversé dans le domaine
social : à partir des illustrations de manuscrits et à partir des *Armo-
riaux* qui fournissaient aux illustrateurs les références nécessaires
pour représenter un personnage avec ses armoiries attendues, on
constate que les armoiries des personnages de légende sont éton-
namment stables. Cette stabilité et cette assurance que procurait la
mythologie littéraire ont fait que les armoiries familiales ont souvent
puisé avec enthousiasme dans les armoiries littéraires, remplaçant
parfois les véritables armoiries de la famille par des armoiries fictives. Le mouvement inverse est moins fréquent. Un *Armorial des
chevaliers de la Table Ronde*, tardif, ajoutera même à la description
du blason d'environ cent quatre-vingts personnages de la légende des
éléments biograhiques et des indications d'ordre psychologique,
sorte de *Who is Who* de la société arthurienne [2]. État civil des per-

---

1. Je tiens à exprimer ici toute ma gratitude à Michel Pastoureau, directeur d'études
à l'École pratique des hautes études : il m'a permis de faire état de ses recherches sur
l'iconographie arthurienne, sur l'anthroponymie, sur les pratiques sociales que j'ai évo-
quées ici, et dont il a parlé dans le cadre de son séminaire au cours de l'année 1987-88.
Ces matériaux précieux, collectés et interrogés par l'historien, seront publiés dans un
ouvrage à paraître aux éditions Picard : *Les Chevaliers de la Table Ronde. Anthropologie d'une société imaginaire.*
2. C.E. Pickford, cité par M.Pastoureau, *Armorial des chevaliers de la Table Ronde*,
p. 13.

sonnages légendaires complété par une mise en situation d'ordre
psychologique : cette association, à la veille de la Renaissance,
révèle à la fois la fermeté de la tradition, et l'émergence d'une attention à l'individu, qui se dit timidement encore à travers l'héritage
séculaire des récits !

Danielle RÉGNIER-BOHLER

TABLEAUX GÉNÉALOGIQUES

établis par Michel Pastoureau

Extraits de *Armorial des chevaliers de la Table Ronde*
(Paris, Le Léopard d'or, 1983)

Au sein de la légende arthurienne les structures de parenté ne changent pas ou très peu d'une œuvre à l'autre, en revanche les noms de personnages de deuxième ou troisième plan peuvent se modifier. Les quatre tableaux généalogiques présentés ici ont été établis à partir des noms tels qu'ils sont proposés dans le *Lancelot en prose* et le *Tristan en prose*, d'où quelques variantes par rapport à certains textes que l'on peut lire dans ce volume.

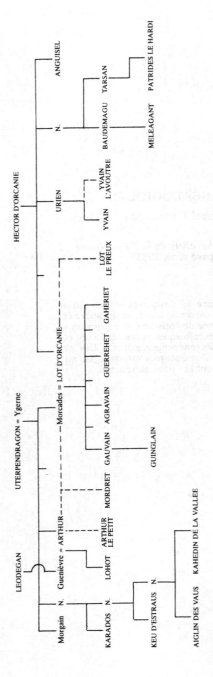

Généalogie simplifiée du lignage d'Arthur et de Gauvain

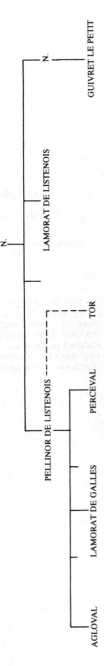

Généalogie simplifiée du lignage de Perceval

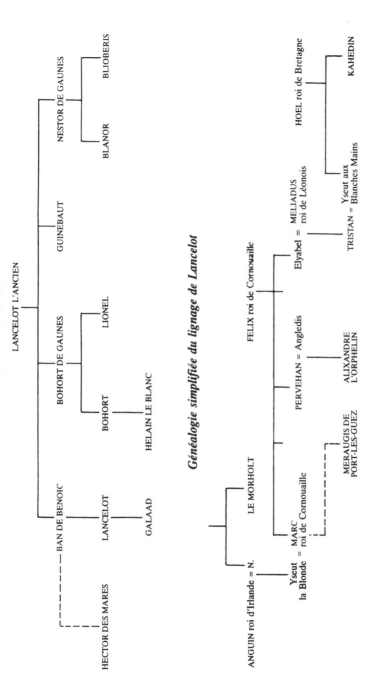

Généalogie simplifiée du lignage de Lancelot

Généalogie simplifiée du lignage de Tristan

NOTE AU LECTEUR

Dans ce volume nous souhaitons faire connaître la richesse et la diversité des récits qui composent la légende arthurienne. A partir d'un grand classique bien connu du public, *Perceval le Gallois ou le Conte du Graal* de Chrétien de Troyes, la thématique du Graal, de son énigme et de la quête, s'est développée en des sens surprenants, qui méritent d'être découverts. Après Chrétien de Troyes, des récits en prose ont voulu exposer le projet divin qui intègre Arthur, le souverain légendaire du royaume de Bretagne, dans un temps qui va de la Passion du Christ au crépuscule de la Table Ronde. D'autres récits, versifiés, se sont attachés à des aventures plus terrestres, mais qui, toujours, mettent en œuvre ce qu'on a appelé une éthique chevaleresque. Dans tous les cas, les origines celtiques de la légende ont apporté des motifs merveilleux et souvent fantastiques à la matière arthurienne. Les amateurs de contes trouveront là une littérature qui fait rêver. Graal, aventures et fantasmagories : la Table Ronde est encore à découvrir !

Toutes les traductions de ce volume, à l'exception du roman de Chrétien de Troyes traduit par Lucien Foulet, sont inédites. Les traducteurs sont tous des spécialistes de la littérature du Moyen Age. Leur traduction est précédée d'une présentation dans laquelle ils situent les textes qu'ils ont traduits ; ils indiquent leur transmission par les manuscrits et analysent leur place dans la tradition littéraire. Chaque traducteur a orienté sa présentation selon son approche personnelle.

La préface qui inaugure le volume décrit dans ses grandes lignes la genèse de la légende arthurienne, propose des clefs pour sa lecture, évoque la diffusion dont elle a joui dans l'Europe du Moyen Age, rappelle enfin la vitalité des recherches qu'elle suscite à l'heure actuelle, qui sont d'une grande modernité.

Dans la mesure du possible, les récits ont été traduits intégralement. Dans les cas où de larges extraits sont présentés, des passages de transition, en italique et entre parenthèses, permettent d'embrasser la cohérence du texte. Les récits ont été découpés en séquences pourvues de titres : cette intervention sur le texte que nous a transmis le manuscrit médiéval a pour but d'en rendre la lecture plus aisée.

Nous avons voulu proposer à la lecture des traductions exemptes d'archaïsmes et éviter les termes disparus de notre vocabulaire ou ceux dont le sens a changé. Seuls les termes de civilisation ont été gardés pour lesquels aucun équivalent ne pouvait se trouver. L'exactitude a été un souci constant, mais il fallait aussi offrir des traductions dont le mouvement et le rythme puissent convenir au lecteur contemporain. Ainsi les temps du récit ont dû souvent être homogénéisés : le lecteur constatera parfois que la langue du Moyen Age ne se range pas facilement à l'usage actuel !

En fin de volume, un lexique propose une courte définition des termes de civilisation. La table des noms propres fournit les repères essentiels de l'univers arthurien. Des tableaux généalogiques faciliteront la compréhension des liens de parenté entre les personnages. Une bibliographie orientera vers des horizons larges et détaillés le lecteur qui voudrait aller plus avant dans la littérature du Moyen Age.

En abordant la légende arthurienne, le lecteur peut être surpris par l'abondance des lieux qui sont nommés sans porter de noms ! Château des Griffons, Château des Barbes, Château de la Joie, Ile de Pénurie ou d'Abondance, Royaume des Pucelles, Pont Périlleux, Amoureuse Cité, d'autres encore : le héros qui y passe est comblé ou désenchanté, déçu et menacé, parfois soumis à une étrange coutume. Ainsi le Château des Caroles est un château où se danse, par enchantement, une ronde éternelle.

Parfois ces désignations sont précises : le Château au Cercle d'Or devant lequel passe Lancelot conserve, coulée dans l'or, la couronne d'épines portée par le Christ sur la Croix. Le Château des Ames est le château du Graal, le but de la quête : l'âme de ceux qui y parviennent accède, après leur mort, au paradis.

Lorsqu'un lieu est privé de nom — telle l'Ile sans Nom d'où l'on ne peut revenir, ou la Cité sans Nom — la privation du Nom que dit le nom même peut signifier un inachèvement particulier ou un mauvais présage. Inachèvement ou mauvais présage que dit également l'être privé de nom, un Géant sans Nom par exemple.

Certains noms de personnages sembleront au lecteur moderne de pures désignations génériques : Chevalier au Bouclier Blanc, Chevalier Vermeil, etc. Ces désignations pourtant sont loin d'être neutres : elles actualisent la portée de telle ou telle couleur dans la sensibilité symbolique médiévale, elles orientent vers la perception d'un système des couleurs suggérant qualités ou vices, vigueur, loyauté, justice, ou désordre, désespoir, trahison. Ce système est d'ailleurs souvent ambivalent, et il ne saurait être question de vouloir y trouver des archétypes. En tout cas les personnages monochromes, nommés uniquement par la couleur de leurs armes, sont désignés et classés dans une fonction spécifique. La monochromie permet par ailleurs d'évaluer l'importance de l'incognito et des signes de « conoissance » que sont les armoiries.

Dans les cas d'un Chevalier Couard, de Lion sans Merci ou de Belle sans Vilenie, il apparaît d'emblée que le personnage fournit, par son nom même, l'essence de son être et les modalités d'un comportement relativement stable. Mais des personnages peuvent assumer des fonctions importantes dans la légende arthurienne, sans pour autant porter de nom : il en est ainsi des demoiselles-messagères, des nains ou des vavasseurs, toujours dévolus à une chaleureuse hospitalité. Ces « anonymes » sont nombreux et importants pour la dynamique du récit.

Enfin, dans les situations amoureuses surtout, on verra souvent intervenir des allégories, Joie, Courtoisie, Prouesse, Beauté, Noblesse, et surtout Amour. Il s'agit là de personnifications : une notion abstraite, un sentiment, une force de l'affectivité prend parole, et se glisse dans le rôle d'un personnage. Amour, surtout, intervient dans les monologues/dialogues intérieurs, comme interlocuteur de celui qui est en proie au sentiment amoureux. Il parle en maître. Suivant la tradition très élaborée déjà par Chrétien de Troyes dans *Cligés*, cette casuistique un peu précieuse, très vivante et souvent malicieuse, apparaît dans un certain nombre de nos récits, ainsi dans *Méraugis de Portlesguez*, *Le Roman de Jaufré* et *Le Chevalier au Papegau*.

                                                        D. R.-B.

Chrétien de Troyes

PERCEVAL LE GALLOIS
ou le Conte du Graal

Récit en vers, traduit par Lucien Foulet,
présenté par Danielle Régnier-Bohler.

Écrit dans le dernier quart du XIIe siècle.

INTRODUCTION

Aucun récit médiéval — hormis peut-être la légende de *Tristan et Iseut* — n'a suscité autant de commentaires, autant d'analyses, autant de passions que le *Conte du Graal* dont Perceval est le héros principal, au point d'évoquer par son nom seul le titre du roman. Aussi bien par l'énigme du Graal, qui est pour le jeune homme muet une épreuve décisive et un échec inattendu, que par la structure du roman, qui attribue à Gauvain un rôle de premier plan dans sa deuxième partie, le *Conte du Graal* reste une œuvre ouverte aux interrogations. La fécondité des continuateurs, dans les décennies qui ont suivi, dit bien le rôle de levain qu'a joué le dernier récit de Chrétien de Troyes.

Car parmi les cinq romans du clerc de la cour de Champagne, le *Conte du Graal* garde le mystère de son inachèvement. Paradoxalement, il est aussi le récit le plus long : plus de neuf mille vers ! Emporté par la mort, Chrétien nous laisse dans l'incertitude de l'ampleur réelle de son projet, sur le suspense d'une aventure de Gauvain...

Le prologue indique que le récit avait été commandé par Philippe d'Alsace, comte de Flandre, entre 1181 et 1190. On sait à quel point Chrétien de Troyes a su dans ses romans faire usage de cette possibilité de souligner dans un prologue le rôle du dédicataire, de suggérer le sens du récit à venir et la part du maître d'œuvre qu'il a été. En donnant priorité à la charité chrétienne sur la « largesse » chevaleresque, le prologue du *Conte du Graal* annonce peut-être déjà le sens religieux que le romancier va assigner à l'initiation de Perceval. Il désigne aussi une source écrite, un livre. Un conte d'aventure d'origine bretonne ? Nul ne le sait. En tout cas Perceval apparaissait déjà parmi les chevaliers d'Arthur dans le premier roman de Chrétien, *Érec et Énide*, il apparaissait aussi dans *Cligès*, sans mention d'une aventure spécifique dont il serait le héros.

Par rapport au monde romanesque que l'écrivain avait auparavant mis en scène, on percevra la modification importante introduite dans le dernier roman de Chrétien La quête de la femme et de l'aventure, le désir de concilier l'amour et la prouesse cèdent ici la place à une image autre de la chevalerie, tout imprégnée de spiritualité Après le séjour chez Arthur qui donne à Perceval ses armes, après l'apprentissage auprès de Gornemant de Goort qui confère au héros l'ordre de chevalerie, après l'initiation à l'amour au château de Blanchefleur dont la belle image renaîtra des trois gouttes de sang sur la neige, l'aventure du Château du Graal semble un terme et l'évidence d'un échec elle est également le début d'une quête intérieure L'inadéquation de Perceval trop silencieux devant le cortège du Graal est en effet l'inauguration d'une quête difficile où la perte de la mémoire signale la force d'un traumatisme profond. De cette torpeur douloureuse Perceval sortira le jour du vendredi saint Il a en effet passé cinq ans « tout égaré en lui-même », si bien qu'il a oublié Dieu le péché du chagrin causé à sa mère, lui révèle son oncle l'ermite, a paralysé sa langue devant le Graal, il est à l'origine de son silence devant la lance et le plat précieux, il est à l'origine de tous les maux qui ont suivi

Gauvain pourtant passe au premier plan malgré l'inachèvement du récit, la composition s'annonçait ambitieuse, semble-t-il, puisque après le vers 4747 le récit s'attache à Gauvain, dont les aventures occupent presque autant de place que celles de Perceval Certains ont voulu y voir l'annonce d'un déséquilibre, mais on pourrait également créditer l'écrivain d'un plus large projet narratif auquel la mort n'a pu faire place

La dualité d'action du récit n'était d'ailleurs pas étrangère aux romans antérieurs, au *Chevalier à la Charrette* aussi bien qu'au *Chevalier au lion*, où Gauvain précisément entreprend une aventure parallèle à celles de Lancelot et d'Yvain Dans le *Conte du Graal* cependant, ce héros promis à une belle postérité littéraire prend une importance considérable, ce qui n'est pas dénué, de sens dans la cohérence du récit, car il est invité, lui aussi, à entreprendre la quête de la lance « dont la pointe verse des larmes de sang »

La cour d'Arthur est, comme dans les romans précédents, un centre de ralliement des aventures la quête régit les itinéraires de Perceval. Mais au-delà de l'aventure chevaleresque le héros apprend ici la voie du remords le jeune sauvage tiré de la forêt, le « nice » inculte, se montre docile aux divers enseignements qui lui sont prodigués par sa mère et par Gornemant de Goort . il parcourt une belle gradation d'apprentissages qui sont autant d'étapes d'une initiation au savoir-vivre, à la chevalerie et à l'amour Cette initiation débouche plus gravement sur l'intériorité et sur le repentir

Récit complexe où le silence de Perceval reçoit plusieurs explications, où l'ignorance étonnante de son propre nom et la découverte d'une généalogie compliquée font l'objet d'une éclatante révélation au moment où le malheur le frappe ; où l'énigme du Graal reste d'ailleurs sans réponse. Le Roi Pêcheur est « mehaignié », mutilé par un coup de javelot « dans les hanches ». La chasse lui est interdite, son seul divertissement est de pêcher : au-delà de ce roi invalide se profile un autre personnage dont il est le fils, celui à qui l'on sert l'hostie déposée dans le plat mystérieux. En posant la question devant le mystère de la lance et du Graal, Perceval pourrait guérir son hôte de son infirmité et, par là, rendre au royaume la prospérité. Mais le silence du héros fixera les terres dans la dévastation et la stérilité. Le château au réveil est désert : l'énigme du Graal dans le roman de Chrétien attendra que d'autres récits tentent de raconter d'autres échecs, d'autres silences, d'autres espoirs.

Pour la suite des temps, le rôle de Chrétien aura été déterminant : il a su réunir la légende du Graal probablement tirée d'une mythologie ancienne, et le sens d'une quête chrétienne à travers le destin du jeune héros muet, ébloui, plongé dans l'extase devant trois gouttes de sang sur la neige et devant l'éclat d'un cortège énigmatique.

En proposant au lecteur la traduction publiée en 1947 par Lucien Foulet, nous rendons hommage à un grand spécialiste de la littérature du Moyen Age, à un lexicographe et à un grammairien de renom international ; Lucien Foulet fut en effet le premier à tenter une traduction fidèle, élaborée et élégante d'un récit médiéval. Sa traduction fut rééditée à plusieurs reprises.

Dans son rôle de pionnier, Lucien Foulet avait à l'époque choisi de traduire le roman en conservant des mots de l'ancienne langue « pour lesquels la langue moderne n'offrait pas d'équivalents exacts » et en employant à l'occasion « des termes qui existent encore, mais qui avaient au xiie siècle un sens un peu différent et une valeur autre ». C'est donc une grande première que cette traduction de *Perceval le Gallois ou le Conte du Graal* : Lucien Foulet frayait la voie à ceux qui, par la suite, ont tenté à leur tour de faire connaître par leur entreprise de traducteurs la richesse du patrimoine médiéval.

Danielle RÉGNIER-BOHLER

BIBLIOGRAPHIE

R. DRAGONETTI : *La Vie de la lettre au Moyen Age (Le Conte du Graal)*, Paris, 1980 *(Connexions du champ freudien)*.

J. FRAPPIER : *Chrétien de Troyes et le mythe du Graal. Étude sur « Perceval ou le Conte du Graal »*, Paris, 1972 et 2ᵉ éd. 1979.

J. GRISWARD : « " Com ces trois goutes de sanc furent, Qui sor le blance noif parurent ". Note sur un motif littéraire », dans *Mélanges Félix Lecoy*, 1973, p. 157-164.

D. POIRION : « L'ombre mythique de Perceval dans le *Conte du Graal* », dans *Cahiers de civilisation médiévale*, t. 16, 1973, p. 191-198.

J. ROUBAUD : « Généalogie morale des rois pêcheurs. Deuxième fiction théorique à partir des romans du Graal », dans *Change*, n° 16-17, 1973, *La Critique générative*, p. 228-247.

F. SUARD : « Place et signification de l'épisode Blanchefleur dans le *Conte du Graal* de Chrétien de Troyes », dans *Mélanges Pierre Le Gentil*, 1973, p. 803-810.

PROLOGUE

Qui sème peu récolte peu, et qui veut recueillir fera bien de choisir un terrain qui lui rende au centuple ce qu'il y aura mis. En terre qui rien ne vaut, la graine sèche et meurt. Chrétien veut semer le roman qu'il commence en si bon lieu qu'il ne puisse manquer d'en tirer une riche moisson ; car il le fait pour le plus preux qui soit en tout l'empire de Rome : c'est le comte Philippe de Flandre, qui vaut mieux que ne fit Alexandre en son temps. On loue beaucoup Alexandre, mais il est clair qu'il n'approche pas du comte, car il avait en lui toutes les faiblesses et tous les vices dont le comte est exempt et net.

Le comte est tel qu'il n'écoute nulle laide plaisanterie, nulle parole sotte. S'il entend dire du mal d'autrui, il en est peiné. Le comte aime droiture, justice, loyauté, il chérit sainte Église, et il hait toute vilenie. Il est plus large qu'on ne sait, car, sans hypocrisie et sans arrière-pensée, il donne selon l'Évangile qui dit que « ta main gauche doit ignorer le bien que fait ta main droite ». Que soient seuls à le savoir celui qui le reçoit, et Dieu qui voit tous les secrets et lit toutes les pensées qui se cachent dans les cœurs et les entrailles !

Pourquoi l'Évangile dit-il : « Cache tes bienfaits à ta main gauche » ? C'est que la main gauche signifie la vaine gloire qui vient de l'hypocrisie trompeuse. Et la droite ? Elle représente la charité, qui ne se vante pas de ses bonnes œuvres, mais les cèle si bien que nul ne s'en doute, sinon celui qui a nom Dieu et charité. Dieu est charité, et quiconque vit en charité, saint Paul le dit et je l'ai lu, il demeure en Dieu et Dieu en lui. Or, sachez que les dons du bon comte Philippe sont des dons de charité : il n'en dit mot à personne, sauf à son franc et généreux cœur qui lui conseille de faire le bien. Ne vaut-il pas mieux que ne valut Alexandre, qui jamais ne se soucia de charité ni de nul bien ? Oui, certes, et Chrétien ne risque pas de perdre sa peine, quand, par le commandement du comte Philippe, il rime la meilleure histoire qui soit contée en cour royale. C'est *Le Conte du Graal,* dont son seigneur lui donna le livre. Vous saurez bientôt comment Chrétien s'est acquitté de sa tâche.

I

UN JEUNE SAUVAGE

C'était au temps que les arbres fleurissent, que les bocages se couvrent de feuilles et les prés d'herbe verte, alors que dès l'aube les oiseaux chantent doucement en leur latin et que toute créature s'enflamme de joie. Le fils de la dame veuve, au cœur de la Gaste Forêt solitaire où elle a sa demeure et son domaine, se leva, vivement mit la selle sur son cheval de chasse et prit trois javelots. Ainsi équipé, il sortit du manoir de sa mère et se dit qu'il irait voir les herseurs de la dame, à l'œuvre dans les avoines avec leurs douze bœufs et leurs six herses. Il entre donc en la forêt et, tout aussitôt, son cœur se réjouit en lui pour la douceur du temps et le joyeux ramage des oiseaux : car tout cela lui plaisait.

Il fait si beau et si calme qu'il ôte le frein de son cheval et le laisse errer à son gré et paître par la jeune herbe verdoyante. Et lui, habile qu'il était à darder le javelot, il allait lançant de tous côtés ceux qu'il portait, en avant, en arrière, en haut, en bas, tant qu'il entendit, dans les profondeurs du bois, des chevaliers qui venaient, armés de toutes pièces. Ils étaient cinq, menant grand bruit de leurs armes qui se heurtaient à tout instant aux rameaux des chênes et des charmes ; les lances frappaient contre les écus, les mailles des hauberts crissaient, le bois des lances résonnait, et le fer des écus et des hauberts. Le valet [1] entend, mais ne voit pas ceux qui s'approchent à vive allure. Il s'en étonne grandement :

— Sur mon âme, ma dame ma mère ne m'a pas menti. Rien de plus terrifiant que les diables, m'a-t-elle dit, et pour se garder d'eux il faut bien vite faire sur soi le signe de la croix. Me voilà averti, mais je n'entends pas de cette oreille ; se signe qui voudra ; moi, je vais choisir le plus fort d'entre eux et le férir d'un de mes javelots. Je ne crois pas qu'après cela aucun des autres ait grande envie de s'approcher de moi.

Ainsi parle-t-il avant de les voir. Mais quand il les vit à découvert, débouchant d'entre les arbres, quand il aperçut les hauberts étincelants, les heaumes clairs et les lances et les écus — toutes choses qu'il n'avait jamais vues encore —, quand il vit le vert et le vermeil reluire au soleil, et l'or et l'azur et l'argent, il s'écria tout émerveillé :

---

1. Jeune homme : le « valet gallois », c'est le « jeune Gallois ». Le mot s'applique souvent aux jeunes gens de famille noble qui servaient à la cour d'un roi ou d'un seigneur en attendant de devenir chevaliers.

— Ah ! sire Dieu, pardon : ce sont des anges que je vois là. Quel péché est le mien ! Moi qui les ai appelés des diables ! Je vois bien que ma mère était dans le vrai. Elle me contait que les anges étaient les êtres les plus beaux qui soient, hormis Dieu qui est plus beau que tous. Mais sûrement c'est Dieu lui-même que je vois, car il en est un parmi eux si beau que, Dieu me pardonne, les autres n'ont pas le dixième de sa beauté. Et ma mère m'a enseigné qu'on doit croire en Dieu, l'honorer, le révérer, l'adorer. Je vais donc adorer celui-là et tous ses anges avec lui.

A l'instant il se jette à terre, récitant son credo et toutes les oraisons que sa mère lui avait apprises. Le maître des chevaliers l'aperçoit :

— Arrêtez-vous et restez en arrière, crie-t-il à ses compagnons. Vous voyez qu'à notre vue ce valet est tombé de la terreur que nous lui avons causée. Si nous allions tous ensemble vers lui, il serait si épouvanté, je crois, qu'il en mourrait. Et pour moi, plus de réponse aux questions que je voudrais lui poser.

Les chevaliers font halte, le maître vient en hâte vers le valet, le salue et veut le rassurer :

— Valet, n'aie pas peur.

— Je n'ai pas peur, non, par le Sauveur en qui je crois. Êtes-vous Dieu ?

— Non certes.

— Qui êtes-vous donc ?

— Je suis chevalier.

— Chevalier ? Je ne connais pas les gens de ce nom, je n'en ai jamais vu, de ma vie on ne m'en a parlé. Mais vous êtes plus beau que Dieu. Ah ! de quel cœur je voudrais vous ressembler, être tout brillant et fait comme vous !

Le chevalier vient tout près de lui :

— Dis-moi, as-tu vu aujourd'hui en cette lande cinq chevaliers et trois pucelles ?

Mais le valet s'inquiète bien de cela ! Il a d'autres curiosités en tête. Il tend la main vers la lance, la prend et dit :

— Beau cher sire, vous qui avez nom de chevalier, qu'est-ce que vous tenez là ?

— Allons, je suis bien tombé : je pensais, beau doux ami, savoir des nouvelles par toi, et c'est toi qui veux les apprendre de moi. Mais je vais te répondre tout de même. C'est ma lance.

— Voulez-vous dire qu'on la lance, comme moi mes javelots ?

— Non, valet, ne sois pas si sot. Elle sert à frapper, comme cela, un bon coup.

— Oh ! alors, j'ai mieux que vous. Vous voyez ces trois javelots : je n'ai qu'à en prendre un, je tue tout ce que je veux, oiseaux et bêtes, selon le besoin, et je les atteins d'aussi loin que le ferait le trait d'un arc.

— Valet, je n'ai cure de tous ces contes. Parle-moi plutôt des chevaliers que je cherche. Sais-tu où ils sont et as-tu vu les pucelles ?

Le valet le saisit par le bord de l'écu et sans plus de façon :

— Qu'est-ce que cela, dit-il, et à quoi cela vous sert-il ?

— Valet, tu te moques. Tu me mets sur un chapitre où je ne te demandais rien. Par Dieu, je pensais te faire parler, et c'est moi qui dois répondre à tes questions ! Mais tu auras ta réponse malgré tout, car tu me plais. On appelle écu ce que je porte. Et je dois bien faire grand cas de mon écu, car il m'est si fidèle que, de quelque côté que viennent les coups de lance ou de flèche, il se met devant et les arrête tous. Voilà le service qu'il me rend.

A ce moment les chevaliers qui étaient restés en arrière viennent rejoindre leur seigneur :

— Sire, que vous raconte ce Gallois ?

— Il ne sait pas bien les manières. A toutes mes questions il répond à côté. C'est autre chose qui l'intéresse : tout ce qu'il voit, il en demande le nom et ce qu'on en fait.

— Sire, sachez bien certainement que les Gallois sont tous de naissance plus fous que bêtes en pâture. Et celui-ci ne vaut pas mieux que les autres. Fou est qui s'arrête à lui sinon pour baguenauder et perdre son temps à des sornettes !

— Je ne sais pas trop ; mais, par Dieu, avant de pousser plus loin, je veux lui dire tout ce qu'il me demandera. Et je ne bouge pas d'ici plus tôt. Valet, je ne veux pas te fâcher, mais parle-moi des cinq chevaliers et des pucelles aussi. Les as-tu rencontrés ou vus ?

Le valet le tenait par le pan du haubert, et le tirant à lui :

— Dites-moi, beau sire, quel est ce vêtement que vous portez ?

— Eh quoi ? Ne le sais-tu pas ?

— Moi, non.

— Valet, c'est mon haubert, qui est pesant comme fer.

— Il est de fer ?

— Ne le vois-tu pas ?

— Oh ! je ne m'y connais pas, mais sur ma foi il est bien beau. Qu'est-ce que vous en faites ? A quoi vous sert-il ?

— Oh ! c'est bien simple. Si tu voulais me lancer un javelot ou me décocher un trait, tu ne réussirais pas à me faire le plus léger mal.

— Dan [1] chevalier, Dieu préserve les biches et les cerfs de pareille vêture ! Je n'en pourrais plus tuer un seul : inutile alors de courir après.

— Valet, de par Dieu, sais-tu me dire des nouvelles des chevaliers et des pucelles ?

---

1. Devant un nom propre ou un titre féodal, appellation de politesse, souvent employée comme notre « monsieur », avec une légère nuance ironique.

Et l'autre qui n'y entendait pas malice repart :

— Est-ce que vous êtes né comme cela ?

— Mais non, valet, impossible, personne ne peut naître ainsi.

— Qui donc alors vous a vêtu de la sorte ?

— Tu veux le savoir ?

— Certes.

— Tu le sauras. Il n'y a pas encore cinq jours que le roi Arthur en m'adoubant m'a fait don de tout ce harnois. Mais revenons à ma question. Que sont devenus les chevaliers qui ont passé par ici et qui conduisaient les trois pucelles ? Est-ce qu'ils allaient au pas, ou bien avaient-ils l'air de fuir ?

— Sire, regardez. Vous voyez cette haute futaie là-bas, qui couronne la montagne : c'est le col de Valdone.

— Oui, et après, beau frère ?

— Là sont les herseurs de ma mère qui labourent et travaillent ses terres, et si ces gens ont passé par là, les herseurs vous le diront, s'ils les ont vus.

— Mène-nous donc vers eux.

Le valet saute sur son cheval et les conduit vers les champs d'avoine. Quand les herseurs voient venir leur jeune maître ainsi accompagné, ils se mettent tous à trembler de peur. Ils en ont bien cause. Ne savent-ils pas ce qui arrivera, si les chevaliers lui content leur état et leurs aventures ? Leur seigneur voudra être chevalier, lui aussi, et sa mère en perdra le sens. On croyait s'y être pris si bien pour lui cacher la vue des chevaliers et le laisser ignorant de toute chevalerie ! Le valet dit aux bouviers :

— Avez-vous vu passer ici cinq chevaliers et trois pucelles ?

— Oui, tout le long du jour ils n'ont cessé de faire route par le chemin du col.

Le valet se tourne vers le maître :

— Sire, les chevaliers et les pucelles ont passé ici. Mais parlez-moi encore du roi qui fait les chevaliers, et dites-moi où il se tient le plus souvent.

— Valet, le roi séjourne à Carduel [1]. Il n'y a pas encore cinq jours que je l'y ai vu. Et si tu ne le trouvais là-bas, il ne manquerait pas de gens pour t'enseigner où il est, si loin qu'il soit allé.

Là-dessus le chevalier s'en va au galop, car il lui tarde de rattraper les autres. Et le valet retourne promptement à son manoir, où sa mère, inquiète de son retard, l'attendait, triste et sombre. Dès qu'elle le voit, sa joie éclate, elle court à lui, en mère aimante elle l'appelle « beau [2] fils », « beau fils » plus de cent fois :

---

1. Carduel (Cardoel, Cardueil) : une des capitales du royaume d'Arthur, probablement sa résidence privilégiée (Carlisle en Cumberland ?).

2. Il ne s'agit pas ici d'une appréciation esthétique mais, comme c'est souvent le cas dans les récits médiévaux, « beau » est l'équivalent de « cher » et exprime l'affection et la tendresse.

— Beau fils, mon cœur a bien souffert en votre absence ; j'ai failli mourir de chagrin. Où avez-vous donc tant été ?

— Où, dame ? Je vous le conterai sans mentir d'un mot. J'ai eu une bien grande joie de quelque chose que j'ai vu. Vous m'avez bien dit, n'est-ce pas, et très souvent, que les anges de Dieu sont si beaux que jamais Nature n'a créé rien de pareil et qu'il n'y a être au monde dont la beauté puisse se comparer à la leur ?

— Oui, beau fils, et je le dis encore, et je le répète.

— Taisez-vous, mère. Ne viens-je pas de voir les plus belles choses qui soient, allant par la Gaste Forêt ? Ce sont gens plus beaux, j'en suis bien sûr, que Dieu et tous ses anges.

La mère le prend entre ses bras :

— Beau fils, je te recommande à Dieu : j'ai grand peur pour toi. Tu as dû voir les anges dont chacun se plaint et qui tuent tout ce qu'ils atteignent.

— Oh ! non, mère, non. Ils disent qu'ils s'appellent chevaliers.

La mère à ce mot tombe pâmée. Quand elle s'est redressée, elle lui dit dans son courroux :

— Hélas, malheureuse que je suis ! Beau fils, je vous croyais si bien garder ! On ne vous disait pas un mot de chevalerie, on ne vous laissait pas voir un seul chevalier. Chevalier ! il est bien sûr que vous l'auriez été, s'il avait plu au Seigneur Dieu que votre père pût veiller sur vous, et vos autres amis. Il n'y eut jamais chevalier de si haut prix que votre père, beau fils, ni si redouté dans toutes les Iles de la mer. Certes, vous n'avez cause de rougir de votre lignage, ni de son côté ni du mien. Je suis née des bons chevaliers de ce pays ; dans toutes les Iles de la mer aucun autre lignage ne pouvait se comparer au nôtre, en mon temps. Mais les meilleurs sont déchus. On sait bien partout ce qu'il en est : le malheur fond sur les prud'hommes [1], ils ont beau se maintenir en honneur et en prouesse. Lâcheté, honte, paresse ne tombent pas, car elles ne peuvent. Mais les bons, il leur faut déchoir. Votre père, si vous ne le savez, fut blessé cruellement aux jambes ; il resta infirme. Ses larges terres, son grand trésor que lui avait conquis sa prud'homie, tout alla à perdition. Il dut vivre dans la pauvreté. Après la mort du roi Uterpendragon, père du bon roi Arthur, les gentils hommes furent appauvris, déshérités, ruinés, leurs terres dévastées et les pauvres gens réduits à la condition la plus vile. Aussi s'enfuit qui put fuir. Votre père possédait ce manoir ici en la Gaste Forêt : en toute hâte il s'y fit porter en litière, car il n'avait pu fuir et ne savait où se réfugier ailleurs. Vous étiez petit, pas encore sevré, vous n'aviez guère plus de deux ans. Vous aviez deux frères, deux beaux jeunes garçons. Quand ils furent grands, sur

---

1. Prud'homme   homme qui se distingue à un degré éminent par la droiture, la loyauté, la sagesse   Dans un sens plus général, les « prud'hommes », les gens de bien.

le conseil de leur père, ils allèrent à des cours royales pour avoir armes et chevaux, l'aîné chez le roi d'Escavalon, l'autre chez le roi Ban de Gomeret. En un même jour, ils furent adoubés et, en un même jour, ils se mirent en route pour revenir à notre manoir et donner de la joie à leur mère et à leur père qui, hélas ! ne devaient pas les revoir. Tous deux furent défaits en chemin, et tombèrent en combattant. J'en eus bien de la douleur. Étrange aventure, les corbeaux et les corneilles crevèrent les deux yeux à l'aîné. On les trouva tous les deux, étendus sans vie sur le sol. Du deuil de ses fils le père mourut. Et moi, j'ai mené une vie bien amère après sa mort. Vous étiez tout mon confort et tout mon bien. Nul autre des miens n'était plus. Dieu ne m'avait laissé que vous seul pour faire ma joie et mon bonheur.

Le valet écoute peu ce que lui dit sa mère.

— Donnez-moi à manger, dit-il. Je ne sais de quoi vous me faites tout ce conte. Oh ! comme j'aimerais aller chez le roi qui fait les chevaliers ! Et, par ma foi, on peut en penser ce qu'on voudra, j'irai.

La mère le retient aussi longtemps qu'il lui est possible. Qu'il prenne patience : elle va lui préparer une grosse chemise de chanvre et des braies faites à la mode de Galles, où, à ce que je crois, chausses et braies s'entretiennent ; elle y ajoute une cotte et un chaperon de cuir de cerf fermé tout autour. Ainsi elle l'équipa. Trois jours elle le fit demeurer près d'elle. Mais pas une heure de plus : elle y eût perdu ses tendres cajoleries. Elle en eut un étrange chagrin. Elle l'embrasse et l'accole en pleurant et lui dit :

— Ma douleur est bien grande, beau fils, quand je vous vois partir. Vous irez à la cour, vous direz au roi qu'il vous prenne à son service et vous donne des armes [1]. Vous n'avez pas de refus à craindre. Vous aurez les armes, je le sais bien : mais quand il faudra les porter et s'en servir, qu'en sera-t-il ? Ce que vous n'avez jamais fait ni vu faire à d'autres, comment vous en acquitteriez-vous ? Pas trop bien, j'en ai peur. Vous ne serez guère adroit : ce n'est pas merveille si on ne sait pas ce qu'on n'a pas appris, mais entendre et voir souvent et pourtant ne rien retenir, voilà la merveille. Beau fils, je veux vous donner un conseil bien digne de votre attention et, s'il vous plaît de vous en souvenir, il pourra vous en venir grand bien. Vous serez bientôt chevalier, mon fils, s'il plaît à Dieu, et j'y donne les mains. Si vous rencontrez près ou loin dame qui ait besoin de secours ou pucelle sans appui, qu'elles trouvent votre aide toute prête, si elles vous en requièrent, car tout honneur est là. Qui ne porte honneur aux dames, il a lui-même perdu son honneur. Servez les dames et les

---

1. S'applique aux armes défensives aussi bien qu'aux armes offensives. Le mot peut donc désigner non seulement la lance et l'épée, mais aussi l'armure, et particulièrement le haubert, ou cotte de mailles, et le heaume, qui est le casque.

pucelles, vous en serez partout respecté. Et si vous en priez aucune, gardez que vous ne soyez fâcheusement importun. Ne faites rien qui lui déplaise. Pucelle donne beaucoup quand elle donne un baiser. Si elle vous accorde cela, je vous défends le surplus, si vous voulez bien le laisser pour moi. Et si elle a un anneau à son doigt ou une aumônière à sa ceinture et qu'elle veuille bien par amour ou par prière s'en priver pour vous, je ne vois pas de mal à ce que vous emportiez son anneau et je vous donne congé de garder l'aumônière. Beau fils, autre chose encore. Soit en chemin, soit en l'hôtel, ne faites compagnie un peu longue à personne sans demander le nom de votre compagnon, car par le nom on connaît l'homme. Beau fils, parlez aux prud'hommes, allez avec eux. Jamais prud'homme ne donne mauvais conseil à ceux qui le suivent. Par-dessus tout, je veux vous prier d'entrer à l'église et au moutier [1] pour y prier Notre-Seigneur qu'il vous donne honneur en ce siècle et vous permette de vous y conduire de telle sorte que vous puissiez venir à bonne fin.

— Mère, qu'est-ce que c'est qu'une église ?

— C'est un lieu où on célèbre le service de celui qui fit le ciel et la terre et y mit hommes et bêtes.

— Et un moutier ?

— Fils, c'est la même chose : une maison belle et sainte, où il y a des reliques et des trésors ; on y sacrifie le corps de Jésus-Christ, le saint prophète, à qui les juifs firent mainte honte. Il fut trahi et jugé à tort, et dans l'angoisse souffrit la mort pour les hommes et les femmes. Jusqu'alors les âmes allaient en enfer quand elles partaient des corps, et c'est lui qui les en retira. Il fut lié à un poteau, battu et puis crucifié et porta couronne d'épines. C'est pour ouïr messes et matines et pour adorer ce Seigneur que je vous conseille d'aller au moutier.

— Eh ! bien donc, j'irai très volontiers désormais aux églises et aux moutiers. Je vous le promets.

Sans plus, il prend congé et la mère pleure. Sa selle était déjà mise. Il était vêtu à la guise des Gallois et chaussé de gros brodequins. Partout où il allait, il avait eu l'habitude de porter trois javelots, et maintenant aussi il veut en prendre trois, mais sa mère lui en fait laisser deux, autrement il aurait eu l'air trop gallois. Elle aurait même bien voulu lui ôter le troisième s'il eût été possible. Il tenait en sa main une baguette d'osier pour en fouetter son cheval. Il est à son départ. En pleurant sa mère l'embrasse et prie Dieu qu'il le guide en sa voie :

— Beau fils, Dieu vous conduise ! Et puisse-t-il vous donner, où que vous alliez, plus de joie qu'il ne m'en reste !

---

1. En ancien français, « moustier » signifie tantôt « église », tantôt « église de monastère ».

Quand le valet se fut éloigné du jet d'une pierre menue, il se retourne et voit derrière lui sa mère qui venait de choir pâmée à l'entrée du pont-levis : elle gisait là comme morte. Lui, d'un coup de baguette, cingle son cheval sur la croupe ; la bête bondit et l'emporte à grande allure parmi la forêt ténébreuse.

II

PREMIÈRE VISITE À LA COUR DU ROI ARTHUR

Il chevaucha depuis le matin jusqu'au déclin du jour et passa la nuit dans la forêt. Dès les premières lueurs de l'aube, au chant des oiseaux, le valet se lève et monte à cheval. Il poursuit sa route, tant qu'il aperçoit une tente dressée en une belle prairie au bord d'une source. La tente était merveilleusement belle aussi, vermeille d'un côté, verte de l'autre et bordée d'orfroi ; au-dessus un aigle doré qui s'empourprait aux rayons du soleil ; et sous les mille reflets de la tente le pré étincelait. Autour de la tente et tout à la ronde on voyait des huttes de ramée et des loges [1] galloises. Et le valet de se hâter vers la tente :

— Seigneur Dieu, se dit-il, je vois votre maison. Ce serait mal si je n'allais vous adorer. Ma mère avait bien raison qui me dit que le moutier était la plus belle chose qui fût. Elle m'a bien recommandé aussi de ne pas passer devant un moutier sans y entrer pour adorer le Créateur en qui je crois. Et par ma foi, je vais aller le prier qu'il me donne aujourd'hui à manger, car j'en aurais grand besoin.

Il arrive à la tente ; il la trouve ouverte. Il voit dedans un lit recouvert d'une riche courtepointe de soie ; sur le lit était couchée une demoiselle qui dormait. Elle était seule ; ses pucelles étaient allées au loin cueillir des fleurettes nouvelles pour en joncher le sol de la tente comme elles en avaient l'habitude. Quand le valet entra sous la tente, son cheval buta si fort que la demoiselle l'ouït ; elle s'éveilla et tressaillit. Et notre valet, le bon innocent, dit :

— Pucelle, je vous salue, comme ma mère me l'apprit. Elle m'enseigna que je saluasse les pucelles partout où je les rencontrerais.

La pucelle tremble de peur devant le valet qui lui semble fou, et elle se tient elle-même pour folle accomplie de s'être ainsi laissé surprendre toute seule.

---

1. *Loge :* galerie extérieure ouverte à l'air et donnant accès à la grande salle d'un palais ou d'une maison, ou, pratiquée en avant-corps, à l'étage supérieur d'un palais et donnant vue sur les alentours de l'édifice. « Loge galloise », cabane faite de branches entrelacées.

— Valet, dit-elle, passe ton chemin ; fuis, que mon ami ne te voie.
— Non pas sans vous prendre un baiser, par mon chef ; et tant pis
pour qui s'en fâchera. C'est ma mère qui me l'a enseigné.
— Et moi, je ne t'embrasserai pas, si je peux y échapper. Fuis,
que mon ami ne te trouve, ou tu es un homme mort.

Le valet avait de bons bras, il la serre contre sa poitrine tout gau-
chement, car il n'y savait autre voie ; il la met sous lui tout étendue,
bien qu'elle se défendît de son mieux et cherchât à se dégager. Elle y
perd ses efforts : vivement et d'affilée il l'embrasse bon gré mal gré
vingt fois, nous dit le conte, et ne cesse que quand il voit à son doigt
un anneau où brillait une claire émeraude.

— Ma mère m'a dit encore que je prisse l'anneau qui est à votre
doigt, mais que je ne vous fisse rien de plus. Passez-moi donc cet
anneau : il me le faut.
— Mon anneau ? Ah non ! tu ne l'auras pas, sache-le bien, si tu
ne me l'arraches du doigt de vive force.

Le valet la prend par le poing, lui étend le doigt, se saisit de l'anneau et le glisse à son propre doigt.

— Pucelle, je vous souhaite tous les biens que vous pouvez désirer. Je m'en vais maintenant bien satisfait. Il fait autrement bon vous
embrasser que la plus belle des chambrières de chez nous. Vous
n'avez pas la bouche amère.

Elle pleure et dit au valet :

— Laisse mon anneau. Il m'en coûterait cher, et toi, tu y perdrais
la vie, tôt ou tard, je te le promets.

Ses menaces ne le touchent guère. Le fait est qu'il avait jeûné longuement et mourait de faim. Il découvre un barillet plein de vin et à
côté un hanap d'argent, puis voit sur une botte de jonc une serviette
bien blanche et bien propre ; il la soulève : dessous apparaissent trois
bons pâtés de chevreuil tout frais. C'est un mets qui n'est pas pour
lui déplaire. La faim le presse, il attaque un des pâtés, y mord à
belles dents et se verse de longues et fréquentes rasades d'un vin qui
n'était pas des plus mauvais.

— Pucelle, je ne puis venir à bout à moi tout seul de ces pâtés.
Venez m'aider. Ils sont très bons. Chacun de nous deux aura le sien,
et il en restera un entier.

Il a beau l'inviter et la prier ; elle pleure et ne répond mot. Lui
cependant ne perd pas un coup de dent, et quand il a fini recouvre ce
qui restait. Il boit tout son content et, sans plus attendre, veut
prendre congé et recommander à Dieu celle qui ne lui saura nul gré
de son salut :

— Dieu vous sauve, belle amie ! Mais, pour Dieu, qu'il ne vous
fâche pas de votre anneau que j'emporte ! Avant que je meure, vous
en serez bien récompensée. Je m'en vais, avec votre permission.

La pucelle pleure et dit qu'elle ne le recommandera à Dieu, car par son fait elle aura plus de honte et d'ennui que n'en eut jamais une malheureuse femme ; et il n'est pas non plus homme à lui prêter aide ou appui en son besoin ; qu'il sache donc bien qu'il l'a trahie. Elle reste seule, tout en larmes. Bientôt revint du bois son ami qui sur son chemin aperçut les traces du sabot d'un cheval. Il en fut mécontent, et trouva son amie en pleurs.

— Demoiselle, aux enseignes que je vois, il y a eu un chevalier ici.

— Non pas, sire, je vous le jure : rien qu'un valet gallois, un misérable importun qui manque de manières et un vrai sot. Il a bu de votre vin tant et plus et a goûté à vos pâtés.

— Et c'est pour cela, belle, que vous pleurez si fort ? Quand il aurait tout bu et tout mangé, je ne le trouverais pas mauvais.

— Ce n'est pas tout, sire. Mon anneau est en jeu dans l'affaire. Il me l'a pris et l'emporte. J'aurais mieux aimé mourir que de me le voir ainsi enlever.

— Oh ! voilà qui passe la mesure. Mais puisqu'il l'a, qu'il le garde ! Seulement j'ai comme une idée qu'il y a eu autre chose. Est-ce que je me trompe ? Ne me cachez rien.

— Sire, il me prit un baiser.

— Un baiser ?

— Oui vraiment, je vous le dis bien. Mais ce fut malgré moi.

— Dites plutôt que vous y avez trouvé grand plaisir. Et vous ne le lui avez nullement refusé, dit le chevalier que la jalousie serre au cœur. Pensez-vous que je ne vous connaisse pas ? Quelle erreur vous feriez ! Je vous connais très bien. Je ne suis pas si aveugle ou borgne que je ne voie à plein votre fausseté. Vous êtes entrée en mauvaise voie ; bien des désagréments vous y attendent. Jamais votre cheval ne mangera d'avoine ni ne sera saigné, tant que je ne me serai pas vengé. Qu'il perde ses fers, on ne lui en remettra pas d'autres ; s'il meurt, vous me suivrez à pied. Jamais non plus vous ne changerez les vêtements que vous portez aujourd'hui, non, vous me suivrez à pied et en guenilles jusqu'au jour où j'aurai tranché la tête à l'insolent. C'est tout le châtiment que j'en prendrai.

Là-dessus il s'assoit et commence à manger. Pendant ce temps le valet chevauchait. Il vit venir un charbonnier qui menait un âne.

— Vilain, dit-il, toi qui conduis un âne, enseigne-moi la voie la plus courte pour aller à Carduel. Je veux voir le roi Arthur. On dit qu'il y fait des chevaliers.

— Ce sentier que tu vois mène à un château [1] assis sur la mer. Si tu y vas, bel ami, tu y trouveras le roi Arthur joyeux et triste.

_____

1. Peut avoir le même sens qu'aujourd'hui dans « château fort », mais s'applique souvent à toute une petite ville fortifiée, comprenant, en dehors du château proprement dit, des maisons, des rues, des places.

— Pourquoi le roi est-il ainsi entre la joie et la douleur ? Je souhaite que tu me le dises.

— Tu vas le savoir. Le roi Arthur avec toute son armée a combattu le roi des Iles, Rion, et c'est le roi des Iles qui a été défait. Voilà de quoi le roi Arthur se réjouit. Mais il est fâché que ses compagnons l'aient quitté pour aller séjourner à leur aise dans leurs châteaux, et il ne sait ce qu'ils deviennent. De là sa tristesse.

Le valet se soucie très peu de ces nouvelles, sauf qu'il entre dans la voie que lui a indiquée le charbonnier. Bientôt il aperçut dominant la mer un beau et fort château. Un chevalier en sortait, qui tenait en sa main droite une coupe d'or et en sa gauche sa lance, son frein et son écu. Il portait une armure vermeille qui lui seyait bien. Toute fraîche et neuve, elle plut au valet.

— Sur ma foi, je vais la demander au roi. S'il me la donne elle me conviendra fort, et au diable qui en cherche une autre !

Il court, tant il lui tarde d'arriver au roi. Mais le chevalier à la coupe le retient un moment et veut savoir où il compte aller.

— Je vais à la cour pour demander vos armes au roi.

— Valet, tu feras bien. Va donc et reviens vite. Et tu diras au mauvais roi que, s'il ne veut tenir de moi sa terre, il me la rende ou qu'il envoie quelqu'un pour la défendre, car je déclare qu'elle est mienne. « A telles enseignes, ajouteras-tu, que le chevalier qui vous défie, roi, vient de sortir de votre château, en sa main la coupe qu'il vous a ravie et où était le vin dont vous buviez. »

Mais qu'il en cherche un autre pour porter son message. Le valet n'en a cure et tout d'une haleine vient à la cour où le roi et les chevaliers étaient assis à table. La salle était au rez-de-chaussée, dallée et aussi large que longue. Le valet y entre à cheval. Tous les chevaliers parlaient, plaisantant l'un avec l'autre. Seul le roi Arthur, assis au haut bout d'une table, restait pensif et muet. Le valet s'avance et ne sait qui il doit saluer, car il ne connaissait pas le roi. Yonet, qui tenait un couteau à la main, vient de son côté.

— Valet, lui dit le nouveau venu, toi qui tiens un couteau en ta main, montre-moi le roi.

Yonet, un très courtois chevalier, lui répond :

— Ami, voyez-le là.

Et le jeune Gallois va sur-le-champ vers lui et le salue comme il a appris. Le roi tout à ses pensées ne dit mot, et l'autre lui adresse la parole une seconde fois : le roi continue à penser et ne sonne mot.

— Par ma foi, dit alors le valet, ce roi ne fit jamais chevalier. Lui à qui on ne peut arracher une parole, comment saurait-il s'y prendre ?

Tout de go, il s'apprête à repartir et fait tourner le col de son cheval ; mais il avait mené la bête si près du roi que devant lui, la chose n'est que trop vraie, il lui abattit sur la table un chapeau de bonnet [1] dont il était coiffé. Le roi lève la tête, se tourne vers le valet et sort de ses pensées :

— Beau frère, dit-il, soyez le bienvenu. Ne tenez pas à mal que je n'aie pas répondu à votre salut. Le chagrin m'empêchait de parler. Le pire ennemi que j'aie, celui de tous les hommes qui me hait et me tourmente le plus, vient de me réclamer ouvertement ma terre, et il est assez fou pour dire qu'il l'aura toute à lui, que je le veuille ou non. C'est le Chevalier Vermeil de la forêt de Quinqueroi. La reine était venue s'asseoir devant moi, pour voir et réconforter ces chevaliers qui sont blessés. Les menaces de l'insolent ne m'auraient guère ému ; mais il prit ma coupe et si follement la leva qu'il répandit sur la reine tout le vin qu'elle contenait. Il a commis là une laide et vilaine action. La reine est retournée à sa chambre, où elle se meurt de douleur et d'indignation ; je ne crois pas, Dieu me soit en aide, qu'elle puisse en réchapper vive.

Le roi peut parler tant qu'il voudra, le valet n'en a cure : la douleur du roi, la honte de la reine, que lui importe à lui ?

— Faites-moi chevalier, dit-il, car je veux m'en aller.

Ses yeux clairs riaient dans sa face de jeune sauvage. On ne peut le voir sans le tenir pour un peu fou, mais ceux qui le voyaient le tenaient aussi pour beau et noble.

— Ami, dit le roi, mettez pied à terre et confiez votre cheval à ce valet ; il le gardera pour vous. Quant au reste, j'en fais le vœu à Dieu, il en sera fait selon que vous désirez, à mon honneur et à votre profit.

— Oui, mais, répond le valet, ils n'étaient pas à pied ceux que j'ai rencontrés en la lande. Et vous voulez que je descende de mon cheval ! Par mon chef, je n'en ferai rien. Hâtez-vous plutôt, que je m'en aille.

— Bien volontiers, bel ami cher, à votre profit et à mon honneur.

— A une condition, repart le valet, c'est que je sois chevalier vermeil ; sinon, par la foi que je dois au Créateur, ce n'est pas de si tôt que je serai chevalier. Donnez-moi donc les armes de celui que j'ai rencontré devant la porte, celui qui s'en va avec votre coupe.

Le sénéchal, qui était un des blessés, se courrouce de ce qu'il entend.

— Ami, dit-il, vous avez raison. N'attendez pas, allez lui enlever ses armes, elles sont à vous. Vous n'avez pas été trop sot de venir les quêter ici.

— Keu, dit le roi, je vous en prie ! Vous dites volontiers des choses déplaisantes et peu vous chaut à qui vous les dites. Pour un

---

1. Au XIIe siècle, sorte d'étoffe. Le sens moderne n'apparaît qu'au XIVe siècle.

prud'homme ce n'est pas beau. Le valet est un peu simple, mais il n'en est peut-être pas moins de noble sang. Et si ses manières lui viennent d'un mauvais maître qui l'a élevé ainsi, il peut encore s'assagir et devenir un preux. C'est laide chose de railler autrui et de promettre sans donner. Un prud'homme ne se risque pas à rien promettre qu'il ne soit en son pouvoir ou en sa volonté de donner ; ou alors il s'aliène celui qui avant toute promesse était son ami et qui, dès qu'il y a promesse, s'attend à ce qu'elle soit tenue. Il vaut mieux, sachez-le, refuser tout net que de faire espérer ce qui ne viendra pas. C'est de lui-même qu'il se moque et c'est lui-même qu'il trompe, celui qui ne promet que pour se dérober, car il perd à plaisir le cœur de son ami.

Ainsi le roi tançait son sénéchal, et le valet qui s'en allait voit une belle et gente pucelle et la salue. Elle lui rend son salut, rit en le regardant et tout en riant lui dit :

— Valet, si tu vis longuement, mon cœur me dit que dans tout le vaste monde il n'y aura et on n'y saura nul chevalier qui te surpasse.

La pucelle n'avait ri depuis plus de six ans et elle parla si fort que tous l'entendirent. Keu, très irrité de ses paroles, bondit et de la paume de la main lui assena sur sa tendre face un coup si rude qu'il la jeta à terre, puis, regagnant sa place, il aperçut un fou debout près d'une cheminée et, de colère et de dépit, le lança d'un coup de pied dans le feu ardent : c'est que ce fou répétait volontiers : « Cette pucelle ne rira pas avant le jour où elle verra celui qui aura le prix de toute chevalerie. » Le fou crie, la pucelle pleure et le valet s'en va, sans conseil de qui que ce soit et sans plus attendre, après le Chevalier Vermeil.

Yonet, qui bien connaissait les êtres du château et se plaisait à apporter des nouvelles à la cour, s'élance tout seul par le verger qui longe la salle, dévale par une poterne et débouche droit sur le chemin où le chevalier à la coupe attendait le combat et l'aventure. Arrive en toute hâte le valet gallois qui vient pour se saisir de ses armes. Le chevalier cependant, pour attendre plus à son aise, avait posé la coupe d'or sur un perron [1] de pierre bise. Dès que le valet fut assez près pour se faire entendre, il cria :

— Mettez-les bas, vos armes. Ne les portez pas un instant de plus. Le roi Arthur vous le demande.

— Valet, dit le chevalier, est-ce que nul s'avance pour soutenir la cause du roi ? Si on vient, il faut me le dire.

— Comment, diable, est-ce une plaisanterie que vous me faites, dan chevalier ? Vous n'avez pas encore dépouillé vos armes ? Quittez-les à l'instant, je vous en donne l'ordre.

---

1. Grosse pierre de forme carrée. Généralement située au bas de la grande salle, elle permet au cavalier de monter à cheval et d'en descendre.

— Valet, je te demande si quelqu'un vient de par le roi, qui désire combattre avec moi.

— Dan chevalier, ôtez donc votre armure, ou c'est moi qui vais vous en débarrasser. Je ne peux plus vous la laisser. Sachez que je vous frapperais, si vous me forciez à ajouter un mot.

Cette fois le chevalier se fâche, il lève sa lance à deux mains et de la hampe lui en porte un tel coup par le travers des épaules qu'il le fait basculer sur le col de son cheval. Le valet, qui se sent blessé, le vise à l'œil du mieux qu'il peut et laisse filer le javelot ; l'arme pénètre par l'œil dans le cerveau, le sang et la cervelle jaillissent par la nuque, le chevalier ne voit ni n'entend plus rien, le cœur lui manque, il se renverse et tombe à terre de tout son long. Le valet descend de son cheval. Il met la lance de côté et lui enlève l'écu du col, mais pour le heaume il ne sait par quel bout le prendre et force lui est de le laisser ; quant à l'épée il voudrait bien la déceindre, mais impossible, il ne peut même la faire sortir du fourreau ; et le voilà qui étreint ce fourreau et tire dessus désespérément. Yonet, qui le voit si entrepris, commence à rire :

— Ami, dit-il, qu'y a-t-il ? Que faites-vous ?

— Je ne sais pas trop. Je croyais que votre roi m'avait donné ces armes. Mais j'aurai plus tôt déchiqueté le mort pour en faire des grillades que mis la main sur une seule de ses armes. Elles tiennent si étroitement au corps que le dedans et le dehors m'ont tout l'air de ne faire qu'un : l'une ne veut pas venir sans les autres.

— Ne vous inquiétez de rien, dit Yonet, je me chargerai bien de la besogne, si vous le voulez.

— Allez-y donc, et donnez-les-moi sans me faire attendre.

En un clin d'œil Yonet dévêt le mort et le déchausse jusqu'à l'orteil. Il ne reste sur lui ni haubert, ni chausses, ni heaume, ni autre pièce d'armure quelconque. Mais le valet ne veut pas quitter ses vêtements à lui. Yonet a beau dire, pour rien au monde il ne voudrait revêtir une moelleuse cotte de soie doublée de laine que le chevalier portait sous son armure. Et Yonet ne peut pas davantage lui faire enlever ses lourds brodequins.

— Comment, diable, dit le valet, est-ce une plaisanterie ? Quoi ! changer mes bons habits que me fit ma mère l'autre jour pour revêtir ceux de ce chevalier ? Abandonner ma grosse chemise de chanvre pour celle-ci qui est molle et tendre, ma cotelle qui ne prend pas l'eau pour celle-ci qui n'arrêterait pas une goutte ? Honni soit par sa gorge celui qui changera ses bons habits contre les mauvais habits d'autrui !

Lourde tâche que d'enseigner un fou. Nulle prière n'y fait rien. Il ne veut que les armes. Yonet lui lace les chausses et lui attache les éperons sur ses brodequins. Puis il lui vêt le haubert, nul autre n'a

jamais été mieux porté, et sur la coiffe lui assoit le heaume qui lui
sied à merveille. L'épée, il lui enseigne à la ceindre lâche et flot-
tante. Après quoi il lui met le pied à l'étrier et le fait monter sur le
cheval de bataille. Jamais le valet n'avait vu d'étrier et il ignorait ce
qu'on fait d'un éperon : baguette ou lien d'osier, c'est tout ce qu'il
connaissait. Enfin Yonet lui tend la lance et l'écu et se dispose à partir. Le valet l'arrête :

— Ami, dit-il, prenez mon cheval de chasse et emmenez-le ; il est
bon et je vous le donne, car je n'en ai plus besoin. Portez au roi sa
coupe et saluez-le de ma part. Quant à la pucelle que Keu frappa sur
la joue, dites-lui que, si je peux, avant que je meure, je compte préparer un tel plat au sénéchal qu'elle devra se tenir pour bien vengée.

Yonet promet de s'acquitter fidèlement de ce message. Ils se
séparent et s'en vont. En la salle où sont les barons voici qu'entre
Yonet :

— Sire, dit-il, soyez joyeux. Je vous rapporte votre coupe. C'est
votre chevalier qui vous la renvoie, celui qui a été ici.

— De quel chevalier parles-tu ? dit le roi, dont la grande colère
n'était pas encore apaisée.

— Au nom de Dieu, sire, je parle du valet qui vient de sortir.

— Tu veux dire le valet gallois qui me demanda l'armure teinte de
sinople de ce chevalier qui m'a fait toutes les hontes qu'il a pu ?

— Lui-même, sire.

— Et ma coupe, comment l'a-t-il eue ? Est-ce que l'autre l'aime
ou l'estime tant qu'il la lui ait rendue de son plein gré ?

— Au contraire, le valet la lui a fait payer si cher qu'il l'a tué tout
net.

— Comment fut-ce, bel ami ?

— Sire, tout ce que je vis, c'est que le chevalier le frappa brutalement de sa lance et que le valet répondit par un coup de javelot dans
l'œil, si bien assené qu'il fit jaillir par-derrière le sang et la cervelle et
étendit l'homme à terre.

— Ah ! Keu, dit le roi au sénéchal, quel mal vous m'avez fait
aujourd'hui ! Pourquoi votre langue, votre méchante langue ne peut-
elle se tenir de dire des folies ? Elle m'aura perdu un chevalier qui en
ce jour m'a rendu un bien grand service.

— Sire, dit Yonet au roi, par mon chef, il mande à la pucelle de la
reine que Keu frappa, en haine et dépit de lui, qu'il la vengera bien,
s'il vit et s'il peut arriver à ses fins.

Le fou, qui est assis près du feu, entend ces mots, se dresse d'un
bond et accourt devant le roi tout joyeux, si joyeux qu'il danse et tré-
pigne.

— Sire roi, dit-il, voici l'heure où approchent vos aventures : elles
seront dures et redoutables. Quant à Keu, je vous assure bien qu'il

regrettera d'être en vie et d'avoir langue si folle et si mauvaise.
Avant qu'il soit quarante jours, le chevalier lui aura revalu le coup
de pied qu'il m'a lancé, et le soufflet dont il a honni la pucelle lui
sera vendu cher : car entre le coude et l'aisselle il lui brisera le bras
droit. Que Keu en fasse son deuil, il devra porter son bras pendu à
son col pendant toute une moitié d'an : il n'y peut faillir non plus
qu'à la mort.

Keu entend et il en est tout gonflé de colère. Pourquoi ne peut-il
pas courir à l'insolent et devant tous le châtier si rudement qu'il le
laisse mort sur la place ? Mais le roi se fâcherait et Keu doit maîtriser
ses transports.

— Ah ! Keu, lui dit le roi, comme vous m'avez courroucé
aujourd'hui ! Qui eût pris le valet en main et l'eût instruit à l'emploi
de la lance, de l'écu et de l'armure, quel bon chevalier il eût fait !
Mais il ignore tout des armes, sans parler du reste, et ne saurait
même en un besoin tirer l'épée. Or le voici maintenant sur son cheval ; vienne à passer un gaillard en quête d'aventure, pour gagner le
cheval ne va-t-il pas se jeter sur le maître et l'occire ou l'estropier,
car le jeune homme ne saura se défendre, tant il est simple et de
pauvre entendement ? L'autre lui réglera son compte en un tournemain.

Ainsi le roi plaint et regrette le valet gallois, et sa mine est désolée. Mais que saurait-il gagner par là ? Il se tait.

III

LE VALET GALLOIS EST FAIT CHEVALIER

Le valet ne s'attarde pas. Il s'en va poussant son cheval par la
forêt, tant qu'il vint à un terrain découvert qui bordait une rivière.
La rivière était large, plus que n'aurait porté le trait d'une arbalète ;
car en son lit s'était retirée comme chez elle toute l'eau du pays. A
travers une prairie il se dirige vers la grande rivière qui court en
grondant. Il n'y entre pas ; l'eau est si noire et si profonde et le courant autrement rapide que celui de la Loire. Il longe donc la rive ;
sur l'autre bord, il voit une haute colline rocheuse dont l'eau venait
battre le pied ; sur le flanc de la colline qui descendait vers la mer, se
dressait un riche et fort château. Arrivé là où la rivière est bien près
du terme de sa course, le valet tourne vers la gauche et voit naître les
tours du château, car c'est bien ainsi qu'elles lui apparaissent,
comme si elles sortaient du château même. Au milieu du château
s'élevait une forte et haute tour ; une solide barbacane commandait

le débouché de la rivière, où les eaux se mêlaient tumultueusement à celle de la mer, et les vagues venaient se briser contre le mur. Aux quatre coins de la muraille construite en forts moellons, quatre tours basses et trapues, de belle allure. Le château avait grand air et à l'intérieur il était disposé à souhait. Devant un châtelet rond, un haut et robuste pont de pierre bâti à sable et à chaux, flanqué de bastions sur toute sa longueur et pourvu d'une tour au milieu, enjambait la rivière ; au bout, un pont-levis, fidèle à sa mission : pont le jour, porte close la nuit. Vers ce pont s'avance le valet.

Vêtu d'une robe d'hermine, un prud'homme se promenait nonchalamment sur le pont, attendant l'étranger qui venait. Par contenance il tenait en sa main une badine ; près de lui deux valets sans leur manteau. Le jeune Gallois n'a pas oublié les leçons de sa mère ; il salue le prud'homme et ajoute :

— C'est ce que m'a enseigné ma mère.

— Dieu te bénisse, beau frère, dit le prud'homme qui à son langage le connut sur-le-champ pour un jeune naïf un peu sot. Beau frère, d'où viens-tu ?

— D'où ? De la cour du roi Arthur.

— Qu'y fis-tu ?

— Le roi m'a fait chevalier et que Dieu le protège !

— Chevalier ? Dieu me pardonne, je ne pensais pas qu'il lui souvînt encore de chevalerie ; je croyais que le roi songeait à tout autre chose qu'à faire un chevalier. Or dis-moi, gentil frère, cette armure, qui t'en fit présent ?

— C'est le roi qui me la donna.

— Donna ? Et comment ?

Le valet lui conte ce que vous avez ouï. Il n'y aurait nul profit et beaucoup d'ennui à le conter une seconde fois. Le prud'homme lui demande ensuite ce qu'il sait faire de son cheval.

— Je le fais galoper où je veux et comme je veux, aussi bien qu'autrefois mon cheval de chasse dans la maison de ma mère.

— Et votre armure, dites-moi encore, qu'en faites-vous ?

— Je sais bien la revêtir et m'en dépouiller ainsi que me montra le valet qui m'en arma, après avoir désarmé le chevalier que j'ai tué. Et elle m'est si légère qu'elle ne me gêne en rien.

— Par l'âme du Seigneur, voilà qui me va tout à fait. Dites-moi, si je ne vous presse pas trop, quel besoin vous amena ici.

— Sire, ma mère m'enseigna que j'allasse vers les prud'hommes pour me conseiller à eux et croire ce qu'ils me diraient, car qui les écoute, le gain n'est pas petit.

— Beau frère, bénie soit votre mère, elle vous a donné de bien bons conseils. Mais n'avez-vous plus rien à me dire ?

— Si.

— Et quoi ?

— Simplement ceci, que vous veuilliez bien m'héberger ce soir.

— Très volontiers, mais c'est à condition que vous m'octroyiez un don dont il pourrait vous venir grand bien.

— Et lequel ?

— Que vous croyiez les conseils de votre mère et les miens.

— Sur ma foi, je l'octroie.

— C'est bien. Descendez.

Il met pied à terre. Un des deux valets prend son cheval et l'autre le désarme. Il ne lui reste que ses pauvres braies absurdes, ses gros brodequins et la cotte de cerf mal taillée et mal bâtie que sa mère lui avait donnée.

Le prud'homme se fait chausser les éperons d'acier tranchants du jeune Gallois, enfourche son cheval, pend l'écu à son col par la guiche et saisit la lance :

— Ami, dit-il, apprenez à vous servir de vos armes. Notez comment on doit tenir sa lance, éperonner et retenir son cheval.

Là-dessus il déploie l'enseigne et lui montre comment porter son écu : il faut le laisser pendre un peu en avant, de façon à toucher le col du cheval ; puis, la lance en arrêt, il fait sentir l'éperon au fougueux coursier que nul autre ne surpasse à la course. Le prud'homme est un maître passé en tous ces exercices, car il les avait appris dès l'enfance. Le valet se plaît fort à le regarder et suit de l'œil chacun de ses mouvements. Son galop terminé, le prud'homme revient, lance levée, au valet et lui dit :

— Ami, sauriez-vous jouter ainsi de la lance et de l'écu et gouverner ainsi votre cheval ?

— Ah ! sire, je ne veux posséder ni terre ni avoir ni même vivre un jour de plus, avant que je sache ce jeu-là.

— Ce qu'on ne sait pas, on peut l'apprendre, qui veut s'en donner la peine, bel ami cher. Tout métier requiert effort, courage et persévérance : quand ces trois sont réunis, il n'est rien dont on ne se rende maître. Mais vous à qui cet art fut toujours inconnu et qui ne vîtes jamais homme s'y exercer, comment vous en reviendrait-il honte et blâme, si vous y êtes novice ?

Alors le prud'homme le fait monter à cheval. Et le voilà qui part, tenant la lance et l'écu aussi adroitement que s'il eût passé ses jours dans les tournois et les guerres et erré par tous les pays du monde, en quête de batailles et d'aventures. C'est Nature qui l'instruit, et quand Nature s'en mêle et que le cœur la seconde, il n'est plus rien d'ardu. Le valet en est un exemple, qui s'en tire si bien que le prud'homme ravi se dit en lui-même que, quand il se serait adonné aux armes toutes les années qu'il a vécu, on ne pourrait exiger de lui plus d'adresse. Quand le valet eut fait son tour, il revint devant le prud'homme, lance levée, comme il lui avait vu faire.

— Sire, s'écrie-t-il, qu'en pensez-vous ? Croyez-vous que je puisse atteindre au but, si je m'en donne la peine ? Mes yeux n'ont rien vu encore dont j'aie pareille convoitise. Comme j'aimerais savoir ce que vous savez !

— Ami, si votre cœur y est, nul besoin de vous tourmenter : vous saurez ce qu'il faut savoir.

La leçon reprend. Trois fois le prud'homme monte à cheval, et trois fois il fait monter le valet. A la dernière il lui dit :

— Ami, si vous rencontriez un chevalier, que feriez-vous, s'il vous frappait ?

— Je le frapperais à mon tour.

— Et si votre lance se rompait ?

— Oh ! alors, il n'y aurait plus qu'à lui courir sus et à jouer des poings.

— Ami, rien de pareil.

— Quoi donc alors ?

— Vous iriez le requérir à l'épée.

Alors plantant dans le sol la lance toute droite et désireux de pousser la leçon jusqu'au bout, il se saisit de son épée et se met en garde pour l'attaque et pour la défense.

— Ami, c'est ainsi qu'il faudra parer et fondre sur l'adversaire.

— Oh ! dit l'autre, sur ce point-là, que Dieu me protège ! j'en sais plus que personne ; car chez ma mère bien souvent je me suis escrimé contre des coussins ou des planches, au point que j'en étais parfois rompu de fatigue.

— Alors, au château ! dit le prud'homme. Venez-y comme mon hôte honoré.

Ils s'en vont côte à côte et le valet dit au prud'homme :

— Sire, ma mère m'enseigna que je ne fisse jamais longue compagnie à homme qui fût sans savoir son nom, et si elle m'a dit vrai, il faut que je sache le vôtre.

— Beau doux ami, mon nom est Gornemant de Goort.

Ils viennent ainsi au château, la main dans la main. A la montée d'un degré accourut un valet qui apportait un manteau court ; il se hâta d'en revêtir le jeune homme, de peur qu'après le chaud le froid ne le saisît et ne lui fît mal. Le prud'homme avait de riches et beaux appartements et des serviteurs alertes : un repas bien préparé et bien servi les attendait. Ils lavèrent leurs mains et prirent place à la table. Le prud'homme fit asseoir à côté de lui le valet et le fit manger dans son écuelle. Inutile de compter les mets et de les décrire longuement : suffit qu'ils mangèrent et burent autant qu'ils en eurent envie.

Quand ils furent levés de table, le prud'homme, en très courtois chevalier qu'il était, pria le valet de rester un mois chez lui, et même s'il était possible il aimerait à le retenir un an tout entier ; il pourrait ainsi lui apprendre, s'il lui plaisait, bien des choses qui lui seraient fort utiles en un besoin.

— Sire, répondit le valet, je ne sais si je suis près du manoir de ma mère, mais je prie Dieu qu'il me mène à elle, que je puisse la voir encore : je la vis choir pâmée devant la porte à l'entrée du pont. Je ne sais si elle vit ou si elle est morte. Mais je sais bien que si elle est tombée ainsi, c'est du chagrin de me voir partir. C'est pourquoi, tant que je ne saurai pas ce qu'il en est d'elle, il n'est pas possible que je séjourne longuement où que ce soit. Je partirai demain au point du jour.

Le prud'homme voit que nulle prière n'y changerait rien. Déjà les lits sont faits : sans plus de paroles ils vont se coucher. Le lendemain de grand matin, le prud'homme se lève, s'en va au lit du valet et y fait apporter chemise et braies de fine toile de lin, chausses teintes en rouge de brésil et cotte d'un drap de soie violet tissé dans l'Inde.

— Ami, dit-il au valet, si vous m'en croyez, vous prendrez ces vêtements que vous voyez ici.

— Beau sire, vous pourriez dire mieux. Voyez les habits que me fit ma mère : est-ce qu'ils ne valent pas mieux que ceux que vous m'offrez ? Et vous voulez que je les change ?

— Erreur, valet. Par ma tête, ils valent pis. Et de plus, quand je vous amenai ici, bel ami, vous me promîtes que vous feriez tous mes commandements.

— Ah ! crie le valet, j'y suis prêt encore. Vous n'avez qu'à ordonner.

Et il se vêt, mais non pas des habits de sa mère. Le prud'homme se baisse et lui chausse l'éperon droit, comme la coutume le voulait alors de qui adoubait un chevalier. Les valets sont nombreux tout autour : chacun se presse à l'envi pour l'armer. Le prud'homme prend l'épée, la lui ceint et lui donne l'accolade.

— En vous remettant l'épée, lui dit-il, je vous confère l'ordre de chevalerie, qui ne souffre aucune bassesse. Beau frère, souvenez-vous-en en cas qu'il vous faille combattre, si votre adversaire vaincu vous crie merci, je vous en prie, écoutez-le et ne le tuez pas sciemment. Gardez que vous ne parliez trop : qui ne sait retenir sa langue, il lui échappera souvent tel mot qu'on tiendra à vilenie. Le sage nous le dit : trop de paroles, péché certain ; fuyez donc ce péché-là. Autre prière : s'il vous arrive de trouver dans la détresse, faute de conseil, homme ou femme, soit dame, soit demoiselle, conseillez-les, si vous en voyez le moyen et si ce moyen est en votre pouvoir : vous ferez bien. Enfin, recommandation bien importante, allez volontiers à l'église prier le Créateur de toutes choses qu'il ait pitié de votre âme et qu'il vous garde dans le siècle comme son fidèle chrétien.

— Beau sire, dit le valet, de tous les apôtres de Rome soyez-vous béni ! Ma mère m'a parlé tout comme vous le faites.

— Écoutez-moi, beau frère, ne dites jamais que votre mère vous ait appris ceci ou cela. Je ne vous blâme pas de l'avoir fait jusqu'ici. Mais désormais, je vous en prie, et pardonnez-le-moi, il faut vous en corriger. Car, si vous y persistiez, on le tiendrait à folie. Gardez-vous-en donc.

— Mais que pourrai-je bien dire ?

— Oh ! dites que celui qui vous enseigna, c'est le vavasseur qui vous chaussa l'éperon.

— Sire, je vous le promets : tant que je vivrai, il n'y aura jamais mot sonné que de vous. Je vois clairement que vous avez raison.

Le prud'homme alors fait sur lui le signe de la croix et, tenant la main levée, ajoute :

— Beau sire, que Dieu vous préserve et vous conduise ! Vous êtes impatient de partir. Allez donc, et adieu.

IV

LE NOUVEAU CHEVALIER
AU CHÂTEAU DE BLANCHEFLEUR

Le nouveau chevalier se sépare de son hôte. Il lui tarde de revoir sa mère, et puisse-t-il la trouver vivante et alerte ! Il s'enfonce dans la forêt solitaire, où il se trouvait chez lui mieux qu'à travers champs. Il chevauche tant qu'il aperçoit un fort château, bien situé, mais hors des murs il n'y avait rien que la mer, l'eau et la terre déserte. Il se hâte et arrive devant la porte ; il y a un pont à passer, si faible qu'il doute s'il peut soutenir son poids. Il le passe tout de même sans encombre ni aventure fâcheuse. Le voilà devant une porte fermée à double tour. Il n'y frappe pas en douceur ni ne songe à appeler tout bas, mais martèle la porte de son poing. Une pucelle maigre et pâle accourt à une fenêtre de la salle :

— Qui est-ce là qui appelle ? dit-elle.

— Belle amie, c'est un chevalier qui demande l'hôtel pour la nuit.

— Sire, vous l'aurez ; mais vous nous en saurez peu de gré, et toutefois nous vous recevrons aussi bien que nous pourrons.

La pucelle se retire et celui qui attend à la porte craint qu'on l'y laisse trop longtemps ; il recommence à frapper de plus belle. Quatre sergents, la hache au col et l'épée ceinte, viennent enfin ouvrir.

— Entrez, sire.

En meilleur point, ils eussent été de beaux hommes ; mais les jeûnes et les veilles les avaient réduits à un état où c'était pitié de les voir.

Si la terre au-dehors lui était apparue nue et désolée, le dedans n'est pas pour le remettre. Partout il ne trouve que rues désertes et noires, et masures croulantes : nulle trace d'homme ou de femme. Il y avait deux abbayes dans la ville, l'une de nonnains éperdues, l'autre de moines désemparés : il n'y voit ni parements ni tentures, rien que des murs fendus et crevés et des tours veuves de leurs toits, les portes ouvertes de nuit comme de jour.

Dans toute la ville, moulin ne moud ni four ne cuit ; ni pain, ni gâteau, ni pâte, ni rien d'autre à vendre, pas pour un denier. Inutile de chercher vin, cervoise ou cidre. Vers un palais [1] couvert d'ardoise les quatre sergents l'ont mené, descendu et désarmé, et aussitôt par le degré de la salle accourt un valet qui lui apporte un manteau gris ; il le met au col du chevalier et un autre étable son cheval en un lieu où il ne trouvera ni blé ni foin, et bien peu de paille : c'est tout ce que possédait la maison. D'autres valets le font monter jusqu'à une belle salle où deux prud'hommes et une pucelle sont venus à sa rencontre. Les prud'hommes étaient chenus, et pourtant pas tout à fait blancs ; ils eussent été dans la force de l'âge et la verdeur du sang, si de lourds soucis ne les eussent accablés.

La pucelle s'approche, plus gracieuse, plus élégante et plus vive qu'épervier ou papegai. Son manteau et son bliaut étaient d'un tissu de pourpre sombre, étoilé de vair, et, croyez-le bien, la garniture d'hermine n'était pas pelée. Une bande de zibeline noire et blanche, ni trop longue ni trop large, bordait le col du manteau.

Si jamais j'ai décrit la beauté que Dieu a mise en corps ou en visage de femme, je veux m'y essayer une autre fois et ne pas mentir d'un mot. Ses cheveux flottaient sur ses épaules, et qui les eût vus eût bien cru qu'ils fussent d'or fin, tant le blond en était lustré et chatoyant ; le front blanc, haut, uni, comme taillé dans le marbre, l'ivoire ou un bois précieux, les sourcils brunets, un large entr'œil, les yeux vairs, bien fendus, riants et clairs, le nez droit et franc ; et en son visage le vermeil assis sur le blanc lui seyait mieux que sinople sur argent. Pour ravir le sens et le cœur des gens, Dieu avait fait d'elle la merveille des merveilles. Jamais encore il n'en avait créé de semblable ; plus jamais il n'en devait créer.

Quand le chevalier la voit, il la salue et elle lui, et les deux chevaliers le saluent aussi. La demoiselle le prend par la main gentiment et dit :

— Beau sire, notre hôtel [2] ne sera pas ce soir tel que le mériterait

---

1. En dehors du sens qu'il a encore aujourd'hui, le mot désigne plus particulièrement la grande salle d'apparat et de réception d'une demeure princière.

2. Désigne non seulement, comme il le peut encore aujourd'hui, la demeure importante d'une personne considérable par sa situation ou sa fortune, mais toute maison d'habitation, même des plus humbles. « Demander l'hôtel », c'est demander l'hospitalité.

un prud'homme. Si je vous disais dès maintenant à quoi nous sommes réduits, vous penseriez peut-être qu'il y eût malice de ma part et que je désire vous voir partir. Mais venez, je vous en prie, acceptez notre maison telle qu'elle est, et que Dieu vous donne un meilleur lendemain !

Elle le mène par la main en une belle, longue et large chambre, ornée d'un plafond sculpté. Sur une courtepointe de brocart tendue sur un lit ils se sont tous deux assis. Autour d'eux des chevaliers par petits groupes se tenaient en silence, leurs yeux fixés sur celui qui près de leur dame restait muet. S'il ne parle pas, c'est qu'il n'a pas oublié le conseil du prud'homme. Tout bas les chevaliers s'en étonnent fort :

— Grand Dieu, disait chacun, se peut-il qu'il soit vraiment muet ? Ce serait grand-pitié, car jamais si beau chevalier ne naquit de femme. Comme il a bon air à côté de ma dame, et comme ma dame est belle à voir à côté de lui ! Si seulement ils voulaient bien ne pas se taire ainsi ! Ah ! ils sont si beaux, lui et elle, que jamais chevalier ni pucelle ne se convinrent si parfaitement. Il semble que Dieu les ait faits l'un pour l'autre et pour les réunir un jour.

Ainsi causaient-ils entre eux, et la demoiselle attendait un signe de lui, si léger fût-il. Mais il devint clair qu'il ne lui dirait mot, si elle ne prenait les devants. Alors, très gentiment :

— Sire, dit-elle, d'où venez-vous aujourd'hui ?

— J'ai passé la nuit chez un prud'homme en un château où j'ai trouvé le plus généreux accueil. Il y a cinq fortes tours, excellemment construites, une grande et quatre petites. Je ne pourrais vous décrire l'aspect de l'ensemble, ni vous dire le nom du château. Je sais seulement que le maître en est Gornemant de Goort.

— Ah ! bel ami, j'aime vos courtoises paroles. Comme vous avez raison de l'appeler prud'homme ! Que Dieu le roi du ciel vous en sache gré ! Jamais vous n'avez dit plus vrai. Prud'homme ! qui le serait s'il ne l'était ? Sachez que je suis sa nièce [1], quoiqu'il y ait bien longtemps que je ne l'ai vu. Certes, depuis que vous avez quitté votre maison, vous n'avez connu de chevalier plus accompli. Il vous a reçu en joie et en allégresse, selon sa coutume, le gentil et noble chevalier, lui le riche et le puissant. Mais chez nous les miches n'abondent pas, tout juste six, qu'un pieux et saint homme de prieur, qui est mon oncle, m'envoya pour le souper de ce soir, et il y ajouta un barillet de vin cuit. Pas d'autres provisions, sauf un chevreuil, qu'un de mes sergents tua ce matin d'un trait de son arc.

Là-dessus elle commande qu'on mette les tables et tous s'assoient au souper. On mange de bon appétit, mais le repas n'est pas long.

---

1. Peut être synonyme de « petite-fille ». Il en est de même pour « neveu ».

Ceux qui doivent veiller la nuit, ils sont cinquante, tant sergents que chevaliers, s'en vont par le château. Les autres, qui avaient veillé la nuit précédente et qui dormiront ce soir, s'empressent autour de leur hôte. Draps bien blancs, riche couverture, oreiller pour la tête, on lui prépare tout ce qu'il faut pour une bonne, pour une délicieuse nuit. Il n'y manquera que déduit de pucelle, s'il lui plaisait, ou de dame, s'il lui était permis. Mais ce sont là passe-temps qu'il ignore et il n'y pense ni peu ni beaucoup. Libre de tout souci il s'endort bientôt.

Mais son hôtesse enfermée en sa chambre ne repose guère. Si le chevalier dort d'un tranquille sommeil, elle songe, elle faible femme, au dur assaut qui se livre en elle : elle sursaute et s'agite, se tourne et se retourne. Soudain elle jette sur sa chemise un court manteau de soie écarlate et la voilà prête à risquer l'aventure d'un cœur brave. L'enjeu n'en est pas mince : ce qu'elle a décidé, c'est d'aller à son hôte et de lui confier une partie de ses angoisses. Elle quitte son lit et sa chambre dans une telle peur qu'elle tremble de tous ses membres et que son corps est baigné de sueur. Tout en larmes elle vient au lit où dort le chevalier. Elle sanglote et soupire, se penche, s'agenouille. Ses larmes vont mouiller le visage du dormeur. Elle n'ose aller plus loin.

Elle a tant pleuré qu'il s'éveille. Tout surpris de sentir son visage mouillé, il aperçoit la pucelle à genoux devant son lit, qui le tenait étroitement embrassé par le col. Il a la courtoisie de la serrer à son tour dans ses bras et en l'attirant à lui il lui dit :

— Belle, qu'y a-t-il ? Pourquoi êtes-vous venue ici ?

— Ah ! gentil chevalier, pitié ! Au nom de Dieu et de son fils, je vous prie de ne pas m'en tenir plus vile. Et si je suis vêtue comme vous le voyez, je n'y ai pas pensé folie un instant, croyez-le. Il n'y a au monde créature si triste et si désespérée que je ne souffre plus encore. Rien de ce que j'ai ne contente mon cœur ; pas un jour ne s'écoule que le malheur ne s'acharne sur moi. Telle est ma vie. Mais je ne verrai pas d'autre nuit que celle-ci, pas d'autre jour que celui qui vient, car je vais me tuer de ma propre main. De trois cent dix chevaliers qui tenaient garnison dans ce château, il n'en reste que cinquante. Les autres, c'est Anguingueron, le sénéchal de Clamadeu des Iles et un perfide chevalier, qui les a emmenés pour les occire ou les jeter en prison. Je plains le sort de ceux qui sont enfermés tout autant que celui des tués, car je sais bien qu'ils sont voués à la mort. C'est pour moi que tant de braves gens ont péri : il est juste que mon cœur s'en désespère. Voilà un long hiver et un long été qu'Anguingueron nous tient assiégés, sans jamais s'éloigner d'un pas. De jour en jour ses forces se sont accrues et les nôtres se sont appauvries. Nos vivres sont épuisés : il n'en reste pas pour le déjeuner

d'une abeille. Demain, si Dieu ne s'y oppose, nous rendons le château, qui ne peut plus se défendre ! Telle est la loi que nous avons dû
subir. Et je serai livrée avec, infortunée que je suis. Mais ils ne me
prendront pas vive, car je me tuerai. Je ne leur laisserai que mon
cadavre, et que m'importe alors ? Clamadeu qui veut me tenir ne
tiendra qu'un corps sans âme et sans vie. Je garde en un écrin un
couteau à fine lame d'acier : je saurai m'en servir. Voilà tout ce que
j'avais à vous dire. Et maintenant je regagne ma chambre et vous
laisse reposer.

Bientôt le chevalier pourra faire connaître sa vaillance, s'il l'ose,
car la pucelle n'eut pas d'autre raison de venir pleurer sur sa face :
quoi qu'elle lui ait donné à entendre, ce qu'elle voulait, c'était uniquement lui inspirer au cœur l'envie d'entreprendre la bataille, pour
la défendre, elle et sa terre. Et il lui dit :

— Amie chère, il n'est pas l'heure de faire triste visage. Remettez-vous, séchez vos pleurs et venez plus près. Je vous en prie, plus
de larmes : Dieu, s'il lui plaît, peut vous donner un meilleur demain
que vous ne croyez. Venez vous étendre en ce lit à côté de moi, il est
assez large pour nous deux. Il ne se peut que vous me quittiez ainsi.

— Je viendrai, s'il vous plaisait.

Et lui la tenait serrée contre lui et l'embrassait, tandis que doucement et gentiment il la fait entrer sous la couverture. La pucelle
souffre ses baisers, et je ne crois pas qu'il lui en coûte beaucoup.
Ainsi reposèrent-ils la nuit côte à côte, bouche à bouche, jusqu'au
matin que le jour approche.

De cette nuit elle a retiré une consolation : bouche à bouche et
dans les bras l'un de l'autre, ils ont dormi jusqu'à l'aube. Alors elle
regagne sa chambre. Sans l'aide d'aucune de ses femmes, et sans
éveiller personne, elle se vêt. Ceux qui ont guetté la nuit, dès qu'ils
virent le jour, éveillèrent les endormis et les tirèrent du lit. La
pucelle retourne à son chevalier et lui dit en toute douceur :

— Sire, que Dieu vous donne un bon jour ! Je crois bien que vous
ne vous attarderez guère ici : ce serait perdre votre temps. Vous allez
nous laisser et je ne m'en attriste pas, car je ne serais pas courtoise si
je montrais des regrets à vous voir partir. Nous vous avons reçu si
pauvrement ! Mais je prie Dieu qu'il vous prépare un meilleur hôtel,
où vous puissiez trouver à discrétion pain, vin, sel, et toutes bonnes
choses.

— Belle amie, ce ne sera pas aujourd'hui que j'irai quérir une
autre maison que la vôtre. Quand je la quitterai, j'aurai ramené la
paix en votre terre, si je le peux. Et si je trouve votre ennemi là-
dehors, je serai bien fâché s'il y reste plus longtemps, car il vous
poursuit sans l'ombre de raison. Mais si je le défais et l'occis, en
retour je vous requiers votre druerie : c'est le seul paiement que je
veuille accepter.

— Sire, dit la fine mouche, c'est bien pauvre chose que vous me demandez, mais si je vous la refusais, vous le tiendriez à orgueil. Qu'il en soit donc comme vous voulez ! Et pourtant je ne saurais devenir votre amie à telle condition que vous alliez mourir pour moi. Ce serait une grande pitié. Vous n'êtes pas d'âge, sachez-le bien, ni de force à tenir contre un chevalier si grand, si dur et si fort qu'est celui qui attend sous nos murs.

— C'est ce que vous verrez sans tarder, car j'irai combattre contre lui, et nulle remontrance ne m'arrêtera.

La pucelle sait ce qu'elle fait : elle le blâme de son dessein et souhaite qu'il l'exécute. Il arrive souvent, quand on voit quelqu'un prêt à faire ce qu'on désire, qu'on semble hésiter pour l'y pousser plus sûrement. C'est le jeu qu'elle joue : elle le détourne de ce combat et lui n'est que plus ardent à s'y lancer.

Le chevalier demande ses armes. On l'en revêt, on le fait monter à cheval, la porte s'ouvre. Nul qui ne s'inquiète et qui ne dise :

— Sire, Dieu vous soit en aide en ce jour et puisse-t-il faire le malheur d'Anguingueron le sénéchal qui a détruit tout notre pays !

Ainsi pleurent-ils tous et toutes et ils le convoient jusqu'à la porte. Quand il l'a franchie, ils s'écrient d'une seule voix :

— Beau sire, que cette vraie croix, où Dieu souffrit que son fils reçût le martyre, vous garde aujourd'hui de la mort et de la prison et vous ramène sain et sauf en lieu qui vous plaise !

Ainsi priaient ceux du château. Les assiégeants le voient venir et le montrent à Anguingueron assis devant sa tente, tout convaincu qu'on lui rendrait le château avant la nuit ou que quelqu'un en sortirait pour le combattre corps à corps. Déjà il avait lacé ses chausses, et ses gens menaient grande joie, car ils pensaient avoir conquis le château et le pays. Lorsque Anguingueron aperçoit le chevalier, il se fait armer en hâte, monte sur un fort et robuste cheval et crie :

— Valet, qui t'envoie ici, et pourquoi ? Viens-tu quérir la paix ou la bataille ?

— Et toi d'abord, que fais-tu ici ? C'est à toi à répondre le premier. Pourquoi as-tu occis les chevaliers et ravagé la terre ?

L'autre dans son orgueil et son outrecuidance répond :

— Je veux qu'aujourd'hui même on vide le château et qu'on me rende la terre. J'ai déjà trop attendu. Et la pucelle reviendra à mon seigneur.

— Au diable telles paroles et celui qui les dit ! Il n'en ira pas comme tu crois. Il te faudra premièrement renoncer à tout ce que tu réclames à la pucelle.

— Voilà de bien grosses menteries, par saint Pierre. Il arrive souvent que tel qui n'y est pour rien paie pour les coupables.

Le valet en a assez. Il abaisse la lance, et les deux adversaires se précipitent l'un sur l'autre de toute la vitesse de leur cheval. Ils sont irrités, leurs bras sont robustes : les lances volent en éclats. Malgré son écu Anguingueron est blessé au bras et à l'épaule ; il sent une douleur aiguë et tombe de son cheval. Le valet, qui reste juché sur le sien, est embarrassé un instant, puis il saute à terre, tire l'épée et fond sur l'autre. Impossible de vous conter toutes les passes, une par une, mais sachez que la bataille fut longue et ardente. Enfin Anguingueron s'abat sur le sol et le valet se jette furieusement sur lui.

— Pitié, crie le sénéchal, mais le valet n'y est nullement disposé, quand soudain il lui souvient du prud'homme et d'un de ses conseils : se garder d'occire de gaieté de cœur un chevalier vaincu. Et cependant le sénéchal reprenait :

— Beau doux ami, ne sois pas si cruel, épargne-moi. Je reconnais hautement que tu es un bon chevalier et que tu as eu le dessus. Mais qui ne nous a vus lutter et nous connaît tous deux, comment croirait-il qu'à toi seul et à l'aide de tes seules armes tu m'aies tué en combat singulier ? Mais, si je te porte le témoignage que tu m'as vaincu aux armes, en présence de mes gens, devant ma tente, ma parole en sera crue, ta valeur sera connue de tous, et jamais chevalier n'eut plus de raison de s'enorgueillir de sa prouesse. Si tu as un seigneur qui t'ait fait quelque bien ou t'ait rendu service, sans que tu aies pu jusqu'ici reconnaître ses bienfaits, envoie-moi à lui : de par toi je lui dirai ta victoire et je m'en remettrai à lui de mon sort.

— Au diable qui demanderait mieux ! Sais-tu où tu iras ? A ce château, et tu diras à la belle qui est mon amie que jamais en toute ta vie tu ne lui nuiras, et tu te mettras en sa merci.

— Mais c'est ma mort ! Elle me fera tuer : c'est son désir le plus ardent. J'étais de ceux qui ont occis son père, et j'ai tué ou pris tous les chevaliers de la fille. De là sa haine. Ce serait me jeter en une laide prison que de m'envoyer à elle : on ne pourrait me faire pis. Mais si tu as un autre ami ou une autre amie qui ne soit déterminé à me faire du mal, c'est là que je te prie de m'envoyer.

Le valet lui demande alors d'aller chez un prud'homme dont il lui donne le nom. Et il lui décrit le château mieux que ne le ferait un maçon : il lui vante l'eau et le pont et les tourelles et la tour et les fortes murailles de l'enceinte, tant que l'autre voit bien que c'est au lieu où il est le plus haï qu'on veut l'envoyer.

— Je ne vois pas mon salut là où tu m'enjoins d'aller, beau sire, s'écrie-t-il. Dieu me pardonne, tu veux me mettre en mauvaise voie et en mauvaises mains. Je lui ai occis en cette guerre un de ses frères. Beau doux ami, tue-moi plutôt que me faire aller chez lui. Car la mort m'y attend.

— Alors tu iras en la prison du roi Arthur. Tu me salueras le roi et lui diras de par moi qu'il te fasse montrer la pucelle que Keu le

sénéchal frappa parce qu'elle avait ri en me voyant. A elle tu te rendras prisonnier et tu lui diras que je prie Dieu qu'il ne me laisse pas
mourir avant de l'avoir vengée.

Ce message-là, le chevalier vaincu est tout prêt à s'en acquitter. Il
part, après avoir ordonné d'emporter son étendard et de lever le
siège ; tous s'en vont, il n'y reste ni blond ni brun.

Le vainqueur retourne au château et rencontre sur la route les
chevaliers assiégés qui sont sortis pour lui faire honneur. A grandjoie ils le descendent de son cheval et lui enlèvent ses armes. Mais ils
sont fâchés qu'il ait épargné le vaincu.

— Ah ! sire, disent-ils, puisque vous ne vouliez pas ramener ici le
sénéchal, pourquoi n'avoir pas fait voler sa tête ?

— Le ramener chez vous, seigneurs ? J'aurais mal fait. Il vous a
occis les vôtres, je n'aurais pu le garantir, en dépit de moi vous l'auriez tué. Et moi, je vaudrais bien peu si, l'ayant vaincu, je ne lui
eusse fait grâce. Et savez-vous quelle grâce ? S'il veut me tenir sa
parole, il devra aller se mettre en la prison du roi Arthur.

Arrive la demoiselle toute à sa joie, qui l'entraîne en sa chambre
pour qu'il se délasse et se repose. Elle ne lui refuse caresses ni baisers, et que leur importe le boire et le manger ? Ce qui leur plaît
davantage, c'est d'échanger baisers et caresses et douces paroles.

Cependant Clamadeu se leurre de folles illusions. Il accourt et
croit déjà avoir le château à sa merci, quand un valet en larmes surgit et le détrompe :

— Ah ! sire, les choses vont bien mal. Votre sénéchal a dû se
rendre à plus fort que lui, et il est parti pour la prison du roi Arthur.

— Quel est son vainqueur ? Comment s'y est-il pris ? D'où peut
venir un chevalier capable de faire demander grâce à un aussi vaillant homme que mon sénéchal ?

— Beau sire cher, je ne sais qui fut le chevalier. Je sais seulement
que je le vis sortir de Beaurepaire dans une armure vermeille.

— Et que me conseilles-tu, valet ? dit Clamadeu tout près de
perdre le sens.

— Ce que je vous conseille, sire ? C'est de vous en retourner, car
vous ne gagneriez rien à aller plus loin.

Ici s'avance un chevalier tout chenu, qui avait été le maître de Clamadeu.

— Valet, interrompt-il, tu ne dis rien de bon. Il nous faut en ce
moment un meilleur conseiller que toi, et plus sage. Clamadeu ferait
folie de t'en croire. Qu'il aille de l'avant, voilà mon avis.

Et il ajoute :

— Sire, savez-vous comment vous pourriez avoir le chevalier et le
château ? La chose est aisée. A l'intérieur des murs de Beaurepaire il
n'y a ni à boire ni à manger. Les chevaliers qui s'y tiennent sont

affaiblis, et nous, nous sommes forts et en bon point. Nous n'avons ni faim ni soif, nous sommes en état de soutenir un dur assaut. Voyons si ceux de dedans osent sortir pour se mesurer à nous. Nous enverrons devant la porte vingt chevaliers prêts à la mêlée. Le chevalier qui coule des heures si agréables auprès de Blanchefleur, sa douce amie, voudra montrer sa vaillance et entreprendre plus qu'il ne pourra mener à bonne fin. Il sera pris, ou il y mourra. Car il trouvera peu de secours auprès de ses faibles compagnons. Nos vingt chevaliers se borneront à les amuser, jusqu'à ce que, débouchant à l'improviste par cette vallée, nous les cernions de toute part.

— Par ma foi, dit Clamadeu, votre conseil est bon. Suivons-le. Nous avons ici quatre cents chevaliers en armes, tous gens d'élite, et mille sergents bien équipés. Nous allons les prendre comme des mannequins de paille.

Il envoie devant la porte vingt chevaliers qui déploient au vent bannières et gonfanons multicolores. Aussitôt ceux du château ouvrirent les portes toutes grandes, car le valet le veut, qui le premier de tous s'élance au dehors pour assaillir les nouveaux venus. En chevalier hardi et fier il les attaque tous ensemble. Celui qu'il atteint n'a garde de le prendre pour un novice, maintes entrailles apprennent à connaître le fer de sa lance ; à l'un il transperce la poitrine, à l'autre il rompt les bras, à un troisième il brise la clavicule ; tout autour de lui il tue, blesse, abat ou fait des prisonniers : les chevaux, il les donne à ceux qui en ont besoin.

Voici qu'apparaissent au haut du vallon les quatre cents chevaliers et les mille sergents. Ils voient la débâcle de leurs gens et se lancent en une masse furieuse vers la porte du château, qui était restée grande ouverte. Là se tiennent les assiégés en rangs serrés, qui reçoivent hardiment leurs adversaires ; mais ils n'étaient qu'une poignée de faibles combattants : sous la poussée des chevaliers ennemis, que leurs sergents sont venus rejoindre, force leur est de reculer et de se retirer dans le château. Sur la porte des archers tirent dans la foule compacte et ardente des assaillants ; mais ceux-ci sont résolus à forcer l'entrée, tant qu'enfin toute une troupe se rue à l'intérieur. Alors d'en haut les gens du château font retomber une lourde porte sur ceux de dessous ; elle écrase et tue tous ceux qu'elle atteint dans sa chute. Jamais Clamadeu n'a vu de spectacle plus douloureux. La porte lui a massacré tant de ses gens, et elle lui a si bien barré le passage ! Il n'a plus qu'à aller se reposer : continuer un si furieux assaut, ce serait perdre sa peine. Et son maître lui dit :

— Sire, ce n'est pas merveille s'il arrive malheur à un prud'homme. Selon qu'il plaît à Dieu, chacun a la chance pour lui ou contre lui. Vous avez perdu la partie, c'est clair ; mais il n'est saint qui n'ait sa fête. L'orage a fondu sur vous : les vôtres ont bien souf-

fert et ceux de dedans ont eu le gain de la journée. Mais ils reper-
dront à leur tour. Crevez-moi les deux yeux s'ils tiennent plus de
deux jours. Demeurez seulement ici aujourd'hui et demain, et le
château et la tour seront à vous. Cette même femme qui vous a
refusé si longtemps vous suppliera au nom de Dieu que vous vouliez
bien la prendre.

Il en est ainsi décidé. Ceux qui ont apporté des tentes les font
dresser, les autres camperont comme ils pourront. Ceux du château
désarment les prisonniers, mais ils ne les mettent ni en cachot ni aux
fers ; ils exigent simplement une loyale promesse de ne pas chercher
à s'enfuir et de ne plus prendre les armes contre eux.

Ce même jour, un grand vent avait chassé sur la mer un chaland
bien garni de blé et d'autres vivres, et Dieu voulut que le bateau vînt
aborder intact devant le château. Vite on court en bas s'enquérir qui
ils sont, d'où ils viennent et où ils vont.

— Nous sommes des marchands qui amenons des provisions à
vendre ; nous avons pain, vin et bacon salé et, s'il en était besoin,
quantité de bœufs et de porcs bons à tuer.

— Béni soit le Seigneur qui donna au vent la force de vous pousser jusqu'ici ! Débarquez. Vous avez tout vendu, quel que soit votre
prix. Venez prendre votre dû ; vous aurez fort à faire pour recevoir
et compter les lingots d'or et d'argent que nous vous donnerons en
échange : il y en aura la charge d'un char, et plus, s'il le faut.

Les marchands ont fait une bonne affaire ; ils déchargent les vivres
et les font porter au château. Vous pouvez imaginer la joie qu'on y
fait. Sans perdre un instant on met le dîner en train. Clamadeu, qui
muse dehors, peut séjourner devant les murs tant qu'il lui plaira ; les
assiégés ont des bœufs, des porcs, des viandes salées à foison, et du
froment pour jusqu'à la saison nouvelle. Les garçons allument les
feux dans les cuisines et les cuisiniers s'empressent. Et maintenant,
assis l'un contre l'autre, le valet et son amie peuvent mener leur
déduit tout à leur aise : elle se serre contre lui, il répond par un baiser, et chacun est heureux de la joie de l'autre. Dans la salle on fait
grand bruit, l'allégresse règne. On avait si vivement désiré le repas
qui se prépare ! Le voilà enfin : les cuisiniers font asseoir tous ces
affamés.

Clamadeu et ses gens, qui ont appris la nouvelle, sont outrés de
fureur. Ils voient bien qu'il faut s'en aller. On ne peut réduire le château par la famine. Inutile d'y penser. Mieux vaut avouer que le
siège n'a servi à rien. Mais Clamadeu, qui enrage, sans prendre
conseil de personne, envoie un message au château : si le chevalier
vermeil ose accepter le combat, qu'il vienne dehors ; Clamadeu sera
seul et l'attendra le lendemain jusqu'à midi. Quand la pucelle entend
le défi, elle souffre et se courrouce, et bien plus encore quand son
ami répond que Clamadeu aura la bataille, puisqu'il la désire. Elle a

beau pleurer, elle n'y changera rien. Tous et toutes viennent le supplier à leur tour de ne pas se mesurer avec un homme dont jamais
encore nul chevalier ne triompha.

— Seigneurs, répond-il, plus un mot là-dessus ! Ce sera mieux,
croyez-moi. Je ne reculerai pour qui que ce soit au monde.

Chacun se le tient pour dit. On se tait et on va se coucher pour une
nuit de repos. Mais tous sont inquiets pour leur seigneur et
regrettent que leurs prières soient restées vaines.

Cette même nuit, son amie revient à la charge : pourquoi aller à
cette bataille ? Que ne reste-t-il en paix dans le château ? Plus rien à
craindre de Clamadeu ou de ses gens. Elle n'obtient rien de plus. Et
pourtant il y avait une étrange douceur dans les paroles qu'elle lui
adressait ; car chaque mot était ponctué d'un baiser si prenant et si
délicieux qu'elle lui mettait la clef d'amour en la serrure du cœur.
Mais rien n'y vaut, elle ne peut le faire renoncer à la bataille.

Voici le matin. Sur un ordre bref on lui apporte ses armes en toute
hâte, on l'en revêt, tandis que tous et toutes se lamentent. Il les
recommande au Roi des rois, se met en selle sur le cheval norrois
qu'on lui a amené : il est parti.

Quand Clamadeu le voit venir, il s'imagine follement qu'en un
tournemain il va lui faire vider les arçons. La lande était unie et
belle, et il n'y avait qu'eux deux, car Clamadeu avait renvoyé tous
ses gens. Sans un mot de défi, la lance en arrêt, ils fondent l'un sur
l'autre. Leurs lances étaient grosses et bien maniables, la hampe de
frêne, le fer tranchant. Les chevaux couraient à toute vitesse, les
cavaliers étaient vigoureux, et ils se voulaient mal de mort. Ils se
heurtent d'une telle violence que les lames des écus se brisent et que
les lances se froissent. Chacun jette à bas son adversaire, mais tous
deux se relèvent d'un bond, et tirant l'épée s'attaquent en gens bien
décidés à ne pas reculer : longtemps le combat reste égal. Je vous en
décrirais bien les péripéties, si je voulais m'en donner la peine, mais
à quoi bon ? En un mot comme en cent, c'est Clamadeu qui dut
s'avouer vaincu.

Comme son sénéchal, il accepte les conditions que lui impose son
vainqueur, mais, pas plus que son sénéchal, il ne veut se laisser
enfermer dans Beaurepaire et, pour tout l'empire de Rome, il ne
consentirait à mettre les pieds chez le prud'homme du beau château.
Mais très volontiers il se rendra en la prison du roi Arthur ; là, il le
promet, il verra la pucelle que Keu frappa si brutalement et lui dira
qu'à tout prix son vainqueur désire la venger, et la vengera, si Dieu
lui en donne la force. En outre, il doit jurer que le lendemain, avant
le jour, il libérera ses prisonniers et les laissera revenir sains et saufs,
qu'il repoussera, s'il peut et à quelque moment que ce soit, toute
armée qui viendrait camper devant le château, et qu'enfin ni ses
hommes ni lui n'inquiéteront désormais la demoiselle.

Clamadeu, revenu dans sa terre, relâche ses prisonniers, qui s'en vont avec tout leur harnois. Puis, lui tout seul, il se met en route.

C'était alors la coutume, nous dit le livre, que tout chevalier vaincu en un combat devait gagner sa prison dans l'équipement même où il avait été vaincu, sans en rien ôter, sans y rien ajouter. Clamadeu ainsi accoutré chemine en suivant les traces d'Anguingueron, qui s'en va vers Dinasdaron, où Arthur devait tenir sa cour.

Cependant il y avait grande joie au château où venaient de rentrer ceux qui avaient langui si longtemps en de mauvais cachots. La grande salle et les hôtels des chevaliers bruissent d'allégresse. Dans les chapelles et les moutiers les cloches carillonnent gaiement ; il n'est moine ni nonnain qui ne rende grâce au Seigneur. Par les rues et par les places chevaliers et dames déroulent leurs caroles. Vraiment ce jour-là le château est en liesse.

Anguingueron va toujours, suivi de loin par Clamadeu, qui, en trois étapes et s'arrêtant chaque soir dans l'hôtel même où avait logé son sénéchal, arrive enfin à Dinasdaron en Galles, où le roi Arthur dans son palais tenait sa grande cour. Dès la veille au soir Anguingueron a conté son message, et le roi l'a retenu à son service pour faire partie de sa maisnie [1] et de son conseil. Comme les autres il voit venir ce matin-là un chevalier teint de sang vermeil : il a tôt fait d'y reconnaître son seigneur et s'écrie :

— Seigneurs, seigneurs, voici une surprenante aventure. C'est le valet à l'armure vermeille, croyez-moi, qui envoie ici ce chevalier que vous voyez. Il l'a vaincu, j'en suis certain par le sang que j'aperçois sur lui. Et je sais bien qui est le chevalier, car il est mon seigneur et je suis son vassal. Clamadeu des Iles est son nom, et je le croyais chevalier tel qu'il n'y en eût un meilleur dans tout l'empire de Rome. Mais les prud'hommes ne sont pas toujours heureux.

Ainsi parle Anguingueron, et il court rejoindre son seigneur.

On était à une Pentecôte. La reine occupait avec le roi Arthur le haut bout d'une table ; avec eux des comtes, des ducs et des rois, et des reines et des comtesses. Les dames et les chevaliers revenaient du moutier, où ils avaient entendu la messe. Keu paraît, sans manteau, en sa main droite une baguette, sur la tête un chapeau de feutre blond, ses cheveux noués en une tresse. Dans le monde entier nul chevalier n'est plus beau. Mais sa beauté et sa prouesse sont gâtées par son amour des perfides sarcasmes. Sa cotte est d'un riche drap de soie colorée. Il est ceint d'une ceinture ouvragée dont la boucle et les anneaux sont d'or. Il m'en souvient bien et l'histoire le témoigne. Quand il entre, chacun s'écarte ; tous redoutent le fiel de ses railleries et sa mauvaise langue ; nul ne désire se trouver sur son

---

1. L'ensemble de ceux qui forment la compagnie ordinaire d'un roi ou d'un haut seigneur et constituent sa « maison ».

chemin. Qu'on plaisante ou qu'on soit sérieux, il n'est pas sage celui qui ne craint les méchancetés trop claires. Aussi personne ne parle à Keu, qui va jusqu'au roi et dit :

— Sire, s'il vous plaisait, nous pourrions manger.

— Keu, répond le roi, laissez-moi en paix. La cour est là, rassemblée tout entière, il est vrai, mais, par les yeux de ma tête, en un jour si solennel, je ne toucherai à un seul mets que nous n'ayons appris des nouvelles qui en vaillent la peine.

A ce moment entre Clamadeu qui vient se rendre prisonnier, armé comme il doit l'être :

— Dieu, dit-il, sauve et bénisse le meilleur roi qui soit en vie, le plus noble et le plus généreux ! Ainsi en témoignent tous ceux qui ont entendu conter ses grandes prouesses. Or écoutez-moi, beau sire, car j'ai un message à vous faire. Il m'en coûte de le dire, mais c'est vérité que je suis envoyé ici par un chevalier qui m'a vaincu. Il veut que je me rende à vous comme votre prisonnier, et je n'y puis rien. Et qui voudrait me demander si je sais son nom, je répondrais que je ne le sais pas. Mais on le reconnaîtrait aux enseignes que je vais dire : il porte une armure vermeille et il affirme qu'il la tient de vous, sire.

— Ami, dit le roi, Dieu puisse te secourir ! Dis-moi vraiment s'il est dispos, en bonne humeur et en bonne santé.

— Oui, beau et cher sire, soyez-en certain. C'est le plus vaillant chevalier que j'aie jamais connu. Il me dit de parler à la pucelle au beau rire à qui Keu fit si grand-honte qu'il la souffleta : il la vengera bien, déclare-t-il, si Dieu lui en accorde le pouvoir :

A ces mots, le fou saute de joie et s'écrie :

— Dan roi, Dieu me bénisse, il sera bien vengé, le soufflet, et ne croyez pas à une bourde : il aura beau faire, il ne s'en tirera que le bras rompu et la clavicule hors de place.

Keu, qui entend ces paroles, les tient pour outrageusement sottes. S'il ne brise la tête au fou, ce n'est pas couardise, sachez-le bien, mais il ne veut pas faire honte au roi. Le roi hoche la tête :

— Ah ! Keu, s'écrie-t-il, quel chagrin qu'il ne soit ici avec moi ! C'est toi qui par ta folle langue l'as chassé, et je ne m'en console pas.

Sur un ordre du roi, Girflet se lève et monseigneur Yvain, que nul n'accompagne qui n'en devienne meilleur : qu'ils mènent le chevalier nouveau venu aux chambres où s'ébattaient les demoiselles de la reine. Le chevalier s'incline devant le roi et suit ses deux guides. Ils lui montrent la pucelle et elle entend bientôt les nouvelles qu'elle souhaitait. Elle souffrait encore du soufflet qu'elle avait reçu, non qu'elle ne fût guérie du coup lui-même, mais la honte restait, toujours vive. L'homme est mauvais qui oublie honte et vilenie qu'on lui ait faite. La douleur passe, mais la honte dure en un homme vigoureux et bien trempé ; chez le mauvais elle se refroidit et meurt.

Ainsi Clamadeu s'est acquitté de son message, et le roi lui demande de rester à sa cour et de faire partie de sa maisnie.

Cependant celui qui lui avait disputé la terre et la belle Blanchefleur, son amie, près d'elle vit à l'aise et dans les délices. Et le domaine eût été à lui sans conteste, s'il n'eût eu ailleurs ses pensées. Il lui ressouvient de sa mère qu'il vit choir pâmée. Et il désire l'aller voir plus qu'il ne souhaite nulle autre chose. Il n'ose prendre congé de son amie qui le lui refuse impérieusement. Et elle lui envoie tous ses gens pour le prier de rester. Mais ils supplient en vain, sauf qu'il leur fait une promesse : s'il trouve sa mère vivante, il l'amènera avec lui et dorénavant tiendra la terre ; si elle est morte, il reviendra aussi.

Là-dessus il s'en va et laisse son amie, la gentille, à son courroux et à sa douleur, et tous les autres aussi. Quand il sortit de la ville, il vit venir à lui une procession telle qu'on se fût cru à un jour d'Ascension, ou tout au moins à un dimanche. Tous les moines y étaient, chacun revêtu d'une chape de fine soie, et toutes les nonnes, voilées. Et tous et toutes disaient :

— Sire, qui nous as tirés de l'exil et ramenés en nos maisons, ce n'est merveille si nous faisons un tel deuil, quand tu veux sitôt nous laisser. Comment en serait-il autrement ? Telle est notre tristesse qu'elle ne pourrait être plus grande.

— Cessez de pleurer, leur dit-il. Je reviendrai, aussi vrai que je demande à Dieu de m'aider. Nulle raison de s'attrister. Ne croyez-vous pas que ce soit bien que j'aille voir ma mère, qui demeurait toute seule dans ce bois qu'on appelle la Gaste Forêt ? Je reviendrai, qu'elle vive ou non, je vous l'assure. Si elle est vive, j'en ferai une nonne voilée en votre église, et si elle est morte, je ferai célébrer chaque année un service pour que Dieu la mette au sein d'Abraham avec les âmes pies. Seigneurs moines, et vous, belles dames, il n'y a rien là qui doive vous inquiéter : je vous ferai de grands biens, pour le repos de son âme, si Dieu me ramène.

Les moines et tous les autres retournent, et lui s'en va, lance haute, armé comme au jour de sa venue.

V

PERCEVAL AU CHÂTEAU DU GRAAL

Tout le long du jour il suit sa voie, sans rencontrer créature terrestre, chrétien ou chrétienne, qui lui sache enseigner son chemin. Il ne cesse de prier Dieu, le souverain père, que, si c'est sa volonté, il lui donne de trouver sa mère pleine de vie et de santé. Il prie encore quand, à la descente d'une colline, il arrive à une rivière. Il regarde l'eau profonde et rapide et n'ose s'y engager.

— Ah ! Seigneur tout-puissant, s'écrie-t-il, si je pouvais passer cette eau, au-delà je trouverais ma mère, je crois, si elle vit encore.

Il longe la rive, tant qu'il approche d'un rocher que l'eau vient baigner, lui barrant ainsi le passage. A ce moment il vit une barque qui descendait le courant ; deux hommes y étaient assis. Il reste immobile et les attend, espérant qu'ils viendraient jusqu'à lui. Mais ils s'arrêtent soudain au milieu de la rivière et ancrent solidement leur barque. Celui qui était à l'avant pêchait à la ligne et amorçait son hameçon d'un petit poisson guère plus gros qu'un menu vairon. Le chevalier, très embarrassé et ne sachant comment passer l'eau, les salue et leur dit :

— Seigneurs, enseignez-moi s'il y a gué ou pont en cette rivière.

— Non, frère, répond le pêcheur, autant que je sache, à vingt lieues en amont ou en aval, ni non plus, croyez-moi, barque plus grande que la nôtre, qui ne porterait pas cinq hommes. Impossible donc de passer un cheval, faute de bac, de pont ou de gué.

— Au nom de Dieu, enseignez-moi, je vous prie, où je pourrai trouver un logis pour la nuit.

— Vous en auriez besoin en effet, d'un logis et d'autre chose. Eh bien ! c'est moi qui vous hébergerai ce soir. Montez par cette brèche ouverte dans la roche, et quand vous serez en haut, vous verrez devant vous, en un vallon, une maison où j'habite, près de la rivière et des bois.

Sans plus attendre, le chevalier pousse sa monture jusqu'au sommet de la colline, et là il regarde au loin devant lui, mais il ne voit rien que le ciel et la terre.

— Que suis-je venu quérir ? crie-t-il. La niaiserie et la sottise, sans doute. Que Dieu lui donne aujourd'hui male honte, à celui qui m'a envoyé ici ! Vraiment il m'a mis sur la bonne voie, quand il m'annonce une maison visible du sommet ! Pêcheur qui m'as conté ces sornettes, tu as été bien déloyal si tu l'as fait pour me nuire.

Il a à peine achevé ces mots qu'il voit devant lui en un vallon la cime d'une tour qui émergeait. De là jusqu'à Barut on n'eût trouvé tour si belle ni si bien assise. Elle était carrée, bâtie de pierre bise et flanquée de deux tourelles. La salle était en avant de la tour et les loges en avant de la salle.

Le valet dévale de ce côté. « Il m'a conduit à bon port, pense-t-il, celui qui m'a envoyé là. » Il se loue du pêcheur maintenant, et dès qu'il sait où héberger, ne le traite plus de tricheur, de déloyal et de menteur. Tout content il s'en va vers la porte par un pont-levis qu'il trouve baissé. A peine s'y est-il engagé qu'il voit venir à sa rencontre quatre valets. Deux lui enlèvent son armure, le troisième emmène son cheval et lui donne fourrage et avoine, le quatrième lui met sur les épaules un manteau d'écarlate tout neuf et frais. Puis ils le conduisent jusqu'aux loges. D'ici à Limoges on n'en eût su trouver d'aussi belles. Le valet s'y arrête, jusqu'à ce que le seigneur l'envoie chercher par deux de ses serviteurs. Il les suit. Au milieu de la grande salle carrée il voit assis sur un lit un beau prud'homme aux cheveux presque blancs. Sur sa tête un chaperon d'une zibeline noire comme mûre où s'enroulait un tissu de pourpre ; la robe à l'avenant. Il était penché sur son coude ; devant lui, entre quatre colonnes, un grand feu de bûches sèches jetait une flamme claire ; quatre cents hommes auraient pu se chauffer autour, et la place ne leur eût pas manqué. Les hautes et fortes colonnes qui soutenaient la cheminée étaient d'airain massif. Devant le seigneur paraît le valet encadré de ses deux guides. Aussitôt le seigneur salue son hôte et lui dit :

— Ami, vous ne m'en voudrez pas si je ne me lève pour vous faire honneur, mais mes mouvements ne sont pas très libres.

— Au nom de Dieu, sire, ne vous en souciez. C'est très bien ainsi.

Le prud'homme pourtant s'en soucie assez pour se soulever péniblement sur sa couche.

— Ami, dit-il, approchez-vous sans crainte, et asseyez-vous tout près de moi, je vous l'ordonne.

Le valet s'assoit.

— Ami, dit le prud'homme, d'où venez-vous aujourd'hui ?

— Sire, dit-il, je suis parti ce matin d'un château qui s'appelle Beaurepaire.

— Dieu me garde, vous avez eu une longue journée aujourd'hui. Vous êtes sûrement parti ce matin avant que le guetteur ait corné l'aube.

— Non, sire, il était déjà prime sonnée, je vous l'assure.

Tandis qu'ils causaient ainsi, par la porte de la maison entre un valet, une épée pendue à son col. Il la tend au seigneur. Celui-ci la tire à demi du fourreau et voit bien où elle fut faite, car c'était écrit sur l'épée. Il voit aussi qu'elle était d'un acier si dur qu'elle ne pourrait se briser, sauf en un unique péril que seul savait celui qui l'avait forgée et trempée. Le valet qui l'avait apportée dit :

— Sire, la blonde pucelle, votre nièce, la belle, vous envoie ce présent. Jamais vous ne vîtes épée plus légère pour sa taille. Vous la donnerez à qui il vous plaira, mais ma dame serait heureuse si elle venait aux mains de qui saurait s'en servir. Celui qui la forgea n'en fit que trois, et il mourra, si bien qu'il ne pourra jamais en forger une autre après celle-ci.

Sur-le-champ le seigneur la remet au jeune étranger, la tendant par les attaches qui valaient un trésor ; le pommeau était d'or, du plus fin d'Arabie ou de Grèce, le fourreau d'orfroi de Venise. Telle qu'elle est, il lui en fait don :

— Beau sire, cette épée vous fut destinée, et je désire que vous l'ayez. Ceignez-la et regardez-la.

Le valet l'en remercie et la ceint, de façon à laisser un peu de jeu au baudrier. Puis il l'a tirée nue hors du fourreau et, quand il l'eut un peu tenue à la main, il la remit au fourreau. Sachez qu'elle lui seyait merveilleusement au côté et plus encore au poing. Et il avait bien l'air d'un homme qui saurait en jouer en vrai baron.

Il confie l'épée au valet qui gardait ses armes, debout avec d'autres, autour du feu clair, et va se rasseoir près du bienveillant seigneur. Des flambeaux illuminaient la salle d'une telle clarté qu'on ne pourrait trouver au monde un hôtel éclairé plus brillamment. Tandis qu'ils causent à loisir, paraît un valet qui sort d'une chambre voisine, tenant par le milieu de la hampe une lance éclatante de blancheur. Entre le feu et le lit où siègent les causeurs il passe, et tous voient la lance et le fer dans leur blancheur. Une goutte de sang perlait à la pointe du fer de la lance et coulait jusqu'à la main du valet qui la portait. Le nouveau venu voit cette merveille et se raidit pour ne pas s'enquérir de ce qu'elle signifie. C'est qu'il lui souvient des enseignements de son maître en chevalerie : n'a-t-il pas appris de lui qu'il faut se garder de trop parler ? S'il pose une question, il craint qu'on ne le tienne à vilenie. Il reste muet.

Alors viennent deux autres valets, deux fort beaux hommes, chacun en sa main un lustre d'or niellé ; dans chaque lustre brûlaient dix cierges pour le moins. Puis apparaissait un Graal, que tenait entre ses deux mains une belle et gente demoiselle, noblement parée, qui suivait les valets. Quand elle fut entrée avec le Graal, une si grande clarté s'épandit dans la salle que les cierges pâlirent, comme les étoiles ou la lune quand le soleil se lève. Après cette demoiselle en venait une autre, portant un tailloir d'argent. Le Graal qui allait devant était de l'or le plus pur ; des pierres précieuses y étaient serties, des plus riches et des plus variées qui soient en terre ou en mer ; nulle gemme ne pourrait se comparer à celles du Graal. Tout ainsi que passa la lance devant le lit, passèrent les demoiselles pour disparaître dans une autre chambre. Le valet vit leur cortège et, fidèle à la leçon du sage prud'homme, n'osa demander qui l'on servait de ce Graal. Je crains que les choses ne se gâtent, car j'ai ouï conter que parfois trop se taire ne vaut guère mieux que trop parler. Qu'il lui en vienne heur ou malheur, le valet garde le silence.

Le seigneur commande de donner l'eau et de mettre les nappes. Les serviteurs obéissent. Pendant que le seigneur et le valet lavent leurs mains dans une eau chauffée à point, deux valets apportent une large table d'ivoire, toute d'une pièce, et la tiennent un moment devant le seigneur et son hôte, tandis que les autres valets apportent deux tréteaux dont le bois a un double mérite : étant d'ébène il a la durée, et on s'efforcerait en vain de le brûler ou de le faire pourrir : ce sont là deux dangers qui ne sauraient l'atteindre. Sur ces tréteaux la table est posée et sur la table on met la nappe. Que dire de cette nappe ? Légat, ni cardinal, ni pape ne mangera jamais sur une plus blanche. Le premier mets est d'une hanche de cerf assaisonné au poivre et cuit dans sa graisse. Il ne leur manque ni vin clair ni râpé qu'ils boivent dans une coupe d'or. Un valet tranche la hanche de cerf sur un tailloir d'argent et place les morceaux sur un large gâteau. Par-devant les convives passe une seconde fois le Graal, et le valet ne demande pas qui l'on en sert. Il pense au prud'homme qui si gentiment le mit en garde contre le trop parler, et l'avis est toujours présent à sa mémoire. Mais il se tait plus qu'il ne convient. Car à chaque nouveau mets qu'on place devant eux, il voit repasser devant lui le Graal tout découvert, et il ne sait toujours pas qui l'on en sert. Non qu'il ne désire le savoir. Mais il sera temps de le demander, pense-t-il, à un des valets de la cour, quand il prendra congé au matin du seigneur et de tous ses gens. Ainsi il remet sa question au lendemain et en attendant fait honneur au repas.

La table est servie à profusion de tous les mets qui font l'ordinaire des rois, des comtes et des empereurs, et les vins sont des plus choisis et des plus plaisants. Après le repas, tous deux passèrent la veillée à causer, tandis que les valets dressent les lits et apprêtent le fruit pour le coucher : dattes, figues et noix muscades, girofle et grenades, électuaire pour la fin, et encore pâte au gingembre d'Alexandrie, gelée aux aromates. Après quoi ils burent de maints breuvages, vin au piment où il n'y avait ni miel ni poivre, et bon vin de mûre, et clair sirop.

Le valet s'émerveille : il n'était pas habitué à ce régime. Enfin le prud'homme lui dit : « Ami, il est l'heure du coucher ; si vous le permettez, je vais retrouver mon lit dans ma chambre, et vous dormirez ici, quand il vous conviendra. Je n'ai nul pouvoir sur mon corps et il faut qu'on m'emporte. »

Aussitôt quatre sergents robustes sortent d'une chambre et saisissent aux quatre coins la courtepointe sur laquelle il était étendu et le convoient ainsi dans sa chambre. Avec l'étranger étaient restés des valets pour le servir et prendre soin de lui. Quand il lui plut, ils le déchaussèrent, le dévêtirent et le mirent au lit dans des draps blancs de lin fin.

Il dormit jusqu'à l'aube du jour. Déjà la maisnie était sur pied, mais quand il ouvrit les yeux, il ne vit personne près de lui. Il semble qu'il aura à se lever tout seul, bon gré mal gré. Il en prend son parti, et sans attendre d'autre aide il se lève et se chausse, puis va prendre ses armes qu'il trouve au bout de la table, où on les avait apportées. Quand il est de tout point équipé, il va par-devant les huis des chambres qu'il avait vus ouverts la veille ; mais il perd son temps, car toutes les portes sont fermées et bien fermées. Il appelle, heurte et frappe tant et plus. Rien ne s'ouvre, pas un mot de réponse. Las d'appeler, il s'en va à l'huis de la salle, le trouve ouvert et descend les degrés jusqu'en bas. Il voit son cheval tout sellé, sa lance et son écu appuyés au mur. Il se met en selle, inspecte toutes les cours : personne, ni sergent, ni écuyer, ni valet. Il pousse droit à la porte du château. Le pont-levis est baissé : on n'avait pas voulu que rien le retînt, à quelque heure que ce fût, quand il voudrait partir. Il en juge autrement : sans doute les valets sont allés dans la forêt visiter leurs cordes et leurs pièges. Il ira après eux, et peut-être y en aura-t-il un pour lui dire où on porte le Graal et pourquoi la lance saigne. Il passe par la porte, mais avant qu'il ait franchi le pont, il sent que les pieds de son cheval partent vers le haut ; la bête fait un bond, et si elle n'eût si bien sauté, coursier et cavalier se trouvaient en fâcheuse posture. Le valet se retourne pour voir ce qui se passait et s'aperçoit qu'on avait levé le pont. Il appelle, nul ne répond.

— Dis-moi, crie-t-il, toi qui as levé le pont, parle un peu. Où es-tu ? Je ne te vois pas. Montre-toi, car je voudrais bien te poser une question.

Vaines et folles paroles, nul ne veut lui répondre. Il gagne la forêt et remarque dans un sentier des traces toutes fraîches de chevaux qui avaient passé par là.

— Ah ! s'écrie-t-il, je crois qu'ils sont allés de ce côté, ceux que je cherche.

Et alors il se lance par le bois, toujours suivant les traces. Soudain il aperçoit une pucelle sous un chêne, qui crie et pleure et se lamente :

— Hélas, dit-elle, malheureuse que je suis ! En quelle heure funeste je suis née ! Maudite soit cette heure et celle où je fus engendrée ! Jamais encore je n'ai eu pareil sujet de courroux. Plût à Dieu que je ne visse pas devant moi mon ami mort ! Dieu aurait mieux fait de le laisser vivre et de me faire mourir, moi. Ah ! la mort me frappe bien cruellement. Pourquoi a-t-elle pris son âme plutôt que la mienne ? Quand je vois mort l'être que j'aimais le plus au monde, que me vaut de rester ici ? Sans lui, certes, il ne me chaut de ma vie ni de mon corps. Puisse mon âme partir, elle aussi, afin qu'elle soit la chambrière et la compagne de la sienne, si la sienne daigne l'accepter !

Ainsi la pucelle menait son deuil d'un chevalier qu'elle tenait sur elle et qui avait la tête tranchée. Le valet s'approche et la salue. Elle lui rend son salut, baissant la tête et sans interrompre ses plaintes.

— Demoiselle, qui a tué ce chevalier que vous tenez sur vos genoux ?

— Beau sire, un chevalier l'occit ce matin même. Mais je m'émerveille de ce que je vois. On pourrait chevaucher, comme tous le savent bien, vingt-cinq lieues dans la direction dont vous venez sans rencontrer un hôtel qui fût loyal, bon et sain. Et pourtant votre cheval a les flancs si unis et le poil si lustré que, si on l'eût lavé, étrillé et pourvu d'une litière de foin et d'avoine, il n'aurait pas le ventre plus plein ni le poil mieux peigné. Et vous-même m'avez tout l'air d'avoir passé une nuit bien reposante dans une maison bien garnie.

— Sur ma foi, belle, j'ai eu toutes les aises et tout le repos qu'on peut souhaiter, et s'il y paraît, c'est à bon droit. Et ce n'est pas loin d'ici : qui pousserait un grand cri à l'endroit où nous sommes, on l'entendrait fort bien là où j'ai été hébergé cette nuit. Vous n'avez guère couru le pays et vous n'en connaissez pas tous les détours. Sachez que j'ai été accueilli dans un hôtel comme jamais je ne l'avais été encore.

— Ah ! sire, vous fûtes donc l'hôte du riche Roi Pêcheur ?

— Pucelle, par le Sauveur, je ne sais s'il est pêcheur ou roi, mais il est très riche et très courtois, c'est tout ce que je puis vous dire, sauf que, hier soir assez tard, j'aperçus deux hommes dans une barque qui glissait doucement sur l'eau : l'un des deux ramait, l'autre pêchait à la ligne. C'est ce dernier qui m'enseigna sa maison et m'y reçut pour la nuit.

— Beau sire, il est roi, soyez-en sûr, mais il fut blessé en une bataille et mutilé, de telle sorte qu'il perdit l'usage de ses jambes : c'est un coup de javelot dans les hanches qui l'a mis en cet état. Il en souffre encore, et tellement qu'il ne peut monter à cheval. Quand il veut se distraire, il se fait mettre en une barque et s'en va sur l'eau pêchant à l'hameçon : c'est pourquoi on l'appelle le Roi Pêcheur. Il ne peut supporter aucun autre exercice. Impossible de chasser dans les champs ou au bord des rivières. Mais il a ses fauconniers et aussi ses archers et ses veneurs qui vont tirer de l'arc en forêt. C'est pourquoi il se plaît tant ici ; dans tous ses domaines, il ne saurait trouver un endroit qui lui convienne mieux, et il y a fait bâtir une demeure digne du puissant roi qu'il est.

— Demoiselle, sur ma foi, vous ne vous trompez pas. Hier soir j'en ai eu grand-merveille : dès que je vins devant lui, comme je me tenais un peu à l'écart, il me fit approcher et asseoir tout à côté de lui, et me pria de ne pas le tenir à orgueil s'il ne se levait pour me faire honneur, car il n'en avait ni la commodité ni le pouvoir. Je m'allai donc asseoir à son côté.

— Certes, c'est grand honneur qu'il vous fit là. Or dites-moi si vous vîtes la lance dont la pointe saigne, bien qu'il n'y ait chair ni veine.

— Si je la vis ? Certes oui.
— Et demandâtes-vous pourquoi elle saignait ?
— Je ne soufflai mot.
— Dieu ! Sachez que vous avez mal fait. Et vîtes-vous le Graal ?
— Oui bien.
— Qui le tenait ?
— Une pucelle.
— D'où venait-elle ?
— D'une chambre.
— Et où s'en allait-elle ?
— En une autre chambre où elle entra.
— Nul allait-il devant le Graal ?
— Oui.
— Qui ?
— Deux valets, sans plus.
— Que tenaient-ils en leurs mains ?
— Un lustre tout plein de cierges.
— Et après le Graal, qui venait ?
— Une autre pucelle.
— Que tenait-elle ?
— Un petit tailloir d'argent.
— Demandâtes-vous à ces gens où ils allaient ainsi ?
— Pas une parole ne sortit de ma bouche.
— Ah Dieu ! Nous en vaudrons pis. Comment avez-vous nom, ami ?

Et lui, qui ne savait son nom, le devine et répond qu'il s'appelait Perceval le Gallois. Il ne sait s'il dit vrai ou non, mais il disait vrai, bien qu'il n'en sût rien.

Quand la demoiselle l'entendit, elle se dressa vivement devant lui et lui dit comme courroucée :

— Ton nom est changé, bel ami.
— Et quel est-il maintenant ?
— Perceval l'infortuné. Ah ! malheureux Perceval, comme il t'est mésavenu de n'avoir pas posé ces questions. C'eût été un tel bienfait pour le bon roi infirme qu'il eût retrouvé l'usage de ses jambes et eût été désormais capable de gouverner sa terre. Et quel service rendu à tous les autres ! Mais maintenant sache qu'il en coûtera cher à autrui et à toi. Et c'est ton péché qui en est la cause, car tu as fait mourir ta mère de douleur. Je te connais mieux que tu ne me connais : tu ne sais pas qui je suis. Pourtant je fus élevée avec toi chez ta mère où je demeurai longtemps. Je suis ta cousine germaine et tu es mon cousin germain. Et je n'ai pas moins de chagrin de savoir que tu aies négligé d'apprendre ce qu'on fait du Graal et où on le porte, que d'avoir vu mourir ta mère et ce chevalier que j'aimais de toute ma tendresse, lui

qui m'appelait sa chère amie et qui m'aimait aussi comme un preux
et loyal chevalier.

— Ah ! cousine, si vous m'avez dit vrai de ma mère, comment le
savez-vous ?

— Comment ne le saurais-je pas ? Je l'ai vu mettre en terre.

— Alors, que Dieu le miséricordieux ait pitié de son âme ! Vous
m'avez conté une bien douloureuse histoire. Mais puisqu'elle est
mise en terre, qu'irais-je quérir plus avant ? Je n'y allais que pour la
voir. Il me faut prendre une autre route maintenant. Mais si vous
vouliez venir avec moi, je le voudrais bien aussi. Il a fini de vous servir, le mort qui est étendu ici, je vous l'assure. Les morts avec les
morts, les vivants avec les vivants ! Allons-nous-en tous deux, vous
et moi. Il me semble que vous faites folie de veiller ici toute seule
près d'un mort. Mieux vaut poursuivre celui qui l'a tué. Et je vous le
promets et vous engage ma foi : si je puis l'atteindre, ou il me
réduira à merci ou c'est moi qui lui ferai crier grâce.

— Bel ami, dit la pucelle, qui ne peut refréner sa grande douleur,
je ne pourrais certes m'en aller avec vous, ni partir de lui avant que
je l'eusse enterré. Si vous m'en croyez, vous prendrez ce chemin
empierré que vous apercevez d'ici. C'est par là que s'en alla le chevalier félon et cruel qui m'a occis mon doux ami. Non que je veuille
vous envoyer après lui, et pourtant je lui souhaite autant de mal que
si c'était moi qu'il eût tuée. Mais où prîtes-vous cette épée qui vous
pend au côté gauche et qui jamais encore n'a versé une goutte de
sang ni n'a été tirée en un danger ? Je sais bien où elle fut faite et qui
la forgea. Gardez que vous n'y mettiez votre confiance : elle vous
trahira, tout certainement, quand vous viendrez à la bataille, car elle
volera en pièces.

— Belle cousine, c'est une des nièces de mon bon hôte qui la lui
envoya hier soir. Il me la donna et j'y vis un beau présent. Mais si ce
que vous dites est vrai, vous m'inquiétez fort. Or dites-moi, si vous le
savez, s'il arrivait qu'elle se brisât, serait-il possible de la refaire
jamais ?

— Oui, mais il y faudrait de la peine. Qui saurait se frayer une
route jusqu'au lac de Cotoatre, pourrait l'y faire forger et tremper à
nouveau. Si l'aventure vous mène de ce côté, c'est chez Trébuchet,
le forgeron, qu'il faut aller, car c'est lui qui la fit et la refera, ou
jamais elle ne sera refaite par qui que ce soit. Mais qu'aucun autre
n'y mette la main, il ne saurait y réussir.

— Certes, si elle se rompt, j'en serais bien fâché.

Il s'en va et la pucelle, qui ne veut pas se séparer du corps de son
ami, reste seule, toute à son chagrin.

VI

PERCEVAL ET L'ORGUEILLEUX DE LA LANDE

Dans le sentier bien marqué que suit Perceval, et un peu en avant de lui, s'en va au pas un palefroi décharné et las. A le voir si chétif, il juge qu'il est tombé en mauvaises mains. Rompu de fatigue et peu nourri, il ressemble à un cheval prêté, le jour accablé de travail et mal soigné la nuit. Le palefroi était si maigre qu'il tremblait de froid, comme morfondu. Ses crins étaient tondus et ses oreilles pendaient toutes flasques. Il n'avait que le cuir sur les os et auprès de lui les mâtins attendaient la curée. La housse et les courroies de la selle à l'avenant.

La bête portait une pucelle plus misérable qu'on n'en vit jamais. Et pourtant elle eût été belle, si elle eût été soignée dans sa parure. Mais elle l'était si peu que sa robe n'avait pas pleine paume d'entier : rapetassée à grosses coutures et ficelée en d'innombrables nœuds, elle laissait passer les seins. Sa chair était hachée comme à coups de lancette, tant elle était brûlée et crevée par la neige, la grêle et la gelée. Échevelée et sans voile, elle montrait à plein un visage que défigurait mainte laide trace laissée par les larmes. Le cœur pouvait bien souffrir quand le corps était en telle détresse.

Dès que Perceval la voit, il accourt vers elle en hâte: Pour se mieux couvrir elle étreint sa vêture, mais pour un trou qu'elle clôt, elle en fait bâiller cent autres. Ainsi pâle et infortunée, il la rejoint et l'entend plaindre son malheur :

— Dieu, dit-elle, ne te plaise que je reste en cet état ! Voici trop longtemps que je mène cette triste existence que je n'ai pas méritée. Je t'en supplie, envoie-moi qui me jette hors de cette peine, ou délivre-moi de celui qui me fait vivre à telle honte. Je ne trouve nulle pitié en lui : je ne peux lui échapper vive et il ne veut pas me tuer. Pourquoi désire-t-il la compagnie d'une malheureuse comme moi, si ce n'est qu'il se plaît à ma honte et à ma misère ? Quand bien même il saurait pour certain que je fusse coupable, il devrait avoir pitié de moi, car j'ai payé assez cher. Mais certes il ne saurait m'aimer, lui qui me fait traîner cette âpre vie et ne s'en émeut pas.

— Belle, Dieu vous protège ! dit Perceval.

Elle baisse la tête et dit tout bas :

— Sire, toi qui me salues, puisse ton cœur avoir tout ce qu'il désire, et pourtant il n'est pas juste que je te souhaite cela.

Perceval, surpris et honteux, lui répond :

— Comment, demoiselle ? Et pourquoi ? Certes je ne crois pas que je vous aie jamais vue, ni que je vous aie fait le plus léger tort.

— Si, dit-elle. Je suis si misérable et je souffre tant que nul ne me doit saluer. Il ne se peut que l'angoisse ne m'étreigne dès qu'on m'arrête ou qu'on me regarde.

— Vraiment, si je vous ai méfait, c'est bien sans le savoir. Je ne suis certes pas venu ici pour vous faire honte ou tourment. Mais c'est mon chemin qui m'a conduit à vous, et aussitôt que je vous ai vue, si dénuée, si pauvre, si nue, jamais mon cœur n'eût connu la joie, si je n'eusse appris quelle aventure vous tient en telle peine et en telle douleur.

— Ah ! sire, pitié. Taisez-vous, fuyez d'ici et laissez-moi en paix. C'est le péché qui vous retient ici. Fuyez, vous ferez bien.

— Moi fuir ! Et d'où viendrait ma peur ? Qui donc me menace ?

— Sire, il en est encore temps, fuyez. N'attendez pas que l'Orgueilleux de la Lande revienne. Lui qui ne respire que coups et batailles, s'il vous trouve ici, il vous occira sur l'heure. Il lui déplaît tant qu'on m'arrête que nul qui m'adresse la parole ou me retient ne peut sauver sa tête, s'il est pris sur le fait. Il n'y a guère encore qu'il en a tué un ainsi. Mais avant de frapper il conte à chacun pourquoi il m'inflige un aussi vil traitement.

Ils parlaient encore que l'Orgueilleux, sortant du bois et soulevant un nuage de poudre et de sable, arrive sur eux comme la foudre et crie :

— Malheur à toi qui t'es arrêté auprès de la pucelle ! Sache que pour l'avoir retenue, ne fût-ce que de la longueur d'un pas, tu vas mourir. Mais je ne veux pas te tuer avant de t'avoir conté pour quel méfait je lui impose cette honte. Un jour que j'étais allé au bois, j'avais laissé en un mien pavillon cette demoiselle que j'aimais plus que tout au monde. Par aventure passa un valet gallois venant du bois, j'ignore par quel chemin, mais je sais bien qu'il lui prit un baiser de force : elle-même me l'a avoué. Si elle me mentit et fut consentante, qui empêcha l'autre de poursuivre son avantage ? Et s'il usa vraiment de force pour lui dérober ce baiser, n'en fit-il après toute sa volonté ? Qui croira jamais qu'il y ait eu un baiser et rien de plus ? L'un conduit à l'autre. Qui embrasse femme et plus n'y fait, quand ils sont seul à seule, c'est lui qui a reculé. Femme qui abandonne sa bouche accorde sans peine le surplus, si on le réclame tout de bon. Femme a beau se défendre, on sait bien qu'elle veut vaincre partout, hors en cette mêlée où elle tient l'homme à la gorge, l'égratigne, le mord, le tue et pourtant souhaite de succomber. Elle se défend tout en désirant la défaite, tant elle a peur d'accorder. Elle veut qu'on la prenne de force, et ainsi n'en saura nul gré. Je crois donc qu'il a triomphé d'elle. Il lui a enlevé en outre un mien anneau qu'elle mettait à son doigt et l'a emporté, j'en suis bien fâché. Il n'est pas parti non plus sans avoir bu d'un fort vin et mangé de trois pâtés qu'on avais mis en réserve pour moi. Mais mon amie en a son loyer, et un beau loyer, comme tu peux voir. Qui fait folie, qu'il en souffre, et il se gardera d'y retomber. Quand je sus la vérité, on put voir ma colère, et je n'avais pas tort. Je lui dis que son palefroi ne serait ni ferré ni saigné, et qu'elle-même n'aurait ni nouvelle cotte ni nouveau manteau tant que je n'aurais pas vaincu celui qui l'avait forcée, vaincu pour le tuer ensuite et lui trancher la tête.

Perceval écoute et répond :

— Ami, sachez pour certain qu'elle a fait sa pénitence. C'est moi qui lui pris un baiser de force, et elle s'en irrita, moi qui lui enlevai son anneau. C'est tout ce qu'il y eut et tout ce que je fis, sauf que je mangeai un pâté et la moitié d'un autre et bus du vin tant que je voulus, mais ceci ne fut point tant sot.

— Par mon chef, dit l'Orgueilleux, c'est merveille de t'entendre confesser la chose. Tu as donc de ton propre aveu mérité la mort.

— La mort n'est pas si près de moi que tu penses, dit Perceval.

Sans un autre mot ils fondent l'un sur l'autre. Ils se heurtent d'une telle colère que leurs lances volent en éclats et que tous deux vident leur selle. Ils tombent, mais se relèvent aussitôt, tirent leurs épées et se portent des coups furieux. La bataille fut acharnée et dure. Ce serait peine perdue de la décrire. Mais enfin l'Orgueilleux de la Lande a le dessous et demande grâce. Le valet n'oublie pas ce que lui a recommandé le prud'homme, de n'occire aucun chevalier qu'il aurait réduit à merci, et lui dit :

— Chevalier, sur ma foi, je ne te ferai pas grâce avant que tu la fasses à ton amie. Elle n'a pas mérité d'être traitée comme tu l'as fait, je puis te le jurer.

Le chevalier, qui aimait la pucelle plus que la prunelle de ses yeux, lui dit :

— Beau sire, me voici prêt à toute réparation qu'il vous plaira de m'imposer. Vous n'avez qu'à commander et j'exécuterai. Si je lui ai fait endurer ce tourment, mon cœur en est assombri et souffre.

— Va donc au plus prochain manoir que tu possèdes, et fais-la baigner et reposer, jusqu'à ce qu'elle soit revenue à sa pleine santé. Puis, bien parée et bien vêtue, mène-la au roi Arthur ; salue-le de ma part, et mets-toi en sa merci, équipé comme tu l'es en ce moment. S'il te demande qui t'envoie, tu lui diras que c'est le valet qu'il fit chevalier vermeil avec la permission et par le conseil de messire Keu le sénéchal. Et il te faudra conter au roi la pénitence que tu as imposée à la demoiselle et la misère où tu l'as fait vivre, conter devant toute la cour, si bien que tous et toutes puissent entendre, et la reine et ses pucelles. Il y en a de bien belles, et une surtout que je prise parmi toutes les autres ; parce qu'elle avait ri de plaisir à me voir, Keu la souffleta si rudement qu'elle en perdit connaissance. Tu la rechercheras, je te l'ordonne, et tu lui diras que nulle instance ne saurait m'attirer à la cour du roi Arthur, tant que je ne l'aurai pas vengée.

Le chevalier promet de se mettre en route et d'accomplir fidèlement sa mission, dès que la demoiselle sera guérie et prête pour le voyage. Il emmènerait volontiers son vainqueur aussi, pour lui donner un peu de bon temps et panser ses blessures.

— Il n'en saurait être question, dit Perceval. Va et Dieu te donne bonne aventure ! J'irai ailleurs chercher un logis.

On se sépare. Le même soir, le chevalier fait baigner son amie. Puis, dans les jours qui suivent, il la fait vêtir richement et il l'entoure de tant de soins qu'elle revient en sa beauté. Tous deux s'en vont à Carlion, où le roi Arthur tenait sa cour et donnait une fête bien privément, car il n'y avait que trois mille chevaliers d'élite. En présence de toute la cour, le chevalier suivi de la demoiselle se remet entre les mains du roi Arthur :

— Sire, je suis votre prisonnier pour faire ce que vous voudrez. Et c'est bien raison, car ainsi me le commanda le valet qui vous demanda une armure vermeille et l'obtint.

Le roi comprend aussitôt :

— Désarmez-vous, dit-il, beau sire, et que Dieu envoie joie et bonne aventure à celui qui me fait présent de vous. Et vous aussi, soyez le bienvenu. A cause de lui vous serez aimé et honoré en mon hôtel.

— Sire, il m'a commandé autre chose encore. Mais avant que j'enlève mon armure, je voudrais vous prier que la reine et ses pucelles viennent écouter mon message. Je ne puis le faire entendre qu'en la présence de celle qui fut frappée sur la joue pour le seul crime d'avoir ri un instant.

Le roi mande la reine, qui apparaît aussitôt, suivie de toutes ses pucelles, marchant deux à deux, la main dans la main. Quand la reine se fut assise près de son seigneur, le roi Arthur, l'Orgueilleux de la Lande lui dit :

— Dame, je vous salue de par un chevalier que j'estime fort et qui m'a vaincu aux armes. Il vous envoie mon amie, cette pucelle que vous voyez ici.

— Ami, dit la reine, qu'il en soit remercié mille fois.

Et le chevalier lui conte la vilenie et la honte où elle a dû vivre. Il n'omet rien et explique pourquoi il l'a traitée ainsi. On lui montre alors celle que frappa Keu le sénéchal, et se tournant vers elle :

— Celui qui m'envoya ici, pucelle, lui dit-il, m'a commandé que je vous salue et tout d'un trait vous répète le serment que voici :

aussi vrai qu'il demande à Dieu de l'aider, il n'entrera jamais à la cour du roi Arthur, avant qu'il vous ait vengée du soufflet que vous avez reçu pour lui.

Quand le fou entend ces paroles, il saute de joie et s'écrie :

— Dan Keu, c'est pour le coup que vous allez payer votre dette, et ce ne sera pas long.

Après le fou parla le roi :

— Ah ! Keu, quelle pauvre courtoisie a été la tienne, quand tu te moquas du valet ! Tes railleries me l'ont fait perdre. Le reverrai-je jamais ?

Le roi prie alors son prisonnier de s'asseoir, et, commandant qu'on le désarme, lui fait grâce de sa prison. Messire Gauvain, qui est assis à la droite du roi, lui dit :

— Au nom de Dieu, sire, qui est donc ce jeune homme qui a vaincu aux armes un si vaillant chevalier ? Dans toutes les Iles de la mer, je n'ai vu, ni connu, ni entendu nommer nul chevalier qui en fait d'armes et de chevalerie se pût comparer à l'Orgueilleux de la Lande.

— Beau neveu, répondit le roi, je ne le connais pas, et pourtant je l'ai vu ; mais quand je le vis, je ne jugeai pas à propos de lui poser aucune question. Il me dit que je le fisse chevalier sur l'heure ; je le vis beau et avenant et lui répondis : « Frère, volontiers ; descendez de cheval, on va vous apporter une armure toute dorée » ; mais il déclara qu'il n'en voulait pas et qu'il ne mettrait pas pied à terre avant d'avoir une armure qui fût vermeille ; mieux encore, il n'en voulait pas d'autre que celle du chevalier qui emportait ma coupe. Et Keu, qui était mauvais, l'est encore et le sera toujours, et qui jamais ne veut dire un mot agréable à qui que ce soit, lui cria : « Frère, le roi vous donne cette armure, elle est à vous, allez la prendre. » L'autre, qui n'y entendait malice, part comme un trait et occit le chevalier à la coupe d'un javelot qu'il lui lança. Je ne sais par où commença la querelle et la mêlée. Mais il est certain que le Chevalier Vermeil de la forêt de Quinqueroi fit le présomptueux et le frappa de sa lance. Sur quoi le valet lui creva l'œil de son javelot et le laissa mort sur la place. Puis s'emparant de l'armure vermeille, il m'en servit si bien et si à mon gré que, par monseigneur saint David que l'on honore et prie en Galles, jamais je ne reposerai en chambre ni en salle deux nuits de suite, tant que je ne l'aurai pas vu, s'il est vivant, en mer ou sur terre. Et je n'attendrai pas plus longtemps pour partir à sa recherche.

Dès que le roi eut juré ce serment, tous surent bien qu'il n'y avait plus qu'à se mettre en route.

VII

LES GOUTTES DE SANG SUR LA NEIGE

Il eût fallu voir entasser dans les malles couvertures et oreillers, emplir les coffres, bâter les chevaux de somme, charger tout un long convoi de chars et de charrettes, apprêter tentes et pavillons ! Un clerc alerte et bien lettré n'eût pu en un jour dresser la liste des provisions et des bagages qu'on rassemble ainsi fiévreusement. Comme pour aller à l'armée le roi part de Carlion. Tous ses barons le suivent, et même il n'y a pucelle que la reine n'amène aussi pour faire honneur à cette fière chevalerie. Le soir, on se logea en une prairie à la lisière d'un bois, mais au matin suivant la neige recouvre le sol glacé. Perceval, levé de bonne heure à son ordinaire et en quête d'aventures et d'exploits, vient au hasard de sa route droit à la prairie gelée et enneigée où campait l'armée du roi. Mais il n'est pas encore à la hauteur des tentes qu'il aperçoit et entend un vol bruyant d'oies sauvages. Éblouies par le reflet de la neige, elles fuyaient en tumulte devant un faucon rapide qui fend l'air pour les rattraper. Enfin l'une d'elles, séparée des autres, s'égare et s'offre à lui sans défense : il la heurte et malmène si rudement qu'il l'abat à terre. Mais l'heure était trop matinale pour le faucon qui dédaigne de se joindre et s'attacher à sa proie. Perceval accourt là où il a vu la bande tournoyer. L'oie était blessée au col ; elle saigne trois gouttes de sang qui s'épandent sur le blanc de la neige : on eût dit une couleur naturelle. Mais elle n'était pas assez touchée pour rester collée au sol, et avant que Perceval pût la saisir, elle était déjà loin. Quand il vit la neige tassée à l'endroit et le sang tout autour, il s'appuya sur sa lance pour regarder cette apparence étrange : le sang et la neige ainsi rapprochés lui rappellent les vives couleurs de Blanchefleur son amie. Il y pense si volontiers qu'il oublie où il est. Comme en la face de son amie le vermeil ressortait sur le blanc, ainsi les trois gouttes de sang se détachent sur la blancheur de la neige. Et l'idée lui plaît tant qu'à la force de regarder, il croit bien vraiment contempler le teint si frais de son amie, la belle.

Perceval, les yeux sur les trois gouttes, rêve et laisse couler les heures, tant qu'enfin les écuyers, sortant des tentes, le voient ainsi perdu dans sa rêverie. Ils crurent qu'il sommeillait. Avant que le roi s'éveillât, qui dormait encore, les écuyers ont rencontré devant le pavillon royal Sagremor, qui pour ses violents accès d'humeur était appelé Sagremor le déréglé.

— Dites-moi, leur crie-t-il, et vite, pourquoi vous venez ici si tôt.

— Sire, répondent-ils, là-bas, en dehors de nos lignes, nous avons vu un chevalier qui sommeille sur son destrier.

— Est-il armé ?

— Il l'est.

— J'irai lui parler et je l'amènerai à la cour.

Et aussitôt Sagremor se hâte vers la tente du roi et l'éveille.

— Sire, dit-il, là dehors sur la lande il y a un chevalier qui sommeille.

Le roi lui commande de l'amener sans faute. Sagremor n'attend plus, il fait avancer son cheval, demande ses armes et part bientôt, armé de pied en cap, pour rejoindre le chevalier.

— Sire, lui dit-il, il vous faut venir à la cour.

L'autre ne bouge ni ne fait mine d'avoir entendu. Nouvelle requête et même silence. Du coup, Sagremor se fâche :

— Par saint Pierre l'apôtre, crie-t-il, vous y viendrez de gré ou de force. Je regrette bien de vous en avoir prié un seul instant. Je n'ai fait qu'y perdre mon temps et mes paroles.

Et alors, enseigne déployée, il prend du champ, lance son cheval et crie à Perceval qu'il se garde, car il va l'attaquer. Perceval jette un coup d'œil de son côté et le voit venir à toute allure ; il a tôt quitté son penser et se lance à son tour contre l'autre. Sous la violence du choc Sagremor rompt sa lance, mais celle de Perceval ne se brise ni ne plie et va heurter Sagremor d'une telle force qu'il s'abat au milieu du champ. Le cheval s'enfuit, tête haute, vers les tentes, où il débouche sous les yeux des gens qui se levaient. Il y en eut tel qui ne fut pas content. Mais Keu, qui jamais ne put retenir une méchanceté, se moque fort et dit au roi :

— Beau sire, voyez en quelle noble posture revient Sagremor ! Il tient le chevalier par le frein et l'amène malgré lui.

— Keu, dit le roi, il n'est pas bon que vous vous moquiez ainsi des vaillants. Allez-y donc vous-même, et nous verrons si vous vous en tirez mieux que lui.

— Sire, dit Keu, c'est une joie pour moi d'y aller, dès qu'il vous plaît de m'en requérir. Je l'amènerai, comptez-y, de vive force, qu'il le veuille ou ne le veuille pas, et il faudra bien qu'il nous décline son nom.

Il se fait armer, monte à cheval et s'en va vers un homme si absorbé dans la contemplation de trois gouttes de sang qu'il en oublie le reste du monde. De loin, Keu lui crie :

— Vassal, vassal, venez au roi. Et je vous assure bien que vous y viendrez, ou, par ma foi, vous le paierez cher.

Perceval, qui s'entend menacer, tourne la tête de son cheval vers lui et éperonne vivement sa monture. Chacun des deux chevaliers a grand désir de bien faire : aussi se heurtent-ils à plein et de droit fil. Keu frappe si violemment qu'il brise sa lance et la fait voler en miettes comme une pauvre écorce. Perceval de son côté n'y va pas de main morte : il atteint Keu sur le haut de son bouclier et l'abat sur une roche, d'une telle force qu'il lui déboîte la clavicule et, entre le coude et l'aisselle, lui brise l'os du bras droit, comme si c'eût été un éclat de bois sec. Keu se pâme de douleur, et son cheval au grand trot fuit vers les tentes. Les Bretons voient le coursier qui revient sans son maître. Vite des valets montent à cheval et vont de l'avant ; dames et chevaliers les suivent. Quand on trouve le sénéchal pâmé, on le croit mort. Alors commence un deuil général ; mais Perceval, les yeux toujours fixés sur les trois gouttes, s'appuie de nouveau sur sa lance. Le roi eut grand chagrin de ce que son sénéchal était blessé ; mais on lui dit de ne pas s'effrayer, que Keu guérirait bien : il n'y faut qu'un bon médecin qui sache remettre en place la clavicule et faire reprendre l'os brisé. Et le roi, qui aimait Keu de chaude affection, lui envoie un médecin très avisé et trois pucelles instruites à son école qui renouent la clavicule, lui bandent le bras et rapprochent les fragments disjoints de l'os. Puis ils transportent le blessé à la tente du roi et le réconfortent de leur mieux : qu'il prenne patience, il guérira bien.

Messire Gauvain dit au roi :

— Sire, il n'est pas juste, comme vous l'avez toujours proclamé et jugé, qu'un chevalier se permette, comme ces deux l'ont fait, d'arracher un autre chevalier à ses pensées, quelles qu'elles soient. Je ne sais s'ils ont eu les premiers torts, mais il est bien certain que cela ne leur a pas porté bonheur. Le chevalier songeait peut-être à une perte qu'il avait faite, ou bien son amie lui avait été ravie et il en souffrait et pensait à elle. Mais, si tel était votre plaisir, j'irais voir sa contenance, et si je le trouvais hors de sa rêverie, je le prierais qu'il voulût bien venir à vous jusqu'ici.

A ces mots Keu éclate.

— Ah ! messire Gauvain, dit-il, vous l'amènerez par la main, votre chevalier, qu'il le veuille ou non. Et ce sera très bien, si on vous laisse faire et si votre prise vous demeure. Vous en avez conquis plus d'un par cette méthode. Quand un chevalier est las d'avoir longtemps combattu, c'est le moment où un prud'homme doit se proposer de l'achever : à lui ce don glorieux ! Gauvain, que je sois maudit si vous êtes si fou qu'on ne puisse encore apprendre auprès de vous ! Vous savez donner pour argent comptant de belles paroles bien doucereuses. Mais, dira-t-on, vous allez l'apostropher orgueilleusement, lui dire des choses blessantes. Bien sot qui a cru et croit cela. Ce ne sera pas moi. Je sais qu'un bliaut de soie vous suffira largement à mener une bataille de ce genre : nul besoin de tirer l'épée ou de briser une lance. Que votre langue vienne seulement à bout de dire : « Sire, que Dieu vous garde et vous donne joie et santé ! » et il en passera par où vous voudrez. Certes, je n'ai nul désir de vous faire la leçon, mais vous saurez bien l'amadouer, comme on flatte un chat en lui passant la main sur le dos. Et l'on dira : « A ce moment messire Gauvain est engagé en un fier combat. »

— Ah ! messire Keu, vous pourriez parler plus gentiment. Voulez-vous donc venger sur moi votre colère et votre mauvaise humeur ? Sur ma foi, beau doux ami, je ramènerai le chevalier, s'il est en mon pouvoir, et sachez-le bien, il ne m'en coûtera ni bras cassé ni clavicule démise : je n'aime pas beaucoup être payé en cette monnaie-là.

— Allez-y donc, neveu, dit le roi. Vous avez parlé en courtois chevalier. S'il est possible, ramenez-le. Mais prenez toutes vos armes, je ne veux pas que vous soyez à la merci de personne.

Gauvain, le bon, le généreux Gauvain, se fait armer et, monté sur un cheval fort et alerte, s'en va vers le chevalier qui, appuyé sur sa lance, ne se lasse pas d'un rêve qui lui plaît si fort. Mais déjà le soleil a fondu deux des gouttes de sang qui rougissaient la neige, et la troisième pâlit : le chevalier revient lentement à lui. A ce moment messire Gauvain met son cheval à l'amble, s'approche paisible, en homme qui ne cherche noise à personne, et dit :

— Sire, je vous eusse salué, si je connaissais votre cœur comme je connais le mien, mais certes je puis vous dire que je suis messager du roi, qui vous mande et vous prie que vous veniez lui parler.

— Il en est déjà venu deux, reprend Perceval, qui me prenaient ma joie et voulaient m'emmener comme si j'eusse été leur prisonnier. Et ce n'était pas pour mon bien. Car devant moi, en ce lieu, trois gouttes de sang vermeil illuminaient la blancheur de la neige : à les contempler je croyais voir la fraîche couleur du visage de mon amie, la belle. Et c'était ce que je ne voulais pas quitter.

— Certes, ce n'était pas là penser de vilain, mais de cœur tendre et noble. Et celui-là était bien fou et brutal qui voulait vous en déprendre. Mais plus que je ne le puis dire, j'aimerais savoir quelles sont vos intentions. S'il ne vous déplaisait, je vous mènerais volontiers au roi.

— Or dites-moi, beau sire, en toute vérité, est-ce que Keu, le sénéchal, est à la cour ?

— Oui vraiment, et sachez que c'est celui qui vient de jouter avec vous. La joute lui coûte cher, car, apprenez-le, vous lui avez fracassé le bras droit et déboîté la clavicule.

— Voilà donc bien vengée la pucelle qu'a frappée le sénéchal.

Quand messire Gauvain entend ces mots, il tressaille de surprise :

— Ah ! sire, dit-il, c'est vous que le roi cherche entre tous. Quel est votre nom, sire ?

— Perceval. Et le vôtre ?

— Sire, en baptême j'ai nom Gauvain.

— Gauvain ?

— Oui, beau sire.

Perceval tout joyeux s'écrie :

— Sire, je vous ai entendu nommer en maint lieu. Je souhaiterais fort votre accointance, si je ne craignais de vous déplaire.

— Ah ! j'en aurais plus de plaisir encore que vous.

— S'il en est ainsi, je suis prêt à vous suivre où vous me mènerez. C'est bien juste, et j'en serai d'autant plus fier que vous voilà mon ami.

Ils courent l'un vers l'autre et se donnent l'accolade. Puis, délaçant heaume et ventaille et rabattant les mailles de la coiffe, ils s'en vont dans la joie.

Du haut d'une éminence, les valets ont vu leur gaieté et vite ils en portent la nouvelle au roi :

— Sire, sire, voici messire Gauvain qui revient, le chevalier avec lui, et tous deux ont l'air de marcher dans l'allégresse.

Il n'est nul qui entende ces mots qui ne bondisse hors de sa tente et ne leur aille au-devant. Mais Keu dit au roi :

— Ainsi donc, messire Gauvain, votre neveu, en a le prix. La bataille a été dure, périlleuse, mais pas trop, car il s'en revient aussi sain qu'il était parti. Nul adversaire ne lui a porté un seul coup, et il n'a fait sentir à nul adversaire le poids de son bras. Il s'est gardé d'articuler un seul démenti. Oui, honneur à lui, et toute louange. On va pouvoir dire : « Regardez-le bien : c'est lui qui a triomphé là où nous avons échoué tous deux, malgré notre vaillance et nos efforts. »

Ainsi, à tort ou à raison et selon son habitude, messire Keu lâche la bride à sa langue.

Perceval n'ira pas à la cour en son harnois de combat. Messire Gauvain y veille, qui l'entraîne à sa tente où il le fait désarmer ; puis un sien chambellan tire hors d'un coffre une belle cotte et un beau manteau et en revêt Perceval à qui ils siéent fort bien. Et alors les deux chevaliers, la main dans la main, s'en viennent devant le roi qui les attend, assis devant sa tente.

— Sire, sire, dit Gauvain au roi, je vous amène un homme que depuis quinze jours vous auriez vu bien volontiers. C'est celui dont vous parliez tant et pour qui vous avez été si fâché. Je le remets entre vos mains, le voici en personne.

— Beau neveu, grand merci, dit le roi qui s'empresse de se lever pour l'accueillir. Beau sire, soyez le bienvenu. Apprenez-moi, je vous prie, comment je dois vous nommer.

— Sur ma foi, beau sire roi, dit Perceval, je ne vous le cèlerai pas. J'ai nom Perceval le Gallois.

— Ah ! Perceval, beau doux ami, puisque vous voilà en ma cour, vous n'en partirez plus, s'il ne tient qu'à moi. Comme j'ai regretté, quand je vous vis pour la première fois, de n'avoir pas soupçonné les hauts faits que Dieu réservait à votre bras ! Et pourtant toute la cour en avait entendu la prédiction ; la pucelle et le fou que frappa le sénéchal ne se sont pas trompés : de tout point vous avez vérifié leurs prophéties. J'ai su tous vos exploits.

Là-dessus vint la reine, qui avait appris la nouvelle, accompagnée de la pucelle au beau rire. Dès que Perceval voit la reine et qu'on l'a assuré que c'est elle, il s'avance à sa rencontre et dit :

— Que Dieu donne joie et honneur à la plus belle et à la meilleure de toutes les dames qui soient au monde ! Ainsi parlent d'elle tous ceux qui la voient et tous ceux qui l'ont vue.

— Soyez le bienvenu, répond la reine, vous qui venez de prouver à tous votre haute et rare vaillance.

Puis Perceval salue la demoiselle dont il n'a pas oublié le rire et lui dit :

— Belle, s'il vous en était besoin, je serais le chevalier dont l'aide ne vous faillirait pas.

Et la pucelle l'en remercie.

VIII

GAUVAIN ET LA PUCELLE AUX PETITES MANCHES

Le roi, la reine et les barons fêtent joyeusement Perceval le Gallois et l'emmènent à Carlion, où ils retournent le soir même. La fête dure toute la nuit et reprend le lendemain. Mais le troisième jour ils virent venir devant eux une demoiselle montée sur une mule fauve, une escourgée en sa main droite, et, pendant sur son dos, deux tresses noirâtres et tordues à contre-poil. A en croire le livre, jamais créature plus souverainement laide ne s'est montrée même en enfer. Jamais vous ne vîtes métal si grisâtre que son cou et ses mains ne le fussent davantage. Mais c'est encore peu de chose auprès du reste. Ses yeux étaient de simples creux, pas plus gros que des yeux de rat, son nez tenait du chat et du singe, ses lèvres de l'âne et du bœuf, des dents comme du jaune d'œuf tant elles étaient rousses, une barbe qui était celle d'un bouc. Au milieu de sa poitrine pointait une bosse, l'échine semblait croche, les reins et les épaules à souhait pour

mener le bal, bosse dans le dos et jambes torses comme une verge
d'osier, admirables pour la danse. La demoiselle pousse sa mule jusque devant le roi : jamais pareille
ne s'était encore montrée à cour de roi. Elle salue le roi et les barons
tous ensemble, sauf Perceval, et du haut de sa mule rousse elle dit :
— Ah ! Perceval, Fortune est chauve par derrière, si elle est che-
velue par devant. Maudit soit qui te salue ou qui te souhaite ton
bien, toi qui n'as pas pu saisir Fortune au vol quand elle s'est trouvée
sur ton chemin. Tu entras chez le Roi Pêcheur, tu vis la lance qui
saigne, et ce fut pour toi un tel travail d'ouvrir la bouche et
d'émettre un son que tu ne pus t'enquérir pourquoi cette goutte de
sang jaillit à la pointe de la lance ; tu vis le Graal et tu ne demandas
pas quel riche homme on en servait. Qui voit le beau temps, aussi
favorable, et plus, qu'on peut le souhaiter, et toutefois attend un ciel
plus beau encore, est bien à plaindre. Je dis cela pour toi : c'est ton
cas. Tu as vu qu'il était temps et lieu de parler, et tu es resté muet.
Pourtant ce n'est pas le loisir qui t'a manqué alors. Quel malheur
pour nous que ton silence ! Si tu eusses posé la question, le riche roi
dont la vie est si triste fût déjà guéri de sa plaie et tiendrait en paix sa
terre, dont jamais plus il ne tiendra même un lambeau. Et sais-tu ce
qu'il en adviendra ? Les dames en perdront leur mari, les terres
seront dévastées, les pucelles sans appui resteront orphelines et
maint chevalier mourra. Tous ces maux, ce sera ton œuvre.

Puis se tournant vers le roi :

— Roi, je m'en vais, ne vous en déplaise. Mon logis de la journée
est bien loin d'ici. Je ne sais si vous avez ouï parler du Château
Orgueilleux : c'est là où je dois aller ce soir. Au château se tiennent
des chevaliers d'élite, cinq cents et plus. Sachez qu'il n'y a celui qui
n'ait son amie avec lui, nobles dames toutes, courtoises et belles. Et
apprenez que nul ne se présente là-bas qu'il n'y trouve joute ou
bataille. Qui veut faire chevalerie, qu'il s'y adresse, il ne faillira pas à
son dessein. Mais qui voudrait avoir le prix par-dessus tous les chevaliers du monde, je crois connaître la pièce de terre où on pourrait
plus sûrement le conquérir, si on en avait la hardiesse. C'est sur une
colline que domine Montesclaire. Là une demoiselle est assiégée :
qui pourrait lever le siège et délivrer la pucelle, il y acquerrait un
suprême honneur. Mieux encore, il pourrait, celui à qui Dieu donnerait cette victoire, ceindre sans crainte l'épée aux étranges attaches.

Ayant dit tout ce qu'elle voulait dire, la demoiselle se tait et part,
sans plus. Messire Gauvain se dresse d'un bond et déclare qu'il va
tenter de secourir la pucelle. Girflet, le fils de Do, annonce à son
tour qu'à l'aide de Dieu, il ira devant le Château Orgueilleux.

— Et moi, dit Kahedin, je monterai sur le Mont Douloureux et je
ne m'arrêterai pas avant.

Mais Perceval parle autrement : aussi longtemps qu'il le faudra, il ne couchera deux nuits de suite en un même hôtel, ni il n'entendra parler d'un pas difficile qu'il n'aille tenter de le franchir, ni de chevalier qui vaille mieux qu'un autre ou même que deux autres qu'il n'aille le provoquer ; et il n'épargnera nul labeur jusqu'au jour où il saura enfin qui l'on sert du Graal et où il aura retrouvé la lance qui saigne et appris à n'en pas douter pourquoi elle saigne.

Après lui cinquante se lèvent à l'envi, qui tous se jurent l'un à l'autre qu'ils ne sauront bataille ou aventure qu'ils n'aillent s'y jeter, fût-ce dans la plus sombre et la plus dangereuse des contrées.

Ils en étaient là, quand soudain par la porte de la salle ils voient entrer Guinganbresil portant son écu d'or à bande d'azur. Il va vers le roi qu'il connaissait et le salue comme il doit. Il ne salue pas Gauvain, mais le traitant de félon il l'appelle à un combat singulier :

— Gauvain, tu as tué mon père, l'ayant attaqué sans un mot de défi. Tu en porteras le blâme et le déshonneur. Traître que tu es, tu devras me répondre de la trahison. Et que tous les barons sachent bien que je n'ai pas menti d'un mot.

Messire Gauvain se lève tout honteux. Son frère Agravain l'orgueilleux se dresse brusquement et le tirant par le bras :

— Pour l'amour de Dieu, beau sire, dit-il, ne laissez pas honnir votre lignage. De cette insulte qu'on vous lance je vous défendrai bien, je vous le promets.

Mais Gauvain l'arrête :

— Sire, nul homme ne me défendra, si ce n'est moi, car je suis le seul qu'il ait nommé. Si je me sentais aucun tort envers lui, je n'hésiterais pas à lui demander la paix et à lui offrir telle réparation que ses amis et les miens jugeraient équitable. Mais il a dépassé toute mesure, et contre lui je suis prêt à me défendre par les armes ; ici même ou là où il lui plaira. Voici mon gage.

Et Guinganbresil s'écrie que, les quarante jours de délai une fois passés, il lui fera avouer sa laide, sa vilaine trahison devant le roi d'Escavalon.

— Et moi, dit Gauvain, je t'engage ma parole que je te suivrai sans tarder au lieu que tu me nommes, et là nous verrons de quel côté sera le droit.

Guinganbresil se retire et messire Gauvain s'apprête pour le départ. Qui eut bon écu et bonne lance ou bon heaume ou bonne épée les lui offrit, mais il ne lui plaît pas d'emporter rien qui appartienne à autrui. Il mène avec lui un écuyer et sept destriers et emporte deux écus. Il n'a pas encore quitté la cour que déjà il y est regretté amèrement : on ne voit que gens qui se frappent la poitrine, s'arrachent les cheveux, s'égratignent la face. Et il n'y a dame si sensée qui ne laisse éclater sa douleur. Maints et maintes pleurent. Et messire Gauvain s'en va. Ce sont ses aventures que je vais vous conter maintenant.

Il rencontre en une lande une troupe de chevaliers, et avisant un écuyer qui venait tout seul derrière eux, un écu au cou et menant par la bride un cheval espagnol, il le hèle :

— Écuyer, dis-moi, quels sont ces gens qui passent ici ?

— Sire, c'est Meliant de Liz, un preux et hardi chevalier.

— Es-tu à lui ?

— Non, sire. Mon seigneur, qui est non moins vaillant, a nom Traé d'Anet.

— Traé d'Anet ? Par ma foi, je l'ai bien connu. Où va-t-il ? Ne me cache rien.

— Sire, il se rend à un tournoi où Meliant de Liz doit lutter contre Tiebaut de Tintaguel. Et je souhaite que vous y alliez aussi, pour aider à ceux du château contre les chevaliers du dehors.

— Mais est-ce que Meliant de Liz n'a pas été élevé dans la maison de Tiebaut ?

— Oui, sire. Son père aimait fort Tiebaut, son fidèle vassal, et sa foi en lui était telle qu'à son lit de mort il lui confia son fils, tout jeune encore. Tiebaut garda et éleva l'enfant, le traitant avec chaude affection. Or il arriva que, devenu grand, le jeune homme vint à prier d'amour une de ses filles, laquelle toutefois ne voulait accorder son amour qu'à un chevalier. Vite Meliant ne respire plus qu'exploits et prouesse et se fait adouber : puis il vient de nouveau présenter sa requête. « Non, non, dit la pucelle, il n'en va pas ainsi. Il vous faut d'abord lutter et jouter devant moi, jusqu'à ce que vous connaissiez bien le prix de mon amour. Les choses qu'on a pour rien n'ont jamais même saveur que celles qu'on achète bien cher. Si vous voulez mon amour, convenez d'un tournoi avec mon père. Je veux bien vous choisir, mais pas avant de savoir si mon choix est bon. » Se pliant à cette fantaisie, Meliant entreprend le tournoi. Amour est si fort que quiconque est en son pouvoir ne saurait lui refuser rien. Et vous, sire, vous feriez bien pauvre besogne si vous n'alliez vous jeter dans le château, où on aura grand besoin de vous.

— Ami, répond Gauvain, va et suis ton seigneur, tu ne pourrais faire mieux, et ne te soucie pas du reste.

L'écuyer se le tient pour dit, et messire Gauvain poursuit son chemin, qui le mène tout droit au château, car il n'y a pas de route par ailleurs.

Tiebaut amasse tous ses barons et tous les chevaliers d'alentour, il mande tous ses cousins, grands ou humbles, jeunes et chenus : tous accourent. Mais les plus privés de ses hommes ne lui conseillent pas de tournoyer contre son seigneur : ils ont peur qu'il ne veuille tous les détruire. Alors il fait murer et maçonner toutes les entrées du château. Il n'y aura pas d'autre portier que des blocs de pierre dure scellés dans du mortier. Seule une petite poterne est épargnée ; toutefois l'huis n'en est pas de bois de verne, mais bien de cuivre, renforcé d'une barre de fer si lourde qu'il y en avait toute la charge d'une charrette.

Cependant messire Gauvain s'approchait, précédé de tout son harnois. Il ne pouvait éviter de passer par le château, car jusqu'à sept journées de là, il n'y avait autre voie ou autre charrière. Quand il voit la poterne fermée, il entre en un pré, clos de pieux, au-dessous de la tour. Il met pied à terre sous un chêne et y pend ses écus, bien en vue de ceux du château.

Dans le château, il ne manquait pas de gens pour se réjouir qu'on eût renoncé au tournoi. Mais un homme pensait autrement : c'était un vieux vavasseur, riche en terres, puissant de lignage, fort avisé et craint de tous · quand il avait donné son avis, quelle que dût être la fin, on l'en croyait sur parole. Or on lui avait montré au loin ceux qui venaient, et avant même qu'ils fussent entrés dans le clos, il était allé à Tiebaut :

— Sire, dit-il, je viens d'apercevoir deux chevaliers qui approchent d'ici ; je crois bien qu'ils sont des compagnons du roi Arthur. Deux prud'hommes tiennent une grande place : il suffit d'un parfois pour emporter la victoire dans un combat. Je conseille donc que vous alliez à ce tournoi. Croyez-moi, vous pouvez le faire en toute sûreté. Vous avez de bons chevaliers, et en outre de bons sergents et de bons archers qui leur tueront leurs chevaux. Je sais que vos adversaires viendront chercher le combat devant cette porte. Mais si leur orgueil les y pousse, c'est nous qui aurons le gain, et eux la perte et le dommage.

Tiebaut écoute le vavasseur et laisse pleine liberté à tous ceux qui le voudront de s'armer et de sortir des murs. Les chevaliers s'en réjouissent ; les écuyers courent aux armes et aux chevaux et mettent les selles. Les dames et les pucelles vont s'asseoir au haut de la tour pour contempler le tournoi. Au-dessous d'elles, elles voient à plein le harnois de messire Gauvain ; et tout d'abord, comptant les deux écus qui pendent à l'arbre, elles jugent qu'il y a deux chevaliers. Comme elles s'estiment heureuses d'être si bien placées qu'elles les verront s'armer tous les deux !

Ainsi devisaient les unes, mais les autres s'étonnaient :

— Dieu ! Ce chevalier mène tant de bagages et de destriers avec lui qu'il y en aurait assez pour deux, et pourtant nul autre chevalier ne l'accompagne. Que fera-t-il de deux écus ? A-t-on jamais vu porter deux écus à la fois ? Compte-t-il se distinguer ainsi ?

lant qu'elles causaient de la sorte, les chevaliers sortaient, et de Tiebaut, l'aînée, celle pour qui le tournoi va se faire, prendre place sur la tour à côté des autres dames. Avec elle,

sa sœur cadette qui portait des manches si originales et si étroites
qu'elles semblaient peintes en ses bras et qu'on l'appelait la Pucelle
aux Petites Manches.

Devant le château il n'était nul plus avenant que Meliant de Liz,
comme en témoigne son amie, qui dit à celles qui l'entourent :

— Dames, jamais encore nul chevalier que j'aie vu ne m'a plu
autant que Meliant de Liz. Je vous le dis en toute franchise, n'est-ce
pas joie pure de voir un si bon chevalier ? Regardez comme il est
ferme sur sa selle et de quel air il tient sa lance et son écu : on voit
bien qu'il saura s'en servir.

Mais sa sœur, assise à côté d'elle, n'est pas de cet avis : il y a plus
bel homme encore, affirme-t-elle. L'autre, furieuse, se dresse pour
la frapper ; les dames la retiennent à temps : elles la calment à grand-
peine.

Le tournoi commence. Mainte lance est rompue, maint coup
d'épée assené, maint chevalier abattu. Sachez que qui joute avec
Meliant de Liz paie un bon prix pour cet honneur. Nul ne dure
devant lui. Sa lance a tôt fait de les envoyer heurter de la tête contre
le sol ; si la lance se brise, il y va à grands coups d'épée. Nul ne le
surpasse, ni dans un camp, ni dans l'autre.

Son amie est dans l'allégresse :

— Dames, s'écrie-t-elle, qu'en dites-vous ? Avez-vous jamais vu
ni ouï semblable merveille ? Ah ! c'est bien le meilleur bachelier [1]
qui se soit encore montré à vos yeux. De tous ceux qui sont au tournoi, c'est à coup sûr le plus beau et le plus vaillant.

Mais la petite n'en croit rien :

— J'en vois un plus beau et un meilleur, peut-être, dit-elle.

Déjà sa sœur est debout devant elle, le visage enflammé de
colère :

— Chipie, crie-t-elle, comment avez-vous le front de blâmer qui
je loue ? Sans doute que votre malechance le veut. Tenez, et gardez-
vous d'y revenir !

Elle lui administre un tel soufflet qu'elle laisse la marque de ses
cinq doigts sur la joue. Les dames qui sont à côté la reprennent vivement et lui arrachent la petite. Et puis elles retournent à messire
Gauvain.

— Dieu, dit l'une des demoiselles, ce chevalier qui est là sous
l'arbre, qu'attend-il qu'il ne s'arme ?

— C'est qu'il a sans doute juré la paix, reprend une autre plus
impertinente.

---

1. Jeune noble, chevalier ou non, qui est au début de la carrière des armes et a
encore à faire sa fortune ou sa réputation. Par analogie, on a aussi, plus tard, appelé
« bachelier » celui qui venait de prendre son premier grade universitaire et débutait
ainsi dans la carrière des professions libérales.

Mais une troisième :

— C'est un marchand. Pourquoi voulez-vous qu'il aille au tournoi ? Ces chevaux, bien sûr, il les mène vendre.

— Non, dit une quatrième, c'est un changeur ; et ce n'est pas aujourd'hui qu'il va distribuer aux pauvres chevaliers la monnaie et la vaisselle qu'il mène dans ses coffres et dans ses malles.

— Vous avez bien mauvaise langue, chacune de vous, dit à son tour la petite. Vous vous trompez toutes. Pensez-vous qu'un marchand porte une lance de cette taille ? En vérité, je souffre bien à vous entendre débiter vos diableries. Il ressemble plutôt à un vainqueur de tournois qu'à un marchand ou à un changeur. C'est un chevalier, il en a tout l'air.

Et toutes en chœur de lui répondre :

— S'il en a l'air, belle douce amie, il ne l'est pas ; et s'il s'en donne l'apparence, c'est qu'il compte passer partout sans bourse délier, et frustrer ainsi péagers et receveurs. Mais il est bien fou s'il croit que sa ruse va le mener loin. Il sera pris sur le fait, et convaincu d'un fol et vilain larcin, on lui passera la hart autour du col.

Messire Gauvain, qui ne perd pas une de leurs paroles, en est contrit et honteux. Mais il pense, et il n'a pas tort, qu'accusé de trahison comme il l'est, son premier devoir est de se laver de cet affront. S'il n'allait à la bataille pour laquelle il a pris jour, il honnirait lui-même d'abord, et après tout son lignage. Au tournoi, il risque d'être blessé ou pris : il importe donc qu'il se tienne à l'écart. Et pourtant il a si bonne envie de rejoindre les combattants ! Car Meliant de Liz a demandé une grosse lance pour frapper plus durement, et la mêlée devient âpre et farouche.

Tout le long du jour jusqu'à la nuit tombante dure le tournoi devant le château. Qui a gagné du butin l'emporte là où il le croit le plus sauf. Ainsi les dames voient un grand écuyer chauve qui tenait à la main un tronçon de lance et portait une têtière sur son col. Riant de sa sottise, une des dames lui dit :

— Dan écuyer, Dieu me pardonne, votre tête ne semble pas bien saine. Croyez-vous faire le bon écuyer en allant dans cette presse happer fers de lance, têtières, éclats de bois et croupières ? Qui s'amuse à ces bagatelles fait peu de cas de lui-même. Ne voyez-vous pas ici, tout près de vous, dans ce pré qui est au-dessous de la tour, un riche trésor abandonné à qui veut le prendre ? Bien fou qui ne pense à son profit, quand l'occasion s'en offre. Et vous n'avez affaire qu'au plus débonnaire chevalier qui ait jamais été : on lui plumerait les moustaches qu'il n'en bougerait d'un pas. Allons ! pas de mépris pour le gain ! Prenez-moi tous ces chevaux et toute cette richesse.

-moi, ce sera sage, et vous n'aurez rien à craindre.

ıyer n'attend pas davantage. Il entre dans le pré et, donnant tronçon de lance sur les côtes d'un cheval :

— Vassal, dit-il au chevalier, est-ce que vous vous sentez faible que vous avez guetté tout le jour sans faire rien qui vaille, ni trouer un écu, ni rompre une lance ?

— Dis-moi, l'ami, répond Gauvain, que t'importe pourquoi je suis ici plutôt qu'ailleurs ? Il est possible que tu l'apprennes un jour, mais, par mon chef, ce ne sera pas aujourd'hui. Je ne daignerais satisfaire ta curiosité. Crois-moi, déloge d'ici, et va un peu ailleurs t'occuper de tes affaires.

L'écuyer, qui n'est pas homme à insister en pareil cas, ne se le fait pas dire deux fois et disparaît.

Le tournoi a pris fin : maint chevalier reste prisonnier, maint cheval est occis. Ceux du dehors ont l'avantage des armes et emportent le butin de la journée. En se séparant, on convient qu'on reprendra le combat le lendemain et qu'on bataillera tout au long du jour. Ceux qui étaient sortis du château y rentrent, et derrière eux messire Gauvain, qui rencontre devant la porte le prud'homme dont les conseils avaient décidé le seigneur à accepter le tournoi. Il dit à messire Gauvain :

— Beau sire, dans ce château il y a un hôtel tout prêt à vous recevoir. Plus loin, vous ne trouveriez aujourd'hui aucun hôtel digne de vous. Demeurez donc avec nous, je vous en prie.

— Beau sire, répond Gauvain, j'ai entendu plus d'une fois des paroles qui m'ont fait moins plaisir. Je demeurerai avec vous et vous remercie.

Le vavasseur l'emmène en son hôtel, et chemin faisant, entre autres questions, lui demande pour quelle raison il ne les avait pas aidés de son bras au tournoi. Messire Gauvain lui en conte le pourquoi : accusé de trahison, il doit se défendre par les armes ; il ne peut donc risquer ni prison ni blessure, tant qu'il ne sera pas lavé de cet opprobre ; s'il laissait passer le jour fixé pour la bataille, il pourrait se honnir et déshonorer ses amis. Le vavasseur ne l'en estime que davantage et le lui dit, puis il le fait entrer en son hôtel.

Cependant, les gens de la cour s'occupent aussi de monseigneur Gauvain, mais c'est pour l'accuser durement : leur seigneur ne pourrait-il aller mettre la main sur lui ? Et, en haine de sa sœur, la fille aînée de Tiebaut pousse à la roue de toutes ses forces :

— Sire, dit-elle à son père, mon avis est que vous n'avez rien perdu aujourd'hui : et même je crois que vous avez gagné plus que vous ne pensez. Je vous dirai comment. Vous aurez bien tort si vous ne commandez qu'on aille prendre un chevalier qui est ici et ne fait rien pour notre défense ; d'autant plus qu'il use d'un stratagème indigne : il fait porter des écus et des lances et mener des chevaux à la bride, mais c'est pour franchir indemne les péages, alors qu'il s'en va réellement vendre sa marchandise. Donnez-lui la leçon qu'il mérite. Il est chez Garin, le fils de Berthe, qui l'a logé chez lui. Je les ai vus passer tous deux il n'y a qu'un instant. Ainsi la pucelle travaille de son mieux à faire honte à messire Gauvain. Sans plus attendre, le seigneur monte à cheval et se dirige vers la maison où était messire Gauvain. Quand sa plus jeune fille le voit partir ainsi, elle s'élance par une porte de derrière, car elle ne se soucie pas d'être vue, et s'en va tout droit à l'hôtel de messire Gauvain, chez dan Garin, le fils de Berthe. Dan Garin avait deux filles, toutes deux très belles. Quand elles voient venir leur petite dame, elles ne cachent pas leur joie : chacune l'a prise par la main, et elles l'emmènent gaiement, lui baisant les yeux et la bouche.

Dan Garin était remonté à cheval et, accompagné de son fils Bertrand, s'en allait à la cour à son ordinaire pour parler à son seigneur, quand à mi-chemin ils l'aperçoivent qui venait. Aussitôt le vavasseur lui demande où il va.

— Chez vous, répond-il, me distraire un moment.

— Voilà qui n'est pas pour me déplaire, dit dan Garin, et vous y pourrez voir le plus beau chevalier qui soit au monde.

— Sur ma foi, je n'y vais pour rechercher sa compagnie, mais bien pour le faire prendre. C'est un marchand de chevaux qui se donne pour chevalier.

— Oh ! voilà des paroles bien laides. Je suis votre homme et vous êtes mon seigneur. Mais, en mon nom et au nom de tout mon lignage, je vous rends votre hommage ici même et je vous défie, plutôt que de vous permettre une pareille déloyauté dans mon hôtel.

— Je n'y songeais pas non plus. J'en atteste Dieu, jamais votre hôte et votre hôtel n'auront de moi que tout honneur. Non qu'on ne m'ait fort conseillé le contraire.

— Grand merci, dit le vavasseur. Ce sera un honneur pour moi que vous veniez voir mon hôte.

Ils arrivent de compagnie à la maison où est logé messire Gauvain. Quand messire Gauvain les voit, en courtois chevalier qu'il est, il les salue et leur souhaite la bienvenue. Ils le saluent à leur tour et s'assoient près de lui. Puis le seigneur du pays lui demande pourquoi, dès qu'il est venu au tournoi, il s'est tenu toute la journée loin du combat.

— C'est vrai, dit messire Gauvain, et je ne nie pas qu'il n'y ait là quelque chose de laid et de blâmable, mais un chevalier qui m'accuse de trahison m'a appelé en duel : je vais me défendre contre lui à une cour royale.

— Votre raison est bonne, dit le seigneur, vous êtes tout excusé
ı sera votre bataille ?
ire, devant le roi d'Escavalon, et je vais à sa cour par la route
droite, il me semble.

— Je vous donnerai une escorte pour vous y mener sûrement, et comme vous aurez des terres bien pauvres à traverser, je vous ferai livrer des vivres, et des chevaux pour les porter.

Messire Gauvain répond que point n'est besoin qu'il prenne du sien. S'il peut trouver des vivres à acheter, il en aura en abondance, et de bons chevaux aussi, où que sa route doive le mener.

Le seigneur se lève pour partir, mais voici que par une autre porte accourt sa plus jeune fille, qui se jette devant messire Gauvain et tient ses genoux embrassés :

— Beau sire, s'écrie-t-elle, écoutez-moi. Je viens à vous me plaindre de ma sœur qui m'a battue. Faites m'en droit, je vous en prie.

Messire Gauvain se tait, qui ne sait de quoi elle parle, et lui pose doucement la main sur la tête. Mais la demoiselle le tire à elle et lui dit :

— C'est à vous que je parle, beau sire, à vous que je me plains de ma sœur, pour qui je n'ai aucune tendresse et qui aujourd'hui pour peu de chose m'a fait grand-honte.

— Belle, qu'y puis-je ? Quel droit voulez-vous que je vous en fasse ?

Le seigneur, qui déjà avait pris congé, entend et se retourne vers la pucelle :

— Fille, qui vous a commandé de venir vous plaindre à des chevaliers ?

— Cher sire, dit Gauvain, est-elle donc votre fille ?

— Oui, mais ne tenez pas compte de ses paroles. C'est une enfant, simplette et étourdie.

— Certes, dit messire Gauvain, je serais bien peu courtois si je refusais de l'entendre. Dites-moi, ma douce et gentille enfant, quel droit vous pourrais-je faire de votre sœur, et comment ?

— Sire, demain, demain seulement, s'il vous plaît, pour l'amour de moi, venez combattre au tournoi.

— Dites-moi, amie chère : avez-vous jamais prié chevalier de venir à votre aide ?

— Non, sire, c'est la première fois.

— Laissez-la conter ce qu'elle voudra, dit le père, mais ne vous en souciez. Inutile de vous prêter à ses caprices.

Et messire Gauvain répond :

— Sire, quel joli début dans la vie pour une pucelle si jeune ! Et comment n'écouterais-je pas sa requête ? Puisqu'il lui plaît, je serai demain, pour un moment, son chevalier.

— Je vous remercie, beau et cher sire, dit-elle toute joyeuse.

Et elle s'incline jusqu'à terre devant lui. Puis père et fille s'en vont. Le seigneur juche la pucelle sur son palefroi et, chemin faisant, lui demande d'où vient cette querelle.

— Sire, il m'était pénible d'entendre ma sœur témoigner que Meliant de Liz était le plus vaillant et le plus beau de tous. Et moi, qui apercevais là-dessous en ce pré cet autre chevalier, comment ne pas dire que j'en voyais un plus beau ? Sur quoi ma sœur me traita de folle et de chipie, et me prit aux cheveux. Honte à qui peut l'approuver ! Je laisserais volontiers couper mes tresses jusqu'au ras de la nuque, à mon grand dommage, assurément, si j'obtenais par là que ce chevalier abattît dans la mêlée Meliant de Liz. Voilà qui mettrait fin à tous ces cris d'admiration de ma dame de sœur. Elle n'a cessé de discourir de lui toute la journée, au point d'en fatiguer toutes les dames. Mais patience ! Petite pluie abat bien grand vent.

— Belle fille, dit le prud'homme, je vous permets, et même je vous commande que par courtoisie vous lui fassiez tenir une faveur, votre manche par exemple ou votre guimpe.

Et toute naïve la petite répond :

— Volontiers, sire, puisque vous le voulez ; mais mes manches sont si petites que je n'oserais lui en faire présent, et si j'en avais le courage, peut-être qu'il en ferait peu de cas.

— Fille, dit le père, soyez tranquille. Je me charge de vous trouver ce qu'il faut et je n'aurai que l'embarras du choix.

Ainsi parlant, il l'emporte entre ses bras et éprouve une grande tendresse à la tenir serrée contre son cœur. Ils arrivent devant le palais et, quand l'aînée voit sa petite sœur ainsi appuyée contre son père, une jalousie l'étreint :

— D'où vient donc ma sœur, la pucelle aux petites manches ? Que de tours et de ruses elle a déjà dans son sac ! Vraiment, elle s'y prend de bonne heure ! D'où la ramenez-vous ?

— Que vous importe ? répond-il. Vous devriez bien vous en taire. Elle vaut mieux que vous, qui l'avez battue et décoiffée. J'en suis fâché pour vous, mais vous n'avez pas été courtoise.

La voilà toute déconfite de s'entendre ainsi rabrouer par son père. Le seigneur fait tirer hors de son coffre un samit vermeil et commande qu'on en fasse sur-le-champ une manche bien longue et bien large, puis appelle sa fille :

— Fille, levez-vous demain dès le matin et allez au chevalier, avant qu'il sorte de son logis. Par amour donnez-lui cette manche neuve et il la portera au tournoi.

— Dès les premières lueurs de l'aube, répond-elle, s'il ne tient qu'à moi, je serai debout, vêtue et prête.

Là-dessus le père s'en va, et la pucelle, toute joyeuse, prie ses compagnes qu'elles ne la laissent pas dormir longuement au matin : veulent rester ses amies, qu'elles l'éveillent en hâte, dès verront le jour. Elles n'ont garde d'y manquer. Vêtue et la pucelle s'en va toute seule à l'hôtel de messire Gauvain, mais non pas si tôt qu'ils ne soient déjà tous levés et partis pour le moutier. Ils entendent la messe, prient longuement et bien édifiés reviennent enfin au logis où ils trouvent la pucelle qui les attend. Dès qu'elle voit messire Gauvain, elle se dresse vivement et lui dit :

— Dieu vous garde et vous donne joie en ce jour ! Je vous prie de porter pour l'amour de moi cette manche que je tiens.

— Volontiers, et grand merci, amie, dit messire Gauvain.

Les chevaliers s'arment et s'assemblent hors de la ville, tandis que les dames et les demoiselles montent sur les murs. Sous leurs yeux, les preux et hardis combattants s'avancent, ligne contre ligne. En tête des siens, arrive au galop Meliant de Liz. A sa vue, son amie ne peut tenir sa langue :

— Dames, crie-t-elle, voyez venir celui qui de toute chevalerie est le maître reconnu.

Au même moment, messire Gauvain lance son cheval à toute allure contre Meliant, qui le redoute peu et vient briser sa lance sur son écu, mais messire Gauvain frappe aussi et si bien que l'autre, tout étourdi du coup, va rouler à terre. Et messire Gauvain tend la main vers son cheval, le prend au frein et le remet à un valet avec ordre de le mener à celle pour qui il est au tournoi. Il veut qu'elle ait le premier gain qu'il ait fait ce jour-là. Le valet conduit le cheval tout harnaché à la pucelle, qui du haut de la tour a bien vu choir Meliant de Liz :

— Sœur, s'écrie-t-elle, voyez-vous étendu sur le sol dan Meliant de Liz, dont vous nous faisiez un tel éloge ? Vous savez merveilleusement mesurer les louanges au mérite. Mais il est bien clair que j'avais raison hier : Meliant de Liz a trouvé son maître.

La petite prend plaisir à taquiner sa sœur et va si loin qu'elle la met hors d'elle-même.

— Chipie, crie-t-elle, tais-toi. Si je t'entends encore sonner un mot, je t'irai souffleter de telle façon que tu n'auras pied qui te soutienne.

— Fi, sœur, qu'il vous souvienne de Dieu ! dit la petite demoiselle. Est-ce parce que j'ai dit la vérité que vous voulez me frapper ? Je l'ai sûrement vu abattre, vous aussi tout comme moi. Et je ne crois pas non plus qu'il ait la force de se relever. Quand même vous en devriez étouffer de colère, je dirais qu'il n'y a ici dame qui ne le voie très bien, étendu tout à plat et agitant piteusement ses jambes.

Si ce n'était des dames qui les séparent aussitôt, sa sœur l'eût volontiers châtiée d'un revers de main. A ce moment s'approche l'écuyer qui amène le cheval à la pucelle : il la trouve assise à une fenêtre et il lui remet le don de messire Gauvain. Avec plus de soixante mercis elle fait prendre le cheval.

L'écuyer s'en va porter les remerciements à son seigneur qui apparaît à tous comme le vainqueur et le maître du tournoi. Il n'y a chevalier si fier et si sûr de lui-même qui, faisant connaissance avec sa lance, ne doive vider assez tôt les étriers. Plus qu'il ne l'avait jamais fait, messire Gauvain se donne au plaisir de conquérir des destriers. Ce jour-là il en prend quatre, dont il dispose sans tarder : le premier pour la petite demoiselle, le second pour la femme du vavasseur qui est fort contente de ce présent ; l'une des deux filles du même dan Garin a le troisième et l'autre fille le quatrième.

Le tournoi est terminé, on rentre au château. Dans un camp comme dans l'autre, au jugement de tous, c'est à messire Gauvain que revient l'honneur de la journée. Il n'était pas encore midi quand il quitte la mêlée, et au retour il est suivi d'une telle foule de chevaliers que la rue s'en emplit toute. Tous ceux qui le voient veulent apprendre d'où il vient et quel est son pays. Devant la porte de son logis se tient la pucelle. Elle ne fait que le prendre par l'étrier, le saluer et lui dire :

— Sire, je vous remercie.

Mais il la comprend à demi-mot, et il répond en noble et courtois chevalier :

— Si je me sens jamais las de vous servir, où que je sois, c'est que je serais devenu bien vieux et bien chenu. Non, je ne serai jamais si loin qu'aucun prétexte bon ou mauvais me retienne, au premier message de vous qui réclamera mon aide.

— Grand merci, dit la demoiselle.

Ainsi parlaient-ils tous deux, quand survient le père de la pucelle, qui voudrait bien recevoir chez lui messire Gauvain. Mais messire Gauvain ne veut s'attarder plus longtemps et s'en excuse. Le seigneur le prie alors de lui faire connaître son nom.

— Sire, on m'appelle Gauvain. Jamais mon nom ne fut celé là où on s'en enquit, et jamais encore je ne le dis là où on ne me le demandait pas.

— Quand le seigneur apprend que c'est messire Gauvain, il en est tout joyeux et lui dit :

— Ah ! sire, venez ce soir loger en mon hôtel. Je ne vous ai encore servi en rien, et pourtant, je le jure, je ne vis jamais chevalier que je prisse tant de plaisir à honorer.

Il redouble ses prières, mais rien n'y fait, messire Gauvain est résolu à partir. La petite demoiselle, qui n'était ni sotte ni méchante, lui baise le pied et le recommande à Dieu. Il s'en étonne un peu, mais elle lui déclare que, si elle lui a baisé le pied, c'est en intention que le souvenir d'elle lui revienne, en quelque lieu qu'il arrive.

— N'en doutez pas, dit-il, ma douce amie. En quelque lointain pays que je me trouve, jamais je ne vous oublierai.

Là-dessus il prend congé de son hôte et de tous, et il s'en va.

IX

GAUVAIN ASSIÉGÉ PAR LA COMMUNE

Messire Gauvain passe la nuit dans une bonne abbaye, et le lendemain dès la pointe du jour, il est déjà en selle, poursuivant sa route, quand, à la lisière d'une forêt qu'il longeait, il aperçoit des biches qui paissaient. Il appelle aussitôt Yonet, qui menait un de ses chevaux, le meilleur de tous, et portait une lance roide et forte : vite, qu'il lui passe la lance et resserre les sangles du cheval. Le valet obéit, et voilà messire Gauvain qui monte et s'élance sur les traces des biches. Après bien des détours et bien des ruses, il réussit à en surprendre une près d'une ronceraie et par le travers lui allonge la lance sur le col. Mais la biche fait un saut de côté et s'enfuit après les cerfs. Il la chasse ardemment et l'aurait prise, si son cheval ne s'était déferré d'un pied de devant. Messire Gauvain décide de rejoindre son harnois, car à son grand ennui il sent que son cheval faiblit sous lui, quoiqu'il ne sache pas ce qui le fait boiter : peut-être s'est-il heurté à une souche en galopant.

— Saute à terre, crie-t-il à Yonet, et vois ce qu'a mon cheval qui cloche si fort.

Yonet lève le pied du cheval :

— Sire, dit-il, il a perdu son fer. Allons de l'avant tout doucement, à la recherche du premier forgeron qui s'offrira à nous.

Il reprennent donc leur marche et voient soudain déboucher d'un château tout un cortège, qui s'engage sur la chaussée : en tête, des gens court vêtus, ce sont des garçons à pied menant des chiens, puis des piqueurs portant des épieux tranchants, puis des archers et des sergents bien munis d'arcs et de flèches, puis un flot de chevaliers et enfin derrière tous les autres, deux chevaliers montés sur des destriers, dont le plus jeune était un jouvenceau, et de tous le plus beau. Seul le jeune homme salua messire Gauvain et le prit par la main.

— Ah ! sire, dit-il, je vous retiens. Allez là d'où nous venons et descendez en mon hôtel. Il est l'heure de songer au logis, s'il ne vous déplaît. J'ai une sœur, la plus courtoise des femmes, qui fera grandjoie de vous, et ce seigneur que vous voyez devant moi vous mènera.

Et se tournant vers son compagnon, il ajoute :

— Sire, vous irez avec le chevalier et le conduirez à ma sœur. Saluez-la tout d'abord et dites-lui ce que je lui mande : pour l'amour qui est entre nous et pour la foi que nous nous devons l'un à l'autre, elle et moi, si jamais elle aima chevalier, qu'elle aime et chérisse celui que je lui envoie, et qu'elle le traite comme elle me traiterait, moi qui suis son frère. Qu'elle reste auprès de lui et s'occupe de le distraire jusqu'à notre retour. Ceci dit, vous reviendrez ici, et c'est moi qui irai lui tenir compagnie au plus tôt que je pourrai.

Le chevalier se met en route et conduit messire Gauvain là où tous le haïssent mortellement, mais on ne l'y connaît pas, car on ne l'y a jamais vu, et pour lui nul soupçon d'un danger ne l'effleure. Le château était sis sur un bras de mer. Il l'examine, observe les murs et la tour, et les estime de force à ne craindre aucune attaque. Il regarde aussi la ville, peuplée de beaux hommes et de belles femmes, et les tables des changeurs, couvertes de pièces d'or, d'argent et de menue monnaie ; il voit les places et les rues pleines de bons ouvriers qui travaillaient aux métiers les plus variés : ici on fait des heaumes et des haubersts, là des selles et des écus, ailleurs des harnachements de cuir et des éperons ; les uns fourbissent des épées, les autres tissent des draps et les foulent, les peignent ou les tondent, d'autres encore fondent l'or et l'argent ; ailleurs enfin on fait de belle et riche vaisselle, coupes, hanaps, écuelles, et des émaux précieux, anneaux, ceintures et colliers. Vraiment on eût volontiers dit qu'en la ville se tenait une foire perpétuelle, tant elle regorgeait de richesses, cire, poivre, graines, et fourrures de vair et de gris, et toutes marchandises qui se peuvent imaginer.

Ils regardent cette vie et ce mouvement, s'attardant ici ou là, et enfin arrivent à la tour. Des valets s'élancent au dehors, qui prennent soin des chevaux et du bagage. Le chevalier entre seul, suivi de messire Gauvain qu'il mène par la main jusqu'à la chambre de la pucelle.

— Belle amie, lui dit-il, votre frère vous salue et vous commande que ce seigneur que voici soit honoré et servi en tout point. Ne le faites pas à contrecœur, mais d'aussi bon gré que si vous étiez sa sœur et qu'il fût votre frère. Qu'il ait tout ce qu'il désire, montrez-vous large, franche et généreuse. Pensez-y, car je vais rejoindre votre frère au bois.

Et la pucelle, ravie d'aise, s'écrie :

— Béni soit qui m'envoya sa compagnie ! Qui me prête un si beau compagnon ne me hait pas : qu'il en soit remercié ! Beau sire, ajoute-t-elle, venez vous asseoir ici, près de moi. Parce que je vous vois beau et noble et pour l'amour de mon frère qui m'en prie, je vous ferai bonne compagnie.

Le chevalier est parti et messire Gauvain reste, qui ne s'en plaint pas, car il est seul avec la belle et courtoise pucelle. Elle est si bien apprise et si droite qu'elle ne songe même pas qu'on puisse la guetter parce qu'elle est seule avec lui.

Ils parlent d'amour : s'ils parlaient d'autre chose, à quelles sornettes perdraient-ils leur temps ! Messire Gauvain la prie d'amour et déclare qu'il sera son chevalier toute sa vie. Elle ne refuse pas, elle accorde même volontiers. Mais voici qu'entre un vavasseur qui va troubler la fête, car il connaissait messire Gauvain. Il les surprend en causerie joyeuse, entremêlée de baisers. A cette vue il ne peut se contenir et d'une voix tonnante il crie :

— Femme, honnie sois-tu ! Que Dieu t'anéantisse ! L'homme du monde que tu devrais le plus haïr, tu l'accueilles allégrement, tu lui permets baisers et caresses. Malheureuse et folle femme, ah ! comme tu agis bien selon ta nature. Tu aurais dû de tes deux mains lui arracher le cœur, au lieu de faire monter ce cœur à tes lèvres sous la douceur de tes baisers. Ah ! une femme qui fait le bien et hait le mal, ce n'est plus une femme : elle en perd le nom dès l'instant qu'elle laisse le pire et choisit le mieux. Mais toi, comme tu le mérites, ce nom ! Cet homme qui est assis là, devant toi, c'est le meurtrier de ton père, et tu lui prodigues tes baisers ! Quand femme peut avoir ce qu'elle désire, peu lui chaut du reste !

Il tourne le dos et s'élance au dehors, avant que messire Gauvain ait pu articuler une syllabe. La pucelle tombe évanouie et reste étendue sur les carreaux. Messire Gauvain la prend et la relève, livide de la peur qu'elle a eue. Quand elle est revenue à elle, elle s'écrie :

— Ah ! nous sommes perdus. Je mourrai aujourd'hui pour vous, bien injustement, et vous aussi, je crois, vous mourrez pour moi. La commune de cette ville va accourir ici, je n'en ai aucun doute. Ils seront bientôt plus de dix mille amassés devant cette tour. Mais il y a des armes céans, vous allez les avoir sur-le-champ. Un seul prud'homme pourrait tenir cette tour contre une armée.

Et tout effrayée elle court chercher une armure. Quand elle l'en eut revêtu, ils se sentirent plus sûrs, elle et lui, sauf que le malheur voulut qu'elle ne trouvât pas d'écu. Mais il s'en fit un d'un échiquier.

— Amie, dit-il, pas besoin d'autre écu.

Il verse à terre les pièces qui étaient d'ivoire et dix fois plus massives et plus dures que les pièces ordinaires. Et maintenant, quoi qu'il arrive, il compte bien tenir l'huis et l'entrée de la tour, car il avait ceint Escalibor, la meilleure épée qui fût, et qui tranche le fer comme du bois.

Au sortir de la tour le vavasseur trouve, assis côte à côte, une assemblée de voisins, le maire, les échevins et toute une foison de bourgeois, si gros et si gras qu'on peut assurer que le poisson était absent de leur régime. Il accourt à eux et crie :

— Aux armes, seigneurs, allons prendre le traître Gauvain qui a occis mon seigneur !

— Où est-il ? hurle-t-on de tous côtés.

— Voudriez-vous le croire, répond-il, je l'ai surpris, ce Gauvain, ce traître fieffé, dans la tour là-bas, où il se prélasse, accole notre dame et l'embrasse. Elle ne s'en défend pas, elle le permet, elle le désire. Mais venez, nous irons saisir l'homme : si nous pouvons le rendre à mon seigneur, mon seigneur sera par nous servi à son gré. Le traître a mérité toutes les hontes : pourtant, prenez-le vif ; sûrement mon seigneur l'aimerait mieux vivant que mort, et il aurait raison : les morts n'ont plus rien à craindre. Faites votre devoir et soulevez toute la ville.

Alors il aurait fallu voir des vilains en fureur prendre haches et guisarmes, d'autres un écu veuf de sa guiche, d'autres encore un van ou un battant de porte. Le crieur crie le ban et tout le peuple s'assemble ; les cloches de la commune sonnent, il ne faut pas qu'un seul manque à l'appel. Il n'y a si pauvre hère qui ne saisisse fourche ou fléau ou massue ou pique. Jamais encore pour assaillir la limace il n'y eut en Lombardie un tel tohu-bohu. Il n'est si petit qui n'accoure, et aucun qui vienne les mains vides.

Messire Gauvain est mort, si Dieu ne le conseille. La demoiselle s'apprête à l'aider en femme de cœur et crie au peuple :

— Hou ! hou ! Canaille, chiens enragés, serfs de malheur, quels diables vous ont mandés ? Que cherchez-vous ? Que voulez-vous ? Puisse Dieu ne jamais vous donner joie ! J'en atteste le Seigneur, vous n'emmènerez pas le chevalier qui est ici, ou alors un bon nombre d'entre vous, s'il plaît à Dieu, resteront sur le carreau, morts ou mis à mal. Le chevalier n'est pas arrivé ici comme un oiseau par la voie des airs, il n'a pas pénétré par un passage souterrain : c'est mon frère qui me l'a envoyé comme son hôte et m'a priée que je le traitasse comme je le traiterais, lui. Et vous me vilipendez parce que, sur la prière de mon frère, je lui tiens compagnie et cherche à le distraire ! Qui veut l'entendre l'entende : si je l'ai reçu joyeusement, il n'y a pas d'autre raison ; jamais je n'ai pensé à nulle folie. Aussi je vous sais plus mauvais gré de la honte que vous me faites : vous osez venir à l'huis de ma chambre tirer vos épées sur moi ! Et vous ne savez pourquoi. Du moins, si vous le savez, vous ne m'en avez rien dit. Vous m'avez indignement outragée.

Ainsi dit-elle ce qu'elle a sur le cœur, et cependant les autres à grands coups de cognée mettent l'huis en pièces et réussissent à le fendre en deux. Mais le portier qui veillait en dedans sait bien leur barrer le passage : il assène un tel coup d'épée au premier qui se présente que les autres en perdent leur zèle ; nul n'ose s'avancer, chacun tient à sa vie et craint pour sa tête ; aucun n'est assez hardi pour étendre le bras ou faire un pas en avant. Et la demoiselle ramasse les pièces de l'échiquier qui gisaient sur le carreau et furieusement les lance sur eux. Elle serre son corsage, relève le bas de sa robe et jure dans son courroux qu'elle les fera tous détruire, si elle peut, avant qu'elle meure.

Mais les vilains s'entêtent et déclarent qu'ils abattront la tour sur eux, s'ils ne se rendent. Les assiégés ne s'en défendent que mieux et font pleuvoir pions et pièces d'ivoire sur les assaillants, qui, incapables d'y tenir, reculent pour la plupart. Alors les gens de la commune décident de creuser la terre avec des pics d'acier pour faire crouler la tour. Ils renoncent à l'assaut : la porte leur est trop bien défendue. Cette porte, croyez-moi, était si basse et si étroite que deux hommes auraient eu de la peine à y entrer de front. Aussi un prud'homme pouvait-il aisément s'y maintenir contre toute attaque. Des vilains sans armure, pour les pourfendre jusqu'aux dents et les écerveler il n'y fallait point chercher de meilleur portier que celui qui y montait la garde.

Cependant le seigneur qui avait hébergé messire Gauvain ne savait rien de l'affaire. Mais l'heure approche où il va revenir au plus vite du bois où il était allé chasser. Brandissant leurs pics, les assaillants creusaient toujours, quand voici Guinganbresil qui d'aventure arrive au château de toute la vitesse de son cheval. Il est merveilleusement surpris de cet amas de vilains, des huées et des coups de marteau qu'il entend. Il ne savait pas que messire Gauvain était dans la tour, mais quand il l'apprit, il défendit que nul, quel qu'il fût et au risque de sa vie, osât ébranler une seule pierre de la tour. Mais ils ne vont pas déposer leurs pics pour lui faire plaisir, et s'il veut joindre son sort à celui du chevalier, il est libre, mais ils abattront la tour sur son corps.

Quand il voit qu'il défend et menace en vain, il décide qu'il ira au-devant du roi et l'amènera à ces scènes de désordre qu'ont provoquées les bourgeois. Il le rencontre qui revenait du bois.

— Sire, lui dit-il, votre maire et vos échevins vous ont fait grand-honte. Depuis le matin ils attaquent votre tour et tentent de l'abattre. S'ils ne paient bien cher leur audace, je vous en saurai mauvais gré. J'avais appelé Gauvain en duel pour trahison, comme vous le savez bien, et c'est lui que vous avez fait héberger en votre demeure. Il serait bien juste que, dès l'instant où vous l'avez nommé votre hôte, il n'eût à souffrir ni honte ni vilenie.

— Maître, répond le roi, il n'en souffrira aucune, dès que nous serons là-bas. Je suis bien peiné et bien fâché de ce qui lui est arrivé. Si mes gens le haïssent à ce point, je ne dois pas m'en courroucer ; mais je l'ai hébergé, mon honneur m'oblige à lui épargner la prison ou une blessure.

Ils arrivent enfin au château et trouvent la commune amassée tout autour, menant grand bruit. Le roi commande au maire qu'il s'en aille et fasse retirer ses gens. Ils s'en vont : pas un n'y reste, dès qu'il plaît au maire. Il y avait là un vavasseur, d'une famille de la ville, qui conseillait tout le pays, tant son sens était aiguisé.

— Sire, dit-il au roi, c'est le moment où on doit vous donner un bon et loyal conseil. Il n'y a pas à s'étonner si celui qui a occis votre père en trahison a été assailli céans, car on lui veut mal de mort, et très justement, comme vous le savez bien. Mais vous l'avez reçu chez vous, et votre hôte doit être à l'abri de la prison ou de la mort. Et, à parler franc, Guinganbresil, que je vois là, est tenu lui aussi de sauver et de protéger le chevalier, puisqu'il est allé à la cour du roi Arthur l'appeler en duel pour une trahison qu'il lui reproche. Et il faut bien reconnaître que le chevalier était venu à votre cour pour se défendre de cette accusation. Mon conseil est qu'il faut remettre cette bataille à un an d'ici. En attendant, que le chevalier s'en aille en quête de la lance dont le fer ne cesse de saigner et où le sang est à peine essuyé que perle une nouvelle goutte ! Qu'il vous rapporte cette lance, ou bien qu'il se remette en votre merci, comme il y est en cet instant ; et alors, vous aurez pour le retenir en prison un meilleur motif que vous ne l'auriez maintenant. Songez que vous ne sauriez lui infliger peine si sévère qu'il ne sût fort bien s'en accommoder et en venir à bout, au lieu qu'on doit accabler qui on hait de toutes les rigueurs qui se peuvent imaginer. Si donc votre objet est de contraindre votre ennemi aux plus durs labeurs, je vous ai conseillé pour le mieux.

Le roi se tient à ce conseil. Il entre en la tour et vient à sa sœur, qu'il trouve émue et indignée. Elle s'est levée dès qu'elle le voit, et messire Gauvain aussi ; mais lui reste calme et impassible, quelles que puissent être ses craintes. Guinganbresil s'avance, salue la pucelle toute pâle et adresse à messire Gauvain quelques paroles bien vaines :

— Sire Gauvain, sire Gauvain, je vous avais pris sous ma sauvegarde, mais je vous ai averti de ne pas pousser la hardiesse au point d'entrer en château ou cité qui fût à mon seigneur. Quant à ce qu'on vous a fait ici, ce n'est pas le moment d'en peser le pour ou le contre.

— Grand Dieu, dit le sage vavasseur, tout ceci peut bien s'arranger entre nous ; car de demander réparation du dommage causé par cet assaut des vilains, à qui s'adresser, je vous le demande ? Les procès en dureraient encore au grand jour du jugement. Le mieux est de s'en rapporter à la décision de mon seigneur le roi qui est ici. Si vous voulez bien y consentir l'un et l'autre, il vous demande par ma bouche de remettre votre duel à un an. Messire Gauvain sera libre de s'en aller, mais il devra jurer à mon seigneur que, dans ce délai d'un an sans plus, il lui rapportera la lance dont la pointe verse des larmes de sang et dont il est écrit qu'un jour verra détruire par elle tout le royaume de Logres, l'ancienne terre des Ogres. Mon seigneur le roi exige ce serment.

— Certes, dit messire Gauvain, je me laisserais plutôt mourir ou languir ici pendant sept années que de me résigner à un serment pareil. Je n'engagerai pas ma foi ainsi. Je n'ai pas si peur de ma fin que je n'aime mieux affronter la mort dans l'honneur que de me parjurer et vivre dans la honte.

— Beau sire, dit le vavasseur, nul déshonneur à redouter là, et je ne pense pas non plus que vous risquiez de vous en trouver plus mal. Car, écoutez comme nous l'entendons ; vous jurerez de faire tout ce qui est en votre pouvoir pour conquérir la lance, et si vous y échouez, vous vous remettrez en cette tour et serez quitte de votre serment.

— Ah ! dit-il, s'il en est ainsi, je suis prêt à faire le serment.

On apporte sur l'heure un très précieux reliquaire et il jure qu'il n'épargnera ni peine ni fatigues pour conquérir la lance.

Ainsi le duel est remis, et messire Gauvain a échappé à un grand péril. Avant de sortir de la tour, il prend congé de la pucelle et renvoie tous ses valets en leur terre, ainsi que ses chevaux, sauf le Gringalet qu'il garde. Les valets quittent leur seigneur en pleurant.

Ici le conte se tait de messire Gauvain et revient à Perceval.

X

PERCEVAL FAIT PÉNITENCE

Perceval, nous dit le livre, a perdu la mémoire, et si bien perdu qu'il ne lui souvient plus de Dieu. Cinq fois ont passé avril et mai, cinq ans entiers se sont écoulés sans qu'il ait franchi le seuil du moutier, ou adoré Dieu ni sa croix. Mais il est resté un fidèle de la chevalerie, toujours en quête des étranges aventures, des mortels périls, des durs labeurs. Il a trouvé les dangers qu'il cherchait, et en tel nombre qu'il a désormais donné toute la mesure de sa vaillance : jamais tâche si rude qu'il ne l'ait menée à bonne fin. Soixante chevaliers d'élite vaincus par lui ont dû prendre le chemin de la cour du roi Arthur. Voilà l'œuvre de ces cinq ans, mais Dieu n'y paraît pas.

Cinq ans ont passé. Un jour qu'il chevauchait par un désert, armé de toutes pièces à son ordinaire, il rencontre trois chevaliers et dix dames cheminant de compagnie, le visage caché sous le chaperon, à pied tous et toutes, en robes de laine et sans souliers. Ce cavalier qui arrive écu au poing et lance haute surprend fort les dames, qui allaient à pied, pour le salut de leur âme, en pénitence de leurs péchés ; et l'un des trois chevaliers l'arrête et lui dit :

— Beau sire, ne croyez-vous donc pas en Jésus-Christ qui apporta la nouvelle loi et la donna aux chrétiens ? Certes, il n'est pas bien, il est très mal d'être en armes au jour que mourut Jésus-Christ. Et lui qui ne se souciait ni de jour ni d'heure, tant son cœur avait de tourments, répond :

— Quel jour est-il donc ?

— Quel jour, sire ? Est-il possible que vous ne le sachiez ? C'est le vendredi saint, le jour qu'on doit adorer la croix et pleurer ses péchés. Car c'est aujourd'hui que fut mis en croix celui qui fut vendu trente deniers, qui sans tache lui-même vit les péchés dont le genre humain était chargé et souillé et se fit homme pour nous sauver. C'est vérité qu'il fut Dieu et homme, car la Vierge enfanta un fils qu'elle conçut par le Saint-Esprit, un fils où Dieu prit chair et sang et couvrit sa divinité d'une enveloppe mortelle. Et qui ne croit cette vérité ne le verra jamais en la face. Ce fils né de la Vierge, Dieu ayant la forme et l'âme d'un homme, fut mis en croix en ce jour même ; puis il tira de l'enfer tous ses amis. Bien sainte fut cette fin qui sauva les vivants et rappela les morts à la vie. Les juifs perfides, qu'on devrait tuer comme des chiens, firent leur malheur et notre grand bonheur quand ils le levèrent en croix ; ils se perdirent et nous sauvèrent. Aujourd'hui est le jour où tous ceux qui croient en Jésus-Christ doivent passer les heures dans la pénitence, c'est le jour où nul homme qui croit en Dieu ne peut aller en armes ni par champs ni par routes.

— Et d'où venez-vous donc ainsi ? dit Perceval.

— Sire, de chez un homme de bien, un saint ermite qui demeure en cette forêt. Il ne vit, telle est sa sainteté, que de la gloire du ciel.

— Et chez lui, seigneur, je vous en prie, qu'avez-vous fait ? Qu'avez-vous demandé et que cherchiez-vous ?

— Ce que nous demandions, sire ? dit l'une des dames. Des conseils pour notre salut. Nous avons confessé nos péchés, et c'est l'œuvre la plus haute où puisse se donner un chrétien qui veut se retirer en Dieu.

Perceval pleure à les entendre.

— J'aimerais parler à ce saint homme, s'écrie-t-il, si je savais le chemin de sa retraite.

— Sire, qui voudrait y aller, n'aurait qu'à suivre tout droit ce sentier qui coupe à travers les épais taillis du bois. C'est par là que nous sommes venus. Il n'y a qu'à se guider sur les nœuds de branchages que, comme autant d'enseignes, nous avons suspendus de lieu en lieu. Nul risque de s'égarer.

Alors ils se recommandent à Dieu et se séparent. Perceval entre au sentier, soupirant du profond de son cœur, parce qu'il se sent coupable envers Dieu et se repent. Tout en pleurs il s'en va par la forêt et, quand il arrive à l'ermitage, il met pied à terre, enlève son armure, attache son cheval à un charme et entre chez l'ermite.

Il le trouve en une petite chapelle, avec un prêtre et un clergeon, qui commençaient le plus haut et le plus doux service qui puisse être célébré en sainte église. Perceval tombe aussitôt à genoux, mais le saint homme, voyant sa tristesse et les pleurs qui baignent son visage, l'appelle à lui, et Perceval, qui craint fort d'avoir offensé Dieu, prend l'ermite par le pied et s'incline devant lui, puis, les mains jointes, le prie de l'aider de ses conseils, car il en a grand besoin. Le saint homme lui commande de dire sa confession.

— Sire, dit Perceval, il y a bien cinq ans que soudain je me sentis tout égaré en moi-même. Dès lors, je n'eus ni amour ni crainte de Dieu et ne fis rien que le mal.

— Ah ! bel ami, dit le prud'homme, dis-moi pourquoi tu en es venu là, et prie Dieu qu'il ait pitié de l'âme d'un pécheur qui tout de même lui appartient.

— Sire, je fus une fois chez le Roi Pêcheur et je vis la lance dont le fer saigne et la goutte de sang suspendue à la pointe, mais pour mon malheur je ne posai nulle question. Je vis le Graal aussi et négligeai de demander qui l'on en servait. J'en ai bien souffert depuis et j'aurais préféré la mort. J'oubliai le Seigneur, au point que, pas une fois dès lors, je n'implorai sa pitié, ni ne fis rien à mon escient par quoi j'eusse mérité cette pitié.

— Ah ! bel ami, dit le prud'homme, dis-moi quel est ton nom.

— Perceval, sire.

A ce mot le prud'homme, qui a bien reconnu le nom, soupire et dit :

— Frère, ton malheur est venu surtout d'un péché que tu ignores encore : c'est le chagrin que tu causas à ta mère, quand tu la quittas. Elle tomba pâmée à terre, à l'entrée du pont-levis devant la porte, et elle mourut de ce deuil. Pour le péché que tu en eus, il advint que tu ne t'enquis ni de la lance ni du Graal. Et de là bien des maux qui ont fondu sur toi. Tu n'aurais même pu y durer, si ta mère ne t'eût recommandé à Dieu. Mais sa prière eut telle vertu que Dieu, au lieu de détourner son regard de toi, t'a sauvé de la mort et de la prison. Le péché te trancha la langue, quand tu ne demandas pourquoi la lance que tu vis devant toi ne cessait de saigner, et ton sens t'abandonna quand tu négligeas d'apprendre qui l'on servait du Graal. Celui qu'on en sert, sache-le, est mon frère. Ma sœur et la sienne fut ta mère, et quant au riche Roi Pêcheur, il est, je crois, le fils de ce roi qui se fait servir dans le Graal. Ne crois pas qu'il ait sur sa table brochets, lamproies ou saumons : d'une seule hostie qu'on lui porte dans le Graal ce saint homme soutient sa vie. Le Graal est chose si sainte, et lui si pur esprit, qu'il ne faut à sa vie rien de plus que cette hostie qui vient dans ce vase. Il y a quinze ans qu'il est ainsi, sans jamais sortir de la chambre où tu vis entrer le Graal. Et maintenant, je vais t'enjoindre la pénitence que méritent tes péchés.

— Bel oncle, dit Perceval, je suis prêt de tout cœur à la recevoir. Et puisque ma mère fut votre sœur, vous devez bien m'appeler neveu, et moi je dois bien vous appeler oncle et vous en mieux aimer.

— C'est vrai, beau neveu, mais maintenant écoute. Si tu as pitié de ton âme, repens-toi en ton cœur, et pour pénitence va au moutier, plus volontiers qu'ailleurs, chaque jour : tu y profiteras. Qu'aucune excuse ne t'en détourne. Si tu es en lieu où il y ait moutier, chapelle ou église de paroisse, vas-y quand sonnera la cloche, ou plus tôt, si tu es levé. Tu ne t'en trouveras pas plus mal et ton âme s'en trouvera mieux. Si la messe est commencée, tu n'en recueilleras que plus de fruit au moutier. Restes-y jusqu'à ce que le prêtre ait terminé ses oraisons et ses chants. Si d'une ferme volonté tu suis mes conseils, tu peux encore te réformer, y gagner honneur, et paradis un jour. Crois en Dieu, aime Dieu, adore Dieu. Honore les bons, hommes ou femmes ; lève-toi devant le prêtre : c'est une politesse facile et qui plaît à Dieu, crois-le, parce qu'elle vient d'un cœur humble. Si une pucelle réclame ton aide, ou une dame veuve, ou une orpheline, accorde-leur ton aide : tu feras bien, car aux yeux de Dieu nul acte n'est plus méritoire. Voilà donc ce que je veux que tu fasses, si tu désires te laver de tes péchés et recouvrer toutes les vertus qui étaient les tiennes autrefois. Dis-moi si tu consens.

— Oui, et bien volontiers.

— Alors je te prie de rester avec moi céans deux jours entiers et, par manière de pénitence, de partager mes repas.

Perceval le lui accorde. Et l'ermite lui dit à l'oreille une oraison et la lui répète jusqu'à ce qu'il la sache. Bien des noms de Dieu y étaient inclus, il y avait parmi eux les plus grands, ceux que nulle bouche d'homme ne doit prononcer, si ce n'est en péril de mort. Aussi, quand il la lui eut apprise, il lui défendit de la dire, si ce n'était pour échapper à un bien grand danger.

— Je vous obéirai, sire, dit-il.

Il resta donc, entendit le service avec la joie la plus vive et après le service adora la croix et, pleurant sur ses péchés, se repentit amèrement de les avoir commis. Ainsi passa-t-il son temps dans le recueillement. Le soir il eut à son souper ce qu'il plut au saint ermite de mettre sur la table, rien que de pauvres herbes, cerfeuil, laitues et cresson, avec du pain d'orge et d'avoine, et pour boisson de l'eau claire de la fontaine. Son cheval eut de la paille et un plein bassin d'orge et fut pansé et établé comme il convenait.

Ainsi Perceval reconnut que Dieu reçut la mort au vendredi et fut crucifié. Le jour de Pâques il communia dignement.

Je me tairai de lui pour le moment, et vous m'aurez assez entendu conter de messire Gauvain avant que je revienne à Perceval.

XI

LA MAUVAISE PUCELLE.
GAUVAIN PERD SON CHEVAL

Quand messire Gauvain se fut échappé de la prison où les gens de la commune l'avaient assailli, il chevaucha tant qu'entre tierce et midi il arriva sur le penchant d'une colline où se dressait un grand chêne touffu et ombreux. A l'arbre étaient suspendus un écu et une lance toute droite. Au-delà du chêne, il aperçut un menu palefroi norrois et s'en émerveilla, car petit palefroi jure avec l'écu et la lance d'un chevalier. Si c'eût été un destrier, il eût cru qu'un vassal en quête d'aventures et de gloire avait gravi la colline. Alors, jetant un coup d'œil sous le chêne, il y vit assise sur le sol une pucelle qui avec un air de gaieté eût été fort belle et avenante. Mais de ses doigts crispés elle tentait d'arracher les cheveux de sa tresse, et elle menait grand deuil. Elle se désolait ainsi pour un chevalier à qui elle baisait fréquemment les yeux, le front et la bouche. Quand messire Gauvain s'approche, il voit le chevalier blessé : son visage est défiguré d'une large plaie, le crâne est entamé d'un coup d'épée, et de chacun de ses flancs le sang jaillit à flot. Plusieurs fois le chevalier s'est pâmé de douleur, et enfin il repose.

A le regarder messire Gauvain ne sait s'il est mort ou vif.

— Belle, dit-il, que pensez-vous du chevalier que vous tenez ?

— Sire, dit-elle, vous pouvez voir qu'il y a péril en ses plaies. La moindre causerait sa mort.

— Ma douce amie, éveillez-le, car je voudrais m'enquérir auprès de lui de ce qui se fait en cette terre.

— Sire, comment pourrais-je l'éveiller ? Je préférerais me laisser déchirer toute vive. Jamais d'un tel amour je n'ai chéri un homme ni ne chérirai. Quelle pauvre folle je serais, quand je vois qu'il dort et se repose, si je faisais quoi que ce soit dont il eût sujet de se plaindre ensuite.

— Par ma foi, dit messire Gauvain, c'est donc moi qui vais l'éveiller, si je peux.

Et retournant sa lance, du bout de la hampe il en effleure l'éperon du chevalier d'une main si experte et si légère qu'il ne lui fait aucun mal.

Le blessé le salue et lui dit :

— Sire, je vous remercie mille fois de m'avoir si gentiment éveillé que vous ne m'avez causé la plus légère douleur. Mais c'est pour vous que je crains. Ne poussez pas plus avant, je vous en prie, ce serait folie. Restez-en là, croyez-moi.

— Rester là, sire, et pourquoi ?

— Je vous le dirai, puisque vous le voulez. C'est ici la borne de Galvoie. Jamais chevalier qui la franchit ne put revenir. Au-delà s'étend un pays dur et cruel, peuplé de gens perfides. Nul qui s'y est aventuré ne s'en est échappé vivant, sauf moi, et en un tel état que je ne crois pas voir la nuit. J'ai trouvé sur mon chemin un chevalier preux et hardi, fort et fier : jamais je n'eus affaire à si hardi, jamais je ne me mesurai avec un plus fort. Suivez mon conseil : allez-vous-en, au lieu de descendre cette colline.

— Par ma foi, retourner ainsi ne serait pas beau. Je ne suis pas venu pour me donner du bon temps. Il faudrait me tenir pour bien vil et bien lâche si, ayant entrepris de passer, je tournais le dos. Non, non, j'irai de l'avant, ne serait-ce que pour voir pourquoi on ne revient pas de là-bas.

— Je sens bien que votre parti est pris. Vous irez donc, puisque la gloire vous tente. Et j'en profiterais volontiers pour vous adresser une prière. Si vous menez l'aventure à bonne fin, nul chevalier n'a eu cette chance jusqu'ici, mais enfin si par impossible quelqu'un devait s'en tirer et que ce fût vous, je vous demanderais de revenir par ici et de voir ce qu'il en sera de moi, si je suis mort ou vif. Si je suis mort, par charité chrétienne et au nom de la Sainte Trinité, je vous prie que vous ayez pitié de cette pucelle, que vous la protégiez de la honte et de la misère : car Dieu ne fit ni ne voulut faire femme plus loyale, plus généreuse, plus courtoise, ni mieux enseignée. Je crois qu'elle est bien affligée pour moi, et elle a raison, car elle me voit près de la mort.

Messire Gauvain lui accorde ce qu'il demande. S'il n'a l'excuse d'une prison ou d'un autre fâcheux contretemps, il reviendra s'enquérir de lui et il donnera a la pucelle tout l'appui qu'il pourra.

Il les quitte et poursuit son chemin par champs et par bois. Il voit enfin un château fort, de noble aspect et si riche que tous les trésors de Pavie eussent à peine pu le payer. D'un côté un port où flottaient des navires, de l'autre un vignoble et une belle forêt avec de plaisants sous-bois. En contrebas coulait la rivière, qui allait rejoindre la mer en longeant les murs, car une bonne muraille ceignait le château et le bourg.

Messire Gauvain passe un pont et entre au château ; arrivé en haut, au point le plus fort de la place, il aperçoit en un pré sous un orme une pucelle qui mirait son visage, d'une blancheur de neige. Un étroit cercle d'or couronnait ses cheveux. Messire Gauvain met son cheval à l'amble et l'éperonne.

— Doucement, sire, lui crie-t-elle, un peu de mesure ! Vous allez

trop vite : l'amble s'accommode mal d'une telle hâte. Et bien fou qui
se travaille là où il n'y a rien à gagner.
— Soyez bénie de Dieu, pucelle, dit messire Gauvain. Et dites-
moi, belle amie, quelle était votre idée : vous étiez bien pressée de
me crier « mesure », et vous ne saviez pourquoi.
— Au contraire, chevalier, je le savais fort bien, car je lisais dans
votre pensée.
— Et qu'y lisiez-vous ?
— Que vous vouliez me prendre et me porter en bas d'ici, sur le
col de votre cheval.
— Vous avez deviné juste, demoiselle.
— Vous voyez bien. Mais au diable qui se permit pareille pensée,
et toi, ne songe plus à me hisser sur ton cheval. Je ne suis pas de ces
follettes dont se divertissent les chevaliers et qu'ils juchent sur leur
monture, quand ils s'en vont à leur chevalerie. Moi, tu ne m'emporteras pas. Et pourtant, si tu en avais la vaillance, tu pourrais
m'emmener avec toi. Mais il faudrait s'en donner la peine, car tu
aurais premièrement à me ramener mon palefroi du fond de ce jardin qui est là-bas. Et alors je m'en irais avec toi, jusqu'à ce que malheur et ennui, chagrin et deuil et affliction t'accueillent en ma
compagnie.
— Pas d'autre condition requise que du courage, belle amie ?
— Pas d'autre, à mon avis.
— Ah mais ! Et mon cheval, demoiselle, où le laisser, si j'y vais ?
Car de passer avec lui cette planche que je vois là-bas, nul moyen.
— Certes non, sire. Mais donnez-le-moi, et vous passerez à pied.
Je garderai votre cheval, tant qu'il me sera possible. Mais hâtez-
vous, car je n'en pourrais mais, s'il refusait de se tenir tranquille et
m'échappait, ou s'il m'était enlevé avant votre retour.
— Vous dites vrai. Eh bien ! si on vous le prend, soyez-en quitte,
et s'il vous échappe, soyez-en quitte aussi : vous ne m'entendrez pas
vous le reprocher d'un mot.
Il lui tend la bride de son cheval et s'en va, non sans se munir de
toutes ses armes, en cas qu'il trouve au verger quelque malintentionné qui veuille retenir le cheval : alors il se peut qu'il ait à faire
bruire son épée, mais il aura le palefroi ! Il passe la planche et voit
un grand amas de gens qui le regardent et s'écrient tout d'une voix :
— Ah ! puisse le feu d'enfer te consumer, pucelle qui as fait tant
de mal ! Maudite sois-tu, toi qui jamais ne pus aimer prud'homme et
qui, hélas ! à maint bon chevalier as fait trancher la tête ! Chevalier
qui veux emmener le palefroi, que ne sais-tu les maux qui t'attendent, si tu y mets la main ? Ah ! chevalier, pourquoi t'approches-
tu ? Certes tu ne le toucherais, si tu savais les grands maux et les
peines cruelles qui t'adviendront, si tu l'emmènes.

Ainsi disaient tous et toutes, dans l'espoir qu'il renoncerait à son dessein et partirait sans le palefroi. Il les entend bien, mais ne se laissera pas effrayer. Il va toujours, saluant tous les groupes, et tous lui rendent son salut, comme s'ils voulaient témoigner par là leur angoisse et leur détresse.

Il arrive enfin au palefroi et s'apprête à le saisir au frein, car la bête était bridée et sellée, quand un grand chevalier, assis sous un olivier verdoyant, lui crie :

— Chevalier, tu fais œuvre vaine ; laisse le palefroi ; même d'y tendre le bout du doigt, ce serait présomption de ta part. Pourtant je ne veux pas te le disputer, si tu as bonne envie de le prendre. Mais je te conseille plutôt de t'en aller, car si tu t'en empares, tu trouveras ailleurs la route assez bien barrée.

— Voilà qui ne me retiendra pas, beau sire, dit messire Gauvain, car la pucelle qui se mire là-haut sous cet arbre m'envoie en cette quête, et si je ne lui ramenais son palefroi, que serais-je venu quérir ici ? Je serais honni en toutes terres comme un couard et un pleutre.

— Oui, mais, beau frère, dit le grand chevalier, comment l'aventure finira-t-elle ? Car, par Dieu le père souverain à qui je voudrais rendre mon âme un jour, je ne vis jamais chevalier lui mettre la main à la bride pour l'emmener, comme tu fais, qu'il n'eût à payer sa folie de sa tête. C'est la triste fin que je redoute pour toi. Et si j'ai eu l'air de te crier halte, je n'y entendais nulle malice. Emmène le palefroi, si tu veux ; il n'est personne ici qui songe à s'y opposer. Mais si tu oses t'en aller avec lui, tu t'engages sur une voie où t'attendent tous les dangers. Regardes-y à deux fois, car c'est ta tête que tu risques.

Messire Gauvain sans répondre pousse devant lui le palefroi, dont la tête était mi-partie blanche mi-partie noire, et lui fait passer la planche : il la franchit aisément, en bête qui connaît les lieux et a traversé bien des fois déjà. Messire Gauvain le prend par ses rênes de soie et vient droit à l'arbre où la pucelle se mirait. Elle avait laissé glisser à terre son manteau et sa guimpe, pour qu'on pût mieux voir sa face et son corps. Messire Gauvain lui présente le palefroi tout sellé et lui dit :

— Venez çà, pucelle, je vous aiderai à monter.

— Non, dit-elle. Puisse Dieu ne te laisser jamais conter en nul lieu où tu viendras que tu m'aies tenue en tes bras ! Si de ta main nue tu avais touché chose qui fût sur moi, et n'eusses-tu même fait que m'effleurer, je croirais être honnie. Le sort serait pour moi trop cruel, s'il était rapporté ou su que tu eusses touché mon corps. J'aimerais mieux qu'en cet endroit même on me tranchât le cuir et la chair jusqu'à l'os. Laisse-moi ce palefroi, et vite. Je monterai bien toute seule, et n'ai nul besoin de ton aide. Je prie Dieu qu'il me donne aujourd'hui de te voir dans l'état que je te souhaite, et quelle

joie j'en aurais ! Va où tu voudras, mais ni à mon corps ni à mes
vêtements tu ne toucheras de plus près. Je te suis fidèlement, jusqu'à
l'heure où fondront sur toi, et par mon fait, le malheur et la honte.
Et je serai là, n'en doute pas, pour jouir de ta déconvenue. Tu ne
peux y échapper, non plus qu'à la mort.

Messire Gauvain écoute ces insultes, sans un mot. Il lui donne son
palefroi et reprend son cheval. Puis il se baisse pour ramasser le
manteau et le lui mettre. La demoiselle, toujours prompte et hardie
à outrager un chevalier, lui lance un regard et dit :

— Vassal, que t'importent mon manteau ou ma guimpe ? Je ne
suis pas si sotte de moitié que tu crois. Je ne désire nullement que tu
te mêles de me servir. Tes mains ne sont pas assez nettes pour tenir
quoi que ce soit qui vête mon corps ou entoure ma tête, ou qui
touche à mes yeux, à mes lèvres, à mon front, à mon visage : il ferait
beau voir pareille impudence. Ne plaise à Dieu le fils que jamais il
me prenne envie de recourir à tes services !

La pucelle monte à cheval, noue sa guimpe et s'enveloppe de son
manteau, puis elle s'écrie :

— Et maintenant, chevalier, allez où vous voudrez. Je m'attache
à vos pas et ne vous quitterai avant d'avoir vu votre honte. J'en serai
la cause, et ce sera avant la nuit, s'il plaît à Dieu.

Messire Gauvain se tait et se met en selle tout confus. Ils s'en
vont. Tête basse, il chevauche vers le chêne où il a laissé la pucelle et
le chevalier qui aurait si grand besoin d'un médecin. Messire Gauvain était lui-même expert dans l'art de guérir les plaies : il s'y
connaissait mieux que nul autre. Il voit dans une haie une herbe très
bonne pour calmer la douleur d'une blessure et il va la cueillir. Il a
tant chevauché qu'il aperçoit enfin la pucelle qui toujours menait son
deuil. Dès qu'il la vit, elle lui dit :

— Beau sire, je crois bien que le chevalier est mort : il n'entend
plus rien.

Messire Gauvain descend et trouve qu'il avait le pouls très vif et
les lèvres et la joue pas trop froides.

— Ce chevalier, dit-il, vit encore, pucelle. Soyez-en sûre, car il a
bon pouls et bonne haleine. S'il n'a pas de blessure mortelle, je lui
apporte une herbe qui aussitôt sentie, le soulagera, je crois, et cal-
mera en partie la douleur de ses plaies. Il n'y a pas de meilleure
herbe en pareil cas, nous disent les livres : mise sur l'écorce d'un
arbre malade mais non entièrement desséché, elle ferait reprendre la
racine, et si bien que l'arbre pourrait pousser des feuilles et fleurir
comme devant. Votre ami, ma demoiselle, n'aurait pas à craindre la
mort, si on lui posait cette herbe sur ses plaies ; mais pour la faire
tenir, il faudrait la lier avec une guimpe très fine.

— Je vais vous donner la mienne, s'écrie la pucelle qui n'hésite
pas, celle que j'ai sur ma tête, car je n'en ai pas d'autre.

Elle ôte sa blanche et délicate guimpe et la lui tend. Messire Gauvain la découpe tant bien que mal et en fait des bandes dont il se sert ensuite pour appliquer un pansement d'herbe sur toutes les plaies. La pucelle l'aide de son mieux.

Messire Gauvain ne bouge plus et attend. Enfin le chevalier soupire.

— Puisse Dieu, dit-il, récompenser qui m'a rendu la parole ! Car j'ai eu grand-peur de mourir sans confession. Déjà les diables en cortège étaient venus guetter mon âme. Avant que mon corps soit mis en terre, je voudrais bien être confès. Je sais un chapelain non loin d'ici, si j'avais une monture, je lui irais conter mes péchés et recevoir la communion, après quoi je ne redouterais plus la mort. Rendez-moi un service : s'il ne vous déplaît, donnez-moi le roncin de cet écuyer qui arrive au trot.

Messire Gauvain se retourne et voit venir un écuyer d'aspect peu engageant. Ses cheveux roux étaient emmêlés, raides et hérissés comme les soies d'un porc, les sourcils pareils, qui lui couvraient le visage et le nez jusqu'aux moustaches, qu'il avait longues et entortillées ; pour le reste, bouche largement fendue, barbe épaisse, fourchue et frisée, la tête entre les épaules et la poitrine saillante.

Messire Gauvain décide d'aller lui demander s'il peut avoir son cheval, mais auparavant il dit au chevalier :

— Sire, pour Dieu, je ne sais qui est l'écuyer, mais je vous donnerais plutôt sept destriers, si je les avais, que son cheval, quel qu'il soit.

— Sire, sachez bien qu'il n'en veut qu'à vous et vous nuira, s'il le peut.

Messire Gauvain se tourne alors vers l'écuyer :

— Où allez-vous ? demande-t-il.

L'autre, un vrai brutal, répond :

— Vassal, qu'as-tu affaire de savoir où je vais, ni d'où je viens, ni par où je passe ? Va-t'en à la male heure.

Messire Gauvain lui rend à l'instant la monnaie de sa pièce. De sa paume grande ouverte il lui donne une bourrade ; comme son bras est armé et qu'il a grande envie de frapper fort, le coup est rude : l'écuyer bascule et vide la selle, il veut se relever, chancelle, et retombe. Il se pâme neuf fois ou plus, et quand il réussit à se remettre sur pied :

— Vassal, dit-il, vous m'avez frappé.

— C'est vrai, je t'ai frappé, et sans te faire beaucoup de mal. Toutefois je m'en repens, mais tu m'as dit de telles sottises...

— Eh bien ! je vous dirai encore le prix que vous aurez à payer pour m'avoir ainsi malmené. Vous perdrez le poing et le bras dont vous m'avez donné le coup. Ne comptez pas vous en tirer à moins.

A ce moment le chevalier, dont la tête s'était troublée, recouvre la parole et dit à messire Gauvain :

— Laissez cet écuyer, beau sire, vous n'aurez de lui rien qui soit à votre honneur. Tournez-lui le dos, c'est la bonne façon. Mais amenez-moi son roncin, puis prenez soin de la pucelle que vous voyez près de moi, sanglez son palefroi et aidez-lui à monter. Je ne veux plus rester ici, mais m'en irai, si je peux, sur le roncin : je n'aurai pas de cesse que je ne sois confès, communié et oint des saintes huiles.

Messire Gauvain saisit le roncin et le remet au chevalier dont la vue vient de s'éclaircir et qui alors seulement voit son sauveur et le reconnaît. Messire Gauvain prend la demoiselle et, en galant et courtois chevalier, la met sur le palefroi norrois. Tandis qu'il est ainsi occupé, le chevalier s'empare de son cheval et, sautant en selle, le fait bondir çà et là par le terrain. Messire Gauvain ébahi le voit galoper par la colline et part d'un éclat de rire, mais tout en riant il lui dit :

— Sire chevalier, sur ma foi, c'est une grande folie de faire caracoler mon cheval de la sorte. Descendez et donnez-le-moi. Il pourrait vous en cuire assez vite, si vos plaies crevaient.

— Gauvain, plus un mot, crie le chevalier. Prends le roncin et estime-toi heureux. Quant au cheval, n'y compte plus. Je le retiens pour mon service. Désormais il est à moi.

— Comment ! Moi qui suis venu ici pour ton bien, et c'est le retour que j'en ai ! Écoute ! N'emmène pas mon cheval, ce serait trahison.

— Gauvain, je te déteste tant que, quoi qu'il m'en dût advenir, je voudrais te tirer le cœur hors du ventre et le tenir entre mes deux mains.

— Ah ! dit monseigneur Gauvain, le vieux proverbe est toujours vrai : « Oignez vilain, il vous poindra. » Mais j'aimerais tout de même savoir pourquoi tu voudrais tenir mon cœur et pourquoi tu m'as volé mon cheval. Je ne songeais pas à te faire du mal, ni n'y ai songé de ma vie. Comment ai-je pu mériter une pareille indignité ? Je ne t'ai jamais vu, que je sache.

— Tu te trompes, Gauvain. Tu m'as vu déjà, en un lieu où tu me fis grand-honte. As-tu oublié celui que tu as forcé tout un mois à manger avec les chiens, les mains liées derrière le dos ? Grande sottise de ta part, sache-le, et qui explique ta honte de maintenant.

— Est-ce donc toi, Greorras, qui pris la demoiselle par force et en fis ta volonté ? Pourtant, tu savais bien qu'en la terre du roi Arthur les pucelles peuvent aller librement et sans crainte par le pays, sous la sauvegarde du roi lui-même. Non, je ne puis croire que tu m'en veuilles pour cela, ni que tu cherches à me nuire ; car je n'ai agi que par respect pour la droite justice qui a été établie par toute la terre du roi.

— La justice, Gauvain ? C'est toi qui t'es chargé de faire justice en mon cas, je ne l'ai pas oublié. En retour, il faut te résigner à souffrir la peine que je t'infligerai : j'emmène le Gringalet, ne pouvant tirer d'autre vengeance pour le moment. En échange, tu auras le roncin de l'écuyer : tu ne peux espérer mieux.

Là-dessus Greorras le quitte et s'élance après son amie qui s'en va à toute allure.

Et la mauvaise pucelle rit et dit à messire Gauvain :

— Eh bien ! vassal, qu'allez-vous faire ? Certes, fol musard n'est pas mort : vous en êtes la preuve. Je sais bien que j'ai tort de vous suivre, mais allez où vous voudrez, toujours vous m'aurez à vos trousses. Et plût au ciel que le roncin que vous avez volé fût une jument ! Ce serait tout plaisir pour moi, sachez-le, car votre honte en serait pire.

Messire Gauvain enfourche le roncin, en homme qui n'a pas d'autre choix. La bête était bien laide : le col grêle, la tête grosse, larges oreilles flasques, et de vieillesse les dents telles qu'il s'en fallait de deux doigts qu'une lèvre ne touchât l'autre, les yeux troubles, les paturons glanduleux, les flancs durs et labourés par l'éperon, maigre croupe et longue échine, les rênes et la têtière du frein d'une mince corde, point de couverture sur une selle antique, les étriers si longs et si faibles qu'il n'ose s'y dresser.

— Ah ! certes, dit la moqueuse, tout est pour le mieux à l'heure qu'il est. Ce sera une joie d'aller partout où vous me mènerez. Je vous suivrai de grand cœur, et c'est bien juste, huit jours ou quinze jours bien comptés, ou même trois semaines ou un mois. Vous voilà enfin richement équipé : votre destrier est si fringant, et vous avez si bien la mine d'un vaillant chevalier qui s'apprête à conduire une pucelle ! Moi, je vais me donner du bon temps à voir vos belles aventures. Faites sentir un peu l'éperon à votre fier coursier, donnez-lui du champ et soyez sans crainte, car il dévore l'espace. Je vous suivrai, comme il est convenu, je ne vous quitterai, vous le savez, que quand je vous aurai vu honnir, et je n'attendrai pas en vain.

— Belle amie, vous direz ce qu'il vous plaira. Mais il ne convient pas qu'une demoiselle parle si méchamment d'autrui, dès qu'elle a passé dix ans. Elle doit être bien enseignée, courtoise et affable en ses manières.

— Chevalier, je n'ai cure de vos leçons. Taisez-vous et allez. Vous le pouvez aisément en cet équipage, qui est celui que je vous souhaitais.

XII

GAUVAIN CHEZ LE NAUTONIER

Ils chevauchent jusqu'au soir sans échanger un mot, messire Gauvain en tête, la pucelle derrière lui. Il ne sait que faire de son roncin, il voudrait le lancer en avant, le mettre au galop ; peine perdue, bon gré mal gré, il lui faut aller au pas. Pourtant, à force de piquer de l'éperon, il parvient à le mettre au trot, mais c'est un trot bien dur, qui lui secoue les entrailles à tel point qu'il est enfin tout content de lui laisser reprendre le pas. Ainsi s'en va-t-il sur ce mauvais roncin par les forêts solitaires, par les landes, tant qu'il arrive devant une profonde rivière, si large que mangonneau ni perrière ne pourraient jeter une pierre au-delà et qu'arbalète ne saurait atteindre à l'autre bord. De l'autre côté, sur la falaise, s'élève un château si fort, si bien disposé et si riche que jamais œil d'homme ne vit le semblable.

En un palais de marbre gris bâti sur la roche six cents fenêtres grandes ouvertes laissent voir une multitude de dames et de demoiselles qui regardent les prés et les vergers fleuris, les unes vêtues de samit, les autres dans des bliauts multicolores et des robes de soie brochées d'or. De dehors on apercevait par les fenêtres leur beau corps depuis la taille jusqu'à l'or de leur chevelure.

La plus perfide créature du monde, que menait messire Gauvain, vient tout droit à la rivière, puis s'arrête et descend du petit palefroi tacheté. Sur la rive elle trouve une nef fermée à clef et amarrée à un perron ; dans la nef il y avait un aviron et sur le perron la clef de la nef. La demoiselle au cœur félon entre en la nef, et après elle son palefroi, qui y avait passé bien souvent.

— Vassal, crie-t-elle, descendez et entrez après moi, avec votre maigriot de roncin. Puis désancrez la barque, car vous en verrez de cruelles, si vous ne traversez aussitôt : seule une fuite rapide peut vous sauver.

— Moi fuir, demoiselle, et pourquoi ?

— Ne voyez-vous pas ce que je vois ? Si vous le voyiez, vous seriez déjà loin.

Messire Gauvain se tourne et voit un chevalier qui vient par la lande, tout armé.

— Pucelle, ne vous en déplaise, qui est celui-là ? Je reconnais son cheval, c'est le mien, que me déroba mon traître de ce matin.

Et, toute joyeuse, la pucelle s'écrie :

— Par saint Martin, tu vas le savoir. Mais sache que je ne t'en dirais mot, si j'y voyais ton bien. Toutefois, comme je suis sûre qu'il vient pour ton malheur, je ne t'en ferai pas mystère. C'est le neveu de Greorras, qui est envoyé après toi. Et je te dirai aussi pourquoi. Son oncle lui a commandé de te suivre, de te tuer et de lui rapporter ta tête. Ainsi donc, si tu ne veux attendre la mort, suis mon conseil : descends, entre en cette nef et fuis.

— Non, demoiselle, cet homme ne me fera pas fuir : je l'attends.

— Soit, je ne te le répéterai plus. Mais quel beau temps de galop tu vas fournir devant ces belles et gentes pucelles que tu vois là-bas, accoudées aux fenêtres. Par toi leur demeure leur semble s'illuminer, pour toi elles y sont venues. Quel divertissement pour elles, quand elles te verront trébucher ! Et tu as bien l'air d'un vaillant chevalier, prêt pour la joute et résolu à te vendre chèrement.

— Pucelle, vous ne me verrez pas faiblir. Je vais à lui, et quelle joie si je peux recouvrer mon cheval !

Aussitôt il regarde vers la lande et tourne la tête de son cheval vers celui qui par la grève arrivait, piquant des deux. Messire Gauvain le voit venir et se dresse sur ses étriers d'une telle force qu'il rompt tout net l'étrier gauche et doit vider le droit. En cette posture il attend le chevalier, car les coups d'éperon n'y font rien, la bête ne bouge d'un pas.

— Ah ! Dieu, dit-il, qu'un chevalier se sent mal à l'aise quand il doit s'escrimer de ses armes, monté sur un roncin.

Cependant l'autre a un cheval qui ne cloche pas, il fond sur lui et lui donne un tel coup de sa lance qu'elle plie et se rompt et que le fer reste dans l'écu. Et messire Gauvain de son côté assène sa lance sur le haut de l'écu de son adversaire, le perce d'outre en outre, fausse le haubert et abat l'homme sur le sable. Puis il tend la main, retient le cheval et saute en selle. L'aventure lui semble si belle que jamais de toute sa vie il ne ressentit pareille joie.

Il retourne à la pucelle qu'il avait amenée : ni pucelle ni nef. Tandis qu'il s'afflige de l'avoir perdue, il voit aborder au port une nacelle qui venait du château. Le nautonier lui dit :

— Sire, je vous apporte le salut des demoiselles, qui en plus vous mandent que vous vous gardiez de me priver de mon fief. Daignez me rendre mon dû, je vous prie.

— Que Dieu bénisse toute la compagnie des demoiselles et toi ensuite ! Je ne veux te retrancher aucun de tes droits, ni te faire perdre une seule parcelle de ton bien. Mais de quel fief entends-tu parler ?

— Sire, vous avez abattu à ce port un chevalier dont je dois avoir le destrier. Si vous ne voulez me faire tort, le destrier est à moi, telle est la coutume, tel est mon fief.

— Ami, il me serait pénible d'en passer par où tu veux, car il me faudrait m'en aller à pied.

— Comment, chevalier, est-ce là votre dernier mot ? Dès maintenant, sachez-le, les pucelles que vous voyez vous tiennent pour déloyal et s'indignent de votre conduite. Jamais encore il n'advint que chevalier fût abattu en ce port, à ma connaissance, sans que j'eusse son cheval, et si je n'avais le cheval, le chevalier du moins me restait.

— Oh ! pour cela, dit Gauvain, je n'y contredis pas. Ami, prenez le chevalier et gardez-le : il n'est pas encore en trop mauvais point.

— Non ? dit le nautonier. Vous seriez peut-être en peine de vous emparer de lui, si vous osiez vous y risquer. Pourtant, si vous vous en sentez le courage, allez le prendre et amenez-le-moi. A cette condition, je vous tiens quitte du reste.

— Ami, si je mets pied à terre, pourrai-je confier mon cheval à ta garde et être sûr que tu me le rendras ?

— Oui, répond-il, soyez-en tout assuré. Je le garderai fidèlement et vous le remettrai de grand cœur. Je vous en donne ma parole.

— Eh bien ! le voici. Je m'en rapporte à ta bonne foi.

Et messire Gauvain saute à terre et s'en va, l'épée nue, requérir à la bataille un homme qu'une blessure au côté et la perte de beaucoup de sang ne préparaient guère à d'autres efforts. Messire Gauvain fait mine de lui pousser une pointe.

— Ah ! sire, crie-t-il, tout effrayé, je suis durement blessé et, je ne vous le cache pas, ce n'est pas l'heure pour moi de courir au-devant de nouvelles blessures. Je me remets en votre merci.

— Levez-vous donc.

Il se lève à force de peine, et messire Gauvain l'emmène au nautonier, qui l'en remercie. Messire Gauvain demande à celui-ci qu'il lui dise, s'il le sait, où est allée une pucelle qu'il avait amenée là.

— Sire, quelque part qu'elle soit allée, ne vous en souciez pas. Ne l'appelez pas « pucelle », c'est une créature pire que Satan. Elle a fait trancher la tête à bien des chevaliers en ce port même. Mais, si vous voulez m'en croire, venez héberger dans un hôtel modeste, mais c'est le mien, et je vous l'offre. Il n'est pas prudent de demeurer ici, c'est une terre sauvage où abondent de déplaisantes merveilles.

— Ami, puisque tel est votre avis, je m'y tiens, quoi qu'il m'en doive advenir.

Il entre dans la nacelle ainsi que son cheval et leur guide les mène à l'autre bord. Près de l'eau était l'hôtel du nautonier, si plaisant et si bien disposé qu'un comte eût pu y descendre. Le nautonier, qui se réjouit fort de l'aventure, fait entrer chez lui son hôte et son prisonnier. Tout ce qu'un prud'homme peut désirer, messire Gauvain s'en voit servi. A souper on lui apporte pluviers, faisans, perdrix et venaison, le tout arrosé de fort et clair vin blanc et vermeil, nouveau et vieux. Le marinier, qui voit à ses côtés son hôte et son prisonnier, en est dans l'allégresse. Le repas fini, on leur ôte la table et ils lavent leurs mains. Le soir est venu : messire Gauvain, charmé des prévenances du nautonier, conclut qu'il n'aurait pu souhaiter hôte et hôtel plus à son gré.

XIII
LE LIT DE LA MERVEILLE.
LA REINE AUX BLANCHES TRESSES

Le lendemain, dès la pointe du jour, il est debout, selon son habitude, et pour lui faire honneur le nautonier se lève aussi. Tous deux s'accoudent à la fenêtre d'une tourelle. Messire Gauvain regarde le pays, qui était fort beau : il voit les forêts, la plaine et le château qui se dresse sur la falaise.

— Hôte, dit-il, s'il ne vous déplaît, je veux vous demander qui est sire de cette terre et de ce château.

— Sire, je ne sais.

— Vous ne savez ? Étrange réponse ! Car enfin vous êtes un serviteur de ce château, vous en tirez de bonnes rentes, et vous ne savez qui en est sire ?

— Je puis vous assurer que je ne le sais, ni ne le sus jamais.

— Bel hôte, dites-moi donc qui garde et défend le château.

— Cinq cents arbalètes, toujours prêtes à décocher leurs traits. A la moindre alerte, elles tireraient, sans arrêt et sans se lasser jamais, tant elles sont subtilement agencées. Je vous dirai aussi qu'au château il y a une très noble et très sage reine, de bien haut lignage. Elle vint jadis, avec tout son trésor, son or et son argent, demeurer en ce pays, et c'est elle qui a fait construire le fort manoir que vous voyez. Elle amena avec elle une dame qu'elle chérit et qu'elle appelle reine et fille, et celle-ci à son tour a une fille qui ne déshonore en rien son lignage : je ne crois pas qu'il y ait sous le ciel plus belle ni mieux apprise. La salle est bien protégée, par art et par enchantement. Un sage clerc, versé en la science des astres, qui vint avec la reine, a doté ce grand palais de merveilleux et redoutables privilèges, tels que jamais vous n'entendîtes parler de semblables. Nul chevalier n'y peut rester vivant une heure, s'il est couard, médisant ou avide ; lâches ni traîtres n'y peuvent durer, ni déloyaux ni parjures : ils meurent aussitôt, tous autant qu'ils sont. Mais il y a au château une foule de valets, venus de maintes terres, qui servent là pour apprendre le métier des armes. Ils sont bien cinq cents, les uns barbus, les autres non : cent qui n'ont ni barbe ni moustache, cent dont la barbe commence à poindre, cent qui se rasent chaque semaine, cent qui sont plus blancs que laine, et cent dont la barbe est grise. Il y a aussi des dames âgées, qui n'ont plus ni mari ni seigneur : la mort leur a enlevé leur mari, et l'injustice les a dépouillées de leur héritage, quand leur défenseur a disparu. Il y a enfin des demoiselles orphelines que les reines gardent auprès d'elles et traitent avec honneur. Ces gens vont et viennent par le château, soutenus d'une folle et irréalisable espérance. Ils attendent un chevalier qui donne un mari aux pucelles, rende aux dames leurs fiefs, et des valets fasse des chevaliers. Mais la mer sera changée toute en glace avant que se trouve un chevalier capable d'accomplir de tels vœux et d'abord de se maintenir au palais. Car il faudrait qu'il fût sage de tout point, large, sans convoitise, beau et franc, hardi et loyal, sans vilenie et sans vice. Un tel homme, s'il venait, pourrait tenir le palais et il saurait rendre aux dames leurs terres, ramener la paix dans maint pays, marier les pucelles et adouber les valets. Enfin, il ferait cesser les enchantements du palais.

Ces nouvelles plurent fort à messire Gauvain.

— Hôte, dit-il, descendons et faites-moi préparer à l'instant mes armes et mon cheval. Je ne veux pas rester ici un moment de plus.

— Sire, où irez-vous donc ? Passez encore en mon hôtel aujourd'hui, et demain, et même les jours d'après.

— Hôte, il n'en peut être question à l'heure qu'il est. Béni soit votre hôtel, mais je m'en irai voir ce que font ces dames et ce qu'il en est de ces merveilles.

— Ah ! sire, ne dites pas cela. S'il plaît à Dieu, vous ne ferez pas cette folie. Croyez-moi et restez ici.

— Hôte, vous me tenez pour un couard qui se déclare battu d'avance. Puisse Dieu m'abandonner si je demande ou accepte ici un seul conseil !

— Par ma foi, sire, je me tairai donc, car je vois bien que j'y perds ma peine. Puisqu'il vous plaît tant d'y aller, allez-y donc. Je m'en attriste, mais il est juste que je vous y conduise : nul autre guide, sachez-le, ne saurait vous faire parvenir jusque-là. Toutefois je veux un don de vous.

— Hôte, quel don, je le veux savoir ?

— Pas avant que vous me l'ayez accordé.

— Bel hôte, il en sera ainsi que vous le désirez, pourvu que mon honneur reste sauf.

Il s'arme, monte à cheval et s'en va, suivi du nautonier, sur son palefroi, qui le conduira en toute bonne foi, quoique vers un lieu où il ne le mène qu'à contrecœur. Les voici arrivés au pied du degré par où on accède au palais.

Ils voient là, assis tout seul sur un faisceau de joncs, un homme qui n'avait qu'une jambe : l'autre était d'argent tout doré, rehaussé de distance en distance par des cercles d'or pur et des rangées de pierres précieuses. Ses mains ne restaient pas inactives, car il tenait un canif et appointait un petit bâton de frêne. Pas une parole de lui aux deux qui arrivent, et ils ne lui disent rien non plus. Le nautonier tire à lui messire Gauvain et tout bas :

— Sire, dit-il, que vous semble de cet échassier ?

— Ma foi, il a une fausse jambe qui n'est pas en bois de sapin. Tout cela me plaît fort.

— Ah ! il n'est pas pauvre, l'homme à la jambe : il a de belles et bonnes rentes. Mais, sire, sachez que si vous n'étiez en ma compagnie et sous ma sauvegarde, vous entendriez déjà des nouvelles qui ne vous causeraient nul plaisir.

Ils montent jusqu'à l'entrée du palais. Les portes sont riches et belles, les gonds et les anneaux des verrous sont d'or fin, l'un des battants est d'ivoire finement ciselé, l'autre d'ébène d'un beau travail, et chaque battant est enluminé d'or et de pierres précieuses. Le pavé de la salle était d'une mosaïque bien polie et décorée des couleurs les plus variées, où se détachent le vert, le vermeil, l'inde et le pers.

Au milieu, un lit où le bois n'apparaît pas ; rien qui ne soit d'or, sauf les cordes qui sont d'argent. Sachez que je ne vous conte pas de fables. A chacun des entrelacs était suspendue une clochette. Le lit était recouvert d'une large courtepointe de samit. Chaque pied portait une escarboucle enchâssée : quatre cierges tout flambants n'auraient pas jeté une clarté plus vive. Le lit reposait sur quatre grimaçantes figures de chiens, et les chiens eux-mêmes étaient montés sur quatre roulettes, si légères et si mobiles que, qui eût poussé le lit du bout du doigt seulement, il fût allé d'un côté à l'autre de la salle. Certes, ni roi ni comte n'eurent ni n'auront jamais lit qui vaille celui-là.

Le palais est à l'avenant. Les murs sont de marbre drapé de riches tentures de soie. Au-dessus, des verrières, si claires que, qui s'en fût pris garde, eût vu au travers tous ceux qui entraient au palais et franchissaient la porte. Le verre était teint des plus belles couleurs et des plus plaisantes qu'on pût imaginer. Et je suis loin de tout vous dire. Dans le palais, quatre cents fenêtres étaient closes et cent ouvertes. Messire Gauvain regarde de tous ses yeux. Quand il eut bien tout admiré, il appela le nautonier et lui dit :

— Bel hôte, je ne vois dans ce palais rien qui puisse effrayer, rien qui fasse hésiter à y entrer. Qu'entendiez-vous, quand vous me pressiez si fort de ne pas m'y risquer ? Je vais m'asseoir sur ce lit et m'y reposer un instant, car je n'en ai jamais vu de si richement paré.

— Ah ! beau sire, Dieu vous garde d'en approcher : vous mourriez de la pire mort dont jamais mourut chevalier.

— Vraiment, hôte ? Et que ferai-je donc ?

— Ce que vous ferez, sire, je vous le dirai, puisque je vous vois un peu plus disposé à conserver votre vie. Quand vous fûtes sur le point de venir ici, je vous demandai un don en mon hôtel, mais vous ne sûtes lequel. Eh bien ! ce don, le voici : c'est que vous retourniez en votre terre, où vous pourrez conter à vos amis et aux gens de votre pays que vous avez vu un palais si riche que vous n'en savez aucun qui y ressemble et tel que nul autre non plus n'en connaît un pareil.

— Je conterai donc par là même que Dieu me hait et que je suis honni. Pourtant, hôte, il me semble que vous le dites pour mon bien. Mais je ne vais pas moins m'asseoir sur le lit, et je suis résolu à revoir les pucelles que j'aperçus hier soir, accoudées à ces fenêtres.

Le nautonier recule pour mieux fuir et dit :

— Sire, vous ne verrez pas une des pucelles dont vous parlez. Croyez-moi, partez comme vous êtes venu. Inutile de chercher à voir, vous ne le pourrez pas. Mais les compagnes des reines, les dames et les demoiselles qui se tiennent dans leurs chambres, vous voient très bien par leurs fenêtres.

— Par ma foi, dit messire Gauvain, si je ne vois les pucelles, du moins je m'assiérai sur le lit, car je ne peux croire qu'il ait été fait sinon pour que gentilhomme ou haute dame puisse s'y étendre, et sur mon âme je vais m'y prélasser, quoi qu'il m'en doive advenir.

Le nautonier voit qu'il n'y peut rien et cesse ses instances. Mais il n'assistera pas à un pareil défi.

— Sire, dit-il, quel regret et quelle douleur j'ai de votre mort ! Vous ne pouvez l'éviter : jamais chevalier ne s'assit en ce lit qu'il ne lui fallût mourir. C'est le Lit de la Merveille, où nul ne dort ni ne repose ni ne s'assoit qui puisse se lever ensuite et vivre. C'est grand dommage que de votre perte. Vous y laisserez votre tête en gage, et nulle faculté de rachat. Puisque rien ne peut vous éloigner d'ici, ni appel à votre affection ni reproches, je supplie Dieu qu'il ait pitié de votre âme. Mon cœur ne pourrait souffrir que je vous visse mourir.

Il sort du palais, et messire Gauvain va s'asseoir au lit, tout armé et l'écu au col. A l'instant monte des cordes une grande clameur et toutes les sonnettes tintent. Le palais tout entier retentit du bruit et toutes les fenêtres s'ouvrent : les merveilles apparaissent et les enchantements entrent en jeu. Par les fenêtres s'abat une pluie de flèches et de carreaux d'arbalète. Un grand nombre viennent frapper l'écu de messire Gauvain, mais il ne sait qui les lance. L'enchantement était tel que nul homme ne pouvait voir d'où venaient les traits ni qui les tirait. Et on peut bien s'imaginer le fracas que faisaient en se détendant arcs et arbalètes.

Messire Gauvain eût volontiers donné mille marcs pour être ailleurs. Mais après un peu de temps les fenêtres se refermèrent d'elles-mêmes, et messire Gauvain ôta les carreaux qui avaient frappé son écu et l'avaient blessé en maintes parties de son corps, si bien que le sang en jaillissait. Il n'avait pas fini de les retirer qu'une nouvelle épreuve l'attend.

Un vilain armé d'un pieu en heurte une porte. L'huis s'ouvre, et voici qu'un lion affamé, d'une force prodigieuse, bondit en avant et dans sa fureur se jette sur messire Gauvain. Il plante ses griffes dans son écu, comme si l'écu était de cire, et le choc renverse messire Gauvain, qui tombe sur ses genoux. Mais d'un bond il se redresse, tire du fourreau sa bonne épée et en porte à la bête un coup si violent qu'il lui tranche la tête et deux pattes. Les pattes restent prises dans l'écu, l'une pendant au-dehors et l'autre engagée au-travers.

Débarrassé du lion, messire Gauvain revient s'asseoir sur le lit. C'est dans cette posture que le trouve son hôte, qui, le visage rayonnant de joie, est accouru au palais.

— Sire, dit-il, soyez-en tout assuré, vous n'avez plus rien à craindre. Dépouillez-vous de vos armes. Les merveilles du palais ont pris fin pour toujours, grâce à vous qui avez osé les affronter. Des jeunes et des chenus vous serez servi céans, dont je rends grâce à Dieu.

Alors apparaît une multitude de valets, vêtus de belles cottes, qui tous se mettent à genoux et d'une seule voix s'écrient :

— Beau doux sire, nous vous présentons nos services, comme à celui que nous avons tant désiré et tant attendu. Le temps nous a paru bien long, sire.

Aussitôt l'un d'eux commence à le désarmer et les autres vont dehors s'occuper de son cheval. Et tandis qu'on lui enlevait son armure, une pucelle entre, belle et avenante. Sur sa tête brillait un mince cercle d'or, et ses cheveux étaient d'un blond qui pouvait lutter avec l'or. Son visage était blanc, rehaussé par Nature d'un teint pur et vermeil. Souple, bien faite, grande et droite, elle s'avançait, suivie de tout un cortège d'autres gentes et belles pucelles et d'un tout seul valet qui portait suspendue à son col une robe de chevalier : cotte, surcot et manteau. Le manteau était doublé d'hermine et de zibeline noire comme mûre et l'étoffe était d'une écarlate vermeille.

Messire Gauvain admire ces pucelles qu'il voit ainsi approcher et il n'est pas lent à se dresser devant elles en s'écriant :

— Pucelles, soyez les bienvenues !

La première s'incline et dit :

— Ma dame la reine, beau sire cher, vous salue et nous commande à toutes que nous vous tenions pour notre droit seigneur. Je vous promets, moi toute première, mon service fidèle, et les pucelles qui sont avec moi vous regardent également comme leur seigneur. Il y a bien longtemps qu'elles vous désiraient et elles sont joyeuses quand elles voient devant leurs yeux le meilleur de tous les prud'hommes. Je n'ai plus qu'un mot à dire, c'est que nous sommes prêtes à vous servir.

Alors toutes tombent à genoux et s'inclinent devant lui, en signe d'hommage et de dévouement. Il leur demande aussitôt de se relever et de s'asseoir. Il se plaît fort à les regarder, un peu parce qu'elles sont belles, et plus encore parce qu'elles font de lui leur prince et seigneur. Il a une telle joie de l'honneur que Dieu lui fait que jamais il n'en eut de plus vive. Alors la première pucelle s'avance et lui dit :

— Ma dame, avant qu'elle vous voie, vous envoie cette robe à vêtir. Dans sa courtoisie et son grand sens elle pense bien que vous avez dû peiner et souffrir. Vêtez la robe et essayez-la pour voir si elle est à votre mesure. Après le chaud, les sages se gardent de la froidure, qui est si dangereuse pour le sang. C'est pourquoi ma dame la reine vous envoie cette robe d'hermine. Elle ne veut pas que le froid vous saisisse. Car de même que l'eau devient glace, le sang se prend et se fige, quand on tremble après avoir eu chaud.

Et messire Gauvain, le plus courtois des chevaliers, répond :

— Que le Seigneur, en qui nul bien ne manque, garde ma dame la reine, et vous qui parlez si bien, vous la courtoise et l'avenante ! La dame est bien sage, quand ses messagères sont de tel prix. Elle sait bien ce qui convient à un chevalier, elle qui m'envoie une robe à vêtir, dont je la remercie fort, et remerciez-la de par moi.

— Je ferai volontiers votre message, sire, et cependant vous pourrez vous vêtir et regarder par ces fenêtres les cours du château, et, s'il vous plaît, monter en cette tour là-haut pour contempler les forêts, les plaines et les rivières. Je reviendrai bientôt.

Elle s'en va, et messire Gauvain se revêt de la riche robe qu'elle vient de lui laisser. Il ferme son manteau d'une agrafe qui pendait au col. Puis il lui prend envie d'aller explorer la tour : suivi de son hôte il monte par un escalier tournant qui flanque la voûte du palais. Arrivés en haut ils voient tout à l'environ un pays plus beau que nul ne pourrait dire. Messire Gauvain admire ces eaux courantes, ces champs étendus, ces forêts giboyeuses. Il ne peut s'empêcher de se tourner vers son hôte et de lui dire :

— Par Dieu, hôte, j'aurai plaisir à vivre ici pour aller chasser et tirer les bêtes de ces forêts.

— Sire, dit le nautonier, vous parlez trop vite. J'ai bien souvent entendu conter que le chevalier qui serait si aimé de Dieu qu'on l'ap-

pellerait céans seigneur et maître et protecteur ne sortirait jamais de
ce palais : à tort ou à raison il en a été ainsi décidé et établi. Il ne
vous faut donc parler ni de chasse ni de tir à l'arc. C'est ici qu'est
votre séjour et de toute votre vie vous ne le quitterez.

— Hôte, dit messire Gauvain, pas un mot de plus. J'y perdrais
tout ce que j'ai de sens, si je vous laissais continuer ainsi. Par la
grâce de Dieu je ne pourrais pas plus vivre sept jours en ce palais
que sept fois vingt ans, s'il ne m'était pas possible d'en sortir toutes
les fois qu'il me plairait.

Il descend et rentre dans la salle, sombre et courroucé. Il se jette
sur le lit, le visage morose et pensif. La pucelle revient enfin. Tout
courroucé qu'il est, messire Gauvain, dès qu'il la voit, se dresse et
la salue. Elle s'aperçoit bien vite que son visage s'est assombri et
que quelque chose lui a déplu. Mais elle n'ose y faire allusion et
dit :

— Sire, quand il vous plaira, ma dame viendra vous voir. Le
repas est tout prêt et vous attend, soit ici, soit en haut.

— Belle, répond-il, je ne me soucie pas de manger. Puissé-je
aller à la male heure si je me mets à table ou me livre à la joie
avant d'entendre d'autres nouvelles dont je puisse me réjouir, car
j'en ai grand besoin !

La pucelle, bien surprise, se hâte de retourner à la reine, qui lui
dit :

— Belle nièce, en quelle humeur avez-vous trouvé le bon seigneur que Dieu nous a donné ?

— Ah ! noble reine honorée, mon cœur est navré à en défaillir.
Lui, le chevalier si franc, si généreux, on ne peut en tirer une
parole qui ne soit de courroux ou d'amertume. Je ne saurais vous
en dire le pourquoi, car il ne me l'a pas confié et je n'ai pas osé le
lui demander. Mais d'une chose je suis bien sûre, c'est que, la première fois que je le vis aujourd'hui, je le trouvai si affable en son
abord, si plaisant en ses paroles, si courtois en ses manières qu'on
ne pouvait se lasser de l'écouter ni de contempler son beau visage.
Mais il est si changé maintenant que je crois bien qu'il voudrait être
mort : il ne voit rien qui ne lui apporte du déplaisir.

— Ma nièce, calmez-vous. Il s'apaisera bien vite, quand il me
verra. Il ne peut loger en son cœur telle colère que je ne la dissipe
et ne la change en allégresse.

La reine va au palais, et avec elle l'autre reine, qui se plaît à l'accompagner. Elles se font suivre d'un cortège de cent cinquante
pucelles et d'autant de valets. Dès que messire Gauvain la vit
approcher, tenant l'autre par la main, son cœur lui dit que c'est la
reine dont on lui a parlé, et il l'eût deviné aisément aux blanches
tresses qui lui tombent jusqu'aux hanches et à sa robe de soie
blanche diaprée de menues fleurs d'or.

Quand messire Gauvain la voit, il va en hâte au-devant d'elle et la salue. Elle lui rend son salut et lui dit :

— Sire, je suis, après vous, dame de ce palais. Je vous en laisse la seigneurie, car vous en êtes bien digne. Mais êtes-vous de la maison du roi Arthur ?

— Dame, oui.

— Et êtes-vous de ces chevaliers de l'échauguette dont on rapporte maintes prouesses ?

— Dame, non.

— Je vous en crois. Êtes-vous, dites-le-moi, de ceux de la Table Ronde, qui sont les meilleurs chevaliers de toute la terre ?

— Dame, je n'oserais dire que je sois des plus prisés et je ne me compte pas parmi les meilleurs, mais je ne crois pas être des pires.

— Réponse bien courtoise, beau sire : vous ne vous vantez pas d'être parmi les premiers, mais vous ne vous rangez pas parmi les derniers. Mais parlez-moi du roi Lot : combien de fils eut-il de sa femme ?

— Dame, quatre.

— Nommez-les-moi.

— Dame, Gauvain est l'aîné, le second est Agravain, l'orgueilleux, aux poings robustes. Les deux autres sont Gaheriet et Guerrehet.

— Ainsi ont-ils nom, ce me semble, dit la reine. Plût à Dieu que tous ensemble fussent ici avec nous ! Dites-moi encore : connaissez-vous le roi Urien ?

— Dame, oui.

— A-t-il des fils à la cour ?

— Dame, oui, deux de grand renom. L'un est messire Yvain, le courtois, le bien appris. Quand je peux le voir au matin, j'en suis plus gai tout le jour, si sage, si affable je le trouve. L'autre est aussi un Yvain ; comme il n'est pas le frère germain du premier, on l'appelle Yvain le bâtard : il triomphe de tous ceux qui osent le provoquer au combat. Ces deux sages et preux chevaliers sont à la cour.

— Beau sire, reprend la reine, comment va le roi Arthur ?

— Mieux qu'il n'alla jamais, plus sain, plus ardent, plus vigoureux.

— Par ma foi, dit la reine, c'est à bon droit, car c'est un enfant, le roi Arthur : s'il a cent ans, il n'a pas plus et ne peut avoir plus. Mais, s'il ne vous déplaisait, je voudrais encore vous entendre parler de la reine.

— Certes, dame, elle est si courtoise, si belle et si sage que Dieu ne fit climat ou pays où on trouvât sa pareille. Depuis la première femme qui fut formée de la côte d'Adam, il n'y eut jamais dame si renommée. Et elle le mérite bien, car de même que le sage maître endoctrine les jeunes enfants, ma dame la reine enseigne et instruit tous ceux qui vivent. D'elle descend tout le bien du monde, elle en est source et origine. Nul ne peut la quitter qui s'en aille découragé. Elle sait ce que chacun veut et le moyen de plaire à chacun selon ses désirs. Nul n'observe droiture ou ne conquiert honneur qui ne l'ait appris auprès de ma dame. Nul ne sera si affligé qu'en partant d'elle il emporte son chagrin avec lui.

— Et vous qui êtes auprès de moi, sire, n'en pourrez-vous dire autant ?

— Dame, je le crois. Avant de vous voir, tout m'était devenu indifférent, tant j'étais triste et mélancolique. Et maintenant je me sens si gai et si joyeux que je ne pourrais l'être davantage.

— Sire, par Dieu qui me fit naître, dit la reine aux blanches tresses, votre joie et votre gaieté croîtront encore et ne vous quitteront plus. Et puisque vous voici en pleine allégresse, le repas est prêt, vous vous y mettrez quand vous voudrez, et vous choisirez le lieu à votre gré : s'il vous plaît ce sera ici même, et s'il vous plaît mieux, vous viendrez en mes chambres.

— Ah ! dame, je ne désire changer ce palais contre nulle chambre. On me dit que jamais chevalier à l'heure du repas ne s'assit céans à table.

— Non, sire, nul du moins qui s'en leva vivant ou demeura en vie plus d'une heure ou d'une demie.

— C'est donc ici, dame, que je veux manger, si j'en ai votre congé.

— Vous l'avez, sire. Et vous serez le premier qui vivrez pour en dire l'aventure.

Là-dessus la reine s'en va et parmi ses pucelles lui en laisse bien cent cinquante, et des plus belles, qui soupèrent au palais près de lui, attentives à ses désirs et le charmant de leurs propos enjoués.

Plus de cent valets les servaient, les uns chenus, d'autres grisonnants, d'autres enfin qui n'avaient ni barbe ni moustache. D'entre ces derniers deux étaient agenouillés près de lui, dont l'un taillait et l'autre versait le vin. Messire Gauvain avait fait asseoir son hôte à son côté.

Le repas ne fut pas court, car il dura plus que ne dure un jour d'entour Noël. La nuit vint, noire et opaque, et les torches flamboyèrent de toute part avant qu'on eût fini de manger. De longues causeries succédèrent au repas, et puis des danses et des caroles sans fin. Tous sont bien las après cette veillée de réjouissances en l'honneur de leur cher seigneur.

Messire Gauvain de son côté songe à se reposer. Il va se coucher dans le Lit de la Merveille. Une demoiselle glisse sous sa tête un

oreiller qui le fait dormir tout à son aise. Le lendemain on lui
apprête près de son lit une robe d'hermine et de samit. Au matin
son hôte vient le faire lever, vêtir et laver ses mains.
Et Clarissant aussi était là, la belle à la taille élancée, à la parole
courtoise, la pucelle avenante et sage. Puis elle est allée dans la
chambre de la reine, son aïeule, qui lui dit en la serrant dans ses
bras :
— Nièce, par la foi que vous me devez, votre seigneur est-il déjà
levé ?
— Oui, dame, il y a longtemps.
— Et où est-il, ma belle nièce ?
— Dame, il est monté en la tourelle, je ne sais s'il en est descendu.
— Nièce, je veux aller à lui. S'il plaît à Dieu, il n'aura aujour-
d'hui que tout bien et toute allégresse.

XIV

LA MAUVAISE PUCELLE. LE GUÉ PÉRILLEUX

La reine se lève en hâte de son siège, car elle désire fort voir
messire Gauvain. Elle monte et l'aperçoit dans la tourelle, regardant au dehors une pucelle qui venait par un pré, suivie d'un chevalier armé. Tandis que messire Gauvain et son hôte, chacun à une
fenêtre, suivent des yeux la pucelle, voici que paraissent à leur côté
les deux reines, la main dans la main :
— Sire, disent-elles ensemble, salut à votre lever ! Que ce jour
soit pour vous un jour de joie et d'enchantement, et puisse vous
l'accorder le glorieux père qui fit de sa fille sa mère !
— Dame, puisse vous donner toute allégresse celui qui envoya
son fils sur terre pour exalter la chrétienté ! Si j'osais, je vous
demanderais de venir à la fenêtre et de me dire qui peut être une
pucelle que je vois venir : elle est accompagnée d'un chevalier qui
porte un écu écartelé.
La reine jette un coup d'œil au dehors et dit :
— Vous le saurez. Que le feu d'enfer la consume ! C'est celle qui
vous amena ici hier. A quoi bon vous inquiéter de cette mauvaise,
de cette vilaine femme ? Et ne pensez pas non plus à celui qui est
avec elle. Certes, il est chevalier, et courageux par-dessus tous.
Combattre avec lui n'est pas un jeu. Je l'ai vu vaincre et tuer bien
des chevaliers en ce port, sous mes yeux.

— Dame, dit-il, je veux aller parler à la demoiselle, si vous voulez bien me le permettre.

— A Dieu ne plaise, sire, que je vous permette d'aller à votre malheur ! Laissez-la à ses besognes, la mauvaise et méchante pucelle. S'il plaît à Dieu, vous ne sauriez quitter ce palais pour courir à d'aussi futiles aventures. Du reste, vous n'en devez jamais sortir, si vous ne voulez nous faire grand tort.

— Oh ! gentille reine, comme vous m'attristez le cœur ! Ce château serait un pauvre séjour pour moi, s'il m'était défendu d'en franchir la porte. Ne plaise à Dieu que j'y sois longuement retenu !

— Ah ! dame, dit le nautonier, laissez-lui faire ses volontés. Ne le retenez pas malgré lui, je vous en prie, car il en pourrait bien mourir de chagrin.

— Je le laisserai donc sortir, mais c'est à la condition que, si Dieu le sauve de la mort, il revienne ici le soir même.

— Dame, dit messire Gauvain, ne m'en sachez pas mauvais gré : je reviendrai, s'il m'est possible. Mais je vous supplie de m'accorder un don : c'est que vous ne vous enquériez de mon nom avant huit jours, s'il ne vous déplaît trop.

— J'attendrai donc, dit la reine, puisque vous y tenez, car je ne veux pas de votre haine. Et sachez que, sans votre défense, c'eût été la première chose que je comptais vous demander.

Là-dessus ils descendent de la tourelle.

Les valets accourent, lui tendent ses armes, amènent son cheval. Il monte et s'en va au port, le nautonier avec lui. Ils entrent tous deux en une barque, font force de rames et abordent bientôt à l'autre rive.

Cependant le chevalier dit à la pucelle sans pitié :

— Amie, ce chevalier tout armé qui vient de notre côté, dites-moi, le connaissez-vous ?

— Non, dit la pucelle, mais je sais bien que c'est celui qui m'amena ici.

— Par Dieu, dit son compagnon, je n'en cherchais pas d'autre, et toute ma peur était qu'il ne se fût échappé ! Jamais chevalier né de femme ne passa les ports de Galvoie, pour peu que je l'eusse aperçu ou trouvé sur mon chemin, qui pût se vanter ailleurs qu'il revenait de ce pays. Celui-ci aura le sort des autres, puisque Dieu me permet de le voir.

Et sans plus attendre, sans défi ni menaces, le chevalier pique de l'éperon, l'écu au bras, et fond sur messire Gauvain. De son côté messire Gauvain se lance sur lui et lui porte un tel coup qu'il le blesse grièvement au bras et au côté. La blessure n'est pas mortelle, car le haubert a si bien résisté que le fer n'a pu le fausser, sauf que la pointe de la lance a pénétré de la largeur de trois doigts dans le corps. Le blessé est jeté à terre, se relève, mais c'est pour voir jaillir des flots de sang de son bras et par son côté. Il court néanmoins sur son adversaire, l'épée haute ; toutefois il se fatigue bien vite, à n'en pouvoir plus. Il lui faut demander grâce.

Messire Gauvain reçoit son serment, et remet le chevalier entre les mains du nautonier, qui attendait son dû. La mauvaise pucelle était descendue de son cheval et elle vient à messire Gauvain, qui la salue et lui dit :

— Remontez, belle amie, car je n'entends pas vous laisser ainsi. Je vous emmènerai par-delà cette rivière jusque là où je dois retourner.

— Ah ! dit-elle, chevalier, il vous sied bien de faire le hardi et l'orgueilleux. Si mon ami n'avait été affaibli par d'anciennes blessures, vous auriez eu assez à faire de vous défendre contre lui. Voilà qui eût coupé court à vos bourdes et tari votre caquet. Vous seriez à présent plus muet que le joueur maté à l'angle de l'échiquier. Mais avouez-moi la vérité : pensez-vous valoir mieux que lui parce que vous l'avez abattu ? Vous savez bien qu'il arrive souvent au faible d'abattre le fort. Mais si vous vouliez venir avec moi vers cet arbre là-bas et faire ce que mon ami faisait pour moi, quand je le voulais, alors je serais prête à témoigner que vous lui êtes supérieur, et je cesserais de vous tenir en mépris.

— Ne s'agit-il que d'aller jusque-là, pucelle ? Alors il ne tiendra pas à moi que votre volonté ne soit faite.

— Et à Dieu ne plaise que vous en reveniez, murmure-t-elle.

Les voilà partis, elle devant, lui après. Dans le palais, les pucelles et les dames s'arrachent les cheveux, déchirent leurs vêtements :

— Ah ! malheureuses que nous sommes ! s'écrient-elles. Pourquoi vivons-nous encore, quand nous voyons aller au malheur et à la honte celui qui devait être notre seigneur ? La mauvaise pucelle est son guide ; elle l'emmène, la perverse créature, là d'où nul chevalier n'échappe. Hélas ! Quelle douleur est la nôtre ! Nous qui nous croyions nées sous une si bonne étoile, car Dieu nous avait envoyé celui qui avait en lui tout bien et toute vaillance, à qui ne manquait aucune vertu !

Ainsi menaient-elles leur deuil pour leur seigneur qu'elles voyaient suivre la mauvaise demoiselle.

Cependant messire Gauvain et la pucelle arrivent sous l'arbre.

— Pucelle, dit-il, suis-je quitte maintenant ? Ou, s'il vous plaît que j'en fasse davantage, avant de perdre vos bonnes grâces, sachez que je suis prêt, si la chose est possible.

— Voyez-vous ce gué profond, resserré entre deux hautes rives ? Mon ami y passait sur un signe de moi, et il m'allait cueillir des fleurs là où vous en voyez, sur ces arbres et en ces prés.

— Comment y passait-il, pucelle ? Pour moi, je ne sais où est le passage ; les bords sont trop hauts et le gué partout trop profond ; le moyen d'y descendre ?

— La vérité est que vous n'oseriez y entrer, je le vois bien, et certes pas un instant je n'ai pensé que vous eussiez le cœur de tenter l'aventure. Car c'est ici le Gué Périlleux, dont nul n'ose approcher, s'il est dans son bon sens.

Sans répondre, messire Gauvain pousse son cheval jusqu'au bord : en bas l'eau profonde, en haut la rive escarpée ; mais la rivière est étroite, et il se dit que son cheval avait sauté maint fossé plus large, et il se souvient d'avoir entendu conter plus d'une fois que, qui pourrait passer cette eau sinistre, il aurait à lui tout seul le prix du monde.

Alors il s'éloigne de la rivière, puis revient au galop pour la franchir d'un bond, mais il a mal pris son élan et va retomber au beau milieu du gué. A force de nager, son cheval finit par prendre terre des quatre pieds ; alors, se carrant solidement pour mieux bondir, il s'élance et saute sur la rive abrupte. Là il s'arrête net, ne pouvant faire un pas de plus.

Messire Gauvain, qui sent son cheval à bout de force, doit descendre bon gré mal gré. Il ôte la selle, puis le panneau qui est dessous, pour les faire sécher ; il fait écouler l'eau qui ruisselle du dos, des côtés et des jambes de la bête. Il remet alors la selle, monte et s'en va au petit pas, quand il aperçoit un chevalier tout seul qui giboyait, un épervier sur le poing ; dans le pré un peu en avant de lui, trois petits chiens pour la chasse aux oiseaux. Ce chevalier était si beau que bouche d'homme ne saurait le décrire. Messire Gauvain s'approche, le salue et lui dit :

— Sire, que Dieu qui vous fit beau par-dessus tous vous donne aujourd'hui bonne aventure !

Et le chevalier à l'instant :

— C'est toi, dit-il, qui es le bon et le beau. Mais dis-moi, s'il ne te déplaît, comment tu as laissé seule la mauvaise pucelle d'outre-rive : où est passée sa compagnie ?

— Sire, un chevalier qui porte un écu écartelé l'emmenait quand je l'ai rencontrée.

— Qu'en as-tu fait ?

— J'ai combattu avec lui et je l'ai vaincu.

— Et qu'est-il devenu ?

— Le nautonier l'a réclamé, disant qu'il lui appartenait.

— Il t'a dit vrai, beau sire. Et la pucelle fut jadis mon amie, mais non pas tant qu'elle me daignât aimer ou appeler son ami. Jamais je n'en eus un baiser que je ne le lui eusse arraché, je t'en donne ma foi. Jamais je n'en eus une seule faveur, car si je l'ai mais, c'était contre son gré : je l'avais enlevée à un sien ami, que je tuai. Je m'efforçai de la servir, mais mon service n'y fut compté pour rien, car dès qu'elle en eut fait naître l'occasion, elle me quitta et fit son ami de celui à qui tu viens de la ravir. Ce n'est certes pas un chevalier pour rire. Et sa valeur est grande. Pourtant jamais il ne s'est risqué à venir en un lieu où il pensât me trouver. Mais toi, tu as fait aujourd'hui ce que n'ose plus tenter nul chevalier, et ta prouesse t'a conquis le prix du monde et les louanges de toute la terre. Que tu aies franchi d'un saut le Gué Périlleux, c'est une preuve de suprême courage, et sache que nul chevalier qui s'y soit essayé n'en est revenu.

— Ah ! sire, la demoiselle m'a donc menti, elle qui m'a conté et fait croire que son ami y passait une fois le jour pour l'amour d'elle.

— Elle t'a dit cela, la renégate ? Plût à Dieu qu'elle se fût noyée dans le gué ! Il faut qu'une légion de démons habite en elle, pour qu'elle aille te raconter de telles fables. Ah ! elle te hait bien, crois-moi. Cette diablesse — que Dieu puisse l'engloutir ! — voulait, c'est clair, te faire noyer dans les profondeurs de cette eau hideuse. Mais concluons un pacte, toi et moi. Je te promets que, si tu désires me poser aucune question, que ce soit pour mon bien ou pour mon mal, je te dirai toute la vérité, si je la sais. Et toi, en retour, promets-moi que tout ce que je voudrai savoir, tu me le ferais connaître, si tu le sais.

Ils échangent leur serment. Et c'est à messire Gauvain à parler le premier :

— Sire, dit-il, cette cité que je vois là-bas, à qui est-elle et quel en est le nom ?

— Ami, cette cité est mienne. Je n'en redois rien à personne et je ne la tiens que de Dieu. C'est Orquelenes.

— Et vous, sire, quel est votre nom ?

— Guiromelant.

— Ah ! sire, vous êtes preux et vaillant, je l'ai bien entendu dire, et seigneur d'une large terre. Et comment a nom la pucelle dont nulle bonne nouvelle n'est contée ni près ni loin, comme vous-même en portez témoignage ?

— Certes, je puis assurer en toute conscience qu'il est bon de ne pas s'en approcher, tant elle est dédaigneuse et perfide. Aussi l'appelle-t-on l'Orgueilleuse de Logres : c'est là qu'elle naquit et d'où tout enfant elle fut apportée dans ce pays.

— Et son ami, qui bon gré mal gré s'en est allé loger en la prison du nautonier, qui est-il ?

— C'est un merveilleux chevalier, sache-le, ami. Il a nom l'Orgueilleux de la Roche à l'étroite voie, qui garde les ports de Galvoie.

— Et quel est le nom du fort et beau château qu'on voit au-delà de la rivière, dont je viens aujourd'hui et où je mangeai et bus hier soir ?

A ces mots le Guiromelant tout peiné lui tourne le dos et fait mine de s'en aller.

— Sire, sire, s'écrie messire Gauvain, est-ce tout ce que vous me direz ? Rappelez-vous votre serment.

Le Guiromelant ne va pas plus loin, tourne la tête vers lui et lui dit :

— L'heure que je te vis et t'engageai ma foi soit honnie et maudite ! Pars d'ici, je te relève de ton serment et tiens-moi quitte du mien. Je comptais, il est vrai, te demander des nouvelles du pays d'au-delà l'eau. Mais je vois bien que tu es aussi capable de m'en donner du château que de m'en rapporter de la lune.

— Sire, j'ai dormi la nuit dernière dans le Lit de la Merveille, auquel nul autre lit ne peut se comparer.

— Sire, dit-il, je m'étonne fort des étranges aventures que tu me contes. Mais c'est un vrai plaisir d'écouter tes mensonges. Je m'y plais autant qu'à entendre les chimériques fables des conteurs de profession. Tu n'es qu'un jongleur, je le vois bien. Et moi qui te croyais chevalier et pensais que tu eusses donné quelque preuve de ta vaillance de l'autre côté de la rivière ! Mais n'importe, dis-moi tout de même les exploits que tu y fis et les belles choses que tu y vis.

— Sire, répondit messire Gauvain, quand je m'assis sur le lit, il y eut au palais une prodigieuse tourmente, croyez-moi : les cordes du lit crièrent et les clochettes qui y pendaient tintèrent à coups pressés ; les fenêtres closes jusque-là s'ouvrirent d'elles-mêmes et lancèrent sur mon écu carreaux et flèches lisses. Mon écu porte d'autres marques encore : car un vilain détacha un grand lion effrayant et farouche, qu'on avait longuement tenu à la chaîne, et le jeta sur moi ; ses pattes s'enfoncèrent en mon écu, si bien qu'il ne put s'en retirer : il dut y laisser ses griffes, et si vous en doutez, les voici, elles y sont encore. Quant à la tête, Dieu merci, je la tranchai ainsi que les pattes. Que vous semble de ces enseignes ?

A ces mots le Guiromelant descend en hâte de son cheval, s'incline devant lui, et, les mains jointes, le prie de lui pardonner ses folles paroles.

— Je les oublie, dit messire Gauvain, remontez à cheval.

Et l'autre remonte, tout honteux de sa sottise.

— Sire, dit-il, Dieu m'en soit témoin, je ne croyais pas qu'il y eût nulle part au monde un chevalier qui pût avoir l'honneur qui vous est échu. Mais dites-moi si vous avez vu la reine aux blanches tresses et si vous lui avez demandé qui elle est et d'où elle vint.

— Je n'y ai pas pensé un seul instant, mais je la vis et lui parlai.

— Eh bien ! c'est moi qui vous le dirai. Elle est la mère du roi Arthur.

— Par la foi que je dois à Dieu le tout-puissant, le roi Arthur, que je sache, n'a plus de mère depuis longtemps, à mon avis depuis soixante ans passés.

— Et pourtant, sire, c'est bien sa mère. Quand Uterpendragon, le père du roi Arthur, fut mis en terre, la reine Ygerne vint en ce pays avec tout son trésor et bâtit sur cette roche là-bas le fort château et le riche et beau palais que vous savez. Vous avez dû voir aussi, je n'en doute pas, l'autre reine, la belle et haute dame qui fut la femme du roi Lot et la mère de celui à qui je souhaite en ce jour tous les malheurs, en un mot la mère de Gauvain.

— Gauvain, beau sire ? Je l'ai bien connu, et j'ose affirmer qu'il n'a plus de mère depuis vingt ans passés au moins.

— Toutefois c'est sa mère, sire, vous pouvez m'en croire. Après la reine Ygerne dont elle est fille elle vint ici, enceinte d'une enfant, qui est aujourd'hui la belle et noble demoiselle que j'appelle mon amie et qui est aussi, s'il faut tout dire, la sœur de celui à qui Dieu puisse donner la pire des hontes ! Certes, il n'emporterait pas sa tête, si je le tenais à ma merci et aussi près de moi que vous en êtes : je la lui ferais voler à l'instant. Et sa sœur ne saurait empêcher que des deux mains je ne lui tire le cœur du ventre, tant je le hais.

— Ah ! dit messire Gauvain, vous n'aimez pas comme je fais. Par mon âme, si j'aimais dame ou pucelle, j'aimerais et servirais pour l'amour d'elle tout son lignage.

— Vous avez raison, et je pense comme vous. Mais quand je me rappelle qui est Gauvain, comment son père a occis mon père, pourrais-je lui vouloir nul bien ? Et lui-même, en personne, n'a-t-il pas occis un de mes cousins germains, un vaillant et preux chevalier ? Je ne me suis pas encore trouvé en un lieu où je pusse le venger. Mais rendez-moi un service. Retournez à ce château et portez cet anneau à mon amie. Dites-lui que je crois et me fie tant en son amour que je suis sûr qu'elle aimerait mieux voir mourir son frère Gauvain de mort amère que de me savoir blessé, ne fût-ce qu'au plus petit doigt de mon pied. Saluez donc mon amie et remettez-lui cet anneau de par moi qui suis son ami.

Messire Gauvain glisse l'anneau à son petit doigt et dit :

— Sire, par la foi que je vous dois, vous avez courtoise amie, sage et belle et de haut lignage, et douce et gentille, si elle accorde ce que vous m'avez dit.

— Sire, je me louerai fort de votre bonté, si vous portez cet anneau en présent à ma chère amie, que j'aime du fond de mon cœur. Et pour vous montrer ma reconnaissance, je vous dirai le nom de ce château que vous m'avez demandé : c'est le château de la Roche de Champguin. On y teint mainte bonne étoffe sanguine et vermeille et mainte écarlate ; on y vend et achète bien des choses. Et maintenant je vous ai dit ce que vous vouliez savoir, et sans vous mentir d'un mot. Vous de votre côté, vous m'avez bien satisfait. Avez-vous autre chose à me demander ?

— Non, sire, si ce n'est la permission de m'en aller.

— Avant que je vous laisse partir, sire, vous me direz votre nom, s'il ne vous déplaît.

— J'en atteste Dieu que jamais mon nom ne fut celé. Je suis celui que vous haïssez tant, je suis Gauvain.

— Tu es Gauvain ?

— En toute vérité, Gauvain, le neveu du roi Arthur.

— Par ma foi, tu es bien hardi ou fou à lier, toi qui viens me dire ton nom, alors que tu sais que je te veux mal de mort. Je regrette fort de n'avoir ni heaume lacé ni écu au poing, car si j'étais armé comme tu l'es, tiens pour certain que je te trancherais la tête. Pour rien au monde je ne t'épargnerais. Mais si tu osais m'attendre, j'irais chercher mes armes et viendrais te combattre. J'amènerais trois ou quatre hommes pour être juges de la bataille. Ou si tu veux qu'il en aille autrement, nous attendrons sept jours et reviendrons au septième, en ce lieu-ci, tout armés. Tu manderas le roi et la reine et tous leurs gens, moi de mon côté je ferai venir les miens de tout le pays. Ainsi notre bataille n'aura pas lieu à la dérobée, mais tous ceux qui voudront la voir la verront. La bataille de deux prud'hommes, comme on dit que nous sommes, toi et moi, ne doit pas ressembler à un guet-apens. Il est juste que s'y pressent dames et chevaliers. Et quand l'un de nous sera las du combat et que tous le sauront, le vainqueur y aura mille fois plus d'honneur qu'il n'aurait eu, s'il était le seul à le savoir.

— Sire, dit messire Gauvain, je me passerais volontiers de cette rencontre et souhaiterais qu'il fût possible et qu'il vous plût qu'il n'y eût pas de combat entre nous. Et si je vous ai fait tort en quoi que ce soit, je suis tout prêt à l'amender, au jugement de vos amis et des miens, selon raison et équité.

— Je ne vois pas quelle raison il peut y avoir, si tu n'oses te mesurer au combat avec moi. Je t'ai proposé deux solutions, choisis celle que tu voudras. Si tu l'oses, tu m'attendras et j'irai chercher mes armes. Ou alors tu manderas tous les hommes de ta terre pour être ici dans sept jours. A la Pentecôte, la cour du roi Arthur sera rassemblée à Orcanie : j'en ai eu la nouvelle sûre. Et il n'y a pas plus de deux journées d'ici là. Ton messager pourra trouver le roi et ses gens prêts à se mettre en route. Envoies-y, ce sera pour le mieux. Le proverbe dit qu'un jour de répit vaut cent sous dans la main.

— La cour sera là où vous dites, répond messire Gauvain. Vous êtes bien renseigné. Je vous donne ma parole que j'y enverrai demain ou même aujourd'hui avant que je ferme l'œil pour dormir.

— Gauvain, je te veux mener au meilleur port qui existe. Cette eau est si profonde et court d'une telle roideur que nulle créature vivante n'y saurait passer, ni bondir d'une rive à l'autre.

— Je ne cherche ni gué ni pont, s'écrie messire Gauvain. D'où que vienne le danger, je l'attends. J'ai promis à la pucelle félonne, je tiendrai ma promesse : elle ne m'appellera pas couard. Et je m'en vais tout droit à elle.

Il pique des deux, le cheval bondit par-dessus l'eau aisément et retombe sans difficulté sur l'autre rive. Quand la pucelle qui l'avait si malmené de ses sarcasmes et de ses défis le voit arriver vers elle, elle attache son cheval à l'arbre et s'en vient à pied le rejoindre. Mais son cœur n'est plus le même et son humeur est bien changée. Elle se hâte de le saluer et lui dit :

— Tu as supporté bien des fatigues pour moi, beau sire. Je m'en repens et te crie grâce. Écoute, s'il ne te déplaît, pourquoi je me suis acharnée si cruellement contre tous les chevaliers du monde qui m'ont menée avec eux. Ce chevalier d'outre-l'eau à qui tu parlas (puisse Dieu le foudroyer !) eut bien tort de mettre son amour en moi : s'il m'aimait, moi je le détestais. Ce n'était pas sans cause, hélas ! car, sache-le, il a tué celui à qui j'étais amie. Après quoi il crut qu'à force de prévenances il pourrait me faire agréer son amour. Il n'y gagna rien : à la première chance, je lui faussai compagnie et me joignis au chevalier que tu m'as enlevé aujourd'hui. Ce deuil-là n'est pas cuisant et je m'en moque un peu. Mais mon premier ami, quand la mort nous sépara... j'en ai été folle si longtemps, si violente en mon langage, si basse de cœur, si sottement entêtée que je ne m'arrêtais pas à examiner qui je tourmentais. Je le faisais de dessein délibéré. J'aurais voulu en trouver un bien irritable, pour le faire entrer en une telle colère qu'il m'eût mise en pièces. Depuis si longtemps je désirais la mort ! Sire, faites justice et tirez de moi une vengeance si rigoureuse que jamais pucelle après moi ne soit tentée de dire honte à un chevalier.

— Belle, pourquoi ferais-je justice de vous ? A quoi bon ? Ah ! ne plaise au fils de Dieu que vous souffriez nul mal par mon fait ! Trêve de paroles. Montez à cheval, nous irons de compagnie au château d'outre-l'eau. Le nautonier prendra plaisir à nous y passer. Voyez, il nous attend déjà au port.

— Sire, votre volonté sera la mienne, et je vous obéirai de point en point.

Elle monte sur son petit palefroi aux longs crins, et ils rejoignent le nautonier qui les passe sans tarder.

XV

UN MESSAGER
S'EN VA À LA COUR DU ROI ARTHUR

Du château on voit venir monseigneur Gauvain. Pour lui dames et pucelles s'étaient lamentées, pour lui tous les valets en étaient hors de leur sens. Et maintenant leur allégresse est telle que jamais on n'en vit semblable. Assise devant le palais se tenait la reine, qui attendait le chevalier. Sur un signe d'elle ses pucelles se prennent par la main toutes ensemble et, pour fêter le retour de leur seigneur, chantent, carolent et dansent joyeusement. Le voici enfin. Il descend parmi elles : les dames, les demoiselles et les deux reines l'entourent et l'accolent et lui adressent de gais compliments. Pendant que les réjouissances vont leur train, on le désarme, jambes, bras, pieds et tête. On accueille avec joie celle qu'il amène, tous et toutes s'empressent à la servir, mais c'est pour lui, non pour elle qu'ils le font.

Au milieu des rires et des chants on monte au palais, et tous se sont assis par la salle. Messire Gauvain prend sa sœur par la main et la fait asseoir près de lui au Lit de la Merveille.

— Demoiselle, lui dit-il tout bas, je vous apporte d'au-delà de l'eau un annelet dont l'émeraude verdoie. Il vient d'un chevalier qui vous l'envoie en témoignage d'amour. Il vous salue et dit que vous êtes sa drue.

— Sire, dit-elle, il peut bien être. Mais si je l'aime, c'est de loin que je suis son amie, car jamais il ne me vit ni moi lui, si ce n'est d'un bord à l'autre de cette rivière. Mais il m'a donné son amour, et je lui en rends grâce, il y a bien longtemps. Non qu'il soit venu ici, mais ses messagers m'ont tant suppliée que je lui ai accordé mon amour, moi aussi : je le dis tout franchement, mais de plus que cela je ne suis pas encore son amie.

— Ah ! belle, déjà il s'est vanté que vous aimeriez mieux que fût mort messire Gauvain, votre frère, que de savoir qu'il eût mal, lui, en son orteil.

— Oh ! sire, je m'étonne qu'il ait pu dire une si grande folie. Par Dieu, je ne pensais pas qu'il fût si mal avisé. Singulière erreur que de me mander pareil message ! Hélas ! il ne sait même pas que je sois née, mon frère, ni jamais ne me vit. Le Guiromelant en a médit, car je ne voudrais pas plus le dommage de mon frère que le mien propre.

Tandis que tous deux causaient ainsi, les dames écoutaient de loin. La vieille reine se penche vers sa fille et lui dit :

— Belle fille, que pensez-vous de ce seigneur qui s'est assis à côté de votre fille, ma nièce ? Longuement il lui a parlé tout bas ; je ne sais de quoi, mais cela me plaît. Et j'aurais tort de m'en fâcher, car c'est son noble cœur qui le pousse, quand il se tient à la plus belle et la plus sage qui soit en ce palais. Il a bien raison, et plût à Dieu qu'il l'eût épousée et qu'elle lui fût autant que Lavinia à Énée.

— Ah ! dame, dit l'autre reine, puisse Dieu incliner ses pensées vers elle, de telle sorte qu'ils soient comme frère et sœur et qu'il l'aime tant, et elle lui, qu'ils ne fassent plus qu'un en deux !

En sa prière la dame entend qu'il l'aime d'amour et la prenne à femme, car elle ne reconnaît pas son fils. Mais ils seront bien vraiment comme frère et sœur : il n'y aura pas d'autre amour en eux, quand l'un saura qu'elle est sa sœur et l'autre qu'il est son frère. La mère en aura une grande joie, qui toutefois ne sera pas celle qu'elle attend.

Cependant messire Gauvain se lève et appelle un valet, celui qui de tous ceux de la salle lui semble le plus prompt, le plus sage et le plus serviable.

— Valet, lui dit-il, je te crois fin et avisé : si je te confie un secret, je t'abjure de le bien garder. Il n'en sera que mieux pour toi, car je veux t'envoyer en un lieu où on te fera grand accueil.

— Sire, on m'arracherait la langue avant que je laisse échapper de ma bouche un seul mot que vous voudriez tenir secret.

— Eh bien donc, ami, tu iras à mon seigneur le roi Arthur. Sache que je suis Gauvain, son neveu. La voie n'est ni longue ni pénible, car le roi a décidé de tenir sa cour à la Pentecôte en la cité d'Orcanie. Et s'il t'en coûte quelque chose, tiens-t'en à moi pour tes frais. Quand tu viendras devant le roi, tu le trouveras courroucé, mais quand tu le salueras de par moi, il s'en réjouira fort. Tu diras au roi que je désire le trouver, au cinquième jour de la fête, logé en la prairie sous cette tour, et que, par la foi qu'il me doit, car il est mon seigneur et moi son homme lige, il ne me désappointe pas, pour quelque raison que ce soit. Et qu'il amène avec lui tout ce qui sera venu à sa cour de hauts hommes et de petites gens. Car j'ai entrepris une bataille contre un chevalier qui ne nous prise guère, ni lui ni moi : c'est le Guiromelant, qui me hait d'une haine mortelle. A la reine aussi tu diras qu'elle y vienne, par la foi qui doit être entre elle et moi, car elle est ma dame et mon amie : elle ne le refusera pas, dès qu'elle saura la nouvelle. Et que pour l'amour de moi elle se fasse accompagner des dames et des demoiselles qui seront à la cour ce jour-là. Mais je crains bien que tu n'aies pas de bon cheval qui te porte là-bas aussi vite que je voudrais.

Le valet répond qu'il en aura un grand, bon et fort et rapide, qu'il montera comme sien.

— Je n'en serai pas fâché, répond messire Gauvain.

Et aussitôt le valet le mène vers une écurie dont il fait sortir un peloton de chevaux de chasse, tous en bon point et bien reposés. L'un d'eux était prêt pour une chevauchée, ferré de neuf, le frein aux dents, la selle sur le dos.

— Par ma foi, dit messire Gauvain, tu es bien équipé, valet. Va donc, et que le Seigneur de tous les rois te guide sûrement à l'aller et au revenir et te maintienne à toute heure dans le droit chemin !

Là-dessus, il le convoie jusqu'à l'eau, le recommande au nautonier, qui, à l'aide de ses rameurs, lui fait franchir aisément la rivière. Voilà le valet sur l'autre bord. Il trouve sans peine le chemin d'Orcanie, car qui sait demander sa voie peut aller par le monde entier. Messire Gauvain retourne en son palais où il se repose dans l'allégresse et les plaisirs : tous et toutes lui font fête.

La reine fit chauffer de l'eau dans cinq cents cuves et y fit entrer tous les valets, qui s'y baigneront. Déjà on leur a taillé des robes qui toutes prêtes les attendent à leur sortie du bain. L'étoffe en était tissée de fils d'or et la fourrure était d'hermine. Jusqu'après matines les valets veillent au moutier, debout, sans s'agenouiller une seule fois. Au matin, messire Gauvain leur chausse à tous l'éperon droit, leur ceint l'épée et leur donne l'accolade. Le voilà entouré de cinq cents chevaliers nouveaux.

Cependant le valet a tant chevauché qu'il est venu à la cité d'Orcanie où le roi tenait une cour aussi haute et noble qu'il convenait à la solennité du jour. Dans les rues, les perclus et les rogneux, qui voient passer le valet, se disent entre eux :

— Celui-là va bien vite. Il faut que le besoin soit grand. Sans doute il vient de loin et apporte d'étranges nouvelles à la cour. Il pourra dire telle chose qui rendra le roi muet et sourd, tant il a de chagrin et de deuil. Et maintenant, quand le roi aura ouï le message et en connaîtra le sens, qui sera celui qui saura le conseiller ? Bah ! Que nous importe, à nous, le conseil du roi ? Nous ferions mieux de nous lamenter dans la crainte et le désespoir, car nous avons perdu celui qui, pour l'amour de Dieu, nous vêtait tous, dont tout bien nous venait, en aumône et en charité.

Ainsi par toute la cité les pauvres gens regrettaient messire Gauvain qu'ils aimaient.

Le valet passe son chemin et arrive enfin à la cour. Il trouve le roi assis en son palais. Autour de lui, cent comtes palatins, cent ducs et cent rois. Quand le roi voit sa grande baronnie et qu'il n'y

voit point son neveu, sa détresse est telle qu'il se pâme et tombe.
Bien alerte qui peut arriver jusqu'à lui, car tous se précipitent pour
le soutenir.

Ma dame Lore, assise en une loge, entend le deuil qui monte de
la salle. En hâte elle descend de la loge et court tout éperdue à la
reine. Quand la reine la voit, elle lui demande ce qu'elle a.

(Chrétien s'est arrêté là, il est mort avant d'avoir achevé son livre. Plu-
sieurs poètes du XIII *siècle, moins bien doués que lui, se sont appliqués à*
continuer son œuvre et à lui donner une fin. Mais c'est dans le roman en
prose de Lancelot, *également du XIII* *siècle, que se trouvera la conclusion la*
plus haute et la plus noble du roman de Chrétien. Toutefois ce n'est pas à
Gauvain que sera révélé le mystère du Graal, et Perceval lui-même, qui
atteindra le but, devra s'effacer devant un nouveau héros, Galaad, le cheva-
lier pur et sans reproche, à qui sera réservé en premier lieu l'honneur de la
suprême initiation.)

PERLESVAUS
LE HAUT LIVRE DU GRAAL

Récit en prose, traduit et présenté par Christiane Marchello-Nizia.
Écrit dans le premier tiers du XIIIe siècle
par un auteur anonyme.

INTRODUCTION

De ce superbe et mystérieux roman, on ne sait à peu près rien. Qui l'a écrit ? Quand, et où ? Pour qui, et pour défendre quelle cause ? A ces questions, il est impossible d'apporter une réponse précise.

Ce *Haut Livre du Graal* — le prologue donne ce seul titre, les critiques modernes et les éditeurs préfèrent le nommer *Perlesvaus* — ne nous est parvenu que par deux manuscrits complets datant du xiiie siècle (le manuscrit O d'Oxford d'après lequel l'édition que nous suivons a été faite, et le manuscrit de Bruxelles), ainsi que par un certain nombre de fragments, une traduction galloise transmise par un manuscrit du xive siècle, et deux éditions imprimées du xvie siècle.

De son auteur, il ne nous est rien dit, ou plutôt si, une fable : un certain Joséphé (Flavius Josèphe, historien du i^er siècle après J.-C. ? ou le Joséphé que *La Quête du Graal* et *l'Estoire del Saint Graal* donnent pour le premier évêque des chrétiens ?) a mis ce roman par écrit ; mais il lui a été dicté par un ange, et *Le Haut Livre* en est la version en *romanz*, en français (voir le dernier chapitre). L'« auteur », Joséphé, n'est qu'une place vide, scribe supposé d'un mythique manuscrit conservé au monastère de l'Ile non moins mythique d'Avalon, celle même où reposent le roi Arthur et la reine Guenièvre.

Même si l'on en ignore l'auteur et l'inspirateur, tout le monde s'accorde à voir dans ce magnifique roman l'un des premiers textes écrits dans la toute jeune prose française : jusqu'à la fin du xiie siècle, en effet, on écrivait en vers, et la prose ne servait guère qu'à la traduction. Mais doit-on placer le *Perlesvaus* avant ou après le grand Cycle du Lancelot-Graal ? A-t-il été écrit juste après 1200, ou entre 1230 et 1240 comme le pense F. Bogdanow ? Il se situe à coup sûr après les premiers romans du Graal que sont le *Conte du Graal* (ou *Perceval*) de Chrétien de Troyes et le *Perceval* en vers de Robert de Boron (dont ne nous est parvenue qu'une version mise en

prose) : le *Perlesvaus* reprend en effet nombre d'éléments de ces textes fondateurs de la légende. Comme Chrétien, comme surtout
Robert de Boron, l'auteur inconnu de ce roman met en représentation une version radicalement christianisée d'une légende celtique,
donc païenne : celle du Graal, chaudron ou corne d'abondance ou
d'immortalité. Plus que chez Chrétien, et plus encore que dans le
Cycle du Lancelot-Graal, le monde arthurien est présent, mais tout
entier tendu vers l'exaltation et la gloire de ce que l'auteur du *Perles-*
vaus nomme, comme saint Paul, la Nouvelle Loi, c'est-à-dire la religion du Nouveau Testament, qui s'oppose à l'Ancienne Loi d'avant
le Christ. Le Graal, la vision du Graal, sa conquête ou sa reconquête : là est la pierre de touche de cette chevalerie qu'unit la Table
Ronde autour du plus grand roi du monde, Arthur : Gauvain, Lancelot, et surtout le meilleur d'entre tous, Perlesvaus.

De cet aspect fondamental du roman sont preuves cette image de
la présence réelle du Christ dans l'hostie qui apparaît dans la chapelle Saint-Augustin aux yeux du roi Arthur, et qui signe sa rédemption ici-bas ; ou, mieux encore, cette scène de cannibalisme qui a
sidéré bien des critiques (chap. XV) : le roi donnant son fils à manger à ses vassaux, qui révèle ce qui habituellement se trouve méta-
phorisé par la figure de la communion (« prenez et mangez, car ceci
est mon corps », c'est-à-dire le corps du Fils).

Mais les éléments constitutifs de cette matière arthurienne qu'in-
définiment recréent les romans de cette époque sont eux aussi repla-
cés dans une interprétation toute tendue vers le salut : les merveilleuses demoiselles rencontrées sous un arbre, auprès d'une fontaine,
ou au détour d'un chemin dans la forêt, sont aussi, à un second
niveau, des jalons sur le chemin de la rédemption. Le monde arthurien amoureux et courtois est ici non pas ignoré, mais mis à distance : Gauvain le séducteur contient ses élans, décevant ainsi ses
hôtesses, ce qui lui permet de voir le Graal, comme l'élu Perlesvaus ;
Lancelot continue d'aimer la reine, mais pas une seule fois ils n'apparaissent ensemble dans le roman, pas une seule fois ils ne se
parlent même, et si l'amour de Lancelot l'éloigne de tentations, il lui
interdit de voir le Graal.

Le héros, Perlesvaus, est vierge, et chaste : de corps, et de cœur.
Chevelure d'or, cœur de lion, nombril de vierge, il porte un bouclier
bandé d'argent et d'azur et frappé d'une croix vermeille, comme la
voile du navire qui l'emporte un jour vers l'Ile bienheureuse. Mais ce
héros, si l'on y prend garde, connaît une bien étrange histoire. Si
d'emblée il est question de lui, si dès le début (chap. III) le roi
Arthur rencontre une très belle jeune fille qui le cherche (elle ne le
retrouvera qu'à la fin du roman), et si vont se multiplier les personnages qui se lancent à sa poursuite, ce n'est qu'au tiers du roman
(chap. XIX) que Perlesvaus apparaît enfin, comme renaissant un

matin de printemps ; une maladie l'avait tenu isolé chez son oncle le
Roi Ermite, et c'est là qu'il avait trouvé son second nom : Parluifet,
« car il s'était fait lui-même » ; son troisième nom, Perceval, apparaît
lorsqu'il se rend à la cour d'Arthur (chap. XXIII), pour quelques
épisodes. Aussi divers que ses noms, ses écus, ses « conoissances »
comme disait le Moyen Age : les emblèmes peints sur le bouclier qui
permettaient de reconnaître le chevalier anonyme dans son armure.
Perlesvaus porte successivement cinq boucliers : vermeil frappé d'un
cerf blanc, qui lui vient de son père ; blanc et azur frappé d'une croix
vermeille, avec lequel il reconquerra le Château du Graal ; d'or
frappé d'une croix verte, qu'il a pris à l'ermitage de Joseu ; blanc
pour le tournoi de la Lande Vermeille ; blanc comme neige enfin
pour son ultime voyage. Mais s'il s'agit bien là d'un roman de la foi,
d'un roman d'incitation à la Croisade même, la chevalerie terrestre
n'y est pas méprisée, au contraire de la représentation qu'en donne
La Quête du Graal : les héros du *Haut Livre du Graal* sont d'abord
des combattants de la foi, et là où Galaad priait, Perlesvaus se bat.

Toutes ces aventures se situent en Grande Bretagne, et plus spécialement dans le royaume d'Arthur, qui semble couvrir l'ouest de
l'Angleterre actuelle et comprend : le royaume de Logres (le royaume
propre d'Arthur, l'Angleterre), le Pays de Galles et la Cornouaille, et
qui est flanqué aux trois extrémités des trois résidences de la cour
arthurienne : Cardoel au nord (Carlisle), Pennevoiseuse en Galles
(sans doute Penzance) et Camaalot à l'entrée du royaume de Logres
(et différent du Camaalot en Galles où est né Perlesvaus). Mais si l'on
retrouve ici la géographie canonique des romans arthuriens, avec ses
immenses forêts entrecoupées de clairières et parsemées de châteaux
et d'ermitages, l'époque à laquelle se situe le roman est bien antérieure à celle qu'évoquent les autres textes : deux générations après la
mort du Christ environ, puisque la mère de Perlesvaus, la Dame
Veuve, est la nièce de ce Joseph d'Arimathie qui aida à recueillir dans
le Graal le sang du Christ mourant sur la Croix.

A la lecture, ce roman donne l'impression d'un tissu narratif extrêmement serré, très concerté mais aussi très touffu. Impression qui
naît sans doute des nombreuses correspondances scandant les aventures des quatre protagonistes essentiels ; ainsi, le Chevalier Couard
que rencontre Gauvain au début (chap. XI) se retrouve aux côtés
de Perlesvaus (chap. XL), à qui son frère servira de messager
(chap. XLV) ; la première demoiselle que rencontre le roi Arthur
près de la chapelle Saint-Augustin (chap. IV), et qui cherche Perlesvaus, sera enfin secourue par celui-ci à la fin (chap. XL) après
maintes péripéries ; il n'est aucune des rencontres ou des aventures
des héros qui n'évoque ou ne découle d'une aventure ou d'une rencontre antérieure.

Un ultime aspect peut surprendre le lecteur moderne : l'étrange férocité de ce roman. Innombrables sont en effet les scènes de décapitation, de la Demoiselle au Char qui traîne après elle un chariot avec cent cinquante têtes marquées de sceaux d'or, d'argent ou de plomb, à la vengeance (avec décapitation) de Perlesvaus contre Aristor, en passant par l'extraordinaire guillotine inventée par l'Orgueilleuse Pucelle, par le supplice infligé au fils du roi Arthur ou par l'épée qui servit à décapiter saint Jean, dont la couleur d'émeraude s'ensanglante tous les jours à midi. Mais les « senefiances », les élucidations que dispensent les ermites ou le religieux du Château herméneutique de l'Enquête, mettent sur la voie : cette apparente barbarie, c'est la figure de la lutte sans merci de la Nouvelle Loi contre l'Ancienne. Il ne faut sans doute pas s'en tenir là, à voir la récurrence obstinée de certains thèmes — figures du Fils, femmes transportant la tête coupée de l'homme aimé, scènes nocturnes au cimetière, tombes qui s'ouvrent mystérieusement. Tout cela, le texte nous y invite, est à lire comme « muances », transformations ; car dans ce pays, de même que le Graal prend successivement sous les yeux d'Arthur cinq apparences différentes et qu'il ne faut pas dévoiler, les contrées que traversent les chevaliers changent en fonction des aventures.

Ce long roman de plus de 10 192 lignes (dans l'édition que nous traduisons) s'articule en onze branches d'inégale longueur ; nous les avons subdivisées en chapitres auxquels nous avons donné des titres. La longueur de ce texte rendait difficile une traduction exhaustive ; ce qui n'a pas été traduit est résumé entre parenthèses en italique. Chaque fois, nous donnons la référence du passage traduit ou résumé. Enfin, des notes précisent parfois le sens d'un terme ou l'identification d'un personnage, ou justifient le choix d'une traduction.

Christiane MARCHELLO-NIZIA

BIBLIOGRAPHIE

Édition du texte traduit :

W.A. NITZE, et T.A. JENKINS, *Le Haut Livre du Graal : Perlesvaus,* Chicago, The University of Chicago Press, 1932-1937, 2 volumes.

Études :

F. BOGDANOW : « *Le Perlesvaus* », in *Grundriss der romanischen Literaturen des Mittelalters,* IV/2, Heidelberg, 1984, p. 43-67.

TH. KELLY : « *Le Haut Livre du Graal : Perlesvaus* », A Structural Study, Genève, Droz, 1974.

C. LLOYD-MORGAN : « The Relationship between the *Perlesvaus* and the *Prose Lancelot* », *Medium Aevum,* t. 53, 1984/2, p. 239-252.

CH. MELA : *La Reine et le Graal,* Paris, Éd. du Seuil, 1984, chapitre IV.

PROLOGUE

(L.1-58)
Voici l'histoire de la très sainte coupe qu'on nomme le Graal [1], dans laquelle fut recueilli le précieux sang du Sauveur le jour où Il fut crucifié pour racheter les hommes. C'est Joséphé [2] qui en a écrit le récit, sous la dictée d'un ange, afin que par son témoignage soit connue la vérité sur les chevaliers et les saints hommes qui acceptèrent de souffrir peines et tourments pour glorifier la religion que Jésus-Christ a voulu instituer par Sa mort sur la Croix.
Voici le commencement du *Haut Livre du Graal,* au nom du Père, du Fils et du Saint-Esprit. Ces trois personnes ne sont qu'une substance, et cette substance est Dieu, et de Dieu procède le Haut Conte du Graal. Tous ceux qui l'entendent doivent s'efforcer d'en comprendre la signification et oublier tout le mal qu'ils ont dans leur cœur, car il sera d'un grand profit à ceux qui l'écouteront avec leur cœur, à cause des saints hommes et des bons chevaliers dont ils entendront raconter les actions. Joséphé nous rapporte cette sainte histoire en l'honneur du lignage d'un bon chevalier qui vécut après la mort du Christ Notre-Seigneur. C'était véritablement un bon chevalier, car il était chaste et vierge dans son corps, hardi et généreux de cœur, et ses qualités étaient sans tache. Il ne parlait pas volontiers, et à le voir on ne l'aurait pas cru d'aussi grande vertu. Mais, faute d'avoir prononcé quelques paroles au moment opportun, il fut cause de graves infortunes pour la Grande Bretagne : toutes les îles, tous

---

1. Nous traduisons par *coupe* le mot *vessel,* « récipient », pour deux raisons : dans le texte, la forme du Graal n'est jamais spécifiée, sauf lorsqu'il prend l'apparence d'un calice, et *coupe* est sans doute le mot qui traduit le mieux cette imprécision ; d'autre part, lorsque le Graal est représenté dans les miniatures des manuscrits médiévaux, c'est souvent sous la forme un peu évasée d'une coupe.
2. Nous transcrivons *Josephes* du manuscrit par Joséphé ; il se peut que le nom du supposé narrateur renvoie à l'historien Flavius Josèphe ; il se peut qu'il renvoie à celui qui le premier a célébré le sacrement de la messe (voir chap. XX).

les royaumes furent dans le malheur, mais par la suite il leur rendit la joie par la vertu de ses qualités chevaleresques.

Il n'était pas étonnant qu'il fût un bon chevalier, car il appartenait au lignage de Joseph d'Arimathie, qui était l'oncle de sa mère. Joseph avait été au service de Ponce Pilate pendant sept ans, et pour salaire il ne demanda rien d'autre que l'autorisation de descendre le corps du Sauveur de la Croix ; cela lui sembla un don infiniment précieux, alors que pour Pilate, c'était là une bien modeste récompense, car Joseph lui avait rendu de grands services, et s'il lui avait demandé de l'or, une terre ou des biens, il les lui aurait donnés volontiers. Et si Pilate lui avait accordé aussi facilement le corps du Sauveur, c'est qu'il croyait que Joseph allait le traîner à travers toute la ville de Jérusalem avant de l'abandonner hors de la cité dans quelque lieu infâme. Mais telle n'était pas l'intention du bon serviteur, qui honora le corps du mieux qu'il put et le coucha dans le saint tombeau ; et il conserva la lance avec laquelle le Sauveur avait été frappé au côté, ainsi que la sainte coupe dans laquelle ceux qui croyaient en Lui avaient avec infiniment de crainte recueilli le sang qui coulait de Ses blessures lorsqu'Il avait été crucifié.

C'est à ce lignage qu'appartenait le Bon Chevalier dont on évoquera ici l'histoire. Sa mère se nommait Iglai, le Roi Pêcheur était son oncle, ainsi que le Roi de la Basse Gent, qui se nommait Pellés, et le Roi du Château Mortel ; ce dernier était aussi mauvais que les deux autres étaient bons, et ce n'était pas peu dire ; tous trois étaient ses oncles par sa mère Iglai, dame de grande vertu et de foi sincère. Le Bon Chevalier avait une sœur nommée Dandrane. Du côté de son père, le fondateur de la lignée se nommait Nicodème. Gai le Gros de la Croix des Ermites était le père de Julain le Gros des Vaux de Camaalot [1]. Julain avait onze frères, aussi bons chevaliers que lui, et dont aucun ne vécut plus de douze ans après avoir été fait chevalier : tous moururent en combattant courageusement pour défendre la religion nouvelle. Ils étaient douze frères : Julain le Gros était l'aîné, Gosgallian venait ensuite, Brun Brandalis était le troisième, Bertolé le Chauve le quatrième, Brandalus de Galles le cinquième, Élinand d'Escavalon le sixième, Calobrutus le septième, Méralis du Pré du Palais le huitième, Fortuné de la Lande Vermeille le neuvième, Méliarman d'Écosse le dixième, Galerian de la Blanche Tour le onzième, Aliban de la Gaste Cité le douzième. Tous moururent en combattant au service de Jésus le Saint Prophète [2] qui par sa mort

---

1. Nous transcrivons par *Julain* les formes *Julain, Yulain, Huilain, Yilain* données par le manuscrit O. Il est à identifier avec Alain, père de Perceval, qui apparaît dans d'autres textes arthuriens. L'un des manuscrits, C, donne d'ailleurs *Alain*.

2. Les textes médiévaux désignent souvent Jésus-Christ de cette façon : c'est le prophète par excellence, qui annonce le règne de Dieu.

avait institué la religion nouvelle, ayant, autant qu'ils l'avaient pu, soumis ses ennemis.

C'est donc, ainsi que le rapporte Joséphé le bon clerc, de ces deux lignées dont on vient de rappeler les noms et la mémoire qu'était issu le Bon Chevalier, dont vous allez apprendre le nom et ce qu'il fut.

I

LA MÉLANCOLIE DU ROI ARTHUR

(L.58-115)

Les récits les plus autorisés nous disent qu'après la crucifixion de Notre-Seigneur, aucun roi en ce monde ne fit autant pour la religion chrétienne que le roi Arthur de Bretagne, tant par ses propres actions que grâce aux bons chevaliers qui fréquentaient sa cour. A cette époque, le roi Arthur était un roi puissant et sincèrement chrétien ; il arrivait beaucoup de belles aventures à sa cour, et il y avait là la Table Ronde, autour de laquelle se retrouvaient les meilleurs chevaliers du monde. Après la mort de son père, le roi Arthur avait mené l'existence la plus louable et la plus sage, et tous les princes et les grands seigneurs prenaient exemple sur lui. Cela dura dix ans, et il n'y avait nul roi au monde d'aussi grande réputation que lui. Mais un jour, sa volonté se trouva comme paralysée [1], et il perdit le désir de se montrer généreux. Il n'avait plus envie de tenir sa cour, ni à Noël, ni à Pâques, ni à la Pentecôte. Voyant ses bienfaits se raréfier, les chevaliers de la Table Ronde se dispersèrent et commencèrent à délaisser sa cour. Des trois cent soixante-dix chevaliers qu'il avait habituellement auprès de lui, il n'en conserva que vingt-cinq tout au plus. Aucune aventure n'arrivait plus à la cour. Et tous les autres princes, au spectacle de sa déchéance, cessèrent à leur tour de se bien conduire. La reine Guenièvre était si consternée par cette situation qu'elle ne savait plus que faire.

Un jour d'Ascension, le roi Arthur se trouvait à Cardoel [2]. Le repas venait de se terminer, et il marchait de long en large dans la grande salle, quand il aperçut la reine Guenièvre assise à une fenêtre. Le roi alla s'asseoir auprès d'elle, il s'aperçut que des larmes coulaient de ses yeux.

— Ma dame, dit le roi, qu'y a-t-il ? Pourquoi pleurez-vous ?

---

1. Cette paralysie de la volonté et du désir qui atteint Arthur s'apparente à la mélancolie, d'où le titre que nous avons choisi pour ce chapitre.
2. *Cardoel*, qui dans ce roman est la résidence privilégiée d'Arthur, plus que Pennevoiseuse ou Camaalot, correspond, semble-t-il, à la ville de Carlisle.

— Seigneur, répondit-elle, j'ai bien des raisons de pleurer, et vous-même ne devez pas vous sentir très heureux.

— Non, ma dame, assurément.

— Seigneur, vous avez raison. J'ai connu une époque où, un jour comme celui-ci, vous aviez en votre cour un si grand nombre de chevaliers que l'on pouvait à peine les compter. A présent il y en a si peu chaque jour que j'en éprouve de la honte, et aucune aventure n'arrive plus ici ; j'ai grand-peur que Dieu ne vous ait oublié.

— Il est vrai, ma dame, que je ne ressens plus le désir de montrer ma générosité ou d'accomplir quelque action glorieuse ; ma volonté s'est changée en faiblesse de cœur, et c'est à cause de cela, je le sais bien, que je perds mes chevaliers et l'affection de mes amis.

— Seigneur, dit la reine, si vous alliez à la chapelle Saint-Augustin [1], qui se trouve dans la Blanche Forêt, et à laquelle on ne peut parvenir que guidé par le hasard, je crois que vous retrouveriez votre désir de bien faire. Car nul n'a jamais dans sa détresse prié le saint sans obtenir grâce à lui l'aide de Dieu, dès lors que sa prière était sincère.

— Ma dame, dit le roi, j'irai bien volontiers. J'en avais déjà entendu parler, et l'idée d'y aller m'est venue il y a trois jours.

— Seigneur, dit la reine, l'endroit est dangereux, et la chapelle pleine de prodiges ; mais le plus saint ermite du royaume de Galles loge auprès de la chapelle, et il ne vit que de la gloire de Dieu.

— Ma dame, dit le roi, il faudra que je m'y rende tout armé, et sans aucun chevalier pour m'accompagner.

— Seigneur, vous pourriez bien emmener avec vous un écuyer.

— Ma dame, je n'oserais, car l'endroit est dangereux, et plus on y amène de gens, plus cruelles sont les aventures que l'on y affronte.

— Seigneur, insista-t-elle, si vous m'en croyez, vous emmènerez un écuyer : s'il plaît à Dieu, il ne vous en adviendra aucun mal.

— Ma dame, comme vous le désirez, mais je crains que cela ne m'attire des malheurs.

— Non, seigneur, que Dieu vous en garde !

Le roi s'éloigna de la fenêtre, suivi de la reine. Il aperçut alors, juste devant lui, un jeune écuyer, beau, grand et fort. Il se nommait Cahus, et était le fils d'Yvain le Bâtard [2].

— Ma dame, dit le roi à son épouse, c'est celui-ci que j'emmènerai avec moi, si vous le voulez bien.

— Seigneur, je m'y accorde, car j'ai entendu dire qu'il était valeureux.

---

1. Le saint Augustin à qui est consacrée cette chapelle est celui qui évangélisa l'Angleterre.

2. Yvain le Bâtard *(Yvain l'Avoutre)* est le fils bâtard du roi Urien ; celui-ci a un autre fils, légitime, nommé également Yvain (voir chap. VII) ; les deux furent engendrés parallèlement.

Le roi appela l'écuyer, qui s'agenouilla devant lui ; le relevant, il lui dit :

— Cahus, vous dormirez dans cette salle cette nuit ; et veillez à ce que mon cheval soit sellé au point du jour, et mes armes prêtes, car je me mettrai en route à cette heure-là. Et vous seul m'accompagnerez.

— Seigneur, répondit le jeune homme, comme vous le désirez.

II

LE RÊVE DE CAHUS

(L.116-182)

Le soir tombait, et le roi et la reine allèrent se coucher. Dès que le repas fut achevé, les chevaliers rentrèrent chez eux. L'écuyer resta dans la salle. Il ne voulut ni se déshabiller ni se déchausser, car il lui semblait que la nuit serait courte, et il voulait être prêt au matin comme le roi le lui avait ordonné.

Le jeune homme se coucha donc tout habillé, et dans son premier sommeil, il rêva que le roi était parti sans lui. Tout effrayé, il courait à son cheval, lui mettait la selle et le mors, chaussait ses éperons et ceignait son épée ; et il rêvait qu'il sortait du château à grande allure sur les traces du roi Arthur. Après avoir chevauché quelque temps, il pénétrait dans une vaste forêt ; examinant le chemin qui était devant lui, il aperçut les empreintes du cheval du roi ; il suivit la trace un long moment avant d'arriver dans une clairière au cœur de la forêt ; il pensait dans son rêve que le roi avait mis pied à terre en cet endroit ou près de là, car les traces s'arrêtaient. Sur sa droite, il aperçut une chapelle au milieu de la clairière ; tout autour, lui semblait-il dans son rêve, il y avait un cimetière rempli de tombes ; il se dit qu'il irait jusqu'à la chapelle, car il se pouvait que le roi y fût entré pour prier. S'étant avancé jusque-là, il mit pied à terre, attacha son cheval et entra dans la chapelle : il n'y avait personne nulle part, à l'exception d'un chevalier étendu sur une civière au milieu de la chapelle et recouvert d'un magnifique drap de soie ; autour de lui, dans quatre chandeliers d'or, quatre cierges brûlaient. Le jeune homme se demanda comment il se faisait que ce corps ait été ainsi abandonné tout seul en ce lieu : à l'exception de statues, il n'y avait personne avec lui. Et il s'étonnait plus encore de n'avoir pas trouvé le roi : il ne savait où le chercher. Otant l'un des cierges, il prit le chandelier d'or et le glissa dans le haut de sa chausse contre sa cuisse, puis il quitta la chapelle et remonta sur son cheval ; il traversa le cimetière, quitta la clairière et entra dans la forêt, bien décidé à ne pas s'arrêter avant d'avoir retrouvé le roi.

Au moment où il se remettait en route, il vit venir en face de lui un homme noir et laid, qui bien qu'à pied était plus grand que lui à cheval, et qui tenait dans sa main un grand couteau à double tranchant, lui semblait-il dans son rêve. Le jeune homme se dirigea vers lui à vive allure, et lui demanda :

— Vous qui venez, n'avez-vous pas rencontré le roi Arthur dans la forêt ?

— Non, répondit l'homme, mais je vous ai rencontré, et j'en suis très content, car vous avez quitté la chapelle comme un voleur indigne, en emportant sans aucun scrupule le chandelier d'or dont était honoré le corps du chevalier qui reposait là-bas ; je veux que vous me le rendiez, et je le rapporterai ; sinon, je vous défie au combat.

— Ma foi, répondit le jeune homme, je ne vous le rendrai pas, mais je l'emporterai avec moi pour en faire présent au roi Arthur.

— Par ma foi, dit l'homme, si vous ne me le rendez pas immédiatement, vous le paierez cher !

Le jeune homme éperonne sa monture, espérant éviter l'autre ; mais celui-ci le presse et le frappe au côté droit de son couteau, le lui enfonçant dans le corps jusqu'au manche. Le jeune homme, qui dormait dans la grande salle à Cardoel et avait rêvé tout cela, s'éveilla et se mit à crier :

— Sainte Marie ! Un prêtre ! Au secours, au secours, je suis mort !

Le roi et la reine entendirent les cris, les chambellans aussi ; ils se levèrent précipitamment et dirent au roi :

— Seigneur, vous pouvez vous mettre en route, car il fait jour.

Le roi se fait vêtir et chausser. Et l'écuyer crie de toutes ses forces :

— Amenez-moi le prêtre, car je meurs !

Le roi se précipite auprès de lui, pendant que la reine et les chambellans apportent des torches. Le roi demande au jeune homme ce qu'il a, et celui-ci lui raconte son rêve.

— Ah, dit le roi, ce n'était donc qu'un rêve ?

— Oui, seigneur, mais il est malheureusement devenu pour moi réalité [1] ! Regardez, dit-il en levant le bras gauche, voici le couteau, enfoncé dans mon corps jusqu'au manche.

Puis, portant la main à la chausse où se trouvait le chandelier d'or, il le tira et le montra au roi :

---

1. Le songe de Cahus est partiellement devenu réalité ; il arrive que les récits médiévaux jouent sur cette transgression de la frontière entre rêvé et réel, mais ce n'est pas fréquent.

— Seigneur, c'est pour ce chandelier que j'ai été blessé à mort ; je vous en fais don.

Le roi prit le chandelier et le contempla avec stupéfaction, car il n'en avait jamais vu d'aussi magnifique, puis il le montra à la reine.

— Seigneur, reprit le jeune homme, ne retirez pas le couteau de la blessure avant que je me sois confessé.

Le roi envoya chercher son chapelain et lui demanda de confesser le jeune homme et de lui donner les derniers sacrements. Puis il retira lui-même le couteau, et le jeune homme rendit l'âme aussitôt. Le roi fit dire pour lui l'office des morts et le fit magnifiquement ensevelir. Yvain le Bâtard, le père du jeune homme, était très malheureux de la mort de son fils. Sur son conseil, le roi Arthur fit don du chandelier d'or à l'église Saint-Paul de Londres, qui venait d'être fondée : il voulait que cette aventure extraordinaire fût connue partout, et qu'on priât dans cette église pour l'âme du jeune écuyer qui avait perdu la vie pour le chandelier.

III

LE ROI ARTHUR CHEZ L'ERMITE CALIXTE

(L.183-253)

Le roi se prépara donc, comme j'avais commencé à vous le raconter, pour se rendre à la chapelle Saint-Augustin. La reine lui demanda :

— Seigneur, qui ira avec vous ?

— Ma dame, répondit le roi, je n'aurai d'autre compagnie que de Dieu. Vous voyez bien, par ce qui vient de se passer, que Dieu refuse que qui que ce soit m'accompagne.

— Seigneur, dit-elle, que Dieu vous garde et vous accorde de revenir, et qu'il vous donne la volonté d'agir de sorte que soit restaurée votre renommée, qui a subi une si terrible éclipse !

— Dieu le veuille, ma dame !

Son cheval fut amené près du perron, et le roi monta, revêtu de son armure. Messire Yvain le Bâtard lui donna son bouclier et sa lance. Une fois équipé, le roi avait tout à fait l'allure d'un chevalier de haut rang et de noble courage. Il força tellement sur les étriers que les arçons s'allongèrent et que le cheval, qui pourtant était fort et rapide, plia sous lui ; le roi piqua des éperons, et le cheval bondit en avant. La reine était aux fenêtres de la grande salle, et il y avait bien vingt-cinq chevaliers qui étaient venus au perron.

— Seigneurs, dit la reine alors que le roi s'éloignait, que dites-vous du roi ? N'a-t-il pas noble allure ?

— Certes, ma dame, et c'est un bien grand malheur pour nous tous qu'il ne continue pas comme il avait commencé, car on ne connaît nul roi ni prince qui sache si bien faire montre de courtoisie et de générosité, si du moins il voulait continuer dans la même voie.

Les chevaliers se turent, et le roi s'éloigna à vive allure et s'enfonça dans une forêt aventureuse. Il chevaucha tout le jour ; dans la soirée, parvenu au cœur de la forêt, il aperçut, près d'une chapelle, une maisonnette qui ressemblait fort à un ermitage. S'étant approché, il mit pied à terre et entra, tirant après lui son cheval qui eut bien de la peine à franchir la porte ; il coucha sa lance sur le sol, appuya son bouclier contre le mur, déceignit son épée et délaça son heaume. Apercevant de l'orge et de la nourriture pour les animaux, il y mena son cheval et lui ôta le mors ; puis il ferma la porte de la maisonnette. Il lui sembla alors entendre des gens se disputer dans la chapelle : les uns parlaient comme des anges, et les autres avec autant de violence que des démons. Le roi se demandait ce que ce pouvait être ; il trouva une porte dans la maisonnette qui ouvrait sur un petit cloître conduisant à la chapelle ; il regarda partout dans l'église, mais ne vit rien d'autre que les statues et les crucifix — et il ne semblait pas que le bruit de la dispute venait d'eux ; la discussion avait d'ailleurs cessé dès qu'il était entré. Il se demanda comment il se faisait que cet ermitage fût désert, et ce qu'il était advenu de l'ermite qui y habitait. Le roi, s'approchant de l'autel, aperçut un cercueil découvert dans lequel était étendu l'ermite, revêtu de ses habits ; il avait la barbe longue jusqu'à la ceinture, et ses mains étaient croisées sur sa poitrine ; sur lui était posée une croix dont l'extrémité touchait à sa bouche ; un peu de vie subsistait encore en lui, mais il était près de la mort. Le roi demeura un long moment devant le cercueil, tout absorbé dans la contemplation de l'ermite, car c'était manifestement un saint homme. La nuit était venue, et cependant il faisait aussi clair que si vingt chandelles avaient été allumées. Le roi décida qu'il resterait là jusqu'à ce que l'ermite ait rendu l'âme. Il voulut s'asseoir devant le cercueil, quand une voix l'interpella brutalement, lui ordonnant de s'en aller, car devait se tenir dans la chapelle un procès qui ne pouvait avoir lieu en sa présence. Le roi serait bien volontiers resté, mais il obéit et retourna dans la maisonnette ; là il s'assit sur un siège où l'ermite avait l'habitude de se tenir. La discussion recommença alors dans la chapelle, et il entendait les uns parler à voix haute, les autres bas, et aux voix il comprit que les premiers étaient des anges, et les autres des démons : les démons revendiquaient l'âme de l'ermite, et le jugement était proche, ce qui les comblait de joie. Le cœur du roi s'emplit de tristesse quand il s'aperçut que les voix des anges s'étaient tues ; il était si préoccupé qu'il ne pensait ni à boire ni à manger.

Alors qu'il était plongé dans ces tristes pensées, il entendit dans la chapelle une voix de femme, si douce et si harmonieuse qu'elle aurait changé en joie la plus violente colère. Et cette voix disait aux démons :

— Sortez d'ici, car vous n'avez aucun droit sur l'âme de ce saint homme, quoi qu'il ait fait naguère ; il est au service de mon fils et au mien, et il accomplissait en cet ermitage la pénitence des péchés qu'il avait commis.

— Certes, dame, répondaient les démons, mais il a été plus long-temps à notre service qu'à celui de votre fils et au vôtre : en effet, il a été pendant soixante-deux ans assassin et voleur dans cette forêt, et cela ne fait que cinq ans qu'il vit dans cet ermitage ; et vous voulez nous l'enlever !

— Non, vous ne pouvez pas dire que je veux vous l'enlever, car s'il avait été à votre service de la même façon qu'il l'est au nôtre, il vous appartiendrait légitimement !

Les démons s'en vont, tristes et déconfits, et la douce Mère de Dieu prend l'âme de l'ermite, qui avait quitté son corps, et la confie aux anges afin qu'ils en fassent présent à son cher Fils, au paradis ; les anges la prennent et entonnent un chant de joie. C'est Joséphé qui nous a transmis ce récit, et il nous dit que ce saint ermite se nom-mait Calixte.

IV

ARTHUR À LA CHAPELLE SAINT-AUGUSTIN

(L.254-361)

De la maisonnette où il se trouvait, le roi Arthur avait entendu la voix de la douce Mère de Dieu et des anges : il en avait éprouvé une joie profonde, et il fut heureux que l'âme de l'ermite ait été empor-tée au paradis. Le roi dormit très peu cette nuit-là ; il était resté armé. Quand il vit poindre le jour, il alla prier dans la chapelle, croyant trouver encore découvert le cercueil dans lequel se trouvait l'ermite : il ne l'était plus, il avait été recouvert d'une dalle magni-fique sur laquelle était une croix vermeille, et l'on aurait dit que la chapelle avait été parfumée d'encens.

Ayant prié, le roi s'en revint mettre le mors et la selle à son che-val, monta et, ayant pris son bouclier et sa lance, il quitta la mai-sonnette et pénétra à nouveau dans la forêt. Chevauchant à vive allure, il parvint au début de l'après-midi dans l'une des plus char-mantes clairières qui soient ; une barrière en commandait l'entrée.

Avant d'y pénétrer, le roi regarda sur sa droite et aperçut une jeune femme sous un arbre [1], qui tenait dans sa main les rênes de sa mule. Elle était très belle. Le roi se dirigea vers elle :

— Demoiselle, dit-il, que Dieu vous donne joie et bonheur !

— Et à vous de même tous les jours de votre vie, seigneur.

— Demoiselle, y a-t-il quelque habitation en cette clairière ?

— Seigneur, il n'y a pour toute demeure qu'une chapelle consacrée et un ermitage qui se trouve à côté de la chapelle de saint Augustin.

— C'est donc bien là la chapelle Saint-Augustin ?

— Oui, seigneur, je vous l'affirme. Mais la clairière et la forêt alentour sont si dangereuses que jamais aucun chevalier n'en est revenu indemne. La chapelle en revanche est un endroit si miraculeux que nul désespéré n'y pénètre qui n'y trouve secours, s'il en sort vivant. Que Dieu vous protège, car je n'ai jamais vu personne ici qui ressemble davantage à un bon chevalier, et il serait bien dommage que vous ne le soyez pas ; aussi, je ne partirai pas d'ici avant de savoir ce qu'il adviendra de vous.

— Demoiselle, si Dieu le veut, vous me verrez bientôt de retour.

— J'en serais très heureuse, répondit-elle, et je pourrai alors tout à loisir vous interroger sur celui que je recherche.

Le roi se dirigea vers la barrière qui donnait accès à la clairière ; une fois à l'intérieur, il regarda vers la droite dans un repli de la forêt, et il aperçut la chapelle Saint-Augustin et l'ermitage ; il s'approcha et mit pied à terre : manifestement, l'ermite s'apprêtait à chanter la messe. Le roi attacha son cheval à un arbre près de la chapelle, avec l'intention d'y pénétrer. Mais même s'il avait dû y trouver tout l'or du monde, il n'aurait pu entrer, et pourtant personne n'en défendait l'accès : la porte était ouverte, et il ne voyait personne qui en interdise l'entrée. Le roi en éprouva une honte profonde. Il vit une statue représentant le Christ, et il s'inclina devant. Il regarda du côté de l'autel : l'ermite disait le *Confiteor*, et à sa droite le roi aperçut un enfant d'une extraordinaire beauté : il était vêtu d'une aube et portait une couronne d'or chargée de pierres précieuses qui répandaient une très vive clarté. A gauche se tenait une dame si belle qu'aucune beauté au monde n'eût pu lui être comparée. Quand le saint ermite eut prononcé le *Confiteor*, il alla à l'autel, et la dame prit son fils et alla s'asseoir à la droite de l'autel sur un siège magnifiquement orné. Elle assit l'enfant sur ses genoux et se mit à l'embrasser avec une infinie tendresse.

---

1. « La demoiselle sous un arbre » est l'un des personnages récurrents du récit. Fées sans doute à l'origine, peu à peu « encourtoisées », elles sont ici des figures de la quête ; elles définissent les missions des chevaliers, structurent leurs aventures.

— Seigneur, disait-elle, vous êtes tout à la fois mon père, mon fils, mon époux, mon sauveur et le Sauveur du monde.

Le roi Arthur était fort intrigué par ces paroles, par la beauté de la dame et de l'enfant, et de l'entendre l'appeler son père et son fils. Levant les yeux vers un vitrail qui se trouvait au-dessus de l'autel, il vit une flamme le traverser, plus claire qu'un rayon de soleil, dès que la messe fut commencée, puis elle descendit sur l'autel. Le roi assistait à tout cela absolument émerveillé, et plein du regret de n'avoir pu entrer ; et il entendait, répondant au saint ermite qui disait la messe, la voix des anges. Après la lecture du saint Évangile, le roi regarda du côté de l'autel : la dame prit son enfant et le remit entre les mains du saint ermite [1] ; mais ce qui surprit le plus le roi, c'est que l'ermite n'avait pas lavé ses mains pour recevoir cette offrande ; mais s'il en avait su la raison, il n'aurait pas été étonné : en effet, une aussi sainte offrande n'aurait pu lui être accordée s'il n'avait eu les mains et le corps parfaitement purs ; il déposa l'enfant sur l'autel, puis commença à célébrer la Consécration ; à l'extérieur de la chapelle, le roi s'agenouilla et se mit à prier et à battre sa coulpe ; levant les yeux vers l'autel après la Préface, il lui sembla que le saint ermite tenait entre ses mains un homme dont le côté, les paumes et les pieds étaient ensanglantés, et qui portait une couronne d'épines : c'était vraiment un homme en chair et en os ; il le contempla longtemps, puis il ne sut ce qu'il advenait de lui. Le roi éprouvait une profonde compassion de ce qu'il avait vu, et les larmes lui vinrent aux yeux. Regardant à nouveau vers l'autel, et s'attendant à voir cette même figure d'homme, il s'aperçut qu'elle avait pris l'apparence de l'enfant qu'il avait vu auparavant. A la fin de la messe, la voix d'un ange prononça le *Ite missa est*. Le fils prit sa mère par la main et ils disparurent hors de la chapelle, accompagnés d'un cortège nombreux et magnifique ; et la flamme qui était descendue par le vitrail disparut en même temps qu'eux. Ayant ôté les habits avec lesquels il avait célébré la messe, l'ermite se dirigea vers le roi qui était toujours à l'extérieur de la chapelle :

— Seigneur, lui dit-il, à présent vous pouvez entrer ; c'eût été un grand bonheur pour vous, si vous aviez été digne d'entrer dès le commencement de la messe.

Le roi pénétra alors dans la chapelle sans aucune difficulté.

— Seigneur, reprit l'ermite, je vous connais bien, et je connaissais le roi Uter votre père. C'est à cause de vos péchés que vous n'avez pu aujourd'hui entrer dans cette chapelle pendant la célébration de la messe ; et il en serait de même demain, si vous n'aviez expié votre faute auprès de Dieu ou du saint que l'on prie ici. Car vous êtes le

---

1. Il s'agit d'une image du mystère de la transsubstantiation.

: ι ▴ ·· ːː

plus riche et le plus puissant roi au monde, le plus apte à accomplir les aventures aussi, et c'est sur vous que chacun devrait pouvoir prendre l'exemple de la vertu, de la générosité et de l'honneur ; or vous êtes pour tous les princes du monde l'exemple de ce qu'il ne faut pas faire ; si vous ne rejoignez pas la voie que vous suiviez auparavant, vous le paierez très cher. Votre cour était la plus brillante et la plus fertile en aventures : la voici devenue la plus misérable. Malheureux celui qui délaisse l'honneur pour la honte ! Mais celui qui abandonne la honte pour l'honneur, celui-là, aucun reproche ne l'atteint, car son nouvel état le sauve à tout jamais ; en revanche, celui qui a laissé la gloire pour le déshonneur ne peut échapper aux reproches, car son indignité révèle qu'il est mauvais.

— Seigneur, dit le roi, c'est pour m'amender que je suis venu jusqu'ici, et pour y trouver aide et conseil. Je vois bien que ce lieu est sacré, je vous demande de prier Dieu afin qu'il m'aide, et je mettrai tous mes efforts à amender ma vie.

— Que Dieu vous le permette, dit le saint ermite, afin que vous puissiez soutenir et glorifier la religion nouvelle fondée par la mort de Jésus le Saint Prophète. Mais il est advenu un grand malheur, par la faute d'un chevalier qui fut hébergé dans la demeure du Riche Roi Pêcheur : le Saint Graal lui apparut, ainsi que la lance dont la pointe saigne, et il n'a pas demandé à quoi il servait, ni qui l'on en servait [1] ; parce qu'il a omis de poser cette question, tous les royaumes sont entrés en guerre, et chaque fois qu'un chevalier en rencontre un autre dans la forêt, il l'attaque et le tue s'il le peut : vous vous en apercevrez vous-même avant de quitter cette clairière.

— Seigneur, dit le roi, que Dieu me protège d'une mort misérable et indigne ; si je suis venu ici, c'est uniquement pour m'amender, et je le ferai, si Dieu m'accorde de retourner sain et sauf.

— Ah, seigneur, dit l'ermite, lorsque sur quarante ans quelqu'un a été mauvais pendant trois ans, on ne peut pas dire qu'il ait été absolument bon pendant quarante ans !

— Seigneur, répondit le roi, vous dites vrai.

Et l'ermite s'en alla en le recommandant à Dieu.

---

1. Le récit commence après le premier séjour de Perlesvaus au Château du Graal : le Graal lui est apparu, et il n'a pas posé les questions attendues. *Perlesvaus* prend donc la suite du *Conte du Graal* de Chrétien de Troyes. Mais dans ce roman-ci, la fonction de la question est différente : c'est le silence de Perlesvaus qui est cause de la langueur du Roi Pêcheur, de la mélancolie du roi Arthur, et des malheurs qui frappent la Grande Bretagne ; chez Chrétien et ailleurs, la maladie du Roi Pêcheur et la malédiction qui pèse sur son pays sont antérieures à l'arrivée de Perceval, et le fait de poser la question les en aurait délivrés.

Quant à la forme même de la question, ou des questions, elle varie également. Dans le *Conte du Graal*, il fallait demander *cui l'an an servoit* ; dans le *Perlesvaus*, la question est double : *de coi ce servoit ne cui on en servoit*, et elle apparaît tantôt dans sa totalité, tantôt dans l'une de ses parties.

V

ARTHUR ET LE CHEVALIER NOIR

(L.362-458)

Le roi se dirige rapidement vers son cheval, monte, pend son bouclier à son cou et prend sa lance, puis fait demi-tour sans attendre. Il n'avait pas franchi la distance que parcourt une flèche, qu'il aperçut un chevalier qui se précipitait sur lui, monté sur un grand cheval noir et portant un bouclier et une lance de même couleur ; la lance, fort épaisse à sa pointe, brûlait d'un feu terrifiant, et la flamme descendait jusqu'au poing du chevalier. Celui-ci pointa son arme pour en frapper le roi, mais ce dernier l'évita, et le chevalier le dépassa. Le roi lui demanda alors :

— Seigneur chevalier, pourquoi me haïssez-vous ?

— Je n'ai aucune raison de vous aimer ! répondit le chevalier.

— Et pourquoi donc ?

— Parce que vous avez été en possession du chandelier d'or qui fut indignement dérobé à mon frère.

— Savez-vous donc qui je suis ? demanda le roi.

— Oui, vous êtes le roi Arthur, qui étiez naguère valeureux, et qui êtes à présent indigne ; je vous défie, vous êtes mon ennemi mortel !

Il recule pour mieux prendre son élan, et le roi comprend qu'il ne peut éviter le combat. Il abaisse sa lance quand il voit s'approcher le chevalier avec sa lance en feu ; il éperonne son cheval de toutes ses forces et frappe le chevalier ; celui-ci le frappe également : le choc est si violent que les lances plient sans rompre, et qu'ils se déséquilibrent et quittent leurs étriers ; leurs yeux étincellent, et le roi perd son sang par la bouche et le nez. Ils s'écartent l'un de l'autre pour reprendre haleine. Le roi regarde la lance du Chevalier Noir qui brûle, et se demande comment il se fait qu'elle ne se soit pas brisée sous la violence du coup : il pense qu'il a affaire à un démon. Mais le Chevalier Noir n'a pas l'intention de s'en tenir là : il se précipite sur le roi de tout son élan. Le voyant venir, le roi se protège de son bouclier, car il craint l'ardeur de la lance enflammée ; il reçoit son adversaire du fer de sa lance, le frappant en pleine poitrine si violemment qu'il le renverse sur la croupe de son cheval. Le chevalier, qui était un rude combattant, se rétablit sur ses arçons, et frappa le roi juste sur la bosse de son bouclier [1], de sorte que le fer brûlant traversa le

---

1. La *bocle* du bouclier, que l'on traduit par *boucle* ou *bosse*, est la partie de l'armature de fer qui forme une bosse au centre du bouclier ; on peut y loger des reliques, comme c'est le cas pour l'un des écus de Perlesvaus.

bois et la manche du haubert et pénétra dans le bras du roi. Sous la douleur de la blessure et de la brûlure, le roi fut saisi d'une grande rage ; son adversaire retira sa lance, et il manifesta une grande joie quand il vit que le roi était blessé. Celui-ci regarda la lance du Chevalier Noir et fut surpris de voir qu'elle ne brûlait plus.

— Seigneur, dit le Chevalier Noir, je vous demande grâce. Jamais ma lance n'aurait cessé de brûler si elle n'avait été plongée dans votre sang.

— Que Dieu me damne, répond le roi, pas question de faire grâce alors que je pourrais être vainqueur !

Et, piquant des deux contre son adversaire, il le frappa en pleine poitrine, faisant pénétrer sa lance de la moitié d'une aune [1], et le porta à terre, lui et son cheval ; il retira sa lance, contempla son adversaire qui gisait là, mort, et, l'abandonnant au milieu de la clairière, il se dirigea vers la sortie.

A ce moment-là, le roi entendit le vacarme d'une troupe de chevaliers dans la forêt — il semblait qu'il y en eût une vingtaine, ou même davantage. Il les vit déboucher de la forêt et entrer dans la clairière, armés et bien montés, et se diriger vers le chevalier qui était étendu mort. Le roi allait quitter la clairière, quand il fut rejoint par la demoiselle qu'il avait laissée sous l'arbre :

— Ah, seigneur, dit-elle, pour l'amour de Dieu, retournez sur vos pas et rapportez-moi la tête du chevalier qui gît là-bas !

Se retournant, le roi mesura le péril auquel il s'exposerait du fait de tous ces chevaliers bien armés :

— Ah, demoiselle, dit-il alors, vous voulez ma mort ?

— Non, seigneur, certainement pas. Mais il me serait très utile d'avoir la tête du chevalier. Jamais encore un chevalier ne m'a refusé quoi que ce soit : fasse Dieu que vous ne vous montriez pas le plus indigne !

— Hélas, demoiselle, répond le roi, j'ai une très grave blessure au bras qui me sert à tenir mon bouclier.

— Je le sais bien, seigneur, rétorque-t-elle ; mais vous ne pourrez en être guéri si vous ne me rapportez pas la tête du chevalier.

— Demoiselle, répond le roi, je le ferai donc, quoi qu'il doive m'en coûter.

Tournant ses regards vers la clairière, le roi vit que les nouveaux arrivants avaient dépecé le corps du chevalier, et que chacun emportait qui un pied, qui un bras, qui une cuisse, qui un poing, avant de se disperser dans la forêt. Apercevant le dernier des chevaliers qui emportait la tête au bout de sa lance, le roi s'élança à sa poursuite :

---

1. Une aune est une mesure de longueur qui correspond à un peu plus d'un mètre (1,18 ou 1,20 m) ; une demi-aune correspond donc à 60 cm environ.

— Hé, seigneur chevalier, dit-il, arrêtez-vous, j'ai quelque chose à vous dire !

— Que désirez-vous, cher seigneur ? répondit le chevalier.

— Je vous demande, sur tout ce que vous avez de plus cher, de me donner la tête que vous emportez à la pointe de votre lance.

— Je vous la donnerai, répondit le chevalier, à une condition.

— Laquelle ? demanda le roi.

— Que vous me disiez qui a tué le chevalier dont je porte la tête que justement vous demandez.

— Je ne puis l'obtenir sans cela ?

— Non.

— Je vous le dirai donc : sachez que c'est le roi Arthur qui l'a tué.

— Et où est-il ? demanda le chevalier.

— Cherchez-le jusqu'à ce que vous le trouviez, répondit le roi. Je vous ai dit la vérité : donnez-moi la tête.

— Volontiers, dit le chevalier.

Il abaissa sa lance, et le roi s'empara de la tête. Le chevalier portait un cor suspendu à son cou : il le mit à sa bouche et en sonna. Au bruit du cor, les chevaliers qui avaient déjà regagné la forêt retournèrent sur leurs pas à vive allure. Quant au roi, il se dirigea vers la sortie de l'enclos, où l'attendait la demoiselle. Les chevaliers se précipitèrent vers celui qui lui avait donné la tête, et lui demandèrent pourquoi il avait sonné du cor.

— Parce que ce chevalier qui s'en va là-bas m'a dit que c'est le roi Arthur qui a tué le Chevalier Noir. Je voulais que vous le sachiez, et que nous partions à sa poursuite.

— Nous ne le poursuivrons pas, dirent les chevaliers, car c'est le roi Arthur lui-même qui emporte la tête, et nous n'avons pas le pouvoir de l'attaquer, ni lui ni qui que ce soit, dès lors qu'il a passé la barrière. Mais vous l'avez laissé partir alors qu'il était tout près de vous : vous allez le payer !

Et, se précipitant sur lui, ils le tuent et le mettent en pièces, et chacun emporte un morceau de son corps, comme ils l'avaient fait pour l'autre chevalier.

Une fois passé la barrière, le roi va vers la demoiselle qui l'attend et lui présente la tête du chevalier.

— Grand merci, seigneur, dit la demoiselle.

— Demoiselle, répond le roi, c'est volontiers que je l'ai fait.

— Seigneur, dit-elle, vous pouvez à présent descendre de cheval : vous n'avez rien à craindre de ce côté-ci de la barrière.

Le roi met aussitôt pied à terre.

— Seigneur, reprend-elle, ôtez votre haubert sans crainte, afin que je panse votre blessure au bras, car moi seule peut vous guérir.

Une fois que le roi eut enlevé sa cotte de mailles, la demoiselle

recueillit le sang qui coulait encore de la tête du chevalier, puis en fit
un pansement sur la plaie, et demanda au roi de remettre son haubert.

— Seigneur, dit-elle, seul le sang de ce chevalier pouvait vous
guérir ; et c'est parce qu'ils savaient que vous étiez blessé qu'ils
emportaient le corps et la tête du chevalier après l'avoir dépecé ;
quant à la tête, elle me sera d'un grand secours : grâce à elle, je
récupérerai un château qui m'a été enlevé par traîtrise, à moins que
je ne trouve le chevalier que je recherche, et grâce à qui également il
doit m'être rendu.

— Demoiselle, demanda le roi, et qui est donc ce chevalier ?

— Seigneur, c'est le fils de Julain le Gros des Vaux de Camaalot,
et il se nomme Perlesvaus.

— Et pourquoi Perlesvaus ?

VI

LES ENFANCES DE PERLESVAUS

(L.458-566)

— Seigneur, quand il est né, on demanda à son père quel nom il
devait porter en baptême : il répondit qu'il désirait qu'il soit nommé
Perlesvaus, car le Seigneur des Marais lui avait pris la majeure partie
des Vaux de Camaalot, et il voulait que son fils gardât ce fait en
mémoire à travers son nom, si Dieu lui accordait de devenir chevalier. Le jeune garçon était noble et beau, il grandit, et commença à
parcourir les forêts en chassant cerfs et biches au javelot, comme le
font les Gallois. Son père et sa mère l'aimaient beaucoup. Ils étaient
un jour sortis de leur demeure pour se distraire ; la forêt était toute
proche, et entre leur château et la forêt se trouvait une chapelle dont
la toiture de bois reposait sur quatre colonnes de marbre ; à l'intérieur il y avait un petit autel devant lequel se dressait un magnifique
tombeau : sur le dessus était sculptée la silhouette d'un homme.

« Seigneur, dit la demoiselle poursuivant son récit, le jeune garçon
demanda à son père qui était celui qui reposait dans ce tombeau :
" Vraiment, cher enfant, répondit le père, je ne saurais vous le dire,
car ce tombeau se trouvait déjà là avant la naissance du père de mon
père, et je n'ai jamais entendu dire à quiconque qu'il savait qui y
reposait ; tout ce qu'on en sait, c'est ce que dit l'inscription gravée
sur le tombeau : quand le meilleur chevalier du monde viendra en
ces lieux, le tombeau s'ouvrira, et l'on verra ce qu'il contient. "

— Demoiselle, demanda le roi Arthur, est-il passé là-bas beaucoup de chevaliers depuis que le tombeau s'y trouve ?

— Oui, seigneur, tellement que je n'en saurais dire le nombre, et jamais le tombeau ne s'est ouvert. Quand le jeune garçon eut entendu la réponse de son père, il demanda ce qu'était un chevalier [1]. " Mon cher fils, répondit la mère, vous devriez en être instruit par vos origines. " Et elle lui dit que du côté de son père il avait eu onze oncles qui étaient tous morts en combattant, et aucun n'avait vécu plus de douze ans après avoir été fait chevalier.

« Seigneur, continua la jeune femme en s'adressant au roi, le jeune garçon rétorqua que ce n'était pas cela qu'il voulait savoir, mais comment étaient faits les chevaliers ; et son père lui répondit que c'étaient les hommes les plus valeureux au monde ; et il ajouta : " Cher enfant, ils portent des hauberts de mailles de fer pour se protéger, et des heaumes lacés sur leur tête, des boucliers, des lances, et des épées qu'ils ceignent pour se défendre. " Après que le père eut donné ces explications à son fils, ils retournèrent ensemble au château. Le lendemain matin, le jeune garçon se leva et, entendant les oiseaux chanter, il décida d'aller chasser dans la forêt, car il faisait beau. Il enfourcha l'un des chevaux de chasse de son père, emporta ses javelots comme le font les Gallois, et se dirigea vers la forêt. Il rencontra un cerf et le poursuivit sur plus de quatre lieues, quand il arriva à une clairière. Il y avait là deux chevaliers qui se battaient : l'un portait un bouclier vermeil, l'autre un blanc. Le jeune homme abandonna la chasse au cerf pour regarder le combat : le Chevalier Vermeil était sur le point de vaincre le Blanc ; le jeune homme lança l'un de ses javelots contre le Chevalier Vermeil avec une telle force qu'il transperça sa cotte de mailles et lui pénétra dans le corps — et le chevalier tomba mort. Seigneur, dit la jeune femme, le Chevalier Blanc se montra très heureux, et demanda au jeune garçon si c'était dans ses habitudes de tuer ainsi les chevaliers. " Je croyais, répondit-il, que les armes des chevaliers étaient indestructibles, sinon, je n'aurais pas lancé mon javelot. " Il emmena le destrier du chevalier mort chez ses parents, qui furent fort tristes d'apprendre qu'il avait tué le chevalier ; et ils n'avaient pas tort, car cela devait leur valoir bien des malheurs. Seigneur, le jeune homme quitta la demeure de ses parents et se rendit à la cour du roi Arthur. Quand il sut ce qu'il désirait, le roi accepta bien volontiers de le faire chevalier. Puis il quitta la cour et alla chercher les aventures par tous les royaumes. C'est à présent le meilleur chevalier du monde, et je suis à sa recherche. Si je le trouvais, j'en serais extrêmement heureuse. Sei-

---

1. La question de Perlesvaus : qu'est-ce qu'un chevalier ? renvoie à l'épisode initial du *Conte du Graal*.

gneur, si vous le rencontriez par hasard dans l'une de ces forêts — il porte un bouclier vermeil avec un cerf blanc —, dites-lui que son père est mort, et que sa mère perdra toutes ses terres s'il ne se rend à son secours : le frère du Chevalier au Bouclier Vermeil qu'il avait tué de son javelot dans la forêt lui a déclaré la guerre et s'est allié avec le Seigneur des Marais.

— Demoiselle, dit le roi, si Dieu m'accordait de le rencontrer, j'en serais heureux, et je ferais sans faute votre message.

— Seigneur, reprit-elle, je vous ai dit ce que je cherchais ; à présent, dites-moi votre nom.

— Volontiers, demoiselle : ceux qui me connaissent m'appellent Arthur.

— Arthur ! C'est votre nom ?

— Oui, demoiselle.

— Sur mon âme, je ne peux que vous détester, car vous portez le nom du plus mauvais roi du monde, j'aimerais bien d'ailleurs qu'il soit ici à votre place ! Mais il ne quittera pas Cardoel tout seul de sitôt, s'il ne tient qu'à lui : il veille sur la reine, car il craint qu'elle ne soit enlevée, d'après ce que l'on m'a dit, car je ne les ai jamais rencontrés. J'avais l'intention de me rendre à sa cour, mais j'ai bien rencontré en chemin une vingtaine de chevaliers que j'ai interrogés et qui, tous, m'ont assuré que la cour du roi Arthur était la plus misérable du monde, et que tous les chevaliers de la Table Ronde l'avaient abandonnée à cause de l'indignité du roi.

— Demoiselle, dit le roi, il doit en être fort malheureux ! Mais j'ai entendu dire qu'au début il se conduisait fort bien.

— A quoi bon un brillant début, rétorqua la demoiselle, si la fin est misérable ? Et je trouve bien triste qu'un aussi beau chevalier que vous porte le nom d'un si mauvais roi.

— Demoiselle, ce n'est pas le nom qui fait la valeur, mais le cœur !

— Vous dites vrai, seigneur. Mais à cause du nom du roi, le vôtre me déplaît. Et où allez-vous ? demanda-t-elle.

— Je me rends à Cardoel, répond-il, où je trouverai le roi Arthur quand j'y serai parvenu !

— Allons, s'exclama-t-elle, les mauvais avec les mauvais : voilà ce que je pense de vous, puisque vous allez là-bas !

— Demoiselle, c'est votre droit de dire ce qui vous plaît. Que Dieu veille sur vous !

— Et que Dieu ne vous protège pas, si vraiment vous allez à la cour du roi Arthur !

Le roi se remit en selle et s'en alla, laissant la demoiselle sous son arbre. Il entra dans la forêt profonde et chevaucha à vive allure vers Cardoel. Il avait bien parcouru dix lieues quand, au cœur de la forêt, il entendit quelque chose : une voix l'interpellait :

— Arthur, roi de la Grande Bretagne, sois heureux, Dieu m'a envoyé vers toi ! Il t'ordonne de tenir ta cour le plus tôt possible, car le monde, que ta déchéance a conduit si bas, y trouvera grand profit !

La voix se tut alors, et le roi éprouva une grande joie de l'avoir entendue.

Aucune autre aventure n'advint au roi sur le chemin du retour, si l'on en croit l'histoire. Il fut bientôt à Cardoel, et la reine et les chevaliers se montrèrent heureux de le revoir. Le roi mit pied à terre sur le perron et monta dans la grande salle ; il se fit ôter son armure et montra à la reine la blessure qu'il avait au bras : elle était grave, mais en voie de guérison. Le roi se retira dans ses appartements avec la reine ; on lui fit revêtir des vêtements de soie et d'hermine, cotte, surcot et manteau.

— Seigneur, dit la reine, cela a été une rude épreuve !

— Dame, tel est le lot des hommes qui veulent la gloire : les honneurs sans peine, cela ne se voit guère.

Il fait à la reine le récit de toutes les aventures qui lui sont arrivées depuis son départ, il lui raconte comment il a été blessé au bras, et comment la demoiselle l'avait injurié à cause de son nom.

— Seigneur, dit la reine, vous saurez désormais que lorsqu'on est noble, riche et puissant, il y a grand-honte à devenir indigne.

— Dame, dit le roi, cela, la demoiselle me l'a bien fait comprendre ; mais j'ai entendu dans la forêt une voix qui m'a redonné courage, car elle m'a annoncé que Dieu m'ordonnait de réunir ma cour bientôt, et que j'y verrais se produire la plus belle aventure que j'aie jamais vue.

— Seigneur, il est heureux pour vous que le Sauveur ne vous ait pas oublié ; faites ce qu'il vous ordonne.

— Assurément, je le ferai, ma dame, car jamais plus qu'à présent je n'ai éprouvé le désir de bien faire et de me montrer valeureux et généreux.

— Dieu en soit loué, seigneur ! s'exclama-t-elle.

VII

LA DEMOISELLE CHAUVE À LA COUR D'ARTHUR

(L.567-692)

Voici que commence la deuxième branche de l'histoire du Saint Graal. Le roi Arthur était à Cardoel avec la reine et un tout petit nombre de chevaliers. Grâce à Dieu, il avait retrouvé le désir et la volonté de se conduire, autant qu'il le pourrait, selon les règles de l'honneur et de la générosité. Il envoya à travers tout le pays des lettres scellées de son sceau, annonçant à ses barons et à ses chevaliers qu'il tiendrait sa cour à Pennevoiseuse sur la mer de Galles à la fête de la Saint-Jean, après la Pentecôte ; s'il avait choisi cette date, c'est que la Pentecôte était trop proche, et que certains de ses fidèles chevaliers n'auraient pu être présents. La nouvelle se répandit partout ; des chevaliers vinrent en grand nombre, car à cause de l'exemple donné par le roi Arthur, on avait cessé partout de bien se conduire. Tous se demandaient comment le désir lui en était revenu. Les chevaliers de la Table Ronde, qui s'étaient dispersés par contrées et forêts, apprirent la nouvelle : ils en furent très heureux et revinrent à la cour sans attendre. Messire Gauvain et Lancelot n'étaient pas là au jour fixé, mais tous les autres étaient présents.

La Saint-Jean arriva ; les chevaliers étaient venus de partout, se demandant cependant pourquoi le roi n'avait pas tenu cour solennelle à la Pentecôte : ils en ignoraient la raison. C'était une belle journée ensoleillée, la salle était vaste et spacieuse ; une foule de chevaliers s'y pressait, la cour pouvait se tenir. On mit les nappes sur les tables, installées en grand nombre dans la salle. Le roi et la reine se lavèrent les mains et allèrent s'asseoir à la place d'honneur à l'une des tables, puis tous les chevaliers s'installèrent à leur tour : il y en avait bien cinq cents et même davantage, précise l'histoire. Ce jour-là, c'est Keu le sénéchal et messire Yvain le fils du roi Urien [1]

---

1. Yvain le fils du roi Urien. (Voir note 2, p. 126.)

qui servirent à manger, aidés de vingt-cinq chevaliers ; Lucain l'échanson avait mission de remplir la coupe d'or du roi. Le soleil, brillant à travers les vitraux, illuminait la salle qui, jonchée de fleurs, de menthe sauvage et de joncs, embaumait.

Alors que le premier plat avait été servi et que l'on attendait le second, voici que trois demoiselles entrèrent dans la salle. Celle qui venait devant montait une mule blanche comme neige : l'animal avait la tête recouverte d'un chanfrein d'or, sa selle aux arçons d'ivoire était brodée de pierreries et le tapis de selle était de soie vermeille semée de gouttes d'or. Cette demoiselle était fort belle de corps, mais non de visage ; elle portait de magnifiques vêtements de soie et une coiffure toute chargée de pierres précieuses étincelantes qui lui cachait toute la tête : elle en avait bien besoin, car elle était complètement chauve ! Elle portait son bras droit suspendu à son cou par une étole d'or, et elle l'appuyait sur un coussin superbe tout orné de clochettes d'or ; dans sa main, elle tenait la tête d'un roi incrustée d'un sceau d'argent et portant une couronne d'or. La jeune femme qui venait ensuite montait à la manière d'un jeune homme et portait, attachée derrière elle, une malle sur laquelle se tenait un petit chien ; elle avait attaché à son cou un bouclier avec des bandes d'argent et d'azur et une croix vermeille, ornée en son centre d'une boucle d'or et de pierreries. La troisième demoiselle venait à pied, haut troussée comme un garçon, et tenait dans sa main un fouet dont elle excitait les deux montures. Les deux dernières étaient plus belles que la première, mais celle à pied était de loin la plus belle. La première demoiselle s'avança vers le roi qui était assis à table auprès de la reine.

— Seigneur, dit-elle, que le Sauveur du monde vous donne honneur et joie, ainsi qu'à ma dame la reine et à tous ceux qui sont ici, pour l'amour de vous ; ne me tenez pas pour impolie si je ne mets pas pied à terre, mais je ne puis ni ne dois le faire devant des chevaliers, avant que le Graal ne soit conquis.

— Demoiselle, répondit le roi, ce serait mon souhait le plus cher !

— Seigneur, je le sais bien. Permettez-moi de formuler ma demande.

— Je vous en prie, répondit le roi, dites ce que vous désirez.

— Seigneur, le bouclier que porte cette jeune femme appartenait à Joseph, le bon serviteur qui descendit Jésus-Christ de la Croix ; je vous en fais don, à une condition : que vous gardiez ce bouclier pour un chevalier qui viendra le chercher ; vous le ferez suspendre à ce pilier qui est au milieu de la salle et en aurez soin, car personne d'autre que ce chevalier ne pourrait l'enlever de là et l'accrocher à son cou. C'est avec ce bouclier qu'il conquerra le Graal, et il laissera ici en échange un autre bouclier, vermeil orné d'un cerf blanc ; et le petit chien que porte cette demoiselle demeurera également ici, et ne manifestera de joie qu'à l'arrivée de ce chevalier.

— Demoiselle, dit le roi, nous garderons soigneusement le bouclier et le chien ; je vous rends grâces d'avoir daigné les apporter ici.

— Seigneur, reprit la jeune femme, je n'ai pas terminé. Le meilleur roi qui soit ici-bas, le plus loyal et le plus juste, vous salue. Il s'agit, seigneur, du Roi Pêcheur, à qui il est arrivé un grand malheur, car il a été saisi d'une profonde langueur [1].

— C'est un grand malheur. demoiselle. et je souhaite que Dieu réalise son plus cher désir.

— Et savez-vous, seigneur. la cause de cette langueur ?

— Non, demoiselle, et j'aimerais la connaître.

— Je vais vous le dire, dit-elle. C'est par la faute de celui qu'il accueillit dans sa demeure, et auquel le Saint Graal apparut : parce qu'il n'a pas voulu demander qui l'on en servait, tous les royaumes sont entrés en guerre ; plus jamais un chevalier n'en rencontra un autre sur son chemin sans aussitôt l'attaquer sans aucun motif ; vous-même en avez bien perçu les effets. qui pendant une longue période avez cessé de vous conduire comme vous le deviez, ce qui vous valut d'être méprisé, vous et tous ceux qui avaient suivi votre exemple, car en ce monde vous êtes le miroir de ce qui est bien et de ce qui est mal. Et moi-même, seigneur, j'ai à me plaindre de ce chevalier, comme vous allez le voir.

Et, ôtant de sa tête la magnifique coiffure qui la recouvrait, elle montra au roi, à la reine et à tous les chevaliers présents un crâne absolument chauve.

— Seigneur, dit-elle. quand ce chevalier est arrivé chez le Riche Roi Pêcheur, j'avais une magnifique chevelure ornée de riches rubans d'or ; parce qu'il n'a pas posé la question attendue. je suis devenue chauve, et je ne retrouverai mes cheveux que lorsqu'un chevalier ira là-bas et posera la question que celui-ci n'a pas posée, ou lorsque viendra celui qui conquerra le Graal. Mais, seigneur, vous n'avez pas vu encore l'étendue du malheur qui en est résulté. Il y a là-dehors, tiré par trois cerfs blancs, un char magnifique : envoyez quelqu'un le voir ; croyez-moi, les cordes de l'attelage sont de soie. les chevilles sont en or et le bois du char d'ébène ; le char lui-même est recouvert d'une étoffe de soie noire avec sur toute sa longueur une croix d'or, et sur cette étoffe sont disposées cent cinquante têtes de rois, certaines incrustées d'un sceau d'or. d'autres

---

1. Le silence de Perlesvaus a plongé le Roi Pêcheur dans une profonde langueur ; Gauvain, en posant les questions attendues, pourrait l'en guérir, mais il ne le fera pas. Nous avons conservé le terme de *langueur,* qui correspond assez bien à l'état de faiblesse et d'impuissance dans lequel se trouve le Roi Pêcheur. (Voir note 1. p. 125.)

d'un sceau d'argent, les autres enfin d'un sceau de plomb [1]. Le Riche Roi Pêcheur veut que vous sachiez que ce désastre est arrivé par la faute de celui qui n'a pas demandé qui l'on servait du Graal. Seigneur, la demoiselle qui porte le bouclier tient dans sa main la tête d'une reine, scellée de plomb et couronnée de cuivre ; sachez-le, c'est par cette reine dont vous voyez la tête que fut trahi le roi dont je porte la tête ainsi que les trois groupes de chevaliers dont les têtes se trouvent sur le char. Seigneur, envoyez quelqu'un voir la splendeur de ce char !

Le roi envoya Keu le sénéchal qui, ayant bien examiné le char à l'intérieur et à l'extérieur, revint trouver le roi et lui dit :

— Seigneur, je n'ai jamais vu char plus magnifique ; et il est tiré par trois cerfs blancs, les plus gras et les plus beaux qu'on ait jamais vus ; si vous m'en croyiez, vous prendriez celui de devant, c'est le plus gras, et nous pourrions en faire de délicieux rôtis.

— Attention, Keu, vous tenez là de fort vilains propos ! dit le roi. Même pour un royaume comme le mien, je ne l'aurais pas fait.

— Seigneur, intervint la demoiselle, qui a coutume de se mal conduire a bien de la peine à s'en empêcher ! Messire Keu peut dire ce qui lui plaît, je sais bien que vous n'accorderez aucune attention à ses paroles. Seigneur, poursuivit-elle, ordonnez que l'on suspende le bouclier à ce pilier, et que l'on garde le petit chien dans les appartements de la reine, avec ses suivantes ; ensuite, nous nous en irons, car nous avons assez tardé.

Sur l'ordre du roi, messire Yvain prit le bouclier que la jeune femme avait ôté de son cou et le suspendit au pilier central, et l'une des suivantes de la reine prit le petit chien et l'emporta dans les appartements de la reine. La demoiselle prit congé et s'en alla, et le roi la recommanda à Dieu.

Lorsque le repas fut terminé, le roi et la reine allèrent s'accouder aux fenêtres, et les chevaliers firent de même, pour regarder les trois jeunes filles et le char tiré par les trois cerfs ; beaucoup disaient que la jeune fille qui allait à pied derrière était la plus belle et la plus malheureuse tout à la fois. La Demoiselle Chauve chevauchait devant, et elle ne remit sa coiffure sur la tête que lorsqu'elle pénétra dans la forêt et que les chevaliers qui étaient aux fenêtres ne purent plus les voir. Quand elles eurent disparu, le roi et les chevaliers s'éloignèrent des fenêtres, et beaucoup disaient qu'ils n'avaient jamais vu une demoiselle chauve avant ce jour-là.

---

1. Pour les têtes marquées d'un sceau d'or, d'argent ou de plomb, voir Apocalypse, 7, 4. La signification de ces trois sortes de têtes est donnée au Château de l'Enquête, au chapitre XVI.

VIII

GAUVAIN ET LA DEMOISELLE CHAUVE
AU CHÂTEAU DE L'ERMITE NOIR

(L.693-875)

Laissons pour l'instant le roi Arthur, et parlons des trois jeunes filles et de leur char tiré par les trois cerfs. Après avoir pénétré dans la forêt, elles chevauchèrent à bonne allure. Elles avaient fait sept lieues environ quand elles virent arriver un chevalier sur le chemin qu'elles devaient prendre. Il chevauchait un grand cheval maigre et décharné, sa cotte de mailles était rouillée, son bouclier était percé en plus de sept endroits et la couleur en était si effacée qu'on ne pouvait la reconnaître ; il avait à la main une lance très épaisse. Dès qu'il fut près de la demoiselle, il la salua fort cérémonieusement :

— Demoiselle, bienvenue à vous et à votre escorte !

— Et que Dieu vous donne joie et bonheur, seigneur, répondit-elle.

— Demoiselle, d'où venez-vous ?

— De chez le roi Arthur : il tenait cour plénière à Pennevoiseuse. Y allez-vous, seigneur chevalier ?

— Non, répondit-il, j'y suis allé bien des fois, et je suis heureux que le roi Arthur ait recommencé à se conduire aussi bien qu'auparavant.

— Et où allez-vous donc ainsi ? demanda-t-elle.

— Au royaume du Roi Pêcheur, demoiselle, si Dieu y consent.

— Seigneur, reprit-elle, dites-moi votre nom, et faites halte un instant à mes côtés.

Le chevalier tire sur la bride, et les jeunes femmes s'arrêtent avec leur char.

— Demoiselle, dit-il, il est bien normal que je vous dise mon nom : je suis Gauvain, le neveu du roi Arthur.

— Quelle surprise ! Vous êtes vraiment messire Gauvain ? Ah, mon cœur me le disait bien !

— Oui, demoiselle, je suis Gauvain.

— Dieu en soit béni, répondit-elle ; un chevalier de votre valeur doit se rendre auprès du Riche Roi Pêcheur. Mais à cause de votre vaillance et de votre noble générosité, je veux vous demander de retourner avec moi et de m'accompagner jusqu'à ce qu'on ait dépassé un château qui se trouve dans cette forêt et où il y a quelque danger.

— Comme vous le désirez, demoiselle, dit Gauvain.

Il se remit en route avec la demoiselle à travers la forêt, qui était haute, épaisse et fort peu fréquentée. La jeune femme lui dit l'histoire des têtes qu'elles emmenaient avec elles sur le char, comme elle l'avait fait à la cour du roi, et elle lui raconta comment elles avaient laissé là-bas le bouclier et le petit chien. Mais messire Gauvain souffre de voir la jeune fille qui court à pied à leur suite :

— Demoiselle, demande-t-il, pourquoi cette jeune femme qui va à pied ne monte-t-elle pas sur le char ?

— Seigneur, répond la Demoiselle Chauve, c'est impossible : elle est obligée d'aller à pied. Mais si vous êtes un aussi vaillant chevalier qu'on le dit, sa pénitence sera bientôt achevée.

— Et comment donc ? demande-t-il.

— Je vais vous le dire. Si Dieu vous conduit jusqu'à la demeure du Roi Pêcheur, que le Saint Graal vous apparaisse et que vous demandiez qui l'on en sert, alors son épreuve sera terminée, et moi qui suis chauve je retrouverai ma chevelure. Mais si vous ne le faites pas, il nous faudra continuer à subir notre peine jusqu'à ce que le Bon Chevalier ait conquis le Graal. Car par la faute du premier chevalier qui s'est rendu chez le Roi Pêcheur et qui omit de poser la question, tous les royaumes sont plongés dans le malheur et la guerre, et le bon Roi Pêcheur est tombé en langueur.

— Demoiselle, répondit messire Gauvain, que Dieu me donne le désir et la volonté de faire ce qui lui agrée et dont on puisse me louer en ce monde !

Messire Gauvain et la demoiselle repartirent à bonne allure et quittèrent la haute forêt verte et feuillue où chantaient les oiseaux pour entrer dans la plus horrible et la plus effroyable des forêts ; il semblait que jamais il n'y avait eu là la moindre verdure, les branches étaient dénudées et sèches, les arbres noirs et comme brûlés par le feu, et la terre à leurs pieds noire et comme incendiée ne portait aucune végétation et était parcourue de profondes crevasses.

— Demoiselle, dit messire Gauvain, cette forêt est affreuse ; jusqu'où s'étend-elle ?

— Seigneur, sur dix lieues au moins, mais vous n'aurez pas à la traverser tout entière.

Messire Gauvain regardait de temps en temps la jeune femme qui allait à pied, et il aurait aimé pouvoir faire quelque chose pour elle. Ils arrivèrent bientôt dans une large vallée ; regardant au fond d'un vallon profond, messire Gauvain vit apparaître un château tout noir, clos d'une ceinture de murs affreux ; et plus il s'approchait du château, plus il lui semblait horrible : les bâtiments étaient sans aucune élégance ; la forêt qui entourait le château était semblable à celle qu'ils avaient traversée ; une affreuse cascade noire descendait du sommet d'une montagne et traversait le château en faisant un vacarme si affreux qu'on aurait cru entendre les roulements du tonnerre. L'entrée du château lui apparut aussi laide que celle de l'enfer, et à l'intérieur s'élevaient des pleurs et des lamentations ; des voix frappèrent son oreille, qui disaient : « Dieu ! Qu'est devenu le Bon Chevalier ? Quand viendra-t-il ? » Messire Gauvain demanda :

— Demoiselle, quel est ce château si laid et si effrayant, où l'on se plaint ainsi en souhaitant la venue d'un bon chevalier ?

— Seigneur, c'est le château de l'Ermite Noir ; je vous demande instamment de ne pas intervenir, quoi que ses habitants me fassent, car cela pourrait vous coûter la vie : contre eux, vous ne pourriez rien !

Ils étaient à deux portées d'arc du château, quand ils virent sortir par la porte des chevaliers en armure noire montés sur des chevaux noirs : ils étaient cent cinquante-deux, et c'était un spectacle effrayant. Se précipitant vers les demoiselles et leur char, ils s'emparèrent des cent cinquante-deux têtes, chacun la sienne, les piquèrent au bout de leurs lances, et retournèrent au château en manifestant la plus vive satisfaction. Messire Gauvain avait assisté à la razzia sans bouger d'un pouce, et il en eut grand-honte.

— Messire Gauvain, dit la demoiselle, vous voyez bien que votre force ne vous serait d'aucun secours ici !

— Demoiselle, dit-il, voici un bien vilain repaire de voleurs !

— Seigneur, ce dommage ne sera réparé et cet outrage vengé, punis leurs auteurs et délivrés ceux qui dans le château pleurent et se lamentent, que lorsque sera venu le Bon Chevalier dont vous avez entendu déplorer l'absence.

— Demoiselle, répondit messire Gauvain, heureux le chevalier capable d'anéantir autant de méchantes créatures par sa force et son courage !

— Il s'agit, seigneur, du meilleur chevalier du monde, et il est cependant très jeune. Mais je suis extrêmement triste de n'avoir aucune nouvelle de lui, car j'aimerais le voir plus que qui que ce soit au monde.

— Moi aussi, demoiselle, dit messire Gauvain. Et à présent, m'autorisez-vous à m'en retourner ?

— Non, seigneur, pas avant d'avoir dépassé le château ; ensuite, je vous indiquerai la direction que vous devez prendre.

Ils se remirent en route. Mais à l'instant où ils allaient franchir l'enceinte du château, un chevalier en sortit par une fausse poterne [1] ; monté sur un grand cheval, il était tout armé, une lance à la main et à son cou un bouclier vermeil sur lequel était dessiné une aigle d'or.

---

1. Une fausse poterne est une porte dérobée pratiquée dans la muraille du château.

— Seigneur chevalier, dit-il à messire Gauvain, je vous prie de vous arrêter.

— Et que désirez-vous, cher seigneur ? demanda celui-ci.

— Il vous faut combattre contre moi et gagner ce bouclier, dit-il, ou bien c'est moi qui serai vainqueur ; c'est un bouclier magnifique, et il mérite que vous mettiez tous vos efforts à le gagner, car il a appartenu au meilleur, au plus puissant et au plus avisé des chevaliers de son temps.

— Et à qui appartenait-il donc ? demanda messire Gauvain.

— A Judas Maccabée, celui qui le premier dressa un oiseau à en attraper un autre.

— Vous avez raison, répondit messire Gauvain, il était bon chevalier !

— Aussi pourrez-vous être satisfait, si vous parvenez à conquérir son bouclier, car le vôtre est le plus misérable et le plus abîmé que j'aie jamais vu à un chevalier ; c'est à peine si l'on peut en reconnaître la couleur !

— Cela montre bien, intervint la Demoiselle au Char, que le chevalier et son bouclier n'ont pas été oisifs ; et son cheval est loin d'être aussi reposé que le vôtre !

— Demoiselle, répond le chevalier, trêve de discussion ! Il lui faut de toute façon se battre contre moi, et je lui lance un défi.

— J'ai bien compris, répondit messire Gauvain.

Il recula pour prendre son élan, et son adversaire fit de même, puis ils s'élancèrent l'un sur l'autre de toute la vitesse de leurs chevaux, les lances pointées. Le chevalier atteignit messire Gauvain sur son bouclier, qui n'offrait pas grande résistance, et le transperça d'une grande aune, brisant son arme du même coup ; messire Gauvain le frappa en pleine poitrine et le porta à terre par-dessus la croupe de sa monture, la lance enfoncée de la largeur d'une main à la jointure de l'épaule ; mais dès qu'il eut retiré son arme, le chevalier se remit debout et se dirigea vers son cheval ; il allait mettre le pied à l'étrier quand la Demoiselle au Char s'écria :

— Messire Gauvain, empêchez-le de remonter, car vous auriez alors bien du mal à le vaincre !

Quand le chevalier entendit le nom de messire Gauvain, il recula :

— Comment, s'exclama-t-il, est-ce donc le vaillant Gauvain, le neveu du roi Arthur ?

— Oui, dit la demoiselle, c'est bien lui.

— Seigneur, dit le chevalier, c'est vous que je cherchais !

— Je suis bien Gauvain, dit celui-ci ; que désirez-vous ?

— Seigneur, dans ce cas, je me considère comme vaincu, et je regrette de n'avoir pas su qui vous étiez avant de vous attaquer.

Otant son bouclier de son cou, il le lui tendit :

— Seigneur, dit-il, prenez ce bouclier qui a appartenu au Bon Chevalier, car je ne connais personne qui soit plus digne que vous de le porter ; et c'est avec ce bouclier qu'ont été vaincus tous les chevaliers qui sont emprisonnés au château.

Messire Gauvain prit le bouclier : il était absolument magnifique.

— Seigneur, dit alors le chevalier, donnez-moi le vôtre en échange, car vous n'allez pas porter deux boucliers !

— C'est juste, dit messire Gauvain.

Et, ôtant la courroie de son cou, il allait lui donner son bouclier, quand la jeune fille qui allait à pied s'écria :

— Attention, messire Gauvain, que faites-vous là ? S'il emporte votre bouclier au château, tout le monde croira qu'il vous a vaincu, et ils sortiront pour vous chercher et vous emmèneront de force au château, où vous serez jeté dans leur affreuse prison ; car on n'apporte là-bas que les boucliers des chevaliers vaincus.

— Seigneur chevalier, dit messire Gauvain, ce n'est pas mon bien que vous voulez, si j'en crois cette demoiselle !

— Seigneur, s'écria l'autre, j'implore votre pitié cette fois encore, je me tiens pour battu ; j'aurais été heureux de pouvoir emporter votre bouclier au château, car jamais n'y entrera bouclier d'un meilleur chevalier. Et je suis cependant content de vous avoir rencontré, bien que vous m'ayez blessé, car vous m'avez permis d'échapper à la plus pénible des épreuves auxquelles un chevalier ait jamais été soumis.

— De quoi s'agissait-il donc ? demanda messire Gauvain.

— Seigneur, il y avait très souvent des chevaliers qui passaient ici devant le château, des courageux aussi bien que des couards, et j'étais obligé de me battre avec tous ; je leur proposais de tenter de gagner le bouclier, comme je l'ai fait avec vous. Parmi eux, j'en ai rencontré beaucoup de hardis qui se défendaient vaillamment et m'infligèrent bien des blessures ; mais jamais aucun ne m'a jeté à terre en me frappant aussi violemment que vous. Et dès lors que vous emportez le bouclier et que j'ai été vaincu, aucun chevalier passant aux abords du château n'aura plus jamais rien à craindre de moi ni de ceux qui y vivent.

— Sur ma tête, dit messire Gauvain, j'en apprécie encore mieux ma victoire !

— Seigneur, dit le chevalier, permettez-moi de prendre congé ; je ne pourrai cacher ma honte au château, elle va apparaître aux regards de tous.

— Dieu vous accorde de vous bien conduire ! dit messire Gauvain.

La Demoiselle au Char lui demanda alors de lui remettre le bouclier que le chevalier voulait emporter.

— Volontiers, demoiselle, dit-il.

La jeune fille qui allait à pied le prit et le déposa sur le char. Le chevalier vaincu se remit en selle et rentra au château ; on entendit bientôt des cris et un vacarme épouvantables dont toute la forêt et la vallée retentirent alentour.

— Messire Gauvain, dit la demoiselle, c'est le chevalier que l'on couvre à son tour d'injures et que l'on jette en prison. Allons, nous pouvons repartir à présent.

Ils se remirent en route tous ensemble et, ayant laissé le château à une bonne lieue derrière eux, messire Gauvain dit :

— Demoiselle, quand il vous plaira, j'aimerais prendre congé.

— Seigneur, répondit-elle, que Dieu vous protège, et soyez remercié de nous avoir accompagnées.

— Demoiselle, dit-il, vous pourrez toujours compter sur mon aide.

— Seigneur, je vous en remercie, dit-elle ; voici votre chemin à cette grande croix qui est à l'orée de ce bois ; vous allez traverser la plus belle forêt qui soit, après le désagrément de celle que nous venons de passer.

Messire Gauvain s'en retournait, quand la jeune fille à pied s'écria :

— Seigneur, seigneur, vous n'êtes pas aussi avisé que je le pensais !

Alarmé, messire Gauvain fit faire aussitôt demi-tour à son cheval :

— Pourquoi dites-vous cela, demoiselle ?

— Parce que vous n'avez pas demandé à la Demoiselle au Char pour quelle raison elle porte son bras suspendu à son cou par cette étole d'or, avec ce magnifique coussin sur lequel elle l'appuie. Il se pourrait que vous vous montriez aussi peu avisé à la cour du Riche Roi Pêcheur !

— Ah, douce amie, intervint la demoiselle, ne blâmez pas seulement messire Gauvain pour cela : le roi Arthur et tous les chevaliers qui étaient à sa cour devraient l'être autant que lui, car aucun n'a songé à poser la question. Messire Gauvain, partez, à présent, poursuivit-elle. Il serait inutile de m'interroger à présent, car je ne répondrais pas ; vous n'en saurez la réponse que de la bouche du plus couard chevalier qui existe ; il est mon vassal et me cherche sans savoir où me trouver.

— Demoiselle, dit messire Gauvain, je n'oserais vous en demander davantage.

La demoiselle se remit en route, et messire Gauvain prit la direction qu'elle lui avait indiquée.

IX

GAUVAIN CHEZ L'ERMITE

(L.876-1028)

Une autre branche du Graal commence à présent ; il ne va plus être question des trois demoiselles et du char, mais de messire Gauvain, qui a donc quitté cette sinistre forêt pour entrer dans la belle, la grande forêt riche en gibier ; il chevauche à vive allure, mais il est très préoccupé par ce que lui a dit la jeune fille : il craint de faire l'objet de reproches de divers côtés. Il chevaucha tout le jour, jusqu'au coucher du soleil ; il aperçut alors devant lui la demeure d'un ermite avec sa chapelle dans la profondeur de la forêt ; une source jaillissait devant la chapelle, vive et claire, qu'un arbre au large feuillage arrondi protégeait du soleil. Sous cet arbre était assise une jeune femme qui tenait une mule par les rênes et avait, suspendue à l'arçon de sa selle, la tête coupée d'un chevalier. Messire Gauvain s'approcha et mit pied à terre :

— Demoiselle, que Dieu vous garde ! dit-il.

— Seigneur, qu'il en fasse de même pour vous tous les jours de votre vie !

— Demoiselle, reprit-il lorsqu'elle se fut levée pour l'accueillir, qu'attendez-vous ici ?

— J'attends l'ermite de ce lieu, qui est allé dans la forêt : je veux lui poser quelques questions à propos d'un chevalier.

— Croyez-vous qu'il vous répondra, ou même qu'il sache quelque chose ?

— Oui, seigneur, on me l'a affirmé.

L'ermite était justement de retour ; il salua la demoiselle et messire Gauvain, ouvrit la porte de sa demeure et y fit entrer les deux montures, leur ôta la bride et le mors et leur donna d'abord de l'herbe, puis de l'orge ; il se mettait en devoir d'ôter les selles, quand messire Gauvain se précipita :

— Seigneur, dit-il, ce n'est pas à vous de faire cela !

— Mais j'en suis fort capable, rétorqua l'ermite ; car j'ai été écuyer, puis chevalier auprès du roi Uter pendant quarante ans, avant de passer plus de trente ans dans cet ermitage.

Messire Gauvain le regarda avec stupéfaction :

— Seigneur, il semble que vous n'ayez pas quarante ans !

— Je le sais, répondit l'ermite.

Messire Gauvain ôta alors les selles, prenant plus de soin de la mule de la jeune femme que de sa propre monture. Puis l'ermite prit par la main messire Gauvain et la demoiselle et les conduisit dans la chapelle, qui était un endroit fort agréable.

— Seigneur, dit l'ermite à messire Gauvain, vous ne quitterez pas vos armes, car cette forêt est très dangereuse, nul homme de bien ne doit s'y risquer désarmé.

Prenant sa lance et son bouclier, il les apporta dans la chapelle ; puis il leur offrit la nourriture dont il disposait, et de l'eau de la source pour se désaltérer. Et quand ils eurent mangé, la demoiselle lui dit :

— Seigneur, je voudrais que vous me parliez d'un chevalier à la recherche duquel je suis.

— Qui est ce chevalier ? demanda l'ermite.

— Seigneur, c'est le chaste chevalier du très saint lignage. Il a une chevelure d'or, un regard de lion, le nombril d'une jeune vierge, un cœur indomptable et les plus nobles vertus.

— Demoiselle, répondit-il, je ne pourrai vous renseigner, car je ne sais avec certitude où il se trouve. Mais il a dormi dans cette chapelle par deux fois il y a moins d'un an.

— Seigneur, reprit-elle, ne pouvez-vous rien me dire de plus ?

— Non, demoiselle.

— Et vous, cher seigneur ? demanda-t-elle à messire Gauvain.

— Demoiselle, je désirerais le voir autant que vous, mais je ne connais personne qui puisse me renseigner à son sujet.

— Et la Demoiselle au Char, l'avez-vous rencontrée ?

— Oui, il n'y a pas longtemps.

— Portait-elle toujours son bras suspendu à son cou ?

— Oui.

— Eh bien, elle le portera longtemps encore ! dit-elle.

— Seigneur, demanda l'ermite, quel est votre nom ?

— On m'appelle Gauvain, seigneur, je suis le neveu du roi Arthur.

— Je vous en apprécie davantage encore ! répondit l'ermite.

— Seigneur, intervint la demoiselle, vous appartenez au lignage du pire roi qui soit.

— De quel roi parlez-vous ?

— Je parle, dit-elle, du roi Arthur, à cause de qui le monde est en pleine déchéance, car s'il eut des débuts brillants, il est à présent devenu un mauvais roi. A cause de lui, j'ai pris en haine un chevalier que j'ai rencontré à la chapelle Saint-Augustin ; c'était le plus beau chevalier que j'aie jamais vu, et il montra un grand courage en tuant un chevalier dans l'enclos ; je lui demandai la tête de ce chevalier, et il retourna la chercher au péril de sa vie ; il me l'apporta, et j'en fus très heureuse, mais lorsqu'il me dit qu'il se nommait Arthur, je ne lui sus plus aucun gré de ce qu'il avait fait pour moi, car c'est le nom d'un mauvais roi.

— Demoiselle, dit messire Gauvain, c'est là votre avis. Mais moi je vous dis que le roi Arthur vient de tenir sa cour la plus brillante ; cette déchéance que vous lui reprochez, il veut y échapper à tout jamais, et il accomplira plus de belles et généreuses actions dans le reste de sa vie qu'aucun roi ne le fit jamais ; en outre, je ne connais aucun chevalier qui porte le même nom que lui.

— Il est normal, rétorqua-t-elle, que vous preniez sa défense, car c'est votre oncle ; mais vos propos seront vains si lui-même ne fait pas ses preuves.

— Seigneur, dit l'ermite à messire Gauvain, les propos de cette demoiselle n'engagent qu'elle. Que Dieu protège le roi Arthur, car son père me fit chevalier ; à présent je suis prêtre, depuis que je suis venu à l'ermitage du Roi Pêcheur pour obéir à Notre-Seigneur. Tous ceux qui servent le Roi Pêcheur en sont bien récompensés, car il est si doux de séjourner dans sa très sainte demeure que quand on y passe un an, il semble qu'à peine un mois se soit passé ; et c'est grâce à sa sainteté et à l'agrément de sa demeure où bien des fois j'ai dit la messe dans la chapelle où apparaît le Graal, que je parais aussi jeune, et c'est le cas pour tous ceux qui le servent.

— Seigneur, demanda messire Gauvain, par où se rend-on à sa demeure ?

— Seigneur, répondit l'ermite, personne ne peut vous en indiquer le chemin, si la volonté divine ne vous y conduit. Désirez-vous y aller ?

— Seigneur, c'est mon plus cher désir.

— Seigneur, que Dieu vous inspire la volonté de poser la question qu'a omis de poser l'autre chevalier auquel le Graal apparut, et dont le silence fut cause de malheurs pour tant de gens !

La discussion s'arrêta, et l'ermite conduisit messire Gauvain dans sa maison pour qu'il se repose ; la demoiselle resta dans la chapelle. Le lendemain à l'aube, messire Gauvain, qui avait dormi tout équipé, se leva et trouva sa monture sellée et bridée, ainsi que celle de la demoiselle. Il se dirigea vers la chapelle : l'ermite était prêt à dire la messe, et la demoiselle était agenouillée devant l'autel de Notre-Dame, priant Dieu et Sa mère de l'aider dans son entreprise ;

elle pleurait doucement, des larmes coulaient sur son visage. Après avoir prié longtemps, elle se redressa. Messire Gauvain la salua, et elle lui rendit son salut.

— Demoiselle, dit messire Gauvain, vous paraissez bien triste.

— J'ai quelque raison pour cela, seigneur, répondit-elle ; je vais perdre mon héritage si je ne trouve pas le Bon Chevalier. Il me faut à présent me rendre au château de l'Ermite Noir et porter la tête qui est suspendue à l'arçon de ma selle : sans cela, je ne pourrai pas traverser la forêt sans risquer d'être faite prisonnière ou déshonorée. J'acquitterai ainsi mon droit de passage. Ensuite, je pourrai en toute sécurité parcourir la forêt à la recherche de la Demoiselle au Char.

L'ermite commençait à dire la messe : messire Gauvain et la jeune femme l'écoutèrent, puis messire Gauvain prit congé de l'ermite, et la demoiselle fit de même. Ils partirent chacun de leur côté en se recommandant l'un l'autre à Dieu.

Le conte laisse pour un instant la demoiselle. Messire Gauvain, lui, chevauchait à vive allure à travers la haute futaie, priant Dieu de le mettre sur la voie qui menait au royaume du Roi Pêcheur. Il chevaucha ainsi jusqu'à midi ; il aperçut alors sous un arbre, en pleine forêt, un jeune homme à côté de son cheval de chasse. Messire Gauvain le salua, et il lui répondit :

— Seigneur, bienvenue à vous !

— Cher ami, dans quelle direction allez-vous ?

— Je suis à la recherche du seigneur de cette forêt.

— Et à qui appartient-elle ? demanda messire Gauvain.

— Au meilleur chevalier du monde, seigneur. Savez-vous quelque chose à son sujet ? Il porte sans doute un bouclier à bandes d'argent et d'azur avec une croix vermeille et au milieu une boucle en or. Je dis que c'est un bon chevalier, et pourtant j'ai peu de raisons de le louer, car il a tué mon père dans cette forêt d'un javelot. Le Bon Chevalier était un tout jeune homme à ce moment-là, et, jeune homme à mon tour, je vengerais mon père si je le rencontrais, car il m'a enlevé le meilleur chevalier du royaume de Logres : en effet, il l'a tué de son javelot sans même l'avoir défié, et je n'aurai de cesse de l'avoir vengé.

— Mon jeune ami, dit messire Gauvain, s'il est aussi bon chevalier que vous le dites, prenez garde à ne pas faire votre malheur ; je vous souhaiterais volontiers de le rencontrer, mais à la condition qu'il n'en souffre pas !

— C'est impossible, répondit le jeune homme, car je ne pourrai le voir sans l'attaquer : il est tout de même mon ennemi mortel !

— Cher ami, dit messire Gauvain, soit ! Mais dites-moi s'il y a quelque endroit en cette forêt où je pourrais passer la nuit.

— Seigneur, répondit le jeune homme, dans la direction où vous allez, je ne connais rien avant à moins de vingt lieues. Mais il faut vous presser, car l'après-midi est déjà bien avancé !

Messire Gauvain salua le jeune homme et s'en alla à vive allure, sans souci du chemin à suivre, se laissant guider par le hasard. Cette forêt si belle le ravissait, où il voyait le gibier passer devant lui en troupes nombreuses. A la fin du jour, il atteignit l'une des extrémités de la forêt ; le soir était calme et serein dans le soleil couchant, il avait bien fait vingt lieues depuis sa rencontre avec le jeune homme, et il craignait de ne trouver aucun refuge. Il déboucha dans la plus belle des prairies, et après avoir parcouru une petite distance, il vit apparaître à l'orée de la forêt un château sur une éminence ; il était clos d'une ceinture de murs crénelés ; par-dessus la muraille, on pouvait apercevoir de magnifiques salles à fenêtres, ainsi qu'un donjon fort ancien au centre ; le château était tout entouré de beaux cours d'eau, de vastes prairies et de riches forêts. Messire Gauvain se dirigeait de ce côté, quand il vit sortir un jeune écuyer à cheval qui venait dans sa direction à grande allure. Dès que le jeune homme fut parvenu près de messire Gauvain, il le salua fort poliment :

— Bienvenue à vous, seigneur !

— Que le sort vous soit favorable, répondit messire Gauvain. Cher jeune ami, quel est ce château ?

— C'est celui de la Dame Veuve, seigneur.

— Et quel en est le nom ?

— Camaalot ; il appartenait à Julain le Gros, qui était un vaillant chevalier et un homme de bien. Il est mort il y a bien longtemps, et ma dame est demeurée sans aide ni recours. Le château est sur le pied de guerre, car on veut le lui prendre : c'est le Seigneur des Marais [1], allié à un autre chevalier, qui est en guerre avec elle. Ils se sont déjà emparés de sept de ses châteaux, et ils veulent encore celui-ci. Elle souhaite vivement le retour de son fils, car elle a pour seul secours sa fille unique et cinq chevaliers fort âgés qui l'aident à défendre son château. Seigneur, poursuivit-il, la porte est fermée et le pont relevé, car on doit être vigilant. Si vous le voulez bien, vous me direz votre nom et j'irai faire abaisser le pont-levis et ouvrir la porte ; je dirai que vous passerez la nuit ici.

— Grand merci, dit messire Gauvain ; quant à mon nom, on l'aura appris avant que je quitte le château !

---

1. Le manuscrit donne *li Sire des Mores* ou *des Mares* ; nous traduisons par Seigneur des Marais, ce qui est l'interprétation la plus probable.

X

GAUVAIN CHEZ LA DAME VEUVE

(L.1029-1146)

L'écuyer repartit à vive allure ; messire Gauvain avançait au pas, car l'étape avait été longue. Il aperçut sur son chemin, entre le château et la forêt, une chapelle qui reposait sur quatre colonnes de marbre, entre lesquelles se trouvait un très beau tombeau ; la chapelle n'avait pas de murs, aussi le cercueil était-il parfaitement visible. Messire Gauvain s'arrêta pour l'examiner, tandis que l'écuyer revenait au château, faisait baisser le pont-levis et ouvrir la porte ; il descendit de cheval et se rendit dans la salle où se tenait la Dame Veuve en compagnie de sa fille. La dame demanda au jeune homme :

— Pourquoi êtes-vous revenu avant d'avoir porté mon message ?

— A cause du plus beau chevalier que j'aie jamais vu, dame ; il désire passer la nuit au château ; il est bien armé et chevauche tout seul.

— Et comment se nomme-t-il ? demanda la dame.

— Il m'a répondu, dame, que nous aurons appris son nom avant qu'il ne quitte le château.

La dame et sa fille se mettent à pleurer de bonheur et tendent leurs mains vers les cieux :

— Ah, Seigneur Dieu, dit la dame, si seulement c'était mon fils, aucune joie ne se comparerait à la mienne ; je ne serais pas dépouillée de ma terre, et je ne perdrais pas mon château que l'on veut me prendre indûment, simplement parce que je n'ai ni époux ni protecteur.

Se levant aussitôt, la Dame Veuve et sa fille se rendent sur le pont, d'où elles aperçoivent messire Gauvain encore plongé dans la contemplation du tombeau.

— Vite, dit la dame, le tombeau nous révélera s'il s'agit bien de lui !

Elles se précipitent vers la chapelle ; les voyant approcher, messire Gauvain descend de cheval :

— Bienvenue, ma dame, à vous et à votre compagne !

Sans répondre, la dame s'approche du tombeau ; quand elle voit qu'il n'est pas ouvert, elle tombe évanouie, sous les yeux effarés de messire Gauvain. Revenant à elle, la dame exhale une plainte déchirante.

— Seigneur, dit la jeune fille à messire Gauvain, soyez le bienvenu. Ma dame ma mère croyait que c'était son fils qui était revenu, et elle était tout heureuse ; mais la voici désespérée, car elle a bien vu que ce n'était pas lui : en effet, ce tombeau doit s'ouvrir à son retour, et l'on ne pourra pas savoir avant ce qu'il contient.

La dame se redresse et prend messire Gauvain par la main :

— Quel est votre nom, seigneur ? demande-t-elle.

— Dame, mon nom est Gauvain, je suis le neveu du roi Arthur.

— Seigneur, soyez le bienvenu pour l'amour de mon fils, et pour vous-même aussi.

La dame ordonna à un écuyer d'emmener son cheval au château, puis elle conduisit messire Gauvain en haut dans la grande salle et ordonna qu'on lui ôte son armure. Ensuite, on lui apporta de l'eau pour se laver les mains et le visage, car il était tout meurtri par le haubert. La jeune fille lui fit revêtir un superbe habit d'or et de soie fourré d'hermine. La Dame Veuve revint alors de ses appartements et fit asseoir messire Gauvain à ses côtés.

— Seigneur, m'apportez-vous des nouvelles de mon fils ? Il y a bien longtemps que je ne l'ai vu, et il me serait d'un grand secours.

— Je ne pourrais rien vous dire de lui, dame, et je le regrette. C'est le chevalier au monde que je souhaiterais le plus vivement rencontrer, si votre fils est celui que l'on dit. Comment se nomme-t-il ?

— Perlesvaus est son nom de baptême, seigneur. C'était un très beau jeune homme lorsqu'il est parti et on m'a dit qu'il est devenu le plus beau, le plus valeureux et le plus noble des chevaliers. Sa bravoure me serait bien utile, car en partant il m'a laissé affronter une guerre très dure, à cause du Chevalier au Bouclier Vermeil ; il est parti la semaine même où il l'avait tué, je ne l'ai plus vu depuis, et cela fait bien sept ans passés. Maintenant, le frère du chevalier qu'il a tué me fait la guerre ; il s'est allié au Seigneur des Marais, et ils veulent s'emparer de mon château, si je n'ai l'aide de Dieu, car mes frères sont trop loin : le Roi Pêcheur est tombé en langueur, et le roi Pellés de la Basse Gent a laissé son royaume pour servir Dieu et s'est retiré dans un ermitage. Quant au Roi du Château Mortel, il est aussi félon que ses deux frères sont vertueux — et ce n'est pas peu dire ! Il ne m'apporterait aide ni secours, car il dispute au Roi Pêcheur mon frère sa terre, ainsi que le Saint Graal et la Lance dont la pointe saigne chaque jour ; plaise à Dieu qu'il ne les obtienne pas !

— Dame, dit messire Gauvain, il y a eu en la demeure du Roi Pêcheur un chevalier devant lequel le Graal est apparu par trois fois sans qu'il ait eu l'idée de demander à quoi servait le Graal et qui l'on en servait.

— Seigneur, dit la fille de la Dame Veuve, vous dites vrai ; c'est pourtant le meilleur chevalier du monde, à ce que l'on dit. Je le maudirais bien volontiers, si ce n'était que, par affection pour mon frère, j'aime tous les chevaliers. Car à cause de la légèreté de ce chevalier, le Roi Pêcheur, mon oncle, est tombé en langueur.

— Seigneur, intervint la Dame Veuve, tout bon chevalier doit se rendre chez le Roi Pêcheur. Irez-vous ?

— Oui, dame, le plus tôt que je pourrai ; c'est pour m'y rendre que j'ai pris la route.

— Seigneur, vous conterez mon malheur à mon fils, si vous le voyez, et au Roi Pêcheur mon frère. Mais faites en sorte, messire Gauvain, de vous montrer plus avisé que ce chevalier !

— Dame, répondit messire Gauvain, je ferai ce que Dieu m'indiquera.

Mais voici que les cinq chevaliers de la Dame reviennent de la forêt avec des cerfs, des biches et des sangliers. Ils mettent pied à terre et font bon accueil à messire Gauvain quand ils apprennent qui il est. Lorsque le repas fut prêt, ils se mirent à table et furent servis magnifiquement. C'est alors qu'arriva l'écuyer qui avait ouvert la porte à messire Gauvain ; il se mit à genoux devant la Dame Veuve et dit qu'il avait accompli sa mission.

— Et quelles nouvelles ? demande-t-elle.

— Dame, il va y avoir un grand tournoi de chevaliers dans les Vaux qui vous appartenaient. Les tentes sont déjà dressées, et les deux qui vous font la guerre s'y trouvent déjà, ainsi qu'un grand nombre de chevaliers. Ils ont décidé que le vainqueur du tournoi aura la garde de votre château et en assurera la défense pendant un an.

La Dame Veuve se mit à pleurer :

— Seigneur, dit-elle à messire Gauvain, vous l'entendez : ce château ne m'appartient plus, les chevaliers font déjà comme s'il était à eux, leurs propos le montrent bien.

— Dame, leur conduite est indigne !

Quand les tables du repas furent enlevées, la jeune fille tomba aux pieds de messire Gauvain en pleurant ; il la redressa aussitôt :

— Demoiselle, ne faites pas cela !

— Seigneur, dit-elle, pour l'amour de Dieu, ayez pitié de ma dame ma mère et de moi !

— N'en doutez pas, demoiselle, j'éprouve pour vous une profonde compassion.

— Seigneur, on verra donc en cette occasion si vous êtes un bon chevalier, car bons sont les exploits que l'on accomplit au nom de Dieu.

La Dame Veuve et sa fille se retirèrent dans la chambre, et le lit de messire Gauvain fut préparé dans la grande salle ; il alla se coucher, les cinq chevaliers aussi. Tout au long de la nuit, il réfléchit ; le lendemain matin, il se leva et alla entendre la messe dans une chapelle du château ; il mangea trois tranches de pain trempées dans du vin, puis se prépara sans attendre et demanda aux cinq vieux chevaliers s'ils avaient l'intention de se rendre au tournoi.

— Oui, seigneur, répondirent-ils, si vous y allez.

— Par ma foi, j'irai, certes, répondit-il.

Les chevaliers se préparèrent aussitôt, on amena leurs chevaux et celui de messire Gauvain ; celui-ci prit congé de la Dame Veuve et de sa fille, qui lui manifestèrent leur joie lorsqu'elles apprirent qu'il se rendait au tournoi.

Messire Gauvain et les chevaliers montent à cheval et quittent le château, puis se mettent en route à vive allure. A la lisière de la forêt, messire Gauvain aperçut devant lui la plus belle vallée qu'il ait jamais vue, si vaste qu'il n'en pouvait embrasser le quart d'un seul coup d'œil ; elle était bordée de forêts de part et d'autre, et au milieu s'étendait une large prairie où abondait le gibier.

— Seigneur, dirent les cinq chevaliers, voici les Vaux de Camaalot, qu'on a enlevés à notre maîtresse et à sa fille, avec les plus beaux châteaux du pays de Galles : il y en avait sept !

— C'est une injustice et un péché, dit messire Gauvain.

Ils aperçurent bientôt les banderoles et les boucliers qui signalaient l'endroit où devait se tenir le tournoi. La plupart des chevaliers étaient déjà à cheval, tout armés, et faisaient caracoler leurs montures dans le pré. Ils pouvaient voir les abris de feuillage et les tentes dressées de part et d'autre de la prairie, à l'ombre de la forêt. Messire Gauvain fit halte sous un arbre, et les cinq chevaliers l'imitèrent ; des chevaliers commençaient à se battre de-ci de-là ; on lui montra le Seigneur des Marais et le frère du Chevalier au Bouclier Vermeil, qui se nommait Cahot le Roux. Dès que le tournoi fut engagé, messire Gauvain et les chevaliers se mêlèrent aux combattants.

(L.1147-1213)
(Gauvain commence par renverser Cahot le Roux, le frère du chevalier que Perlesvaus, tout jeune, avait tué par inadvertance. Puis, tandis que les cinq chevaliers font merveille, il vainc le Seigneur des Marais. Tout le monde s'accorde à reconnaître que le vainqueur du tournoi est le chevalier au bouclier vermeil orné d'un cerf d'or — c'est-à-dire Gauvain, qui obtient ainsi pour un an la garde du Château de Camaalot. Gauvain et les chevaliers retournent au château, où la nouvelle de la victoire de Gauvain est accueillie avec des transports d'allégresse.)

XI

GAUVAIN ET LE CHEVALIER COUARD

(L.1214-1349)
(Ayant vaincu les ennemis de la Dame Veuve, Gauvain a obtenu pour un an la garde du château de Camaalot. Il se remet en route vers le château du Roi Pêcheur ; il fait halte dans une demeure, où il est accueilli par un nain et par la dame du château, dont l'époux, Marin le Jaloux, est absent. La nuit, le nain va retrouver son seigneur et accuse Gauvain d'avoir séduit sa belle et jeune épouse : or Gauvain, tout entier à sa quête, avait détourné d'elle ses regards. Au matin, de retour, Marin le défie, mais par inadvertance il tue sa femme d'un coup de lance destiné à Gauvain. Ayant mis le corps de la dame à l'abri des bêtes sauvages, Gauvain repart.)

(L.1350-1415)
Messire Gauvain se remit en route, désespéré au point de perdre l'esprit : il lui semblait qu'il ne lui était jamais rien arrivé de pire. Il chevauchait, sombre et mélancolique, à travers la forêt, quand il vit venir sur le chemin un chevalier fort curieusement accoutré : il montait son cheval devant derrière, les rênes attachées sur sa poitrine, et portait son bouclier sens dessus dessous, sa lance devant derrière ainsi que son haubert, et ses chausses étaient attachées à son cou. Il avait bien entendu venir messire Gauvain, que cette apparition avait plongé dans la stupéfaction ; mais il ne pouvait le voir, et il lui cria à voix haute :

— Noble chevalier qui venez, au nom de Dieu, ne me faites aucun mal, car je suis le Chevalier Couard.

« Ma foi, se dit messire Gauvain en lui-même, vous ne semblez pas homme à qui l'on puisse vouloir du mal ! »

Et s'il n'avait été aussi malheureux, il aurait ri de bon cœur de son accoutrement.

— Seigneur chevalier, répondit-il, vous n'avez pour l'instant rien à craindre de moi !

Et s'approchant de lui, il put l'examiner, et le chevalier fit de même.

— Bienvenue, seigneur, s'exclama le Chevalier Couard.

— Et à vous de même. De qui êtes-vous le vassal, seigneur chevalier ?

— De la Demoiselle au Char, seigneur.

— Ma foi, je ne vous en apprécie que mieux !

— N'aurai-je donc rien à craindre de vous ?

— Non, répondit messire Gauvain, soyez tout à fait rassuré.

Le chevalier vit alors l'écu de messire Gauvain : il le reconnut et lui dit :

— Seigneur, je sais qui vous êtes. Je vais donc descendre de cheval et remonter dans le bon sens, et je remettrai mes armes comme il faut, car je sais à présent que vous êtes messire Gauvain : nul autre que vous ne pouvait conquérir ce bouclier.

Descendant de cheval, le chevalier entreprend de remettre en ordre son équipement, et il prie messire Gauvain de s'arrêter pour lui en laisser le temps : ce dernier accepte bien volontiers et lui offre son aide. Mais voici qu'arrive à toute allure un chevalier qui traverse la forêt comme un ouragan, et qui porte un bouclier mi-parti blanc et noir.

— Messire Gauvain, s'écrie-t-il, arrêtez-vous ! Je vous lance un défi au nom de Marin le Jaloux, qui par votre faute a tué sa femme !

— Seigneur chevalier, répond messire Gauvain, j'en suis profondément malheureux, car elle n'avait pas mérité de mourir.

— A quoi bon ces regrets ? répondit le Chevalier aux Deux Couleurs. Je vous accuse d'être responsable de sa mort. Si je suis vainqueur, vous serez reconnu coupable, et si c'est vous qui gagnez, le blâme et la honte seront pour mon seigneur, et c'est de vous qu'il tiendra son château, à condition que vous me laissiez retourner vivant.

— Je ne vous refuserai pas ce combat, répondit messire Gauvain, car Dieu sait que je suis innocent.

— Messire Gauvain, intervint le Chevalier Couard, ne comptez pas sur moi dans ce combat, car je ne vous apporterais ni aide ni secours !

— J'ai réussi bien des exploits sans vous, répondit messire Gauvain, et je réussirai encore celui-ci, si Dieu veut m'assister !

Les deux combattants se précipitent l'un sur l'autre et brisent leurs lances contre les boucliers. Messire Gauvain heurte le chevalier en le dépassant, et il l'abat avec son cheval. Puis, tirant son épée, il revient sur lui. Le chevalier s'écrie :

— Hé, messire Gauvain, voulez-vous donc me tuer ? Je me rends à vous, car je ne veux pas mourir pour la folie d'un autre, et j'implore votre pitié.

Messire Gauvain décida de ne lui faire aucun mal, car il était bien obligé d'obéir à son seigneur. Se redressant, son adversaire tendit ses mains vers lui et, au nom de son seigneur, lui fit l'hommage de sa demeure et de toute sa terre et se déclara son vassal. Puis il s'éloigna.

— Seigneur, dit le Chevalier Couard, je ne voudrais pas être aussi hardi que vous ; car s'il m'avait défié comme il l'a fait, je me serais enfui sur-le-champ, ou bien je serais tombé à ses pieds pour implorer sa pitié.

— Il me semble que vous aimez plus que tout la tranquillité, dit messire Gauvain.

— Et j'ai raison, dit le chevalier, la guerre n'apporte que des malheurs. Je n'ai jamais été blessé, sinon par quelque rameau dans la forêt, et je vois votre visage tout couturé et couvert de cicatrices. Je vous recommande à Dieu, et je m'en vais retrouver ma Demoiselle au Char.

— Vous ne partirez pas avant de m'avoir dit pourquoi votre Demoiselle au Char porte son bras suspendu à son cou comme elle le fait !

— Seigneur, je vais vous le dire : c'est de cette main qu'elle a servi du Saint Graal le chevalier qui séjourna chez le Roi Pêcheur, et qui omit de demander à quoi servait le Graal ; comme c'est de cette main qu'elle avait tenu la précieuse coupe dans laquelle le sang glorieux coule de la pointe de la lance, elle refuse de s'en servir pour quoi que ce soit avant d'être revenue dans le saint lieu où il se trouve. Seigneur, ajouta-t-il, je vais m'en aller à présent, si vous le voulez bien ; voici ma lance, je vous la donne, car je n'en ai que faire.

Messire Gauvain l'accepta bien volontiers, car la sienne était brisée, et il quitta le chevalier en le recommandant à Dieu.

(L.1415-1429)
(Gauvain reprend la route et rencontre un chevalier mortellement blessé qui, apprenant son nom, lui révèle que c'est en voulant enterrer l'épouse de Marin qu'il a reçu ce coup ; il veut simplement se confesser à un ermite avant de mourir, mais il tenait à ce que Gauvain sût que c'était à son service qu'il avait été blessé.)

XII

GAUVAIN ET L'ORGUEILLEUSE DEMOISELLE

(L.1430-1530)

Après une longue chevauchée à travers la forêt, messire Gauvain aperçut un superbe château ; un vieux chevalier en était sorti pour se distraire, et tenait un oiseau sur son poing ; ils se saluèrent, et messire Gauvain lui demanda à qui appartenait ce château si beau qu'il apercevait, là-bas. Le chevalier répondit que c'était le château de la Pucelle Orgueilleuse, qui jamais n'avait daigné demander son nom à aucun chevalier.

— Et nous, qui sommes à son service, n'osons le faire pour elle. Mais vous serez bien reçu au château, car elle est très courtoise par ailleurs, et c'est la plus belle femme qu'on connaisse ; elle ne s'est jamais mariée, et n'a jamais daigné aimer un chevalier à moins d'avoir entendu dire qu'il était le meilleur chevalier au monde. Je vais vous accompagner.

— Je vous en remercie, répondit messire Gauvain.

Ils pénètrent ensemble dans le château, et mettent pied à terre sur le perron [1] devant la grande salle. Le chevalier prend messire Gauvain par la main et le conduit dans la salle, où il lui fait quitter son armure et lui apporte un surcot de soie garnie de fourrure qu'il lui demande de revêtir. Puis il conduit la dame du château vers messire Gauvain, et celui-ci se lève à son approche.

— Dame, dit-il, qu'il ne vous advienne que du bien !

— Et vous, soyez le bienvenu, seigneur chevalier !

Et, le prenant par la main, elle le conduisit dans ses appartements.

— Seigneur, dit-elle, voulez-vous voir ma chapelle ?

— Comme vous le désirez, demoiselle.

Elle la lui montra. Messire Gauvain l'examina : jamais, lui semblait-il, il n'était entré dans une chapelle aussi belle et aussi somptueuse ; il aperçut quatre tombeaux, les plus beaux du monde, qui étaient fermés ; du côté droit de la chapelle, il y avait trois cavités pratiquées dans le mur, ornées tout autour d'or et de pierres précieuses ; de l'autre côté de ces ouvertures, il y avait un grand nombre de chandelles devant des croix et des phylactères [2], et elles répandaient un parfum plus doux que baume.

---

1. Le *perron,* qui se trouve en général au bas de la grande salle, sert de montoir aux cavaliers.
2. Les *phylactères* sont des sortes de banderoles portant une inscription.

— Seigneur, dit la demoiselle, voyez-vous ces tombeaux ?

— Oui, demoiselle.

— Trois sont destinés aux trois meilleurs chevaliers du monde, dit-elle, et le quatrième est pour moi. L'un de ces chevaliers se nomme messire Gauvain, et le second Lancelot du Lac. Je les aime d'amour, l'un et l'autre. Le troisième se nomme Perlesvaus : celui-là, je l'aime plus encore que les deux autres. Dans ces trois cavités que vous apercevez se trouvent les reliques que j'y ai fait mettre par amour pour eux. A présent regardez ce que je ferais de leur tête s'ils étaient présents ici ; et si je ne puis le faire aux trois ensemble, je le ferai à l'un, ou à deux d'entre eux.

Elle tendit la main vers le mur du côté des niches et tira à elle une cheville d'or qui était fichée dans le mur : aussitôt une lame d'acier plus tranchante qu'un rasoir tomba, fermant les trois ouvertures.

— Voici, dit-elle, de quelle façon je leur trancherai la tête quand ils voudront adorer les reliques qui sont dans les niches. Puis je ferai mettre leurs corps dans ces trois tombeaux, et je les ferai ensevelir magnifiquement et avec tous les honneurs. Puisque je ne puis avoir mon bonheur d'eux de leur vivant, je l'aurai par leur mort ; et quand je mourrai, au moment où Dieu l'aura décidé, je me ferai mettre dans le quatrième tombeau, ainsi je jouirai de la compagnie de ces trois bons chevaliers.

Ces paroles emplirent messire Gauvain de perplexité, et il aurait bien voulu que la nuit fût déjà terminée. Ils quittèrent la chapelle. La demoiselle fit traiter messire Gauvain avec les plus grands égards cette nuit-là : il y avait au château un grand nombre de chevaliers qui étaient à son service et assuraient la protection des lieux. Ils témoignèrent à messire Gauvain la plus grande considération, mais sans savoir que c'était lui, et ils ne lui demandèrent pas son nom, car telle n'était pas la coutume en ce château. Mais la demoiselle savait que les trois chevaliers passaient souvent par cette forêt, et elle avait donné l'ordre à quatre de ses chevaliers qui surveillaient la forêt et ses chemins de lui amener sans faute ces trois hommes, si l'un ou l'autre passait par là, et elle avait promis dans ce cas d'agrandir le fief de chacun d'eux.

Messire Gauvain passa la nuit au château. Le lendemain matin, il alla entendre la messe dans la chapelle avant de partir ; puis, s'étant équipé, il prit congé de la demoiselle et des chevaliers, et sortit du château en homme qui n'a nul désir d'y revenir. Il pénétra dans la grande forêt ; ayant chevauché une bonne lieue, il rencontra deux chevaliers à un défilé dans la forêt. Dès qu'ils l'aperçurent, ils sautèrent à cheval tout armés et vinrent à sa rencontre, bouclier au cou et lance au poing :

— Seigneur chevalier, s'écrièrent-ils, arrêtez-vous, et dites-nous votre nom sans mentir !

— Seigneurs, répondit-il, très volontiers. Je ne cache jamais mon nom, quand on me le demande. Je suis Gauvain, le neveu du roi Arthur.

— Hâtons-nous, seigneur, car vous êtes le bienvenu ! C'est vous que nous attendions. Venez auprès de la dame qui au monde désire le plus vivement vous rencontrer, et qui vous réservera le plus chaleureux des accueils en son Château Orgueilleux.

— Seigneurs, dit messire Gauvain, il m'est impossible de m'y rendre, car j'ai à faire ailleurs.

— Seigneur, il vous faut absolument venir, car nous avons reçu l'ordre de vous y conduire de force si vous n'acceptez pas de vous-même d'y aller.

— Je vous dis que je n'irai pas, répliqua messire Gauvain.

Les chevaliers se précipitent vers lui, et saisissent la bride de son cheval pour l'emmener de force. Mais messire Gauvain se rebiffe, tire son épée et frappe l'un des chevaliers avec une telle rage qu'il lui coupe le bras. L'autre lâche la bride et s'enfuit à toute allure, suivi de son compagnon blessé. Ils se dirigent vers le Château Orgueilleux ; à l'entrée, ils trouvent la Pucelle Orgueilleuse et lui montrent ce qui leur est arrivé.

— Qui vous a mis dans cet état ? demande-t-elle.

— Messire Gauvain, dame.

— Et où l'avez-vous rencontré ?

— Dans la forêt, dame, répondit l'un des chevaliers ; il venait vers nous à vive allure et voulait franchir le passage. Quand nous lui avons dit de s'arrêter et de venir vous trouver, il a refusé ; nous avons voulu l'y forcer, et il a coupé le bras de mon compagnon.

La dame fait sonner du cor tout aussitôt ; les chevaliers du château s'arment, et elle leur ordonne de poursuivre messire Gauvain ; elle promet que celui qui le lui ramènera bénéficiera d'un accroissement de sa terre et de sa protection particulière. Ils étaient une bonne quinzaine de chevaliers. Mais comme ils allaient sortir du château, arrivèrent deux autres gardes de la forêt, tous deux blessés. La demoiselle et les chevaliers leur demandent qui les a mis dans cet état : messire Gauvain, répondent-ils, qu'ils voulaient amener au château.

— Est-il loin ? demanda la demoiselle.

— Oui, répondirent-ils, à quatre lieues au moins.

— Il serait tout à fait déraisonnable de le poursuivre, intervint l'un des quinze chevaliers, car nous ne ferions qu'accroître notre honte ; c'est notre dame elle-même qui l'a laissé échapper, car nous

sommes convaincus que c'est lui le chevalier qui a passé la nuit ici.
Est-ce qu'il portait un écu de sinople [1] orné d'une aigle d'or ?

— Oui, répondirent les chevaliers blessés, c'est bien cela.

— C'est donc bien lui, dit la demoiselle. Je reconnais que je l'ai
laissé échapper à cause de mon orgueil excessif. Jamais plus chevalier ne séjournera dans mon château, et jamais plus je ne parlerai à
un chevalier inconnu sans lui demander son nom. Mais il est trop
tard, j'ai perdu celui-ci à jamais, à moins que Dieu ne me le ramène,
et par lui je perdrai également les deux autres.

On abandonna l'idée de poursuivre messire Gauvain, qui s'en
allait, priant Dieu qu'il l'aide et le dirige dans son entreprise, et qu'il
le conduise en un lieu où il puisse obtenir des renseignements sur la
demeure du Riche Roi Pêcheur.

(L.1530-1558)

*(Épisode du Gaste Manoir : Gauvain rencontre dans la forêt un chien de
chasse qui suit des traces sanglantes et oblige Gauvain à l'accompagner. Ils
parviennent dans une demeure délabrée qui s'élève au milieu d'un étang ; à
l'intérieur, une demoiselle s'apprête à ensevelir un chevalier tué au combat :
elle apprend à Gauvain que c'est Lancelot du Lac qui l'a tué, et que le chien
est à sa recherche ; ce chevalier est son frère, et il a un fils et des amis qui le
vengeront.)*

---

1. *Escu de sinople : sinople,* dans le vocabulaire de l'héraldique, désigne aussi bien
la couleur verte que le rouge. Ici, il s'agit du rouge, puisque l'écu de Gauvain est quali-
fié ailleurs de *vermeil.*

XIII

GAUVAIN DEVANT LE CHÂTEAU DU GRAAL

(L.1559-1615)
(Épisode de Méliot d'Angleterre, l'enfant au lion. Gauvain arrive au soir tombant près d'un manoir isolé ; un ermite regarde avec ravissement à l'intérieur du verger et invite Gauvain à l'imiter : il y a là un jeune garçon qui chevauche un lion redoutable. C'est Méliot de Logres, dont la mère était fille d'un puissant comte du royaume de Logres, et dont le père était Marin le Jaloux ; c'est en effet le fils de la jeune femme qui avait été tuée à cause de Gauvain (voir chapitre X) ; le jeune garçon désirait vivement connaître Gauvain, et lui fait hommage. Gauvain passe la nuit au manoir et, au matin, il reprend la route.)

(L.1616-1753)
Après avoir chevauché plusieurs jours au-delà de la forêt de l'ermitage, messire Gauvain se trouva dans la plus belle contrée du monde, avec de splendides prairies qui s'étendaient sur plus de deux lieues. Il aperçut une forêt devant lui : un jeune homme en sortait, triste et abattu.

— Cher ami, dit messire Gauvain, d'où venez-vous ?

— Je viens de cette forêt, là, seigneur.

— Au service de qui êtes-vous ?

— Je suis au service d'un noble seigneur à qui appartient la forêt.

— Vous semblez bien malheureux, dit messire Gauvain.

— J'ai quelque raison, seigneur, répondit le jeune homme. Celui qui perd un bon seigneur ne peut être heureux.

— Et quelle sorte d'homme est donc votre seigneur ?

— Le meilleur chevalier du monde.

— Est-il mort ?

— Non, seigneur, plaise à Dieu, car ce serait un grand malheur pour l'humanité ; mais voici bien longtemps qu'il n'a plus connu la joie.

— Et comment s'appelle-t-il ?

— Seigneur, à l'endroit où il se trouve, on l'appelle Par-lui-fait.

— Et où est-il ? Pourrais-je le savoir ?

— Pas par moi, seigneur ; je peux simplement vous dire qu'il est dans cette forêt, mais je ne dois pas vous indiquer le lieu exact où il se trouve, je ne dois rien faire qui soit contraire aux volontés de mon maître.

Messire Gauvain est frappé par la beauté du jeune homme ; il le voit à nouveau baisser la tête, et des larmes coulent de ses yeux. Il lui demande ce qu'il a.

— Seigneur, répond le jeune homme, je ne pourrai retrouver la joie que lorsque je me serai retiré dans un ermitage pour sauver mon âme, car j'ai fait le plus grand péché que l'on puisse commettre : j'ai tué ma mère, qui était reine, parce qu'elle m'avait dit que je ne serais pas roi après la mort de mon père, qu'elle ferait de moi un moine, ou un clerc, et que ce serait mon frère, qui est mort à présent [1], qui aurait le royaume. Quand mon père eut appris que j'avais tué ma mère, il se retira dans cette forêt, construisit un ermitage et renonça à son royaume ; à cause du forfait que j'ai commis, je ne veux pas tenir cette terre, et il m'est apparu que c'est moi qui dois subir ces souffrances plutôt que mon père.

— Et quel est votre nom ? demanda messire Gauvain.

— Je me nomme Joseu, et j'appartiens au lignage de Joseph d'Arimathie. Le roi Pellés, qui est ermite dans cette forêt, est mon père ; le Roi Pêcheur est mon oncle, ainsi que le Roi du Château Mortel ; la Dame Veuve de Camaalot est ma tante, et le bon chevalier Par-lui-fait appartient au même lignage que moi.

Sur ces mots, le jeune homme prend congé et s'en va, et messire Gauvain, le cœur plein de compassion pour lui, le recommande à Dieu.

Ayant pénétré dans la forêt et chevauchant à vive allure, messire Gauvain rencontra bientôt un ruisseau qui courait à travers les arbres, et que longeait un chemin fort fréquenté. Il abandonna la large voie pour suivre le cours du ruisseau sur une bonne lieue, et il aperçut bientôt une très belle demeure et une chapelle tout encloses d'une haie. A l'entrée, sous un arbrisseau, il vit assis l'un des hommes les plus beaux qu'il ait jamais rencontrés ; cet homme était vêtu comme un ermite, il avait les cheveux blancs et la barbe chenue ; la tête appuyée sur sa main, il examinait un grand beau destrier superbement harnaché qu'un écuyer lui présentait, ainsi qu'un bouclier qui luisait au soleil, et un haubert et des chausses de fer qu'il s'était fait apporter. Dès qu'il vit approcher messire Gauvain, il se dressa pour aller à sa rencontre :

— Cher seigneur, dit-il, approchez doucement sans faire de bruit,

---

1. ...*qui est mort à présent* : l'autre manuscrit complet du *Perlesvaus,* le manuscrit de Bruxelles, donne : *qui était mon cadet,* ce qui serait plus adéquat.

car nous ne voudrions pas que les choses empirent. Seigneur, ajouta-
t-il aussitôt, ne prenez pas cela pour une impolitesse : je vous offrirais volontiers l'hospitalité, si je n'avais un grave empêchement. Car
un chevalier est couché à l'intérieur, malade, que l'on tient pour le
meilleur du monde, et je ne voudrais pas qu'il apprenne qu'un chevalier a pénétré dans cet enclos, car il se lèverait, tout mal en point
qu'il est, et personne ne pourrait l'empêcher de s'armer, de monter
sur son cheval et de se battre avec vous ou tout autre qui se trouverait là, et son état risquerait de s'aggraver. Si je le garde avec un tel
soin, c'est que je ne veux pas qu'il vous aperçoive, vous ou un autre,
car s'il mourait, ce serait une grande perte pour l'humanité.

— Seigneur, dit messire Gauvain, comment s'appelle-t-il ?

— Seigneur, répondit l'ermite, il s'est fait par lui-même, aussi
l'appelle-t-on Par-lui-fait, en témoignage d'estime et d'affection.

— Seigneur, reprit messire Gauvain, serait-il possible que je le
voie ?

— Non, seigneur, répondit l'ermite. Personne d'autre que nous
ne le verra avant qu'il n'ait recouvré santé et bonheur.

— Seigneur, accepteriez-vous alors de lui transmettre un message
de ma part ?

— Seigneur, je ne lui dirais certainement rien avant qu'il ne m'ait
adressé la parole !

Messire Gauvain est extrêmement triste de ne pouvoir parler au
chevalier.

— Seigneur, reprit-il, à quel lignage appartient-il donc, ce chevalier ?

— Au lignage de Joseph d'Arimathie, le bon serviteur, seigneur.

Mais voici qu'une demoiselle vint jusqu'à la porte de la chapelle et
s'adressa à l'ermite à voix basse ; l'ermite se leva, prit congé de messire Gauvain et ferma la porte de sa chapelle ; un écuyer emmena le
cheval et emporta les armes à l'intérieur de la maison, puis en
referma la porte. Et messire Gauvain resta dehors tout troublé, ne
sachant pas s'il s'agissait bien du fils de la Dame Veuve, car beaucoup de bons chevaliers appartenaient au même lignage.

Tout pensif, il reprit sa route et pénétra dans la forêt. L'histoire ne
mentionne pas tous les détails de ces journées de chevauchée ; simplement, après avoir traversé nombre de terres et de royaumes, il
arriva dans une très belle contrée riche et fertile ; au milieu se dressait un superbe château. Messire Gauvain se dirigea de ce côté : il
était entouré d'une haute muraille, et son entrée était bien protégée : il aperçut un lion enchaîné couché juste à l'entrée, et la chaîne
était fixée dans le mur ; de chaque côté de la porte se trouvaient
deux hommes en cuivre attachés au mur, qui grâce à un mécanisme
décochaient des carreaux d'arbalète avec une force redoutable. A

cause du lion et des automates, messire Gauvain n'osa s'approcher de la porte. Levant les yeux vers le haut des murs, il aperçut des gens qui paraissaient mener une sainte vie : il y avait là des prêtres revêtus d'aubes, et des chevaliers âgés et chenus en vêtements religieux. Dans l'embrasure de chacun des créneaux il y avait une croix, et au sommet de la muraille se dressait une chapelle, à laquelle on accédait à partir de l'une des grandes salles du château. Il y avait trois croix sur la chapelle, et sur chacune un ange d'or. Les prêtres et les chevaliers se tenaient au sommet du rempart, à genoux devant la chapelle, et regardaient de temps à autre vers le ciel en manifestant une profonde joie : ils semblaient voir Dieu et Sa mère dans les cieux. Messire Gauvain les regardait de loin, n'osant s'approcher du château à cause des automates qui décochaient leurs traits avec une telle violence qu'aucune arme n'aurait pu l'en protéger. Il n'apercevait aucun autre chemin, ni à droite ni à gauche, à moins de revenir sur ses pas, que celui qui passait devant le château. Il ne savait que faire. Regardant devant lui, il aperçut un prêtre qui venait de passer la porte :

— Cher seigneur, dit-il s'adressant à messire Gauvain, que désirez-vous ?

— Maître, je vous prie de me dire quel est ce château.

— Seigneur, c'est ici l'entrée du domaine du Riche Roi Pêcheur, et à l'intérieur on commence à célébrer l'office du Saint Graal.

— Veuillez consentir à me laisser passer, dit messire Gauvain, car c'est auprès du Roi Pêcheur que je désire me rendre.

— Seigneur, répondit le prêtre, je vous affirme que vous ne pouvez entrer dans le château ni approcher le Graal de plus près si vous n'apportez pas l'épée avec laquelle saint Jean a été décapité.

— Hélas, dit messire Gauvain, ce serait une bien dure épreuve !

— Vous devez me croire, dit le prêtre, et j'ajoute que c'est le plus félon et le plus mécréant des rois vivants qui la possède. Mais si vous apportez cette épée, vous pourrez entrer librement, et l'on vous fera un accueil chaleureux partout où s'étend le pouvoir du Roi Pêcheur.

— Il me faut donc retourner en arrière, dit messire Gauvain, et cela me rend très malheureux.

— Vous avez tort, car si vous vous emparez de l'épée et que vous l'apportiez, on saura bien alors que vous êtes digne de voir le Saint Graal. Mais souvenez-vous de celui qui n'a pas eu l'idée de demander à quoi il servait !

Messire Gauvain se remit en route, si triste et si malheureux qu'il ne pensa même pas à demander en quel pays il trouverait l'épée ni quel était le nom du roi qui la possédait ; mais il apprendra tout cela quand il plaira à Dieu.

Toujours chevauchant, messire Gauvain parvint en vue d'une

ville ; c'était une belle journée ensoleillée ; devant lui, dans un champ, il vit un bourgeois monté sur un superbe destrier. Apercevant messire Gauvain, le bourgeois vint vers lui et le salua très poliment, et messire Gauvain fit de même.

— Seigneur, dit le bourgeois, cela me fait de la peine de vous voir sur un cheval aussi maigre et décharné. Un homme de votre état devrait avoir une meilleure monture.

— Seigneur, répondit messire Gauvain, je ne peux rien y faire, malheureusement ; j'en aurai une autre lorsque Dieu le voudra.

— Cher seigneur, poursuivit le bourgeois, où devez-vous vous rendre ?

— Je suis à la recherche de l'épée avec laquelle saint Jean fut décapité.

— Ah ! seigneur, vous allez être exposé à de grands dangers. C'est un roi qui ne croit pas en Dieu qui la possède, il est méchant et cruel, et se nomme Gurgaran ; bien des chevaliers sont passés par ici qui étaient à la recherche de l'épée, et ils n'en sont pas revenus. Mais si vous me promettiez que, si Dieu vous accordait de conquérir l'épée, vous repasseriez par ici au retour et me la montreriez, je vous donnerais ce beau cheval en échange du vôtre.

— Vous feriez cela ? dit messire Gauvain. C'est extrêmement obligeant de votre part, car vous ne me connaissez pas.

— Seigneur, je vous crois d'assez noble cœur pour me tenir la promesse que vous m'auriez faite.

— Je vous promets donc, répondit messire Gauvain, de revenir vous la montrer au retour, si Dieu m'accorde de m'en rendre maître.

Le bourgeois met alors pied à terre et enfourche le cheval de messire Gauvain, et ce dernier prend le sien, puis s'en va après avoir pris congé.

XIV

LES DEMOISELLES DE LA TENTE

(L.1754-1916)

Messire Gauvain pénétra dans la forêt qui se trouvait à l'extérieur de la ville, et chevaucha jusqu'au coucher du soleil sans rencontrer château ni habitation. Il parvint à une vaste prairie au milieu de la forêt, qui courait comme un ruisseau à travers les arbres. Au bout de la prairie, à la lisière de la forêt, il aperçut une vaste tente dont les cordeaux étaient de soie, et les piquets fichés en terre d'ivoire ; les pommeaux qui en ornaient le sommet étaient d'or, et chacun d'eux était surmonté d'un aigle également d'or. Les côtés de la tente étaient blancs, et le toit était fait d'un superbe drap d'une belle soie vermeille. Messire Gauvain se dirigea vers la tente et mit pied à terre devant l'entrée ; il lâcha la bride à son cheval et le laissa paître, posa sa lance et son bouclier à l'extérieur de la tente et jeta un coup d'œil à l'intérieur. Il aperçut un lit magnifique tendu de soie et d'or, recouvert de draps de soie aussi fins que la toile la plus déliée et d'un couvre-lit de fourrure d'hermine et de tissu de soie vert orné de gouttes d'or ; au chevet, il y avait deux oreillers, les plus magnifiques qu'on ait jamais vus, qui exhalaient un si doux parfum que la tente en était embaumée. Tout autour du lit, de très beaux tapis de soie recouvraient le sol, et de part et d'autre du chevet se trouvaient deux sièges en ivoire recouverts de coussins magnifiquement brodés ; au pied du lit, à quelque distance, un chandelier d'or portait un grand cierge. Une table avait été dressée au milieu de la tente, toute en ivoire, avec des bords en or garnis de pierres précieuses ; dessus, la nappe avait été mise, ainsi que des tailloirs d'argent [1], des couteaux au manche d'ivoire et une riche vaisselle d'or. La vision de ce lit splendide attira messire Gauvain, qui s'assit dessus tout armé ; il se demandait pour qui cette tente avait été aussi superbement installée, et s'étonnait de n'y voir personne. Alors qu'il se décidait à ôter son armure lui-même, un nain pénétra dans la tente ; il salua messire Gauvain et, s'agenouillant devant lui, il se mit en devoir de lui ôter son équipement. Messire Gauvain se souvint du nain par la faute de qui la dame avait été tuée :

— Cher ami, laissez-moi, car je ne veux pas ôter mon armure pour l'instant.

— Seigneur, répondit le nain, vous pouvez le faire en toute tranquillité, car vous n'aurez rien à craindre avant demain, et jamais sans doute vous n'avez été hébergé avec plus de magnificence et de marques de respect que vous le serez cette nuit.

Messire Gauvain commença donc à ôter son armure avec l'aide du nain, puis il déposa son équipement tout près du lit et son épée, son bouclier et sa lance furent posés sur le sol à l'intérieur de la tente. Le nain apporta deux bassins d'argent et une serviette blanche, et invita messire Gauvain à se laver les mains et le visage. Puis il ouvrit un très beau coffre et en tira un habit fait d'un drap d'or et de soie et fourré d'hermine, et il le lui fit revêtir.

— Seigneur, dit le nain, ne soyez pas inquiet pour votre cheval, car vous le retrouverez demain matin à votre lever. Je vais le conduire tout près d'ici pour qu'il soit bien installé, et je reviendrai.

---

1. Les *tailloirs* sont des sortes de plats en bois ou en métal sur lesquels on découpait la viande.

Messire Gauvain lui en donna l'autorisation.

A ce moment-là, deux écuyers apportèrent le vin et les plats et prièrent messire Gauvain de s'asseoir à table ; puis, après avoir allumé deux grands flambeaux dans deux chandeliers d'or, ils se retirèrent. Pendant que messire Gauvain mangeait, deux demoiselles entrèrent dans la tente ; elles le saluèrent très poliment, et il répondit le plus aimablement qu'il put.

— Seigneur, dirent les demoiselles, que Dieu vous donne demain le pouvoir et la force de mettre fin à la détestable coutume liée à cette tente.

— Il y a donc ici une coutume de cette sorte ?

— Oui, seigneur, particulièrement odieuse, et qui nous pèse extrêmement ; mais vous semblez chevalier assez valeureux pour mettre fin à cette situation.

Messire Gauvain quitta la table, qu'un écuyer débarrassa tout aussitôt ; le prenant par la main, les demoiselles le conduisirent hors de la tente, et ils s'assirent sur l'herbe.

— Seigneur, demanda l'aînée, quel est votre nom ?

— Demoiselle, je me nomme Gauvain.

— Seigneur, nous ne vous en apprécions que davantage. Nous sommes certaines que la cruelle coutume liée à la tente sera abolie demain, à condition que vous choisissiez pour cette nuit celle de nous deux que vous préférez.

— Demoiselle, répondit-il, grand merci !

Et, se levant, il se dirigea vers la couche, car il était fatigué. Les demoiselles l'aidèrent à se mettre au lit. Une fois qu'il fut couché, elles s'assirent devant lui après avoir allumé le cierge, et, s'appuyant sur le lit, elles lui offrirent leur service avec beaucoup d'insistance. Mais messire Gauvain ne leur répondait rien d'autre que « grand merci », car il ne songeait qu'à dormir et à se reposer.

— Par Dieu, dit l'une des demoiselles à sa compagne, si c'était bien le Gauvain neveu du roi Arthur, il nous parlerait tout autrement, et nous trouverions auprès de lui plus de plaisir qu'auprès de celui-ci ! Mais cet homme est un faux Gauvain. Nous avons eu bien tort de lui réserver un si bel accueil dans cette tente !

— Peu importe, répondit l'autre, il faudra bien que demain il paie son écot !

Le nain était justement de retour.

— Cher ami, lui dirent les demoiselles, monte la garde auprès de ce chevalier, et empêche-le de s'enfuir. Il va donc ainsi de demeure en demeure en trompant les gens. Il se fait appeler messire Gauvain, mais il ne lui ressemble pas : car si ç'avait été lui, et si nous lui avions proposé de veiller trois nuits, lui aurait proposé d'en veiller quatre !

— Demoiselles, répondit le nain, il ne pourra s'enfuir, à moins de partir à pied, car son cheval est sous ma garde.

Messire Gauvain entend les propos des demoiselles, mais ne leur répond pas ; elles s'en vont donc en souhaitant que Dieu réserve une mauvaise nuit à ce chevalier lâche et sans vigueur ; elles recommandent au nain de ne pas bouger d'un pouce et de bien le surveiller. Messire Gauvain dormit fort peu cette nuit-là ; dès qu'il fit jour, il se leva ; il trouva ses armes prêtes, ainsi que son cheval qui lui fut amené sellé devant la tente. Il se prépara aussi promptement qu'il le put avec l'aide du nain qui lui dit :

— Seigneur, vous n'avez pas donné satisfaction à nos demoiselles, et elles vous en veulent beaucoup.

— J'en suis désolé, dit messire Gauvain, si j'ai mérité leurs reproches.

— C'est grand dommage, reprit le nain, si un aussi beau chevalier que vous est aussi indigne qu'elles le disent.

— Elles diront ce qu'elles voudront, rétorqua messire Gauvain, c'est leur droit. Je ne sais, ajouta-t-il, qui je dois remercier pour l'agréable séjour dont j'ai bénéficié ici cette nuit, sinon Dieu ; si j'avais vu le seigneur ou la dame de la tente, je leur aurais exprimé ma gratitude.

C'est alors qu'arrivèrent à cheval deux chevaliers en armes qui se dirigèrent vers la tente. Apercevant messire Gauvain qui, à cheval, le bouclier au cou et la lance à la main, s'apprêtait à s'en aller, ils se dirigèrent vers lui :

— Seigneur, s'écrièrent-ils, payez votre hébergement ! Nous nous sommes dérangés pour vous hier soir, nous vous avons laissé la libre disposition de la tente et de tout ce qui s'y trouvait, et vous voulez partir ainsi ?

— Que vous plaît-il que je fasse ? demanda messire Gauvain.

— Il vous faut mériter votre repas et l'accueil qui vous a été offert dans cette tente.

A ce moment arrivèrent les deux demoiselles — elles étaient vraiment très belles !

— Seigneur chevalier, dirent-elles, nous allons voir à présent si vous êtes bien Gauvain, le neveu du roi Arthur.

— Ma foi, dit l'aînée, je ne crois pas qu'il soit capable de mettre fin à la funeste coutume à cause de laquelle nous perdons tous les chevaliers qui passent par ici ; mais s'il s'en montrait capable, je lui pardonnerai son attitude.

Messire Gauvain éprouva de la honte à s'entendre insulter de la sorte, de jour comme de nuit. Il comprit qu'il ne pourrait partir sans se battre. L'un des chevaliers s'était retiré à quelque distance et avait mis pied à terre ; l'autre était sur son cheval tout armé, le bouclier au cou et la lance au poing : il s'élança vers messire Gauvain de tout son élan, et celui-ci fit de même et le frappa avec une telle violence qu'il lui transperça le bouclier, lui cloua le bras au corps de son arme et la lui enfonça dans le corps à une bonne profondeur [1] ; sous le choc, le chevalier fut projeté à terre avec sa monture.

— Sur ma tête, dit la plus jeune, le faux messire Gauvain se montre aujourd'hui plus vaillant qu'hier soir !

Messire Gauvain retira sa lance et, sortant son épée, il s'élança vers le chevalier ; celui-ci demanda pitié et dit qu'il reconnaissait qu'il était vaincu. Ne sachant que faire, messire Gauvain se tourna vers les demoiselles :

— Seigneur chevalier, dit l'aînée, vous n'avez pas à craindre l'autre chevalier tant que celui-ci sera vivant ; et la funeste coutume ne pourra être abolie aussi longtemps qu'il sera en vie, car c'est le seigneur de la tente, et à cause de sa méchanceté cela fait bien longtemps que pas un chevalier n'est venu ici.

— Voyez combien elle est perfide, dit le chevalier à messire Gauvain ; elle n'aimait personne au monde plus que moi, disait-elle ; et voici qu'elle a décidé ma mort.

— Je le répète, reprit la demoiselle, la funeste coutume ne sera abolie que s'il vous met à mort.

Aussitôt, soulevant les pans du haubert du chevalier, messire Gauvain lui plongea son épée dans le corps. Furieux et désespéré de la mort de son compagnon, le second chevalier se précipita sur messire Gauvain, et messire Gauvain sur lui. Ils se heurtent avec une telle violence qu'ils transpercent leurs boucliers, abîment leurs cottes de mailles et se blessent au côté de la pointe de leurs lances ; sous le choc, les arçons grincent, les étriers s'allongent, les sangles se rompent, la partie postérieure des arçons se casse, les lances se brisent, et les adversaires tombent à terre si durement que le sang leur jaillit par la bouche et le nez. Dans sa chute, messire Gauvain vit son adversaire se casser le bras et se rompre le cou. Le nain s'écria :

— Demoiselles, votre Gauvain fait merveille !

— Certes, il sera notre Gauvain désormais, s'il le veut bien.

Abandonnant son adversaire, messire Gauvain se dirigea vers sa monture : le chevalier implorait sa clémence, et il était tenté de lui laisser la vie sauve, malgré les objurgations des demoiselles, car il avait pitié de lui. Mais elles s'écrièrent à son intention :

— Si vous ne le tuez pas, la cruelle coutume ne sera pas abolie !

— Seigneur, dit la plus jeune, si vous voulez le tuer, il faudra lui enfoncer l'épée dans la plante du pied : sinon, il ne mourra pas.

---

1. Nous avons traduit ainsi *deus espennes* ; *l'espenne*, ou *l'espan*, est une mesure de longueur qui correspond à la distance qui sépare l'extrémité du pouce de celle du petit doigt quand la main est écartée.

— Demoiselle, dit le chevalier, l'amour que vous me portiez s'est transformé en haine : jamais un chevalier ne devrait croire en l'amour d'une demoiselle. Dieu veuille cependant que toutes ne soient pas comme vous !

Messire Gauvain est troublé par les paroles de la demoiselle ; mais, plein de compassion pour le chevalier, il s'éloigne et va de l'autre côté de la tente, là où était son cheval ; il ôte la selle du cheval qui appartenait au premier chevalier qui était mort à présent, il la place sur son propre cheval et la lui attache. Pendant ce temps, le chevalier blessé s'était remis en selle avec l'aide du nain et s'enfuyait à toute allure vers la forêt. Les demoiselles s'écrièrent :

— Messire Gauvain, votre compassion sera cause de votre mort aujourd'hui même, car cet impitoyable chevalier s'en va chercher de l'aide, et s'il vous échappe nous mourrons et vous aussi !

A ces mots, messire Gauvain se remit en selle, saisit une lance qui était appuyée contre la tente et s'élança à la poursuite du chevalier, qu'il frappa à nouveau si durement qu'il le projeta sur le sol. Puis il lui dit :

— Vous n'irez pas plus loin !

— Je le regrette, dit le chevalier, car j'aurais bien vite tiré vengeance de vous et des demoiselles.

Messire Gauvain lui enfonça l'épée dans la plante du pied : aussitôt le chevalier se coucha sur le sol et mourut. Messire Gauvain revint sur ses pas, et les demoiselles lui manifestèrent leur joie, disant que c'était le seul moyen de tuer ce chevalier, car il appartenait au lignage d'Achille, et tous ses ancêtres étaient morts de cette manière. Messire Gauvain mit pied à terre, et les demoiselles soignèrent la blessure qu'il avait au côté et l'assurèrent qu'il ne risquait rien.

— Seigneur, dirent-elles, nous nous offrons à nouveau à vous, car nous savons que vous êtes le bon chevalier. Prenez pour amie celle que vous voulez.

— Grand merci, répondit messire Gauvain. Je ne refuse pas votre amitié, et je vous recommande à Dieu.

— Comment, s'écrièrent-elles, vous n'allez pas partir ainsi ? Vous feriez mieux de rester aujourd'hui dans cette tente et de vous reposer.

— Ce n'est pas nécessaire, répondit-il, je n'en ai pas le temps.

— Laissez-le partir, dit la plus jeune : c'est le plus déraisonnable des chevaliers du monde.

— Je dois le reconnaître, dit l'aînée, cela me fait de la peine qu'il s'en aille ainsi.

Messire Gauvain se remit en selle et reprenant sa route il pénétra dans la forêt.

XV

L'ÉPÉE DU GÉANT ET LE GRAAL

(L.1917-1947)

(*Épisode du Roi du Guet* [1]. *Gauvain parvient dans une contrée à l'entrée de laquelle se dresse une tour ; en son sommet, une grue, qui avertit de son arrivée le Roi du Guet, seigneur du pays. Celui-ci menace Gauvain de le retenir un an si, après qu'il aura conquis l'épée qui servit à décapiter saint Jean, il ne revient pas la lui montrer. Gauvain accepte le marche.*)

(L.1948-2109)

Le lendemain matin messire Gauvain reprit sa route, tout heureux, vers les terres du roi Gurgaran. Il pénétra dans la plus désagréable des forêts ; vers midi, il trouva une fontaine toute de marbre ; elle était dans l'ombre de la forêt ; tout autour se dressaient de magnifiques piliers de marbre ornés d'une bordure d'or et de pierres précieuses ; du pilier principal pendait un vase d'or au bout d'une chaîne d'argent. Au milieu de la fontaine se trouvait une statue si exactement sculptée qu'elle semblait douée de vie. Dès que messire Gauvain se montra près de la fontaine, la statue s'enfonça dans l'eau et disparut. Messire Gauvain mit pied à terre et voulut saisir le vase d'or, quand une voix l'interpella :

— Vous n'êtes pas le bon chevalier que l'on sert et que l'on guérit de ce vase !

Messire Gauvain recula et aperçut un clerc, tout jeune, qui se dirigeait vers la fontaine ; il était tout de blanc vêtu, avait une étole à son bras, et tenait un récipient en or de forme carrée. Il s'approcha du vase d'or suspendu au pilier de marbre, regarda à l'intérieur, puis après avoir rincé le récipient qu'il tenait, il y versa le contenu de l'autre vase. C'est alors qu'arrivèrent trois demoiselles d'une grande

---

1. Nous avons traduit par *Roi du Guet* l'expression donnée ici par le manuscrit, *roi de la Gase ;* en effet, ailleurs dans le manuscrit on trouve aussi *roi de la Gaite.* Le nom choisi semble bien correspondre à la fonction de guetteur de sa grue.

beauté, toutes vêtues de blanc, la tête recouverte d'un drap blanc
également ; l'une apportait du pain dans une coupe d'or, l'autre du
vin dans une coupe d'ivoire, et la troisième des aliments dans une
coupe d'argent. Elles s'approchèrent du vase en or qui était suspendu au pilier, et elles y versèrent ce qu'elles avaient apporté. Puis,
après s'être arrêtées un instant au pied du pilier, elles s'en retournèrent : mais il sembla alors à messire Gauvain qu'il n'y avait plus
qu'une des jeunes femmes [1], ce qui le plongea dans la stupéfaction.
Rejoignant le clerc qui remportait l'autre récipient en or, il l'interpella :

— Cher seigneur, un mot simplement !

— Que désirez-vous ? demanda le clerc.

— Où allez-vous porter ce vase en or et son contenu ?

— A des ermites qui vivent dans cette forêt, et au bon chevalier
qui gît, malade, chez son oncle le Roi Ermite.

— Est-ce loin d'ici ?

— Seigneur, répondit le clerc, oui, c'est loin pour vous. Mais moi
j'y serai en bien moins de temps que vous.

— Par ma foi, dit messire Gauvain, je voudrais me trouver auprès
de lui, et pouvoir le voir et lui parler.

— Je l'imagine volontiers, repartit le clerc, mais le moment n'est
pas venu pour cela.

Prenant congé, messire Gauvain reprit sa chevauchée ; il rencontra bientôt un ermitage : l'ermite était dehors, âgé et chenu, portant les marques d'une sainte vie.

— Seigneur, dit-il à messire Gauvain, où allez-vous ?

— Au royaume du roi Gurgaran, seigneur. Est-ce le bon chemin ?

— Oui, répondit l'ermite, mais beaucoup de chevaliers sont passés par ici qui jamais ne sont revenus.

— Est-ce loin ? demanda messire Gauvain.

— Son royaume, seigneur, est tout près, mais le château où se
trouve l'épée est loin d'ici.

Messire Gauvain passa la nuit en ce lieu. Le lendemain matin,
après avoir entendu la messe, il repartit. Il parvint enfin au royaume
de Gurgaran, et entendit les habitants du lieu manifester une profonde douleur. Il rencontra un chevalier qui se dirigeait à vive allure
vers un château.

— Seigneur, lui demanda messire Gauvain, pour quelle raison les
habitants de ce pays manifestent-ils un tel chagrin ? De tous côtés,
j'en vois qui pleurent et frappent dans leurs mains de désespoir [2].

---

1. Cette scène forme une sorte de double au cortège du Graal. Les trois jeunes filles
qui semblent n'en plus faire qu'une sont une figure de la Trinité.
2. Frapper dans ses mains est au Moyen Age une manière d'exprimer son chagrin et
son désespoir.

— Seigneur, répondit le chevalier, je vais vous le dire. Le roi Gurgaran n'avait qu'un fils, et il a été enlevé par un géant qui lui a causé de graves préjudices et a dévasté ses terres. Le roi a fait proclamé à travers tout le royaume qu'à celui qui ramènerait son fils et tuerait le géant, il lui donnerait une épée qu'il possède et qui est la plus précieuse de toutes, ainsi qu'autant de ses trésors qu'il oserait en prendre. Mais il n'a encore trouvé aucun chevalier assez hardi pour y aller ; désormais, il ressent moins de respect pour sa religion que pour celle des chrétiens, et proclame que si jamais un chevalier chrétien venait dans son royaume, il le recevrait.

Messire Gauvain est heureux d'entendre ces propos, et, laissant le chevalier, il se rend au château du roi Gurgaran. On informe le roi qu'un chevalier chrétien vient d'arriver dans son château. Le roi en est joyeux : il le fait amener devant lui, et lui demande quel est son nom et de quel pays il vient.

— Mon nom est Gauvain, et je viens du royaume du roi Arthur.

— Vous appartenez au royaume des bons chevaliers ; mais dans tout mon royaume je ne puis en trouver un seul qui ait le courage de m'apporter son secours. Si vous étiez assez brave pour accepter de m'aider, je vous en récompenserais bien. Un géant a enlevé mon fils, qui m'est très cher ; si vous acceptiez de risquer votre vie pour sauver mon enfant, je vous ferais don de la plus magnifique épée qui ait jamais été forgée, et qui est celle dont saint Jean fut décapité. Elle se couvre de sang chaque jour à midi, car c'est l'heure à laquelle saint Jean eut la tête coupée.

Le roi fait apporter l'épée ; il lui montre d'abord le fourreau, qui était recouvert de pierres précieuses ; les attaches étaient de soie avec des pendentifs en or, de même que la poignée, et le pommeau était fait d'une pierre sacrée qu'Eval, empereur de Rome, y avait fait incruster. Le roi sortit ensuite l'épée du fourreau, et elle apparut toute sanglante, car il était midi ; il la laissa sous les yeux de messire Gauvain jusqu'à ce que l'heure fût passée ; alors, l'épée devint aussi brillante qu'une émeraude, et d'un vert comparable. Messire Gauvain est fasciné par ce qu'il voit, et il est saisi du désir de posséder cette épée. Il voit bien qu'elle est aussi longue qu'une épée normale, et pourtant quand elle est dans son étui, elle ne semble pas dépasser avec le fourreau la largeur des deux mains [1].

— Seigneur chevalier, dit le roi, cette épée sera à vous, et je vous ferai en outre un autre don qui vous fera plaisir.

— Seigneur, répondit messire Gauvain, je vous aiderai donc, s'il plaît à Dieu et à Sa douce Mère.

Le roi lui indiqua la direction dans laquelle le géant était parti et le

---

1. Le texte donne *espans*. (Voir note 1, p. 176.)

lieu de son repaire. Se recommandant à Dieu, messire Gauvain partit aussitôt. Les habitants du château prient pour lui à la manière prescrite par leur religion pour qu'il revienne sain et sauf, car il s'expose à un très grand péril. Chevauchant sans répit, il parvint à une haute montagne qui s'élevait tout autour d'un territoire que le géant avait complètement dévasté ; le terrain délimité par la montagne avait bien trois lieues, et c'était dans ce périmètre que se tenait le géant : il était si grand, si féroce et si terrifiant qu'il ne craignait personne au monde. Il y avait bien longtemps qu'aucun chevalier n'était venu le défier dans son refuge, car nul n'avait osé s'installer sur ce territoire, et le défilé de la montagne par où l'on accédait à son repaire était si étroit qu'un cheval n'y pouvait passer : messire Gauvain fut obligé de mettre pied à terre et d'abandonner sa monture, son bouclier et sa lance avant de se frayer un passage avec beaucoup de difficulté, car le chemin formait une sorte de faille entre des rochers coupants. Il parvint enfin de l'autre côté sur le plateau ; regardant devant lui, il aperçut le repaire du géant au sommet d'un rocher, et le géant et le jeune homme en train de jouer aux échecs à même le sol sous un arbre. Messire Gauvain avait son armure et son épée au côté : il se dirigea vers eux. Le voyant approcher, le géant se dressa d'un bond, saisit une énorme hache qui se trouvait à côté de lui, se précipita sur messire Gauvain l'arme levée, avec l'intention de le frapper à la tête de toute la force de ses deux mains. Messire Gauvain esquiva le coup et l'attaqua à l'épée, lui donnant un tel coup qu'il lui trancha le bras qui tenait la hache ; quand il se vit blessé, le géant revint sur ses pas, saisit le fils du roi par le cou de son autre main, et le serra si fort qu'il l'étrangla. Puis, retournant à messire Gauvain, il le saisit à bras-le-corps et le paralysa de son étreinte ; l'élevant ensuite de trois pieds au-dessus du sol, il se mit en devoir de l'emporter dans son repaire au sommet du rocher. Mais comme il s'en approchait, il tomba avec son fardeau et se trouva placé sous son adversaire ; il voulut se relever, mais messire Gauvain lui transperça le cœur de son épée ; puis il lui coupa la tête et se dirigea vers l'endroit où le fils du roi gisait mort, ce dont il fut très malheureux. Il chargea le jeune homme sur ses épaules, prit la tête du géant dans sa main et revint là où il avait laissé son cheval, son bouclier et sa lance. Il se remit en selle et repartit, portant le fils du roi devant lui et la tête du géant.

Le roi et tous les habitants du château vinrent à sa rencontre avec des transports de joie, mais quand ils virent le jeune homme mort, leur allégresse se transforma en chagrin. Messire Gauvain mit pied à terre devant le château et alla remettre au roi son fils et la tête du géant.

— Croyez-moi, seigneur, dit-il, si j'avais pu vous le ramener vivant, j'en aurais été très heureux.

— Je le sais bien, dit le roi ; je vous sais gré de tout ce que vous avez fait, et vous recevrez votre récompense.

Il pleura son fils avec beaucoup d'émotion, de même que les habitants du château. Ensuite il fit allumer un grand feu au milieu de la ville ; il fit placer son fils dans une cuve d'airain remplie d'eau, et le fit cuire et bouillir sur ce feu ; il avait fait suspendre la tête du géant sur sa porte ; et quand le corps de son fils eut cuit, il le fit découper en morceaux aussi petits que possible ; puis il convoqua tous ses vassaux et en donna à chacun d'eux autant qu'il y en avait. Ensuite il fit apporter l'épée et la donna à messire Gauvain, qui l'en remercia vivement.

— Mais je vais faire quelque chose de plus pour vous, ajouta le roi.

Il fit venir tous les vassaux de son royaume dans la grande salle de son château, et dit :

— Seigneur, je veux me faire baptiser.

On lui donna Archer comme nom de baptême. Et tous ceux qui refusèrent de croire en Dieu furent condamnés à avoir la tête coupée.

C'est ainsi que fut baptisé ce roi, qui régnait sur l'Écosse, grâce à un miracle de Dieu et à la bravoure de messire Gauvain. Celui-ci quitta le château fort satisfait, et, prenant le chemin du retour, il chevaucha vers le royaume du Roi du Guet pour s'acquitter de sa promesse. Une fois arrivé, il mit pied à terre devant la grande salle. Le roi fut très content quand il le vit venir ; messire Gauvain lui dit :

— Seigneur, je viens accomplir ma promesse. Voici l'épée.

Le roi la prit dans sa main et la contempla avec plaisir ; puis, manifestant sa satisfaction, il la fit mettre dans son trésor.

— Seigneur, s'exclama messire Gauvain, vous m'avez trompé ?

— Sur ma tête, répondit le roi, pas le moins du monde, car j'appartiens au lignage de celui qui a décapité saint Jean, et j'ai donc plus de raisons que vous de posséder cette épée.

— Seigneur, dirent les chevaliers au roi, messire Gauvain est un chevalier parfaitement loyal et courtois ; rendez-lui ce qu'il a conquis, car on vous blâmerait de vous mal conduire à son égard.

— Volontiers, repartit le roi, mais à une condition : qu'il s'engage à accéder à la requête de la première demoiselle qui le sollicitera.

Messire Gauvain le promit bien volontiers : mais cette promesse lui apporta par la suite bien des déboires et des malheurs, et lui valut les reproches de beaucoup de chevaliers. Le roi lui rendit son épée. Il passa cette nuit-là au château et le matin, dès qu'il le put, il repartit.

Il arriva bientôt devant la ville où vivait le bourgeois qui avait échangé son cheval contre le sien. Il se rappela sa promesse et s'arrêta un long moment, appuyé sur la poignée de sa lance, en attendant l'arrivée du bourgeois. Ils se retrouvèrent avec grand plaisir. Messire Gauvain montra l'épée au bourgeois, qui s'en empara et, piquant des deux, s'élança vers la ville. Messire Gauvain se mit à sa poursuite, lui criant qu'il se conduisait de façon indigne.

— Ne me poursuivez pas jusque dans la ville, répondit le bourgeois, car ses habitants appartiennent à une commune [1] !

Le bourgeois pénétra dans la cité, et messire Gauvain le suivit, car il n'avait pu le rattraper à l'extérieur ; à l'intérieur, il rencontra une grande procession de prêtres et de clercs qui portaient des croix et des encensoirs. Messire Gauvain descendit de cheval à cause de la procession, et vit le bourgeois entrer dans l'église, où la procession pénétra à son tour.

— Seigneurs, dit messire Gauvain aux prêtres, faites-moi rendre ce que ce m'a volé ce bourgeois qui est là dans votre église.

— Seigneur, répondirent les prêtres, nous savons qu'il s'agit de l'épée avec laquelle saint Jean fut décapité ; le bourgeois nous l'a apportée ici pour que nous la placions parmi nos reliques, et il affirme qu'elle lui a été donnée pour son mérite.

— Ce n'est pas vrai ; je la lui ai montrée pour respecter ma promesse, et il l'a emportée par surprise.

Il leur raconte exactement ce qui s'est passé, et les prêtres ordonnent que l'épée lui soit rendue. Il les quitte très heureux, se remet en selle, prend ses armes et sort de la ville.

XVI

EXPLICATION DES ALLÉGORIES
AU CHÂTEAU DE L'ENQUÊTE

(L.2110-2138)

(Épisode du Château de la Pelote. Gauvain rencontre un chevalier qui lui offre l'hospitalité au Château de la Pelote ; le seigneur y regardait ses deux filles jouer à la pelote avec une balle en or ; elles quittent leur jeu pour s'occuper de lui. Arrive un nain qui les frappe pour avoir fait trop bon accueil à celui qui fut cause de la mort de leur tante. Le seigneur explique à Gauvain que le nain est le précepteur de ses filles, et qu'il est le frère du nain qu'il avait tué au château de Marin le Jaloux — dont il apparaît que l'épouse est la tante des jeunes filles. Gauvain passe la nuit au château ; au matin, il repart.)

(L.2139-2252)

Toujours chevauchant, messire Gauvain parvint au château qui marquait l'entrée du royaume du Roi Pêcheur ; il vit que les auto-

---

1. Une *commune* est au Moyen Age une ville qui s'est affranchie de la tutelle seigneuriale ou royale.

mates de cuivre ne lançaient plus leurs traits, et qu'il n'y avait plus de lion à la porte. Il vit venir à sa rencontre, en grande procession, les prêtres et les habitants du château. Il mit pied à terre ; un écuyer se trouvait là qui prit ses armes et son cheval. Il montra l'épée à ceux qui venaient ; il était midi : il tira l'épée de son fourreau, et elle apparut toute sanglante. Tous s'inclinèrent devant elle avec dévotion et chantèrent le *Te Deum Laudamus*. C'est au milieu de ces manifestations que messire Gauvain fut reçu au château. Il remit l'épée dans son fourreau : il veillait sur elle avec soin, et se gardait bien de dire partout où on l'accueillait ce qu'elle représentait. Les prêtres et les chevaliers le traitaient avec tous les égards, et le conjuraient de ne pas se montrer aussi inconséquent que l'autre chevalier si jamais Dieu le conduisait au château du Roi Pêcheur et que le Graal se montrât à lui ; lui répondait qu'il ferait ce que Dieu lui commanderait de faire.

— Seigneur, dit le maître des religieux, qui était très âgé, vous auriez grand besoin de repos, car vous me semblez bien fatigué.

— Seigneur, répondit messire Gauvain, c'est que j'ai vu bien des choses qui m'ont surpris et dont j'ignore la signification.

— Seigneur, dit le religieux, ce château se nomme le Château de l'Enquête. Il n'y a rien au sujet de quoi vous poserez des questions que l'on ne vous en dévoile la signification ; c'est par Joséphé [1] le sage clerc et le saint ermite que nous savons tout cela, et il l'a appris du Saint-Esprit et de l'ange.

— Assurément, dit messire Gauvain, j'ai été intrigué par les trois demoiselles qui sont venues à la cour du roi Arthur, et qui apportaient deux têtes, celles d'un roi et d'une reine, et transportaient sur un char cent cinquante têtes de chevaliers, dont les unes étaient scellées d'or, d'autres d'argent, d'autres enfin de plomb.

— En effet, dit le religieux, mais la demoiselle a précisé que c'est la reine qui avait été cause de la trahison et de la mort du roi, de même que de celle des chevaliers dont les têtes se trouvaient sur le char. Elle a dit la vérité, comme en témoigne Joséphé, quand il nous rappelle que c'est par Ève qu'Adam fut trahi, ainsi que toutes les créatures qui existaient alors, et le siècle à venir en sera frappé de malheur à tout jamais. C'est parce qu'Adam fut le premier homme, et qu'il fut notre père à tous ici-bas, qu'il est ici appelé roi et sa femme reine. Les têtes des chevaliers scellées d'or représentent la Nouvelle Religion [2], celles scellées d'argent les Juifs, celles scellées de plomb la fausse religion des musulmans. Ce sont ces trois sortes de gens qui constituent le monde.

---

1. Il s'agit du narrateur Joséphé dont il est question dans le prologue.
2. La *Novele Loi* désigne la religion chrétienne, la *Viez Loi* est celle des Juifs, la *Loi des Sarazins* celle des musulmans.

— Seigneur, dit messire Gauvain, je me pose des questions à propos du château de l'Ermite Noir, où l'on se saisit de toutes ces têtes ; la demoiselle m'avait dit alors que le Bon Chevalier les libérerait toutes quand il viendrait, et c'était aussi l'avis de bien des gens du château qui regrettaient son absence.

— Vous savez bien, répondit le religieux, qu'à cause de la pomme qu'Ève fit manger à Adam, tous allaient en enfer, les bons comme les mauvais ; et c'est pour sauver son peuple de l'enfer que Dieu se fit homme : par sa bonté et par sa puissance, il sauva ses fidèles de l'enfer. C'est cela qu'évoque à notre intention Joséphé à travers le récit du château de l'Ermite Noir, qui représente l'enfer ; il nous dit ainsi que l'Ermite Noir, c'est Lucifer, qui règne sur l'enfer comme il voulait régner sur le paradis. Seigneur, continua le religieux, le sage ermite nous fait ce récit allégorique parce que la majorité des hommes n'ont pas une assez bonne connaissance de la Nouvelle Religion, et il a voulu la faire connaître à travers des récits exemplaires.

— Par Dieu, dit messire Gauvain, j'ai été très intrigué par la demoiselle complètement chauve, qui disait qu'elle ne retrouverait sa chevelure que lorsque le Bon Chevalier aurait conquis le Graal.

— Seigneur, dit le religieux, il est tout à fait normal qu'elle soit chauve. Elle est devenue chauve le jour où le bon roi fut saisi de langueur par la faute du chevalier qu'il avait hébergé, et qui ne posa pas la question attendue. La Demoiselle Chauve, selon Joséphé, représente la Fortune, qui était chauve avant que Notre-Seigneur ne soit crucifié, et qui ne porta de cheveux que lorsqu'Il eut racheté Son peuple par Son sang et par Sa mort. Le char qu'elle conduit représente sa roue, car de même que le char avance sur ses roues, de la même façon elle mène le monde. Et cela se voit bien à travers les deux demoiselles qui la suivaient, car la plus belle courait à pied, et l'autre était montée sur une pauvre vieille rosse ; en outre, elles étaient pauvrement vêtues, alors que la première avait de plus riches atours. Le bouclier avec la croix vermeille, que la Demoiselle au Char avait déposé à la cour du roi Arthur, représente le bouclier de la croix, que nul n'a jamais osé se procurer sinon Dieu.

Messire Gauvain écouta ces explications avec grand plaisir ; et il se souvint que personne n'osait porter la main sur le bouclier qui était suspendu dans la grande salle du roi Arthur ni s'en emparer, comme on le lui avait raconté à plusieurs occasions : on attendait de jour en jour le Bon Chevalier qui devait venir chercher le bouclier.

— Je vous suis très reconnaissant, dit messire Gauvain au religieux, de m'avoir expliqué ces choses qui me paraissaient mystérieuses. Mais j'étais très malheureux à cause d'une dame que son mari a tuée à cause de moi, alors qu'aucune faute n'avait été commise, ni par elle ni par moi.

— Seigneur, répondit le religieux, sa mort a une heureuse signification ; en effet, d'après ce que dit Joséphé, l'Ancienne Religion fut anéantie par un coup de lance et ne put ressusciter, et c'est pour mettre à bas l'Ancienne Religion que Dieu accepta d'être frappé d'une lance au côté ; c'est par ce coup de lance, et par sa mise en croix, que fut anéantie l'Ancienne Religion. Désirez-vous poser d'autres questions ? demanda le religieux.

— Seigneur, dit messire Gauvain, j'ai rencontré dans la forêt un chevalier qui était assis devant derrière sur sa selle, et qui portait ses armes sens dessus dessous ; il me dit qu'il était le Chevalier Couard, et il portait son haubert retroussé sur ses épaules. Et dès qu'il m'aperçut, il remit ses armes dans le bon sens et se mit en selle normalement.

— La religion était déformée avant la crucifixion de Notre-Seigneur, et dès qu'il eut été mis en croix, la vraie religion fut restaurée.

— Il y a encore autre chose, poursuivit messire Gauvain ; un chevalier m'a attaqué, qui portait un bouclier mi-parti blanc et noir ; il m'accusait de la mort de la dame de la part de son époux, et me dit que si j'étais vainqueur, lui et son seigneur deviendraient mes vassaux. Je fus vainqueur, et il me prêta hommage.

— C'est tout à fait légitime, dit le religieux ; lorsque l'Ancienne Religion fut anéantie, tous ceux qui lui restèrent attachés se trouvèrent assujettis, et ils le seront à tout jamais. Souhaitez-vous me poser une autre question ?

— Je suis très intrigué, dit messire Gauvain, par un enfant qui chevauchait un lion dans un ermitage, et personne ne pouvait s'approcher de l'animal à l'exception de l'enfant ; celui-ci n'avait pas plus de sept ans, et le lion était très féroce. L'enfant était le fils de la dame qui avait perdu la vie à cause de moi.

— Vous avez été bien inspiré, dit le maître des religieux, de me rappeler cet épisode. L'enfant représente le Sauveur du monde qui naquit sous l'Ancienne Religion, qui fut circoncis et se fit la plus humble de toutes les créatures du monde, hommes, bêtes et oiseaux, monde que pourtant seule sa puissance peut gouverner et régir.

— Ah, seigneur, s'écria messire Gauvain, quelle joie m'apportent vos paroles ! Seigneur, reprit-il, j'ai trouvé une fontaine dans une forêt, la plus belle qu'on ait jamais vue ; il y avait dedans une statue, qui se cacha dès qu'elle me vit. Un clerc apporta un récipient en or, s'approcha d'un vase d'or qui était suspendu à une colonne, et il prit ce que ce vase contenait et le mit dans le sien. Puis arrivèrent trois demoiselles qui remplirent le vase avec ce qu'elles apportaient, et tout aussitôt il me sembla qu'il n'y en avait plus qu'une.

— Seigneur, dit le religieux, je ne vous en dirai pas davantage, et vous devez vous estimer fort satisfait, car on ne doit pas dévoiler les mystères du Sauveur : ceux à qui ils ont été confiés doivent les garder secrets.

— Seigneur, reprit messire Gauvain, je veux vous interroger au sujet d'un roi auquel j'ai vu ramener son fils mort. Il le fit cuire et bouillir, puis le donna à manger à tous ceux de son royaume.

— Seigneur, dit le religieux, cet homme avait déjà donné son cœur au Sauveur, et il voulut faire à Notre-Seigneur ce sacrifice de sa chair et de son sang : c'est pour cela qu'il voulut le faire manger à tous ceux de son royaume ; il voulait qu'ainsi tous partagent ses convictions, et il a débarrassé son royaume de toute mauvaise croyance, rien n'en a subsisté.

— Béni soit l'instant où je suis venu ici ! dit messire Gauvain.

— Ainsi soit il, dit le religieux.

Messire Gauvain passa la nuit au château, où il fut très bien traité.

XVII

GAUVAIN AU CHÂTEAU DU GRAAL

(L.2253-2513)

Le lendemain matin, après avoir entendu la messe, messire Gauvain prit congé et quitta le château. S'offrirent alors à ses yeux le plus beau paysage, les plus magnifiques prairies et les plus splendides rivières qu'on ait jamais vus, auprès de forêts peuplées d'animaux sauvages et d'ermitages. Toujours chevauchant, il arriva un soir, à la tombée de la nuit, chez un ermite : sa demeure était si basse que le cheval ne pouvait y pénétrer ; la chapelle n'était pas plus grande, et le saint homme n'en était pas sorti depuis quarante ans au moins. Quand il aperçut messire Gauvain, il se mit à la fenêtre et lui dit :

— Seigneur, soyez le bienvenu !

Messire Gauvain lui répondit : « que Dieu vous bénisse », et ajouta :

— Accepterez-vous, seigneur, de m'accueillir ici ?

— Seigneur, répondit l'ermite, nul n'habite ici que Dieu. Nul être humain n'est entré ici dedans avec moi depuis quarante ans, mais il y a là-bas un château où l'on héberge les bons chevaliers.

— Seigneur, demanda messire Gauvain, à qui appartient ce château ?

— Au bon Roi Pêcheur, dit l'ermite ; il est tout entouré d'eaux profondes, et la région serait riche de tout, si le seigneur était heureux. Mais il ne doit recevoir que de bons chevaliers.

— Dieu m'accorde de le devenir ! répondit messire Gauvain.

Certain désormais d'être tout près du château, il descendit de cheval et se confessa à l'ermite ; il lui avoua tous ses péchés et en éprouva un sincère repentir.

— Seigneur, lui dit l'ermite, n'oubliez pas, si Dieu y consent, de poser la question que l'autre chevalier a omis de poser ; et ne soyez pas effrayé par ce que vous verrez à l'entrée du château, mais avancez avec confiance, et adorez la sainte chapelle que vous apercevrez dans l'enceinte du château, et où la flamme du Saint-Esprit descend chaque jour pour le très Saint Graal et pour la sainte lance dont la pointe saigne, dont on célèbre là-bas l'office.

— Seigneur, dit messire Gauvain, que Dieu m'assiste afin que j'accomplisse sa volonté !

Prenant congé, il s'en alla ; il aperçut bientôt une vallée où régnait l'abondance ; le château se trouvait là, et la sainte chapelle apparut à ses yeux.

Messire Gauvain mit pied à terre et, s'agenouillant, il s'inclina en direction de la chapelle et prononça avec recueillement une prière d'adoration.

Puis il remonta à cheval et, poursuivant sa route, il aperçut bientôt un tombeau magnifique recouvert d'une pierre de grande beauté ; le tombeau semblait tout proche du château, et il devait y avoir là un petit cimetière, car l'endroit était clos alentour, mais il n'y avait pas d'autre tombe. Au moment où il atteignait le cimetière, une voix l'interpella :

— Ne vous approchez pas de la tombe, car vous n'êtes pas le chevalier grâce auquel on apprendra qui repose à l'intérieur !

A cette injonction, messire Gauvain passa son chemin et se dirigea vers l'entrée du château : il aperçut alors trois ponts, immenses et terrifiants, sous lesquels couraient trois puissants torrents. Le premier pont lui paraissait long d'une bonne portée d'arc, mais large de moins d'un pied : il lui semblait bien étroit, et l'eau rapide, vaste et profonde ; il ne savait que faire, il paraissait impossible de le passer à pied ou à cheval. Mais voici que, sortant du château, un vénérable chevalier s'avança jusqu'au pont que l'on appelait le Pont de l'Aiguille et interpella rudement messire Gauvain :

— Seigneur chevalier, hâtez-vous de passer, car il va faire nuit, et on vous attend au château !

— Ah, seigneur, dites-moi comment faire !

— Ma foi, répondit le chevalier, je ne connais pas d'autre passage que celui-ci, et si vous désirez parvenir au château, il faut que vous passiez par là !

Messire Gauvain eut honte d'avoir tant hésité, et il se rappela les paroles de l'ermite, qui lui avait dit qu'il n'aurait rien à redouter à l'entrée du château ; et il devait d'autant moins craindre la mort qu'il s'était confessé et repenti de ses péchés. Aussitôt, pensant bientôt mourir, il fit le signe de la croix, implora la bénédiction et la protection de Dieu, et éperonna sa monture. Dès qu'il se fut avancé jusqu'au pont, celui-ci lui parut large et aisé à franchir : ce passage servait en effet à éprouver les chevaliers qui désiraient pénétrer au château.

Messire Gauvain fut tout surpris de trouver si vaste ce pont qui lui était d'abord apparu si étroit, et dès qu'il l'eut franchi, comme c'était un pont-levis, il se releva de lui-même grâce à un mécanisme ; dès lors personne d'autre n'aurait pu entrer, car l'eau dessous était extrêmement tumultueuse.

Le chevalier recula jusqu'au second pont, et messire Gauvain éprouva la même crainte au moment de passer ce pont, qui lui semblait aussi long que le premier ; il apercevait en bas l'eau, non moins rapide et non moins tumultueuse, et le pont lui paraissait être de glace, léger et fragile, et si haut au-dessus du torrent ! Mais grâce à sa précédente expérience, il fit taire sa peur, se dirigea vers le pont et s'étant recommandé à Dieu il s'avança : le pont lui parut alors le plus solide et le plus magnifique qu'il eût jamais vu, tout orné de statues. Dès qu'il fut passé, le pont se releva derrière lui de la même façon que le premier ; le chevalier avait disparu ; messire Gauvain se dirigea alors vers le troisième pont ; il n'était pas effrayé par ce qu'il avait vu, et ce pont ne ressemblait pas aux deux autres : il était bordé de colonnes de marbre, et chacune d'elles était surmontée d'un pommeau qui semblait d'or. Messire Gauvain regarda alors en haut de la porte : il y vit représentés le Christ en croix, entouré de part et d'autre de Sa Mère et de saint Jean ; les statues étaient en or, ornées de pierres précieuses qui étincelaient comme des flammes. Il aperçut à droite un ange, très beau, qui du doigt montrait la chapelle où était le Saint Graal ; il portait sur la poitrine une pierre précieuse, et au-dessus de sa tête était gravée une inscription qui disait que le maître du château était aussi pur et aussi irréprochable que cette pierre. Puis messire Gauvain aperçut sur le seuil, à l'entrée, un lion gigantesque et terrifiant, dressé sur ses quatre pattes ; mais le lion se coucha dès qu'il vit messire Gauvain, et celui-ci put passer sans difficulté. Parvenu au château, il mit pied à terre, déposa sa lance et son bouclier contre le mur du bâtiment principal, puis monta l'escalier de marbre et entra dans une salle magnifique dont les murs étaient ornés de place en place de portraits peints à l'or. Il y avait au milieu de la salle un lit surélevé, de toute beauté ; à la tête du lit se trouvait un échiquier splendide et un coussin brodé d'or avec grand art et orné de pierres précieuses [1] ; il n'y avait aucune pièce sur l'échiquier. Messire Gauvain était absorbé dans la contemplation de cette salle magnifique, quand deux chevaliers sortirent d'une chambre et se dirigèrent vers lui.

— Seigneur, dirent-ils, soyez le bienvenu !

— Que Dieu vous accorde joie et bonheur, répondit messire Gauvain.

Les chevaliers le firent asseoir sur le lit et ordonnèrent à deux écuyers de le désarmer. Quand ce fut fait, on lui apporta de l'eau dans deux bassins d'or pour qu'il se lave le visage et les mains. Puis vinrent deux demoiselles qui apportaient une superbe tunique de drap d'or qu'elles lui firent revêtir.

— Seigneur, dirent-elles, accueillez de bon gré tout ce que l'on fera pour vous ici, car c'est ici la demeure des loyaux chevaliers et des loyales demoiselles.

— Certes, répondit messire Gauvain, et je vous en suis très reconnaissant.

Il voit bien qu'il fait nuit noire, et bien qu'il n'y ait pas de chandelle, la salle est aussi éclairée que si le soleil brillait ; messire Gauvain est fort intrigué et se demande d'où vient cette clarté. Revêtu de son habit somptueux, messire Gauvain était très beau et paraissait bien homme de grande valeur.

— Seigneur, dirent les chevaliers, vous plaît-il de venir voir le seigneur de ce château ?

— Je le verrais volontiers, répondit-il, et je veux lui remettre une très sainte épée.

Ils le conduisirent dans la chambre où reposait le Roi Pêcheur, elle semblait jonchée d'herbes et de fleurs. Le roi était étendu sur un lit de sangles dont les pieds étaient d'ivoire ; la couche était de soie et la couverture de zibeline, doublée d'étoffes précieuses. Le roi portait un couvre-chef en zibeline recouvert de soie rouge, avec une croix d'or dessus ; sa tête s'appuyait sur un coussin qui répandait une suave odeur et avait à ses quatre coins quatre pierres qui jetaient une vive clarté. Il y avait là une colonne de cuivre supportant un ange qui tenait une croix d'or : elle contenait un fragment de la Vraie Croix sur laquelle Dieu avait été crucifié, et cette relique occupait toute la longueur de la croix, devant laquelle le roi se recueillait. Dans quatre chandeliers d'or brûlaient quatre grands cierges, quand cela s'avérait nécessaire.

Messire Gauvain vint devant le Roi Pêcheur et le salua, et le roi lui fit fort bon accueil et lui souhaita la bienvenue.

---

1. Le manuscrit O donne : *li point d'or et de bone ovre. Li point* désigne, dans le jeu d'échecs, les cases de l'échiquier. Le manuscrit Br. donne : *li point d'or et d'azur,* il s'agirait là d'un échiquier aux cases alternativement or et bleues.

— Seigneur, dit messire Gauvain, je vous remets l'épée avec laquelle saint Jean fut décapité.

— Grand merci, seigneur, répondit le roi, je savais bien que vous l'apportiez : ni vous ni aucun autre n'aurait pu pénétrer ici sans l'épée, et si vous n'étiez pas très valeureux, vous n'auriez pu la conquérir.

Prenant l'épée, il la porta à sa bouche et à son visage et l'embrassa avec émotion en montrant son bonheur de la posséder. Une demoiselle, très belle, vint s'asseoir à la tête du lit où il reposait : il lui donna l'épée en garde ; deux autres demoiselles s'assirent à ses pieds, qui contemplaient l'épée avec vénération.

— Quel est votre nom ? demanda le roi.

— Je me nomme Gauvain, seigneur.

— Gauvain, cette clarté qui illumine en ce moment ces lieux nous vient de Dieu, et c'est à vous que nous la devons. Chaque fois qu'un chevalier vient au château, cela se passe ainsi. Je vous aurais bien mieux accueilli que je ne l'ai fait, si j'étais bien portant, mais j'ai été saisi de langueur depuis la venue au château du chevalier dont vous avez entendu parler. C'est à cause d'une seule phrase qu'il a omis de prononcer que j'ai été ainsi atteint, et je vous prie au nom de Dieu de vous en souvenir, car si grâce à vous il se faisait que je recouvre la santé, vous auriez motif d'être heureux. Voici la fille de ma sœur, à qui l'on enlève ses terres et que l'on déshérite ; elle ne peut les récupérer que par l'intervention de son frère, qu'elle va tenter de retrouver ; on nous a dit qu'il était le meilleur chevalier du monde, mais nous ne savons rien de lui.

— Seigneur, dit la demoiselle au roi son oncle, remerciez messire Gauvain de la grâce qu'il a faite à ma dame ma mère, quand il est venu loger chez elle. Car il a rétabli la paix sur nos terres et a obtenu la garde de notre château pour une année, et il a ordonné que les cinq chevaliers de ma mère nous aident à en assurer la surveillance. Mais voici que l'année est passée, et la guerre a repris avec une telle violence que si Dieu ne vient à notre secours et si je ne retrouve pas mon frère, notre domaine nous sera enlevé.

— Demoiselle, dit messire Gauvain, je vous aiderais autant qu'il est en mon pouvoir, si j'en avais l'occasion, et votre frère est le chevalier au monde que je verrais avec le plus de plaisir. Mais je n'ai pu obtenir de renseignements précis à son sujet ; je sais simplement que je me suis arrêté dans un ermitage où vivait un Roi Ermite, et où l'on me recommanda de ne pas faire de bruit, car s'y trouvait, malade, le meilleur chevalier du monde. L'ermite me dit qu'il se nommait Par-lui-fait. J'ai vu un écuyer s'occuper de son cheval et mettre ses armes et son bouclier au soleil.

— Seigneur, dit la demoiselle, mon frère ne se nomme pas Par-lui-fait, mais son nom de baptême est Perlesvaus, et l'on ne connaît nul plus beau chevalier, disent tous ceux qui l'ont vu.

— Assurément, dit le Roi Pêcheur, je n'ai jamais vu plus beau ni meilleur chevalier que celui qui s'est arrêté dans ce château, et je sais bien qu'il est tel, car autrement il n'aurait pu pénétrer en ces lieux. Mais j'ai été mal récompensé de l'avoir accueilli, car depuis je ne peux plus être d'aucune aide à personne. Messire Gauvain, au nom de Dieu, ne m'oubliez pas cette nuit, car j'ai grande confiance en votre valeur.

— Assurément, seigneur, s'il plaît à Dieu, je n'accomplirai rien que l'on puisse me reprocher.

Messire Gauvain fut alors conduit dans la grande salle, où se trouvaient vingt-deux vieux chevaliers aux cheveux blancs, qui cependant ne paraissaient pas aussi âgés qu'ils l'étaient : ils semblaient avoir à peine quarante ans, et pourtant tous en avaient cent ou davantage. Ils installèrent messire Gauvain à une magnifique table d'ivoire, puis s'assirent à ses côtés.

— Seigneur, lui dit le plus noble des chevaliers, qu'il vous souvienne de ce dont le roi vous a prié.

— Seigneur, répondit messire Gauvain, qu'il en souvienne à Dieu !

On lui apporta alors un rôti de cerf et d'autres gibiers en quantité ; c'est de la vaisselle d'or qu'il y avait sur la table du roi, et de grands hanaps à couvercles, et de très beaux chandeliers d'or qui soutenaient de grosses chandelles — mais la clarté qui inondait le château obscurcissait la leur. C'est alors que sortirent d'une chapelle deux demoiselles : l'une tenait entre ses deux mains le très Saint Graal, et l'autre la Lance dont la pointe laisse sourdre le sang dans le saint vase, et elles s'avançaient côte à côte. Elles entrèrent dans la salle où les chevaliers et messire Gauvain étaient en train de dîner. Messire Gauvain regarda le Graal, et il lui sembla voir une chandelle [1] à l'intérieur, telle qu'il y en avait fort peu en ce temps-là ; il aperçut la pointe de la lance d'où tombait le sang vermeil, et il lui sembla qu'il voyait deux anges portant deux chandeliers d'or allumés. Les demoiselles passèrent devant lui et entrèrent dans une autre chapelle.

Messire Gauvain est totalement absorbé dans ses pensées, et il est saisi d'une joie si intense qu'il oublie tout et ne pense qu'à Dieu. Les chevaliers le regardent, tristes et accablés. Mais voici que les deux jeunes femmes ressortent de la chapelle et repassent devant messire Gauvain ; il croit voir trois anges là où auparavant il n'en avait vu que deux, et il lui semble voir dans le Graal la silhouette d'un enfant.

---

1. Le manuscrit O donne *chandoile*, que nous gardons ; mais le manuscrit Br. donne *calice*, qui ici serait plus satisfaisant.

Le plus noble des chevaliers interpelle messire Gauvain, mais celui-ci regarde devant lui et voit tomber trois gouttes de sang sur la table : tout absorbé dans sa contemplation, il ne dit mot. Les demoiselles s'éloignent, et les chevaliers, tout alarmés, se regardent l'un l'autre. Messire Gauvain ne pouvait détacher son regard des trois gouttes de sang, mais quand il voulut les toucher, elles lui échappèrent, ce qui l'emplit de tristesse, car il ne put réussir à les atteindre ni de la main ni autrement.

Et voici que les demoiselles passent une fois encore devant la table : messire Gauvain croit en voir trois cette fois-ci ; il lève les yeux, et il lui semble que le Graal est suspendu dans les airs. Et il lui semble voir au-dessus un homme cloué sur une croix, une lance fichée au côté : messire Gauvain le contemple et éprouve une profonde compassion pour lui ; il ne pense qu'à une seule chose, aux souffrances qu'endure le Roi. Le plus noble des chevaliers l'exhorte à nouveau à parler et lui dit que s'il tarde davantage, il n'en aura jamais plus l'occasion. Mais messire Gauvain se tait : il n'entend même pas le chevalier, et regarde vers le haut. Et les demoiselles retournent dans la chapelle, emportant le très Saint Graal et la Lance ; les chevaliers font ôter les nappes et quittent la table, puis se retirent dans une autre pièce, laissant messire Gauvain tout seul.

Celui-ci regarde autour de lui et voit les portes fermées ; il regarde au pied du lit : deux chandeliers brûlaient devant l'échiquier, et les pièces du jeu d'échecs étaient disposées dessus, les unes étaient d'ivoire et les autres d'or. Messire Gauvain se mit à jouer en prenant celles d'ivoire, mais celles d'or jouèrent contre lui et le mirent échec et mat par deux fois. La troisième fois, voyant qu'il avait le dessous alors qu'il voulait prendre sa revanche, il renversa les pièces ; une demoiselle sortit d'une pièce et ordonna à un écuyer de prendre l'échiquier et les pièces et de les emporter. Messire Gauvain, qui ressentait la fatigue des longues journées du voyage qui l'avait conduit au château, s'assoupit et dormit sur le lit jusqu'au lendemain matin, au lever du jour, quand il entendit un cor qui sonnait bruyamment. Il s'équipa aussitôt et voulut aller prendre congé du Roi Pêcheur, mais il trouva les portes fermées, de sorte qu'il ne put pénétrer dans les autres pièces ; il entendait que l'on célébrait une messe solennelle dans une chapelle, et il était très malheureux de ne pouvoir y assister. Une demoiselle entra dans la salle et lui dit :

— Seigneur, vous entendez l'office et l'allégresse que suscite la présence de l'épée que vous avez apportée au bon roi ? Si vous vous trouviez dans la chapelle, votre cœur serait empli de joie, mais l'entrée vous en est interdite à cause de quelques paroles que vous avez omis de prononcer. Le seuil de cette chapelle est sacré, à cause des saintes reliques qui s'y trouvent, et ni prêtre ni personne ne peut y pénétrer entre le samedi à midi et le lundi après la messe. On y entend l'office le plus magnifique et les voix les plus suaves que l'on puisse entendre dans une chapelle.

Messire Gauvain, profondément affligé, ne répond mot, et la demoiselle ajoute :

— Seigneur, que Dieu vous protège, quelle qu'ait été votre attitude, car il me semble qu'il ne vous a manqué que la volonté de prononcer les paroles qui auraient ramené la joie dans ce château.

Puis elle s'en alla ; messire Gauvain entendit le cor sonner une seconde fois, et une voix se fit entendre, venant de tout en haut :

— Celui qui n'est pas d'ici, qu'il s'en aille, qui qu'il soit ; car les ponts sont abaissés, la porte est ouverte, et le lion est en sa cage ; ensuite il faudra à nouveau relever les ponts-levis, à cause du Roi du Château Mortel, qui fait la guerre aux habitants de ce château, et ce sera là, sans aucun doute, la cause de sa mort.

Messire Gauvain sortit de la salle et trouva sa monture et ses armes toutes prêtes au bas du perron. Il monta à cheval et sortit du château : les ponts s'offraient à son regard, vastes et larges ; il s'en alla à vive allure, suivant une large rivière qui courait à travers une vallée et le conduisit jusqu'à une forêt. C'est alors que se leva un violent orage accompagné de pluie et de tonnerre : il semblait que les arbres dussent être déracinés. La pluie et le vent étaient si forts qu'il dut mettre son bouclier sur le cou de son cheval, pour éviter qu'il ne soit étouffé par l'eau. Avançant avec difficulté, il continua de suivre le cours de la rivière à travers la forêt, jusqu'au moment où, dans une clairière de l'autre côté de l'eau, il vit s'approcher un chevalier et une jeune femme qui chevauchaient avec beaucoup d'aisance, bien droits sur leurs étriers. Le chevalier avait un oiseau sur son poing, et la jeune femme portait une coiffe brodée d'or. Deux chiens de chasse suivaient le chevalier. Le soleil étincelait sur la prairie, et l'air était clair et transparent. Messire Gauvain était stupéfait de voir que de son côté il pleuvait si fort, alors que dans la clairière où s'avançait le chevalier il faisait grand soleil et très beau temps : les deux cavaliers semblaient prendre grand plaisir à leur promenade ; il ne pouvait rien leur demander, car ils étaient trop loin ; mais il aperçut de l'autre côté de la rivière, un peu plus près de lui, un écuyer qui appartenait au chevalier.

— Cher ami, dit messire Gauvain, comment se fait-il qu'il pleuve sur moi de ce côté-ci de la rivière, et qu'il ne pleuve pas de l'autre côté ?

— Seigneur, répondit le jeune homme, c'est que vous l'avez mérité, car telle est la coutume de cette forêt.

— Devrai-je supporter encore longtemps cet orage ?

— Il cessera au premier pont que vous atteindrez, répondit l'écuyer.

Messire Gauvain continua sa route, et l'orage se fit de plus en plus fort, jusqu'au moment où il parvint à un pont : il le franchit et entra dans la prairie ; il put alors remettre comme il le fallait son bouclier à son cou. Il aperçut alors, juste devant lui, un château où il semblait y avoir une foule joyeuse et animée.

(L.2514-2617)
(Gauvain pénètre dans ce Château de la Joie, mais tous l'évitent ; un chevalier lui explique leur attitude : ils savent qu'il a omis de parler lorsqu'il le fallait. Continuant sa route, Gauvain traverse une contrée désolée et parvient à un château misérable ; un chevalier qui arrive, blessé à mort, lui donne des nouvelles de Lancelot : il est en train de se battre dans la forêt contre quatre chevaliers, et c'est en voulant l'aider qu'il a été blessé. Gauvain part aussitôt au secours de Lancelot et l'aide à vaincre ses adversaires, mais l'un d'eux leur échappe. Ils retournent au Pauvre Château et y passent la nuit, puis repartent au matin ; Gauvain raconte à Lancelot sa mésaventure au Château du Graal, où Lancelot désire se rendre ; puis ils se séparent ; Gauvain a l'intention de rejoindre la cour d'Arthur, et Lancelot pénètre dans la forêt.)

XVIII

LANCELOT AU CHÂTEAU DES BARBES ET À LA CITÉ DU DÉCAPITÉ

(L.2618-2701)
(Lancelot rencontre le Chevalier au Bouclier Vert, frère jumeau de celui qui avait été blessé à mort en se portant à son secours dans la forêt et qui se nommait Gladoain ; il est à la recherche de son frère, car sans lui il ne pourra reconquérir leur château ; Lancelot lui apprend sa mort et lui offre de l'aider ; ils reprennent le château au Chevalier de la Roche qui s'en était emparé, et à qui Lancelot coupe la tête.)

(L.2702-2802)
Lancelot repartit à travers la forêt et chevaucha tout le jour ; il rencontra sur son chemin un chevalier qui se lamentait, courbé par la douleur sur l'arçon de sa selle :

— Seigneur, dit-il à Lancelot, faites demi-tour, pour l'amour de Dieu, car si vous continuez vous allez devoir passer par un endroit particulièrement redoutable et dangereux : c'est 'là que j'ai été blessé.

— De quel endroit s'agit-il ?

— Seigneur, répondit le chevalier, c'est le passage qui se trouve devant un château que l'on nomme le Château des Barbes, parce que tout chevalier qui passe par là doit ou bien y abandonner sa barbe, ou bien se battre pour la conserver. J'ai refusé de donner la mienne, et je crains bien d'en mourir.

— Par ma foi, dit Lancelot, on ne peut vous reprocher d'avoir été lâche, car vous avez eu le courage de risquer votre vie pour défendre votre barbe. Mais vous m'encouragez à faire preuve de lâcheté en m'incitant à m'en retourner ! Je préférerais être blessé en me conduisant honorablement, que de perdre un seul des poils de ma barbe par lâcheté !

— Seigneur, répondit le chevalier, que Dieu vous protège, car ce château avec son passage est bien plus dangereux que vous ne l'imaginez ; je souhaite que Dieu y conduise un chevalier capable de mettre fin à cette coutume infâmante, qui est fort cruelle pour les chevaliers étrangers qui passent par ici.

Lancelot quitta le chevalier et se dirigea vers le château. Il passa un grand pont, et aperçut à l'entrée deux chevaliers armés : on tenait leurs chevaux tout prêts devant eux, et leurs lances et leurs boucliers étaient appuyés contre le mur. Le portail d'accès au château s'offrait aux yeux de Lancelot, tout recouvert de barbes, et un grand nombre de têtes de chevaliers y étaient accrochées. Alors qu'il allait franchir la porte, les deux chevaliers se dirigèrent vers lui :

— Seigneur, dit l'un, arrêtez-vous, et payez votre passage.

— Les chevaliers doivent donc payer un droit de passage ici ? demanda Lancelot.

— Oui, répondit le chevalier, tous ceux qui ont une barbe ; ceux qui n'en ont pas en sont exemptés. Seigneur, livrez-nous la vôtre, vous ferez bien ; car elle est fort longue, et nous en avons grand besoin.

— Pour quoi faire ?

— Je vais vous le dire : il y a dans cette forêt des ermites à qui l'on en fait des haires [1].

— Je vous le jure, s'exclama Lancelot, la mienne ne leur servira pas de chemise, si je peux l'empêcher !

— Mais si, vous ferez comme les autres, ou vous risquez de le payer cher !

Fort irrité, Lancelot s'élança sur le chevalier et le frappa en pleine poitrine de sa lance si violemment qu'il le transperça d'une demi-aune et précipita à terre le cavalier et sa monture. Voyant son compagnon mortellement blessé, l'autre chevalier se précipita sur Lancelot de toutes ses forces : sa lance se brisa sur son bouclier, et Lancelot l'envoya à terre par-dessus la croupe de son cheval ; il tomba si rudement qu'il se brisa l'os de la cuisse. On annonça à la dame du château qu'il y avait au passage un chevalier qui avait tué l'un de ses chevaliers et blessé l'autre. Elle s'y rendit aussitôt, accompagnée de deux suivantes, et trouva Lancelot sur le point d'achever le chevalier qui gisait à terre blessé.

---

1. Les *haires* sont des chemises de crin que l'on porte à même la peau pour se mortifier.

— Seigneur chevalier, s'écria-t-elle, arrêtez, ne le tuez pas ! Descendez de cheval et venez parler avec moi sans crainte.

— Dame, dit l'une des suivantes, je le reconnais : c'est Lancelot du Lac, le plus courtois des chevaliers du roi Arthur.

Lancelot mit pied à terre et vint auprès de la dame :

— Dame, dit-il, que désirez-vous ?

— Que vous veniez vous installer dans mon château, répondit-elle, et que vous répariez l'outrage que vous m'avez infligé.

— Dame, répondit Lancelot, je ne vous ai en rien outragée et ne le ferai jamais ; mais ces chevaliers se conduisaient bien mal, en voulant prendre de force leur barbe aux chevaliers de passage !

— Seigneur, dit la dame, je vous pardonne l'offense que vous m'avez faite, à condition que vous logiez cette nuit au château.

— Dame, je ne veux pas vous déplaire, et j'accède volontiers à votre désir.

Il pénètre dans le château et fait emmener son cheval après lui ; la dame ordonne que l'on porte le chevalier mort dans sa chapelle et qu'on l'ensevelisse, et qu'on soigne l'autre. Elle fait ôter son armure à Lancelot et lui fait revêtir un habit magnifique, puis elle lui révèle qu'elle sait qui il est.

— J'en suis heureux, demoiselle, répondit-il.

Ils se mirent alors à table, et les plats furent apportés par des chevaliers qui avaient des fers aux pieds et à qui l'on avait coupé les mains. Le second service fut apporté par des chevaliers dans les fers qui avaient les yeux crevés, et qui avançaient guidés par des écuyers. Le troisième service, ce furent des chevaliers dans les fers qui n'avaient plus qu'une main qui l'apportèrent. Puis ce fut au tour de chevaliers qui n'avaient plus qu'un pied à apporter le quatrième service. Pour le cinquième, vinrent de très beaux chevaliers, très élégants, qui portaient chacun une épée nue dans leur main et présentèrent leur tête à leur dame. Le spectacle de tous ces chevaliers qui les servaient déplut fortement à Lancelot. Ils se levèrent de table, et la dame l'emmena dans sa chambre.

— Lancelot, dit la dame, vous avez vu ce qu'est la justice et la loi en ce château. Tous ces chevaliers ont été vaincus alors qu'ils passaient par-devant ma porte.

— Dame, dit Lancelot, ils ont eu un bien triste sort.

— Vous auriez subi le même, répondit-elle, si vous n'aviez été un aussi bon chevalier. Mais cela fait longtemps que je désirais vous voir, et je ferai de vous le seigneur de ce château et de ma personne.

— Dame, dit Lancelot, il ne me déplaît pas d'être seigneur comme je l'entends, et vous, comment vous refuserais-je ? Je me considère comme à votre service.

— Vous resterez donc dans ce château avec moi, car je vous aime plus qu'aucun autre chevalier au monde.

— Dame, je vous en remercie, mais tant que je ne serai pas arrivé là où je dois aller, il m'est impossible de passer plus d'une nuit dans le même château.

— Et où allez-vous ?

— Au Château des Ames [1], dame.

— Je connais bien ce château, dit la dame, son roi se nomme Messios et il a été saisi de langueur par la faute de deux chevaliers qui ont été au château et n'ont pas posé la bonne question. Et vous avez décidé de vous y rendre ?

— Oui.

— Dans ce cas, vous allez me promettre de repasser par ici au retour, si le Graal se montre à vous et que vous demandiez à quoi il sert.

— Je le ferai, dame, fussiez-vous même au-delà des mers.

— Seigneur, intervint l'une des suivantes de la dame, il faudrait pour cela que le Graal vous apparaisse ! Mais le Graal ne se montre pas à un chevalier amoureux comme vous l'êtes ; car vous aimez la reine, la femme du roi Arthur votre seigneur ; et aussi longtemps que cet amour sera en votre cœur, vous ne pourrez voir le Graal.

A ces mots, Lancelot s'empourpra de colère.

— Ah, Lancelot, dit la dame, vous aimez donc quelqu'un d'autre que moi ?

— Dame, répondit Lancelot, cette demoiselle dit ce que bon lui semble !

Lancelot passa la nuit au château, fort irrité contre la demoiselle qui à cause de son amour pour la reine l'avait accusé de déloyauté. Le lendemain, après avoir entendu la messe, il prit congé de la dame du château, qui lui recommanda de ne pas oublier sa promesse.

(L.2802-2855)

(Le lendemain, après avoir chevauché toute la journée, Lancelot parvint à un cimetière où, de nuit, un nain creusait une fosse ; dans la chapelle, une demoiselle s'apprêtait à ensevelir un chevalier dont les plaies se rouvrirent à l'arrivée de Lancelot [2]. Puis arrivèrent deux chevaliers qu'il dut combattre : l'un s'enfuit, mais il tua l'autre et emmena son cheval. Ayant passé la nuit dans un ermitage, il y rencontra le frère du Pauvre Chevalier qui quelque temps auparavant l'avait aidé, et il le chargea de lui remettre le cheval.)

(L.2856-2923)

Après avoir quitté l'ermitage, Lancelot, toujours chevauchant, parvint à la limite de la forêt et se trouva dans une région complète-

---

1. Apparaît ici un autre nom du Château du Graal, le château du Roi Pêcheur : Château des Ames.
2. Le fait que les blessures du chevalier mort se remettent à saigner à l'entrée de Lancelot est la preuve que c'est Lancelot qui l'a tué.

ment désertique, très vaste, où ne vivait ni bête ni même oiseau, car
la terre était si sèche et si pauvre qu'ils n'auraient pu y trouver de
quoi se nourrir. Devant lui, dans le lointain, il vit se profiler une
ville : il s'en approcha, et la ville lui parut si vaste qu'elle semblait
enclore toute une région ; mais ses murs d'enceinte étaient en partie
effondrés, et les portes étaient si vieilles qu'elles penchaient. Lancelot pénétra dans la cité : elle était complètement inhabitée, les palais
étaient en ruines les marchés et les places de change totalement
déserts, les cimetières remplis de tombes, et les églises dévastées.
Chevauchant à travers les rues, il trouva un vaste palais qui semblait
être en meilleur état que les autres ; il s'arrêta devant et prêta
l'oreille : à l'intérieur, des chevaliers et des dames se lamentaient et
disaient à un autre chevalier :

— Hélas, mon Dieu, quel malheur, quelle douleur que vous
deviez mourir ainsi, sans espoir de rémission ! Il mérite bien notre
haine, celui qui vous a condamné à ce sort !

Les chevaliers et les dames se pâmaient de douleur en le voyant
partir. Lancelot avait entendu tout cela sans apercevoir personne ;
mais voici que le chevalier descendit de la grande salle : il portait une
tunique rouge, une magnifique ceinture d'or et de soie, une splendide agrafe ornée de pierres précieuses attachait son vêtement à son
cou ; il avait un chapeau d'or sur la tête, et tenait à deux mains une
grande hache. C'était un magnifique chevalier, très jeune encore.
Lancelot, impressionné par son élégance, le regarda s'avancer avec
plaisir. Le chevalier lui dit :

— Seigneur, descendez de cheval.

— Volontiers, seigneur, répondit Lancelot, et mettant pied à
terre, il attacha son cheval à un anneau d'argent qui était fixé sur le
perron, ôta son bouclier de son cou et déposa sa lance.

— Seigneur, dit-il alors, que puis-je faire pour vous ?

— Seigneur, lui répondit le chevalier, il faut que vous me coupiez
la tête à l'aide de cette hache, car je suis condamné à mourir par
cette arme ; sinon, c'est moi qui vous couperai la tête avec la hache.

— Hé, seigneur, dit Lancelot, que dites-vous là ?

— Vous avez bien entendu, dit le chevalier. Il vous faut le faire,
dès lors que vous avez pénétré dans cette ville.

— Seigneur, dit Lancelot, il serait complètement fou celui qui, en
ce dilemme, ne choisirait pas le meilleur parti pour lui ; mais l'on me
blâmerait, si je vous tuais sans que vous m'ayez causé aucun tort.

— Et pourtant, dit le chevalier, vous n'avez pas d'autre choix.

— Cher seigneur, reprit Lancelot, vous êtes si aimable, si élégant,
comment se fait-il que vous veniez aussi tranquillement au-devant de
votre mort ? Vous savez bien que je vous tuerai plutôt que de vous
laisser me tuer, puisque telle est la situation.

— Tout cela, je le sais, répondit le chevalier, mais vous me promettrez avant que je meure de revenir dans cette ville d'ici un an, et d'exposer votre tête dans les mêmes conditions que je le fais à présent, sans discuter.

— Sur ma tête, dit Lancelot, malgré tout ce que vous pourriez me dire, je préférerai de toute façon une mort lointaine à la mort immédiate ! Mais une chose m'intrigue fort : pourquoi vous êtes-vous fait si élégant pour recevoir la mort ?

— Seigneur, répondit le chevalier, celui qui veut se présenter devant le Sauveur des hommes doit se laver de tout le mal et de toutes les fautes qu'il a commises dans sa vie : je m'en suis sincèrement repenti, et je veux mourir dans cet état-là.

Il lui tendit alors la hache. Lancelot la prit : elle était très tranchante et très effilée.

— Seigneur, lui dit le chevalier, tendez votre main vers cette église que vous voyez là-bas.

— Volontiers, seigneur.

— Voulez-vous me jurer, sur les reliques qui se trouvent dans cette église, que dans un an exactement, au plus tard à l'heure où vous m'aurez tué, vous reviendrez ici et offrirez votre tête dans les mêmes conditions que je le fais aujourd'hui, sans opposer de résistance ?

— Je vous le jure, dit Lancelot.

Alors le chevalier s'agenouilla et tendit son cou aussi droit qu'il le put ; Lancelot prit la hache à deux mains et dit :

— Seigneur chevalier, pour l'amour de Dieu, ayez pitié de vous !

— Volontiers, seigneur, repartit le chevalier. Laissez-vous couper la tête : c'est à cette seule condition que je peux obtenir grâce.

— Cette grâce-là, je ne peux vous l'accorder, dit Lancelot.

Puis il leva la hache et lui trancha la tête avec une telle force qu'il la fit voler à sept pieds du corps. La tête une fois tranchée, le corps du chevalier roula à terre. Lancelot jeta la hache et se dit qu'il ne faisait pas bon demeurer là trop longtemps. Il revint à son cheval, prit ses armes, se mit en selle et, regardant derrière lui, il ne vit plus ni le corps ni la tête du chevalier ; il se demanda ce qu'ils étaient devenus : mais il entendait au loin dans la cité les lamentations des chevaliers et des dames, qui pleuraient la mort du bon chevalier et disaient qu'il serait vengé, si c'était la volonté de Dieu, au terme qui avait été fixé, et peut-être même avant : en s'éloignant de la ville, Lancelot entendait distinctement leurs propos.

XIX

PERLESVAUS ET LANCELOT SE RETROUVENT

(L.2924-3033)
Voici que commence une nouvelle branche du Conte du Saint Graal, comme en témoigne l'autorité de l'écriture et Joséphé qui en est le narrateur, au nom du Père et du Fils et du Saint-Esprit. Ainsi qu'en témoigne cette haute et noble histoire, le fils de la Dame Veuve était toujours chez le roi Pellés, dans son ermitage. A cause de la gravité du mal qui l'avait frappé après qu'il avait quitté le château du Roi Pêcheur, il s'était confessé à son oncle et lui avait dit de quel lignage il était, et qu'il se nommait Perlesvaus ; mais le bon ermite, le bon roi, lui avait donné le nom de Par-lui-fait, parce qu'il s'était fait par lui-même. Cependant, un jour que le Roi Ermite était allé travailler dans la forêt, le bon chevalier Perlesvaus se sentit bien mieux et bien plus vigoureux que d'habitude. Il entendit les oiseaux chanter dans la forêt, et son cœur s'enflamma du désir de chevalerie ; il lui souvint des aventures qu'il trouvait dans les forêts, des demoiselles et des chevaliers qu'il avait coutume d'y rencontrer, et il éprouva, plus fort que jamais auparavant, parce qu'il s'était reposé si longtemps, le désir des armes. Il sentit renaître en son cœur la vigueur, la force en ses membres, et la volonté dans ses pensées. Il s'arma tout aussitôt, sella son cheval et l'enfourcha, priant Dieu qu'une aventure lui permette de rencontrer un bon chevalier. Il quitta l'ermitage de son oncle et pénétra dans la forêt sombre et profonde. Après avoir longtemps chevauché, il arriva dans une belle clairière de vastes proportions ; il remarqua un arbre bien feuillu et bien vert, aux larges branches et à la vaste frondaison. Il s'arrêta sous son ombrage et se dit en lui-même que ç'aurait été le lieu idéal pour une joute entre deux chevaliers, car l'endroit était extrêmement agréable et plaisant. Tout à coup, alors qu'il était plongé dans ces pensées, il entendit un cheval hennir par trois fois dans la forêt, très fort, et cela l'emplit de joie :
— Ah, Dieu, dit-il, faites, dans votre grande aménité, que ce soit

un chevalier sur son cheval, contre lequel je puisse éprouver s'il y a encore force, courage et bravoure en moi, car je ne sais ce que je vaux à présent, même si je me sens le cœur hardi et les membres pleins d'ardeur. Un chevalier ne peut réellement éprouver sa valeur que contre un autre chevalier d'égale bravoure : j'ai souvent entendu dire, en effet, que tous les chevaliers ne se valent pas. Aussi, je prie Notre Sauveur de faire que, si c'est bien un chevalier qui vient là, il ait force, hardiesse, et courage pour se défendre contre moi, car j'éprouve un vif désir de l'attaquer. Dieu fasse que l'un de nous ne tue pas l'autre !

Il regarde alors devant lui à l'autre bout de la clairière, et voit le chevalier sortir de la forêt : il était armé et portait à son cou un bouclier blanc avec une croix d'or, et il tenait sa lance baissée. Monté sur un grand destrier, il allait au pas. Dès qu'il l'aperçut, Perlesvaus s'affermit sur ses étriers, empoigna sa lance et, tout joyeux, éperonna sa monture. Il se précipita de plein élan sur le chevalier et s'écria :

— Seigneur chevalier, couvrez-vous de votre bouclier pour vous protéger comme je le fais du mien, car je vous défie pour un combat sans mise à mort. Dieu fasse que je vous trouve assez bon chevalier pour que la bravoure croisse en mon cœur, car je ne sais plus quelle sorte de chevalier je suis, et cela, on l'apprend mieux face à un bon chevalier que contre un mauvais !

Il frappe aussitôt le chevalier sur son écu avec une telle violence qu'il lui fait perdre l'un des étriers et lui troue le bouclier au-dessous de la boucle. Il le dépasse à grande allure, et le chevalier, se demandant ce qu'il lui veut, lui dit :

— Mon ami, que vous ai-je fait ?

Perlesvaus ne répond pas : il est fort mécontent en lui-même de n'avoir pas réussi à abattre le chevalier — mais celui-ci n'était pas aussi facile à abattre, car c'était l'un des chevaliers du monde les plus capables de bien se défendre. Le chevalier s'élança sur Perlesvaus de toute la vitesse de son cheval, et Perlesvaus fit de même : les coups furent si violents sur les boucliers que les lances les transpercèrent et atteignirent les cottes de mailles. Perlesvaus avait blessé le chevalier à la poitrine et son arme s'y était bien enfoncée de deux doigts ; quant au chevalier, il ne manqua pas son coup et transperça de son arme le bras de Perlesvaus. Le bois des lances se brisa. Ils se heurtèrent si violemment que les mailles de leurs hauberts s'imprimèrent sur leurs visages et sur leurs fronts. Le sang jaillit de leur bouche et de leur nez, rougissant leurs hauberts. Ils tirèrent leurs épées, fort en colère. Le chevalier au bouclier blanc interpella Perlesvaus :

— Je voudrais bien savoir qui vous êtes et pourquoi vous me haïssez au point de me blesser de la sorte ! Je vous ai trouvé un fort rude et fort courageux chevalier.

Sans répondre, Perlesvaus lui court sus à nouveau, l'épée levée, et le chevalier fait de même ; ils se donnent de grands coups sur les heaumes, avec une telle force que leurs yeux étincellent, et que la forêt retentit du choc de leurs épées. Le combat était terrible, et ils étaient tous deux de fort bons chevaliers, mais le sang qu'ils perdaient par leurs blessures les affaiblissait quelque peu ; cependant, la colère qu'ils éprouvaient l'un contre l'autre et leur ardent désir de vaincre les avaient à tel point échauffés que c'est à peine s'ils sentaient leurs blessures, et ils se portaient de grands coups sans ménager leurs forces.

De retour de la forêt, le Roi Ermite fut très peiné de ne point retrouver son neveu. Il enfourcha une blanche mule qui se trouvait dans l'ermitage : elle avait le front étoilé d'une croix vermeille ; Joséphé le bon clerc affirme que cette mule avait appartenu à Joseph d'Arimathie au temps où il était au service de Ponce Pilate, et qu'il l'avait transmise au roi Pellés. Le bon Roi Ermite quitta l'ermitage sur sa mule, priant Dieu qu'il lui permette de retrouver son neveu. Il pénétra dans la forêt et chevaucha jusqu'à la clairière où se trouvait le bon chevalier. Percevant le choc des épées, il se précipita à toute allure vers les adversaires et se mit entre eux pour les empêcher de s'atteindre.

— Ah, seigneur, dit-il au chevalier au bouclier blanc, vous avez tort de vous battre avec ce chevalier : il est resté longtemps malade dans cette forêt, et vous venez de lui infliger de graves blessures !

— Seigneur, il ne m'a pas épargné non plus, répondit le chevalier, et je ne me serais jamais battu contre lui s'il ne m'avait attaqué le premier ; il ne veut même pas me dire qui il est, ni pourquoi il me hait !

— Et vous, cher seigneur, demanda l'ermite, qui êtes-vous ?

— Seigneur, je vais vous le dire : je suis le fils du roi Ban de Benoïc, et mon nom est Lancelot du Lac.

— Ah, cher neveu, dit l'ermite à Perlesvaus, c'est votre cousin ! Le roi Ban de Benoïc était le cousin germain de votre père. Faites-lui bon accueil !

Il leur fit ôter leur heaume et abaisser leur ventaille, puis leur demanda de s'embrasser et les conduisit dans son ermitage. Là, ils mirent pied à terre tous trois, et le roi appela un écuyer qui était à son service et lui ordonna de leur enlever leur armure avec précaution.

Il y avait à l'ermitage une jeune fille qui était la cousine germaine du roi Pellés, et qui avait soigné Perlesvaus alors qu'il était malade. Elle lava leurs blessures avec une grande douceur et nettoya le sang, et elle s'aperçut alors que Lancelot était plus gravement atteint que Perlesvaus.

— Demoiselle, dit l'ermite, qu'en pensez-vous ?

— Seigneur, dit-elle, il va falloir que ce chevalier garde le repos jusqu'à ce qu'il soit guéri, car il a été touché très dangereusement.

— Risque-t-il d'en mourir ?

— Non, seigneur, répondit-elle, pas de cette blessure en tout cas, si elle est correctement soignée.

— Dieu soit béni ! s'exclama-t-il. Et mon neveu, qu'en est-il de lui ?

— Sa blessure, seigneur, guérira rapidement. Il ne court aucun danger.

La demoiselle, qui était fort avisée, soigna les blessures des chevaliers et les pansa du mieux qu'elle put. Le Roi Ermite lui-même apporta son aide. Si Perlesvaus avait porté son bouclier, qui était resté à l'ermitage, rouge avec un cerf blanc, Lancelot l'aurait reconnu et aurait évité que le combat n'eût lieu, car il avait entendu parler de ce bouclier à la cour du roi Arthur.

Les deux chevaliers restèrent quelque temps à l'ermitage ; Perlesvaus était presque rétabli, mais Lancelot avait été gravement touché et était encore bien loin de la guérison.

XX

PERLESVAUS ET LE LIGNAGE DU CHEVALIER DES OMBRES

(L.3034-3186)
(Le conte revient à Clamados des Ombres, le fils du Chevalier au Bouclier Vermeil de la Forêt des Ombres, qui avait été tué par le tout jeune Perlesvaus. Désireux de venger la mort de son père, il recherche le jeune homme. Il se rend à la cour d'Arthur, pour que le roi l'adoube chevalier : Gauvain avertit le roi que ce jeune homme est l'ennemi du Bon Chevalier, mais la reine Guenièvre intervient et conseille à Arthur de ne pas éconduire le jeune homme. Clamados quitte la cour. Il rencontre dans un défilé gardé par un lion trois jeunes femmes qui attendent de l'aide pour le passer. Il s'agit de la Demoiselle au Char et de ses compagnes. Clamados parvient à tuer le lion et lui tranche la tête. Il apprend que le lion gardait la terre de Méliot de Logres, le vassal de Gauvain. Clamados et les demoiselles continuent leur route. Ils arrivent devant un château splendide, mais désert. Ils continuent et trouvent un champ couvert de tentes magnifiques habitées uniquement par des dames et des demoiselles qui attendent la venue du Bon Chevalier. La Dame des Tentes reconnaît en Clamados son neveu, le fils de sa sœur ; il fera soigner auprès d'elle ses blessures en attendant avec elles l'arrivée du Bon Chevalier.)

(L.3187-3364)
Cette noble histoire affirme et témoigne que Joséphé, qui en est le narrateur, fut le premier prêtre à avoir accompli le sacrifice du corps

de Notre-Seigneur ; c'est pourquoi nous devons ajouter foi à ses paroles.

Ainsi que vous le savez, Perlesvaus appartenait au lignage de Joseph d'Arimathie, qui avait descendu le corps du Christ de la Croix, ce pour quoi Dieu l'aimait tellement qu'il lui permit de sortir de la prison où l'avait enfermé Pilate. La noblesse du lignage dont était issu le Bon Chevalier doit nous inciter à écouter d'autant plus volontiers son histoire.

Selon le conte, Perlesvaus quitta l'ermitage de son oncle complètement rétabli, y laissant Lancelot dont la blessure n'était pas encore guérie ; mais il lui avait promis de revenir dès qu'il le pourrait. Le jeune homme chevauchait à travers une forêt, tout armé ; à la fin du jour, il parvint à la limite de la forêt, et aperçut devant lui un fort beau château très bien situé : il s'y dirigea, espérant trouver un gîte pour la nuit, car le soleil s'était déjà couché. Il pénétra dans le château et mit pied à terre. Le seigneur vint à sa rencontre : c'était un grand chevalier aux cheveux roux, au regard faux et au visage tout couturé ; il n'y avait là aucun chevalier que lui, avec sa maisonnée. Dès qu'il vit que Perlesvaus était descendu de cheval, il courut verrouiller la porte ; Perlesvaus s'avança vers lui comme si de rien n'était et le salua.

— Avant de partir d'ici, dit le chevalier, vous aurez eu la récompense que vous méritez ! Vous êtes mon ennemi mortel, et vous avez été bien hardi de vous arrêter ici, car vous avez tué mon père, le seigneur de la Forêt des Ombres, et moi, je suis Cahot le Roux, et je fais la guerre à votre mère ; ce château, c'est à elle que je l'ai pris, et je vous prendrai la vie avant que vous ne quittiez ces lieux.

— Je me suis arrêté dans ce château, répondit Perlesvaus, pour vous demander de m'accorder l'hospitalité, et vous risqueriez d'être blâmé si vous me maltraitiez. Hébergez-moi cette nuit comme tout chevalier doit le faire pour un autre chevalier, et demain avant mon départ, que chacun fasse pour le mieux !

— Sur ma tête, dit Cahot le Roux, mon ennemi mortel, je ne l'hébergerai que mort !

Il se précipita dans la salle en haut, s'arma le plus vite qu'il put et prit à la main son épée ; il revint à l'endroit où se trouvait Perlesvaus, dont le cœur s'était empli de colère en apprenant que le chevalier faisait la guerre à sa mère et lui avait enlevé ce château. Jetant sa lance à terre, il s'avança vers le chevalier l'épée au clair et lui en asséna un coup si violent sur la coiffe de son haubert [1] qu'il en faussa

---

1. La *coiffe du haubert* est un capuchon de mailles qui, sous le heaume, contribue à protéger la tête.

les mailles et lui fit à la tête une entaille de deux doigts de large : le chevalier chancela et fit trois tours sur lui-même. Cahot le Roux fut furieux de se sentir atteint ; il se précipita sur Perlesvaus et lui donna à son tour un si grand coup sur le heaume que des étincelles jaillirent et que le jeune homme dut baisser la tête et sentit sa vue se brouiller ; le coup descendit sur le bouclier et le fendit jusqu'à la boucle. Le choc fut rude pour Perlesvaus, il avait affaire à un adversaire très fort, puissant et résistant. Il revint sur lui et tenta de le frapper à la tête, mais Cahot évita le coup, et Perlesvaus l'atteignit au bras droit, qu'il lui coupa au ras du corps et lui fit voler à terre avec l'épée qu'il tenait. Cahot s'élança sur lui, croyant pouvoir frapper du bras gauche, mais sa force avait bien diminué ; et pourtant, c'est avec grand plaisir qu'il se serait vengé s'il l'avait pu. Perlesvaus le harcèle sans aucun ménagement, car il le hait désormais, et il le frappe au sommet du crâne si fort que la cervelle jaillit. Toute la maisonnée et les serviteurs du chevalier sont aux fenêtres de la grande salle ; voyant leur seigneur à l'article de la mort, ils s'écrient :

— Seigneur, vous avez tué le plus hardi des chevaliers du royaume de Logres, le plus redouté de ses ennemis ; mais nous n'y pouvons rien. Nous savons bien que ce château appartient à votre mère et qu'il doit vous revenir. Nous ne vous le disputerons pas, et vous pouvez faire ce que vous désirez de tout ce qu'il contient. Mais autorisez-nous à nous approcher de notre seigneur qui gît mort là en bas, à enlever son corps et à le porter en un lieu convenable : c'était un vaillant chevalier, et c'est notre devoir de le faire.

— Je l'accepte, répondit Perlesvaus.

Ils emportèrent le corps dans une chapelle, lui enlevèrent son armure et l'ensevelirent. Puis ils conduisirent Perlesvaus dans la grande salle, lui ôtèrent son équipement et lui dirent :

— Seigneur, croyez-nous, il n'y a au château que nous, ses deux serviteurs, et deux demoiselles, et les portes sont verrouillées. En voici les clés, nous vous les remettons.

— Eh bien, je vous donne en garde ce château ; allez trouver ma mère sans attendre, dites-lui qu'elle ne tardera pas à me voir, si j'en ai la possibilité, et saluez-la de ma part. Dites-lui que je suis en parfaite santé. Quel est le nom de ce château ?

— Il se nomme la Clé de Galles, seigneur, car c'est l'entrée du territoire.

Perlesvaus passa la nuit dans le château qui avait appartenu à sa mère et qu'il venait de reconquérir, et le lendemain matin, quand il s'en alla, ceux qui l'habitaient lui jurèrent qu'ils garderaient le château en toute loyauté et le rendraient à sa mère selon sa volonté.

Toujours chevauchant, il arriva devant les tentes où se trouvaient les demoiselles ; il retint son cheval et prêta l'oreille : ce n'étaient pas les cris de joie qui avaient salué l'arrivée de la Demoiselle au Char avec le chevalier quelque temps auparavant qu'il entendait, mais les lamentations de gens qui se plaignaient en frappant dans leurs mains. Il décida cependant de s'arrêter là. Il mit pied à terre au milieu des tentes et posa sa lance sur son bouclier ; il aperçut alors les demoiselles qui se tordaient les mains et s'arrachaient les cheveux, et se demanda pourquoi elles se désolaient ainsi. Une demoiselle s'avança vers lui, qui était venue du château où il avait tué le chevalier.

— Seigneur, lui dit-elle, que ce soit pour votre malheur et votre déshonneur que vous êtes venu ici !

Perlesvaus la regarda, fort étonné de ses propos ; et la demoiselle poursuivit :

— Dame, dame, voici celui qui a tué le meilleur chevalier de votre lignage. Et vous, Clamados, qui êtes là-bas dedans, voici celui qui a tué votre père et votre oncle : on va voir ce que vous allez faire !

La Demoiselle au Char s'approcha et reconnut Perlesvaus au bouclier qu'il portait, rouge avec un cerf blanc :

— Seigneur, lui dit-elle, soyez le bienvenu ; si votre présence déplaît à certains, moi j'en suis heureuse.

Elle le conduisit dans une tente et le fit asseoir sur un lit magnifique, puis elle ordonna à ses deux suivantes de lui ôter son armure et lui fit revêtir un superbe habit. Elle l'amena alors à la Reine des Tentes, qui manifestait toujours une profonde douleur.

— Dame, lui dit la Demoiselle au Char, voici le bon chevalier pour qui toutes ces tentes ont été installées, et dont vous attendiez avec joie l'arrivée jusqu'à aujourd'hui.

— Ah ! dit-elle, c'est donc le fils de la Dame Veuve ?

— Oui, c'est bien lui.

— Hélas, dit la reine, il a tué le meilleur chevalier de mon lignage, celui qui me défendait contre mes ennemis.

— Dame, dit la Demoiselle au Char, celui-ci est fort capable de vous aider et de vous défendre, car c'est le meilleur et le plus beau chevalier du monde.

La reine prit alors Perlesvaus par la main et le fit asseoir à côté d'elle.

— Seigneur, lui dit-elle, de quelque façon que la chose se soit produite, mon cœur me pousse à me réjouir de votre présence.

— Dame, répondit-il, je vous en suis reconnaissant. Cahot voulait me tuer dans son château, et je me suis défendu comme je l'ai pu.

La reine le regarda attentivement et s'éprit pour lui d'un amour si fort que pour un peu elle se serait précipitée sur lui.

— Seigneur, lui dit-elle, si vous m'accordiez votre amour, je vous pardonnerais la mort de Cahot le Roux.

— Dame, répondit-il, je m'efforcerai de mériter votre amour ; vous avez le mien.

— Seigneur, quel témoignage m'en donnerez-vous ?

— Je vais vous le dire, dame : il n'y a pas un chevalier au monde contre lequel je ne vous aiderais, s'il voulait vous faire tort.

— Cette sorte d'amour est ce qu'il y a de plus normal d'un chevalier à une dame. Vous en feriez autant pour une autre que moi.

— Peut-être bien, dame, mais l'on se met plus volontiers au service de l'une que de l'autre !

La reine aurait aimé que Perlesvaus se montrât plus aimable à son égard, et plus elle le regardait, plus il lui plaisait, plus elle était éprise et désirait son amour. Mais Perlesvaus ne pensait nullement à aimer ni elle ni une autre de la sorte. Il la regardait avec plaisir, car elle était fort belle, mais rien de ce qu'il lui disait ne pouvait lui faire croire qu'il l'aimait vraiment ; elle ne pouvait cependant contraindre son cœur, ni détourner de lui ses yeux, ni renoncer à son désir. Ses suivantes étaient tout étonnées de la voir aussi vite oublier son chagrin.

C'est alors qu'arriva Clamados ; on lui avait raconté que c'était là le chevalier qui avait tué son père alors qu'il était tout jeune homme, et qui venait de tuer son oncle Cahot le Roux. Entrant dans la tente, il le vit assis auprès de la reine qui le regardait tendrement.

— Dame, s'écria-t-il, vous déshonorez tout votre lignage, en faisant asseoir auprès de vous celui qui est votre ennemi mortel et le mien. Jamais plus on ne devra se fier à votre amitié ni attendre aucune aide de vous.

— Clamados, répondit la reine, ce chevalier est arrivé chez moi, et je ne dois lui causer aucun tort ; je dois au contraire l'accueillir et prendre soin de lui, s'il n'a rien fait qui puisse lui valoir d'être accusé de meurtre ou de trahison.

— Dame, dit Clamados, il a tué mon père dans la Forêt Solitaire sans même l'avoir défié ; il l'a traîtreusement atteint de son javelot en pleine poitrine, et je n'aurai de cesse de l'avoir vengé. Je l'accuse donc devant votre cour de meurtre et de trahison, et je vous demande de me faire justice, non en tant que votre parent, mais comme vous le feriez pour un étranger, car je vois bien que pour vous le lignage ne compte guère.

Perlesvaus regarde le chevalier : il est grand, bien découplé, et très beau.

— Cher seigneur, lui dit-il, je refuse absolument l'accusation de trahison, car pas plus envers votre père qu'envers qui que ce soit je n'ai jamais imaginé ni voulu me conduire ainsi, Dieu me préserve d'une telle indignité ou de semblable chose ! Et j'ai le plus vif désir de me disculper d'une telle accusation.

Clamados offre son gage.

— Par ma foi, dit la reine, on ne va pas donner les gages ici même à l'instant ! On le fera demain à tête reposée, et l'on rendra justice à chacun de vous.

Clamados est saisi d'une violente colère, mais la Reine des Tentes se montre d'une extrême amabilité envers Perlesvaus ; son attitude emplit Clamados de tristesse, et il se dit que l'on ne doit pas faire confiance à une femme ; mais il a tort de la blâmer, car c'est l'amour très fort qu'elle éprouve pour Perlesvaus qui la fait agir de la sorte : elle sait bien qu'il est le meilleur et le plus beau chevalier du monde, et qu'un tel amour ne peut que l'élever. Mais elle ne peut obtenir de lui aucune marque d'intimité, ni de geste ni de parole, et elle en est fort triste.

Les chevaliers et les demoiselles allèrent se coucher ; le lendemain matin, ils entendirent la messe dans une chapelle qui se trouvait parmi les tentes. A la fin de l'office arriva un chevalier tout armé, qui portait un bouclier blanc à son cou. Il mit pied à terre au milieu des tentes et, tout armé, se présenta devant la reine :

— Dame, dit-il, je dépose plainte contre le chevalier qui se trouve ici dans une tente, et qui m'a tué mon lion ; et si vous ne me rendez pas justice, je vous haïrai autant que je le hais et vous ferai tout le mal que je pourrai. Je vous demande et vous conjure, au nom de messire Gauvain dont je suis le vassal, que vous me rendiez justice.

— Comment s'appelle ce chevalier ? demanda la reine.

— On l'appelle Clamados des Ombres, dame, et il me semble bien que je l'aperçois là-bas, car je le connaissais quand il était jeune garçon.

— Et vous, quel est votre nom ? reprit-elle.

— Je m'appelle Méliot de Logres, dame.

Clamados s'avança alors vers la reine :

— Dame, une fois encore je vous prie et vous conjure de me rendre justice contre le chevalier qui a tué mon père et mon oncle.

— Dame, dit Méliot de Logres, je dois m'en retourner. Je ne sais contre qui le chevalier s'offre à prouver son bon droit, mais moi je l'accuse de félonie pour m'avoir tué mon lion !

Et, saisissant le pan de son haubert :

— Dame, voici mon gage, je vous le présente.

— Clamados, dit la reine, entendez-vous ce que dit ce chevalier ?

— Je l'ai parfaitement compris, dame, répondit-il. Il est vrai que j'ai tué son lion, mais c'est lui qui m'avait attaqué et m'avait infligé les blessures dont j'ai été guéri ici. Vous savez bien que le chevalier qui est arrivé hier soir m'a causé un bien plus grand tort que celui que j'ai causé à ce chevalier ici présent ; aussi je vous demanderais de me permettre de me venger d'abord.

— Vous l'avez entendu, ce chevalier qui est là tout armé doit repartir très vite. Commencez par lui accorder ce que vous lui devez. Ensuite on s'occupera de l'autre.

— Dame, je vous en suis reconnaissant, dit Méliot. Messire Gauvain vous en saura gré, car le chevalier a tué mon lion qui devait me protéger de mes ennemis ; grâce à mon lion, même l'entrée de votre territoire était mieux défendu ; et pour m'outrager, il a suspendu sa tête à ma porte !

— Assurément, dit la reine, c'était une indignité de sa part de suspendre ainsi la tête de l'animal, car vous ne lui aviez causé aucun tort ; en revanche, il est tout à fait normal qu'il ait tué le lion ; je ne refuserai pas cependant de vous rendre justice ; mais si vous renonciez à vous battre, vous n'encourriez aucun blâme.

— Dame, dit Clamados, ne le priez pas d'y renoncer, puisqu'il tient tellement à se battre. Je ferai ce qu'il désire, mais après je vous demande de me rendre justice de l'autre chevalier.

— J'agirai en sorte de n'encourir aucun reproche, dit la reine.

(L.3365-3429)
(Le combat judiciaire a lieu ; Clamados et Méliot sont tous deux blessés, et la reine demande à Perlesvaus de les séparer avant qu'ils ne se tuent. Méliot n'est que superficiellement atteint ; Clamados l'est beaucoup plus gravement ; il demande à sa tante d'obtenir de Perlesvaus qu'il revienne se battre contre lui dès qu'il sera guéri. Perlesvaus s'y engage, à moins que Clamados ne meure de sa blessure ; malgré les objurgations de la reine, il repart pour retrouver Lancelot à l'ermitage, et la Demoiselle au Char reste auprès de la Reine des Tentes comme otage. De retour chez son oncle le Roi Ermite, Perlesvaus apprend que Lancelot, guéri, est déjà reparti.)

XXI

LANCELOT AU CHÂTEAU DU GRAAL

(L.3430-3623)

(Épisode de la rencontre de Lancelot avec Marin. Le conte revient à Lancelot. Chevauchant à travers la forêt, il est parvenu à un château qui appartient à un vieillard et à ses deux filles ; Marin de Gormaret, père de Méliot de Logres, veut prendre le château : Lancelot accepte de se battre contre lui, le vainc, et le chevalier, blessé, repart en promettant de renoncer au château.

Épisode de la cité en feu. Chevauchant à nouveau à l'aventure, Lancelot parvient devant une grande ville dont l'une des extrémités est en feu : elle a commencé à brûler le jour de la mort de son roi ; seul un nouveau roi, qui accepterait au bout d'un an de se jeter dans les flammes, pourrait éteindre l'incendie et sauver la ville ; les habitants de la cité offrent à Lancelot de devenir ce roi ; il refuse ; mais un nain qui passait par là accepte et est aussitôt couronné.

Épisode de la rencontre avec Joseu le jeune ermite. Lancelot arrive auprès d'un ermitage récemment construit ; y vivent un tout jeune ermite encore imberbe et son écuyer ; ils pourchassent les bandits qui attaquent l'ermitage ; cette nuit-là, ils en surprennent quatre qui tentaient de voler le cheval de Lancelot, et ils les suspendent à des arbres, ligotés, dans la forêt. Joseu, le jeune ermite, est le fils du Roi Ermite Pellés : c'est un lointain parent de Lancelot.)

(L.3624-3759)

Lancelot s'est remis en route. Il a chevauché à travers de hautes futaies, rencontré nombre de demeures et d'ermitages, mais le conte ne fait pas mention de tous les lieux où il s'est arrêté. Il sortit enfin de la forêt et se trouva dans une magnifique prairie remplie de fleurs, à travers laquelle courait une grande rivière très large et très claire ; la forêt s'étendait de part et d'autre, mais entre la rivière et la forêt se trouvait de chaque côté une prairie de vastes dimensions. Lancelot aperçut devant lui sur la rivière un homme dans un grand bateau ; il était accompagné de trois chevaliers âgés aux cheveux blancs et d'une demoiselle : celle-ci, lui sembla-t-il, tenait sur son sein la tête d'un chevalier qui était étendu sur un coussin de soie, protégé par une couverture d'hermine. Une autre demoiselle était assise à ses pieds. Au milieu de l'embarcation se tenait un chevalier qui pêchait avec un hameçon dont l'extrémité semblait être en or, et les poissons qu'il attrapait étaient de belle taille. Un petit bateau suivait l'embarcation, dans lequel le chevalier mettait ses prises. Lancelot s'approcha de la rive aussi vite qu'il le put ; il salua les chevaliers et les demoiselles, et ceux-ci lui rendirent son salut fort aimablement.

— Seigneurs, demanda Lancelot, y a-t-il près d'ici un château ou quelque demeure ?

— Oui, seigneur, répondirent-ils, de l'autre côté de cette montagne ; c'est un beau et puissant château, et cette rivière court tout autour.

— Et à qui appartient ce château, seigneurs ?

— Au Roi Pêcheur, seigneur ; les bons chevaliers s'y arrêtent quand ils arrivent dans ce pays, mais il y en a qui y ont été accueillis et dont le maître du château aurait des raisons de se plaindre !

Les chevaliers reprennent leur route sur la rivière, et Lancelot continue de chevaucher jusqu'au pied d'une montagne, où il trouve un ermitage à côté d'une source. Il se dit que, puisqu'il doit se rendre dans cette noble et magnifique demeure où apparaît le Graal, il saisira l'occasion pour se confesser à l'ermite du lieu. Ainsi fit-il, après avoir mis pied à terre ; il avoua tous ses péchés et dit à l'ermite qu'il éprouvait du repentir pour tous, sauf un ; l'ermite lui demanda quel était ce péché dont il ne voulait se repentir.

— Il me semble, répondit Lancelot, que c'est le plus doux et le plus beau péché que j'aie jamais commis.

— Cher seigneur, dit l'ermite, les péchés sont doux à faire, mais le prix à payer en est amer ; il n'est aucun péché qui soit beau ni aimable, ils sont tous aussi laids les uns que les autres.

— Seigneur, dit Lancelot, ce péché que ma bouche va vous avouer, mon cœur ne peut s'en repentir. J'aime ma suzeraine, qui est reine, plus qu'aucune femme au monde, et celui qui l'a pour épouse est l'un des meilleurs rois du monde. Ce désir me semble si noble et si bénéfique que je ne puis y renoncer, et il est si profondément enraciné dans mon cœur qu'il ne peut s'en arracher. Ce que j'ai de meilleur en moi me vient de cet amour.

— Ah, pécheur perdu sans recours, s'exclama l'ermite, qu'avez-vous dit ? Aucun bien ne peut venir de la luxure qui ne finisse par coûter très cher. Vous êtes traître à votre seigneur d'ici-bas et criminel envers le Sauveur. Des sept péchés capitaux, vous vous êtes rendu coupable de l'un des plus graves ; le plaisir que vous en avez est trompeur, vous le paierez très cher si vous ne vous en repentez rapidement.

— Seigneur, dit Lancelot, cela, je n'avais jamais accepté de l'avouer à personne.

— C'est pire encore, dit l'ermite. Il y a longtemps que vous auriez dû vous en confesser et y renoncer tout aussitôt, car aussi longtemps que vous persévérerez, vous serez l'ennemi du Sauveur.

— Ah, seigneur, dit Lancelot, il y a en elle tant de beauté, de noblesse, de sagesse et de courtoisie que celui qu'elle accepterait d'aimer ne pourrait renoncer à cet amour.

— Elle est d'autant plus blâmable, et vous aussi, dit l'ermite, qu'elle est plus belle et plus noble ; chez des êtres sans grandeur, la faute est moins grave que chez ceux de grande valeur ; en outre, cette reine est bénie et sacrée, et dès le début elle fut vouée à Dieu. Or voici qu'elle s'est donnée au diable par amour pour vous, et vous pour elle. Seigneur, mon cher ami, renoncez à cette folie dans laquelle vous vous êtes lancé, repentez-vous de ce péché, et je prierai chaque jour pour vous Notre-Seigneur, afin que, si votre confession et votre repentir sont sincères, il vous pardonne ce péché dans lequel vous avez persévéré de la même façon qu'il a pardonné sa mort à celui qui l'avait frappé de la lance au côté ; et j'en prendrai sur moi la pénitence.

— Seigneur, répondit Lancelot, je vous suis reconnaissant d'intercéder auprès de Dieu. Je n'ai nullement le désir de renoncer, et je ne veux pas prononcer des paroles avec lesquelles mon cœur ne s'accorde pas. J'accepte d'accomplir la pénitence qu'exige un tel péché, aussi lourde soit-elle, car je désire servir ma dame la reine aussi longtemps qu'il lui plaira m'accorder sa bienveillance. Je l'aime si profondément que je souhaite que jamais ne me vienne le désir de renoncer à l'aimer, et Dieu est si bon et si compatissant, s'il faut en croire les hommes de religion, qu'il aura pitié de nous, en voyant que jamais je n'ai été déloyal envers elle, ni elle envers moi.

— Ah, mon cher ami, dit l'ermite, tout ce que je pourrais vous dire ne servirait à rien ; que Dieu fasse naître en elle, et en vous également, la volonté de complaire à Notre Sauveur et de sauver vos âmes ; mais je veux simplement vous dire que, si jamais vous vous arrêtez au château du Roi Pêcheur, le Graal, vous ne le verrez pas, à cause du péché mortel que vous portez dans votre cœur.

— Que Dieu et Sa tendre Mère fassent de moi selon leur volonté, répondit Lancelot.

— Qu'il en soit ainsi, dit l'ermite, c'est mon souhait.

Lancelot prit congé, remonta à cheval et quitta l'ermitage. Le soir approchait, et il se dit qu'il était temps de trouver un abri pour la nuit. Il aperçut alors devant lui le château du Roi Pêcheur ; les ponts lui paraissent larges et aisés, ils ne lui font pas du tout la même impression qu'à messire Gauvain. Il examine la magnifique porte à l'entrée, où se trouve représenté le Christ en Croix, et voit deux lions qui gardent l'entrée. Lancelot se dit que messire Gauvain était bien passé entre les lions, et qu'il ferait de même. Il se dirigea vers la porte, et les lions, qui étaient enchaînés, dressèrent les oreilles sans le quitter des yeux ; Lancelot passa entre eux sans ressentir la moindre crainte. Ils ne lui firent aucun mal. Il quitta sa monture devant l'édifice principal et, tout armé, monta l'escalier. Deux chevaliers âgés vinrent vers lui et l'accueillirent très chaleureusement, puis ils le firent asseoir sur un lit qui se trouvait au milieu de la salle, et ordonnèrent à deux serviteurs de lui ôter ses armes. Deux jeunes filles lui apportèrent un superbe habit qu'elles lui firent revêtir. Lancelot contemplait la splendeur des lieux : il n'y avait partout représentés que des saints ou des saintes, et la salle était ornée en plusieurs endroits de tentures de soie. Les deux chevaliers le conduisirent ensuite devant le Riche Roi Pêcheur, dans une très belle chambre où il reposait. Il trouva le roi étendu sur un lit si magnifiquement installé qu'il n'en avait jamais vu de plus beau ; il y avait une jeune fille à son chevet, et une autre à ses pieds.

Lancelot le salua très respectueusement, et le roi lui répondit avec l'affabilité d'un noble et saint homme. Il y avait dans cette pièce une clarté si intense qu'il semblait que les rayons du soleil y pénétraient de toutes parts ; pourtant il faisait nuit noire, et Lancelot n'apercevait là aucune chandelle allumée.

— Seigneur, lui dit le Roi Pêcheur, pouvez-vous me donner des nouvelles du fils de ma sœur, qui est le fils également de Julain le Gros des Vaux de Camaalot, et qu'on appelle Perlesvaus ?

— Seigneur, répondit Lancelot, je l'ai vu il n'y a pas longtemps chez son oncle le Roi Ermite.

— On m'a dit, seigneur, que c'est un très bon chevalier.

— C'est le meilleur chevalier du monde, seigneur, répondit Lancelot. J'ai eu moi-même l'occasion d'éprouver sa valeur et sa bravoure, car il m'a infligé une cruelle blessure avant que nous ayons pu nous reconnaître.

— Et quel est votre nom ? demanda le roi.

— Seigneur, je me nomme Lancelot du Lac, et je suis le fils de Ban de Benoïc.

— Ah, s'exclama le roi, vous appartenez à notre lignée ! Il serait normal que vous soyez bon chevalier, et je pense que vous l'êtes, si j'en crois ce que l'on rapporte sur vous. Lancelot, reprit-il, venez dans la chapelle où repose le Très Saint Graal, qui s'est montré à deux chevaliers qui sont venus au château. Je ne connais pas le nom du premier, mais je n'ai jamais vu personne d'aussi paisible et d'aussi silencieux, et qui plus que lui eût l'allure d'un bon chevalier. C'est à cause de lui que j'ai été saisi de langueur. Le second, ce fut messire Gauvain.

— Seigneur, dit Lancelot, le premier, c'était Perlesvaus, votre neveu !

— Ah, dit le Roi Pêcheur, êtes-vous certain de ce que vous dites ?

— Oui, seigneur, c'est vrai ; et je suis bien placé pour le savoir.

— Ah, Dieu, dit le roi, pourquoi ne l'ai-je pas su alors ? C'est à cause de lui que j'ai été ainsi saisi de langueur, et si j'avais su alors que c'était lui, je serais à présent en pleine possession de mon corps et de mes membres. Je vous en prie instamment, quand vous le verrez, dites-lui de venir me voir avant que je meure, et d'aller au secours de sa mère dont on tue les soldats et à qui l'on enlève ses terres, et lui seul peut lui permettre de les récupérer ; sa sœur est partie à sa recherche à travers tous les royaumes.

— Seigneur, dit Lancelot, je lui ferai volontiers votre message si je le rencontre quelque part, mais il n'est pas facile de le trouver, car il se dissimule de différentes manières, et cache son nom en beaucoup de circonstances.

Le Roi Pêcheur était très content d'avoir eu des nouvelles de son neveu, et il traita Lancelot avec les plus grands égards. Les chevaliers le conduisirent dans la grande salle et l'installèrent à une table d'ivoire ; une fois qu'ils eurent lavé leurs mains, on disposa sur la table une superbe vaisselle d'or et d'argent, et l'on servit des mets magnifiques et de la viande de cerf et de sanglier ; mais l'histoire dit bien que le Graal ne se montra pas lors de ce repas. Certes, Lancelot était bien l'un des trois meilleurs chevaliers du monde, mais il était coupable d'aimer la reine et de ne point s'en repentir ; et en effet, elle occupait toutes ses pensées, et il ne pouvait détacher d'elle son cœur. Une fois le repas achevé, ils se levèrent de table. Deux jeunes filles aidèrent Lancelot à se coucher ; elles l'installèrent dans un lit magnifique et restèrent auprès de lui jusqu'au moment où il s'endormit. Le lendemain matin, il se leva dès qu'il aperçut le jour, alla entendre la messe, puis prit congé du Roi Pêcheur, des chevaliers et des demoiselles ; il quitta le château en passant à nouveau entre les deux lions, et pria Dieu qu'il lui accorde de revoir bientôt la reine, car c'était là son plus cher désir.

(L.3759-3872)

(Quittant le Château du Graal, Lancelot rencontre une jeune fille qui se désole parce que le chevalier qui l'accompagne refuse de l'épouser, malgré ses promesses ; Lancelot contraint le chevalier au mariage en le menaçant de mort, et un ermite célèbre l'union. Mais à peine a-t-il quitté le couple qu'il rencontre une autre jeune fille, accompagnée d'un nain : elle lui reproche d'avoir par ce mariage causé son malheur, et l'accuse aussi d'avoir avec Gauvain tué son oncle et ses quatre cousins dans l'épisode du cimetière. Lancelot retourne chez le Roi Ermite, qui lui explique que le Graal se serait montré à lui si son désir de le voir avait été aussi grand que le désir qu'il a de voir la reine. Lancelot repart : il retourne à Pennevoiseuse, où se trouvent le roi Arthur et la reine Guenièvre.)

XXII

PERLESVAUS VAINC LE CHEVALIER
DU CHÂTEAU MORTEL

(L.3873-3889)

(Perlesvaus est au royaume de Logres ; il veut retourner auprès de la Reine des Tentes, chez laquelle la Demoiselle au Char était restée comme otage en attendant qu'il revienne se battre contre Clamados. Mais il rencontre en chemin la Demoiselle qui lui apprend la mort de Clamados et la guérison de Méliot de Logres. Perlesvaus repart.)

(L.3889-4000)

Perlesvaus arriva au royaume de Galles, devant un château qui se dressait sur un rocher élevé et surplombait la mer : on l'appelait le Château des Galères. Voyant un chevalier qui en sortait, il lui demanda à qui appartenait cette demeure et apprit qu'il s'agissait du château de la Reine des Pucelles. Perlesvaus entra dans la cour principale du château, mit pied à terre sur un perron et déposa sa lance et son bouclier ; levant les yeux vers l'escalier qui conduisait à la salle la plus importante, il vit que s'y tenaient un grand nombre de chevaliers et de demoiselles. Il se dirigea de ce côté, mais aucun d'entre eux ne se dérangea ni ne lui adressa la parole ; il les salua le premier, et traversa leurs rangs jusqu'à la porte de la salle, qu'il trouva fermée ; mais il secoua l'anneau si vigoureusement que toute la salle en retentit. Un chevalier vint lui ouvrir la porte, et Perlesvaus entra.

— Seigneur, dit le chevalier, soyez le bienvenu.

— Que la fortune vous soit favorable, répondit-il !

Et Perlesvaus abattit sa ventaille et ôta son heaume. Le chevalier le conduisit dans la chambre de la reine. Elle se leva à sa rencontre et l'accueillit très aimablement, puis le fit asseoir auprès d'elle encore équipé de son armure. Une demoiselle s'agenouilla devant la reine :

— Dame, dit-elle, c'est ce chevalier qui le premier a été au Château du Graal. Je l'ai vu chez la Reine des Tentes, quand on voulut l'accuser de trahison.

— Vite, s'exclama la reine, faites sonner le cor d'ivoire !

On sonna aussitôt du cor au bas du château. Les chevaliers et les demoiselles qui étaient assis sur les marches se levèrent vivement en poussant des cris de joie, disant qu'ils savaient bien qu'ils avaient achevé leur temps de pénitence. Ils entrèrent dans la salle, et la dame sortit de sa chambre en tenant Perlesvaus par la main ; elle se dirigea vers eux :

— Voici, dit-elle, le chevalier à qui vous avez dû toute cette peine, et à qui vous devez d'en être délivrés.

— Ah, s'écrièrent les chevaliers et les demoiselles, qu'il soit le bienvenu !

— Il l'est, assurément, reprit la reine, c'est en effet le chevalier au monde que je désirais le plus vivement voir.

Elle lui fait ôter son armure et apporter un riche habit de soie.

— Seigneur, dit-elle, mes chevaliers et mes pucelles sont restés sur les marches de l'escalier depuis le jour où vous êtes allé chez le Roi Pêcheur et où vous avez oublié de demander à quoi servait le Graal ; depuis ce moment-là, ils n'eurent pas d'autre abri pour boire et pour manger, et n'eurent guère d'occasion d'être heureux. Et ils seraient restés à tout jamais dans cette situation si vous n'étiez pas venu. Et si votre présence suscite une telle allégresse, il ne faut pas vous en étonner, car vous allez nous être d'un grand secours : en effet, un chevalier me fait la guerre, c'est le frère du Roi Pêcheur, il se nomme le Roi du Château Mortel.

— Demoiselle, dit Perlesvaus, c'est mon oncle, et je ne le sais que depuis peu de temps, de même que pour le Roi Pêcheur chez qui j'ai séjourné : c'est par mon oncle le bon Roi Ermite que je l'ai appris. Et je vous assure que le Roi du Château Mortel est le plus cruel et le plus félon des hommes ; sa méchanceté interdit qu'on l'aime ; il a même déclaré la guerre à mon oncle le Roi Pêcheur : il a l'intention de s'emparer de son château, car il veut que la Lance et le Graal lui appartiennent.

— Seigneur, dit la reine, il veut également s'emparer de mon château, parce que j'ai aidé le Roi Pêcheur, et une fois par semaine, il vient sur cette île qui est là-bas sur la mer ; il a lancé plusieurs attaques contre mon château, et m'a tué nombre de mes chevaliers et de mes demoiselles ; Dieu nous accorde d'être vengés de lui !

Prenant Perlesvaus par la main, elle le conduisit à la fenêtre de la salle, qui donnait sur la mer :

— Voyez, seigneur, dit-elle, l'île sur laquelle votre oncle se fait conduire dans une galère ; il y reste le temps de mettre au point son prochain mauvais coup contre nous ; et voici mes galères, qui assurent notre défense.

Perlesvaus, dit le conte, fut fort bien traité au château. La Reine des Pucelles, qui était très belle, lui portait un amour passionné, mais elle savait que jamais dame ni demoiselle amoureuse de lui n'obtiendrait la satisfaction de ses désirs, car il était chaste et voulait mourir chaste. Perlesvaus séjourna au château jusqu'au moment où on lui annonça l'arrivée de son oncle sur l'île habituelle. Il se fit armer aussitôt et se fit transporter sur l'île. Son oncle fut fort étonné quand il le vit, car jusque-là pas un chevalier du château n'avait osé venir se mesurer à lui ; mais s'il avait su qu'il s'agissait de Perlesvaus, il n'aurait pas été surpris. Le bateau de Perlesvaus accosta, et il descendit. La reine, ses chevaliers et ses pucelles s'étaient postés aux fenêtres du château pour voir combattre l'oncle et le neveu. La reine lui aurait bien envoyé quelques chevaliers pour l'aider, mais Perlesvaus avait refusé. Le Roi du Château Mortel était un robuste et hardi chevalier. Il regardait approcher son neveu, mais il ne savait pas que c'était lui, alors que Perlesvaus savait qui il était ; le jeune homme avançait l'épée au clair et le bouclier serré contre lui, et il attaqua son oncle avec fureur ; il lui donna un tel coup sur le heaume qu'il le fit chanceler ; le roi de son côté ne le ménageait pas : il le frappa si violemment qu'il lui défonça son heaume. Perlesvaus lança une nouvelle attaque : il voulait le frapper à la tête, mais le roi s'écarta, et le coup atteignit le bouclier qui fut fendu jusqu'à la boucle. Le Roi du Château Mortel recula : il avait honte de se voir ainsi harcelé par Perceval [1], qui l'attaquait de tous côtés de son épée et lui donnait de grands coups sur sa cotte de mailles : si elle n'avait été aussi solide et aussi résistante, il aurait été blessé à mainte reprise. Le roi de son côté frappait de si grands coups que la reine et tous ceux qui étaient aux fenêtres se demandaient comment Perceval pouvait les supporter. Mais le roi avisa alors le bouclier de Perceval et l'examina de loin :

— Chevalier, dit-il, qui vous a donné ces armes, et de qui tenez-vous ce bouclier ?

— De mon père, répondit le jeune homme.

— Votre père portait un bouclier vermeil avec un cerf blanc ?

— Oui, il l'a longtemps porté.

— Votre père était-il donc Julain le Gros des Vaux de Camaalot ?

— Oui, c'est exact. Je dois me montrer digne de lui, car c'était un bon et loyal chevalier.

— Et êtes-vous bien le fils de ma sœur Iglai, qui était son épouse ?

— Oui, et Dandrane est ma sœur.

— Vous êtes donc mon neveu, dit le Roi du Château Mortel.

— J'en suis fort triste, répondit Perceval. Je n'y trouve ni avantage ni honneur, car vous êtes le plus déloyal de tout mon lignage, et je savais bien en venant ici qui vous étiez ; à cause de votre méchanceté innée, vous vous êtes attaqué au meilleur et au plus noble des rois vivants, et à la dame de ce château parce qu'elle lui vient en aide autant qu'elle le peut. Mais s'il plaît à Dieu, elle n'aura plus rien à craindre de vous, et vous n'aurez en votre pouvoir ni le château ni

---

1. Ici apparaît pour la première fois le nom de *Perceval*. (Voir note 1, p. 233).

les saintes reliques que le bon roi a sous sa protection, car Dieu ne vous porte pas l'amour qu'il lui porte ; et dès lors que vous lui faites la guerre, je vous défie, et je vous considère comme mon ennemi.

Le roi voit que son neveu ne l'aime guère, et que, l'épée au poing, la tête baissée sous son heaume et l'air aussi féroce qu'un lion, il s'apprête à le mettre à mal ; il redoute sa force et son courage : il vient d'en faire l'expérience, il a affaire au meilleur chevalier du monde ; il n'ose plus s'exposer à ses coups, et s'enfuit en courant aussi vite qu'il le peut vers son bateau, dans lequel il saute aussitôt ; il prend la mer rapidement, et Perceval le poursuit jusqu'au rivage, fort déçu de le voir lui échapper. Il lui crie :

— Mauvais roi, ne dites jamais que je suis votre parent ! Jamais un chevalier du lignage de ma mère ne s'est enfui devant un autre chevalier : vous êtes le premier ! Désormais cette île m'appartient : n'ayez jamais plus l'audace de vous y montrer !

Le roi s'en va, fort peu soucieux de revenir, et Perceval retourne au château dans sa galère. La reine et tous les habitants du château viennent à sa rencontre avec des transports de joie. Elle lui demande comment il va, s'il est blessé :

— Non, dame, Dieu merci, répond-il.

Elle ordonne qu'on le débarrasse de son armure et qu'on le traite le mieux possible, et recommande à tous de lui obéir en tout aussi longtemps qu'il lui plaira de séjourner au château. Tous au château sont désormais rassurés par le départ honteux du roi, et ils pensent qu'il ne reviendra pas tellement il semble craindre plus que tout autre son neveu.

XXIII

DANDRANE ET PERCEVAL À PENNEVOISEUSE

(L.4001-4180)

Le conte ne parle plus de Perceval : on revient au roi Arthur, qui est à Pennevoiseuse en Galles, avec de très nombreux chevaliers. Lancelot et messire Gauvain sont revenus, ce dont la cour se réjouit vivement. Le roi leur demande à tous deux s'ils ont rencontré son fils Lohot dans l'une des forêts ou l'une des îles par lesquelles ils sont passés, et ils répondent que non.

— Je me demande, dit le roi, ce qu'il est devenu, car je n'ai plus eu de nouvelles de lui depuis que Keu le sénéchal a tué Logrin le Géant, dont il m'a rapporté la tête — ce qui m'a fait grand plaisir, et ce pour quoi je l'ai bien volontiers récompensé en accroissant sa terre ; et c'était bien normal, car il m'a vengé de l'être qui était le plus dangereux pour mon royaume, et je lui en ai beaucoup d'affection.

Mais si le roi avait su de quelle façon Keu s'était conduit à son égard, il n'aurait pas loué ainsi sa bravoure et son courage !

Le roi était un jour assis à table. La reine Guenièvre était à côté de lui, et il y avait beaucoup de chevaliers dans la salle, mais messire Gauvain n'était pas là. Arriva alors une demoiselle qui a mis pied à terre devant le donjon, puis a gravi l'escalier qui conduisait à la grande salle et est venue devant le roi et la reine :

— Seigneur, dit-elle, je vous salue ; voyez en moi la plus inquiète et la plus désemparée des demoiselles ; et je suis venue vous demander de m'accorder un don, car vous avez le cœur noble et généreux.

— Demoiselle, dit le roi, Dieu veuille vous accorder son secours, et moi-même je veux bien faire ce que je pourrai.

La demoiselle tourna son regard vers le bouclier qui était suspendu au pilier au milieu de la salle.

— Seigneur, dit-elle, je vous demande de m'accorder l'aide du chevalier qui emportera ce bouclier, car j'en ai grand besoin.

— Demoiselle, répond le roi, si le chevalier accepte de faire ce que vous demandez, j'en serai heureux.

— Certes, seigneur, puisqu'il est bon chevalier, à ce que l'on dit, il ne vous refusera pas ce que vous lui demanderez, et si je me trouvais ici au moment où il viendra, il ne repousserait pas ma prière non plus. Si je pouvais retrouver mon frère, que je recherche depuis bien longtemps maintenant, il m'aiderait et me secourrait, mais je l'ai cherché en bien des pays, et je ne sais où il se trouve. Je le regrette, car il me faut chevaucher toute seule par les îles sauvages et par les vastes forêts, en risquant ainsi la mort ; ces chevaliers doivent bien éprouver de la compassion pour moi !

— Demoiselle, dit le roi, je ne refuserai pas de faire quoi que ce soit qui puisse vous aider, j'y mettrai même toute ma peine.

— Grand merci, seigneur, au nom de Dieu, répondit-elle.

On la fit asseoir à table et on lui témoigna les plus grands égards ; quand le repas fut terminé, la reine l'emmena avec elle dans sa chambre et la traita avec beaucoup d'amitié. Le petit chien qui avait été apporté avec le bouclier était couché sur un coussin de soie. Il ne reconnaissait ni la reine, ni les suivantes, ni aucun chevalier de la cour. Mais dès qu'il aperçut la demoiselle, il vint vers elle et se livra à d'extraordinaires manifestations de joie. La reine et ses suivantes étaient stupéfaites, et la demoiselle à qui il faisait fête ne l'était pas moins ; en effet, depuis qu'il avait été amené dans cette salle, il n'avait jamais montré la moindre affection pour personne. La reine demanda à la demoiselle si elle le connaissait :

— Non, pas du tout, répondit-elle. Je ne l'ai jamais vu, que je
sache. Le petit chien ne voulait plus la quitter, et il s'était d'ailleurs aussitôt installé sur ses genoux. Partout où elle allait, il la suivait. La
demoiselle séjourna longtemps à la cour du roi : elle avait grand
besoin d'aide, et chaque jour elle restait dans la chapelle lorsque la
reine en était partie, pleurant d'une façon pitoyable devant la statue
du Sauveur et le suppliant humblement de venir au secours de sa
mère, qui était en grand péril de perdre son château. La reine lui
demanda un jour qui était son frère.

— Dame, répondit-elle, c'est l'un des meilleurs chevaliers qui
soit, d'après ce que j'ai entendu dire, mais il a quitté la demeure de
mon père et de ma dame ma mère alors qu'il était encore un tout
jeune homme : nous ne l'avons plus revu depuis. Mon père est mort,
et ma mère est restée sans aide et sans appui, et on s'est emparé de
ses terres et de ses châteaux et l'on a tué ses hommes. Le château
même où elle s'est réfugiée lui aurait été enlevé depuis longtemps, si
messire Gauvain n'avait été là pour le soustraire à ses ennemis pour
une durée d'un an ; mais voici que le délai est passé, et ma dame ma
mère est en grand péril de se retrouver totalement démunie, car elle
n'a plus d'autre refuge. C'est pour cela qu'elle m'a envoyée à la
recherche de mon frère : on lui a dit en effet qu'il est bon chevalier.
Comme je n'ai pu le trouver, je suis venue à votre cour demander au
roi Arthur l'aide du chevalier qui emportera le bouclier, car j'ai
entendu dire que c'était le meilleur chevalier du monde : s'il a de
telles vertus, il aura certainement pitié de moi.

— Demoiselle, demanda la reine, comment se nomme votre
frère ?

— Dame, ma dame ma mère l'appelle Perceval.

— Demoiselle, j'aimerais que vous l'ayez retrouvé, car ce serait
une grande joie que votre mère puisse être secourue. Dieu accorde
au bon chevalier qui viendra chercher le bouclier le désir et le courage de lui venir en aide ! C'est ce qu'il fera, s'il plaît à Dieu, car un
bon chevalier est toujours capable de compassion.

La reine avait pitié de la jeune fille, car elle était très belle, et l'on
voyait bien qu'elle était malheureuse ; elle avait révélé à la reine son
nom, le nom de son père et de sa mère, et celle-ci lui avait dit qu'elle
avait bien des fois entendu parler de Julain le Gros, que l'on considérait comme un loyal et valeureux chevalier. La jeune fille resta longtemps à la cour, dans l'attente du chevalier.

Cette nuit-là, le roi était couché auprès de la reine ; il se réveilla
dans son premier sommeil et ne put se rendormir. Il se leva et revêtit
une houppelande grise, sortit de la chambre et alla s'appuyer aux
fenêtres de la grande salle, qui ouvraient sur la mer. Les étoiles

étaient claires et brillantes dans le ciel, l'air était pur et léger, la nuit calme et sereine. La mer était paisible, sans un mouvement, et ce spectacle qu'il apercevait par les fenêtres plaisait infiniment au roi, et il resta ainsi un long moment. Regardant alors au loin sur la mer, il aperçut quelque chose qui ressemblait à la lueur d'une chandelle ; à force de scruter la mer, il lui sembla qu'il s'agissait d'un navire à l'intérieur duquel brillait une lumière, et il décida de rester là jusqu'au moment où il saurait si c'était bien un bateau, ou s'il s'agissait d'autre chose. Plus il regardait, plus il s'avérait que c'était bien un navire, qui se dirigeait à toute allure directement vers le château. Le roi put le voir de plus près : il n'aperçut personne à l'intérieur, qu'un homme âgé aux cheveux blancs, très beau, qui tenait le gouvernail. Le navire était recouvert en son centre d'un drap magnifique ; la voile était abaissée, car il n'y avait pas de vent. Le navire parvint au pied du donjon, sans aucun bruit. Quand il eut accosté, le roi l'examina, fort intrigué, car il ne savait ce qui s'y trouvait, et il n'entendait pas un mot. Il se dit qu'il irait voir. Sortant de la salle, il se rendit à l'endroit où le navire avait accosté, mais il ne put l'approcher, à cause de la marée.

— Seigneur, s'écria l'homme qui était au gouvernail, attendez un instant !

Il fit descendre une barque dans laquelle le roi monta ; il parvint ainsi jusqu'au navire et monta à bord. Il aperçut alors un chevalier qui était étendu, tout armé, sur une table d'ivoire, avec son bouclier à son chevet. Près de sa tête brûlaient deux grandes torches dans deux chandeliers d'or, de même qu'à ses pieds ; il avait les mains croisées sur la poitrine. Le roi s'approcha de lui et l'examina, et il lui sembla que jamais il n'avait vu si beau chevalier.

— Seigneur, dit le capitaine du navire, pour l'amour de Dieu, éloignez-vous, et laissez le chevalier reposer, car il en a grand besoin.

— Seigneur, demanda le roi, qui est ce chevalier ?

— Seigneur, il vous le dirait bien lui-même s'il le voulait, mais de moi vous n'apprendrez rien.

— Va-t-il repartir bientôt ?

— Seigneur, il lui faudra auparavant se rendre dans la grande salle du château, mais il est extrêmement fatigué, et il se repose.

Quand le roi apprit que le chevalier allait monter dans la grande salle, il fut extrêmement heureux. Il se rendit aussitôt dans la chambre de la reine et lui conta l'arrivée du navire. La reine se leva, ainsi que deux de ses suivantes ; puis elle revêtit une longue tunique de soie doublée d'hermine et se rendit dans la salle.

C'est alors qu'arriva le chevalier tout armé, précédé du capitaine du navire qui portait un chandelier d'or aux chandelles allumées. Le chevalier tenait son épée toute nue.

— Seigneur, dit la reine, soyez le bienvenu !

— Dame, répondit-il, Dieu vous accorde bonheur et fortune !

— Seigneur, dit-elle, plaise à Dieu que nous n'ayons rien à redouter de vous.

— Dame, vous ne devez avoir aucune crainte.

Le roi s'aperçut qu'il tenait le bouclier vermeil au cerf blanc dont il avait entendu parler. Le chien, qui se trouvait dans la salle, entendit le chevalier : il courut vers lui, lui sauta entre les jambes et lui fit fête ; le chevalier de son côté lui manifestait sa joie de le revoir. Puis il prit le bouclier qui était suspendu au pilier et suspendit l'autre à sa place. Puis il se dirigea à nouveau vers la porte de la salle.

— Dame, dit le roi, priez le chevalier de ne point s'en aller si vite !

— Seigneur, dit le chevalier, je ne peux rester plus longtemps, mais vous me reverrez bientôt.

Le roi et la reine regrettent de le voir partir, mais ils n'osent insister davantage. Le chevalier est reparti vers le navire, accompagné du petit chien. Le capitaine hisse la barque à l'intérieur, et ils quittent le port et s'éloignent du château. Le roi Arthur est resté à Pennevoiseuse, fort triste que le chevalier soit aussi vite reparti.

Au point du jour, les chevaliers se levèrent dans le château : apprenant que le chevalier était venu chercher le bouclier, ils furent très tristes de ne pas l'avoir vu. La demoiselle qui avait adressé au roi sa requête vint trouver celui-ci :

— Seigneur, demanda-t-elle, avez-vous parlé de mes difficultés au chevalier ?

— Demoiselle, répondit le roi, je ne l'ai pas fait ; je le regrette, mais il est parti plus vite que je ne l'aurais voulu.

— Seigneur, dit-elle, vous avez mal agi, mais s'il plaît à Dieu, un roi aussi bon que vous l'êtes ne manquera pas à sa promesse envers une jeune fille aussi désemparée que moi, car on vous le reprocherait sévèrement.

Le roi était très malheureux de ne pas s'être souvenu de la requête de la demoiselle. Celle-ci prit congé du roi et de la reine et quitta la cour, disant qu'elle irait elle-même à la recherche du chevalier, et que si elle le trouvait elle délierait le roi de sa promesse.

A leur retour à la cour, messire Gauvain et Lancelot apprirent que le chevalier avait emporté le bouclier ; ils regrettaient de ne point l'avoir vu, messire Gauvain surtout, parce qu'il ne l'avait plus vu depuis leur rencontre chez sa mère [1]. Lancelot aperçut le bouclier qu'il avait laissé accroché au pilier, et le reconnut fort bien.

— Je suis certain que Perceval est venu ici, car c'est ce bouclier qu'il portait d'habitude, le même que son père.

---

1. Le manuscrit donne : *puis qu'il le vit chiés sa mere ;* or Gauvain n'a pas rencontré Perlesvaus au Château de Camaalot. Il a simplement entendu parler de lui.

— Ah, dit messire Gauvain, comme je suis malheureux de n'avoir pu voir le Bon Chevalier !

— Messire Gauvain, dit Lancelot, je l'ai vu de si près que j'ai bien cru mourir de sa main, car je n'ai jamais rencontré si rude chevalier au combat, ni si terrible aux armes ; je l'ai moi-même blessé ; mais quand il m'eut reconnu, il me témoigna son bonheur de me voir, et je suis resté longtemps avec lui chez son oncle le Roi Ermite, jusqu'à ma guérison.

— Lancelot, dit messire Gauvain, j'aurais aimé qu'il m'eût blessé, mais pas gravement, pour avoir la chance d'être avec lui aussi longtemps que vous.

— Seigneurs, dit le roi, vous devez partir à sa recherche, car je dois lui demander son aide pour une demoiselle qui m'a chargé de cette requête ; elle m'a dit cependant que, si elle le trouvait avant moi, elle me dispenserait de le rechercher.

— Seigneur, dit la reine, vous avez raison de vouloir l'aider, car elle est fort désemparée. Elle m'a dit qu'elle était la fille de Julain le Gros du Val de Camaalot et que sa mère se nommait Iglai ; son nom à elle est Dandrane.

— Ah, dame, s'exclama messire Gauvain, c'est la sœur du chevalier qui a emporté le bouclier, car je me suis arrêté chez sa mère, où j'ai été très bien reçu.

— Par ma foi, dit la reine, il se peut bien qu'elle soit sa sœur, car lorsqu'elle est arrivée, le petit chien, qui ne voulait reconnaître personne, lui a fait fête ; et quand le chevalier est venu, le chien, qui se trouvait dans la salle, l'a accueilli avec des transports de joie et est reparti avec lui.

— Par ma foi, dit messire Gauvain, j'irai à la recherche du chevalier, car j'ai grand désir de le voir.

— Et moi, dit Lancelot, je ne l'ai jamais vu avec autant de plaisir que je le verrais à présent.

— Je vous en prie, dit le roi, n'oubliez pas la mission dont je vous ai chargés, que la demoiselle n'ait pas à se blâmer de moi.

— Seigneur, dit Lancelot, si jamais nous le trouvons, nous lui dirons que sa sœur est à sa recherche, et qu'elle a été à votre cour.

Les deux bons chevaliers partirent à la quête du Bon Chevalier. Ils traversèrent une forêt et arrivèrent à une croix, au milieu d'une clairière, à l'endroit où aboutissaient tous les chemins de la forêt.

— Lancelot, dit messire Gauvain, prenez le chemin que vous voudrez, et chacun ira de son côté ; ainsi nous aurons plus vite des nouvelles du chevalier ; et retrouvons-nous au pied de cette croix dans un an, et nous nous dirons ce que nous aurons trouvé. S'il plaît à Dieu, il y a bien un endroit où nous entendrons parler de lui !

Lancelot prit à gauche, et messire Gauvain à droite ; c'est ainsi qu'ils se séparèrent après s'être recommandés l'un l'autre à Dieu.

XXIV

GAUVAIN À LA RECHERCHE DE PERCEVAL

(L.4181-4231)

(Gauvain se fait héberger par un ermite qui lui apprend qu'il ne reste plus qu'un chevalier dans la région, qui en a chassé ou tué tous les autres ; ce chevalier s'est installé sur une île depuis un an, depuis qu'il en a chassé son oncle qui menaçait le château de la Reine des Pucelles ; on voit souvent son navire courir sur la mer, tout près ; mais l'ermite est incapable de dire à Gauvain quel bouclier porte ce chevalier.

Gauvain se rend ensuite au château de la Reine des Pucelles, qui lui dit son regret de ne pas voir plus souvent ce chevalier ; mais personne ne sait jamais ce qu'il a l'intention de faire. Gauvain repart.)

(L.4232-4264)

Le lendemain matin, après avoir entendu la messe, messire Gauvain prit congé de la reine et s'en alla chevauchant tout au long de la mer, car elle lui avait dit que le chevalier se déplaçait plus souvent par mer que par terre. Il pénétra dans une forêt qui descendait sur la grève tout près de la mer, et vit venir un chevalier à si vive allure qu'on aurait dit que quelqu'un le poursuivait pour le tuer.

— Seigneur, s'écria messire Gauvain, où allez-vous si vite ?

— Seigneur, je fuis devant un chevalier qui tue tous les autres !

— Qui est ce chevalier ?

— J'ignore qui il est, mais vous ne manquerez pas de le voir si vous continuez votre route !

— Il me semble, dit messire Gauvain, que je vous ai déjà vu quelque part.

— Oui, seigneur : je suis le Chevalier Couard, que vous avez rencontré dans la forêt quand vous avez vaincu le chevalier au bouclier mi-parti noir et blanc, et je suis le vassal de la Demoiselle au Char ; au nom de Dieu, ne me faites pas de mal, car le chevalier que vous allez trouver par là devant a un regard si féroce que je croyais déjà être mort !

— Vous n'avez rien à craindre de moi, dit messire Gauvain, car j'aime beaucoup votre Demoiselle.

— Seigneur, j'aimerais que tous les autres chevaliers soient dans les mêmes dispositions à mon égard, car je n'ai peur de personne sinon de moi-même.

Messire Gauvain quitta le chevalier et continua à travers la forêt dont l'ombre descendait jusque sur la mer ; et au bout d'une grève il aperçut un chevalier armé monté sur un grand destrier, qui portait à son cou un bouclier d'or avec une croix verte.

« Ah, se dit messire Gauvain, ce chevalier pourra-t-il me donner des nouvelles de celui que je cherche ? »

Il se dirigea vers lui à vive allure, le salua, et le chevalier lui rendit son salut.

— Seigneur, dit messire Gauvain, pourriez-vous me renseigner sur un chevalier qui porte un bouclier à bandes d'argent et d'azur avec une croix vermeille ?

— Oui, seigneur, parfaitement ; vous le trouverez dans quarante jours au tournoi des chevaliers.

— Seigneur, demanda messire Gauvain, où se tiendra le tournoi ?

— Dans la Lande Vermeille, où se trouvent déjà nombre de bons chevaliers. C'est là que vous le trouverez, à coup sûr.

Messire Gauvain, tout heureux, prit congé du chevalier, qui fit de même et se dirigea à vive allure vers la mer ; mais messire Gauvain ne put apercevoir le navire dans lequel il monta, car il était ancré sous le rocher. Le chevalier, une fois monté, fit voile vers la mer, comme il en avait coutume ; et messire Gauvain se dirigea vers la Lande Vermeille où devait se tenir le tournoi des chevaliers.

(L.4264-4341)

(Gauvain rencontre une jeune fille qui transporte dans une litière un chevalier mort : elle se rend au tournoi de la Lande Vermeille, avec l'intention de demander au vainqueur du tournoi de venger la mort du chevalier.

Gauvain s'arrête ensuite dans un château où ne se trouvent qu'un chevalier âgé et son écuyer ; le chevalier lui demande de le défendre contre un chevalier portant un bouclier d'or avec une croix verte qui attaque son château parce qu'il a hébergé jadis le Chevalier du Château Mortel. Mais voici que le Chevalier au Bouclier d'Or apparaît sur la lande devant le château. Gauvain s'arme et sort pour défendre son hôte ; mais le chevalier ne se montre nullement agressif, et grâce à une jeune fille qui passe, Gauvain apprend que le seigneur du château incite ainsi à se battre les chevaliers qui s'arrêtent chez lui et les envoie à la mort, pour récupérer leur cheval et leur équipement. La situation étant éclaircie, le Chevalier au Bouclier d'Or veut repartir.)

(L.4341-4385)

Le chevalier prit congé de messire Gauvain, mais celui-ci lui dit qu'il s'était montré fort impoli en oubliant de lui demander son nom. Le chevalier répondit :

— Cher seigneur, je vous en prie, ne me demandez pas mon nom avant le moment où je vous demanderai le vôtre.

Messire Gauvain ne voulut pas insister davantage. Le chevalier pénétra dans la Forêt Solitaire, et messire Gauvain poursuivit son chemin. A tous les chevaliers et à toutes les demoiselles qu'il rencontra, il demanda des nouvelles du chevalier qu'il recherchait. Tous lui dirent qu'il sera à la Lande Vermeille. Il passa la nuit chez un ermite qui lui demanda d'où il venait.

— Du royaume de la Reine des Pucelles, seigneur.

— Et avez-vous vu Perceval le Bon Chevalier, qui a pris un bouclier à la cour du roi Arthur et en a laissé un autre ?

— Non, par ma foi, répondit messire Gauvain, et je le regrette ; mais un chevalier avec un bouclier d'or à la croix verte [1] m'a dit qu'il serait à la Lande Vermeille.

— Seigneur, il vous a dit la vérité : c'est à lui en personne que vous avez parlé. Il y a deux nuits de cela, il a dormi ici, et voici le chien qu'il a rapporté de la cour du roi Arthur, et qu'il m'a demandé d'envoyer à son oncle le Roi Ermite.

— Hélas, dit messire Gauvain, quelle malchance, si c'est vrai !

— Il m'est interdit de mentir, seigneur, à vous ou à quiconque ; la présence du chien vous montre bien si ce que je dis est vrai.

— Seigneur, reprit messire Gauvain, ce bouclier-là, ce n'est pas celui qu'il portait à ses débuts.

— Je connais le bouclier qu'il avait coutume de porter, et qu'il lui arrivera de porter encore ; mais il veut se dissimuler à l'aide de celui-ci ; ce bouclier, il le prit à l'ermitage de Joseu, le fils du Roi Ermite, chez qui Lancelot se trouvait lorsqu'ils suspendirent aux arbres quatre chevaliers voleurs qui la nuit avaient tenté d'entrer par effraction ; et c'est là-bas qu'est resté le bouclier qu'il avait ramené de chez le roi Arthur. Joseu était le fils de ma sœur, et son père et la mère de Perceval étaient frère et sœur. Sachez-le, bien que Joseu soit ermite, il n'existe pas un seul chevalier en Grande Bretagne qui soit aussi courageux et aussi hardi que lui.

— Vraiment, dit messire Gauvain, je n'ai pas eu de chance, car celui que je cherche, je l'ai rencontré hier devant le château où passent les chevaliers, je lui ai parlé, et j'aurais bien aimé savoir son nom, mais il m'a dit de ne pas le lui demander avant que lui-même ne m'ait demandé le mien. Puis il m'a quitté et est entré dans la forêt, et moi je suis venu ici. Je suis si malheureux que je ne sais plus que faire, car le roi Arthur m'a envoyé le chercher, et Lancelot aussi de son côté est parti le chercher au royaume de Logres. J'ai subi trop de déboires dans cette quête. Par deux fois je l'ai rencontré et je lui ai parlé, et voici que je l'ai à nouveau perdu ; et pourtant j'aurais pu deviner que c'était lui, à le voir aussi farouche.

— Seigneur, répondit l'ermite, il est assez réservé, car il ne veut pas galvauder ses paroles, ni montrer aux gens une fausse amabilité, ni faire des promesses qu'il n'aurait pas l'intention de tenir, ni

---

1. Le manuscrit O donne ici : *l'escu d'or a la croiz vermelle* (l. 4354) ; or le chevalier en question, qui n'est autre que Perlesvaus, porte juste auparavant un écu d'or avec une croix verte (aux l. 4250 et 4288) ; comme les autres manuscrits donnent *vert*, nous adoptons cette leçon.

commettre consciemment des vilenies, ni tomber dans le péché de chair ; il est vierge, chaste et vertueux.

— Je sais bien, dit messire Gauvain, qu'il possède toutes les vertus et toute la pureté que l'on souhaite trouver chez un chevalier. Je suis d'autant plus malheureux de ne pas le connaître, car la fréquentation d'un bon chevalier rend meilleur.

(L.4386-4678)
(Épisode de Gauvain au tournoi de la Lande Vermeille. Gauvain arrive à la Lande Vermeille, mais il n'y trouve pas le chevalier qu'il cherche : personne ne porte le bouclier attendu. Pourtant le Bon Chevalier est là, mais avec des armes et un bouclier blancs ; il fait merveille, et c'est finalement contre lui que Gauvain se bat. On les reconnaît pour les meilleurs du tournoi, mais on donne le prix au Chevalier au Bouclier Blanc, qui était arrivé au tournoi avant Gauvain. La demoiselle avec la litière au chevalier mort, qui était venue elle aussi au tournoi pour demander à celui qui en remporterait le prix de venger le chevalier, révèle à Gauvain que le Chevalier au Bouclier Blanc est le meilleur chevalier du monde, que c'est lui qui avait été chez le Roi Pêcheur, puis à la cour d'Arthur pour échanger son bouclier contre celui qui y était conservé ; Gauvain, fort déçu de l'avoir encore manqué, repart à sa poursuite, et la demoiselle aussi.

Pendant ce temps, Lancelot est revenu à l'ermitage de Joseu, qu'il avait aidé à attraper et suspendre à un arbre quatre chevaliers brigands ; il y trouve le bouclier d'or avec une croix verte qu'y avait laissé Perceval ; l'ermite l'avertit que les quatre brigands et leur lignage sont à sa recherche pour se venger. Lancelot repart et passe devant le Château au Cercle d'Or, où est conservée et adorée, coulée dans l'or et ornée de pierres précieuses, la couronne d'épines que le Sauveur portait sur la Croix ; on ne laisse entrer aucun étranger dans ce château, seul le chevalier qui avait vu le Graal le premier pourrait le conquérir. Continuant sa route à travers la forêt, Lancelot fait une troisième rencontre : la demoiselle qui portait toujours sur une litière le chevalier mort ; elle lui révèle que c'est le Seigneur du Dragon Ardent qui avait tué le chevalier — ce que l'on ignorait jusqu'ici, et raconte à Lancelot le tournoi et le combat de Perceval et de Gauvain et la déception de ce dernier quand il avait appris, trop tard, qu'il s'était battu justement contre le chevalier à la recherche duquel il était.

Lancelot poursuit son chemin à travers une forêt sombre et inquiétante, sans trouver où s'arrêter pour passer la nuit ; une jeune fille surgit tout à coup sur sa route — elle avait été avertie de la présence de Lancelot par un nain — qui l'invite à passer la nuit dans sa demeure (en fait, le repaire de cinq chevaliers brigands qui tuaient les chevaliers de passage pour les voler). Rendu méfiant par l'atmosphère du lieu, Lancelot s'endort tout armé, mais pendant la nuit le nain lui prend son cheval et la demoiselle s'empare de son épée ; il rêve qu'il est attaqué par cinq gros chiens : réveillé en sursaut, il voit entrer cinq chevaliers qui viennent l'attaquer ; il se défend du mieux qu'il peut, et dans la lutte il tue le chef des chevaliers brigands, la demoiselle et le nain ; mais les quatre autres chevaliers l'enferment dans la chambre et l'empêchent de partir. Abandonnant Lancelot dans cette situation périlleuse, le récit revient à Gauvain.)

XXV

GAUVAIN RETROUVE PERCEVAL

(L.4679-4767)

Messire Gauvain était à la recherche de Perceval, fort marri de l'avoir rencontré par deux fois sans le reconnaître. Il retourna à la croix où il avait convenu avec Lancelot que celui-ci l'attendrait s'il y venait avant lui. Il sillonna la forêt pendant huit jours dans l'attente du retour de Lancelot, mais il ne put recueillir aucune nouvelle de lui. Il ne voulait pas retourner à la cour du roi Arthur : c'eût été, lui semblait-il, une conduite fort blâmable de sa part. Il reprit donc sa quête et se promit de ne pas l'abandonner avant d'avoir retrouvé Lancelot et reconnu Perceval. C'est ainsi qu'il arriva à l'ermitage de Joseu, où il mit pied à terre ; le jeune ermite le reconnut et lui manifesta sa joie de le revoir ; il l'accueillit pour la nuit, et messire Gauvain lui demanda des nouvelles de Perceval, mais l'ermite lui répondit qu'il ne l'avait plus revu depuis le tournoi de la Lande Vermeille.

— Et savez-vous où il est ?

— Non, j'ignore où il se trouve, répondit l'ermite.

Pendant qu'ils discutaient ainsi, un chevalier arriva, portant des armes d'azur ; il demandait l'hospitalité. L'ermite le reçut avec grand plaisir. Messire Gauvain lui demanda s'il avait rencontré dans la forêt un chevalier avec des armes blanches.

— Par ma foi, répondit le chevalier, je l'ai vu aujourd'hui et je lui ai parlé ; il m'a demandé si je connaissais un chevalier qui porte un bouclier de sinople avec une aigle d'or, et je lui ai dit que non. Je lui ai demandé ensuite pourquoi il me posait cette question, et il m'a répondu qu'il s'était battu avec lui la veille au tournoi de la Lande Vermeille, et qu'il n'avait jamais rencontré aussi rude adversaire ; et il regrettait vivement de n'avoir pu faire sa connaissance, car il lui avait paru fort bon chevalier.

— Par ma foi, dit messire Gauvain, le chevalier en question le regrette encore plus, car il n'y a personne au monde qu'il souhaiterait voir autant que lui.

Apercevant le bouclier de messire Gauvain, le chevalier lui dit :

— Ah ! seigneur, il me semble que c'est vous qu'il cherche !

— Vous dites vrai, répondit messire Gauvain, c'est avec moi qu'il s'est battu. Je suis très heureux d'avoir reçu des coups de la main d'un aussi bon chevalier, et très triste de n'avoir su qui il était. Mais dites-moi où je pourrais le rencontrer.

— Seigneur, dit l'ermite Joseu, il ne s'éloignera pas de cette forêt, car c'est là qu'il se tient le plus volontiers, et le bouclier qu'il ramena de la cour du roi Arthur se trouve dans cette chapelle.

Il le montra à messire Gauvain, qui en fut très heureux.

— Seigneur, demanda le chevalier aux armes bleues [1], vous vous nommez messire Gauvain ?

— Oui, cher seigneur.

— Cela fait longtemps que je suis à votre recherche, seigneur. Méliot de Logres, qui est votre homme lige, et qui est le fils de la dame qui a trouvé la mort à cause de vous, vous fait dire que Nabigan de la Roche a tué Marin son père, et qu'il lui dispute la terre dont il a hérité. Il vous demande de venir à son secours, comme doit le faire un suzerain pour son homme lige.

— Par ma foi, répondit messire Gauvain, j'ai parfaitement conscience que mon aide ne doit pas lui faire défaut ; et dites-lui de ma part que je viendrai à son secours dès que je le pourrai. Mais j'ai entrepris une action que je ne puis abandonner, sauf à y perdre mon honneur, avant de l'avoir menée à bien.

Ils passèrent la nuit à l'ermitage. Le lendemain matin, quand la messe eut été chantée, le chevalier s'en alla, et messire Gauvain demeura. Il était sur le point d'enfourcher sa monture, quand, regardant vers l'orée de la forêt, il vit un chevalier tout armé sur un grand cheval, qui arrivait au pas et qui portait un bouclier identique à celui que portait Perceval la première fois où il l'avait rencontré : le bouclier était d'or avec une croix verte. Il appela l'ermite et lui montra l'arrivant :

— Seigneur, connaissez-vous le chevalier qui arrive ?

— Certes, je le connais, répondit l'ermite. C'est Perceval, celui que vous désirez tant rencontrer.

— Dieu soit béni ! dit messire Gauvain en le voyant approcher.

Il se dirigea vers lui à pied, et Perceval mit pied à terre dès qu'il l'aperçut.

— Seigneur, dit messire Gauvain, soyez le bienvenu !

— Je vous souhaite joie et bonheur, répondit Perceval.

— Seigneur, intervint l'ermite, soyez heureux : c'est messire Gauvain, le neveu du roi Arthur.

— Il m'en est d'autant plus cher, répondit-il. Tous ceux qui le connaissent se doivent de lui témoigner honneur et amitié.

Il lui mit ses bras autour du cou et lui témoigna les plus grandes marques d'affection.

---

1. Les armes du chevalier sont blanches auparavant (l. 4696), et *bleues* ici (l. 4712).

— Seigneur, demanda-t-il, pourriez-vous me renseigner au sujet d'un chevalier qui participait au tournoi de la Lande Vermeille ?

— Quel bouclier portait-il ? demanda messire Gauvain.

— Un écu vermeil avec un aigle d'or ; croyez-moi, je n'ai jamais affronté de chevalier plus rude que celui-ci et Lancelot !

— Cher seigneur, répondit messire Gauvain, je vous laisse la responsabilité de votre appréciation. J'étais au tournoi de la Lande Vermeille, et j'y portais un bouclier identique à celui que vous décrivez, et je me suis battu contre un chevalier aux armes blanches qui possédait toute la prouesse que l'on peut trouver chez un chevalier.

— Seigneur, dit Perceval à messire Gauvain, vous êtes trop indulgent !

Et ils se dirigèrent vers l'ermitage en se tenant par les mains.

— Seigneur, dit messire Gauvain, lorsque vous vous êtes rendu à la cour du roi Arthur pour y chercher le bouclier qui se trouve en ce lieu, votre sœur s'y trouvait justement, qui était venue demander au roi de lui accorder le secours de celui qui emporterait l'écu, car elle était absolument désespérée. Le roi accéda à sa prière, et vous avez emporté le bouclier. Elle sollicite votre aide sans savoir que vous étiez son frère, et elle a dit que si le roi manquait à sa promesse, il commettrait une grave faute et en serait vivement blâmé. Le roi voulut faire tout ce qui était en son pouvoir pour vous retrouver, afin de tenir sa parole. Aussi nous a-t-il désignés pour cette quête, Lancelot et moi ; il serait lui-même parti à votre recherche, si nous avions refusé. Seigneur, je vous ai rencontré deux fois sans vous reconnaître, alors que j'avais un très grand désir de vous voir. C'est la troisième fois que nous nous rencontrons, et cette fois je sais qui vous êtes, et j'en suis profondément heureux. Mais je veux vous dire que je suis très reconnaissant à votre mère de l'accueil qu'elle m'a réservé à Camaalot ; j'éprouve cependant pour elle une grande pitié, car elle est veuve, et âgée, et elle doit affronter, sans aide ni secours, une guerre très dure que lui font des gens sans scrupules qui sont ses voisins et lui enlèvent ses châteaux. Elle m'a supplié en pleurant, de façon très émouvante, de vous mettre au courant de sa situation si je vous trouvais, vous qui êtes son fils ; car votre père est mort, et elle n'attend plus d'aide ni de secours que de vous ; et si vous n'allez pas très vite à son secours, elle perdra le seul château qu'elle tient encore et sera faite prisonnière ; en effet, des quinze châteaux qu'elle possédait du temps de votre père, elle n'a conservé que celui de Camaalot, et de tous ses chevaliers il ne lui en reste que cinq qui l'aident du mieux qu'ils peuvent à garder le château.

(L.4767-4901)
(Perceval accepte d'aller au secours de sa mère, mais il désire avoir auparavant des nouvelles de Lancelot : en effet, l'ermite Joseu leur apprend que les

chevaliers brigands que Lancelot avait suspendus aux arbres de la forêt pour les punir sont à sa recherche pour se venger. Perceval, qui laisse à l'ermitage son bouclier et reprend celui qu'il avait ramené de la cour d'Arthur, retourne dans la forêt accompagné de Gauvain. Un chevalier leur raconte les dernières mésaventures de Lancelot : c'est le cousin du Pauvre Chevalier du Gaste Chastel et de ses deux malheureuses sœurs, chez qui Gauvain et Lancelot s'étaient arrêtés. Ils vont tous trois au repaire des chevaliers brigands pour libérer Lancelot ; dans la bataille, les quatre chevaliers qui l'assiégeaient trouvent la mort. Ils décident de donner cette demeure et tous les trésors amassés par les brigands à la famille du Gaste Chastel. Puis Perceval prend congé de Gauvain et de Lancelot : il part retrouver sa sœur et sa mère, tandis que ses deux compagnons retournent à la cour du roi Arthur.)

XXVI

RÉCIT DE LA MORT DE LOHOT.
PERLESVAUS RETROUVE SA SŒUR

(L.4902-4999)

Le Bon Chevalier quitta ses compagnons en les recommandant à Dieu, et ils firent de même. Messire Gauvain et Lancelot retournèrent à la cour du roi Arthur, et Perceval s'en alla par les forêts inconnues ; à force de chevaucher, il arriva dans une forêt lointaine où il n'avait jamais été, lui semblait-il ; il traversa une contrée qui lui parut désertique, car il n'y rencontra personne ; il n'y vit que des bêtes sauvages qui couraient à travers les plaines. De ce pays désolé, il passa dans une forêt et, dans un défilé de la montagne, il trouva un ermitage. Il mit pied à terre : il entendit l'ermite qui célébrait l'office des morts avec son clerc, et il avait commencé la messe par le *Requiem* ; il regarda à l'intérieur et vit par terre devant l'autel un drap qui semblait recouvrir un corps. Ne voulant pas entrer tout armé dans la chapelle, il écouta la messe de l'extérieur avec un grand recueillement et une grande dévotion, car il aimait et craignait Dieu. Une fois l'office terminé, l'ermite quitta l'armure de Notre-Seigneur [1] et se dirigea vers Perceval ; ils se saluèrent.

— Seigneur, dit Perceval, pour qui avez-vous célébré cet office ? Il me semble qu'il y a là à l'intérieur le corps de celui pour qui cette messe a été dite.

— En effet, répondit l'ermite ; je l'ai dite pour Lohot, le fils du roi Arthur, qui gît là étendu sous ce drap.

— Qui donc l'a tué ? demanda Perceval.

---

1. *L'ermite quitta l'armure de Notre-Seigneur :* ici est explicite la métaphore du prêtre soldat de Dieu, fréquente dans les textes médiévaux.

— Je vais vous le dire. Cette région dévastée qui est de l'autre côté de la forêt par laquelle vous êtes arrivé est l'extrémité du royaume de Logres. Il y avait là un géant si grand, si féroce et si effrayant que personne n'osait habiter sur toute une moitié du royaume, et il en a fait ce territoire désolé que vous avez vu aujourd'hui. Lohot avait quitté la cour du roi Arthur son père pour chercher l'aventure. Dieu voulut qu'il arrive dans cette forêt. Il livra bataille à Logrin le géant, qui était extrêmement féroce, et il le vainquit, ainsi qu'il plut à Dieu. Mais Lohot avait une étrange habitude : lorsqu'il tuait un homme, aussitôt il s'endormait sur son corps. Il s'endormit donc sur le géant. Un chevalier de la cour du roi Arthur, qui s'appelle Keu le sénéchal, était venu par hasard dans cette forêt de Logres. Il avait entendu les cris du géant quand Lohot lui avait donné le coup de grâce. Il arriva aussi vite qu'il put et trouva Lohot endormi sur le corps de Logrin. Il tira son épée et coupa la tête du jeune homme, puis il emporta le corps et la tête et les mit dans un sarcophage de pierre ; il prit soin de mettre en pièces le bouclier de Lohot, afin que l'on ne pût le reconnaître. Revenant au géant, il lui coupa la tête — elle était énorme et affreuse — et il la suspendit à l'arçon à l'avant de sa selle, puis il s'en revint à la cour du roi Arthur et lui en fit présent. Le roi en témoigna une immense satisfaction, de même que toute la cour, et il accrut considérablement le fief du sénéchal, car il croyait qu'il avait dit la vérité. Le lendemain, poursuivit l'ermite, je me rendis sur les lieux où gisait le géant, car une jeune fille était venue toute joyeuse m'apprendre la nouvelle. Le corps du géant me parut si grand que je n'osai m'en approcher. La jeune fille me conduisit au cercueil dans lequel reposait le fils du roi ; elle me demanda sa tête en récompense, et je la lui accordai bien volontiers. Elle l'enferma tout aussitôt dans un coffret magnifique orné de pierres précieuses et tout embaumé à l'intérieur. Puis elle m'aida à transporter le corps du jeune homme dans cette chapelle, à l'ensevelir et à le mettre en terre ; ensuite, elle s'en alla, et depuis je n'ai plus entendu parler d'elle. Si je vous raconte cela, ce n'est pas parce que je désire que le roi soit mis au courant grâce à ce que je vous révèle, et qu'il sévisse contre le chevalier, car je commettrais un grave péché ; mais il a perpétré là un crime et une trahison.

— Seigneur, dit Perceval, il est extrêmement regrettable que le fils du roi soit mort ainsi, car j'avais entendu dire qu'il se montrait de jour en jour meilleur chevalier. Et si le roi savait cela, Keu le sénéchal, qui est loin de faire l'unanimité, perdrait à tout jamais sa place à la cour, et même sa vie, si on pouvait s'emparer de lui, et ce serait justice.

Perlesvaus [1] passa la nuit à l'ermitage. Le lendemain matin il s'en alla après avoir écouté la messe.

---

1. Le manuscrit revient ici au nom de *Perlesvaus*.

Il chevauchait à travers la forêt, fort préoccupé d'avoir des nouvelles de sa mère : jamais il n'en avait éprouvé un tel désir. Il devait être midi quand il perçut les lamentations d'une demoiselle qui se tenait sous un arbre et manifestait un très grand chagrin : il n'avait jamais vu demoiselle à ce point désespérée. Elle était descendue de sa mule, qu'elle tenait par les rênes, et elle s'était agenouillée, tournée vers l'orient. Les mains tendues vers les cieux, elle priait avec une profonde émotion le Sauveur du monde et Sa douce Mère de lui envoyer très vite du secours, car elle était dans une situation désespérée : aucune aide charitable n'eût été mieux employée qu'à lui venir en aide, car il lui fallait se rendre toute seule dans le lieu le plus périlleux qui fût au monde, et si elle se faisait accompagner de quelqu'un, elle ne pourrait accomplir sa tâche. Perlesvaus s'était arrêté dès qu'il avait entendu les lamentations de la jeune fille. Il se tenait dans l'ombre de la forêt, de sorte qu'elle ne pouvait le voir.

— Ah, disait-elle, roi Arthur, vous avez commis une grave faute en oubliant de transmettre ma requête au chevalier qui était venu chercher le bouclier à votre cour, et par lequel ma dame ma mère eût été secourue ! A présent, elle va perdre son château si Dieu ne lui accorde son aide. Et moi, malheureuse, j'ai eu beau parcourir toute la Grande Bretagne, je n'ai pu trouver trace de mon frère, et l'on dit pourtant qu'il est le meilleur chevalier du monde. Mais à quoi nous sert sa bravoure, si elle ne nous est d'aucun secours ? Sa honte n'en sera que plus grande si l'on dépouille sa mère, qui est la plus noble par son lignage et la plus vertueuse des femmes. Mais peut-être que s'il l'avait su, il serait venu ! Mais à mon avis il est mort, ou bien si loin d'ici qu'il n'est au courant de rien. Ah ! Douce Dame, Mère du Sauveur, puisque nous ne pouvons recevoir de lui ni aide ni secours, envoyez-nous l'aide d'un autre, car nous en avons besoin, vous le savez ; en effet, si ma dame ma mère perd son château, il nous faudra nous exiler, car ses frères sont loin. Celui qui était le plus puissant et le plus valeureux, le Bon Roi Pêcheur, gît à présent saisi de langueur, et le Roi du Château Mortel lui fait la guerre ; celui-ci est pourtant mon oncle et le frère de ma mère, mais il veut s'emparer traîtreusement du château de son frère en profitant de sa faiblesse : d'un homme aussi mauvais ma mère n'attend ni aide ni secours. Le bon roi Pellés a abandonné son royaume pour l'amour de Notre Sauveur et il s'est retiré dans un ermitage : celui-là est également le frère de ma mère ; mais il ne peut se battre contre quiconque, car c'est le plus saint ermite qui soit. Du côté de mon père, mes oncles sont tous morts par les armes, et ils étaient onze. Mon père fut le douzième. S'ils étaient encore en vie, ils auraient pu venir à notre secours. Mais le chevalier qui le premier a vu le Graal nous a fait grand tort, car c'est à cause de lui que mon oncle a été saisi de langueur, lui qui était notre principal secours !

A ces mots, Perlesvaus s'avança, et la demoiselle l'entendit. Elle se redressa et regardant derrière elle, elle aperçut le chevalier qui venait, portant à son cou le bouclier rayé d'argent et d'azur avec une croix vermeille.

(L.5000-5206)

(La demoiselle supplie Perlesvaus de les secourir ; lui a reconnu sa sœur, mais elle ignore qui il est, et il ne veut pas encore se découvrir. Il accepte de se rendre à Camaalot. Mais elle doit, quant à elle, se rendre, seule, au Cimetière Périlleux où sont enterrés tous les chevaliers morts en cherchant l'aventure dans la forêt — à condition qu'ils se fussent repentis de leurs péchés. Cependant, la nuit venue, une horde de noirs chevaliers se presse autour du cimetière où ils ne peuvent pénétrer : esprits des chevaliers morts en état de péché, ils se battent et se mutilent les uns les autres de leurs épées rougeoyantes ; la jeune fille, terrorisée, se réfugie dans la chapelle du cimetière. Sur l'autel se trouve le drap sacré pour lequel elle est venue en ce lieu, et qui s'élève dans les airs dès qu'elle veut le toucher : c'est le saint suaire dont fut recouvert le corps du Seigneur après que Joseph d'Arimathie l'eut descendu de la Croix et enseveli dans le Saint-Sépulcre. La jeune fille supplie Dieu de leur venir en aide à elle et à sa mère, et de lui permettre de prendre un fragment du linceul sacré ; le drap se replace sur l'autel, elle y applique son visage et sa bouche et en prélève un morceau.

A minuit une voix se fait entendre, qui annonce à la demoiselle que son oncle le Bon Roi Pêcheur est mort, et que le Roi du Château Mortel s'est emparé de son château et de la chapelle où le Graal apparaissait et où était célébré son office ; depuis, le Graal a cessé d'apparaître et tous les habitants du château ont disparu. La voix avertit la jeune fille que seul son frère pourra l'aider à sauver le Château de Camaalot. Désespérée, la demoiselle rejoint les Vaux de Camaalot où elle retrouve le chevalier dont elle ignore qu'il est son frère ; elle lui annonce la mort du Roi Pêcheur et le conduit au château.)

XXVII

PERLESVAUS RETROUVE SA MÈRE ET LA VENGE

(L.5206-5244)

La dame était aux fenêtres de la grande salle, et elle reconnut sa fille.

— Ah, s'exclama la Dame Veuve, voici ma fille, accompagnée d'un chevalier ! Cher Seigneur Dieu, que vos desseins et votre volonté fassent que ce soit mon fils, car si ce n'est pas lui, mon château est perdu, et mes héritiers en seront privés !

Perlesvaus s'approcha du château avec sa sœur, et reconnut la chapelle aux quatre piliers de marbre qui se dressait entre la forêt et le château, et où son père lui avait dit que l'on se devait d'aimer un bon chevalier, et qu'il n'y avait rien ici-bas de plus précieux, car l'on ne pourrait savoir ce que contenait le tombeau que lorsqu'y viendrait le meilleur chevalier du monde : alors à coup sûr on le saurait. Perlesvaus s'apprêtait à poursuivre son chemin, mais la demoiselle lui dit :

— Seigneur, aucun chevalier ne passe par ici sans aller voir un tombeau qui se trouve dans cette chapelle : vous devez faire comme les autres.

Perlesvaus se dirigea vers la chapelle et mit pied à terre, puis il aida la demoiselle à descendre de sa monture ; après s'être débarrassé de sa lance et de son bouclier, il s'avança vers le tombeau : c'était une splendide sépulture. Il posa la main dessus, et dès qu'il l'eut touché le tombeau commença à se desceller et à s'ouvrir, la pierre tombale glissa sur le côté, de sorte que l'on put voir ce qui se trouvait à l'intérieur. La jeune fille tomba à ses pieds de bonheur. La Dame Veuve avait pris l'habitude, chaque fois qu'un chevalie s'arrêtait auprès du tombeau, de s'y faire conduire. Elle avait auprès d'elle au château cinq vieux chevaliers qui ne voulaient pas l'abandonner. Ils la menèrent à la chapelle, et quand elle vit le tombeau ouvert et la joie que manifestait sa fille, elle sut que c'était son fils, et elle courut l'embrasser et le serrer dans ses bras, pleine d'un immense bonheur.

— Je sais à présent, dit-elle, que Dieu ne m'a pas abandonnée, puisque j'ai retrouvé mon fils. Les malheurs et tous les préjudices que j'ai subis me sont désormais indifférents. Seigneur, dit-elle s'adressant à son fils, la preuve est faite à présent que vous êtes bien le meilleur chevalier du monde, car le tombeau ne se serait pas ouvert autrement, et il n'y aurait eu personne pour savoir qui était celui que vous voyez là à l'intérieur à présent.

Elle ordonne à un chapelain de prendre une lettre avec un sceau d'or qui se trouvait dans le tombeau ; il la lut, et dit que cette lettre affirmait que celui qui reposait dans ce tombeau était l'un de ceux qui avaient aidé à descendre Notre-Seigneur de la Croix. Ils regardèrent à l'intérieur et trouvèrent auprès du corps, toutes tachées de sang, les tenailles qui avaient servi à ôter les clous, mais ils ne parvinrent pas à les séparer du corps ni à les sortir du tombeau. Et Joséphé rapporte que dès que Perlesvaus eut quitté la chapelle, le tombeau se referma aussi hermétiquement qu'auparavant.

(L.5245-5332)
(La Dame Veuve emmène son fils au château et lui conte les méfaits du Seigneur des Marais : elle l'encourage à résister à ses prétentions. Un jour qu'il allait à la chasse, l'un de ses cinq fidèles chevaliers est tué d'un coup d'épieu par le Seigneur des Marais ; Perlesvaus décida de venger ce crime ; rencontrant cinq des chevaliers de son ennemi, il en tua un et fit prisonniers les quatre autres.)

(L.5332-5410)

— Mon cher fils, dit la dame, j'aurais préféré faire la paix, si cela avait été possible.

— Dame, répondit Perlesvaus, c'est ainsi : on doit se battre contre ceux qui font la guerre, et faire la paix avec ceux qui aiment la paix.

Ayant appris que le fils de la Dame Veuve avait tué un de ses chevaliers et en avait pris quatre, le Seigneur des Marais entra dans une violente colère. Il jura qu'il n'aurait un instant de repos avant de s'être emparé de lui ou de l'avoir tué, et que si l'un des chevaliers de sa cour réussissait à s'emparer de lui, il lui donnerait l'un de ses meilleurs châteaux. Nombreux furent ceux qui se mirent en tête de prendre Perlesvaus ; et sept d'entre eux vinrent dès le lendemain, tout armés, dans la forêt de Camaalot, juste devant le château, pour chasser des bêtes sauvages, en faisant en sorte d'être vus de ceux du château.

Perlesvaus assistait à la messe dans la chapelle. Quand l'office fut terminé, sa sœur lui dit :

— Mon cher frère, voici le saint suaire que j'ai rapporté de la chapelle du Cimetière Périlleux. Baisez-le, et portez-le à votre visage, car un saint ermite m'a dit que nous ne récupérerions nos terres que lorsque nous aurions en notre possession un morceau de ce drap.

Perlesvaus le baisa, puis le porta à ses yeux et à son visage. Il alla ensuite s'armer, et les quatre chevaliers du château firent de même ; puis, tel un lion déchaîné, il se précipita hors du château ; montés sur leurs chevaux, et tout bardés de fer, ils se précipitèrent sur les sept chevaliers, eux aussi armés et à cheval. Ils leur demandent qui ils sont et ce qu'ils cherchent, et les chevaliers répondent qu'ils sont les ennemis de la Dame Veuve et de son fils.

— Eh bien, je vous défie ! s'écria Perlesvaus.

Et il s'élança sur eux de toute son ardeur, imité par les quatre chevaliers ; chacun renversa son adversaire avec une telle violence qu'ils les mirent tous à mal, les blessant ou leur brisant bras ou cuisse. Les deux qui restaient soutinrent le combat autant qu'ils le purent, mais ils durent céder. Perlesvaus les fit prendre et conduire au château avec les cinq autres qui avaient été abattus.

Le Seigneur des Marais était allé chasser à l'arc dans la forêt ; entendant le fracas du combat, il se dirigea de ce côté tout armé. L'un des quatre vieux chevaliers avertit Perlesvaus :

— Seigneur, voici le Seigneur des Marais qui arrive ! C'est lui qui s'est emparé des terres de votre mère et qui lui a tué ses hommes ; c'est de lui qu'il faudrait prendre vengeance ! Regardez combien il est emporté !

Perlesvaus le considéra avec hostilité, puis il s'élança contre lui de toute la vitesse de son cheval ; il le frappa en pleine poitrine et le porta à terre d'un seul coup, lui et sa monture. Puis il descendit de cheval et tira son épée.

— Comment ! s'écria le Seigneur des Marais, voulez-vous donc me tuer ?

— Sur ma tête, pas encore, répondit Perlesvaus, mais je vous tuerai bien assez tôt à votre goût !

Le Seigneur des Marais bondit sur ses pieds et se précipita sur Perlesvaus, l'épée à la main, bien décidé à lui faire tout le mal qu'il pourrait. Mais Perlesvaus se défendit vaillamment et porta un tel coup à son adversaire alors que celui-ci se précipitait sur lui, qu'il lui trancha le bras droit qui tenait l'épée. Quand ils virent leur seigneur blessé, les chevaliers qui étaient avec lui s'enfuirent, en déroute. Perlesvaus fit placer le blessé sur un cheval, et le fit mener au château où il le montra à sa mère :

— Dame, voici le Seigneur des Marais. Vous avez fort bien respecté l'engagement de lui remettre sans tarder ce château et tout ce qui en dépend !

— Dame, dit le Seigneur des Marais, votre fils m'a blessé et a fait prisonniers mes chevaliers et moi aussi. Je vous rendrai tous les châteaux qui vous appartenaient, mais faites-moi libérer.

— Et qui donc la dédommagera pour la honte que vous lui avez infligée, et pour les chevaliers que vous lui avez tués sans jamais éprouver la moindre pitié ? Je le jure, si jamais elle avait pitié de vous et vous faisait grâce, plus une seule fois je ne viendrais à son aide en cas de danger. Mais j'aurai pour vous la même pitié et la même compassion dont vous avez fait preuve à son égard et à l'égard de ma sœur. Dieu commanda dans l'Ancien Testament aussi bien que dans le Nouveau de punir les traîtres et les criminels, et c'est ce que je vais faire pour obéir à son commandement.

Il fit préparer une grande cuve qu'il fit placer au milieu de la cour, puis il fit amener les onze chevaliers et ordonna qu'on leur coupe la tête dans la cuve et qu'on les laissent se vider de tout leur sang ; il fit alors ôter les corps et les têtes de la cuve, dans laquelle il ne resta plus que le sang tout pur. Puis il ordonna que l'on enlève son armure au Seigneur des Marais et qu'on le conduise devant la cuve pleine de sang ; il lui fit lier étroitement les pieds et les mains, et l'apostropha d'un ton railleur :

— Seigneur des Marais, Seigneur des Marais ! Puisque jamais vous n'avez été repu du sang des chevaliers de ma dame ma mère, moi je vais vous repaître du sang des vôtres !

Il le fit alors suspendre par les pieds au-dessus de la cuve de telle manière que sa tête y était plongée jusqu'aux épaules, et le laissa ainsi jusqu'à ce qu'il fût mort asphyxié. Puis il fit emporter son corps et ceux des autres chevaliers dans un ancien charnier qui se trouvait tout près d'une vieille chapelle dans la forêt, et fit jeter la cuve pleine de sang dans la rivière, dont l'eau devint toute sanglante. La nouvelle se répandit dans les châteaux que le fils de la Dame Veuve avait tué le Seigneur des Marais et les meilleurs de ses chevaliers ; l'inquiétude s'installa, et la plupart pensèrent qu'il allait leur faire subir le même sort s'ils ne se rendaient pas à lui. On lui apporta les clés de tous les châteaux qui avaient été pris à sa mère et, par crainte de la mort, tous les chevaliers qui avaient été contraints précédemment de l'abandonner l'assurèrent de leur soumission. Toute la région retrouva la paix, et la dame connut un bonheur sans nuages, n'était la mort de son frère le Roi Pêcheur, dont elle était fort affligée.

(L.5410-5481)

(Un jour arrive au Château de Camaalot la Demoiselle au Char et ses deux compagnes : elle alerte Perlesvaus, car le Roi du Chastel Mortel son oncle, qui s'est emparé du château et des terres du Roi Pêcheur, a offert son appui à tous les tenants de l'Ancienne Religion et à ceux qui veulent abandonner la Nouvelle Religion.

A la cour du roi Arthur on ramène un jour deux chevaliers à moitié brûlés : ils ont été tués par le Chevalier au Dragon Ardent, un chevalier géant dont le bouclier porte une tête de dragon crêté qui lance des flammes ; il dévaste les terres d'Arthur pour venger le géant Logrin dont Keu avait rapporté la tête à la cour ; Gauvain et Lancelot s'offrent à aller le combattre, mais le roi hésite à les exposer à un tel danger.)

XXVIII

L'ÉNIGME DE LA BÊTE BLANCHE

(L.5482-5540)

Ici commence une nouvelle branche de l'histoire du Graal, au nom du Père et du Fils et du Saint-Esprit. Perlesvaus était resté auprès de sa mère aussi longtemps qu'il l'avait désiré. Puis il prit congé d'elle et de sa sœur et s'en alla, leur disant qu'il serait de retour le plus tôt qu'il lui serait possible. Il pénétra dans la grande Forêt Solitaire, et, chevauchant sans trêve, il arriva un jour vers l'heure de midi dans une très belle clairière qui se trouvait au milieu de la forêt. Devant lui, il aperçut une croix vermeille ; à l'autre bout de la clairière il vit un très beau chevalier assis dans l'ombre de la forêt : il était tout de blanc vêtu et tenait dans sa main une coupe d'or. De l'autre côté de la clairière se tenait une demoiselle, jeune, élégante et extrêmement belle : toute vêtue de soie blanche ornée de gouttes d'or, elle avait à la main une très belle coupe en or.

Joséphé nous rapporte, dans ce récit écrit sous la dictée de Dieu, que de la forêt surgit une bête blanche comme la neige nouvelle : elle était plus grosse qu'un lièvre, mais plus petite qu'un renard. La bête entra dans la clairière, tout effrayée, car elle avait dans son ventre douze chiots qui jappaient comme une meute de chiens dans un bois. La bête s'enfuyait à travers la clairière, poussée par la terreur des chiens dont elle entendait les aboiements à l'intérieur d'elle-même. Perlesvaus s'appuya sur la poignée de sa lance pour regarder à loisir le spectacle étonnant qu'offrait cette bête : il se sentait pour elle une profonde compassion, tant elle semblait douce et belle, avec ses yeux semblables à deux émeraudes. Tout effrayée, elle courut vers le chevalier, et après s'être arrêtée un instant, à nouveau tourmentée par les chiens, elle se dirigea vers la demoiselle ; là encore elle ne put s'arrêter longtemps, car les chiots ne cessaient de japper, ce qui la remplissait de terreur. N'osant retourner dans la forêt, elle se dirigea vers Perlesvaus pour chercher sa protection. Elle voulut sauter sur le col de son cheval, et il lui tendit les mains pour l'aider et éviter qu'elle ne se blessât ; mais les aboiements des chiots ne cessaient pas un instant. Le chevalier apostropha Perlesvaus :

— Seigneur chevalier, laissez partir cette bête ; ne la retenez pas, car il ne convient pas que vous le fassiez, ni vous ni quiconque ; laissez-la accomplir son destin !

La bête vit qu'elle n'avait aucun secours à espérer, et elle se dirigea vers la croix. Les chiots ne purent rester davantage dans son ventre, et ils en sortirent tout vivants, semblables à des chiens : ils n'avaient ni sa douceur ni sa noblesse. Pour leur marquer sa soumission elle se coucha à terre au milieu d'eux : elle semblait implorer leur pitié, et se tenait aussi près de la croix qu'elle le pouvait. Les chiens s'étaient placés tout autour d'elle, ils l'attaquaient de tous côtés et la mirent en pièces de leurs crocs ; mais ils ne purent réussir à manger sa chair ni à l'éloigner de la croix.

Une fois qu'ils eurent tué la bête, les chiens s'enfuirent, comme enragés, dans le bois. Le chevalier et la demoiselle se dirigèrent vers la croix, là où gisait la bête qui avait été mise en pièces ; ils rassemblèrent chacun une partie de ses restes et les mirent dans leurs coupes d'or, recueillant aussi bien son sang répandu sur le sol que sa chair, puis ils baisèrent l'endroit où avait reposé la bête, firent une oraison devant la croix et s'enfoncèrent dans la forêt. Perlesvaus mit pied à terre et s'agenouilla devant la croix, il la baisa ainsi que le sol où la bête avait été tuée et se recueillit, comme il l'avait vu faire au chevalier et à la jeune fille. Du sol et de la croix lui parvint alors une senteur si douce qu'aucun parfum n'eût pu lui être comparé. Se retournant, il vit venir de la forêt deux prêtres qui allaient à pied ; le premier l'interpella en ces termes :

— Seigneur chevalier, éloignez-vous de la croix, et laissez-nous nous en approcher !

Perlesvaus s'écarta, et l'un des prêtres s'agenouilla devant la croix, s'inclina et se recueillit devant elle et la baisa plus de vingt fois, témoignant de la joie la plus extrême ; puis l'autre prêtre s'approcha, portant de grandes verges ; il écarta de force son compagnon et flagella la croix de ses verges de toutes parts en pleurant très fort. Perlesvaus le regarda faire avec stupéfaction :

— Seigneur, dit-il, vous êtes prêtre, semble-t-il : pourquoi vous livrez-vous à une telle infamie ?

— Seigneur, ce que nous faisons ne vous regarde en rien ; et nous ne vous donnerons aucune explication.

S'il ne s'était pas agit d'un prêtre, Perlesvaus se serait fâché mais il ne voulut pas lui faire de mal et il s'en alla et pénétra dans la forêt, tout armé.

(L.5541-5616)

(Rencontre de Perlesvaus et du Chevalier Couard. A peine entré dans la forêt, Perlesvaus y rencontre le Chevalier Couard qui se présente à lui ; Perlesvaus l'exhorte à devenir hardi, mais il refuse ; Perlesvaus l'oblige à marcher devant lui. Ils ne tardent pas à rencontrer deux jeunes filles qui supplient qu'on les secourt, et que mène un chevalier en les battant de verges jusqu'au sang : ce sont les deux demoiselles du Pauvre Château dont le frère avait reçu Gauvain et Lancelot et à qui en récompense ils avaient donné le butin repris aux chevaliers brigands ; leur bourreau est l'un des chevaliers brigands. Le Chevalier Couard finit par accepter de se battre et il vainc le chevalier brigand, devenant du même coup le Chevalier Hardi.)

XXIX

PERLESVAUS AU CHÂTEAU TOURNOYANT

(L.5617-5693)

(Perlesvaus retourne à Cardoel dont les habitants sont plongés dans l'inquiétude. Il est accueilli avec joie à la cour par Lancelot et Gauvain. Mais on apporte devant le roi les corps de quatre chevaliers qui ont été tués par le Chevalier au Dragon. Arrive alors à son tour la demoiselle qui amenait avec elle le chevalier mort embaumé sur une litière : ce chevalier, explique-t-elle, était Alain fils d'Elinant d'Escavalon, l'un des oncles de Perlesvaus ; et elle avait décidé que c'était le vainqueur du tournoi de la Lande Vermeille qui devrait venger la mort du chevalier ; Alain d'Escavalon était aimé de la Dame au Cercle d'Or, et le Chevalier au Dragon l'avait tué pour défier la Dame : celle-ci promet le Cercle d'Or au chevalier qui vengera ce crime. La demoiselle exhorte Perlesvaus à aller combattre le Chevalier au Dragon : il vengerait ainsi son cousin, gagnerait le Cercle d'Or et protégerait le royaume du roi Arthur que le Chevalier était en train de dévaster.)

(L.5693-5765)

— Demoiselle, demanda Perlesvaus, où est le Chevalier au Dragon ?

— Dans l'Ile des Éléphants, seigneur. C'était l'endroit le plus beau et le plus riche du monde. Mais on dit qu'il l'a complètement dévasté et ravagé, de sorte que plus personne n'ose l'habiter. L'île où il a son repaire est juste au-dessous du château de la Reine au Cercle d'Or, en sorte que chaque jour elle le voit ramener de la forêt les chevaliers pour les tuer et les dépecer, et elle a grand-pitié d'eux.

Les propos de la demoiselle emplissent Perlesvaus de stupeur ; il se dit que puisqu'il a été chargé de venger ces crimes, on le blâmerait vivement de ne point le faire. Il prit congé du roi et de la reine et quitta la cour. Messire Gauvain et Lancelot partirent avec lui, disant qu'ils l'accompagneraient jusqu'à l'île, si cela leur était possible. Perlesvaus était très heureux de les avoir en sa compagnie. Le roi

Arthur et la reine éprouvent les plus grandes craintes pour Perlesvaus, et tous disent que jamais chevalier n'affronta un aussi grand
péril, et que s'il mourait dans cette entreprise, ce serait une perte
immense. Le roi envoie dire à tous les religieux et aux ermites de la
forêt de Cardoel de prier pour Perlesvaus, afin que Dieu le protège
du chevalier malfaisant qu'il allait affronter. Lancelot et messire
Gauvain l'accompagnent à travers îles et forêts inconnues, et ils
trouvent les forêts totalement désertes et les terres incultes et dévastées en bien des endroits. La demoiselle les suivait, amenant toujours avec elle le chevalier mort. Après avoir longtemps chevauché,
ils quittèrent la forêt et débouchèrent dans une plaine. Ils aperçurent
devant eux un château qui se dressait au milieu d'une prairie,
entouré d'eaux vives et d'une ceinture de murs ; on apercevait de
grandes salles garnies de hautes fenêtres. Ils s'approchèrent du château, et ils virent alors qu'il tournait sur lui-même plus vite que le
vent, et il y avait aux créneaux des archers de cuivre qui maniaient
leurs armes si efficacement qu'il n'était pas une arme au monde qui
eût pu protéger de leurs traits. A côté de ces automates se tenaient
des hommes en chair et en os qui sonnaient du cor et de la trompette
si fort qu'il semblait que la terre s'effondrait. Et en bas, devant l'entrée, il y avait des lions et des ours enchaînés qui poussaient de tels
rugissements que toute la forêt et la vallée en retentissaient. Les chevaliers firent halte pour contempler cette merveille.

— Seigneurs, dit la demoiselle, voici le Château de Grande
Défense. Messire Gauvain, et vous, Lancelot, reculez-vous. N'approchez pas les archers de plus près, car l'heure de votre mort serait
arrivée. Et vous, seigneur, dit-elle s'adressant à Perlesvaus, si vous
désirez entrer dans le château, donnez-moi votre lance et votre bouclier : je vous précéderai et les prendrai avec moi, comme garantie
de vos intentions ; vous, suivez-moi, et comportez-vous comme doit
le faire un bon chevalier, et vous pourrez ainsi traverser le château.
Mais vos compagnons peuvent s'en retourner : il n'est pas question
pour eux d'aller plus loin. Seul doit entrer ici celui qui doit vaincre le
chevalier, conquérir le Cercle d'Or et le Graal et mettre fin aux
fausses croyances des habitants du château.

Perlesvaus est fort triste d'entendre la demoiselle affirmer que
messire Gauvain et Lancelot ne viendront pas avec lui, alors qu'ils
sont les meilleurs chevaliers du monde. Il prend congé d'eux avec
beaucoup de peine, et ils se séparent à regret. Mais ils le prient avec
une affectueuse insistance de leur donner la possibilité, si jamais
Dieu permet qu'il sorte vivant de cette épreuve, de le retrouver en
quelque endroit où ils puissent le voir tout à loisir sans qu'il cherche
à se dissimuler. Ils attendent un instant pour voir passer le Bon Chevalier, qui a remis son bouclier et sa lance à la jeune fille. Elle fait

passer devant la litière où repose son chevalier mort, puis montre bien en évidence à ceux du château le bouclier qui avait appartenu au Bon Serviteur, et elle leur dit qu'à présent il appartient au chevalier qui est là derrière elle. Perlesvaus était en selle, sans bouclier, mais il avait sorti son épée ; il s'assura si fermement sur ses étriers qu'ils s'allongèrent, et que le cheval dut plier l'échine. Il regarda alors Lancelot et messire Gauvain :

— Seigneurs, leur dit-il, que le Sauveur du monde veille sur vous !

En réponse, ils exprimèrent le souhait que celui qui fut mis en Croix protège sa personne et sa vie. Perlesvaus piqua alors des éperons, et s'élança de toute la vitesse de son cheval vers le Château Tournoyant. Il heurta la porte de son épée si rudement qu'elle s'enfonça de trois doigts au moins dans un pilier de marbre. Les lions et les ours enchaînés qui gardaient la porte se réfugièrent dans leur cage ; le château s'arrêta tout à coup, et les archers cessèrent de tirer. Il y avait trois ponts-levis devant le château, qui se relevèrent dès qu'il les eut franchis. Lancelot et messire Gauvain assistèrent à ces prodiges, et ils voulurent s'approcher du château quand ils l'eurent vu s'arrêter. Mais du haut des créneaux un chevalier les interpella :

— Seigneurs, si vous avancez encore, les archers tireront, le château se remettra à tourner et les ponts s'abaisseront, et vous serez fort marris !

Ils reculent tout aussitôt, et entendent venant de l'intérieur du château les plus vibrantes manifestations de joie : la foule s'écrie qu'est arrivé celui par qui ils seront doublement sauvés, car il leur apportera le salut de leur vie, et le salut de leur âme, si Dieu lui accorde de vaincre le chevalier qui est habité par l'esprit du diable. Lancelot et messire Gauvain s'en retournent tristes et mélancoliques de n'avoir pu aller plus loin, et ils ne voient aucun autre accès possible que celui-là.

(L.5766-5787)
(Lancelot et Gauvain s'en retournent et arrivent près de la Gaste Cité où avait eu lieu la décapitation du chevalier : Lancelot se rappelle que le délai d'un an est passé au terme duquel il doit offrir sa tête à couper. Mais le Pauvre Chevalier arrive et le rassure : il a obtenu pour lui un nouveau délai, jusqu'à quarante jours après que le Graal sera conquis.)

(L.5788-5815)
D'après le récit véridique de Joséphé, le Château Tournoyant avait été construit par Virgile, qui y avait mis toute sa science, au moment où les philosophes étaient partis à la recherche du Paradis Terrestre. Et une prophétie avait annoncé que le château ne cesse-

rait de tourner que lorsque viendrait le chevalier à la chevelure d'or, au regard de lion, au cœur d'acier, au nombril de vierge, doué de vertus sans taches, de la vaillance d'un homme, et d'une foi absolue en Dieu. Et ce chevalier porterait le bouclier du Bon Serviteur qui avait descendu de la Croix le Sauveur du monde. La prophétie ajoutait que tous les habitants du château et des autres châteaux dépendant de celui-ci seraient fidèles à l'Ancienne Religion jusqu'à l'arrivée du Bon Chevalier, et c'est pour cela qu'à son entrée au château tous disaient qu'était venu celui grâce à qui leurs âmes seraient sauvées et leur mort différée ; en effet, dès son arrivée ils coururent se faire baptiser et dès lors crurent fermement en la Trinité et adoptèrent la Nouvelle Religion. Et s'il y avait eu de telles manifestations de joie au château, c'est que dès lors ils n'avaient plus à craindre la mort : jusque-là ils redoutaient de mourir dans le péché de fausse croyance et de se trouver condamnés.

Perlesvaus fut extrêmement heureux de voir que les habitants du château se convertissaient à la Sainte Religion, et la demoiselle lui dit :

— Seigneur, jusqu'à présent vous avez fort bien réussi ; il ne vous reste plus qu'à achever votre mission, car jamais aucun des habitants du château ne sortira aussi longtemps que le Chevalier au Dragon sera en vie. Il ne faut pas tarder, car plus vous attendrez, et plus le chevalier aura dévasté de terres et tué de gens.

Perlesvaus prend congé des habitants du château, qui lui témoignent leur joie ; mais ils sont fort inquiets pour lui, à cause de l'adversaire qu'il va devoir affronter, et ils disent que s'il le vainc, jamais chevalier n'aura connu si glorieuse aventure. Avant de partir il entendit la messe, et l'on fit pour lui de riches offrandes en l'honneur du Sauveur et de Sa tendre Mère, afin qu'ils le protègent. La demoiselle partit devant, car elle connaissait le repaire du mauvais chevalier. Ils chevauchèrent jusqu'à l'Ile des Éléphants. Le chevalier avait mis pied à terre sous un olivier : il venait de tuer quatre chevaliers du Château de la Reine au Cercle d'Or.

(L.5816-5974)

(S'il vainc le Chevalier au Dragon, la Reine lui promet de lui donner le Cercle d'Or et de se convertir à la religion chrétienne. Perlesvaus va affronter le chevalier géant : son bouclier est grand, noir, effrayant, avec au centre une tête de dragon qui jette le feu. Perlesvaus veut frapper son adversaire de sa lance, mais elle est brûlée tout aussitôt ; l'autre riposte, mais le bouclier de Perlesvaus le protège : sa boucle centrale contient en effet comme reliques du sang et un fragment du vêtement de Notre-Seigneur, et il renvoie les flammes que jette la tête du dragon. De rage, le chevalier brûle le chevalier mort qu'avait amené la demoiselle et le réduit en cendres ; Perlesvaus est furieux de voir le sort subi par le corps de son parent : il tire son épée, tranche le poing droit de

son adversaire et la plonge dans la bouche du dragon : la tête tombe foudroyée dans un grand cri et se retourne contre son maître le chevalier géant, qu'elle réduit en cendres, puis elle disparaît en un éclair. On fait fête à Perlesvaus, la Dame se fait baptiser sous le nom d'Eliza : après avoir vécu saintement, elle mourra vierge et son corps sera enterré en Irlande, où il est encore vénéré. Le bruit de cet exploit se répand jusqu'à la cour d'Arthur : le Chevalier au Cercle d'Or, disait-on, a tué le Chevalier au Dragon ; mais on ignorait qui était ce Chevalier au Cercle d'Or.

Après avoir soigné ses blessures, Perlesvaus repart, laissant le Cercle d'Or au château. Il parvient bientôt au Château de la Tour de Cuivre : la majorité de ses habitants adorent la Tour de Cuivre, qui se dresse au milieu du château sur quatre piliers de cuivre, et qui hurle sans cesse et si fort qu'on l'entend à une lieue ; un mauvais esprit est à l'intérieur, qui répond aux questions que lui posent ses fidèles. L'entrée du château est gardée par deux automates de cuivre armés ; mais une voix ordonne à Perlesvaus d'avancer sans crainte. A l'intérieur, les habitants adorent la tour hurlante ; confiants dans l'inviolabilité de leur forteresse, ils ne sont pas armés ; la voix ordonne à Perlesvaus de les faire sortir du château : ceux que les guerriers de cuivre épargneront pourront être convertis à la foi chrétienne ; sur mille cinq cents, seuls treize sont épargnés ; le mauvais esprit sort de la tour comme la foudre, et la Tour de Cuivre s'effondre ; les treize rescapés sont baptisés, et les corps des mécréants sont jetés dans le fleuve d'enfer : ce fleuve, disent bien des gens qui l'ont vu, va jusqu'à la mer, et s'y jette à l'endroit où elle est la plus dangereuse — peu de bateaux y passent qui en réchappent. On nomma désormais le château Château de l'Épreuve ; les treize nouveaux chétiens y restèrent jusqu'à ce que toutes les îles eussent embrassé la Nouvelle Religion, puis ils se firent ermites dans la forêt.)

XXX

PERLESVAUS RECONQUIERT
LE CHÂTEAU DU GRAAL

(L.5974-6094)

(Perlesvaus retourne chez son oncle le Roi Ermite, qui élucide pour lui les aventures énigmatiques qu'il vient de vivre. La bête blanche représente le Christ, et les douze chiots sont les Juifs de l'Ancienne Religion, que Dieu créa à son image et qui refusèrent de croire en lui et le crucifièrent ; des deux prêtres qui étaient venus ensuite, l'un adorait la croix parce qu'elle avait porté le saint corps du Christ, l'autre la battait parce qu'elle avait été l'instrument de son martyre. Le Chevalier au Bouclier Ardent était un démon, de même que le dragon de son bouclier ; le dragon l'avait tué, car c'est ainsi que se traitent entre eux les démons ; et si le dragon avait réduit en cendres le corps de son cousin le chevalier mort, c'est que le démon a pouvoir sur les corps, mais non sur les âmes. Le Château Tournoyant était l'entrée de la forteresse du Diable, et seul Perlesvaus pouvait obtenir la conversion de ses habitants ; si Gauvain et

Lancelot n'avaient pu y pénétrer, c'est parce qu'ils n'étaient pas chastes comme lui. L'aventure de la Tour de Cuivre prouve elle aussi combien Perlesvaus a fait pour la religion chrétienne : car il a anéanti là la pire des religions, celle des gens qui croyaient au Diable. Le Roi Ermite lui fixe alors une autre mission : il lui faut reconquérir le Château du Graal ; depuis qu'il est entre les mains du Roi du Château Mortel, les habitants du royaume ont dû, de gré ou de force, abjurer la religion chrétienne, et le Graal a disparu ; s'il réussit, Dieu lui en saura gré. Pour l'aider dans sa mission, son oncle lui donne une bannière et sa mule blanche, sur laquelle il devra monter dès qu'il se sentira menacé : en effet, vingt-sept chevaliers gardent les neuf ponts du château ; il lui apprend aussi que deux lions gardent l'entrée, l'un rouge et l'autre blanc : qu'il regarde ce dernier, grâce à lui il saura ce qu'il devra faire.)

(L.6095-6271)

Perlesvaus quitta l'ermitage, emportant la bannière comme le lui avait recommandé son oncle, et suivi de la mule blanche. Il se dirigea vers les terres qui avaient appartenu au Roi Pêcheur, et rencontra un ermite qui venait de sortir de son ermitage et qui, apercevant la croix sur le bouclier de Perlesvaus, s'arrêta aussitôt :

— Seigneur, dit-il, je vois que vous êtes chrétien, et cela fait bien longtemps que je n'en avais plus vu un seul. Le Roi du Château Mortel veut tous nous chasser hors de cette forêt, car il a renié Dieu et Sa tendre Mère, et nous n'osons y demeurer malgré son interdiction.

— Sur ma tête, s'écria Perlesvaus, vous resterez, avec l'aide de Dieu d'abord et la mienne ensuite ! Y a-t-il d'autres ermites dans cette forêt ?

— Oui, seigneur, il y en a douze, qui m'attendent dans un bois là-bas ; nous voulons tous nous en aller au royaume de Logres et nous exiler pour l'amour de Dieu, abandonnant ici nos édifices et nos chapelles, car nous redoutons le roi félon qui s'est emparé du royaume.

Perlesvaus a accompagné l'ermite jusqu'à la croix où ils se rassemblaient ; il y retrouva Joseu le jeune ermite, le fils du roi Pellés, ce dont il fut très heureux. Il ordonna aux ermites de s'en retourner avec lui, car avec l'aide de Dieu il les défendrait ; et il leur demanda avec beaucoup de douceur de prier pour lui Notre-Seigneur afin qu'il lui accorde de conquérir ce qui devait lui appartenir.

Il s'approcha du château : l'entrée était fort bien défendue. Certains savaient que Perlesvaus s'en emparerait : car une prophétie avait annoncé depuis bien longtemps que celui qui portait ce bouclier le conquerrait sur celui qui avait renié Dieu. Les chevaliers aperçurent Perlesvaus qui approchait avec toute la compagnie des ermites. Il y avait sur le pont, à deux portées d'arc, une chapelle exactement semblable à celle qui se trouvait à Camaalot : à l'intérieur se trouvait un tombeau, et l'on ignorait ce qu'il contenait. Perlesvaus s'arrêta, imité par ses compagnons. Il posa sa lance et son-

bouclier contre le mur de la chapelle, et fit arrêter son cheval et sa
mule. Il regarda le sarcophage, qui était fort beau : et aussitôt il s'ouvrit et la dalle qui le recouvrait se souleva, laissant voir à l'intérieur
un chevalier qui reposait, et l'odeur qui s'exhalait était si suave que
l'air en était tout embaumé. Ils trouvèrent une inscription attestant
que ce chevalier se nommait Joseph. Quand ils virent que le tombeau s'était ouvert, les ermites dirent à Perlesvaus :

— Seigneur, nous savons à présent que vous êtes le Bon Chevalier, le chaste.

Les chevaliers qui gardaient les ponts apprirent que le tombeau
s'était ouvert à l'arrivée du chevalier ; ils furent saisis d'inquiétude,
car cela voulait dire que c'était là le chevalier qui le premier était
venu au Château du Graal. La nouvelle parvint au seigneur : il
recommanda à ses chevaliers de ne pas avoir peur, car le chevalier ne
pourrait rien contre eux.

Perlesvaus était sur son cheval, tout armé ; les ermites le bénirent
et le recommandèrent à Dieu. La lance au poing, il se dirigea vers les
trois chevaliers qui gardaient le premier pont. Ceux-ci se précipitèrent sur lui. Il frappa l'un d'entre eux si violemment qu'il le fit
choir dans l'eau qui courait sous le pont. Les deux autres lui résistèrent longtemps, mais il finit par les vaincre et les mettre en pièces,
et il jeta leurs corps dans la rivière. Les chevaliers du second pont
s'avancèrent à leur tour et se défendirent vigoureusement. Joseu dit
à ses compagnons qu'il irait volontiers aider son cousin, à moins que
ce ne fût un péché : ils lui répondirent qu'il n'avait rien à craindre de
tel. Otant sa cape grise, il conserva simplement sa robe, puis il se saisit de l'un des adversaires de Perlesvaus, le chargea sur ses épaules et
le jeta dans la rivière, et Perlesvaus tua les deux autres. Après avoir
conquis les deux premiers ponts, il était las et épuisé. Il se rappela
alors le lion blanc dont son oncle lui avait parlé : il l'aperçut devant
la porte, dressé sur ses deux pattes. Perlesvaus le regarda entre les
deux yeux, et sut que le lion pensait — telle était la volonté divine —
que les chevaliers qui défendaient le troisième pont étaient trop
braves pour être vaincus par un seul chevalier, à moins que ce ne fût
la volonté de Dieu ; mais s'il voulait les vaincre, il lui fallait aller
chercher la mule et la bannière : Perlesvaus percevait parfaitement
les pensées du lion blanc. Il revint sur ses pas, et Joseu fit de même.
Mais dès qu'ils se furent éloignés des ponts, ils se retournèrent et
virent que le premier pont avait été relevé. Perlesvaus alla à la mule,
dont le front était étoilé d'une croix vermeille ; il monta dessus, prit
la bannière et tira son épée. Dès que le lion blanc le vit revenir, il se
libéra de sa chaîne et, courant parmi les chevaliers jusqu'au pont qui
avait été relevé, il l'abaissa tout aussitôt. L'épée au poing, monté sur
la mule blanche, Perlesvaus arrivait sur les défenseurs du troisième

pont, et il frappa l'un d'entre eux si fort qu'il le précipita dans l'eau. Joseu l'ermite voulut se saisir des deux autres, mais ils crièrent grâce et dirent qu'ils feraient ce que Perlesvaus voudrait et qu'ils croiraient en Dieu et en Sa tendre Mère, et ceux du quatrième pont firent de même. Sur le conseil de Joseu, Perlesvaus leur laissa la vie sauve : ils déposèrent leurs armes et passèrent les ponts. Perlesvaus se dit en lui-même que la puissance divine est grande, mais qu'un chevalier qui sent en lui force et bravoure doit les mettre à l'épreuve pour l'amour de Dieu ; car même si tous les hommes s'opposaient à Dieu et à sa volonté, il ne lui faudrait pas plus d'une heure pour les vaincre ; mais il désire qu'on se donne de la peine pour lui de la même façon que lui accepta de souffrir pour nous. Perlesvaus revint en arrière et descendit de la mule, et il remit la bannière à Joseu ; puis il monta sur son destrier et s'avança vers les défenseurs du cinquième pont ; ceux-ci étaient braves, ils se défendaient vaillamment contre Perlesvaus et rendaient coup pour coup. Joseu l'ermite vint à la rescousse et les attaqua vigoureusement ; Perlesvaus de son côté les tuait, les renversait et les précipitait dans l'eau qui courait sous les ponts.

Quand les défenseurs du sixième pont virent que tous les autres ponts avaient été pris, ils demandèrent grâce à Perlesvaus, se rendirent à lui et lui remirent leurs épées, et ceux du septième pont firent de même. Quand le lion vermeil vit que les sept ponts étaient pris et que les défenseurs des deux derniers venaient de se rendre à Perlesvaus, il bondit en avant de toutes ses forces en tirant sur sa chaîne et, saisissant l'un des chevaliers, il le tua et le dévora ; le lion blanc, furieux, se précipita sur l'autre lion et le déchira de ses dents et de ses griffes. Puis, se dressant sur ses pattes de derrière, il regarda Perlesvaus, qui le regarda à son tour. Perlesvaus sait que le lion pense que les chevaliers du dernier pont sont plus difficiles à vaincre que les autres, et que s'ils ne sont anéantis par la volonté de Dieu et par son action à lui, le lion, ils ne le seront jamais ; il ne faut pas qu'il les accepte auprès de lui, quelques promesses qu'ils fassent, car ce sont des traîtres ; mais qu'il monte à nouveau sur la mule blanche, car c'est une créature de Dieu, et que Joseu apporte la bannière, et que tous les ermites, qui sont de saints hommes, y aillent aussi pour effrayer le roi traître : la conquête du château marquera sa fin. Perlesvaus fait tout à fait confiance aux pensées du lion : quittant son cheval, il remonte sur la mule, et Joseu prend la bannière ; la très belle et très sainte compagnie des douze ermites s'approcha du château. Les chevaliers qui gardaient les deux derniers ponts virent Perlesvaus se diriger sur eux en compagnie de Joseu l'ermite, bannière levée, qu'ils avaient vu mettre à mal leurs compagnons. La puissance de Dieu, la vertu de la mule et la sainteté des ermites firent plier la force des chevaliers qui se retrouvèrent impuissants. Mais au fond de leur cœur ils restaient des traîtres, et ils étaient très tristes d'avoir vu tuer leurs parents ; aussi imaginèrent-ils que s'ils pouvaient obtenir leur grâce, ils n'auraient de cesse ensuite de tuer Perlesvaus. Ils s'avancèrent donc, feignant d'implorer humblement sa grâce et l'assurant de leur entière soumission. Perlesvaus regarde le lion pour savoir ce qu'il doit faire. Il voit que le lion pense que ce sont des traîtres pleins de perfidie, et que s'ils mouraient le roi perdrait toute sa force, et que s'il décide de les attaquer, le lion l'aidera à les anéantir. Perlesvaus dit aux chevaliers qu'il n'aura d'eux aucune pitié : il s'élance sur eux, l'épée au clair, mais il est fort marri de voir qu'ils ne se défendent pas, et pour un peu il les aurait épargnés. Mais le lion n'était pas dans les mêmes dispositions : il se précipita sur eux, les tua et les dévora, et précipita leurs membres et leurs corps dans la rivière. Perlesvaus le laissait faire, il le regardait agir avec une grande satisfaction : il n'avait jamais vu une bête si digne d'amour.

Le roi était aux créneaux. Il vit que ses chevaliers étaient morts et que le lion participait à l'anéantissement des derniers d'entre eux. Il se plaça à l'endroit le plus haut du mur d'enceinte, releva sa cotte de mailles, puis, tirant son épée, il se l'enfonça dans le corps et tomba par-dessus les remparts dans la rivière, qui était rapide et profonde. Perlesvaus et les ermites assistèrent à toute la scène et furent très surpris de le voir se suicider de cette manière. Joséphé nous rapporte que l'on ne doit pas s'étonner si, sur trois ou quatre frères, il en est un de mauvais ; et c'est une chance, ajoute-t-il, que l'unique mauvais ne gâte pas les autres, car la méchanceté est incisive, âpre et captieuse, alors que les bons sont toute naïveté et toute humilité. Caïn et Abel étaient frères, et pourtant Caïn trahit son frère. Il arrive que quelqu'un trahisse celui qui est de son sang, et c'est malheureux, dit Joséphé, de voir des créatures qui devraient être unies s'opposer les unes aux autres par méchanceté. Joséphé rappelle tout cela à propos de ce mauvais roi, si déloyal, qui appartenait au lignage du bon serviteur Joseph d'Arimathie. Ce mauvais roi était l'oncle du Bon Chevalier, il était le frère du Roi Pêcheur, du bon roi Pellés également, qui pour servir Dieu avait renoncé au monde, et de la Dame Veuve, mère de Perlesvaus. Tout ce lignage fut au service de Notre-Seigneur dès l'origine et jusqu'au bout, à l'exception de ce mauvais roi, qui connut, comme vous l'avez vu, une fin terrible.

Ainsi donc, le roi qui s'était emparé du château du Roi Pêcheur s'est suicidé, et ses chevaliers ont tous été vaincus. Perlesvaus entra dans le château, suivi des saints ermites. En entrant dans la grande salle, il leur sembla entendre chanter le *Gloria in excelsis Deo* et louer le Seigneur dans une chapelle.qui se trouvait là. Les salles

étaient splendides, richement et magnifiquement ornées. Ils trouvèrent ouverte la chapelle où étaient naguère les saintes reliques ; les
ermites prièrent pour que Dieu leur envoient sans tarder le Saint
Graal et les reliques qui se trouvaient au château auparavant.

Les saints hommes restèrent au château avec Perlesvaus. D'après
le témoignage de Joséphé, les chevaliers âgés qui appartenaient à la
maison du Roi Pêcheur, les prêtres et les demoiselles du château
étaient partis dès que le roi qui venait de mourir s'en était emparé,
car ils ne voulaient pas pactiser avec lui, et Dieu les avait pris sous sa
protection et leur avait permis de s'enfuir sains et saufs. Le Sauveur
savait que le Bon Chevalier venait de reconquérir le château qui
devait lui appartenir, et il y fit retourner tous ceux qui avaient été au
service du Roi Pêcheur. Perlesvaus fut heureux de les voir, et la joie
fut réciproque. Ils semblaient revenir d'un lieu où régnaient Dieu et
Sa volonté.

Ce noble récit porte témoignage que le Sauveur du monde fut heureux de la conquête du château. Le Saint Graal réapparut dans la
chapelle, ainsi que la Lance à la pointe qui saigne et l'épée dont saint
Jean avait été décapité, que messire Gauvain avait rapportée. Les
ermites s'en retournèrent dans leur ermitage et continuèrent à servir
Notre-Seigneur. Joseu demeura au château avec Perlesvaus aussi
longtemps qu'il le désira ; mais le Bon Chevalier parcourut le
royaume à la recherche des lieux où la Nouvelle Religion avait été
abandonnée. Il ôta la vie à tous ceux qui refusèrent de croire en
Dieu. Grâce à lui, le pays fut maintenu dans la foi, et la religion de
Notre-Seigneur exaltée par sa force et sa valeur. Les prêtres et les
chevaliers de son oncle qui étaient revenus au château portaient à
Perlesvaus un profond attachement, car sa vertu, loin de décroître,
augmentait chaque jour. Ils lui montrèrent la sépulture de son oncle
dans la chapelle, devant l'autel : le tombeau était magnifique, tout
chargé de pierres précieuses ; les prêtres et les chevaliers lui dirent
qu'ils avaient déposé le corps dans le cercueil et qu'ils s'étaient éloignés, et que quand ils étaient revenus, ils avaient trouvé ce magnifique tombeau : ils ne savaient qui avait pu faire cela, sinon la
volonté divine ; et ils lui révélèrent que chaque nuit ce lieu était brillamment éclairé de chandelles, et ils ne savaient d'où cela pouvait
venir, sinon de Dieu.

XXXI

ARTHUR APPREND QUE KEU A TUÉ SON FILS

(L.6272-6393)

Laissant Perlesvaus, le récit revient au roi Arthur : c'est une histoire véridique, si le texte en latin est digne de foi, et qui n'a en rien été corrompue.

Un jour de Pentecôte, le roi Arthur était à Cardoel, et dans la grande salle il y avait beaucoup de chevaliers. Le roi était assis à table, les chevaliers tout autour de lui. Il regarda vers les fenêtres à droite et à gauche, et il s'aperçut qu'en venaient deux rayons de soleil dont toute la salle était illuminée. Fort étonné, il envoya quelqu'un à l'extérieur voir ce qui se passait. On revint lui dire que deux soleils brillaient dans le ciel, l'un vers l'orient et l'autre vers l'occident. Le roi fut très étonné et pria Notre-Seigneur de lui faire connaître la raison de ce phénomène. Une voix se fit alors entendre à l'une des fenêtres de la salle, qui disait :

— Roi, ne soyez pas surpris si deux soleils apparaissent dans le ciel, car Dieu a le pouvoir de faire cela. Sachez que c'est pour célébrer la victoire du Bon Chevalier qui vint prendre le bouclier ici. Il a reconquis le royaume du Roi Pêcheur sur le mauvais roi qui en avait expulsé la bonne religion et avait provoqué ainsi la disparition du Graal. Dieu désire que vous vous rendiez là-bas à présent et que vous choisissiez parmi les meilleurs de votre cour les chevaliers qui vous accompagneront : vous ne pourriez faire plus beau pèlerinage ; et à votre retour votre foi sera deux fois plus solide.

La voix se tut alors, et le roi fut heureux des paroles qu'elle avait prononcées. Il était assis à table auprès de la reine. Arriva alors une demoiselle d'une très grande beauté, qui portait un coffret, le plus splendide qu'on ait jamais vu, tout d'or fin et couvert de pierres précieuses. Le coffret n'était pas très grand : la demoiselle pouvait le tenir dans ses deux mains. Elle s'avança jusqu'au roi, le salua avec le plus grand respect, ainsi que la reine. Le roi lui rendit son salut.

— Seigneur, dit-elle, je suis venue à votre cour car c'est la plus noble de toutes, et je vous apporte ce coffret magnifique que voici ; il contient la tête d'un chevalier ; nul ne peut l'ouvrir, sauf celui qui a tué ce chevalier. Je vous demande instamment, à vous qui êtes le meilleur roi au monde, que vous en fassiez l'essai, puis que vous proposiez l'épreuve à chacun de vos chevaliers. Et si jamais il apparaît que ce meurtre vous concerne ou concerne l'un des chevaliers ici présents, je vous demande d'accorder un délai de quarante jours après votre retour du Château du Graal au chevalier qui réussira à ouvrir le coffret où se trouve la tête du chevalier qu'il a tué.

— Demoiselle, demanda le roi, comment connaîtra-t-on l'identité du chevalier tué ?

— Ce sera possible, seigneur : une lettre scellée indique le nom du meurtrier.

Le roi accorde à la demoiselle tout ce qu'elle a demandé. Puis il la fait asseoir à table et la traite avec les plus grands égards. Quand la demoiselle eut mangé, elle vint se placer devant le roi :

— Seigneur, dit-elle, demandez à vos chevaliers de se préparer à l'épreuve que vous avez acceptée, et venez le tout premier.

— Volontiers, demoiselle, dit le roi.

Il avança la main, pensant pouvoir ouvrir le coffret ; mais ce n'était pas à lui de parvenir à l'ouvrir, et dès qu'il le toucha de sa main, le coffret se mit à ruisseler, comme s'il avait été mouillé. Le roi en fut stupéfait. Il demanda à messire Gauvain de se prêter à l'épreuve, puis à Lancelot, et à tous ceux de la cour. Messire Keu le sénéchal s'était occupé de faire servir le repas, et il entendit dire que le roi et tous les autres chevaliers avaient tenté l'épreuve ; il vint sans attendre d'être appelé :

— Or çà, Keu, dit le roi, je vous avais oublié !

— Sur ma tête, dit Keu, vous n'auriez pas dû m'oublier, car je suis aussi bon chevalier que ceux que vous avez appelés avant moi.

— Keu, répondit le roi, seriez-vous si heureux de pouvoir ouvrir le coffret et d'avoir tué le chevalier dont il renferme la tête ? Je vous le jure, moi qui suis roi, je n'aurais pas voulu avoir ouvert le coffre ; car il n'est si pauvre chevalier qui n'ait au moins un parent ou un ami, et l'on ne peut dire qu'il soit aimé de tous, celui qui est haï d'une seule personne.

— Sur ma tête, seigneur, je souhaiterais que les têtes de tous les chevaliers que j'ai tués, sauf d'un seul, fussent dans cette salle, accompagnées de lettres prouvant que je les ai tués. Ainsi vous seriez obligé de croire ce à quoi vous empêchent d'ajouter foi des jaloux qui pensent valoir mieux que moi et qui pourtant ne vous ont pas aussi bien servi que moi.

— Keu, dit le roi, laissons cela, et venez.

Keu alla vers le roi jusqu'à la table sur laquelle le coffret avait été posé. Il le saisit avec assurance, une main dessus, l'autre dessous ; le coffret s'ouvrit dès qu'il l'approcha de lui, et il aperçut la tête qui était à l'intérieur. Une odeur très douce et très suave s'en exhalait, et tous dans la salle la perçurent.

— Seigneur, dit Keu au roi, j'ai accompli bien des exploits à votre service, vous le voyez : ni vous ni aucun de ces chevaliers à qui vous portez si grande estime n'a été capable d'ouvrir ce coffret, et ce n'est pas par eux que vous auriez pu savoir ce qu'il contenait !

— Seigneur, dit la demoiselle qui avait apporté le coffret, faites lire la lettre : on saura qui est ce chevalier, à quel lignage il appartient, et dans quelles circonstances il est mort.

Le roi était assis auprès de la reine ; il fit appeler son chapelain et lui ordonna d'exposer devant tous le contenu du message. A la lecture de la lettre, le chapelain se mit à soupirer :

— Seigneur, dit-il au roi, écoutez-moi, ainsi que la reine et les chevaliers. Cette lettre dit que ce chevalier dont le coffre contient la tête se nomme Lohot, et qu'il était le fils du roi Arthur et de la reine Guenièvre. Il y a deux jours, il a tué Logrin le Géant grâce à sa vaillance. Messire Keu le sénéchal passa par là et trouva Lohot endormi sur Logrin, car telle était son habitude, de s'endormir sur le corps de son adversaire quand il l'avait tué. Messire Keu lui coupa la tête et abandonna là le corps et la tête ; puis il prit la tête du géant et l'apporta à la cour d'Arthur ; il fit croire au roi, à la reine et à tous les chevaliers de la cour qu'il l'avait tué lui-même ; mais cette lettre prouve que ce n'est pas vrai, mais que c'est Lohot qui a tué le géant, et Keu a tué Lohot : cette lettre en témoigne.

Quand la reine apprit que c'était son fils qui était mort ainsi, elle tomba évanouie sur le coffret ; puis elle prit la tête entre ses bras et la reconnut bien à une cicatrice que son fils s'était faite encore adolescent. Quant au roi, il avait tant de peine que personne ne pouvait le consoler : car jusque-là il croyait son fils vivant, et quand on avait appris à la cour que le Chevalier au Cercle d'Or avait tué le Chevalier au Dragon, il avait cru que c'était son fils, car on ne précisait pas que c'était Perlesvaus.

Messire Gauvain, Lancelot et tous les chevaliers de la cour étaient très tristes de la mort de Lohot. Keu le sénéchal avait quitté la cour, mais si la demoiselle ne lui avait pas fait accorder un délai de quarante jours après le retour du roi, on aurait pris vengeance de lui tout aussitôt, car les chevaliers de la Table Ronde étaient plongés dans le plus profond chagrin. Le roi et la reine étaient si malheureux que personne n'osait les inciter à manifester le moindre plaisir. La demoiselle qui avait apporté le coffret s'était bien vengée de la honte que lui avait infligée Keu dans le passé [1] : en effet, personne n'aurait su la vérité, si elle ne l'avait révélée.

Quand le chagrin de la mort du fils du roi se fut un peu apaisé, messire Gauvain et Lancelot dirent :

---

1. Cette évocation d'une vengeance de la demoiselle ne se comprend que comme une référence à l'épisode de la jeune fille giflée par Keu au début du *Conte du Graal* (éd. Lecoy, v. 1046 ss.).

— Seigneur, vous savez que Dieu désire que vous vous rendiez au château qui appartenait au Roi Pêcheur, pour faire le pèlerinage du très Saint Graal.

— Seigneurs, répondit le roi, je le ferai volontiers.

Le roi fit préparer son voyage et décida que seuls messire Gauvain et Lancelot l'accompagneraient, avec un écuyer pour le servir. Il aurait bien amené la reine, n'eût été le désespoir dans lequel l'avait plongée la mort de son fils, et dont personne ne pouvait la distraire. Mais avant son départ, le roi fit porter la tête de son fils dans l'Ile d'Avalon, dans une chapelle dédiée à Notre-Dame, où vivait un saint ermite auquel Dieu marquait une particulière dilection. Le roi quitta Cardoel après avoir pris congé de la reine et de tous les chevaliers. Lancelot et messire Gauvain l'accompagnaient, ainsi qu'un écuyer qui portait ses armes. Keu avait quitté la cour par crainte du roi et de ses chevaliers ; il n'osa pas demeurer en Grande Bretagne et passa en Petite Bretagne [1]. En ce temps-là Brian des Iles était très puissant : c'était un chevalier très brave et très fort, et il était très redouté par toute la Grande Bretagne ; il y avait déjà eu bien des querelles entre lui et le roi Arthur. Son royaume était très riche, couvert de châteaux et de forêts, et il s'y trouvait là beaucoup de bons chevaliers. Quand il apprit les circonstances dans lesquelles Keu avait quitté la cour d'Arthur et était passé sur le continent, il l'envoya chercher et le retint auprès de lui, et il lui promit de le défendre contre le roi et ses hommes. Et dès qu'il apprit le départ du roi Arthur, il se lança à l'attaque de son royaume.

XXXII

ARTHUR APPREND LE SECRET DE SA NAISSANCE

(L.6394-6571)

(Épisode de la Demoiselle du Château des Barbes. Arthur et ses compagnons ont chevauché jusqu'à la nuit sans trouver de refuge. L'écuyer monte sur un arbre et aperçoit un grand feu dans une maison délabrée. Ils s'y rendent : il n'y a personne, et ils entrent se réchauffer auprès du feu ; l'écuyer trouve dans une chambre un monceau de corps de chevaliers morts. Arrive une demoiselle : c'est la cruelle Demoiselle du Château des Barbes, qui mutilait les chevaliers ; après le départ de Lancelot, elle a été condamnée à recueillir dans sa demeure les corps de tous les chevaliers tués dans la forêt ; l'arrivée de Lancelot met fin à sa pénitence. La nuit, les compagnons assistent à un spectacle terrifiant : une troupe d'affreux chevaliers noirs vient, comme chaque

---

1. La Petite Bretagne correspond à la Bretagne actuelle.

nuit, se battre dans le manoir ; un chevalier de passage a enseigné à la demoi-
selle à tracer un cercle à l'intérieur duquel on est à l'abri de leurs violences ;
Lancelot fait de même ; mais quand les chevaliers se mettent à leur jeter des
tisons enflammés, il n'y tient plus : sortant du cercle, il se précipite sur eux,
aidé bientôt du roi Arthur et de Gauvain ; ils mettent en pièces les chevaliers,
qui se transforment en cendres et en ordure avec leurs chevaux ; de leurs corps
s'envolent des démons, sous la forme de corneilles noires.

Arrive un groupe de chevaliers apportant plusieurs chevaliers qu'ils ont tués
dans la forêt : la demoiselle refuse désormais de s'occuper d'eux, et les cheva-
liers attaquent le roi et ses compagnons, qui se trouvent en grand danger ; mais
une cloche sonne dans la forêt, et les assaillants se retirent ; jusqu'alors il
n'existait pas de cloche en Grande Bretagne ; et à partir de ce moment, le roi
Arthur entendra toutes les heures le son d'une cloche, ce qui l'enchante.

Ils reprennent leur route ; le roi demande à ses compagnons de tenir son
nom secret et de l'appeler « compagnon », et non pas « seigneur ». Ils arrivent
ensuite à la demeure du chevalier que Lancelot avait contraint d'épouser une
jeune fille qu'il n'aimait plus, et que désormais il maltraite ; ils passent la nuit
chez lui, et au matin repartent.)

(L.6571-6654)

Toujours chevauchant, ils arrivèrent dans une contrée peu hospi-
talière et fort peu peuplée ; ils aperçurent, un peu à l'écart, un petit
château. S'approchant, ils virent que le terrain qui entourait le château s'était effondré et avait formé un précipice : il était impossible
d'approcher de ce côté-là. Mais il y avait une très belle entrée, avec
une grande et large porte : jetant un coup d'œil à l'intérieur, ils aperçurent une chapelle magnifique, que jouxtait une vaste salle flanquée d'une tour très ancienne. Ils virent surgir un vieux prêtre tout
chenu qui sortait de la chapelle. Ils s'avancèrent vers lui, mirent pied
à terre et demandèrent au prêtre à qui appartenait le château ; il leur
répondit que c'était là le grand Tintagel.

— Et comment s'est produit l'effondrement des terres qui entouraient le château ? demanda le roi.

— Seigneur, répondit le prêtre, je vais vous le dire. Le roi Uter,
qui était le père du roi Arthur, tint un jour une cour solennelle, à
laquelle il invita tous ses barons. Le roi de ce château, à ce
moment-là, se nommait Goloët. Il se rendit à la cour, emmenant
avec lui son épouse : celle-ci se nommait Ygerne, et c'était la plus
belle femme du royaume. Le roi Uter s'éprit d'elle à cause de sa
beauté, et il lui témoigna plus d'égards qu'à toutes les dames de la
cour. Le roi Goloët s'en aperçut, et renvoya la reine au château, car
il redoutait le roi Uter Pandragon. Celui-ci en éprouva une vive
contrariété et lui ordonna de faire revenir sa femme. Le roi Goloët
refusa. Le roi Uter le défia aussitôt et vint assiéger ce château, alors
que la reine s'y trouvait. Le roi Goloët était parti chercher des renforts. Le roi Uter avait auprès de lui Merlin, dont vous avez entendu
parler, et qui était extrêmement ingénieux. Grâce à l'art de celui-ci,

le roi prit l'apparence du roi Goloët et ainsi pénétra dans le château et coucha cette nuit-là avec la reine, et il engendra le roi Arthur dans une grande salle qui était toute proche de l'enclos où se trouve à présent ce grand précipice : c'est à cause de ce péché que le sol s'est effondré de cette façon.

Il les conduisit alors vers la chapelle : il y avait là, à l'extérieur, un grand et magnifique tombeau.

— Seigneur, dit le prêtre, c'est en ce tombeau que fut mis le corps de Merlin, car il était impossible de l'enterrer à l'intérieur de la chapelle ; il n'est donc pas dedans ; mais il n'est pas non plus dans le sarcophage, car dès qu'il y fut déposé, il en a été enlevé par Dieu, ou par le diable.

— Et le roi Goloët, demanda le roi Arthur, qu'est-il devenu ?

— Seigneur, le roi Uter l'a tué le jour qui suivit la nuit passée avec son épouse, et il épousa la reine aussitôt après ; et c'est ainsi que le roi Arthur fut conçu dans le péché, lui qui est à présent le meilleur roi du monde.

C'est donc ainsi qu'Arthur apprit les circonstances de sa naissance, qu'il ignorait jusque-là, et cela le rendit un peu sombre et honteux, à cause de la présence de messire Gauvain et de Lancelot. Eux-mêmes étaient attristés par les révélations du prêtre. Ils passèrent la nuit au château et s'en allèrent le lendemain matin après la messe.

Messire Gauvain et Lancelot, qui croyaient bien connaître ces forêts, trouvèrent le pays tellement changé et tellement différent qu'ils ne savaient plus où ils se trouvaient. Joséphé nous dit en effet que les îles changeaient d'apparence selon les différentes aventures que Dieu y faisait advenir : les chevaliers n'auraient pas pris autant de plaisir à la quête des aventures s'ils n'avaient trouvé quelque diversité dans les lieux ; et en effet, quand il leur arrivait de revenir dans une forêt ou sur une île qui avait été le théâtre d'une de leurs aventures précédentes, ils y trouvaient des refuges, des châteaux et des aventures fort différents, afin que les efforts et les épreuves qu'ils devaient subir leur pèsent moins, car Dieu désirait que tout le pays fût converti à la Nouvelle Religion. Ce sont ces chevaliers-là qui endurèrent les plus grandes peines pour rechercher les aventures et respecter leurs engagements, et d'aucune cour au monde il ne sortit autant de bons chevaliers que de la cour du roi Arthur. Et si Dieu ne les avait pas aimés autant, ils n'auraient pu endurer la peine et les tourments qu'ils enduraient chaque jour. On ne doit pas s'étonner qu'ils aient accompli autant de prouesses et d'actes de bravoure, car la majorité d'entre eux étaient de bons chevaliers ; cela ne consistait pas simplement à donner des coups : ils se montraient aussi loyaux et sincères, croyaient en Dieu et en Sa tendre Mère, redoutaient le déshonneur et aimaient la gloire.

Le roi Arthur poursuivit sa route en compagnie de messire Gauvain et de Lancelot. Ils traversèrent bien des contrées inconnues. Ils pénétrèrent un jour dans une vaste forêt. Le jour était beau et clair, et les rayons du soleil étincelaient par instants sur leurs boucliers. Lancelot se rappela le chevalier qu'il avait tué dans la Gaste Cité où il devrait retourner, et il savait que le jour de son retour approchait. Il en parla au roi Arthur, et lui dit que s'il ne s'y rendait pas il trahirait sa promesse. Ils parvinrent bientôt en vue d'une croix où les chemins se séparaient avant de s'enfoncer à travers la forêt.

— Seigneur, dit Lancelot, il me faut m'en aller pour respecter ma promesse ; je risque fort d'y perdre la vie, et je ne sais si je vous reverrai jamais ; en effet, j'ai tué un chevalier là-bas, ce que je regrette vivement, et j'ai dû jurer, avant de le tuer, que je reviendrais exposer ma tête exactement comme il l'avait fait. Voici qu'approche le jour où je dois me présenter là-bas, et je ne veux pas manquer à mon engagement, car on m'en blâmerait. Et si jamais Dieu m'accorde d'en réchapper vivant, je vous rejoindrai sans tarder à l'endroit où vous vous rendrez.

Le roi le serre dans ses bras et l'embrasse avant de le laisser partir, et messire Gauvain fait de même ; tous deux prient le Sauveur des hommes de protéger son corps et sa vie de sorte qu'ils puissent le revoir bientôt. S'il l'avait osé, Lancelot aurait bien demandé que l'on transmît son salut à la reine, car plus qu'aucune autre chose c'était elle qui occupait son cœur ; mais il ne voulait pas que le roi ni messire Gauvain n'en viennent à penser que c'était de sa part une preuve d'amour et soient irrités contre lui. L'amour qu'il porte à la reine est si profondément enraciné dans son cœur que, quels que soient les risques auxquels il l'expose, il lui est impossible d'y renoncer ; et chaque jour il prie Dieu de veiller sur la reine et de lui permettre de réchapper des périls afin de la revoir.

(L.6654-7104)

(Lancelot a rejoint la Gaste Cité, toujours dans le même état de ruines ; un chevalier l'attend pour lui couper la tête : c'est le frère de celui que Lancelot avait décapité ; Lancelot, avant de mourir, s'allonge contre terre, bras en croix, et dit une dernière fois son amour à la reine : il est persuadé que son âme continuera à l'aimer dans l'autre monde autant que son corps l'aime en celui-ci ; puis il communie de trois brins d'herbe, et présente sa tête au chevalier ; mais une jeune fille promet son amour au chevalier s'il épargne Lancelot ; le chevalier accepte ; la demoiselle à qui il doit la vie est l'une des deux sœurs du Pauvre Chevalier : il les avait sauvés naguère ; elle lui explique que le fait qu'il ait tenu sa promesse a levé la malédiction qui pesait sur cette cité déserte et sur le Pauvre Château, qui retrouveront leurs habitants et leur richesse.

Épisode du Tournoi du Cercle d'Or : Arthur et Gauvain rencontrent un chevalier qui leur annonce un tournoi : en effet, après avoir conquis le Cercle d'Or en tuant le Chevalier au Dragon Ardent, Perlesvaus l'avait laissé en garde à la Reine du Château du Cercle d'Or ; or Nabigant de la Roche s'en est emparé, et il le fera remettre au vainqueur du tournoi qui doit avoir lieu. Le roi et Gauvain arrivent aux tentes où Gauvain avait aboli l'odieuse coutume et refusé l'amour des deux demoiselles ; ils les y retrouvent ; l'une d'elles demande à Arthur — qui se fait appeler Arthur de Titaigue — d'être son champion lors du Tournoi du Cercle d'Or, et lui demande de porter des armes d'or ; l'aînée demande à Gauvain de porter un équipement vermeil. Le premier jour du tournoi, le roi et Gauvain se battent magnifiquement ; Gauvain renverse Nabigant de la Roche ; tous s'accordent à dire que les meilleurs ce jour-là furent le chevalier aux armes d'or et celui aux armes vermeilles. Le second jour, la demoiselle demande à Gauvain de se battre le plus mal possible ; l'autre donne à Arthur des armes bleu d'azur ; Gauvain porte ses armes habituelles et se conduit comme un couard. Le troisième jour, la demoiselle demande à Gauvain de se battre sans se faire connaître, de prendre les armes d'or, celles d'Arthur le premier jour et de faire des prouesses ; le roi aura les armes vermeilles ; tous deux font merveille, mais le roi se modère un peu pour laisser le prix à Gauvain ; celui-ci remporte le Cercle d'Or qu'il a l'intention de rendre à celui qui le premier l'avait conquis.

Le roi et Gauvain s'arrêtent pour la nuit au Manoir Désert où Gauvain avait été conduit par un chien de chasse, et où une demoiselle veillait un chevalier tué par Lancelot ; on les reconnaît, et des chevaliers viennent les assiéger pour se venger de Lancelot. Pendant ce temps, Lancelot est à leur recherche ; il rencontre Méliot de Logres et ils rejoignent Arthur et Gauvain au moment où ceux-ci se battent contre les chevaliers, qu'ils mettent en fuite. Méliot apprend à Gauvain que Nabigant de la Roche veut s'emparer de sa terre et défie Gauvain son suzerain ; Gauvain part l'affronter ; il le tue et fait remettre son château à Méliot, puis part rejoindre ses compagnons.)

XXXIII

LA MORT DE GUENIÈVRE

(L.7105-7174)

Il n'y avait pas longtemps que messire Gauvain s'était remis en route quand il rencontra un écuyer qui semblait très fatigué, et dont le cheval était au bord de l'épuisement. Il lui demanda d'où il venait

— Du royaume du roi Arthur, répondit l'écuyer, qui est en pleine guerre, car on ne sait ce qu'il est devenu. Beaucoup de gens disent qu'il est mort, car depuis qu'il a quitté Cardoel avec messire Gauvain et Lancelot, personne n'a plus eu de nouvelles de lui. La reine éprouve un tel chagrin de l'absence du roi et de la mort de son fils qu'on dit qu'elle finira par en mourir ; et Brian des Iles s'est rallié messire Keu le sénéchal, et il brûle les terres et mène des razzias jusque devant ses châteaux. De tous les chevaliers de la Table Ronde, il n'en reste que trente-cinq, dont dix sont grièvement blessés. Ils sont à Cardoel et défendent le royaume du mieux qu'ils peuvent.

A ces nouvelles, messire Gauvain sentit son cœur se serrer. Il continua son chemin en prenant au plus court, accompagné de l'écuyer, qui était très fatigué. Il rejoignit le roi et Lancelot : à l'endroit où ils se trouvaient, les chevaliers étaient venus de nombreux royaumes, car il était arrivé là un chevalier qui menait un destrier blanc et apportait une très belle couronne en or. La nouvelle s'était répandue par tous les royaumes voisins que le chevalier qui remporterait le tournoi obtiendrait le destrier et la couronne qui avait appartenu à une reine morte, et qu'il aurait le devoir de protéger et défendre la terre dont elle avait été la souveraine. Aussi un très grand nombre de chevaliers étaient-ils venus, et cela donna lieu à un grand tournoi. Le roi, messire Gauvain et Lancelot se mirent du même côté. Le récit précise que le roi Arthur portait à ce tournoi le bouclier vermeil que la demoiselle lui avait donné récemment. Messire Gauvain avait son bouclier habituel, et Lancelot en avait un vert, qu'il portait en souvenir du chevalier qui avait perdu la vie en lui venant en aide dans la forêt. Ils s'élancèrent dans la bataille tels des lions déchaînés, et dès ce premier assaut abattirent trois chevaliers ; ils parcourent les rangs adverses de tous côtés, jetant à bas des chevaliers et renversant leurs montures. Le roi fend jusqu'à la boucle le bouclier de tous les chevaliers qu'il rencontre ; tous redoutent ses coups. Messire Gauvain et Lancelot ne restent pas inactifs de leur côté, et chacun tient fort bien sa place ; mais la plupart des chevaliers s'émerveillent de voir le roi, qui se bat comme un lion dont les chiens n'osent s'approcher.

Le tournoi se poursuivit ainsi pendant deux jours ; quand il prit fin, les chevaliers jugèrent que le meilleur avait été le chevalier au bouclier vermeil. Le chevalier qui avait apporté la couronne d'or s'approcha du roi, ignorant qui il était :

— Seigneur, dit-il, vous avez gagné par les armes cette couronne d'or et ce destrier ; cela doit vous faire plaisir, si vous êtes assez courageux pour aller défendre la terre de la meilleure des femmes qu'on connaisse, qui vient de mourir. Ce serait un très grand honneur pour vous, si vous aviez la force de défendre ce territoire, qui est très vaste, très riche et de haute seigneurie.

— A qui appartenait ces terres ? demanda le roi. Comment, seigneur, se nommait la reine dont je vois là la couronne ?

— Seigneur, le roi se nommait Arthur, c'était le meilleur roi du monde, mais beaucoup de gens disent qu'il est mort ; et cette couronne appartenait à la reine Guenièvre, qui est morte et enterrée, ce qui a suscité un immense chagrin. Les chevaliers, ne voulant pas quitter Cardoel à cause de Brian des Iles qui veut s'en emparer,

m'ont informé de tout cela au royaume de Logres, et, comme je
connais les îles et les forêts étrangères, ils m'ont remis la couronne et
le cheval en me demandant de me rendre aux tournois pour avoir des
nouvelles du roi Arthur, de Gauvain et de Lancelot et de leur dire, si
jamais je les retrouvais, que le royaume est plongé dans le désespoir.
A ces nouvelles, le roi fut saisi d'une grande douleur ; il se retira
un peu à l'écart, et ses chevaliers laissèrent libre cours à leur chagrin.
Lancelot ne sait que faire, et il se dit tout bas que son bonheur est
perdu désormais, et ses exploits terminés, dès lors qu'il a perdu la
noble reine dont lui venaient le désir, le courage et la hardiesse de se
montrer valeureux. Les larmes coulent de ses yeux à travers la ventaille, et s'il avait osé donner libre cours à sa douleur, elle aurait été
bien plus violente. Quant au roi, il est inutile d'évoquer son chagrin :
il tient dans ses mains la couronne d'or et, à cause de l'amour qu'il
porte à la reine, ses yeux reviennent sans cesse au destrier, car c'est
lui qui le lui avait donné. Messire Gauvain ne peut modérer sa douleur :

— Assurément, dit-il, on peut dire que c'est la meilleure et la plus
sage des reines qui vient de mourir, jamais il n'y en aura aucune qui
la vaille !

— Seigneur, dit Lancelot au roi, si vous-même et messire Gauvain le vouliez bien, je me rendrais à Cardoel, et ferai tout ce que je
pourrai pour défendre votre royaume qui est en grand danger, en
attendant que vous reveniez du Château du Graal.

— Assurément, dit messire Gauvain au roi, la proposition de
Lancelot est fort raisonnable, si vous vous y accordiez.

— Je lui en suis très reconnaissant, dit le roi, et je le prie très instamment d'aller là-bas et de garder mon royaume jusqu'au moment
où Dieu m'y ramènera.

Lancelot prend congé du roi et s'en retourne, infiniment triste et
malheureux.

XXXIV

L'INVENTION DU CALICE ET DE LA CLOCHE.
LA NAISSANCE DE GAUVAIN

(L.7175-7337)

Le conte cesse un instant de s'occuper de Lancelot, et une nouvelle branche du Graal commence, au nom du Père, du Fils et du Saint-Esprit. Comme vous l'imaginez, le roi était très malheureux. Il fit emmener le cheval blanc à sa suite, et tenait contre lui la couronne d'or. Chevauchant sans trêve, ils arrivèrent bientôt au château qui avait appartenu au Roi Pêcheur, et il leur apparut aussi magnifique qu'on vous l'a décrit à mainte reprise. Perlesvaus, qui s'y trouvait, les accueillit avec des transports de joie, imité par tous les prêtres et les vénérables chevaliers du château. Après qu'on l'eut débarrassé de ses armes, Perlesvaus conduisit le roi Arthur à la chapelle où se trouvait le Graal. Messire Gauvain remit à Perlesvaus le Cercle d'Or de la part de la reine, et il lui raconta comment Nabigant le lui avait enlevé et comment il avait trouvé la mort. Le roi Arthur fit présent de la couronne qui avait appartenu à la reine Guenièvre. Quand Perlesvaus apprit sa mort, il en fut profondément affecté. On montra au roi Arthur la sépulture du Roi Pêcheur, et on lui expliqua que personne n'avait placé là le tombeau, mais que c'était le fait de la volonté de Dieu ; on lui montra la superbe étoffe qui recouvrait le tombeau et on lui dit que chaque jour on en trouvait un neuf tout aussi magnifique. Le roi contempla le tombeau et reconnut que jamais il n'en avait vu d'aussi beau. Une odeur s'en exhalait, infiniment douce et suave.

Le roi passa quelque temps au château, où on lui témoigna les plus grands égards, et il eut l'occasion de remarquer la richesse et l'abondance de tout ce qui parvenait au château, où rien au monde ne manquait de ce qui était nécessaire à d'honnêtes gens. Perlesvaus avait fait transporter les corps des chevaliers qui avaient été tués dans une fosse qui se trouvait derrière une vieille chapelle, dans la forêt, de même que le corps de son oncle, qui s'était tué de si vilaine façon.

Il y avait derrière le château un fleuve, dit l'histoire, qui était la source de tous les bienfaits dont jouissait le château. C'était un fleuve magnifique et abondant. D'après Joséphé, il venait du paradis terrestre ; il courait tout autour du château, puis pénétrait dans la forêt jusque chez un saint ermite ; là, son cours se perdait et il s'enfonçait dans le sol, mais toutes les terres qu'il arrosait jouissaient de tout en abondance. Dans le superbe château que Perlesvaus avait conquis, rien ne manquait. Ce château avait trois noms, précise l'histoire : Éden était l'un de ses noms, le Château de Joie le second, le Château des Ames le troisième ; et s'il portait ce nom de Château des Ames, nous dit Joséphé, c'est parce que l'âme de ceux qui y mouraient allait au Paradis.

Le roi Arthur se tenait un jour aux fenêtres du château ; Perlesvaus et messire Gauvain étaient à ses côtés. Le roi regardait devant lui : il vit venir une grande procession de gens qui marchaient l'un derrière l'autre et qui étaient tout de blanc vêtus. Celui qui allait devant portait une croix de grande dimension ; chacun des autres en portait une petite, et beaucoup d'entre eux avaient à la main des cierges allumés ; ils avançaient en chantant d'une voix très douce, et tout à fait derrière venait quelqu'un qui portait une cloche avec son battant suspendue à son cou.

— Dieu, s'exclama le roi, qui sont donc ces gens ?

— Seigneur, répondit Perlesvaus, je les connais tous, à l'exception du dernier. Ce sont mes ermites, ils vivent dans cette forêt, et trois jours par semaine ils viennent chanter ici devant le très Saint Graal.

Quand ils furent près du château, le roi alla à leur rencontre avec ses compagnons ; ils se recueillirent devant les croix, et les ermites s'inclinèrent devant eux. Dès qu'ils eurent pénétré dans la chapelle, ils ôtèrent la cloche du cou du dernier et en firent offrande sur l'autel avant de la reposer sur le sol. Puis ils célébrèrent la très sainte et très glorieuse messe. L'histoire affirme qu'en ce temps-là il n'y avait pas de calice dans le royaume du roi Arthur. Le Graal apparut pendant le mystère de la messe sous cinq formes différentes que l'on ne doit pas dévoiler, car les secrets du sacrement ne doivent pas être révélés, sinon par celui à qui Dieu en accorde la grâce. Le roi Arthur vit toutes les transformations du Graal : à la fin, il apparut sous la forme d'un calice, et l'ermite qui chantait la messe trouva sur la nappe de l'autel une lettre qui expliquait que Dieu voulait que son corps fût consacré dans un vase tel que celui-ci et qu'on gardât souvenir de cela. L'histoire ne prétend pas qu'il n'existait pas de calice ailleurs, mais dans toute la Grande Bretagne, dans toutes les villes voisines et dans les royaumes proches, il n'y en avait pas.

Le roi était heureux de ce qu'il avait vu, et il garda en sa mémoire le nom et la forme du très saint calice. Il demanda alors à l'ermite qui avait apporté la cloche d'où elle venait.

— Seigneur, dit celui-ci en s'adressant à messire Gauvain, je suis le roi pour lequel vous avez tué le géant, ce qui vous a permis d'obtenir l'épée avec laquelle saint Jean a été décapité, et que je vois là sur l'autel. Je me suis fait baptiser en votre présence, et j'ai fait se convertir à la Nouvelle Religion tous ceux de mon royaume, avant de me retirer dans un ermitage qui dominait la mer, loin du monde, et j'y suis resté longtemps. Une nuit, un peu après minuit, je m'étais levé et, regardant dehors au pied de mon ermitage, je vis qu'un navire avait accosté. Quand la mer se fut retirée, je m'y rendis, et trouvai dans le navire trois prêtres accompagnés de leurs clercs ; ils me dirent leur nom : tous trois avaient été baptisés sous le nom de Grégoire, et ils venaient de la Terre Promise. Ils me dirent que Salomon avait fondu trois cloches pour célébrer le Sauveur du monde, Sa douce Mère et Ses saints ; c'était sur son ordre qu'ils avaient amené celle-ci dans cette île, parce qu'il n'y en avait pas ; ils ajoutèrent que si j'apportais la cloche ici dans ce château, ils se chargeraient de tous mes péchés, de sorte que j'en serais absous et eux aussi. Je l'ai donc apportée ici comme ils me l'ont demandé, car Dieu désire qu'elle serve de modèle à toutes les cloches qu'on fabriquera sur cette île, où jamais encore il n'y en avait eu une seule.

— Par ma foi, dit messire Gauvain, je retrouve bien en vous la noblesse que je vous connaissais.

Le roi Arthur fut très heureux de l'arrivée de la cloche, et tous ceux du château également. Il lui semblait que le son de cette cloche était identique à celle qu'il entendait depuis qu'il avait quitté Cardoel. Une fois l'office terminé, les ermites s'en retournèrent.

Un jour, alors que le roi était à table avec Perlesvaus, messire Gauvain et les vénérables chevaliers, arriva au château l'une des trois Demoiselles au Char : elle avait eu le bras droit transpercé par une lance.

— Seigneur, dit-elle à Perlesvaus, ayez pitié de votre mère, de votre sœur et de nous toutes ! Alistor d'Amorave, le cousin germain de ce Seigneur des Marais que vous avez tué, a déclaré la guerre à votre mère et a emmené de force votre sœur au château de l'un de ses vavasseurs [1] : il dit qu'il l'épousera et qu'il aura la terre en dépit de votre opposition ; mais il pratique une coutume cruelle et que l'on ne connaît à personne d'autre : quand il a épousé une jeune fille,

---

1. Le *vavasseur* est un homme de petite noblesse, qui se trouve au rang le plus bas de la hiérarchie féodale, étant le « vassal du vassal ». Il joue souvent dans les romans arthuriens le rôle d'hôte complaisant et peu fortuné.

quelle qu'elle soit, et si grand que soit son amour pour elle, au bout d'un an il la tue. Il lui coupe la tête lui-même, avant de se mettre à la recherche d'une nouvelle épouse. Mais il a aussi une pratique louable : il ne déshonore jamais une femme avant le mariage. Seigneur, j'étais auprès de votre sœur quand il m'a blessée ; votre mère vous demande, vous supplie d'aller à son secours, ainsi que vous lui aviez promis de le faire si vous appreniez qu'elle en avait besoin ; car si jamais vous acceptiez qu'elle subisse ce malheur, c'est sur vous qu'en retombera la honte.

Ces nouvelles remplirent Perlesvaus de tristesse.

— Sur ma tête, dit le roi, il faut réparer cet outrage !

Ils se levèrent de table.

— Seigneur, dit le roi, moi-même et mon neveu Gauvain viendront avec vous vous aider, s'il plaît à Dieu.

— Je vous en suis très reconnaissant, seigneur, répondit Perlesvaus, mais il vous faut achever ce que vous avez entrepris. Mais je vous demande instamment de protéger le Château de Camaalot, si ma dame ma mère vient dans ce château, et je vous en fait le seigneur et maître, bien qu'il soit loin de votre royaume. Fortifiez-le et gardez-le bien, car il est fort bien situé.

Seigneurs, ne croyez pas qu'il s'agissait du Camaalot dont parlent les conteurs, et où le roi Arthur avait coutume de tenir sa cour. Le Camaalot qui appartenait à la Dame Veuve se trouvait à l'extrémité de la plus sauvage des îles de Galles, tout près de la mer, à l'ouest ; il n'y avait là que cette demeure, la forêt, et l'eau qui l'entourait. L'autre Camaalot, lui, était situé à l'entrée du royaume de Logres ; il était fort peuplé, et se trouvait à l'extrémité du royaume du roi Arthur, car celui-ci exerçait son pouvoir sur toutes les terres qui de ce côté-là jouxtaient la sienne.

Quittant à présent Perlesvaus, le conte rapporte que le roi et messire Gauvain ont pris congé de celui-ci et des habitants du château ; le roi a laissé à Perlesvaus le destrier blanc qu'il avait conquis en même temps que la couronne d'or. Chevauchant sans trêve, le roi et son compagnon sont arrivés devant un vieux château délabré, au fond d'une forêt. C'eût été un très beau château, s'il avait été habité, mais il ne s'y trouvait qu'un vieux prêtre et son clerc, qui vivaient là du travail de la terre. Le roi et messire Gauvain y passèrent la nuit ; le lendemain matin, ils se rendirent dans une magnifique chapelle qui se trouvait dans le château, afin d'y entendre la messe ; les murs tout autour en étaient peints des teintes les plus vives, d'or, d'azur et d'autres couleurs. Les scènes qui s'y trouvaient représentées étaient très belles, de même que les portraits de ceux pour qui elles avaient été peintes. Le roi et messire Gauvain prirent grand plaisir à les regarder. Après la messe, le prêtre vint vers eux :

— Seigneurs, dit-il, ces peintures sont très belles, et celui qui les a commandées était un homme très loyal, qui aimait beaucoup la dame et l'enfant pour qui il les fit faire. Seigneur, poursuivit-il s'adressant au roi, c'est une histoire vraie !

— Et de qui est-ce l'histoire ? demanda le roi.

— Du noble Vavasseur à qui appartenait cette demeure, et de messire Gauvain et de sa mère. Messire Gauvain, seigneur, est né ici, et on l'a baptisé ainsi que vous le voyez représenté dans cette scène, et il fut nommé Gauvain du nom du seigneur de ce château. Sa mère, qui l'avait eu du roi Lot, ne voulut pas que cela se sût ; elle plaça l'enfant dans une très belle corbeille, et elle demanda au maître de ces lieux de le déposer en un lieu où il fût certain qu'il périrait ; s'il refusait, ajouta-t-elle, elle chargerait quelqu'un d'autre de cette tâche. Ce chevalier, qui était un noble cœur, ne voulut pas que l'enfant périsse ainsi. Il fit placer à son chevet une lettre scellée indiquant qu'il était de lignage royal des deux côtés, et il y joignit une bonne quantité d'or et d'argent pour élever l'enfant ; il recouvrit celui-ci d'une très riche étoffe, et l'emporta dans un pays très loin. Un matin, très tôt, il arriva devant une petite ferme où habitait un très honnête homme. Il lui remit l'enfant, à lui et à sa femme, en leur recommandant de se charger de lui et de l'élever, car cela pouvait se révéler un jour très bénéfique pour eux. Puis le vavasseur s'en retourna, et eux gardèrent l'enfant : jusqu'à son adolescence, ils l'entourèrent de leur affection. Ils le conduisirent alors à Rome auprès du pape, à qui ils montrèrent la lettre scellée : le pape apprit ainsi que l'enfant était fils de roi ; il eut pitié de lui et le garda auprès de lui, laissant entendre qu'il était de sa famille. Par la suite, le jeune homme fut choisi pour devenir empereur de Rome, mais il refusa, car on lui reprochait ses origines, qu'on lui avait longtemps cachées. Il quitta Rome et vint ici où il vécut ensuite. Il paraît qu'il est à présent l'un des meilleurs chevaliers du monde, et personne n'ose s'emparer de ce château tant on le redoute, ni de cette vaste forêt qui nous entoure ; en effet, quand le vavasseur qui possédait ce château mourut, il le laissa à messire Gauvain son filleul et me le donna en garde jusqu'au moment de son retour.

Le roi regarda messire Gauvain et le vit baisser les yeux.

— Mon cher neveu, dit-il, ne soyez pas honteux, car vous pourriez me reprocher exactement la même chose. Votre naissance fut un grand bonheur, et l'on doit célébrer le lieu qui vous vit naître.

Quand le prêtre comprit que c'était messire Gauvain, il se montra extrêmement heureux, mais il était en même temps fort honteux d'avoir donné toutes ces explications. Il ajouta :

— Seigneur, on ne peut rien vous reprocher, car vous avez été élevé dans la religion que Dieu a établie, et le roi Lot et votre mère se sont unis en loyal mariage. Cela, le roi Arthur le sait bien ; et que Dieu soit loué de vous avoir conduit ici !

XXXV

FIDÉLITÉ DE LANCELOT

(L.7338-7524)

(Le récit revient à Lancelot. Le fils du Chevalier du Gaste Manoir que Lancelot avait tué décide de venger son père ; pour cela, Méliant — c'est son nom — s'allie à Brian des Iles. Cependant, Lancelot trouve asile pour la nuit au redoutable Château des Griffons : la fille du seigneur est extrêmement belle, et tous les chevaliers qui font halte au château doivent tenter de retirer un épieu fiché dans un pilier : en cas de réussite, ils épouseraient la jeune fille, mais en cas d'échec ils ont la tête tranchée. Tous ont échoué jusqu'ici. Le seigneur accueille aimablement Lancelot ; mais on lui révèle qu'il a tué son frère du Gaste Manoir. Le seigneur demande cependant à Lancelot de tenter l'épreuve, et il la réussit ; mais le seigneur veut venger son frère et il décide de faire tuer Lancelot. Sa fille, séduite par le chevalier, décide de le sauver : elle lui fait dire de s'enfuir par une citerne qui se trouve sous le château, et où se trouvent un lion et deux griffons monstrueux et leurs petits ; elle lui envoie un petit chien qui lui permettra de neutraliser les griffons ; Lancelot accepte : grâce au petit chien, il passe devant les griffons, puis tue le lion et, sortant du souterrain, aboutit dans le verger du château où l'attend la jeune fille.)

(L.7524-7634)

Lancelot arriva dans le verger qui se trouvait à côté de la forêt, et il essuya son épée sur l'herbe verte et fraîche. La demoiselle s'approcha :

— Seigneur, lui demanda-t-elle, êtes-vous blessé quelque part ?

— Non, demoiselle, Dieu merci !

Une autre jeune fille lui amena son cheval dans le verger. La demoiselle du château regarda à nouveau Lancelot :

— Seigneur, dit-elle, vous ne semblez pas très content !

— Demoiselle, il y a quelque raison à cela : j'ai perdu l'être que j'aimais le plus au monde.

— Mais vous m'avez gagnée, moi, qui suis la plus belle du royaume — à moins que vous ne vouliez pas de moi ! Et si je vous ai sauvé la vie, c'est pour que vous m'accordiez votre amour, car je vous donne le mien.

— Demoiselle, répondit Lancelot, je vous en suis reconnaissant. J'apprécie vivement votre amour et votre bienveillance. Mais ni vous ni aucune autre demoiselle ne pourriez jamais plus avoir confiance en moi si j'oubliais si vite l'amour de celle qui dominait mon cœur-

grâce à ses vertus et à sa courtoisie ; jamais de toute ma vie je n'aimerai une femme comme je l'ai aimée, et je recommande à Dieu toutes les autres femmes. Je vais à présent prendre congé de vous en vous assurant que je me mettrais volontiers à votre service si vous aviez besoin de moi, pour peu que les circonstances soient telles que je puisse sauver votre honneur.

— Ah, Dieu, s'écria-t-elle, quelle déception, de perdre ainsi le meilleur chevalier du monde ! Lancelot, vous avez conquis le droit de me posséder, ce que jamais chevalier n'était parvenu à faire avant vous. Je suis triste de vous voir m'échapper ainsi alors que je vous ai sauvé la vie. Je préférerais vous voir mort et en mon pouvoir, que vivant avec une autre femme. Je regrette à présent que l'on ne vous ait pas coupé la tête : elle serait suspendue avec toutes les autres, et je pourrais la contempler autant que je le voudrais !

Lancelot n'accorde aucune attention à ces propos : son cœur est tout empli de douleur à cause de la mort de la reine. Il se remit en selle et quitta le parc par une petite porte, puis il pénétra dans la forêt et se recommanda à Dieu.

Le seigneur du Château des Griffons était tout étonné de ne pas voir Lancelot ; il s'imaginait qu'il n'osait pas venir, et il dit à ses chevaliers :

— Eh bien, montons lui trancher la tête là-haut, puisqu'il n'ose pas descendre !

Il le fait rechercher dans la grande salle et dans toutes les chambres, mais sans succès.

— Il a sans doute voulu s'en aller en passant par la citerne, dit-il, et les griffons l'auront mangé.

Il envoie là-bas deux des plus courageux parmi ses chevaliers : mais le petit chien était retourné auprès de la demoiselle, ce qui avait mis les griffons en colère, aussi se jetèrent-ils sur les deux chevaliers qu'ils tuèrent et dévorèrent. Quand le seigneur du château l'apprit, il fut fort mécontent. Il se rendit dans la chambre de sa fille et la trouva en larmes : il pensait que c'était à cause de la mort des deux chevaliers. Mais quand on lui dit que l'on avait trouvé son lion mort à l'entrée de la citerne, il fut convaincu que Lancelot s'était enfui et il donna l'ordre à ses chevaliers de le poursuivre ; mais aucun d'eux n'eut le courage de le faire. La jeune fille aurait bien voulu qu'on le poursuive et qu'on le ramène au château, car elle était si éprise de lui qu'elle ne pensait à rien d'autre. Mais Lancelot, lui, ne pensait plus à elle ; mélancolique, il s'en allait à travers la forêt, jetant de temps en temps un coup d'œil sur son haubert qui avait été déchiré par le lion.

Après avoir chevauché toute la journée, il arriva vers le soir dans une large vallée bordée des deux côtés par la forêt ; la vallée faisait bien dix lieues. A droite, sur la colline qui la dominait, Lancelot aperçut une chapelle toute neuve, absolument somptueuse ; elle était recouverte de plomb, et au sommet se dressaient deux croix qui paraissaient être en or.

A côté de la chapelle se dressaient trois demeures magnifiques, séparées l'une de l'autre, mais toutes proches de la chapelle. Il y avait un très beau cimetière tout autour, tout enclos au milieu des bois ; du haut de la forêt descendait un cours d'eau limpide qui passait devant la chapelle avant de rejoindre la vallée. Chacune des maisons était entourée d'un vaste clos de verdure. Lancelot entendit que l'on chantait les vêpres dans la chapelle. Il aperçut un sentier qui allait dans cette direction, mais la pente était si abrupte qu'il était impossible de la gravir à cheval. Il mit donc pied à terre et tira sa monture après lui. Arrivé devant la chapelle, il aperçut trois ermites à l'intérieur : c'étaient eux qui tout à l'heure chantaient les vêpres. Ils s'avancèrent vers Lancelot et s'inclinèrent devant lui. Il les salua et leur demanda le nom du lieu ; ils lui dirent que c'était l'Ile d'Avalon [1]. Ils firent mettre son cheval à l'étable, et Lancelot, après avoir déposé ses armes à l'extérieur, entra dans la chapelle : jamais il n'en avait vu d'aussi magnifique. Il y avait là trois autels magnifiques, ornés de riches nappes de soie, de splendides croix d'or et de phylactères. Lancelot contempla les statues et les crucifixions toutes neuves, et la chapelle tout éclairée par les brillantes peintures à l'or. Au milieu se dressaient deux tombeaux, au chevet desquels brûlaient quatre cierges fichés dans de superbes chandeliers. Les deux tombeaux étaient recouverts d'un drap, et de part et d'autre des voix claires chantaient des psaumes.

— Seigneurs, demanda Lancelot aux ermites, pour qui ces tombeaux ont-ils été faits ?

— Pour le roi Arthur et la reine Guenièvre, seigneur.

— Mais le roi Arthur n'est pas encore mort, s'exclama Lancelot.

— Non, seigneur, plaise à Dieu, mais le corps de la reine repose dans cette tombe devant vous, et, en attendant le trépas du roi, à qui Dieu accorde longue vie, l'autre contient la tête de son fils ; mais la reine a demandé que lorsqu'il mourrait l'on mît son corps à côté du sien : on a d'elle un acte scellé qui le précise. C'est elle qui, avant de mourir, a fait restaurer cette chapelle de cette façon.

---

1. L'*Ile d'Avalon* : apparaît ici la fameuse Ile d'Avalon, déjà mentionnée au chapitre XXXI p. 254, et qu'il faut sans doute identifier avec l'abbaye de Glastonbury, et où Arthur et Guenièvre étaient censés reposer. Précisons qu'au Moyen Age le mot *île* ne désigne pas seulement ce que nous entendons par là, et qui est parfois précisé par *isle de mer ;* il peut désigner également tout endroit difficile d'accès, presqu'île, ou îlot d'habitations au sein de la forêt, comme ici : Lancelot doit mettre pied à terre pour y accéder. Précisons cependant qu'il s'y trouve un cours d'eau.

Quand Lancelot entendit dire que c'était la reine qui reposait dans ce tombeau, il en eut le cœur et la gorge si serrés qu'il ne put prononcer un mot ; mais il n'osa manifester davantage sa douleur, de peur de se trahir. Heureusement, il y avait une statue de la Vierge à la tête de son tombeau : Lancelot s'agenouilla le plus près qu'il put de l'un des tombeaux, comme pour se recueillir devant la statue, et, appuyant son visage, ses yeux et sa bouche sur la pierre du tombeau, il exprima à voix basse ses regrets :

— Ah, dame, disait-il, si je ne craignais pas d'être blâmé, je resterais toute ma vie en ce lieu, travaillant à sauver mon âme et priant pour la vôtre ; et ce me serait un grand réconfort d'avoir sous les yeux la sépulture où repose votre corps, qui possédait tant de douceur, d'honneur et de vertu. Ah, Dieu, accordez-moi, je vous en prie, de pouvoir mourir bientôt, et en un lieu tel que je puisse être enseveli dans cette sainte chapelle où repose son corps !

La nuit tomba. Un clerc alla trouver les ermites et leur dit qu'il n'avait jamais vu un chevalier prier avec autant de recueillement Dieu et Sa Mère que le chevalier qui se trouvait dans la chapelle ; et les ermites lui répondirent qu'il y avait beaucoup de chevaliers qui étaient des hommes de profonde foi en Dieu. Ils se rendirent à la chapelle et annoncèrent à Lancelot que son repas était prêt et qu'il était temps de venir manger ; il pourrait ensuite aller dormir et se reposer, car il était temps. Il leur répondit qu'il ne se souciait nullement de manger, et qu'il avait été saisi de l'ardent désir de veiller dans la chapelle devant la statue de Notre-Dame ; il ne désirait pas s'en aller avant le lever du jour, et il aurait aimé que la nuit durât plus longtemps encore. Les saints ermites n'osèrent le détourner de son projet : au contraire, ils se disaient que c'était le signe d'une grande piété chez ce chevalier que de veiller ainsi une nuit entière sans boire ni manger, alors qu'il semblait extrêmement fatigué. Lancelot demeura devant le tombeau dans la chapelle jusqu'au lendemain matin. Les ermites se préparèrent pour l'office, car ils chantaient tous les jours trois messes pour le salut de l'âme de la reine et de celle de son fils. Lancelot les entendit avec plaisir. Quand les offices furent terminés, il prit congé des ermites, puis regarda le tombeau avec une extrême tendresse. Il recommanda à Dieu et à Sa douce Mère celle qui reposait là. A l'extérieur de la chapelle, il trouva son cheval tout équipé et ses armes prêtes. Il se mit en selle tout aussitôt et reprit la route, regardant aussi longtemps qu'il le put cet endroit et sa chapelle.

XXXVI

RETOUR D'ARTHUR À CARDOEL

(L.7634-7802)

(Lancelot se dirige vers Cardoel : le royaume est dévasté, les villes incendiées ; il rencontre un chevalier blessé qui lui apprend que Keu emmène prisonnier Yvain le Bâtard au Château de Dure Roche ; ils les rejoignent, Lancelot blesse Keu et parvient à sauver Yvain le Bâtard ; Keu retourne à Dure Roche où il retrouve Brian des Iles. Lancelot et Yvain retournent à Cardoel, où on les accueille avec joie, car Lancelot leur apprend que le roi et Gauvain sont bien vivants. Les habitants lui racontent les exactions de Brian des Iles et Keu.

Au Château de Dure Roche, Méliant du Gaste Manoir, qui s'est lui aussi allié à Brian, est heureux du retour de Lancelot, car il désire venger son père. Un jour il va chasser avec neuf chevaliers près du Château de Cardoel ; Lancelot en sort avec sept chevaliers : le combat est rude, Lancelot blesse Méliant et se bat contre Brian, des renforts arrivent de part et d'autre ; mais la nuit tombe, qui sépare les combattants. Lancelot rentre au château avec ses prisonniers.

Pendant ce temps, Arthur et Gauvain sont assiégés au château où était né Gauvain par Anuré le Bâtard, frère de Nabigant des Roches que Gauvain avait tué pour protéger son vassal Méliot de Logres. Un jour, le roi et Gauvain tentent une sortie, mais ils succomberaient sous le nombre sans l'arrivée de Méliot qui, averti, vient au secours de son seigneur : les assaillants sont vaincus, et le roi donne le château à Méliot. Le roi et Gauvain repartent.)

(L.7803-7968)

L'histoire rapporte à présent que le roi et messire Gauvain repartirent et chevauchèrent jusqu'à l'Ile d'Avalon, où reposait la reine. Ils passèrent la nuit chez les ermites, qui furent heureux de les accueillir. Mais vous pouvez imaginer la douleur du roi quand il vit le tombeau où reposait la reine et celui qui contenait la tête de son fils. Son chagrin se réveilla, et il dit que ce lieu sacré devait lui être plus cher que n'importe quel autre endroit de son royaume. Ils repartirent le lendemain matin après la messe.

Le roi prit le chemin le plus rapide vers Cardoel ; il trouva ses terres dévastées en maints endroits, ce qui le rendit fort malheureux. Et quand il apprit que Keu le sénéchal s'était allié avec ses ennemis et lui faisait la guerre, il se demanda comment il avait osé se conduire ainsi. Il arriva à Cardoel : quand la nouvelle de son retour fut connue au château, tous vinrent à sa rencontre avec des transports d'allégresse. La nouvelle se répandit à travers tout le pays, et tous les habitants de son royaume étaient ravis, car beaucoup avaient cru qu'il était mort. En revanche son retour ne réjouissait nullement ceux du Château de Dure Roche. Messire Keu le sénéchal était guéri de sa blessure, et il se dit qu'il serait fort déraisonnable de rester là à se battre contre le roi : car il savait bien que s'il tombait entre les mains du roi, c'était sa fin assurée. Il quitta le château où il avait longtemps séjourné et repassa la mer. Il arriva en Petite Bretagne et y fit fortifier un château que l'on nomme Chinon, tant il craignait le roi. Il y resta longtemps sans que le roi vienne l'attaquer, car il avait bien autre chose à faire.

Le roi et messire Gauvain étaient donc de retour à Cardoel. Comme vous pouvez l'imaginer, tout le royaume s'en trouva ragaillardi et tous ses chevaliers réconfortés. De tous côtés les chevaliers revenaient à sa cour. Ceux qui avaient été blessés étaient guéris à présent. Brian des Îles, loin d'en rabattre dans l'orgueil insolent, se montra plus agressif que jamais. Méliant le poussait dans cette voie, l'assurant qu'il serait à ses côtés jusqu'à la mort et qu'il n'aurait de cesse de s'être vengé de Lancelot. Un jour, le roi était assis à table à Cardoel, et la grande salle était emplie d'une foule de chevaliers. Messire Gauvain était placé à côté du roi. Lancelot était assis à la même table, ainsi que messire Yvain fils du roi Urien, Sagremor l'Impétueux et messire Yvain le Bâtard, et il y avait encore beaucoup d'autres chevaliers dans la salle, mais ils n'étaient cependant pas aussi nombreux qu'auparavant. Messire Lucain l'Échanson remplissait la coupe d'or devant le roi. Celui-ci parcourut la table du regard, et le souvenir de la reine lui revint ; il se plongea dans ses pensées, oubliant presque de manger, et il lui apparut que la cour avait beaucoup perdu par sa mort. Alors que le roi était tout entier à ses réflexions, un chevalier entra dans la salle, tout armé ; il alla jusqu'au roi, s'appuya sur sa lance et lui dit :

— Seigneur, écoutez-moi, je vous en prie. C'est Madaglan d'Oriande qui m'envoie : il vous enjoint de lui rendre la Table Ronde, car vous n'avez aucun droit à la posséder dès lors que la reine est morte ; il est en effet son plus proche parent, et c'est à lui qu'elle doit revenir et appartenir le plus légitimement. Et si vous ne voulez pas y consentir, il vous lance un défi pour l'avoir privé de son héritage. Car il est doublement votre ennemi : à cause de la Table Ronde que vous détenez injustement, et à cause de la Nouvelle Religion en laquelle vous croyez. Mais il m'a chargé de vous dire que si vous acceptiez d'abjurer votre foi et de prendre pour épouse la reine Jandrée sa sœur, il vous laisserait la Table Ronde et deviendrait votre allié fidèle. Mais si vous refusez, méfiez-vous de lui : il m'a demandé de vous en avertir.

Sur ce, le chevalier quitta les lieux, laissant le roi fort préoccupé. Le repas achevé, il quitta la table et tous ses chevaliers firent de même. Il appela messire Gauvain et Lancelot, et demanda conseil à tous les autres.

— Seigneur, dit messire Gauvain, vous défendrez votre terre du mieux que vous pourrez, et nous vous aiderons à abattre vos adversaires. La Grande Bretagne est tout entière en votre pouvoir. Aucun de vos châteaux n'a encore été pris ni démoli. Brian des Iles n'a brûlé que des champs et des cabanes. Ce ne sont pas là de graves dommages, mais cette offense exige réparation. Le roi Madaglan peut être redoutable, s'il attaque votre royaume à l'ouest. Envoyez contre lui l'un des meilleurs chevaliers de votre cour, qui soit capable de soutenir la lutte et de défendre vos terres contre lui.

Le roi séjourna longtemps à Cardoel cette fois-là. Sa foi en Dieu Notre-Seigneur et en Sa tendre Mère était profonde. Il avait rapporté du Château du Graal le modèle d'après lequel il devait faire faire des calices. Il en fit fabriquer dans tout le royaume, pour que l'on servît mieux encore le Sauveur du monde. Par proclamation publique il ordonna que l'on fabrique des cloches dans tout le royaume et que chaque église en possède selon ses moyens. Cela plut beaucoup aux habitants du royaume, car ce fut fort bénéfique pour leur pays.

Le roi apprit un jour que Brian et Méliant chevauchaient sur ses terres à la tête d'une troupe nombreuse et qu'ils avaient l'intention d'aller assiéger Pennevoiseuse. Le roi sortit de Cardoel en armes, accompagné d'un grand nombre de chevaliers, et ils chevauchèrent jusqu'à ce qu'il eût retrouvé Brian et sa troupe et que Brian à son tour l'eût aperçu. Ils disposèrent aussitôt leurs troupes pour la bataille. Ils s'élancèrent l'un contre l'autre avec tant d'ardeur et de violence que l'on aurait cru que la terre tremblait ; ils se heurtèrent de leurs lances si rudement que l'on eût pu en entendre le fracas de très loin. Treize tombèrent, sous le choc, qui jamais plus ne se relevèrent. Méliant du Gaste Manoir parcourait les rangs des combattants à la recherche de Lancelot ; dès qu'il l'eut trouvé, il se précipita sur lui de toute sa vigueur et de sa lance il lui transperça son bouclier ; mais Lancelot lui porta en pleine poitrine un coup si rude qu'il lui enfonça sa lance dans l'épaule ; sous la violence du choc, la lance se brisa et l'extrémité lui resta dans le corps. Le fer dans la plaie, Méliant s'élança à nouveau contre Lancelot ; sa lance lui traversa le bouclier et le bras, et le lui cloua au côté. Continuant sur son élan, il brisa son arme ; mais il revint tout aussitôt sur Lancelot, l'épée au poing ; il lui en donna de si grands coups sur le heaume qu'il le lui défonça complètement. Cela mit Lancelot fort en colère, d'autant plus qu'il se sentait blessé. Il vint sur Méliant, l'épée à la main, protégé derrière son bouclier, la tête baissée sous son heaume. Il lui porta un coup si violent qu'il lui trancha l'épaule jusqu'au flanc, de sorte que le tronçon de lance qui lui était resté dans le corps tomba. Se sentant blessé à mort, Méliant recula, désespéré ; aussitôt d'autres chevaliers se précipitèrent sur Lancelot, à qui ils donnèrent bien du mal. Messire Yvain, Sagremor l'Impétueux et messire Gauvain de leur côté étaient en fort mauvaise posture, car de toutes parts arrivaient sans cesse des renforts pour Brian des Iles. C'étaient les meilleurs des chevaliers qui devaient supporter les assauts les plus rudes. Le roi Arthur et Brian des Iles se battaient au cœur de la mêlée, et ils s'envoyaient de grands coups ; les hommes de Brian arrivèrent avec l'intention de saisir les rênes du cheval du roi, mais celui-ci se défendait en vaillant chevalier ; il était cerné comme un sanglier par les chiens. Mais messire Yvain arriva avec Lucain l'Échanson, qui réussirent à rompre la presse ; Sagremor l'Impétueux vint à son tour de toute la vitesse de son cheval, et il frappa Brian des Iles qui était à la tête des siens avec une telle violence qu'il le porta à terre d'un seul coup, lui et sa monture. Dans sa chute, Brian se brisa la cuisse. Sagremor avait tiré son épée et allait la lui enfoncer dans le corps, quand le roi lui cria de ne pas le tuer. Les hommes de Brian n'avaient aucune possibilité de secourir leur seigneur, et ils reculèrent de toutes parts, car le combat avait duré longtemps ; on s'occupa des morts et des blessés, qui étaient fort nombreux des deux côtés. Le roi Arthur fit transporter Brian des Iles à Cardoel, et il fit emmener d'autres chevaliers que ses hommes avaient faits prisonniers. Les habitants de Cardoel furent très heureux quand ils virent le roi de retour. On avait ramené Méliant de Lis à Dure Roche sur son bouclier, mais il ne survécut pas longtemps.

Le roi Arthur fit soigner Brian des Iles et le retint prisonnier longtemps, jusqu'à ce que Brian lui eût fait l'hommage de toute sa terre et eût accepté de devenir son vassal. Le roi Arthur le nomma sénéchal de tout son royaume, et Brian le servit fidèlement. Lancelot guérit de sa blessure, et tous les chevaliers de même. Le roi Arthur régnait à nouveau tranquillement, redouté dans son royaume tout autant qu'autrefois. Brian se montrait parfaitement obéissant à la volonté du roi, et il était devenu plus proche de lui qu'aucun autre de ses chevaliers ; il rabaissait quelque peu le mérite des autres, et cela faisait que le roi l'appréciait grandement. Il n'avait pas oublié la trahison de Keu, et il répétait qu'il aurait beaucoup de gratitude à celui qui pourrait le venger, car son sénéchal s'était conduit envers lui de façon si déloyale qu'il n'osait même pas tenter de se justifier ; c'était en effet un bien grand malheur que de voir un chevalier d'aussi peu de conséquence tuer sans aucune raison valable un aussi grand seigneur que l'était le fils du roi ; et il était important qu'aussi bien des étrangers à la lignée que lui-même en prissent vengeance, afin que plus jamais personne ne commette un tel crime.

Brian était craint et redouté dans toute la Grande Bretagne. Le roi Arthur avait ordonné que tous lui obéissent. Un jour que le roi était à Cardoel, une jeune fille pénétra dans la grande salle :

— Seigneur, dit-elle, c'est la reine Jandrée qui m'envoie : elle veut savoir quelle réponse vous avez décidé de faire au message que son frère vous avait transmis par son chevalier. Elle désire être la dame et la reine de votre terre, et elle veut que vous l'épousiez, car elle est de noble lignage et de grande puissance. Elle m'a chargée de vous demander d'abandonner la Nouvelle Religion et de croire aux dieux auxquels elle croit. Si vous refusez de le faire, vous ne serez plus tranquille dans votre royaume, car le roi Madaglan son frère a déjà mis sur pied ses troupes pour pénétrer à l'extrémité de votre territoire, et il a solennellement juré qu'il n'aura de cesse d'avoir franchi tous les bras de mer entre les îles qui bordent votre royaume ; il pénétrera en Grande Bretagne avec toutes ses forces, et il s'emparera de la Table Ronde, qui doit lui appartenir de droit. Et ma dame elle-même l'accompagnerait, s'il n'y avait une chose qui la retenait : elle éprouve un tel mépris pour ceux qui croient en la Nouvelle Religion qu'elle refuse d'en voir aucun ; et de fait, dès que cette religion fut établie, elle se fit recouvrir les yeux, car elle ne voulait plus apercevoir un seul de ceux qui l'avaient adoptée ; mais les dieux auxquels elle croit ont récompensé l'amour et la vénération qu'elle leur porte : bien qu'elle se soit découvert les yeux et le visage, elle ne voit goutte, ce dont elle est fort heureuse. Elle a pourtant de fort beaux yeux. Mais elle a grande confiance dans son frère, dont la puissance est grande, car il lui a promis d'anéantir tous les fidèles de la Nouvelle Religion partout où il pourra les atteindre ; et une fois qu'il les aura fait disparaître de la Grande Bretagne et des îles alentour, de sorte que ma dame n'en aura plus aucun sous les yeux, elle est en si bons termes avec les dieux auxquels elle croit qu'elle recouvrera totalement la vue à ce moment-là ; mais jusque-là, elle ne veut rien voir.

— Demoiselle, répondit le roi Arthur, j'entends bien que vous me faites le message dont on vous a chargée. Mais dites à votre dame de ma part que cette religion que le Sauveur du monde a instituée par Sa mort sur la Croix, je n'y renoncerai jamais, quelque affection que je lui porte. Mais dites-lui de croire en Dieu et en Sa douce Mère, et de se convertir à la Nouvelle Religion : car c'est à cause de la fausse croyance à laquelle elle est attachée qu'elle est devenue aveugle, et elle ne reverra pas clair avant le moment où elle croira en Dieu. Et dites-lui aussi de ma part qu'aussi longtemps que je vivrai il n'y aura plus de reine en mon royaume, à moins qu'elle n'égale en valeur la bonne reine Guenièvre.

— Eh bien, seigneur, vous ne tarderez pas à recevoir des nouvelles qui ne vous plairont guère, je vous l'affirme !

La demoiselle quitta Cardoel et revint auprès de la reine, à qui elle rapporta le message du roi Arthur.

— Vraiment, dit la reine, je l'aime plus que quiconque au monde, et il refuse de faire ma volonté ! Il ne faut pas qu'il vive plus longtemps !

Elle envoya ses messagers à son frère le roi Madaglan, à qui elle fit dire qu'elle le défierait si jamais il ne la vengeait pas du roi Arthur et s'il ne le lui ramenait pas prisonnier.

(L.7969-8015)
(Le roi Madaglan débarque donc en Écosse avec des forces considérables et commence à dévaster les terres du roi Arthur ; les habitants demandent du secours ; sur le conseil de ses chevaliers, le roi envoie Lancelot pour repousser l'attaque. Malgré ses forces importantes, Madaglan est vaincu et doit repartir. Les habitants de la région apprécient tellement Lancelot qu'ils souhaiteraient qu'Arthur le fasse roi de ce territoire si éloigné de la cour.)

XXXVII

UN DILEMME POLITIQUE À PROPOS DE LANCELOT

(L.8016-8112)
Le roi Arthur était un jour à Cardoel en compagnie de ses chevaliers. Il pensait être tranquille et vivre en paix, mais ce jour-là, alors qu'ils étaient assis à table pour le repas, un chevalier entra et s'arrêta devant la table du roi sans le saluer.

— Seigneur, dit-il, où est Lancelot ?

— Seigneur chevalier, répondit le roi, il n'est pas dans la région.

— Sur ma tête, dit le chevalier, je le regrette ! Où qu'il soit, il est cependant votre chevalier, et appartient à votre entourage. Le roi Claudas vous fait dire qu'il se considère comme son ennemi mortel, et comme le vôtre également à cause de lui, si jamais vous l'abritez auprès de vous à partir d'aujourd'hui. En effet, Lancelot lui a tué son neveu, le fils de sa sœur, Méliant du Gaste Manoir, et il a également tué le père de Méliant ; le roi Claudas n'était en rien concerné par la mort du père ; mais Méliant était le fils de sa sœur, et sa mort l'a profondément affecté.

— Seigneur, dit le roi, je ne sais dans quelles conditions se sont passés les événements que vous évoquez là. Mais je sais fort bien que le roi Claudas a en sa possession plusieurs châteaux qui auraient dû appartenir à Lancelot, et dont il s'est emparé aux dépens du père de celui-ci ; il faut certes que chacun veille à faire respecter ses droits.

Mais je vous dis très clairement que je n'abandonnerai jamais un de mes chevaliers, dès lors qu'il a le courage de se défendre contre une accusation de meurtre et de trahison. S'il m'apparaît qu'il ait tort, je le prierais de faire réparation, et s'il refusait, j'accepterais que justice soit faite ; mais s'il ne se conduisait plus selon les règles de l'honneur, ni moi ni les autres ne pourraient plus lui porter aucune affection, dès lors qu'il refuserait de réparer ses fautes. Quand Lancelot sera au courant, je connais assez sa droiture et sa loyauté pour savoir qu'il répondra à cette accusation et se conduira comme on doit le faire lorsqu'on est ainsi mis en cause.

— Seigneur, dit le chevalier, vous avez bien entendu ce que je vous ai dit. Je vous répète cependant le message du roi Claudas : si vous accueillez auprès de vous son ennemi, il se considérera dès lors comme le vôtre, et de tout ce que vous avez fait jusque-là il n'a guère à se louer !

Le chevalier s'en alla tout aussitôt, et le roi demeura à Cardoel. Il appela auprès de lui Brian des Iles son sénéchal et bon nombre de ses chevaliers, afin de leur demander conseil sur la conduite à tenir. Messire Yvain lui dit que c'était à son service que Lancelot avait tué Méliant, en se battant contre lui parce qu'il avait, sans aucune raison, attaqué le royaume et s'était allié avec les ennemis du roi sans avoir déposé aucune plainte devant sa cour ; jamais Méliant n'avait accusé Lancelot de meurtre ni de trahison, jamais il ne lui avait reproché la mort de son père ; c'est parce qu'il menait une guerre injuste contre le roi son suzerain que Lancelot l'avait tué.

— Seigneur, poursuivit messire Yvain à l'adresse du roi, de quelque façon que Lancelot ait agi envers Méliant, votre royaume ne devrait pas en pâtir, car vous n'étiez pas là et vous ne pouviez pas savoir si l'un avait fait du tort à l'autre. C'est pourquoi j'affirme quant à moi que le roi Claudas serait dans son tort s'il avait du ressentiment contre vous et vous déclarait la guerre.

— Messire Yvain, dit Brian des Iles, il est de notoriété publique que Lancelot a tué le seigneur du Gaste Manoir, puis son fils Méliant lors du différend qui nous opposait, le roi Arthur et moi. Mais après avoir tué le père il aurait dû se garder de faire le moindre mal au fils, et il aurait dû au contraire travailler à se réconcilier avec lui.

— Brian, intervint messire Gauvain, Lancelot est absent, il se bat pour le roi en ce moment. Vous savez parfaitement que Méliant vous a rejoint et que vous l'avez fait chevalier ; et après cela, il a ravagé les terres du roi sans aucun motif raisonnable. Le roi était alors absent, il faisait le pèlerinage du Graal. On lui fit dire que ses terres étaient menacées, et il envoya Lancelot pour les défendre. Celui-ci a préservé le royaume du mieux qu'il a pu jusqu'au retour du roi. Méliant savait parfaitement que le roi était revenu, et qu'à sa cour on respectait les droits de ceux qui venaient déposer plainte. Il n'y est pas venu, et, soit mépris, soit ignorance, il n'a envoyé personne pour faire valoir ses droits. Lancelot l'a tué en combattant pour le roi et en défendant le royaume. Par la suite la paix a été conclue et le roi et vous vous êtes réconciliés. Et si dans ces conditions on veut accuser Lancelot de la mort de Méliant, je pense que l'on a tort, car les autres n'ont pas été inculpés pour la mort de ceux qu'ils ont tués. Et s'il se trouvait quelqu'un pour prétendre que ce n'était pas juste de la part de Lancelot de le tuer, quelle qu'ait été sa conduite précédemment à l'égard du père de Méliant, je m'offre de montrer que cette allégation est fausse en me battant contre celui qui le soutiendrait, ici ou ailleurs.

— Messire Gauvain, répondit Brian des Iles, vous ne trouverez ici personne pour accepter de se battre avec vous en cette affaire. Mais le roi Arthur n'a que faire d'une guerre, il ne doit pas transformer ses amis en ennemis, et vous ne devez pas lui donner un tel conseil. Le roi Madaglan lui fait la guerre, et si le roi Claudas entre à son tour en guerre contre lui, ils lui donneront beaucoup de peine. En ce qui me concerne je lui conseillerais volontiers, pour préserver son royaume et ses amitiés, de souffrir que Lancelot soit pendant un an absent de sa cour, de façon que le roi Claudas puisse être informé qu'il a été exilé : il en saurait gré au roi et lui garderait son amitié.

Sagremor l'Impétueux bondit à ces mots :

— Brian des Iles, s'exclama-t-il, maudit soit quiconque conseillerait à un suzerain de se comporter ainsi envers son chevalier ! Si le chevalier a loyalement servi son seigneur, et qu'il ait tué un chevalier au service de son seigneur et en combattant pour lui sans commettre ni meurtre ni trahison, si dans ces conditions le seigneur lui signifiait son congé, le chevalier serait bien mal récompensé ! En ce qui concerne Lancelot, si le roi l'éloignait de la cour, et que le roi Claudas le fasse épier et parvienne à le tuer, le roi Arthur aura vraiment acquis une belle renommée ! Si je dis cela, ce n'est pas parce que je crois que Lancelot ait quoi que ce soit à craindre dans un combat contre le roi Claudas ou contre le meilleur chevalier de son royaume. Mais il arrive bien des choses auxquelles on ne pense pas, et si le roi Arthur écarte Lancelot de sa cour, on tiendra sa décision pour une preuve de pusillanimité, et aucun autre chevalier ne pourrait plus jamais avoir confiance en lui.

— Sagremor, répliqua Brian, il vaudrait mieux pour le roi donner congé à Lancelot pour un an que se trouver en guerre pendant dix ans et de voir sa terre dévastée et ravagée !

Mais voici venir l'Orgueilleux de la Lande : il y avait bien longtemps qu'il n'était pas revenu à la cour ; on lui avait rapporté l'objet du débat :

— Brian, dit l'Orgueilleux, malheur au chevalier qui veut déni-
grer et léser auprès de son seigneur ceux qui l'ont loyalement servi !
Dès lors que Lancelot n'est pas présent ici, ne dites rien à son propos
que l'on puisse vous reprocher ! C'est au moins autant grâce à Lancelot qu'à aucun autre chevalier que la cour du roi Arthur a gagné sa
réputation ; s'il n'en faisait pas partie, elle ne serait pas redoutée
comme elle l'est, car en toute la Grande Bretagne il n'y a chevalier
qui inspire autant de crainte que Lancelot. Et si le roi a de l'affection
pour vous, ne faites pas en sorte qu'il déteste ses chevaliers ; car il y
en a bien quatre ou six parmi eux dont il ne trouverait pas l'égal en
vous s'ils quittaient la cour. Lancelot sert le roi depuis longtemps, et
celui-ci sait ce qu'il lui doit. Et si le roi Claudas veut déclarer la
guerre au roi Arthur à cause de Lancelot, comme je l'ai entendu
dire, sans aucune raison valable, si le roi n'a pas perdu son courage
habituel, il supportera facilement ses attaques, s'il n'a pas à pâtir de
quelque trahison ; car le roi Arthur a encore auprès de lui plus de
bons chevaliers qu'aucun roi au monde !

(L.8113-8499)
*(Le roi met fin au débat en rappelant Lancelot auprès de lui dès la fin des
combats en Écosse, au grand dam de Brian, qui incite Claudas à poursuivre sa
vengeance.*
*Apprenant le départ de Lancelot, Madaglan tente un nouvel assaut en
Écosse. Cette fois, Arthur y envoie Brian, qui se bat fort mal, car il n'aime pas
le roi Arthur.*
*Un jour de Pentecôte, à Cardoel, alors que le roi est à table, un carreau
d'arbalète vient se ficher dans le pilier de la grande salle. Une belle demoiselle
arrive, qui demande au roi de laisser venir à son aide le chevalier qui parvien-
dra à ôter le carreau du pilier ; les chevaliers demandent que Lancelot essaye de
premier : il réussit ; la demoiselle lui demande alors de se rendre à la Chapelle
Périlleuse : un chevalier y repose dans un cercueil, il lui faudra prendre son
suaire et son épée et les lui apporter au Château Périlleux ; il devra ensuite
aller au Château des Griffons et rapporter à la demoiselle la tête de l'un des
monstres ; c'est à ces conditions que pourra être guéri un chevalier blessé que
soigne la demoiselle. Mais ce que Lancelot ignore, c'est que cette demoiselle
est la jeune fille à qui il a arraché le chevalier qu'elle aimait pour le forcer à
épouser une demoiselle qu'il n'aimait plus ; c'est pour se venger qu'elle l'envoie affronter ces périls.*
*Brian revient d'Écosse : il y a perdu de nombreux chevaliers et conseille à
Arthur d'abandonner ces terres lointaines. Le roi refuse et songe à y renvoyer
Lancelot dès son retour, mais Brian accuse ce dernier de vouloir devenir roi
d'Écosse en évinçant Arthur.*
*Lancelot rencontre dans la forêt un chevalier blessé : il vient de la Chapelle
Périlleuse et il doit d'avoir la vie sauve à une demoiselle qui l'a aidé et l'a
chargé de demander à Lancelot, Gauvain ou Perlesvaus de venir à son aide ;
le chevalier mort qui repose dans la chapelle est Anuré le Bâtard, que Gauvain
avait tué en défendant contre lui son vassal Méliot de Logres ; mais Anuré
avait gravement blessé Méliot, qui ne peut être guéri que par l'épée et le suaire*

de son adversaire. Lancelot arrive de nuit à la Chapelle Périlleuse : elle est entourée d'un cimetière où il lui semble voir des silhouettes qui discutent entre elles. Il pénètre dans la chapelle, va au cercueil, prend l'épée et seulement une partie du suaire sanglant. Arrive une demoiselle qui, lorsqu'elle apprend son nom, l'invite dans son château : c'est l'Orgueilleuse Pucelle aux trois tombeaux, qui attend les trois meilleurs chevaliers du monde ; Lancelot refuse ; il repart. Au lever du jour, il trouve un ermitage où il assiste à la messe, puis reprend sa chevauchée. A la nuit, il est toujours dans la forêt ; il finit par trouver un verger, y entre et s'y endort. C'est le verger de la demoiselle du Château des Griffons ; une suivante de la jeune fille l'aperçoit et avertit sa maîtresse, qui descend au verger et baise par trois fois les lèvres de Lancelot avant qu'il ne s'éveille. Il lui demande la tête de l'un de ses griffons : elle lui révèle que cela n'est pas nécessaire à la guérison de Méliot et lui offre à nouveau son amour ; il refuse et repart. Il arrive au Château Périlleux où se trouve Méliot, mortellement blessé : grâce à l'épée et au drap sanglant, ses plaies guérissent ; la demoiselle pardonne à Lancelot la peine qu'il lui a causée naguère. Le lendemain, Lancelot repart vers Cardoel.)

XXXVIII

LANCELOT RECONQUIERT LES ÎLES

(L.8500-8553)

Après que Lancelot eut quitté la cour, le roi Arthur avait envoyé à plusieurs reprises des chevaliers contre Madaglan, pour qu'ils défendent ses terres. Tous en étaient revenus vaincus. Le roi d'Oriande proclamait qu'il accomplirait ce que sa sœur lui avait demandé, car il était sûr de pouvoir bientôt lui livrer le roi Arthur et son royaume tout entier. Le roi Arthur souhaitait vivement le retour de Lancelot, et il disait souvent que s'il avait été lui-même se battre contre ses ennemis à la place de ceux qu'il y avait envoyés, ils ne se seraient pas montrés aussi rebelles. C'est dans cette période de désarroi pour le roi Arthur que Lancelot revint à la cour, ce dont le roi fut très heureux. Lancelot avait appris que messire Gauvain et messire Yvain n'étaient pas là, et qu'ils s'absentaient plus souvent de la cour désormais à cause de Brian des Iles, que le roi écoutait plus qu'aucun autre. Il voulut s'en aller lui aussi, mais le roi l'en empêcha :

— Lancelot, lui dit-il, je vous en prie et vous le demande au nom de l'affection que je vous porte, attachez-vous à défendre mon royaume, car j'ai une grande confiance en vous.

— Seigneur, répondit Lancelot, mon aide ni mes forces ne vous feront défaut ; mais veillez à ce que les vôtres ne me manquent pas.

— Je ne dois faillir en rien à ce que je vous dois, répondit le roi, car c'est à moi-même que je manquerais en ce cas.

L'histoire précise que le roi Arthur donna à Lancelot soixante chevaliers pour l'accompagner. Il débarqua dans une île où se trouvait le roi Madaglan. Avant que ce dernier ait eu vent de son arrivée, il avait mis en pièces toute sa flotte, coupant les amarres, brisant les mâts, déchirant les voiles. Après cela lui et ses chevaliers fondirent sur les hommes du roi et en tuèrent autant qu'ils le voulurent. Le roi crut qu'il allait pouvoir se réfugier dans ses navires, comme à son habitude, mais il les retrouva en piteux état. Lancelot le pourchassa jusqu'à la mer ; alors qu'il s'enfuyait devant ses vainqueurs, il fut tué au milieu de ses soldats, et tous ses chevaliers furent tués et jetés dans les flots. C'est ainsi que Lancelot libéra cette île. Il se rendit ensuite dans les autres îles que Madaglan avait conquises et converties à de fausses croyances ; il en délivra ceux qui s'y étaient pliés par crainte de la mort, et ramena cette région à son état antérieur. Passant d'île en île, il parvint en Écosse, à laquelle il avait porté secours la première fois. Quand les habitants du pays le virent arriver, ils surent que le roi d'Oriande était mort et les îles libérées, et ils laissèrent éclater leur joie. Puis Lancelot s'en alla au royaume d'Oriande, qui appartenait au roi qu'il avait tué. Le pays avait été vidé de ses défenseurs les plus puissants et les plus forts, car ils avaient trouvé la mort en compagnie de leur seigneur. Lancelot avait amené avec lui d'Écosse des chevaliers parmi les meilleurs et les plus forts. Il arrivait avec une grosse flotte, pénétra dans le pays et commença à le dévaster. Les habitants de ce royaume étaient des mécréants, qui croyaient en de fausses idoles et en de vaines images. Ils se rendirent compte qu'ils ne pourraient sauver le pays dès lors que leur seigneur était mort. Bon nombre d'entre eux se laissèrent tuer plutôt que de renoncer à leur religion néfaste, et ceux qui acceptèrent de croire en Dieu eurent la vie sauve. C'est ainsi que Lancelot convertit ces païens à la religion de Notre-Seigneur. Il fit détruire les statues de cuivre et d'airain, symboles de leurs anciennes croyances, et à travers lesquelles leur parvenaient les fallacieuses réponses des voix démoniaques. Ensuite, il fit faire des crucifix et des statues représentant Notre-Seigneur et Sa tendre Mère, pour rendre plus ferme la foi des convertis . Un jour, les plus puissants et les plus vaillants des habitants du pays se rassemblèrent et décidèrent qu'il ne fallait pas que le royaume reste sans roi ; tous étaient d'accord sur ce point ; ils se rendirent donc auprès de Lancelot et lui dirent qu'ils souhaitaient l'avoir pour roi puisqu'il avait conquis le royaume, car personne mieux que lui ne pouvait occuper cette fonction. Lancelot les en remercia vivement, et leur dit qu'il ne serait jamais roi ni de cette terre ni d'une autre, sinon avec l'aval du roi Arthur, car c'était en son nom qu'il avait mené cette conquête, c'était sur son ordre qu'il était venu, et c'était le roi également qui lui avait donné les chevaliers qui l'avaient aidé à reconquérir toute la région.

(L.8554-8661)
(Apprenant la victoire de Lancelot, Claudas, furieux, demande à Brian des Iles de le brouiller avec Arthur. Brian affirme donc au roi que Lancelot a accepté d'être roi des provinces qu'il venait de conquérir et de mener ensuite la conquête du royaume d'Arthur. Le roi accorde foi à ses accusations ; il ordonne à Lancelot de revenir à la cour et, là, le fait prendre, non sans difficulté car Lancelot tue vingt de ses assaillants, puis le fait jeter en prison.)

XXXIX

PERLESVAUS APPREND LA MORT DU ROI PELLÉS

(L.8662-8710)

Le récit revient à présent à Perlesvaus, qui n'aurait guère été content d'apprendre ce qui était arrivé à Lancelot. Il venait de quitter le château de son oncle, qu'il avait reconquis, et était fort triste de ce que la demoiselle blessée lui avait appris à propos d'Aristor, qui avait enlevé sa sœur et l'avait conduite de force chez un vavasseur, et qui allait la prendre pour femme et lui trancher la tête au bout d'un an, sort qu'il réservait à toutes ses épouses.

Perlesvaus cheminait donc tout pensif, et se rendait par le chemin le plus direct à l'ermitage de son oncle le roi Pellés. Il y parvint un soir, au coucher du soleil. Il y avait trois ermites dehors : dès qu'il les aperçut, il mit pied à terre et alla vers eux :

— Seigneur, lui dirent les ermites, n'entrez pas, car on y ensevelit quelqu'un.

— Et qui donc ? demanda Perlesvaus.

— Le bon Roi Ermite, seigneur, que l'on appelait Pellés, et qu'un chevalier nommé Aristor a tué ce matin après la messe, à cause d'un neveu à lui, Perlesvaus, qu'il hait ; une demoiselle est en train d'ensevelir son corps, à l'intérieur.

A la nouvelle de la mort de son oncle, Perlesvaus fut bouleversé. Il passa la nuit à l'ermitage, et assista à l'enterrement le lendemain matin. La messe terminée, Perlesvaus voulait s'en aller aussitôt prendre vengeance de celui qui lui avait infligé un tel affront, quand la jeune fille s'approcha de lui :

— Seigneur, lui dit-elle, il y a longtemps que je vous cherche. Voici la tête d'un chevalier, que je porte suspendue à l'arçon de ma selle dans ce riche coffret d'ivoire que vous voyez là. Vous êtes le seul à pouvoir le venger ; aussi soyez assez bon, cher seigneur, pour m'en décharger, car cela fait fort longtemps que je la transporte, et le roi Arthur et messire Gauvain le savent bien, qui tous deux m'ont vue avec cette tête ; mais ils n'ont pu me dire où vous vous trouviez, et je ne peux récupérer mon château tant que vous ne l'aurez pas vengé.

— D'où était ce chevalier, demoiselle ?

— Seigneur, c'était le fils de votre oncle ; il se nommait Brun Brandalis, et il aurait été l'un des meilleurs chevaliers du monde s'il avait vécu.

— Et qui donc l'a tué, demoiselle ?

— Le Chevalier Roux de la Forêt Profonde, seigneur, celui qui est accompagné du lion ; il l'a tué par traîtrise, au moment où il n'y prenait pas garde, car s'il avait été armé comme l'était son agresseur, celui-ci n'aurait pu le tuer !

— Demoiselle, dit Perlesvaus, sa mort me peine, et celle de mon oncle le Roi Ermite aussi, que je désire venger par-dessus tout, car c'est à cause de moi qu'il a perdu la vie. Il s'est conduit de façon indigne, et s'est vengé de misérable manière, celui qui a tué ainsi au lieu de moi ou d'autrui un saint homme, un saint ermite qui ne voulait de mal à personne. J'aimerais beaucoup rencontrer ce chevalier, et je suis sûr qu'il le désire aussi, car il me hait autant que je le hais, d'après ce que l'on m'a dit. Dieu fasse, de quelque manière que cela tourne, que nous puissions rapidement nous rencontrer !

— Seigneur, dit la demoiselle, il est si outrecuidant, ce chevalier, qu'il n'y a si bon chevalier au monde auquel il n'imagine être supérieur ; et si vraiment il vous hait le moins du monde, s'il vous savait ici, même accompagné d'un ou deux chevaliers, il viendrait tout aussitôt, s'il en avait la possibilité.

— Demoiselle, dit Perlesvaus, Dieu fasse que ce soit pour son malheur qu'il vienne, quand il viendra !

— Seigneur, la Forêt Profonde, celle que fréquente le Chevalier Roux avec son lion, se trouve tout près du château d'Aristor, et avant d'arriver chez ce dernier, peut-être aurez-vous entendu parler de lui dans la forêt !

XL

PERLESVAUS SE VENGE D'ARISTOR, SAUVE SA SŒUR ET RETROUVE SA MÈRE

(L.8711-8793)

Ici commence la dernière branche du Graal, au nom du Père, du Fils et du Saint-Esprit. Perlesvaus s'était donc remis en route, très attristé de la mort de son oncle, et priant Dieu qu'il lui accorde de rencontrer Aristor. La jeune fille le suivait, attendant avec impatience qu'ils soient parvenus dans la Forêt Profonde pour se décharger de la tête qu'elle portait depuis si longtemps. En traversant la forêt, Perlesvaus vit passer devant lui deux jeunes gens : chacun portait, troussée derrière lui sur son cheval, une bête qui avait été prise par les chiens. Perlesvaus les rejoignit tout aussitôt et leur demanda de s'arrêter :

— Seigneurs, dit-il, où portez-vous ce gibier ?

— Au Château d'Ariste, seigneur, répondirent-ils, dont Aristor est le seigneur.

— Y a-t-il beaucoup de chevaliers au château ?

— Il n'y en a aucun en ce moment, seigneur, mais il y en aura beaucoup dans trois jours, car notre seigneur va se marier, et on prépare une grande fête. Il va épouser la fille de la Dame Veuve, qu'il a enlevée de force devant son Château de Camaalot ; il l'a installée chez un vavasseur en attendant le jour du mariage. Mais nous sommes très tristes qu'elle doive lui appartenir, car elle est très belle et très vertueuse, et c'est la sœur du meilleur chevalier du monde, et il lui coupera la tête au bout d'un an : telle est sa coutume.

— Et si on pouvait lui faire abandonner cette pratique, dit Perlesvaus, ne serait-ce pas bien ?

— Oui, seigneur, assurément, et Dieu en aurait une profonde gratitude, car c'est là un trait de férocité que l'on n'a jamais vu chez un chevalier. On lui reproche aussi la mort du bon Roi

Ermite, qu'il a tué. Et à présent il ne rêve que de rencontrer le
frère de la jeune fille qu'il doit épouser, qui est l'un des meilleurs
chevaliers du monde ; il dit qu'il le tuerait plus volontiers qu'aucun
autre chevalier au monde.

— Et où se trouve votre seigneur ? demanda Perlesvaus. Pourriez-vous me le dire ?

— Oui, seigneur, répondirent les écuyers. Nous l'avons laissé
dans cette forêt : il était en train de se battre contre un chevalier
qui nous a semblé d'un très grand courage, et qui a dit s'appeler le
Chevalier Hardi. Et comme il a affirmé à Aristor qu'il était un vassal de Perlesvaus et appartenait à sa maisonnée, Aristor l'a tout
aussitôt attaqué, puis il nous a ordonné de rentrer, disant qu'il en
aurait vite fini avec ce chevalier. Nous entendions il y a un instant
encore dans la forêt le fracas des épées. Et Aristor est si féroce
qu'il n'y a aucun chevalier qui puisse traverser cette forêt sans qu'il
cherche à le tuer s'il le rencontre.

Perlesvaus quitta les jeunes gens, et dès qu'il fut à quelque distance, il prit à toute allure la direction d'où ils étaient venus. Il
n'avait pas fait une demi-lieue qu'il entendit les coups d'épée que
les adversaires se donnaient sur leurs heaumes, et il fut très content
que le Chevalier Hardi ait réussi à tenir aussi longtemps contre
Aristor qui était si fourbe et si cruel. Mais Perlesvaus ne savait pas
dans quel état il était : il avait été blessé d'un coup de lance, et il
perdait son sang en abondance ; Aristor de son côté n'était pas
indemne, il avait été touché en deux endroits. Dès que Perlesvaus
les eut aperçus, il éperonna son cheval, la lance au poing, et frappa
Aristor en pleine poitrine avec une telle force qu'il lui fit vider les
étriers et le renversa sur l'arçon arrière de la selle. Il lui dit alors :

— Je suis venu aux noces de ma sœur : elles ne doivent se faire
sans moi !

Aristor, qui ne manquait pas de courage, se redressa sur sa selle
et fut saisi d'une violente colère quand il aperçut Perlesvaus. Il se
précipita sur lui comme un enragé, l'épée à la main, et il lui en
donna un si grand coup sur le heaume qu'il le lui défonça complètement. Dès qu'il avait aperçu Perlesvaus, le Chevalier Hardi s'était
retiré un peu en arrière, car il était blessé à mort ; il avait si longtemps résisté à son adversaire qu'il ne pouvait plus tenir davantage,
mais il avait quand même réussi à lui infliger deux rudes blessures.
Perlesvaus sentit le coup violent qui venait de lui être porté et qui
lui avait défoncé son heaume. Il revint sur Aristor si rudement qu'il
lui enfonça la lance dans le corps et l'abattit, lui et sa monture,
d'un seul coup. Puis, mettant pied à terre, il lui ôta sa coiffe de
mailles et lui délaça sa ventaille.

— Qu'avez-vous l'intention de faire ? demanda Aristor.

— Je vais vous couper la tête, répondit Perlesvaus, et je l'offrirai à ma sœur, que vous avez traitée de façon indigne.

— Ne faites pas cela, s'exclama Aristor, mais laissez-moi vivre, et je cesserai de vous poursuivre de ma haine !

— Il m'est avis que je me passerai sans peine de votre haine désormais, répondit Perlesvaus. Mais vous ne pouvez rester en vie, car vous avez bien mérité de mourir, et Dieu ne tolérerait pas que je vous laisse vivre.

Il lui trancha la tête tout aussitôt et la suspendit à l'arçon de sa selle ; puis il se rendit auprès du Chevalier Hardi et lui demanda comment il allait :

— Seigneur, répondit celui-ci, je vais mourir, mais je suis heureux de vous avoir vu auparavant !

Perlesvaus se remit en selle, reprit sa lance, et, abandonnant le corps du chevalier au milieu de la clairière, il s'en alla en amenant le Chevalier Hardi qu'il conduisit à un ermitage tout proche. Là, il le descendit de son cheval avec autant de précautions qu'il le put, puis il lui ôta ses armes et demanda à l'ermite de lui donner la confession. Et quand le chevalier rendit l'âme après avoir confessé ses péchés et s'en être repenti, Perlesvaus demanda à la demoiselle qui le suivait de l'ensevelir ; il donna à l'ermite les armes et la monture, ainsi que le cheval d'Aristor, afin qu'il prie pour le salut de l'âme du chevalier. Une fois la messe chantée et l'enterrement terminé, Perlesvaus repartit, très malheureux de la mort du chevalier.

— Seigneur, lui dit alors la demoiselle qui le suivait, vous avez accompli désormais une bonne partie de votre tâche. Vous avez vengé ce pays d'un chevalier cruel et fourbe. Dieu fasse à présent que nous rencontrions bientôt le Chevalier Roux qui a tué le fils de votre oncle. Je ne doute pas que vous le vainquiez, mais je redoute cependant beaucoup le lion, car c'est l'animal le plus féroce que j'aie jamais vu, et il est si attaché à son maître et au cheval de celui-ci qu'on n'a jamais vu une bête en aimer autant une autre ; et pour aider son maître il peut se montrer d'un courage redoutable.

Toujours suivi de la demoiselle, Perlesvaus reprit sa route vers la grande Forêt Profonde.

(L.8793-8904)

(Perlesvaus rencontre dans la Forêt Profonde le lion du Chevalier Roux, qu'il tue, puis le Chevalier Roux lui-même, qu'il tue également, vengeant ainsi son cousin. La demoiselle qui suivait Perlesvaus peut dès lors récupérer son château que lui avait enlevé le Chevalier Roux, et elle fait enterrer la tête du chevalier qu'elle transportait en attendant qu'il fût vengé.

Perlesvaus se rend ensuite à l'endroit où le vavasseur d'Aristor gardait sa sœur ; il la libère et jette à ses pieds la tête d'Aristor. Tous deux reprennent la route vers Camaalot, vers leur mère qu'ont plongée dans le désespoir le rapt de sa fille et la mort de son frère le Roi Ermite.)

(L.8904-8933)
Perlesvaus entra dans la chambre où reposait sa mère, qui était toujours en proie au plus violent chagrin. Tenant sa sœur par la main, il s'avança vers elle. Dès qu'elle les reconnut, elle se mit à pleurer de joie, puis les embrassa tous les deux.

— Mon cher fils, dit-elle, bénie soit l'heure de votre naissance, car grâce à vous toutes mes peines se transforment en bonheur. A présent je pourrais bien mourir, si c'était la volonté de Dieu, car j'ai vécu assez longtemps.

— Dame, dit Perlesvaus, votre existence ne doit pas vous peser, car elle ne nuit à personne. Mais, s'il plaît à Dieu, ce n'est pas ici que vous achèverez votre vie, mais dans le château de votre frère [1] le bon Roi Pêcheur, où se trouvent le très Saint Graal et les très saintes reliques.

— Mon cher fils, vous avez raison, et je m'y rendrais bien volontiers.

— Dame, Dieu pourvoira à ce que vous puissiez y aller. Et si ma sœur désire se marier, nous lui trouverons un parti digne d'elle.

— Croyez-le, mon cher frère, je ne me marierai jamais sinon à Dieu !

— Mon fils, dit la Dame Veuve, la Demoiselle au Char est à votre recherche, et elle n'aura de cesse de vous avoir trouvé.

— Dame, si Dieu le veut, elle entendra bien parler de moi quelque part, et moi d'elle.

— Mon fils, reprit la dame, la demoiselle que le félon chevalier avait blessée au bras lors du rapt de votre sœur est ici, et guérie.

— Dame, dit-il, je l'ai bien vengée !

Puis il raconta à sa mère toutes ses aventures depuis le moment où il avait reconquis le château de son oncle. Il resta longtemps au château avec sa mère, et il put voir que le pays était en paix et en sécurité. Alors il prit congé et s'en alla, car sa mission n'était pas encore totalement achevée. Sa mère et sa sœur demeurèrent longtemps à Camaalot, menant une vie sainte et vertueuse. La dame fit élever une très belle chapelle autour du tombeau qui se trouvait entre la forêt et le château, elle la fit magnifiquement orner et y installa un chapelain qui chaque jour chantait la messe pour elle. Par la suite, précise l'histoire, on bâtit en ce lieu une abbaye avec des moines, et beaucoup de gens ont pu témoigner qu'elle existe toujours et qu'elle est fort prospère.

---

1. Le manuscrit O donne ici *cosim germain* ; c'est une erreur, que nous corrigeons.

(L.8934-9036)

(Perlesvaus repart. Le soir, il s'arrête dans un château où il apprend que les hommes d'Aristor sont à sa recherche. Il ne tarde pas à en rencontrer deux ; il se bat avec eux et les tue. Poursuivant sa route, il rencontre un chevalier qui lui annonce que la Demoiselle au Char l'attend chez l'Ermite Noir, et que tout près dans la forêt il y a une jeune fille qu'un chevalier conduit vers la Fosse aux Serpents en la frappant avec un fouet : il s'agit de la demoiselle qui avait si longtemps transporté la tête du chevalier décapité, et de l'un des hommes du Chevalier Roux, qui veut ainsi venger son maître. Perlesvaus le vainc et le jette dans la Fosse aux Serpents : la jeune fille récupère enfin définitivement son château.)

XLI

PERLESVAUS CONVERTIT LE ROYAUME D'ORIANDE

(L.9037-9256)

Le fils de la Dame Veuve poursuit sa route, en homme que ne peut satisfaire une vie calme et sans encombre.

Il sait bien que s'il s'était rendu au château de l'Ermite Noir il aurait presque achevé sa mission ; mais auparavant il lui faut mener à bien une autre tâche, qu'il ne connaît pas encore, mais dont Dieu lui saura gré.

A force de chevaucher jour après jour, il arriva dans une contrée où se dressait une très ancienne forteresse : là, on ne croyait pas en Dieu, on ne le vénérait pas, mais les habitants adoraient de vaines images et croyaient en des dieux qui n'existaient pas. Ce n'étaient pas des dieux, mais des démons qui leur apparaissaient. A l'entrée du pays, Perlesvaus rencontra un chevalier :

— Seigneur, lui dit celui-ci, retournez sur vos pas ! N'allez pas plus loin, vous n'y gagnerez rien, car les gens de cette île [1] ne croient pas en Dieu. Je ne puis passer par là que grâce à une trêve. La reine du pays est la sœur du roi d'Oriande, que Lancelot a tué au combat en compagnie de tous ses hommes, et dont il a pris les terres où régnait le paganisme. A présent partout dans le monde on croit en le Sauveur des hommes, et cela affecte profondément la reine de ce pays, qui hait tous ceux qui ont foi en la Nouvelle Religion. Il y a longtemps déjà, elle pria ses dieux de la priver de la vue jusqu'à l'anéantissement de la Religion Nouvelle ; et Dieu, qui a tout pouvoir de faire cela aussi bien que toute autre chose, la rendit aveugle tout aussitôt. Elle croit que ce sont les faux dieux en qui

---

1. Pour le mot *île,* voir note 1, p. 269.

elle a foi qui ont fait cela, et elle affirme que dès que la Nouvelle
Religion s'effondrera grâce à elle et à ceux qui partagent ses
croyances, ses dieux auront le pouvoir de lui rendre la vue ;
jusque-là, elle refuse de voir. Si je vous dis tout cela, ajouta le chevalier, c'est que je ne voudrais pas que vous alliez en un lieu où il
vous arriverait malheur.

— Seigneur, répondit Perlesvaus, je vous en sais gré, mais il
n'est plus bel exploit que celui que l'on accomplit pour exalter la
religion de Dieu, et c'est à Lui plus qu'à quiconque que l'on doit
consacrer tous ses efforts ; pour nous, Il s'est imposé peines, tourments et souffrances : chacun de nous doit en faire autant pour Lui.

Puis il quitta le chevalier, très heureux d'avoir appris que Lancelot avait conquis un royaume dont il avait exclu les païens. Mais s'il
avait su que le roi l'avait mis en prison, il aurait été moins satisfait,
car Lancelot appartenait à son lignage et était un bon chevalier,
aussi le préférait-il à tous.

Perlesvaus chevaucha jusqu'à la tombée de la nuit ; il arriva
devant un grand château fortifié avec un pont-levis ; à l'intérieur
des murs se dressait un haut donjon ancien. Il aperçut à l'entrée,
devant la porte, un jeune homme qui avait autour du cou un collier
de fer relié à une chaîne ; à l'autre bout, la chaîne était fixée dans
la porte grâce à une grosse barre de fer, et elle était de même longueur que le pont. Dès qu'il vit venir Perlesvaus, il alla à sa rencontre et lui dit :

— Seigneur, vous croyez en Dieu, me semble-t-il.

— Oui, mon ami, répondit-il, du mieux que je peux.

— Dans ce cas, seigneur, dit le jeune homme, ne pénétrez pas
dans ce château !

— Et pourquoi donc, mon ami ?

— Je vais vous le dire, seigneur : je suis chrétien comme vous, je
suis au pouvoir de ceux du château, et je garde cette porte de la
façon que vous voyez. Mais c'est le plus horrible château que je
connaisse, et on l'appelle le Château Enragé. Trois chevaliers y
habitent, tout jeunes et très beaux. Dès qu'ils aperçoivent un chevalier de la Nouvelle Religion, ils perdent la raison et deviennent
enragés, et alors rien ne peut leur résister. Il y a aussi ici une des
plus belles demoiselles que j'aie jamais vues. Elle surveille les chevaliers lorsqu'ils sont pris de rage, et ils la redoutent au point de
n'oser lui désobéir en quoi que ce soit, car si elle n'était pas là, ils
maltraiteraient beaucoup de gens ; comme je suis en leur pouvoir,
ils parviennent à me supporter, et je n'ai rien à craindre de leur
part ; mais il y a beaucoup de chevaliers chrétiens qui sont entrés
ici et n'en sont jamais ressortis.

— Mon cher ami, répondit Perlesvaus, j'entrerai pourtant, si je peux, car je ne saurais où aller cette nuit autrement ; et nous devons être persuadés que Dieu a plus de pouvoir que le diable.

Il pénétra dans le château et descendit de cheval au milieu de la cour. La demoiselle était aux fenêtres de la grande salle ; elle était extrêmement belle. Dès qu'elle aperçut Perlesvaus avec la croix sur son bouclier, elle descendit jusqu'à lui, car elle sut aussitôt qu'il était chrétien :

— Ah, seigneur, pour l'amour de Dieu, dit-elle, ne montez pas là-haut, car il s'y trouve trois des plus beaux chevaliers que l'on ait jamais vus, qui jouent au tric trac et aux échecs dans une chambre ; ils sont frères. Dès qu'ils vous verront, ils deviendront fous furieux.

— Demoiselle, dit Perlesvaus, si Dieu le veut et si vous le voulez bien, cela ne se passera pas ainsi ; et il sera bon de voir un tel miracle, car il est normal que ceux qui ne veulent pas croire en Dieu deviennent enragés quand ils voient ce qu'Il accomplit.

Malgré les avertissements de la demoiselle, Perlesvaus monte dans la grande salle, tout armé, avec son bouclier orné de la croix. Les chevaliers se levèrent d'un bond, rendus tout aussitôt furieux et enragés ; ils roulent des yeux et se déchirent les vêtements en hurlant comme des démons. Ils s'emparent des hallebardes et des épées qui se trouvaient là, avec l'intention de se jeter sur Perlesvaus, mais ils en furent incapables, car Dieu ne le voulut pas ; ils se précipitèrent l'un sur l'autre, se déchirèrent et s'entre-tuèrent sans même vouloir écouter la demoiselle. Perlesvaus contemplait ce miracle par lequel ces hommes avaient trouvé la mort, puis la jeune fille, qui manifestait son désespoir.

— Ah, demoiselle, s'exclama-t-il, ne pleurez pas, mais renoncez à ces croyances néfastes, car tous ceux qui refuseront de croire en Dieu mourront comme des enragés ou comme des démons.

Perlesvaus fit emporter les corps par les écuyers qui se trouvaient là ; il leur ordonna de les jeter dans une rivière, puis quand ce fut fait il les tua tous parce qu'ils refusèrent de croire en Dieu. Le château fut complètement débarrassé de tous ces païens, à l'exception de la jeune fille et de celles qui étaient à son service, ainsi que de l'esclave chrétien qui gardait la porte. Perlesvaus lui ôta sa chaîne, puis le fit monter dans la grande salle. Alors il ôta son armure et, ayant trouvé là de superbes habits, il en revêtit un. La demoiselle, qui était extrêmement belle, le regarda : il lui parut fort beau chevalier, et lui plut vivement. Elle se montra très aimable à son égard, mais elle ne pouvait oublier les trois chevaliers, car ils étaient ses frères.

— Demoiselle, dit Perlesvaus, à quoi bon ce chagrin ? Il est d'autres manières de se consoler.

Perlesvaus examinait la salle, qui était vaste et magnifique ; et la demoiselle, qui était si belle, oublia son chagrin pour regarder Perlesvaus : c'était un beau chevalier, grand, bien bâti et de belle allure, et il lui plut beaucoup. Elle devint aussitôt amoureuse de lui, et se dit en elle-même que s'il consentait à abandonner son dieu pour ceux auxquels elle croyait, elle en serait extrêmement heureuse et ferait de lui le seigneur de son château et de ses terres ; il lui semblait en effet que nul mieux que lui n'était capable de l'être, et que dès lors que ses frères étaient morts, il n'y avait plus rien à faire, et qu'il lui faudrait bien oublier son chagrin. Mais elle ne connaissait pas les pensées de Perlesvaus : car si elle les avait connues, elle ne se serait pas fait de telles illusions. Même si elle était devenue chrétienne, Perlevaus ne l'aurait pas aimée de la façon dont elle l'espérait. Joséphé dit en effet que jamais il n'a perdu sa chasteté pour une femme, et qu'il est mort chaste et pur. Mais, malgré les dispositions dans lesquelles il était, elle ne pouvait s'empêcher de l'aimer ; et ne connaissant pas ses pensées, elle s'imaginait que s'il apprenait l'amour qu'elle lui portait, il en serait très heureux, parce qu'elle était d'une incomparable beauté. Perlesvaus demanda à la jeune fille à quoi elle pensait.

— Seigneur, répondit-elle, je n'aurais que de bonnes pensées, si vous le vouliez bien.

— Je ferai tout ce qu'il faut pour cela, demoiselle, répondit Perlesvaus. Abandonnez ces croyances néfastes et convertissez-vous à la vraie religion.

— Seigneur, répondit-elle, renoncez plutôt à votre religion par amour pour moi, et je ferai tout ce que vous voudrez.

— Demoiselle, dit Perlesvaus, il ne faut pas prononcer de telles paroles. Si vous aviez été un homme, avec les dispositions dans lesquelles vous êtes, vous auriez perdu la vie avec les autres. Mais, si telle est la volonté divine, vous serez bientôt dans de meilleures dispositions.

— Seigneur, si vous vouliez bien me promettre que vous m'aimeriez comme un chevalier doit aimer une demoiselle, je suis bien décidée à adopter votre religion par amour pour vous.

— Sur ma foi de chrétien, je vous promets, demoiselle, que si vous acceptez de recevoir le baptême, je vous aimerai comme ceux qui croient sincèrement en Dieu doivent aimer les dames et les demoiselles.

— Seigneur, dit-elle, je ne vous en demande pas davantage.

Elle fit venir un saint ermite qui avait obtenu l'autorisation de vivre dans la forêt, et il vint bien volontiers. Dès qu'il fut au courant de la situation, il la baptisa, ainsi que ses suivantes. Perlesvaus la tint sur les fonts baptismaux. Joséphé nous apprend qu'elle reçut le nom de Céleste. Elle fut heureuse d'être baptisée, et changea complètement de disposition d'esprit. L'ermite resta longtemps au château auprès d'elle, l'instruisant dans la pure doctrine et célébrant les offices divins. La jeune fille mena dès lors une existence sainte et vertueuse et connut plus tard une fin édifiante.

Perlesvaus quitta le château, rendant grâces au Seigneur de lui avoir permis de conquérir et de convertir à sa foi un endroit aussi terrible. Toujours armé et chevauchant à vive allure, il parvint un jour en une contrée où régnait le plus profond désespoir : nombreux étaient ceux qui disaient qu'était arrivé celui qui anéantirait leur religion, car il s'était déjà emparé de la plus puissante forteresse du pays. Perlesvaus arriva devant un vieux château, à l'orée d'une forêt. Il y avait foule à l'entrée, et, voyant venir de là un jeune écuyer, il lui demanda à qui appartenait le château.

— A la reine Jandrée, seigneur, répondit-il. Elle s'est fait conduire devant sa porte avec tous ces gens que vous voyez là, car elle a entendu dire que les chevaliers du Château Enragé sont morts, et qu'un chevalier après s'être emparé du château a fait baptiser la demoiselle. Elle se demande comment cela a pu se produire et craint fort de perdre ses terres, car son frère Madaglan d'Oriande est mort et elle ne peut attendre de secours de personne. On lui a dit aussi que celui qui a pris le Château Enragé est le meilleur chevalier du monde, et que nul ne peut lui résister. A cause de la crainte qu'il lui inspire, elle veut se rendre dans un autre de ses châteaux, qui est beaucoup plus solidement fortifié que celui-ci.

Quittant le jeune homme, Perlesvaus continua son chemin jusqu'au moment où ceux qui étaient à l'entrée du château l'aperçurent. Voyant la croix vermeille sur son bouclier, ils dirent à la reine :

— Dame, il y a un chevalier chrétien qui se dirige vers le château !

— Pourvu que ce ne soit pas celui qui doit anéantir notre religion !

Perlesvaus arrivait : il mit pied à terre, tout armé, et la reine lui demanda ce qu'il voulait.

— Dame, répondit-il, je ne cherche rien d'autre que votre bien, si vous y consentez.

— Vous venez du Château Enragé, dit-elle, où ont été tués les trois frères, ce qui est grand dommage.

— Dame, j'étais en effet au château, et je souhaiterais que le vôtre fût comme celui-là soumis à la volonté de Notre-Seigneur.

— Eh bien, dit-elle, si votre seigneur est aussi puissant qu'on le dit, il le sera en effet !

— Sa force et Sa puissance, dame, sont encore bien plus grandes qu'on ne le dit.

— Cela, j'aimerais le vérifier sans attendre, et je vous prierai de ne pas vous en aller avant que j'en aie fait l'expérience.

Perlesvaus accepta volontiers. Elle retourna dans son château, et Perlesvaus l'accompagna. Ayant mis pied à terre, il monta dans la grande salle, et les habitants du château furent extrêmement surpris qu'elle ait accepté sa présence, car jamais depuis qu'elle était devenue aveugle elle n'avait supporté qu'un chevalier de la Nouvelle Religion s'approchât d'elle, et elle avait fait tuer tous ceux qui s'étaient trouvés en son pouvoir ; et c'est même pour n'avoir point à en apercevoir un devant elle qu'elle avait refusé de voir clair. Et voici à présent qu'elle a tout à fait changé d'avis : elle aimerait bien pouvoir apercevoir celui qui venait d'arriver, car on lui avait dit que c'était le plus beau chevalier du monde, et il paraissait bien aussi valeureux qu'on le disait.

Perlesvaus était fort satisfait d'être là et de voir s'adoucir la férocité de la dame. Il lui semblait que ce serait un grand bonheur si elle acceptait de se convertir à Dieu avec tous ceux du château, car, il le savait bien, si elle adoptait la Nouvelle Religion, tous ceux du pays l'imiteraient.

Perlesvaus passa la nuit au château. Le lendemain, la dame convoqua les plus puissants de ses vassaux. Elle sortit de sa chambre et pénétra dans la grande salle où se trouvait Perlesvaus : elle voyait à nouveau aussi clair que naguère. Toute l'assistance fut émerveillée.

— Seigneurs, dit-elle, écoutez tous, je vais vous dire ce qui m'est arrivé. Je me suis couchée ne voyant goutte, et j'ai prié nos dieux de me rendre la vue. Il me sembla qu'ils me répondaient qu'ils n'en avaient pas le pouvoir ; mais ils m'ordonnaient de faire tuer le chevalier qui était arrivé au château, me menaçant de se mettre en colère contre moi si je leur désobéissais. Quand, ayant écouté leurs voix, j'eus compris qu'ils ne pouvaient m'accorder ce que je leur avais demandé, je pensai au Seigneur en qui croient les adeptes de la Nouvelle Religion. Très humblement, je lui demandai, s'Il avait autant de force et de pouvoir que beaucoup le disaient, de me rendre la vue, et alors je croirais en Lui. Là-dessus, je m'endormis, et je rêvai que je voyais une dame d'une très grande beauté : elle mettait au monde un enfant en ces lieux mêmes, et elle était nimbée d'une clarté comparable à celle du soleil. L'enfant était très beau, charmant et de si douce apparence que je trouvai un plaisir extrême à le contempler. Dans mon rêve, à sa naissance, il était entouré d'un groupe de créatures extrêmement belles, qui avaient des ailes comme les oiseaux et se livraient à des transports d'allégresse. Un vieillard qui se tenait auprès de la dame me disait qu'elle n'avait pas perdu sa virginité pour autant. Aussi longtemps que dura cette scène, je fus plongée dans le ravissement, et il me semblait que je voyais tout cela comme je vous vois. Puis je vis dans mon rêve qu'on liait à un poteau un homme au maintien plein de douceur et d'humilité, et qu'on le battait à coups de courroie et de verge si rudement que le sang jaillissait. Ses bourreaux n'avaient aucune pitié de lui, et je ne pus m'empêcher de verser des larmes de compassion. C'est alors que je m'éveillai, me demandant d'où venait tout cela et ce que cela signifiait, mais ce que j'avais vu m'avait enchantée. Puis il me sembla que je voyais mettre en croix cet homme que l'on avait attaché à un poteau ; on le cloua cruellement sur la croix, et on le frappa d'une lance au côté. J'éprouvai pour lui une telle pitié que je ne pus m'empêcher de pleurer au spectacle de sa souffrance. J'aperçus la dame au pied de la croix, celle que j'avais vue accoucher de l'enfant ; nul ne pourrait vous dire son immense souffrance. De l'autre côté de la croix se tenait un homme qui semblait fort malheureux aussi, mais qui réconfortait la dame du mieux qu'il pouvait. Il y avait là d'autres personnes qui recueillaient son sang dans une très sainte coupe qu'ils tenaient. Puis il me sembla que j'assistai à sa descente de la croix et à son enterrement dans un sépulcre de pierre. A ce spectacle je fus saisie d'une si profonde compassion qu'aussi longtemps que je l'eus sous les yeux, mes larmes ne cessèrent de couler. Dès que je sentis cette pitié dans mon cœur et les larmes me couler des yeux, je recouvrai la vue, comme vous le voyez. On doit croire en un tel Seigneur, car Il affronta la mort, qu'Il aurait pu éviter s'Il l'avait voulu ; mais Il le fit pour sauver son peuple. Je veux que vous croyiez tous en un tel Seigneur, et que vous renonciez à ceux que vous appeliez dieux, et qui de fait sont des démons incapables de vous aider. Et ceux qui ne voudront adopter cette religion, je les ferai mourir ignominieusement.

La dame se fit baptiser, et ceux qui refusèrent d'en faire autant, elle les fit anéantir. Elle fut nommée Salubre, précise cette histoire. Ce fut une dame fort vertueuse, sincèrement croyante, et qui mena une sainte existence avant de mourir dans un ermitage. Perlesvaus quitta le château, très heureux d'avoir vu la dame et son peuple se convertir à la Nouvelle Religion.

XLII

LANCELOT LIBÉRÉ

(L.9257-9454)

(Méliot de Logres, guéri, quitte le Château Périlleux ; mais il a appris que Gauvain avait été fait prisonnier par des parents des chevaliers du Château Enragé : ils voulaient ainsi se venger de Perlesvaus, qui les avaient tués. A la

*nuit, il rencontre dans une forêt une jeune fille qui se désole au clair de lune :
au-dessus d'elle se balancent deux chevaliers qui ont été pendus par le Chevalier de la Galère ; il lui a ordonné de les garder sous peine de mort. Méliot
dépend les chevaliers et les enterre et repart en emmenant la jeune fille. Ils
arrivent auprès d'une chapelle dans laquelle une demoiselle veille un chevalier qu'a tué ce même Chevalier de la Galère. Elle leur apprend que le chevalier doit venir le lendemain avant d'aller voir Gauvain condamné à se battre
contre un lion, et que leur maîtresse à toutes deux, qui était la demoiselle du
Château Enragé, sera jetée au lion si elle n'abjure pas sa foi. Méliot décide
d'attendre le chevalier ; le lendemain, celui-ci arrive, amenant la demoiselle
qu'il roue de coups ; les deux chevaliers se livrent bataille ; Méliot finit par
tuer le Chevalier de la Galère. Les trois demoiselles remercient Méliot, qui
repart à la recherche de Gauvain son seigneur lige. Il rencontre un chevalier
qui lui annonce que le Seigneur de la Tour Vermeille vient d'amener Gauvain à l'endroit où doit avoir lieu le combat contre le lion. Méliot parvient à
la clairière où se trouve Gauvain, prisonnier dans les fers ; Méliot tue ses
gardiens et le délivre. Le Seigneur de la Tour Vermeille, apprenant tout cela,
s'enfuit au-delà de la mer.*

*Gauvain et Méliot arrivent près de la mer : sur un navire, un homme se
bat seul contre une troupe qui veut y pénétrer ; à son écu ils reconnaissent
Perlesvaus ; mais avant leur arrivée le navire a repris la mer avec les combattants. Gauvain et Méliot apprennent alors l'emprisonnement de Lancelot sur
l'ordre d'Arthur. En outre, le roi Claudas, aidé des conseils de Brian le
traître, reconquiert le royaume d'Oriande, mais les Écossais lui résistent ;
Arthur envoie là-bas Brian, puis d'autres chevaliers, en vain ; il est inquiet,
car les meilleurs chevaliers ont déserté sa cour.)*

(L.9455-9507)

Le roi se tenait un jour dans la grande salle à Cardoel, fort
préoccupé ; il était accoudé aux fenêtres, et il lui souvenait de la
reine, et de ses bons chevaliers que naguère il voyait plus souvent à
sa cour : beaucoup d'entre eux étaient morts, mais parmi les autres
qui avaient l'habitude d'y venir, on n'en voyait plus aucun. Le
voyant préoccupé, Lucain l'Échanson s'approcha de lui :

— Seigneur, dit-il, vous me semblez bien triste !

— Lucain, dit le roi, le bonheur s'est bien éloigné de moi depuis
la mort de la reine, et mon neveu Gauvain et les autres chevaliers
ont abandonné ma cour et ne daignent plus y venir ; le roi Claudas
me fait la guerre et me prend des terres, sans que je puisse me
défendre puisque mes chevaliers me font défaut.

— Seigneur, rétorqua Lucain, de cela vous ne devez vous en
prendre qu'à vous-même, car vous traitez mal ceux qui vous ont
bien servi et bien ceux qui vous trahissent. Vous avez mis en prison
l'un des meilleurs et des plus loyaux chevaliers du monde, et c'est
pour cette raison que tous les autres abandonnent votre cour. Lancelot vous a fidèlement servi en parfait chevalier, et il n'avait en
rien mérité le traitement honteux que vous lui avez infligé. Lui seul
et vos bons chevaliers pourront éloigner vos ennemis et faire qu'ils

vous redoutent. Sachez-le bien, Lancelot et messire Gauvain sont les miroirs de votre cour.

— Lucain, dit le roi Arthur, si j'étais sûr de n'avoir rien à craindre de Lancelot, je le ferais libérer, car je sais bien que je ne me suis pas bien conduit à son égard ; mais Lancelot a le cœur noble et fier, et il n'est pas homme à oublier le tort qu'on lui a fait avant de s'en être vengé ; car il n'est roi au monde, si puissant soit-il, contre lequel il renoncerait à défendre son droit.

— Seigneur, dit Lucain, Lancelot sait bien que, si cela n'avait dépendu que de vous, il n'aurait pas été traité de la sorte ; et je suis certain que jamais de toute sa vie il ne vous fera aucun mal, car c'est un homme de grande valeur et de grande loyauté, vous avez pu mainte fois en faire l'expérience. Si vous voulez avoir aide et secours pour défendre votre royaume et repousser vos ennemis, faites-le libérer. Sinon, vous ne pourrez venir à bout de cette situation, et vous perdrez votre terre par trahison.

Le roi écouta le conseil de son échanson. Il fit amener Lancelot devant lui, dans la salle. Il avait beaucoup maigri en prison, mais son maintien et son regard n'avaient pas changé : quiconque le voyait pensait aussitôt que ce devait être un bon chevalier.

— Lancelot, demanda le roi, comment cela allait-il pour vous ?

— Seigneur, répondit-il, j'ai connu quelque difficulté un temps, mais, si Dieu le veut et si vous le voulez, cela ira mieux pour moi désormais.

— Lancelot, dit le roi, je regrette ce que je vous ai infligé là ; j'ai réfléchi à la façon dont vous m'avez loyalement servi ; je ferai réparation de la manière dont vous le voudrez, pourvu que l'amitié qui nous lie soit exactement la même qu'avant.

— Seigneur, répondit Lancelot, votre offre de réparation me touche beaucoup, et je tiens à votre amitié plus qu'à toute autre ; mais jamais, plaise à Dieu, quoi que vous m'ayez fait, je ne vous causerai aucun tort ; car chacun sait que si j'ai été emprisonné, ce n'est pas pour m'être rendu coupable de trahison ou de félonie à votre égard, mais parce que telle était votre volonté, et cela ne peut donc m'être imputé à déshonneur ; et dès lors que vous ne m'avez rien fait dont je puisse être blâmé, je dois bien me garder de vous haïr ; car vous êtes mon suzerain, et si vous me faites du tort, c'est vous qui en serez blâmé. Mais, si Dieu le veut, quoi que vous m'ayez fait, mon aide vous sera acquise, et partout je risquerai ma vie par amitié pour vous, comme je l'ai fait bien des fois déjà.

À la cour, la nouvelle de la libération de Lancelot fit grand plaisir à la plupart, mais Brian et ses hommes n'en furent pas très contents.

(L.9507-9536)
(Brian des Iles, fort déçu, quitte la cour en proférant des menaces à l'égard du roi et va solliciter l'aide de Claudas.)

XLIII

L'ÎLE D'ABONDANCE
ET LE CHÂTEAU AUX QUATRE CORS

(L.9537-9668)

Le conte revient à présent à Perlesvaus, que le navire emporte à vive allure ; il s'est si bien battu qu'il a tué tous les hommes qui se trouvaient à l'intérieur du bâtiment, à l'exception du pilote, qui lui avait promis de croire en Dieu et d'abandonner sa vaine religion. Perlesvaus s'éloigna de la terre : bientôt il ne vit plus que la mer tout autour, et le navire allait toujours à grande allure, guidé par Dieu qui récompense ainsi celui qui croit en Lui, L'aime et Le sert d'un cœur sincère. Après avoir longtemps navigué de jour et de nuit à la volonté de Dieu, ils aperçurent un château sur une île. Perlesvaus demanda à son matelot s'il savait quel était ce château.

— Non, seigneur, absolument pas, car nous avons parcouru une telle distance que je ne reconnais plus ni la mer ni les étoiles.

S'approchant, ils entendirent, provenant du sommet des murs du château, le son très mélodieux de quatre trompettes d'airain : ceux qui en sonnaient étaient tout vêtus de blanc. Ils approchèrent encore, et au moment où le navire arrivait au pied du château, la mer se retira, de sorte qu'il se trouva à sec ; il n'y avait plus à l'intérieur que Perlesvaus, son cheval et le matelot. Ils sortirent du navire et pénétrèrent dans le château du côté de la mer : ils furent frappés par la beauté des habitations et des salles somptueuses. Sous un beau grand arbre à la vaste frondaison, Perlesvaus aperçut une très belle fontaine, extraordinairement limpide, tout entourée de superbes piliers décorés d'or, et le gravier au fond semblait être de pierres précieuses. Au pied de la fontaine étaient assis deux hommes ; ils avaient les cheveux et la barbe plus blancs que neige, mais leurs visages paraissaient très jeunes. Dès qu'ils aperçurent Perlesvaus, ils se levèrent et s'inclinèrent devant lui, puis se recueillirent devant le bouclier qu'il portait à son cou et baisèrent la croix qui s'y trouvait ainsi que la boucle de l'écu qui contenait les reliques.

— Seigneur, dirent-ils, notre attitude ne doit pas vous surprendre, car nous avons bien connu le chevalier qui portait ce bou clier avant vous. Nous l'avons rencontré bien des fois avant que Dieu soit crucifié.

Perlesvaus fut très étonné de leurs propos, car ils évoquaient un passé fort lointain.

— Seigneurs, savez-vous comment se nommait celui qui le portait ?

— Il se nommait Joseph d'Arimathie ; mais son bouclier ne portait pas de croix avant la mort du Christ, ce n'est qu'après la crucifixion qu'il l'y fit mettre, pour marquer sa fidélité au Sauveur, auquel il portait un profond amour.

Perlesvaus ôta le bouclier de son cou, et l'un des saints hommes l'appuya contre l'arbre, qui était couvert de fleurs magnifiques.

Regardant au-delà de la fontaine, Perlesvaus aperçut, posé dans un endroit merveilleusement agréable, un tonneau qui paraissait être de verre, assez grand pour contenir un chevalier avec toute son armure ; regardant de plus près, il vit que le chevalier était vivant ; il l'appela plusieurs fois, mais le chevalier ne répondit pas ; Perlesvaus le considérait avec un profond étonnement. Il revint trouver le saint homme et lui demanda qui était ce chevalier, mais son interlocuteur lui répondit qu'il n'était pas encore temps qu'il l'apprenne. Puis ils le conduisirent dans une vaste salle, avec son bouclier, qui suscitait leur joie et respect. Perlesvaus n'avait jamais vu une salle aussi magnifique ; elle était tapissée tout autour de précieuses tentures de soie, et au milieu de la salle le Sauveur du monde était représenté en majesté, avec ses apôtres autour de lui. La salle était remplie de gens qui paraissaient extrêmement heureux ; tous semblaient de très saints hommes, et ils l'étaient, bien certainement, car ils ne se seraient pas trouvés là autrement.

— Seigneur, dirent les deux maîtres à Perlesvaus, ce bâtiment magnifique est une salle royale.

— Par ma foi, répondit Perlesvaus, cela ne me surprend pas, car je n'en ai jamais vu d'aussi splendide !

Et il examina tout autour de lui les magnifiques tables d'or et d'ivoire. L'un des deux saints hommes lança un appel en sonnant trois coups : aussitôt entrèrent ensemble dans la salle trente-trois hommes ; ils étaient vêtus de blanc, et tous avaient une croix vermeille sur la poitrine ; tous semblaient avoir trente-deux ans. Dès qu'ils furent entrés, ils se recueillirent en adorant Dieu d'un cœur sincère et battirent leur coulpe, puis ils allèrent se laver les mains dans un magnifique bassin d'or et s'assirent à table. Les deux anciens firent asseoir Perlesvaus tout seul à la table principale. Tous ceux qui étaient là furent servis d'une glorieuse et sainte collation. Perlesvaus prenait plus de plaisir à les regarder qu'à manger. Alors qu'il était plongé dans cette contemplation, il aperçut en levant les yeux une chaîne d'or qui venait d'en haut, chargée de pierres précieuses qui luisaient doucement, et il y avait une couronne d'or au milieu. La chaîne descendait tout droit, et elle ne tenait en l'air que par la volonté de Notre-Seigneur. Dès que les religieux la virent descendre, ils ouvrirent une grande et large fosse qui se trouvait au centre de la salle, de sorte que l'on pût bien en voir l'ouverture. Dès que la fosse fut découverte, il s'en échappa des cris terribles et des clameurs déchirantes. Quand ils entendirent cela, les saints hommes tendirent leurs mains vers Notre-Seigneur et se mirent tous à pleurer. Perlesvaus se demandait ce que signifiaient ces manifestations de douleur. Il vit la chaîne d'or descendre juste à cet endroit, puis s'immobiliser au-dessus de la cavité le temps que dura le repas. Elle remonta ensuite et s'éleva dans les airs, mais Perlesvaus ne put voir ce qu'il advint d'elle. Les religieux refermèrent alors la fosse, qui était horrible à voir et laissait échapper des plaintes pitoyables. A la fin du repas, les religieux se levèrent de table et rendirent grâces à Notre-Seigneur, avant de s'en retourner d'où ils étaient venus.

— Seigneur, dirent les deux maîtres à Perlesvaus, cette chaîne d'or que vous avez vue est extrêmement précieuse, et la couronne aussi. Mais vous ne pourrez quitter ces lieux si vous ne promettez que vous y reviendrez dès que vous verrez le navire avec la croix vermeille sur sa voile ; sinon, vous ne pouvez partir.

— Dites-moi, demanda Perlesvaus, cette chaîne et cette couronne, qu'est-ce donc ?

— Nous vous le dirons, dit l'un des maîtres, si vous nous faites cette promesse.

— Assurément, seigneur, je vous promets sincèrement que dès que j'aurai fait ce que je dois pour ma dame ma mère et d'autres, je reviendrai ici, à condition que je sois encore en vie, dès que je verrai le navire que vous m'avez décrit.

— Alors, soyez-en certain, vous aurez la couronne d'or sur la tête, dès que vous serez de retour, et vous serez assis sur le trône. Et vous serez le roi d'une île qui est tout près d'ici, où l'on trouve de tout en abondance, car rien n'y manque de ce qui est nécessaire à l'existence d'hommes ou de femmes ; car un homme de grande valeur en a été roi et l'a ainsi bien pourvue. Et comme il avait fait ses preuves en ce royaume et que les habitants de l'île se louaient fort de lui, il fut choisi pour être le roi d'un plus grand royaume. A présent, les habitants de l'île désirent avoir pour roi quelqu'un d'égale valeur et qui leur soit aussi bénéfique que celui-là l'avait été ; mais il faudra prendre garde, dès lors que vous en serez le roi, à ce que l'île soit bien pourvue, car si vous vous en montrez incapable, vous serez envoyé dans l'Ile de Pénurie, dont vous venez d'entendre les cris dans cette salle, et l'on vous retirera la couronne. En effet, ceux qui ont été rois de l'Ile d'Abondance et ne s'en montrèrent pas dignes se trouvent dans la compagnie de ces gens que vous avez entendus dans l'île où tout manque. Et je vous dirai que l'Ermite Noir, que vous allez devoir combattre, y a envoyé une bonne partie de ses hommes ; s'y trouvent toutes les têtes qui étaient scellées d'argent et celles qui l'étaient de plomb, avec les corps auxquels les têtes appartenaient ; mais les têtes scellées d'or ne s'y trouvent pas : ceux-là, vous devrez les faire venir ici avec vous, ainsi que les têtes du roi et de la reine. Pour les autres, je vous l'ai dit, ils sont dans l'Ile de Pénurie, et nous ignorons s'ils en sortiront jamais.

— Seigneur, dit Perlesvaus, parlez-moi de ce chevalier qui se trouve tout armé à l'intérieur du tonneau de verre ; dites-moi qui il est et comment il se nomme.

— Ce n'est qu'à votre retour que vous pourrez le savoir, dit le religieux. Mais dites-moi ce qu'il est advenu du très Saint Graal, que vous avez reconquis sur votre oncle. Se trouve-t-il encore dans la très sainte chapelle du Roi Pêcheur ?

— Oui, seigneur, dit Perlesvaus, ainsi que l'épée qui servit à la décollation de saint Jean, et bien d'autres reliques encore.

— J'ai vu le Graal, dit le religieux, avant le Roi Pêcheur. Joseph, qui était son oncle, y recueillit le sang qui coulait des blessures du Sauveur du monde [1]. Je connais bien toute votre lignée, et je sais de quelle famille vous êtes né. C'est grâce à vos qualités de bon chevalier, à votre pureté et aux grandes vertus de votre cœur que vous avez pu venir jusqu'ici, car telle était la volonté de Notre-Seigneur. Et surtout tenez-vous prêt à y revenir quand le moment sera venu et que vous verrez arriver le navire.

— Seigneur, dit Perlesvaus, je reviendrai bien volontiers. Et si ce n'était pour ma mère et ma sœur, je ne quitterai pas ce lieu, car je n'en connais aucun qui me plaise autant.

Il passa là fort agréablement la nuit, et le matin, avant de partir, il entendit une sainte et glorieuse messe en l'une des plus belles chapelles qu'il eût jamais vues.

Après la messe, le religieux vint vers lui avec un bouclier blanc comme la neige nouvelle. Et il lui dit :

— Vous nous laisserez ici votre bouclier en gage de votre promesse de retour, et vous prendrez celui-ci.

— Comme vous le désirez, seigneur, répondit Perlesvaus.

Puis il prit congé et quitta cette magnifique demeure ; il trouva

---

1. Ici, le texte précise que c'est Joseph d'Arimathie qui a recueilli le sang du Christ crucifié dans le Graal ; or cela contredit le prologue.

son navire prêt à partir, et il entendit alors sonner pour son départ les mêmes trompettes qu'à son arrivée. Il monta à bord ; la voile était dressée ; il s'éloigna de la terre ; le pilote dirigeait le navire, mais c'est Dieu qui les conduisait. Le navire courait à grande vitesse sur les flots, car il avait une longue distance à parcourir, mais Dieu pouvait le faire aller aussi vite qu'il le voulait, car il connaissait la valeur et la vertu du chevalier qui était sur ce navire.

(L.9669-9817)
(Ayant repris la mer, Perlesvaus aperçoit bientôt une petite maison sur une île : il y va voir et y trouve, les fers aux pieds et le cou pris dans un carcan, son cousin Calobrus ; c'est le roi Gohart du Château de la Baleine qui l'a ainsi emprisonné et qui possède la clé nécessaire à sa délivrance. Perlesvaus part aussitôt à la recherche du roi Gohart. Le jour suivant, il parvient à un îlot sur lequel un roi et une jeune fille sont montés sur un arbre pour échapper à un serpent qui les guette en bas : il s'agit du roi Gohart. Perlesvaus tue le serpent et reprend dans sa gueule la clé — car le serpent l'avait avalée ; puis il libère la jeune fille, elle aussi victime du roi Gohart ; enfin, il emmène le roi dans l'île où était prisonnier son cousin, libère celui-ci et le remplace par le mauvais roi.)

XLIV

L'ÎLE AUX TOMBEAUX

(L.9818-9853)
Après avoir longtemps navigué, Perlesvaus arriva non loin d'un château en feu d'où s'élevaient de grandes flammes. Tout près, il aperçut un ermitage qui se dressait au-dessus de la mer : l'ermite se tenait sur le seuil de sa chapelle. Perlesvaus lui demanda quel était ce château qui se trouvait ainsi la proie des flammes.

— Seigneur, répondit l'ermite, je vais vous le dire : c'est là que Joseu, le fils du roi Pellés, tua sa mère. Jamais depuis le château ne cessa de brûler, et, je vous le dis, c'est de ce château et d'un autre que surgira le feu par lequel le monde ira à sa fin.

Perlesvaus en fut fort étonné : c'était là le château de son oncle le Roi Ermite, il le savait bien. Il repartit : le navire avançait à grande allure. Il longea trois royaumes et davantage même, et rencontra de part et d'autre des îles dévastées et désertes : il naviguait en effet tout près des côtes. Sur l'une des îles, il aperçut douze ermites qui se tenaient sur le rivage. La mer était calme et tranquille, et il fit jeter l'ancre pour arrêter le bateau. Puis il salua les ermites, qui lui répondirent tous en s'inclinant. Il leur demanda où se trouvait leur demeure, et ils lui dirent qu'ils habitaient tout près de là douze chapelles et douze maisons disposées tout autour d'un cimetière où gisaient les corps de douze chevaliers dont ils assuraient la garde. Ces chevaliers, précisèrent-ils, étaient tous frères, et fort valeureux ; tous sauf un n'avaient vécu que douze ans après avoir été armés chevaliers, tous avaient conquis de vastes territoires et de grands royaumes sur les infidèles, et tous étaient morts en combattant. L'aîné s'appelait Julain le Gros, et il avait quitté les Vaux de Camaalot pour venir venger son frère Alibran de la Gaste Cité, que le Géant Roux avait tué ; il avait accompli sa vengeance, mais peu de temps après il était mort d'une blessure que lui avait infligée le géant.

— Seigneur, dit l'un des ermites, j'étais auprès de lui quand il mourut, et il n'y avait rien qu'il regrettait autant qu'un fils qu'il avait, qui se nommait Perlesvaus, disait-il ; c'est lui qui, des douze frères, mourut le dernier.

A ces mots, le cœur de Perlesvaus s'emplit de compassion. Il quitta son navire et descendit à terre, et ses matelots l'accompagnèrent. Il pria les ermites de le conduire au cimetière où se trouvaient les chevaliers, ce qu'ils firent bien volontiers. Arrivé là, Perlesvaus put voir les tombes : elles étaient magnifiques, et les chapelles étaient richement ornées ; et chacun des tombeaux s'appuyait contre l'autel de l'une des chapelles.

— Seigneurs, demanda Perlesvaus, quelle est la tombe du seigneur de Camaalot ?

— C'est celle qui est la plus belle et la plus somptueuse, car il était l'aîné.

Perlesvaus s'agenouilla devant le tombeau et l'embrassa, puis il pria très tendrement pour le salut de l'âme de son père ; il fit ensuite de même devant chacune des autres tombes. Il passa la nuit chez les ermites, et il leur apprit que Julain le Gros était son père, et que tous les autres étaient ses oncles. Les ermites étaient très heureux de sa présence en ce lieu.

(L.9853-9942)

(Perlesvaus repart le lendemain après la messe. Il retrouve bientôt les îles de la Grande Bretagne, et accoste au pied de la Tour Vermeille, dont il avait tué le seigneur quand Méliot était venu délivrer Gauvain. Quittant le navire en emmenant son cheval, il s'avance à travers le pays, complètement désert : il en avait tué les habitants, et il ne le savait pas. Vers le soir il arrive près d'un manoir : à l'entrée est étendu un chevalier dont une dame, très belle, tient la tête sur ses genoux ; le chevalier est lépreux ; il accepte d'héberger Perlesvaus, mais lui demande de ne pas s'offusquer des mauvais traitements qu'il inflige à la dame. Celle-ci explique à Perlesvaus qu'elle est la demoiselle que Lancelot avait contraint le chevalier à épouser ; il ne lui pardonnera que lorsqu'elle lui apportera la coupe d'or que seul peut conquérir le meilleur chevalier du monde, celui qui sera le vainqueur du tournoi de la Blanche

Tour, et qui sera apportée par une demoiselle accompagnée d'un chevalier.
Perlesvaus lui promet de l'aider. Il passe la nuit au manoir et, au matin,
repart, impatient de pouvoir retourner bientôt au château de l'Ile d'Abon-
dance.)

XLV

PERLESVAUS ET L'ERMITE NOIR

(L.9942-10005)

Chevauchant sans trêve, Perlesvaus est arrivé à la Redoutable
Forêt de l'Ermite Noir, dont la hideur est si grande qu'hiver
comme été l'on n'y voit ni feuille ni verdure, l'on n'y entend nul
chant d'oiseau ; la terre y est aride et brûlée, toute parcourue de
profondes crevasses. Il ne tarda pas à rejoindre la Demoiselle au
Char, qui fut très heureuse de le revoir.

— Seigneur, dit-elle, j'étais chauve la première fois que je vous
ai rencontré. A présent, comme vous pouvez le voir, j'ai retrouvé
ma chevelure.

— Oui, en effet, dit Perlesvaus, et une superbe chevelure !

— Seigneur, reprit-elle, je portais mon bras suspendu à mon cou
par une étole d'or et de soie, car je pensais que j'avais eu tort de
l'utiliser à votre service dans la demeure du Roi Pêcheur votre
oncle ; mais à présent je sais que que ce n'était pas le cas, et je
porte désormais les deux bras de la même façon. Et la demoiselle
qui allait à pied va à présent à cheval. Soyez béni d'avoir ainsi fait
la preuve de votre valeur, grâce aux vertus d'un noble cœur et aux
mérites d'un illustre lignage, dont vous vous êtes montré digne en
tout point. Seigneur, ajouta-t-elle, je n'ose m'approcher de ce château, car il s'y trouve des archers qui lancent leurs traits avec une
telle force que nul n'y peut résister ; et ils ne cesseront de tirer,
disent-ils, qu'à votre arrivée. Mais je sais bien pourquoi ils cesseront à ce moment-là : c'est qu'ils ont l'intention de vous enfermer
dans le château pour vous mettre à mort ; cependant, personne
dans le château ne pourra vous tuer ou vous mettre à mal, sinon le
seigneur du château lui-même, qui ne demande qu'à vous affronter !

Perlesvaus s'avança vers le château de l'Ermite Noir, et la
Demoiselle au Char le suivit. Les archers décochèrent leurs traits
redoutables. Perlesvaus avançait à vive allure. A cause de son bouclier blanc, les archers ne l'avaient pas reconnu et le prenaient pour
un autre : ils lui envoyèrent une volée de traits qui se fichèrent dans
son bouclier. Il s'approcha du pont-levis, qui était relevé, et sous

lequel courait une rivière absolument effroyable. Dès qu'il y fut parvenu, le pont s'abaissa et les archers cessèrent de tirer : ils savaient bien à présent que celui qui venait était Perlesvaus. La porte s'ouvrit pour qu'il pût entrer, car les habitants du château se croyaient capables de le tuer. Mais dès qu'ils le virent, ils oublièrent leurs intentions et se retrouvèrent réduits à l'impuissance ; ils dirent alors que c'était à leur seigneur de régler cette affaire, car il était bien assez fort pour tuer un homme. Perlesvaus entra tout armé dans une grande salle : tout autour se tenaient des gens à l'aspect effrayant. La salle était vaste et magnifique. Celui que l'on nommait l'Ermite Noir se tenait au milieu de la salle, tout armé.

— Seigneur, lui dirent ses hommes, si vous n'êtes pas capable de vous défendre vous-même, vous ne pouvez compter sur notre aide. Notre rôle est de vous protéger, et bien des fois nous vous avons défendu. A présent c'est à vous de nous défendre dans cette circonstance.

L'Ermite Noir était monté sur un grand cheval noir et portait une magnifique armure. Dès que Perlesvaus l'aperçut, il se précipita sur lui avec une telle violence que toute la salle en retentit, et l'Ermite Noir fit de même. Le choc fut si rude que l'Ermite Noir brisa sa lance contre Perlesvaus, mais celui-ci lui porta un coup si violent au côté gauche sur le bouclier qu'il le fit tomber de cheval ; dans sa chute. l'Ermite Noir se brisa deux des côtes principales dans la poitrine. Quand ils le virent tomber, ceux qui étaient dans la salle ouvrirent l'accès à une grande fosse qui se trouvait au milieu de la salle ; dès qu'elle fut ouverte, il en sortit une puanteur atroce ; saisissant leur seigneur, ils le précipitèrent dans l'ordure de cet abîme ; puis ils vinrent à Perlesvaus, lui remirent le château et se rendirent à sa merci.

C'est alors qu'arriva la Demoiselle au Char. On lui remit les têtes scellées d'or du roi et de la reine, et elle repartit aussitôt, car elle savait bien que Perlesvaus n'avait pas besoin d'elle pour achever son entreprise. Quittant le château, elle se rendit aussi vite qu'elle le put aux Vaux de Camaalot. Quant aux habitants du château qui avait appartenu à l'Ermite Noir, ils étaient tout à fait disposés à obéir en tout aux volontés de Perlesvaus, et ils lui promirent que jamais plus un chevalier ne serait traité comme on l'avait fait jusqu'alors : désormais, les chevaliers de passage seraient aussi bien reçus qu'ailleurs. Perlesvaus quitta le château très heureux, car il l'avait converti à la foi en Notre-Seigneur. et désormais l'on y célébrait Ses offices aussi religieusement que partout ailleurs. On doit apprécier hautement le bon chevalier qui par la noblesse de son cœur et ses vertus de loyal combattant mène à bien tout ce qu'il entreprend sans mériter blâme ni reproche !

XLVI

ULTIMES AVENTURES DE PERLESVAUS

(L.10005-10049)
(Perlesvaus rejoint la jeune fille qui porte la coupe d'or et le chevalier qui l'accompagne. Elle lui explique que la coupe ira au vainqueur du Tournoi de la Blanche Tour. Perlesvaus rejoint le lieu du tournoi et y fait merveille : à la fin tous s'accordent pour donner le prix au chevalier à l'écu blanc — Perlesvaus. La demoiselle lui remet la coupe d'or, mais elle lui explique qu'il ne peut l'avoir qu'à condition de venger Méliot de Logres ; en effet, cette coupe avait été remise à Gauvain ; or Méliot de Logres, vassal lige de Gauvain, qu'il avait sauvé deux fois, venait d'être tué traîtreusement par le neveu de Brian des Iles, Brudan ; et Gauvain demande à celui à qui revient la coupe de venger le jeune et vaillant Méliot. Perlesvaus accepte, et demande que l'on porte la coupe au manoir du chevalier lépreux et qu'on la remette de sa part à son épouse.)

(L.10050-10192)
Perlesvaus passa la nuit au Château de la Blanche Tour, et le lendemain il se remit en route, fort désireux de faire quelque chose qui fût agréable à messire Gauvain. Il avait bien des fois entendu parler de Méliot de Logres, de sa bravoure et de ses qualités éminentes. Un jour, il pénétra dans une forêt, et il entendit la messe dans un ermitage, puis il repartit. Il ne tarda pas à trouver le Château Périlleux, qui était tout près de là : c'est là que Méliot était resté, blessé, et que Lancelot lui avait apporté l'épée et le drap qu'il avait appliqué sur ses plaies. Perlesvaus entra dans le château et descendit de cheval. La demoiselle du château, tout éplorée, vint à sa rencontre.

— Demoiselle, demanda-t-il, pourquoi avez-vous un tel chagrin ?

— A cause d'un chevalier que j'avais gardé ici et guéri, seigneur, et que Brudan a tué par traîtrise. Que Dieu nous permette qu'il soit vengé, car je n'ai jamais connu chevalier plus courtois !

Pendant qu'elle parlait ainsi, arriva une autre demoiselle :

— Ah ! seigneur, s'écria-t-elle à l'intention de Perlesvaus, au nom de Dieu, remontez à cheval et venez à notre secours, car je n'ai pas trouvé un seul chevalier dans cette forêt à part vous !

— Et pourquoi donc avez-vous besoin de mon secours, demoiselle ?

— Seigneur, un chevalier emmène de force ma maîtresse, qui s'en allait à la cour du roi Arthur.

— Et qui est votre maîtresse ? demanda Perlesvaus.

— Seigneur, c'est la plus jeune des demoiselles de la Tente dont messire Gauvain avait aboli les odieuses coutumes. Pour l'amour de Dieu, hâtez-vous, car il la maltraite fort pour se venger du roi et de messire Gauvain.

Perlesvaus se remit en selle aussitôt et, éperonnant sa monture, il sortit du château. La demoiselle lui indiquait la direction qu'avait prise le ravisseur, et il ne tarda pas à les rejoindre. Il entendait la demoiselle implorer de façon émouvante la clémence du chevalier, mais celui-ci répondait qu'il n'aurait aucune pitié d'elle, et il la frappait du plat de son épée sur la tête et sur le dos. Perlesvaus examina le chevalier et reconnut le bouclier qu'on lui avait indiqué.

— Seigneur, s'écria-t-il, vous maltraitez fort méchamment cette demoiselle. Quel tort vous a-t-elle fait ?

— Pourquoi vous mêlez-vous de nos affaires à elle et à moi ? répondit Brudan.

— Si j'interviens ainsi, c'est parce qu'un chevalier ne doit jamais maltraiter une dame ou une demoiselle.

— Ce n'est pas vous qui m'en empêcherez ! s'exclama Brudan.

Et, levant son arme, il donna de nouveau à la jeune fille un coup si violent du plat de l'épée qu'il la fit chanceler, et que le sang jaillit de sa bouche et de son nez.

— Sur ma tête, dit Perlesvaus, cette fois je vous défie, pour Méliot et pour l'injure que vous venez de faire à cette jeune fille et à moi-même, que vous ne sauriez trop cher payer !

— Vous n'êtes certainement pas assez courageux pour oser m'attaquer ! dit Brudan.

— Eh bien, vous allez voir ! dit Perlesvaus.

Il recula pour mieux prendre son élan, et, se précipitant sur lui de toute la puissance de son cheval, il le frappa si fort qu'il lui transperça son bouclier et lui troua son haubert ; puis il lui enfonça sa lance dans le corps avec une telle force qu'il renversa tout ensemble le cheval et le cavalier, qui dans sa chute se brisa les deux jambes. Il descendit alors de cheval tout près de lui ; il lui enleva la coiffe et lui délaça la ventaille, et il lui trancha la tête.

— Demoiselle, dit-il, tenez, je vous en fais présent, et, puisque vous vous rendez à la cour du roi Arthur, je vous demande de la lui apporter. Saluez le roi de ma part, et dites à messire Gauvain et à Lancelot que c'est là le dernier présent que je leur ferai sans doute, car je ne pense pas jamais les revoir ; dites-leur aussi que, où que je sois, je veillerai à leur bien et je leur porterai toujours la même affection, et que j'aurais voulu leur offrir de la même manière la tête de tous leurs ennemis, à la seule condition cependant de ne pas offenser Dieu.

La demoiselle le remercia vivement de l'avoir arrachée au chevalier, et lui promit de dire au roi et à messire Gauvain toute la gratitude qu'elle lui portait. Puis elle s'en alla, emportant avec elle la tête du chevalier, et Perlesvaus la recommanda à Dieu et à Sa tendre Mère.

Perlesvaus retourna au Château Périlleux, et la demoiselle fut très heureuse quand elle apprit qu'il avait tué Brudan. Il passa la nuit au château, et le lendemain matin, il s'en alla après avoir entendu la messe. En sortant du château, il rencontra le chevalier qu'il avait chargé d'apporter la coupe d'or au chevalier lépreux. Perlesvaus lui demanda comment cela s'était passé.

— Seigneur, répondit-il, j'ai parfaitement accompli la mission dont vous m'aviez chargé : jamais présent ne fut accueilli avec autant d'empressement. Le chevalier malade a pardonné à la dame, et désormais elle mange à la même table que lui, et dans le manoir on lui obéit en tout.

— Cela me fait grand plaisir, dit Perlesvaus, et je vous remercie de vous être acquitté de cette mission.

— Seigneur, il n'est rien que je ne ferais pour vous, car vous avez fait de mon frère un courageux chevalier ; il vivrait encore, s'il était resté aussi couard qu'il l'était la première fois où vous l'avez rencontré.

— Seigneur chevalier, dit Perlesvaus, il a sans doute mieux valu qu'il meure glorieusement, plutôt que de vivre dans la honte ; mais sa mort m'a attristé, car c'était un hardi chevalier, et il le serait devenu plus encore s'il avait vécu davantage.

Perlesvaus quitta le chevalier en le recommandant à Dieu.

Après avoir chevauché sans trêve pendant des jours, il parvint à son très saint château, où il retrouva sa mère et sa sœur, que la Demoiselle au Char y avait conduites. La Dame Veuve avait fait apporter au château le corps qui jusqu'alors reposait devant le Château de Camaalot [1], dans la superbe chapelle qu'elle y avait fait construire. La sœur de Perlesvaus avait apporté le drap qu'elle avait pris dans la Gaste Chapelle et elle le déposa en offrande dans la chapelle où se trouvait le Graal. Perlesvaus fit également transporter dans la chapelle le cercueil du chevalier qui se trouvait jusque-là à l'entrée de son château [2], et il le fit mettre à côté de celui de son oncle, et jamais plus depuis personne ne put le déplacer.

Joséphé rapporte que Perlesvaus resta longtemps dans ce château ; plus jamais il n'en partit pour chercher l'aventure : il avait consacré désormais toutes ses pensées au Sauveur du monde et à Sa

---

1. Il s'agit du corps de Nicodème, fondateur de la lignée paternelle de Perlesvaus.
2. Il s'agit ici du corps de Joseph d'Arimathie, grand-oncle de Perlesvaus.

tendre Mère. Sa mère, sa sœur et les jeunes filles qui vivaient au château menaient une sainte existence tout entière vouée à la religion. Ils vécurent ainsi aussi longtemps qu'il plut à Dieu ; puis la mère de Perlesvaus mourut, ainsi que sa sœur, et tous les habitants du château, à l'exception d'un seul. Les ermites qui demeuraient tout près du château les enterrèrent et chantèrent les offices. Ils venaient chaque jour auprès de Perlesvaus et recueillaient ses conseils, impressionnés par la sainteté qu'ils percevaient en lui et l'existence vertueuse qu'il menait. Un jour qu'il se trouvait dans la très sainte chapelle où étaient les reliques, une voix se fit entendre, venant d'en haut :

— Perlesvaus, disait-elle, vous ne demeurerez plus longtemps en ces lieux ; aussi Dieu désire-t-il que vous donniez les reliques aux ermites qui demeurent dans la forêt : ainsi son corps sera-t-il célébré et glorifié. Et le Saint Graal n'apparaîtra plus en ces lieux, mais vous saurez bientôt où il se trouve.

Quand la voix se tut, les cercueils qui se trouvaient là grincèrent si fort que l'on aurait dit que la grande salle s'effondrait. Perlesvaus fit le signe de la croix et se recommanda à Dieu. Quand les ermites revinrent le trouver, il leur distribua les reliques, et ils édifièrent des églises et des monastères : on les voit encore, sur les terres et dans les îles. Joseu, le fils du Roi Ermite, demeura au château avec Perlesvaus, car il savait bien que celui-ci ne tarderait pas à s'en aller.

Perlesvaus était un jour dans la chapelle, lorsqu'il entendit sonner, très haut, une trompette d'airain à l'extérieur du château, du côté de la mer. Il alla aux fenêtres de la grande salle, et il aperçut le navire à la voile blanche ornée d'une croix vermeille ; il s'y trouvait la plus belle compagnie qu'il eût jamais vue, des gens tous vêtus comme pour dire la messe. Quand le navire eut jeté l'ancre au pied du donjon, ceux qu'il amenait se rendirent dans la chapelle pour prier. Ils apportaient de magnifiques coffres d'or et d'argent en guise de cercueils, et ils y déposèrent les corps des deux chevaliers dont on avait apporté les cercueils dans la chapelle, ainsi que le corps du Roi Pêcheur et celui de la mère de Perlesvaus ; et nulle odeur au monde, aussi douce et suave fût-elle, n'aurait pu se comparer au parfum qu'exhalaient ces corps. Les cercueils furent transportés dans le navire ; puis Perlesvaus prit congé de Joseu et le recommanda au Sauveur des hommes ainsi que tous les habitants du château, qu'il allait quitter aussi. Les saints hommes qui se trouvaient sur le navire le bénirent. Puis le navire qui emportait Perlesvaus s'éloigna. Des voix s'élevèrent du château, qui en chœur le recommandèrent à Dieu et à Sa tendre Mère lorsqu'il s'éloigna.

Joséphé nous rapporte que c'est ainsi que Perlesvaus s'en alla ;

personne au monde ne sut ce qu'il était devenu, et le récit n'en dit
rien de plus. Mais Joséphé ajoute que Joseu demeura au château
qui avait appartenu au Roi Pêcheur ; il s'y enferma, personne n'y
pouvait entrer, et il vivait de ce que le Seigneur lui envoyait. Il y
demeura longtemps après le départ de Perlesvaus, et il y termina sa
vie.

Après sa disparition, le château commença à se détériorer et les
salles à s'effondrer ; mais en revanche, la chapelle resta intacte et
en parfait état, et elle l'est toujours. L'endroit où se trouvait le château était isolé, et il semblait fort peu hospitalier. Lorsqu'il tomba
en ruine, beaucoup de gens qui habitaient dans les terres et les îles
les plus proches se demandèrent ce qui pouvait s'y trouver, et plusieurs d'entre eux décidèrent d'aller voir ce qu'il y avait à l'intérieur. Ils y allèrent, mais aucun n'en revint jamais, et l'on ne sut ce
qu'ils étaient devenus. La rumeur s'en répandit dans le pays, de
sorte que plus personne n'osa y pénétrer, à l'exception de deux
chevaliers gallois qui en avaient entendu parler. C'étaient de beaux
jeunes gens, gais et pleins d'allant. L'un d'eux avait parié avec
l'autre qu'il irait : c'est pour plaisanter qu'ils étaient venus là, mais
ils y demeurèrent longtemps, et quand ils en revinrent, ils vécurent
comme des ermites, vêtus de haires [1], allant par les forêts, et ne se
nourrissant que de racines ; ils menaient une existence très dure,
mais elle leur plaisait, et lorsqu'on leur demandait pourquoi ils
menaient cette vie, « Allez où nous avons été, répondaient-ils à
ceux qui les questionnaient, et vous en saurez la raison ». C'était la
seule réponse qu'ils faisaient. Ces deux chevaliers moururent après
avoir ainsi saintement vécu, et l'on ne put rien savoir de plus par
eux. Les gens du pays firent d'eux des saints.

Ici prend fin le très saint Conte du Graal. Joséphé, grâce à qui la
mémoire s'en est perpétuée, donne la bénédiction divine à tous
ceux qui l'écoutent avec révérence. Le récit en latin dont ce conte a
été traduit en français a été trouvé dans l'Ile d'Avalon, dans une
sainte abbaye qui se trouve à la limite des Marais Aventureux, à
l'endroit où reposent le roi Arthur et la reine, d'après ce que disent
les vénérables moines qui y vivent, et qui possèdent cette histoire,
vraie du début à la fin [2].

---

1. *Haire :* voir note 1, p. 196.
2. Le manuscrit Br. ajoute quelques lignes dans un colophon, où il est annoncé une
suite, qui serait le récit des démêlés du roi Arthur et de Lancelot avec Brian des Iles et
le roi Claudas — aventures qui en effet restent en suspens à la fin du roman.

MERLIN ET ARTHUR :
LE GRAAL ET LE ROYAUME

Récit en prose, attribué à Robert de Boron,
traduit et présenté par Emmanuèle Baumgartner.

Écrit dans le premier quart du XIIIe siècle.

INTRODUCTION

Le *Merlin* et le *Perceval* en prose, ces deux récits que nous réunissons ici sous le titre de *Merlin et Arthur : le Graal et le royaume*, font partie d'une « trilogie » attribuée, par certains manuscrits, à Robert de Boron. Nous avons par ailleurs conservé de cet écrivain un texte en vers, le *Roman de l'Estoire du Graal*, que l'on date de la fin du XIIᵉ siècle, et un fragment, en vers également, d'un *Merlin*. Il est possible que le *Merlin* en prose ait été également composé par Robert de Boron dans les toutes premières années du XIIIᵉ siècle. Mais le *Perceval* en prose, même s'il s'inscrit dans le projet développé par Robert de Boron dès le *Roman de l'Estoire du Graal*, est sans doute plus tardif, et l'attribution à Robert de Boron nous semble relever de la pratique, très courante dans les romans en prose du Graal, de la pseudo-graphie.

Le *Conte du Graal* de Chrétien de Troyes laisse en suspens, comme le lecteur peut aisément le constater, un certain nombre de questions qui concernent tout à la fois l'achèvement de la double quête — du Graal par Perceval, de la Lance qui saigne par Gauvain —, l'origine, tout aussi indécise, du Graal et de la Lance, et leur statut. S'agit-il encore de talismans merveilleux, venus du légendaire celte, ou de reliques christianisées ou en passe de le devenir ? Le Graal, chez Chrétien, contient en effet une hostie, comme le révèle l'ermite à son neveu Perceval, et cette nourriture essentielle suffit depuis quinze ans à maintenir en vie le père du Roi Pêcheur, celui « à qui l'on fait le service du Graal ».

Or c'est sur la voie de la christianisation du motif, ou plus exactement d'une explication des origines du Graal qui recourt largement à la grille chrétienne, que s'est engagé Robert de Boron. Composé peu après le *Conte du Graal* (mais nous ne savons pas si l'écrivain a connu ou non le récit de Chrétien), son *Roman de l'Estoire du Graal* est une étape décisive dans le devenir littéraire du motif. Dans ce récit, le Graal devient en effet l'écuelle dans laquelle le Christ a célébré la première Cène, institué le sacrement de l'eucharistie, *et* le vase dans lequel Joseph d'Arimathie a recueilli, au soir de la Passion, le sang du Crucifié. Après sa résurrection, le Christ lègue à Joseph la précieuse relique pour le récompenser de l'« amour » qu'il lui a témoigné en lui donnant son tombeau et en l'ensevelissant. Plus avant dans le texte, le vase acquiert enfin son « vrai » nom et son sens : essentiel : le *Graal*, comme l'énonce la voix divine dans un jeu de mots fondateur, c'est ce qui *agrée*. Le Graal n'est rien d'autre que la projection inquiète et toujours renouvelée du désir humain.

La relique est ensuite confiée par Joseph à son beau-frère Bron, le riche Roi Pêcheur, qui doit l'emporter en Grande Bretagne (le texte dit « dans les vaux d'Avalon ») et la léguer enfin au « fils de son fils ». Alors s'achèveront, à travers l'espace et le temps, et selon un rythme ternaire que le texte lui-même assimile au mystère de la Trinité, la trajectoire et l'histoire « mondaine » du Graal que relatent en partie la fin du récit de Robert de Boron et sa mise en prose, le *Joseph* en prose, première partie de la trilogie.

Le *Merlin* en prose [1], pièce centrale de cet ensemble, ne reprend pas exactement la suite du *Joseph* puisqu'il s'ouvre sur le conseil des démons qui, au lendemain de la Passion, s'efforcent de « créer » un antéchrist et d'annihiler ainsi l'œuvre de rédemption. Plus que sur l'histoire du Graal — dont le récit semble perdre la trace — et le devenir de Bron et de son lignage, il est d'abord centré sur la figure du fils du diable racheté par Dieu, connaissant, de par sa naissance diabolique, les « choses allées », mais recevant de Dieu le pouvoir de prédire et d'orienter efficacement le futur. Dans ce récit au statut incertain, où les fils de la chronique historique croisent et recoupent le discours didactique et moralisant, les merveilles et les sortilèges de la matière de Bretagne, la geste épique des fils de Constant ou la passion d'amour d'Uterpendragon, Merlin multiplie en effet les fonctions narratives.

Une fois passé, comme le Graal, d'Orient en Occident (dans la Grande Bretagne pré-arthurienne), il inspire, soutient et organise les efforts de la dynastie légitime des fils de Constant, Uter et Pendragon, pour reprendre leur royaume à l'usurpateur Vertigier et en assurer définitivement, lors de la bataille de Salesbieres, l'indépendance face aux Saxons. Persuadant ensuite le nouveau roi d'établir à sa cour la Table Ronde, il met en concordance le temps (inter-

---

1. Ne sont ici donnés que deux fragments du texte : le récit de la naissance de Merlin, de ses premiers actes, jusqu'au départ pour l'Occident, de la genèse du *Livre du Graal*, et les pages qui relatent l'avènement d'Arthur. Pour une traduction de l'ensemble du texte, voir *Merlin le prophète ou le Livre du Graal* (Stock + Moyen Age, 1980).

médiaire) d'Uterpendragon avec le temps originel de toutes les proses du Graal : le temps de la passion du Christ, de Joseph d'Arimathie et de l'« invention » de la relique. Brisant simultanément le cercle parfait de la Table par la vacance du « siège périlleux », qui représente ici le siège laissé vide par Judas à la Table de la Cène, il invente et préserve la faille essentielle à la relance du récit. Faille que Perceval — mais le *Merlin* ignore encore son nom — tentera en vain de combler, et qui ne s'abolira que lorsqu'il aura lui-même accompli son parcours et mené à bien sa quête.

Par ses dons d'enchanteur et de magicien, Merlin le prophète est aussi celui qui, se jouant des passions et des faiblesses humaines, assure la naissance d'Arthur. Il n'hésite pas à reprendre tout aussitôt l'enfant à ses parents légitimes et à en faire, à son image, un « fils sans père », qui devra faire ses preuves, s'imposer comme l'élu de Dieu pour retrouver son royaume, puis obtenir, ou presque, la maîtrise du monde.

Enfin et surtout, Merlin dicte à Blaise dans la solitude préservée du Northumberland le « Livre du Graal », ce livre qui tout à la fois résume l'« histoire ancienne » du Graal (le temps du *Joseph* en prose), relate le présent, le temps pré-arthurien (le temps du *Merlin* en prose), et en projette l'avenir, le temps de la quête de Perceval et du règne d'Arthur (le temps du *Perceval* en prose), tout en ménageant là encore, à l'orée du récit, un vide fondateur : les paroles d'amour échangées entre le Christ et Joseph, les secrets indicibles qui dérobent à tout jamais le mystère du Graal. Mise en scène de l'écriture, ou plus exactement de la métamorphose, tout aussi impossible à saisir que les « muances » de Merlin, de la parole vive en texte écrit et désormais ouvert à toutes les réécritures, que reprend à son compte le *Perceval* en prose, récit dans lequel Merlin reste jusqu'au bout celui qui oriente une quête dont il est aussi, associé à Blaise, le premier scripteur.

Pour toute la partie historique du texte, la chronique des rois bretons et de leur lutte contre les Saxons, le *Merlin* s'inspire très largement du *Roman de Brut* de Wace. Achevée en 1155, cette « geste des Bretons » relate en effet l'histoire de la Grande Bretagne et de ses rois, depuis le règne fondateur de Brutus le Troyen, le descendant d'Énée, jusqu'au règne d'Arthur, très longuement évoqué, et à la fin de l'indépendance bretonne. Le *Perceval* en prose (la deuxième partie de notre traduction) fait également de larges emprunts au *Brut* et lui reprend notamment tout le finale du récit : les conquêtes d'Arthur en France, l'expédition contre Rome, la trahison de Mordret, la tragique bataille où s'affrontent mortellement l'oncle et le neveu ainsi que le motif du départ d'Arthur pour l'Ile d'Avalon et de sa possible survie.

Mais le récit très complexe de la quête du Graal par Perceval se ressource en priorité, comme le lecteur aura maintes occasions de le constater, au *Conte du Graal* de Chrétien de Troyes. Cette source (trop) évidente, l'auteur lui-même ne la nomme pourtant que pour aussitôt s'en démarquer, rejeter les fictions mensongères des trouvères captifs de leur quête des « rimes plaisantes », et énoncer la « vraie » source de son récit : la parole autorisée de Merlin telle que l'a jadis transcrite Blaise et que lui-même la retrace ou la « retrait », pour reprendre le terme médiéval.

Ce n'est pas le lieu de faire l'inventaire des sources multiples d'un récit qui tisse en effet très habilement des données empruntées au *Conte du Graal* avec la tradition représentée par les œuvres attribuées à Robert de Boron et qui réemploie bon nombre de motifs narratifs également présents dans les romans arthuriens en vers, ceux de Chrétien de Troyes et de ses successeurs, comme les auteurs des *Continuations du Conte du Graal* et tout particulièrement de la *Seconde Continuation* ou *Continuation Perceval*. Mais, plus que les sources exhibées ou soigneusement masquées, importent ici les déplacements pratiqués. Texte hanté par la quête de la clôture, de l'(impossible) achèvement, le *Perceval* en prose déploie sur le modèle ternaire/trinitaire, défini par Robert de Boron dans le *Roman de l'Estoire du Graal*, la généalogie de son héros. Disparaît du récit le vieux roi, père du Roi Pêcheur, que nourrissait l'hostie. Fils d'Alain, petit-fils de Bron, Perceval est le « troisième homme » d'une lignée sans faille et sans mystère. Il est l'ultime destinataire et possesseur d'un Graal dont il a appris l'origine, le devenir et le sens au moment même où se dissipaient définitivement les enchantements de Bretagne, où la pierre faillée se ressoudait à la Table Ronde, où tout désir s'abolissait dans le royaume d'Arthur. Et c'est à lui qu'est enfin révélé non pas « à qui on fait le service du Graal » — depuis le récit de Chrétien et l'élucidation donnée par l'ermite, cette question n'a plus grand sens — mais « à quoi il sert », pourquoi il advient dans l'univers des hommes.

Longtemps partagé, comme le texte lui-même, entre la poursuite aventureuse de l'amour de la femme ou de la fée et de la gloire mondaine et la quête du Graal, abandonnant enfin la chasse du cerf blanc, les séductions de la féerie et les mirages de la vie chevaleresque pour la contemplation fervente du saint Vase, Perceval trouve ici la réponse. A quoi sert en effet le Graal, sa quête, sa possession, sinon à en finir, à essayer du moins, avec les méandres, les errances, l'inépuisable traque de l'écriture, pour s'abîmer dans la vision ineffable, dans le silence, ou se retirer, comme Arthur dans l'Ile d'Avalon, comme Merlin dans son mystérieux « esplumoir », dans l'au-delà de tout récit ?

Notre traduction suit, pour les fragments du *Merlin*, l'édition établie par Gaston Paris et Jacob Ulrich sous le titre : *Merlin, roman en prose du xiiiᵉ siècle, publié avec la mise en prose du poème de Robert de Boron* (2 vol., S.A.T.F., Paris, 1886). Pour la deuxième partie, nous avons traduit le texte du manuscrit de Modène édité par William Roach sous le titre *The Didot* Perceval, *According to the Manuscripts of Modena and Paris* (Philadelphie, 1941 et Slatkine Reprints, Genève, 1977).

Emmanuèle BAUMGARTNER

BIBLIOGRAPHIE

Éditions :

B. CERQUIGLINI : *Robert de Boron, le roman du Graal*, Paris, 10/18, 1981, pour l'ensemble de la trilogie.

A. MICHA : *Robert de Boron, « Merlin », roman du xiiiᵉ siècle*, Genève, Droz, 1979, donne le texte de *Merlin*.

W. NITZE : « *Le Roman de l'Estoire du Graal* », *de Robert de Boron*, Paris, Champion, 1927.

Études :

F. BOGDANOW : « La trilogie de Robert de Boron : le *Perceval* en prose », dans *Grundriss des Romanischen Literaturen des Mittelalters*, vol. IV/I, p. 513-535, Heidelberg, 1978.

A. MICHA : *Étude sur le « Merlin » de Robert de Boron, roman du xiiiᵉ siècle*, Genève, Droz, 1980.

R. T. PICKENS : « Mais de çou ne parole pas Crestiens de Troies... A re-examination of the Didot *Perceval* », dans *Romania*, p. 492-510, 1984.

P. ZUMTHOR : *Merlin le prophète : un thème de la littérature polémique, de l'historiographie et des romans*, Genève, Slatkine Reprints, 1973, 1ʳᵉ édition, 1943.

I

LE CONSEIL DES DÉMONS

Le diable — ainsi le rapporte l'histoire — entra dans une violente colère lorsque Notre-Seigneur descendit aux enfers et libéra Adam et Ève et tous ceux qu'Il avait décidé de sauver. Lorsque les démons apprirent cette stupéfiante nouvelle, ils se réunirent et dirent entre eux :

— Quel est donc cet homme qui nous a vaincus, qui a anéanti toutes nos défenses et mis à nu tous nos secrets, et qui fait en tous points sa volonté ? Nous n'avions jamais imaginé qu'un homme né d'une femme pût échapper à notre emprise. Or celui-ci est tel que nous n'avons aucun pouvoir sur lui et qu'il nous torture et nous écrase de toute sa force. Comment peut-il être né d'une femme, n'avoir nulle part aux péchés de ce monde et nous résister ainsi ?

— Seigneurs, dit alors l'un des démons, nous avons été perdus par ce qui, selon nous, devait nous être le plus favorable. Souvenez-vous donc de ce que disaient les prophètes, qui annonçaient que le fils de Dieu viendrait sur la terre pour sauver les pécheurs issus d'Adam et d'Ève. Nous, nous nous sommes emparés de ceux qui proclamaient que cet homme qui viendrait sur la terre les délivrerait des peines de l'enfer. Or voici que s'est produit ce qu'ils ne cessaient d'annoncer. Cet homme nous a ravi ce dont nous nous étions emparés et nous, nous ne pouvons rien contre lui. Il nous a ravi tous ceux qui croient en son Incarnation, tous ceux qui croient qu'il est né d'une femme sans que nous ayons eu part à cette naissance et sans que nous l'ayons en rien pressentie.

— Ne sais-tu donc pas, poursuivit un autre démon, qu'il les fait se laver avec de l'eau en son nom, en invoquant le Père, le Fils et le Saint-Esprit, si bien que nous ne pouvons plus nous emparer d'un seul d'entre eux, comme par le passé ? Désormais, nous les avons tous perdus à cause de cette eau dans laquelle ils se lavent et nous n'avons plus aucun pouvoir sur eux s'ils ne reviennent pas à nous de

leur propre fait. Notre puissance est ainsi diminuée par la faute de
cet homme. Mieux encore : il a laissé sur la terre ses ministres qui
sauveront les hommes, même s'ils ont participé à nos œuvres, du
moment qu'ils les renieront, qu'ils se repentiront et feront ce qu'ils
leur ordonneront. Ainsi donc les avons-nous perdus. Vraiment, il
leur a donné un céleste secours, lui qui est venu sur la terre pour sauver l'humanité, qui a bien voulu naître d'une femme à notre insu et
sans qu'il y ait eu péché charnel, et qui a supporté toutes les souffrances de ce monde. Nous, ensuite, nous l'avons assailli de toutes
les manières possibles. Et voilà qu'après avoir résisté à tous nos
assauts et échappé à toutes nos œuvres, il a voulu mourir pour sauver
les hommes. Il fallait qu'il les aime beaucoup pour endurer de si
cruels tourments afin de les sauver et de nous les ravir ! Nous
devrions donc maintenant chercher un moyen d'amener les hommes
à faire nos œuvres sans qu'ils aient loisir de s'en repentir et de parler
à ceux qui leur accorderaient le pardon que cet homme a acheté par
sa mort.

— Nous avons tout perdu, s'écrièrent-ils alors tous ensemble,
puisque, jusqu'au dernier moment, il peut pardonner les péchés. S'il
vient chercher l'homme qui a accompli ses œuvres jusqu'à l'instant
de sa mort, cet homme sera sauvé et, même s'il a toute sa vie
accompli les nôtres, s'il se repent, nous l'aurons néanmoins perdu.
Ainsi donc, nous les perdons tous. Ceux qui nous ont le plus nui,
continuèrent-ils, ce sont ceux qui annonçaient sa venue sur la terre.
C'est d'eux qu'est finalement venue notre perte. En effet, plus ils
proclamaient sa venue, plus nous les tourmentions. Il semble donc
que c'est pour les délivrer des tourments que nous leur infligions
qu'il s'est hâté de venir à leur secours. Mais comment faire maintenant pour envoyer parmi les hommes une créature à nous qui leur
parle de nous et leur vante notre intelligence, nos hauts faits, notre
manière d'agir, et qui ait, comme nous, ce pouvoir de connaître tout
ce qui s'est produit, dit ou fait ? Si nous avions un homme qui ait ce
pouvoir, qui puisse leur expliquer tout cela et vivre sur la terre avec
les autres hommes, il pourrait nous aider à les tromper. Tout comme
les prophètes qui étaient de notre côté [1] et qui nous prédisaient ce
qui, selon nous, ne pouvait se produire. Cet homme révélerait ainsi
tout ce qui s'est dit et fait dans un passé proche ou lointain et gagnerait la confiance de bien des gens.

— Quelle belle chose ce serait, s'écrièrent-ils tous, que de créer
un tel homme ! On lui accorderait une immense confiance !

— Pour moi, reprit l'un des démons, je n'ai pas le pouvoir de

---

1. Allusion aux « faux prophètes » qu'évoque à plusieurs reprises l'Ancien Testament. Voir, par exemple, Deutéronome, XVIII, 9.

féconder une femme et de procréer. Sinon, je connais une femme qui parle et agit exactement comme je le veux.

— Mais, dit un autre, il y en a bien un parmi nous qui peut prendre l'apparence d'un homme et féconder une femme. Il faudrait toutefois qu'il le fasse aussi discrètement que possible.

Voilà donc comment les démons décidèrent d'engendrer un homme capable de séduire les autres hommes. Pauvres fous qui s'imaginent que Notre-Seigneur ne saura rien de ce qu'ils ont manigancé ! Le diable entreprit donc de créer un homme qui eût sa mémoire et son intelligence afin de tromper Jésus-Christ et les hommes. Mais voyez quelle folie fut la sienne que de croire qu'il pourrait tromper celui qui est son maître et le maître du monde !

Après avoir pris cette décision, les démons se séparèrent. Celui qui, comme il l'avait dit, tenait une femme en son pouvoir se rendit aussitôt là où elle habitait et fit d'elle tout ce qu'il voulut : elle voua au diable tout ce qu'elle possédait et fit ses œuvres. C'était l'épouse d'un homme riche qui avait de grands biens et de nombreux troupeaux. Il avait eu de cette femme soumise au pouvoir du diable un fils et trois filles. Le diable ne perdit pas de temps : il se rendit dans les champs où paissaient les brebis du mari et en tua un certain nombre. Une autre fois, il vint trouver la femme et lui demanda comment il pourrait perdre son mari. Elle lui répondit que le moyen le plus sûr serait de s'emparer de ses biens et de le mettre ainsi en fureur car, lui dit-elle, « si tu prends ce qui lui appartient, il s'emportera et enragera tout vif. » Le diable retourna donc tuer une partie des troupeaux du mari. Lorsque les bergers virent ainsi mourir les bêtes de leur maître, ils en furent très surpris et décidèrent d'aller l'avertir. Tout étonné d'apprendre que ses bêtes mouraient ainsi dans les champs, le maître leur demanda d'abord si c'était bien vrai.

— Oui, seigneur, répondirent-ils.

Il se mit alors en colère, se demandant bien pourquoi ses bêtes mouraient.

— Et savez-vous de quoi elles meurent ? leur demanda-t-il.

— Non, répondirent-ils, et ce jour-là on en resta là.

Quand le diable vit que le seigneur s'emportait pour si peu, il se dit qu'en lui causant davantage de torts, il le rendrait encore plus furieux et le tiendrait mieux à sa merci. Il revint donc et lui tua en une seule nuit plusieurs bêtes et deux beaux chevaux. Lorsque le seigneur vit sa fortune ainsi péricliter, sa colère fut telle qu'il prononça des paroles insensées, déclarant qu'il vouait au diable tous les biens qui lui restaient encore.

Dès que le diable l'apprit, tout joyeux, il redoubla ses coups pour le ruiner encore plus et cette fois lui tua toutes ses bêtes. Tout à sa fureur et à son désespoir, le seigneur s'enfuit loin de toute présence humaine. Le diable sut alors qu'il ferait de lui tout ce qu'il voudrait. Il vint auprès de son fils, un bel enfant, et l'étrangla dans son lit. Au matin, on trouva l'enfant mort. Quand le seigneur apprit qu'il avait perdu son fils, il céda au désespoir et renia définitivement sa foi. Tout joyeux, le diable vint trouver la femme grâce à qui il était parvenu à ses fins : il la poussa à monter sur un coffre, dans son cellier, et à passer une corde à son cou. Ensuite, elle repoussa le coffre et s'étrangla. On la retrouva donc morte. Lorsque le seigneur apprit qu'il avait perdu sa femme et son fils, il en éprouva une telle douleur qu'il tomba malade et mourut. C'est ainsi qu'agit le diable avec ceux qu'il peut soumettre à sa volonté.

Le diable, tout joyeux, se demanda ensuite comment séduire les trois filles encore en vie. Il savait bien qu'il ne pourrait y parvenir qu'en faisant tout ce qu'elles voudraient. Or il y avait dans la ville un jeune homme qui lui était tout dévoué. Le diable le conduisit auprès des jeunes filles. Le jeune homme commença à courtiser l'une d'elles et sut si bien faire et si bien parler qu'il la séduisit, à son plus grand plaisir. Mais le diable n'a que faire de cacher ses succès. Il veut au contraire qu'ils soient connus de tous afin de nuire plus encore à ses victimes. Il s'arrangea donc pour que tout le peuple apprenne ce à quoi il était parvenu. Or c'était l'usage, en ce temps, de mettre à mort une femme qui avait péché, sauf si c'était une prostituée. Le diable, qui ne cherche qu'à nuire à ses victimes, fit donc savoir à tous ce qui s'était passé et, notamment, aux juges de la ville. Le jeune homme s'enfuit mais la femme fut arrêtée et conduite devant les juges. Lorsqu'elle comparut devant eux, ils furent remplis de pitié car c'était la fille d'un homme qu'ils aimaient beaucoup.

— Quelle chose incroyable, disaient-ils, que le sort de cet homme dont voici maintenant la fille ! Quelle ruine rapide ! Lui qui, récemment encore, était l'un des personnages les plus respectables de cette ville !

Les juges délibérèrent alors sur la peine à appliquer et décidèrent à l'unanimité d'enterrer vive la jeune fille, de nuit, pour épargner tout déshonneur à ses proches. Ainsi fut fait. Et voici comment le diable perd et accable ceux qui font ses œuvres. Or il y avait dans le pays un prêtre qui était bon confesseur. Il entendit parler de cette surprenante histoire et vint trouver les deux sœurs qui restaient, l'aînée et la dernière. Il les réconforta et leur demanda comment s'était produite cette série de catastrophes, la mort de leur père, de leur mère, de leur frère et de leur sœur.

— Seigneur, nous n'en savons rien, répondirent-elles, mais nous sommes persuadées que Dieu nous hait, Lui qui permet que nous souffrions ainsi.

— Vous avez tort de parler ainsi, répondit le prêtre. Dieu ne hait personne mais souffre de voir le pécheur se haïr lui-même. Je sais bien que tout ceci est l'œuvre du diable. Mais saviez-vous que votre sœur, qui a eu une mort si honteuse, se conduisait ainsi ?

— Non, seigneur, nous n'en savions rien.

— Prenez donc garde, poursuivit le prêtre, à ne pas commettre de mauvaises actions, car l'action mauvaise conduit l'homme et la femme à leur perte.

C'est ainsi que le prêtre leur prodiguait conseils et exhortations, mais encore fallait-il qu'elles veuillent bien l'écouter ! L'aînée, cependant, l'écouta attentivement et ce qu'il lui dit lui plut beaucoup. Le prêtre l'instruisit donc bien dans sa foi et elle, de son côté, s'efforça de retenir son enseignement et de le mettre en pratique.

— Si vous avez confiance en ce que je vous dirai, ajouta le prêtre, vous en tirerez grand profit. Vous serez mon amie et ma fille en Dieu et, quoi qu'il vous arrive, quoi que vous deviez faire, si vous agissez selon mes conseils, je pourrai vous assister avec l'aide de Notre-Seigneur. Ne craignez donc rien : Notre-Seigneur vous secourra si vous restez avec Lui. En outre, venez souvent me voir, je ne m'installerai pas loin d'ici.

Le prêtre donna ainsi de bons et sages conseils aux deux jeunes filles et l'aînée crut en lui et apprécia ce qu'il lui disait. Mais lorsque le diable le sut, il en fut très affecté et craignit de les perdre. Il chercha donc le moyen de les séduire. Il y avait dans les parages une femme qui, à plusieurs reprises, lui avait cédé et avait fait ses œuvres. Il prit possession de cette femme et l'envoya chez les deux sœurs. Elle prit à part la plus jeune — pour l'aînée, elle n'osa pas, tant la conduite de cette jeune fille était empreinte de modestie — et la questionna sur elle-même, sur sa conduite et sur la vie que menait sa sœur.

— Elle m'aime beaucoup, lui répondit-elle, et elle est très gentille avec moi, mais elle est si préoccupée par les malheurs qui nous sont arrivés qu'elle est toujours triste, avec moi comme avec tout le monde. De plus, un prêtre qui vient tous les jours ici l'a si bien circonvenue qu'elle ne fait plus que ce qu'il veut.

— Quel dommage, ma belle, pour ce joli corps que voici qui ignorera le plaisir tant que vous vivrez avec votre sœur ! Et pourtant, mon amie, si vous saviez les plaisirs qu'ont les autres femmes, vous mépriseriez tout ce que vous avez ! Quand nous sommes avec ceux que nous aimons, nous éprouvons une telle joie que, même s'il nous faut nous contenter d'un morceau de pain, nous sommes plus heureuses que vous ne pourriez l'être avec toutes les richesses de ce monde ! Quels plaisirs peut bien goûter une femme quand elle ignore les plaisirs charnels ? Je le dis pour vous, mon amie, car vous ne connaîtrez pas cette joie tant que vous vivrez avec votre sœur. Et voici pourquoi : comme elle est l'aînée, si elle le peut, elle connaîtra avant vous le plaisir charnel et elle ne vous permettra pas de la devancer. Puis, quand elle aura eu son plaisir, elle ne se souciera plus de vous. Et vous, pour votre malheur, vous n'aurez tiré aucune jouissance de ce beau corps.

— Mais comment oserais-je faire ce que vous me dites ? répondit la jeune fille. Ma sœur est morte dans le déshonneur et l'infamie pour avoir ainsi agi.

— Votre sœur s'y est mal prise, au mépris de toute prudence, et elle a été mal conseillée. Mais si vous me faites confiance, vous ne serez jamais accusée, quoi que vous fassiez, et vous pourrez jouir de votre corps.

— Je ne sais pourtant que faire et je n'oserais même pas en parler, à cause de ma sœur.

Le diable fut très joyeux de cette réponse, sachant bien qu'il en ferait désormais ce qu'il voudrait. Il emmena donc la femme qu'il possédait. Une fois seule, la jeune fille repensa souvent à ce qu'elle lui avait dit. Quand le diable s'aperçut qu'elle était si tentée de lui céder qu'elle ne cessait d'y songer, il l'excita de son mieux. Tant et si bien qu'elle finit par contempler de nuit son beau corps, se répétant que la femme avait bien raison et qu'elle se privait de toute la joie et de tout le plaisir de ce monde. Finalement, elle la fit venir chez elle.

— Ma dame, lui dit-elle, vous aviez raison de me dire l'autre jour que ma sœur ne se souciait pas de moi.

— Mon amie, je vous le disais bien ! D'ailleurs, elle s'en souciera moins encore si elle trouve son propre plaisir ! Et nous, nous n'avons d'autre raison de vivre que de prendre du plaisir avec les hommes.

— Tel serait bien mon désir, si je n'avais peur d'être mise à mort.

— C'est ce qui arrivera si vous vous conduisez de manière aussi imprudente que le fit votre sœur, mais je saurai bien vous montrer comment faire.

— Et comment donc, ma dame ?

— Vous vous abandonnerez à tous les hommes puis vous partirez d'ici en disant à votre sœur que vous ne pouvez plus la supporter. Ainsi, vous ferez de votre corps ce que vous voudrez, aucun juge n'y trouvera à redire et vous serez hors de toute atteinte. Puis, quand vous aurez vécu de cette manière aussi longtemps qu'il vous plaira, il y aura bien quelque brave homme qui sera tout heureux de vous épouser pour votre grande fortune. De cette manière, vous pourrez connaître tout le plaisir de ce monde.

La jeune fille accepta donc de faire ce que lui disait la femme : elle s'enfuit de chez sa sœur et se prostitua comme elle le lui avait conseillé. Le diable, lui, se réjouit d'avoir ainsi séduit l'une des deux sœurs. Lorsque l'aînée apprit le départ de sa sœur, elle vint, tout affolée, en prévenir le prêtre.

— Mon amie, lui dit-il, très ému par son désespoir, fais le signe de
la croix et recommande-toi à Dieu car je te sens toute bouleversée.

— Et à juste titre, seigneur, car j'ai perdu ma sœur.

Elle raconta alors au prêtre comment sa sœur était partie et tout ce
qu'elle avait pu apprendre sur les raisons de son départ, puis elle
ajouta qu'elle savait de source sûre qu'elle s'était prostituée. Le
prêtre, tout bouleversé par cette surprenante nouvelle, lui dit :

— Mon amie, le diable rôde encore autour de vous et, si Dieu ne
vous secourt, il n'aura de cesse de vous avoir toutes trois séduites.

— Mais, seigneur, comment me protéger, alors que rien ne m'effraie autant que de succomber à ses ruses ?

— Si tu as confiance en moi, répliqua le prêtre, il ne te séduira
pas.

— Seigneur, je vous ferai pleinement confiance.

— Est-ce que tu crois au Père, au Fils et au Saint-Esprit ? Est-ce
que tu crois que ces trois personnes ne font qu'une en Dieu et que
Notre-Seigneur est venu sur la terre pour sauver les pécheurs, ceux
du moins qui croiront au pouvoir du baptême et des autres sacrements de notre sainte Église et obéiront aux ministres institués
ici-bas pour sauver ceux qui auront la foi et les guider sur le bon
chemin ?

— Oui, seigneur, je crois tout cela et le croirai jusqu'à ma mort,
tout comme je crois que Notre-Seigneur est le maître et le roi de ce
monde. Je Le supplie donc de me garder des ruses du diable.

— Ma chère fille, si telle est ta croyance, ni le diable ni les
démons ou quelque autre puissance maligne ne pourront te séduire,
mais surtout, je t'en prie, ne te mets pas en colère. En vérité je te le
dis, c'est lorsqu'un homme ou une femme s'abandonne à une violente colère que le diable s'insinue de préférence en eux. Préserve-
toi donc de tous les malheurs ou désagréments possibles et, chaque
fois que tu seras en colère, ma douce amie, viens auprès de moi pour
me raconter tout ce qui s'est passé. Bats ta coulpe devant Notre- Seigneur et, chaque fois que tu te lèveras ou te coucheras, pour que ni
diable ni démon ne puissent te séduire, fais sur toi le signe de la
croix, au nom du Père, du Fils et du Saint-Esprit, de cette croix où
Dieu fut mis pour racheter pécheurs et pécheresses des tourments de
l'enfer. Si tu agis comme je te l'ordonne, tu n'auras rien à craindre
de l'ennemi. Fais bien attention enfin qu'il y ait toujours de la
lumière là où tu dors : le diable hait par-dessus tout notre lumière et
ne vient guère là où elle brille.

Voilà comment le prêtre instruisit la jeune fille qui redoutait tant
les ruses du diable.

Elle revint donc chez elle, bien affermie dans sa foi et bien soumise à Dieu. Les honnêtes gens venaient souvent la voir et lui répétaient :

— Ma demoiselle, il vous faut craindre l'exemple de vos deux sœurs dont la conduite a été si condamnable. Réfléchissez bien et prenez courage. Vous êtes très riche, vous avez beaucoup de biens. Un honnête homme, s'il est sûr que vous vous conduirez bien, serait heureux de vous épouser.

Mais elle leur répondait :

— Puisse Notre-Seigneur me laisser dans l'état qu'Il sait me convenir !

La jeune fille mena ainsi pendant longtemps une vie paisible et réglée. Personne ne put la séduire et jamais le diable n'entendit dire qu'elle avait commis quelque mauvaise action. A son plus grand tourment : il comprenait bien qu'il ne pourrait pas la tromper et il ne voyait pas comment lui faire accomplir ses œuvres. Tant et si bien qu'il s'avisa qu'il ne pourrait la séduire qu'en lui faisant oublier ce que lui avait dit le prêtre et en la mettant en colère. Elle n'avait en effet aucune attirance pour les œuvres du diable, aucune intention de s'y adonner.

Le diable s'empara donc de l'autre sœur et la conduisit un samedi soir dans la maison de l'aînée pour voir s'il pourrait la mettre en colère et la séduire ainsi. La mauvaise sœur arriva dans la maison paternelle très tard dans la nuit avec toute une bande de mauvais garçons qu'elle fit entrer. Lorsque l'aînée l'aperçut, elle se mit en colère et lui dit :

— Chère sœur, vous ne devriez pas venir ici tant que vous ne voulez pas changer de conduite. On pourrait m'en blâmer et je ne saurais prendre ce risque.

Furieuse de l'entendre dire qu'elle serait blâmée à cause d'elle, la mauvaise sœur lui répondit que sa conduite, à elle, était encore pire. Elle l'accusa d'aimer le prêtre d'un amour coupable et lui dit qu'elle serait brûlée si on l'apprenait. Lorsque l'aînée s'entendit ainsi accuser, elle se mit en colère et ordonna à sa sœur de quitter la maison.

— C'est celle de notre père à toutes deux, répliqua la cadette.

Comprenant que sa sœur ne s'en irait pas ainsi, l'aînée la prit par les épaules et voulut la mettre dehors, mais l'autre se rebiffa et les vauriens qui l'accompagnaient se saisirent de l'aînée et la battirent cruellement jusqu'à ce qu'elle leur échappât. Lorsqu'ils furent lassés de la rouer de coups, elle courut s'enfermer dans sa chambre. Elle n'avait qu'une servante et un valet, sur qui ils reportèrent leur fureur. Elle, une fois seule dans sa chambre, se coucha tout habillée et se mit à sangloter, remplie de colère contre cette sœur qui l'avait ainsi maltraitée. Elle s'endormit dans cet état. Lorsque le diable s'aperçut que, dans sa colère, elle avait oublié toutes les recommandations du prêtre, il se dit, tout joyeux :

— Maintenant, cette femme est à moi ! La voici privée de la grâce divine et notre homme pourrait bien s'emparer d'elle.

Le démon qui avait le pouvoir de s'unir aux femmes était en effet tout prêt à agir : il vint aussitôt auprès d'elle et la féconda. Lorsque ce fut fait, elle se réveilla, se souvint alors des conseils du prêtre et se signa.

— Sainte Marie, s'écria-t-elle, que m'est-il arrivé ? Je ne suis plus la même, hélas, que lorsque je me suis couchée ! Douce et glorieuse mère de Jésus-Christ, gardez mon âme de tout péril ! Et gardez de même mon corps et protégez-le des attaques du diable !

Sur ce, elle se leva et se mit à la recherche de celui qui l'avait ainsi traitée, persuadée qu'elle pourrait le retrouver.

Elle courut alors à la porte de sa chambre, mais la trouva fermée. Elle fouilla de nouveau la pièce. Sans résultat. Elle comprit alors qu'elle avait été séduite par le diable et se mit à se lamenter et à invoquer Notre-Seigneur.

— Doux Seigneur, lui dit-elle, si telle est votre volonté, ne permettez pas que je sois déshonorée en ce monde et ne me laissez pas pécher au point de perdre mon âme !

La nuit passa. Le jour se leva. Aussitôt le diable emmena la femme : elle avait fait tout ce pour quoi il l'avait fait venir. Lorsqu'elle et sa bande furent parties, la sœur aînée sortit de sa chambre en pleurant, toute bouleversée, et appela son valet, lui demandant d'aller chercher deux femmes pour l'accompagner. Ce qu'il fit aussitôt.

Dès que les femmes furent arrivées, la jeune fille — ainsi le rapporte l'histoire — se rendit au plus vite chez son confesseur.

— Chère fille, lui dit-il dès qu'elle arriva, tu as des ennuis, me semble-t-il. Je te vois si émue, si tremblante !

— Seigneur, lui répondit-elle, il m'est arrivé quelque chose qui n'est jamais arrivé à une femme. Je viens donc vous demander conseil au nom de Dieu puisque vous m'avez dit que tout pécheur, quelle que soit l'énormité de son péché, sera pardonné s'il se confesse et se repent sincèrement et fait ce que lui ordonne son confesseur. Or, seigneur, j'ai péché, je l'avoue, et j'ai été séduite par le diable.

Elle lui raconta alors comment sa sœur était venue chez elle, comment elle s'était mise en colère en la voyant, comment sa sœur et les vauriens qui la suivaient l'avaient battue et comment elle s'était réfugiée dans sa chambre, pleine de fureur, mais en prenant bien soin de fermer la porte.

— Pourtant, j'étais si en colère que j'ai oublié de me signer comme j'ai oublié vos recommandations. Je me suis donc couchée tout habillée et me suis endormie dans cet état de fureur. Et voici qu'à mon réveil je me suis rendu compte que j'avais été déshonorée, que je n'étais plus vierge. J'ai fouillé ma chambre, je me suis assurée que la porte était toujours fermée, mais je n'ai trouvé personne ni pu savoir qui m'avait fait cela. Seigneur, tout s'est passé comme je viens de vous le dire : j'ai été trompée par le diable. Je vous supplie donc, au nom de Dieu, de m'aider à sauver mon âme même si mon corps doit être livré au supplice.

Le prêtre qui l'avait écoutée avec beaucoup d'attention se montra très surpris car il n'avait jamais rien entendu de tel.

— Mon amie, lui dit-il, tu es possédée par le diable. Il est encore en toi. Comment, dès lors, écouter ta confession et te donner une pénitence ? Je suis en effet persuadé que tu mens. Jamais femme ne perdit ainsi sa virginité, sans savoir qui est le coupable ou, du moins, sans le voir ! Et tu veux me faire croire que pareille chose t'est arrivée pendant ton sommeil !

— Que Dieu me sauve et me préserve de tous supplices, aussi vrai que je dis la vérité ! Au reste, vous le saurez bien.

— Tu as fait pourtant un grave péché en n'observant pas mes ordres. Pour t'en punir, je t'imposerai donc une pénitence à laquelle tu devras te plier jusqu'à ta mort, si du moins tu veux bien y consentir.

— Seigneur, répondit la jeune fille, je ferai tout ce que vous me commanderez.

— Que Dieu t'entende ! Peux-tu donc m'assurer que tu t'en remets à Dieu et aux ministres de notre sainte Église ? C'est-à-dire que tu t'engages à faire une confession sincère, à te repentir, et à agir et parler désormais selon les commandements de Dieu, dans la mesure de tes forces ?

— Seigneur, je m'y engage, dans la mesure de mes forces et si Dieu le veut.

— J'ai confiance en Dieu : si ce que tu me dis est vrai, je suis sûr qu'Il te protégera !

— Seigneur, que Dieu me sauve du mal, aussi vrai que je dis la vérité !

— Tu me promets donc, poursuivit le prêtre, d'observer la pénitence que je t'imposerai et de fuir le péché ?

— Oui, absolument.

— Tu as donc renoncé à tout péché de chair. Je t'interdis désormais d'y succomber jusqu'à la fin de tes jours, sauf en rêve, car l'homme ne peut rien contre les rêves. As-tu le ferme désir d'agir ainsi et pourras-tu fuir toute tentation ?

— Oui, seigneur, si vous m'êtes garant devant Dieu, vous dont Il a fait son représentant sur la terre, que je ne serai pas damnée pour la faute que j'ai commise.

La jeune fille accepta de bon cœur la pénitence que lui imposait le prêtre, témoignant par ses larmes de la sincérité de son repentir. Le prêtre fit sur elle le signe de la croix, lui donna l'absolution et la confirma de son mieux dans sa foi en Jésus-Christ. Il continuait cependant à se demander si ce qu'elle lui avait dit était bien vrai. A la réflexion, toutefois, il comprit bien qu'elle avait été trompée par l'ennemi. Il lui fit donc boire de l'eau au nom du Père, du Fils et du Saint-Esprit et l'en aspergea en lui disant :

— Prends garde de ne pas oublier mes ordres et reviens me voir aussi souvent que tu en auras besoin. Maintenant, signe-toi et recommande-toi à Dieu. Pour ma part, je te compte comme pénitence toutes les bonnes actions que tu accompliras désormais.

La jeune fille retourna chez elle et mena une vie exemplaire. Lorsque le diable vit qu'il l'avait perdue et qu'il n'entendait jamais rien dire sur elle, tout comme si elle n'existait plus, il en fut très irrité. La jeune fille vécut ainsi jusqu'au moment où elle ne put plus dissimuler le fruit qu'elle portait. Elle grossit et s'arrondit. Tant et si bien que les autres femmes s'en aperçurent et lui dirent en examinant son ventre :

— Ma chère amie, vous êtes enceinte !

— C'est bien vrai, répondit-elle.

— Mais de qui ?

— Je l'ignore, aussi vrai que je demande à Dieu de m'accorder une heureuse délivrance !

— Avez-vous couché avec tant d'hommes que vous ne sachiez pas qui est le père ?

— Que Dieu me refuse d'accoucher si jamais j'ai eu consciemment avec un homme de tels rapports que je puisse être enceinte !

Les femmes se signèrent en l'entendant.

— Voilà qui est impossible, dirent-elles, et n'est jamais arrivé à personne, à vous pas plus qu'aux autres ! Mais sans doute vous aimez en secret le coupable et vous ne voulez pas l'accuser. Ce qui est un grand malheur pour vous car, dès que les juges le sauront, il vous faudra mourir.

— Que Dieu sauve mon âme, s'écria la jeune fille, terrorisée par leurs paroles, aussi vrai que je n'ai jamais vu ni connu celui qui m'a mise dans cet état !

Sur ce, les femmes s'en allèrent en déclarant qu'elle était folle et que c'était bien malheureux qu'elle perde ainsi un héritage et des biens aussi considérables. La jeune fille, toute bouleversée, retourna chez son confesseur et lui rapporta les paroles de ces femmes. Le prêtre s'aperçut qu'elle était enceinte et lui demanda avec surprise si elle avait bien respecté la pénitence qu'il lui avait imposée.

— Oui, répondit-elle.

— Et vous n'avez vraiment péché qu'une fois ?

— Oui, seigneur. Ce fut la première et la dernière fois.

De plus en plus surpris, le prêtre nota soigneusement la nuit et l'heure qu'elle lui avait indiquées, puis ajouta :

— Ne crains rien. Quand cet enfant que tu portes naîtra, je saurai bien si tu m'as dit la vérité. Si tout s'est passé comme tu le dis, j'ai confiance en Dieu : Il te sauvera de la mort. Sans doute vivras-tu des moments pénibles car, quand les juges l'apprendront, ils saisiront tes biens et parleront de te condamner, mais lorsqu'ils se seront saisis de toi, fais-le-moi savoir : si je peux, je viendrai à ton secours et, si tu es telle que tu le dis, Dieu ne te refusera pas son aide. Retourne donc chez toi en paix et conduis-toi bien : une bonne conduite aide à faire une bonne fin.

II

LA NAISSANCE DE MERLIN

La jeune fille revint chez elle de nuit et mena une vie paisible et réglée jusqu'au jour où les juges vinrent dans le pays et entendirent parler de cette femme et des conditions dans lesquelles elle était tombée enceinte. Ils l'envoyèrent chercher et la firent comparaître devant eux. Elle, de son côté, envoya aussitôt chercher le prêtre, comme il le lui avait conseillé. Il vint le plus vite qu'il put. Les juges le citèrent également devant eux et il apprit alors qu'ils avaient déjà entendu la jeune fille. Les juges rapportèrent les déclarations de la jeune fille au prêtre, lui disant qu'elle ne savait de qui elle était enceinte.

— Seigneur, demandèrent-ils au prêtre, pensez-vous qu'une femme puisse être enceinte sans avoir connu d'homme ?

— Je ne vous dirai pas tout ce que je sais, répondit-il, mais je peux au moins vous demander, si vous voulez bien m'en croire, de ne pas livrer cette femme au supplice tant qu'elle est enceinte. Ce n'est ni raisonnable ni juste. L'enfant en effet ne mérite pas la mort : il n'a ni péché ni participé au péché de la mère. Si vous le livriez au supplice, vous pourriez bien vous dire que vous avez tué un innocent.

— Seigneur, répondirent les juges, nous allons suivre votre conseil.

— Si vous en décidez ainsi, poursuivit le prêtre, faites donc garder la mère dans une tour afin qu'elle ne puisse rien faire de répréhensible. Mettez auprès d'elle deux femmes qui l'aideront, le moment venu, à accoucher et qui, elles non plus, n'auront pas le droit de sortir, et donnez-leur tout ce dont elles auront besoin. Vous la tiendrez ainsi sous surveillance jusqu'à la naissance de l'enfant. Je vous conseille en outre de le lui laisser nourrir jusqu'à ce qu'il soit sevré et puisse réclamer ce dont il aura besoin. Si, alors, il n'y a rien de nouveau, faites de cette femme ce que vous voudrez. Si vous voulez suivre mes conseils, vous agirez ainsi, sinon, je n'en puis mais.

— Votre proposition nous paraît tout à fait raisonnable, répondirent les juges, qui décidèrent de s'y conformer.

Ils mirent donc la jeune femme dans une maison toute en pierre dont ils firent clore toutes les issues, et ils enfermèrent avec elle les deux plus vertueuses femmes qu'ils purent trouver. Ils laissèrent ouverte une fenêtre haute pour leur faire parvenir ce dont elles auraient besoin. Le prêtre dit alors à la jeune femme par la fenêtre :

— Quand ton enfant sera né, fais-le baptiser au plus tôt, et quand on viendra te sortir d'ici pour te brûler, envoie-moi chercher.

La jeune femme resta ainsi plusieurs mois dans la tour. Les juges s'étaient procuré tout ce qui était nécessaire et l'avaient remis aux femmes qui étaient enfermées avec elle. Elles restèrent donc dans la tour jusqu'au moment où l'enfant naquit selon la volonté divine. Dès sa naissance, il reçut en partage l'intelligence et le pouvoir du diable. Et à juste titre, puisque c'était le diable qui l'avait engendré. Mais le diable avait agi bien inconsidérément : Notre-Seigneur, par sa mort, avait en effet racheté et pardonné les péchés de tous ceux qui se repentent sincèrement. Or le diable avait séduit la jeune femme par la ruse mais, dès qu'elle s'en était aperçue, elle avait imploré la pitié de qui il fallait, elle s'en était remise aux commandements de Dieu et de notre sainte Église et s'était parfaitement conformée à ce que lui ordonnait son confesseur.

Dieu, cependant, ne voulut pas que le diable y perdît ce qui lui revenait et ce pour quoi il l'avait créé. L'enfant reçut donc, comme l'avait voulu le diable, la faculté et le pouvoir de savoir tout ce qui avait été dit et fait dans le passé. Mais Notre-Seigneur qui sait tout savait que sa mère s'était confessée, avait manifesté un repentir sincère et qu'en outre elle n'était pas responsable de ce qui lui était arrivé ; comme d'autre part cette femme était protégée par le baptême qu'elle avait reçu, Il ne voulut pas que le péché qu'elle avait commis nuise à son fils et Il donna à l'enfant le pouvoir de connaître l'avenir. Ainsi donc cet enfant eut, de par le diable, la connaissance du passé, mais ce pouvoir qu'il eut de surcroît de connaître l'avenir, il le reçut de Notre-Seigneur qui voulut ainsi contrebalancer le pouvoir du diable. A lui maintenant de se décider : il peut, s'il le veut, choisir le parti du diable comme celui de Notre-Seigneur. Si le diable en effet a formé son corps, c'est Notre-Seigneur qui insuffle en chaque être, selon ce qu'Il a décidé de lui prêter d'intelligence et de mémoire, la faculté d'entendre, de voir et de comprendre. A cet être, enfin, Il a plus donné qu'aux autres car il en avait un plus pressant besoin, et l'avenir dira quel parti il choisira.

Lorsque les femmes recueillirent le nouveau-né dans leurs bras, elles furent très effrayées parce qu'il était tout velu et plus poilu que tous les enfants qu'elles avaient vus. Elles le portèrent à la mère qui déclara en se signant :

— Cet enfant me fait peur.

— A nous aussi, dirent les femmes. C'est à peine si nous osons le garder dans nos bras !

— Faites-le sortir de la tour, dit la mère, et demandez qu'on le baptise.

— Et quel nom voulez-vous lui donner ?

— Le nom de mon père, Merlin.

Une fois baptisé, Merlin fut rendu à sa mère pour qu'elle l'allaite. Ce qu'elle fit durant neuf mois. A cet âge, l'enfant paraissait avoir un an. Lorsqu'il eut dix-huit mois, les femmes dirent à la mère :

— Ma dame, nous voudrions partir d'ici et retrouver nos familles. Voilà longtemps que nous sommes ici, nous semble-t-il, et nous ne pouvons pas y rester éternellement.

— Oui, bien sûr, je vous comprends, leur répondit-elle en fondant en larmes et en les suppliant au nom de Dieu de bien vouloir rester encore un peu.

Puis, toujours pleurant, elle s'approcha d'une fenêtre, son enfant dans les bras.

— Cher fils, lui dit-elle, je vais mourir à cause de toi et sans l'avoir mérité. Personne ne sait en effet comment tu as été engendré et personne ne peut me croire, quoi que je dise. Il me faudra donc mourir.

Comme elle se lamentait ainsi sur sa mort et sur l'approche de son supplice, l'enfant regarda sa mère et lui dit :

— Chère mère, ne crains rien, je ne serai en aucun cas responsable de ta mort.

En l'entendant ainsi parler, la mère se trouva mal et, dans sa frayeur, repoussa l'enfant qui tomba à terre. Les femmes qui étaient à la fenêtre entendirent le bruit et se précipitèrent, croyant qu'elle avait voulu étrangler son enfant.

— Que voulez-vous faire ? s'écrièrent-elles. Voulez-vous tuer votre enfant ?

— Mais non, répondit-elle tout abasourdie. Mais j'ai été si surprise par les paroles singulières qu'il a prononcées que le cœur et les bras m'ont manqué.

— Et que vous a-t-il dit ?

— Que je ne mourrai pas à cause de lui.

— Il va bien encore parler, dirent-elles en le prenant à leur tour, et elles écoutèrent attentivement, au cas où il parlerait de nouveau. Mais l'enfant n'en manifesta nullement l'intention et ne leur dit rien. Un long moment après, la mère dit aux deux femmes :

— Menacez-moi donc et vous verrez bien s'il se décidera à parler.

Elle prit alors l'enfant dans ses bras (elle aurait bien voulu qu'il parle devant les femmes) et se mit à pleurer.

— Ma dame, lui dirent aussitôt les deux femmes, quel malheur qu'une belle femme comme vous soit brûlée à cause de cette créature ! Il aurait mieux valu qu'il ne naisse pas !

— Vous mentez, répondit l'enfant. C'est ma mère qui vous fait dire cela.

Tout effrayées de l'entendre ainsi parler, les femmes s'écrièrent :

— Ce n'est pas un enfant mais un démon qui sait ce que nous avons fait et dit.

Elles se mirent donc à lui parler et à le questionner, mais il leur répondit tranquillement :

— Laissez-moi tranquille ! Vous êtes plus insensées et plus chargées de péchés que ma mère !

— Tout ceci ne peut plus être caché, déclarèrent-elles alors, en proie à une vive surprise. Il nous faut en parler au peuple.

Elles se mirent donc à la fenêtre et appelèrent les gens de la ville pour leur rapporter ce qu'avait dit l'enfant. Ils décidèrent aussitôt qu'il était grand temps de supplicier la mère et écrivirent donc aux juges pour leur demander de la livrer au supplice dans un délai de quarante jours. Quand la mère apprit la date de son procès, elle en fut toute bouleversée et en informa aussitôt son confesseur. Les jours passèrent. Il ne lui restait plus qu'une semaine avant de monter au bûcher. Lorsqu'elle y songeait, elle ne savait plus que devenir et, dans sa terreur, elle fondit en larmes. L'enfant se promenait dans la tour. Lorsqu'il vit sa mère pleurer, il se mit à rire et à manifester une grande joie.

— Tu te soucies bien peu, lui dirent les deux femmes, de ce qui tourmente ta mère qui doit être brûlée cette semaine à cause de toi. Maudite soit l'heure de ta naissance si Dieu n'y met ordre, car cette malheureuse, à cause de toi, va subir un horrible supplice !

— Chère mère, écoute-moi, répondit l'enfant. Tant que je vivrai, personne au monde n'osera te tuer, te toucher ou te livrer à la mort, sauf Dieu.

Ces paroles remplirent de joie et la mère et les deux femmes.

— Un enfant capable de parler ainsi, s'écrièrent-elles, ne pourra être, s'il plaît à Dieu, qu'un homme plein de sagesse et de vertu !

Les choses en restèrent là jusqu'au jour fixé pour le supplice. Ce jour-là, les femmes furent libérées et la mère comparut devant les juges, son enfant dans les bras. Les juges prirent à part les femmes qui avaient vécu avec elle et leur demandèrent si c'était bien vrai que l'enfant parlait ainsi. Elles leur rapportèrent tout ce qu'elles lui avaient entendu dire et eux, tout surpris, s'écrièrent qu'il lui faudrait en savoir long pour sauver sa mère de la mort. Puis ils reprirent leur place. Le prêtre qui confessait la mère était venu.

— Ma demoiselle, dit alors l'un des juges, avez-vous d'autres dispositions à prendre ? Préparez-vous maintenant car il vous faut subir votre supplice.

— Seigneur, répondit-il, si vous y consentiez, j'aimerais parler à ce prêtre.

Le juge lui en donna la permission et elle entra dans une pièce en laissant l'enfant dehors. Beaucoup de gens se mirent aussitôt à le questionner, mais sans résultat. La jeune femme cependant parla avec son confesseur en pleurant d'une manière déchirante.

— Est-il vrai, lui demanda le prêtre, lorsqu'elle lui eut dit tout ce qu'elle voulait, que ton enfant parle, comme on le dit ?

— Oui, seigneur, répondit-elle en répétant ce qu'elle lui avait entendu dire.

— Il va donc sûrement se produire quelque chose d'extraordinaire, conclut-il.

Tous deux sortirent alors de la pièce. La mère retrouva son enfant dehors, le prit dans ses bras et revint aussitôt devant les juges.

— Dame, lui dirent-ils, lorsqu'elle fut devant eux, nous direz-vous qui est le père de cet enfant ? Prenez garde à ne rien nous cacher.

— Seigneurs, répondit-elle, je sais bien que je ne peux échapper au supplice, mais que Dieu me refuse toute miséricorde si j'ai jamais vu ou connu le père de cet enfant ou si j'ai jamais été assez intime avec un homme pour être enceinte !

— Pourtant, nous ne pensons pas que cela puisse être vrai, répondirent les juges, et nous allons demander aux autres femmes si ce que vous dites est du domaine du possible. Jamais en effet personne n'a entendu chose aussi étonnante.

Les juges se retirèrent donc et vinrent questionner plusieurs femmes sur ce que disait la mère de Merlin.

— Mes dames, dit l'un d'eux, vous est-il jamais arrivé, à vous ou à quelqu'une dont vous auriez entendu parler, de concevoir ou de mettre au monde un enfant sans avoir eu de rapports charnels avec un homme ?

— Non, répondirent-elles, cela est impossible.

Les juges revinrent alors auprès de la mère de Merlin et lui rapportèrent ce qu'avaient dit les autres femmes.

— Rien ne s'oppose donc plus, conclurent-ils, à ce que justice soit faite.

Mais alors Merlin, furieux d'entendre ainsi parler de sa mère, bondit devant les juges.

— Seigneurs, s'écria-t-il, ce n'est pas de sitôt que ma mère sera mise à mort ! Si on mettait à mort tous ceux et toutes celles qui ont eu des rapports charnels avec d'autres que leur mari ou leur femme, il faudrait brûler les deux tiers des hommes et des femmes ici présents ! Je connais bien tous leurs secrets et, si je voulais, je pourrais tous les faire avouer. Or il y en a beaucoup ici qui ont fait bien pis que ma mère qui, sachez-le, n'est pas coupable de ce dont on l'accuse ; et si elle l'est, ce prêtre que voici s'est chargé de la responsabilité de sa faute. Si vous ne me croyez pas, demandez-le-lui !

Les juges firent comparaître le prêtre et lui demandèrent si Merlin avait dit la vérité. Le prêtre rapporta mot pour mot tout ce que la mère de Merlin lui avait dit, puis, comme les juges lui demandaient s'il croyait vraiment que tout s'était passé comme elle l'affirmait, il ajouta :

— Je l'ai assurée qu'elle ne devrait craindre ni Dieu ni le monde et que justice lui serait rendue. Elle-même vous a expliqué comment elle fut séduite, et c'est un véritable prodige que la naissance de cet enfant qu'elle a conçu sans avoir eu conscience de ce qui se passait et sans savoir qui l'engendra. Elle est venue s'en confesser auprès de moi, elle s'en est repentie, et je lui ai ordonné sa pénitence.

— Vous avez en outre noté, intervint l'enfant, la nuit et l'heure où j'ai été engendré et il vous est facile de savoir l'heure et le jour où je suis né. Vous pouvez donc vérifier en grande partie les dires de ma mère.

— Assurément, dit le prêtre, mais je me demande d'où te vient une telle science car tu en sais plus long que nous tous !

On appela alors les femmes qui avaient vécu dans la tour avec la mère de Merlin. Elles firent le compte, devant les juges, de la durée de la grossesse de la mère, de la conception de l'enfant à l'accouchement. Elles comparèrent avec ce qu'avait noté le prêtre et arrivèrent au même résultat que lui.

— Elle n'en sera pas quitte pour autant, dit l'un des juges. Il faut encore qu'elle nous dise qui t'a engendré et qui est ton père.

L'enfant se mit en colère.

— Je connais mieux mon père que toi le tien, s'écria-t-il, et ta mère sait mieux qui t'engendra que ne le sait la mienne !

— Si tu as une accusation à formuler contre ma mère, répliqua le juge avec colère, je l'examinerai !

— Je peux au moins te dire sur elle que, si tu la condamnais à mort, elle mériterait mieux son châtiment que ma mère. Si donc je l'oblige à t'en donner elle-même la preuve, acquitte ma mère car elle n'est pas coupable de ce dont on l'accuse et elle a dit la vérité lorsqu'elle a raconté comment j'avais été engendré.

— Merlin, répondit le juge, très irrité par les paroles de l'enfant, s'il en est ainsi, ta mère échappera au bûcher mais tiens-le-toi pour dit : si tu ne peux pas fournir la preuve de la faute de ma mère, si donc la tienne n'est pas acquittée, tu seras brûlé avec elle.

Le juge et Merlin fixèrent alors un délai de quinze jours. Le juge envoya chercher sa propre mère et fit soigneusement garder Merlin et sa mère. Lui-même resta tout ce temps avec les gardes. On questionna souvent l'enfant sur sa mère et sur d'autres personnes mais, durant ces quinze jours, on ne put lui arracher un seul mot. Au jour dit, la mère du juge arriva. On sortit de prison Merlin et sa mère et tous deux comparurent devant le peuple.

— Merlin, dit le juge, voici ma mère contre qui tu dois formuler ton accusation. Dis-lui maintenant tout ce que tu veux lui dire.

— Vous n'êtes pas, de loin, aussi sage que vous le pensez, répliqua l'enfant. Emmenez donc votre mère dans une maison à l'écart et faites venir pour vous aider vos amis les plus sûrs. Pour ma part, je citerai ceux qui aideront ma mère, Dieu tout-puissant et son confesseur.

Tous ceux qui entendirent l'enfant restèrent si interdits qu'ils ne surent que répondre, mais le juge, lui, fut sensible à tant de sagesse.

— Seigneurs, demanda alors l'enfant aux autres juges, si je peux prouver le bon droit de ma mère contre cet homme, vous-mêmes, l'acquitterez-vous ?

— Oui, répondirent-ils. Si elle parvient à se disculper devant cet homme, personne ne lui demandera plus rien.

Merlin et le juge se retirèrent donc dans une pièce. Le juge avait avec lui sa mère et deux de ses amis parmi les plus honorables, et l'enfant, le confesseur et sa mère. Lorsqu'ils furent tous réunis, le juge dit à Merlin :

— Maintenant, tu peux dire à ma mère tout ce que tu veux, afin de disculper la tienne.

— Je ne veux pas, répliqua Merlin, défendre injustement ma mère mais faire triompher le bon droit de Dieu et le sien. Ma mère, sachez-le, n'a pas mérité le châtiment que vous voulez lui faire subir et, si vous m'en croyez, vous l'acquitterez et vous renoncerez à enquêter sur la vôtre.

— Tu ne t'en sortiras pas ainsi, répondit le juge. Il te faudra en dire davantage.

— Vous nous avez bien donné l'assurance, à ma mère et à moi, que vous l'acquitteriez si je pouvais prouver son innocence ?

— C'est exact.

— Or vous voulez brûler ma mère parce qu'elle m'a mis au monde sans savoir qui m'avait engendré mais, si je voulais, elle saurait mieux dire qui est mon père que toi nommer le tien. Et ta mère sait mieux de qui tu es le fils que la mienne, qui ne pourrait actuellement le dire.

— Chère mère, dit le juge, ne suis-je pas le fils de votre époux légitime ?

— Mais si, mon fils, répondit la mère du juge.

— Ma dame, intervint Merlin, il vous faudra dire la vérité si votre fils ne nous acquitte pas, ma mère et moi. Pourtant, s'il le faisait sans rien demander de plus, je me tairais.

— Je n'en ferai rien, répondit le juge.

— Du moins y gagnerez-vous de savoir qui est votre père, grâce au témoignage de votre mère !

Quand les trois témoins entendirent la réponse de l'enfant, il se signèrent de stupeur.

— Ma dame, dit Merlin à la mère du juge, il vous faut donc dire à votre fils la vérité sur son père.

— Et ne l'ai-je pas dite, démon ?

— Ma dame, vous savez bien qu'il n'est pas le fils de qui il croit.

— Et de qui donc ? répliqua-t-elle, tout épouvantée.

— Vous savez bien qu'il est le fils de votre prêtre ! Et en voici la preuve : la première fois que vous avez couché avec lui, vous lui avez dit que vous aviez peur qu'il vous fasse un enfant. Il vous a répondu que cela ne se produirait pas et qu'au reste, chaque fois qu'il coucherait avec vous, il le noterait. Il craignait en effet que vous ne le trompiez avec un autre homme et, à cette époque, vous étiez brouillée avec votre mari. Lorsque l'enfant a été conçu, vous n'avez pas tardé à vous plaindre d'être enceinte de lui. Maintenant, si ce que je viens de dire est vrai, convenez-en. Sinon, je poursuis.

— Dit-il la vérité ? demanda avec colère le juge à sa mère.

— Cher fils, dit la mère très effrayée, pouvez-vous croire ce que dit ce diable ?

— Ma dame, poursuivit Merlin, si vous n'avouez pas, je ferai encore d'autres révélations, véridiques comme vous le savez !

Puis, comme la dame restait muette, il ajouta :

— Voici donc ce qui s'est passé. Quand vous vous êtes aperçue que vous étiez grosse, vous avez demandé au prêtre de vous réconcilier avec votre mari avant qu'il ne remarque votre état. Le prêtre a su si bien l'entortiller que vous vous êtes réconciliés et que vous avez couché ensemble. Vous lui avez donc fait croire que votre fils était de lui, comme le pensent la plupart des gens. Et votre fils, ici présent, en est lui-même fermement persuadé. Par la suite, vous avez continué votre manège et vous le continuez encore. La veille même de votre départ, vous avez couché avec le prêtre et, au matin, il vous a accompagnée un bon bout de chemin. En vous quittant, il vous a dit à l'oreille en riant : « Mon amie, veillez à faire très exactement la volonté de mon fils », car il sait bien, lui, d'après ce qu'il a noté, que l'enfant est de lui.

Quand la mère du juge entendit ce que disait Merlin — et elle savait bien qu'il disait la vérité —, elle s'assit, les jambes coupées, comprenant bien qu'il lui faudrait avouer.

— Chère mère, lui dit son fils en la regardant, quoi qu'il en soit de mon père, je suis votre fils et vous traiterai comme tel. Mais dites-moi, je vous en prie, si cet enfant dit la vérité.

— Mon fils, au nom de Dieu, pitié ! Je ne peux te le cacher : il en est comme il te l'a dit.

— Cet enfant disait donc vrai, en affirmant qu'il connaissait mieux son père que moi le mien ! Il n'est donc pas juste que je punisse sa mère quand je ne punis pas la mienne. Merlin, reprit-il, je te demande, au nom de Dieu, et afin que je puisse vous disculper devant le peuple, ta mère et toi : qui est ton père ?

— Je vais te le dire, et plus par amitié pour toi que par peur de ton pouvoir. Apprends donc que je suis le fils d'un démon qui a séduit ma mère. Apprends également que les démons de cette sorte s'appellent Incubes et qu'ils habitent dans l'air. Ce démon m'a donné l'intelligence des choses dites et faites dans le passé et Dieu m'a confirmé ce pouvoir. C'est pourquoi je sais quelle vie ta mère n'a cessé de mener. Mais Notre-Seigneur, pour récompenser la vertu de ma mère, son sincère repentir et son obéissance aux commandements de notre sainte Église, m'a également donné la grâce de connaître en partie l'avenir. Voici comment tu pourrais en avoir la preuve.

Merlin prit alors le juge à l'écart et lui dit :

— Ta mère va aller raconter ce que je lui ai dit au prêtre qui t'a engendré. Que tu connaisses son secret lui causera une telle frayeur qu'il prendra la fuite. Le diable, dont il a toujours fait les œuvres, le conduira près d'une rivière et il s'y noiera. Je peux donc te démontrer ainsi que je connais l'avenir.

— Merlin, répondit le juge, si ce que tu m'as dit est vrai, je te ferai toujours confiance.

Ils arrêtèrent là leur discussion et revinrent devant le peuple.

— Cet enfant, dit le juge en s'adressant à la foule, a sauvé sa mère du bûcher. Que tous ceux qui le verront sachent bien qu'ils n'ont jamais vu et ne verront jamais plus sage créature.

— Béni soit Dieu si elle est sauvée ! s'écrièrent-ils d'une seule voix.

Merlin — ainsi le rapporte l'histoire — resta avec les juges. Le juge, lui, renvoya sa mère accompagnée de deux hommes chargés de savoir si Merlin avait dit la vérité sur ses rapports avec le prêtre. Or, dès qu'elle fut de retour chez elle, la femme vint en secret rapporter au prêtre tout ce que l'enfant lui avait dit. Terrorisé, le prêtre fut incapable de répondre le moindre mot. Persuadé que le juge le tuerait dès qu'il reviendrait, il traversa la ville, ainsi perdu dans ses pensées, et arriva au bord d'une rivière. Il se dit alors qu'il était préférable pour lui de se noyer plutôt que d'être tué ou livré au supplice par le juge. C'est ainsi que le diable dont il avait fait les œuvres le poussa à se jeter dans la rivière et à s'y noyer sous le regard des deux hommes qui l'avaient suivi. Voici pourquoi l'histoire dit qu'on ne doit pas fuir les autres hommes car le diable s'empare plus facilement d'un homme isolé. Les deux témoins de la mort du prêtre — il s'était noyé deux jours après leur arrivée — revinrent auprès du juge et lui racontèrent ce à quoi ils avaient assisté. Lorsque le juge apprit, à sa grande surprise, que le prêtre s'était noyé, il vint tout répéter à Merlin. Et Merlin se mit à rire et dit au juge :

— Tu vois bien maintenant si je dis ou non la vérité ! Mais je te prie également de rapporter mes paroles à Blaise. (Ainsi s'appelait le confesseur de sa mère.)

Le juge rapporta donc à Blaise l'extraordinaire aventure du prêtre. Sur ce, Merlin s'en alla de son côté avec sa mère et Blaise, et les juges du leur.

Ce Blaise était un clerc plein de sagesse et de discernement. Il avait été tellement frappé par la sagesse des propos de Merlin — qui pourtant n'avait pas alors plus de deux ans et demi — qu'il se demandait bien d'où l'enfant pouvait tenir cette science. Il tenta donc à plusieurs reprises de le sonder. Tant et si bien que Merlin lui dit :

— Ne cherche plus à me mettre ainsi à l'épreuve. Plus tu t'y efforceras, plus tu seras surpris ! Mais fais plutôt ce que je te demanderai et aie confiance en ce que je te dirai. Je t'apprendrai ainsi à mériter l'amour de Jésus-Christ.

— Merlin, dit Blaise, je t'ai entendu dire, et pour ma part je te crois, que tu as été engendré par le diable. J'ai donc très peur que tu ne me trompes.

— C'est l'habitude des méchants de retrouver partout leurs propres vices et de relever davantage le mal que le bien. Tu m'as entendu dire que j'étais le fils du diable mais tu m'as également entendu dire que Dieu m'avait donné le pouvoir et la faculté de connaître l'avenir. Si tu étais sage, tu devrais donc chercher à savoir quelle voie je devrais suivre. Apprends donc que Dieu m'a donné ce pouvoir parce que les diables m'avaient condamné à être damné, mais je n'ai pas pour autant perdu la connaissance de leurs ruses et de leurs pratiques magiques. Je garde d'eux ce que je dois en garder, mais je ne l'utilise pas à leur profit. Quant à eux, ils ne furent guère avisés lorsqu'ils fécondèrent ma mère : le vase qui me reçut était trop pur pour leur appartenir et la vertu de ma mère leur a fait grand tort. En revanche, s'ils avaient fécondé ma grand-mère, je n'aurais pas eu le pouvoir de connaître Dieu et je leur appartiendrais. C'est elle en effet qui fut responsable de toutes les catastrophes qui s'abattirent sur mon grand-père et sur ma mère, comme cette dernière te l'a raconté. Mais maintenant, crois ce que je t'enseignerai sur la foi et la croyance en Jésus-Christ car je te dirai ce que personne, sauf Dieu, ne pourrait te dire. Fais-en un livre. Nombreux seront ceux qui deviendront meilleurs et s'écarteront du péché en l'entendant lire, et tu feras ainsi un acte très charitable.

— Merlin, dit Blaise, je ferai volontiers ce livre mais je te conjure, au nom du Père, du Fils, du Saint-Esprit, au nom de la douce dame qui porta le corps de Dieu, de tous les anges, archanges et apôtres et de tous ceux qui appartiennent à Dieu, de ne pas chercher à me tromper, à me séduire et à me faire agir contre la volonté de Notre-Seigneur.

— Que tous ceux que tu viens de nommer me desservent auprès de Dieu, répondit Merlin, si je te fais aller à l'encontre de sa volonté !

— Dis-moi donc tout ce que tu jugeras qu'il est bien de faire et je m'engage à le faire.

— Alors, va chercher suffisamment de parchemin et d'encre car j'ai beaucoup de choses à te dicter que tu écriras dans ton livre.

Quand Blaise fut prêt, Merlin lui rapporta très fidèlement toutes les preuves d'amour que Jésus-Christ avait données à Joseph d'Arimathie. Il lui raconta ensuite l'histoire d'Alain et de ses compagnons et lui révéla comment Joseph s'était dessaisi du Saint Graal et était mort. Il lui expliqua enfin comment les diables, devant ces événements, s'étaient aperçus qu'ils avaient perdu leur ancien pouvoir sur les hommes, avaient mesuré le tort que les prophètes leur avaient fait et avaient décidé à l'unanimité d'engendrer un homme.

— Au reste, ajouta-t-il, tu as bien su par ma mère et par d'autres quels efforts et quelle ruse ils ont dépensés, mais dans leur démesure, ils n'ont pas été capables de me garder.

Merlin exposa ainsi toute cette histoire à Blaise qui la mit par écrit. Blaise était très surpris des extraordinaires révélations de Merlin. Cependant, ces récits lui semblaient bons et il mettait une grande attention à les recueillir.

Tandis qu'il travaillait, Merlin lui dit :

— Blaise, cette œuvre que tu fais va me causer beaucoup de tourments.

— Et pourquoi donc ?

— Parce qu'on viendra me chercher depuis l'Occident. Ceux qui viendront auront juré à leur maître de me tuer et de lui rapporter mon sang mais, dès qu'ils me verront et m'entendront parler, ils renonceront. Toi, lorsque je m'en irai avec eux, tu te rendras dans les régions où demeurent les gens qui gardent le Saint Graal et tous, désormais, écouteront et reprendront volontiers ce livre auquel tu as tant travaillé. Toutefois, il ne fera pas autorité car tu n'es pas, tu ne peux pas être un apôtre. Les apôtres en effet n'ont rien écrit sur Notre-Seigneur qu'ils n'aient vu et entendu, alors que toi, tout ce que tu mets dans ce livre, tu ne l'as vu et entendu qu'à travers moi. De même que je suis obscur et le resterai envers ceux auxquels je ne voudrai pas me dévoiler, de même ce livre demeurera caché, et rares sont ceux qui t'en seront reconnaissants. Lorsque je m'en irai avec ceux qui viendront me chercher, tu emporteras ce livre. Alors, le livre de Joseph et le livre de ceux dont je t'ai conté l'histoire seront réunis avec ton livre qui est aussi le mien. Ta peine sera terminée et tu seras digne de vivre avec eux. Tu réuniras ton livre au livre de Joseph et il constituera un sûr témoignage de ton travail et du mien. S'il leur agrée, ils nous en seront reconnaissants et prieront Notre-Seigneur pour nous. Les deux livres, une fois réunis, feront un très beau livre et l'un et l'autre seront d'égale valeur, sauf que je ne peux ni ne dois dire les paroles secrètes échangées entre Jésus-Christ et Joseph.

(Transportant le récit et son héros d'Orient en Occident — en Grande Bretagne — et adoptant le rythme de la chronique, l'auteur retrace ensuite les épisodes clés de l'histoire des rois bretons telle que l'organise et l'oriente Merlin.

Après avoir démasqué les clercs de Vertigier, celui qui a chassé par traîtrise Pendragon et Uter, les héritiers légitimes du royaume breton, Merlin terrifie l'usurpateur en lui révélant le sens du combat que se livrent, au fondement de la tour qu'il essaie d'ériger, le dragon blanc et le dragon roux, puis il aide les deux frères à reconquérir leur royaume. Recourant alors aux pouvoirs de la sagesse comme à ceux de la séduction et utilisant à bon escient les dons de prophétie que lui a conférés Dieu, il jette les fondements du règne et de la gloire d'Arthur.

Par la victoire de Salesbieres, où meurt Pendragon, où triomphe Uter, Merlin libère la Grande Bretagne de l'ennemi héréditaire, les Saxons, et donne comme tombeau aux héros morts les pierres de Stonehenge, la « carole des géants. »

Fondant à la cour d'Uter la Table Ronde, elle-même instituée à la senefiance de la table de la Cène et de la table du Graal (instituée par Joseph d'Arimathie), y réservant le siège vide où prendra place le chevalier élu, il désigne le futur royaume d'Arthur comme l'espace où doit s'achever la trajectoire terrestre du Graal.

Donnant enfin à Uter, tombé éperdument amoureux d'Ygerne, duchesse de Tintagel, l'apparence du duc son époux, il préside à la conception d'Arthur,

cet enfant dont il fait, à son image, un « fils sans père », sans origine repérable,
celui que Dieu lui-même — ou le pouvoir magique de l'écriture — a choisi
comme roi en lui destinant Excalibur, l'épée de souveraineté.)

III

L'AVÈNEMENT D'ARTHUR

Après la mort d'Uterpendragon, le royaume resta donc sans héritier. Au lendemain de l'enterrement du roi, les hauts barons et les prélats de l'Église se réunirent pour décider du gouvernement du pays mais ils ne purent s'accorder sur un nom. Ils résolurent donc de demander conseil à Merlin car ils n'avaient jamais trouvé sa sagesse et ses conseils en défaut et l'envoyèrent chercher d'un commun accord.

— Merlin, lui dirent-ils lorsqu'il fut parmi eux, nous connaissons ta sagesse et nous savons que tu as beaucoup aimé les rois de ce pays. Or, comme tu le vois, ce royaume n'a pas d'héritier, et une terre sans maître ne vaut guère. C'est pourquoi nous te demandons instamment de nous aider à choisir un homme qui la gouvernera pour le plus grand bien de l'Église et la sauvegarde du peuple.

— Seigneurs, répondit Merlin, je ne suis pas Dieu pour prendre une telle décision et choisir qui vous gouvernera. Mais je vais vous dire mon avis. S'il vous semble bon, vous le suivrez. Sinon, rejetez-le.

— Que Dieu veuille que nous nous accordions pour le bien et la sauvegarde de ce royaume !

— Eh bien voici, dit Merlin. J'ai beaucoup aimé ce royaume et ses habitants et, si je vous disais de choisir l'un de vous comme roi, vous me feriez confiance, et à juste titre. Mais apprenez que quelque chose de tout à fait extraordinaire vous est réservé, si du moins vous voulez bien en tenir compte. Le roi est mort après la Saint-Martin et Noël, maintenant, sera vite là. Si donc vous me faites confiance, je vous donnerai un conseil bon, loyal et conforme aux lois de Dieu et de ce monde.

— Merlin, s'écrièrent-ils tous, dis-nous ce que tu veux et nous te ferons confiance !

— Seigneurs, comme nous le savons tous, nous fêterons bientôt le jour où naquit Celui qui est le roi des rois, le maître de toutes choses et le dispensateur de tous biens. Voici donc à quoi je m'engage auprès de vous, si du moins vous obtenez l'accord des gens de ce royaume — et chacun d'eux a bien besoin d'un bon maître ! Que Celui qui dans sa bonté et dans son humilité a daigné se faire homme en cette nuit de Noël et naître au monde, Lui le roi de tout l'univers, nous choisisse un roi qui Lui agrée et qui agisse comme Il le désire ! Qu'Il nous donne en ce jour un signe manifeste de sa volonté afin que le peuple sache bien que le nouveau roi sera l'élu de Dieu et non des hommes ! Et je vous affirme que, si vous obtenez l'accord du peuple, vous verrez ce signe.

— Merlin, c'est là le meilleur conseil que l'on puisse donner ! N'est-ce pas là votre avis ? se dirent-ils les uns aux autres.

— Oui, oui, répondirent-ils à l'unanimité, et nous devons tous nous y conformer.

Les barons demandèrent alors aux évêques et aux archevêques de réunir le peuple, de le faire prier et d'engager les prêtres à obtenir de tous les fidèles qu'ils promettent d'observer les commandements de notre sainte Église et d'obéir aux manifestations divines. Les barons suivirent donc les conseils de Merlin qui bientôt leur annonça son départ. Ils lui demandèrent de revenir à Noël pour voir si tout se passerait bien comme il le leur avait dit.

— Non, je n'y serai pas, répondit Merlin, et vous ne me verrez pas avant l'élection.

Merlin retourna alors auprès de Blaise et lui révéla tout ce qui devait arriver. Cependant, les barons du royaume et les ministres de l'Église firent savoir par toute la terre que les nobles du pays devaient se rendre à Noël à Logres [1] pour voir qui Jésus-Christ élirait.

Ainsi donc tout le monde fut informé et l'on attendit jusqu'à Noël. L'enfant qu'Auctor avait élevé — et il n'avait pas été nourri d'autre lait que du lait de sa propre femme tandis que son fils avait été allaité par une nourrice à gages — était devenu un bel écuyer, et Auctor aurait été incapable de dire qui il préférait, de son fils ou de cet enfant qu'il avait toujours appelé son fils ; si bien que l'enfant était persuadé que c'était là son père. A la Toussaint précédant ce Noël, Auctor fit chevalier son fils Keu. A Noël, il se rendit comme tout le monde à Logres et emmena avec lui ses deux fils. La veille de Noël, tous les clercs, prêtres et nobles du royaume étaient là eux aussi, obéissant aux ordres de Merlin. Une fois réunis, ils attendirent la fête dans le recueillement et la piété, comme il se devait, puis ils se rendirent à la messe de minuit et prièrent Notre-Seigneur de leur désigner un homme capable de défendre le peuple de Dieu. C'est dans cet état d'esprit qu'ils assistèrent à la première messe. Ensuite certains partirent et d'autres attendirent dans l'église la messe de

---

1. Logres désigne généralement, dans le royaume arthurien, non une ville mais l'ensemble du royaume d'Arthur, la Grande Bretagne. La ville où réside ordinairement Uterpendragon (et plus tard Arthur) est Cardueil.

l'aube. Un grand nombre de gens traitaient de fous ceux qui croyaient que Notre-Seigneur s'occuperait Lui-même de l'élection du roi. Sur ces entrefaites, on sonna la messe et tous retournèrent à l'église. L'un des plus vénérables prélats de l'Église se disposait à célébrer le service mais auparavant, alors que tout le peuple était réuni, il leur dit :

— Seigneur, vous devez vous réunir en ce lieu pour votre bien et pour trois raisons. Les voici : sauver votre âme, vivre comme il convient, et enfin assister au miracle que fera aujourd'hui Notre-Seigneur, si telle est sa volonté, afin de nous donner un roi capable de protéger notre sainte Église et de défendre ce royaume et tout son peuple. Nous nous disputons tous pour élire l'un d'entre nous, mais nous n'avons pas assez de sagesse pour savoir choisir le meilleur. C'est pourquoi nous qui croyons que Jésus-Christ est né en ce jour, nous devons Le prier de nous signifier quel roi Il veut nous donner. Et que chacun de nous prie en ce sens de son mieux !

Tous suivirent les recommandations du prélat qui célébra l'office jusqu'à l'évangile. Cependant, aussitôt après l'offertoire, un certain nombre de gens s'étaient réunis devant l'église qui donnait sur un vaste parvis. A ce moment-là, il faisait jour. Ils aperçurent alors devant l'église, juste devant le porche, un bloc de pierre carré, un perron, qui leur parut être en marbre. Au milieu était posée une enclume de fer qui avait bien un demi-pied de haut et, fichée dans cette enclume jusqu'à la garde, une épée. Lorsque les premiers sortis aperçurent cette épée, ils revinrent tout étonnés dans l'église pour prévenir le peuple. Dès que le célébrant, qui était l'archevêque de Logres, apprit la nouvelle, il prit de l'eau bénite et tous les reliquaires qui se trouvaient dans l'église et se dirigea vers le perron, suivi de tous les fidèles. Ils regardèrent longuement la pierre ainsi que l'épée et l'aspergèrent d'eau bénite. Puis l'archevêque aperçut une inscription en lettres d'or gravée sur le pommeau de l'épée et la déchiffra. Elle disait que Jésus-Christ désignait comme roi de ce pays celui qui pourrait retirer l'épée.

L'archevêque lut alors l'inscription au peuple et le perron fut confié à la garde de dix nobles, de cinq clercs et de cinq laïcs. Tous les assistants déclarèrent que Dieu leur avait envoyé là un signe manifeste et retournèrent à l'église pour la messe du jour. Ils rendirent grâces à Dieu et chantèrent le *Te Deum laudamus*. Une fois monté à l'autel, l'archevêque s'adressa au peuple et lui dit :

— Vous pouvez être sûrs désormais qu'il y a un juste parmi nous, puisque Dieu s'est ainsi manifesté à nous, et Il saura bien maintenant nous signifier sa volonté.

Sur ce, il célébra l'office. Lorsqu'il eut fini, tous se réunirent autour du perron en se demandant entre eux qui ferait l'essai le premier. Finalement ils décidèrent de s'en remettre aux ministres de l'Église. Ce qui souleva une grande discussion car les grands seigneurs, les plus puissants et les plus forts physiquement, voulaient tenter l'épreuve les premiers. Il y eut donc maintes discussions qu'il est préférable de ne pas rapporter ici, puis l'archevêque reprit la parole :

— Seigneurs, leur dit-il suffisamment fort pour être entendu du plus grand nombre, vous n'êtes pas aussi raisonnables et aussi sages que je le voudrais. J'aimerais pourtant que vous compreniez que Notre-Seigneur, qui voit et sait tout, a déjà choisi quelqu'un, mais nous ne savons pas qui c'est. Je peux également ajouter que seule prévaut ici la volonté de Notre-Seigneur et que n'entrent en ligne de compte ni la puissance ni la noblesse ni l'audace. Mais j'ai une telle confiance en Notre-Seigneur que je sais bien que même si celui qui doit ôter cette épée n'était pas encore né, personne ne pourrait réussir l'épreuve à sa place.

Tous les grands barons approuvèrent les paroles de l'archevêque et, après s'être consultés, vinrent lui dire qu'ils agiraient comme il le leur demanderait.

— Seigneurs, leur répondit l'archevêque tout heureux et pleurant de joie, l'humilité dont vous faites preuve vous est inspirée par Dieu lui-même ! Apprenez donc que je me conformerai en tous points à sa volonté et qu'ainsi je ne pourrai encourir le moindre reproche.

Cette discussion se déroulait avant la grand-messe. Au cours de celle-ci, l'archevêque attira l'attention du peuple sur l'importance et la signification du miracle que Dieu avait fait pour eux.

— Lorsque Notre-Seigneur institua la justice en ce monde, leur dit-il, Il la manifesta en effet par l'épée dont Il investit la chevalerie, lorsque furent établis les trois ordres. Cela afin qu'elle défendît notre sainte Église et fît respecter la justice. Or, aujourd'hui, Notre-Seigneur recourt de nouveau à l'épée pour cette élection, et sachez bien qu'Il a déjà tout pesé et qu'Il a décidé à qui Il veut remettre ce pouvoir de justice. Que les hauts seigneurs ne se précipitent donc pas pour tenter l'épreuve : l'épée ne peut ni ne doit être dégagée sous le signe de la puissance ou de l'orgueil. Mais que les pauvres ne s'irritent pas si les puissants s'essaient les premiers car cet ordre est raisonnable et légitime. Les seigneurs les plus hauts et les plus nobles tenteront donc d'abord l'épreuve.

Le discours de l'archevêque fit l'unanimité. Tous acceptèrent qu'il fasse tenter l'épreuve à qui il voudrait et promirent de reconnaître et d'accepter pour seigneur celui à qui Dieu donnerait la grâce de réussir. Les seigneurs retournèrent donc près du perron et l'archevêque choisit deux cent cinquante d'entre eux — ceux qu'il tenait en plus haute estime — et leur fit tenter l'épreuve. Il ordonna ensuite aux autres d'essayer. Les uns après les autres, tous ceux qui le voulurent tentèrent, mais aucun ne put enlever l'épée ou l'ébranler. On confia alors le perron à la garde de neuf hommes d'excellente réputation et le peuple fut informé que pourraient tenter l'épreuve tous ceux qui le désireraient. On recommanda également aux gardes de prendre bien soin d'identifier celui qui enlèverait l'épée. En fait, aucun de ceux qui se présentèrent ne put y parvenir.

L'épée resta ainsi huit jours, jusqu'au jour de l'an. Les barons se rendirent alors à la grand-messe où l'archevêque les sermonna et les instruisit de son mieux dans la voie du bien.

— Seigneurs, leur dit-il, je vous avais bien prévenus, que tous sans exception pourraient venir, même de très loin, pour tenter l'épreuve, et vous savez maintenant que seul ôtera l'épée celui que Dieu a choisi.

Mais les barons répondirent qu'ils ne quitteraient pas la ville avant d'avoir vu celui à qui Dieu réservait cette grâce. Après la messe, ils retournèrent donc à leurs logements. Ensuite, les chevaliers allèrent comme d'habitude briser des lances en dehors de la ville. La plus grande partie de la population les suivit pour assister au spectacle ainsi que les neuf qui avaient la garde de l'épée. Quand les chevaliers se furent suffisamment dépensés, ils donnèrent leurs écus à leurs valets d'armes qui prirent leur place. Mais les joutes dégénérèrent bientôt en bataille rangée et toute la ville accourut. Auctor donc avait fait chevalier son fils aîné à la Toussaint. Comme la bataille commençait, le jeune homme appela son frère et lui dit :

— Va à notre logement me chercher une épée !

— Bien volontiers, seigneur, répondit Arthur, qui était alors un adolescent plein de force et d'agilité.

Il courut donc là où ils logeaient, chercha partout une épée, celle de son frère ou une autre et, comme il n'en trouvait point, se mit à pleurer de contrariété. Or, en revenant sur ses pas, il passa devant l'église, là où était le perron, et vit l'épée. Il n'avait pas encore tenté l'épreuve. Il se dit alors que s'il pouvait prendre cette épée, il la porterait à son frère. Sans descendre de cheval, il la saisit par la garde et l'emporta, dissimulée sous un pan de sa tunique. Lorsque son frère qui l'attendait en dehors de la ville l'aperçut, il alla à sa rencontre pour lui demander son épée. Arthur lui expliqua qu'il n'avait pu la trouver mais qu'il lui en apportait une autre et il sortit l'épée de dessous sa tunique. Puis, comme Keu lui demandait où il l'avait trouvée, il lui dit que c'était l'épée du perron. Keu la prit aussitôt, la dissimula sous un pan de sa tunique et partit à la recherche de son père.

— Seigneur, lui dit-il lorsqu'il l'eut retrouvé, je serai roi ! Voici l'épée du perron !

Très surpris, Auctor lui demanda comment elle était venue en sa possession et Keu répondit qu'il avait pu l'enlever.

Auctor ne crut pas un mot de ce que lui disait son fils et le traita de menteur, puis il se rendit avec lui vers le perron, suivi d'Arthur. Lorsque Auctor vit que l'épée n'y était plus, il dit à Keu :

— Keu, ne me mens pas. Comment as-tu enlevé cette épée ? Si tu mens, je le saurai et tu perdras tout mon amour.

— Seigneur, répondit Keu tout honteux, je ne vous mentirai pas. C'est Arthur mon frère qui me l'a apportée et je ne sais pas comment il l'a eue.

— Donne-la-moi, mon fils, dit alors Auctor, puis, se retournant, il aperçut Arthur et lui dit : Cher fils, approchez, prenez cette épée et remettez-la où vous l'avez prise.

Arthur prit l'épée et la remit dans l'enclume où elle resta fichée comme précédemment. Auctor demanda alors à son fils Keu de lui apporter l'épée. Le jeune homme tira de toutes ses forces, mais sans succès. Auctor se rendit alors à l'église et appela les deux jeunes gens.

— Cher seigneur, cher fils, dit-il en serrant Arthur dans ses bras, si je peux faire en sorte que vous deveniez roi, quel avantage en aurai-je ?

— Seigneur, je ne peux rien avoir, ce bien ou un autre, sans qu'il ne soit également à vous, puisque vous êtes mon père !

— C'est moi qui vous ai élevé, répliqua Auctor, mais en vérité, je ne suis pas votre père et je ne sais pas qui vous a engendré ni qui fut votre mère.

En entendant cet homme qu'il considérait comme son père refuser de le reconnaître pour son fils, Arthur ressentit une profonde douleur.

— Seigneur mon Dieu, dit-il tout en pleurs, quel bien pourrait désormais m'arriver alors que me voilà sans père !

— Cher seigneur, reprit Auctor, cela ne se peut ! Vous avez forcément eu un père. Mais si Notre-Seigneur vous fait la grâce de vous choisir comme roi et si je vous aide à y parvenir, quel avantage y aurai-je ?

— Seigneur, celui que vous voudrez.

Auctor lui expliqua alors tout ce qu'il avait fait pour lui et comment sa femme l'avait allaité en sevrant son propre fils et en confiant celui-ci à une nourrice à gages.

— Il serait donc juste, poursuivit-il, que mon fils et moi en soyons récompensés car jamais enfant n'a été élevé avec plus de tendresse que vous. Je vous demande donc instamment de faire quelque chose pour mon fils si vous avez la grâce d'être roi et si je vous aide à y parvenir.

— Seigneur, répondit Arthur, je vous prie de me considérer encore comme votre fils. Autrement, je ne saurais où aller. Et si vous pouvez m'aider à obtenir cet honneur et si telle est la volonté de Dieu, tout ce que j'aurai sera à vous.

— Cher fils, je ne vous demanderai pas votre royaume mais simplement, quand vous serez roi, de prendre votre frère comme sénéchal de votre terre et de ne nommer personne d'autre dans cette charge tant qu'il vivra et quelles que soient les fautes qu'il puisse commettre. Vous devez en effet accepter qu'il soit cruel, perfide et de rapports difficiles car tous les défauts qu'il a lui viennent de la nourrice qui l'a allaité, et c'est parce qu'il a fallu vous nourrir qu'il a perdu sa véritable nature. Voilà pourquoi je vous prie de le supporter et de lui accorder ce que je vous demande.

— Seigneur, dit Arthur, j'accepte bien volontiers.

Auctor conduisit alors le jeune homme à l'autel et Arthur lui jura de tenir son engagement. Ils revinrent ensuite devant l'église. La bataille avait pris fin et les seigneurs s'en revenaient pour assister aux vêpres. Auctor appela alors ses amis et les membres de sa famille et dit à l'archevêque :

— Seigneur, voici l'un de mes enfants. Il n'est pas encore chevalier mais il me supplie de lui laisser tenter l'épreuve. Je vous demande donc d'appeler quelques-uns des seigneurs ici présents.

Ainsi fit l'archevêque. Lorsqu'ils furent tous réunis près du perron, Auctor ordonna à Arthur de prendre l'épée et de la remettre à l'archevêque. Ce qu'il fit. Et dès que l'archevêque l'eut reçue, il serra l'enfant dans ses bras et entonna aussitôt à haute voix le *Te Deum laudamus*.

On conduisit ainsi Arthur dans l'église, mais les barons étaient très mécontents et disaient qu'il n'était pas possible qu'un garçon d'aussi humble origine devienne leur roi. Propos qui mirent l'archevêque en colère.

— Seigneurs, leur dit-il, Notre-Seigneur connaît mieux que vous l'origine de chacun de nous !

Cependant Auctor, sa famille et une grande partie de l'assistance se rangeaient aux côtés d'Arthur tandis que le menu peuple et les barons faisaient front. L'archevêque prononça alors des paroles pleines d'audace.

— Seigneurs, dit-il, même si le monde entier voulait s'opposer à cette élection, pour peu que Dieu seul la veuille, elle aura lieu ! Je vais donc vous donner une preuve de ma confiance en Notre-Seigneur. Arthur, mon enfant, allez remettre cette épée où vous l'avez prise.

Arthur la replaça, devant toute l'assistance.

— Jamais on ne vit élection plus manifeste, poursuivit l'archevêque. Quant à vous, puissants seigneurs de ce royaume, allez donc tenter l'épreuve, maintenant !

Ainsi firent-ils, mais aucun d'eux ne réussit.

— Il est bien fou celui qui s'oppose à la volonté divine ! s'écria l'archevêque.

— Seigneur, répondirent les barons, nous ne nous opposons pas à la volonté de Dieu mais nous sommes extrêmement surpris de voir ce garçon devenir notre maître.

— Seigneurs, Celui qui l'a choisi le connaît mieux que vous !

Les barons demandèrent alors à l'archevêque de laisser l'épée dans le perron jusqu'à la Chandeleur. Pourraient alors tenter l'épreuve ceux qui n'avaient pu encore le faire. L'épée resta donc ainsi jusqu'à cette date. Le peuple fut alors réuni et s'essaya qui voulut. Quand tous eurent tenté, l'archevêque s'écria :

— Il conviendrait pourtant que nous accomplissions la volonté de Notre-Seigneur ! Avancez-vous donc, Arthur mon cher fils, et, s'il plaît à Dieu de remettre ce peuple en votre garde, donnez-moi cette épée.

Ainsi fit Arthur. En pleurant alors de joie et d'émotion, l'archevêque et le peuple demandèrent :

— Y a-t-il quelqu'un qui s'oppose encore à cette élection ?

— Seigneur, intervinrent les barons, nous vous demandons de laisser encore cette épée jusqu'à Pâques. Si alors personne ne peut l'enlever, nous nous engageons à obéir à ce garçon et, si vous voulez agir autrement, chacun de nous fera ce qui lui semblera le mieux.

— Si j'attends jusqu'à Pâques pour le sacrer, lui obéirez-vous alors de bon cœur ? demanda l'archevêque.

— Oui, répliquèrent-ils à l'unanimité. Qu'il fasse alors ce qu'il voudra de ce royaume et de cette terre !

— Arthur, reprit l'archevêque, remettez l'épée dans le perron. Si telle est la volonté de Dieu, vous obtiendrez de toute manière ce qu'Il vous a promis !

Arthur alla donc remettre l'épée à sa place. On la fit recouvrir et elle resta dans la même position que précédemment.

— Arthur, dit alors l'archevêque qui avait pris l'enfant sous sa protection, c'est vous désormais qui êtes le roi et le maître de ce peuple. Veillez donc à vous montrer digne de cette fonction. Songez dès maintenant à choisir ceux qui seront vos conseillers intimes et vous aideront à gouverner. Répartissez les charges et les offices de la couronne comme si vous étiez déjà roi, car vous le serez si Dieu le veut.

— Seigneur, répliqua Arthur, tout le pouvoir que Dieu veut bien me conférer, je le remets en la garde de notre sainte Église et le soumets à vos conseils. Choisissez donc vous-même ceux qui peuvent le mieux m'aider à observer la volonté de Notre-Seigneur et à défendre la chrétienté, et appelez auprès de moi, je vous en prie, Auctor mon seigneur.

Ce que fit l'archevêque, qui rapporta à Auctor les sages paroles du jeune homme.

Tous deux choisirent alors les conseillers qu'ils souhaitaient puis, conformément à l'avis de l'archevêque et de tous les seigneurs, ils firent Keu sénéchal du royaume. Pour le reste, on attendit Pâques. A cette date, tous revinrent à Logres. La veille de la fête, lorsqu'ils furent tous réunis, l'archevêque les fit venir dans son palais pour délibérer et leur expliqua que la volonté de Notre-Seigneur était, selon lui, que cet enfant devienne roi de ce pays. Il leur dit enfin toutes les qualités qu'il avait découvertes en lui depuis qu'il le connaissait.

— Seigneur, répondirent les barons, nous ne voulons pas nous opposer à la volonté de Dieu mais nous sommes extrêmement surpris de voir un homme d'aussi humble origine devenir notre maître.

— Vous n'êtes pas de bons chrétiens, répliqua l'archevêque, si vous vous y opposez.

— Seigneur, nous n'en ferons donc rien, mais faites-nous encore quelques concessions. Vous avez vu la sagesse et l'expérience de cet enfant en plusieurs domaines. Nous, nous ne le connaissons pas, nous n'avons pas eu l'occasion de le sonder et nous ne savons que fort peu de chose sur lui. Nous vous demandons donc, avant de le sacrer, de nous laisser un peu voir quel genre d'homme il sera. Si nous avons le loisir de voir comment il se comporte, il y en aura bien un parmi nous qui sera capable de juger de ce qu'il donnera.

— Vous voulez donc qu'on repousse son sacre ?

— Oui, seigneur, jusqu'à demain. Et si par hasard nous ne le trouvons pas digne d'être roi, repoussons encore jusqu'à la Pentecôte. Voilà ce que nous voudrions vous demander.

— Qu'à cela ne tienne ! répliqua l'archevêque.

Ainsi se termina la discussion. Le lendemain après la grand-messe, ils demandèrent à Arthur de tenter de nouveau l'épreuve, et de nouveau l'enfant enleva l'épée. Aussitôt ils le prirent dans leurs bras l'élevèrent et le reconnurent pour leur seigneur. Puis tous lui demandèrent de replacer l'épée et de venir parler avec eux. Il accepta bien volontiers. Les barons l'emmenèrent donc dans la cathédrale pour lui parler et le mettre à l'épreuve.

— Seigneur, lui dirent-ils, nous voyons bien que Dieu veut que vous deveniez notre roi et notre maître. Nous nous conformerons donc à sa volonté. Nous vous reconnaîtrons comme notre seigneur et nous vous ferons hommage pour nos terres. Nous vous demandons cependant de repousser votre sacre jusqu'à la Pentecôte, mais sans pour autant renoncer à votre pouvoir sur ce royaume et sur nous-mêmes. Nous voulons enfin que vous nous répondiez sur ce point sans demander avis à qui que ce soit.

— Seigneur, répondit Arthur, vous me demandez de recevoir vos hommages et de vous reconduire dans la possession de vos fiefs. Or je ne peux ni ne dois le faire car je ne veux disposer de vos terres ou de celles d'autrui ni gouverner avant d'être moi-même en possession de la mienne. Et je ne peux être le maître de ce royaume, comme vous me le proposez, avant d'avoir été sacré, couronné et investi de la dignité royale. Mais j'accepte bien volontiers de repousser mon sacre jusqu'à la date que vous me proposez car je ne peux être sacré que par Dieu et par vous.

En l'entendant ainsi parler, les barons se dirent que si cet enfant vivait, il serait d'une grande sagesse car il leur avait fort bien répondu.

— Seigneur, lui dirent-ils, il serait préférable que vous soyez sacré et couronné à la Pentecôte.

Jusqu'à cette date, ils obéirent toutefois à Arthur, sur la recommandation de l'archevêque. Cependant, ils firent apporter de riches trésors et de somptueux cadeaux pour voir s'il serait sensible à ces présents. Mais lui demandait à ses familiers quelle était la valeur de chacun de ceux qui l'entouraient et agissait en conséquence : après avoir reçu toutes les richesses, il les répartissait en fonction des mérites respectifs et donnait à chacun ce qui lui faisait le plus défaut.

Il distribuait ainsi les dons qu'on lui faisait pour l'éprouver sans rien garder pour lui, et s'attirait par sa conduite l'estime de tous les barons. Hors de sa présence, ils répétaient que sa vertu serait grande car ils n'avaient trouvé en lui ni cupidité ni quelque défaut que ce soit, mais il avait aussitôt distribué tout ce qu'il avait reçu et de manière tout à fait raisonnable, donnant à chacun selon ce qu'il était. Ainsi éprouvèrent-ils Arthur sans pouvoir trouver en lui le moindre défaut. On attendit donc la Pentecôte. Tous les barons se réunirent alors à Logres et tous ceux qui le voulurent tentèrent, mais en vain, l'épreuve de l'épée. L'archevêque avait décidé que le sacre et le couronnement se feraient le samedi soir veille de Pentecôte, avant les vêpres. Avec l'approbation de tous et l'accord des plus puissants barons, il fit Arthur chevalier. Le jeune homme passa la nuit en prière dans la cathédrale et, au matin, tous les barons furent priés de l'y rejoindre.

— Seigneurs, leur dit alors l'archevêque, cet homme que voici, Notre-Seigneur l'a élu, comme vous le voyez et avez pu le voir depuis Noël, car tous ceux qui ont voulu tenter l'épreuve de l'épée l'ont fait et sans succès, sauf Arthur ici présent. Voici les vêtements royaux et la couronne, apportés ici même de l'avis unanime et avec votre accord. Si l'un de vous s'oppose maintenant à cette élection, qu'il le dise !

— Seigneur, répondirent à l'unanimité les barons, nous donnons notre accord. Nous voulons, au nom de Dieu, qu'il soit sacré roi, à une condition toutefois : s'il éprouve quelque ressentiment contre l'un ou l'autre d'entre nous parce que nous avons repoussé jusqu'ici son sacre et son élection, qu'il nous le pardonne, à tous sans exception !

Aussitôt ils se mirent à genoux et tous ensemble implorèrent son pardon. Arthur, pleurant d'émotion, s'agenouilla à son tour en face d'eux et leur dit :

— Seigneurs, je vous le pardonne et je demande à Celui qui m'a conféré cet honneur de vous pardonner Lui aussi.

Ils se relevèrent alors, prirent Arthur par le bras et l'emmenèrent ainsi revêtir les ornements royaux. L'archevêque cependant s'était préparé pour célébrer la messe.

— Seigneur, dit-il à Arthur, allez prendre l'épée, signe du pouvoir qui vous est donné pour défendre notre sainte Église et protéger la chrétienté.

Ils se dirigèrent alors en procession vers le perron.

— Arthur, reprit l'archevêque, si vous voulez jurer à Dieu tout-puissant de protéger et d'exalter notre sainte Église et de faire régner sur votre terre, dans la mesure de vos forces, la loyauté, la paix et la justice, allez, prenez cette épée dont Notre-Seigneur Lui-même vous a investi !

Ces paroles firent pleurer d'émotion Arthur comme la plupart des barons.

— Seigneurs, dit-il alors, puisse Notre-Seigneur qui est, comme je le crois, Dieu et maître de tout ce qui existe, me donner la force et le pouvoir d'agir ainsi et de persévérer dans cette voie, car tel est mon ferme désir !

Arthur — ainsi le rapporte l'histoire — se mit alors à genoux, prit l'épée dans ses mains jointes et la souleva de l'enclume comme si elle n'y était pas fixée. Il tint l'épée toute droite entre ses mains et, escorté par les barons, l'emporta ainsi jusqu'à l'autel où il la déposa. Ensuite, ils le sacrèrent et l'oignirent en observant tout le rituel du couronnement. Le sacre accompli et la messe célébrée, ils sortirent tous de l'église et regardèrent autour d'eux, mais le perron avait disparu et nul ne put savoir ce qu'il était devenu.

NOTE AU LECTEUR

La fin du *Merlin* en prose, la manière dont ce texte s'articule avec les récits auxquels il a été ensuite lié — le *Perceval* en prose dans la trilogie attribuée à Robert de Boron, le cycle du *Lancelot-Graal,* en prologue au *Lancelot* en prose, ou, plus tardivement, le récit intitulé traditionnellement la *Suite du Merlin* — diffèrent selon les manuscrits et les familles de manuscrits.

Dans le manuscrit de Modène que nous suivons pour le *Perceval* en prose — notre deuxième partie, *De la quête du Graal par Perceval à la mort du roi Arthur* — se lit une sorte de raccord qui résume dans ses grandes lignes le *Joseph* et le *Merlin* en prose et qui s'efforce de saturer le temps entre l'avènement d'Arthur et le récit de la fête de la Pentecôte au cours de laquelle se décide la quête du Graal. En voici le contenu : Merlin révèle aux barons de Logres l'origine légitime d'Arthur. Entrevue entre Merlin et Arthur à qui le prophète explique la « senefiance » de la Table Ronde, lui laisse pressentir qu'il sera le troisième roi de Grande Bretagne à conquérir Rome, lui rappelle l'invention du Graal, l'histoire de Moyse, le « faux disciple », et lui apprend la présence « en ces illes vers Occident » de Bron, le Roi Pêcheur, et d'Alain son fils. Toujours selon Merlin, Bron, malade, attend la venue du meilleur chevalier du monde, seul capable de le guérir, et à qui il transmettra, avant de mourir, les secrets du Graal. Merlin se retire alors en Northumberland auprès de Blaise.

DEUXIÈME PARTIE

I

LA FÊTE DE LA PENTECÔTE

Jamais roi, sachez-le, ne réunit une cour ni ne donna une fête qui puissent se comparer à ce que fit Arthur en cette occasion. Et jamais roi ne se fit autant aimer que lui de ses barons. C'était au reste le plus bel homme et le meilleur chevalier que l'on connût. Et comme c'était un roi d'une très grande valeur, comme il distribuait de très beaux dons, sa renommée était telle que, dans le monde entier on ne parlait que de lui. Aussi tous les chevaliers se rendaient-ils, à sa cour pour le voir et pour obtenir son amitié. Et personne n'aurait pu acquérir quelque réputation de chevalerie s'il n'avait fait partie pendant un an de la maison d'Arthur et s'il n'avait manche ou pennon aux armes du roi. Ainsi parlait-on d'Arthur dans le monde entier.

Le bruit de sa renommée parvint jusque dans les régions où vivait Alain le Gros [1]. Il se dit en lui-même qu'il enverrait Perceval son fils à cette cour quand il serait en âge d'être adoubé.

— Mon cher fils, lui dit-il à plusieurs reprises, quand vous serez grand, je vous conduirai en riche équipage à la cour du roi Arthur.

Et il répéta plusieurs fois ces mots jusqu'au jour où il plut à Notre-Seigneur de l'enlever à ce monde. Lorsque son père fut mort, Perceval décida donc qu'il irait à la cour d'Arthur. Un jour, il prit une armure, s'équipa somptueusement et, monté sur un cheval de chasse, il s'en alla si discrètement que sa mère ne s'en aperçut pas. Lorsqu'elle apprit que Perceval était parti, sa douleur fut très vive car elle était persuadée que les bêtes sauvages, dans la forêt, le man-

---

1. Fils de Bron, le Roi Pêcheur, et père de Perceval, Alain est un personnage repris au *Roman de l'Estoire du Graal* de Robert de Boron (éd. Nitze, *CFMA,* Champion, 1927) où il représente, comme ici, la génération intermédiaire, et plus ou moins sacrifiée par le récit, entre le temps de Joseph (d'Arimathie), de Bron et de l'« invention » du Graal et le temps d'Arthur et de Perceval, temps de l'achèvement de la quête du Graal.

geraient. Et cette pensée la plongea dans une telle affliction qu'elle en mourut.

Perceval cependant chevaucha tant qu'il arriva à la cour du puissant roi Arthur. Une fois en présence du roi, le jeune homme le salua avec beaucoup de respect, devant tous les barons, et lui dit que, s'il y consentait, il demeurerait très volontiers à sa cour et ferait partie de sa maison. Le roi le retint et le fit chevalier. A sa cour, Perceval apprit beaucoup et paracheva son éducation car, lorsqu'il quitta sa mère, il était, sachez-le, tout à fait ignorant. Il fit si bien ses preuves, en la compagnie des autres chevaliers, qu'il fut ensuite admis à la Table Ronde. A la cour, il était très aimé de tous.

Vinrent ensuite à la cour d'Arthur, Sagremor, Yvain, le fils du roi Urien, un autre Yvain, appelé Yvain aux Blanches Mains, Dodinel, le fils de la dame de Malehaut, Mordret, le neveu d'Arthur, qui commit par la suite l'horrible trahison dont vous pourrez entendre le récit, Guerrehet, son frère, Gaheriet et Gauvain. Ces quatre-là étaient les fils du roi Lot d'Orcanie et le roi Arthur était leur oncle. Vint encore Lancelot du Lac, qui était un chevalier de très grande valeur. Bien d'autres chevaliers les suivirent, et en si grand nombre que je ne peux tous les citer ; mais je peux bien vous affirmer qu'il y avait alors à la cour du puissant roi Arthur tant de chevaliers de mérite que, dans le monde entier, on ne parlait que de cette chevalerie et de la Table Ronde d'Arthur. Tant et si bien que le roi se souvint des paroles de Merlin et s'adressa en ces termes à ses barons et à ses chevaliers :

— Seigneurs, sachez-le, vous devrez tous revenir à ma cour à la Pentecôte car je veux, ce jour-là, y donner la plus grande fête qu'un roi ait jamais donnée en quelque royaume que ce soit. Et j'ordonne à chacun de vous de venir avec sa femme car j'entends donner tout son éclat à la Table Ronde, celle que Merlin institua sous le règne d'Uterpendragon mon père, et installer alors les douze pairs de ma cour dans les douze sièges. D'autre part, tous ceux qui assisteront à la fête et qui voudront demeurer avec moi feront à tout jamais partie de cette Table et seront accueillis avec honneur partout où ils iront car chacun recevra un pennon ou les armoiries de la Table Ronde.

Ces mots furent salués par de grandes acclamations. Tous les barons de la cour étaient très contents, eux qui désiraient ardemment avoir la réputation d'appartenir à la Table Ronde. Puis ils se séparèrent et chacun retourna dans son pays. Arthur resta à Logres, cherchant comment il pourrait donner un plus grand lustre à la Table Ronde.

A la Pentecôte, tous les chevaliers de tous les royaumes se rassemblèrent pour venir à la fête qu'organisait le roi. Et la réputation d'Arthur, sachez-le, était si grande que même ceux qui n'étaient pas ses vassaux se seraient considérés comme déshonorés, ils n'auraient jamais osé se rendre dans une cour de quelque renom ou dans un lieu où des hommes de bien auraient pu les voir, s'ils n'étaient venus à cette cour d'Arthur à la Pentecôte. Ils vinrent si nombreux, et de toutes les terres, que personne n'aurait pu les compter. A la Pentecôte donc, le roi Arthur vint à la Table Ronde. Il fit célébrer la messe en présence de tout le peuple qui s'était réuni en ce lieu puis, après le service, il invita les douze pairs à prendre place sur les douze sièges. Le treizième demeura vide pour signifier la place d'où se leva Judas. Merlin l'avait également laissé vide à la table d'Uterpendragon et c'est pourquoi Arthur n'osa l'attribuer.

La fête qu'Arthur donna en ce jour de la Pentecôte fut magnifique. Les compagnons de la Table Ronde le revêtirent en effet de l'habit royal, placèrent la couronne sur sa tête et lui décernèrent toutes les marques d'honneur qui lui étaient dues. Partout où il allait, il était encensé par plus de sept cents encensoirs d'or fin, l'on jetait sous ses pas des glaïeuls et des feuilles de menthe et on lui manifestait toutes les marques de respect imaginables. Le roi ordonna alors que tous ceux qui avaient participé à la fête reçussent les mêmes vêtements et des armoiries identiques. Ses ordres, sachez-le, furent aussitôt exécutés et le nombre des chevaliers et des jeunes nobles était tel que le roi distribua les habits et les armoiries de la Table Ronde à cinq mille quatre cents personnes.

Arthur fit alors sonner l'eau par cent trompettes et tous les chevaliers prirent place pour le repas. En ce jour, sachez-le, le roi Arthur servit à table couronné et vêtu d'une robe entièrement brodée d'or. Tous ceux qui ne l'avaient jamais vu le regardaient avec beaucoup d'attention et tous ceux qui le virent alors éprouvèrent pour lui une très vive estime. Après le repas, il fit ôter les tables et tous les chevaliers se rendirent dans la prairie pour briser des lances. Ah ! si vous aviez pu voir dames et demoiselles monter dans les tours et s'appuyer aux créneaux des murailles pour regarder les joutes des chevaliers et les festivités qui se déroulaient ! Ce jour-là, en effet, les compagnons de la Table Ronde joutèrent contre les chevaliers venus d'autres pays et ils étaient attentivement suivis du regard par les dames et les demoiselles. Aussi se donnaient-ils beaucoup de mal car il n'y en avait aucun parmi eux dont la sœur, la femme ou l'amie ne fussent présentes.

Ce jour-là, sachez-le, la victoire resta aux compagnons de la Table Ronde car messire Gauvain, le fils du roi Lot, jouta avec beaucoup de force et de vigueur. Keu le sénéchal, le fils d'Entor, Urgan, un chevalier plein de hardiesse, Sagremor, Lancelot du Lac et Erec, un chevalier accompli, en firent tout autant. Ils joutèrent si vaillamment qu'ils l'emportèrent sur les chevaliers étrangers et, en fin de journée, on les déclara vainqueurs. Le roi Arthur, dont la valeur était très grande, chevaucha toute la journée sur un palefroi : un bâton à la main, il parcourait les rangs des jouteurs pour maintenir l'ordre et veiller à ce que les combats ne dégénèrent pas. Perceval, le fils d'Alain le Gros, chevauchait à ses côtés. Il était très ennuyé de ne pouvoir jouter mais il s'était blessé à la main droite. Il ne participa donc pas au tournoi mais suivit toute la journée le roi Arthur. Guerrehet et Gaheriet, qui étaient les frères de messire Gauvain et les fils du roi Lot, en firent autant. Ces trois chevaliers restèrent donc tout le temps avec Arthur puis ils rendirent visite aux dames et aux demoiselles et regardèrent le déroulement des joutes.

La fille du roi Lot d'Orcanie, la sœur de messire Gauvain, qui s'appelait Hélène et qui était la plus belle jeune fille de son temps, vit alors Perceval le Gallois et en tomba profondément amoureuse. Comment aurait-elle pu s'en défendre ? C'était le plus beau chevalier de toute la maison du roi Arthur ! A l'heure de vêpres, les joutes furent interrompues et les chevaliers et les demoiselles formèrent des rondes et dansèrent joyeusement. Mais Hélène, la sœur de messire Gauvain, ne pensait qu'à Perceval dont elle était profondément éprise. Quand la nuit arriva, les chevaliers se retirèrent dans les demeures où ils logeaient et dans leurs tentes, mais Hélène ne trouva pas le sommeil. Elle appela un serviteur et l'envoya à Perceval le Gallois. Il était chargé de lui dire qu'Hélène, la sœur de messire Gauvain, le saluait avec beaucoup de respect et désirait ardemment le voir jouter contre les compagnons de la Table Ronde. Elle lui demandait, au nom de ce qu'il lui devait, de jouter le lendemain matin devant elle et de porter les armes vermeilles qu'elle lui enverrait.

Quand Perceval entendit les paroles du messager, il fut très étonné et en même temps très heureux d'apprendre qu'une aussi noble jeune fille, la propre fille du roi Lot, lui demandait de s'armer pour l'amour d'elle et de jouter contre les compagnons de la Table Ronde. Il déclara au messager que, pour l'amour de la jeune fille, il ferait tout ce qu'elle lui demanderait et, ajouta-t-il, « je jouterai avec le plus grand plaisir ».

Ces paroles réjouirent le messager qui, à son retour, répéta à la jeune fille tout ce que Perceval lui avait dit. Très heureuse, celle-ci lui fit porter des armes qu'il reçut avec un vif plaisir. Cette nuit-là, sachez-le, il ne dormit guère ! Le lendemain matin, le roi se leva et alla entendre la messe accompagné de ses barons. Après le service, les douze pairs prirent place à la Table Ronde pour le repas. Ils furent très bien servis et Arthur ne leur ménagea pas les marques d'honneur. Le roi fit sonner l'eau : les chevaliers prirent alors place dans la salle et ils furent eux aussi très bien servis. Le conte ne dit pas quels mets leur furent apportés et ce qu'ils mangèrent mais je peux bien vous affirmer qu'ils eurent tout ce qu'ils demandèrent. Après le repas, le roi fit enlever les tables et les dames et les demoiselles allèrent dans la prairie pour voir les joutes et assister à la fête de la Table Ronde.

Hélène, la sœur de messire Gauvain, était venue elle aussi car elle avait très envie de voir Perceval porter les armes qu'elle lui avait envoyées. Sortirent alors les chevaliers de Cardueil qui voulaient jouter et remporter le tournoi. Ils se portèrent contre les compagnons de la Table Ronde et engagèrent les joutes. Et la fête recommença, plus belle encore et plus grande qu'auparavant. Lancelot du Lac triomphait, sachez-le, de tous les chevaliers étrangers. Gauvain et messire Yvain, le fils du roi Urien, faisaient de même.

C'est alors qu'arriva Perceval le Gallois, portant les armes que lui avait envoyées la jeune fille. Il vint heurter de plein fouet l'écu de Sagremor. Lorsque ce dernier le vit venir, il se porta contre lui. Les deux hommes lancèrent leurs chevaux aussi vite qu'ils le purent et se donnèrent de tels coups sur leurs écus que leurs lances volèrent en éclats. Perceval le Gallois, en chevalier très expérimenté, heurta très violemment Sagremor et son cheval et celui-ci, tout abasourdi, ne sut ce qui lui arrivait mais alla tomber si lourdement au milieu de la prairie que tous ceux qui virent ce qui se passait crurent qu'il était mort. Perceval s'empara de son cheval et vint l'offrir à Hélène qui l'accepta avec beaucoup de joie. Le jeune homme, sachez-le, fit tant d'exploits ce jour-là qu'il triompha de tous les compagnons de la Table Ronde et abattit Keu le sénéchal, Yvain, le fils d'Urien, et Lancelot du Lac. Et l'on disait qu'il serait juste qu'il occupât le siège vide à la Table Ronde.

Le roi, qui était plein de valeur et de sagesse, s'approcha de lui et lui dit :

— Seigneur chevalier, je veux que vous fassiez désormais partie de ma maison et de la Table Ronde et que vous restiez avec moi. Et, sachez-le, j'entends désormais vous montrer toute l'estime que j'ai pour vous.

— Sire, je vous en remercie, répondit Perceval.

Le jeune homme ôta alors son heaume et le roi le reconnut. Tout étonné, il lui demanda pourquoi il n'avait pas auparavant participé aux joutes et pourquoi il s'était ainsi dissimulé.

— Sire, dit Perceval, que cela reste secret mais je peux cependant vous confier que j'ai agi ainsi par amour et, si j'avais pu me conduire autrement, je l'aurais fait, sachez-le.

Cette réponse fit rire le roi qui lui pardonna de bon cœur, disant que l'on devait être indulgent pour des gestes inspirés par l'amour.

Messire Gauvain, Yvain, Lancelot et les compagnons de la Table Ronde en firent autant. Perceval dit alors au roi qu'il voulait aller voir la Table Ronde et ceux qui y siégeaient.

— Mon ami, lui dit le roi, ce sera possible demain.

— Sire, reprit Perceval, je serais très heureux de voir les compagnons y siéger.

On en resta là. La nuit, la fête fut grande et, le lendemain matin, les barons se réunirent pour entendre la messe. Après le service, ils se rendirent là où se trouvait la Table Ronde. Le roi invita les compagnons à s'asseoir et, lorsque ce fut fait, le treizième siège resta vide. Perceval demanda au roi ce que signifiait ce siège vide.

— Mon ami, répondit le roi, la signification de ce siège vide est très importante : c'est là que doit prendre place le meilleur chevalier du monde.

Perceval pensa alors en lui-même qu'il s'y assiérait.

— Sire, dit-il au roi, accordez-moi en don de m'y asseoir.

Le roi lui répondit qu'il n'en était pas question : cela pourrait lui être fatal car, jadis, un faux disciple s'était assis sur ce siège et tout aussitôt il avait été englouti par la terre.

— Et même si je vous en donnais la permission, ajouta-t-il, vous ne devez pas vous y asseoir.

Ces paroles irritèrent Perceval qui lui répondit :

— Sire, au nom de Dieu, si vous ne m'autorisez pas à m'y asseoir, je vous assure que je ne ferai plus partie de votre maison.

Cette réplique peina beaucoup Gauvain qui aimait profondément Perceval.

— Sire, dit-il au roi, donnez-lui votre permission.

Lancelot à son tour en pria le roi, suivi par les douze pairs, et leur demande fut si insistante que le roi, non sans réticence, céda et dit à Perceval :

— Je vous accorde ce don.

Quand Perceval l'entendit, il en fut très heureux. Il s'avança, se signa au nom du Saint-Esprit et s'assit sur le siège. Or, dès qu'il eut pris place, la terre sous lui se fendit et cria si douloureusement que tous ceux qui se trouvaient là eurent l'impression que le monde s'engouffrait dans l'abîme. Au cri de la terre jaillirent des ténèbres si épaisses qu'on ne pouvait plus se voir sur plus d'une lieue. Ils entendirent ensuite une voix qui dit :

— Roi Arthur, tu as commis la plus grave faute qu'ait jamais commise roi de Bretagne car tu as transgressé les ordres de Merlin. Quant à Perceval, sache-le, il a accompli l'acte le plus audacieux qui ait jamais été fait mais qui le précipitera, lui et les compagnons de la Table Ronde, dans les plus grands tourments du monde. Et n'eût été le mérite d'Alain le Gros son père et de Bron son aïeul, celui que l'on appelle le Roi Pêcheur, il aurait été englouti par l'abîme et il serait mort de la mort atroce que subit Moyse [1] quand, sans en avoir le droit, il prit place sur le siège que lui avait interdit Joseph.

— Roi Arthur, Notre-Seigneur vous révèle, sache-le, que ce vase que Jésus-Christ donna à Joseph dans sa prison, ce vase qu'on nomme le Graal, est dans ce pays. Le Roi Pêcheur, lui, est atteint d'un mal très grave, d'une douloureuse infirmité et ce mal ne guérira pas, sache-le, et la pierre au siège de la Table Ronde, là où Perceval a pris place, ne sera pas ressoudée tant qu'un chevalier n'aura pas accompli plus d'exploits, de hauts faits et de prouesses que ceux qui siègent à cette Table. Mais quand ce chevalier se sera ainsi élevé sur tous les autres, quand il aura été reconnu comme le meilleur chevalier du monde, alors Dieu le conduira à la demeure du riche Roi Pêcheur. Et lorsqu'il aura demandé ce que l'on fait du Graal, à qui on en fait le service [2], lorsqu'il aura posé cette question, alors le Roi Pêcheur guérira, la pierre, au siège de la Table Ronde, sera ressoudée et les enchantements qui se produisent actuellement dans le royaume de Bretagne disparaîtront.

Ces paroles remplirent de stupeur le roi et tous ceux qui siégeaient à la Table Ronde : ils s'écrièrent qu'ils n'auraient désormais de cesse de trouver la demeure du riche Roi Pêcheur et de demander ce qu'est le service du Graal. Perceval le Gallois fit le serment de ne jamais coucher deux nuits de suite au même endroit jusqu'à ce qu'il ait trouvé cette demeure. Messire Gauvain, Erec, Sagremor et tous ceux qui siégeaient à la Table Ronde prêtèrent le même serment. La peine d'Arthur, à les entendre, fut très vive. Toutefois, il leur permit de partir comme ils le lui demandaient.

Arthur mit alors fin à la cour. Parmi ses vassaux, les uns s'en retournèrent dans leur pays, les autres restèrent dans les demeures où ils logeaient, auprès du roi. Perceval et les compagnons de la Table Ronde se préparèrent à chevaucher et s'armèrent chez eux. Lorsqu'ils furent équipés, ils vinrent à cheval devant le roi, en présence des seigneurs de la cour. Devant cette assemblée, Gauvain déclara ceci :

— Seigneurs, il nous faudra chevaucher comme nous l'a indiqué la voix de Notre-Seigneur, mais nous ne savons quelle direction nous devons prendre et c'est Lui qui nous mènera là où nous devons aller.

---

1. Épisode rapporté par le *Joseph* en prose (voir *Robert de Boron, Le Roman du Graal*, éd. B. Cerquiglini, 10/18, 1981, p. 57-61). A la fin de l'épisode il est précisé que le « troisième homme » issu du lignage de Bron (donc ici Perceval) remplira ce « lieu » ou un autre, fondé en souvenir de ce premier « siège périlleux ».

2. Le texte hésite ici entre la question traditionnelle (reprise au *Conte du Graal*) : « à qui fait-on le service du Graal ? » (mais il n'y a plus ici, à la différence du *Conte du Graal*, de personnage qui occupe structurellement la place du vieux roi, père du Roi Pêcheur), et la nouvelle question : « que fait-on du Graal, à quoi sert-il ? » Voir également chapitre VII.

Le roi et les barons, en entendant ces paroles, se mirent à pleurer car ils étaient persuadés qu'ils ne reverraient pas un seul des compagnons. Puis le roi et les chevaliers se séparèrent. Toute cette journée et celle du lendemain jusqu'à l'heure de none, les compagnons chevauchèrent ensemble sans rencontrer d'aventure. Finalement ils trouvèrent une croix et firent halte pour l'adorer et implorer la miséricorde de Dieu.

— Seigneurs, dit alors Perceval à ses compagnons, si nous restons ensemble, nous n'aboutirons à rien. Je vous demande donc de nous séparer. Que chacun chevauche de son côté !

— Si nous poursuivons ainsi, reprit Gauvain, nous nous acquitterons mal de notre tâche. Suivons donc le conseil de Perceval.

Tous les compagnons répondirent qu'ils étaient d'accord. Ils se séparèrent donc. Chacun choisit la voie qui lui parut la meilleure et ils se mirent ainsi en quête du Graal. Mais les aventures qu'ils rencontrèrent, les peines qu'ils affrontèrent, je ne peux vous les raconter qu'autant qu'elles concernent ce récit et je ne peux vous parler ni de Gauvain ni de ses compagnons.

II

PERCEVAL ET L'ORGUEILLEUX DE LA LANDE [1]

Après avoir quitté ses compagnons, Perceval, sachez-le, chevaucha toute la journée sans trouver d'aventure ni d'endroit où recevoir l'hospitalité. Il lui fallut donc passer la nuit dans la forêt. Il ôta le mors de son cheval et le laissa paître l'herbe. Lui-même ne dormit pas mais le guetta toute la nuit par peur des bêtes sauvages qui hantaient la forêt. Le lendemain, quand l'aube apparut, il resella sa monture, lui passa le mors puis monta aussitôt en selle et chevaucha par la forêt jusqu'à prime. Regardant alors sur sa gauche, il vit un chevalier dont le corps était transpercé d'une lance — on ne la lui avait pas encore enlevée — tandis qu'une épée était enfoncée dans son heaume, jusqu'aux dents. A côté de lui il y avait un cheval à l'attache et un écu et, tout près du cadavre, la plus belle jeune fille qu'ait jamais créée Notre-Seigneur. Elle manifestait la plus violente douleur qu'ait jamais montrée femme, pleurant et regrettant le chevalier qui gisait là, se frappant les mains, s'arrachant les cheveux, s'égratignant le visage avec un tel désespoir que personne n'aurait pu la voir sans être rempli de compassion.

---

1. Personnage repris au *Conte du Graal*.

Perceval, lorsqu'il l'aperçut, fut saisi d'une très grande pitié et éperonna son cheval dans sa direction. Lorsqu'elle le vit approcher, la jeune fille modéra un peu sa plainte et se leva.

— Seigneur, lui dit-elle, soyez le bienvenu.

— Ma demoiselle, lui répondit Perceval, que Dieu vous donne plus de joie que vous n'en montrez en ce moment !

— Seigneur, je ne pourrai plus connaître la joie puisqu'on a tué sous mes yeux celui à qui je vouais un si grand amour, celui qui m'estimait et me chérissait plus que tout au monde.

— Ma demoiselle, reprit Perceval, depuis quand étiez-vous son amie ?

— Cher seigneur, je vais vous le dire. J'habitais dans la maison de mon père, dans cette forêt ; un géant qui demeurait à une demi-journée de là lui avait depuis longtemps demandé de me donner à lui. Mais comme mon père avait refusé, le géant, pendant longtemps, lui fit la guerre. Jusqu'au jour où il apprit que mon père était allé à la cour du puissant roi Arthur, à la Pentecôte, au moment où il devait réunir la Table Ronde à Cardueil. Quand le géant l'apprit, il vint à notre demeure, en arracha la porte, entra dans la salle sans que personne lui opposât de résistance et, pénétrant dans la chambre de ma mère, il se saisit de moi et m'emmena avec lui. Il me fit monter sur son cheval, celui que vous pouvez voir là, me mena ici-même et voulut alors coucher avec moi. Mais moi, qui avais très peur de lui, je me mis à pleurer et à pousser de grands cris. Ce chevalier que vous voyez là les entendit et s'approcha de nous à vive allure. Le géant ne s'aperçut de sa présence qu'au dernier moment. Dans sa fureur, il l'attaqua de plein fouet. Le chevalier, qui était très vaillant et très hardi, repoussa fermement l'assaut dans la mesure de ses forces. Mais le géant, sachez-le, se battait avec acharnement et le malmena fort. Cependant le chevalier l'attaqua à l'épée et lui coupa la tête qu'il pendit à la branche de cet arbre là-bas. Puis il vint vers moi, me mit en selle et me dit qu'il me prendrait comme amie. J'en fus très heureuse, j'acceptai bien volontiers et lui dis que désormais je le considérerais à tout jamais comme mon seigneur et mon ami, lui qui m'avait délivrée de ce monstre qui allait me déshonorer et me tuer.

« Hier, nous avons chevauché tous les deux toute la journée et ce matin encore jusqu'à tierce. Nous avons alors aperçu une tente de grandes dimensions et nous nous en sommes approchés pour voir la fête qui s'y tenait, car jamais on ne vit fête pareille à celle que faisaient ses occupants. Mais, lorsque nous fûmes entrés dans la tente dont les pans de devant étaient relevés, ils montrèrent autant de douleur qu'ils avaient montré auparavant de joie. Mon ami était très étonné de cette attitude. S'approcha alors une jeune fille qui nous demanda de quitter la tente au plus vite et de prendre la fuite. Si nous restions là, mon ami serait bientôt tué. Lui, qui ne savait ce qu'il en était, refusa de s'en aller.

« — Mes demoiselles, leur dit-il, oubliez, je vous en prie, votre douleur et recommencez, comme avant, à vous réjouir.

« — Cher seigneur, lui répondirent-elles, comment nous montrer joyeuses alors qu'il vous faudra mourir devant nous ? Car l'Orgueil-leux de la Lande, qui a fait ici même dresser sa tente, va vous tuer. Soyez sûr qu'il n'aura aucune pitié de vous. Si vous nous en croyez, vous partirez donc avant qu'il ne vous arrive pis.

« — Douces demoiselles, répondit-il, je ne crois pas qu'un cheva-lier puisse, à lui tout seul, me faire du mal !

« Cependant, lorsqu'elles entendirent sa réponse, elles se mirent à pleurer. Arriva alors un nain plein de cruauté et de perfidie, monté sur un mauvais cheval, un fouet à la main. Les seules paroles de salut qu'il nous adressa furent pour nous dire que nous n'étions pas les bienvenus. Et son attitude nous le confirma bien puisqu'il me frappa si violemment au visage de son fouet que des marques apparurent, puis il saisit le mât de la tente et l'abattit sur nous. Mon ami, sachez-le, en fut très irrité mais il ne condescendit pas à se battre avec le nain. Sur ce, le nain s'en alla, frappant son cheval de son fouet.

« Nous, nous partîmes et poursuivîmes notre chemin car nous ne pouvions rien faire d'autre. Mais nous n'avions pas parcouru une demi-lieue que nous vîmes arriver un chevalier très bien armé. Il portait une armure vermeille et s'avançait à si vive allure que tout le bois résonnait sur son passage, et le fracas était tel qu'on aurait cru qu'ils étaient dix. Quand il nous eut rejoints, il cria à haute voix :

« — Par Dieu, chevalier, il vous en coûtera cher d'avoir ainsi abattu ma tente et interrompu la fête qu'on y faisait !

« Quand mon ami l'entendit, il tourna sa monture vers lui et les têtes des chevaux se firent face. Le chevalier, qui était très fort, transperça le corps de mon ami puis, tirant son épée, il la lui enfonça dans son heaume, comme vous pouvez voir. Après l'avoir mis à mort, il s'en alla, sans jeter le moindre coup d'œil sur moi ni sur mon cheval. Et je restai ainsi toute seule dans cette forêt. Si ma peine est grande, personne ne peut me le reprocher, moi qui ai perdu l'être qui m'avait délivrée de ce monstre. Ainsi je vous ai raconté ce qui s'est passé comme vous me l'aviez demandé. »

Sur ce, elle se remit à pleurer et à manifester une vive douleur. Perceval, tout ému de la voir ainsi se désoler, lui dit alors :

— Ma demoiselle, vous lamenter ainsi ne peut rien arranger. Montez plutôt sur cette mule et conduisez-moi jusqu'à la tente du chevalier, car je ne retrouverai la joie que lorsque j'aurai vengé votre ami.

— Seigneur, si vous m'en croyez, vous n'irez pas là-bas. Ce chevalier est très fort, très puissant. S'il triomphait de vous, il vous tuerait. Et pourtant je dois bien reconnaître que c'est l'homme que je hais le plus au monde.

Mais Perceval lui répondit qu'il n'aurait de cesse d'avoir vu ce chevalier.

Il mit alors en selle la jeune fille et tous deux chevauchèrent jusqu'à la tente où ils entendirent les manifestations de joie des demoiselles. Dès qu'elles aperçurent Perceval, elles s'arrêtèrent net et commencèrent à se lamenter, à pleurer et à lui conseiller à grands cris de repartir. Si leur seigneur revenait, c'en était fait de lui. Perceval, qui faisait peu de cas de leurs paroles, chevaucha jusqu'à la tente. Une fois à l'intérieur, et alors qu'il parlait à ses occupantes, il vit l'affreux, l'épouvantable nain sur sa monture qu'il frappait avec un fouet qu'il tenait à la main [1].

— Partez au plus vite de la tente de mon maître, dit-il à Perceval, puis, s'approchant de la jeune fille, il la frappa au cou et sur les mains, saisit son palefroi et tenta de le pousser à reculons hors de la tente. Perceval, très irrité, prit sa lance par le fer et en donna au nain un tel coup sur le dos qu'il le désarçonna et l'aplatit au sol. Mais le nain se releva et remonta sur sa bête en disant à Perceval :

— Par Dieu, chevalier, d'ici à la fin du jour vous verrez quelle honte vous aurez subie !

Et Perceval demeura dans la tente, très affligé de l'injure que le nain avait faite à la jeune fille.

Sur ces entrefaites, ils virent revenir le chevalier aux armes vermeilles, escorté de son nain. En l'apercevant, la jeune fille s'écria avec frayeur :

— Cher seigneur, voici celui qui a tué mon ami !

Perceval fit alors faire demi-tour à sa monture et sortit de la tente. Quand le chevalier le vit, il lui cria :

— Par Dieu, chevalier, vous avez eu tort de frapper mon nain !

Perceval, qui faisait peu de cas de ses paroles et de son arrogance, tourna vers lui son cheval et les deux hommes se coururent sus à vive allure, montrant bien qu'ils ne s'aimaient guère ! Le chevalier, qui était plein de force et d'audace, heurta l'écu de Perceval avec une telle violence qu'il le brisa et le mit en pièces et que le fer de sa lance vint frôler l'aisselle gauche de son adversaire. S'il l'avait atteint au corps, il l'aurait tué, sachez-le. Mais Perceval, qui était un très bon chevalier, perça à son tour l'écu de son ennemi d'un coup de lance et avec une violence telle que ni le haubert ni l'écu ni quelque protec-

---

1. Selon le manuscrit D, c'est Perceval que le nain frappe de son fouet, et non sa propre monture.

tion que ce fût ne purent empêcher le fer de pénétrer dans la chair. Corps, têtes, écus s'entrechoquèrent avec une telle force qu'ils en furent tout étourdis et qu'ils ne savaient plus ce qui leur arrivait. Les rênes de leurs chevaux et les courroies de leurs écus leur échappèrent des mains et ils tombèrent l'un et l'autre avec tant de violence qu'on aurait pu parcourir une lieue avant qu'ils aient repris connaissance. Mais dès qu'ils le purent, ils se remirent debout, ressaisirent les courroies de leurs écus et, dégainant leurs épées, ils s'affrontèrent.

Le chevalier, qui était d'une force redoutable, tenait son épée nue et se protégeait fermement de son écu. Il attaqua Perceval avec impétuosité. Perceval se couvrit de son écu sur lequel le chevalier frappa avec une force telle qu'il le trancha jusqu'à la boucle. Le coup était si puissant qu'il fit voler à terre les fleurs et les pierres précieuses qui l'ornaient. Il aurait pu blesser gravement Perceval mais l'épée tourna dans la main du chevalier et le coup dévia.

Perceval alors sentit croître sa force et son audace et il s'approcha de son adversaire, pensant le frapper en plein sur son heaume. Mais l'autre se protégea de son écu sur lequel Perceval frappa avec un tel déchaînement de fureur qu'il le lui fendit jusqu'aux mains, le blessa profondément à l'épaule gauche et le heurta si violemment qu'il faillit le jeter à terre. Alors, il l'attaqua de nouveau avec force. Le chevalier se défendit de son mieux, persuadé qu'aucun homme ne pouvait triompher de lui. Mais Perceval le pressa si vivement qu'il dut s'enfuir dans la prairie sans même pouvoir se remettre en garde. Finalement, Perceval parvint à lui arracher son heaume et il allait lui couper la tête lorsque le chevalier le supplia, au nom de Dieu, de l'épargner : il se rendait à lui et irait là où il le lui ordonnerait.

Quand Perceval entendit qu'il criait grâce, il le laissa tout aussitôt et abandonna le combat. Puis il lui demanda de jurer sur les reliques qu'il se constituerait prisonnier ainsi que les jeunes filles de sa suite auprès du roi Arthur, qu'il emmènerait à cette cour la jeune fille dont il avait tué l'ami et qu'il l'y confierait à Gauvain, le neveu du roi.

— Je pense bien, ajouta-t-il, qu'il fera d'elle ce qu'il voudra ou, du moins, qu'il la ramènera chez son père !

— Seigneur, lui répondit le chevalier, je ferai cela bien volontiers, mais dites-moi au nom de qui je me constituerai prisonnier lorsque je serai à la cour du puissant roi Arthur.

— Au nom de Perceval le Gallois, celui qui a entrepris la quête du Graal. Mais j'ai oublié de vous dire que, si vous ne trouvez pas messire Gauvain, vous devrez confier la jeune fille à la reine, car je ne pense pas que Gauvain se trouve à la cour en ce moment.

— Seigneur, je ferai tout ce que vous voudrez mais, avant de nous séparer, je vous demande de venir manger avec moi. J'irai ensuite avec plus de plaisir là où vous m'envoyez.

Perceval, qui en avait bien besoin, accepta volontiers son offre. Ils se dirigèrent donc vers la tente. Une fois à l'intérieur, le chevalier ordonna aux jeunes filles de réserver le meilleur accueil à Perceval ; ce qu'elles firent. Elles revêtirent Perceval d'un somptueux manteau. Les tables furent disposées, ils y prirent place et mangèrent un abondant repas. Quand ils eurent mangé et quitté la table, Perceval demanda qu'on lui apportât ses armes et il s'équipa. Une fois armé, il se mit en selle. L'autre chevalier fit de même et fit monter les jeunes filles ainsi que celle que Perceval avait amenée. Quand elle le quitta, elle montra, sachez-le, une grande douleur. Il semblait bien, à la voir, qu'elle eût préféré le suivre lui plutôt que le chevalier... mais il ne pouvait en être ainsi car Perceval pensait à tout autre chose.

Ils se séparèrent donc et le chevalier chevaucha jusqu'à la cour du puissant roi Arthur. Le roi était dans sa grand-salle et il y avait avec lui la reine, qui était très belle, et nombre de bons chevaliers qui étaient venus à la cour. Le chevalier envoyé par Perceval pénétra dans la salle, salua le roi, la reine puis tous les barons et dit :

— Sire, je viens me rendre à vous et me constituer prisonnier, moi et ces jeunes filles ici présentes, sur l'ordre de Perceval le Gallois. Faites de moi ce que vous voudrez. Cette jeune fille qui est là, il l'envoie à messire Gauvain et, s'il n'est pas ici, il demande à la reine de la prendre avec elle car elle est de très noble famille. Lui-même vous salue tous.

Le roi Arthur fut très heureux de ces paroles. Il retint le chevalier dans sa suite et lui rendit sa liberté. La reine prit avec elle la jeune fille et lui fit beaucoup d'amabilité et d'honneur pour l'amour de messire Gauvain dont elle était cousine. C'est ainsi que le chevalier resta à la cour du roi Arthur où il fut par la suite très aimé de tous les barons.

III

PERCEVAL AU CHÂTEAU DE L'ÉCHIQUIER (I)

Après avoir quitté le chevalier, Perceval chevaucha toute la journée sans trouver d'aventure. A l'approche du soir, il pria Notre-Seigneur de lui faire trouver quelque demeure où il serait bien accueilli, ce qui n'avait pas été le cas la nuit précédente ! Regardant devant lui, il aperçut alors dans l'épaisseur de la forêt le faîte d'une tour qui se dressait, beau et imposant. Tout content, il chevaucha à vive allure dans cette direction et, une fois arrivé, il se trouva devant le plus beau château du monde. Le pont-levis était abaissé, la porte d'enceinte ouverte. Il entra donc, toujours à cheval, alla jusqu'aux marches qui conduisaient à la grand-salle et mit pied à terre ; puis, après avoir attaché son cheval à un anneau, tout armé, l'épée au côté, il pénétra dans la salle. Une fois à l'intérieur, il regarda de tous côtés sans voir âme qui vive. Il passa ensuite dans une chambre et en fit le tour mais, là non plus, il ne vit personne. Tout étonné, il revint donc sur ses pas.

— Par Dieu, dit-il, tout cela est fort surprenant ! Il y a dans cette salle, je le vois bien, des traces de pas. Il est évident qu'il y a eu du monde là, il n'y a pas longtemps, et pourtant, je ne vois personne !

Revenant alors au milieu de la salle, il aperçut devant une fenêtre un échiquier d'argent pur. Les pièces d'ivoire, noires et blanches, étaient disposées dessus, en position de jeu. Attiré par leur beauté, Perceval s'approcha et les contempla longuement. Au bout d'un moment, il se mit à manipuler les pièces et en avança une. Le jeu aussitôt joua contre lui. Très étonné par cette riposte, Perceval avança une autre pièce : la même chose se reproduisit. Il prit alors place et se mit à jouer. Il fit trois parties et, par trois fois, le jeu le fit mat. Rendu furieux par sa défaite, Perceval s'écria :

— Sur la foi que je dois à Notre-Seigneur, voici une bien grande merveille ! Je croyais que j'étais passé maître à ce jeu, et par trois fois ces pièces m'ont maté ! Mais que je sois maudit si cet échiquier me fait encore mat et me couvre de honte, moi ou quelque autre chevalier !

Il recueillit alors les pièces de l'échiquier dans le pan de son haubert et s'approcha de la fenêtre. Il s'apprêtait à les jeter dans la rivière qui coulait en contrebas lorsqu'une jeune fille qui se trouvait au-dessus de lui, à une fenêtre, l'interpella vivement.

— Chevalier, lui cria-t-elle, votre cœur vous fait faire un geste bien peu courtois, vous qui voulez ainsi jeter à l'eau ces pièces ! Si vous les jetez, vous ferez, sachez-le, une bien mauvaise action.

— Ma demoiselle, répliqua Perceval, si vous descendez, je vous assure que je n'en jetterai aucune.

— Je n'en ferai rien, répondit-elle, mais replacez-les sur l'échiquier et vous ferez ainsi preuve de courtoisie.

— Qu'est-ce que cela signifie, ma demoiselle ? Vous ne voulez rien faire de ce que je vous demande et vous exigez que je fasse quelque chose pour vous ! Par saint Nicolas, si vous ne descendez pas, je les jetterai !

— Seigneur chevalier, reprit la jeune fille en entendant cette réponse, replacez les pièces. Je vais descendre plutôt que de vous les voir jeter.

Perceval, tout heureux de ce qu'elle lui disait, revint vers l'échiquier et replaça les pièces. Mais elles s'y disposaient d'elles-mêmes mieux que personne n'aurait su le faire.

La demoiselle cependant se présenta dans la salle, suivie d'une dizaine d'autres jeunes filles. Quatre serviteurs la précédaient, qui savaient bien ce qu'ils avaient à faire : dès qu'ils virent Perceval, ils s'empressèrent de le désarmer. Ils lui ôtèrent son heaume, lui retirèrent ses chausses et lui enlevèrent son haubert. C'était, une fois désarmé, le plus beau jeune homme du monde ! Deux serviteurs cependant coururent s'occuper de son cheval et le conduisirent à l'écurie. Puis une jeune fille le revêtit d'un manteau court taillé dans un très beau drap et l'emmena dans la chambre où se trouvait la maîtresse du château, qui semblait très heureuse de sa venue. C'était, sachez-le, la plus belle demoiselle du monde.

Perceval, dès qu'il la vit, en tomba éperdument amoureux et se dit en lui-même qu'il serait bien fou de ne pas la prier d'amour : il était là, avec elle, et avait tout loisir de l'en prier... Ainsi fit-il, multipliant requêtes et avances. Si bien que la demoiselle finit par lui dire :

— Seigneur, au nom de Dieu, j'accéderais volontiers à votre prière, sachez-le, si j'étais sûre que votre désir se manifeste autant par vos actes que par vos paroles. Pourtant, je ne mets pas en doute la sincérité de vos propos et, si vous acceptiez de faire ce que je vous demanderais, je vous donnerais mon amour, je vous l'assure, et vous ferais maître de ce château.

Tout heureux, Perceval lui répondit :

— Ma demoiselle, il n'est rien au monde que je ne fasse, si vous me le demandez. Mais dites-moi ce que vous désirez.

— Si vous pouvez capturer le cerf blanc qui vit dans cette forêt et m'en rapporter la tête, je serai à tout jamais votre amie. Je vais vous confier, sachez-le, un braque qui est un très bon chasseur et très sûr : dès que vous le laisserez aller, il ira droit où se trouve le cerf. Poursuivez alors la bête à vive allure, coupez-lui la tête et rapportez-la-moi.

— Ma demoiselle, bien volontiers, répondit Perceval. Si Dieu me garde en vie, je pense bien accomplir tout ce que vous m'avez demandé.

Les serviteurs vinrent alors pour disposer les tables. Perceval et la demoiselle s'assirent pour prendre un repas où était servi tout ce qu'ils pouvaient désirer. Après manger, ils se rendirent dans la cour où ils s'attardèrent jusqu'au moment de se coucher. Les serviteurs aidèrent Perceval à enlever ses chausses et le couchèrent dans le beau lit qu'ils lui avaient préparé. Perceval se coucha mais il ne dormit guère tant il pensait à la jeune femme et à ce qu'il voulait faire. Le lendemain dès l'aube Perceval se leva et s'arma. Deux jeunes gens lui amenèrent son cheval et il se mit en selle. La jeune fille lui donna alors le braque en lui recommandant de le garder précieusement pour l'amour d'elle.

— Ma demoiselle, répondit Perceval, j'aimerais mieux tout perdre au monde plutôt que ce chien !

Il mit le chien devant lui, sur l'encolure du cheval, puis, après avoir dit au revoir à la demoiselle, il chevaucha à très vive allure jusqu'à la forêt. Une fois arrivé, il posa le braque à terre et le laissa aller. Le chien trouva la trace du cerf, la suivit jusqu'à un fourré d'où il le débusqua. Le cerf s'enfuit. Il était blanc comme neige, grand, et ses bois étaient très développés. Tout content, Perceval éperonna son cheval qui l'emporta si rapidement que toute la forêt en résonna. Mais pourquoi m'attarder ? Le braque poursuivit le cerf avec tant d'ardeur qu'il finit par le lasser et qu'il le bloqua en le mordant aux cuisses. Perceval, dans sa joie, sauta de cheval et coupa immédiatement la tête de la bête, pensant qu'il allait la pendre à sa selle. Mais, alors qu'il était en train de l'attacher, une vieille femme arriva à vive allure sur un palefroi, saisit le braque et partit avec lui.

Furieux, Perceval remonta aussitôt en selle et, piquant des deux, rejoignit la vieille qu'il arrêta en la saisissant par les épaules.

— Ma dame, lui dit-il, rendez-moi, s'il vous plaît, mon braque. C'est bien mal à vous de vous enfuir ainsi !

La vieille, qui était pleine de perfidie, lui répondit :

— Mon beau chevalier, soyez maudit, vous qui m'avez ainsi arrêtée et prétendez que ce chien vous appartient ! Je pense plutôt que vous l'avez volé et je vais le rendre, sachez-le, à celle à qui il appartient, car vous n'avez aucun droit sur lui.

— Ma dame, reprit Perceval, si vous ne me le rendez pas de bonne grâce, je vais me fâcher. Vous ne l'emporterez pas avec vous et les choses risqueront de se gâter !

— Mon beau seigneur, force n'est pas droit ! La force, vous pouvez sans doute en faire usage, mais si vous voulez faire ce que je vais vous dire, je vous rendrai ce chien sans faire d'histoires.

— Dites donc et je verrai si je peux le faire, car je ne me soucie pas, sachez-le, de me battre avec vous.

— Là devant, sur ce chemin, vous trouverez une tombe sur laquelle est représenté un chevalier. Vous vous approcherez et vous lui direz qu'il fut bien perfide celui qui l'a représenté ici. Ensuite vous reviendrez vers moi et je vous rendrai votre braque.

— Certes, répondit Perceval, je ne vais pas le perdre pour si peu !

Il se dirigea donc vers la tombe et dit dans sa direction :

— Chevalier, il fut bien perfide celui qui vous a représenté ici !

Or, comme il revenait sur ses pas après avoir dit ces mots, il entendit un grand fracas derrière lui et, regardant en arrière, il vit s'approcher à très vive allure un chevalier monté sur un grand cheval noir, d'un noir qui le remplit de stupeur. Son armure était elle aussi plus noire que l'encre.

En voyant le chevalier, Perceval fut saisi de peur et se signa aussitôt : sa taille immense en faisait en effet un redoutable adversaire. Mais, dès que le jeune homme se fut placé sous la protection de la vraie croix, il retrouva force et audace. Il fit faire volte-face à sa monture et les deux chevaliers s'élancèrent l'un vers l'autre à vive allure. Ils s'assaillirent avec une force telle que lances et écus se brisèrent et le choc des corps, des poitrines, des heaumes fut si violent qu'il leur sembla que leurs cœurs éclataient ; ils avaient la vue si brouillée qu'ils ne savaient plus où ils en étaient. Ils lâchèrent les rênes de leurs chevaux et les courroies de leurs écus et tombèrent à terre si brutalement que pour un peu leurs cœurs se brisaient. On aurait bien pu parcourir deux arpents avant qu'ils ne reprennent conscience et qu'ils sachent où l'autre avait passé ! Lorsqu'ils revinrent à eux et retrouvèrent leurs esprits, ils se relevèrent, dégainèrent leurs épées, saisirent leurs écus et s'affrontèrent de nouveau.

Le chevalier de la tombe attaqua Perceval avec beaucoup d'acharnement. Il lui assena un coup d'épée sur son heaume mais celui-ci était si résistant qu'il ne put l'entamer. Perceval, de son côté, l'attaqua avec âpreté, le tenant si court qu'il le força à fuir. Il lui donna alors un tel coup d'épée sur son heaume qu'il le fendit ainsi que la coiffe. Il le blessa à la tête, au côté gauche, et le heurta si violemment qu'il le fit chanceler. Il aurait pu le tuer si l'épée ne lui avait alors tourné dans la main. Mais le chevalier ressaisit son écu par les courroies et l'attaqua de nouveau très violemment. Perceval se défendit. Or, pendant qu'ils se battaient, survint un chevalier tout armé qui saisit la tête du cerf et le braque que tenait la vieille et qui s'en alla sans leur dire un seul mot.

Quand Perceval s'en aperçut, il en fut très affecté : il ne pouvait en effet poursuivre le chevalier car l'autre le serrait de près. Sa force et son audace s'en accrurent. Il s'élança sur son adversaire avec tant d'impétuosité que l'autre ne put supporter l'attaque et, pris de peur, s'enfuit à vive allure vers sa tombe. La dalle se souleva et le chevalier se précipita à l'intérieur. Perceval tenta de le suivre mais il ne le put : la dalle retomba si lourdement après le passage du chevalier qu'elle ébranla la terre autour du jeune homme, tout abasourdi par ce qu'il venait de voir. S'approchant de la tombe, il appela à trois reprises le chevalier, mais en pure perte. Quand Perceval comprit qu'il ne lui répondrait pas, il retourna vers son cheval, monta en selle et partit à vive allure à la poursuite du chevalier qui avait enlevé la tête du cerf et le braque, décidé à le retrouver coûte que coûte.

Tandis qu'il chevauchait, il vit devant lui la vieille qui lui avait indiqué la tombe. Perceval piqua des deux en sa direction et lui demanda qui était le chevalier de la tombe et si elle connaissait celui qui lui avait ravi le braque.

— Chevalier, répondit-elle, maudit soit qui me demandera ce que j'ignore ! Si vous l'avez perdu, cherchez-le, jusqu'à ce que vous le retrouviez ! Pour moi, tout ceci ne me concerne pas.

Quand Perceval comprit qu'il n'en tirerait rien d'autre, il la voua à tous les diables et suivit le chevalier qui emportait la tête du cerf et le braque.

A partir de ce moment, il chevaucha longtemps sans pouvoir retrouver la trace du chevalier. Au cours de sa chevauchée, il rencontra de nombreuses aventures par les forêts et par les bois. Puis, un jour, il arriva par hasard dans la *Forêt Gaste* [1], là où sa mère avait vécu ainsi que son père. Le château appartenait depuis à une jeune fille qui était la sœur de Perceval.

IV

PERCEVAL DANS LA FORÊT GASTE

Perceval ne reconnut rien dans la forêt — cela faisait bien longtemps qu'il n'y était pas revenu — mais, au hasard de sa chevauchée, il se retrouva devant le château. Lorsque la jeune fille (qui était sa sœur) le vit approcher, elle courut vers lui :

— Seigneur chevalier, lui dit-elle, mettez pied à terre : si vous désirez rester ici jusqu'à demain matin, vous serez très bien reçu.

— Ma demoiselle, telle était bien mon intention, répliqua Perceval.

Il mit pied à terre, la demoiselle lui tenant l'étrier et l'aidant avec beaucoup de bonne grâce ainsi que ses deux suivantes qui étaient ses nièces. Elles s'occupèrent ensuite de le désarmer et, lorsque ce fut fait, sa sœur lui apporta un très beau surcot de soie, le fit asseoir à ses côtés puis, après l'avoir longuement regardé, elle fondit en

---

1. Dans le *Conte du Graal*, Perceval est initialement présenté comme « le fils de la veuve, dame de la Gaste Forêt solitaire ».

larmes. Très affligé de la voir ainsi pleurer, Perceval lui demanda ce qu'elle avait.

— Seigneur, lui répondit-elle, j'avais un frère — nous étions de la même mère et du même père — qui était encore un tout jeune homme. Notre père mourut — telle fut la volonté de Dieu — et sachez qu'à l'heure de sa mort, Jésus-Christ lui envoya la voix du Saint-Esprit. Après la mort de son père, mon frère s'en alla à la cour du puissant roi Arthur. Il était très jeune, très inexpérimenté. Ma mère fut très peinée de le voir partir et sa douleur fut telle qu'elle tomba malade et mourut. Je suis bien persuadée que le péché dont il s'est alors chargé lui a été funeste.

— Chère sœur, lui répondit Perceval après avoir entendu ses paroles, apprenez que je suis Perceval votre frère, celui qui partit à la cour du puissant roi Arthur.

Tout heureuse de ce qu'elle entendait, la jeune fille se leva, pleurant encore, et vint se jeter à son cou et l'embrasser plus de cent fois. Perceval lui rendit ses baisers et tous deux montraient bien la joie qu'ils avaient à se retrouver. Puis la jeune fille lui demanda s'il avait été à la cour de son grand-père, le riche Roi Pêcheur.

— Chère sœur, lui répondit Perceval, non, pas encore, et pourtant je l'ai longuement cherché. Voilà plus de trois ans que je poursuis cette quête et je n'y renoncerai pas, sachez-le, avant de l'avoir trouvée.

— Cher frère, que Dieu te permette d'accomplir ses ordres et de Lui être agréable !

Tandis qu'ils parlaient ainsi et se réjouissaient, les hommes de la jeune fille arrivèrent dans le château. Quand ils virent leur demoiselle ainsi embrasser Perceval, ils en furent très affligés, disant que leur demoiselle avait perdu le sens pour embrasser ainsi un chevalier inconnu. Mais elle les fit venir et leur dit :

— Mes fidèles serviteurs, apprenez que vous avez devant vous mon frère Perceval qui était si jeune lorsqu'il partit d'ici.

Cette nouvelle remplit de joie ses hommes qui s'empressèrent autour de Perceval. Après le repas, la jeune fille lui dit :

— Cher frère, je me fais beaucoup de souci de vous voir ainsi chevaucher. Vous êtes très jeune. Les chevaliers qui hantent ce pays sont très cruels et pleins de perfidie. S'ils le peuvent, ils vous tueront pour s'emparer de votre cheval. Si donc, cher frère, vous m'en croyez, vous abandonnerez cette tâche que vous avez entreprise et vous resterez avec moi. C'est un grand péché que de tuer des chevaliers et vous êtes chaque jour en grand danger d'être mis à mort.

— Chère sœur, répondit Perceval, sachez que je resterais bien volontiers si j'avais mené à bien la quête que j'ai commencée. Dès que ce sera chose faite, je reviendrai auprès de vous et je vous aide-

rai et protégerai dans la mesure de mes forces. Mais ce ne sera que lorsque j'aurai achevé ma quête.
En entendant sa réponse, la jeune fille fondit en larmes.
— Perceval mon doux frère, je vous demande donc instamment de faire ce dont je vous prierai.
— Chère sœur, dites-moi ce que vous voulez que je fasse, et je le ferai.
— Je veux que vous veniez avec moi à la maison d'un oncle à vous. C'est un ermite et un saint homme [1]. Il vit dans cette forêt à une demi-lieue d'ici. Vous vous confesserez à lui et ferez pénitence pour votre mère qui est morte à cause de vous. Il saura bien sur ce point vous guider de ses conseils. Prenez soin de suivre ses ordres car c'est un très saint homme. Il est venu de la terre de Judée, de la région de Jérusalem, en ce pays, et c'est l'un des frères de votre père, Alain le Gros. S'il demande à Jésus-Christ dans ses prières que Dieu vous guide et vous fasse trouver ce que vous cherchez, vous pourrez bien y arriver, sachez-le. C'est chose profitable que de l'entendre dire tout ce qu'il m'a conté sur votre ancêtre, sur Joseph [2], sur Enigeus (la sœur de Joseph) qui était sa mère et sur Bron son père, celui que l'on appelle le Roi Pêcheur. Il m'a dit que Bron, votre aïeul, garde le vase où fut recueilli le sang de Notre-Seigneur, ce vase qui est appelé le Graal. Il m'a également appris que Notre-Seigneur a dit que ce vase devait être vôtre et que vous deviez le chercher jusqu'à ce que vous l'ayez trouvé.

Perceval, tout heureux de ce que lui apprenait sa sœur, lui dit qu'il irait bien volontiers voir son oncle. Aussitôt il s'arma, se mit en selle, fit monter sa sœur sur un cheval de chasse qui se trouvait dans la demeure et tous deux chevauchèrent jusqu'à la maison de l'ermite. Arrivés à la porte, ils frappèrent avec le heurtoir et l'ermite, le saint homme, qui était très âgé, vint leur ouvrir en s'appuyant sur sa béquille. Perceval mit pied à terre ainsi que la jeune fille et tous deux pénétrèrent dans la maison. Mais ils durent laisser leurs chevaux dehors : ils ne pouvaient entrer dans la cour car le linteau de la porte était placé si bas que Perceval dut se baisser pour entrer.

Quand le saint homme vit sa nièce arriver avec le chevalier, il en fut très étonné et lui demanda pourquoi elle était venue avec ce chevalier et s'il l'avait prise ou enlevée de force.
— Cher oncle, lui dit-elle, voici Perceval mon frère, le fils de votre frère, Alain le Gros. Il était parti à la cour du puissant roi Arthur pour devenir chevalier et, grâce à Dieu, c'est chose faite.

---

1. Dans le *Conte du Graal*, Perceval rencontre également un ermite mais qui est, comme le Roi Pêcheur, le frère de sa mère et non, comme ici, le frère de son père, Alain le Gros.
2. Il s'agit bien entendu, ici et par la suite, de Joseph d'Arimathie, beau-frère de Bron selon le *Roman de l'Estoire du Graal* de Robert de Boron.

Ces paroles réjouirent le saint homme qui, s'adressant à Perceval, lui dit :

— Cher neveu, dites-moi, êtes-vous déjà allé chez le riche Roi Pêcheur, mon père, qui est votre grand-père ?

Perceval lui répondit qu'il avait longuement cherché sa demeure, mais en vain.

— Cher neveu, reprit l'ermite, sachez que lors de ce repas que nous avons pris jadis, nous avons entendu la voix du Saint-Esprit qui nous ordonna d'aller vers l'Occident, en des terres inconnues. Elle ordonna à Bron mon père de gagner cette région, là où le soleil disparaît à l'horizon [1], et ajouta que naîtrait d'Alain le Gros un héritier qui serait le gardien du Graal. Elle dit encore que le Roi Pêcheur ne pourrait mourir tant que vous n'auriez pas visité sa demeure. Alors seulement il guérirait, vous transmettrait le Graal, et la grâce qu'il a reçue, et c'est vous qui auriez en votre possession le sang de Notre-Seigneur Jésus-Christ.

« Veillez donc à vous conduire en homme de bien. Prenez garde, je vous en conjure, à ne pas tuer de chevalier mais épargnez-les et acceptez toutes les épreuves que vous rencontrerez en songeant à l'âme de votre mère. Priez Notre-Seigneur d'avoir pitié de vous car votre mère, sachez-le, est morte de la douleur que vous lui avez causée. Souvenez-vous-en, je vous en prie, et prenez grand soin de ne pas tomber dans le péché et de ne pas commettre de mauvaises actions : vous appartenez à un lignage qui a beaucoup aimé Notre-Seigneur et Notre-Seigneur l'a élevé à un tel degré d'honneur qu'Il lui a donné à garder son corps et son sang.

— Seigneur, répondit Perceval, que Dieu m'accorde de Le servir à sa volonté !

Le saint homme adressa alors une prière à Notre-Seigneur puis dit à Perceval bien des paroles profitables. Je ne peux vous les répéter ici mais je peux bien vous dire que Perceval resta avec lui toute la nuit, jusqu'au lendemain matin, où il entendit la messe que l'ermite célébra dans la chapelle. Après le service, lorsque le saint homme eut enlevé les armes de Notre-Seigneur [2], Perceval s'approcha de lui, le salua très humblement et lui demanda la permission de partir. Il voulait en effet poursuivre la quête qu'il avait entreprise. Le saint homme pria Notre-Seigneur de lui permettre de retrouver bientôt la demeure de son aïeul. Perceval sortit alors de la maison de l'ermite, vint à son cheval, aida sa sœur à se mettre en selle et monta lui-

---

1. Le texte dit : *la u li solaus avaloit* avec un jeu de mots, qui apparaît déjà chez Robert de Boron, entre « avaler », aller vers le val, descendre à l'horizon, en parlant du soleil, et l'Ile d'Avalon, l'Ile des fées, parfois identifiée avec Glastonbury et son abbaye, haut lieu de la légende arthurienne.

2. Expression usuelle pour désigner les ornements sacerdotaux.

même puis il partit, laissant l'ermite tout en pleurs. Il chevaucha à vive allure avec sa sœur qui se réjouissait de la présence de son frère.

Alors qu'ils étaient déjà arrivés tout près de leur château, Perceval s'arrêta au pied d'une croix, un endroit où il allait souvent s'amuser lorsqu'il vivait dans la maison de sa mère. Il vit alors chevaucher vers lui un chevalier tout équipé de ses armes qui, tout en s'approchant, lui criait :

— Par Dieu, chevalier, vous n'avez pas le droit d'emmener cette jeune fille ! Il vous faut la disputer contre moi.

Perceval l'entendit bien mais ne lui répondit rien. Il était si plongé dans ses pensées qu'il ne se souciait pas de ce que l'autre lui criait. Le chevalier, très irrité, s'approcha de lui à vive allure, brandissant sa lance. Il aurait frappé Perceval, sachez-le, si sa sœur ne lui avait crié :

— Perceval, mon cher frère, mettez-vous en garde, sinon ce chevalier va vous tuer !

Quand Perceval l'entendit, il en fut tout étonné : il pensait tant à ce qu'il voulait faire et à la demoiselle qui lui avait confié son braque, qu'il ne prêtait aucune attention au chevalier. Mais, quand il l'aperçut, il fit faire volte-face à son cheval et le lança contre son adversaire. L'autre fit de même. Tous deux avaient bien l'air de ne pas vouloir s'épargner !

Le chevalier frappa Perceval de sa lance, lui brisant et lui perçant son écu. Mais le haubert résista — il ne put l'endommager — et sa propre lance vola en éclats. Perceval à son tour lui enfonça vigoureusement la sienne dans l'écu, y mettant toute sa force. Ni l'écu ni le haubert n'offrirent une résistance suffisante. La lance pénétra dans la poitrine du chevalier et le choc fut si rude qu'il tomba à terre de tout son long. Dans sa chute, son cœur creva et il mourut là, sur-le-champ, sans avoir pu bouger main ou pied.

— Par Dieu, chevalier, dit Perceval, vous avez vous-même cherché votre mal ! Vous auriez bien dû vous taire plutôt que de m'avoir ainsi attaqué ! Mais je regrette de vous avoir tué. J'aurais préféré vous vaincre car c'est un grand péché que de tuer un chevalier.

Il prit alors le cheval et le donna à sa sœur puis ils chevauchèrent à vive allure jusqu'à leur demeure et mirent pied à terre tout aussitôt. Les hommes de la demoiselle vinrent à leur rencontre et conduisirent les chevaux à l'écurie où ils furent bien soignés. Ils étaient au reste très étonnés de voir le cheval qu'avait amené Perceval. Puis ils vinrent vers lui et le désarmèrent avec courtoisie. Ils disposèrent ensuite les tables. Perceval mangea avec sa sœur. Après le repas, il alla dormir un peu : il avait en effet veillé la nuit précédente. Après avoir dormi un moment, il se leva, demanda ses armes et s'équipa rapidement.

En le voyant faire, sa sœur fut très affligée.

— Perceval, mon cher frère, qu'est-ce que cela veut dire ? Allez-vous me laisser seule dans cette forêt ?

— Chère sœur, lui répondit Perceval, si je peux revenir auprès de vous, d'une manière ou d'une autre, je le ferai et je vous aiderai comme je dois le faire. Mais, pour le moment, je ne veux pas demeurer davantage.

Sa réponse causa une vive émotion à la jeune fille qui se mit à pleurer pitoyablement. Perceval cependant la réconforta de son mieux, lui disant qu'il reviendrait auprès d'elle le plus vite qu'il pourrait. Puis il demanda son cheval, monta très rapidement — on voyait bien qu'il ne se souciait pas de s'attarder — et recommanda sa sœur à Dieu. Elle en fit de même, tout en pleurs et très affligée. Mais que pouvait-elle faire d'autre ?

V

PERCEVAL ET LE BEAU MAUVAIS

Après avoir quitté sa sœur, Perceval chevaucha toute la journée sans trouver d'aventure ni d'endroit où recevoir l'hospitalité. Il lui fallut donc passer la nuit dans la forêt. Il enleva le mors de son cheval qu'il laissa toute la nuit paître une belle herbe abondante, toute mouillée de rosée, et resta à le guetter, sans dormir. Au matin, quand l'aube apparut, il se leva, sangla sa monture et s'équipa puis il chevaucha toute la journée.

Cette matinée lui parut très agréable : la forêt était grande et luxuriante et le chant joyeux des oiseaux lui causait un vif plaisir. Poursuivant sa chevauchée, il regarda devant lui et aperçut un chevalier accompagné d'une demoiselle dont l'apparence était en tous points extraordinaire. Son cou, son visage, ses mains étaient plus noirs que fer. Ses jambes étaient toutes tordues, ses yeux, plus rouges que le feu, étaient bien écartés d'une paume. En vérité, je peux vous affirmer qu'elle ne dépassait pas de plus d'un pied l'arçon de la selle et ses pieds et ses jambes étaient si courts, si tordus qu'elle ne pouvait les passer dans les étriers. Ses cheveux étaient tressés mais cette tresse était courte et noire et ressemblait davantage à une queue de rat qu'à autre chose. Cependant elle chevauchait très fièrement, un fouet à la main et, pour faire plus élégant, elle avait passé la jambe sur l'encolure de son palefroi. C'est ainsi qu'elle chevauchait aux côtés du chevalier qu'elle prenait par le cou et embrassait très doucement de temps à autre. Lui, il lui rendait ses baisers. Quand Perceval vit le chevalier, il s'arrêta et se signa tant il était stupéfait. Puis il éclata de rire. Quand le chevalier comprit qu'il se moquait de son amie, il en fut très affligé. Il s'approcha de Perceval et lui demanda ce qui le faisait rire ainsi et pourquoi il s'était signé à trois reprises.

— Je vais vous l'expliquer, lui répondit Perceval. Quand j'ai vu ce diable chevaucher à vos côtés, j'ai eu peur et c'est pourquoi je me suis signé. Mais quand j'ai vu qu'elle vous tenait par le cou et vous embrassait, je me suis mis à rire devant l'énormité de la chose. Mais dites-moi, s'il vous plaît, et sans vous fâcher, d'où vient cette femme et si c'est un diable ou une créature humaine car, sachez-le, même si on me donnait en échange tout le royaume de Logres, je n'accepterais pas de chevaucher trois jours de suite avec elle de peur qu'elle ne m'étrangle ou ne me tue !

Quand le chevalier l'entendit ainsi parler, il éprouva une telle colère qu'il devint tout rouge et qu'il répondit avec beaucoup d'agressivité :

— Chevalier, vous ne pouviez me fâcher plus que vous ne l'avez fait en vous moquant et en riant de celle que j'aime comme mon cœur et qui me paraît si belle qu'il n'y a dame ou demoiselle au monde qui puisse rivaliser de beauté avec elle. Je ne mangerai plus, sachez-le, tant que je ne l'aurai pas vengée à vos dépens. Et je suis bien sûr que, si vous aviez dit devant elle tout ce que vous venez de dire, elle en serait morte de honte, tant elle est sensible. Or, si elle mourrait, je me tuerais, sachez-le, pour l'amour d'elle. Je vous défie donc sur-le-champ.

— S'il plaît à Dieu, répliqua Perceval, je pense bien pouvoir me défendre contre vous !

Ils mirent alors entre eux deux arpents de distance, prirent leurs écus par les courroies et brandirent leurs lances. Puis ils laissèrent aller les chevaux. Le choc fut si violent qu'ils furent tous deux désarçonnés. Mais ils se relevèrent aussi vite qu'ils le purent, en revinrent rapidement aux prises et recommencèrent à se battre, à l'épée, avec acharnement, martelant sans trêve leurs heaumes. Leurs écus, sachez-le, étaient bien mal en point et ils se donnaient de tels coups d'épée qu'il était bien surprenant qu'ils ne se tuent pas. Et c'est ce qui serait arrivé s'ils avaient été aussi frais et dispos qu'au début. Mais ils étaient si las que les coups qu'ils se portaient perdaient beaucoup de leur force. Perceval enfin rassembla tout son courage et, tout honteux de voir le combat s'éterniser ainsi, il passa à une nouvelle fois à l'attaque et fatigua tant son adversaire qu'il le mena à bout. Il le fit tomber au milieu de la prairie, lui arracha son heaume qu'il fit

rouler à trente pieds de là et plus, et il lui aurait coupé la tête si le
chevalier ne lui avait demandé grâce et ne l'avait supplié, au nom de
Dieu, de l'épargner.

Dès que Perceval entendit qu'il lui demandait grâce, il se refusa à
le toucher, remit son épée dans le fourreau et lui demanda son nom.
Le chevalier répondit qu'il s'appelait le Beau Mauvais.

— Chevalier, s'écria Perceval, sur ma tête, il y a dans ce nom du
vrai et du faux ! Vous n'êtes pas beau mauvais mais — que Dieu
m'aide ! — bon et beau.

Puis, comme il regardait la demoiselle, Perceval ne put s'empêcher de recommencer à rire et demanda au chevalier comment elle
s'appelait.

— Rosette la Blonde, lui répondit-il, et apprenez que c'est la plus
courtoise demoiselle qui existe car elle est non seulement belle mais
aimable et douce et, plutôt que de me séparer d'elle, je préférerais,
sachez-le, perdre un œil, tant je l'aime profondément.

— Chevalier, ce serait donc un geste bien peu courtois que de
vous séparer ! Il faut cependant que vous me juriez de vous rendre à
la cour du puissant roi Arthur et de vous y constituer prisonnier de
ma part. Vous emmènerez cette demoiselle avec vous et la confierez
à la reine.

— Cher seigneur, cela me convient, car il n'est cour où je n'oserais l'emmener tant sont grands sa courtoisie et ses mérites. Mais
dites-moi au nom de qui je devrai me faire prisonnier.

— Au nom de Perceval le Gallois.

— Seigneur, bien volontiers. Sachez que cette demoiselle et moi-
même nous ferons ce que vous voulez.

Le chevalier quitta alors Perceval et se rendit à Cardueil, au pays
de Galles. Nombre de chevaliers, de seigneurs, de dames et de
demoiselles étaient alors réunis autour de la reine qui savait si bien
leur manifester son estime. Le roi avait assisté à la messe avec la
reine et ses barons, et tous étaient revenus dans la salle. Keu le sénéchal accompagnait la reine. Elle s'était retirée dans sa chambre
lorsque Keu, qui était accoudé à une fenêtre, vit venir le chevalier
qui amenait son amie à la cour. Tous deux chevauchaient très fièrement. Lorsque Keu aperçut la demoiselle, il en fut tout réjoui. Il
quitta précipitamment la fenêtre et vint tout aussitôt dans la
chambre où se tenait la reine.

— Ma dame, lui dit-il, venez voir ! Voici un chevalier qui arrive
avec la plus belle jeune fille qu'on ait jamais vue. Toutes celles de
votre cour n'ont pas, en comparaison, la moindre beauté. Par Dieu,
prenez soin de bien la recevoir et de faire en sorte qu'elle reste avec
vous car — que Dieu m'aide ! — je souhaiterais vraiment que toutes
les dames du royaume de Logres soient aussi belles !

— Keu, cher seigneur, répondit la reine, je n'y tiens pas du tout ! Vous me mettriez alors en grand tourment et en grand embarras car vous-même et les autres chevaliers voudriez toutes me les enlever ! Mais allons dans la salle, poursuivit-elle en s'adressant à ses suivantes, pour voir si cette demoiselle est aussi belle que nous le dit Keu.

Elles se mirent alors aux fenêtres de la salle mais, en voyant approcher le chevalier et la demoiselle, elles se signèrent de stupéfaction et éclatèrent de rire. La reine appela ses suivantes et leur dit tout en riant :

— Mes demoiselles, vous voyez combien Keu vous aime et vous honore et quels bons vœux il a formés pour vous en ce jour !

Keu s'approcha alors du roi et des barons pour les inviter à venir voir le chevalier. Le roi et ses barons rejoignirent la reine aux fenêtres et les plaisanteries fusèrent. La reine leur répéta le souhait qu'avait fait Keu, ce qui les fit bien rire et les divertit beaucoup.

Le chevalier cependant mit pied à terre devant la salle et, prenant la demoiselle entre ses bras, l'aida très doucement à descendre de son palefroi. Puis ils se présentèrent dans la salle où se trouvait le roi Arthur en se tenant par la main. Le chevalier s'arrêta à mi-chemin, salua le roi et tous les barons au nom de Perceval le Gallois et dit qu'il se déclarait prisonnier sur son ordre.

— Et, ajouta-t-il, voici ma demoiselle Rosette au clair visage, que j'aime autant et plus que mon cœur, qu'il envoie à la reine pour qu'elle la retienne parmi ses suivantes.

En l'entendant, Keu ne put s'empêcher de prendre la parole et de dire à la reine :

— Ma dame, remerciez-l'en ! Jetez-vous à ses pieds, je vous en prie, car vous n'avez jamais reçu semblable présent ! Quel beau titre de gloire ce sera pour vous et vos suivantes ! J'aurais pourtant peur, si vous la gardiez avec vous, que le roi ne partageât son amour entre elle et vous !

Puis il invita le roi, sur ce qu'il lui devait, à demander au chevalier où il avait trouvé cette jeune fille, s'il y en avait d'autres comme elle, et si lui-même, le cas échéant, pourrait s'en trouver une.

Les paroles de Keu irritèrent le roi.

— Keu, lui dit-il, sur ce que vous devez à Dieu, laissez-nous tranquilles. C'est une honte de se moquer ainsi d'un chevalier étranger. Vous n'y gagnez rien sinon d'exciter sa haine.

— Sire, répliqua Keu, je ne parle pas ainsi par méchanceté mais pour le bien de ce chevalier. Si j'avais amené cette demoiselle dans une autre cour, j'aurais eu grand peur en effet de me la faire enlever !

— Keu, reprit le roi avec colère, puissiez-vous mieux savoir ce que vous avez à dire ! Mais je vous ordonne maintenant de vous taire.

Le roi s'approcha alors du chevalier, le prit entre ses bras et lui rendit sa liberté. Puis il lui proposa de faire partie de sa maison s'il le désirait. La demoiselle, elle, resterait dans les appartements de la reine. Keu ne put cependant s'empêcher d'intervenir une nouvelle fois :

— Sire, dit-il, il faut que vous lui donniez des garanties contre les seigneurs de cette cour car ils auront tôt fait d'enlever la demoiselle pour sa beauté. Et ce chevalier-là, je sais bien que si pareille infortune lui arrivait, il viendrait s'en plaindre à vous. Que je sois alors maudit si je prends votre défense !

De plus en plus irrité, Arthur répliqua :

— Vraiment, Keu, vos paroles sont trop méchantes et trop acérées ! Sur la foi que je dois à Dieu et à l'âme d'Uterpendragon mon père, je vous assure que si je n'en avais pas fait le serment à votre père Entor, vous ne seriez plus jamais sénéchal [1].

Puis, baissant la tête, il murmura pour lui-même :

— Et pourtant, c'est mon devoir de le supporter car ses défauts proviennent de la femme qui l'a nourri de son lait lorsque, à cause de moi, il fut privé du sein maternel.

Keu s'avança alors, faisant semblant d'être très en colère, et dit :

— Que je sois maudit si jamais je me soucie de veiller sur cette jeune fille ! A vous désormais de prendre ce soin !

Ainsi donc, comme vous venez de l'entendre, la demoiselle resta à la cour du puissant roi Arthur, et apprenez qu'elle devint par la suite la plus belle jeune fille du monde [2].

VI

LE GUÉ PÉRILLEUX ET LES OISEAUX-FÉES

Le livre nous dit ici que, après avoir quitté le chevalier, Perceval chevaucha de longs mois, de landes en châteaux, sans jamais trouver la demeure de son grand-père. Mais il lui arriva nombre d'aventures. Un jour, alors qu'il chevauchait à travers une grande forêt, il décou-

---

1. Sur cet épisode voir ci-dessus *Merlin*, première partie, chapitre III, où le père de Keu est nommé *Auctor*.
2. Peut-être la jeune fille est-elle ici victime d'un enchantement ou est-elle un personnage féerique, capable de changer d'apparence, comme c'est le cas pour les femmes-oiseaux dans l'épisode suivant.

vrit devant lui l'une des plus belles prairies du monde. A ses pieds se trouvait un très beau gué et, de l'autre côté du gué, se dressait une tente. Perceval se dirigea à vive allure vers le gué et voulut y pénétrer. Mais, comme il allait laisser son cheval s'y abreuver, un chevalier magnifiquement équipé surgit de la tente. Chevauchant rapidement vers Perceval, il lui cria :

— Par Dieu, chevalier, c'est pour votre malheur que vous êtes entré dans ce gué et il vous faudra le payer !

En même temps il se porta contre lui, voulant le frapper de sa lance, lorsqu'il s'aperçut que son adversaire n'avait ni lance ni écu. Perceval s'était en effet battu contre un chevalier qui lui avait mis en pièces son écu. L'autre chevalier fit donc demi-tour et ordonna à une jeune fille qui se tenait à l'entrée de la tente d'apporter une lance et l'écu qui était suspendu dans la tente : il se croirait déshonoré s'il joutait avec un chevalier dépourvu d'écu. La jeune fille, comme il le lui avait ordonné, remit les armes à Perceval qui en fut tout heureux. Puis le chevalier lui cria de se mettre en garde : il lui en coûtera cher d'être ainsi entré dans le gué sans lui en demander la permission. Qu'il soit donc bien sur ses gardes, car, s'il le peut, il le lui fera payer !

Ils s'attaquèrent alors avec violence et se portèrent de rudes coups. Les lances volèrent en éclats mais Perceval heurta avec tant de force son adversaire qu'il le jeta de son cheval à terre, étendu de tout son long au milieu du pré. Dans la chute, le heaume, dont les lacets s'étaient rompus, vola au loin. Perceval mit alors pied à terre : il se serait cru déshonoré de combattre à cheval un adversaire à pied. Il l'attaqua donc à l'épée et lui porta tant de coups qu'il vint à bout de sa résistance. L'autre demanda grâce et se constitua prisonnier. Perceval lui répondit qu'il ne lui ferait grâce que s'il lui expliquait d'abord pourquoi il lui avait interdit de se désaltérer dans le gué et pour quelle raison il s'en prenait ainsi aux chevaliers et leur faisait subir de tels outrages.

— Seigneur, répondit le chevalier, je vais vous le dire. Sachez que je m'appelle Urbain et que je suis le fils de la reine de Noire-Épine. Le roi Arthur m'a fait chevalier à Cardueil, dans sa grand-salle et, depuis, j'ai parcouru le pays. J'ai rencontré nombre de chevaliers et me suis battu contre eux. Et je peux bien vous affirmer que j'ai triomphé de tous ceux que j'ai rencontrés. Or, une nuit, alors que je chevauchais à l'aventure, il se mit à pleuvoir comme si le ciel tout entier allait se déverser ; le tonnerre grondait et l'air était sillonné d'éclairs. Ils donnaient une lumière si inquiétante que je ne savais ce qu'il allait advenir de moi et j'avançais si vite qu'il me semblait que les diables m'emportaient. Mon cheval était si effrayé que je ne pouvais le maîtriser et il m'entraînait malgré moi. Derrière moi enfin retentissait un tel fracas que j'avais l'impression que, sur mon passage, les arbres étaient arrachés.

« Dans la détresse où je me trouvais, j'aperçus alors devant moi, sur la meilleure mule que j'aie jamais vue, une demoiselle qui chevauchait à vive allure. Aussitôt, je me mis à la suivre, m'efforçant de la rattraper. Au reste, la nuit était si noire que je n'aurais pu suivre sa trace si les éclairs ne m'avaient guidé. Je la suivis ainsi jusqu'au moment où elle pénétra dans le plus beau château du monde. J'y entrai sur ses pas et me trouvai dans la grand-salle en même temps qu'elle. Quand elle me vit, elle s'approcha de moi, jeta ses bras à mon cou, me fit désarmer et me réserva le meilleur accueil. Durant la nuit, je m'enhardis tant que j'en devins amoureux et me risquai à lui demander son amour. Elle me répondit qu'elle m'aimerait bien volontiers, mais à une condition. Je lui répondis que, quoi que ce soit qu'elle me demande, je le ferais. Elle me déclara alors qu'elle serait mon amie si j'acceptais de rester auprès d'elle et de ne plus chevaucher par le pays. Je répliquai que je ferais ce qu'elle désirait mais qu'il me serait pénible de renoncer à la chevalerie.

« — Cher ami, me dit-elle, voyez ce gué là-bas : vous dresserez en cet endroit une tente. Aucun des chevaliers qui passeront dans ce pays ne pourra distinguer de ce château autre chose que la tente. Vous jouterez contre tous ceux qui voudront se désaltérer dans ce gué et ainsi vous pourrez jouir de moi tout en continuant vos faits d'armes.

« J'acceptai sa proposition. Voici donc près d'un an que je demeure au bord de ce gué avec mon amie et, depuis ce jour, j'ai eu tout ce que je désirais. Le château se trouve là, près de cette tente que vous pouvez voir, mais le château, personne ne peut le voir sauf moi, mon amie et les demoiselles qui vivent avec elle. Or, il ne manque que huit jours pour que s'achève l'année que j'ai passée ici. Et si ces huit jours m'avaient été donnés, j'aurais été le meilleur chevalier du monde, mais telle n'a pas été la volonté de Dieu ! Sachez donc que vous pouvez faire de moi ce que vous voulez, me tuer ou me laisser vivre, et que, si vous le désirez, vous resterez ici et garderez le gué un an durant. Et si vous voulez rester une année entière, vous serez reconnu comme le meilleur chevalier du monde, si du moins vous n'êtes pas vaincu par quelque autre.

— Ami, lui répondit Perceval, sachez que je ne resterai là à aucun prix. En revanche, je veux que dorénavant vous laissiez libre l'accès de ce gué et que les chevaliers qui passent par ici ne soient plus inquiétés.

— Seigneur, je ferai, bon gré mal gré, ce que vous voulez car je vois bien que vous m'avez vaincu.

Or, tandis que Perceval parlait avec le chevalier et lui ordonnait

de ne plus interdire le Gué Périlleux, il entendit un tel fracas qu'il lui
sembla que toute la forêt s'engloutissait dans l'abîme. Et dans cet
effroyable tumulte s'élevèrent une fumée et des ténèbres si épaisses
qu'on ne pouvait plus se voir, sur près d'une demi-lieue. Puis, du
sein des ténèbres, se fit entendre une voix très forte et pleine de douleur qui dit :

— Perceval le Gallois, nous te maudissons, dans la mesure de nos
faibles forces de femmes, car tu nous as causé aujourd'hui la plus
vive douleur que nous ayons jamais éprouvée ! Et il en résultera
pour toi, sache-le, de grandes peines !

Ensuite, la voix dit au chevalier qui se tenait à côté de Perceval :

— Faites vite, ne vous arrêtez pas ! ajoutant encore : si vous tardez davantage, vous me perdrez.

Ces paroles bouleversèrent le chevalier qui, à plus de cent
reprises, supplia Perceval de lui faire grâce. Tout étonné de cette
insistance, Perceval lui demanda pourquoi il l'implorait ainsi.

— Ah ! seigneur chevalier, lui répondit-il, au nom de Dieu permettez-moi de m'en aller !

Perceval cependant resta silencieux, encore tout étonné de ce
qu'avait dit la voix. L'autre courut alors vers son cheval et voulut se
mettre en selle mais Perceval le saisit par le pan de son haubert et lui
dit :

— Chevalier, sur ma tête, vous ne m'échapperez pas ainsi !

Plein d'épouvante, le chevalier se retourna vers lui et de nouveau
lui demanda grâce plus de cent fois : qu'il ne le retienne pas, pour
l'amour de Dieu ! S'il devait rester là plus longtemps, il se tuerait.
Puis on entendit une nouvelle fois la voix qui disait :

— Urbain, hâte-toi ! Sinon, tu m'auras définitivement perdue !

En entendant la voix, le chevalier tomba évanoui. Mais comme
Perceval, tout étonné, le considérait avec stupéfaction, il se vit
entouré d'une telle foule d'oiseaux que le ciel en était tout obscurci.
Il n'avait jamais vu d'oiseaux aussi noirs et ils tentaient, s'acharnant
sur son heaume, de lui arracher les yeux. Alors que Perceval restait
là, tout abasourdi, le chevalier revint à lui. Regardant du côté de
Perceval, il vit les oiseaux : tout aussitôt il bondit sur ses pieds, riant
aux éclats et montrant sa joie.

— Que je sois maudit si je ne viens pas à votre aide ! s'écria-t-il.

Il saisit alors son écu par les courroies et, l'épée à la main, s'élança
vers Perceval. Rendu furieux par ce nouvel assaut, Perceval lui cria :

— Veux-tu donc, chevalier, recommencer le combat ?

— Je vous défie, lui répondit-il.

Ils s'attaquèrent alors à l'épée avec acharnement mais Perceval eut
le dessous car les oiseaux le harcelaient de si près qu'ils étaient sur le
point de le jeter à terre — ce qui excita encore plus la colère du

jeune homme. Tenant donc son épée dans sa main droite, il frappa un oiseau qui le serrait de plus près que les autres et l'atteignit en plein milieu du corps, lui faisant jaillir les entrailles. L'oiseau tomba à terre mais, dans sa chute, il se transforma en un cadavre de femme — elle avait le plus beau corps qu'il eût jamais vu.

Perceval fut très affligé de la voir ainsi morte mais les oiseaux qui le pressaient reculèrent, coururent vers le cadavre et l'emportèrent dans les airs. Lorsqu'il se vit débarrassé d'eux, Perceval se précipita sur le chevalier qui le supplia, au nom de Dieu, de bien vouloir l'épargner.

— Dis-moi alors, lui répondit Perceval, quelle est cette merveille que je viens de voir.

— Seigneur, bien volontiers.

« Le bruit, l'énorme fracas que tu as entendu, sache que c'est le château de mon amie qu'elle a anéanti pour l'amour de moi. La voix que tu as entendue, c'est elle qui m'appelait et, lorsqu'elle vit que je ne pouvais t'échapper, elle s'est transformée, elle et ses suivantes, en oiseau et elle est accourue ici pour te nuire et me porter secours. En les voyant, je n'ai pu m'empêcher de venir à leur aide et, normalement, nous aurions dû te tuer, mais je vois bien que personne ne peut rien contre toi ; j'ai la certitude que tu es un fidèle serviteur de Dieu et l'un des meilleurs chevaliers du monde.

« Celle que tu as tuée était la sœur de mon amie ; elle ne risque rien : en ce moment, elle est déjà dans l'Ile d'Avalon. Mais, au nom de Dieu, laisse-moi maintenant retourner, je t'en prie, auprès de celle qui m'attend encore.

En l'entendant, Perceval se mit à rire et lui donna la permission de s'en aller. Le chevalier en éprouva un très grand soulagement. Il partit très vite, et à pied, car sa joie de pouvoir s'en aller était telle qu'il en oublia son cheval. Mais il ne s'était pas éloigné de deux arpents que Perceval vit qu'on l'emportait au milieu de grandes manifestations d'allégresse. Perceval remonta alors en selle, pensant qu'il allait rattraper tout le groupe, mais à peine était-il sur son cheval que tout avait disparu, les demoiselles, le chevalier et même le cheval qui était tout à côté de lui. Plein de stupeur, il revint sur ses pas, se disant que ce serait une folie de les poursuivre.

VII

LES ENFANTS DANS L'ARBRE.
PERCEVAL CHEZ LE ROI PÊCHEUR (I)

Perceval repartit et poursuivit sa route, très préoccupé par ce qu'il avait entrepris, et bien souvent il songeait à l'extraordinaire aventure qui lui était arrivée. Il chevaucha ainsi toute la journée, sans boire ni manger et, cette nuit-là, il lui fallut, comme la précédente, dormir dans la forêt.

Au matin il repartit, se laissant guider par le hasard, et de nouveau il chevaucha toute la journée sans trouver d'aventure ni d'endroit où il puisse recevoir l'hospitalité. Il en était très ennuyé, sachez-le, car il ne traversait que haies, halliers et bois, ce qui le décourageait beaucoup.

Comme il chevauchait ainsi, tout triste et perdu dans ses pensées — et il était déjà none passée — il aperçut en regardant devant lui l'un des plus beaux arbres qu'il ait jamais vu. Il était planté au croisement de quatre routes, à côté d'une très belle croix. Perceval, lorsqu'il le vit, s'en approcha et s'arrêta un bon moment. Or, alors qu'il le regardait avec beaucoup de plaisir, il vit deux enfants nus qui sautaient de branche en branche. Ces enfants, lui sembla-t-il, avaient environ six ans et tous deux se prenaient par le cou et jouaient ensemble. Après les avoir observés tout à loisir, il les appela, les conjurant au nom du Père, du Fils et du Saint-Esprit de venir lui parler s'ils étaient des créatures de Dieu. L'un des enfants s'arrêta alors de sauter de branche en branche et, s'asseyant, lui dit :

— Chevalier, toi qui nous as conjurés, sache que nous sommes des créatures de Dieu. Nous sommes venus du paradis terrestre, d'où fut jeté Adam, pour te parler et avec la permission du Saint-Esprit. Tu as entrepris la quête du Graal que garde Bron ton grand-père, celui que l'on appelle dans de nombreux pays le Roi Pêcheur. Tu prendras donc cette route, là devant toi à droite. Avant que tu ne la quittes, tu verras, sache-le, ce par quoi tes épreuves seront terminées, si du moins tu en es digne.

Perceval, baissant les yeux, réfléchit un moment aux surprenantes paroles qu'il venait d'entendre mais, lorsqu'il releva la tête, l'arbre, les enfants et la croix qu'il avait vus, tout avait disparu. Plus étonné qu'il ne l'avait jamais été, il s'interrogea longuement, craignant fort d'avoir eu affaire à quelques fantômes.

Alors qu'il était là en train de réfléchir, se demandant s'il allait

suivre la route que lui avaient indiquée les deux enfants, il vit une très
grande ombre qui allait et venait et qui passa et repassa devant lui
quatre fois de suite. Le cheval que montait Perceval était très effrayé.
Il renâclait et trépignait et, quand Perceval s'en aperçut, il fit le signe
de la croix sur lui-même et sur sa monture. Résonna alors dans
l'ombre une voix qui lui dit :

— Perceval, Merlin, celui dont tu as si souvent entendu parler, te
fait savoir que tu ne dois pas faire fi des indications que t'ont données
les deux enfants car c'est au nom de Jésus-Christ notre Sauveur qu'ils
te les ont données. Et si tu es un homme de bien, sache qu'avant
d'avoir quitté ce chemin à droite — chemin qui t'est indiqué par la
volonté de Dieu — tu auras accompli la prophétie que Notre-
Seigneur fit à Joseph [1].

Ce que disait la voix remplit Perceval de joie. A trois reprises il
l'appela car il voulait encore parler avec elle. Mais elle ne répondit
pas. Et quand Perceval comprit que ses appels resteraient vains, il se
dirigea vers la route que lui avaient montrée les deux enfants et chevaucha en chemin découvert. Tant qu'il suivit cette route, il chevaucha avec beaucoup de déplaisir car il préférait de loin chevaucher
dans les forêts plutôt que d'emprunter les chemins découverts. Poursuivant sa chevauchée, il arriva dans une très agréable prairie. Au
fond de la prairie coulait une très belle rivière sur laquelle étaient
construits d'imposants moulins. Chevauchant vers la rivière, il aperçut trois hommes dans un bateau. Perceval, s'approchant d'eux, distingua dans l'embarcation un très vieil homme, allongé sur une
somptueuse couche [2]. C'était le Roi Pêcheur, son grand-père, qui
appela le jeune homme et le pria de passer la nuit chez lui. Perceval
l'en remercia vivement.

— Chevalier, cher seigneur, lui dit le Roi Pêcheur, remontez le
long de la rivière ; vous verrez alors apparaître mon château. Pour
moi, je vais y retourner car je voudrais être là pour vous recevoir.

Perceval remonta alors le cours de la rivière. Il regardait en tous
sens mais il n'apercevait nulle trace de la demeure du Roi Pêcheur.
Voyant qu'il n'arriverait pas à la trouver, il en fut très affligé et maudit le pêcheur qui lui avait donné ce renseignement :

— Pêcheur, maudit sois-tu, toi qui t'es moqué de moi en me faisant croire une chose qui n'est pas vraie !

Très triste et très préoccupé, il reprit alors sa route jusqu'au
moment où il vit le faîte d'une tour apparaître entre deux monts, le
long de la forêt qu'il avait traversée le matin. En le voyant, il se

---

1. C'est-à-dire l'achèvement de la quête par le « troisième homme », ici Perceval.
2. Comme dans le *Conte du Graal*, le Roi Pêcheur est un roi « mehaignié »,
impotent — il ne peut donc aller à la chasse — et sans doute frappé d'impuissance.

réjouit et se dirigea de ce côté tout en regrettant très vivement d'avoir ainsi maudit le roi. Mais il ne savait pas qui il était... Il arriva finalement à la forteresse. Il vit la rivière qui l'environnait, une rivière large et belle à ravir, et, tout autour de la grand-salle, les galeries fort agréablement disposées. A voir ce château, il pensa bien que c'était là la demeure d'un homme important. C'était un château plus digne d'un roi, lui sembla-t-il, que d'un pêcheur ! Et plus il s'en approchait, plus ce château lui plaisait.

Il trouva la porte ouverte et le pont-levis baissé. Il entra donc dans le château et s'avança jusqu'aux marches qui menaient à la grand-salle. Dès que les serviteurs l'aperçurent, ils coururent à sa rencontre, lui tinrent l'étrier et l'aidèrent à enlever ses armes qu'ils déposèrent dans la salle. Deux autres conduisirent son cheval à l'écurie et s'en occupèrent soigneusement. Quand Perceval pénétra dans la salle, un jeune homme apporta un manteau taillé dans une riche étoffe et l'en revêtit puis il le fit asseoir, au milieu de la pièce, sur un lit somptueux. Quatre serviteurs se rendirent alors dans la chambre où se trouvait le Roi Pêcheur, le gardien du Graal. Ce roi était si vieux, si fragile, si perclus par la maladie qu'il ne pouvait remuer ni pied ni main. Il demanda à ses hommes si le chevalier était arrivé.

— Oui, seigneur, lui répondirent-ils.

— Je veux donc aller le voir, leur dit-il.

Les quatre hommes le prirent alors dans leurs bras et l'emportèrent dans la salle, là où se trouvait Perceval son neveu. Celui-ci se leva à son approche et lui dit :

— Seigneur, je suis très ennuyé de tout ce mal que vous vous donnez pour venir auprès de moi.

— Je tiendrais beaucoup à vous honorer, si cela est possible, répondit le roi.

Ils se rassirent alors sur le lit et parlèrent de choses et d'autres. Le seigneur demanda à Perceval d'où il venait ce jour et où il avait passé la nuit.

— Seigneur — que Dieu m'aide ! —, dans la forêt. L'auberge n'était pas très bonne et j'y fus bien mal logé, ce qui fut au reste plus pénible pour mon cheval que pour moi !

— Certes, répliqua le seigneur, vous n'avez pas eu tout ce dont vous auriez eu besoin !

Sur ce, il appela deux serviteurs et leur demanda s'ils pouvaient manger.

— Oui, dirent-ils, dans quelques instants.

Ils disposèrent alors les tables et le seigneur et Perceval prirent place.

Comme on leur apportait le premier plat, ils virent sortir d'une chambre une jeune fille somptueusement parée. Une serviette était attachée à son cou et elle portait deux petits plats d'argent [1]. Vint ensuite un jeune homme qui portait une lance. Trois gouttes de sang coulaient sur le fer de la lance. Ils passèrent devant Perceval et entrèrent dans une chambre. Les suivit un autre jeune homme qui portait le vase que Notre-Seigneur donna dans la prison à Joseph. Il l'éleva entre ses mains avec un très grand respect. Quand le seigneur vit le vase, il s'inclina devant lui et battit sa coulpe et les habitants de la demeure firent de même. Perceval fut très étonné par ce qu'il voyait et il aurait bien volontiers questionné son hôte à ce sujet s'il n'avait craint de le contrarier. Toute la soirée, il repensa à cette scène mais il se souvenait de ce que lui avait dit sa mère qui lui avait recommandé de ne pas trop parler et de ne pas poser trop de questions. C'est pourquoi il renonça à interroger son hôte. Celui-ci ne cessait cependant d'entretenir la conversation afin de l'inciter à le questionner, mais le jeune homme n'en fit rien : il était si fatigué par ses deux nuits de veille que c'est tout juste s'il ne s'effondrait pas sur la table !

Le jeune homme qui portait le Graal repassa alors et rentra dans la chambre dont il était auparavant sorti. Celui qui portait la lance fit de même et la jeune fille les suivit. Mais Perceval, cette fois encore, ne posa aucune question. Quand Bron, le Roi Pêcheur, comprit qu'il ne l'interrogerait pas, sa peine fut très vive. Il faisait en effet porter ainsi le Graal devant tous les chevaliers à qui il donnait l'hospitalité parce que Notre-Seigneur Jésus-Christ lui avait fait savoir qu'il ne guérirait pas tant qu'un chevalier n'aurait pas demandé à quoi servait le Graal ; et il fallait que ce chevalier fût le meilleur du monde. C'est à Perceval précisément qu'il revenait d'accomplir cela et, s'il avait posé cette question, le roi aurait été guéri.

Lorsque le Roi Pêcheur vit que Perceval avait envie de dormir, il donna l'ordre d'enlever la table et de préparer pour le jeune homme une somptueuse couche. Puis il appela quatre serviteurs, leur disant qu'il allait se retirer dans sa chambre pour dormir, et il prit congé du chevalier en lui demandant bien de ne pas lui en tenir rigueur : il était vieux et ne pouvait rester longtemps assis. Perceval l'assura qu'il n'en ferait rien et le recommanda à Dieu. Le roi se retira dans sa chambre et Perceval resta dans la salle, pensant intensément à ce vase qu'il avait vu porter avec tant de révérence et devant lequel le maître du château et tous ses habitants s'étaient si profondément inclinés. Il était encore plus étonné par la lance dont le fer saignait trois gouttes de sang et il se promit donc de questionner au matin les valets de la cour avant de s'en aller.

---

1. Ces deux petits plats d'argent sont peut-être un avatar du *tailloir,* du plat à découper les viandes, présent dans la scène du Graal telle que la donne le *Conte du Graal.*

Lorsqu'il eut ainsi longuement médité, arrivèrent trois serviteurs qui l'aidèrent à enlever ses chausses et le couchèrent avec beaucoup d'égards. Une fois allongé, il dormit jusqu'au lendemain matin, tant il était fatigué. Au matin, il se leva et, lorsqu'il fut habillé et équipé, il parcourut en tous sens la maison puis la cour mais il ne trouva âme qui vive. Il revint donc à l'intérieur mais, là non plus, il ne vit personne. Très ennuyé par cette situation, il regarda devant lui et aperçut ses armes, qu'il revêtit. Puis il se dirigea vers l'écurie qu'il trouva ouverte ; son cheval, lui, avait été récemment pansé et on lui avait mis le mors et la selle. Tout étonné de ce qu'il découvrait, Perceval se mit rapidement en selle et sortit de l'écurie. Il s'aperçut alors que la porte du château était ouverte. Pensant que les serviteurs étaient allés dans la forêt pour fourrager et chercher ce dont ils avaient besoin, il se dit en lui-même qu'il irait à leur recherche : s'il rencontre l'un d'eux, il lui demandera ce que signifie ce vase qu'il a vu porter, pourquoi on le salue avec tant de révérence et par quel mystère le fer de la lance peut ainsi saigner.

Il partit donc et chevaucha longtemps à travers la forêt, jusqu'à l'heure de prime, sans trouver personne à qui parler. Il en était très affecté. Il chevaucha ainsi très longuement, si absorbé par ses pensées que c'est tout juste s'il ne tombait pas de cheval. Puis, au bout d'un long moment, il vit une jeune fille au milieu de la forêt — c'était la plus belle femme du monde — qui pleurait pitoyablement et se lamentait. Dès qu'elle aperçut Perceval, elle s'écria de toutes ses forces :

— Ah ! malheureux Perceval, maudit sois-tu ! Infortuné que tu es, nul bien désormais ne saurait t'arriver, toi qui as été dans la demeure du riche Roi Pêcheur, ton grand-père, toi qui as vu passer devant toi le vase — on l'appelle le Graal — qui contient le sang de Notre-Seigneur, qui l'as vu passer par trois fois et qui n'as jamais été capable de poser la question ! Dieu t'a pris en haine, apprends-le, et il est bien surprenant qu'Il ne te fasse pas périr ignominieusement.

En entendant la jeune fille ainsi parler, Perceval chevaucha dans sa direction et lui demanda de lui dire la vérité sur ce qu'il avait vu.

— N'as-tu donc pas couché cette nuit chez Bron ton grand-père, ce vieillard issu d'un si noble lignage, et n'as-tu pas vu passer devant toi le Graal et les autres reliques ? lui demanda la jeune fille. Apprends-donc que, si tu avais demandé à quoi il servait, le roi ton grand-père aurait été guéri de sa maladie, il aurait retrouvé la santé, et la prophétie que Notre-Seigneur fit à Joseph aurait été accomplie ; toi, tu aurais reçu la grâce qui a été donnée à ton grand-père, tous tes désirs auraient été satisfaits et tu aurais obtenu la garde du sang de Jésus-Christ. Après ta mort, tu aurais été accueilli parmi ceux qui ont reçu l'enseignement de Jésus-Christ, et les enchantements et les maléfices qui pèsent actuellement sur la terre de Bretagne auraient été dissipés. Mais je sais bien pourquoi tu as échoué. Tu as échoué, sache-le, parce que tu n'es pas assez sage ni assez preux et que tu n'as pas encore fait assez d'exploits, de hauts faits et de nobles actions pour devenir le gardien du précieux vase [1].

Les paroles de la jeune fille remplirent Perceval de stupeur. Sa douleur fut telle qu'il se mit à pleurer, disant que jamais il ne s'arrêterait avant d'avoir retrouvé la maison de son grand-père et posé les questions que la jeune fille lui avait mentionnées. Sur ce, il la quitta en la recommandant à Dieu et elle fit de même, tout en continuant de pleurer.

VIII

PERCEVAL ET LE CHEVALIER DE LA TOMBE

Perceval reprit le chemin qui, lui semblait-il, devait le ramener à la demeure de son grand-père, le Roi Pêcheur, mais il s'en était considérablement éloigné. Il chevaucha donc, perdu dans ses pensées, durant deux jours et deux nuits sans rien manger d'autre que des pommes et ce qu'il trouva dans la forêt, et priant Notre-Seigneur de lui venir en aide. Un jour où il n'avait cessé de chevaucher sans rencontrer d'aventure, voici que, regardant devant lui, il aperçut la plus belle jeune fille du monde. A côté d'elle était attaché un magnifique palefroi et, au-dessus du palefroi, suspendue à la branche de l'arbre, il découvrit la tête du cerf qu'il avait coupée. Tout joyeux, Perceval s'approcha de l'arbre à vive allure et se saisit de la tête sans adresser la parole à la jeune fille.

— Chevalier, lui cria-t-elle avec beaucoup d'irritation lorsqu'elle s'en aperçut, laissez là cette tête : elle est à mon seigneur et, si vous l'emportez, ce sera pour votre honte, sachez-le !

Perceval se mit à rire en l'entendant.

— Ma demoiselle, je ne la poserai pas, quelles qu'en soient les conséquences, mais je vais tout au contraire la rendre à celle à qui je l'ai promise.

Comme il parlait ainsi à la jeune fille, il vit arriver une biche aux abois que son braque poursuivait à vive allure et qu'il avait attrapée par les cuisses. La biche était si affolée qu'elle vint se réfugier auprès de la jeune fille et de Perceval. Quand le chevalier vit son braque, il en

---

1. La scène est évidemment une réécriture de la rencontre entre Perceval et sa cousine dans le *Conte du Graal*.

fut très heureux. Il le mit sur son cheval en le caressant doucement mais, au même moment, il vit arriver le chevalier qui le lui avait enlevé. Dès que ce dernier aperçut Perceval, il manifesta une violente colère.

— Par Dieu, s'écria-t-il, chevalier plein de couardise, il vous en coûtera cher de vous être ainsi emparé de mon braque !

Le prenant pour un fou, Perceval lui répondit :

— Vous n'êtes guère sensé de vouloir reprendre ce chien car vous-même me l'avez perfidement enlevé.

En l'entendant ainsi répondre, le chevalier le défia et Perceval en fit autant. Ils mirent donc un peu de champ entre eux et éperonnèrent leurs chevaux avec une telle vigueur que tout le bois en retentit. Ensuite, le choc fut si rude qu'ils se retrouvèrent tous deux à terre, mais ils se remirent vite sur pied, dégainèrent leurs épées avec beaucoup d'agressivité et se battirent longuement, de midi jusqu'à none. Perceval, sachez-le, était bien mal en point et le chevalier également, mais le jeune homme rassembla tout son courage, honteux de voir que son adversaire lui résistait aussi longtemps. Il leva son épée et frappa le chevalier sur son écu avec une telle force qu'il en fendit la boucle en deux. Le coup fut très violent, très rude, et l'épée glissa sur le heaume. Elle ne put cependant en entamer l'acier mais, en descendant avec force, elle vint trancher plus de cent mailles du haubert, coupa l'éperon par le milieu et s'enfonça de deux pieds en terre.

Quand le chevalier vit la force du coup qu'avait asséné Perceval, il eut très peur. Il se dit que, s'il lui en donnait un autre aussi fort, il le tuerait. Il recula donc et lui cria merci, lui demandant de l'épargner, quels que soient ses torts.

— Dis-moi alors, répliqua Perceval, pourquoi tu as emporté mon braque, qui était le chevalier avec qui je me battais quand tu me l'as enlevé, et si tu connais la vieille qui m'a indiqué le tombeau.

— Je vais t'expliquer tout cela, répliqua le chevalier.

— Si tu le fais, tu n'as pas à craindre la mort.

Le chevalier lui dit alors :

— Celui qui sortit du tombeau, sache que c'était mon frère germain, l'un des meilleurs chevaliers du monde. Sa prouesse était telle qu'une fée, en le voyant, en tomba amoureuse. Or, dès que mon frère vit cette fée, il s'en éprit lui aussi et peu s'en fallait qu'il ne perdît la raison chaque fois qu'il se trouvait auprès d'elle. Elle finit par lui demander de la suivre là où elle voudrait l'emmener. Lui, il lui dit qu'il irait là où elle le conduirait, à condition toutefois de ne pas perdre sa qualité de chevalier. Elle lui affirma qu'elle l'emmènerait dans un lieu où il pourrait s'exercer autant qu'il le désirerait car tous les chevaliers du roi Arthur passaient par l'endroit où elle le conduirait. Elle l'emmena donc dans cette forêt et là ils découvrirent, le long du chemin que tu as vu quand tu es venu à la tombe, la plus belle prairie du monde. Ils descendirent de cheval, disposèrent les nappes et mangèrent avec beaucoup de plaisir. Après le repas, mon frère se coucha et dormit aussi longtemps qu'il en eut envie. Une fois réveillé, il se trouva dans l'un des plus beaux châteaux du monde et il y découvrit chevaliers, dames et demoiselles tout prêts à le servir. Ce château est juste à côté de la tombe, mais personne ne peut le voir, et c'est de là qu'est sorti le chevalier quand il est venu t'attaquer. Quant à la vieille qui t'a indiqué la tombe, apprends qu'elle devient, quand elle le veut, la plus belle demoiselle du monde. C'est celle-là même qui a construit la tombe et qui a amené mon frère dans la forêt. Sache enfin que mon récit est entièrement véridique.

— Par Dieu, tu m'as conté la plus grande merveille que j'aie jamais entendue ! répliqua Perceval, tout heureux de ce qu'il venait d'apprendre.

Puis il lui demanda s'il pourrait lui indiquer la demeure du riche Roi Pêcheur.

— Par Dieu, répondit le chevalier, j'en suis incapable et jamais je n'ai entendu dire qu'un chevalier l'ait trouvée, et pourtant j'en ai beaucoup vu qui la cherchaient !

Perceval lui demanda encore s'il saurait lui dire qui était la demoiselle qui lui avait confié le braque. Le chevalier lui répondit qu'il la connaissait très bien.

— C'est la sœur de la demoiselle qu'aime mon frère, ajouta-t-il. Elle t'a confié le chien parce qu'elle savait bien que sa sœur te guiderait vers son ami pour que tu te battes avec lui. Or cette demoiselle qui t'a donné le chien déteste sa sœur à cause de son ami : nul chevalier ne peut en effet passer par ici sans qu'il se couvre de déshonneur. Mais elle, elle savait bien que finirait par venir un chevalier si preux qu'il vengerait tous les autres.

Perceval lui demanda alors si le château de la demoiselle était loin.

— Si tu suis ce chemin, là-bas à gauche, tu y arriveras avant la nuit.

Tout heureux de cette réponse, Perceval reprit sa route. Auparavant, il fit cependant jurer au chevalier d'aller se constituer prisonnier à la cour du roi Arthur, et l'autre accepta ses conditions. Le chevalier partit donc pour la cour du roi Arthur et se remit entre les mains du roi au nom de Perceval le Gallois. Le roi le garda avec plaisir auprès de lui et lui rendit la liberté.

IX

PERCEVAL AU CHÂTEAU DE L'ÉCHIQUIER (II)

Après avoir quitté le chevalier, Perceval chevaucha à vive allure jusqu'au château où habitait la jeune femme qui lui avait confié le braque. Celle-ci se trouvait alors aux fenêtres de la tour. Dès qu'elle vit venir le chevalier, elle descendit à sa rencontre et lui souhaita très aimablement la bienvenue.

— Chevalier, lui dit-elle, sachez que, pour un peu, j'allais me fâcher contre vous ! Apprenez que si j'avais pu faire mieux, je ne m'en serais privée pour tout l'or du monde !

— Ma demoiselle, je n'ai pu agir autrement, sachez-le, et je peux facilement expliquer mon retard, répliqua Perceval.

Il lui raconta alors point par point ce qui lui était arrivé : comment la vieille lui avait pris son braque et lui avait indiqué la tombe ; comment le chevalier s'était battu avec lui et comment il en avait triomphé ; comment l'autre s'était précipité sous la voûte de la tombe ; comment le chevalier avait emporté son braque et comment il l'avait recherché car il ne voulait pas revenir sans lui ; comment il avait retrouvé le ravisseur dans la forêt et l'avait vaincu. Il lui conta tout ce qui lui était arrivé par le détail ainsi que tous les tourments qu'il avait éprouvés depuis qu'il l'avait quittée. La jeune femme fut très heureuse d'entendre son récit et lui accorda gentiment son pardon. Elle le fit ensuite désarmer, l'emmena avec elle et se montra la plus aimable du monde.

— Puisque vous avez triomphé de celui que je détestais, lui dit-elle, de l'ami de ma sœur, je veux désormais faire tout ce que vous me demanderez. Vous serez le maître de ce château et je désire que vous restiez pour toujours avec moi.

Mais quand Perceval l'entendit ainsi parler, il en fut très triste : il s'excusa du mieux qu'il put car il n'avait aucune envie de rester.

— Ma demoiselle, lui dit-il, je veux, sachez-le, me plier à vos désirs et j'entends satisfaire à toutes les demandes raisonnables que vous me ferez. Mais apprenez que je me suis lancé dans une entreprise à la cour du puissant roi Arthur et que j'ai juré de ne pas passer plus d'une nuit sous le même toit avant d'avoir atteint mon but. Je m'en remettrai donc à vous.

C'était la coutume, à cette époque, de préférer qu'on vous tranchât la tête plutôt que de rompre le serment prêté. La jeune femme lui répondit donc :

— Seigneur, celui qui vous obligerait à vous parjurer ne vous aimerait guère et, vu ce que vous venez de me dire, je n'oserais plus recourir à la contrainte ou à la prière. Simplement je voudrais que, si Dieu vous accorde de mener à bien votre entreprise, vous reveniez bientôt auprès de moi.

— Ma demoiselle, lui répondit Perceval, il n'est pas nécessaire, sachez-le, de m'en prier. Si Dieu m'accorde de mener à bien ma tâche, mon seul désir sera de rester à loisir auprès de vous.

Sur ce, le chevalier prit congé de la jeune femme et demanda ses armes. Quand elle l'entendit, elle lui dit encore :

— Mais, seigneur, qu'est cela, au nom de Dieu ? Ne resterez-vous pas cette nuit avec moi ?

— Ma demoiselle, ce n'est pas possible. Je me parjurerais puisque j'ai déjà passé une nuit ici.

Très attristée par cette réponse, et voyant qu'elle ne pourrait rien obtenir d'autre, la jeune femme le recommanda à Dieu en fondant en larmes car elle aurait de loin préféré le voir rester plutôt que de le laisser ainsi s'en aller. Mais Perceval se refusait à commettre un péché et Notre-Seigneur, de son côté, ne lui en laissait pas la possibilité. Il la quitta donc et s'en alla, chevauchant à vive allure. Cette nuit-là, il la passa dans la forêt.

X

PERCEVAL CHEZ SON ONCLE L'ERMITE [1]

Par la suite, il chevaucha durant sept années, par les pays, par les forêts, en quête d'aventures. Et sachez qu'il triompha de toutes les aventures, de tous les combats, de toutes les merveilles qu'il dut affronter. Durant ces sept années, il envoya plus de cent prisonniers sur parole à la cour du puissant roi Arthur. Mais, sachez-le, toutes ces merveilles qu'il rencontra, tout ce qu'il vit, sans jamais pouvoir retrouver la demeure de son grand-père, le riche Roi Pêcheur, le firent sombrer dans la folie et l'égarement. Il en perdit la mémoire, si bien que, durant ces sept années, il oublia Dieu et n'entra jamais

---

1. Le début de l'épisode renvoie là encore au *Conte du Graal* (épisode du vendredi saint) mais l'auteur rejette vite l'autorité de Chrétien de Troyes (et des écrivains en vers) pour lui substituer le récit, plus autorisé, né de la collaboration de Merlin et de Blaise ; c'est-à-dire en fait la tradition du Graal représentée par le *Roman de l'Estoire du Graal* de Robert de Boron et les récits en prose du *Joseph* et du *Merlin* attribués à Robert de Boron.

dans une église ou dans un monastère. C'est dans cet état qu'il chevauchait, en ce jour où l'on vénère la croix, en ce jour où Notre-
Seigneur accepta la mort pour les pécheurs, tout équipé de son
armure, afin de pouvoir, le cas échéant, se défendre ou nuire à
autrui.

Il rencontra alors des dames et des chevaliers qui s'avançaient,
tête baissée, et tout enveloppés dans leurs manteaux et dans leurs
capuchons, demandant à Jésus-Christ, dans leurs prières, le pardon
de leurs péchés. Ils l'arrêtèrent et lui demandèrent de quel funeste
égarement il était la proie, lui qui, le jour où Notre-Seigneur avait
été supplicié sur la croix, s'était ainsi armé pour tuer et pour chercher des aventures. Quand Perceval les entendit parler de Dieu et lui
en rappeler la mémoire, il retrouva ses esprits, telle fut la volonté de
Jésus-Christ, il revint à la raison, il se repentit de cette vie insensée
qu'il avait si longtemps menée et, tout aussitôt, il enleva ses armes.
Alors, selon ce que dit le conte, la volonté de Notre-Seigneur fut
telle qu'Il conduisit le jeune homme jusqu'à la maison de l'ermite
son oncle, là où sa sœur l'avait autrefois mené pour se confesser. Il
se confessa donc, accomplit la pénitence que l'ermite lui infligea et
demeura deux mois avec lui.

Mais Chrétien de Troyes ne parle pas de cela, pas plus que les
autres trouvères qui en ont fait la matière de leurs rimes délectables.
Nous, cependant, nous n'en disons que ce qui concerne notre récit,
que ce qu'en fit transcrire Merlin à Blaise, son maître. Blaise qui
vivait en Northumberland et qui était si vieux que toutes ses forces
l'avaient à peu près abandonné... Merlin savait et avait connaissance
des aventures que rencontrait chaque jour Perceval et il les faisait
consigner par Blaise pour en conserver la mémoire à l'intention des
hommes de bien qui en écouteraient très volontiers le récit. Sachez
donc que nous trouvons dans la relation de Blaise, celle que Merlin
lui fit mettre par écrit et dont il fit un texte autorisé, que Perceval
demeura deux mois dans la maison de son oncle. Sachez également
que, lorsqu'il y revint, sa sœur était morte et avait quitté ce monde.

— Seigneur, dit en effet Perceval à son oncle, je vais aller voir ma
sœur car j'ai pour elle une très grande affection.

Mais en l'entendant ainsi parler, l'ermite fondit en larmes.

— Cher neveu, lui dit-il, vous ne la verrez plus jamais : elle est
morte, sachez-le, il y a plus d'un an et demi. Lorsque je l'ai appris,
j'en ai été très affligé. Je suis allé chez elle, j'ai fait transporter le
corps dans ma demeure et je l'ai enseveli là, devant ma maison.

Perceval fut très affecté par cette nouvelle. Lui eût-on donné tout
l'or du monde qu'il n'aurait pu se retenir de pleurer.

— Seigneur, dit-il à son oncle, conduisez-moi sur la tombe de ma
sœur qui m'aimait tant.

— Bien volontiers, lui répondit l'ermite.

Puis, le menant tout droit là où le corps était enseveli, il ajouta :

— Cher neveu, c'est là qu'est enterrée votre sœur.

Perceval fondit en larmes et tous deux se mirent à prier pour l'âme de la jeune fille. Quand ils eurent achevé leurs prières, l'ermite dit :

— Cher neveu, n'irez-vous pas voir votre demeure, celle qui a appartenu à votre père Alain le Gros, qui fut mon frère ? Sachez qu'elle vous appartient désormais.

— Seigneur, lui répondit Perceval — que Dieu m'aide ! —, je n'en ferai rien, dût-on me donner le royaume du puissant roi Arthur : j'aurais en effet trop de peine à voir la maison de mon père si vide que je n'y trouverais aucun membre de ma famille !

— Cher neveu, c'est en effet ce qui se produirait.

— Cher oncle, je vais donc m'en aller, avec votre permission. Et jamais je ne m'arrêterai de chevaucher avant d'avoir trouvé la maison de mon grand-père, qui est aussi votre père.

— Cher neveu, lui répondit l'ermite, puisse Notre-Seigneur Jésus-Christ vous y conduire ! Je le Lui demanderai instamment dans mes prières, sachez-le.

XI

LE TOURNOI DU BLANC CHASTEL

Perceval quitta donc son oncle et chevaucha par la forêt jusqu'à l'octave de la Pentecôte. Ce jour-là, il ne cessa de chevaucher jusqu'à l'heure de none sans trouver d'aventure. Mais alors, regardant devant lui, il aperçut des écuyers : ils étaient bien quatre, chacun portait un écu au cou, ils conduisaient des chevaux de somme et des destriers et faisaient tirer derrière eux une pleine charrette de lances. Dès que Perceval les vit, il éperonna son cheval pour les rejoindre et leur demanda où ils comptaient mener cet équipage et qui était leur maître.

— Cher seigneur, répondirent-ils, nous appartenons à Mélian de Lis [1] et nous nous rendons au tournoi qui doit se dérouler au Blanc Chastel, un château qui appartient à l'une des plus belles demoiselles du monde. Tous ceux qui l'ont vue s'accordent pour dire que, si tous les appas de toutes les dames de ce monde étaient réunis, ils ne

---

1. Mélian de Lis est un personnage repris au *Conte du Graal* et aux aventures de Gauvain.

seraient rien, comparés à ceux de cette jeune fille. Et, en plus de sa beauté, elle a de très grands biens. De nombreux chevaliers ont demandé sa main, des comtes, des ducs, d'autres seigneurs encore, mais aucun n'a su lui plaire. La dame du Blanc Chastel a donc fait crier un tournoi au nom de sa très courtoise fille et elle a posé les conditions suivantes : le chevalier qui pourra gagner le tournoi obtiendra la jeune fille, aussi pauvre soit-il. Elle fera de lui un homme puissant et il sera maître de sa personne et de tout ce qu'elle possède. Celui à qui Dieu accordera cette chance, ce sera, sachez-le, l'homme le plus puissant du monde et le mieux nanti qui soit dans toute la terre de Bretagne, à l'exception du roi Arthur. Et si monseigneur Mélian de Lis se rend à ce tournoi, c'est parce qu'il aime depuis longtemps cette jeune fille et il voudrait faire en sorte d'être vainqueur afin de pouvoir en faire sa femme.

Perceval leur demanda alors quelle était selon eux la date du tournoi.

— Cher seigneur, dans trois jours.

— Et y aura-t-il beaucoup de chevaliers ?

La question fit rire l'écuyer qui répondit à Perceval :

— Seigneur chevalier, inutile de le demander ! Le tournoi a été crié à la cour du puissant roi Arthur. Je sais donc bien que tous les chevaliers de la Table Ronde y participeront : à cette dernière Pentecôte, en effet, ils sont tous revenus à la cour car ils ont échoué dans la quête du Graal. Et le roi Arthur a tenu à cette Pentecôte la plus grande fête qu'il ait jamais tenue. C'est alors qu'a été crié le tournoi et soyez sûr qu'ils seront plus de cinq mille à venir de cette cour. Viendront, je le sais, monseigneur Gauvain, Lancelot du Lac, Keu le sénéchal, Bedoier ainsi que Mordret, Guerrehet et Gaheriet — ces trois-là sont les frères de monseigneur Gauvain. Apprenez encore que Keu le sénéchal s'est fait fort, en présence de tous les barons, de ramener la jeune fille à la cour d'Arthur et de la conquérir par ses faits d'armes. Les chevaliers en ont bien ri et se sont bien raillés de sa folie. Le roi Arthur lui-même l'a sévèrement réprimandé et s'est à plusieurs reprises moqué de lui, ajoutant que, si Perceval entendait parler de ce tournoi, il s'y rendrait. Aucun chevalier ne serait alors capable de lui résister, lui qui a envoyé plus de cent cinquante prisonniers sur parole à la cour. Mais le roi est très affecté de ne pas l'avoir revu et il pense qu'il est mort.

« Donc, nous vous avons dit toute la vérité en réponse à votre question. Mais dites-nous maintenant si vous vous joindrez à nous.

Perceval leur répondit que, pour l'heure, il ne viendrait pas avec eux.

— Que Dieu nous aide ! Vous avez bien raison, car vous n'y avanceriez guère vos affaires !

Sur ce, les écuyers quittèrent Perceval et reprirent leur route. Perceval repartit de son côté, bien décidé à se rendre au tournoi.

Il chevaucha à allure modérée jusqu'à vêpres. Regardant alors devant lui sur le chemin, il aperçut la maison d'un vavasseur, une maison bien protégée par un mur d'enceinte. Perceval fut très content de la voir et il s'y rendit à vive allure. Il trouva le seigneur assis sur le pont, entouré de ses serviteurs : tous regardaient passer ceux qui se rendaient au tournoi. Dès que le seigneur vit venir Perceval, il se précipita à sa rencontre, lui souhaitant joyeusement la bienvenue et il lui offrit bien volontiers l'hospitalité dans sa demeure. Tout content, Perceval l'en remercia vivement et mit aussitôt pied à terre. Les serviteurs du seigneur se précipitèrent pour l'aider à se désarmer. L'un d'eux conduisit son cheval à l'écurie et le pansa du mieux qu'il put. Les autres emportèrent ses armes dans une chambre et le jeune homme demeura ainsi désarmé. Le seigneur, sachez-le, le regardait avec beaucoup d'intérêt car c'était le plus beau chevalier du monde et il murmura entre ses dents, sans que Perceval pût l'entendre :

— Ce serait vraiment bien dommage si la prouesse faisait défaut à un aussi beau chevalier !

Arrivèrent alors deux serviteurs qui revêtirent Perceval d'un manteau. Le jeune homme s'assit ensuite à côté du seigneur et tous deux observèrent les chevaliers et les équipages qui passaient sous leurs yeux. Perceval demanda au seigneur si le Blanc Chastel était très loin.

— Vous y serez au matin, avant la première heure, lui répondit-il.

— Mais est-il passé aujourd'hui beaucoup de chevaliers se rendant au tournoi ?

— Un peu avant que vous arriviez sont passés les hommes de la cour d'Arthur. Dans la troupe, il y avait plus de cinq cents chevaliers et, je vous l'assure, ils transportaient avec eux les plus beaux équipements qu'on ait jamais pu voir.

Perceval fut très heureux de cette réponse. Tous deux restèrent ensuite assis là jusqu'à la nuit. Le seigneur demanda alors aux serviteurs s'ils pourraient bientôt manger.

— Oui bientôt, répondirent-ils.

Le seigneur se dirigea alors vers la grand-salle, tenant Perceval par la main et lui faisant force civilités. Il ordonna de disposer les tables, ordre qui fut aussitôt exécuté. Quand la table fut mise, la femme du seigneur sortit de ses appartements, suivie de ses deux filles, qui étaient très belles, très sages et très bien élevées. Quand elles virent Perceval, elles lui firent beaucoup d'honneur. Elles s'assirent à table à ses côtés. Perceval, sachez-le, fut longuement regardé, ce soir-là, par la dame et ses filles qui se disaient qu'elles n'avaient jamais vu un aussi beau chevalier. Après le repas, on fit ôter la table et le seigneur demanda à Perceval s'il était venu pour participer au tournoi.

— J'en ai entendu parler hier pour la première fois, répondit Perceval, par les écuyers de Mélian de Lis, qui conduisaient son équipage.

— C'est lui-même qui a organisé ce tournoi, poursuivit le seigneur, et c'est demain qu'en ont lieu les vêpres [1]. Si j'osais, je vous prierais d'y venir avec moi.

— Cher hôte, sachez que je vous accompagnerai bien volontiers pour l'amour de vous, mais pour rien au monde je ne participerai demain aux joutes.

— Je n'ai pas l'intention d'aller contre votre volonté, répondit le seigneur.

Cependant, les lits étaient prêts et quatre serviteurs emmenèrent Perceval se coucher. Il dormit somptueusement. Au matin, les valets se levèrent, allèrent dans la cour, et, quand Perceval vit le jour, il fit de même. Son hôte était déjà debout. Tous deux allèrent entendre la messe dans une magnifique chapelle ; après la messe, ils revinrent dans la grand-salle, où ils mangèrent de bon cœur. Le seigneur descendit ensuite dans la cour et ordonna de préparer les montures. Il fit charger les armes de Perceval sur un cheval de somme puis tous deux se mirent en selle et allèrent voir le tournoi où déjà on s'affrontait avec acharnement. Quand ils arrivèrent, les bannières des combattants flottaient déjà sur le terrain. Ah ! que de beaux écus, de beaux chevaux, de riches armures, de splendides enseignes de soie vous auriez pu voir ! Jamais, non, jamais depuis le temps d'Arthur, il ne s'est tenu de tournoi où l'on puisse voir tant de somptueux équipements, tant de bons chevaliers !

Mélian de Lis s'était présenté sur le terrain magnifiquement armé. Son écu splendidement peint était d'or à deux lions ; il portait autour du bras la manche de la demoiselle du château et il chevauchait très fièrement, escorté par cinquante chevaliers somptueusement équipés. « Aux heaumes ! » s'écrièrent alors les hérauts d'armes, car il s'était produit un grand remous dans les rangs, et les cœurs des couards tremblaient. Jamais, non, jamais vous n'avez vu tournoi s'engager aussi rudement ! Mélian de Lis, sachez-le, s'élança le premier sur le terrain, à bride abattue, devançant tous ses compagnons de plus de la portée d'un arc. Il voulait en effet accomplir des prouesses capables de séduire son amie. Dès que monseigneur Gauvain le vit, il se porta contre lui et tous deux se rencontrèrent, plus

---

1. L'expression « les vêpres du tournoi » désigne la journée d'ouverture d'un tournoi à laquelle ne participent généralement que des chevaliers de second ordre ou peu expérimentés.

rapides qu'émerillon ou hirondelle. Ils se portèrent de si rudes coups de lance sur leurs écus dorés que ceux-ci se brisèrent et furent mis en pièces. Mais les lances se bloquèrent sur les hauberts, et les tronçons en volèrent en éclats. Chacun de ces superbes chevaliers continua ainsi sur sa lancée, sans bouger le pied de l'étrier.

Les différentes compagnies s'engagèrent alors avec ardeur dans la mêlée. On frappait sur les écus, sur les hauberts et, lorsque les lances furent brisées, on dégaina les épées. Vous auriez pu alors assister au plus acharné des tournois et vous auriez pu voir, en plus de cinq cents endroits, les bannières s'affronter ! Mélian de Lis, sachez-le, jouta à de très nombreuses reprises et conquit des chevaux qu'il envoya dans la ville à la demoiselle, qui en fut très contente. Et sachez que, sur le mur d'enceinte du Blanc Chastel, il y avait plus de trois cents dames et demoiselles qui regardaient les combattants, désignant entre elles les plus renommés pour leurs faits d'armes, tandis que les chevaliers, sous leurs regards, s'évertuaient tant et plus.

Monseigneur Gauvain, Lancelot et les compagnons de la Table Ronde enfonçaient tous les rangs de leurs adversaires et désarçonnaient tous les chevaliers qui se portaient contre eux. Dans l'autre camp, Mélian de Lis et ses chevaliers multipliaient les exploits. Seule la tombée de la nuit mit fin au tournoi. Monseigneur Gauvain, Yvain, Lancelot et Keu le sénéchal s'étaient, dans leur camp, fort bien comportés et, dans l'autre camp, Mélian de Lis avait fait de même ; si bien que les dames du château ne savaient à qui attribuer la victoire et disaient que tous s'étaient si magnifiquement battus qu'elles étaient incapables de désigner le meilleur. Mais la demoiselle, elle, soutint que Mélian de Lis avait été le meilleur. Toutefois, la dame du Blanc Chastel, la mère donc de la jeune fille, n'était pas d'accord et la plupart des dames se déclarèrent en faveur de Gauvain. Elles en débattaient âprement jusqu'au moment où la demoiselle dit :

— Nous pourrons savoir demain qui sera le meilleur et qui mérite d'être considéré comme le vainqueur.

On en resta donc là. Mélian de Lis rentra dans l'enceinte du château ainsi que monseigneur Gauvain, Lancelot, Keu le sénéchal et les compagnons de la Table Ronde. Jamais, sachez-le, on ne vit tournoyeurs aussi magnifiquement installés. Quand les vêpres du tournoi furent terminées, le vavasseur et Perceval revinrent à leur château, qui n'était guère éloigné. Dès qu'ils mirent pied à terre, les serviteurs vinrent à leur rencontre, conduisirent leurs chevaux à l'écurie et en prirent le plus grand soin. Le seigneur et Perceval montèrent dans la grand-salle en se tenant par la main et le maître de maison ordonna que l'on disposât la table — ce qui fut fait. Ils s'assirent donc pour manger. Le seigneur commença alors à parler du tournoi et demanda à Perceval qui, à son avis, s'était le mieux battu. Perceval lui répondit que le chevalier à l'écu d'or aux deux lions avait été très bon et que, dans l'autre camp, le chevalier à l'écu blanc s'était montré le meilleur.

— Apprenez, reprit son hôte, que le chevalier à l'écu d'or aux deux lions est Mélian de Lis et que celui à l'écu blanc est le neveu du roi Arthur et qu'il s'appelle Gauvain.

— Certes, répondit Perceval, dût-on me donner tout l'or que peut contenir ce château, je ne voudrais manquer de me présenter demain tout équipé et de jouter de mon mieux. Et j'aimerais bien que Mélian de Lis et Gauvain soient alors dans le même camp pour pouvoir jouter contre tous les deux.

Ces paroles réjouirent le seigneur et ses filles.

— Sachez, lui dit l'hôte, que demain, pour l'amour de vous, je m'armerai et serai à vos côtés.

Perceval fut très heureux de cette proposition et l'en remercia beaucoup. On en resta là, puis arriva l'heure d'aller se coucher. Ils dormirent jusqu'au lendemain matin. Alors, Perceval et son hôte se levèrent ; ils entendirent la messe dans la chapelle, se rendirent ensuite dans la grand-salle et prirent un repas composé de pain et de vin. A ce moment-là, l'aînée des deux filles du seigneur vint demander à Perceval de porter pour l'amour d'elle sa manche au tournoi. Tout content de cette demande, Perceval lui répondit que, pour l'amour d'elle, il entendait faire plus de prouesses qu'il n'en avait jamais faites. Sa réponse réjouit le seigneur du château.

Les écuyers se mirent alors en selle, précédés des équipements. Le seigneur et Perceval chevauchèrent jusqu'au Blanc Chastel. Quand ils arrivèrent aux logis des tournoyeurs, les chevaliers s'armaient dans l'enceinte du château et beaucoup étaient déjà en selle. Regardant autour d'eux, ils s'aperçurent que les dames et les demoiselles étaient déjà montées sur les murs. Quand Perceval vit que les autres étaient déjà en train de mettre leurs armures, il fit de même et revêtit un somptueux équipement que lui avait prêté le vavasseur. Il ne voulait pas en effet porter ses armes pour ne pas être reconnu.

Mélian de Lis cependant s'était rendu le soir au logis de monseigneur Gauvain et tous deux s'étaient follement mis en tête d'écraser le parti des chevaliers extérieurs. Les demoiselles du château blâmaient sévèrement Mélian puisque aussi bien il avait d'abord jouté contre monseigneur Gauvain. Mais la demoiselle du château leur trouva toutes sortes d'excuses, disant que les chevaliers extérieurs avaient reçu le renfort de trois bannières et que les chevaliers du château auraient le dessous si Gauvain [1] ne leur venait en aide.

---

1. Le manuscrit donne Mélian de Lis. Correction d'après le manuscrit D.

Quand les chevaliers extérieurs apprirent la nouvelle, ils en furent très affectés mais Sagremor déclara qu'il n'allait pas pour autant renoncer au tournoi. Perceval, lui, en fut tout content.

— Ils auraient mieux fait [1], déclara-t-il au vavasseur, de rester avec les chevaliers de l'extérieur !

Les équipes de combattants, cependant, sortirent de la ville et vinrent s'aligner en bon ordre, les unes à côté des autres. Et dès qu'elles se furent mises en place, les valets d'armes et les hérauts s'écrièrent :

— Aux heaumes !

Dès que le cri eut retenti, vous auriez pu voir lâcher les rênes de part et d'autre. Bienheureux qui avait alors le cheval le plus rapide ! Mélian de Lis, chevauchant à bride abattue, distança tous les autres. Dès que Perceval s'en aperçut, il en fut tout content. Il s'élança vers lui avec beaucoup d'impétuosité, portant attachée à son bras la manche de la demoiselle. En le voyant, les demoiselles sur le mur s'écrièrent toutes ensemble :

— Regardez ! Voici le plus beau chevalier que nous ayons jamais vu !

Les deux chevaliers cependant s'affrontèrent en exigeant le maximum de leurs montures. Les lances se brisèrent sur les écus, si bien que les tronçons en volèrent au ciel. Perceval, qui avait beaucoup de force et d'audace, heurta si violemment son adversaire de la poitrine, du corps, du heaume, qu'il le fit voler à terre. Le choc fut si rude qu'il s'en fallut de peu que Mélian ne se rompît le cou. Mais il se cassa le bras droit et, sous l'effet de la douleur, il s'évanouit plus de quatorze fois. Perceval enfin, sur sa lancée, rencontra Keu le sénéchal, le heurta avec une violence telle que l'autre ne savait plus où il en était et, le désarçonnant, le laissa étendu de tout son long sur le sol.

Quand les chevaliers extérieurs virent l'exploit qu'avait accompli Perceval, à sa suite, ils éperonnèrent tous ensemble leurs chevaux. Mais monseigneur Gauvain et Lancelot se portèrent contre eux et les bannières s'affrontèrent si rudement que toute la terre en frémit. Sagremor le Desrée [2], qui était, sachez-le, dans le camp des chevaliers extérieurs, jouta avec beaucoup d'acharnement et accomplit tant de prouesses ce jour-là que tous ceux qui le virent le couvrirent d'éloges et reconnurent ses mérites. Cependant Lancelot et monseigneur Gauvain portaient des coups terribles et faisaient largement

---

1. Aucun des deux manuscrits ne donne ici un texte satisfaisant. De fait, seul Gauvain a changé de camp, modifiant ainsi l'équilibre des forces en présence.
2. Sagremor porte ici son surnom, habituel depuis Chrétien de Troyes, et qui signifie l'impossibilité où se trouve ce chevalier de garder son « roi », c'est-à-dire le sens de la juste mesure, physique et morale.

reculer devant eux les rangs des jouteurs. Mais c'est surtout Perceval, sachez-le, qui se distingua car, tout chevalier qu'il trouvait sur son passage, il l'envoyait à terre, lui et son cheval. Tant et si bien que toutes les jeunes filles qui se tenaient sur les murs disaient que celle qui lui avait confié sa manche avait vraiment fait un bon choix : elle devrait s'estimer heureuse, en effet, celle qu'aimerait pareil chevalier, capable de jeter à terre tous ceux qu'il trouve devant lui.

Telles étaient les paroles des jeunes filles sur la tour. Mais quand monseigneur Gauvain vit que Perceval causait de tels ravages dans les rangs des siens, il en fut très affecté. Il prit donc une lance que lui apporta l'un de ses valets d'armes et se dirigea à vive allure contre Perceval. Celui-ci, lorsqu'il le vit, ne fit pas mine de beaucoup le redouter. Il savait pourtant à quel point monseigneur Gauvain était un remarquable chevalier. Ils se donnèrent de très rudes coups sur leurs écus, si bien que les lances se brisèrent et que les tronçons en volèrent au ciel. Quant au choc de la rencontre, il fut très brutal. Si brutal que monseigneur Gauvain roula à terre, lui et son cheval, et que le cheval se rompit le cou et mourut.

Ce fut alors la déroute dans les rangs des chevaliers du château qui firent demi-tour. Quand monseigneur Gauvain vit que ses hommes s'enfuyaient ainsi, il en fut très mécontent. Il se remit sur pied et dégaina son épée. Mais voici qu'un chevalier lui cria :

— Par Dieu, chevalier, vous n'allez pas ainsi nous fausser compagnie !

Puis il piqua des deux en direction de Gauvain avec l'intention de lui arracher son heaume. La colère s'empara alors de Gauvain qui, brandissant son épée, en frappa son adversaire avec une force telle qu'il lui fendit le crâne jusqu'aux dents et le jeta à terre. Il prit alors le cheval, se mit en selle et piqua des deux après ses hommes. Avant de les rejoindre, il avait abattu sur son passage quatre chevaliers.

Ses hommes se jetèrent alors dans la ville et les chevaliers extérieurs les poursuivirent jusqu'aux portes, s'emparant largement de leurs équipements, de leurs chevaux, et faisant des prisonniers. Lorsque les chevaliers du château eurent été ainsi déconfits, Perceval vint trouver son hôte et, lui offrant trois des meilleurs chevaux qu'il avait conquis, lui dit qu'il désirait qu'ils soient donnés à sa fille, comme prix de la manche qu'il avait portée. Le seigneur l'en remercia beaucoup.

— Seigneur, ajouta Perceval, allons-nous-en maintenant car j'aimerais bien passer encore cette nuit dans votre demeure [1].

---

1. Sur cette « erreur » de Perceval, voir ci-après p. 405.

XII

PERCEVAL ET MERLIN

Or, comme le seigneur, Perceval et les serviteurs s'étaient mis en route, ils virent s'approcher du chevalier un homme vieux et barbu, bien vêtu, portant une faux à son cou, et qui ressemblait tout à fait à un faucheur. Il vint près du groupe et, saisissant le cheval par le mors, il dit à Perceval :

— Étourdi que tu es, tu es fou, tu n'aurais jamais dû aller tournoyer !

Très étonné par ces paroles, Perceval lui demanda :

— Vieil homme, en quoi cela vous concerne-t-il ?

— Cela me concerne, répliqua le vieillard, moi et les autres, et cela nous concerne, sache-le, toi et moi, et j'ajouterai que cela me concerne encore plus que les autres.

Encore plus étonné qu'auparavant, Perceval lui demanda :

— Mais qui es-tu ?

— Le fils d'un homme, répondit le vieillard, que tu connais bien mal mais qui, lui, te connaît mieux que tu ne le connais. Le connaître, sache-le, ne peut être bénéfique pour personne, et il a de bonnes raisons d'être dans l'affliction, celui qui le connaît [1].

De plus en plus surpris par les paroles du vieillard, Perceval lui dit :

— M'en dirais-tu un peu plus long sur ce sujet si je mettais pied à terre ?

— Je te dirais en effet des paroles que je ne saurais prononcer devant les autres.

Tout content, Perceval dit à son hôte :

— Cher seigneur, partez et attendez-moi dans votre demeure. Je vais parler avec ce vieillard et je vous rejoindrai ensuite.

— Seigneur, bien volontiers, répondit l'hôte.

Il partit donc, et Perceval s'approcha du vieillard et lui demanda qui il était.

— Un faucheur, comme tu peux bien t'en rendre compte.

— Mais qui t'a si bien renseigné sur moi ?

— Je savais ton nom avant que tu ne viennes au monde.

Très étonné par cette réponse, Perceval poursuivit :

---

1. Le jeu de mots, assez fréquent dans les textes du Graal, est repris au *Roman de l'Estoire du Graal* de Robert de Boron.

— Je te conjure, au nom de Dieu, que tu me dises ce que tu sais de moi et ce qu'il en est de toi. Oui, au nom de Dieu je t'en conjure.

— Je ne te cacherai rien, répondit le vieillard. Apprends que l'on m'appelle Merlin et que je suis venu du Northumberland pour te parler.

Quand Perceval entendit cette réponse, il en fut extrêmement surpris.

— Par Dieu, Merlin, j'ai souvent entendu parler de toi et j'ai entendu dire que tu es un très bon devin. Mais, au nom de Dieu, dis-moi comment je pourrai trouver la demeure du riche Roi Pêcheur.

— Je vais te l'indiquer avec précision. Mais sache que Dieu t'a puni parce que tu t'es parjuré. Tu avais juré de ne pas dormir deux nuits sous le même toit. Or tu as passé deux nuits chez le vavasseur et tu t'apprêtais encore à y retourner.

— Je n'y avais pas prêté attention, répliqua Perceval.

— Alors tu seras plus facilement pardonné ! Je vais t'indiquer la direction de la maison de ton grand-père et tu y arriveras avant que l'année ne soit écoulée.

— Par Dieu, Merlin, fais en sorte de raccourcir ce délai !

— La chose est plus compliquée. Tu pourrais en effet y arriver cette nuit même ; tu la trouveras pourtant dans moins d'un an. Prends garde cependant, quand tu y seras, de ne pas te conduire comme un sot et pose des questions sur tout ce que tu vois.

— Seigneur, ainsi ferai-je, si Dieu m'accorde d'y arriver.

Merlin lui dit encore :

— Je vais m'en aller et je ne te parlerai plus jamais, mais tu vas être encore davantage conforté dans ta foi. Et, dès que tu auras en ta garde le vase de Jésus-Christ, je ferai venir mon maître, celui qui a transcrit les actions que tu as faites et les miennes aussi, mais, pour ces dernières, en partie seulement. Maintenant, je m'en vais.

Sur ce, il partit. Perceval regarda autour de lui, mais toute trace de la présence de Merlin avait disparu. Il fit alors sur lui le signe de la croix, s'approcha de son cheval et se mit en selle puis prit le chemin que Merlin lui avait montré. Et il chevaucha tant — telle fut la volonté de Notre-Seigneur — que, au jour même que Merlin lui avait indiqué, il trouva la maison de son grand-père. Il s'avança jusqu'à la porte et mit pied à terre devant la salle.

XIII

PERCEVAL CHEZ LE ROI PÊCHEUR (II)

Deux serviteurs vinrent alors à sa rencontre, lui souhaitèrent la bienvenue et l'aidèrent à se désarmer. Ils conduisirent son cheval à l'écurie et s'en occupèrent avec beaucoup de soin puis ils emmenèrent Perceval dans la salle où se trouvait son grand-père. Dès qu'il aperçut le chevalier, il fit tous les efforts qu'il put pour se lever et l'accueillit avec beaucoup de joie.

Perceval s'assit à côté de lui et tous deux parlèrent de maintes choses.

Le seigneur ordonna alors de mettre la table. On exécuta ses ordres et ils prirent place pour le repas.

Comme on apportait le premier plat, sortit d'une chambre la lance dont le fer saignait. Vinrent ensuite le Graal et la jeune fille qui portait les petits plats d'argent. Perceval, qui brûlait de questionner son hôte, lui dit :

— Seigneur, sur la foi que vous me devez et que vous devez à tous les hommes, dites-moi à quoi servent ces objets que je vois ici porter.

Or, dès qu'il eut prononcé ces mots, il vit, en regardant le Roi Pêcheur, qu'il était transformé, parfaitement guéri de sa maladie et sain comme un poisson. Cette transformation remplit Perceval de stupeur.

Cependant, le seigneur se mit debout puis voulut venir embrasser les pieds du jeune homme, mais celui-ci ne le laissa pas faire. De toute la maison accoururent alors les serviteurs qui montraient une très grande joie.

— Seigneur, dit Perceval en s'approchant du roi, sachez qu'Alain le Gros, votre fils, fut mon père.

Lorsque le Roi Pêcheur entendit ces mots, sa joie éclata de plus belle.

— Cher enfant, lui dit-il, comme je suis heureux que vous soyez venu !

Il se mit alors à genoux et rendit grâces à Dieu puis, prenant Perceval par la main, il l'emmena devant le vase et lui dit :

— Cher enfant, sachez que vous avez devant vous la lance avec laquelle Longin frappa Jésus-Christ sur la croix. Et c'est dans ce vase que l'on appelle le Graal, c'est là, sachez-le, qu'est le sang qui sortait de Ses plaies, dont le flot courait jusqu'à terre et que Joseph a recueilli. Nous l'appelons *Graal* parce qu'il agrée [1] à tous les hommes de bien et à tous ceux qui peuvent rester en sa présence. Ce vase ne pourrait en effet supporter la présence de pécheurs. Mais je vais maintenant prier Notre-Seigneur pour qu'Il me guide et me dise ce que je pourrai faire de toi.

Bron s'agenouilla alors devant le vase.

— Doux Seigneur, mon Dieu, dit-il, s'il est vrai qu'ici repose votre précieux sang, que Vous avez voulu qu'il me soit confié après la mort de Joseph, et que je l'ai gardé depuis ce temps jusqu'à ce jour, indiquez-moi, en toute vérité, ce que je dois en faire.

Alors la voix du Saint-Esprit descendit sur lui et lui dit :

— Bron, apprends que la prophétie que Notre-Seigneur a faite à Joseph va être accomplie. Notre-Seigneur t'ordonne que ces paroles sacrées qu'Il a apprises à Joseph dans la prison et que celui-ci t'a répétées lorsqu'il t'a confié le Graal, à ton tour tu les apprennes à cet homme ici présent et qu'il en devienne le dépositaire au nom de Notre-Seigneur. Quant à toi, dans trois jours tu quitteras ce monde et tu seras reçu en la compagnie des apôtres.

La voix alors se tut et Bron fit ce qu'elle lui avait indiqué. Il apprit à Perceval les paroles sacrées que Joseph lui avait apprises, paroles que je ne peux ni ne dois vous répéter. Puis il l'instruisit dans la foi de Notre-Seigneur, lui disant comment il L'avait vu petit enfant, comment il L'avait vu au Temple, lorsqu'Il avait confondu les docteurs [2], comment le parti des puissants, au royaume de Judée, L'avait pris en haine et comment un faux disciple L'avait vendu aux Juifs ; il lui dit encore comment il L'avait vu mettre sur la croix, comment Joseph, son beau-frère, avait réclamé le corps, comment Pilate le lui avait donné et comment il l'avait détaché de la croix et allongé sur la terre, si bien qu'il avait vu le sang couler sur le sol ; comment alors, saisi de pitié, il avait recueilli ce sang dans un vase, « dans ce vase même, ajouta-t-il, que vous voyez ici, et en présence duquel aucun pécheur ne peut demeurer ».

Il lui conta enfin la vie exemplaire qu'avait menée son ancêtre, et Perceval l'écouta de tout son cœur et fut aussitôt rempli de la grâce du Saint-Esprit. Bron cependant déposa le vase entre les mains du jeune homme et il émana alors de ce vase une telle harmonie et un parfum si délectable qu'il leur sembla qu'ils étaient au paradis, dans la compagnie des anges.

Bron, qui était très âgé, passa les trois jours suivants avec Perceval. Au troisième jour, il s'approcha du vase et se coucha devant, les bras en croix, puis il rendit grâces à Notre-Seigneur. C'est alors qu'il

---

1. Le jeu de mots, assez fréquent dans les textes du Graal, est repris au *Roman de l'Estoire du Graal* de Robert de Boron.
2. Voir Luc, 2, 46-52.

quitta ce monde et, à ce moment même, Perceval, s'approchant de lui, vit David avec sa harpe et une profusion d'anges portant des encensoirs qui attendaient l'âme de Bron et qui l'emportèrent dans la gloire des cieux auprès de son Père qu'il avait si longuement servi.

Perceval, dont les mérites étaient très grands, resta au château. Cependant, les enchantements, dans le monde entier, cessèrent et se dissipèrent. Ce même jour Arthur était à la Table Ronde qu'avait instituée Merlin. On entendit un fracas si terrible que tous ceux qui étaient présents en furent saisis d'effroi, et la pierre se ressouda, celle qui s'était fendue lorsque Perceval s'était assis sur le siège vide. Tous furent remplis de stupeur car ils ignoraient ce que cela signifiait. Merlin vint alors auprès de Blaise et lui conta ce qui était arrivé. Quand Blaise l'eut écouté, il lui dit :

— Merlin, tu m'as dit que, lorsque ces choses seraient accomplies, tu m'emmènerais vivre auprès du Graal.

— Blaise, lui répondit Merlin, sache que tu y viendras avant de mourir.

Merlin prit alors Blaise et l'emporta dans la demeure du riche Roi Pêcheur qui était désormais Perceval. Et Blaise demeura ainsi en la compagnie du Graal.

Quand Merlin eut accompli cette tâche, il vint à la cour d'Arthur, à Cardueil. Le roi fut très heureux de le revoir. Ses hommes lui dirent de demander au devin quelle était la signification de la pierre qui s'était ressoudée à la Table Ronde. Et le roi dit :

— Je lui demande très instamment de me l'apprendre, s'il y consent.

— Arthur, répondit Merlin, sache que c'est de ton temps que s'est accomplie la plus haute prophétie qui fût jamais annoncée. Le Roi Pêcheur est guéri et les enchantements qui pèsent sur le royaume de Bretagne sont dissipés. Perceval est devenu le maître du Graal par la décision de Notre-Seigneur et vous pouvez juger quels sont ses mérites dès lors que Notre-Seigneur lui a donné en garde son précieux sang. Voilà pourquoi s'est ressoudée la pierre qui, sous lui, s'était fendue. Et vous, Gauvain, et Keu le sénéchal, apprenez que c'est ce même Perceval qui a remporté le tournoi du Blanc Castel et qui vous a jetés à terre de tout votre long. Mais je peux bien vous dire qu'il a désormais renoncé à la chevalerie et qu'il entend maintenant s'en remettre entièrement à la grâce de son Créateur.

En entendant les paroles de Merlin, le roi et ses barons fondirent tous en larmes et prièrent Notre-Seigneur de conduire Perceval à bon port. Merlin prit alors congé du roi, revint auprès de Perceval et de Blaise, et fit transcrire par ce dernier tout ce qui s'était passé.

XIV

ARTHUR À LA CONQUÊTE DE LA FRANCE

Lorsque les barons qui étaient à la cour d'Arthur apprirent que les enchantements et les aventures étaient terminés, ils en furent très affligés. Les jeunes gens, les jeunes chevaliers et les compagnons de la Table Ronde répétaient qu'ils ne se souciaient plus, désormais, de rester auprès du roi Arthur et qu'ils allaient passer la mer en quête d'exploits chevaleresques.

Très ému par ces propos, Keu le sénéchal vint trouver le roi et lui dit :

— Seigneur, apprenez que tous vos barons ont l'intention de vous quitter pour aller en quête d'aventures dans des pays étrangers. Vous êtes pourtant le plus renommé de tous les rois qui se sont succédé sur la terre de Bretagne et vous avez les meilleurs chevaliers qu'eût jamais roi. Souvenez-vous également que deux rois de Bretagne [1] ont été rois de France et empereurs de Rome, et que Merlin vous a dit que vous le seriez vous aussi. Vous savez bien d'autre part que Merlin est l'homme le plus sage du monde et que personne, jamais, n'a pu prendre en défaut ses paroles. Or, si vos chevaliers vous quittent et s'en vont dans des pays étrangers en quête d'aventures, jamais plus, sachez-le, vous n'aurez l'occasion de les réunir. Ne cédez donc pas, ô mon roi, à la paresse ! Ne perdez pas l'excellente réputation dont vous avez si longtemps joui, mais passez la mer, faites la conquête de la Normandie [2] et de la France et partagez ces royaumes entre les barons qui vous ont si longuement servi. Nous, nous vous aiderons de toutes nos forces.

Ce discours remplit Arthur de contentement. Il alla trouver ses barons et recueillit leurs avis sur cette expédition. Chacun, individuellement, approuva ce projet et tous lui dirent qu'ils l'aideraient bien volontiers. Quand Arthur vit qu'il avait l'assentiment des plus puissants seigneurs de son royaume, il en fut extraordinairement heureux. Il fit alors faire des lettres scellées de son sceau et envoya cinquante messagers les porter dans toute sa terre. Les lettres disaient que tout homme qui était en état de le faire ne manquât pas

---

1. Le manuscrit donne « trois rois » mais voir chapitre XV. Correction d'après D.
2. Rappelons que le duché de Normandie est resté en la possession de la dynastie anglo-normande des Plantagenêts jusqu'en 1204.

de participer à l'expédition : le roi ferait en effet à chacun d'eux de tels présents que leur fortune serait assurée.

Les messagers s'acquittèrent de leur mission et réunirent une armée telle qu'en moins d'un mois elle comptait plus de cent mille hommes. Quand le roi les vit, il en fut très heureux. Il se rendit auprès d'eux en compagnie de monseigneur Gauvain, de Keu le sénéchal et du roi Lot d'Orcanie. Il passa dans chaque tente et montra à chacun de ces puissants seigneurs la joie qu'il avait de le voir ; il sut ainsi s'attirer leur amitié et leur fit de très riches présents, tant et si bien que tous s'écrièrent :

— Roi Arthur, ta paresse, sache-le, te fait perdre la maîtrise du monde car, si tu étais dans les mêmes dispositions que nous, nous saurions te conquérir la France, la Normandie, Rome et toute la Lombardie, nous te ferions porter la couronne à Jérusalem même et tu régnerais sur le monde entier.

Ainsi parlaient les Bretons à leur seigneur Arthur. Ces paroles réjouirent le roi et il jura sur sa tête qu'il n'aurait de cesse de conquérir la France, du moins pour commencer. Il convoqua donc tous les charpentiers de son royaume et leur fit construire la plus puissante flotte dont on ait jamais entendu parler. Lorsque les navires et les galères furent prêts, les troupes gagnèrent le port et embarquèrent pain et vin, viande et sel, armes et étoffes. Les chevaliers montèrent ensuite à bord et firent embarquer d'excellents chevaux. Le roi Arthur confia à Mordret la garde de son royaume et celle de la reine sa femme. Ce Mordret était l'un des frères de monseigneur Gauvain et fils du roi Lot d'Orcanie [1]. C'était un être plein de mauvaises intentions.

Le roi Arthur prit alors congé et gagna le port. Ils firent voile en se confiant au vent, en se guidant sur les étoiles, et naviguèrent ainsi jusqu'aux rivages de Normandie. Dès qu'ils eurent débarqué, ils chevauchèrent à travers le pays, pillant et capturant hommes et femmes et causant beaucoup de ravages. Jamais terre, sachez-le, ne subit si triste sort.

Lorsque le duc de Normandie l'apprit, il demanda au roi de lui accorder une trêve jusqu'à ce qu'il ait pu venir parler avec lui. Le roi Arthur accepta. Le duc se rendit alors au camp du roi, devint son vassal, et l'assura qu'il tiendrait désormais sa terre de lui et lui rendrait un tribut. Le roi accepta son hommage avec joie. Le duc avait une très belle fille : le roi la donna en mariage à Keu son sénéchal avec tout le duché. Puis Arthur partit, traversa la Normandie, et pénétra dans la terre du roi de France.

---

1. Contrairement à la tradition, représentée au moins par *la Mort le Roi Artu*, Mordret, dans le *Perceval* en prose, est bien le neveu d'Arthur et non le fils incestueux qu'il aurait eu de sa demi-sœur, la femme du roi Lot.

Régnait à cette époque sur la France un roi qui s'appelait Floire. Lorsqu'il apprit qu'Arthur venait l'attaquer, il en fut très affecté et convoqua ses troupes par tout son royaume. Les hommes se réunirent à Paris. Ils formaient un corps très imposant de chevaliers. Floire déclara alors qu'il attendrait là le roi Arthur. Dès que ce dernier eut connaissance de cette décision, il chevaucha vers l'endroit où il pensait trouver son adversaire et il arriva ainsi à deux lieues de l'armée des Français. Quand le roi Floire apprit qu'Arthur était arrivé, il prit deux messagers et les envoya à l'armée d'Arthur en leur disant :

— Messagers, vous irez tout droit au camp des Bretons et direz au roi Arthur qu'il aurait bien tort de faire tuer des chevaliers pour conquérir la terre. Dites-lui en revanche que, s'il a assez de prouesse pour faire du royaume de France l'enjeu d'un combat singulier qui nous opposerait, lui et moi, je suis tout prêt, en ce qui me concerne, à livrer ce combat. Qu'il ait ainsi la France, ou moi la Bretagne !

Les messagers se rendirent alors au camp, là où se trouvait le roi. Ils le demandèrent et on leur indiqua sa tente. Ils mirent pied à terre, pénétrèrent dans la tente et saluèrent Arthur puis lui répétèrent mot à mot tout ce que leur seigneur les avait chargés de dire, sans en rien omettre. Après avoir entendu le discours des messagers, Arthur leur répondit :

— Seigneurs, dites de ma part au roi Floire à qui vous appartenez que la proposition qu'il m'a faite, je l'accepte. Ajoutez que, pour toute la terre de Bretagne, je ne renoncerais pas à relever le défi qu'il m'a lancé.

— Nous voulons, répliquèrent les messagers, que vous nous donniez l'assurance qu'il n'aura à se garder que de vous.

Le roi le leur promit et les plus puissants seigneurs de Bretagne donnèrent leur parole aux messagers que, si le roi Arthur était tué, eux repartiraient dans leur pays et tiendraient leurs terres en fief du roi Floire. Les messagers de leur côté leur donnèrent leur parole que, si le roi Floire était tué, ses hommes rendraient à Arthur tous les châteaux de France et lui en feraient hommage. On fixa enfin le combat à quinzaine.

Les messagers repartirent et contèrent au roi Floire ce qui avait été décidé avec Arthur. Les Bretons levèrent alors le camp et vinrent s'installer devant Paris, si près qu'ils étaient à un jet de javelot de la cité. Les deux camps conclurent une trêve, si bien que les Bretons allaient acheter à manger dans la ville. Le délai cependant s'écoula et arriva le jour fixé par le roi. Les deux rois s'équipèrent alors pour le combat ; chacun revêtit des armures tout à fait royales. Puis ils se rendirent dans une île située sous les murs de Paris, montés sur les meilleurs chevaux qu'ils avaient. Français et Bretons les observaient dans le calme : on avait en effet décidé d'un commun accord que personne ne porterait d'armes. Tous disaient qu'ils s'en remettraient à la grâce de Dieu et qu'ils regarderaient leurs seigneurs qui allaient risquer leur vie pour conquérir le royaume.

Une fois dans l'île, les deux rois mirent entre eux la distance de deux arpents pour mieux s'affronter puis ils se précipitèrent l'un sur l'autre à vive allure et les lances heurtèrent les écus avec une force telle qu'elles se brisèrent et volèrent en éclats. Le choc des poitrines et des heaumes fut, lui, si brutal que les deux hommes furent désarçonnés. Mais Arthur se releva le premier, dégaina son épée Excalibur, dont l'acier était très résistant, et se porta sur Floire. Celui-ci cependant se releva à son tour, dégaina lui aussi hardiment son épée et les deux rois s'affrontèrent tandis que Bretons et Français priaient, chacun de leur côté, pour leurs seigneurs. Animés d'une même fureur, les deux rois engagèrent la lutte à l'épée.

Le courage et l'audace du roi Floire étaient très grands et il se fiait beaucoup en sa force. Brandissant l'épée de sa main droite, il vint frapper Arthur sur son écu, le lui fendit et coupa tout ce qu'il atteignit : le coup, très rudement assené, rompit en s'abattant trois cents mailles du haubert et l'épée, glissant sur la cuisse, vint trancher plus d'une pleine paume de chair. D'un même élan elle trancha l'éperon et trois doigts du pied et la lame s'enfonça en terre sur une aune de profondeur. Arthur fut tout abasourdi par ce coup et peu s'en fallut que Floire, en lui donnant un coup d'épaule, ne lui fasse toucher terre. Quand les Bretons et monseigneur Gauvain virent ce qui se passait, ils eurent très peur pour leur seigneur car le roi Floire dépassait Arthur d'une bonne tête, heaume compris, et on voyait bien au comportement du Français qu'il était plein de force et d'audace. Les Bretons étaient donc très inquiets.

Cependant, lorsque le roi Arthur s'aperçut que ses hommes tremblaient et avaient peur pour lui, il en éprouva beaucoup de peine et de honte. Il se porta donc vers le roi qui l'attendait au milieu du champ de bataille et, brandissant dans sa main droite son épée — qu'on appelait Excalibur —, il assena sur l'écu de son adversaire un coup d'une force telle que, dans sa fureur, il le trancha et le fendit jusqu'à la boucle et coupa tout ce qu'il atteignit. Le coup d'épée vint en effet atteindre le heaume et le trancher jusqu'au cercle. Malgré la coiffe, l'épée trancha très largement tête et cheveux et, si la poignée n'avait alors tourné dans sa main, Arthur aurait tué Floire. Celui-ci pourtant avait perdu son heaume dont les lacets s'étaient rompus. Cette perte le remplit de fureur et il alla à son tour frapper Arthur à la tête, mais il ne put lui faire de mal.

Quand le roi Floire s'en rendit compte, il se laissa envahir par la peur. Le sang coulait sur ses yeux et sur son visage, il n'y voyait plus rien et ne pouvait plus distinguer le roi Arthur. Alors le cœur lui manqua et il tomba, la face contre terre, au milieu du champ. Tout heureux, le roi Arthur s'approcha de lui et, prenant son épée et se baissant vers son rival, il lui coupa la tête. Lorsque les Français virent que leur roi était mort, ils en éprouvèrent une très vive douleur et s'enfuirent dans Paris. Les Bretons, eux, vinrent auprès de leur seigneur Arthur, le mirent en selle et le conduisirent dans la plus grande allégresse jusqu'à sa tente où ils le désarmèrent rapidement.

Le roi prit alors deux messagers et les envoya aux habitants de Paris pour savoir ce qu'ils comptaient faire. Sachez que ceux qui remplirent cette mission étaient le roi Lot d'Orcanie et son fils Gauvain, qui était un très bon orateur et était considéré comme l'un des plus sages hommes de l'armée. C'était un remarquable chevalier, un homme éloquent, et ses jugements étaient pleins d'équité. Sachez également que, dans tout le royaume de Bretagne, on n'aurait pu trouver meilleur chevalier que lui depuis que Perceval avait renoncé à la chevalerie.

Ils se rendirent donc à Paris et, lorsque les hommes qui étaient sur les murailles les virent arriver, ils leur ouvrirent les portes. Gauvain pénétra dans la ville avec le roi Lot son père. Ils saluèrent les douze pairs du royaume qui se trouvaient dans le château et virent également les messagers et les chevaliers qui avaient réglé les conditions du combat entre Arthur et le roi Floire. Gauvain prit alors la parole et dit :

— Seigneurs, le roi Arthur vous demande de lui rendre cette place-forte selon les conditions fixées par ces messagers. Il avait été en effet décidé qu'Arthur et Floire se battraient en combat singulier aux conditions que je vais vous rappeler, et j'en prendrai à témoin les messagers eux-mêmes, ceux qui vinrent à la tente de notre roi pour proposer cette bataille. Nous avons juré, si Arthur était vaincu, de venir auprès du roi Floire, de lui faire hommage et de tenir désormais notre terre de lui. Tel fut notre serment. Vos messagers ont de leur côté juré que, si le roi Floire était vaincu, vous viendriez auprès du roi Arthur et vous vous remettriez à sa merci. Et les conditions en seraient que vous tiendriez désormais vos châteaux de lui et que la France serait soumise à son pouvoir. Demandez donc aux messagers, que je considère comme des hommes de bien, si telles furent bien les paroles échangées.

Le discours de Gauvain fit une très bonne impression sur les habitants de la cité qui répondirent qu'ils allaient délibérer. Ils se réunirent donc dans une très belle chambre et les plus puissants seigneurs de France prirent la parole.

— Seigneurs, dirent-ils, nous ne pouvons résister à ce roi breton qui est venu nous attaquer, nous n'avons pas assez de provisions pour tenir longtemps et vous pouvez bien voir qu'il n'a nullement l'intention de s'en aller.

Les messagers qui avaient été au camp breton pour fixer les règles de la bataille se levèrent alors et dirent :

— Seigneurs, sachez que nous tenons à nous acquitter de la promesse que nous avons faite à Arthur.

Ils prirent donc la décision de rendre la ville au roi, de lui faire hommage et de tenir désormais la France du roi Arthur. Ils revinrent alors auprès du roi Lot et de son fils Gauvain et lui dirent :

— Seigneurs, nous voyons bien que nous ne pourrions résister à vos hommes et, même si c'était le cas, nous entendons nous acquitter de notre promesse. Nous rendrons donc la France au roi Arthur, sachez-le, nous lui ferons hommage, nous lui livrerons nos personnes et nos biens et nous nous mettrons à sa merci. Mais, au nom de Dieu, qu'il nous gouverne en toute justice et que le péché en retombe sur lui s'il agit autrement. Qu'il nous gouverne, au nom de Dieu, comme le faisait le roi Floire.

— Seigneurs, sachez qu'il saura en toute chose garder raison, leur répondit Gauvain.

Monseigneur Gauvain et le roi Lot son père revinrent alors auprès du roi Arthur et lui répétèrent tout ce que les Français leur avaient dit. Le roi Arthur en fut très heureux. Il fit aussitôt lever le camp à son armée et chevaucha vers Paris. Quand les habitants de la cité le virent approcher, ils allèrent à sa rencontre, accompagnés par le clergé, les évêques et les abbés qui portaient des croix, de précieuses reliques, des châsses et des encensoirs. Partout où il passait, on jetait sous ses pieds de la menthe et des fleurs. Dans toute la cité étaient disposées des tables chargées de pain, de viande et de venaison, et, sur les tables réservées aux puissants seigneurs, étaient présentés du bon vin et des épices rares. Le palais où le roi devait loger était entièrement décoré d'étoffes de soie et de somptueux ornements. On fit alors asseoir Arthur sur le trône royal et on lui apporta la couronne royale de France. Puis on le couronna et on le fit roi de France. Les seigneurs lui firent loyalement hommage et lui jurèrent de lui être fidèles et de tenir leurs engagements. Arthur les reconnut pour ses vassaux et leur manifesta son amitié.

Le roi resta cinquante jours dans le royaume de France et fit de très beaux présents à ses chevaliers. Ceux de France comme ceux de Normandie disaient alors qu'ils n'avaient jamais eu de si bon seigneur et il y avait beaucoup de barons de France qui préféraient Arthur au roi Floire. Arthur savait en effet se montrer persuasif et s'attirer les cœurs des gens non pas par des paroles mensongères mais en distribuant de somptueux présents. Apprenez qu'Arthur séjourna cinquante jours à Paris, puis il parcourut le pays de France au cas où quelque château lui résisterait. Mais sachez que, dans quelque château qu'il se rendît, il sut s'en faire remettre les clés et s'attirer les bonnes grâces des gens.

La nouvelle s'était répandue dans tout le royaume qu'Arthur avait tué le roi de France et c'est pourquoi tous les seigneurs lui livrèrent tous les châteaux. Le roi donna alors à Gauvain son neveu la marche de Bretagne, et à Bédoier le Vermandois, une terre bonne et plantureuse. Et sachez que, dans toute la suite du roi, il n'y eut pas un seul grand seigneur à qui il ne donnât ou une cité ou un château. Puis, quand il eut ainsi tout bien réglé, il nomma des baillis pour le représenter dans ses châteaux et dans ses marches.

XV

L'AMBASSADE DE L'EMPEREUR DE ROME

Quand Arthur eut ainsi conquis la France, il annonça son intention de repartir et prit congé des seigneurs du royaume. Ceux-ci l'escortèrent longuement puis revinrent dans leur pays. Arthur chevaucha jusqu'en Normandie où se trouvait sa flotte. Il avait laissé là cinq cents chevaliers pour garder les vaisseaux. Arthur et ses hommes embarquèrent, et les hommes d'équipage hissèrent les voiles que vint gonfler le vent. Ils quittèrent alors le port et naviguèrent jusqu'à Douvres où ils débarquèrent et firent débarquer chevaux et palefrois. Quand ils eurent tous mis pied à terre, ils se réjouirent de revoir leur pays et leur royaume.

Quand Mordret, le frère de Gauvain, apprit qu'Arthur son oncle était de retour, il monta en selle, emmenant avec lui la reine et cinquante chevaliers, et ils chevauchèrent vers l'endroit où ils pensaient trouver le roi. Lorsqu'ils l'eurent rejoint, ils l'accueillirent avec de grandes manifestations de joie. La nouvelle se répandit alors dans tout le pays que le roi Arthur revenait et qu'il avait conquis la France. Quand le menu peuple le sut, la joie fut très grande. Il y avait là des dames et des demoiselles dont les fils et les neveux avaient participé à l'expédition et c'était partout des manifestations de joie et des ambrassades telles que vous n'en avez jamais vues.

Le roi prit alors la parole et dit :

— Seigneurs, je veux que tous mes hommes ici présents soient à la cour que je tiendrai à Cardueil en Galles, à la Saint-Jean d'été.

Cet ordre fut crié dans toute l'armée tandis que le roi convoquait ses plus puissants vassaux, les priant de venir eux aussi. Ils l'assurèrent qu'ils seraient tous présents à la Saint-Jean.

— J'ai en effet l'intention, ajouta Arthur, de distribuer à tous également une partie de mes richesses et, du plus pauvre, je ferai alors un homme riche.

Sur ce, ils se séparèrent. Arthur s'en alla dans l'un de ses châteaux et y demeura quelque temps. Tous parlaient de la belle aventure qu'ils avaient vécue et qui avait abouti à la conquête de la France. Cependant, tandis qu'Arthur séjournait dans son château, le temps s'écoula et la Saint-Jean approcha. Tous les seigneurs de Bretagne se réunirent à la cour et ils étaient si nombreux qu'on aurait eu du mal à les compter. Il y avait là de très nombreux chevaliers, riches et pauvres. Le jour fixé arriva. Le roi alla entendre la messe que célébra l'archevêque, celui qui l'avait tant aidé à conquérir le pouvoir. Après la messe, il revint dans son palais. On fit corner l'eau dans la ville et les chevaliers prirent place à table. Le roi Arthur s'assit à la plus haute table. Il avait auprès de lui le roi Lot d'Orcanie. De l'autre côté prirent place le roi de Danemark et le roi d'Irlande ; il y avait en effet sept rois à la cour qui tous obéissaient à ses ordres.

Or, alors que le roi avait pris place à table et qu'on lui avait déjà apporté le premier plat, Arthur, les barons et les rois, regardant autour d'eux, virent entrer dans la salle douze vieillards aux cheveux blancs, somptueusement vêtus et portant douze rameaux d'olivier. Lorsqu'ils furent entrés, ils regardèrent les barons et les chevaliers qui étaient réunis à la cour du roi et se dirent entre eux à voix basse :

— Seigneurs, voyez comme ce roi est puissant.

Puis ils dépassèrent toutes les tables et s'avancèrent de manière très agressive en direction d'Arthur. Arrivés là, ils s'arrêtèrent tous les douze et restèrent silencieux. Seul l'un d'eux prit la parole sur un ton plein d'orgueil et dit :

— Que Dieu, Dieu qui a tout pouvoir sur le monde et peut en faire ce qu'il veut, protège au premier chef l'empereur de Rome puis le pape et les sénateurs romains qui doivent veiller au maintien et à l'observance de la loi ! Mais que ce même Dieu que vous m'entendez évoquer confonde Arthur et tous ceux qui lui obéissent car il s'est rendu coupable envers lui, envers notre sainte Église, et envers le pouvoir romain. Il a en effet coupé et taillé dans ce qui devait appartenir à Rome et il a tué le roi qui tenait sa terre de Rome et lui payait chaque année un tribut. Sachez donc que notre étonnement n'a d'égale que notre indignation et notre indignation n'a d'égal que notre étonnement de voir que des êtres aussi vils que vous, que le monde entier doit mépriser et qui êtes depuis toujours réduits à l'état de serfs comme l'ont été vos ancêtres, veuillent s'affranchir et vivre libres comme les autres peuples.

« Comme vous le savez, vous avez été réduits à l'état de serfs par Jules César et vous lui avez rendu tribut. Les rois de Rome qui lui ont succédé ont continué à le recevoir et vous n'avez jamais connu d'autre état que la servitude. Sachez donc que votre volonté de vous affranchir nous remplit d'indignation, qu'il en va de même pour l'empereur, et qu'il vous prend pour si peu de chose qu'il ne pourrait croire celui qui lui dirait que telles sont bien vos intentions. Il vous ordonne — et nous, ses douze représentants ici présent, sommes chargés de transmettre cet ordre — de lui rendre tribut comme votre ancêtre le rendit et de le lui envoyer tout comme on le faisait à Jules César. Si vous refusez, l'empereur vous déclarera la guerre. Je vous conseille donc de le rendre car les Romains vous sont très hostiles et même le menu peuple, dans le pays, ne cesse de crier à l'empereur : " Seigneur, au nom de Dieu, laissez-nous faire la guerre à ces chiens de Bretons qui ont ravagé la France. "

« Sachez donc que si l'empereur le leur permettait, ils viendraient vous attaquer, mais il ne peut croire que votre valeur soit telle qu'elle vous ait permis de conquérir la France. Dites-vous bien enfin que, s'il vous attaque, il sera inutile de fuir : où que vous cherchiez refuge, il vous en chassera. De plus, il a juré sur sa couronne qu'il vous fera écorcher, qu'il fera bouillir dans de grandes chaudières et brûler sur le bûcher tous les chevaliers de votre royaume et que ses hommes les vendront entre eux comme esclaves ou en feront un immense carnage.

Le sang d'Arthur, en écoutant ce discours, ne fit qu'un tour. Il frémit de honte à cause de ses barons qui étaient là, assis autour des tables dans la grand-salle. Il se leva donc et dit :

— Seigneurs, vous savez bien parler français. Je ne sais où vous êtes nés mais je vous ai parfaitement compris. Je vous prie maintenant de vous asseoir et de manger si vous en avez besoin.

— Dût-on nous couper le poing, répliquèrent les messagers, nous ne saurions manger à ta cour, car nous y perdrions notre identité !

Leur réponse fit rire Arthur qui leur dit :

— Seigneurs, pour ce qui est de la demande que vous m'avez faite, je vais en délibérer et je vous rendrai rapidement ma réponse.

Le roi appela alors ses barons, le roi d'Irlande, le roi d'Orcanie, monseigneur Gauvain, Mordret son frère, Keu le sénéchal, Bédoier et d'autres encore : ils étaient douze en tout. Puis ils se retirèrent dans une très belle chambre ornée de magnifiques peintures. Elles représentaient les trois déesses donnant à Pâris la pomme, l'une lui promettant la plus belle femme du monde, une autre les plus grandes richesses, la troisième lui ayant donné — telle fut sa promesse — d'être le meilleur chevalier du monde. Or, quand chacune lui eut fait sa proposition tout en pensant que les deux autres n'en savaient rien, Pâris considéra qu'il était bon chevalier, l'un des meilleurs de tout son pays, et qu'il n'avait pas besoin de plus de richesses qu'il n'en avait déjà. La jouissance de la belle femme lui parut donc préférable à tout le reste. Aussi, il prit la pomme et la donna à la déesse qui lui avait promis la femme. Lorsqu'elle vit que le jeune homme lui accordait la pomme, elle en fut très heureuse car il lui donnait ainsi la prééminence sur les autres déesses. Elle le guida alors vers une femme telle qu'elle n'avait pas sa rivale au monde, mais Pâris paya très cher la possession d'une pareille beauté. Voilà donc l'histoire qui était peinte sur les murs de la chambre où Arthur emmena les douze barons pour leur demander leur avis.

Il leur dit alors :

— Seigneurs, vous êtes mes vassaux et je suis votre seigneur. Vous avez entendu comment les messagers de l'empereur de Rome m'ont insulté et avec quel mépris ils m'ont parlé. Ils m'ont gravement injurié mais je n'ai rien laissé transparaître de mes pensées. Maintenant, en revanche, je vous demande de me conseiller en y engageant votre honneur, et sachez que je ferai sans hésitation ce que vous me conseillerez de faire.

Le roi Lot, un homme de grand mérite et de grande sagesse, se leva alors et dit au roi :

— Seigneur, vous demandez un conseil et nous allons vous en donner un bon, si du moins vous savez en comprendre la valeur. Vous avez entendu les injures dont vous ont couvert les messagers de l'empereur de Rome ; ils vous ont également rappelé de manière insultante que Jules César avait conquis Rome, la France et la Bretagne, votre royaume. C'est la vérité, mais il a conquis ce royaume par traîtrise, et la traîtrise n'a rien de commun avec la justice. Je vais donc vous expliquer en partie comment il fit cette conquête.

« Il y avait jadis un roi qui avait un frère et deux beaux enfants. Ce roi mourut et laissa son royaume à ses deux enfants. Mais le menu peuple estima qu'ils étaient trop jeunes pour gouverner le royaume et ils le confièrent à leur oncle qui devint ainsi roi. Quand il fut roi, il fit de l'un de ses neveux un duc et de l'autre un comte. Celui qui était roi s'appelait Casibelan. Ses neveux commirent envers lui je ne sais quelle faute. Quoi qu'il en soit, il les convoqua à sa cour et voulut les mettre à mort. Quand les enfants comprirent que leur oncle les haïssait et leur avait pris leur royaume, ils firent savoir à Jules César qu'il lui serait possible de conquérir l'Angleterre. Or Jules César avait déjà tenté à deux reprises de débarquer mais n'avait rien pu faire contre Casibelan. Quand il apprit ce que lui proposaient les enfants, il en fut tout heureux et leur demanda de lui envoyer des otages. Ce qu'ils firent, en lui donnant toutes garanties. Jules César prit alors la mer et débarqua dans ce pays. Les deux enfants avaient réuni de grandes troupes. Ils s'unirent à Jules César, vinrent là où se trouvait Casibelan, se battirent contre lui et le vainquirent. Lorsque ce fut fait, Jules César reçut les hommages des deux frères, couronna l'aîné et leur imposa un tribut. Voilà donc pourquoi les Romains vous réclament un tribut.

« Mais je vais ajouter encore ceci. Il y eut par la suite deux autres frères en Bretagne ; l'un s'appelait Brenes et l'autre Belin. Ces deux frères étaient si puissants qu'il passèrent la mer, conquirent la France et, de là, avancèrent jusqu'à Rome. Quand les Romains les virent approcher, leur peur fut telle qu'ils se portèrent à leur rencontre, leur jurèrent qu'ils feraient ce qu'ils ordonneraient et remirent aux deux frères quarante otages. Lorsqu'ils eurent reçu les otages, Brenes et Belin déclarèrent qu'ils allaient repartir pour la Bretagne, ce qu'ils firent. Mais lorsque les Romains virent qu'ils s'en allaient, ils se trouvèrent bien lâches de laisser ainsi emmener leurs otages. Ils décidèrent donc d'affronter les Bretons dans un défilé extrêmement escarpé par où il leur fallait passer. Ainsi firent-ils : ils réunirent cinquante mille chevaliers et les placèrent dans le défilé. Brenes et Belin avaient divisé leurs troupes en deux. Belin en conduisait une moitié et Brenes l'autre. Dans les deux corps de troupes, il y avait plus de cent mille hommes. Brenes arriva au défilé et voulut passer, mais les Romains l'assaillirent rudement. Brenes prit peur et dit à un serviteur : " Mon ami, allez trouver mon frère et dites-lui que nous sommes trahis. Il faut donc qu'en arrivant au défilé il contourne les Romains et les attaque par derrière. "

« Le messager répéta très exactement à Belin ce qu'avait dit le roi. Très affligé par ce qu'il apprenait, celui-ci chevaucha à bride abattue et emprunta un défilé à travers lequel le guida un paysan. Il arriva alors sur le champ de bataille où Brenes était déjà presque incapable de combattre. Belin poussa son cri de guerre et se jeta dans la mêlée avec cinquante mille hommes, criant : " Bretagne ! " tandis que Brenes criait : " France ! " Les Romains prirent alors peur et les Bretons se mirent à les tuer jusqu'au dernier. Brenes et Belin retournèrent à Rome. Ils campèrent devant la ville, firent dresser les gibets, et tous les enfants que les plus puissants des Romains leur avaient remis en otages y furent pendus. Les Romains rendirent alors la ville à Brenes qui fut couronné empereur et ils durent rendre tribut. Voilà pourquoi, me semble-t-il, vous devez être considéré comme le maître des Romains et vous avez des droits sur l'empire de Rome. Ils revendiquent leurs droits : vous, faites-en autant ! Pour moi, je ne vois pas d'autre solution que la guerre. Que celui qui saura le mieux se battre se montre le meilleur et en retire le plus de profit !

« Seigneur, j'ajouterai encore ceci. Vous souvenez-vous que Merlin est venu à votre cour le jour même de votre couronnement ? Il vous a dit alors qu'il y avait eu deux rois de Bretagne qui avaient été rois de France et empereurs de Rome. Seigneur, vous êtes roi de France. Je vous dis donc que vous serez roi de Rome si vous avez l'audace de la conquérir. Merlin en effet n'a jamais prononcé de paroles mensongères mais a toujours dit la vérité. Passez donc la mer, convoquez vos chevaliers et attaquez les Romains. Et je vous assure que vous remporterez la victoire parce que vous aurez la meilleure chevalerie du monde.

— Arthur, seigneur, s'écrièrent alors les douze conseillers, chevauchez avec toutes vos forces, allez conquérir le territoire de Rome et toute la Lombardie ! Nous, nous vous aiderons de tout notre pouvoir.

Arthur fut très content de la réponse de ses barons.

— Seigneurs, leur dit-il, il me semble que le roi Lot a dit ce qu'il fallait. Au reste, d'après le récit qu'il m'a fait, même si les Romains n'étaient pas venus en ambassade, il aurait été de mon devoir d'aller à Rome pour revendiquer l'héritage de mes ancêtres.

Sur ce, Arthur retourna dans la grand-salle et, s'adressant aux messagers, il leur dit :

— Seigneurs, sachez que je me demande bien où l'empereur a pris l'audace de me réclamer un tribut et de m'insulter comme vous l'avez fait. Soyez bien persuadés que je réglerai avec lui cette question du servage et dites-lui que, dans moins de huit mois, et à moins qu'il ne vienne à ma rencontre, je le tiendrai de si près que l'on pourra de mon armée jeter un javelot dans Rome. J'ai en effet l'intention de l'affronter ou en combat singulier ou en bataille rangée.

— Nous pouvons vous assurer, répliquèrent les messagers, que l'empereur de Rome se portera contre vous avec deux cent mille hommes ou plus.

Sur ce, ils sortirent de la salle avec beaucoup d'arrogance et sans prendre congé. Ils gagnèrent le rivage de la mer, firent la traversée et chevauchèrent par étapes jusqu'à Rome où ils trouvèrent l'empereur. Ils lui exposèrent ce qu'ils avaient fait, ajoutant combien les Bretons étaient fiers, combien leur puissance en hommes était grande et comment ils étaient considérés comme les meilleurs chevaliers du monde grâce à cette Table Ronde qu'ils avaient instituée.

— Sachez, poursuivirent-ils, que nous avons dit votre message à Arthur et qu'il a alors déclaré qu'il allait en délibérer. Il s'est retiré avec douze de ses barons dans une chambre et ils y sont restés un long moment. Voici quelle fut leur décision : Arthur vous fait dire que, dans moins de huit mois, il sera si près de Rome que l'on pourra y lancer de son armée un javelot, à moins que vous ne vous portiez contre lui.

Ces paroles irritèrent vivement l'empereur qui fit écrire des chartes et des lettres scellées de son sceau et réunit la plus puissante armée qu'on eût jamais vue. Il convoqua des soudoyers, des archers et un grand nombre de chevaliers, des hommes d'armes à cheval et à pied, équipés de lances et de javelots. Il fit également appel au roi d'Espagne, qui était sarrasin, et qui lui amena la plus grande armée qu'on eût jamais vue. Jamais roi n'eut en effet troupes aussi imposantes. Tous obéirent aux ordres de l'empereur et sachez que, lorsque cette immense armée se mit en marche, on estima à trois cent mille le nombre des hommes armés et capables de se battre. Quand les troupes furent rassemblées, l'empereur leur exposa ses griefs et leur expliqua comment Arthur avait l'intention de se révolter contre lui et avait tué en combat singulier le roi Floire qui tenait sa terre de Rome.

— Il me fait dire, ajouta-t-il, qu'il veut exiger un tribut de nous. Je vous demande donc de me donner votre avis sur cette situation.

Ce discours suscita une vive indignation chez les barons qui s'écrièrent tous ensemble :

— Seigneur, vous que nous reconnaissons comme notre légitime empereur, chevauchez avec toutes vos forces, franchissez les montagnes, traversez la mer, soumettez la Bretagne et vengez ainsi le roi Floire qu'Arthur, le roi de Bretagne, a tué. Nous, nous vous aiderons de tout notre pouvoir.

Pendant que le roi tenait ce conseil, arrivèrent trois messagers qui le saluèrent très respectueusement en leur langue au nom du Sultan.

— Seigneur empereur, lui dirent-ils, le Sultan vous fait dire qu'il se tient à vos ordres pour détruire les Bretons. Il suit en cela l'exemple du roi d'Espagne dont il est le frère. Il vous assure que l'on estime son armée à cinquante mille Sarrasins et, dans trois jours, ils viendront camper sous les murs de Rome.

L'empereur fut très heureux de ce message. Trois jours plus tard, il se mit en selle, suivi de tous les sénateurs romains, et tous chevauchèrent très joyeusement à la rencontre du Sultan, qu'ils trouvèrent à une demi-lieue de Rome. Quand l'empereur le vit, il galopa vers lui et vint lui donner l'accolade. Ni le fait qu'il soit chrétien, ni le baptême qu'il avait reçu ne l'empêchèrent d'embrasser le Sultan sur la bouche tandis que tous les sénateurs de Rome s'inclinaient avec une extrême déférence. Ils savaient bien pourtant qu'ils péchaient ainsi contre Dieu mais ils redoutaient encore plus les Bretons.

Les Sarrasins installèrent leurs campements sous les murs de Rome et séjournèrent quinze jours durant pour reposer les troupes. Durant ces quinze jours, l'empereur de Rome commit une très grave faute envers Dieu et envers notre sainte Église : il épousa en effet la fille du Sultan, une païenne qui était très belle. Ce mariage fit beaucoup de peine au menu peuple de Rome et tous répétaient bien souvent que la foi de l'empereur était bien diminuée.

Ensuite, quand les quinze jours furent écoulés, l'armée commença sa chevauchée et on traversa pays et royaumes. Mais Blaise ne parle pas des étapes qu'ils firent ni de ce qui leur arriva car Merlin n'a pas voulu en faire mention. Je peux cependant vous dire qu'ils arrivèrent dans la terre de Provence où ils apprirent que Keu, le sénéchal d'Arthur, se trouvait dans la marche de Bretagne dont il avait la garde. L'empereur, lorsqu'il l'apprit, chevaucha dans cette direction. Arthur en eut connaissance par ses espions. Au reste, il était déjà venu au port de Douvres et là, il préparait sa flotte car son armée était très nombreuse.

XVI

GUERRE D'ARTHUR
CONTRE L'EMPEREUR DE ROME

Quand la flotte fut prête, Arthur vint trouver Mordret son neveu, qui était le frère de monseigneur Gauvain, et lui confia la garde de son royaume, de ses châteaux et de sa femme. Mais il aurait mieux fait de les ébouillanter tous les deux dans des chaudières car Mordret son neveu commit à son égard la plus grave trahison dont on ait jamais entendu parler. Il s'éprit en effet de la femme d'Arthur et sut si bien circonvenir les chevaliers, les châtelains et les baillis qu'ils le reconnurent comme seigneur. Il épousa la reine, mit des garnisons dans les forteresses du royaume et se fit couronner roi.

Arthur, qui ne se doutait de rien, donna ordre à ses chevaliers d'embarquer avec leurs armes et leurs équipements, et les hommes d'équipage les menèrent à un port qu'on appelle Calais. Le roi fit aussitôt savoir aux seigneurs de France qu'il avait débarqué et ils en eurent grande joie. Puis, avec l'accord de toute l'armée, il envoya deux messagers à Paris. Les habitants de Paris en furent très heureux et dirent qu'ils recevraient Arthur comme leur seigneur.

Fort de cette assurance, Arthur gagna Paris et c'est là qu'il réunit son armée. Cependant, les Romains et les Sarrasins apprirent qu'Arthur était à Paris. Ils chevauchèrent donc jusqu'à trois lieues de la cité. Arthur envoya alors auprès d'eux Gauvain et Bédoier pour savoir si l'empereur avait l'intention de se battre. Gauvain et Bédoier se rendirent dans l'armée ennemie et vinrent à la tente de l'empereur, montés sur deux bons chevaux et magnifiquement armés. Gauvain [1] dit son message sur un ton plein d'arrogance et

---

1. Le manuscrit que nous suivons a (mal) résumé tout le passage de l'ambassade de Gauvain et de Bédoier, supprimant entre autres le discours plein d'arrogance de Gauvain et la mention des hommes postés en embuscade par Arthur pour « couvrir » le cas échéant ses messagers. Mention que nous rétablissons ici. Dans le combat qui suit, on peut comprendre que Gauvain et Bédoier ont d'abord à faire face à une « première vague » de deux mille chevaliers, les dix-huit mille autres venant derrière...

multiplia à l'adresse de l'empereur les paroles d'insulte et d'outrage ;
si bien que cela finit par déplaire à un légat qui s'écria :

— Vraiment, ces Bretons seront toujours des fanfarons, des
médisants, des vantards et de bien mauvais chevaliers ! Et si vous
parlez davantage, ajouta-t-il, je vous ferai jeter à bas de votre cheval.

Bédoier lui transperça alors le corps de sa lance tandis que Gauvain frappait à son tour d'un coup de lance l'un des neveux de l'empereur puis, tirant son épée, donnait à l'un des chevaliers un tel coup
sur la tête qu'il le fendit en deux jusqu'à la ceinture. Enfin, se ruant
sur les chevaliers, il en décapita six autres. Les deux chevaliers voulurent alors repartir mais ils ne purent car fondirent sur eux plus de
vingt mille hommes. Ils étaient à un arpent de distance des deux chevaliers, si bien que Bédoier et monseigneur Gauvain avaient devant
eux plus de deux mille hommes. Ils vinrent encercler Gauvain et
Bédoier, armés d'épées nues, de lances, de javelots, de dards, de
pierres et de bâtons, et leur donnèrent de tels coups qu'ils auraient
dû normalement les tuer. Les chevaux, eux, furent abattus.

La colère cependant s'empara de monseigneur Gauvain. Il dégaina son épée, saisit son écu et, frappant un Romain qui était le
maître de vastes domaines, il lui porta un tel coup qu'il le fendit en
deux jusqu'à la poitrine. Il prit alors le cheval de son adversaire, se
mit en selle et voulut rejoindre Bédoier qui se battait avec acharnement, pensant lui venir en aide. Mais avant qu'il ait pu le rejoindre,
il fut de nouveau désarçonné et son cheval tué sous lui. Quand Gauvain vit qu'il avait perdu le cheval dont il venait de s'emparer, il se
remit sur pied et se défendit avec acharnement, se souciant fort peu
de savoir si cela servait ou non à quelque chose. Surgirent alors de la
forêt les vingt mille hommes [qu'Arthur avait postés en embuscade].
Ils se jetèrent sur les Romains, les dispersèrent sans aucun ménagement et les tuèrent tous, ou peu s'en fallut. Les messagers revinrent
alors auprès d'Arthur et lui racontèrent ce qui s'était passé. Arthur
donna aussitôt ordre à ses hommes de s'armer et fit sonner deux
cents cors et deux cents trompettes. Ce fut alors comme si la terre
s'ébranlait et l'écho était si grand que le sol semblait s'ouvrir et
qu'on n'aurait pas pu entendre le tonnerre de Dieu.

Les hommes d'Arthur chevauchèrent en bon ordre de bataille, et
c'est à Sagremor que fut confiée la bannière royale. Ils rencontrèrent
les vingt mille hommes qui avaient délivré monseigneur Gauvain et
les deux troupes firent leur jonction, guidées par Gauvain. Les
Romains, qui avaient pris la fuite, étaient cependant revenus à la
tente de l'empereur de Rome et lui avaient appris la mort de son
frère, Bretel [1]. Très affligé par cette nouvelle, l'empereur déclara

---

1. Ce frère de l'empereur et sa mort n'ont pas été mentionnés dans ce qui précède.
Dans le manuscrit D, Gauvain a tué le fils de l'empereur.

qu'il entendait faire chèrement payer cette mort à Arthur et aux Bretons. Il ordonna donc qu'on sonnât du cor depuis la tente de commandement, ce qui signifiait que les troupes devaient s'armer. Quand les Romains entendirent résonner le son du cor, ils s'armèrent tout aussitôt et les païens firent de même. Puis ils répartirent les corps de bataille et les escadrons, et chevauchèrent dans la direction où ils pensaient trouver Arthur. Le roi, de son côté, fit de même.

Ils furent bientôt si près les uns des autres qu'ils pouvaient très nettement se voir. A ce moment-là, même les plus hardis prirent peur. Les chrétiens se confessèrent les uns aux autres et se pardonnèrent mutuellement toutes leurs offenses puis, prenant des brins d'herbe, ils se donnèrent la communion [1]. Cela fait, ils remontèrent en selle. Jamais, non, jamais on ne vit armée aussi imposante ! Quand ils furent si proches les uns des autres que l'affrontement devint inévitable, monseigneur Gauvain, qui commandait le premier escadron, laissa aller son cheval et vint frapper un Sarrasin sur son écu. Il transperça l'écu et le haubert, fit pénétrer le fer de la lance dans la poitrine et l'abattit mort. On en vint alors aux mains des deux côtés.

Gauvain avait engagé la bataille avec vingt mille hommes, alors que les Sarrasins en alignaient contre lui cinquante mille. Il ne put donc résister longtemps. Néanmoins onze mille païens furent mis à mort et, parmi les hommes de Gauvain, il y eut sept cent soixante chevaliers tués. Pourtant, ils n'auraient pu tenir plus longtemps si Keu le sénéchal n'était arrivé au secours de monseigneur Gauvain avec vingt mille chevaliers. Ils attaquèrent alors les païens d'Espagne, alignant des monceaux de cadavres sur le champ de bataille. Les païens ne purent soutenir l'assaut et prirent la fuite mais ils rencontrèrent le Sultan qui s'avançait avec cinquante mille Sarrasins. Il attaqua monseigneur Gauvain et Keu le sénéchal, et la bataille fit rage de la troisième heure [2] jusqu'à midi. Le champ de bataille était tellement couvert des cadavres des chevaliers et des hommes d'armes que l'on ne pouvait plus chevaucher et trouver la place de jouter mais on se tuait à l'épée nue. Sachez que, ce jour-là, monseigneur Gauvain fit de telles prouesses qu'il tua à lui seul mille deux cent trente ennemis, tant chevaliers qu'hommes d'armes.

C'est un fait bien connu que sa force grandissait à partir de midi. Aussi, lorsque ce moment fut arrivé, tous les chevaliers qu'il rencontra, il les mit en pièces, eux et leur monture. Il combattait si

---

1. Cette possibilité de communier avec de l'herbe ou avec trois brins d'herbe (au nom de la Trinité) est documentée par des textes plus anciens (voir par exemple *L'Estoire des Engleis* de Gaimar, v. 6333 et sq. de l'éd. A. Bell, *A.N.T.S.*, 1960).

2. La troisième heure : environ 9 heures du matin.

farouchement que personne n'osait l'affronter et, grâce à sa prouesse, les Bretons mirent en fuite le Sultan. L'empereur de Rome vint alors attaquer Gauvain, qui avait déjà beaucoup enduré dans la bataille, et Keu le sénéchal. Il avait avec lui cent cinquante mille hommes. La poussière qu'ils soulevaient était si grande que Keu prit la fuite, entraînant avec lui les Bretons. Gauvain protégeait leur arrière-garde. Arriva alors Arthur avec soixante mille chevaliers pleins de prouesse et d'audace, tous prêts à se défendre avec acharnement et bien équipés. Ils attaquèrent les Romains, et s'engagea alors la plus rude bataille qu'un être humain ait jamais pu observer. Au cours de l'affrontement moururent de part et d'autre plus de quatorze mille chevaliers. Et sachez que le roi Arthur fit preuve, en cette occasion, d'une très grande prouesse.

L'empereur de Rome, magnifiquement armé, parcourut alors les rangs des combattants en criant :

— Roi Arthur, me voici prêt à lutter avec toi pour la possession de ce royaume et je vais te prouver que tu es bien mon esclave !

Arthur l'entendit et piqua des deux en sa direction. Il tenait son épée dans la main droite. Il en frappa l'empereur à la tête et lui donna un coup tel qu'avec l'aide de Dieu il le fendit en deux jusqu'à la ceinture et l'abattit mort. Puis il cria très fort que l'empereur était mort. Alors Gauvain piqua des deux, frappa le Sultan de son épée et, le prenant en travers, le trancha en deux à la hauteur de la taille. Le roi Lot, lui, lança au roi d'Espagne un javelot qui l'atteignit en pleine poitrine et l'étendit à terre, raide mort.

Quand les Romains et les Sarrasins virent ainsi tomber leurs seigneurs, ils prirent peur. Plus de cent mille d'entre eux vinrent là où gisaient les corps, car ils voulaient les emporter dans leurs tentes, mais, d'un autre côté du champ de bataille, surgirent les Bretons, les Norois, les Irlandais et les Écossais armés de glaives, de dards et de miséricordes [1], bien décidés à leur disputer les corps de ces traîtres. Les Romains cependant voulaient les garder. Ils reçurent alors de tels coups qu'on aurait pu charger deux cents chars avec les corps de ceux qui avaient été abattus ou tués. Et je peux bien vous affirmer que, depuis le temps où vécut Hercule, celui qui fixa en Éthiopie les bornes du monde, il n'y eut jamais pareil massacre.

Gauvain revint alors à l'assaut : il ne pouvait assouvir sa soif de carnage et il tuait ses adversaires comme le loup enragé dévore un agneau. Bédoier, de son côté, donnait de tels coups d'épée que tout le champ de bataille ruisselait de sang. Les Romains cependant s'enfuyaient et allaient abandonner la place lorsque furent alignés vingt mille hommes d'armes — il y avait également des chevaliers. Les

---

1. Dague utilisée pour menacer un adversaire et l'obliger à demander grâce (miséricorde).

Romains les rejoignirent et revinrent sur le champ de bataille où tant de cadavres de chevaliers gisaient, déjà livides et pâlis par la mort. Alors les Bretons réunirent tout leur courage et assaillirent les Romains. Guillac, qui était roi de Danemark, brandissant son épée dans sa main droite, en frappa un Romain qui était plus grand que les autres et lui donna un coup tel qu'il lui fendit le corps en deux jusqu'à la selle de son cheval.

Quand les Romains virent que celui qui les menait à l'assaut était mort, ils furent saisis d'effroi. Arthur cependant vint de nouveau les attaquer avec trente mille Bretons et fit dans leurs rangs une chevauchée meurtrière : les Bretons tuaient et massacraient leurs ennemis. Les Romains et les Sarrasins prirent alors la fuite et les Bretons leur firent longtemps la chasse, tuant et faisant prisonniers tous ceux qu'ils voulaient. La chasse dura un jour et une nuit, et sachez que quinze sénateurs romains furent capturés.

Après avoir ainsi défait l'ennemi, Arthur délibéra avec ses vassaux et déclara qu'il voulait se faire couronner à Rome. Ses hommes lui conseillèrent de chevaucher sur la ville avec ses troupes et d'y recevoir la couronne. Arthur fit alors comparaître devant lui les sénateurs romains qui avaient été capturés. Une fois en présence du roi, ils se jetèrent à ses pieds, l'implorant de leur laisser la vie sauve et l'assurant qu'ils lui rendraient la ville et seraient désormais à son service. Arthur accepta leurs propositions, reçut leurs hommages [1] et leur rendit leur liberté.

XVII

LA TRAHISON DE MORDRET ET LA MORT D'ARTHUR

Le roi Arthur ordonna à ses hommes d'être prêts à partir dans trois jours pour Rome. La veille du jour fixé pour le départ, Arthur était dans le palais de Paris et avait auprès de lui Gauvain son neveu, Keu le sénéchal, Guillac, le roi de Danemark, et le roi Lot d'Orcanie. Arrivèrent alors aux marches de la grand-salle quatre messagers qui mirent pied à terre et vinrent saluer le roi au nom de Dieu. Arthur les reconnut aussitôt et leur dit :

— Seigneurs, pourquoi êtes-vous venus ici ? Au nom de Dieu, dites-moi comment va ma femme ainsi que Mordret mon neveu. Rien de fâcheux ne leur est arrivé ?

---

1. Ils s'engagent donc à devenir les vassaux d'Arthur.

— Roi, lui répondirent les messagers, nous allons te dire ce que nous savons sur ce que tu nous demandes. Sache que Mordret ton neveu a œuvré contre toi comme un traître : il a épousé ta femme, il s'est couronné roi dans le mois même qui a suivi ton départ et il s'est concilié tous les cœurs. Apprends que tu n'as pas un seul château qui ne soit entièrement garni d'albalétriers, de chevaliers et d'hommes d'armes et qu'il n'y a pas un seul chevalier dans le royaume qu'il n'ait fait tuer s'il tentait de lui résister. Apprends enfin qu'il a fait venir les Saxons, les descendants d'Engis, qui fit si longtemps la guerre à ton père, et qu'il a interdit de chanter messe et matines dans toute la terre de Bretagne. Et nous pouvons t'assurer que, si tu ne viens pas au secours de ta terre, tu vas la perdre. Or, mieux vaut reprendre possession de ton royaume que conquérir la terre d'autrui.

Ces paroles remplirent Arthur de honte et de douleur. Il délibéra avec ses barons sur la conduite à tenir et le conseil auquel ils s'arrêtèrent fut le suivant : qu'il revienne dans son royaume, qu'il le reconquière et, s'il pouvait s'emparer de Mordret, qu'il le fasse brûler. Gauvain lui-même, qui était le frère de Mordret, ainsi que le roi Lot d'Orcanie son père lui donnèrent le même avis, tant était grande la honte qu'ils ressentaient.

Arthur approuva leur conseil et, le lendemain, il se mit en route avec ses chevaliers. Ils gagnèrent la Normandie et s'embarquèrent. Mordret, qui avait appris l'arrivée du roi car il avait placé des espions dans son camp, réunit Saxons, chevaliers et hommes d'armes, et se porta sur le rivage à la rencontre d'Arthur. Le roi s'approcha pour débarquer, et Mordret pour le lui interdire. Au moment du débarquement, sachez-le, le danger était très grand. Gauvain, que la trahison de Mordret remplissait de honte, tenta de débarquer, suivi de vingt mille hommes. Mais Mordret se porta contre lui, escorté de cinquante mille Saxons jetant sur les Bretons, qui ripostaient de même, épieux, pierres, lances et dards. Or, il arriva malheur à Gauvain : il n'avait pas lacé son heaume et un Saxon, qui tenait un aviron, l'en frappa à la tête et le jeta à terre, mort.

La mort de Gauvain causa une immense douleur. Ah ! Dieu, quel malheur que la mort de cet homme si juste ! C'était un bon chevalier, beau, loyal, plein de sagesse. Ses jugements étaient pleins d'équité et il savait si bien parler ! Dieu, quelle douleur de le voir ainsi frappé par la mort ! Les lamentations sur le navire étaient telles qu'on aurait pu les entendre sur deux lieues de long. C'est là que furent également tués Sagremor, Bédoier et Keu le sénéchal. C'est là que tant de nobles seigneurs trouvèrent la mort ! Et sachez que, sur vingt mille chevaliers, aucun n'en réchappa, tous furent tués ou noyés. Même le navire où ils étaient fut mis en pièces et coula.

Lorsque Arthur apprit que ces vingt mille hommes avaient péri, sa douleur fut extrêmement vive. Et quand il eut la certitude que Gauvain avait été tué, il en éprouva une telle peine, une telle souffrance, que le cœur lui manqua : il tomba sur le sol du navire et s'évanouit plus de quinze fois. Les Bretons cependant le relevèrent. Le roi Lot, de son côté, manifestait une telle douleur pour la mort de son fils que jamais, non, jamais personne n'entendit pareilles lamentations. Pourtant, on fit aborder sa flotte et le roi Arthur fit de même pour la sienne. Ils débarquèrent de force et sortirent des nefs mais il y eut beaucoup de tués avant qu'ils puissent toucher terre.

Un nouveau malheur frappa alors Arthur : comme le roi Lot sortait de son navire, un homme d'armes le visa et lui décocha une flèche en pleine poitrine. Les lamentations, sur son corps, reprirent de plus belle. Puis les Saxons se reformèrent en ordre de bataille et assaillirent Arthur. Mais, dès que les Bretons furent en selle, ils attaquèrent les Saxons et en tuèrent beaucoup car désormais ils les haïssaient. Tout comme le loup affamé dévore l'agneau, ainsi les Bretons se jetaient-ils sur leurs ennemis. Et ils en firent un tel carnage que des monceaux de cadavres s'élevaient sur le champ de bataille. Dieu accorda la victoire aux Bretons qui défirent les Saxons. Mordret prit la fuite, gagna les châteaux où il avait mis des garnisons et voulut s'y réfugier. Mais quand les habitants des bourgs et les chevaliers surent qu'Arthur revenait et qu'il avait triomphé de Mordret, ils interdirent à ce dernier l'entrée des forteresses.

Quand Mordret comprit qu'il ne pourrait trouver refuge dans les châteaux, il repartit très affligé et tout tremblant. Il gagna Winchester et réunit tous les Saxons qui se trouvaient dans le royaume. Puis il se dit qu'il attendrait là l'assaut d'Arthur. Quand Arthur l'apprit, il en fut très affecté. Il vint sur le rivage et fit prendre les corps de Gauvain, de Keu le sénéchal, de Bédoier, de Sagremor et du roi Lot d'Orcanie et les fit ensevelir. Puis il se mit en route avec le reste de ses hommes et partit à la poursuite de Mordret, d'une forteresse à l'autre. Mais un messager lui apprit qu'il se trouvait à Winchester avec de nombreuses troupes. Arthur chevaucha alors dans cette direction et convoqua les barons du royaume, les habitants des bourgs et des cités. Lorsque ceux-ci furent venus, ils se plaignirent de Mordret et de tout ce qu'il leur avait fait subir. La douleur d'Arthur, en entendant leurs plaintes, fut telle qu'il ne put leur répondre. Il ordonna alors à ses chevaliers de se mettre en selle et il chevaucha jusqu'à Winchester.

Quand Mordret apprit son arrivée, il sortit à sa rencontre, disant qu'il n'allait pas se terrer dans un château alors qu'il avait plus de troupes que le roi. Les deux camps se préparèrent donc à combattre et s'attaquèrent avec une extrême violence. Quels formidables assauts vous auriez pu voir ! Que de chevaliers et d'hommes d'armes gisant morts sur le sol ! On aurait bien pu en remplir trente chars ! Et il y eut un tel massacre de Saxons que bien peu en réchappèrent. Mordret cependant prit la fuite à bride abattue avec le reste de ses hommes. Il s'enfuit en Irlande et traversa le pays puis il gagna une île qui appartenait à un roi païen saxon, de la famille d'Engis. Ce dernier le retint très volontiers auprès de lui et lui montra beaucoup d'amitié parce que c'était un bon chevalier.

Quand Arthur apprit que Mordret était en Irlande, il le poursuivit et chevaucha jusque dans le royaume où il se trouvait. Lorsque le roi saxon eut connaissance de sa venue, il réunit ses hommes et se porta contre lui. On commença à se battre, et sachez que les Bretons haïssaient les Saxons, qui le leur rendaient bien. C'est pourquoi les morts furent nombreux. La bataille dura très longtemps et il y mourut beaucoup de bons chevaliers, mais le livre ne mentionne pas tous ceux qui y laissèrent alors la vie. Je peux bien vous dire cependant que Mordret fut tué ainsi que le roi saxon qui l'avait accueilli. Le roi Arthur fut également blessé à mort car il reçut un coup de lance en pleine poitrine. Les lamentations de ses hommes, autour de son corps, étaient très vives. Mais Arthur leur dit :

— Cessez vos plaintes car je ne mourrai pas. Je vais en effet me faire porter en Avalon pour faire soigner mes blessures par Morgain ma sœur.

C'est ainsi qu'Arthur se fit porter en Avalon et qu'il dit à ses hommes de l'attendre car il reviendrait. Les Bretons revinrent à Cardueil et l'attendirent plus de quarante ans avant de choisir un nouveau roi car ils étaient toujours persuadés qu'il reviendrait. Mais sachez que certains l'ont vu depuis chasser dans les forêts et ont entendu ses chiens, et que certains encore ont longtemps espéré qu'il reviendrait [1].

---

1. Le motif de la survie et du retour possible d'Arthur vient du *Brut* de Wace mais l'auteur du *Perceval* annexe, semble-t-il, le motif de la légende d'Hellequin et de sa suite vagabonde lancée dans une chasse infernale. Voir aussi l'histoire d'Herla et de son errance sans fin dans Gautier Map, *De Nugis Curialium,* trad. M. Pérez (Centre d'études médiévales et dialectales, université de Lille III, 1987), p. 23.

ÉPILOGUE

Quand tous ces événements furent accomplis, Merlin vint auprès de Blaise et lui conta comment toutes ces choses s'étaient déroulées. Lorsque Blaise eut rédigé son écrit, il l'apporta à la demeure de Perceval qui avait la garde du Graal et qui menait une vie si sainte que le Saint-Esprit venait souvent le visiter. Blaise lui raconta tout ce qui était arrivé à Arthur, comment il avait été emporté en Avalon, comment Gauvain avait été tué et comment les compagnons de la Table Ronde avaient terminé leurs jours. En l'entendant, Perceval pleura de compassion sur leur sort et pria Notre-Seigneur d'avoir pitié de leurs âmes car il les avait beaucoup aimés. Merlin vint alors auprès de Perceval et de Blaise, son maître et prit congé d'eux. Il leur dit que Notre-Seigneur ne voulait pas qu'il se montrât désormais aux hommes mais qu'il ne pourrait cependant mourir avant la fin des temps.

— Mais alors, ajouta-t-il, je connaîtrai la joie éternelle. Je voudrais cependant construire à côté de ta demeure une petite maison où je vivrai, et je ferai les prophéties dont me chargera Notre-Seigneur. Et tous ceux qui verront ma maisonnette l'appelleront l'*esplumoir* [1] de Merlin.

Merlin partit alors, fit son esplumoir et s'y enferma. Depuis, personne ne l'a vu en ce monde. Le conte ne parle plus désormais ni de Merlin ni du Graal. Il ajoute simplement que Merlin pria Notre-Seigneur d'accorder son pardon à tous ceux qui prendraient plaisir à écouter ce livre et qui le feraient transcrire pour perpétuer le souvenir de ses actions. Et vous, dites tous : Amen.

Ici s'achève le récit sur Merlin et sur le Graal.

---

1. Ce terme obscur — où se lit bien entendu le radical plume — pourrait faire référence à « la cage où les oiseaux sont enfermés pendant la mue » (cf. éd. Nitze, p. 111, n. 3). Ce qui renverrait au motif de la survie ou de la perpétuelle renaissance de l'écrivain, dont Merlin serait la figure emblématique, et du recommencement, de la réécriture toujours possible, de cette structure « ouverte » qu'est par excellence la quête du Graal.

LE LIVRE DE CARADOC

Récit en vers, tiré de la *Première
Continuation du Graal,* dite *Continuation Gauvain,*
traduit et présenté par Michelle Szkilnik.

Écrit à la fin du XIIe siècle, par un auteur anonyme.

INTRODUCTION

Le Livre de Caradoc figure dans la première continuation du *Conte du Graal*, la *Continuation Gauvain*, rédigée au tournant des XIIe et XIIIe siècles. Mais il constitue en fait un roman indépendant dans lequel Gauvain intervient de manière anecdotique et au même titre que d'autres chevaliers d'Arthur, Perceval ou Yvain, par exemple.

Le Livre de Caradoc raconte l'histoire de Caradoc Briebras [1], fils de l'enchanteur Eliavrés et d'Ysave, la nièce d'Arthur. Nous suivons le héros depuis sa naissance jusqu'à son mariage avec la belle Guinier et son couronnement. Le roman ajoute deux épisodes après le couronnement : la « guérison » magique du sein de Guinier et une épreuve de fidélité qui a lieu à la cour du roi Arthur. A cause de ce dernier épisode en particulier, on a souvent reproché au roman de manquer d'unité : n'aurait-il pas dû se terminer sur le triomphe et le bonheur des deux amis réunis, pardonnés et débarrassés des méchants ? A la limite on pouvait admettre que soit racontée la dernière rencontre d'Aalardin et Caradoc, puisque, à cette occasion, Aalardin donne à Caradoc l'or d'un bouclier magique qui, appliqué au sein de Guinier, lui rendra son intégrité. Ainsi se trouve réparée une injustice à l'égard de l'héroïne. Mais pourquoi ce petit conte, où boire du vin dans un cor magique s'avère une épreuve redoutable pour tous les chevaliers sauf pour Caradoc, qui vérifie ainsi la fidélité de Guinier ?

L'auteur du *Livre de Caradoc* semble intégrer ici un récit plus ancien : le *Lai du cor* de Robert Biket, qui raconte la même aventure. Le motif de l'épreuve de chasteté, qui apparaît dans le *Lai du*

---

1. La traduction de ce terme est difficile. En effet les versions diffèrent beaucoup : le manuscrit E dit que Caradoc, à la suite de son aventure avec le serpent, eut le bras deux fois plus gros, d'où son surnom de « au gros bras » ou « au bras fort ». Les manuscrits A, S, P, donnent la même interprétation. Mais le manuscrit T dit qu'il eut le bras deux fois plus maigre, d'où son surnom de « au bras maigre » ou « au bras court ». Voir les articles de G. Paris, F. Lot et R.S. Loomis cités dans la bibliographie.

cor, est en fait assez répandu au Moyen Age et d'autres textes, aux XIIe et XIIIe siècles, *Le Mantel mautaillié*, le *Lanzelet* d'Ulrich von Zatzikhoven, *La vengeance Raguidel*, le *Tristan* en prose, l'utilisent également. Ce motif est probablement d'origine celtique et appartient donc au fonds commun de la littérature arthurienne. Pourtant, dans *Le Livre de Caradoc*, il prend un sens particulier. Guinier, nous la savions irréprochable. La fonction de l'épisode n'est donc certainement pas d'en apporter une dernière preuve. N'aurait-il pas plutôt pour but de briser la belle harmonie de la cour d'Arthur et du livre ? Ne serait-ce pas pour Eliavrés [1] l'occasion de relancer le récit ? L'enchanteur apparaît à tous les moments-clés de l'histoire et son rôle est des plus ambigus. Certes, Eliavrés est d'abord le méchant, le diabolique magicien qui trompe le bon roi Caradoc de Vannes, répand la peur et la confusion à la cour d'Arthur, menace la vie de son propre fils Caradoc, et lui inflige la torture du serpent. Mais après avoir menacé son fils, il l'épargne ; après l'avoir laissé vivre deux ans avec l'affreuse vipère, il fournit le remède. Enfin, il consacre la supériorité du couple Guinier-Caradoc par l'épreuve du cor magique. En d'autres termes, il est le meneur de jeu : il lance l'action et il l'arrête. Il a droit de vie et de mort sur Caradoc, son fils, son personnage. Si le roman met au premier plan Caradoc, en filigrane, c'est Eliavrés qui assure la bonne marche de l'ensemble.

Le retour d'Eliavrés, à la fin, réclame donc une attention particulière. On peut l'interpréter de deux manières : Eliavrés revient-il, comme je l'ai suggéré, pour honorer le couple Guinier-Caradoc ? Dans ce cas, peut-être toutes les épreuves imposées par Eliavrés, y compris celle du serpent, avaient-elles également pour but de tremper l'âme de Caradoc et de Guinier, d'éprouver la force de leur amour et finalement de faire éclater leur valeur. Ainsi, paradoxalement, ce serait au méchant, au magicien, que serait dévolu le rôle d'assurer le triomphe de l'idéal courtois, prouesse et *fine amor*.

Ou bien Eliavrés revient-il, une fois de plus, semer le trouble ? Au moment de boire, Caradoc est pris d'un doute affreux qui lui fait jeter un regard soupçonneux sur Guinier. Certes, il boit sans renverser une goutte de vin mais qu'y gagne-t-il ? De l'honneur en apparence, en réalité la jalousie des autres chevaliers. Quant à Guinier, elle s'attire de la part de la reine et des dames de la cour une haine telle que Caradoc est obligé de la renvoyer à Nantes tandis que lui reste à la cour d'Arthur : voilà les amants séparés et isolés dans cette société courtoise dont ils sont pourtant la fleur.

En réalité, ce dernier épisode a pour effet de déstabiliser le roman

---

1. Car nul doute que c'est lui le chevalier porteur du cor magique. Il n'est, pour s'en convaincre, que de comparer l'arrivée du chevalier à celle d'Eliavrés au début du roman.

ou plutôt de révéler que l'équilibre atteint, semble-t-il, au moment du couronnement des deux héros, était en fait illusoire. Tant qu'Eliavrés vivra, la société arthurienne sera menacée ; menacée d'être confrontée à ce qu'elle est en vérité : une société qui prétend célébrer les valeurs courtoises et en fait les trahit, une société où l'adultère est généralisé et où la vertu suscite la jalousie. Eliavrés dénonce l'hypocrisie de l'idéal courtois. Mais il fait plus : véritable principe moteur du roman, il intervient à la fin pour lui éviter un « tout-est-bien-qui-finit-bien », car rien n'est fini. Et on se prend à imaginer une suite où serait révélé, par exemple, le secret du téton d'or. Intégré dans une continuation, Le Livre de Caradoc appelle lui aussi une continuation, se pliant ainsi à l'un des principes de l'écriture romanesque au Moyen Age.

Nous avons choisi de traduire ici la version dite longue du Livre de Caradoc. Cette version, celle du manuscrit E, a été éditée par W. Roach et R.H. Ivy dans Continuations of Perceval (t. II, American Philosophical Society, Philadelphie, 1965). Elle a l'intérêt de proposer une histoire plus détaillée, plus élaborée que les versions dites courte et mixte. Le manuscrit E se distingue par son rythme allègre — l'auteur ne cesse de dire qu'il n'a pas de temps à perdre, qu'il a beaucoup à dire — et par son ton, un ton familier, humoristique, parfois désinvolte, parfois moralisateur mais toujours plein de malice. Manifestement, l'auteur éprouve du plaisir à raconter cette histoire grave et amusante, féerique et farcesque, où les héros chevaliers, après avoir accompli des prouesses, se retrouvent les quatre fers en l'air, où la reine Guenièvre et le roi Arthur peuvent se montrer d'une noblesse toute royale et d'une mesquinerie toute humaine, où un ignoble enchanteur cocufie joyeusement le roi de Vannes et se voit accusé de tapage nocturne par les voisins, mais est, par ailleurs, un homme très élégant, amateur de poésie. Ces contrastes montrent aussi comment un homme du Moyen Age considère le matériau folklorique dont il dispose. Tout en manifestant des sentiments de sympathie ou d'antipathie à l'égard des personnages, l'auteur du manuscrit garde une distance ironique, comme s'il voulait se moquer de l'extravagance du récit et montrer qu'il n'est pas dupe de ces personnages idéalisés ; ce qui ne l'empêche pas, au moment même où il dénonce l'extravagance, de contribuer à l'amplifier ! Ce jeu témoigne peut-être du mélange de fascination et d'incrédulité que le récit faisait naître en lui, attitude proche, semble-t-il, de la sensibilité du lecteur moderne, lui aussi séduit et amusé par ces héros démesurément grandis.

Michelle SZKILNIK

BIBLIOGRAPHIE

E. BAUMGARTNER : « A propos du Mantel Mautaillié », dans *Romania*, 96, 1975, p. 315-332. « Caradoc ou de la séduction », dans *Mélanges Alice Planche*, 1984, Annales de la faculté des lettres et sciences humaines de Nice, 48.

L. BENSON : « The source of the beheading episode in *Sir Gauwain and the Green Knight* », dans *Modern Philology*, 59, 1961-62, p. 1-12.

A. LEUPIN : « Les Enfants de la mimésis, différences et répétitions dans la *Première Continuation de Perceval* », dans *Vox romanica*, 38, 1979, p. 110-126. « La Faille et l'écriture dans les *Continuations de Perceval* », dans *Le Moyen Age*, t. 88, 1982, p. 237-269.

R.S. LOOMIS : « The Strange History of Caradoc de Vannes », dans *Studies in Medieval Literature, a memorial collection of essays*, New York, 1970, p. 91-98.

F. LOT : « Caradoc et saint Patern », dans *Romania*, 1899, p. 569-578.

M.M. MASIUK : *A Literary analysis of the « Livre de Caradoc »*, Bryn Mawr College Press, 1977.

G. PARIS : « Caradoc et le serpent », dans *Romania*, t. 28, 1899, p. 214-229.

M. ROSSI : « Sur l'épisode de Caradoc de la *Continuation Gauvain* », dans *Marche romane, Mediaevalia* 80, 1980, t. 3-4, p.247-254.

M. SZKILNIK : « Les Deux Pères de Caradoc », dans *BBIAS*, n° 40, 1988.

I

NAISSANCE ET ÉDUCATION DE CARADOC

A cette époque dont je vous parle, celle où le roi était à Quinilli, vint à la cour un chevalier grand et bien bâti, fort et de fière allure. Il s'appelait Caradoc de Vannes. Il était roi et seigneur de ce royaume. C'était un homme jeune au comble de sa fortune mais il n'était pas marié. Il venait demander une femme au roi car il pensait augmenter grandement son prestige si c'était le roi qui lui donnait une femme. Et il déclara qu'il demeurerait ainsi célibataire quatorze ans ou plus : jamais personne ne lui donnerait une femme sinon le roi des rois. C'était de lui qu'il voulait recevoir ce don. Peu après, le roi lui donna sa nièce, la belle Ysave de Carahés, qui était sage et très bien éduquée.

Au jour fixé pour le mariage, le roi convoqua tous ses vassaux et ceux qui savaient bien le servir. Tous pouvaient en retirer de grands bénéfices. S'y rendirent dames, jeunes filles, demoiselles de compagnie, rois, ducs, princes et gouverneurs, barons, châtelains, vavasseurs. Il y avait là rassemblée une telle foule que toute la cité en tremblait. Les manifestations de joie étaient si grandes qu'on n'aurait pas entendu le tonnerre de Dieu. J'aurais fort à faire si je voulais énumérer tous ceux qui assistèrent au mariage et raconter ce qu'ils mangèrent et ce qu'ils burent. Je ne m'y risquerai pas mais je passerai cela sous silence.

C'est un mardi matin, par la providence divine, qu'eut lieu cette grande fête. La belle Ysave fut richement habillée. Pour ce qui est de sa beauté, je vous dirai qu'elle n'aurait pu être plus belle de corps ni de visage ; elle avait une apparence exquise et un maintien ravissant. Ses vêtements lui allaient à merveille. Le bon roi la prit par la main et sans nulle autre cérémonie, tous se rendirent à l'église où le mariage fut célébré, pour la joie générale. La messe commença et quand l'office fut terminé et la messe dite et chantée, le roi sortit de l'église, accompagné de tous ses chevaliers, et la reine emmena la jeune mariée dans ses appartements. Monseigneur Keu fit annoncer, par une trompette, la distribution d'eau et quand le roi se fut lavé les mains, il s'assit à la table d'honneur. Je ne chercherai pas à vous parler des plats : on mangea à satiété. Après avoir bu et mangé, on s'en alla dans les prés, et les tournois commencèrent. Mais je ne veux pas m'attarder à ces descriptions, car je dois raconter un autre événement qui me remplit le cœur de tristesse. En vérité, je voudrais être en prison pour avoir effacé ce scandale. J'en aurais grand mérite car on les blâmerait bien moins, les dames, qu'on blâme à tort !

Il y avait à la cour un chevalier, le meilleur enchanteur que vous verrez jamais. Il s'appelait Eliavrés. Toute la journée, il avait admiré la belle Ysave parée de ses riches atours. Il en tomba passionnément amoureux : il la lui fallait à tout prix ! Il la poursuivit avec une telle assiduité, il l'ensorcela, l'enchanta, l'apprivoisa si bien à force de magie, de ruse et d'incantations qu'elle déshonora son seigneur. Alors que celui-ci pensait coucher avec elle, il ne prit pas garde que, toute cette première nuit, il la passa avec une levrette. C'était l'enchanteur qui le trompait ; le roi n'y voyait rien mais pensait que sa femme couchait avec lui et était vierge. Et l'enchanteur, je crois, coucha avec la femme cette nuit-là. La nuit suivante, j'en suis bien fâché, il fit coucher le roi avec une truie, et toute la nuit il tint avec plaisir la dame dans ses bras. Et la nuit suivante, sans mentir, il fit coucher le roi avec une jument, et toute la nuit prit son plaisir avec la dame. Je crois que c'est au cours de ces nuits-là que la dame se trouva enceinte car jamais on ne s'aperçut de la tromperie.

Lorsque la riche cour se sépara, de nombreux et beaux cadeaux furent distribués. Le roi Caradoc et sa femme s'en retournèrent dans leur royaume. L'enchanteur s'en alla de son côté, mais assurément vous n'apprendrez pas de moi ce qu'il devint jusqu'à ce que je trouve le moment opportun d'en reparler. Quand Caradoc s'aperçut que sa femme était enceinte, quel que fût le père de l'enfant, il en aima davantage la mère. Quand arriva le temps d'accoucher, la reine mit au monde un très beau garçon. La joie fut grande dans tout le pays ; personne ne pourrait décrire la joie que manifesta Carador son seigneur. Il fit baptiser l'enfant solennellement et, parce qu'il lui était si cher, il lui fit donner son nom : il le fit appeler Caradoc. L'enfant eut de nombreuses nourrices, et à partir de cinq ans, pour développer sa valeur et son intelligence, il eut un maître qui lui enseigna davantage. En quatre ans, il apprit si bien qu'il dépassa son maître. Il savait s'exprimer à merveille. Dès qu'il eut dix ans, il alla trouver le roi son seigneur et lui dit que, si le roi le voulait bien, il irait volontiers rejoindre les bons chevaliers qui vivaient auprès de son oncle. Le roi et la reine lui procurèrent l'équipement nécessaire et quand il fut prêt, il ne s'attarda pas. Il prit congé de son seigneur et se mit aussitôt en route. Il emportait avec lui or et argent en quantité ; son maître et une brillante suite d'hommes et de jeunes gens nobles l'escortaient. Parmi ceux que Caradoc envoya avec son fils, beaucoup étaient des chevaliers magnifiques et intègres. Par sollicitude affectueuse, le roi n'accompagna pas le jeune homme. Celle qui doit l'aimer bien plus, la reine sa mère, alla jusqu'à la mer avec lui et versa bien des larmes de chagrin. Elle l'embrassa et pleura. L'enfant ne s'attarda pas davantage.

— Dame, dit-il, donnez-moi la permission de m'en aller.

— Cher fils, je vous recommande à Dieu afin qu'il vous garde de toute honte.

Sur ce, ils se séparèrent [1].

Caradoc et ses compagnons prirent la mer. Ils eurent un bon vent qui les éloigna et, cinglant joyeusement et agréablement, ils finirent par accoster à Hantone. Je ne parle pas de la dame qui ne s'éloigna pas d'un pouce du rivage ; elle ne voulait pas rentrer, elle accompagna du regard le navire et c'est quand elle l'eut perdu de vue, qu'elle quitta le port accompagnée d'une suite nombreuse. Par routes et sentiers, je vous le dis sans aucun doute, la dame fut finalement reconduite à Nantes, puissante cité qui lui appartenait, à elle et à son seigneur. Celui-ci y avait séjourné longtemps, sans s'en absenter ; par la suite, il séjourna longuement à Nantes sans interruption. Et la reine demeura avec lui. Tous deux regrettaient le jeune homme, qui était arrivé à Hantone.

Lui et ses compagnons, au terme d'un long voyage, passèrent en Angleterre. Ils trouvèrent la cour à Carduel. Je ne veux pas m'étendre sur l'accueil très joyeux qu'on lui fit à la cour : le roi Arthur courut à ses devants, chacun lui manifesta une grande joie ; ce n'est pas moi aujourd'hui qui pourrais la décrire et je ne veux pas m'y attarder. Le roi séjournait à Carduel, ville de son royaume fort bien située à la frontière de l'Angleterre et du pays de Galles, et enclose de forêts et de rivières. Le roi était avec ses familiers et, je vous le dis, il allait souvent chasser à l'arc dans les bois ou au bord de l'eau, presque chaque jour de la semaine. Il emmena Caradoc avec lui pour lui apprendre et lui montrer comment attraper le gibier. Après, il lui apprit parfaitement bien comment tenir l'oiseau de proie et le lâcher au bon moment. Puis il lui enseigna qu'il lui fallait être sage et avoir de bonnes manières, savoir jouer aux échecs, au trictrac et à tous ces autres jeux auxquels un homme noble doit être habile. Il lui faut aussi respecter les dames et les demoiselles et être

---

1. Le manuscrit E n'étant pas clair, c'est la variante du manuscrit M qui a été adoptée.

le défenseur des jeunes filles dans le besoin ; qu'il prenne garde de ne pas leur manquer. Quant au chevalier vaillant mais pauvre, il doit l'aimer et l'estimer. Qu'il ne se mette jamais à fréquenter traîtres ni flatteurs ; qu'il soit toujours aimable avec les gens de bien et distant avec les méchants. Car on ne tire jamais longtemps bénéfice d'une mauvaise fréquentation. Et quand il sera chevalier, qu'il ne soit pas vantard ; dans l'action, qu'il se montre le meilleur, et hors du champ de bataille, le plus réservé. Car celui qui claironne sa vaillance est abattu et étranglé par ses propres fanfaronnades. Ainsi le bon roi lui montre-t-il à prendre la vaillance pour enseigne, le bon sens et la mesure pour bannière : il en aura bien plus de valeur, car la démesure et l'insolence n'ont rien à voir avec l'honneur ni l'idéal chevaleresque. Il lui faut être courtois et bien éduqué ; il en tirera honneur et estime. Estime et honneur il en tirera et sera aimé des grands comme des petits. Caradoc se montra très bon élève et, je vous le dis, alors qu'il était encore adolescent, il aspirait si vivement à la gloire, qu'avant d'avoir quinze ans révolus, il en avait gagné plus qu'aucun autre de la maison du roi Arthur. Monseigneur Gauvain l'aimait beaucoup, apprenez-le, et monseigneur Yvain aussi. Le roi l'aimait et le chérissait et tous les autres chevaliers en faisaient de même. A juste titre !

II

DÉFI D'ELIAVRÈS ET RÉVÉLATION
DES ORIGINES DE CARADOC

A présent, je parle à nouveau du roi, qui, durant plusieurs années après le siège de Branlant, n'avait pas porté sa couronne ni tenu de cour réputée, ni revêtu des armes de guerre, mais menait une vie agréable sur sa terre en compagnie de ses familiers, les mieux éduqués qui soient au monde. Un jour, il était allé à la chasse, poursuivre et traquer le gibier. Ses compagnons allèrent avec lui et en prirent en quantité. Après quoi, ils s'en retournèrent à Carduel où séjournait alors le bon roi : c'est dans ce domaine qu'il se trouvait le plus souvent car il en aimait les rivières et les forêts. Carduel était à la frontière de ses terres entre le pays de Galles et l'Angleterre. Sur le chemin du retour, sachez-le, les chasseurs n'étaient pas silencieux mais pleins d'entrain. Vous auriez entendu là le vacarme des cors. Le roi s'absorba dans une pensée, mais ses compagnons, sans s'en rendre compte et sans réfléchir, s'engagèrent à toute allure sur la route. A l'amble, au grand galop, piquant des deux, ils eurent tôt fait de distancer le roi qui les suivait au pas. Je vous le dis, monseigneur Gauvain s'en aperçut sur-le-champ. Quand il vit les chevaliers s'éloigner si vite, il regarda derrière lui et vit au loin venir le roi, seul, cheminant tout pensif, à petite allure, la tête baissée. Monseigneur Gauvain s'arrêta ; sachez qu'il fut très étonné de voir le roi ainsi songeur. Il fit arrêter ses compagnons. Quand le roi s'aperçut qu'ils s'étaient arrêtés pour l'attendre, il força un peu l'allure, mit son cheval au grand amble et les rejoignit. Monseigneur Gauvain lui dit :

— Voilà assez longtemps que vous êtes seul, seigneur. Nous avons manqué de courtoisie. S'il vous plaît, pardonnez-le-nous et accordez-nous ensuite un don. Dites-nous à quoi vous pensez : vous êtes ici au milieu de vos amis et de vos hommes et vous avez nos cœurs à tous. A la ronde, vous n'avez pas un ennemi au monde que vous n'ayez abattu, anéanti, maîtrisé, renversé. C'est pourquoi, je vous le dis, nous n'aimons pas vous voir pensif et morne ; mais nous voulons que vous soyez si joyeux que tout le monde vous entende.

Le roi sourit, mit la main sur la tête de monseigneur Yvain et dit :

— Je vous dirai le fond de ma pensée. Je songeais que j'avais passé bien des hivers et des étés sans tenir une grande cour. J'ai donc décidé de porter ma couronne à la Pentecôte. Et je voudrais tenir la cour la plus prestigieuse qui soit d'ici à Constantinople et dont la renommée s'étende au monde entier. Qu'on ne compare aucune cour que j'aie pu tenir ni aucun don que j'aie pu faire à ce que je ferai à cette occasion. Et je vous dirai davantage encore : mon cher neveu Caradoc, je veux le faire chevalier ce jour-là.

— Vraiment, répondit monseigneur Gauvain, cette pensée n'est pas méprisable et elle montre non la mesquinerie mais la valeur et la générosité d'un roi.

Ils passèrent la nuit très joyeusement et, le lendemain, le roi envoie ses messagers par toutes ses terres : fou ou sage, que personne ne manque de venir à la cour à Carduel. Tout le monde y accourt : c'est tout à fait extraordinaire ! Je ne vous nomme pas chacun par son nom. Il y aurait trop de noms à nommer si je voulais tous les énumérer. Il est bien fou celui qui s'embarrasse à dénombrer ce dont il ne peut connaître le nombre !

C'était en mai, à la saison de l'été, où Dieu, à qui rien ne coûte, offre ce jour si beau, le jour de Pentecôte. Le roi voulut assister à la messe. Il aurait fallu voir la joie de Caradoc, le neveu du roi ! Il avait avec lui cinquante jeunes gens que le roi Arthur par amour pour lui voulait faire chevaliers le même jour, fils de comtes, de barons, jeunes gens de grande et belle taille, courtois, valeureux et bien éduqués. On les lava et on les baigna. Guenièvre, la noble reine, ne se montra pas chiche : à Caradoc et à ses compagnons, elle fit remettre des chemises de lin magnifiquement brodées. On n'aurait pu en trouver de meilleures. Quant à la robe de dessus, elle aurait habillé somptueusement un duc puissant. Car tous portaient du drap de soie broché d'or, tissé au pays de Gris. Leur manteau était fourré de petit-gris, bordé de zibeline et leur surcot, fourré d'hermine, richement étoilé d'or. Qu'ils étaient riches, les vêtements que portaient les jeunes gens ! Ceux de Caradoc étaient loin d'être vilains : son manteau était si riche que si Charles Martel l'avait revêtu le jour de son couronnement, il en aurait été très honoré. Sa tunique lui allait à merveille et c'était le plus beau jeune homme du monde. Il avait les bras et les épaules bien développés, le corps élancé et svelte. Nature le forma si parfaitement que rien en lui n'était à reprendre, ni dans son corps, ni dans son visage. Je ne sais que vous en dire de plus.

Caradoc avait veillé toute la nuit, sans dormir ni sommeiller, en compagnie des autres jeunes gens, fils de ducs et de barons pour beaucoup. Jeux et chants n'avaient pas cessé. Monseigneur Gauvain, en vérité, chaussa l'éperon droit à Caradoc, monseigneur Yvain l'éperon gauche. Le roi lui ceignit l'épée puis lui donna la colée.

— Cher neveu, lui dit-il, que Dieu par sa grâce te rende valeureux.

Cent chevaliers parmi les plus estimés chaussèrent fraternellement les éperons aux autres jeunes gens ; puis, selon nous, ils leur ceignirent à tous l'épée et leur administrèrent la colée. Ainsi furent-ils faits chevaliers. Et voilà mon récit fait de son côté. Ils allèrent à l'église écouter l'office divin. L'archevêque de Cantorbéry commença à célébrer pour eux la glorieuse messe du Saint-Esprit. La cérémonie fut grandiose et magnifique et l'assistance nombreuse. Ce jour-là, le roi porta sa couronne qui lui ornait richement la tête. Le service terminé, on s'en retourna dans la grande salle du palais et les serviteurs déplièrent les nappes et mirent sur les tables le pain, le vin, les précieux couteaux, les coupes d'or et d'argent et les vases en forme de navire. Même si on devait me couper le nez, je ne pourrais décrire l'extraordinaire richesse des hanaps. Les tables étaient magnifiquement chargées. Et les chevaliers, moins magnifiques, passèrent le temps agréablement auprès du roi, et chacun de son côté lui rendait honneur. Monseigneur Keu, sans manteau, sortit d'une pièce et, traversant la salle lambrissée, il vint vers le roi. Il tenait une petite badine dans la main.

— Sire, dit-il, quand il vous plaira, il sera temps de prendre l'eau.

— Keu, répondit le roi, ne soyez pas si pressé ! Par les saints de Dieu, vous savez bien que depuis que je suis roi et tiens ma cour, jamais je n'ai mangé, jamais l'eau n'a été distribuée avant que l'on n'ait vu quelque prodige. Je ne veux pas commencer maintenant !

Comme ils parlaient, se présenta à la porte un chevalier sur un cheval couleur de fer. Son cheval le menait à vive allure et lui, il chantait un sonnet. Il portait sur la tête une sorte de bonnet pour se protéger de la grande chaleur. Il avait revêtu une robe d'hermine par-dessus laquelle il avait ceint l'épée qui devait lui couper la tête par la suite. L'épée était ornée d'une attache de soie fine. Il vint jusque devant le roi et déclara :

— Roi, que Dieu vous protège, vous le meilleur et le plus grand roi qui soit sur terre. Je suis venu vous demander un don, si vous voulez bien me l'accorder.

— Ami, dit le roi, soyez le bienvenu. Je vous salue à mon tour. Quand j'aurai entendu ce que vous voulez me demander, soyez sûr que vous l'obtiendrez.

— Roi, je ne veux pas vous tromper. Voici le don que je demande : recevoir un coup d'épée pour pouvoir en donner un à mon tour.

— Comment ? Apprenez-le-moi.

— Roi, je vais vous le dire : je donnerai cette épée devant vous à un chevalier. S'il peut me trancher la tête d'un seul coup, qu'il y aille de bon cœur. Si je peux me rétablir après ce coup, qu'il me permette de lui rendre la pareille dans un an, ici, devant vous.

— Par saint Jean, dit Keu, je ne le ferais pas pour tout l'or du monde ! Seigneur chevalier, il faudrait être fou pour vous frapper à cette condition !

Le chevalier met pied à terre.

— Roi, dit-il, voilà le don que je vous réclame. Si vous me le refusiez, le monde entier l'apprendrait, car assurément, je saurais bien raconter qu'à votre cour vous avez manqué à accorder un petit don que je vous demandais. Et je suis venu de loin pour l'obtenir de vous.

Il tira son épée du fourreau. Le roi devint songeur. Petits et grands, tous demeurèrent interdits. En eux-mêmes ils se demandaient quel honneur ils pourraient bien avoir à le frapper. Caradoc, quoique tout juste chevalier, ne put en supporter davantage. Il se débarrassa aussitôt de son manteau et se précipita vers le chevalier. Il prit dans sa main la lame d'acier. L'autre lui posa une de ses questions :

— Est-ce qu'on vous considère comme le meilleur chevalier ?

— Assurément non, comme le plus fou, plutôt !

Le chevalier étendit le cou et posa la tête sur une table. Sachez que le roi et tous les hauts personnages de la cour furent bien affligés. Monseigneur Yvain faillit courir arracher l'épée des mains de Caradoc ; mais ce ne fut qu'un mouvement qu'il réprima. Caradoc leva l'épée et en asséna un tel coup qu'elle s'enfonça dans la table. La tête vola à bonne distance mais le corps la suivit de si près qu'avant qu'on s'en soit rendu compte, il avait retrouvé sa tête et l'avait remise à sa place. D'un bond, le chevalier se releva au milieu d'eux, devant le roi, parfaitement sain et sauf.

— Roi, dit-il, à présent, tenez votre parole. Puisque j'ai reçu un coup, je dois en donner un à mon tour, à votre cour, dans un an exactement.

Le roi ne chercha pas de faux-fuyant ; à tous ses vassaux, d'un bout à l'autre du royaume, il enjoignit de se présenter à sa cour dans un an jour pour jour et dans ce même lieu, tout comme ils y étaient ce jour-là.

— Caradoc, dit le chevalier, vous m'avez donné un coup vigoureux devant le roi. D'ici un an, vous recevrez le mien en retour.

Là-dessus, il s'en alla. Après son départ de la cour, le roi sombra dans de tristes pensées. Personne ne pourrait décrire le chagrin des dames et des chevaliers. On ne rit guère durant le repas. Toute la cour demeurait interdite. Caradoc ne se montra pas ému ; il déclara :

— Mon oncle, laissez votre chagrin. Car tout repose entre les mains de Dieu.

Bien des yeux versèrent des larmes pour Caradoc. La cour fut convoquée à Carduel, l'année suivante, à la Pentecôte. La nouvelle parvint à Caradoc, le roi de Vannes et à dame Ysave, sa femme, et les affligea fort. Pour leur ami, pour leur enfant, ils manifestèrent un chagrin immense : personne ne pourrait raconter ni décrire la grande douleur ni la souffrance qu'ils endurèrent toute cette année-là. Caradoc, pour sa part, resta à la cour du roi son oncle. Il ne se ménageait pas mais allait en quête d'aventures. Jamais dans votre vie, vous n'avez entendu prêter à aucun chevalier autant de prouesses qu'il en fit cette année-là. On en parla dans bien des lieux ; tous ceux qui le voyaient le plaignaient et pleuraient. Mais le terme de l'année arriva et il fallut se rendre à la cour. Tous ceux qui en entendirent parler, y vinrent par terre et par mer, pour être témoins de ces prodiges. Bien des jeunes filles et bien des dames, le roi Caradoc et sa femme, éprouvaient un tel chagrin qu'ils n'osèrent s'y rendre. Mais sachez qu'ils n'en agissaient pas moins : pour Caradoc, ils multiplièrent ce jour-là aumônes et bienfaits afin que Dieu, qui est le bien suprême, le préserve ce jour-là de toute honte.

C'était le jour de la Pentecôte. Pour Caradoc, l'épreuve était imminente et il l'envisageait avec effroi. La cour tout entière était rassemblée, les processions étaient terminées, les messes chantées dans les églises et l'on était en train de distribuer l'eau avant le repas quand surgit un chevalier, à cheval, l'épée au côté. Il n'avait pas les joues fraîches mais le visage rouge de chaleur.

— Seigneur roi, dit-il, Dieu vous protège.

— Ami, que Dieu vous bénisse.

— Caradoc, je ne te vois pas ; avance, tu vas passer un mauvais moment. Présente-moi ta tête ici sur-le-champ car je t'ai présenté la mienne autrefois. Et il est juste qu'on voie comment je sais frapper de l'épée à mon tour. Tu vas recevoir le coup qui t'était promis.

Caradoc voit et comprend bien que son destin l'attend. Il ôte son manteau et bondit en avant. Sur-le-champ, il présente sa tête au chevalier et lui dit :

— Beau seigneur, me voilà ; faites de votre mieux.

— Seigneur chevalier, dit le roi, montrez-vous courtois : acceptez plutôt une rançon.

— Une rançon ? Laquelle, dites-moi ?

— Volontiers. Je vous donnerai une grosse rançon : je vous donnerai — sans mentir — toute la vaisselle qu'on trouvera dans ma cour, d'où qu'elle vienne, et aussi le harnais du chevalier. Car c'est mon neveu et je l'aime beaucoup.

— Que non, je ne prendrai pas cette rançon ! c'est sa tête que je vais prendre sur-le-champ. Inutile de discuter davantage.

— J'ajouterai encore quelque chose : je vous donnerai tous les trésors, pierres, tout l'argent et l'or qu'on trouvera sur ma terre, en Bretagne et en Angleterre et dans tout mon royaume.

— Je n'accepterai certainement pas et je m'en vais lui trancher la tête. Vous me prenez sans doute pour un sot, mais je vais lui prendre la tête sur-le-champ ; il ne peut pas m'échapper. Inutile de discuter davantage.

— J'ajouterai pourtant quelque chose...

Le chevalier lève la main et se prépare à frapper. A cette vue, le roi s'évanouit de douleur. De colère, Caradoc s'exclame :

— Pourquoi ne frappez-vous pas, cher seigneur ? Vous me faites mourir deux fois à vous préparer si longuement. Maintenant, selon moi, vous n'êtes qu'un lâche !

A son tour, la reine vient prier le chevalier. Elle sort de son appartement en compagnie d'une centaine de dames et de jeunes filles d'une grande beauté.

— Seigneur chevalier, dit-elle, ne le touchez pas. Ce serait un péché et un malheur s'il était tué. Au nom de Dieu, ayez pitié de lui. Si pour moi vous lui accordez la vie sauve, vous en serez bien récompensé. Croyez-moi, vous ferez bien ! N'en ferez-vous rien pour moi ? Accordez-moi ceci : déclarez Caradoc, le neveu du roi, quitte du coup d'épée. Vous en recevrez une bonne rançon ! Voyez-là toutes ces ravissantes demoiselles, toutes ces belles jeunes filles ; vous pouvez toutes les obtenir. Acquittez-le ; vous ferez preuve de bon sens !

— Madame, je refuserais certainement toutes les dames du monde ; je ne prendrais aucun autre gage que sa vie. Si vous n'avez pas la force de regarder ce spectacle, retournez dans votre chambre.

La reine se couvre la tête et reprend ses lamentations. Elle se retire chez elle avec les dames du pays. Toutes ensemble, elles manifestent une douleur extrême : pour un peu, elles en mourraient. Le roi et tous ses chevaliers ne savaient quel parti prendre, mais montraient un tel chagrin qu'aucun homme ne pourrait le décrire. Caradoc s'approcha d'une table, posa sa tête dessus ; le chevalier leva l'épée... et l'en frappa du plat sans lui faire le moindre mal.

— Caradoc, lève-toi maintenant. Ce serait trop révoltant et trop malheureux si je te tuais. Viens me parler en particulier ; je veux m'entretenir un peu avec toi.

Il s'adressa à lui confidentiellement :

— Sais-tu pourquoi je ne t'ai pas tué ? Tu es mon fils et je suis ton père.

— Certes, répondit Caradoc, je suis prêt à défendre ma mère : elle n'est pas ni n'a jamais été votre amie, car elle n'a jamais rien fait contre son devoir !

L'autre lui enjoignit de se taire et lui raconta toute l'histoire telle qu'elle s'était déroulée, et comment il avait couché trois nuits avec Ysave. Vous trouveriez trop ennuyeux d'en réentendre le récit. Caradoc voulut lui chercher querelle car ce qu'il entendait lui causait un chagrin extraordinaire.

— Chevalier, dit-il, vous vous vantez d'un mensonge : jamais vous n'avez trompé mon père, jamais vous n'avez couché avec ma mère et jamais vous ne l'avez rendue enceinte de moi ni de personne d'autre ! Et si vous osiez le maintenir, je vous le ferais regretter !

Le chevalier n'en tint pas davantage compte et, se mettant aussitôt à cheval, il prit congé et s'en alla. Ce fut l'allégresse à la cour. On sonne la trompette : le roi demande l'eau et on la lui donne. Les dames et les chevaliers se lèvent pour prendre place autour du repas. Le roi Arthur s'assoit à la table d'honneur. Je ne cherche pas à vous décrire davantage les plats car, quand bien même je m'y serais épuisé, je n'en aurais pas dit assez. Quand la cour se sépara, que de cadeaux distribués ! Or, argent, chevaux, oiseaux d'un prix et d'une beauté inestimables ! Tous ceux qui vinrent à la cour, aussi pauvres qu'ils aient été, s'en retournèrent riches. Chacun rentra dans son pays. Le roi et ses familiers préférèrent rester là.

Caradoc regagna la Bretagne qu'il avait quittée longtemps auparavant et, à Nantes, il trouva le roi son seigneur et sa mère qui y demeurait avec lui. Quand le roi apprit son arrivée, il en fut bouleversé. Il alla à sa rencontre, le prit par le cou, l'embrassa et lui adressa d'affectueuses paroles :

— Soyez le bienvenu, mon très cher fils. A présent que je vous vois, je suis sûr et certain que Dieu m'aime.

— Hélas, cher seigneur, pourquoi m'avez-vous accueilli si joyeusement alors que je ne suis pas votre fils !

— Vous n'êtes pas mon fils ?

— Non, pas du tout. Voulez-vous connaître la vérité ?

— Bien sûr !

— Je vais vous la dire, sans mentir.

Ils se retirèrent à l'écart et Caradoc lui raconta toute l'histoire telle qu'elle s'était passée, comment le perfide enchanteur ensorcela Ysave, comment sous la couverture, la nuit de noces, il mit auprès de Caradoc une levrette et fut sans conteste le premier à jouir de sa femme, ainsi qu'il le déclara lui-même.

— Ne croyez pas que je vous trompe. Seigneur, c'est avec une truie qu'il vous a fait dormir la nuit suivante ; et avec une jument, sans mentir, que vous avez passé la troisième nuit, sans vous en apercevoir. Et l'enchanteur faisait ce qu'il voulait de ma mère. Cette nuit-là, je crois, elle se trouva enceinte de moi. C'est pourquoi je pense que vous n'êtes pas mon père ; mais elle, elle est vraiment ma mère. Et pourtant je puis bien le dire : il n'y a aucun homme au monde que j'aime autant que vous.

Ces paroles rendirent le roi presque fou de douleur. Quand la reine entendit dire que son fils était là, sans perdre un instant, elle accourut et le serra dans ses bras. Elle lui embrassa les yeux et le visage.

— Dame, dit-il, bon gré mal gré, je dois me soustraire tout de suite à vos marques de tendresse. Vous êtes ma mère, je le sais bien ; mais en dépit de cela, je ne vous aime pas du tout. Savez-vous pourquoi ? Vous avez mal agi envers le roi, votre cher seigneur et le mien. Vous savez sans aucun doute très bien ce qui s'est passé.

Le roi ne put se retenir davantage :

— Ma dame, s'écria-t-il, vous êtes bien audacieuse, après avoir agi ainsi envers moi, de venir vous montrer à mes yeux ! Sortez bien vite avant que la colère ne s'empare de moi et qu'on ne soit obligé de vous emporter tant je vous aurai maltraitée !

La reine s'en alla pleine de rage et de douleur. Sachez qu'elle ne s'attarda pas dans le palais. Je la laisse à son chagrin et vous parlerai du roi qui était bien affligé. Pour la reine, l'histoire tournait vraiment mal. Sans délai, le roi demanda conseil à Caradoc :

— Mon bien cher ami, que faire de votre mère ? Dites-le-moi. Je ne contesterai pas votre avis. Votre décision sera la mienne.

— Seigneur, répondit Caradoc, je ne voudrais pour rien au monde que par ma faute, ma dame subisse le moindre mal. Car après tout, c'est ma mère. Et pour que l'enchanteur ne puisse pas la rejoindre, je vous conseille de faire bâtir une tour étroite et haute, très peu large. Que ma mère y soit enfermée, afin que les descendants de l'enchanteur ne puissent pas se vanter que leur père a obtenu ce qui vous revenait. Car je vous l'affirme bien : il ne doit pas l'avoir.

Sans regarder à la dépense, le roi fit édifier la tour et y fit enfermer la reine : personne ne pouvait y entrer sinon lui-même et ceux qu'il y autorisait. La reine n'avait avec elle aucun homme, rien que des femmes, c'est tout. Une fois la reine emprisonnée dans la tour de pierre à Nantes, Caradoc, sans plus tarder, s'en alla à la célèbre cour de son oncle, le bon roi Arthur, qu'aucun roi, sinon Dieu, ne surpassa dans le monde entier. Et celui qui était doué de toutes les qualités physiques et morales, je veux parler de Caradoc, déclara qu'il n'avait pas envie de rester inactif mais qu'il voulait faire des armes. Car il est normal que le chevalier ne cesse pas de combattre s'il veut être renommé : un chevalier inactif ne peut pas acquérir de renom. Voilà quelle était la disposition d'esprit de Caradoc. Plus fier qu'un lion, Caradoc passa de nouveau en Angleterre.

III

CARADOC ARRACHE GUINIER À AALARDIN

Le roi avait envoyé des messagers pour convoquer sa cour à Carlion en mai, quand la rose est épanouie : à la Pentecôte devaient s'assembler tous ceux et celles qui tenaient de lui des terres et étaient ses vassaux. Par route ou par bateau, de par-delà la mer ou des régions proches, ils devaient venir donner de l'éclat à la cour. Toutes les jeunes filles devaient s'y rendre. Cador, un jeune homme de grande valeur, vint de Cornouailles. Il amenait avec lui sa sœur, la belle et sage Guinier, qui jamais ne se fardait ni ne se souciait d'ajouter des parures à celles que Dieu lui avait données. Elle était si belle que, si Nature avait passé sept ans à la façonner, elle n'aurait pu la rendre plus belle. Elle était non seulement extrêmement belle mais encore plus loyale : c'est celle qui jamais ne trahit l'amour véritable ni ne lui fut infidèle. Je ne veux pas vous la décrire longuement : tout ce qui chez une jeune fille fait le charme de la tête, des yeux, du visage, du corps, elle avait tout, sans exception. Cador, son frère, était un chevalier beau et vaillant. Leur père, qui avait été roi de Cornouailles, était mort cet été-là. Ils venaient à la cour du roi Arthur, car c'était de lui qu'ils tenaient leur terre. Ils voyageaient tous deux seuls. A cette époque, les jeunes filles voyageaient plus discrètement qu'aujourd'hui. Alors qu'ils étaient en chemin, déboucha devant eux, d'une vallée, un chevalier tout en armes. Cador ne s'était pas désarmé mais il avait retiré son heaume qu'il avait rejeté en arrière à cause de la chaleur. Du reste, il ne redoutait pas d'être attaqué. L'autre éperonna son cheval pour les rejoindre. Quand il vit la jeune fille, il la reconnut : c'était celle qui avait repoussé son amour. Je ne vous ai pas encore dit comment, je crois. Je ne peux pas tout dire à la fois ! Il faut dire une chose après l'autre. C'est ainsi qu'on s'y retrouve. Le chevalier en question était connu dans son pays sous le nom d'Aalardin du Lac. Il avait aimé passionnément la jeune fille et l'avait demandée en mariage à son père, au temps où celui-ci vivait encore, et à son frère. Il voulait en faire sa femme et la dame de sa terre. Mais elle répondit qu'elle ne voulait pas être sa femme ni son amie. Elle ne souhaitait à aucun prix le prendre pour époux quoiqu'il fût plus beau et plus vaillant qu'aucun autre chevalier de son pays. Mais lui la désirait vivement : avant que le père de la jeune fille ne fût mort, il s'efforça de la conquérir de tout son pouvoir ; prière, pressions de toute sorte, rien n'y fit.

Quand il la vit, voilà comment il agit : il éperonna le cheval sur lequel il était monté et dit à Cador, le frère de Guinier :

— Chevalier, s'il vous plaît, cédez-moi votre sœur. Vous ne l'emmènerez pas : vous n'êtes pas en position de le faire. Et si vous ne voulez pas me la céder, je m'en vais me jeter sur vous, vous allez voir. Je vous conseille de vous couvrir la tête ou bien, par saint Paul, je vais vous frapper sur la partie la plus haute de votre personne !

Cador de son côté ne se montra pas moins hardi et lui répondit vivement :

— Vous êtes bien pressé ! Me connaissez-vous bien ? Je m'appelle Cador. Pour votre pesant d'or, je ne m'humilierais pas devant vous jusqu'à vous céder ma sœur ! Car à quoi bon mon affection ?

Sur ces paroles, Cador se couvrit la tête et aussitôt les deux chevaliers s'écartèrent ; éperonnant leurs chevaux, ils se précipitèrent l'un contre l'autre. Ils se défièrent mutuellement de leurs lances, les brisèrent et les mirent en pièces. Les chevaux les emportèrent à telle allure qu'ils furent jetés à terre. Chevaux et chevaliers s'écroulèrent en tas. Par malchance, Cador tomba à la renverse sous son cheval. Il se brisa la jambe par le travers ; par-derrière, l'arçon le frappa de telle façon et en un endroit tel qu'on ne peut lui reprocher de s'être évanoui. Une douleur si forte l'étreignit qu'il resta là, inerte comme une souche. A cette vue, Aalardin lui dit cruellement :

— Seigneur Cador, en dépit de vous, votre sœur va nous appartenir, à mes compagnons et à moi. La voilà livrée à eux. Eh ! Vous avez été bien fou de me la refuser. Car si vous me l'aviez donnée, je lui aurais offert mon amour ; j'aurais fait d'elle mon épouse et ma dame. A présent, je suis dans une situation plus avantageuse que je n'aurais pu l'imaginer !

Il sauta sur son cheval sans plus de souci, puis s'empara de la jeune fille. Je ne sais que vous dire de plus : il l'emmenait de force.

La jeune fille poussait les cris les plus déchirants jamais entendus. Cador demeurait tout étourdi, étendu au milieu du chemin, méprisant sa vie et son corps. Vous pouvez bien imaginer combien sa douleur était grande : devant lui, on emmenait sa sœur, qui était sous sa protection, et il ne pouvait lui être d'aucun secours, ni à elle ni à lui-même. En l'entendant, alors, souhaiter la venue de la mort, il aurait fallu être bien cruel pour ne pas en avoir pitié. De son côté, la malheureuse jeune fille se frappait, se battait et s'égratignait. Souvent elle s'évanouissait et souvent elle criait :

— Ah, mon Dieu ! Sainte Vierge Marie ! que dira ma chère mère quand elle apprendra cette nouvelle ? Quand elle apprendra cette nouvelle, elle sera folle de chagrin ! La mort lui a pris mon père et voilà que ce démon lui a pris mon frère et moi. Mais vraiment, prendre une femme de force n'est pas digne d'un chevalier ; c'est de la pure cruauté !

Tandis qu'elle criait ainsi, survint Caradoc au grand galop. Il allait à la cour de son oncle. Tout en armes, sur son cheval, il dévalait une colline. Il regarda dans le fond de la vallée, là d'où venaient les plaintes aiguës de la jeune fille. Il l'aperçut à petite distance et comprit qu'elle avait besoin d'aide. Il éperonna vivement son cheval et s'approcha à toute allure. Dès qu'elle le vit, Guinier se mit à le supplier :

— Hélas, noble et vaillant chevalier, au nom de Dieu, délivrez-moi de ce diable, ce monstre, qui a blessé injustement mon frère sous mes yeux et à présent, m'emporte. Je préférerais certainement être morte, brûlée, noyée ou maltraitée qu'être ainsi en son pouvoir. L'homme qui m'arracherait à lui pourrait être assuré de m'avoir conquise. Seigneur chevalier, par noblesse, ayez pitié de moi, pour l'amour de Dieu, et aidez-moi, qu'il ne m'emmène pas plus loin !

Caradoc se précipita au-devant de l'autre et lui dit :

— Ami, cédez-moi la jeune fille, s'il vous plaît.

— Que je vous la cède ? Êtes-vous fou ? Honte à moi, si je vous la cède ainsi ! Vous cherchez votre malheur. Pourquoi vous souciez-vous d'elle ? Occupez-vous de vos affaires !

Monseigneur Caradoc répondit :

— Pour rien au monde je ne vous l'abandonnerais ainsi et je ne commettrais la bassesse de vous laisser l'emmener alors qu'elle m'appelle au secours !

Sur ce, il saisit le cheval de la jeune fille par le frein ; il tenait sa lance à la main. Aalardin le frappe de l'épée et manque de lui couper la main qui tenait la lance : il lui donne un tel coup d'épée qu'il sectionne la lance au ras du poing. A son tour Caradoc, avec le reste de la lance, lui porte un coup si fort qu'Aalardin ne peut demeurer en selle mais culbute tête la première. Voilà la bataille engagée.

— Seigneur chevalier, dit Caradoc, vous devriez avoir honte de nous montrer ainsi votre dos.

Il descend aussitôt de cheval. Aalardin, plein de honte, se relève d'un bond. Farouchement, ils s'attaquent de leurs épées tranchantes et se frappent pour de bon. Devant ce spectacle vous n'auriez pas eu envie de partir. Là vous auriez vu porter avec impétuosité plus d'un bon coup d'épée ; poussant, tirant, les combattants frappent le bouclier de l'adversaire. Ils ont mis en pièces leurs écus et complètement démaillé leurs hauberts. Chacun porte autant de coups que possible. Le plus valeureux presse l'autre. Ils attaquent, frappent, tirent et poussent ; adversaires redoutables, ils se frappent et s'attaquent. La bataille fut extrêmement violente et la mêlée dura longtemps. Chacun avait tant brandi le poing qu'avant la fin du premier assaut — je vous l'affirme avec certitude — ils avaient diablement arrangé leurs écus : ils étaient tout dépecés et ne valaient plus un clou. Leurs hauberts, aussi solides qu'en fussent les mailles, étaient complètement démaillés et les combattants tout couverts de sang avant de mettre fin au premier assaut. Aalardin fit retraite et Caradoc ne le pressa pas davantage car lui-même était aussi harassé par l'âpreté du combat qu'il venait de livrer. Quand ils eurent repris leur souffle, les deux chevaliers, saisissant leur épée, se remirent à échanger de tels coups sur la tête, sur la nuque, partout où ils pouvaient atteindre l'adversaire, qu'ils teignirent la terre de leur sang qui coulait à flots. L'herbe en était toute rouge. Les hauberts étaient fendus, le fer noirci par le sang qui coulait en bouillonnant entre les mailles. Caradoc asséna un tel coup à Aalardin que, si celui-ci ne l'avait pas évité, c'était sa mort : il lui porta une certaine botte qui, si l'épée ne lui avait tourné dans la main et si Aalardin avait été plus lent à réagir, aurait fendu l'adversaire jusqu'aux dents. Et du reste, bien qu'Aalardin se fût reculé, Caradoc ne lui en trancha pas moins toute la partie droite du heaume. Aalardin était en mauvaise posture. Sa tête n'était plus protégée que par la coiffe. Et je vous assure bien que sans ce coup qui l'affaiblit considérablement, il n'aurait pas été le moins valeureux ; il avait fait décidément bonne contenance pendant le combat et, sans cette malchance, il n'aurait pas encore été près d'être vaincu [1]. Cela le rendit furieux. Le combat tournait mal pour lui. Pour se venger, il jeta un sérieux coup à Caradoc, visant le poing. Mais parfois, en croyant se venger de son malheur, on ne fait que l'aggraver irrémédiablement. En vain Aalardin essaie-t-il de reprendre l'avantage : glissant au ras de la croix et de la main, l'épée ne touche nullement la main. Le malheur d'Aalardin en est encore accru : voilà son épée en deux morceaux. Sur une épée, l'autre se

---

1. La variante des manuscrits M, Q, U a été adoptée.

brise, si bien qu'Aalardin est contraint de se rendre à Caradoc. Il lui tendit la croix de son épée, bien conscient qu'il ne lui servait plus à rien de se défendre.

— Seigneur, dit-il, je me rends ici à vous et me mets à votre merci, à vous le meilleur chevalier jamais monté sur un cheval de combat. Je suis votre prisonnier. Dites-moi votre nom, vous qui m'avez presque rompu les os.

— Seigneur, je m'appelle Caradoc et je suis le neveu du roi Arthur. Et votre nom, dites-le-moi.

— Seigneur, je ne le cacherai pas. On m'appelle Aalardin du Lac dans mon pays. J'avais rencontré cette jeune fille qui dédaignait mon amour. Je voulais la faire dame de mes biens et de ma terre. Comme j'étais puissant, je fis pour l'obtenir une guerre incessante à son père et je venais de l'arracher à son frère. Et je l'aurais tirée d'entre vos mains si vous ne m'aviez pas autant malmené. Mais vous êtes d'une telle valeur que vous m'avez vaincu et nous avons tant combattu, seigneur, que je me rends à vous.

— Ami, allez, sans regimber, vous rendre à la demoiselle.

— Seigneur, puisque vous me l'ordonnez, j'irai.

— Ah, Caradoc, bien cher ami, s'exclama la jeune fille, pour rien au monde je ne le voudrais ! Je ne peux me résoudre à lui pardonner le mal qu'il m'a fait en m'arrachant mon frère, à moins qu'il ne me le rende sain et sauf. Et après, je préférerais me pendre que le prendre pour époux !

— Jeune fille, dit Aalardin, c'est entendu, je vous rendrai votre frère parfaitement sain et sauf. Voyez, je suis tout prêt à le faire, s'il est vivant, toutefois.

Tous trois remontèrent à cheval et finirent par trouver Cador tout près de l'endroit où il avait livré combat. Il était étendu là, si gravement blessé qu'il n'aurait jamais pu se relever : il n'exhalait plus qu'un souffle, une faible respiration. Avec peine, les chevaliers, affaiblis par le sang qu'ils avaient perdu et l'effort qu'ils venaient de fournir, réussirent à le relever et à l'installer sur un cheval. Puis ils prirent un chemin qui suivait une vallée. Caradoc portait Cador en croupe. Ils étaient tous deux sur le même cheval car le blessé n'aurait pu s'y tenir sans aide. Mais Caradoc le menait tout doucement. Quant à la jeune fille, elle manifestait un chagrin extraordinaire.

Ils arrivèrent enfin à un pavillon tendu au bord d'une rivière. Il était magnifique, si rehaussé d'or et d'argent qu'on ne me croirait pas si je voulais le décrire. Alentour la prairie était verdoyante et la berge charmante et agréable. Cet endroit, joli et coquet, plut beaucoup à Caradoc, et les chants joyeux des oiseaux dans les bois soulagèrent toutes ses douleurs.

— Ah, Dieu, puissant roi céleste, s'exclama-t-il, comme ce lieu est beau et comme il est aimé de Dieu, celui qui en est le seigneur !

A peine avait-il dit cela qu'il entendit une carole merveilleusement chantée par des jeunes filles qui regrettaient leurs amis. Mais il entendit un autre prodige qui le réjouit et attira davantage encore son attention : à l'entrée de la tente étaient placés par magie deux automates d'or et d'argent. L'un ouvrait la porte du pavillon, l'autre la fermait. Il n'y avait jamais eu d'autre portier. Les automates avaient encore une autre fonction. L'un jouait de la harpe en virtuose, l'autre tenait à la main un javelot. Voyait-il entrer un rustre, il le frappait aussitôt d'un bon coup. L'automate qui tenait la harpe avait, quant à lui, pour coutume, de démasquer toute femme qui se prétendait indûment jeune fille. Dès qu'elle se présentait à l'entrée, la harpe jouait faux et une des cordes se rompait. Le pavillon était jonché d'herbes fraîches et de roseaux, de fleurs de plantes aromatiques afin de parfumer l'air à l'arrivée du seigneur. Le pavillon était d'une telle beauté qu'aucun homme mortel ne pourrait le décrire. Caradoc entendit la fête joyeuse que tous menaient à l'intérieur du pavillon. Dames et chevaliers chantaient et les jeunes gens, les jeunes filles, dont certaines étaient très belles, s'amusaient dans le pré. Caradoc demanda alors à Aalardin s'il savait à qui appartenait ce pavillon.

— Seigneur, répondit-il, c'est moi le plus proche voisin de ce pavillon car il est à moi. J'en suis le seul seigneur et donc, sachez vraiment que c'est chez moi que je vous amène. Ceux qui chantent ainsi sont tous mes hommes et mes vassaux. En entrant dans le pavillon, vous verrez mes grandes richesses ; et vous y verrez ma sœur, que j'aime plus que moi-même ; Dieu lui donne joie et honneur !

Du pavillon sortirent tous et toutes, grands et petits, pour faire hommage à leur seigneur. La jeune fille, sa sœur, lui tint l'étrier. Tous les autres aidèrent à descendre doucement le chevalier blessé et l'emmenèrent dans le pavillon. Le voilà rétabli. Car, ne soyez pas incrédules, dès qu'il eut entendu la mélodie de la harpe, il se ranima et s'éveilla tout aussitôt comme d'un songe. Tous en furent stupéfaits. La douceur de la musique lui procura un tel plaisir qu'il en oublia sa douleur. Alors Aalardin appela sa sœur, qui était très belle. La jeune fille du pavillon est le seul nom que je lui ai jamais entendu donner.

— Chère sœur, dit-il, je vous demande de prendre soin de ces chevaliers comme de moi-même et je vous recommande pareillement cette jeune fille que vous voyez. Mettez tout votre pouvoir à guérir ces chevaliers, pour le bien de votre frère ; et moi-même, qui suis grièvement blessé, secourez-moi.

Voilà ce dont il pria sa sœur, qui s'acquitta bien de sa charge car elle leur dispensa de tels soins qu'en huit jours elle les remit sur pieds. Mais je ne veux pas ici m'éloigner de mon sujet ni m'attarder à vous raconter par quel remède guérirent les chevaliers. La jeune fille du pavillon témoigna tant d'honneur à la belle Guinier et lui manifesta une telle affection que je serais lassé avant d'avoir fini de le montrer. Pendant ces huit jours ce fut la fête et on vous a bien souvent décrit des séjours moins plaisants. Là Caradoc, Aalardin et Cador se jurèrent, en substance, qu'ils seraient compagnons à jamais. Aalardin fit amende honorable envers la belle Guinier pour lui avoir fait violence. Puis ils décidèrent, je crois, de partir ensemble le lendemain sans tarder pour la cour du roi Arthur. Une fois prêts, ils se mirent en route, prenant le chemin le plus direct. Caradoc se tenait aux côtés de Guinier, sa gracieuse amie. Quant à la jeune fille du pavillon, elle tenait compagnie à Cador et ils parlaient aventures. Caradoc était de grande valeur. A cause de la chaleur, il avait ôté son manteau. Il était extrêmement beau et de compagnie agréable. La belle Guinier brûlait d'amour pour lui et n'osait pas lui jeter un regard. Elle l'aimait plus qu'elle-même mais n'osait le manifester. Car il n'est pas convenable qu'une jeune fille soit assez hardie pour déclarer la première son amour à un homme. Je ne vous parle pas plus d'eux pour le moment et les laisse chevaucher à grande allure.

IV

TOURNOI À LA COUR D'ARTHUR

Le roi avait réuni sa cour à Carlion. Nombreux étaient ceux qui y étaient venus, de pays lointains, de Normandie et d'Angleterre, dames, chevaliers, plus qu'Alexandre d'Alier [1] n'en a réuni de son vivant. Avant de partir, les rois Cadoalant et Ris eurent envie d'organiser un tournoi magnifique. Cadoalant était roi d'Irlande et Ris seigneur de Valen, lande entourée de bois près de Carlion. Aalardin et Caradoc, ainsi que Cador, se rendirent sur le lieu du tournoi. Ils arrivèrent à point nommé car le tournoi commençait juste. Dans le bois il y avait des charmes au pied desquels ils déposèrent leurs armes. Ils les étendirent sur de beaux tapis et s'équipèrent ; ils mirent leurs chausses de fer, lacèrent leurs hauberts et leurs coiffes,

---

1 Alexandre le Grand.

ceignirent leurs épées d'acier, lacèrent leurs heaumes, saisirent leurs solides écus et protégèrent leurs chevaux d'une couverture de fer. L'un était alezan, l'autre bai, le troisième pommelé. Les chevaliers les enfourchèrent. Chacun tenait une lance et un étendard. Le fer des lances était aiguisé. Je vous parlerai maintenant des écus qu'ils avaient pendus à leur cou. Caradoc avait un écu d'or à la bordure étincelante et précieuse. Il en illuminait tout le pays. L'écu portait encore trois beaux lionceaux de sinople, figurés rampants. Aalardin avait un écu à gueules vermeilles, portant un aigle d'hermine blanche figuré en vol. Et Cador avait un écu de sinople tout bordé d'or. Ainsi armés, ils se dirigèrent à cheval vers l'endroit du tournoi. Les jeunes filles, je crois, se retirèrent à l'écart sous les belles huttes de feuillage que leur avaient faites les chevaliers. Les trois jeunes gens les quittèrent, leur laissant deux chevaliers et un bon nombre d'autres personnes, familiers et vassaux d'Aalardin. Pour eux, sans perdre un instant, ils montèrent à cheval, éperonnèrent vivement leurs montures et piquèrent des éperons jusqu'au donjon du château. Là, ils décidèrent, par Dieu, qu'Aalardin irait participer le premier à la joute. Ayant quitté ses compagnons, Aalardin se dirigea vers l'endroit où il pourrait se montrer et faire voir son habileté. Il parvint au pied de la tour. A la fenêtre de l'une des plus belles façades, était venue s'accouder une très belle jeune fille dont la présence, plus que tout autre ornement, embellissait la tour. Baissant les yeux, elle aperçut le chevalier arrêté là sur son cheval. Elle ne se contenta pas de lui prêter un regard mais l'observa avec attention et l'interpella aimablement :

— Dieu vous protège, seigneur chevalier !

Levant la tête, Aalardin lui répondit courtoisement :

— Que celui qui ne nous abandonne ni ne ment vous accorde une vie agréable, jeune fille. Ne vous effrayez pas de me voir ici.

— Seigneur, quand je saurai votre nom, je serai certainement tout à fait rassurée. Ne soyez pas fâché par ma demande ; si vous voulez cacher votre identité, je ne la révélerai pas. Et dites-moi, si vous le savez, pourquoi vous êtes resté là si longtemps.

— Jeune fille, je vous dirai tout sans mentir. Car s'il plaît à Dieu, jamais le fait de vous connaître ne me causera d'ennui. Je m'appelle Aalardin du Lac. Je ne suis venu ici que pour le tournoi mais je ne vous cache pas que, si je peux, j'y participerai sans révéler mon identité.

— Irez-vous seul ?

— Oui, bien sûr, n'en doutez pas. Mais dites-moi, en vérité, jeune fille — que Dieu vous protège ! — savez-vous si monseigneur Yvain et monseigneur Gauvain sont là ?

— Oui, certainement, ils seront là, ce sont les meilleurs chevaliers du monde et je leur ai entendu dire que rien ne leur ferait renoncer à participer au tournoi et à y donner de beaux coups.

Aalardin fut tout content d'entendre ces nouvelles au sujet de ces vaillants chevaliers. Il caracolait sur son cheval au grand plaisir de la jeune fille dont le cœur bondissait dans la poitrine. Elle pâlit, elle se sent couverte de sueur, et la vue du chevalier la fait changer souvent de couleur. Son cœur, tout entier, elle le lui donne. Elle n'en garde pas un petit bout pour elle mais reste sans cœur ! Et comme elle veut qu'il l'aime, elle le lui manifeste de manière courtoise et, en gage d'amitié, lui donne sa manche taillée dans une étoffe précieuse. Il en fait un étendard. L'appelant par son nom, elle lui dit :

— Seigneur, en vérité, je ne vous cacherai pas davantage que, si Dieu me veut du bien et me donne de l'honneur dans ce monde, vous êtes un de ceux pour qui j'ai le plus de sympathie et dont je voudrais le plus devenir l'amie, car vous êtes de ce pays. Le roi Ris soupire après moi, ainsi que le roi Cadoalant mais ce n'est pas encore demain la veille que j'accepterai l'un d'eux, pour quoi que ce soit ! C'est pourquoi je vous dis que je vous aime et que je me plains à vous de ces deux-là. Et je veux qu'on sache, cher ami, que je vous ai vu, parce que c'est par orgueil qu'ils veulent m'avoir et que je ne veux d'aucun des deux. C'est cet orgueil, cette prétention insolente qui leur a fait entreprendre une joute devant le roi et devant moi, afin que je me décide pour le meilleur d'entre eux. Si on pouvait rabattre leur orgueil, cela me soulagerait de la rage qu'ils m'ont mise au cœur.

Aalardin, voyant les chevaliers en place, déclara :

— Jeune fille, dites-moi, s'il vous plaît, votre nom, si du moins c'est possible.

— Seigneur, mon nom finit en « or »: on m'appelle Guigenor et je suis la petite nièce du roi Arthur. Ma mère est sa nièce et la sœur de monseigneur Gauvain. Mon père s'appelle Guiromelant et ma mère Clarissant. C'est elle qui fit cesser le combat que se livraient mon père et mon oncle et durant lequel ils se blessèrent si cruellement l'un l'autre. Je vous ai beaucoup parlé de moi-même et je prie Dieu qui m'a fait naître qu'il m'accorde encore de voir le jour où vous me parlerez plus à loisir.

— Jeune fille, c'est dit. Je suis votre chevalier.

Et sur ces mots, il la quitta. Il aperçut d'un côté un puissant homme de haut lignage qui semblait prêt à engager la première joute du combat. Il était accompagné de nombreux chevaliers et portait une riche et belle armure. Avec arrogance, il vint jouter le premier devant la jeune fille. Savez-vous alors ce qui se passa ? Le roi Ris s'était installé avec ses compagnons dans l'enceinte de la tour. C'est de l'autre côté de la lande que le roi Cadoalant d'Irlande avait son

camp. Je vais vous dire de quelle façon cela se présentait : la lande
était fermée par un fossé grand, large et profond qu'on pouvait traverser par un passage. Mais je veux en venir aux deux rois dont je
vous parle aujourd'hui et qui avaient entrepris le tournoi. Le roi Ris
s'avança tout armé depuis la porte du château car il voulait être le
premier à jouter. Aussitôt, Aalardin éperonna son cheval et le lança
en avant. Il portait à sa lance la manche que lui avait donnée la jeune
fille. Les deux adversaires se jettent l'un sur l'autre avec violence.
Éperonnant impétueusement leurs chevaux, ils s'arc-boutent sur les
étriers, chacun bien protégé par son bouclier décoré. Quand ils se
croisent, ils s'empoignent mutuellement. Le roi Ris frappe si violemment Aalardin qu'il met sa lance hors d'usage. Aalardin à son tour
lui assène un tel coup que, s'il ne l'avait pas évité, lui et son blanc
Lionceau — c'était le nom de son cheval — se seraient abattus
comme une seule masse. Le roi Ris était un excellent chevalier.
Aalardin se précipite sur lui. On va voir maintenant lequel se
comportera le moins vaillamment ! Mais le roi Ris avait davantage
de compagnons qui pensaient vaincre facilement Aalardin. Ils voulaient remettre en selle le roi quand Aalardin revint à la charge. Il
tenait son épée nue à la main et en porta un coup puissant sur le
heaume du roi ; au prix de tout son royaume, rien n'aurait pu l'arrêter ! Entre les deux combattants se précipitent impétueusement vingt
chevaliers qui de vive force remontent le roi à cheval et s'en
prennent à Aalardin. C'est un combat bien inégal : un seul chevalier
contre vingt. Et pourtant il s'en sortit très bien car, en dépit de leur
énergie et de leur force, ils n'auraient pu l'affaiblir suffisamment
pour remettre le roi en selle si ceux du château n'avaient envoyé au
roi un important secours.

Mais avant de vous en dire davantage, je veux maintenant vous
parler des chevaliers réputés dans le monde entier, ceux de la Table
Ronde, et vous dire comment, selon le conte, ils se répartissaient
dans les deux camps. Du côté du roi Cadoalant, se trouvaient les
deux plus vaillants : monseigneur Gauvain et monseigneur Yvain,
ainsi que monseigneur Keu, le sénéchal, qui était un excellent chevalier, Lucain l'échanson et plusieurs milliers d'autres chevaliers que je
ne veux prendre la peine ni de nommer ni de dénombrer. Dans
l'autre camp, le roi Ris de Galles avait avec lui le roi d'Estregales, le
Riche Sodoier, le Bel Hardi, fils de Nut et une centaine d'autres chevaliers, des centaines ou des milliers, je ne sais pas le nombre exact.
Mais ceux du premier camp, favorisés par l'arrivée d'Aalardin qu'ils
ne connaissaient pas, lui prêtent main-forte de tout leur pouvoir. Il y
a des morts et des blessés ; dès lors le combat se fait acharné autour
d'Aalardin. Or, apprenez-le, ce fut son jour de chance car il y gagna
beaucoup d'éloges.

On l'attaquait de tous côtés et lui aussi infligeait des coups terribles, quand il vit venir vers la tour Cador, son compagnon. Qu'il pense à bien se tenir, celui qui abordera Cador le premier ! Ce fut le Riche Sodoier qui vint le défier. Ils se heurtèrent si violemment que la lance du Riche Sodoier, ne pouvant s'arquer davantage, se brisa et Cador de son côté lui porta un tel coup que s'écroulèrent d'une seule pièce cheval et cavalier. Cador l'exhorta à se rendre mais le Riche Sodoier ne voulait rien savoir et était prêt à défendre chèrement sa vie ! Ils tirèrent tous deux leur épée et ils allaient s'arranger mutuellement de belle manière quand Sagremor le Déréglé, richement équipé et accompagné de nombreux chevaliers se précipita lance baissée sur Cador. Sur lui, de partout, les coups se mettent à pleuvoir à toute volée. Tous ensemble l'assaillent mais ne parviennent pas à lui faire vider les étriers. Ah, si vous aviez vu sa contenance ! L'épée nue à la main, il distribue les coups de tout côté autour de lui, plus farouche qu'un tigre ou un léopard. Vous auriez pu entendre le bruit des coups qu'il reçoit et le terrible fracas des armes. Et vous auriez pu le voir se défendre avec acharnement, tout trancher, tout pourfendre, rendre l'un manchot, l'autre boiteux. De sa lame d'acier il fend la presse. Il accable le plus hardi. Mais en dépit de cela, ses adversaires réussissent par force à remettre en selle le Riche Sodoier. Cador aperçoit Aalardin que Cadoalant tardait à secourir. Sans plus de délai, il se précipite à son secours. Et quand les deux compagnons sont réunis, tous les autres se mettent à trembler devant eux car ils leur livrent un combat terriblement acharné.

Les jeunes filles de la tour se demandaient avec étonnement ce qui pouvait bien se passer, sauf celle de la fenêtre, à qui Aalardin avait parlé. Elle, elle n'était pas surprise car elle l'avait déjà vu. Elle ne savait pourtant pas qu'il était si vaillant. Elle était ravie de l'avoir déjà vu, car ce qu'elle voyait de lui maintenant lui faisait encore plus plaisir. Elle l'avait trouvé beau, maintenant il se montrait valeureux. Mais elle ne lui donna plus rien d'elle-même, sinon ses yeux pour le regarder, sinon sa belle bouche pour lui parler, son cœur pour penser à lui et son corps qu'elle réserve à lui seul. De son côté, Aalardin, qui combattait avec une belle ardeur, lui jeta bien des regards ce jour-là. Il se mit dans un endroit d'où elle pouvait le voir. Car le noble chevalier se disait en lui-même que le Seigneur Dieu, dans sa bonté, devrait bien se soucier de le protéger, tant il avait du plaisir à la regarder [1]. Une jeune fille noble et belle, attirée par Cador, s'attarda à l'admirer. Mais elle ne savait encore rien de lui, ni qui il

---

1. Aucun manuscrit ne présente un texte vraiment satisfaisant ici. Néanmoins, avec la rime du même au même, E semble particulièrement fautif. Le texte de T a été adopté.

était, ni de quel pays, ni qui étaient ses parents. Toute triste et fâchée de ne pas le connaître, elle se mit avec ardeur à enquêter sur lui. Car elle était impressionnée de le voir porter et rendre des coups, attaquer et se défendre si vigoureusement. Personne n'aurait pu faire mieux. Rien de ce qu'il fait n'est à refaire. Elle lui donna son cœur et ses pensées et intérieurement se jura qu'elle ne serait jamais satisfaite avant de connaître son nom. Cette jeune fille dont je vous parle était sœur du vaillant Cahadis et cousine germaine de Caradoc. Elle était née en Bretagne et était cousine de monseigneur Yvain. Elle s'appelait la belle Yde. Elle alla trouver la belle Guigenor pour lui parler de Cador.

— Ah, demoiselle, voyez-vous là-bas deux chevaliers extraordinaires qui frappent de grands coups au milieu de ces autres et déploient leur bravoure ? En avez-vous jamais vu deux pareils ? S'ils succombaient, y aurait-il jamais un deuil aussi grand que celui qu'on mènerait pour eux ? Regardez comme il est particulièrement beau, celui qui a l'écu bordé d'or et monte un cheval alezan. Voyez sa fière contenance. C'est celui pour qui mon cœur s'émeut.

— C'est vrai, il est vaillant, répondirent les autres jeunes filles, mais celui qui a l'aigle d'hermine sur l'écu aux gueules vermeilles fait bien belle contenance aussi. C'est celui qui accomplira le plus de prouesses et mettra les autres en déroute.

Ainsi chacune fait l'éloge du sien. Mais elles n'osent donner leur avis ; elles n'osent révéler leurs pensées, ni tout dire ni tout cacher. Pendant qu'elles parlaient ainsi, Cadoalant survint, accompagné de monseigneur Keu, et je vous dis en vérité qu'avec lui vint le bon chevalier, le vaillant Perceval le Gallois, ainsi que la meilleure troupe de chevaliers qu'un roi menât jamais en tournoi. Nombreux furent les nobles hommes à participer au combat et, quand il s'engagea, quel spectacle ! La terre ébranlée, les lances brisées, les écus transpercés, des coups terribles assénés par les lames tranchantes, l'un s'effondrant, l'autre se relevant, le fort aux prises avec le faible, les chevaliers étendus à terre et les chevaux errant à l'aventure ! A cette vue on aurait pu dire que mieux valait ne pas se trouver là. Et celui qui n'aurait pas su se défendre se serait bientôt vu jeté bas et vidé des étriers. C'est pour leur malheur que les mauvais chevaliers y viennent et, je puis bien vous l'affirmer, les lâches n'osent pas s'approcher de l'endroit.

Le roi Cadoalant ne se montra pas timoré, sachez-le, comme l'expérimenta à ses dépens le premier adversaire avec lequel il jouta : c'était le bon roi Yder qui fut abattu. Monseigneur Keu prouva son excellence. Au premier assaut, je vous le dis en vérité, il s'en prit au plus querelleur, à Agravain l'Orgueilleux. On n'aurait pu trouver meilleure association. Si l'un est enflé de vanité, l'autre l'est davan tage. Ils sont aussi querelleurs l'un que l'autre, toujours désobligeants et hargneux. Poussant leurs chevaux autant que possible, ils se précipitent l'un sur l'autre et se jettent mutuellement bas de leurs impétueuses montures. Je ne me mêle pas de raconter comment ils se relèvent. Il serait fou de chercher à les séparer. Le bon Perceval le Gallois abat trois adversaires en un seul coup : Cligès d'abord, puis le fils d'Arès ; et savez-vous qui fut le troisième ? Encore une fois Yder, le fils de Nut. Chacun de ses compagnons, de son côté, a accompli des prouesses. Mais je serais épuisé avant de vous avoir énuméré les vaincus et les vainqueurs.

Cador et Aalardin, les deux compagnons, sont encore pleins de vigueur bien qu'ils aient livré un long combat sans guère de repos. C'est eux qui remportent le plus d'éloges et ils le méritent bien car, pressant et serrant le roi Ris, ils l'ont si malmené qu'ils l'ont forcé à reculer. Ni le Riche Sodoier, ni Sagremor, ni Bedoier, ni aucun autre chevalier, en dépit de tous leurs efforts, ne purent lui rendre son cheval, le blanc Lionceau. Le roi lui-même, malgré ses gens, aurait été pris et retenu prisonnier si le Beau, le Bon Chevalier n'était venu à son secours avec toute une troupe de compagnons. Pleins d'égards pour le roi, ils le firent monter sur un autre cheval. Personne ne pourrait vous raconter alors dans quelle situation difficile et angoissante se trouvèrent Cador et Aalardin, ni quelle bravoure et quelle hardiesse ils déployèrent. Ils jettent Sagremor à terre mais Bléheris le relève. Le roi Ris se précipite alors sur les deux loyaux compagnons. Monseigneur Perceval, arrivant à ce moment-là, frappe si bien, à la grande douleur des siens, le Beau, le Bon Chevalier que celui-ci ne peut supporter le coup et s'écroule. Sur ce, Perceval inflige le même sort à Bléheris, qui ne trouva pas la plaisanterie très bonne. Tous craignent qu'il ne revienne à la charge car tout homme qu'il atteint est mis hors de combat. Perceval voit qu'Aalardin tire grand avantage de Lionceau, le bon cheval, qu'il a capturé par sa prouesse. Aalardin le confie aussitôt à son cher compagnon Cador pour qu'il le remette à Guigenor. Avant de quitter le tournoi, Cador distribua bien des coups. Il alla sous la fenêtre de Guigenor et s'adressa ainsi à elle :

— Jeune fille, que celui qui vous a fait naître vous garde et vous bénisse, vous et vos belles compagnes ! Je vous salue de la part de votre chevalier que vous voyez là-bas à cheval, avec l'écu aux gueules vermeilles, et qui a accompli des exploits au tournoi ; vous l'avez vu ici tout à l'heure et vous lui avez fait un étendard de votre belle et élégante manche. Par mon intermédiaire, il vous offre ce cheval qu'il a conquis sur votre ennemi, le roi Ris. C'est son prix, assurément, le premier du tournoi !

— Seigneur, répondit la jeune fille, que Dieu qui accorde toute connaissance, et qui a formé toute créature, lui soit particulièrement favorable car des chevaliers que je connais, c'est celui pour qui mon cœur a le plus d'inclination. Je me suis bien rendu compte aujourd'hui qu'on ne m'a pas menti en me vantant ses qualités. J'en ai le cœur tout joyeux car je vois qu'il est encore bien plus valeureux qu'on ne me l'avait dit. Il est bien digne d'avoir une amie et d'ailleurs ce n'est pas ce qui va lui manquer car il en a déjà une. Remerciez-le de son présent et dites-lui de ma part que je suis toute à lui, prête à faire ce qu'il voudra, et je le serai toute ma vie. Mais ne me jugez pas impolie si je vous demande votre nom. Êtes-vous, lui et vous, compagnons ? Vous êtes très valeureux et vous semblez de noble origine.

— Jeune fille, je vous le dis sans mentir, je m'appelle Cador de Cornouailles. Lui et moi sommes compagnons. Avec votre permission, je m'en irai car j'ai hâte de retourner au combat.

La belle Yde, troublée par l'amour qu'elle éprouvait pour lui, lui donna une lance ornée d'une bande de soie et lui dit :

— Seigneur, prenez cette lance et amenez-moi ce chevalier que, dans ce val, je vois galoper tout droit vers le tournoi. C'est un homme de grande hardiesse ; il s'appelle Guingambresil et est de vos ennemis.

Cador ne veut plus s'attarder. Pour éprouver son propre courage, il se précipite sur Guingambresil à telle allure qu'au premier heurt, il le désarçonne. Il a promptement exécuté l'ordre de la jeune fille car, par force, bon gré mal gré, Guingambresil est envoyé comme prisonnier à la jeune fille. Mais Cador, loin de revenir sur ses pas, se jette dans la bataille, tenant à la main la lance que lui a donnée la belle Yde. Le premier qu'il atteint, il le renverse à terre. Et il se sert si bien de son épée qu'il l'envoie se rendre comme Guingambresil, et ainsi en fait-il de sept ou huit ennemis, au grand plaisir de la belle Yde. Ce jour-là, elle ne cessa de répéter que la lance donnée à Cador avait été bien employée. Et elle se vantait souvent à Guigenor que son ami ne l'oubliait pas. Il accomplit pour elle tant d'exploits qu'on ne pourrait en raconter aujourd'hui ni la moitié ni le tiers, ni même le quart !

Le roi d'Estregales survint avec sa compagnie. Aalardin tenait une lance robuste et solide. Il s'élança vers lui à telle allure que le roi lui abandonna son cheval. Ses chevaliers se précipitèrent à son secours et se battirent si farouchement qu'ils le remirent en selle. Mais voici qu'arrivent trois braves : monseigneur Girflet, le fils de Do, Lucain et monseigneur Mado. Perceval le Gallois les accompagne ainsi que Cador et le roi Cadoalant. Tous ensemble soutiennent si bien l'attaque des autres qu'ils les repoussent en les bousculant. Leurs adversaires ne peuvent supporter leurs coups d'épée. Les chevaliers qui

viennent d'arriver frappent tant et si bien de leurs épées tranchantes,
qu'ils prennent la place. Aalardin ne veut pas laisser s'enfuir le roi
Ris ; mais ils sont tous les deux épuisés par le combat qu'ils se sont
livré. Les hommes du roi s'interposent pour secourir leur seigneur.
Mais Perceval vient à la rescousse d'Aalardin et écarte la foule.
Aalardin serre de près le roi. Ayant jeté un regard à son amie, il
déclare au roi qu'il ne l'épargnera pas s'il refuse de se rendre.
L'autre pense pouvoir se défendre et s'échapper en dépit d'Aalardin.
Mais ses compagnons sont déjà trop loin, poursuivis par Perceval le
Gallois, Cadoalant et Cador qui leur percent entrailles et chevaux.
Quand Aalardin voit le roi ainsi séparé de ses gens, il lui porte un tel
coup sur la tête que l'autre, sans un mot, s'écroule à terre, assommé.
Quand il revient à lui, il se rend finalement tout à fait à Aalardin,
sans discuter. Aalardin le remet en selle, sur la promesse que le roi
ira se rendre à Guigenor, à la fenêtre de la tour. Sur ce, Aalardin et
son prisonnier quittent le champ de bataille.

Mais voilà que surviennent le Beau, le Bon et le Riche Sodoier qui
pensent gagner leur solde et jouir du bien d'autrui. Ils s'imaginaient
pouvoir attaquer impunément Aalardin mais furent bien attrapés
eux-mêmes en l'assaillant. Ils ont cherché le bâton pour se faire
battre ! Le roi Ris vint directement à la fenêtre où se tenait la jeune
fille, la salua courtoisement et se rendit noblement à elle. Elle reçut
volontiers sa reddition. Mais Aalardin était resté au milieu de ses
ennemis qui auraient bien voulu se venger des peines qu'il leur
avait infligées ce jour-là. Ils se précipitent sur lui, épées tirées,
pleins d'hostilité, et se mettent à le frapper de toutes les façons. L'un
le pousse, l'autre le tire et ils l'auraient volontiers supplicié s'ils
l'avaient pu. Mais son heaume est intact, sa force encore grande, son
épée bien tranchante et la vue de son amie accroît sa vaillance,
sachez-le. Il se défend si farouchement qu'il fend le heaume du
Riche Sodoier et lui tranche la coiffe. Il n'y alla pas de main morte
car la lame, ayant entamé le crâne, atteignit presque le cerveau. Le
roi s'écroule à la renverse. Voilà le Beau, le Bon tout seul, sans
l'aide des siens, puisqu'il ne peut plus compter sur le Sodoier, qui est
blessé et en piteux état. Lui et Aalardin se livrèrent un rude combat.
Que vous dirai-je ? Au bout du compte, Aalardin l'emporta sur les
deux chevaliers qui l'avaient attaqué et les envoya se rendre à la
jeune fille courtoise et belle dont il était l'ami. Elle les accueillit avec
générosité.

Le combat avait tourné à la déconfiture du roi Ris. Chez ceux de
son camp, c'était la débandade générale. Le roi Cadoalant d'Irlande
les avait presque jetés hors de la lande et ils s'enfuyaient devant lui.
Or voici que Caradoc se jette à toute allure au milieu d'eux, mais
sans reconnaître ses amis ni savoir où les trouver. Il est avide de

conquérir un prix. Forçant son cheval, il s'en va réconforter les prisonniers car il pensait recevoir plus d'honneur s'il aidait les plus éprouvés. De leur côté, ceux-ci l'épaulèrent parfaitement, car, je vous dis la vérité, dans la première ligne il leur abattit Cadoalant, puis monseigneur Mado, puis Girflet, le fils de Do. Ces trois-là, il les abattit d'un seul coup. Monseigneur Keu voulut combattre contre lui et Caradoc le reconnut. Je vais vous dire ce qui arriva. Monseigneur Keu était très hardi mais toujours prêt à dire du mal d'autrui. Sa folle témérité lui valait souvent de sérieuses mésaventures. Mal lui en prit de jouter avec Caradoc car il tomba et s'effondra à terre de telle manière qu'il se luxa la main. Caradoc lui passa sur le corps et se mit à le frapper jusqu'à épuisement.

— Keu, dit-il, par mon cou, à présent c'est vous qui passez pour fou, et pour plus fou que je ne l'ai été, il n'y a pas encore trois ans, devant mon oncle à Carduel. Je vous en veux encore. Vous m'avez méchamment traité de fou et m'avez cherché querelle. Vous avez dit tout ce que vous avez voulu mais vous auriez mieux fait de vous taire. Eh ! Quelle folie de vous en prendre à moi aujourd'hui ! Vous êtes mort, je pense, si vous ne vous rendez pas sur-le-champ !

— Seigneur, je me rends volontiers.

Caradoc reçut sa parole après avoir fixé ses conditions : sans délai, sans protestation, sans grogne, sans bougonnement, Keu irait se rendre à l'amie de Caradoc, la belle Guinier, dans le bois, sous la feuillée. Aussitôt, selon la promesse donnée, monseigneur Keu se dirigea vers la jeune fille et il se constitua prisonnier de la part de Caradoc son ami. Elle l'accueillit généreusement et, quand elle l'eut reconnu, elle se réjouit beaucoup car elle savait que Keu était un brave.

Le tournoi était très violent ; Caradoc faisait face de tous côtés et s'en donnait à cœur joie. Mais voilà Bran de Lis avec toute une troupe de compagnons. L'âpreté du combat s'en accroît prodigieusement. Cependant Caradoc est extrêmement fort et plus hardi qu'aucun des autres combattants et je vous assure qu'avec les grands coups qu'il leur assène, il les affaiblit tant, il se bat si bien qu'il met en fuite le riche roi Cadoalant et tous ceux de son camp, sauf Aalardin et Cador, que je veux exclure, ainsi que Perceval le bon Gallois. Tous trois étaient montés sur de fougueux chevaux qu'ils avaient pris au roi Ris [1]. Monseigneur Perceval fit prisonnier de force Cligès ; de son côté Aalardin, le noble jeune homme, prit Tor, le fils d'Arès. Quant à Cador, il força Sagremor le Déréglé à aller, bon gré mal gré, se constituer prisonnier à son amie. Comme je vous l'ai dit, ces

---

1. E est incohérent : il range les trois héros dans le camp du roi Ris et non dans celui de Cadoalant. Le texte de T a été adopté.

trois-là firent, chacun de son côté, un prisonnier. Aalardin mena le sien à Guigenor. Cador, je vous dis la vérité, rendit lui-même le sien à son amie Yde. Mais le bon Perceval n'avait là aucune amie. Je vous dirai avec quelle courtoisie il agit. Vous avez bien écouté comment Keu s'était rendu à une jeune fille, la courtoise et belle Guinier à la merci de laquelle Caradoc, l'ami de la jeune fille, l'avait livré. Quand Guinier eut accepté noblement sa reddition, elle lui demanda des nouvelles du combat : quel était le chevalier qui emportait les plus vives louanges ?

— Jeune fille, répondit Keu, je vous le dis en vérité, celui qui m'a pris et envoyé à vous y gagne les plus grandes louanges. Et c'est un chevalier d'une très grande vaillance puisqu'il m'a vaincu ainsi, moi qui n'ai jamais été vaincu au combat devant le roi Arthur.

Ces mots de Keu firent grand plaisir à la jeune fille, toute joyeuse d'entendre vanter la prouesse de son ami. Désireuse de le voir combattre, elle s'apprêta à y aller sur-le-champ sans amie ni compagne sauf la jeune fille du pavillon, la sage, l'élégante, la belle, si courtoise et si gracieuse. Toutes deux, sachez-le, demandèrent à Keu si le lieu du tournoi était loin.

— Ma foi, si vous devez y aller, allez-y tout de suite ; c'est assez près d'ici.

Ayant laissé monseigneur Keu dans leur loge, elles se dirigèrent vers l'endroit du tournoi et aperçurent bientôt clairement la lande, le groupe magnifique des chevaliers et la tour. Elles s'installèrent agréablement à l'ombre et regardèrent tout à leur gré ce que faisaient les vaillants chevaliers. Mais je veux vous parler maintenant de Perceval : il avait aperçu les jeunes filles et vint tout droit à elles. Éperonnant son cheval, il se dirigea vers elles accompagné de son prisonnier. Il s'adressa d'abord à la jeune fille du pavillon.

— Dieu vous protège, jeune fille, vous et votre belle compagnie.

— Cher seigneur, Dieu vous bénisse, vous et votre compagnie.

— Jeune fille, quel hasard vous amène dans ces bois et dans cette vallée ?

— Cher seigneur, c'est pour le plaisir de voir le tournoi que nous sommes venues nous asseoir ici.

Pendant qu'ils parlaient ainsi, voilà qu'arrive à toute allure Lucain, le courtois échanson. Il s'agenouille devant la belle Guinier et se rend à elle :

— Jeune fille, dit-il, je vous salue loyalement de la part d'un de vos amis qui m'a ici envoyé à vous. C'est le vaillant chevalier dont le bouclier d'or fin porte trois lions rampants. Mais je ne sais pas encore son nom. De sa part, sans faute, je me constitue votre prisonnier, prêt à faire ce que vous voudrez.

La jeune fille accepta très noblement sa reddition et lui dit :

— Asseyez-vous ici, seigneur. Pour l'amour de celui qui vous a fait prisonnier — Dieu lui donne honneur et louange ! — je vous garderai volontiers auprès de moi.

Perceval pendant ce temps s'était lié d'amitié avec la jeune fille du pavillon et en gage lui donna son prisonnier. Cligès a maintenant à qui s'adresser et parler de ses affaires puisqu'il a pour compagnon l'échanson Lucain. Tous deux admirent fort la beauté des deux jeunes filles. Perceval prenait plaisir à s'attarder en leur compagnie quand il vit se diriger vivement vers eux les deux autres vaillants chevaliers qui avaient abandonné leurs prisonniers à leurs amies. Ils ne savaient pas encore qui étaient les deux jeunes filles avec qui le chevalier se tenait. Arrivés auprès d'eux, ils furent tout étonnés de trouver là leurs sœurs. Mais quand ils apprirent la défaite de monseigneur Keu et de Lucain l'échanson, revenus de leur étonnement, ils voulurent retourner au combat.

Je veux vous parler de Perceval à qui la jeune fille du pavillon avait accordé son amour. Il lui envoya ce jour-là dix chevaliers qu'il prit durant le combat. Ne me blâmez pas si je ne vous nomme pas les prisonniers que Caradoc fit ce jour-là : ce serait trop méchant de ma part. Mais en vérité et sans mentir, je vous dis qu'il en fit vingt ou trente et par amitié, à son amie il les envoya se rendre. Ne parlons plus des jeunes filles que les trois chevaliers avaient quittées. Aalardin, Perceval et Cador, éperonnant leurs chevaux, se jettent dans la bataille pour retrouver leurs compagnons dans une situation toute différente. Les plus forts en faisaient voir aux plus faibles et le roi Ris pourchassait à sa guise le roi Cadoalant. Il n'y avait aucun mérite, car c'était là l'ouvrage de Caradoc et de monseigneur Bran de Lis qui se donnaient de tout cœur. Ils faisaient facilement culbuter leurs ours d'adversaires et personne ne pouvait les railler de ne pas s'être bien employés ce jour-là.

Mais il est resté trop longtemps inactif, le parangon de sagesse et de courtoisie, j'ai nommé, sachez-le, monseigneur Gauvain. En voyant fuir son compagnon, il s'enflamma de colère et ne put se contenir davantage. Le voilà dans la mêlée, accompagné de monseigneur Yvain. C'étaient tous deux des braves. Les premiers qu'ils atteignent, ils les précipitent à bas de leurs chevaux. Les chevaliers qui sont avec eux font merveille : chacun abat au moins un adversaire, jusqu'au moment où Caradoc se jette au milieu d'eux et allonge monseigneur Yvain sous les yeux de monseigneur Gauvain. Puis il s'en va porter un bon coup au Laid Hardi, sur le bouclier. Peu s'en faut que ce dernier n'y reste ! Il tombe évanoui de son cheval. Caradoc attaque ensuite Perceval qui lui réserve un accueil de choix. Caradoc l'a fait reculer ? Il le fait reculer à son tour. Je peux bien vous assurer qu'ils ne purent résister l'un à l'autre mais durent vider les étriers. Voilà chevaux et chevaliers à terre. Mais ils remontent aussitôt, me semble-t-il, l'un, aidé par monseigneur Bran de Lis, un excellent chevalier, l'autre, par monseigneur Gauvain. Perceval était furieux d'avoir été abattu par Caradoc. Il se mit à le poursuivre de côté et d'autre si bien qu'ils s'affrontèrent une nouvelle fois jusqu'à s'écrouler en tas, eux et leurs chevaux. Mais ils eurent tôt fait de remonter car ils étaient tous deux très braves. Leurs épées étaient bien affilées et ils en auraient déjà échangé des coups si les autres ne les avaient séparés.

Caradoc cependant, ne voulant pas pour autant entendre parler de repos, s'en alla attaquer le plus hardi. Toute la journée, il souleva bien des problèmes que ses adversaires ne purent résoudre. Il entortillait si bien le plus fort que l'autre ne pouvait défendre sa cause. Il les arrangea tous de telle façon qu'ils durent prendre la fuite. Le roi Cadoalant en était grandement affligé. Les plus braves s'étaient enfuis ; monseigneur Bran de Lis les poursuivait et força l'estime générale en frappant Cador et en l'abattant de son alezan. Si Perceval ne l'avait pas secouru, Cador était pris. Monseigneur Bran de Lis était furieux contre Perceval, qui, lui, était tout content de lui avoir arraché Cador. Voyant qu'il a perdu l'avantage, Bran de Lis frappe monseigneur Perceval et le jette de son cheval. Monseigneur Perceval lui rendit la pareille. Ils se retrouvèrent tous deux par terre et se seraient déjà fendu mutuellement le crâne sans l'intervention de Caradoc et d'un grand nombre d'autres chevaliers, qui rendirent à chacun son cheval. Perceval enrageait d'avoir été abattu tant de fois. Il se vengerait volontiers personnellement de Caradoc, s'il le pouvait.

Saisissant une lance, il alla tout droit là où Caradoc était en train de combattre. Mais Caradoc l'avait vu arriver et se prépara à le recevoir. Perceval eut l'adversaire et l'accueil qu'il méritait. Au combat, impossible de désigner le meilleur ni le pire ! Ils se cherchaient ? Ils se retrouvèrent par terre sans avoir le temps pour descendre de prendre appui sur l'étrier. Perceval, furieux, tire l'épée, croyant aisément se venger sans peine ni risque. Mais Caradoc ne le redoute guère. Il le repousse et tire à son tour son épée. Le combat commence, acharné et violent. Les chevaliers s'infligent d'horribles blessures, les écus sont en pièces, les hauberts démaillés, les heaumes fracassés. Le plus fort n'en peut plus. L'un des deux allait subir une cuisante défaite, ce qui aurait été un grand malheur, quand arrivèrent Aalardin et Cador, tête baissée sous son heaume. A cette vue, Caradoc craignit que sa gloire n'ait quelque peu pâti de ce combat avec Perceval et fut tout content de constater qu'il n'en était rien. Avant de partir, Aalardin et Cador séparèrent les deux combattants. Mais Caradoc ne s'arrêta pas, répondant et provoquant, attaqué et attaquant, défié et défiant.

Qu'en dire de plus ? Comment décrire davantage ses prouesses ?
Je vous dis néanmoins qu'il fit reculer le roi Cadoalant et tous ses
hommes. Et, sans mentir, à la belle Guinier son amie, il envoya un
bon nombre de prisonniers que je ne saurais nommer. Il y avait Keu
le sénéchal, Girflet, Gales le Chauve, Lucain le courtois échanson et
une bonne trentaine d'autres que je ne veux pas me mettre à énumérer de peur de faire honte à certains. Je préfère les passer sous
silence plutôt que de les humilier en les nommant. Mais s'il faut en
croire l'histoire, parmi ces chevaliers, il y avait quelques-uns des
meilleurs chevaliers du roi Arthur. Caradoc était d'une vaillance
prodigieuse. Ce jour-là, les chevaliers qu'il prit et le roi qu'il mit en
fuite lui valurent les louanges les plus vives.

Monseigneur Gauvain en conçut du dépit et déclara qu'il avait
assez longtemps supporté de voir ses amis ainsi vaincus sans leur porter secours. Plein de colère, il se précipita sur Caradoc car toute la
journée, il l'avait bien vu et repéré dans le tournoi. Les prouesses
que Caradoc avait accomplies au combat lui déplaisaient. Ils s'affrontèrent à trois ou quatre reprises sans que l'un pût abattre l'autre
car ils étaient tous deux extraordinairement forts. Le roi Cadoalant
se battait avec acharnement. Lui et ses hommes firent si bien qu'ils
recouvrèrent l'avantage. Je vais vous dire comment. Perceval s'en
prit à Caradoc. Monseigneur Yvain fit de même, ainsi que monseigneur Gauvain de son côté. Chacun voulait être le premier à le
combattre car chacun, le voyant si vaillant, voulait le vaincre. Ils ne
songeaient guère à son bien ! L'ayant assailli de trois côtés, ils parvinrent à le jeter à terre, ce qui permit à Cadoalant de reprendre un
inquiétant avantage sur le roi Ris. Mais Caradoc se releva aussitôt et
attaqua Perceval. Constatant qu'il avait perdu son cheval, il riposta
en tuant celui de Perceval qui se défendit en vain. Perceval, cependant, serrait Caradoc de terriblement près et monseigneur Gauvain
aussi, sachez-le, et monseigneur Yvain ! Chacun lui criait de se
rendre, de ne pas leur résister car ils le savaient si plein de valeur
que, pour rien au monde, ils n'auraient voulu le blesser. Monseigneur Gauvain l'exhorta noblement à se rendre. Il ne l'avait pas
encore reconnu. Mais Caradoc lui répondit tout aussitôt qu'il ne se
rendrait pas mais se défendrait de toute son énergie. Quelle hardiesse que d'oser faire front à trois chevaliers de cette trempe qui
n'avaient au monde leurs égaux !

Il se défendit longuement et leur opposa une résistance acharnée.
Il leur tint tête vaillamment et leur mena la vie dure. Il était si
prompt à frapper que ses adversaires ne pouvaient d'aucun côté le
saisir ni l'attraper. Bref, il n'aurait pu éviter d'être tué ou pris si le
beau Cahadis ne l'avait aperçu. Et sachez qu'avec lui il y avait le
vaillant Yder, fils de Nut, le Laid Hardi. Le Beau Couard, je crois,

était le quatrième. Le cinquième était Bran de Lis, l'excellent chevalier. Dès qu'ils aperçurent Caradoc, ils lui portèrent généreusement secours. Et, je vous le dis, pour le secourir, vous auriez vu se précipiter cent chevaliers du parti du roi Ris. Ils ne prenaient pas la chose à la légère, sachez-le, et déclaraient que s'ils le laissaient prendre, ils perdraient leur honneur :

— Mieux vaut tout abandonner pour lui que de le laisser prendre tout seul. Si nous l'avons dans notre camp, nous avons tout ce dont nous avons besoin et sans lui, nous ne valons rien.

Voilà ce qu'ils disaient, et, pour vous dire la vérité, ils se portèrent à sa rescousse. Chacun avait à la main son épée d'acier tranchante. Monseigneur Bran de Lis piqua des deux sur monseigneur Gauvain, l'épée nue au poing.

— Seigneur, dit-il, je suis venu vous disputer ce prisonnier. Si vous persistez à le retenir, ce sera une grave folie.

— Pas question de vous le rendre ! Nous défendrons notre prise énergiquement.

Quel spectacle alors que la mêlée des chevaliers ! que celui de la terre ébranlée, des lances brisées, des épées en action, des mains et des poings coupés, des écus percés, et des haubers percés aussi ! Le fer passait à travers. Les heaumes d'acier étaient fracassés et fendus, les chevaliers étendus à terre, les uns blessés, les autres morts. Les plus forts étaient épuisés. C'était pour Caradoc qu'ils avaient entrepris ce combat qui ne devait pas prendre fin avant d'avoir causé de douloureux dommages. Quel que fût le vainqueur, je peux vous dire que Cadoalant fut le perdant car ses adversaires lui arrachèrent Caradoc des mains dans la bataille. Monseigneur Gauvain qui l'emmenait de force prisonnier en fut fort affligé. Cerné de tous côtés, accablé de coups, il dut laisser partir Caradoc. Mais sachez bien que Caradoc pour sa part se défendait vigoureusement lui-même et ne redoutait rien grâce au secours qui lui était venu. De son épée, il fit sentir sa force à ses adversaires, jeta l'épouvante parmi eux et parvint à s'enfuir. Monseigneur Gauvain en éprouva un violent dépit ainsi que le courtois Yvain. Perceval enrageait que Caradoc, avec l'aide de son excellent compagnon monseigneur Bran de Lis, leur eût échappé encore une fois, après leur avoir tué à tous trois leurs chevaux et les avoir jetés à terre.

Cador et Aalardin ne savaient rien de tout cela. De leur côté, ils se battaient comme des lions. Cador s'éloigna d'Aalardin. Dans le coin où ils étaient restés, ils avaient gagné honneur, renom et gloire. Ils avaient pris bon nombre de chevaliers qu'ils avaient envoyés aux jeunes filles. Ils se séparèrent car chacun voulait arriver le premier là où il voyait les coups pleuvoir sur Caradoc. Et quand ils le virent s'échapper, ils en furent terriblement affligés et pensèrent pouvoir le rattraper. Ils s'efforcèrent de le retenir, car ils ne l'avaient pas reconnu. Caradoc avait en effet changé d'écu parce qu'il avait perdu le sien et il n'avait plus son cheval, mais un autre, un hongrois, excellente monture disait-on, qu'il avait conquis pour remplacer le sien. A la main, il tenait une solide lance. Cador le premier s'élance sur lui, lance baissée. Caradoc de son côté serre la sienne dans son poing. Et, je vous le dis, ils se précipitent l'un sur l'autre et se heurtent avec une telle violence qu'on aurait bien pu voler son cheval à Cador sans qu'il s'en aperçoive : il bascule tête la première, jambes en l'air. Lui aurait-on donné le monde entier, il aurait été incapable de dire qui il était !

Aalardin est furieux : il ne peut supporter de voir son compagnon vautré dans le sable. Il se tiendra pour lâche s'il ne le venge pas sur-le-champ. Fermement assis sur son cheval au galop, il étreint le bois de sa lance. Caradoc de son côté l'aperçoit et le reconnaît parfaitement, ce qui ne le détourne pas de l'attaquer. Il ne l'en chargea pas moins. C'est une coutume dans les tournois de ne pas ménager de sa lance un adversaire, sous prétexte qu'il est de sa famille ou de ses amis. Les deux hommes s'élancent donc l'un contre l'autre farouchement comme à l'accoutumée et impétueusement. Sous le choc, reçu en pleine poitrine, ils s'abattent tous les deux. Mais bondissant sur pieds, ils se mettent à se frapper de leurs épées tranchantes : le sang coule, chair et os sont entamés. Caradoc l'emportait et Aalardin était en mauvaise posture quand arriva monseigneur Gauvain plein de colère contre Caradoc. Il pense bien l'avoir pris cette fois. Mais il ne l'aura pas encore, je crois, car Caradoc, dont la bravoure était extraordinaire, se défend avec acharnement. Monseigneur Gauvain le serre de près et croit bien l'avoir vaincu. Il lui assène sur le heaume un coup d'épée qui l'ébranle des pieds à la tête. Aalardin, qui le serre de l'autre côté, le frappe à son tour. Peu s'en faut qu'il ne s'écroule, accablé par les coups, et si ses adversaires avaient pu revenir à la charge, je crois bien qu'ils l'auraient abattu.

Mais voilà monseigneur Bran de Lis qui tombe tout à fait bien pour aider Caradoc. Inutile de faire des vœux ! Il s'en prend à Aalardin et lui envoie un coup d'épée tranchant sur le heaume : les aciers en résonnent l'un sur l'autre. Il lui porte encore deux coups qui le jettent presque à terre. Le troisième coup est si bon qu'il froisse le heaume et touche la tête d'Aalardin. Il l'aurait abattu au quatrième coup s'il avait pu le donner. Mais Caradoc, qui l'avait reconnu, détourna le coup et fit dévier l'épée. Ce faisant, il tourna le dos à monseigneur Gauvain qui, le voyant tourné, en profita pour le frapper. A peine Caradoc put-il éviter de tomber ! Gauvain ne fut pas volé : Caradoc bondit et lui rendit la monnaie de sa pièce ; sur le heaume il lui octroya un tel salaire qu'il put bien s'estimer payé de retour.

S'engagea alors une mêlée qui ne cessa pas avant qu'ils n'aient échangé bien des coups. Le plus fort était épuisé. C'est qu'ils ne faisaient pas semblant de frapper l'adversaire partout où ils pouvaient l'atteindre ! Dominant le combat ou au cœur de la mêlée, ils se frappaient mutuellement avec ardeur, tantôt poussant, tantôt tirant, pleins de respect pour la puissance de l'autre. Quels coups d'épée ! Et que de sang répandu ! Ils ont complètement démaillé leurs hauberts, mis en pièces leurs écus, fendu leurs heaumes. Tous sont exténués et sans force. Jamais, dans aucune des épreuves qu'il a rencontrées dans son existence, monseigneur Gauvain n'a été si harassé. Mais il est très curieux de savoir d'où vient ce chevalier qui lui a résisté si longtemps, et qui ne lui a pas seulement résisté mais l'a aussi mis fort mal en point. Il voudrait bien savoir comment il se nomme car jamais un homme seul ne lui a infligé un tel traitement ni de telles souffrances. Aucun de ses compagnons ne reste là à attendre. Chacun a assez à faire. Il faut se défendre, mourir ou implorer pitié.

Les partisans du roi Ris gagnèrent les plus grands éloges ; mais c'est Caradoc qui, individuellement, emporta le prix du tournoi. Aucun autre ne fit autant de prouesses ni n'obtint autant de louanges que Caradoc ce jour-là. La nuit mit fin au combat. Avant de se séparer, les chevaliers distribuèrent encore généreusement coups d'épée et coups de poing. Mais ceux qui furent dans la plus mauvaise position et se montrèrent les moins vaillants, ce sont les partisans du roi Cadoalant. Monseigneur Gauvain s'aperçut bien que Caradoc n'avait peur de rien et que d'autre part ses propres compagnons étaient très clairement vaincus. Il s'adressa à Caradoc :

— Seigneur chevalier, dites-moi, s'il vous plaît, d'où vous êtes et quel est votre nom.

Caradoc ne répondit mot. Il ne voulait pas encore se faire connaître. Mais monseigneur Gauvain le pressa et le pria très aimablement :

— Seigneur, noble chevalier, je vous prie très courtoisement de me dire votre nom ; car si vous le refusez, vous passerez pour impoli.

— Cher seigneur, je m'appelle Caradoc, sachez-le, et je suis de Bretagne. Mais ne croyez pas que je demeure en reste le moins du monde : je veux savoir à mon tour comment vous vous appelez.

— Oh, je ne cherche pas à vous le cacher, cher ami. Je suis Gauvain. Jamais je n'ai caché mon nom.

— Gauvain, je le savais bien ! Mais j'avais très envie de me mesurer à vous et d'éprouver la vaillance que partout on vous prête.

Gauvain en fut tout rempli de joie et tint Caradoc pour un homme de grande expérience.

— Ami, dit-il, es-tu le fils de la belle Ysave, la nièce du roi Arthur ? La connais-tu ?

— Oui, je la connais. C'est ma mère.

— Ah, Caradoc ! C'est donc bien toi ! Maintenant je te reconnais. Tu es un hardi chevalier et mon cousin.

A ces mots, tous deux jetèrent écus et fers tranchants et se firent délacer leur heaume. Si vous les aviez vus ôter leur coiffe et s'embrasser avec transport ! Ils pleuraient et riaient en même temps, pleuraient de s'être blessés mutuellement, riaient de s'être retrouvés. Voilà la scène de reconnaissance entre deux adversaires qui s'étaient diablement malmenés ce jour-là ! Et autant ils s'étaient infligé de souffrances, autant ils se firent fête alors. Et chacun se réjouissait de l'extraordinaire bravoure de son ami. Tous les autres furent tout joyeux en reconnaissant Caradoc. Aalardin en particulier, mais aussi Cador son compagnon, éprouvèrent une grande joie à retrouver Caradoc, et c'était à bon droit. Tous deux étaient très étonnés de ne pas l'avoir identifié durant la journée. Il les avait complètement abusés en revêtant à plusieurs reprises ce jour-là des armes différentes et en changeant les siennes. Il ne voulait pas que quelqu'un, l'ayant identifié, hésitât à lui donner la preuve de sa force, surtout si elle était supérieure à la sienne, parce qu'il l'aurait reconnu. Mais à présent, on le tenait pour le meilleur. Tous le considéraient comme le chevalier le plus brave du tournoi et ils le déclaraient ouvertement.

Il aurait fallu voir se rassembler au même endroit tous ces chevaliers par vingtaines, centaines, milliers, attirés par les manifestations de joie que Gauvain prodiguait à Caradoc et par le désir de savoir qui était ce chevalier qui les avait tant fait souffrir, blessant grièvement les uns, secourant efficacement les autres. Cadoalant vint d'un côté et Ris du sien. De joie, ils mirent fin au tournoi. Et je vous le dis, lorsque les combattants se retirèrent, monseigneur Arthur le roi donna sa nièce dame Guigenor à Aalardin le courtois et la belle Yde à Cador. C'étaient les jeunes filles de la fenêtre, qui habitaient dans la tour. Quant à la jeune fille du pavillon, le roi en fit don, avec plaisir et à la satisfaction d'Aalardin, au bon jeune homme, au vaillant Perceval le Gallois. Voilà ces trois-là bien accordées. Et Caradoc reçut pour sa part la belle Guinier son amie.

Je vous ai parlé des accordailles, mais je ne saurais vous raconter le mariage, vous dire le lieu, le temps ni le jour. Du reste, je n'en ai pas envie. Je ne m'en donne pas le loisir car j'ai bien autre chose à faire. Chacun s'en retourna chez soi. Le tournoi avait pris fin et les prix furent répartis entre Aalardin, Cador et leur compagnon Caradoc. Ils s'étaient retrouvés ainsi que je viens de vous le dire et se promirent et jurèrent qu'ils seraient amis à jamais. Après s'être embrassés, ils demandèrent congé au roi Arthur. Mais celui-il leur voyait tant de qualités qu'il ne leur aurait donné congé pour rien au monde.

Il les fit séjourner auprès de lui longtemps sans les renvoyer. Leur séjour, qui se déroula dans le plaisir et l'allégresse, dura, je crois, un an. Le roi s'abandonna longuement à cette vie oisive.

V

LA PUNITION ET LA VENGEANCE D'ELIAVRÈS

Je ne peux plus éviter de parler de ma dame Ysave, sa nièce, la mère du vaillant Caradoc. Je ne peux plus retarder le moment où il me faut raconter quelque chose qui me déplaît beaucoup. Car il ne faudrait pas être courtois pour s'amuser de cette histoire, la raconter avec plaisir ou dire du mal d'une noble dame. Si l'une commet une folie, il n'est pas juste pour autant de dire que toutes les femmes sont les mêmes car elles ne sont pas toutes pareilles. Si l'une se comporte mal, sept se comportent bien. Mais ce que je dois dire de l'une d'elles me coûte terriblement. Ah, si je pouvais ici abandonner ma source sans trop gâter mon récit ! Mais ce qui me réconforte, c'est que, si le début de l'histoire condamne quelque peu les femmes, la fin en est belle et tourne à leur gloire. Car une femme à elle seule écarte et repousse la condamnation. C'est la vaillante, la belle Guinier. Je ne veux pas en parler maintenant, mais j'en parlerai plus tard, quand ce sera le moment.

Je veux revenir à mon histoire et reprendre le sujet où je l'ai laissé. Je pense vous avoir dit ce qui était arrivé à ma dame Ysave et pour quelle raison elle avait été enfermée dans la haute tour à Nantes. Mais l'enchanteur Eliavrés, le père de Caradoc, ne cessait de lui tourner autour, parce qu'il savait bien qu'elle avait été enfermée à cause de lui. Il ferait bien peu cas de sa perfide ingéniosité s'il ne découvrait un moyen d'entrer dans la tour, cela dût-il déplaire au roi Caradoc et à tous ceux du pays [1] ! C'est ce à quoi il s'employa, d'une part poussé par son amour, d'autre part aidé par ses grandes connaissances en sorcellerie. Ce qu'aucun homme enflammé d'amour n'oserait entreprendre, aussi audacieux soit-il, lui l'entreprit parce qu'il connaissait tout en matière de magie. Il aurait été surprenant de ne pas le voir se lancer dans une entreprise susceptible de le faire valoir aux yeux de son amie. Et c'est ce qu'il fit. Bien vite il réussit à pénétrer dans la tour. Mais il eut une idée qui devait lui

---

1. La ponctuation de l'éditeur à cet endroit ne paraît pas satisfaisante. Le manuscrit T a été adopté pour la modification suivante : une virgule après *contree*, un point après *antree*.

nuire : grâce à sa magie, il fit venir dans la tour des harpistes qui y jouaient de la harpe, des jongleurs qui y jouaient de la vielle, des danseurs qui menaient la danse, et des acrobates qui se livraient à leurs acrobaties. Voilà la vie qu'Eliavrés menait chaque fois qu'il allait dans la tour.

Le roi Caradoc eut envie de se rendre dans ses autres villes et de se distraire sur ses terres. Il pensait que personne ne pouvait lui nuire ni lui causer du tort. Quand le roi était occupé, l'enchanteur venait voir la reine et tous les deux menaient la vie de distractions et de délices que vous m'avez entendu décrire. Voilà à quoi ils s'adonnèrent longtemps, au point que, en vérité, les voisins étaient réveillés la nuit par les bruits de la fête qu'ils faisaient chaque fois que le roi avait le dos tourné. On envoya au roi des messagers qui lui révélèrent les faits secrètement et en particulier. Ces nouvelles remplirent le roi de colère et de chagrin et lui firent pousser des soupirs du fond du cœur. Il fit surveiller longuement la tour mais sans rien gagner et, en dépit de toutes ces mesures, jamais il ne put se saisir de l'enchanteur. A cause des réjouissances bruyantes dont la tour était chaque nuit le théâtre, on la surnomma le Joyeux Vacarme et on l'appelle encore le Joyeux Vacarme dans cette région. Le roi entendait de ses propres oreilles les échos des divertissements grandioses et extraordinaires organisés par l'enchanteur et cela lui déplaisait fort, sachez-le. Il envoya chercher son fils.

Le messager se mit aussitôt en route et par le chemin le plus court, parvint en Angleterre. Sans tarder il se rendit à la fameuse cour du roi Arthur et à force de s'enquérir de Caradoc, il finit par le trouver à la cour. Il le salua de la part de son père et lui apprit sur-le-champ dans quelle nécessité pressante se trouvait le roi. Caradoc prit congé du roi Arthur, lui révélant d'un bout à l'autre la tâche urgente qui lui incombait, et toute l'histoire. Le roi lui donna congé sur la promesse que, dès qu'il aurait accompli sa tâche, il reviendrait et qu'aucune autre obligation ne le retiendrait. En même temps que Caradoc, pour finir, Aalardin de son côté prit congé du roi ainsi que son compagnon Cador. Pour eux, le roi fit ouvrir et étaler ses trésors et il leur en fit donner autant qu'ils voulurent en prendre. Ne voulant plus s'attarder, ils prirent congé de leurs compagnons et se mirent aussitôt en route. Monseigneur Gauvain et monseigneur Yvain les accompagnèrent un bon bout de chemin jusqu'à l'endroit où Caradoc avait rencontré Aalardin qui emmenait Guinier, la belle, la gracieuse jeune fille. C'est là que chacun trouva la bonne route pour se rendre chez lui. Au moment de se séparer, tous se mirent à pleurer. Descendant de cheval, sans tarder davantage, ils prirent congé les uns des autres, s'embrassèrent et remontèrent à cheval. Le chevalier aux innombrables qualités, je vous ai nommé monseigneur Gauvain,

ainsi que son compagnon Yvain escortèrent Caradoc jusqu'à la mer
où ils le firent monter sur un navire puissant et riche. Ils étaient tout
tristes pour lui et le départ de leur ami les plongeait dans de profondes pensées. Ils retournèrent à la cour et demeurèrent avec le roi.

Cador s'en va en Cornouailles, emmenant avec lui bien entendu la
belle Yde et sa sœur la belle Guinier : Caradoc ne veut pour rien au
monde l'emmener en Bretagne, mais il veut qu'elle reste avec son
frère qui l'aimait si tendrement. Il craint, si elle vient avec lui,
qu'elle n'apprenne sur sa mère de vilaines choses. Mais je vous dis
que, où qu'il aille, c'est avec elle, en Cornouailles, que demeurent
son cœur et toute sa pensée. Bref, il a passé la mer. Mais je peux
bien vous dire en vérité qu'ils connaîtront bien des souffrances avant
de se retrouver.

Une fois sur la terre ferme, Caradoc chevaucha à toute allure.
Somptueusement habillé d'un vêtement de soie tissé d'or, il se dirigea droit vers Nantes. A Nantes, il trouva le roi son seigneur dans un
grand trouble. En le voyant, le roi éprouva une grande joie qu'il lui
manifesta avec transports. Il l'accueillit de manière magnifique. Et
après le repas, il lui raconta toute l'histoire telle qu'elle s'était passée. Caradoc entreprit de faire le guet, si bien qu'une nuit, il surprit
l'enchanteur, son père, avec sa mère dans la tour. Je peux vous affirmer qu'il lui infligea un traitement suffisamment honteux et infâmant. Car le roi, pour bien se venger, le fit coucher de force avec
une levrette, puis avec une truie, et pour se venger avec éclat, il lui
fit couvrir une jument. Avec la levrette, l'enchanteur engendra un
grand lévrier qu'on appela Guinaloc et qui était frère de Caradoc ;
avec la truie, un gros sanglier, appelé Tortain et avec la jument, un
grand cheval de combat, le puissant, le farouche Loriagort. Je vous
l'affirme : ils étaient frères de Caradoc et fils de son père. Ensuite,
Caradoc aurait bien pendu et écorché vif l'enchanteur s'il n'avait eu
pitié de lui. Après tout c'était son père et cela l'effrayait beaucoup :
il redoutait d'offenser Dieu en profitant de sa supériorité pour maltraiter son père. Le roi se vengea de lui comme vous m'avez entendu
le raconter ; puis ils le laissèrent aller.

Terriblement fâché, Eliavrés, je vous le dis, ne fut pas lent à réagir
et s'employa vivement à retourner auprès de la reine dans la tour où
elle était. De son fils, son bourreau, il se plaignit amèrement. Et elle
pleura longuement et compatit aux grandes souffrances qu'il avait
endurées.

— Si vous ne trouvez pas un moyen de vous venger, mon bien
tendre ami, c'est que vous avez perdu toute votre ingéniosité, lui dit-
t-elle.

— Ma dame, ce serait un trop grand péché et une affreuse cruauté
si je tuais mon enfant !

— Si vous le tuiez ? Poule mouillée ! En avez-vous pitié maintenant ? Il n'a pas eu pitié de vous ! Avez-vous peur pour moi ? Par
lâcheté, vous ne vous vengerez pas de lui ? J'en étais sûre, je le
savais : c'en est fini de nos plaisirs à tout jamais ! Nous ne pourrons
rien faire, il nous enlèvera tout ! Mais sachez-le bien : c'est à moi que
vous ferez tort si vous ne pensez pas à infliger quelque mauvais traitement à celui qui nous a maltraités. Vous êtes vraiment un pleutre
d'avoir pitié de lui !

— C'est que je suis son père, répondit-il, je ne peux vraiment pas
trouver en moi la force de le tuer. Mais seulement pour vous faire
plaisir, je le laisserai en vie tout en lui retirant toute sa valeur, si
vous voulez m'y aider.

— Je suis toute prête à y consacrer mon énergie et ma peine, sans
hésiter. Pensez donc vite à vous venger !

L'enchanteur la quitta sur l'heure et lui rapporta un serpent
enchanté, apprivoisé par ses sortilèges. Puis il lui expliqua comment
utiliser la couleuvre. D'abord, il la fit entrer dans une armoire, et
après avoir ainsi enfermé le serpent, il révéla son plan à la reine :

— Ma dame, c'est ce serpent qui nous vengera.

— Comment, seigneur ?

— Comment ? Je vais vous l'expliquer. Au nom de Dieu, je vous
supplie surtout de ne pas toucher à cette armoire et de ne pas vous
en approcher car vraiment, celui qui y touchera courra à sa perte.
Le jour où votre fils viendra vous voir ici pour se distraire et se reposer, mettez-vous à défaire votre coiffure. Demandez-lui qu'il vous
attrape votre peigne dans cette armoire. Et quand il aura ouvert l'armoire, vous verrez alors le perfide serpent se jeter sur lui avec rage
et se lier autour de lui ; et il ne trouvera pas un ami, si bon soit-il, qui
puisse l'arracher au serpent. Et après deux ans et demi, il lui faudra
subir la mort.

— Seigneur, merci. Voilà une bonne vengeance ! Dépérir ainsi
sera pour lui bien pire que mourir de mort rapide. Car ce n'est pas
parce que je suis sa mère, que je serai moins cruelle avec lui. Je ferai
tout ce que vous m'avez dit et sa mort, je la lui préparerai !

Le misérable enchanteur quitte sur ce la dame. Peu après, Caradoc eut envie d'aller voir sa dame. Hélas ! Il ne sait pas encore en
vérité quel accueil cruel et diabolique lui réserve sa mère ! Il n'avait
aucun soupçon et monta tranquillement auprès de sa mère dans la
tour.

— Dame, que le créateur du monde, qui purifie le bien du mal,
vous sauve, vous garde et vous bénisse.

La reine répondit sans rien laisser paraître de ses pensées
secrètes :

— Cher fils, que le Seigneur Dieu vous protège. Je ne m'attendais pas maintenant à votre visite : cela fait longtemps que je ne vous ai vu ! Vous êtes venu ici à l'improviste et vous m'avez trouvée toute décoiffée. Car j'avais mal à la tête et je voulais me peigner un peu avec un peigne qu'on m'a rapporté de Césarée. Il est là, dans cette armoire. Allez-y et apportez-le-moi. Passez donc toute la journée avec moi ici, cela me ferait très plaisir ; je m'ennuie tellement, seule ici !

A cette demande de sa dame, Caradoc se leva promptement et se dirigea vers l'armoire. L'ayant ouverte, il y plongea le bras. Le serpent qui se trouvait à l'intérieur se précipite mâchoire ouverte, attrape le bras et s'enroule autour. Caradoc saute en arrière. Il pense se défendre aisément de l'attaque du serpent. Il se met à secouer son bras, pensant en détacher le serpent. Mais le serpent s'y attache de mieux en mieux et l'enlace plus étroitement. Caradoc commence à blêmir, à pâlir, à changer de visage, à trembler et à suer sous le coup de la souffrance, impuissant. Sa mère, son ennemie, se précipite, feignant de ne pas savoir ce qui était arrivé. Elle crie, pousse de faux gémissements, se frappe, se tord les mains et ne cesse de regretter de ne pas être morte :

— Malheureuse, dit-elle, misérable ! Comme la mort est peu pressée ! Elle me laisse vivre encore ! Ce serpent, cette vipère que les diables ont mise ici, pourquoi donc a-t-elle voulu s'en prendre à mon fils et non à moi ? C'est sur moi qu'aurait dû se jeter cet infâme serpent. Je n'aurais pas regretté la vie ! Mon cher fils, confessez-vous et libérez-vous du lourd fardeau de la faute que vous avez commise envers votre père et envers moi, votre mère. C'est de votre péché, c'est de vos mauvais agissements envers nous deux que le Seigneur Dieu se venge. Souffrez-le patiemment et implorez longuement la miséricorde de Dieu afin qu'il vous enlève ce diable du bras.

Voilà le sermon que lui tient sa mère et Caradoc ne dit rien. En lui-même, il soupire et croit que tout ce qu'elle dit est pour son bien. La terrible souffrance qu'il ressent, nul être humain ne pourrait la décrire. Quand le roi Caradoc apprit la nouvelle, il en éprouva un chagrin et une colère immenses. Personne ne pourrait vous dire combien son cœur débordait de rage. Il se rendit aussitôt sur place et à peine put-il se retenir de tuer la reine. On emmena celle-ci dans une autre pièce afin d'éviter que, pris de rage, il ne la tuât au milieu de ceux qui étaient là. Caradoc souffrait affreusement. Le serpent le frappait [1] et lui brisait le bras. Le roi à ce spectacle s'évanouit de chagrin. Méprisant sa vie et regrettant de ne pas être mort, il poussait des soupirs à fendre l'âme, s'arrachait les cheveux, se tirait la barbe.

---

1. Le verbe en ancien français est *fuster* qui n'est attesté qu'au sens de frapper. Cf. *Glossaire* de L. Foulet.

Il ordonne qu'on emmène Caradoc hors de ce lieu. Il est allé trop loin, l'enchanteur. Le roi le jure : ruse, supplique, rien n'y fera. S'il peut le tenir entre ses mains, tous les mauvais traitements qu'il pourra lui infliger, il les lui infligera ; il y mettra toute son énergie. Rien ne pourra éviter à l'enchanteur une mort atroce. Quatorze chevaliers au moins prirent Caradoc dans leurs bras et l'emportèrent hors de la tour. Ils lui préparèrent avec soin un lit superbe dans une chambre magnifiquement décorée de tissus de soie et d'ornements divers. C'est là qu'ils le portèrent et le posèrent sur le lit. Mais il ne parvenait pas à s'y reposer car il ne pouvait trouver une position confortable : le serpent s'enlaçait toujours plus étroitement à son bras et le serrait plus douloureusement, au point que le roi envoya chercher des médecins à travers tout son royaume, en quête de quelqu'un qui saurait et pourrait lui enlever le serpent. Tous s'y essayèrent mais ils ne purent trouver aucun moyen de le lui enlever et ils n'osèrent plus essayer davantage. Le roi commença à se désoler. Il ne savait que faire pour Caradoc ni comment lui retirer du bras la couleuvre qui l'affaiblissait ainsi. Il envoya ses messagers en Angleterre, en France, dans le monde entier. Il invitait et exhortait tous ceux qui avaient quelque connaissance de la médecine, des pierres, des herbes, des racines, de la magie ou de l'exorcisme, à venir le voir rapidement, car à celui qui pourrait délivrer Caradoc du serpent, le roi accorderait une grande récompense. De ses richesses, il lui donnerait tout ce qu'il voudrait. Les médecins vinrent en foule. Mais ni le meilleur, ni le pire ne surent y appliquer aucun remède qui pût obliger l'infâme serpent à se détacher. Dans sa chambre, la reine se réjouissait vivement. Il lui revenait souvent en mémoire la peine et le tourment que son fils lui avait infligés.

— Scélérat, Dieu se venge de toi de manière éclatante pour toutes les peines que tu as fait souffrir à ton père et à ta mère. Tu vas faire pénitence désormais. Tu vas consumer ta vie dans la souffrance et après tu passeras par la mort, sans jamais connaître aucun soulagement.

Voilà comment la reine se réjouit toute la semaine. Bien des gens l'entendirent mais il n'aurait été ni bon ni courtois que l'un d'entre eux aille par ce récit troubler le roi ni redoubler sa colère. Car on peut bien redoubler la colère d'un homme par une légère contrariété. Et si quelqu'un en parlait au roi, il se mettrait dans une telle rage contre la reine sa femme qu'il la chasserait de son royaume. Et il était si violent que si ce n'avait été pour le roi Arthur dont elle était la nièce, il l'aurait chassée ou tuée.

VI

DÉSESPOIR DES HÉROS ET FUITE DE CARADOC

La rumeur prompte à se développer, s'est répandue largement si bien que le roi Arthur apprend l'aventure de Caradoc et de la couleuvre qui s'est si fortement enlacée à son bras qu'aucun remède ni aucun exorcisme ne peuvent l'en détacher. Le roi était sous un charme, dans un bois, quand il apprit la nouvelle. De chagrin, il a un vertige. Son cœur se serre de douleur et il se laisse glisser sur un lit à terre, évanoui. Revenu à lui, il se blâma lui-même et se mit à se reprocher d'avoir laissé partir Caradoc, son cher neveu :

— Il aurait mieux valu que je meure, le jour où je l'ai laissé partir, sans l'accompagner ni envoyer Gauvain pour le ramener, ou Yvain. Je vous l'affirme vraiment, si Dieu me donne la santé, je ne passerai pas plus d'une nuit de suite dans une ville avant d'être auprès de Caradoc, mon neveu.

Voilà le vœu que fit le roi. Se levant en toute hâte, il se mit en route rapidement. Et je vous affirme bien que c'est le cœur plein de tristesse qu'il franchit la mer. Le chagrin qu'il éprouvait pour Caradoc le minait, corps et âme. Sur mer, il affronta une tempête qui le retarda grandement : chassés et battus par un vent contraire, lui et les siens, au lieu d'accoster en Bretagne, accostèrent en Normandie. Le bateau arriva dans un port appelé Outreport. Quittant ce lieu, le roi et ses capitaines, à cheval, parcoururent sans s'arrêter le chemin jusqu'en Bretagne. Je les abandonne un moment pour vous parler de Cador.

Inévitablement, la nouvelle du malheur arrivé à Caradoc parvint en Cornouailles à Cador, son cher compagnon, et à Guinier, sa belle amie. Quand la jeune fille apprit la nouvelle, elle tomba raide à terre. Une telle angoisse lui serrait le cœur qu'elle ne savait plus où elle se trouvait, comme si elle était morte. Sans couleur et trempée de sueur, elle demeura évanouie un long moment sans reprendre conscience. Et quand elle revint enfin à elle, la raison troublée, en proie au délire, elle se mit à divaguer et à changer de couleur. Peu s'en faut que son cœur ne se brise. A la fin, elle éclate en profonds sanglots et se met à maudire sa naissance :

— Cher Seigneur Dieu, dit-elle, tu as été trop injuste envers moi si tu m'as pris mon ami. Je t'en tiendrai rancune, je le jure ! Doux Seigneur Dieu, si je l'avais vu seulement une fois avant qu'il ne meure, ma confiance en toi serait deux fois plus forte, elle qui est bien faible et troublée ! Malheureuse que je suis ! Mort ignoble et infâme ! C'est d'un tel héros que tu t'éprends ? Pourquoi veux-tu t'en emparer si tôt ? Tu me mets vraiment au désespoir en voulant me prendre mon ami !

Prenant ses cheveux à pleines mains, elle les tirait et les arrachait, puis tomba à terre de nouveau, évanouie. Son cœur se serrait dans sa poitrine. Quand elle revint à elle, se tordant les poignets, elle s'exclama :

— Mort, vous êtes bien injuste de vous en prendre aux bons et de laisser vivre les méchants. Mort, Mort, vous n'aimez pas les bons car c'est lorsqu'ils sont au faîte de leur gloire que vous voulez vous emparer d'eux. Pourquoi voulez-vous prendre mon ami ? Si vous voulez me l'ôter, au nom de Dieu, ôtez-moi cette vie de torture. S'il meurt, que je n'y échappe pas non plus. Ce serait tout à fait normal, car jamais, à aucun moment, après la mort de mon ami, je ne pourrais trouver de réconfort. Ce serait une bien bonne chose, me semble-t-il, si nous mourions ensemble. Car survivre à son ami, c'est passer sa vie dans la souffrance. Mais ceux qui ont été loyaux en amour ont mérité une récompense en retour : que Dieu, pour nous payer notre peine, nous fasse mourir ensemble.

A ces mots, elle s'évanouit. Quand elle revint à elle, de ses propres mains, elle s'arrangea comme si elle avait l'habitude de maltraiter son corps. Elle voulait s'arracher les yeux et se tirer tous les cheveux, en proie à une folie inimaginable.

— Ah, Dieu ! Par ton nom très saint, Seigneur, je t'invoque de tout cœur. Doux Seigneur, je me plains à toi de ce serpent diabolique, de cette vipère, qui enlève la vie à mon ami. Hélas, hélas, affreuse vipère, détache-toi du bras de Caradoc, délace-toi du bras de mon ami et viens t'enlacer à moi ! Hélas, mon bien cher frère Cador, emmenez-moi donc auprès de Caradoc au cas où je pourrais le voir avant sa mort et avoir le bonheur de mourir avec lui !

Voilà, comme je vous les ai décrits, le désespoir et la douleur qu'elle manifesta pour son ami pendant un jour et demi. Mais mon récit est encore inférieur à la réalité, je pense. Cador montrait un chagrin si extrême que ses hommes et ses vassaux ne savaient quel parti prendre. Il fit préparer un bateau pour aller voir celui qu'il aimait tant, avec raison. Et il prit la mer en compagnie de sa sœur. Ils arrivèrent finalement en Bretagne ; par monts et par vaux, au terme d'un long voyage, ils parvinrent à Nantes. La rumeur prompte à se répandre fit monter jusqu'aux oreilles de Caradoc le bruit que le roi Arthur en grande compagnie venait de Bretagne pour le voir et que, de Cornouailles, Cador, et bien sûr la belle Guinier, qui l'aimait passionnément, venaient lui rendre visite et le réconforter dans sa maladie. Cette nouvelle aggrava sérieusement son état. Ne sachant que faire, il ordonna au moins à tous ceux qui l'entouraient de se retirer. Que personne sauf lui ne demeurât dans cette chambre : son état lui inspirait une telle horreur que personne ne pourrait la décrire. Il se parlait ainsi à lui-même avec amertume :

— Doux Seigneur, comme elle va me mépriser, celle que j'aime le plus au monde, quand elle verra mon visage et mon corps ainsi noircis et ce serpent lié à mon bras. Et elle n'aura pas tort du tout ! Car à dire vrai, je ne suis pas digne d'être son ami. Jamais je ne l'ai été, jamais je ne le serai. Seigneur Dieu, Dieu de douceur, que ferai-je ? Comment pourrai-je survivre ? Comment supporterai-je que la plus belle créature jamais modelée par la nature voie sans tromperie ni dissimulation mon affreux malheur ? Hélas ! Je suis à la torture et torturé horriblement car je veux et ne veux pas la même chose en même temps. Quelle joie, quel plaisir ce serait de voir mon amie ! Mais je sais bien en vérité que, dès qu'elle m'aura vu, elle m'accablera de son mépris. C'est pourquoi, je ne peux pas supporter sa venue ni m'imaginer devant ses yeux. Je sais bien ce que je vais faire : si Dieu m'aide, je m'enfuirai. M'enfuir ? Hélas, qu'est-ce que j'ai dit ? Le véritable amour m'interdit de commettre une telle bassesse. Car si elle me voit dans un état misérable et qu'elle m'aime tant soit peu de manière sincère, jamais elle ne me méprisera. Il y a un proverbe qui dit : « Qui aime vraiment n'oublie jamais. » Mais voilà que je doute de nouveau car on trouve dans le *Dit au vilain* : « Tu vaux ce que tu as et c'est à ce prix que je t'aime. » Hélas, je suis celui qui ne possède rien, qui ne vaut rien. Voilà mon sort !

Toute la journée, Caradoc était resté ostensiblement tourné face au mur. Il voulait tromper les éventuels visiteurs en feignant de dormir. Le soir, le roi Caradoc vint le voir, accompagné d'un courtois messager, envoyé par Cador la veille au soir. Quand Caradoc vit le messager, il dissimula sagement ses pensées. Il faut savoir cacher ses intentions jusqu'au moment propice et celui qui s'apprête à commettre quelque folie ne doit pas se risquer à le dire trop tôt. Caradoc s'en garda bien alors. Le jeune messager se rendit directement auprès de lui et lui dit :

— Seigneur, votre compagnon Cador a pris la mer avec la belle Guinier sa sœur, qui vous aime plus qu'elle-même. Je vous transmets son salut. Demain avant midi ou à midi au plus tard, pour ne pas la faire mentir, vous verrez ici votre amie Guinier et votre compagnon Cador qui vous donnerait son poids en or, ou même tout ce qu'il possède pour que votre bonne santé soit encore un sujet de réjouissances et de chansons. Mais ce sera le cas, soyez-en sûr !

— Cher ami, bienvenue soit mon amie, bienvenu mon compagnon. Hélas, comme je me trouve impoli de ne pouvoir aller à leur rencontre !

Sur ce, il se tait. La considération de son malheur le fait pâlir et, au souvenir de son amie, tout son corps est agité d'un tremblement d'angoisse. Quand il évoque son amour, une telle douleur lui serre le cœur qu'il ne peut plus dissimuler. Pour un peu, la mort lui aurait emporté le cœur. Elle n'en fit rien par crainte d'être blâmée. Toutefois, Caradoc s'évanouit. Que de reproches la mort aurait entendus si Caradoc était mort d'amour ! Comme l'amour est cruel envers lui ! Son attachement est une source de souffrances. L'amour l'enflamme du désir de voir son amie. Et c'est de l'amour que vient son effroi : il craint de manifester ouvertement sa tendresse à Guinier. Il arrive souvent que l'on redoute ce que l'on aime. C'est ce qui se passait pour Caradoc, qui désirait voir la belle Guinier et éprouvait en même temps que ce désir un grand effroi à l'idée de la voir. Il craignait qu'en le voyant en si mauvaise condition, elle ne se désole. Cette crainte le hantait tellement qu'il résolut, à tort ou à raison, je crois, de fuir. Il pensait qu'il n'avait rien à gagner à attendre son amie dans l'état où il était. Il se retourna alors vers le messager et lui déclara :

— Ami, ce que vous m'avez dit m'a réconforté. Vous m'avez assuré que la jeune fille ne me méprisera pas quand elle verra l'affreux serpent allongé à côté de moi. Mais je ne sais pas comment c'est possible. Vraiment je me déteste moi-même. Dans ce combat contre la mort, je préférerais être mort que vivant. Seigneur, au nom de Dieu, dit-il au roi, veillez à ce que le messager soit bien installé. Laissez-moi un seul jeune serviteur, car il n'est ni bon ni convenable que je sois davantage entouré. Laissez-moi me reposer seul et discuter avec moi-même. Car la douleur me rend la foule insupportable et cela me tue de voir les gens se presser autour de moi.

Il y avait là devant le roi un jeune page venu d'Angleterre avec Caradoc.

— Laissez celui-là ici, avec moi, je vous en prie et allez-vous-en manger.

— Vous mangerez aussi.

— Non. Partez, je vais me reposer.

Le roi s'en alla manger, emmenant avec lui le messager. Après un long dîner, ils allèrent se coucher, je vous le dis, car ils ne voulaient pas fatiguer Caradoc davantage ni le réveiller. Laissant le jeune page auprès de lui, tous et toutes allèrent se coucher. Je ne sais qui dormit parmi eux. En tout cas, je vous affirme que Caradoc, lui, ne dormit pas. Il appela son page :

— Ami, ne sois pas ennuyé ni étonné si je te prends pour conseiller et confident. Je n'ai guère confiance en ma force ; à peine si j'en ai encore ! C'est pourquoi je veux m'en remettre à toi. Pas un mot sur ma résolution, quand tu la connaîtras. Près d'ici, il y a une chapelle où un ermite mène une très sainte vie de prière. J'ai très envie d'aller le voir. Cher ami, n'en sois pas fâché, je veux y aller dès cette nuit, car je crois qu'après son oraison, le cruel serpent ne pourra rester attaché à mon corps mais sera obligé de me lâcher. L'une des règles du saint homme est de ne jamais quitter son lit, quelle que soit la nécessité. Tu prendras avec toi toutes les richesses que tu as apportées d'Angleterre. N'en cherche pas davantage.

— Seigneur, je suis homme à faire tout ce qu'il vous plaira. Voyez, je suis prêt à exécuter vos ordres.

S'étant équipés, ils déverrouillèrent une porte qui donnait sur le verger clos de hauts murs. Là, ils se mirent à chercher de tous côtés une porte, en vain. Mais ils passèrent la nuit à percer un trou par lequel ils sortirent. Une fois dehors, Caradoc, je vous l'affirme, sut trouver aussitôt tous les chemins détournés et les passages écartés du pays. Plongé dans ses pensées, il souffrait beaucoup. Je puis bien vous dire que pour mille pièces d'or, il ne serait pas revenu sur ses pas tant il avait honte à l'idée que, s'il était resté là-bas, il aurait reçu la visite de son amie. Suivant un large chemin, il parvint à la maison d'un ermite très vertueux, qui vivait dans un bois reculé. Devant eux jusqu'à l'ermitage, ce n'était qu'une forêt magnifique. Je ne connais pas le nom de l'ermite ni de l'ermitage. Vous auriez vu rassemblées là tant de bêtes sauvages, grandes et petites, que si l'on voulait vous en faire une description véritable, vous la tiendriez pour fantaisiste.

Caradoc se dirigea droit vers l'ermitage et entra dans la chapelle. L'ermite le salua de noms aimables et gracieux et Caradoc lui rendit son salut aimablement. Puis il fit une courte oraison car le serpent le faisait souffrir affreusement. Après la prière, ils s'assirent aussitôt. Caradoc était épuisé par son voyage rapide. La plante des pieds lui faisait très mal parce qu'il était parti de Nantes et n'avait pas l'habitude de marcher. S'adressant à lui, le saint homme lui demanda tout d'abord son nom, où il était né et ce qu'il venait chercher. Caradoc dit son nom à l'ermite et lui raconta en confession toute son histoire. Puis il lui montra le fardeau que représentait la couleuvre et lui expliqua en détails comment le serpent l'avait pris par surprise grâce à la ruse de son père et de sa mère. Devant l'ermite, il s'humiliait, il s'accusait et se chargeait lui-même, déclarant qu'il était coupable envers son père et qu'il avait grandement péché envers sa mère, et il affirma qu'il aurait tout à fait mérité de souffrir encore bien plus. C'est pourquoi il s'était enfui : il ne voulait connaître ni joie ni plaisir avant de savoir véritablement qu'il avait expié la peine infligée à ses parents. Il pleurait et soupirait du fond du cœur.

— Certainement, disait-il, je suis le pire homme de la terre.

Son chagrin était tel qu'il se coucha à terre. Le saint homme vit ses remords. Il lui imposa une pénitence et, à cause de son vif repentir, lui donna l'absolution. Puis Caradoc demanda au nom de Dieu à l'ermite de ne rien dire et de feindre de ne l'avoir jamais vu s'il rencontrait des gens à sa recherche. Ensuite, je vous le dis, Caradoc tint longtemps compagnie au saint homme, là, dans l'ermitage et demeura dans ce bois. La sainte vie qu'il y menait lui plaisait et il faisait pénitence. L'ermite partageait généreusement avec lui sa nourriture ordinaire et il se procurait d'autres aliments dans des maisons qu'il connaissait aux alentours, car Caradoc n'aurait pu vivre aussi pauvrement que le saint homme. Il n'en avait pas pris l'habitude. Le saint homme, parce qu'il demeurait à l'écart de tous, avait un serviteur qui exécutait discrètement tous ses ordres. Et Caradoc avait le sien qui, dès qu'il savait ce qui plairait à son seigneur, le faisait sans le contrarier en rien. Voici quelle était la règle de vie de Caradoc : trois jours par semaine, il faisait volontairement carême et jeûnait par pénitence. Ainsi vécurent-ils longtemps sans être découverts. L'ermite était malin : de l'ermitage jusqu'à Nantes s'étendaient dix à douze lieues d'une forêt aux sentiers étroits. Et l'habitation la plus proche était au moins à quatre lieues.

VII

À LA RECHERCHE DE CARADOC. CARADOC RETROUVÉ PAR CADOR

Cessons ici de parler de Caradoc qui s'est retiré auprès de l'ermite et endure avec lui une vie d'austérité et de macération. Revenons résolument au roi Arthur qui, pour voir Caradoc, avait franchi la mer avec un grand nombre de ses familiers, accablé qu'il était par le tourment de Caradoc. Quand le roi Caradoc apprit sa venue, il en fut tout heureux. Le messager d'Arthur avait chevauché toute la nuit, car il s'était égaré pour avoir remonté trop à droite. Il avait quitté le roi au Mont-Saint-Michel le matin précédent. Il avait à la main une lettre destinée au roi de Vannes qui lui annonçait que le roi Arthur se rendrait en toute amitié sur sa terre pour le voir. Il avait entendu parler de Caradoc et du serpent pendu à son bras droit ; cette histoire le bouleversait.

Le messager arriva à Nantes au point du jour, épuisé. Le roi s'était levé de bon matin, plein de chagrin et d'inquiétude. Le messager vint devant le roi, le salua et lui tendit le message. Le roi se mit à lire la lettre et, cela fait, il ordonna de seller son cheval, déclarant qu'il voulait aller à la rencontre d'Arthur. Puis il se dirigea vers la chambre où, croyait-il, Caradoc dormait et se reposait. Il voulait lui annoncer la nouvelle. Arrivé à la porte, il appela Caradoc. Comme il ne recevait aucune réponse, par tendre sollicitude il n'insista pas, pensant que Caradoc dormait. Il se dirigea vers son cheval et monta accompagné de je ne sais combien de nobles personnages importants. Ils allèrent accueillir joyeusement leur seigneur. Car le roi Arthur était leur seigneur, le leur et celui de tout l'empire. Et des deux côtés de la mer, personne n'aurait osé se proclamer seigneur d'une terre qu'il n'aurait reçue d'Arthur et pour laquelle il ne lui aurait rendu les services attendus. Tous allèrent à sa rencontre et après avoir descendu une colline et remonté une montagne, ils trouvèrent Arthur de Bretagne.

Dès qu'ils furent proches, ils se précipitèrent les uns vers les autres, riant et pleurant tout à la fois. Ils riaient du plaisir de se voir et parce que c'est l'habitude ; et ils pleuraient de la tristesse de l'occasion. Et cela arrive couramment quand un ami vous rend visite lors d'un deuil ou de quelque épreuve. Le chagrin et l'affliction redoublent. C'est ce qui arriva : car quand ils s'aperçurent, ils se mirent à pleurer avant de pouvoir parler. Mais s'ils avaient su ce qui allait advenir, ils auraient pleuré encore davantage. S'ils avaient su ce qui leur était réservé, il n'y aurait eu aucune manifestation joyeuse. Mais personne ne sait rien, pas même Guinier, la belle amie de Caradoc, ni elle ni son frère Cador, qui viennent voir Caradoc.

Ils arrivent à Nantes de bon matin. Ce qui les attend est bien sombre. Ils sont reçus avec tous les honneurs. Hélas, quelle déception va être la leur ! Ils ne trouveront pas ce qu'ils cherchent. Tout d'abord ils demandèrent comment se portait Caradoc et où il reposait. On les mena à la chambre. Mais la porte était bien fermée car, en quittant la chambre, Caradoc et son page l'avaient fermée de l'intérieur. La belle Guinier s'approcha la première et à la porte appela :

— Ami, ouvrez la porte. Puisque je ne vous trouve pas dehors, faites ouvrir ; votre amie entrera et vous verra. C'est manquer de courtoisie que de se cacher quand votre amie vous appelle. Ouvrez, ouvrez, mon cher et tendre ami, car je suis folle d'inquiétude pour vous. Depuis que j'ai appris votre malheur, je n'ai plus eu joie ni plaisir.

Quand elle vit qu'il n'ouvrirait pas et qu'elle ne verrait pas son ami qui pouvait pourtant avoir tout à fait confiance en elle, elle se mit à crier plus fort :

— Mon cher et tendre ami, que vous ai-je fait pour mériter ce tourment ? Devez-vous vous dérober à moi ? Je ferai forcer la porte avec l'aide de Dieu, le roi du ciel. Je ne comprends pas : je le sais bien, s'il était vivant, et même s'il était au paradis, et qu'il m'enten dît frapper à sa porte — que je serais heureuse si cela m'arrivait ! — rien ne l'empêcherait de venir me voir. Je crains qu'il ne soit mort. Cher frère, cette porte est-elle donc si solide que personne ne puisse l'enfoncer ?

A force de chercher, elle trouva un moyen d'ouvrir la porte. Ils constatèrent alors que Caradoc n'était pas dans la chambre et découvrirent aussitôt que la porte donnant sur le verger était ouverte. Ils se mirent à fouiller de fond en comble le verger et à examiner le mur qui entourait la maison, étreints par l'angoisse. Mais quand on ne trouve rien, on ne prend rien et, quoiqu'ils fissent, ils ne trouvèrent absolument rien, sauf le trou par où Caradoc était sorti. En vain se plaignent-ils qu'il leur échappe toujours. S'ils veulent le trouver, il leur faudra chercher plus loin. Tous étaient abattus de ne pas l'avoir trouvé. Pas un qui ne soit bouleversé. Le sort de Caradoc les consternait.

— Hélas, hélas, mon ami, hélas ! s'exclama la belle Guinier, comment avez-vous pu imaginer de me tromper et songer à fuir sans moi ? Non, ce n'est pas possible ! C'est, je crois, parce que vous pensiez mourir sans moi que vous vous êtes enfui. Fuir ne vous servira à rien, certes, car je sais parfaitement que je ne vous survivrai pas d'un jour sur cette terre. Vous n'auriez pas dû me fuir, mais aussitôt que le serpent vous a enlacé, vous auriez dû m'envoyer un messager pour me faire venir auprès de vous. De cette façon, j'aurais partagé votre malheur. Car je sais bien qu'un fardeau est moins lourd pour deux personnes que pour une seule.

Ses lamentations éclatèrent alors :

— Ah, malheureuse, pourquoi suis-je née ? Mon ami me tourne le dos et me fuit ! Oh, je mériterais bien d'être brûlée vive sur le bûcher car maintenant je sais parfaitement que, s'il a fui, c'est seulement par peur de m'entendre pleurer et me plaindre devant lui. C'est pour cela qu'il n'a pas osé rester. Malheureuse ! Il s'en va à présent et il emporte mon cœur. Et s'il meurt, alors je suis morte. Je ne pourrais pas vivre sans cœur et s'il mourait, je mourrais. Dieu nous montrerait ainsi sa bienveillance !

Vous qui aimez, voyez donc s'il y a encore des amours de cette qualité dans le monde ! Non, sûrement ! En revanche, on trouve couramment toutes sortes d'autres amours. Il y a la femme qui aime un homme pour les magnifiques cadeaux qu'il lui fait. Si elle aime, c'est par gratitude. Ce n'est pas un amour spontané. Il y a aussi la femme qui ne s'intéresse pas aux cadeaux mais aime un homme pour sa beauté. C'est encore déloyal : quand elle en voit un plus beau, elle a tôt fait de prendre un nouvel ami. Je vous citerai un troisième cas : la femme qui aime un homme pour les soins dont il l'entoure. Les soins manquent-ils, l'amour aussitôt s'envole et disparaît.

Au tour des hommes maintenant ; car je n'ai pas l'intention de ne pas en parler. Pour leur part, leur jeu favori consiste à embraser et à enflammer les femmes par leurs belles paroles. Quand un homme en trouve une peu raisonnable, il la trompe avec perfidie. Il se moque d'elle et la jette dans la pire confusion ; il profite d'elle et la chasse. Puis il entreprend d'en avoir une autre. Ceux qui font preuve d'une telle rouerie mettent l'amour en déroute. Il y en a qui sont volages et qui veulent arriver à leurs fins. Ils aiment sans mesure ni retenue. S'ils ne réalisent pas leurs désirs, écoutez, quel sujet de lamentation ! Ils cessent d'aimer et portent rancune à l'objet de leur amour au point qu'ils se mettent brusquement à haïr ce qu'ils aimaient. Et s'ils ont obtenu ce qu'ils voulaient, autre sujet de se désoler ! Dès qu'ils ont trouvé quelqu'un à qui le raconter, ils le racontent. Cet amour qui débute et finit ainsi, n'est pas l'amour véritable. Car celui qui aime vraiment doit penser à rendre compte des plaisirs et des soucis ; et sur sa propre tête, il doit faire bien attention à ce que l'amour ne trouve pas d'orgueil en lui. Et si l'amour fait toute sa joie, qu'il sache en garder le secret [1]. Car dès qu'on se vante de son amour, on le trompe.

Vous qui êtes de loyaux amants, je vous recommande au Seigneur du ciel, et ceux qui se moquent de l'amour véritable, je les voue à ceux qui bouillent en enfer. Mais ce n'est pas à eux que je voue Caradoc et son amie Guinier, et on ne doit pas les y vouer ; car tout ce que l'on peut attendre d'amants véritables, on le trouve en eux. Tous deux connaissent les tourments de l'amour. Écoutez donc quels sont leurs plaisirs : l'une pleure, l'autre fuit. Mais celui qui fuit souffre de laisser son amie derrière lui. Et croyez-vous qu'elle n'éprouve pas de peine à rester seule après sa fuite ? Je vous l'affirme, rien ne pourrait séparer leurs cœurs. Peu importe lequel fuit et lequel reste : ils sont ensemble. Caradoc reste avec Guinier et Guinier est avec lui dans le bois.

Le roi Arthur était à Nantes où il apprit de bien mauvaises nouvelles. Mais avant d'y arriver, il reçut un messager qui lui annonça que Caradoc s'était dérobé à leur présence en fuyant. On ne savait où il était allé. Cette nouvelle ne fit pas plaisir au roi, sachez-le. Son chagrin en redoubla :

— Seigneur Dieu, mon chagrin est plus grand que je ne puis le dire. Je ne sais où aller. Ah, Dieu ! Qu'irais-je faire à Nantes si je ne peux y voir mon neveu ? Dis donc, mon garçon, est-ce bien la vérité ? Prends garde de ne pas me tromper.

— C'est la vérité, sire, je le jure sur ma tête. Venez voir pour vous en convaincre.

---

1. La variante de Q a été adoptée ; elle rejoint la leçon de T qui paraît plus en accord avec les vers qui suivent.

Le roi se rendit à Nantes. Il n'y trouva pas son neveu mais il y trouva Guinier, l'amie de Caradoc, tout en pleurs, qui appelait ardemment la mort. Puis, je vous le dis, sans s'attarder, tous se mirent aussitôt en quête de Caradoc. Et dans le pays, il ne demeura pas un château ni une ville, pas une plaine ni un bois, qu'ils n'aient explorés à la recherche de Caradoc. Ils allèrent même dans l'ermitage où il était mais ils ne le découvrirent pas, tant il avait mis de soin à se dissimuler. Pour ne pas être reconnu, il avait revêtu une cape qui appartenait à l'ermite, longue, large et sans manches, et il portait une tunique blanche. Il s'était couvert la tête d'un capuchon, de sorte qu'on ne pouvait voir son visage. Il avait chaussé des bottes et portait la cape. Cette fois-là, il échappa aux recherches par ses précautions et sa ruse et on ne soupçonna pas une seconde que c'était lui.

Pourquoi vous faire un récit plus long ? Le roi Arthur, les comtes et les hauts dignitaires, les châtelains, les princes, les chevaliers fouillèrent toute la Bretagne et malgré tous leurs efforts, ils ne trouvèrent pas Caradoc. Son oncle en manifestait un grand chagrin. Touraine, Anjou, Poitou, Maine, Normandie, Ile-de-France, Bourgogne, Thiérache, Allemagne, Saxe, ils fouillèrent tous les pays de ce côté de la mer pour le trouver. Exténués par leurs recherches, ils traversèrent la mer et explorèrent l'Angleterre de fond en comble. Ils étaient très affligés de ne pas le trouver. Le roi en était malade de chagrin. C'est celui qui montrait la peine la plus grande. Il aurait voulu en mourir et après lui monseigneur Gauvain, Yvain, Tor, le fils d'Arès, et tous les familiers du roi se désolaient aussi. A cause du roi et parce qu'ils n'avaient pas trouvé Caradoc, au retour de leur quête, ils s'installèrent à Caradigant. Et durant cette période, le roi et tous ses compagnons manifestèrent une telle douleur qu'il est tout à fait étonnant qu'ils aient survécu à l'affliction que leur causait Caradoc. Mais à bout de résistance, conscients de l'inutilité de leur chagrin, ils se résignèrent et, se séparant, ils se dispersèrent à travers le pays, convaincus de leur impuissance et las de vivre dans la tristesse. Deux ans, peut-être plus, s'écoulèrent sans qu'on entendît parler de Caradoc. Personne ne pouvait rien apprendre à son sujet.

Quant à Cador, je vous l'affirme, à la recherche de son ami Caradoc, il explora bien des pays, accompagné par sa sœur dans sa quête. Il fouilla de fond en comble toute la Bretagne, puis passa en Cornouailles. Ensuite, je vous le dis bien en vérité, tous les autres peuvent bien être épuisés de chercher, Cador, lui, se met en route seul. Il a laissé sa sœur en Cornouailles dans une position honorée. Puis, il explore l'Angleterre, l'Irlande, le pays de Galles, le Northumberland ; de là, il passe en Espagne, et revient directement en Bretagne. Il chercha partout sans rien gagner que peine et fatigue.

Cela faisait plus de deux ans qu'il n'avait interrompu sa quête de Caradoc. Et il affirmait et jurait toujours qu'il ne serait jamais déloyal envers Caradoc et qu'il lui resterait à jamais fidèle car il n'aurait de cesse de le trouver où qu'il fût. Savez-vous comment il disait cela [1] et en quels termes il interrogeait les gens dans les pays où il cherchait Caradoc ?

— Au nom de Dieu, braves gens, avez-vous vu un homme qui porte un serpent pendu et lié à son bras ?

Et chacun à cette question de se recommander à Dieu et de s'exclamer :

— Dieu merci, nous ne l'avons jamais vu par ici et il n'y a pas trace de lui dans ce pays !

Voilà la vie que Cador mena pour son compagnon Caradoc.

Celui-ci ne se nourrissait plus que d'herbes car cet été-là, il avait quitté l'ermite auprès duquel il avait vécu. Il s'était mis à la recherche de saints hommes ; il explorait les bocages et mangeait des herbes crues. Cette rude vie était sa pénitence. Le serpent le tourmentait en lui suçant chair et sang. Ne croyez pas que je plaisante. Il était si abattu, si affaibli et amaigri que, si Cador avait pu le voir, à peine l'aurait-il reconnu, car à peine Caradoc pouvait-il se déplacer. Finalement, il élut domicile dans des fourrés, dans un bois, près d'un bel ermitage très agréable. Là habitaient de nombreux serviteurs de Notre-Seigneur, excellentes personnes qui l'honoraient dans une église. L'église était petite et belle et dominait un petit ruisseau qui prend sa source là dans une vallée. Peu de gens s'y rendaient. L'endroit était beau et isolé. Notre-Seigneur y était bien honoré.

C'est dans un buisson de ce bois que Caradoc s'était installé. C'est là qu'il vivait en attendant la mort. Il ne recherchait aucun autre remède ; il ne se nourrissait que de racines et allait boire à la source. Chaque jour de la semaine, par un étroit sentier, il se rendait à la chapelle de Dieu pour prier ; puis il assistait à l'office divin. Les braves moines, par générosité et pour l'amour de Dieu, le nourrissaient et le vêtaient comme eux-mêmes avec bonté. Ils voyaient ouvertement le serpent diabolique qui lui étreignait le bras et ils entendaient se plaindre le malheureux à qui un mauvais sort avait infligé une si cruelle pénitence. Après avoir mangé un peu, Caradoc retournait à ses fourrés. Il n'attendait pas d'autre soulagement que la mort que Dieu voudrait bien lui envoyer. Cador l'avait recherché un peu partout et ne savait plus où aller, quand par hasard il arriva à l'ermitage où habitait Caradoc. Il faisait nuit, je vous le dis. Cador demanda l'hospitalité. Les moines l'hébergèrent. Pour manger, ils

---

1. Il faut comprendre *por quoi* comme « par quoi », c'est-à-dire « comment », ce qui est la leçon de M.

lui donnèrent ce qu'ils avaient. Puis Cador leur demanda s'ils connaissaient ou s'ils avaient jamais vu ni rencontré un homme aux manières nobles qui portait attaché au bras un affreux serpent, cruel divertissement qui le tuait.

— Cher seigneur, dit l'un d'eux, il habite dans le voisinage et demain vous le verrez ici : il y viendra pour entendre la messe.

Cador s'exclama joyeusement :

— C'est un homme de belle taille ? brun ?

— Très cher ami, exactement. Il était de belle taille quand il était en bonne santé. Mais maintenant il est dans un bien triste état : il n'a que la peau sur les os. Mais je ne sais pas son nom.

Cador était tout rempli de joie. Il alla se coucher, je vous le dis. Comment croyez-vous qu'il supporta d'attendre toute cette longue nuit ? Il ne remarqua même pas si le lit était bon ou mauvais. Les braves moines le traitèrent du mieux qu'ils purent. Ainsi passa la nuit et enfin il fit jour. Cador fut aussitôt prêt à agir. Caradoc, comme prévu, vint à l'église au petit matin. Pour le guetter, Cador s'était mis dans un recoin où on ne pouvait le voir, afin que Caradoc ne se doutât de rien jusqu'au moment où il s'avancerait dans l'église et où Cador le saisirait dans ses bras. Caradoc, qui ne soupçonnait rien car il ne se méfiait de personne, entra sans crainte dans l'église et se mit à prier Dieu avec ferveur. En le voyant, Cador ne le reconnut pas. Il résolut de s'approcher. Caradoc commençait à prier. Cador bondit alors et l'apostropha ainsi :

— Ah, Dieu, aidez-moi ! Frère, frère, qui a bien pu vous indiquer cette abbaye ? Bien des fois, pour vous trouver, j'ai mis mes jambes et mes pieds à sang et j'ai exploré de nombreux pays jusqu'à l'épuisement. Cela fait bien deux ans, je pense, que je ne vous ai pas vu, très cher ami. Qui vous a fait prendre cet habit ? Ah, il fallait vous aimer bien peu pour vous donner à porter de telles hardes !

Caradoc portait deux tuniques et aux pieds de grandes bottes. Il était coiffé d'un capuchon. Cador le regardait et en pleurait de pitié. Mais d'un autre côté, sachez-le, il était plein de joie car voilà terminé son voyage auquel il n'aurait jamais mis un terme avant d'avoir trouvé Caradoc. Pourquoi vous en dirais-je plus ? Caradoc, quant à lui, était si honteux à la vue de son compagnon Cador que, même si on lui avait donné un vallon plein d'or ou le monde entier, il n'aurait pas desserré les dents. Baissant son capuchon, il se coucha sur le sol couvert d'herbe de la chapelle. Cador s'approcha de lui, le releva et l'embrassa.

— Ami, lui dit-il, vous avez souffert longtemps et beaucoup à cause du serpent qui détruit et mine ainsi votre corps. Ne le niez pas. Vous n'avez pas besoin de vous cacher. Nous sommes ici dans une église. Ne déguisez pas la vérité mais dites-moi ce qui vous a poussé à quitter votre pays. Et Guinier, votre belle amie, pourquoi l'avez-vous fuie ainsi ?

Caradoc soupira et se mit à pleurer en entendant nommer Guinier.

— Ah, cher ami, c'est parce que je crains qu'elle ne me méprise et qu'elle ne soit plus aussi tendre avec moi quand elle verra mon malheur. Je me suis enfui parce que je préférerais être mort. C'est tout ce que je souhaite car ma vie ne vaut rien.

Que de larmes et de soupirs alors ! La détresse de Caradoc affligeait profondément Cador. Il suppliait Caradoc mais celui-ci refusait de l'écouter. Il s'approchait mais Caradoc le repoussait. Et quelque effort que fît Cador, Caradoc ne se laissa pas embrasser. Voilà comment ils se comportèrent l'un avec l'autre. De douleur, ils se mirent à pousser des cris. Tous les braves moines accoururent. La discussion se solda par un refus de Caradoc qui, ni au nom de l'amitié ni par la prière, ni pour Dieu ni pour sa Mère Bien-Aimée, ni au nom des apôtres ni au nom des martyrs, n'accepta de partir de là. Quand Cador vit qu'il n'arriverait à rien et qu'il devrait laisser là Caradoc, car il lui fallait le laisser pour s'occuper d'autres affaires, il pria et implora les bons moines de prendre soin de Caradoc et de le nourrir selon ses besoins.

— Et je vous promets en vérité que vous serez bien payés de retour pour tout ce que vous lui donnerez, leur dit-il.

Sur ce, il quitta son compagnon et le laissa dans la maison avec eux.

VIII

DÉLIVRANCE DE CARADOC ET
COURONNEMENT DES DEUX AMIS

Cador alla à Nantes et y trouva la mère de Caradoc car elle ne s'en absentait pas souvent. Il se présente devant elle, la salue, puis la blâme et lui reproche vivement de ne pas se soucier de son fils que, par dureté, elle laisse souffrir ainsi longuement :

— Sages ou fous, tout le monde dit, ma dame, que c'est à cause de votre noire méchanceté et par votre propre volonté que le serpent l'a pris au bras. Tout le monde vous accuse et vous incrimine. Mais je veux vous dire quelque chose : vous pourriez aisément retrouver la considération générale en le délivrant. La mère doit bien corriger son enfant en le punissant, et quand elle l'a battu, elle doit songer à calmer sa douleur. Elle ne doit pas le laisser souffrir mais elle doit penser à apaiser la peine. Et après l'avoir puni, elle doit l'attirer à elle tendrement.

La dame devina parfaitement que Cador parlait pour Caradoc, néanmoins elle fit celle qui n'avait pas compris :

— Ami Cador, viens et explique-moi pourquoi tu as dit cela.

— Ma dame, je vais vous le dire : c'est à cause de Caradoc dont vous vous êtes ainsi désintéressée. Il faut qu'une mère soit cruelle et insensible pour laisser son enfant dans d'affreuses souffrances quand elle pourrait l'en préserver. Plaise à Dieu qu'une telle femme n'encombre pas le paradis !

— Dis-moi, Caradoc est donc vivant ?

— Oui, bien sûr, il est vivant, ma dame.

— Sur mon âme, je ne savais pas qu'il était vivant. Je le croyais mort et me reprochais sa mort. Car on me blâmerait sévèrement et on me trouverait trop cruelle si on apprenait que mon enfant est mort dans des tourments que j'avais le pouvoir de guérir. Revenez demain sans faute. Je vous dirai s'il pourra guérir ou s'il en mourra.

Cador laisse alors la dame et patiente jusqu'au lendemain, jusqu'à l'heure du nouvel entretien avec la reine. Il se présente devant elle. Elle l'appelle et l'emmène dans une chapelle retirée du palais où ils sont seuls.

— Cador, dit-elle, j'ai beaucoup de peine pour mon enfant et parce que j'en ai pitié, je peux vous dire que j'ai fait en sorte d'apprendre comment il guérira.

— Ma dame, on va bien voir.

— Ma foi, dit-elle, je ne pense pas que l'on trouve si facilement ce grâce à quoi il pourrait guérir. Mais je vous le dis, il faudrait trouver une jeune fille incontestablement égale à Caradoc en noblesse et en beauté et qui l'aimerait autant qu'elle-même. On prendrait alors deux cuves, ni trop grandes ni trop petites, qu'on placerait précisément à trois pieds l'une de l'autre. Il faudrait que ce soit une nuit de pleine lune. L'une des cuves serait pleine de vinaigre, l'autre de lait. Cela fait, Caradoc, qui est si maigre et décharné, entrerait dans la cuve de vinaigre et aussitôt, sans hésitation ni répugnance, la jeune fille entrerait dans la cuve de lait et appuierait son sein droit sur le rebord de la cuve. Puis elle conjurerait le serpent de laisser son ami et de la saisir au sein. Quand il entendrait la jeune fille le conjurer ainsi et sentirait le vinaigre, alors que la jeune fille blanche et tendre lui offrirait son sein, je peux vous dire que le serpent sauterait. Et à ce moment-là, un homme armé d'une épée et assez audacieux pour frapper, tuerait le serpent facilement et immanquablement avant qu'il ne lui échappe, et le ferait mourir sur-le-champ. Je vous affirme qu'il n'y a aucun autre moyen de délivrer Caradoc de la vipère. Mais si vous pouvez exécuter ce plan, vous pourrez constater la vérité de mes propos.

Voilà le conseil que lui donna la dame. Mais elle ne lui dit pas d'où il venait. En vérité, il s'était trouvé qu'Eliavrés, ce diabolique personnage, était venu durant la nuit rendre visite à la dame. Comme ils étaient au lit, goûtant joie et plaisir, la dame prit la parole :

— Mon tendre ami, j'ai très peur que mon âme ne soit cruellement damnée à cause de l'affreuse existence que nous faisons mener à notre fils. Nous sommes en train de le faire mourir à petit feu et tout cela par ma méchanceté ! Je vous en prie, occupez-vous-en et apprenez-moi par quel remède il pourrait être débarrassé de la couleuvre qui l'a si horriblement saigné.

Alors Eliavrés lui indiqua le moyen que je vous ai décrit.

— Ma dame, vous ne le savez pas, mais j'en prends Dieu à témoin, il n'avait plus que trois mois à vivre. Passé ce délai, il devait mourir irrémédiablement.

Voilà qui vous a appris où la dame avait trouvé les conseils qu'elle avait donnés à Cador. Cador prend congé et s'en va trouver Caradoc qu'il réconforte. Il lui apporte de bonnes nouvelles et lui raconte sans erreur par quel moyen il peut guérir.

— Compagnon, dit-il, restez ici ! réjouissez-vous et espérez. Je vais aller demander son avis à Guinier, votre belle amie. Car je crois que pour vous elle risquera sa vie sans hésitation.

Sur ce, Cador s'en alla. Il laissa Caradoc en compagnie des bons moines à l'abbaye, dans le jardin. Il leur recommanda de bien veiller sur lui et d'être avant tout à son service afin de satisfaire tous ses désirs et ses besoins.

— Car je reviendrai bientôt et je vous en récompenserai généreusement.

Sur ce, il s'en alla, gagna la mer, s'embarqua et passa directement en Cornouailles. Là, il trouva la malheureuse Guinier, sa sœur, qui menait une triste existence. Quand elle le vit, elle brûla d'apprendre la vérité. La belle jeune fille se réjouit vivement de le revoir en bonne santé. Et lui, il lui donna des nouvelles qui lui firent bondir le cœur :

— Douce sœur, dit-il, j'ai trouvé celui que vous aimez le plus au monde.

— Trouvé ? Seigneur, vous vous moquez de moi !

— Non, je vous assure, ma sœur, je ne me moquerais de vous pour rien au monde. J'ai retrouvé Caradoc.

— Cher frère, où ?

— Ma sœur, dans un bois où il se nourrit d'herbes et de racines et il ne peut trouver de remède, douce sœur, sinon par vous.

— Par moi ? Comment ?

Il le lui dit et lui indiqua le moyen grâce auquel elle pourrait délivrer son ami de l'infâme serpent, si seulement elle voulait risquer sa vie pour lui.

— Bien sûr, s'exclama-t-elle, je risquerai ma vie et je le délivrerai car je me souviens encore parfaitement qu'il a risqué la sienne pour moi.

Ils ne perdirent pas de temps. Dès le lendemain au point du jour, ils s'équipèrent et firent route directement vers la mer qu'ils traversèrent, pour passer en Bretagne. Dans la forêt, ils trouvèrent l'embranchement d'un chemin qui les conduisit à l'abbaye. Voilà des amis qu'on doit estimer : pour leur ami, ils endurent peines et souffrances. Voilà une amie sincère qui, pour son ami, n'hésite pas à faire don de sa propre vie. Dieu serait peu miséricordieux s'il ne la récompensait pas véritablement, cette femme qui, pour son ami, se livre ainsi à un tel tourment et à des tortures horribles. C'est une rude épreuve que de risquer la mort pour son ami. Car la femme est faible et mal armée face à la mort. Mais Guinier n'avait rien d'une femmelette. Elle était pourvue de plus de qualités que je ne saurais vous le dire.

Ils devraient rougir de rage et de confusion, les faux amants qui ne savent pas ce qu'est l'amour ! Car celui qui veut se mettre au service de l'amour, s'il n'a pas de sujet de joie, n'en manquera jamais à l'avenir. Personne ne sert l'amour en vain : la récompense est toujours belle. Mais savez-vous ce que font les faux amants ? Ils montrent une fausse apparence d'amour. Et si l'on voulait mettre l'amour à l'épreuve, on trouverait le véritable. L'Amour n'a aucun mal à démasquer les hypocrites. Et ceux qui lui sont loyaux se reconnaissent à la grande récompense qu'ils reçoivent. Guinier et Cador furent fidèles à l'Amour, en endurant tant de peine pour lui.

Par affection pour Caradoc et impatients de le revoir, ils se rendirent à l'abbaye. Dès qu'on les vit, on les reçut avec beaucoup d'honneurs. Les bons moines leur témoignèrent tous les égards possibles et les emmenèrent à l'église. Quand Caradoc vit Guinier, son amie au teint de rose, il en éprouva une telle joie qu'il ne savait plus que faire. Il se mit à pleurer de joie et tout en pleurant à manifester sa joie. La honte le poussait à se cacher mais l'amour véritable lui ordonnait sans répit de faire fête à son amie. C'est à cet avis qu'il se rangea. Voilà le terme du désaccord. Personne n'aurait pu l'empêcher de se lever aussi vivement que le lui permettait la gravité de son état, pour accueillir son amie. Une fois debout, je vous le dis, il apparut grand, maigre et pâle. Il portait, comme un ermite, trois larges robes laides et sales. Il avait aux pieds de grandes bottes sans éperons, et il était coiffé de deux capuchons pour se protéger du froid. Il était difforme et hideux. Il avait le front plat et les yeux caves, la peau tendue sur les os, le nez saillant et les pommettes proéminentes, le visage tiré, la voix rauque, une barbe jusqu'à la ceinture et d'une couleur sale, les cheveux longs et emmêlés, qui lui tombaient jusqu'aux côtes, et tout le corps, à vrai dire, si sec qu'on aurait pu y mettre le feu. Car le serpent, lié à son bras, l'avait si bien sucé que, à ce mauvais régime, tout ce que la nature lui avait donné de force et de beauté, il l'avait perdu, victime d'une perfidie.

Caradoc s'approche de son amie. En la voyant, il oublia le tourment qu'il avait longtemps souffert. Je ne pourrais imaginer la joie qu'ils se témoignèrent car quiconque a jamais vu la joie que se manifestent deux amants, ne pourrait la décrire. Mais, je puis vous dire une chose : malgré la laideur de son visage, malgré sa barbe et sa chevelure, Caradoc n'inspira aucun dégoût à la jeune fille. Elle l'embrassait tendrement et le serrait fort contre elle. Mais pourquoi m'attarder puisque je ne pourrais décrire la moitié de la joie et de la tristesse que l'amour leur fait connaître à tous deux ? Car ils sont heureux d'être ensemble et ils éprouvent, me semble-t-il, une grande tristesse en pensant à la souffrance et au tourment que l'un doit infliger à l'autre. Caradoc est déchiré d'inquiétude pour son amie qui veut ainsi livrer son corps au martyre pour le délivrer du serpent.

— Ami, dit-elle, n'en doutez pas. Je suis venue ici pour vous aider, par saint Pierre l'Apôtre, pour risquer ma vie pour la vôtre. Il n'y a plus qu'à tout préparer !

Caradoc entreprend de l'en dissuader :

— Impossible, dit-il, je préfère mourir tout seul plutôt que de vous entraîner dans la mort.

— Tendre ami, par la foi que je porte à Dieu le roi céleste, c'est cela qui est impossible ! Je ne pourrais supporter de vous voir mourir sans essayer de vous guérir ou sans mourir moi aussi avec vous. J'aurais le cœur brisé si je vous survivais. Je ne pourrai jamais vivre sans vous.

De son côté, Cador intervient, embrasse son compagnon et le prend par les épaules :

— Ami, dit-il, c'est ma sœur, et je ne souhaite pour rien au monde sa mort ni la vôtre. Mais faites seulement ce qu'on vous dira, pour nous et pour vous sauver de la mort : je vous implore et vous supplie d'accepter d'entrer nu dans l'une des deux cuves que vous verrez. Votre amie entrera dans l'autre et conjurera le serpent. La méchante bête sautera sur elle et au moment où elle sautera, je lui couperai la tête et je vous en délivrerai sur-le-champ.

Guinier disait à Caradoc :

— Faites ce que vous dit Cador !

— Non !

— Si !

— Je préfère mourir !

— Vous ne mourrez pas ! J'en prends à témoin Dieu plein de gloire ! Je ne ferai jamais rien pour vous si vous ne faites pas cela pour moi.

— Amie, occupez-vous de tout et préparez tout ce qui est nécessaire. Mais sachez bien que, si vous mourez pour me guérir, il me faudra mourir pour vous. Car en vérité, j'aurais en horreur une vie que je ne devrais qu'à la mort de mon amie.

Quand Cador entend que Caradoc donne son consentement, il fait chercher des cuves et les fait remplir l'une de vinaigre, l'autre de lait. Il fait entrer sa sœur dans la cuve de lait, toute nue, sans plus d'appréhension et la jeune fille appuie son sein sur le bord de la cuve. L'autre cuve était placée, selon le plan, exactement à trois pieds, et remplie de vinaigre parfaitement pur sans la moindre trace de lie. Le vaillant Caradoc y entra et s'y plongea jusqu'au cou, de sorte que le serpent se trouvait dans la cuve, dans le vinaigre. Il n'aime guère cela, pour un peu il s'en irait ! Quant à la jeune fille, écoutez ce qu'elle dit et comment elle conjure le diabolique serpent :

— Regarde donc mes seins, comme ils sont blancs, tendres et beaux. Regarde ma blanche poitrine, plus blanche que la fleur d'aubépine. Regarde comme ce vin est aigre et comme Caradoc est maigre : il n'y a plus rien à tirer de lui. Ne te laisse pas abuser par lui. Abandonne-le, ce sera une sage décision. Viens et enlace-toi à moi. Je t'en conjure, allons, serpent, au nom de Dieu le Tout-Puissant, détache-toi du bras de mon ami et pends-toi à mon sein. Car je suis blanche, potelée et tendre. Avec moi, tu auras de quoi faire.

De leur côté, les saints ermites récitaient avec ferveur la messe du Saint-Esprit. Portant les reliques, en grande procession, ils se rendirent là où la jeune fille conjurait et implorait le serpent. Là, ils firent leurs oraisons à Dieu, le priant de détruire sans délai le cruel serpent afin qu'il ne nuise plus ni à l'un ni à l'autre. Quant au serpent, le vinaigre le cuisait et le brûlait. Il voyait le lait et la jeune fille qui le conjurait et l'implorait ainsi. Il ne trouvait plus rien à sucer en Caradoc. Il se résolut à le lâcher, sauta et se jeta sur le sein droit de la jeune fille qui était là. Mais derrière elle, il y avait son frère, l'épée nue à la main. Il frappa facilement le serpent et lui trancha la tête. Mais du même coup, il trancha à sa sœur le bout du sein que le serpent avait saisi dans sa gueule. En même temps que la tête du serpent, il coupa le téton. Le serpent tomba à terre ; Cador se rua sur lui et le mit en pièces, vengeant bien ainsi son compagnon. Aussitôt, je vous le dis, Caradoc bondit hors de la cuve, très inquiet pour la jeune fille, qui était blessée au sein, et tout heureux de se sentir libéré et délivré de la vipère. Cador le vit et le serra dans ses bras. Il était fou de joie pour lui, et Caradoc lui manifesta de même son allé-

gresse en l'embrassant à plusieurs reprises. Puis il se précipita vers
Guinier et la prit par le cou. La belle jeune fille pleurait. Cador la fit
sortir toute nue de la cuve et l'habilla de belles étoffes précieuses.
De son côté, Caradoc revêtit ses habits, mais pas les vilaines hardes
que les ermites lui avaient prêtées ! Ils lui apportèrent d'autres vêtements bien plus précieux et plus beaux.

Les ermites et les deux jeunes gens s'occupèrent de soigner le sein
de la jeune fille. Il y avait là un saint ermite qui s'y connaissait en
médecine. Il lui appliqua un cataplasme qui la guérit. Et par ailleurs,
il purgea Caradoc de tout le venin que le serpent lui avait inoculé
tout le temps où il avait été attaché à son bras. Les moines dispen-
sèrent de bons soins tout ensemble à Caradoc et à Guinier, les baignèrent et s'occupèrent si bien de leur santé qu'en une semaine, ils
furent guéris. Et comment Caradoc pourrait-il se sentir mal alors
qu'il embrasse et serre contre lui celle qu'il aime ? Mais rien ne put
rendre à Guinier le bout de son sein. Auprès de son amie, Caradoc
menait une vie agréable. Quant à Guinier, elle avait tout ce qu'elle
demandait dès lors qu'elle tenait son ami dans ses bras. Ils se gri-
saient d'amour et de tendresse en tout bien tout honneur.

Caradoc se fit frotter le corps d'huile, se fit raser, laver et peigner,
et je puis vous dire en vérité qu'il avait en lui de telles ressources
qu'en moins d'un mois, il se remit du mal que lui avait fait la couleuvre. Il n'en garda qu'une seule trace : là où le serpent l'avait saisi,
je vous le dis, l'os en resta bien deux fois plus gros et, à cause de la
taille de ce bras, on donna à Caradoc le surnom de « au gros bras ».
Le serpent lui avait laissé une marque au bras mais il n'en était pas
plus faible pour autant. Cador fit venir du ravitaillement des terres
alentour et ainsi ils menèrent une plaisante existence à cet endroit.

Le bruit finit par s'en répandre par le pays et parvint aux oreilles
du roi Caradoc qui en fut très étonné. Chevauchant à travers la
forêt, à l'écoute, il arriva par hasard à l'ermitage où habitait Caradoc
au gros bras. Celui-ci, dès qu'il le vit, loin de le fuir, accourut à sa
rencontre et le prit dans ses bras avec tendresse. Il l'embrassa et le
serra fort contre lui. Ceux qui étaient avec le roi firent fête, chacun
de son côté, à Caradoc, à son amie à la chevelure d'or et à son
compagnon Cador. Ils témoignèrent ainsi une joie immense à Caradoc. Je ne pourrais vous la décrire maintenant et je ne veux pas y
perdre mon temps. Le roi leur demanda de se préparer et, aussitôt
fait, ils quittèrent les lieux. Mais, je vous le dis, avant de partir, ils
dotèrent si bien l'ermitage qu'en Bretagne, il n'y en eut pas de plus
riche. Et pour l'amour de Caradoc, ils lui donnèrent tant d'argent,
d'or, de revenus, de domaines et de fiefs, qu'il n'y avait pas au
monde d'abbaye plus puissante. Puis, ils se dirigèrent tout droit vers
une colline appelée Carantin.

Pourquoi vous en dire plus ? Tous les hauts dignitaires et les comtes de Normandie, de Bretagne, d'Anjou, du Poitou, d'Allemagne, étaient si réjouis et heureux à cette nouvelle que tous, sauf les malades, quittant bourg, ville, château, maison, forteresse, s'empressèrent d'aller voir Caradoc. Une telle foule accourait pour le voir qu'on ne le laissait même pas s'asseoir tranquillement : il devait se lever pour chaque nouveau dignitaire ! Et je vous le dis, il était si fatigué qu'il n'en pouvait plus. A la faveur de la nuit, il échappa à la foule et s'en alla de son côté. Car la vipère qu'il avait portée l'avait tant miné et affaibli qu'il ne pouvait endurer de gros efforts. Le roi témoigna tous les honneurs à Cador et à sa sœur à la droite de laquelle il chevauchait en personne. Ils se dirigèrent droit vers Nantes car le bon Caradoc voulait revoir sa mère qui était demeurée prisonnière si longtemps à cause de ce qu'elle avait fait. Elle était enfermée dans la tour du Joyeux Vacarme mais ce jour-là son fils l'en délivra et, se prosternant devant elle, il l'implora humblement de lui pardonner le grand tort qu'il lui avait causé. Elle lui pardonna sa mauvaise action et finalement, il obtint sa libération de la tour : désormais, elle pouvait aller n'importe où, à pied ou à cheval. Mais je ne veux pas dire pour autant que par la suite elle eut un autre ami ni qu'elle aima un autre homme que le roi. Je n'en dirai pas plus à son propos car j'ai trop d'autres sujets à traiter.

Sans un instant de repos, Caradoc se met en route en toute hâte pour aller voir le roi Arthur. C'est aussi le premier souci du roi Caradoc. Aussi décident-ils de traverser la mer. Arrivés en Angleterre, ils n'ont pas à aller loin pour trouver la cour car le roi Arthur savait déjà qu'on avait retrouvé Caradoc et qu'il était en bonne santé et en pleine forme. Il se hâtait d'aller le voir et, quand il apprit qu'il avait franchi la mer, ce fut le plus beau jour de sa vie ! Il avait tellement envie de le voir qu'il déclara ne pas vouloir faire halte avant de l'avoir rencontré. Ils finirent par se rejoindre, et quand ils se reconnurent, ils s'élancèrent l'un vers l'autre ; talonnant leurs chevaux, ils se précipitèrent joyeusement à la rencontre l'un de l'autre.

La joie de leurs retrouvailles, personne au monde ne pourrait vous la décrire. Tous les nobles chevaliers d'Arthur accouraient à qui mieux mieux et tous pleuraient de joie. Je puis bien vous le dire, ils se consolent de la tristesse qu'ils ont connue et le réconfort est à la mesure du chagrin éprouvé. Il arrive souvent qu'une grande peine soit par suite source d'une grande joie. Je ne veux pas employer mes forces à multiplier les descriptions de leur joie. Cela pourrait tourner à ma confusion. Je vous dis néanmoins brièvement qu'ils séjournèrent longtemps en Angleterre avec le bon roi. Les vaillants et hardis chevaliers allaient en quête d'aventures. Caradoc au gros bras, je vous le dis, affronta de nombreuses aventures qui illustrèrent sa grande valeur. Caradoc de Vannes, son seigneur, finit par mourir et lui légua son royaume. Mais avant sa mort, je vous le dis en vérité, il le fit appeler devant lui et, en présence du roi Arthur, qui était pleinement d'accord, il l'en investit. Mais Caradoc prit la parole en ces termes :

— Bien cher sire, mon seigneur bien-aimé, mon cher ami, je vous ai dit, n'est-ce pas, il y a longtemps déjà, que je n'étais pas votre fils. Je suis bien peiné que vous ne soyez pas mon père, je vous assure. Aussi voulais-je vous dire ceci : je ne veux pas posséder la terre ni les richesses d'un autre, et assurément je ne veux pas avoir de terre que je n'aurais pas conquise préalablement car je serais déshonoré si on entendait dire que je jouis des droits d'un autre.

Voilà ce qu'il disait et comment il refusait l'héritage. Toutefois, malgré ses réticences, on lui fit accepter la terre devant le roi Arthur ; ce fut tout à son avantage. Le roi Caradoc, qui était las de vivre, mourut. On l'enterra avec tous les honneurs le jour même. Caradoc au gros bras en manifesta un grand chagrin pendant la quarantaine de jours qui suivit ; le roi Caradoc, selon mes calculs, était mort au début du carême. Puis le roi Arthur fit annoncer qu'il tiendrait sa cour à Nantes pour la fête des Rogations.

Ce jour-là, se rassemblèrent tant de gens que je ne pourrais les dénombrer. Du reste, je ne veux pas m'en embarrasser. A la convocation du roi qui voulait couronner Caradoc, tout le monde afflua sans retard de partout. Il y avait là des gens de tous les métiers et de tous les arts ; chacun venait pour servir la cour et pour en tirer des profits en retour. Chevaliers, dames, jeunes filles laides et belles, y vinrent. La sœur de Cador de Cornouailles, la belle Guinier, y était bien évidemment car, pour rien au monde, Caradoc n'aurait voulu être couronné sans elle. Elle est son amie, il est son ami. Et l'une a risqué sa vie pour l'autre. Il est donc juste et convenable qu'ils goûtent aussi le bonheur ensemble. Et ils vont le goûter, je crois !

Au jour fixé, on habilla Caradoc ; il était magnifique. Il avait une tunique et un manteau d'apparat taillés dans un drap de soie brodé de petits pigeons et finement cousu d'un fil d'or. Je puis bien vous dire qu'il était beau, qu'il avait noble allure et qu'il séduisait tout le monde. Quant à Guinier, les dames la baignèrent, lui lavèrent et peignèrent les cheveux, rivalisant d'adresse pour lui arranger son turban. Au-dessus de sa pelisse d'hermine, elles lui firent passer un manteau fait de la même étoffe que celui de Caradoc au gros bras. Et je vous le dis, son manteau était fourré de petit-gris et il était magnifique. La bordure en était de zibeline et le manteau était orné de deux pierres de nature telle que, lorsqu'on les portait sur soi, on ne pouvait être haï de personne, mais au contraire tout le monde vous aimait et vous faisait fête. Les dames parèrent la belle Guinier, le roi la conduisit à l'église, la tenant par une main, sachez-le. De l'autre, c'était monseigneur Gauvain qui menait la belle jeune fille. Rose de confusion, elle était si charmante qu'en la voyant, on aurait pensé qu'elle avait été faite pour voler les regards.

Quant à Caradoc, il était superbe et je puis bien vous dire qu'il n'avait plus du tout l'apparence qu'il avait dans la forêt. Le petit peuple disait qu'il ne ressemblait guère à un ermite. La chapelle était tout près. Un évêque, dévotement revêtu des ornements sacerdotaux, s'apprêtait à célébrer le mariage de Caradoc et de son amie. Vous ne trouverez jamais personne qui prétende avoir déjà vu le mariage de deux personnes aussi assorties quant à la contenance et à l'allure. Et tout le monde disait en vérité que Dieu les avait faits l'un pour l'autre. Ils s'épousèrent, puis ils furent sacrés et oints. Le voilà roi, la voilà reine.

Le roi déposa sur la tête de la jeune fille une riche couronne. Une pierre extrêmement précieuse, l'onyx qu'on trouve dans le fleuve du Paradis, était sertie sur le devant de la couronne. Dans le peu d'espace en dessous, il y avait un saphir énorme, et puis une topaze, des saphirs, des jaspes, de l'onyx, pierre très noble, des émeraudes, des améthystes, des jagonces, des chrysolithes, des escarboucles, des béryls. La couronne contenait en outre de saintes et nobles reliques. Jamais personne ne vit une couronne aussi riche sur la tête d'un roi ni de quiconque. Je vous dirai encore, et sans mentir d'un mot, qu'elle était purement et simplement d'or pur. Le reliquaire avait été saintement monté et enchâssé dans l'or et orné par-dessus des pierres que je vous ai énumérées, choisies parmi les plus précieuses. On finirait par vous ennuyer, je pense, à vous décrire en détails la couronne. Le roi Arthur la déposa sur la tête de la belle Guinier, sa nièce qui était la courtoisie même. Puis il couronna son neveu Caradoc d'une couronne d'or riche et resplendissante, d'une valeur inestimable.

Tout le monde disait à l'envi qu'on n'avait jamais vu couronnement si magnifique. Après la lecture de l'évangile et le chant du Credo, le peuple se pressa autour de l'autel avec des multitudes d'offrandes, au point que les clercs étaient fatigués de ranger tout ce qui avait été apporté. Quand tous les offices furent terminés dans toutes les églises principales, on se rendit à la cour pour un banquet plantureux. Pourquoi vous en dire plus et m'étendre davantage ? La simple énumération pourrait en être mortellement ennuyeuse. Après le repas, les jeunes chevaliers, avides de prouesses, organisèrent des tournois amicaux. Les autres s'adonnèrent à des jeux de société, échecs ou trictrac. Le jour, qui n'est pas éternel, s'écoula ainsi et ce fut la nuit.

Le jour avait paru très long à Caradoc et Guinier car tous deux étaient impatients de goûter les plaisirs du lit. Bref, leur impatient désir est satisfait : voilà le moment du jeu désiré. Ils ont alors tout ce qu'ils veulent et il n'y a rien qui leur déplaise. Aucune raison de se plaindre, chacun a ce qu'il désire. Je vous ai donc raconté le mariage de Guinier au cœur fidèle et du bon Caradoc au gros bras qui porta le serpent à son bras. Et de ces deux héros en particulier, je vous ai raconté l'histoire et le couronnement. Seigneur ! Que de cadeaux furent distribués ! Jamais à l'occasion d'aucun couronnement vous ne verrez de distribution aussi généreuse que celle qui fut faite à cette cour ! Car le plus petit cadeau rendait riche à jamais celui qui l'avait reçu. Je ne sais que vous en dire de plus. Assurément tout le monde reçut quelque chose.

Les noces qui avaient duré huit jours entiers s'achevèrent. Les gens s'en allèrent de part et d'autre. Chacun s'en retourna chez soi, dans son pays. Mais le roi demeura longtemps auprès de son neveu et de sa nièce et ne quitta pas la Bretagne. Il était entouré de ses compagnons familiers. Après un séjour de bonne durée, il traversa la mer, emmenant avec lui Caradoc, non sans grande difficulté, sachez-le. Car Caradoc avait bien de la peine à se séparer de la douce dame qu'il aimait comme lui-même. Il la quittait avec regret. Mais son bon oncle l'admonesta : s'il demeurait trop longtemps auprès d'elle, on dirait que c'était par jalousie qu'il négligeait les prouesses chevaleresques. Caradoc, sans guère tarder, s'en alla avec son oncle et passa en Angleterre avec lui. Ils menèrent une agréable existence itinérante, recherchant dans la forêt les aventures qui augmenteraient leur renom et participant aux tournois. A la fin, Caradoc fut considéré comme l'un des meilleurs chevaliers de la cour du roi. Il accomplit pour sa part de véritables exploits et réalisa d'innombrables prouesses. Sa réputation s'en accrut considérablement au point que l'on disait que, des chevaliers du roi Arthur, Caradoc était le plus glorieux et le plus vaillant.

IX

LE TÉTON D'OR

C'était la fête de l'Ascension et le roi était à Carlion. Il y avait tenu une cour noble et puissante. Les gens s'y étaient rendus en grand nombre pour en admirer la magnificence. Après dîner, le roi appelle et rassemble ses compagnons. Il réunit les plus vaillants et leur déclare :

— Seigneurs, à la Pentecôte, je voudrais organiser une fête telle que, quoiqu'il advienne, je ne puisse me souvenir d'en avoir eu une si belle. Demain, je vous invite à passer la journée, du matin au soir, dans la forêt pour une chasse à l'arc. Nous partirons sitôt après la messe.

Cette proposition enchanta tous les présents. Ils rentrèrent se coucher chez eux et dormirent jusqu'au moment où les veilleurs les tirèrent de leur sommeil. Une fois levés, ils allèrent entendre la messe, puis se mirent en route. Chevauchant à travers la forêt, ils tombèrent sur un sanglier. Toute la journée ils furent à ses trousses et le poursuivirent jusqu'à la nuit tombante. Bref, ils pensaient pouvoir livrer combat au sanglier et, par ruse, l'acculer dans un endroit où ils pourraient l'attraper. Mais le sanglier se joua d'eux en se jetant dans des fourrés. Il y trouva un marais où se vautrer. Il s'y coucha et s'y roula. Pourquoi déployer tous mes efforts à vous parler du sanglier alors que ceux qui déployèrent tous les leurs à l'attraper n'aboutirent à rien ? En effet, d'une part la nuit, de l'autre des éclairs menaçants, le grondement inquiétant du tonnerre et un orage meurtrier, qui éclata sur eux à la tombée de la nuit, les poussèrent à fuir à toute allure. Il tonnait et les éclairs étaient si violents qu'il leur semblait que les cieux s'ouvraient. Et il faisait si sombre que personne n'y voyait rien sauf quand il y avait un éclair qui leur permettait de voir tout autour d'eux. Ils auraient voulu être dans la cité, à l'abri.

Le roi et tous ses chevaliers éperonnèrent leurs chevaux et s'en retournèrent au grand galop. Ils auraient voulu être à Carlion, le meilleur refuge. Caradoc s'écarta d'eux et prit une autre route. Au bout d'un moment, il aperçut un chevalier qui allait seul à cheval. Le chevalier était grand et beau. Chose extraordinaire, il était entouré d'une multitude d'oiseaux qui chantaient des mélodies différentes. Autour de l'homme, Caradoc voyait se presser tous les oiseaux aux chants particulièrement charmeurs. Quel ramage ! Quelle fête ! Jamais de sa vie Caradoc n'avait entendu un tel concert d'oiseaux. L'homme était auréolé d'une éclatante lueur, comme un brillant rayon de soleil. La pluie ne tombait pas sur lui et pour lui, le temps était toujours beau. Et la clarté illuminait toute la route qu'il suivait. Caradoc en fut tout ébahi. Il observait avec stupeur le grand chevalier si élégant et si beau, la clarté et les oiseaux qui entouraient l'homme. Il se mit à pousser son cheval dans l'espoir de faire route avec le chevalier, s'il le pouvait. Mais il eut beau éperonner sa monture, il ne put s'approcher.

Il était presque minuit. Ne croyez pas que Caradoc n'ait pas été contrarié de ne pouvoir rejoindre celui qu'il poursuivait ainsi avec acharnement. Et ne pouvant le rejoindre, il était contrarié de recevoir la pluie et encore plus contrarié que l'autre y échappe. Ils

allèrent ainsi un bon moment et finirent par atteindre une demeure
puissante. La porte en était ouverte et à l'intérieur y brûlait un beau
feu. C'était un endroit somptueux. Le chevalier y entra, suivi de
Caradoc. La salle était belle et il y avait là un bon nombre de personnes. Des serviteurs, à la vue de leur seigneur, se précipitèrent
pour lui tenir l'étrier. Il descendit et on lui fit fête. On s'étonna
beaucoup que Caradoc ne descendît pas de cheval. Le chevalier fut
le premier à l'y convier :

— Ami, dit-il, descendez donc !

— Seigneur chevalier, écoutez-moi. Je ne veux pas descendre
avant de savoir qui vous êtes et quel est votre nom.

— Ami, je m'appelle Aalardin. Mon père s'appelle Guiniacalc et
je suis Aalardin du Lac. Cette demeure est à moi et il serait juste et
convenable que vous me disiez votre nom.

— Je ne vous le refuserai pas. Je suis Caradoc au gros bras, celui
qui eut un serpent attaché au bras pendant plus de deux ans. Et je
suis le neveu du roi Arthur.

A ces mots, Aalardin le prit dans ses bras sans lui laisser poser le
pied sur l'étrier. Une foule de serviteurs s'occupa de son cheval, le
soigna et le gorgea d'avoine. Les deux compagnons s'embrassèrent
et se firent fête, pleins de sollicitude l'un pour l'autre. Ils étaient si
heureux de se voir, sachez-le, qu'ils s'embrassèrent et se prirent par
le cou à maintes reprises avant de pouvoir parler. Aalardin, tout en
embrassant et en prenant Caradoc par le cou, commença le premier :

— Compagnon, vous êtes resté longtemps sans venir me voir.
Dieu, qui connaissait mon désir, m'a bien exaucé. Je vois qu'il a eu
pitié de moi car, s'il n'avait pas voulu qu'il pleuve ainsi aujourd'hui
et s'il ne vous avait pas écarté du chemin de la cité, je n'aurais jamais
pu vous tenir ainsi. Mais je vous ai, Dieu en soit béni ! Et apprenez
en vérité que cet endroit n'est pas tout près de Carlion. Il faut
compter au moins deux jours pour s'y rendre. Restez donc un
moment chez moi, je vous prie, car je vous aime sincèrement, j'en
prends à témoin Dieu, le pur esprit. Et cet endroit est délicieux,
comme vous vous en rendrez compte demain.

Le tenant par la main, il le fit avancer, lui fit retirer son manteau
de voyage et en passer un léger. Le feu était grand, le dîner abondant et l'endroit magnifique. Voilà les convives, chevaliers et dames
extrêmement belles qui tous firent fête à Caradoc. La belle Guigenor entra à son tour. C'était la femme d'Aalardin. Elle était plus
belle que toutes les autres dames. Elle était sortie de ses appartements, admirablement vêtue. Elle accueillit joyeusement Caradoc.
Je ne pourrais vous répéter aujourd'hui et, du reste, on ne pourrait
les écrire, toutes leurs paroles de bienvenue. Ce que je peux vous
dire, c'est que leur joie fut parfaite, quoiqu'on n'y parla pas de

choses joyeuses [1]. Je n'en fais pas d'autre description mais je sais bien que j'ai tout raconté de ce qu'ils firent depuis le moment de leurs retrouvailles.

Le repas fut préparé. Dames et chevaliers se levèrent pour aller prendre place autour de la table et y boire. Les domestiques servaient à la perfection. Les convives eurent à manger en abondance. Après le repas, il était presque l'heure d'aller se coucher. Ils se firent apporter du vin puis allèrent se coucher. Ils dormirent jusqu'au lever du jour. Caradoc demeura là une semaine entière. Le roi Arthur était très affligé, il croyait avoir perdu son neveu.

Aalardin avait un bouclier dont la bosse était d'or pur. Aucun trésor n'en contient d'aussi extraordinaire : car, je vous l'affirme, on pouvait modeler cet or comme de la cire. Ne soyez pas sceptiques : si un homme avait perdu l'oreille ou le nez, l'or avait la propriété de s'ajuster si parfaitement à la partie mutilée que rien n'y manquait plus, comme si c'était l'œuvre de la nature elle-même. Aalardin appela Caradoc en secret et lui dit :

— Compagnon, je vous aime, je vous l'assure, et pour vous, s'il le fallait, j'endurerais souffrances et peines. On dit qu'à la belle Guinier votre femme, qui est si ravissante, il manque le bout du sein car son frère le lui a tranché lorsqu'il vous a vengé de la vipère. Ne vous fâchez pas mais prenez la boule de la bosse et mettez-la-lui sur le sein. C'est tout ce que vous aurez à faire : vous verrez que l'or s'y appliquera et qu'il y adhérera exactement, comme par les soins de la nature elle-même.

Il lui fit apporter son bouclier. Il était d'or fin rayé d'une bande d'azur. La courroie était faite d'une étoffe de soie chatoyante.

— Caradoc, dit Aalardin, cher ami, aucun artisan dans ce pays ne serait capable de faire une telle bosse, quelque peine qu'il y mette. De même que l'or vaut plus que l'argent, l'or de cette bosse a plus de valeur qu'un autre, je pense. Il a une propriété merveilleuse : si un chevalier, à qui manquait la moitié du nez, y mettait la même quantité de cet or, l'or s'y fixerait aussitôt ; plus jamais il ne pourrait s'en détacher et personne ne pourrait l'en ôter. Il est à vous, si vous le voulez, seigneur.

— Je le prends et vous en remercie vivement, bien cher seigneur.

— Caradoc, dit Aalardin, c'est bien dit. Je sais bien à quoi cet or pourra servir !

Il fit arracher la bosse du bouclier et la donna généreusement au roi. Caradoc la prit et s'en alla. Il finit par arriver à la cour où le roi Arthur était fou d'inquiétude, pensant que Caradoc était prisonnier

---

1. Le texte n'est pas clair : quelles sont les choses peu joyeuses dont parlent Aalardin et Caradoc ? Les malheurs de Caradoc ?

quelque part. Il l'avait fait chercher par toute la forêt. Quand Caradoc parvint à la cour, le roi en personne courut à sa rencontre et
l'embrassa. Tous lui manifestaient une joie immense. Je crois que je
n'en ai jamais entendu de telle. Maintenant tout est au mieux pour
Caradoc. Guinier, sa femme, vint à la cour d'une traite parce qu'il
lui avait demandé de se rendre à la grande fête prévue. Loin d'en
voir son éclat terni, la cour en fut plus gracieuse et plus raffinée. Par
le pan de son manteau d'hermine, Caradoc entraîna Guinier dans
une chambre et lui dit :

— Dame, montrez-moi ici le sein dont vous avez perdu le bout en
me délivrant du serpent qui me tourmentait.

Elle s'empressa de le lui montrer. Caradoc examina le sein. Aussitôt, sans hésiter, il saisit la petite boule d'or de la bosse et doucement, tendrement, il l'appliqua sans plus attendre sur la plaie. A la
chair blanche et délicate l'or adhéra aussitôt et le sein reprit l'aspect
qu'il avait auparavant. A cette vue, le roi Caradoc sentit son cœur
bondir de joie et dit à Guinier :

— Tant que personne ne saura que vous avez un sein en or, vous
serez toujours aimante, ma belle amie, et loyale envers moi. Mais
sachez-le bien : si quelqu'un d'autre que nous deux l'apprenait, j'en
aurais le cœur brisé à jamais car alors, c'est que vous auriez transgressé mon injonction et ma volonté.

— Cher seigneur, au nom de Dieu, dites-moi, je vous le demande
sincèrement, comment je ferai pour m'en préserver.

— Douce amie, je vais vous le dire : je confectionnerai une bande
dont je vous couvrirai la poitrine. Aucune jeune fille, aucune demoiselle, si intime soit-elle avec vous, ne vous aidera à l'ajuster ni au
lever ni au coucher. La nuit, je vous découvrirai la poitrine avec plaisir et volupté et le matin, je vous la couvrirai de nouveau doucement
et tendrement.

La reine le remercia de ce bon conseil.

X

LE COR BÉNI

Le roi avait fait rédiger et envoyer par tout son empire un message
par lequel il mandait et invitait tous ses chevaliers et ses dignitaires le
jour de la Pentecôte. Il réunit tous ses hommes à Carlion ce jour-là.
Après la grande procession et la messe solennelle, dans la grande
salle remplie de chevaliers, de jeunes filles, de dames nobles et

belles, Arthur, le roi vaillant et courtois, alla s'asseoir à la table d'honneur, comme le voulait la coutume du temps. Keu sortit d'une pièce voisine et venant au roi lui dit :

— Seigneur, seigneur, avec l'aide de Dieu, si vous le voulez, je ferai sonner les trompettes et distribuer l'eau pour se laver les mains car votre repas est prêt.

— Non, Keu, bien cher ami, pas question de faire distribuer l'eau. Vous connaissez ma coutume depuis longtemps. Jamais il ne m'est arrivé de manger ni d'ouvrir la fête avant d'avoir vu un prodige ou quelque aventure. Et s'il plaît à Dieu, cela n'arrivera pas aujourd'hui !

Tandis qu'il parlait ainsi, entra à toute allure dans la salle, sur un grand cheval, un chevalier sans manteau, épée au côté. Il était richement et élégamment vêtu d'un drap précieux couleur vermeille. A son cou pendait un cor d'ivoire cerclé de bandes d'or et incrusté de pierres précieuses magnifiques. Arrivé devant le roi, il descendit de cheval et lui déclara à haute voix devant tout le monde :

— Ami, seigneur, je vous offre ce cor qui s'appelle le Béni. Il est précieux parce qu'il est en or et remarquablement travaillé, mais il est encore plus précieux pour une autre raison. Je vous le déclare en vérité : faites le remplir d'eau de source ou d'une autre eau douce et limpide, elle se transformera en le vin le meilleur, le plus pur et le plus délicat du monde. Et tous ceux qui sont ici présents pourront y boire à tour de rôle sans que le vin vienne à manquer.

— Par le Seigneur, source de vérité, s'exclama Keu, voilà un magnifique présent !

Le chevalier lui répondit alors :

— Par Dieu, bien cher seigneur, aucun chevalier que sa femme a trompé ou qui a trompé sa femme ne pourra boire à ce cor sans répandre le vin sur lui.

— Eh ! s'écria Keu le sénéchal, par Dieu, seigneur chevalier, voilà qui retire tout prix à votre cadeau !

Le roi en présence de tous ses sujets fit aussitôt remplir le cor. Guenièvre ne put s'empêcher de dire devant toute la cour :

— Bien cher seigneur, n'y buvez pas. C'est quelque maléfice pour faire honte à beaucoup. Aucun homme raisonnable ne doit y boire car il court le risque de s'abuser lui-même ou de tromper autrui et d'en retirer déshonneur et trouble.

Le roi lui répondit en riant :

— Ma dame, par ma foi, je serai le premier à essayer devant tous ces chevaliers.

Cette réplique contraria la reine qui, en souriant, lui répondit poliment :

— Si jamais j'ai adressé à Dieu tout-puissant une prière qui lui a été agréable, je le prie donc de faire en sorte que, en essayant d'y boire, vous vous y mouilliez.

Le roi saisit alors le cor. Il pensait y boire mais il répandit le vin sur lui d'un seul coup, à la vue de toute la salle. La reine baissa la tête, remplie de colère et de confusion. Et Keu lui dit :

— Voilà qui est pire !

Le roi se sentit bouillir de colère mais pour ne pas troubler ses sujets, il sut très dignement dissimuler son mécontentement et son déplaisir et il répondit fort aimablement :

— Sénéchal, cher ami, j'ai été bien fou d'essayer malgré la volonté de la reine. Car pour rien au monde, je ne voudrais m'attirer son inimitié. En vérité, j'ai la preuve que le Seigneur Dieu l'aime puisqu'il a entendu sa prière comme vous venez de le voir. Mais je ne veux pas être le seul ridicule. Tenez, essayez donc après moi, sénéchal, au nom de l'amitié et de la loyauté que vous m'avez jurées quand vous êtes devenu mon vassal.

Sur ce, il lui tendit le cor et Keu, très contrarié, le prit sans oser le refuser. Rouge et plein de colère, il le porta à sa bouche mais répandit le vin sur lui. Toute la salle éclata de rire et se moqua de lui. Le roi lui-même s'en amusa beaucoup et, en guise de plaisanterie, il lui dit aimablement :

— Eh bien, sénéchal, nous sommes deux maintenant.

— C'est bien vrai, seigneur, et nous allons être encore plus, si vous m'en croyez !

— Je ne sais pas si c'est une supercherie ou non, mais il n'y a pas un seul chevalier ici qui ne devra subir l'épreuve, par l'âme de Pandragon mon père !

— Seigneur, dit Keu, allez ! Je donnerai le cor à qui vous voudrez. Il est convenable et juste que le premier à tenter l'épreuve après moi soit votre neveu, monseigneur Gauvain.

— Portez-le-lui donc, dit le roi.

Keu s'exécuta aussitôt et donna à Gauvain le cor plein de vin à déborder. Il lui dit en riant :

— Allons, pas d'inquiétude, monseigneur Gauvain, buvez au nom du grand amour que vous devez au roi car il vous ordonne de le faire.

— Puisque mon seigneur l'ordonne, seigneur Keu, je tenterai l'épreuve et verrai si je puis y boire.

Il porta le cor à sa bouche mais à peine y toucha-t-il qu'il renversa et répandit le vin sur lui.

— Seigneur, dit Keu, faites passer le cor.

Puis il se mit à rire et tous dans la salle, les uns après les autres, se mirent à jubiler ouvertement ou discrètement. Le roi et Keu en étaient tous deux très réjouis. Monseigneur Gauvain, je crois, tendit le cor à monseigneur Yvain, qui était assis à sa droite et lui dit :

— Seigneur, voyons comment vous vous en sortirez.

— Mieux que vous, je le pense vraiment, répliqua monseigneur Yvain en prenant le cor, si la loyauté peut m'être de quelque utilité !

Il leva alors le cor, pensant boire, mais il échoua : le vin se renversa et se répandit sur sa précieuse robe bleue, taillée dans une étoffe de Constantinople. Tous les chevaliers de la Table Ronde, si nobles fussent-ils, tentèrent l'épreuve et, c'est la vérité, tous se mouillèrent, de plus ou moins bonne grâce. Le cor circula ainsi jusqu'à Caradoc. Quand il l'eut en main, sachez qu'il fut saisi d'un doute affreux. Il regarda sa femme Guinier, qui était assise auprès de la reine. Elle se rendit bien compte que son seigneur doutait d'elle. Aussitôt elle lui dit :

— Seigneur, n'ayez crainte de boire !

Il but proprement sans répandre la moindre goutte.

— Dame, dit-il, merci ! Jamais aucune femme n'a fait autant honneur à son seigneur que vous à moi, douce amie.

On fit alors passer le cor dans toute l'assistance et les uns après les autres, selon leur rang, tous les chevaliers tentèrent l'épreuve. Et je puis témoigner sincèrement qu'il n'y en eut pas un seul qui ne fut mouillé ni un seul qui ne fut furieux d'avoir vu Caradoc boire sans se mouiller. La reine en était très affectée et avec elle, bien d'autres nobles dames. Elles en voulaient vivement à Guinier et la jalousaient d'avoir pu dire : « N'ayez crainte. » Et c'était la personne au monde qu'elles détestaient le plus violemment.

Sur ce, les trompettes sonnèrent, on se lava les mains et tous prirent place autour des tables. Je vous le dis, à mon avis, le repas fut abondant, et joyeux, il s'étira en longueur. La fête dura trois jours. Et à la fin, le roi Arthur distribua généreusement aux chevaliers or, argent, chevaux, draps d'Orient, broches précieuses et bagues somptueuses, ceintures, chiens, oiseaux. Chacun s'en retourna tout joyeux sur ses terres. Le roi demeura avec ses seuls familiers et, je vous le dis en vérité, il retint Caradoc auprès de lui. Celui-ci renvoya Guinier chez elle dès que possible. C'était très sage, selon moi, car il savait bien que la reine lui vouait une haine terrible parce qu'elle avait dit : « N'ayez crainte. »

Le roi s'accorda un long et paisible repos. De tout l'hiver, il ne quitta pas ses meilleures forêts où il allait se distraire et se délasser.

LE CHEVALIER À L'ÉPÉE

Récit en vers, traduit et présenté par Emmanuèle Baumgartner.

Écrit entre la fin du XIIe siècle et le début du XIIIe siècle par un auteur anonyme.

INTRODUCTION

A la frontière de la nouvelle et du roman, *Le Chevalier à l'épée* est sans doute l'un des plus anciens parmi les nombreux récits consacrés aux aventures de Gauvain. Il a été composé à la fin du XIIᵉ ou au début du XIIIᵉ siècle par un écrivain qui est resté pour nous anonyme mais qui se situe explicitement dans la tradition romanesque fondée par Chrétien de Troyes. Tout en rendant un hommage un peu ambigu à l'œuvre de son prédécesseur, il entend la poursuivre, la compléter, y combler une lacune : trop négligé par Chrétien, Gauvain, le bon chevalier, le neveu du roi Arthur, sera ici célébré à la mesure de ses talents et de son mérite.

Le lecteur aura beau jeu de repérer au fil du texte ce que doit en effet l'auteur anonyme à son modèle. Mais sans doute serait-il plus pertinent, une fois repérés les emprunts à *Érec et Énide,* au *Chevalier de la charrette,* au *Conte du Graal,* etc., de voir comment il a su, très habilement et très ironiquement parfois, transposer, combiner, réécrire les motifs et les situations déjà exploités par Chrétien. Il est clair au reste que cette pratique n'a rien d'exceptionnel, que le jeu de la variation inventive sur un thème donné, inséparable de la connivence qu'elle suppose avec l'auditoire espéré, des gens qui savent eux aussi goûter la joie et le plaisir, apprécier à sa juste valeur le récit nouveau qui leur est destiné. fonde au Moyen Age le rituel de l'écriture et de la réception d'une œuvre, qu'il s'agisse de la chanson de geste, du récit de fiction ou de la poésie lyrique.

Conter de Gauvain, c'est aussi, pour l'écrivain, exploiter l'une des caractéristiques majeures de ce personnage qui est, depuis Chrétien, et surtout depuis le *Conte du Graal,* un héros « disponible », toujours attiré par l'aventure, surtout si elle a la beauté d'un visage de femme, et si elle permet d'allier à l'exercice de la prouesse les jeux plus subtils de la séduction. A la différence de Lancelot et de Perceval, Gauvain reste en effet, d'un roman à l'autre, un être incapable, ou empêché par quelque force obscure, d'aller jusqu'au terme de son désir, de se forger les lignes nettes d'un destin héroïque ou amoureux. Incapacité qui rend peut-être compte du discrédit qui s'attache à la figure du neveu d'Arthur dans certains romans du XIIIᵉ siècle et qui est déjà nettement perceptible dans *Le Chevalier à l'épée*.

Le portrait qui en est donné au début du récit et la première partie de l'aventure, jusqu'à la conquête de la très belle fille du chevalier à l'épée, exaltent sans doute les qualités du héros : son mépris du danger et sa bravoure, son goût du plaisir, son élégance, l'exquise courtoisie de ses manières et, plus tard, de son langage ; courtoisie qui ne résiste guère, cependant, devant l'ardeur amoureuse ou la soif de vengeance. Aussi raffiné que son héros, le récit lui-même prend sa source, comme une chanson de trouvère, dans cette faculté qu'a Gauvain de s'abîmer dans ses pensées en écoutant le doux chant des oiseaux et de se perdre dans la forêt aventureuse au gré de son désir.

Comme tous les grands héros, arthuriens ou autres, Gauvain est enfin celui qui a l'audace de passer outre, qui ignore les menaces, qui transgresse les interdits, en montre le caractère illusoire, et fait voler en éclats les mauvaises coutumes.

Mais l'aventure dans laquelle il est ici engagé et que, dans un premier temps, il croit mener à bien, se révèle finalement plus retorse, comme le héros lui-même l'admet, lorsqu'il en fait le récit à la cour d'Arthur. En passant avec succès l'épreuve de l'épée, Gauvain se qualifie sans doute comme le meilleur des chevaliers. Il oblige son hôte impérieux et tyrannique, le chevalier à l'épée, à renoncer au jeu pervers de la jouissance offerte/interdite. Il ramène la joie dans le pays alentour. Il peut enfin impunément posséder (épouser) sa belle amie.

Si l'aventure cependant, soustrayant la jeune femme aux fantasmes incestueux du père, rétablit et la norme sexuelle et la norme arthurienne — le meilleur des chevaliers mérite et obtient l'amour de la plus belle des femmes — elle révèle du même geste la source vive de l'exploit chevaleresque. Exposer sa fille au regard de l'autre, c'est peut-être, pour le chevalier à l'épée, le moyen de mettre en scène un désir interdit. Mais c'est aussi bien évaluer très crûment la prouesse du nouveau venu à l'aune de ce même désir de possession et vouer au déshonneur et à la mort tous ceux — tous les chevaliers qui ont précédé Gauvain — qui n'ont pas eu le courage et le cœur de persévérer jusqu'à la jouissance.

La seconde partie de l'aventure, menée non plus par le père mais par sa très digne fille — et l'on peut se demander jusqu'où va leur complicité, quel couple forment vraiment cet étrange hôte, maître d'un si riche domaine et d'une épée magique, et cette femme dont la beauté, la liberté de manières évoquent irrésistiblement la figure de la fée amante —, vient encore brouiller les cartes. Elle reprend, dans un discours ostensiblement misogyne, le motif souvent traité de l'inconstance féminine opposée à la fidélité du chien. Elle se termine, comme il se doit, sur une double et exemplaire punition : la mise à mort du chevalier trop séduisant, l'abandon de la femme trop facilement séduite. Et lorsque Gauvain revient à la cour d'Arthur sans sa trop belle compagne, il peut du moins se glorifier du dur combat qu'il a livré pour garder... les lévriers, seule trace concrète de son aventure.

Les lévriers pourtant ne sauraient compenser la perte de l'amie et l'histoire, comme le constate explicitement Gauvain, s'achève mal. En s'offrant à Gauvain sur l'ordre de son père mais en suivant aussi son propre désir, puis en le quittant brutalement pour le premier venu, la jeune femme signifie en effet au chevalier que sa « prouesse » n'a pas pu ou ne peut plus la satisfaire. Or si, comme le souligne le narrateur, comme le suggère l'aventure, la prouesse chevaleresque n'est que l'autre nom de la prouesse sexuelle, qu'advient-il du héros si la femme exige, pour rester fidèle à l'amant, et témoigner ainsi de la « valeur » du chevalier, le seul hommage qu'il ne saurait inépuisablement lui rendre ?

Notre traduction suit le texte donné dans : *Two old French Gawain Romances. Part I : Le Chevalier à l'épée and La Mule sans frein, edited with Introduction, Notes and Glossary by R.C. Johnston and D.D.R. Owen,* Édimbourg, 1972.

Emmanuèle BAUMGARTNER

BIBLIOGRAPHIE

K. BUSBY : *Gauvain in old French Literature*, Amsterdam, 1980, p. 248-257.

Qu'il s'approche, celui qui aime la joie et le plaisir, et qu'il écoute avec attention le récit d'une aventure. Le héros en est le bon chevalier qui sut garder loyauté, prouesse et honneur et qui jamais n'aima les êtres lâches, perfides et dépourvus de courtoisie. Je veux en effet vous conter de monseigneur Gauvain. Ses manières étaient si raffinées, il avait une telle réputation de prouesse que personne ne saurait en parler : quiconque voudrait retracer tous ses mérites et les mettre par écrit ne pourrait en venir à bout. Cependant, même si j'en suis moi aussi incapable, ce n'est pas une raison pour garder le silence et ne rien entreprendre. Sans doute on ne doit pas, tel est mon avis, blâmer Chrétien de Troyes [1], lui qui a su conter du roi Arthur, de sa cour et de ses chevaliers dont la réputation et la valeur furent si grandes, de rapporter les exploits des autres sans tenir compte de ce héros. Ce fut pourtant un homme de trop grand mérite pour qu'on l'oublie. Aussi me plaît-il de raconter pour la première fois une aventure dont ce bon chevalier fut le héros.

Le roi Arthur se trouvait un été dans sa cité de Cardueil. Il n'y avait alors avec lui que la reine, Gauvain, Keu le sénéchal, Yvain et une vingtaine de chevaliers. Or voici que Gauvain eut envie, comme cela lui arrivait souvent, de partir à la recherche de plaisirs et de divertissements. Il donna donc ordre de préparer son cheval et lui-même s'habilla de manière raffinée. Il boucla ses éperons d'or fin sur des chausses [2] échancrées, taillées dans une étoffe de soie ; il enfila

---

1. L'allusion à Chrétien de Troyes n'est pas claire. On peut comprendre qu'en ne racontant pas cette aventure de Gauvain, Chrétien a laissé le champ libre à son successeur, l'auteur du récit, et qu'ainsi celui-ci ne saurait lui reprocher son oubli.
2. Les « chausses » sont des sortes de bas qui peuvent comme ici recouvrir le corps de la taille aux pieds. Elles sont en outre ici échancrées ou découpées sur le cou-de-pied, ce qui leur donne sans doute plus d'élégance.

une culotte très blanche et très fine, une chemise bouffante, très courte, en lin finement plissé, et jeta sur ses épaules un manteau fourré de petit-gris. Son habillement était vraiment somptueux.

Il sortit alors de la ville et, chevauchant droit devant lui, il gagna la forêt où il se prit à écouter les oiseaux qui chantaient avec une extrême douceur. Il resta si longtemps à les écouter, captivé par leurs mélodies diverses, qu'il s'abîma bientôt dans ses pensées et qu'il lui ressouvint d'une aventure qui lui était arrivée. Sa méditation dura si longtemps qu'il s'égara dans la forêt et perdit son chemin. Le soleil déclinait lorsqu'il s'était mis à méditer et la nuit était proche lorsqu'il revint à lui, mais il ne savait plus où il se trouvait. Il voulut donc retourner sur ses pas et emprunta un chemin assez large qui le conduisit toujours plus loin. Or, la nuit se faisait de plus en plus sombre, si bien qu'il ne sut plus quelle direction prendre. Regardant alors devant lui, il vit un chemin qui traversait un espace peu boisé où brûlait un grand feu. Il prit donc sans se presser cette direction, pensant qu'il rencontrerait quelque bûcheron ou quelque charbonnier qui lui indiquerait sa route.

Près du feu, il aperçut alors un destrier attaché à un arbre. Il s'approcha donc et vit un chevalier assis, qu'il salua tout aussitôt.

— Cher seigneur, lui dit-il, que Dieu qui créa le monde et nous dota d'une âme, vous soit miséricordieux !

— Ami, répondit l'autre, qu'Il vous garde ! Mais dites-moi d'où vous venez, vous qui chevauchez ainsi tout seul à pareille heure.

Gauvain lui raconta alors en détail tout ce qui lui était arrivé : comment il était parti pour se divertir et comment, pour être resté trop longuement plongé dans ses pensées, il s'était égaré dans la forêt et avait perdu son chemin. Le chevalier s'engagea alors bien volontiers à le remettre le lendemain matin dans la bonne direction, à condition cependant qu'il restât en sa compagnie la nuit durant. Demande qui fut acceptée. Gauvain déposa sa lance et son écu, mit pied à terre et attacha son cheval (qu'il avait couvert de son manteau) à un arbrisseau puis il s'assit auprès du feu.

Chacun des deux chevaliers demanda à l'autre ce qu'il avait fait pendant la journée : Gauvain raconta à son compagnon tout ce qui s'était passé sans jamais chercher à lui mentir, mais l'autre le trompa et ne lui dit pas un seul mot de vrai. Vous apprendrez bientôt pourquoi il agit ainsi. Puis, lorsqu'ils eurent assez veillé et discuté sur de nombreux sujets, ils s'endormirent près du feu. Lorsque le jour se leva, monseigneur Gauvain s'éveilla le premier puis ce fut le tour de son compagnon.

— Ma maison, lui dit le chevalier, est très près d'ici, à deux lieues, pas davantage. Je vous prie donc d'y venir : vous y serez bientôt accueilli avec empressement.

Les deux chevaliers montèrent alors à cheval, prirent leurs écus, leurs lances et leurs épées et s'engagèrent aussitôt dans un chemin empierré. Ils ne chevauchèrent pas longtemps avant de sortir de la forêt et de se trouver dans le plat pays.

— Seigneur, dit alors le chevalier à Gauvain, écoutez-moi. Lorsqu'un chevalier courtois et sage offre à un autre l'hospitalité, c'est un usage bien établi depuis toujours qu'il envoie quelqu'un annoncer son retour pour que sa maison soit prête. S'il ne prévenait pas, il risquerait en effet de trouver à leur arrivée quelque chose qui lui déplaise. Or, comme vous le voyez bien, je n'ai personne, à part moi, que je puisse envoyer. Je vous demande donc, qu'il ne vous en déplaise ! de continuer tout tranquillement et moi, je vous précéderai en grande hâte. Vous apercevrez ma demeure droit devant vous, le long d'un enclos[1], au fond d'une vallée.

Gauvain reconnaît bien que c'est là une proposition sensée et tout à fait civile. Il poursuit donc sa route très lentement tandis que son compagnon s'en va à vive allure. Mais voici qu'il trouve, droit devant lui, quatre bergers arrêtés sur le chemin, qui le saluent très aimablement. Il les salue à son tour au nom de Dieu puis les dépasse sans ajouter un mot.

— Hélas ! s'écrie l'un d'eux, quel malheur ! Un chevalier aussi beau, aussi noble que vous et de si belle allure ! Certes, ce ne serait pas juste que vous fussiez blessé ou maltraité !

Lorsqu'il entend ces mots, Gauvain reste tout interdit. Il se demande avec étonnement pourquoi ils se lamentent ainsi sur son sort alors qu'ils ne le connaissent nullement. Il fait donc rapidement demi-tour dans leur direction, les salue de nouveau et leur demande très aimablement de lui dire la vérité, de lui expliquer pourquoi ils se lamentent ainsi sur lui.

— Seigneur, lui répondit l'un d'eux, c'est parce que nous sommes très émus de vous voir suivre ce chevalier, celui qui s'en va là-bas sur ce cheval gris. Il en a emmené ainsi sous nos yeux beaucoup d'autres, mais que l'un d'entre eux soit revenu, cela, nous ne l'avons jamais vu !

— Mon ami, reprit Gauvain, sais-tu comment il les traite ? Leur fait-il du mal ?

— Seigneur, le bruit court dans ce pays qu'il met à mort dans sa demeure quiconque le contredit, qu'il ait ou non un juste motif. Mais nous ne le savons que par ouï-dire car personne n'a encore jamais vu quelqu'un ressortir de là. Si vous nous en croyez et si vous tenez à votre vie, vous ne le suivrez donc pas plus longtemps. Un

---

1. Il s'agit d'un « plessis », c'est-à-dire d'un terrain ou d'une portion de forêt clôturés par une haie vive.

aussi beau chevalier que vous, ce serait vraiment dommage qu'il vous tue !

— Bergers, répondit monseigneur Gauvain, que Dieu vous protège ! Des propos si puérils ne me dissuaderont pas de poursuivre ma route !

Si en effet la nouvelle s'était répandue dans son pays qu'il avait pour si peu renoncé, on lui en aurait fait reproche pour le restant de ses jours.

Laissant son cheval aller l'amble, il poursuivit sa route, perdu dans ses pensées, jusqu'au vallon que son compagnon lui avait indiqué. Il voit alors, s'élevant à côté d'un vaste enclos, un beau château bâti sur une motte [1] et tout récemment fortifié. Il aperçoit les fossés larges et profonds et, entre les deux murs d'enceinte, devant le pont-levis, le riche ensemble que forment les dépendances. Jamais Gauvain, dans toute sa vie, n'en avait vu d'aussi opulentes, si ce n'est dans une demeure royale ou princière. Mais je ne veux pas m'attarder à les décrire, sinon pour dire combien elles étaient somptueuses et belles !

Voici donc Gauvain arrivé jusqu'aux lices [2] ; il a passé la porte d'enceinte et traversé les dépendances et il se présente au bout du pont-levis. Le seigneur, qui semble très heureux de le voir arriver, accourt à sa rencontre. Un écuyer prend ses armes, un autre s'occupe du Gringalet et un troisième lui enlève ses éperons. Son hôte, le prenant alors par la main, lui fait traverser le pont. Dans la grand-salle, devant la tour, brûlait un très beau feu et il y avait tout autour des sièges somptueux, recouverts d'une riche étoffe de soie pourpre. Les serviteurs ont conduit son cheval à l'écurie, un peu à l'écart mais à portée de sa vue, et lui ont donné avoine et foin en abondance. Gauvain remercia pour tout car il ne voulait en rien contredire son hôte.

— Cher seigneur, lui dit ce dernier, on prépare votre dîner et les serviteurs s'empressent, sachez-le. Mais en attendant, divertissez-vous : je veux que vous vous sentiez heureux et à votre aise. Si quelque chose vous déplaît, n'hésitez pas à le dire.

Mais Gauvain lui répondit que tout, dans la maison, le satisfaisait pleinement.

Le seigneur se rendit alors dans ses appartements privés pour chercher sa fille : il n'y avait pas, dans tout le pays, jeune fille d'un mérite aussi éclatant. Je ne pourrais pas, et je n'en ai nullement l'in-

---

1. « Motte » désigne la levée de terre naturelle ou artificielle sur laquelle est cons--truit un château.
2. Les « lices » désignent soit une enceinte extérieure faite de palissades et proté-geant un château, etc., soit l'espace compris entre la muraille et cette enceinte.

tention, omettre de décrire, en partie ou complètement, la beauté qu'elle possédait, mais je le ferai brièvement. Toute la beauté, toute la courtoisie que Nature ait jamais été capable de créer pour séduire un être humain, se trouvaient ici réunies. L'hôte, qui n'était pas un rustre, prit la jeune fille par la main droite et la conduisit dans la grand-salle. En apercevant cette splendide beauté, Gauvain resta tout interdit ou peu s'en fallut ; il parvint pourtant à se lever. Quant à la jeune fille, après avoir vu le chevalier, elle resta encore plus stupéfaite devant sa grande beauté et la perfection de son attitude. Elle lui adressa cependant elle aussi, et avec beaucoup de courtoisie, quelques paroles de bienvenue.

Tout aussitôt l'hôte invita Gauvain à prendre la main de de la jeune fille et dit au chevalier :

— Seigneur, je vous présente ma fille. J'espère que cela ne vous déplaît pas car je n'ai pas plus agréable divertissement à vous proposer pour votre plaisir et votre agrément. Elle saura fort bien, si elle le veut, vous être une agréable compagnie ; pour ma part, je ne veux pas qu'elle ait d'autre volonté. Il y a en vous tant de sens et de mérite que, même si elle s'éprenait de vous, ce ne pourrait être pour elle qu'un titre de gloire. Moi, je vous en fais don ; jamais je n'éprouverai envers vous la moindre jalousie, bien au contraire, et je lui ordonne, en votre présence, de faire siens tous vos désirs.

Gauvain, qui ne veut surtout pas contredire son hôte, le remercie très aimablement. Et celui-ci le quitte tout aussitôt pour aller voir à la cuisine si le repas serait bientôt prêt.

Gauvain cependant s'est assis à côté de la jeune fille : il est très embarrassé car il craint fort son hôte. C'est cependant de façon très courtoise et sans risquer de propos déplacés qu'il adresse aussitôt la parole à la jeune fille aux blonds cheveux. Il observe une juste mesure et lui parle avec réserve, ni trop ni trop peu. Il lui offre poliment ses services et lui découvre assez ses sentiments pour que la jeune fille, qui était experte et sage, s'aperçoive et comprenne bien qu'il l'aimerait plus que tout être au monde si elle ne le repoussait pas.

Elle ne sait donc plus quelle attitude adopter : refuser son amour ou l'accepter. Les propos qu'il lui tient sont si courtois, ses manières lui paraissent si convenables qu'elle accepterait bien de l'aimer si elle osait lui faire cet aveu. Mais elle ne voudrait à aucun prix l'inciter à s'éprendre d'elle puisqu'elle ne pourrait rien lui accorder de plus. Elle sait bien qu'elle manquerait à toutes les règles de la courtoisie si elle ne pouvait satisfaire l'amour qui le mettrait en peine. Pourtant, ses sentiments pour le chevalier sont déjà si vifs qu'il lui est pénible de le repousser.

— Seigneur, lui dit-elle avec beaucoup d'amabilité, j'ai bien entendu que mon père m'a interdit de vous refuser quoi que ce soit. Et pourtant — comment vous le dire ? — si je consentais à faire ce que vous désirez, l'issue en serait bien mauvaise et, par ma faute, je vous aurais trahi et j'aurais causé votre mort. Voici donc le conseil que je vous donne en toute bonne foi : gardez-vous de tout acte déplacé. D'autre part, quoi que vous dise mon père, bien ou mal, n'allez surtout pas le contredire : ce serait attirer sur vous un grand malheur et vous en mourriez tout aussitôt ; enfin, ne donnez surtout pas l'impression — vous le payeriez cher — d'être en quoi que ce soit prévenu.

Sur ce, l'hôte revint de la cuisine : le repas était prêt et on fit demander l'eau. Inutile de m'attarder : quand ils se furent lavé les mains, ils prirent place à table ; les serviteurs déplièrent les nappes sur les tapis de table, qui étaient très beaux et très blancs ; ils disposèrent les salières, les couteaux et le pain, puis versèrent le vin dans des coupes d'argent et d'or fin. Je n'ai pas l'intention pourtant de m'attarder à vous énumérer les plats un à un : sachez qu'ils eurent en abondance de la viande et du poisson, des oiseaux rôtis et de la venaison, et qu'ils mangèrent avec beaucoup de plaisir. L'hôte insistait souvent pour faire boire Gauvain et sa fille et demanda à celle-ci d'y inciter le chevalier.

— Vous devez être très flatté, dit-il à Gauvain, que je veuille vous la donner pour amie.

Et Gauvain l'en remercia très aimablement.

Quand ils eurent suffisamment mangé, arrivèrent les serviteurs qui enlevèrent nappes et tapis de table et qui leur apportèrent de l'eau et une serviette pour s'essuyer les mains. L'hôte déclara alors qu'il voulait aller faire un tour dans les bois de son domaine et il invita Gauvain à s'asseoir auprès de la jeune fille et à se divertir en sa compagnie. Puis il lui enjoignit de ne pas s'en aller jusqu'à ce que lui-même revienne. Il ordonna d'autre part à un serviteur de le retenir de force s'il faisait mine de vouloir partir. Gauvain, qui était très preux et très courtois, comprit bien qu'il lui fallait rester, qu'il n'y avait pas d'autre possibilité. Il lui dit donc tout aussitôt qu'il n'avait aucune envie de partir, si du moins le chevalier acceptait de lui donner l'hospitalité. Sur ce, l'hôte monta en selle et s'éloigna à vive allure pour chercher une autre aventure. Pour ce qui est de celle-là, il est tout à fait tranquille, car il retient bien le chevalier enfermé dans ses murailles !

La jeune fille a pris Gauvain par la main et tous deux se sont assis à l'écart pour examiner comment il pourra se garder [1]. Elle le

---

1. Nous avons conservé ici et ailleurs les termes « garde » et « garder », « contredit » et « contredire » qui reviennent en leitmotiv dans le récit.

réconforte avec beaucoup de douceur et d'amabilité, mais elle est complètement désespérée de ne pas connaître les intentions de son père. Si elle les savait, elle indiquerait à Gauvain quelque ruse pour se tirer d'affaire mais son père n'a rien voulu lui révéler. Que Gauvain, au moins, se garde de le contredire ; ainsi pourra-t-il peut-être se sauver.

— N'en parlons plus, dit Gauvain. Il ne tentera rien contre moi, lui qui m'a amené dans sa demeure et qui m'a fait très bon accueil. Puisque, jusqu'à maintenant, il ne m'a témoigné qu'honneur et bienveillance, je n'ai pas à le redouter et je ne le ferai que lorsque je saurai et verrai que j'ai de bonnes raisons de le craindre.

— Il n'en va pas ainsi, répondit la jeune fille. Le vilain [1] dit en proverbe : « C'est au soir qu'on se félicite de la journée, et c'est au matin qu'on se loue de l'hôte. » Que Dieu, tel est mon plus vif désir, vous donne de quitter votre hôte dans la joie et sans dispute !

Lorsqu'ils eurent longuement parlé de cela et d'autres choses, l'hôte revint chez lui. Gauvain et la jeune fille se levèrent main dans la main, pour le saluer avec beaucoup d'amabilité. Il leur dit qu'il s'était dépêché de revenir car il avait eu peur, s'il s'attardait, que Gauvain ne s'en allât ; voilà pourquoi il n'était pas resté plus longtemps parti. La nuit commençait à tomber et l'hôte demanda aux serviteurs ce qu'il y aurait à manger.

— Il conviendrait, lui dit sa fille, de demander sans plus, pour votre agrément, fruits et vin car vous avez assez mangé aujourd'hui.

Il en ordonna ainsi et tous trois se lavèrent les mains. Puis on leur apporta la collation et les serviteurs versèrent abondamment différentes sortes de vin.

— Seigneur, dit l'hôte à monseigneur Gauvain, réjouissez-vous, car dites-vous bien que je suis souvent très ennuyé de recevoir un invité qui ne s'amuse pas et ne dit pas ce dont il a envie.

— Seigneur, répliqua Gauvain, soyez sûr que je me sens tout à fait bien.

Lorsqu'ils eurent ainsi mangé, l'hôte ordonna de préparer les lits.

— Je coucherai ici même, dit-il, et ce chevalier que voici couchera dans mon lit ; ne le faites pas trop étroit car ma fille couchera avec lui. C'est, je pense, un si bon chevalier que je ne peux mieux la donner et elle, elle doit être très contente de ce qui leur est ainsi accordé.

Les deux jeunes gens remercient le chevalier et font semblant

---

1. Le « vilain » (le paysan, le rustre) désigne ici et plus loin l'instance énonciative à qui est notamment attribué un célèbre recueil de proverbes médiévaux, les *Proverbes au vilain*. La référence au vilain est fréquente dans les textes médiévaux. Le proverbe ici introduit correspond au n° 216 du *Recueil de proverbes* édité par Morawski, Champion, *CFMA*, 1925.

d'être très contents. Mais Gauvain est très mal à l'aise : il craint, s'il va se coucher avec la jeune fille, que le père ne le fasse mettre en pièces, et, d'un autre côté, il sait bien que, s'il le contredit sous son toit, il le tuera.

L'hôte alla très vite se coucher : il prit par la main Gauvain et le conduisit tout aussitôt dans la chambre. La jeune fille au teint si frais y est entrée avec le chevalier. La chambre était toute parée de tentures et douze cierges, disposés tout autour du lit, brûlaient en répandant une très vive clarté. Le lit était très beau et richement garni de somptueuses couvertures et de draps blancs. Mais je n'ai pas l'intention de m'attarder à décrire la splendeur des étoffes de soie d'outremer, de Palerme, de Romagne [1] qui ornaient superbement la chambre, des zibelines et des fourrures de petit-gris. Pour tout vous dire en un mot, il y avait là, et en très grande abondance, tout ce qui peut, hiver comme été, servir de parure à une dame et à un chevalier. Quel amoncellement d'habits il y avait là ! Gauvain resta stupéfait devant pareille richesse.

— Seigneur, lui dit le chevalier, cette chambre est très belle et c'est là que vous allez coucher avec cette jeune fille, seuls tous les deux. Vous, ma fille, obéissez-moi [2] et fermez les portes : je sais bien qu'en de telles circonstances, on n'a pas besoin de témoins. Je vous ordonne cependant de ne pas éteindre les cierges, j'en serais très ennuyé. Je veux en effet, et telle est la raison de mon ordre, qu'il puisse contempler votre très grande beauté lorsque vous serez dans ses bras —son plaisir en sera plus grand— et que vous-même vous puissiez voir combien il est beau.

Sur ce, il quitta la chambre et la jeune fille ferma la porte.

Monseigneur Gauvain s'est couché. La jeune fille s'est approchée du lit et s'est couchée toute nue à ses côtés sans se faire prier le moins du monde. Toute la nuit elle la passa dans les bras du chevalier. Lui, bien souvent, lui donne des baisers et la serre dans ses bras avec tendresse. Il est allé si loin qu'il voudrait bien la prendre mais la jeune fille lui dit alors :

— Seigneur, de grâce ! Cela ne peut être ! Même dans vos bras, je suis sous bonne garde !

Gauvain inspecte alors la chambre mais il n'y voit âme qui vive.

— Belle, dit-il, dites-moi, je vous en prie, qui peut m'interdire de satisfaire le désir que j'ai de vous ?

— Je vous dirai bien volontiers tout ce que je sais. Voyez-vous cette épée qui est suspendue, là, dont les attaches sont d'argent, le pommeau et la garde d'or fin ? Or, ce que je vais vous raconter, je

---

1. Le texte dit *Romenie*, qui désigne sans doute ici la région autour de Rome.
2. Nous adoptons ici la correction proposée en note par l'éditeur.

ne l'invente pas, mais j'ai eu l'occasion de l'expérimenter. Cette épée, mon père l'aime énormément car à maintes reprises elle lui a tué des chevaliers de grande valeur. Apprenez que, rien qu'ici, il en a tué plus de vingt, mais j'ignore pourquoi il fait cela. Pas un chevalier qui passe cette porte n'en ressortira vivant. Mon père leur réserve à tous un très aimable accueil mais, dès qu'il peut leur reprocher la plus petite faute, c'en est fait, il les tue. Celui qu'il accueille doit garder une conduite irréprochable. Certes, il lui faut marcher droit ! Mon père a tôt fait de se faire justice s'il peut le reprendre en quoi que ce soit. Et si l'autre se garde si bien que mon père ne peut rien lui reprocher, il lui fait, le soir, partager mon lit, le livrant ainsi à une mort certaine.

« Et savez-vous pourquoi nul n'en réchappe ? Si d'une manière ou d'une autre mon compagnon manifeste le désir de coucher avec moi, aussitôt l'épée le frappe en plein corps. Et s'il tente de s'en approcher et de la saisir, elle jaillit aussitôt de son fourreau et vient le frapper. Cette épée enchantée a une vertu telle qu'elle me tient ainsi toujours sous sa garde. J'aurais pu ne pas vous prévenir, mais je vous ai trouvé si courtois et si sage que ce serait vraiment dommage si vous mourriez à cause de moi, et que j'en serais à tout jamais malheureuse.

Voilà Gauvain bien embarrassé. De toute sa vie, il n'a jamais entendu parler d'un péril de cette nature et il craint que la jeune fille ne lui ait fait ce récit pour se protéger et l'empêcher de coucher avec elle. Il se dit d'autre part que, s'il se dérobe, tout le monde sera au courant, la nouvelle aura tôt fait de se répandre partout et l'on saura qu'il s'est trouvé tout seul avec elle, nu à nu dans un lit, et qu'il s'est abstenu de jouir d'elle rien qu'à cause de ce qu'elle lui a dit. Il lui paraît donc préférable de mourir glorieusement plutôt que de vivre plus longtemps dans le déshonneur.

— Belle, dit-il, rien n'y vaut. Je suis dans un tel état qu'il me faut conclure et devenir votre amant. Vous n'avez pas le choix !

— Du moins ne pourrez-vous désormais m'adresser aucun reproche, réplique-t-il.

Gauvain la serre alors de si près qu'elle jette un cri. Tout aussitôt l'épée surgit du fourreau et vient frôler le flanc du chevalier, si bien qu'elle lui arrache un peu de peau ; mais la blessure reste superficielle. La lame cependant transperce la couverture et les draps et s'enfonce jusqu'au matelas. Puis elle revient se placer dans le fourreau.

Gauvain en reste tout interdit. Il n'éprouve plus le moindre désir et demeure allongé à côté de la jeune fille, complètement abasourdi.

— Seigneur, dit-elle, au nom de Dieu, pitié ! Vous pensiez que je vous avais fait ce récit pour me dérober à vos avances. Pourtant, jamais je n'en ai parlé à un autre chevalier, et je suis d'autre part très étonnée de voir que vous avez pu survivre à ce premier assaut. Au nom de Dieu, restez calmement étendu désormais, gardez-vous bien de me toucher de quelque manière que ce soit. Même le sage a tôt fait d'entreprendre ce qui causera son malheur !

Gauvain, très abattu, se perd dans ses pensées. Il ne sait quelle attitude adopter. Si, grâce à Dieu, il revient un jour dans son pays, jamais cette affaire ne pourra être cachée. On saura partout qu'il a passé toute une nuit seul à seul en compagnie d'une jeune fille d'une très grande beauté sans oser la toucher et sans rencontrer pourtant d'autre obstacle qu'une épée que ne maniait aucun être humain... Il serait à tout jamais déshonoré si elle lui échappait ainsi. Qui plus est, les cierges qui brûlent tout autour de lui, lui sont un surcroît de tourment car ils dispensent une très grande clarté et il peut voir très distinctement la grande beauté de la jeune fille, ses cheveux blonds, son front lisse, ses sourcils si fins, ses yeux si animés, son nez bien dessiné, son visage au teint éclatant et aux délicates nuances, sa bouche, petite et souriante, son cou élancé, aux élégantes proportions, ses bras minces, ses mains blanches, sa taille, à la fois fine et bien prise, et, sous les draps, cette chair si blanche, si douce... Personne, non personne ne saurait trouver le moindre défaut dans ce corps si beau, si bien fait !

Gauvain, qui ne manquait pas de manières, s'est tendrement approché de la jeune fille et il allait se livrer avec elle aux plaisirs de l'amour lorsque l'épée sortit de nouveau de son fourreau et vint l'attaquer une seconde fois — déjà il regrettait vivement son geste — le frappant d'un coup plat sur la nuque. Mais elle vacilla un peu et toucha l'épaule droite, cisaillant trois doigts de peau. Puis elle se ficha dans la couverture de soie dont elle trancha un morceau avant de retourner dans son fourreau.

Quand Gauvain sentit qu'il avait été blessé à l'épaule et au flanc et quand il comprit qu'il n'arriverait pas à ses fins, sa douleur fut très grande : il ne savait que faire et il supportait mal ces contretemps.

— Seigneur, dit la jeune fille, êtes-vous mort ?

— Non, ma demoiselle, mais pour cette nuit, je vous accorde un don : je conclus une trêve avec vous !

— Seigneur, dit-elle, sur ma foi, si cette trêve avait été accordée lorsqu'elle vous fut demandée, c'eût été préférable pour vous !

Gauvain était tout aussi inquiet que la jeune fille : ni l'un ni l'autre ne purent dormir et ils veillèrent toute la nuit, attendant le jour avec beaucoup d'angoisse.

Dès que le jour parut, l'hôte se leva très vite et vint à la chambre. Il ne resta pas silencieux mais appela à haute voix. La jeune fille ouvrit tout aussitôt la porte puis revint s'allonger toute nue auprès de

Gauvain. Le chevalier s'approcha et vit les deux jeunes gens tranquillement étendus. Il leur demanda comment ils allaient.

— Très bien, merci, lui répondit Gauvain.

Lorsque le chevalier l'entendit parler aussi nettement, il en fut extrêmement peiné tant il était plein de perfidie et de mauvaises intentions.

— Comment, lui dit-il, vous êtes encore en vie ?

— Ma foi oui, répliqua Gauvain. Je suis en très bonne santé et tout va bien. Je n'ai rien fait — sachez-le — qui puisse entraîner ma mort et si, sous votre toit, vous me faisiez subir de mauvais traitements sans le moindre motif, ce serait une injustice.

— Comment, répéta l'hôte, vous n'êtes donc pas mort ? Il m'est bien désagréable de vous voir encore en vie !

Il s'est alors rapproché et il a très nettement vu que la couverture était déchiquetée et les draps tachés de sang.

— Chevalier, dit-il, expliquez-moi immédiatement d'où vient ce sang.

Monseigneur Gauvain, qui ne voulait pas mentir à son hôte, ne répliqua rien : il ne savait quel motif inventer pour dissimuler habilement ce qui s'était passé sans que l'autre s'en aperçût.

Mais son hôte le pressa vivement :

— Chevalier, dit-il, écoutez-moi. C'est en vain que vous dissimulez. Vous avez voulu prendre votre plaisir avec cette jeune fille mais vous n'avez pu y parvenir car l'épée s'y est opposée.

— Seigneur, lui répondit Gauvain, ce que vous dites est vrai : l'épée m'a blessé en deux endroits mais ces plaies ne sont guère profondes.

— Cher seigneur, reprit alors l'hôte, comprenant que Gauvain n'était pas blessé à mort, vous voilà en très bonne voie. Mais ditesmoi, si vous voulez retrouver votre liberté, de quel pays vous êtes et quel est votre nom. Votre origine, votre renommée, votre situation seront peut-être telles que je devrai me plier à tous vos désirs, mais je veux d'abord m'en assurer.

— Seigneur, dit-il, je m'appelle Gauvain et je suis le neveu du noble roi Arthur. Vous pouvez être sûr de ce que je vous dis car jamais je n'ai changé mon nom.

— Sur ma foi, dit l'hôte je sais bien que vous êtes un chevalier de grande valeur. Inutile de chercher meilleur que vous. On ne trouverait pas votre égal d'ici jusqu'à Majorque ni dans tout le royaume de Logres. Mais savez-vous comment j'ai mis à l'épreuve tous les chevaliers de ce monde qui chevauchent en quête d'aventures ? Certes, ils auraient bien pu coucher dans ce lit et mourir, les uns après les autres, jusqu'au dernier, jusqu'au jour où serait venu le meilleur de tous. C'est cette épée qui devait me désigner le meilleur car elle devait l'épargner lorsqu'il se présenterait. Et elle a bien fait ses preuves puisqu'elle vous a reconnu comme le meilleur. Or, à partir du moment où Dieu vous a fait cet honneur, je ne saurais trouver personne qui, mieux que vous, doive avoir ma fille. Je vous la donne donc très loyalement ; plus jamais vous n'aurez à vous garder de moi. Qui plus est, je vous fais à tout jamais et en toute loyauté le maître de ce château. Faites-en ce que bon vous semble.

— Seigneur, répondit Gauvain en le remerciant vivement et avec beaucoup de joie, la jeune fille me suffit amplement. Je n'ai nul besoin de votre or, de votre argent ni de ce château.

Sur ce, Gauvain et la jeune fille se levèrent sans attendre.

La nouvelle se répandit dans le pays qu'était venu un chevalier qui voulait prendre la jeune fille et que l'épée l'avait à deux reprises atteint sans lui faire de mal. Voici donc les gens du pays qui arrivent à qui mieux mieux. Au château, tous se réjouissent, dames et chevaliers, tandis que le père de la jeune fille fait préparer un magnifique repas. Je ne veux pas m'attarder à raconter quels mets on leur servit mais ils mangèrent et burent tant qu'ils voulurent. Une fois le repas terminé et les nappes ôtées, ces amuseurs [1] qui se répandent partout et qui étaient là en grand nombre firent la démonstration de leurs talents respectifs : l'un accorde sa vielle, l'autre joue de la flûte, un autre encore du chalumeau. Celui-ci chante en s'accompagnant à la harpe ou à la rote, celui-là lit de beaux récits, cet autre conte des histoires. Quant aux chevaliers, ils jouaient ailleurs au trictrac ou aux échecs, ou bien disputaient une partie de dés, à la mine ou au hasard [2]. Tout le monde s'est ainsi diverti jusqu'au soir. Ils soupèrent alors avec grand plaisir. Il y avait en abondance oiseaux rôtis et fruits, et le bon vin coulait à flots.

Lorsqu'ils eurent agréablement dîné, ils allèrent rapidement se coucher et ils conduisirent sur-le-champ la jeune fille et Gauvain jusqu'à la chambre où ils avaient passé la nuit précédente. L'hôte accompagna également les deux jeunes gens et les maria bien volontiers. Puis, sans manifester la moindre opposition, il laissa ensemble la jeune fille et le chevalier, quitta la pièce et referma la porte sur eux. Que vous dire de plus ? Cette nuit-là, Gauvain a satisfait tous ses désirs. Pas d'épée dégainée hors de son fourreau ! Et s'il reprit la très courtoise jeune fille, qui n'eut pas à en pâtir, j'en suis fort aise !

Monseigneur Gauvain demeura longuement au château, vivant dans la joie et l'allégresse. Puis il finit par penser que son séjour

---

1. « Amuseurs » rend le terme de « lecheors » (débauchés) qu'utilise l'auteur pour qualifier les jongleurs avec l'intention, sans doute, de se différencier, en tant qu'écrivain, de ces simples exécutants.

2. « Mine » et « hasard » désignent deux sortes de jeux de dés.

avait été trop long, à tel point d'ailleurs que ses amis et ses parents étaient persuadés qu'il était mort. Il alla donc prendre congé de son hôte.

— Seigneur, lui dit-il, je suis resté si longtemps dans ce pays que mes amis et mes parents me croient mort. Je vous demande donc, je vous en prie, la permission de retourner chez moi. Faites également préparer l'équipage de cette jeune femme, et de telle manière que ce soit pour tous les deux, pour vous qui me l'avez donnée, pour moi qui l'emmène dans mon pays, un titre de gloire et que l'on dise, quand je reviendrai chez moi, que j'ai vraiment une bien belle amie et qu'elle est de très bonne naissance.

L'hôte lui donna la permission de partir et Gauvain s'en alla donc dans son pays avec la jeune femme. La selle, le mors, les rênes du palefroi qu'elle montait étaient de toute beauté. La jeune femme monta à cheval et Gauvain fit de même. Que vous dirais-je de plus ? Il reprit les armes avec lesquelles il était arrivé et partit en prenant congé de son hôte, se félicitant de l'aventure qu'il avait trouvée. [...] [1] Mais lorsqu'il eut passé la porte du château, la jeune femme arrêta sa monture et Gauvain lui demanda pourquoi.

— Seigneur, dit-elle, j'ai une bonne raison car j'ai oublié quelque chose de très important. Je quitterai ce pays avec beaucoup de regret, sachez-le, si je n'emmène avec moi les lévriers que j'ai élevés, qui sont de bonne race et très beaux. Vous n'en avez jamais vu d'aussi rapides et leur robe est plus blanche que la plus blanche des fleurs.

Gauvain fit donc demi-tour et retourna bien vite chercher les lévriers. Son hôte, qui l'avait vu venir de loin, s'avança à sa rencontre.

— Gauvain, lui dit-il, pour quelle raison revenez-vous si vite ?

— Seigneur, parce que votre fille a oublié ses lévriers et elle les aime tant, me dit-elle, qu'elle ne partira pas sans eux.

L'hôte fit alors venir les chiens et les remit bien volontiers à Gauvain. Le chevalier vint tout aussitôt rejoindre avec les lévriers la jeune femme qui l'attendait. Puis ils se remirent en route et rentrèrent dans la forêt d'où ils venaient.

Mais voici qu'ils ont aperçu un chevalier qui se dirigeait vers eux. Il était seul mais fort bien équipé : rien ne lui manquait de ce qui est nécessaire à un chevalier et il montait un destrier bai, robuste, rapide et plein d'ardeur. Le chevalier, qui chevauchait à vive allure, fut bientôt assez près d'eux. Gauvain se dit qu'il allait le saluer amicalement et lui demander qui il était et d'où il venait. Mais l'autre, qui avait de toutes autres intentions, éperonna son cheval avec tant

---

1. Les points de suspension correspondent à une courte lacune du manuscrit.

de force que, sans prononcer un seul mot, il se jeta entre Gauvain et la jeune femme dont il saisit la monture par la rêne. Puis il fit aussitôt demi-tour et elle, sans qu'il lui eût rien demandé d'autre, le suivit sans hésiter.

Inutile de demander quelles furent la colère et la peine de Gauvain lorsqu'il vit emmener la jeune femme. Il n'avait en effet d'autres armes sur lui que son écu, sa lance et son épée et l'autre était bien équipé, robuste, de grande taille et plein d'agressivité : la partie[1] s'engageait vraiment mal ! Néanmoins, en chevalier plein d'audace, Gauvain lança son cheval vers son adversaire, prêt à lui disputer la jeune femme.

— Chevalier, lui dit-il, vous vous êtes bien mal conduit, vous qui vous êtes emparé de mon amie avec tant de brutalité ! Mais maintenant montrez donc votre courage, et voici comment : comme vous le voyez, je n'ai sur moi que ma lance, mon écu, et mon épée pendue à mon côté. Je vous invite donc à vous désarmer afin que nous combattions d'égal à égal. Vous ferez ainsi un geste plein de courtoisie et si vous pouvez triompher de moi par votre prouesse et conquérir cette femme, elle sera à vous sans autre combat. Et si vous refusez, montrez-vous cependant courtois et généreux : attendez-moi sous ces charmes tandis que j'irai près d'ici emprunter une armure[2] à l'un de mes amis. Dès que je serai armé, je reviendrai, et si vous pouvez alors me vaincre et conquérir cette jeune femme, je vous la donne sans la moindre dispute, vous en avez ma parole.

— Ne comptez pas sur moi pour vous donner cette permission, lui répondit aussitôt le chevalier, et si je me suis mal conduit, je ne vous en demanderai pas pardon pour autant. Vous avez de bien grands pouvoirs, vous qui me donnez ce qui m'appartient ! Mais puisque vous n'avez pas votre armure, et pour que vous n'ayez rien à me reprocher, on va vous proposer un jeu parti. Vous dites que cette jeune femme est votre amie très chère parce qu'elle vous a suivi. Et moi je soutiens qu'elle est à moi. Mettons-la donc sur ce chemin et allons chacun de notre côté. Qu'elle décide alors elle-même lequel de nous deux elle préfère. Si elle veut partir avec vous, je vous la donne, vous en avez ma parole. Mais si elle veut venir avec moi, alors il est juste qu'elle soit mienne.

Gauvain accepte bien volontiers cette solution : il a une telle

---

1. Le texte emploie ici et plus loin au sens figuré le terme de « jeu parti », terme repris à la poésie lyrique. Dans le « jeu parti », deux poètes rivaux développent à tour de rôle les deux termes d'une alternative. Dans la dernière strophe, un arbitre désigne le vainqueur.
2. Il manque en effet à Gauvain, à part l'écu, les armes défensives (et l'équipement « lourd ») que sont le heaume ou casque et le haubert ou cuirasse ainsi que les pièces d'armure protégeant les bras, les jambes, etc.

confiance dans la jeune femme, il l'aime tant qu'il est absolument persuadé que pour rien au monde elle ne l'abandonnerait.

Les deux hommes la laissent donc sur le chemin et se reculent un peu.

— Belle, disent-ils, nous voici au fait ! A vous maintenant d'agir comme vous l'entendez et de choisir celui avec qui vous voudrez rester. Tel est l'accord que nous avons conclu.

La jeune femme les a tour à tour regardés, d'abord le chevalier, puis Gauvain, qui était absolument persuadé de l'avoir et ne se faisait aucun souci. Il s'étonnait simplement de la voir un peu réfléchir. Mais la jeune femme, qui savait bien de quelle prouesse Gauvain était capable, voulait savoir si l'autre chevalier était, lui, aussi preux et aussi vaillant. Apprenez en effet, tous tant que vous êtes, que cela vous fasse sourire ou frémir d'indignation, qu'il n'y a pas de femme au monde qui, même si elle était l'épouse et l'amie du meilleur chevalier que l'on puisse trouver d'ici en Inde, lui porterait assez d'amour pour lui montrer un brin [1] d'estime s'il n'était également preux à la maison. Vous voyez bien de quelle prouesse je veux parler...

Écoutez donc l'acte ignoble que fit cette femme : elle se remit entre les mains de ce chevalier dont elle ignorait tout. Lorsque monseigneur Gauvain vit ce qu'elle avait fait, il fut, sachez-le, très affecté de voir qu'elle l'avait quitté de son plein gré. Mais il était si preux, si sage, si courtois, si plein de mesure qu'il ne prononça pas le moindre mot, bien qu'il fût très affligé.

— Seigneur, lui dit alors le chevalier, il n'y a pas de contestation possible : cette jeune femme doit m'appartenir.

— Que Dieu me rejette si je conteste quoi que ce soit, répliqua Gauvain, et si je me bats pour qui se moque bien de moi !

La jeune femme et le chevalier s'éloignèrent alors à vive allure et Gauvain partit vers son pays, emportant les lévriers. Mais la jeune femme s'est bientôt arrêtée au bout de la lande et le chevalier lui en a demandé la raison.

— Seigneur, lui dit-elle, je ne serai jamais votre amie tant que je n'aurai pas repris possession de mes lévriers que ce chevalier, là-bas, emporte avec lui.

— Vous les aurez, réplique-t-il, tout en criant à Gauvain :

— Chevalier, attendez, attendez ! Je vous interdis d'aller plus avant !

Puis, rejoignant Gauvain à vive allure :

— Chevalier, poursuit-il, pourquoi emportez-vous ces lévriers qui ne sont pas à vous ?

---

1. Le texte utilise l'image de la valeur (négligeable) d'une « pincée de sel ».

— Seigneur, lui répond Gauvain, je les considère comme miens, et si quelqu'un en revendique la possession, je dois les défendre comme mon bien. Mais si vous vouliez recourir au jeu parti que vous m'avez proposé, lorsque nous avons mis la jeune femme au milieu du chemin pour voir avec qui elle voulait aller, je ne m'y opposerais pas.

Le chevalier est tout prêt à accepter ce jeu parti. Il pense en effet, dans sa perfidie, que si les lévriers vont de son côté, il se les appropriera sans combattre, et il est persuadé que, s'ils vont avec Gauvain, il pourra les lui ravir aussi facilement qu'il le ferait maintenant.

Ils ont donc laissé les bêtes au milieu du chemin puis, après s'être éloignés, ils les ont tous deux appelées. Mais voici que les lévriers sont allés sans hésiter vers Gauvain, qu'ils connaissaient simplement pour l'avoir vu chez le père de la jeune femme, et le chevalier les flatte du geste et de la voix, tout heureux de les avoir à lui.

Mais la jeune femme interpella aussitôt son chevalier :

— Seigneur, lui dit-elle, je ne ferai pas un pas de plus avec vous — que Dieu me protège ! — avant d'avoir repris possession de mes lévriers que j'aime tant.

— Il ne peut pas les emporter contre mon gré, répliqua le chevalier, puis, s'adressant à Gauvain, il ajouta :

« Chevalier, laissez ces chiens, vous ne les emporterez pas !

— Vous vous déshonorez si vous manquez ainsi à votre parole, répondit Gauvain. Je suis désormais le possesseur de ces lévriers. Ils m'ont suivi de leur plein gré. Que le Seigneur tout-puissant me retire à tout jamais son soutien si, moi, je leur fais défaut ! Je vous ai laissé la jeune femme pour la simple raison qu'elle vous a suivi, elle qui était à moi et qui était venue avec moi. En toute justice, vous devez donc me laisser les lévriers sans faire d'histoire puisqu'ils sont à moi, qu'ils sont venus avec moi et qu'ils se sont ralliés à moi de leur plein gré. Mais vous pouvez, par mon cas, savoir en toute vérité ceci : si vous voulez faire toutes les volontés de cette jeune femme, votre joie avec elle sera bien courte ! Sachez en effet — et je désire fort qu'elle m'entende — que, tant qu'elle fut mienne, j'ai fait tout ce qu'elle désirait. Et voyez comme j'en suis récompensé ! Mais les chiens sont une chose et les femmes une autre, sachez-le. Le chien ne quittera jamais le maître qui l'a nourri pour un nouveau venu et la femme a tôt fait de changer le sien s'il ne fait pas tout ce qu'elle désire. Étrange inconstance que de laisser ce que l'on a pour ce qui est nouveau ! Les lévriers, eux, ne m'ont pas abandonné. Je peux donc prouver ainsi — et personne ne me contredira — que la nature du chien et l'amour dont il est capable l'emportent sur ce qu'est la femme et ce qu'elle peut donner.

— Chevalier, reprit l'autre, votre beau discours ne sert de rien. Si vous ne laissez pas sur-le-champ ces lévriers, en garde ! Je vous défie !

Gauvain saisit alors son écu et le plaça devant sa poitrine. Tous deux s'affrontèrent de toute la force de leurs chevaux. Le chevalier a frappé Gauvain au-dessus de la boucle de l'écu peint avec une telle violence qu'il le lui a mis en pièces et fendu : les éclats en volent plus loin et plus haut qu'un trait d'arbalète. Mais Gauvain a atteint son adversaire sur le premier [1] quartier de l'écu avec une telle force qu'il abattit à la fois le cavalier et le cheval au milieu d'un chemin. Le chevalier alla rouler avec sa monture dans un bourbier. Dégainant tout aussitôt son épée, Gauvain revint vers lui puis, mettant rapidement pied à terre et le saisissant par les poignets, il le retourna face contre terre et lui asséna sur le visage et sur la tête de rudes coups qui le laissèrent complètement assommé.

Gauvain y met toute sa force car le tort et l'insulte qu'il lui a faits excitent sa haine. Il le malmène et le maltraite rudement puis, soulevant le pan de son haubert, il lui perce tout aussitôt le flanc de sa bonne épée. Sa vengeance assouvie, il abandonne le corps sans un regard pour le cheval, le haubert et l'écu mais il va appeler les lévriers qu'il aimait beaucoup et qui se sont si bien conduits à son égard. Puis il court reprendre son cheval qui erre dans la forêt. Il l'a bientôt rejoint et ressaisi et, sans se servir de l'étrier, il saute en selle.

— Seigneur, lui dit alors la jeune femme, au nom de Dieu et sur mon honneur, je vous supplie de ne pas me laisser seule ici ! Ce serait un acte ignoble ! Si j'ai manqué de sagesse et d'à-propos, n'allez pas m'en faire reproche ! Je n'ai pas osé vous suivre parce que j'ai eu très peur quand j'ai vu que vous étiez si mal équipé, alors que votre adversaire était parfaitement armé.

— Belle, répliqua Gauvain, c'est inutile ! Votre excuse ne vaut rien, non vraiment, elle ne vaut rien du tout ! Mais voici bien la fidélité, l'amour, le type de comportement que l'on peut bien souvent attendre d'une femme ! Qui veut récolter autre blé qu'il n'a semé, ou qui attend d'une femme autre chose que ce qu'elle est naturellement, n'est guère sage ! Telle a toujours été leur façon de faire depuis que Dieu a créé la première d'entre elles. Plus on s'efforce de les servir, plus on leur fait du bien, plus on les respecte, plus on s'en repent en fin de compte. Et c'est encore celui qui les honore et qui les sert le mieux qui en éprouve le plus de douleur et qui y perd le plus. Votre compassion ne visait pas à préserver mon honneur et ma vie, elle avait une tout autre source ! Le vilain [2] dit : « C'est arrivé à

---

1. Il s'agit ici d'un écu écartelé, c'est-à-dire partagé en quartiers par une ligne horizontale et une ligne verticale se coupant à angles droits.
2. Proverbe n° 44 du recueil cité ci-dessus.

la fin que l'on peut vraiment savoir à qui l'on a eu affaire. » Qu'il soit abandonné de Dieu celui qui chérit, aime et garde à ses côtés une femme dont il a éprouvé la perfidie et la fausseté ! Quant à vous, restez en tête-à-tête avec vous-même !

Sur ce, Gauvain abandonna la jeune femme, et il ne sut pas ce qui lui arriva par la suite. Il reprit la bonne direction, méditant sur son aventure, et chevaucha si longuement à travers la forêt qu'il arriva le soir dans son pays. Ses amis, qui croyaient qu'ils l'avaient perdu, le retrouvèrent avec beaucoup de joie. Il leur raconta point par point l'aventure qu'il avait vécue — ils l'écoutèrent avec plaisir —, cette aventure qu'embellirent d'abord les dangers encourus mais qui, par la suite, avec la perte de l'amie, se révéla désagréable et pénible. Il leur raconta enfin —et c'est ainsi qu'il termina — le dur combat qu'il livra pour garder ses lévriers.

HUNBAUT

Récit en vers, traduit et présenté par Marie-Luce Chênerie.
Écrit dans le deuxième quart du XIIIe siècle
par un auteur anonyme.

INTRODUCTION

Ce roman inachevé, de 3618 vers, a été transmis par un seul manuscrit (Chantilly, musée Condé, 472), de la fin du XIIIe siècle, œuvre de plusieurs copistes. Le roman doit dater lui-même du premier quart du XIIIe siècle. L'auteur est inconnu ; peut-être fut-il ménestrel, comme celui du vers 30 qui se plaint de l'avarice et du désintérêt des « chevaliers, clercs, moines et abbés ». La langue est celle de la Picardie orientale.

Gaston Paris s'était montré sévère pour ce texte, pourtant bien représentatif de tout un courant héroï-comique dans les romans arthuriens en vers du XIIIe siècle ; l'écriture en est parfois lourde et la traduction a dû souvent être allégée des répétitions et des artifices pesants de la versification. Mais la composition est solide, même s'il faut prendre l'ensemble comme une suite de contes à rire, dont Gauvain est le protagoniste, suite établie sur la trame facile d'un voyage aventureux puis d'une quête, quelque peu fantaisistes. Le titre semble annoncer la priorité de Hunbaut, un compagnon de la Table Ronde — inconnu par ailleurs, et « chevalier qui errait pour grandir sa gloire » — comme bien d'autres ; mais ce n'est pas tant pour que le lecteur se divertisse des interventions de ce simple chevalier devenu conseiller d'Arthur, puis « mentor » de Gauvain, que pour affirmer d'entrée de jeu une volonté de démystification des conventions courtoises, à l'exemple de Jean Renart qui donna à l'un de ses romans le titre d'*Escoufle,* oiseau vulgaire et de rôle très épisodique dans le récit.

L'intérêt principal vient du renouvellement de bien des motifs et thèmes romanesques par la mise en œuvre burlesque ou ironique des vertus courtoises dont le neveu du roi est traditionnellement le prototype, et cela sans que le héros arthurien soit foncièrement tourné en dérision. Arthur d'ailleurs n'est pas épargné : orgueilleux de sa souveraineté, à la fois avare de ses chevaliers et inconscient des

risques qu'il fait courir à son neveu — et encore plus à sa nièce ! —,
usant sans restriction de l'hébergement que lui doivent ses vassaux,
incorporant automatiquement dans la compagnie de la Table Ronde
le prisonnier, naguère ennemi de son neveu... Mais la verve de l'auteur se déploie à coup sûr avec Gauvain. D'abord à propos de la
prouesse ; rajeuni, sur un fond de données réalistes, Gauvain est
dans la première partie une sorte de naïf imprudent et fougueux, qui
rappelle de façon un peu saugrenue Perceval le *nice* : il ne s'illustre
pas dans des affrontements grandioses, mais, à l'insulte d'un chevalier pillard qui refuse de partager son repas avec lui, il répond par
des coups assénés avec une broche brûlante ; il fait un croc-en-jambe
à un homme à la jambe de bois, un *échacier,* avec qui il devait lutter
pour avoir le passage d'un pont étroit comme une planche ; il pourfend un nain ; il se tire par la ruse du « test du décapité », en s'arran-
geant tout bonnement pour que le merveilleux n'ait pas lieu. Ensuite
et surtout, la misogynie de l'auteur trouve matière à traiter sur le
mode burlesque une série d'aventures qui devraient illustrer l'éro-
tisme galant de Gauvain : malgré les interdictions d'un hôte impérieux — motif traité dans *Le Chevalier à l'épée* —, il séduit la fille de
celui-ci ; en dépit de sa réputation de défenseur des demoiselles *des-
conseillees,* sans appui masculin, il abandonne sa sœur à un carrefour, ou une autre malheureuse, pour courir après les ravisseurs du
père, tandis qu'Hunbaut poursuit ceux du frère ; enfin il oblige son
frère à honorer la « coutume » du baiser revendiqué par une demoiselle de la tente, multipliée par six, dans un épisode qui ne dédaigne
pas les sous-entendus grivois et réalistes. On s'amusera de voir ce
célibataire inconstant, après une fort mauvaise nuit en plein air, obliger un chevalier railleur, prétendant infidèle, à respecter sa promesse de mariage, si fière que se soit montrée une demoiselle avant
d'être trop crédule (*L'Atre périlleux* traite la même aventure). Enfin
un montage, évoquant des scènes de comédie, oppose aux sarcasmes
médisants du sénéchal Keu qui a cru voir Gauvain « trousser ses
putains », la réalité d'une statue placée près du lit d'une demoiselle
de l'au-delà, qui a hébergé Arthur, pour l'amour de son neveu
« aimé de loin », comme dans *La Première Continuation.* Les folkloristes apprécieront aussi l'intégration du tabou numérique pour le
passage dans une barque vers cet au-delà, motif transposé en devi-
nette encore aujourd'hui.

   Les contrepoints comiques contrastent avec le ton moralisateur de
Hunbaut, ou bien l'auteur les souligne de ses interventions nar-
quoises. Cependant on ne saurait parler encore d'intentions véritablement parodiques ; le comique soutenu de ce roman vient d'un
vernis héroïque et courtois qui, au prix de quelques invraisemblances, d'une certaine désinvolture narrative reprise aux conven-

tions des romans arthuriens, maintient la chance et le panache de Gauvain, tandis qu'est sous-jacente la caricature de comportements plus ordinaires et l'expression d'une mentalité qui devait être celle d'un public à dominante masculine, seigneurial et chevaleresque.

Notre traduction a été faite à partir de l'édition de M. Winters : *The Romance of Hunbaut : An Arthurian Poem of the Thirteenth Century,* Leiden, E.J. Brill, 1984, et tient compte du compte rendu établi par G. Roques *in ZFRP,* 1987, 103, 1-2, p. 138-139.

Marie-Luce CHÊNERIE

BIBLIOGRAPHIE

Édition :

J. STURZINGER ET H. BREUER : *« Hunbaut » : altfranzösischer Artusroman des XIII Jahrhunderts,* Dresden, 1914.

Études :

G. PARIS : *HLF,* XXX, p. 29-103.

A. MICHA : dans *Arthurian Literature in the Middle Ages,* ed. R.S. Loomis, Oxford, 1969, p. 369-370.

On ne se donne pas la peine de bien dire, car bien dire exige grande peine. Pourtant je vais essayer de le faire, et malgré mes pauvres moyens, je m'adresse à certains insensés ; sachez de qui il s'agit : de ceux qui se perdent à viser où personne ne doit tendre. On ne peut cacher, selon moi, qu'ils sont bien sots, par saint Pierre, ceux qui ont le cœur plus dur que pierre, alors qu'ils devraient être miséricordieux ; aucune richesse, aucun bien ne peut permettre d'esquiver la mort ; à quoi bon alors cet attachement à la dureté, à l'avarice ? Leur ironie, leurs railleries s'abattent sur ceux qu'ils voient dépenser, et pourtant, aucune garantie officielle, aucune juridiction ne leur a donné le privilège de vivre plus longtemps à cause de leur fortune. Cette fortune les quitte dès qu'ils sont ensevelis ; oui, aussitôt leur richesse s'enfuit. Que veulent-ils ces chevaliers, ces clercs, ces moines, ces abbés, à savoir désormais tout faire sans plus avoir besoin de ménestrels ? Je parle pour moi, qui fais un livre ; un long entraînement soutient mon inspiration diverse. Jamais vous n'entendrez vers qui riment aussi bien : écoutez donc comme ils se répondent et comme la diction les met en valeur. Ce qui me réconforte, c'est de savoir que celui qui a charge d'enseigner est le meilleur maître ; et celui qui n'est pas capable de grand-chose ne peut espérer faire un livre. A moins de l'avoir mérité, personne ne doit prétendre au succès.

Le roi Arthur avait de grands biens, un grand trésor d'or et d'argent ; ses sujets étaient plus nombreux que le reste du monde ; c'était un roi très puissant, avec toutes sortes de richesses. De ses séjours à Carlion, je le pense, le roi avait maintes raisons de se féliciter ; mais un jour, il éprouva joie et bonheur plus grands encore, quand Hunbaut qu'il aimait fort revint à la cour. Il était chevalier ; aussi s'absentait-il pendant un an ou deux pour voyager et ainsi grandir sa gloire, comme l'exigeaient ses qualités, son éducation, sa courtoisie ; il était de la Table Ronde qui ne comptait pas de lâche. Le roi lui demanda de ses nouvelles, comment il s'était comporté depuis son départ. Leur conversation, commencée l'après-midi, dura jusqu'au lever de la lune. En effet, quand le soir fut tout à fait tombé, le roi, très désireux d'entendre Hunbaut poursuivre son récit, fit dresser un autre lit en face du sien ; les propos d'Hunbaut le charmaient, et il voulait continuer la conversation la nuit, s'il se réveillait. Ils veillèrent donc assez longtemps, puis allèrent se coucher car l'heure tardive l'exigeait, en cette fin de mai.

Rien ne vint les troubler, ils dormirent jusqu'au lendemain matin, quand chantent les oiseaux, mis en joie par le jour. Alors le roi interpella Hunbaut, qui ne fut pas longtemps à lui répondre :

— Hunbaut, dis-moi donc, toi qui as tant cheminé par le monde, y a-t-il quelque part un homme qui ne m'ait pas fait hommage de sa terre ? Si oui, si noble soit ce grand, d'Angleterre, de France ou de Constantinople, il aura à s'en repentir, au cas où mon mandement serait déchiré !

Hunbaut répondit aussitôt que sur les îles régnait un roi plein de superbe, car il ne tenait son royaume de personne ; sa richesse était immense, étant donné ce royaume en alleu [1]. A ces mots, le roi, sans demander l'avis de personne, donna l'ordre de faire venir son neveu Gauvain, le chevalier plein de prouesse :

— Hunbaut, ajouta-t-il, comme vous faites bien de me lancer dans cette affaire ! Mon neveu Gauvain a grande réputation ; bien des gens connaissent son habileté, sa distinction, son élégance, son beau langage, sa courtoisie, sa sagesse ; je veux le prendre comme messager. A ce roi des îles je ferai savoir que c'est trop d'orgueil de ne pas me reconnaître comme souverain. Celui qui saura bien l'informer lui dira ce que j'ai juré : s'il ne vient reprendre sa terre de moi, s'il n'accepte pas de me servir, par le Dieu que je voudrais voir en face, il pourra bien lui assurer que je me mettrai en marche contre lui le premier jour de la belle saison.

— Sire, lui répondit Hunbaut, je suis allé là-bas ; je ne crois pas que personne puisse se vanter d'emporter aucun de ses châteaux à l'assaut, pas plus que l'embarcation ne pourrait franchir la mer d'un bond. Et en plus, Dieu me protège, il y a bien des passages périlleux.

— Taisez-vous si vous voulez garder mon amitié, car un donjon plein de richesses ne me ferait pas renoncer à mon entreprise !

Alors celui que tout le monde appréciait hautement fut averti d'avoir à venir à la cour : un chambellan du roi courut lui trans-

---

1. *Alleu* : terre libre, qu'on tient de ses ancêtres, ou encore qu'on ne tient « de nului fors de Dieu ». Du IXe au XIIe siècle, l'*alleu* a sans cesse été sollicité de s'intégrer dans des catégories dépendantes : celle du fief si c'était un *alleu* important, celle des censives si c'était une terre de moins haut niveau. Les régions du nord de la Loire ont été gagnées à la « tenure » généralement plus tôt que celles du sud.

mettre l'ordre en question. Monseigneur Gauvain demanda sa plus belle robe de cour, doublée d'hermine, et on la lui prépara.

(Mon propos est de faire un roman sur celui dont la valeur et la gloire n'eurent jamais leurs pareilles au monde.)

Quand il fut monté dans la chambre de son oncle, il lui demanda aussitôt :

— Par Dieu, sire, quelle est votre volonté ?

Le roi lui ordonna sans ambages d'aller porter son message, et Gauvain répondit avec une sage réserve :

— Sire, je le ferai si je puis.

Puis il ajouta aimablement que, n'en déplaise au roi, il aurait volontiers une compagnie pour être soutenu. Le roi s'étonna fort que Gauvain, si estimé qu'on aurait difficilement trouvé son égal, songeât à une compagnie ; oui, le roi s'en étonna fort, et il en fut aussi très ennuyé :

— Je tiens trop à mes chevaliers, votre demande me chagrine ; mais elle n'aura guère cet effet sur ma nièce qui est là : aussi emportez-la et distrayez-vous avec elle ; vous ne vous ennuierez pas. C'est votre sœur, et une bonne amie pour vous stimuler si on vous attaque.

— Dieu me garde, répondit Gauvain, cette proposition me plaît, me voici bien payé en compagnie !

Mais Hunbaut se demanda avec étonnement pourquoi le roi avait eu ces étranges paroles, et pourquoi il y avait pensé de si bon matin. Gauvain prit sa sœur par la main, et ils gagnèrent ensemble ses appartements, elle et lui qui avait une incomparable renommée ; il ne lui laissa prendre qu'un surcot pour tout costume de voyage. Personne n'ira dire que je dérobe les trouvailles de Chrétien de Troyes, qui jeta deux as et trois pour avoir la maîtrise du jeu, et après lui nous avons en vain joué maintes parties [1].

Nos deux personnages donc gagnèrent ensemble les appartements de Gauvain ; la sœur était belle de corps et plus encore de visage ; elle allait très bien avec lui, car Nature n'avait rien oublié en la façonnant. Le roi se conduisait bien mal avec Gauvain en l'envoyant ainsi à travers des chemins et des pays si pleins de périls redoutables. Mais lui, impavide, se fit armer sans plus attendre ; désormais il voulait être tout à son affaire, qui lui vaudrait une renommée à laquelle personne n'oserait prétendre. Ses écuyers lui apportèrent une tenue qui lui allait fort bien. Monseigneur Gauvain s'assit sur un lit, et on lui enfila ses éperons par-dessus ses chausses pour qu'ils tiennent mieux ; puis sans tarder on lui fit endosser un haubert solide, à sa

---

1. Allusion malicieuse à Chrétien de Troyes. Dans *Érec et Énide,* le héros oblige sa femme à revêtir sa plus belle *robe* pour partir en errance (v. 2609). « Deus as et trois » font « cinq », un coup gagnant au premier tour dans le jeu de *hasard.*

taille et bien ajusté, où pas une maille ne manquait ; dans le monde entier, il n'y avait pas de meilleure confection ; les pourpoints n'existaient pas encore, je ne veux pas mentir là-dessus. Sa cotte d'armes était d'un riche tissu de soie, je m'en souviens bien ; la boucle et les anneaux de sa ceinture étaient en or. Sa sœur, pleine de sagesse et de savoir lui plaça sur sa coiffe un heaume fort seyant, surmonté de plumes de cygne ; un écuyer lui apporta son épée qu'il ceignit au côté. Il empoigna alors son cheval et monta par l'étrier gauche. Mais de ses projets, il ne dit rien à personne. Il prit son écu, sa lance et n'oublia pas sa sœur : sur le cou de son cheval, au pas, élégamment, il l'emporta, sortit par la porte du château et prit sa route sans retard. Tous dormaient, personne ne l'escortait, car on ne savait pas qu'il devait s'en aller. Cependant le roi n'était pas encore levé ; il était resté éveillé, se tournant et retournant, s'accusant de folie à l'idée de cette expédition. Hunbaut ne cessait de lui en parler ; il lui faisait maints reproches, si bien que le roi finit par reconnaître sa faute et par lui dire :

— Par ma foi, Hunbaut, je ne sais plus me conduire quand la colère commence à m'envahir !

— Par ma foi, cher sire, reprit Hunbaut, je sais bien que j'éprouverais volontiers ma force et mon pouvoir ; j'ai aussi un grand désir, par la foi que je dois à Dieu, d'aller avec votre neveu car il ne connaît pas le pays. Il est courtois, ardent aux armes, d'une vaillance éprouvée, mais je sais bien arrêter les gens quand la force ne peut rien ; à mon avis cela lui sera utile avant qu'il puisse arriver.

— Hunbaut, puisque le hasard a voulu que je lui confie cette mission, il faut m'en satisfaire. Mais si vous alliez avec lui, je crois que ce serait très bien.

— Oui, je le pense aussi.

— Que Dieu vous protège tous deux, car je ne saurais désirer meilleur service.

Une fois habillé et ses chausses enfilées, Hunbaut descendit l'escalier de la grande salle. Puis il chevaucha, mena l'amble tant et tant qu'au bout d'une lieue, il rejoignit Gauvain qui lui fit fête :

— Celui qui sent la folie à une lieue, s'exclama Hunbaut, celui-là on le tient pour sage, alors qu'il est plein de déraison ! Messire le roi m'a dit ses intentions ; il m'envoie en mission avec vous, car je lui ai vivement reproché d'engager ce voyage dans de telles conditions, je ne trouve pas convenable qu'il vous fasse partir ainsi en armes, avec la charge de votre sœur : c'est un bien lourd fardeau ! Il lui faut trouver un autre passe-temps, elle ne viendra pas avec nous sur le chemin du périlleux passage ; nous en serions trop encombrés. Nous ne trouverons pas de champ de blé, rien que de la forêt et des terres dévastées, où tout le monde vole, dérobe, pille, comme il arrive dans l'anarchie, quand personne ne veille à l'ordre, au droit, à la justice, ni ne gouverne.

— Le mieux serait de vous croire, acquiesça Gauvain, si vous voyez l'affaire ainsi et si ma sœur y consent. Voici une croix qui divise en quatre directions la grande route où nous sommes ; mon avis est que ma sœur aille s'asseoir là ; il ne faut pas que cela lui déplaise, elle y restera fort peu ! Avant neuf heures du matin, elle verra bien passer par là un chevalier en déplacement ; qu'elle lui dise alors de la ramener à Carlion, directement dans les appartements du roi, sans admettre aucune diversion ; c'est un ordre que je ne veux voir transgresser sous aucun prétexte. Quand vous verrez donc passer un chevalier errant, vous lui transmettrez ces instructions. Je m'en vais, adieu !

— Seigneur, répondit-elle, que Dieu vous guide !

Il s'en alla et elle demeura là ; mais bientôt l'inquiétude la saisit, car elle ne savait ce qui pouvait arriver, qui elle attendait à rester ainsi. Justement, sur un cheval noir comme mûre, au bout du grand chemin, un chevalier arrivait au pas ; de plus orgueilleux, je ne crois pas en avoir jamais vu ! Avant qu'il sorte du val et qu'il s'aperçoive de quelque chose, elle lui crie :

— Seigneur chevalier, que Dieu vous garde !

A cet appel, il saute de son cheval au milieu du chemin et lui répond :

— Ma dame, j'en prends Dieu à témoin, je dois être votre chevalier servant et votre ami ; partout, sur la mer et sur la terre, vous pouvez avoir besoin de moi. Et j'imagine que pour personne on n'a jamais tant vanté une telle trouvaille : elle est bien oubliée la longueur de ma route aujourd'hui !

Alors il l'appelle son amie, mais elle s'écrie :

— Il n'en est pas question ! Vous avez bien de l'audace ! Emmenez-moi dans les appartements du roi, comme mon frère, monseigneur Gauvain, vous le fait savoir et vous en donne l'ordre ; il vient de me quitter.

— Il a bien fait, car j'avais un compte à régler avec lui ! Par la foi que je dois à celui qui sonde les reins et les cœurs, dût-il lui en coûter mille sept cents marcs d'argent, il ne fallait pas que j'apprenne son passage par ici : nous avions convenu que de notre rencontre résulteraient dommage et douleur.

— Seigneur chevalier, ils sont deux à s'éloigner d'ici, lui rétorque la jeune fille ; je pense qu'il vous en coûterait cher de mettre le moins du monde en question leur valeur ; ce sont de beaux chevaliers, grands, forts et vaillants.

— Par mes yeux, jamais je ne les en estimerais davantage ; par mon pèlerinage à saint Jacques, si je les avais tués tous les deux, cela serait encore bien peu. Je suis bien contrarié de ne pas être arrivé avant leur départ : je n'aurais pas laissé Gauvain s'en aller sans l'avoir tué !

Mais à quoi bon s'acharner à rappeler des mots qui ne valent pas plus qu'une paille d'avoine ?

— Hélas ! fait-elle, Dieu me garde, ils n'auraient pas eu peur de vos paroles provocantes ni de votre assaut. Et d'ailleurs jamais vous n'auriez osé leur dire tout ce que je viens d'entendre.

— Ma chère, aucune de vos paroles ne peut m'irriter : tous les biens du monde, je n'en fais pas plus cas que d'un œuf d'alouette, en comparaison de celui que je loue le Seigneur Dieu de m'avoir envoyé ! Oui, aujourd'hui il m'a mis sur le bon chemin puisque j'ai trouvé votre belle personne ; vous êtes de si grande noblesse que mon amour est vraiment bien placé ! Que Gauvain aille se plaindre au tribunal de la cour, et on lui rendra là justice !

Sans en dire davantate, il la hissa devant lui et l'emporta. Elle, qui ne s'amusait pas, renouvelait ses menaces, lui disait qu'il paierait cela de sa tête, que ce n'était pas raisonnable :

— Dès que monseigneur Gauvain et le roi l'apprendront, ils sauront prendre les mesures qu'il faut ; vous ne pourrez plus revenir par ici.

Mais le chevalier s'en allait, l'emportant tranquillement.

Le livre se tait un moment sur ces deux personnages. Monseigneur Gauvain continua son chemin jusqu'à l'heure convenable de l'étape. Un chevalier qui revenait de la chasse les invita justement, et c'est ainsi que le hasard lui fit trouver la compagnie de nos deux chevaliers. Il montait un cheval d'Espagne, qui n'était ni rétif ni lent ; la chance lui avait vite fait trouver deux grands cerfs qu'il avait forcés. Sa troupe comprenait cinq chevaliers et dix serviteurs ; c'était un homme de bien, aux pensées et aux propos réfléchis ; il salua d'abord ceux qu'il vit en armes, puis leur dit :

— Seigneurs, ma demeure est tout près, au bout de ce chemin que vous pouvez prendre. Mais un fou à la nuque rasée [1] commet plus d'une folie quand il se trouve avec un autre : vous feriez comme eux, je le pense, si vous alliez plus loin aujourd'hui ; venez avec moi : si vous acceptez mon logis ce soir, vous aurez l'hospitalité de saint Julien [2], quoi qu'il en coûte ; il ne manquera rien, même pas la valeur d'une courroie de mon beau brachet.

— Seigneur, grands mercis, répondit Hunbaut, nous irons tous deux avec vous puisque vous le désirez.

_____

1. On tondait les fous « en croix » depuis la nuque.
2. Expression très fréquente au Moyen Age. La légende de saint Julien, offrant l'hospitalité au Christ lépreux, a fait de lui le modèle du bon hôte et le patron des aubergistes, des voyageurs et des pèlerins.

Ils se rendirent donc tout droit au manoir, où il faisait bon demeurer, car il ne manquait de rien. Le maître avait bien raison de revenir, puisqu'il rapportait cette belle prise de deux cerfs. Il sonna du cor à la porte, comme il savait bien le faire, et chacun se réjouit même s'il y avait cent invités. Puis il mit pied à terre, et à son air on voyait qu'il appréciait fort d'avoir amené les deux chevaliers qu'il avait rencontrés. Toute la maisonnée partageait sa joie, à l'envi. Voilà donc nos voyageurs logés avec la meilleure hospitalité, car le seigneur dépensait si généreusement qu'il méritait une belle réputation. Le matin ils prirent congé sans vouloir demeurer davantage ; le seigneur les accompagna un grand moment et les mit dans la bonne direction ; il aurait bien voulu les retenir et les combler un mois entier plutôt qu'un jour, affirmait-il ; on peut le croire : il n'avait rien à emprunter pour sa dépense ! Chacun de nos deux chevaliers se soucièrent fort de montrer leur gratitude à cet hôte quand il les quitta.

Toute la journée, ils continuèrent leur chevauchée, sans se retarder ni s'arrêter ; pour passer le temps, ils plaisantaient et bavardaient. Mais voici que Hunbaut déclara :

— Cher seigneur, nous trouverons ce soir un logis dont l'hôte ne convient pas à tout le monde. Grande est sa fortune en or, en argent et il est le seigneur d'un grand domaine. Mais sa colère est terrible si l'on enfreint ses ordres ; pour celui qui ne les exécute pas à la lettre, c'est la pendaison au gibet, sans aucun recours. Son château est si puissant qu'il ne craint ni comte ni roi. Son orgueil et son outrecuidance sont tels qu'il ne répugne pas au crime de metre à mort un homme libre, et de le pendre pour une bagatelle. En revanche, en toute occasion, il dépense somptueusement. Prenez donc garde à ne pas oublier un instant mes avertissements. Veillez aussi à bien manger, car si vous ne le faites pas, vous vous en repentirez demain ; toute la journée, vous serez affaibli, parce qu'il nous faudra jeûner : on ne pourra rien trouver à manger, même en l'achetant, car il n'y aura rien à vendre ; de mardi à vendredi, nous ne tomberons sur aucune nourriture crue ou cuite, j'en suis sûr, puisqu'il nous faudra faire deux très longues étapes à travers des forêts désertes dans cette région, où Dieu puisse nous guider ! Je vous ai prévenu ; je tenais à vous en informer, afin que vous le sachiez bien. Comme jamais dans notre voyage, ce soir, faites attention de ne pas faire de faute : que notre hôte ne voie rien en vous qui lui déplaise. Avant de prendre lui-même place à table, il vous fera asseoir à la place d'honneur avec sa fille, la plus belle créature du monde ; vous partagerez la même écuelle [1] Sachez qu'elle prendra volontiers cette place car votre arri-

---

1. Vieil usage, destiné à marquer la cordialité de l'hôte à son convive ; mais dans les romans du XIIIe siècle, il est utilisé plaisamment

vée la réjouira plus que celle de tout autre chevalier : elle prétend
que le bien qui est en vous lui tire, lui arrache le cœur du corps ; un
jour j'ai reçu ses confidences : elle voudrait bien vous interroger sur
votre vie, être avec vous dans sa chambre, dans le plus grand secret,
car elle redoute fort son père, craignant qu'il s'aperçoive de quelque
chose. Aussi de l'air qu'elle prendra avec vous, ne vous souciez pas,
je vous en prie, par Dieu et le saint-père véritable. Je suis resté avec
le père plus de trente et une semaines, je sais bien comment il se
comporte, je le connais parfaitement. Maintenant que vous devriez
être bien prévenu et convaincu, vous n'auriez pas la bénédiction du
ciel si vous montriez à la jeune fille quelque intérêt, à moins de vous
arranger pour que personne ne le sache. Elle pourrait être très prudente, mais l'amour fait perdre la tête à bien des gens ; elle est folle
de vous ; voilà ses dispositions, l'air qu'elle prendra, l'hospitalité que
vous aurez.

— J'apprécie fort, lui répondit Gauvain, tout ce que vous venez
de m'apprendre ; mais je ne pense pas commettre la moindre faute ;
et si le seigneur me fait pendre, je ne demanderai de comptes à personne.

La conversation s'arrêta là, tandis qu'ils accéléraient ; ils ne trouvèrent pas d'obstacle ni de contretemps, leurs chevaux rapides rendirent l'étape facile, si bien qu'ils arrivèrent rapidement là où ils
devaient loger, à un château ceinturé d'eau. Jamais mon père ni mon
aïeul ne virent un si bon site ; aucun siège d'aucune armée n'aurait
pu diminuer le train de vie des habitants. Sur un côté, un très riche
port s'ouvrait à un grand trafic de bateaux ; je ne pense pas que les
revenus de Montpellier ou de Pavie étaient inférieurs, car ce port
rapportait cinq cents marcs par jour.

Les chevaliers passèrent le pont, la grande rue et le marché, mais
ils n'étaient pas hommes à conclure des marchés ; ils montèrent pour
se loger jusqu'au pied de la tour principale, où ils trouvèrent une
belle compagnie, plus de vingt chevaliers, je crois, qui vinrent à leur
rencontre, avec le sénéchal et le connétable. Le seigneur jouait au
trictrac, et ils se dirigèrent vers lui en se donnant la main.

— Je vous amène un hôte, commença Hunbaut, Gauvain, le
neveu du roi.

Aussitôt le seigneur s'arrêta de jouer, se précipita à leur rencontre
et dit à Gauvain :

— Dieu vous protège ! Soyez le bienvenu chez moi, puisque le
Seigneur a fait de vous le meilleur chevalier du monde !

Il le prit alors par la main et le fit désarmer sans plus attendre ;
beaucoup surent s'en occuper. Et il ne faut pas douter de ce que je
vais dire : on fit secouer la craie [1] d'une robe qui lui alla très bien.

---

1. On gardait les vêtements neufs et les fourrures dans de la craie.

Monseigneur Gauvain prit place ensuite à gauche du maître de maison, qui lui posa beaucoup de questions sur lui et sur ses voyages ; et notre héros qui toujours pensait à dire ce qu'il fallait, l'informa de la mission lointaine que le roi lui avait confiée. Avec courtoisie et réserve, le seigneur ne lui en parla pas davantage et passa à d'autres sujets ; il demanda aux serviteurs qu'on lui dise quand le repas serait cuit et prêt. La table fut vite dressée quand le seigneur le trouva bon.

Alors deux chevaliers montèrent l'escalier pour chercher dans la chambre à l'étage, celle dont la beauté et les qualités n'avaient pas leurs pareilles au monde. Tout ainsi que je vous le raconte, Nature n'avait pu faire mieux que ses pieds, ses mains, sa personne ; par saint Heribert, toutes les autres femmes étaient moins belles. Elle n'avait pas de voile sur ses cheveux blonds, son corps était élégant, distingué. Les gens la regardaient avec admiration et monseigneur Gauvain était fasciné, ébloui par cette beauté qui n'était ni pâle ni grise, mais à la fois blanche et vermeille, dans une juxtaposition délicate [1] des couleurs. Pour qu'on puisse mieux la voir à distance, le père la fit asseoir à la place d'honneur de la table ; puis il prit par le doigt le plus vaillant chevalier du monde (celui dont je dois surtout vous parler) pour le mettre auprès de sa fille, et lui donner ainsi ce qu'il estimait être la meilleure place. Plus d'un regard pouvait épier s'il parlait à la demoiselle ; justement son cœur l'incitait à formuler prière et requête sans chercher plus belle occasion de parler à sa convenance, puisque personne n'était assez près pour les entendre. Avec ces intentions sur la jeune fille, je ne sais s'il devait attendre, car le père, sans montrer d'arrière-pensée, était joyeux et plein d'entrain ; il partageait son écuelle avec Hunbaut qu'il connaissait depuis longtemps. En homme d'expérience, avec galanterie, monseigneur Gauvain s'adressa à la fille de son hôte ; il enleva de ses propos tout ce qui pouvait prêter à la honte, à l'irritation ou à la colère, ne voulant rien préciser de ses intentions. Il pensait bien peu à se cacher en commençant à lui parler. C'est ainsi qu'avec de belles phrases, il lui demanda son amour et ses faveurs. Quant à elle, elle ne chercha pas à retarder sa réponse, mais elle lui dit sans hauteur, sans affectation et avec amabilité :

— Je m'en féliciterai tout le restant de mes jours : jamais je n'ai eu encore envie d'aimer personne que vous, tant votre renom était parvenu jusqu'à moi ; mais je ne vous avais jamais vu [2] ! Certes je suis très heureuse à la pensée que je pourrai facilement me rapprocher de vous ; jamais je n'en ai eu plus fortement le désir.

Alors ils échangèrent promesses et garanties, puis continuèrent

---

1. Sur un teint blanc, on devait avoir les pommettes vermeilles.
2. Plaisante variation sur « l'amour de loin », dont Gauvain est souvent l'objet dans les romans en vers.

tranquillement leur conciliabule tandis que tous les regardaient intensément ; mais ils ne se souciaient absolument pas que l'on pût en prendre ombrage dans ce logis ; pas plus qu'ils ne s'avisaient de manger, quels que fussent l'attrait et la saveur des mets que l'on posait devant eux.

Ils restèrent donc longtemps à table, mais mangèrent bien peu. C'est pour rien que Gauvain avait été averti du caractère et des dispositions de son hôte : sur ce point, la raison l'avait quitté. Hunbaut qui l'avait instruit aurait préféré les voir à Lincoln, lui et sa demoiselle, tant leur comportement lui paraissait insensé. Il leur lançait force regards, saisi par la peur, frémissant de tous ses membres. Mais monseigneur Gauvain ne se rappelait rien, pas plus que sa voisine de table ; pour une pensée où ils se complaisaient, ils oubliaient tout le reste, tant et si bien qu'ils ne pouvaient détacher leurs cœurs de cette pensée.

Le moment vint où les serviteurs enlevèrent les nappes, où on présenta l'eau et les bassins d'argent, avec la serviette toute prête. Chacun s'appliquait à son office, de façon irréprochable. Après le service du vin, clair et parfumé dans de riches coupes, les chevaliers se dispersèrent un long moment pour se détendre. Quand l'heure du coucher arriva, la demoiselle s'en alla ; mais le seigneur la rejoignit avant qu'elle fût entrée dans sa chambre, et il la retint à l'entrée en la prenant par sa blanche main :

— Vous êtes bien mal élevée d'avoir pris si rapidement congé de l'homme le plus sage et le plus distingué du monde ; je veux parler de votre voisin, de celui avec qui vous avez partagé votre écuelle ; il me paraît convenable que vous lui donniez un baiser maintenant pour ce congé.

Gauvain, sans penser à mal et volontiers, alla lui donner quatre baisers, qui ne furent pas refusés ; il ne croyait guère son heure venue ! Mais le puissant seigneur, furieux, s'écria :

— Par tous les saints du ciel, est-il plus puissant que moi cet homme qui ne tient nul compte de ce que j'ai dit ? Voilà trois baisers de trop, bien comptés, qu'il a donnés à ma fille. Oui, mes paroles ont eu bien peu de poids ; mais il va savoir ce que je peux faire. Qu'on lui crève immédiatement les yeux, et qu'on le jette au fond de mes cachots. Trop grand est l'outrage, il mérite bien ce sort ! Si Arthur veut venir ici pour me mettre à mal, eh bien qu'il le fasse ! Je ne pense pas que je me mette jamais sur un pied de guerre sous prétexte que je crains son armée ; qu'il vienne ici, qu'il montre sa force : je fais peu de cas de sa puissance !

Gauvain allait donc être saisi et malmené, quand tous les chevaliers protestèrent d'une seule voix auprès de leur seigneur :

— Malheur à vous si cela arrive ! Vous avez déjà commis bien des excès, mais celui-là les dépasse tous. Jamais aucun d'entre nous, s'il était pris, ne pourrait éviter d'être aussitôt pendu ou brûlé. Hunbaut n'est pas venu ici pour monnayer les yeux du neveu du roi ! On le tiendrait pour insensé s'il payait si cher son écot. Ici on ne verrait pas un Cornouaillais [1] ni un Écossais qui ne préférerait imaginer la chose plutôt que la faire, car il n'y a là ni raison ni justice.

Devant ces arguments, ces loyaux avis, le seigneur revint vite à plus de modération, et à force de tractations ouvertes ou en *a parte* ils amenèrent Gauvain à reconnaître que le puissant seigneur avait raison.

— Que la prochaine fois il ait la sagesse de ne pas désobéir, conclut le seigneur.

Après ce pardon, les serviteurs coururent faire les lits.

Cependant elle était bien affligée celle qui avait donné son amour sans partage à monseigneur Gauvain ; elle prit bien garde pourtant de n'en rien laisser voir, et tout en se moquant de ceux qui y trouveraient à redire, la nuit, elle vint rejoindre Gauvain en cachette dans son lit ; il n'y avait pas beaucoup de servantes ni de dames pour l'accompagner !

— Certes, si je ne vous aimais pas tant, lui dit-elle en se glissant près de lui, je ne viendrais pas dans ce lit, car je me mets un bien lourd fardeau sur les bras !

Mais lui l'enlaça et ils ne se quittèrent plus de toute la nuit. Quand on garde mal son bien, il s'envole ! Au lever du jour, n'osant demeurer davantage, elle prit congé, entremêlant les sanglots et les doux baisers ; mais aucun ne parvenait à prendre l'initiative de la séparation. Enfin, dans le plus grand secret, la jeune fille finit par revenir dans son lit. Ainsi donc, elle lui était arrivée, la chose qui lui faisait battre le cœur ! Monseigneur Gauvain, lui, se leva ainsi que Hunbaut, quand il fit jour ; ils n'avaient cure de rester plus longtemps, car ils avaient bien autre chose à faire ; dès le soir ils avaient pris congé de leur hôte pour éviter de le déranger le matin. Sans tarder, ils eurent vite fait de se préparer et de quitter la demeure. Ils reprirent leur chevauchée sans tomber sur des marécages, sans avoir à payer renseignements et chemins ; en effet ce jour-là ils ne trouvèrent aucune route et ils durent traverser sans guide des forêts et des terres sauvages.

— Certes, disait Hunbaut, quand les chiens sont lancés, impossible de se faire entendre ! J'aurais mieux fait de rester à la cour plutôt que d'entreprendre ce voyage. J'aurais bien perdu mon temps à vous avertir avant notre arrivée, si l'on vous avait pris hier soir et jeté en prison !

---

1. Les chevaliers de Cornouailles sont réputés pour leur couardise dans le *Tristan en prose.*

— Le malheur est encore à venir, répondait Gauvain, rassurez-vous. Dieu merci, nous sommes toujours indemnes. Mais ce que je sais, c'est que j'ai grand faim, alors qu'il n'est pas encore neuf heures.

— Il vous faut encore faire trois étapes avant de revenir sur ce sujet, car il est inutile d'en parler : vous voyez bien que le pays est désert, qu'il n'y a ni maison ni chaumière. A coup sûr il est stupide de se lamenter quand on ne peut trouver aucune aide. Vous auriez bien dû vous rappeler hier ce que je vous disais avant d'arriver ; mais le soir, en temps utile, vous avez tout oublié !

— Hunbaut, je ne suis ni de bois, ni de fer, lui répondit Gauvain ; il aurait eu le corps et le cœur bien dégénérés celui qui se serait assis près de la jeune fille sans lui adresser de requête, sans plaider sa cause !

— Elle vous a bien rendu justice, repartit Hunbaut, et elle en a été bien récompensée ! Et moi je lui sais grand gré d'avoir fait de vous son ami !

— Hunbaut, je vois ce que vous voulez dire ; mais pensez donc à autre chose, car vous ne pouvez pas juger en cette affaire.

— Je vous dis qu'on vous prendra pour un fou, insistait Hunbaut.

Il était presque midi et ils continuaient leur chevauchée ; mais cette étape paraissait bien pénible à monseigneur Gauvain, que le jeûne torturait après le léger repas du soir ! Non, n'allez pas croire qu'il n'en souffrait pas ! Or, passé midi, il aperçut une fumée au ras du bois, et qui montait en s'épaississant ; aussitôt son cœur sauta de joie, et il eut grand désir d'y arriver malgré la distance :

— Hunbaut, fit-il, coûte que coûte je veux aller vers cette fumée ; on a dû tuer une bête à l'arc, et on prépare des broches sur le foyer d'un bûcheron ou d'un charbonnier ; oui, c'est pour cela qu'on fait un tel feu. Avec un peu de courtoisie, j'arriverai à manger.

Hunbaut approuva :

— Allez-y, mais pas de violence !

Monseigneur Gauvain éperonna alors son cheval qui l'emporta allègrement sans rencontrer le moindre obstacle jusqu'au feu où il aperçut deux jeunes gens occupés à faire rôtir chacun une broche. Gauvain se dépêcha d'arriver car il ne se souciait pas de revenir en arrière ! La broche qui tournait sur le feu ne pouvait lui déplaire. Il vit aussi un chevalier assis dans une loge faite de beaux feuillages ; il n'était pas arrivé trop tard pour s'asseoir à ce beau déjeuner ; autour du chevalier, pour le servir, s'affairaient six jeunes gens, dont deux tranchaient et un troisième, tout près, présentait une riche coupe. Gauvain ne lui en voulut pas le moins du monde de tenir si belle table ; au contraire, cela lui convenait tout à fait, car il pensait bien en avoir sa part. Il arriva donc non pas au petit trot mais à grande allure, et salua le seigneur :

— Que le Dieu qui est descendu du ciel sur la terre vous garde !
Vous avez tué votre cerf où il fallait, du moins pour moi, car j'en
mangerai tout de suite très volontiers, s'il vous plaît !

Sans répondre, le personnage de la loge baissa la tête. Gauvain
n'avait vraiment pas de chance car la faim le torturait, et d'autant
plus qu'il voyait le repas tout prêt.

— Certes, reprit-il, je n'ai rien trouvé à manger ce matin, en don
ni en prêt, contre de l'argent ni de l'or pur ; le jeûne et la chaleur ne
m'ont pas fait de bien !

— Au diable qui s'en soucie, lança celui de la loge. Allez-vous-en,
je vous le conseille ; vous n'entrerez pas céans, par Dieu, et vous ne
vous mettrez rien qui sorte d'ici sous la dent !

— Hélas ! pensez à ce qui vous honorerait, cher seigneur, fit monseigneur Gauvain au chevalier.

Alors l'autre se fâcha et le traita de lépreux, de mendiant, en le
visant avec un couteau ; mais il le manqua et le couteau vint frapper
le cheval en pleine face, qui recula sous le choc.

— En vérité, s'écria Gauvain, je vais me rapprocher de vous, si je
puis !

Il prit son élan, puis lança son cheval en plein milieu de la loge. En
jurant alors par tous les saints du monde qu'il tuerait le chevalier de
ses propres mains, il l'agrippa par les tempes et le tira sur une bonne
dizaine de mètres ; puis il mit pied à terre et saisit dans le feu une
broche brûlante, dont il lui asséna plus de cent coups, sur le cou, sur
le visage, jusqu'à lui enlever une bonne partie de la peau sur les
joues. Les écuyers s'étaient écartés, fuyant parmi la lande. Jusqu'en
Irlande, il n'y eut pas de mieux rossé quand Gauvain laissa partir son
homme à toute vitesse, lui aussi parmi la lande. Comme nous le devi-
nons, Gauvain put ainsi manger sans se presser ; l'autre ne devait
plus le harceler ce jour-là ; toute sa troupe s'en était allée rapidement, sans rien emporter de l'installation.

Après s'être lavé les mains, Gauvain s'essuya avec la serviette qui
n'était pas couleur de suie, mais blanche comme fleur de lis ; il avait
du pain blanc, bien levé et frais ; pour atteindre le vin, il n'avait
guère à tendre les mains : ce que je dis n'a rien de mystérieux, car les
barils étaient près de lui, pleins. Hunbaut, qui de loin avait pu voir
toute la bataille, arriva au galop, plein d'inquiétude. Gauvain avait
trouvé sur une broche un morceau d'échine de cerf, bien cuit, et il en
tranchait ce qui lui semblait le meilleur. Hunbaut le vit donc ainsi
installé, après que ses coups eurent été distribués et les autres mis en
fuite ; mais il connaissait bien celui qui s'était en allé, et sachez que
loin de s'en réjouir, il était presque fou de colère :

— C'est insensé, c'est de la folie ! fit-il en arrivant. Savez-vous ce
qui vous est arrivé ? Non, vous ne pouvez pas le savoir !

Gauvain lui répondit en éclatant de rire :

— Mais si, et je pense que j'ai eu raison, puisque j'ai bien battu cet insolent renfrogné et que je suis tombé sur un bon repas !

— C'est pour votre malheur que vous vous êtes fait justice. Il va revenir, il est allé chercher du renfort. Il vient souvent par ici pour chasser et se distraire. Jamais personne, dans tout ce pays qui lui appartient, n'a osé porter la main sur lui. Notre malheur est sans recours. Regardez là, à gauche, son château fort ! Si vous aviez su comme moi qui il était, vous vous seriez gardé de le maltraiter, dussiez-vous en jeûner jusqu'à demain ; nous avons encore, je vous le garantis, une grosse difficulté dans notre voyage : pour nous mener dans les îles nous ne trouverons d'embarcation que dans le port d'un château qui lui appartient entièrement. Aussi quand sa venaison a été cuite, si vous vous étiez avisé d'autre chose que de le battre, ce n'aurait pas été étonnant !

Cette puissance étonna fort Gauvain ; mais il enchaîna :

— Hunbaut, je vous engage à manger avec moi, si cela vous convient.

Hunbaut prit donc place à côté de lui, et tous deux mangèrent à satiété, tandis que Gauvain apprenait à Hunbaut l'outrage qu'il avait essuyé.

— C'est grand tort quand un chevalier par hasard [...] [1]. Vous lui avez bien rendu son couteau [2], mais à coup sûr, vous n'auriez pu prêter à qui vous rende plus vite. Mieux vaudrait être moine blanc ou coudre la croix à l'épaule [3] que de recevoir un coup de sa lance ! Vous allez le voir revenir au galop, brandissant cette lance.

— Je suis tranquille car j'ai un solide haubert.

— Cela vaut mieux ; vous le verrez bien sous peu, sous le fer de sa lance de Gascogne ! Il y a vingt ans que je n'ai pas vu son pareil.

D'un commun accord, ils reprirent leur voyage à travers le pays, sans trouver d'aventure, sans rencontrer personne jusqu'à plus de trois heures de l'après-midi. Hunbaut cependant regardait toujours du côté dont il se méfiait, tant et si bien qu'il finit par apercevoir une grosse troupe qui les poursuivait à toute vitesse. Une grande quantité de chevaliers, une centaine, arrivait dans le plus grand désordre, dispersés à travers la campagne, les heaumes lacés, à toute bride. En tête, sur un cheval d'Espagne, celui qui avait reçu le coup de broche se pressait sans avoir besoin de voie ni de chemin.

— Certes, s'écria Hunbaut, je crois que l'affaire revient par ici !

Gauvain tourna alors la tête et se voyant poursuivi :

---

1. Lacune dans le manuscrit.
2. Allusion au geste offensant du chevalier.
3. Ce que faisaient ceux qui partaient en croisade.

— Voici notre règlement de comptes, par saint Pierre l'apôtre. Ils n'emporteront rien de ce qui nous appartient avant que je n'aie frappé de ma lance au moins celui qui vient tout droit devant les autres !

— Il voudrait déjà vous avoir rejoint, approuva Hunbaut. Vous lui avez découpé et teint la peau avec une broche brûlante. Il ne peut pas faire autrement que se hâter, car vous l'avez très bien servi à son repas, et vous méritez la récompense qu'il vous apporte.

— Entre nous il n'y a ni pont ni porte ni périlleux passage, reprit Gauvain, et je ne fuirai pas d'un seul pas.

— Il nous faut faire quelque chose, ce jeu n'est pas bien partagé [1], décida Hunbaut avec pertinence. Avancez sans moi, je veux l'attendre et ferai en sorte qu'il accepte que je lui parle. Je saurai trouver les paroles qui calmeront toute cette agitation. Mais si je n'y arrive pas, je reviendrai vite et je résisterai avec vous à tous les assauts, je vous le garantis.

Gauvain accepta et s'écarta, tandis que Hunbaut s'avançait seul de l'autre côté. En le voyant arriver, le seigneur de la troupe s'imaginait un bel affrontement général ; il se détacha avec assurance et s'élança devant tous. Hunbaut ne baissa pas sa lance, ne força point son allure, car il se savait suivi de fort près du renfort qu'il avait laissé. L'autre, qui avait aussi une bonne arrière-garde, arrivait donc à bride abattue. Hunbaut lui cria, en le fixant du regard :

— Est-ce après moi que vous en avez ? Suis-je donc l'homme que vous poursuivez ?

Alors le puissant seigneur le reconnut :

— Par tous les papes de Rome, Hunbaut, soyez le bienvenu, même si vous avez pris sous votre protection mon ennemi déclaré.

— Vous allez perdre aujourd'hui honneur et renommée, l'avertit Hunbaut sans hésiter, tandis qu'il était rejoint par ceux qui le suivaient au galop, et qui comptaient bon nombre de chevaliers. Certes, si je n'avais pas tant d'amitié pour vous et vos gens, aucun trésor d'or ou d'argent ne m'aurait décidé à venir vous conseiller de rendre raison et justice à celui qu'on doit louer entre tous les chevaliers, pour ce qui est de votre folle conduite. Quand j'y pense, l'affection que je vous porte me rend fou ! Hélas ! Hélas ! Quel beau travail d'avoir refusé un déjeuner à monseigneur Gauvain ! Et vous lui avez dit des mots qu'on ne peut rappeler. Je ne suis pas du tout d'accord avec vous et cela ne me plaît pas. Il fait trop de cas de sa nourriture celui qui la refuse à un tel preux ; mais non, je me

---

1. Expression fréquente en ancien français, tirée d'une forme poétique, le *jeu parti*, où deux trouvères composent alternativement sur deux traits de casuistique amoureuse.

trompe, puisqu'il en tirera honte et douleur ; la douleur passe, mais la honte dure chez un homme qui n'entend raison. Vous ne lui avez pas adressé la parole quand il est tombé sur vous ; et même alors vous l'auriez fait battre, si vous aviez pu. Le cheval qu'il montait, un coup de vous l'a fait chanceler. Je ne puis le cacher, c'est votre faute, aussi vrai que je demande à Dieu de me garder de la prison !

— Nous devons tous vous appuyer, s'écrièrent les chevaliers ; il faut qu'il tende son gage [1] sans tarder au vaillant chevalier, ainsi que doit le faire celui qui est en faute. Monseigneur Gauvain est si courtois et si bien appris qu'il accordera la paix à notre maître.

— Que la miséricorde divine ne me donne jamais le paradis, dit encore Hunbaut, si je poursuis avec vous, qui n'auriez jamais dû le faire, celui qui a le plus de valeur au monde selon l'avis général. Et si l'on avait commis la faute de le tuer ou de le faire prisonnier, on en aurait parlé longtemps tout le monde le pense.

Hunbaut développa si bien ses arguments que le seigneur finit par envoyer en émissaires deux chevaliers à lui, très courtois, avisés et beaux parleurs ; ils galopèrent vers Gauvain qui ne s'enfuit pas à leur approche, et ils lui exposèrent comment le seigneur du pays offrait de lui rendre justice, s'il acceptait. Mais Gauvain rétorqua :

— Il se trompe bien s'il pense si vite avoir la paix ! Une maison pleine de richesses ne me ferait pas renoncer à mon dû ; suis-je un enfant que l'on console ? Qu'il prenne un oiseau et me le donne ! Vous pouvez dire à Hunbaut qu'il mérite qu'on l'aime et qu'on fasse cas de lui quand il ose ainsi me conseiller la paix. Je la conclurai si bon me semble !

Les autres revinrent en arrière pour transmettre le message sans retard.

— Gauvain prend son élan pour mieux sauter, pensa Hunbaut sans le dire.

Et sur la prière du puissant seigneur, il s'empressa à son tour de retourner auprès de Gauvain. Que vous dire ? En un mot, Hunbaut les réconcilia ; il supplia si bien Gauvain qu'il eut vite fait de revenir avec lui, et, par son intervention ils firent la paix, ils devinrent amis sur-le-champ. Pour les héberger, le seigneur les ramena dans son château, où il leur fit grande fête. Ce qui les réjouit aussi, c'est que le château dominait le port où ils devaient prendre la mer.

Je ne veux rien oublier et je ne cherche pas non plus à faire passer des mensonges. Le château, situé sur la falaise, avait ses remparts de pierre et son donjon battus par la mer. Je ne sais comment faire son éloge : nuit et jour, de Damas, de Damiette, de Barletta, de

---

1. Ici geste de conciliation. Plus anciennement, geste qui accompagne le défi et son acceptation (*Chanson de Roland*, v. 3845).

Constantinople, de nobles marchandises y arrivaient. Nos héros qui
avaient leur message à transmettre, ne se souciaient pas d'attendre
longtemps ; ils firent donc préparer la traversée qui leur tenait à
cœur. Pour leur plaire et pour leur faciliter les choses, on les conduisit à bon port, de la façon la plus souhaitable. Il semble que Dieu
était avec eux partout où l'aventure les menait, car un bon vent les
amena au point du jour dans la ville où se trouvait le roi qu'ils
devaient rencontrer. Ils étaient alors bien en mesure de transmettre
leur message sans tarder. Sur leur ordre, les marins les firent débarquer, et ils demandèrent leurs armes. Une fois en tenue de combat,
ils virent un chevalier passer l'écu à son bras, brandir sa lance et foncer sur Gauvain pour jouter avec lui. Hunbaut lui aussi tourna son
écu de ce côté, tandis que Gauvain s'apprêtait à partir pour jouter.
Mais quand l'autre aperçut l'écu de Hunbaut, il s'arrêta, ce qui fit
dire à Gauvain :

— Hunbaut, pourquoi cet homme s'arrête-t-il sur sa lancée ?

— Seigneur, parce qu'il a l'habitude de reconnaître mon écu de
loin, et à juste titre. Quant à lui, il est de grande noblesse et fort
puissant. Voyez-vous là devant, à votre gauche, cet écuyer qui lui
tient son cheval en destre, du matin jusqu'à midi, tandis que lui
attend sur son palefroi, tout agité, prêt à la joute, car il lui faut garder ce passage ? Et s'il a un empêchement, il envoie un chevalier à sa
place : la raison en est qu'il en tire une riche rente, il ne sert pas
autrement le roi. Donc si un chevalier en armes arrive comme nous à
ce passage, il joutera avec lui, c'est son droit. La règle est que celui
qui se laisse démonter perde son cheval. Qu'il ne s'étonne pas de
perdre, celui qui vient à la découverte de cette terre : il lui faut
éprouver maintes aventures avant d'être accueilli. Mais si l'on est
entré une seule fois, en hiver ou en été, on n'aura pas meilleur ami :
qu'on l'importune ou qu'on l'attaque, il ne dira pas pis que « Dieu
vous garde ! » Il faut seulement et d'abord endurer maintes pénibles
aventures. En échapper, c'est de la chance : vous le verrez bien
avant ce soir.

Le temps d'échanger ces paroles, et ils s'étaient rapprochés de
celui qui arrivait le heaume lacé et qui ne se fit pas prier pour dire :

— Que Hunbaut soit le bienvenu, puisqu'il est mon ami ; mais ce
chevalier qui est entré dans mon pays doit bien savoir que je dois
avoir son cheval si je le renverse de ma lance.

— Pour l'instant, intervint Hunbaut, veuillez renoncer à votre
rente ; mais vous aurez ce qui vous revient peut-être dès ce soir :
acceptez, s'il vous plaît, d'attendre notre retour, vous pourrez alors
traiter avec nous de ce dont vous nous créditez.

— Eh bien, soit, répondit l'autre.

Ils s'éloignèrent donc, tandis que le chevalier attendait que Hunbaut lui ramenât son dû. Ils chevauchèrent jusqu'à la porte de la cité, qui était ouverte. A droite du chemin, ils virent un grand fossé béant, traversé par une planche, au milieu de laquelle se tenait tout droit un homme à la jambe de bois (que Dieu se détourne de lui !) ; la planche était large d'un pied et demi, je le sais bien, mais elle était aussi démesurément longue. Il se tenait au milieu de la planche cet échassier, qu'on aurait dû livrer à une meute de chiens ou pendre plus haut que personne, car si par ruse il arrivait à se dépendre et à faire ce qu'il veut, ce serait la ruine pour tous ! Avec sa cruauté, pas de crédit !

— Hunbaut, fit-il, si ce chevalier me demande crédit de ce qu'il doit me payer, cela me contrariera fort. Je veux le lui faire savoir et exiger mon dû sans tarder !

— Ah ! répondit Hunbaut, doux être généreux, acceptez d'attendre notre retour ; nous reviendrons bientôt et vous aurez ce qui vous revient ; accordez-nous cela, de grâce !

— Que Dieu n'ait jamais pitié de moi, si je le fais jamais ! Jadis je me suis laissé prendre avec les mêmes flatteries et les mêmes promesses, je te le dis clairement. Après engagement on m'a menti, et j'ai juré de ne plus rien croire. Dussent le couvent et l'abbé de Clairvaux m'en prier, je ne me laisserais absolument pas persuader de lui faire confiance par ta parole ; sur cela je veux bien qu'on me croie !

Gauvain dit alors ce qu'il fallait :

— Hunbaut, quel est le droit que j'entends ce vilain réclamer ? Je ne veux pas qu'il aille l'exiger d'un autre et il ne le faut pas.

— Quand un chevalier étranger arrive à ce passage, il ne peut avancer d'un pas sans lutter avec cet échassier ; c'est pour cela qu'il est toute la journée sur cette planche, en s'efforçant de rester immobile, car le risque est gros, pour lui comme pour le chevalier, de tomber en luttant ; l'un des deux doit nécessairement choir dans ce grand fossé profond.

— Que Dieu confonde ce vilain qui a pris ce poste, s'écria Gauvain, et qu'il lui amène un lutteur capable de le précipiter à la renverse là-dedans. J'aimerais mieux être un convers blanc plutôt que de me laisser avoir par sa ruse.

— Ne prenez pas cela pour une plaisanterie, prévint Hunbaut, la lutte est inévitable.

Alors monseigneur Gauvain s'avança à petits pas sur la planche ; mais l'échassier qui avait souvent tordu de cette corde ne le redoutait pas. Gauvain lui ajusta un coup de pied magistral (celui qui convenait à la situation, car rien ne pouvait lui plaire davantage) tel que l'occupant de la planche tomba la tête la première dans la boue.

— Eh bien, voilà que j'ai satisfait aux droits que tu revendiquais ! s'écria Gauvain.

— C'est vrai, approuva Hunbaut, remettez-vous en selle ; l'échassier, lui, a repris sa place sur la planche, à ce que je vois.

Ils gagnèrent ensemble la ville qui ne manquait d'aucune richesse ; dans la rue, ils trouvèrent la fête et les réjouissances qui battaient leur plein. Mais à portée de mangonneau ou de perrière, un vaurien les maudit et les visa avec une fronde dont le projectile les frôla sans les atteindre. Ils grimpèrent à toute vitesse vers le château. Au monde, il n'y en avait pas de mieux situé, de plus riche, de plus beau. A gauche de la porte, ils trouvèrent un vilain assis à qui un gueux apportait de ses deux mains une hache :

— Hunbaut, s'écria-t-il, quoi qu'il m'en coûte, je veux prendre mes droits sur celui qui t'accompagne !

Là-dessus il se mit debout, sans chercher à se détourner ; il avait bien l'air louche, grand, noir, laid, hideux comme il était ! Fixant les deux chevaliers, il leur interdit formellement le chemin. Mais Hunbaut le pria d'attendre leur retour ; lui, sans paraître avoir entendu, tenait la hache dans ses deux mains. Gauvain dit alors :

— Nous allons en faire ici plus ou moins. Cet individu nous réclame je ne sais quel droit pour nous laisser passer.

— C'est un jeu parti [1] qu'il vous propose, je peux bien vous l'expliquer ; redoutable est le choix, car il y a des risques des deux côtés. Vous pouvez lui trancher la tête d'abord avec cette hache. Jamais personne ne vous cautionnera : il vous abandonne complètement son cou à condition que de la même manière vous lui tendiez la vôtre après ; il se tiendra près de vous, la hache dans les mains et ne vous frappera qu'un seul coup. Telle est la règle, sans plus ; choisissez votre tour, et ne maltraitez pas le vilain qui vous propose ce jeu.

— Alors je m'en irai bientôt tranquillement, et quoi qu'il arrive, je ne compterai que sur moi, soyez-en sûr, répondit Gauvain. Donnez-moi donc cette hache d'abord ; je ne me fais pas violence : puisque ma vie est en question, je frapperai le premier, sans me disputer.

Comme ils en avaient convenu et comme je l'ai moi-même rapporté, le vilain tendit la hache et allongea le cou devant lui, tranquillement, croyant bien n'avoir à se méfier de rien. Monseigneur Gauvain, qui avait vu bien des prodiges, ne s'étonna pas de sa belle assurance, car il se croyait lui-même grand et fort, et il tenait la hache tranchante. Il ajusta un grand coup où il mit toute sa force, et sans hésiter, fit voler la tête du drôle à plus de dix pas. Celui-ci ouvrit les deux mains, croyant pouvoir suivre aussitôt sa tête, mais

---

1. Voir note 1, p. 553.

Gauvain, qui s'y connaissait en enchantement, l'attrapa par ses vêtements et déjoua son calcul, de sorte que l'enchantement ne marcha
pas et que le vilain tomba mort sur place. Ainsi fut abolie à jamais la
gageure merveilleuse.

Monseigneur Gauvain et Hunbaut s'éloignèrent sans tarder
davantage, tout heureux d'avoir ainsi réussi l'aventure. Ils passèrent
facilement la porte, gagnèrent le château et mirent pied à terre tout
près du but. Plus de dix écuyers se précipitèrent pour tenir leurs chevaux. Afin d'être à l'aise, ils ôtèrent leur écu de leur cou, mais au cas
où on devrait leur distribuer des coups, ils gardèrent tous deux l'épée
au flanc. Marchant côte à côte en se donnant la main, ils entrèrent à
pied au château. A côté de la porte il y avait un nain assis, bien peu
avenant de corps et de visage ; à peine l'eut-il aperçu, Gauvain crut
n'avoir jamais rien vu d'aussi laid, et il se serait bien gardé de le
contempler ou de lui dire autre chose que du bien, quand l'autre
s'écria :

— Hunbaut, faites-moi rendre mes droits sans tarder ! Si ce jeune
homme s'éloigne sans me les rendre, je ne les aurai pas. Dites-lui
tout de suite de quoi il s'agit.

— Que réclame donc ce diable ? demanda Gauvain.

— Un chevalier étranger n'est jamais venu ici, lui répondit Hunbaut, sans avoir échangé quatre ripostes avec lui. Il ne vous ména-
gera pas plus qu'un autre, à ce que je pense ; je ne connais pas d'exception.

— Que Dieu s'occupe de mon âme, je n'ai jamais appris à faire ce
genre de chose !

Au contraire, le nain s'y connaissait en insultes, et il était entraîné
à laisser aller sa méchante langue. Cela commença dès les premiers
mots :

— Lâche, mauvais chevalier ! Hunbaut s'est damné, pour vous
amener ainsi : à vous prendre comme compagnon ou dans une
troupe, on devrait faire mauvaise route, car vous puez plus que des
latrines ! Vous me faites bien mal, rien qu'avec la honte que j'ai à
regarder vos armes ! Que jamais Dieu ne vous protège, car je n'ai
jamais vu plus lâche que vous !

— En vérité, dit Gauvain, je vais lui donner la réplique qui lui
convient !

Il saisit son épée et le pourfendit jusqu'aux dents. Tous les gens de
la salle furent frappés de stupeur par son geste insensé ; c'était le
comble de l'orgueil ! Mais eux, sans plus attendre, coururent à la
chambre du roi ; à se précipiter ainsi, ils allaient accaparer son attention ! Ils ne voulaient d'ailleurs pas transmettre le message en
cachette et le roi donna l'ordre à ses gens de se tenir tranquilles et de
faire silence.

— Sire roi, écoutez-moi, fit Gauvain qui savait bien parler, nous sommes venus Hunbaut et moi vous entretenir du tribut par lequel le roi Arthur, dont nous sommes les messagers, a attiré à lui tous ceux qui ont un royaume à offrir ; il a vite fait de les maltraiter s'ils ne viennent pas le reprendre de ses mains. En son nom, nous venons vous avertir que vous faites une faute très grave si vous ne le reconnaissez pas comme suzerain, car vous avez déjà trop tardé.

A ces mots, le roi crut devenir fou ; cependant il n'en laissa rien voir autour de lui, ni à baron ni à comte. Gauvain continuait son discours comme s'il n'avait rien à craindre, tandis que le roi le regardait droit dans les yeux, se moquant bien du message :

— Ne gardez pas avec trop d'avarice le beau tribut que vous devez ; il vaudrait mieux que vous vous fassiez croisé ou moine, plutôt que de laisser passer la date : avant Noël, venez avec lui à la cour, le délai n'est pas trop court. Veillez à faire le nécessaire, car je prévois pour vous bien des peines à venir si l'on ne vous voit pas venir à la cour, chargé de maintes richesses. Le roi veut son tribut, il ne lui plaît plus d'attendre. Tenez-vous cela pour dit ; sinon, si vous ne venez pas à la cour, le roi vous défie, et vous saurez alors qui vous êtes. Il vous faut avoir un suzerain ; ni vos terres, ni vos richesses ne vous en dispensent.

Sans attendre davantage, ils prirent le chemin du retour, tandis que le roi était saisi par les paroles de Gauvain. Eux ne s'en allaient pas lentement car ils pensaient qu'on les retiendrait ! Le roi finit par sortir de la stupeur où l'avait plongé une si grande arrogance, trouvant ses mots avec peine :

— Où sont allés se cacher ceux qui m'ont apporté ce message ? Ils ne sont ni courtois ni avisés de ne pas avoir attendu ma réponse. Cependant j'avais bien entendu qu'ils demandaient un tribut ! C'est leurs yeux avec leur langue que j'enverrai à leur seigneur ! Il n'aura pas autre chose ; son tribut, c'est en vain qu'il l'a réclamé !

Mais son entourage lui dit ce qu'il en était :

— Par Dieu, ils sont partis à toute vitesse, et le compagnon de Hunbaut a accumulé les outrages ! Savez-vous comment ? Il a noyé le lutteur de la planche, ce qui va vous désoler ; il a tué votre portier, et pour comble, ici même, il a fendu votre nain jusqu'aux dents, quand l'autre voulait sa réponse !

Alors le roi déclara :

— Il n'est venu que pour m'écraser. Vous verrez bientôt que le cœur m'en crèvera si on ne me le ramène pas prisonnier !

Toute sa suite, en force, bondit à cheval et tous s'acharnèrent à rattraper ceux qui regagnaient le port. Ils leur auraient fait un bien vilain marché s'ils avaient pu les rejoindre ! Mais Gauvain qui ne renonçait aucunement à se conduire en brave, fit tant de chemin

avec Hunbaut à ses côtés que celui qu'ils avaient laissé au port
réclama sa joute, fonçant sur eux à bride abattue, la lance droite,
l'écu au bras. Gauvain qui s'y connaissait mit lui aussi sa lance sous
l'aisselle, se cala sur sa selle, prit appui sur ses étriers et de son
mieux fonça à son tour, comme la situation l'exigeait. Ils échangèrent sur leur écu un coup mémorable, qui leur fit voir maintes étincelles ; le plus entraîné aux armes vit se rompre rênes et courroies,
car ce n'était pas de pauvres couards ! Ils firent donc ce qu'il fallait
avec les lances, mais celle de Gauvain résista et il renversa son
adversaire avec le cheval ; celui-ci aussitôt se releva et Gauvain vint
le saisir par la rêne ; au chevalier qui restait à pied sur le sable, il
n'adressa pas la parole. Dès qu'ils furent entrés dans l'embarcation
qui les avait attendus, la voile fut dressée sur le mât et le vent s'y
engouffra. Les clameurs de ceux qui les poursuivaient depuis la salle
du château arrivaient jusqu'au port ; mais dans l'embarcation, ces
cris n'apportaient que plaisir et joie, car les poursuivants n'osaient
prendre la mer ! Ce qui les rendait furieux et les faisait fondre de
rage, c'était de les voir en face d'eux et de ne pouvoir en faire plus.
Nos héros s'en allaient tranquillement, n'ayant plus rien à redouter
jusqu'à l'Angleterre, car le vent les poussait loin de la terre. Ils
eurent très beau temps, et la voile, haut dressée, était toute gonflée
par le vent. Gauvain avait donné au propriétaire du bateau, pour
prix du passage, j'imagine, le cheval dont il avait mis bas son adversaire, et il n'eut ainsi qu'à lui dire de mettre la voile pour rejoindre la
terre rapidement et éviter les tourments de la mer ; avant minuit, le
batelier les amena sans encombres à bon port et puis il les logea chez
lui largement et très confortablement : tout ce qui pouvait leur
plaire, il le leur prodigua. Mais ils n'y séjournèrent pas plus d'un
jour, car ils avaient d'autres projets et le souci de leur voyage. Aussi
n'allèrent-ils pas comme des moines, pressés qu'ils étaient de rendre
compte de leur mission à la cour. Or les ennuis qu'ils trouvèrent
retardèrent cette arrivée.

Tandis qu'ils entraient dans une forêt, ils virent juste à l'entrée
une demoiselle qui aurait été plaisante et très belle si elle avait été
un tant soit peu dans la joie. Mais assise sur un tronc d'arbre, seule,
elle pleurait, se frappait les poings et se tirait les cheveux au point
qu'il semblait ne devoir plus lui en rester. Ils voulaient ne s'arrêter
que le temps de s'informer de son sort ; ils la prièrent donc de leur
dire sans tarder pourquoi elle était seule sur ce chemin et la raison de
sa douleur.

— On emmène mon père et mon frère qui viennent d'être faits
prisonniers : j'ai bien lieu de montrer ma douleur. Mais avant de se
rendre, ils se sont bien battus, et mon cœur ne peut décider lequel je
dois plutôt suivre : je ne voudrais faire que ce qui est juste ; donnez-

moi donc votre avis avant de repartir. Ce sont sept redoutables brigands qui les ont pris ; quatre emmènent mon ami par ce chemin en
face, et les trois autres sont partis à gauche avec mon père sur son
destrier. Voilà la cause de mon désespoir : je ne sais qui suivre, puisqu'ils n'ont pas pris la même direction.

— Hunbaut, s'écria Gauvain, je vous laisse choisir, prenez celle
que vous voulez !

— Vous avez tort de vous en remettre à moi. La souffrance et la
peine, c'est la jeune fille qui les a, pour ceux qu'elle aime. Puisque
nous sommes tous deux chevaliers, qu'elle nous répartisse à sa guise.
Je suis tout disposé à secourir l'un des deux prisonniers, et pressé de
m'en aller au galop.

— C'est juste, reprit Gauvain, je n'y avais pas pris garde !

Avec des regards reconnaissants, la jeune fille sut bien les remercier et elle leur distribua le travail comme elle l'entendait : à monseigneur Gauvain elle confia le secours de son ami, et Hunbaut en
conclut :

— Je dois donc courir à la rescousse de votre père.

— Oui, c'est bien ce que je veux.

Ils se séparèrent donc tous trois et il était un peu plus de six heures
du matin ; il devait y avoir deux nouvelles lunes avant qu'ils se
revoient. Hunbaut rattrapa le premier les brigands qu'il poursuivait
selon la volonté de la jeune fille ; il eut vite fait de délivrer le père :
les deux qui le tenaient entravé, il les tua ; quant au troisième, il prit
la fuite. Puis Hunbaut revint saluer la jeune fille de la part de son
père : il est juste que l'œuvre d'un brave se sache, quand il y met sa
peine et son application. Monseigneur Gauvain, de son côté, fit si
bien galoper son cheval et accomplit si bien son œuvre secourable
qu'on ne put rien lui reprocher par la suite. Plus jamais nulle part,
les brigands ne purent faire prisonnier aucun chevalier : il leur régla
leur compte.

Alors il reprit son chemin, tout droit en direction de la cour. Le
soleil, qui jamais n'arrête sa course, était déjà si bas qu'il croyait le
voir s'enfoncer dans la terre ; et quand il se vit surpris par la nuit
dans le bois, il eut bien sujet d'être contrarié. Il n'y avait ni maison
ni abri ; comme il ne pouvait plus diriger son cheval, il s'arrêta à un
embranchement où il avait vu une croix couverte. N'éprouvant
aucune peur, il mit pied à terre, enleva le mors pour que son cheval
pût se repaître d'herbe, le soignant comme un bon hôte. La croix
couverte se dressait sur un terre-plein et Gauvain s'y installa pour la
nuit ; il s'appuya contre la pierre, mais il n'avait pas de couverture de
sanguine ! Il passa donc bien peu de temps à ses préparatifs de nuit,
et il dormit jusqu'au lendemain, sans le moindre mouvement des
pieds et des mains. C'est alors qu'arriva par le grand chemin un autre

chevalier, qui paraissait bien, lui, sortir de chez lui. Jamais depuis que Noé fit l'arche qui le sauva du déluge, on ne montra autant de joie pour un homme, je vous l'assure ! Que le Seigneur qui veille sur tous les hommes de bien [...] [1]. Gauvain le regardait venir avec fièvre et il entendit cette déclaration :

— Seigneur chevalier, tant pis pour les mécontents, je suis sûr d'avoir eu cette nuit meilleur logis que vous !

— Cher ami, répondit calmement Gauvain, plaise à Dieu que moi, je n'en aie jamais de pire que celui-ci !

— Pourtant vous n'aviez ni couverture de soie ni d'autre oreiller que ce morceau de bois ; oui, ce devait être bien inconfortable et je vous conseillerais de ne jamais le regretter. Moi, hier soir, j'ai eu autre chose qu'une voûte couverte de peintures ; et je vois que la rosée vous a trempé comme s'il avait plu ; il faut donc que votre logis vous ait beaucoup moins plu que le mien, et moi, contre Amiens, je n'aurais pas voulu y renoncer ; enfin si vous saviez comme il me fut plaisant, vous ne donneriez pas deux œufs du vôtre, pauvre et misérable comme il est !

Monseigneur Gauvain rajusta les lacets de son armure qu'il avait relâchés pour mieux dormir, mais il enleva son heaume pour lui répondre sans forfanterie :

— Certes, bien cher ami, je ne suis pas fâché de votre bonheur ; même si mon armure me pèse, toute mouillée qu'elle est, je n'ai pas le droit de contredire la vérité ; j'ai eu le logement que j'ai pu, car je n'en avais pas de meilleur.

— Seigneur chevalier, c'est pour ce meilleur que j'exulte ; depuis que j'ai eu quelque entendement, sachez-le, je me suis tout entier consacré à un projet qui me tenait fort à cœur, et hier soir, j'y suis parfaitement arrivé.

— Par ma foi, il me semble en effet qu'il ne vous a rien manqué et que vous n'y avez trouvé aucune contrariété.

— Je suis sûr, continua l'autre, que ni roi ni comte n'ont jamais trouvé cela, et si je ne devais pas m'en repentir, je vous raconterais bien l'affaire ; il n'est pas sage celui qui ouvre la bouche pour dire une folie ; mais puisqu'il n'y a que vous à m'entendre, je parlerai ; pourtant j'hésite encore à me retarder.

— Eh bien, dites votre histoire ou laissez-la ! répondit Gauvain, toujours assis tranquillement sous la croix.

— Écoute donc, chevalier, toi qui as été si mal en point que tu en claques encore des dents ; cette nuit, j'ai pris mes aises mieux qu'un roi ou qu'un comte !

— Votre histoire ne serait pas plus mauvaise, permettez-moi de

---

1. Lacune dans le manuscrit.

vous le dire, si vous vous absteniez de me narguer ; ce serait aussi bien sagesse et courtoisie.

— Sache, répliqua l'autre, que je me moque de tes avertissements. Il y a plus de six ans, j'étais tombé amoureux d'une demoiselle, la plus belle en vérité de ce pays et jusqu'à Constantinople, polie, distinguée, noble, sage, généreuse et courtoise ; jusqu'à Beaumont ou à Cétoisse, il n'y avait pas de chevalier plus fasciné que moi par ses grandes qualités. Mais pour la séduire, rien à faire ; audace, courtoisie, habileté, promesses, présents, complices, prestance, élégance, rien ne la faisait céder. Or hier je fus bien inspiré de lui parler comme je le fis ; en effet elle m'avait déclaré : « Si vous voulez avoir mon amour après l'avoir tant sollicité, il vous sera facile de l'obtenir : je ne vous maltraiterai plus si, la main tendue, vous me jurez de me livrer Gauvain comme garant que vous m'épouserez un mois au plus après que j'aurai cédé à vos prières ; ne me donnez pas d'autre caution, je ne veux que Gauvain ; il sait venir à bout de tous ceux qui lui en veulent ou le contrarient. Avant la nuit, il faudra jurer cela, et alors ce sera votre malheur si vous ne partez pas le chercher pour moi. En revanche, si vous m'accordez cela, vous obtiendrez tout mon amour. » On m'aurait donné Péronne ou Troie, je ne me serais pas cru aussi riche ! De ma bouche et de mon cœur je tirai mille mercis, puis je lui jurai que je réaliserais notre accord, que, sans attendre un jour, je l'épouserais à l'église, et que j'aimerais mieux être de glaise [...] [1]. Par Dieu, le maître des nuées, je la tins donc hier soir toute nue dans un lit magnifique où nous fîmes la fête. Ne croyez pas que je vous mente, au milieu des violettes ou de la menthe, on n'aurait pas trouvé meilleur séjour !

— Par saint Richer, protesta Gauvain, on devrait bien avoir fait ses preuves avant d'avoir pareil sort, et vous pouvez vous vanter ; sachez qu'elle tenait fort à vous pour s'être donnée ainsi !

— Mais moi, continua l'autre, je suis parti ce matin ; par saint Jacques, je suis bien arrivé à ce que je voulais, et sans l'avoir demandé. Par la foi que je vous dois, elle n'aura jamais l'anneau au doigt de mon vivant ; sinon, je ferais une folie. Mais je fais savoir à Gauvain qu'il aille me cautionner, sans savoir s'il sera d'accord, car je ne l'ai guère fréquenté. Même si la demoiselle est belle et distinguée, je m'en moque ; en vérité, je ne donnerais pas un trait de craie de Gauvain le fils du roi Lot, et peu m'importe s'il m'entend, car sa force ne m'impressionne guère !

— Bien sûr, répondit Gauvain, sauf s'il s'agit de vous faire garder votre loyauté. Il est bon de réfléchir longtemps avant d'enfreindre ses engagements.

---

1. Lacune dans le manuscrit.

— Même si les deux couvents de Saint-Aubain et de Clairvaux en avaient été témoins, même s'ils devaient apporter leur contribution, ils ne pourraient convaincre que je suis en faute ; ils ne sauraient rien tirer de moi, et j'aurais vite fait de les laisser cois. Oui, j'aimerais mieux passer sept ans dans les prisons de Damas plutôt que de l'épouser !

— Dans ton histoire, reprit Gauvain, nous n'avons rien encore traité tous les deux. Ne t'en déplaise, il te faut tenir ta promesse ; il serait regrettable que ton garant soit obligé d'intervenir.

— Je préférerais courir à pied jusqu'au marché neuf [1], plutôt que d'accepter ce marché. Tais-toi donc, si tu m'en crois, car je te battrai comme âne devant pont si tu excites ma colère !

— Des coups de vous dépasseraient vos prérogatives !

— Par Dieu qui apaise le mal des ardents [2], je vais rabattre ton orgueil et tu vas voir si mes coups augmentent tes peines !

— On ne vous croira jamais en cour de justice, enchaîna Gauvain.

— C'est ce que nous verrons bientôt, si tout va bien pour moi, continua l'autre.

— Seigneur chevalier, insista encore Gauvain, je vous donne ma foi qu'il vous faut tenir la promesse dont vous m'avez porté garant, sinon la paix est rompue entre nous, et si je puis, je vous mettrai à mal.

— A mépriser monseigneur Gauvain, la vie ne devrait guère empirer !

— Certes, si tu me détestes, je ne puis guère dire autant de « vas-y » que toi de « frappe » [3], mais si je te touche, je crois que ta honte fera mon compte !

Monseigneur Gauvain sans plus tarder enfourcha sa monture, prit son écu et sa lance, et son cheval dont il n'attendait pas moins s'élança sous les coups d'éperons ; en face arrivait le chevalier qui voulait l'impressionner par ses défis. De part et d'autre, avec autant d'assurance, se préparait l'échange des coups. Gauvain lui toucha l'épaule si violemment avec sa lance qu'il l'abattit d'un coup, lui et son cheval ; alors le meilleur chevalier du monde mit pied à terre et courut sur son adversaire qui n'attendait plus que le moment de mourir, sans recours, Gauvain qui était grand et fort avait donc complètement vaincu celui qui l'avait tant offensé qu'il méritait bien son sort ; quand celui-ci le vit arriver sur lui, prêt à tout, il leva haut les mains et s'écria :

---

1. Faut-il entendre la ville anglaise Newmarket ?
2. Gangrène, états convulsifs, provoqués par l'ergot de seigle.
3. Sens obscur.

— Au nom du maître du monde, ayez pitié de moi, seigneur ! Avec ce grand coup que vous m'avez donné, j'ai eu ce que je méritais ; je ne puis plus bouger. Vous pouvez vous en aller !

— Il n'en est pas question, rétorqua Gauvain, venez épouser votre amie qui m'a pris pour garant ; alors nous serons amis, vous et moi : voilà comment l'affaire doit se conclure.

L'autre, ne pouvant aucunement refuser, acquiesça, de sorte qu'ils revinrent ensemble au château voisin. Monseigneur Gauvain en personne raconta son aventure, avec ce que l'autre lui avait appris par hasard. La jeune fille s'empressa de le remercier comme elle le devait, et son ami en toute justice lui passa l'anneau au doigt, tout en lui faisant grand honneur, selon la promesse qu'il avait faite à monseigneur Gauvain.

Après la messe et le déjeuner, celui-ci se remit en route, accompagné de nombreux chevaliers car il y en avait quantité au château ; tous ensemble, ils le priaient d'être désormais leur ami, et lui, avec courtoisie et amabilité acceptait joyeusement, pour toutes les occasions où il pourrait les retrouver. Puis il prit congé et s'éloigna tandis qu'ils s'en retournaient.

Bientôt Gauvain rejoignit un chevalier de belle prestance, qui portait un écu rouge avec un léopard peint au milieu, et qui chevauchait allègrement. Son impression fut encore meilleure au fur et à mesure qu'il approchait, à la vue de son équipement, couverture, cotte et couronne :

— Que Dieu vous sauve, qui couronne les bons, fit Gauvain !

Et l'autre de répondre :

— Seigneur chevalier, Dieu vous sauve de même !

Gauvain s'empressa de l'interroger sur ses intentions. Le chevalier lui dit qu'il ne voulait pas s'arrêter jusqu'à la cour du roi Arthur, et avec insolence, ajouta que cela suffisait, qu'il n'avait pas à lui demander son nom, car il ne le lui dirait pas.

— Eh bien, je me tairai, concéda Gauvain, puisque vous le trouvez bon. Mais s'il vous plaît, allons ensemble, car c'est aussi mon chemin. On nous trouvera plus belle allure et nous aurons ainsi moins à nous méfier.

L'autre le regarda fièrement et rétorqua :

— Sachez bien que je n'ai jamais eu la moindre peur, même s'il s'agissait d'affronter une grande troupe ; il est bien fou celui qui veut être mon compagnon de route, à moins de chercher bataille, car je ne pense pas à autre chose, c'est tout mon souci. Mais je n'ai jamais voulu de troupe pour m'aider. Et vous-même, êtes-vous de la suite de quelque comte ou de quelque roi ?

Monseigneur Gauvain lui répondit qu'il relevait du roi Arthur.

— Eh bien, fit le chevalier, je veux que vous me donniez des noms, que vous me disiez sans faute qui est le plus estimé à la cour, qui tire le plus grand renom de sa valeur et de ses exploits.

— J'aurais du mal à vous répondre, en vérité, dit Gauvain, car on voue à tous les chevaliers une si grande admiration que je ne sais qui en suscite le plus. Il y a bien le fils du roi Urien, à l'écu de gueules et de faisans, qui est partout célèbre pour ses faits d'armes et sa vaillance.

— Vous ne m'avez pas nommé celui que j'attendais quand je vous posais cette question ; je ne ferai pas un pas de plus, car je pensais que pas un ne le valait dans la maison du roi. Puisque cela n'est pas, sachez que je n'avancerai pas en son honneur d'un pied ni même d'un demi-pied. Pourtant il devrait être mon ami : c'est mon frère germain, et de plus, par saint Germain, il est de la Table Ronde. Puisque partout à la ronde ses armes n'ont pas été victorieuses, j'arrêterai la quête que je faisais de lui, c'est décidé.

Sur ces mots, il s'arrêta ; mais Gauvain lui répondit avec l'habileté qui le caractérisait :

— Seigneur, ne vous fâchez pas si je ne l'ai pas nommé d'emblée. Au nom du Dieu éternel, ils sont tant de preux et si célèbres, dans la Table Ronde, que j'ai du mal à trouver le meilleur ; ne renoncez pas pour autant à rejoindre votre frère.

Le chevalier se remit alors en route, suivi de Gauvain qu'il interpella de nouveau :

— Si vous voulez me plaire, donnez-moi un autre nom pour celui qui est le plus apprécié à la cour.

— J'y ai pensé, Lancelot du Lac est fort estimé, celui qui porte un écu or et argent, car été comme hiver il ne recherche que les exploits guerriers.

— Par le Dieu qui nous donne une âme, je perds mon temps et je continuerai à le perdre !

Irrité, il s'arrêta à nouveau, et Gauvain proposa le nom de Keu le sénéchal, qui était fort brave.

— En vérité, fit le chevalier, il n'y a plus de preux là-bas. Je crois que je ne trouverai plus le sommeil à cause de ce lâche couard ! Il a perdu toute mon affection ! Maudite soit l'heure de sa naissance et celle où il a jamais été vu par un brave car sa vie me fait honte !

Il voulut faire faire demi-tour à son cheval qui se cabra sous les éperons.

— Chevalier, que Dieu vous protège, je ne vous accompagnerai pas davantage, et si jamais je ne revois pas celui qui était l'objet de ma quête, que jamais chagrin plus cruel ne m'advienne ! Je n'y aurai guère perdu !

Au lieu de perdre contenance, Gauvain sut le ménager ; il lui prodigua ses flatteries coutumières tant et si bien qu'il le convainquit de revenir à la cour, car il voulait le mener au roi pour juger de sa démesure. Soudain ils aperçurent en face d'eux une troupe de cinq chevaliers, qui se mirent en file pour les attaquer, en traversant la lande.

— Ce n'est plus du tout la même musique, fit Gauvain. Il me semble que ces individus, avec leur écu au bras viennent au galop se mesurer à nous.

— Peu m'importe leur insolence et leur audace, dit son compagnon. Je me charge des quatre premiers pour les mettre à bas de leurs chevaux, et si vous avez le dessous avec le cinquième, j'en viendrai à bout.

Ils empoignèrent leur lance et s'élancèrent à bride abattue.

— D'accord pour celui que vous me laissez, avait acquiescé Gauvain avec son art de bien parler, et que Dieu vous aide pour les autres, car votre partage n'est pas juste !

Alors celui qui prétendait aux cinq se détacha de Gauvain et fit un bel assaut, car du même élan il en abattit deux. Gauvain qui n'avait pas voulu intervenir et qui les avait regardés tranquillement comme s'il n'avait rien eu à craindre, s'élança sur les trois autres à bride abattue ; à l'un il asséna un coup mortel et le jeta au bas de sa selle ; puis il replaça sa lance sous l'aisselle et au quatrième, avec dextérité, il fit vider aussi la selle ; avant que le chevalier au léopard ait pu revenir à la mêlée, le cinquième adversaire s'enfuit vers la forêt, car il n'espérait aucun secours à rester ainsi dans la campagne.

— Jamais de ma vie, en France, se disait Gauvain, en Champagne ni en cette terre, je n'ai vu de chevalier dont j'aie eu plus grande envie de devenir l'ami, n'était son penchant à l'arrogance et à l'orgueil.

Sans attendre, en homme avisé, il alla prendre le plus beau cheval et le ramena par la bride. Alors son compagnon, qui s'était déjà mis en route, intervint :

— Seigneur chevalier, par Dieu, que vas-tu faire de ce roncin ? Je romps ici notre compagnonnage si tu le fais avancer d'un pas !

Aussitôt Gauvain abandonna le frein du cheval et le chevalier reprit place à ses côtés, en recommençant à lui demander le nom de celui qui avait la réputation de la plus grande prouesse à la cour du roi. Et Gauvain qui était sans orgueil, sans présomption, sans outre-cuidance, lui répondit que Perceval et Guerrehet avaient accompli bien des exploits.

— Je suis complètement fou de continuer avec toi ! Que la vraie Croix de Dieu m'aide, je n'irai plus avant. C'est pour rien que je t'ai accompagné plus de deux lieues et demie !

Gauvain lui répondit sans hésiter :

— Le brave qui trouve ce qu'il cherche, celui qui gagne valeur et gloire sur sa route, celui-là ne se trompe pas. Mais ce n'est pas un grand mal si nous n'allons plus ensemble. Puisque vous le jugez bon, séparons-nous ; mais avant je voudrais savoir votre nom.

— Vous êtes bien mal avisé, fit le chevalier. Dès notre rencontre, je vous avais averti ; je vous le redis et je m'en flatte, si vous me demandez encore mon nom, vous aurez cherché votre malheur et votre honte. La chevauchée avec vous m'est désagréable : vous n'avez ni conversation ni valeur.

Et il s'éloigna à l'aventure, à travers la lande, au pas. Monseigneur Gauvain quitta aussi le chemin et le suivit à deux portées d'arc environ. Il appréciera bien peu ses mains et toute la force de son corps si, de gré ou de force, il n'obtient pas le nom de celui qui perd toute son amitié en dédaignant de lui répondre. C'est grande folie d'agir ainsi sous prétexte qu'on ne connaît pas quelqu'un depuis longtemps ; le chevalier était si orgueilleux qu'il ne s'en était guère soucié.

Il arriva à un beau pavillon déployé, avec six jeunes filles bien dignes d'attention ; leur dame le faisait tendre là tous les étés, et elle s'y plaisait tant qu'elle y séjournait longuement. Chaque jour elle faisait chasser à l'arc et à courre ; elle envoyait chercher dans ses châteaux tout ce qu'elle désirait. Vous pouvez donc deviner qu'elle menait une vie bien agréable, et fort enviable à ceux qui n'y avaient guère droit. Ydoine était le nom de cette dame de grand mérite. Quand elle séjournait dans la lande, jamais un chevalier ne pouvait passer sans devoir venir à la tente lui rendre son droit ; il fallait qu'il adressât la parole à l'une des jeunes filles ; je vous garantis qu'elles savaient bien répondre ! Aucune n'avait à se cacher par incapacité de bavardage ! Et si on ne venait pas parler ou plaisanter avec elles, il fallait donner un baiser à leur dame avant de poursuivre ses occupations. Mais le chevalier n'avait que faire de plaisanter ou de mettre pied à terre ; apparemment, il ne faisait pas plus de cas de leur règlement que d'un pot de cendres. En effet il les dépassa sans même paraître les remarquer. Mais elles le virent et leur dame fort contrariée réclama son droit : c'était une grande faute de ne pas lui donner un baiser.

— Par le Dieu de miséricorde, protesta-t-il, vous êtes folle de me parler de ce baiser, car je ne puis le donner qu'à une personne qui n'est ni coureuse ni putain ! Il est facile de le prouver.

Ces propos déclenchèrent une folle colère, avec des larmes et de grands cris ; mais au chevalier cela ne fit pas plus d'effet qu'un air de flûte et il passa outre. Alors la dame se fatigua de pleurer et ses jeunes filles avec elle. Sur ce Gauvain arriva derrière celui qui se moquait bien de cette affaire ; lui, au contraire, ne voulait manquer ni aux coutumes ni aux droits de passage, courtois, sage, plein de mérite comme il était, soucieux de ne méfaire en rien ; son comportement devant le pavillon remplit d'aise les dames :

— Qui n'a pas accompli ses devoirs, comme en témoigne votre douleur ? leur demanda-t-il.

— C'est un chevalier arrogant ; il vient de nous quitter ; il monte un beau destrier et il porte un écu avec un léopard. Il a bien dit ce qui lui plaisait, et moi j'en fais triste figure : il a dit qu'il n'estimait guère sa bouche, celui qui la joignait à la mienne ! Pourtant je n'ai ni venin ni mauvaise haleine ! En vérité, un cœur trop plein d'orgueil inspire ses paroles. Serait-il fils de roi, je n'aurai de joie au cœur tant que je n'aurai pas obtenu mes droits.

Avec doigté, Gauvain répondit :

— Il n'est pas question de vous donner tort ; au contraire je suis heureux de cette occasion de l'éprouver aux armes : dans le monde entier, je ne lui connais pas d'égal pour les paroles orgueilleuses. Aujourd'hui j'ai cru en devenir fou de colère, mais j'ai réussi à n'en rien montrer et je sais bien qu'il appréciera de se battre avec moi, car il n'a guère goûté mes paroles. Vous êtes si sage, si distinguée que vous devez être d'un bon réconfort ! Je vous garantis que d'ici ce soir vous verrez lequel de nous deux est le plus fort ou qu'il se pliera à vos ordres.

— Cher seigneur, s'écria la dame, comme on voit bien que vous êtes le père de celles qui n'ont ni aide ni secours !

Gauvain allait partir au plus grand galop de son cheval :

— Quand vous aurez dépassé ce vallon, vous le verrez devant vous, car il a pris ce chemin à droite.

Et lui qui avait grande envie de rejoindre le chevalier, se hâta tant qu'il l'aperçut ; il vaut la peine que vous sachiez que de fort loin il le prévint qu'il le frapperait s'il ne se mettait pas en garde ; l'autre lui lança de fiers regards qui manifestaient son dédain, mais il passa les courroies de son écu au bras et fit tourner son cheval. De son côté, monseigneur Gauvain se préparait comme il le fallait à ce genre d'affaire. Puis de toute la vitesse de leurs chevaux, ils s'élancèrent l'un contre l'autre, lances baissées. Les fers se brisèrent sur leurs écus, mais le choc ne leur fit pas fermer les yeux et le haubert qui les enveloppait leur permettait de ne pas craindre la lance. Je ne sais qui pâtit le plus de la rencontre : le choc fut si rude de part et d'autre qu'ils furent projetés à terre, mais ils se relevèrent aussitôt. Le chevalier tira alors son épée d'acier contre Gauvain ; comme il s'acharnait à lui porter des coups, il se découvrait souvent ; Gauvain au contraire se protégeait de son écu que l'autre cherchait à mettre en morceaux, à briser avec sa bonne épée tranchante. Malgré les dégâts, Gauvain résista longtemps, donnant moins de coups qu'il n'en recevait. Mais peu s'en fallut qu'il ne prît par surprise son adversaire dans la répartition des coups ; car quand celui-ci songea à s'écarter pour se reposer de son assaut, Gauvain bondit sur lui, le frappa, le malmena, le harcela, si bien qu'il était au supplice ; quand le souffle lui manqua, qu'il dut compter sur ses dernières forces, Gauvain multiplia les coups, lui enfonça l'épée dans le heaume et quand il voulut la retirer, peu s'en fallut qu'il n'abattît ce heaume. Impossible de vous détailler tous les coups dont ils se mirent à mal. A la longue je vous l'affirme, Gauvain aurait eu le dessus s'il n'avait un peu reculé, pour agir courtoisement et sagement en redemandant à l'autre son nom. Mais il lui fut répondu :

— Je perdrais la tête plutôt que de vous dire de force ce que je vous ai refusé de faire par amitié !

— C'est insensé, insista Gauvain, car si vous vouliez savoir mon nom, par saint Hildebert, il vous serait aussitôt révélé, en toute vérité.

— Eh bien, puisque je vous ai sous-estimé, je vous le demande.

Et Gauvain de répondre :

— En vérité, on m'appelle Gauvain.

Alors le chevalier dit justement :

— Vous n'avez pas du tout raison de me provoquer, car en vérité je suis Gaheriet ; il convient que notre bataille cesse et que nous allions ailleurs porter nos assauts !

S'élançant l'un vers l'autre, ils s'embrassèrent, se firent fête, se félicitèrent du fond du cœur de s'être retrouvés par cette épreuve.

— Assurément, conclut Gauvain, je sais que vous êtes plein de bravoure ; mais sachez bien que la prouesse vaut moins quand l'orgueil s'y joint !

— Monseigneur, vous êtes mon maître, reconnut Gaheriet sans se fâcher. Aussi le chant sera-t-il si mesuré que je garderai désormais la mesure ; chevauchons, s'il vous plaît vous devant, moi derrière.

Après quelques informations supplémentaires, ils convirent qu'il ne fallait pas rester là plus longtemps et retournèrent au pavillon où la demoiselle attendait Gauvain, toujours empressé à servir les dames et qui pour mériter leur amour avait affronté de multiples combats.

— Gauvain a bien su rabattre l'orgueil, fit la demoiselle à ses suivantes.

— Ma dame, son remède c'est son épée dégainée et tranchante. Sous le ciel et sur la terre, il n'y a pareil chevalier ! affirmèrent-elles toutes ensemble, ajoutant qu'il en valait cent.

Monseigneur Gauvain mit alors pied à terre, prit son frère par la main et dit :

— Ce chevalier, je vous l'amène, pour qu'il vous rende votre dû, à votre gré.

— Grâces vous soient rendues, fit la dame qui était bien élevée. L'amende sera légère puisqu'il vient offrir réparation.

Monseigneur Gauvain présenta dans les formes son frère à la jeune fille ; il lui raconta comment il l'avait d'abord trouvé présomptueux et orgueilleux ; il lui dit toute l'histoire, comme vous l'avez entendue. Elle remercia et bénit Dieu, après quoi elle les pria de passer la nuit avec elles : ils n'auraient rien qui les contrarierait.

— Ici du moins, continuait-elle, si c'est en mon pouvoir. Mais Gauvain, en un mot, dit qu'il ne pouvait car il avait à cœur de terminer une affaire où il s'était engagé, et il prit congé. Ces paroles ne provoquèrent aucune plainte car il avait bien rendu son droit à la jeune fille, et on leur indiqua le plus court chemin jusqu'à Carlion.

Soudain Gaheriet s'écria :

— Regardez ! Connaissez-vous celui qui vient là ? C'est un chevalier ! Tout son équipement lui va fort bien ; son écu semble d'hermine à lion vermeil. Il vient tout droit de Carlion et nous pourrions bien lui demander des nouvelles, de quoi il est en quête, car il chemine sans compagnon.

— Je reconnais bien l'écu d'hermine avec le lion, répondit Gauvain ; c'est le frère de Samiramis ; ce blason indique un très vaillant chevalier, d'après ce que je sais ; son frère aîné, qui a grande réputation porte ces armes sans figure de lion. S'il sait quelque nouvelle, il ne sera pas si orgueilleux qu'il ne la dise ; il est mon ami depuis longtemps.

Pendant qu'ils échangeaient ces propos, le chevalier qui galopait les rejoignit ; il reconnut Gauvain immédiatement et lui lança :

— Seigneur, soyez le bienvenu ! Dépêchez-vous, arrivez vite ! [...] [1]. Le roi s'inquiète de vous, et plus encore de votre sœur et de Hunbaut. Je ne les ai pas vus depuis mon départ ; dites-moi, ont-ils pris un autre chemin ?

— Je désirais fort vous demander moi-même des nouvelles, répondit Gauvain.

— Le roi ne cesse de convoquer partout des chevaliers, car ils se sont beaucoup trop dispersés, cela lui pèse et lui coûte cher. Depuis la fin de la Pentecôte, quand il vous confia son affaire, je ne lui ai pas vu l'air aimable ; au contraire, peu s'en faut qu'il ne devienne fou de colère.

— Et ma sœur, reprit Gauvain, avez-vous entendu dire si elle était revenue ?

— Seigneur, à moins que cela soit arrivé depuis midi, en vérité je vous assure qu'elle n'était pas de retour.

— Mon voyage est récompensé si ce que vous dites est vrai ! Comment croyez-vous savoir qu'elle n'est pas revenue ?

---

1. Lacune dans le manuscrit.

— Il serait bien inconvenant que je le donne pour vrai, sans plaisanter aucunement, si je n'en étais pas absolument sûr.

— Je ne crois pas que les difficultés me manquent jamais, reprit Gauvain ; il n'aime pas que je me repose celui qui l'a emmenée sans mon accord ; mal lui en a pris d'avoir eu cette idée ; il verra quelle folie est son plaisir si je le trouve quelque part !

— Moi aussi je participerai à la vengeance, si je le trouve, s'écria Gaheriet. Que je sois mis à mort sur l'heure, que nulle part je ne me repose avant l'aube, jusqu'à ce que je trouve une indication précise.

Gauvain indiqua au chevalier, sans orgueil ni démesure, ce qu'il voulait faire savoir au roi. L'autre, avec sagesse et courtoisie, lui assura qu'il transmettrait le message de très bonne grâce, et qu'après il chevaucherait autant qu'il le faudrait pour cette même affaire.

— Il faut, dit encore Gauvain, et je suis bien décidé là-dessus, que vous disiez à tous les membres de la célèbre compagnie que j'ai commis une faute dans l'aventure. Le moindre d'entre eux en sera affecté ; tant pour l'amitié qu'ils me vouent que pour la réputation de ma sœur, maintes difficultés seront affrontées jusqu'à ce que justice soit faite, car j'ai grande confiance en eux. Moi je fais le vœu solennel devant Dieu et ses saints de ne m'arrêter que la nuit tant que je serai valide, que cela plaise ou non ; de n'accepter jamais la compagnie d'aucun chevalier jusqu'à ce que j'aie de ses nouvelles : ma folle conduite avec elle entretient mes remords.

Ils se séparèrent alors en pleurant, tout désemparés, et piquant leurs chevaux rapides, chacun s'engagea dans sa voie. Celui qui devait revenir à la cour y arriva d'une traite ; il se présenta aussitôt devant le roi pour lui dire son message, comme mon histoire vous l'a raconté ; puis il informa les chevaliers sans rien cacher. Keu le sénéchal déclara qu'il perdrait l'honneur et la gloire des armes celui qui chercherait à se faire conseiller de ne pas participer à la quête.

— Moi je pense la poursuivre fort loin, dit Érec, le fils de Lac.

— Par ma foi, renchérit Lancelot du Lac, je n'aspire pas à rester !

Le seigneur de Beaumanoir se vanta aussi et Caradoc Briesbras affirma que leur concurrence ne l'impressionnait pas du tout.

— Certes, continua Gales le Chauve, je brûle de me battre quand il s'agit de faire mes preuves !

— Je ne sais pas où nous devons les quêter, admit Sagremor, mais il faut les chercher partout jusqu'à épuisement de tous !

— Assurément, approuva le beau, le vaillant Taulas de Rougemont ; moi du moins je quêterai à travers le monde entier jusqu'à ce que j'obtienne la vérité.

Ainsi personne ne se déroba, tous désiraient la quête avec ardeur. On ne les empêcha pas de s'en aller, c'est dans mon histoire, car le roi leur donna volontiers congé et permission d'absence ; leur eût-on

donné le fief de Troie en toute possession, on ne les aurait pas fait
rester ! Le roi déclara qu'il ne resterait pas non plus ; menaces de
mort, droits de passage, jeûne prolongé, château fort, avis, conseils,
dissuasions, rien ne pourrait l'empêcher d'aller prendre vengeance
de celui qui avait enlevé sa nièce.

— Les excès de votre neveu nous plongent dans l'embarras, reprit
Keu. Je regrette qu'il ne fasse pas vœu de renoncer à la démesure et
à la présomption !

C'était par ironie que le sénéchal parlait ainsi devant le roi, lui qui
ne manquait pas une occasion de railler ses compagnons ; il était
vaillant aux armes, amateur d'exploits, audacieux, mais il tenait des
propos si acerbes qu'on le détestait à la cour.

Tous ceux de la Table Ronde, impatients, mirent un bien court
délai à leur errance puisqu'ils s'ébranlèrent au matin. Partout à la
ronde ils affirmaient qu'ils n'entendraient pas parler de passage
contraire, difficile, périlleux, sans y aller très volontiers ; car ils
s'imaginaient que personne ne serait en mesure de s'opposer à leur
résolution. C'était tous en effet de vaillants chevaliers, pleins de
renom. Parmi eux je nommerai Yvain, Lancelot, Érec, Girflet le fils
de Do, Taulas, Yder, Caradoc, Sagremor, Gales le Chauve, et le
dixième Keu le sénéchal : voilà précisément ceux que le roi choisit
pour compagnons, il n'en voulut pas davantage ; les autres durent
s'en aller seuls ou par groupes de deux, trois ou quatre. Il ne faudra
pas s'étonner s'il advient à ceux-là difficultés, contrariétés, souffrances et peines : c'est ce que tous recherchaient.

Le roi Arthur, à la fin de la journée, vers l'heure de vêpres, fut
fort surpris de ne pas avoir trouvé d'aventure notoire après avoir traversé tant de terres sans un seul arrêt. Ce soir-là, il était parvenu au
château d'un puissant comte qui lui en avait fait hommage, comme à
son suzerain. Il usa de ce château avec plaisir et sans restriction, car
celui qui en était le maître l'avait mis très volontiers à sa disposition.
Cet hôte ne s'irrita donc pas de l'arrivée du roi et se consacra tout
entier à la réception : lui eût-on donné deux marcs de Troyes, deux
chevaux de somme chargés de richesses, on ne lui aurait pas procuré
plus de joie qu'avec cette visite ; il se montra à la hauteur de l'événement. Mais pour abréger mon récit, dès que Dieu fit paraître le jour,
aucune prière, aucune promesse ne convainquit le roi de rester ; il
partit après la messe, avec ses compagnons.

Tout en cheminant, ils plaisantaient et échangeaient d'aimables
propos pour se distraire, se détendre. Mais ils arrivèrent à un large
cours d'eau et ils s'inquiétèrent fort de trouver quelqu'un qui les fît
traverser sûrement. Ils suivirent le chemin qui menait tout droit à
l'eau profonde et si large qu'un projectile lancé d'une fronde, d'un
mangonneau ou d'une perrière n'en aurait pas franchi le quart.

— Ce passage nous est interdit, à ce qu'il me semble, fit le roi.

D'un même geste, ils tirèrent sur leurs freins pour aller à gauche au pied d'une colline. Ils chevauchèrent bien ainsi une lieue, entre la rivière et la hauteur, quand ils aperçurent sur la rive une embarcation immobile. Sans tarder, ils allèrent droit dans cette direction. Le sénéchal Keu prit les devants à plus d'une portée d'arc, et dans la nef encore attachée, il vit un chevalier entrer à pied et y faire tirer son cheval. Deux vilains qui étaient là, chacun avec un aviron pour assurer le passage, surent très bien s'occuper de lui.

— Par saint Denis, fit le sénéchal aux vilains, vous êtes mal avisés de faire passer ce chevalier avant le roi Arthur qui arrive ; c'est contraire aux convenances et le roi passera d'abord !

— Rassurez-vous, pour l'amour de Dieu, monseigneur Keu, intervint celui qui était dans l'embarcation, on fera tout ce que vous voudrez, car votre revendication est tout à fait légitime.

A ces mots le sénéchal ne fut pas lent à le reconnaître, et à ses armes aussi :

— Certes je ne me doutais pas que vous étiez ici, Gauvain. Au nom du roi je vous remercie, et il y a bien de quoi : vous avez donné l'occasion à notre sire de chevaucher ; vous devez m'être très cher, les aventures ne peuvent manquer d'arriver !

Tels furent les propos des deux chevaliers avant l'arrivée d'Arthur. Mais ceux qui devaient mener l'embarcation intervinrent :

— Il y a une coutume pour cette barque avec laquelle doivent compter tous ceux qui veulent passer cette rivière.

— Mon père et mon aïeul y sont restés, reprit l'un, et je ne l'oublie pas. Cette barque pèse si lourd quand ceux qui sont dedans sont en nombre pair qu'elle chavire et coule sans recours quand elle arrive au milieu. Nous en avons tant vu disparaître que nous y pensons tous les jours. Donc il ne pourrait y avoir dix, quatorze ou dix-huit passagers ; et même avec deux seulement cette barque serait bientôt vide ; sur eux s'élèverait bientôt le deuil car ils n'échapperaient pas à la noyade. Je vous le répète clairement, la barque est toujours à la disposition de ceux qui veulent passer ; mais ils ne doivent être ni six, ni douze, ni seize, ni vingt.

Le sénéchal s'écria :

— Jamais on n'a vu pareil prodige ! Et s'il y a un groupe impair de treize ou dix-neuf ?

— Alors nous n'avons pas la moindre crainte, du moment qu'il y a bien un compte impair.

Le sénéchal Keu retourna raconter au roi ce qu'il venait d'apprendre.

— Par Dieu, s'exclama le roi, bien nous en a pris ; nous sommes onze en tout, sans compter les deux qui nous feront passer ; ils seront en sécurité aussi, car notre nombre sera toujours impair.

Mais le sénéchal informa aussitôt le roi sur son neveu Gauvain ; et lui de déclarer :

— Par ma main droite, je fais le vœu et je le tiendrai, qu'aucun de nous dix ne le verra aujourd'hui ni demain, dans la barque ou n'importe où ; il peut bien passer tout seul et y charger tous ses bagages ; oui, lui et son cheval passeront bien, je pense.

Les vilains firent donc passer Gauvain, puis revinrent au roi Arthur qui les attendait, avec ses compagnons ; ils lui dirent la coutume de la barque et confirmèrent ainsi toutes les informations qu'ils avaient données au sénéchal. Sans plus tarder, les chevaliers entrèrent ensemble dans l'embarcation ; ils étaient treize avec les mariniers, qui les firent passer de bon cœur, sans encombre et sans peine ; à l'arrivée, ils furent tranquillisés et tous se réjouirent. Ils débarquèrent sur l'autre rive, dans une prairie ; fort joyeusement ils remontèrent à cheval et allèrent par monts et par vaux jusqu'à ce qu'ils vissent devant eux un chemin qu'ils prirent, car c'était bien l'heure de se loger. Peu après ils aperçurent un château, conformément à leurs désirs. Deux chevaliers, braves, forts, hardis et fiers y furent envoyés pour réclamer l'hospitalité ; c'étaient Keu et Sagremor ; ils éperonnèrent et eurent vite fait de passer la porte, attirant les regards d'un chevalier au repos, qui jouait au trictrac à l'ombre d'un sycomore. On l'aurait pris pour un bailli ou un connétable, car il avait un certain âge, un air plein de courtoisie et d'usage ; à leur approche, il se leva aussitôt, les salua, alla à leur rencontre et leur fit mettre pied à terre sans discuter ; inutile de dire qu'il ne ménageait pas les airs aimables. Le sénéchal Keu l'attira par le petit doigt :

— Seigneur, je dois vous dire que le roi Arthur vient ici se loger.

— Grâces lui soient rendues, répondit le chevalier qui était courtois et avisé. Nous allons tous les trois avertir ma dame là-haut ; il n'y a pas plus courtoise héritière dans le monde entier ; elle est très riche, puissante, belle, distinguée, élégante ; tout cela fait qu'elle mériterait fort d'être aimée par un chevalier de la Table Ronde, qui serait bailli et connétable de ce pays.

Aussitôt le sénéchal Keu lui répondit :

— Si elle entre en relation avec notre roi, il aura vite fait de la pourvoir d'un beau et noble chevalier.

— Oui, si le roi la marie, elle ne sera pas sans appui, acquiesça l'autre, et tous les habitants de cette terre n'en seront pas fâchés. Il lui fait un très grand honneur en venant ici aujourd'hui, et je le pense vraiment.

Ils se dirigèrent alors ensemble vers la salle pavée du château. Dès qu'elle les aperçut, la demoiselle se leva pour aller à leur rencontre ; six jeunes filles et jusqu'à dix chevaliers l'entouraient, car ils étaient en train d'écouter les belles paroles d'un roman que la demoiselle faisait lire. Keu n'eut pas de mal à la distinguer : elle surpassait toutes les autres par sa beauté et toutes avaient perdu à ce concours !

— Ma chère, que Dieu vous garde, vous et votre compagnie, commença Keu. Le roi Arthur vient loger ici ce soir.

— Seigneur, qu'il en soit grandement remercié, répondit-elle avec joie.

Puis elle demanda si monseigneur Gauvain venait aussi. Keu, à qui il arrivait de dire la vérité, lui répondit :

— Non pas, chère dame.

Elle en fut fort affectée mais ne le laissa voir à personne. A vous dire vrai, ni empereur, ni roi, ni comte n'auraient eu la réception que le roi Arthur trouva ce soir-là ; rien ne le contraria, tout lui convint. Ils eurent des sièges faits avec des joncs fraîchement cueillis, recouverts de belle soie verte ; croyez-moi bien, même s'il y a des menteurs ! Le logis était parfumé d'un choix d'encens, de musc et de menthe, du moins le roi Arthur et ses compagnons en étaient-ils sûrs ; la noble dame, si distinguée, avait confié le soin de ces parfums à un connaisseur. En haut des marches, au-devant du roi, elle vint sans sa guimpe, les cheveux flottants. Comme elle n'avait pas la langue nouée mais affilée pour de belles paroles, elle salua courtoisement le roi et ses compagnons. A chacun pour qu'il soit servi, elle donna quatre jeunes gens de noble naissance, qui pour mériter leurs armes vivaient auprès d'elle ; ils se mirent tous en peine de leur service et le roi admira cette concurrence.

Maintenant je vais vous dire quelque chose d'extraordinaire, sans mentir d'un seul mot. Dans la chambre de la demoiselle il y avait une statue sculptée si parfaitement par un artisan que la ressemblance avec Gauvain était absolue ; celui qui le connaissait pouvait en témoigner ; oui, elle avait été sculptée dans le bois si parfaitement et avec une telle ressemblance que n'importe quelle relation de Gauvain, même distraite ou peu physionomiste, aurait cru voir, à la regarder, les traits mêmes de son visage. Mais la dame perdait ses efforts, à le regarder par amour : Amour ne l'aimait ni ne la regardait. Elle, elle l'aimait plus que toute créature, bien qu'elle ne l'eût jamais vu, qu'elle n'eût jamais eu l'occasion de le rencontrer [1], sachez-le. Dans son chagrin de n'avoir jamais vu celui qu'elle aimait, elle suppliait Dieu de le lui montrer afin qu'elle lui révélât ses sentiments ; ces pensées l'avaient tenue éveillée tant de nuits que sa santé en avait été affectée. Voilà pourquoi elle avait fait faire la statue à un artisan fort habile. A la regarder sans cesse, elle y trouvait tout son réconfort. Mais peu de gens avaient remarqué cela, car personne n'entrait dans sa chambre. Du fond du cœur elle soupira quand elle

---

1. Voir note 2, p. 547.

vit que Gauvain n'était pas avec le roi ; cependant elle ne manqua pas de veiller à la réception qu'elle voulait digne de son rang. Elle fit conduire les chevaux à l'écurie, puis donna l'ordre qu'on désarmât ses hôtes, qu'on leur apportât de riches vêtements qu'elle leur fit mettre à tous. Elle les emmena dans la salle d'où ils se dispersèrent, en attendant l'heure de prendre place pour le repas.

Le sénéchal Keu et Girflet s'éloignèrent les premiers, curieux des lieux ; ils aperçurent la belle chambre ornée de riches peintures, et se dirent leur étonnement. Le chambellan avait eu la grave étourderie de laisser la porte grande ouverte et l'on pouvait voir au milieu de la chambre un lit recouvert d'un édredon de soie, le plus riche du monde. D'où il était, Keu crut voir Gauvain près de ce lit :

— Girflet, dit-il, mets-toi à ma place et regarde ce que je vois !

— Dieu me protège, s'écria Girflet, c'est Gauvain qui se tient là !

— Cela doit bien vous plaire et vous convenir, lança Keu. Qu'est-ce que ce chambellan ? Jusqu'à Sens, il n'y a pas de chevalier, si lâche fût-il, pas de chrétien qui, s'il avait entrepris cette affaire, se retiendrait de la mener à son terme. Il a pris là sa revanche ! Quelle sottise, quelle lâcheté de l'admirer, je vous le dis, excepté pour ce qui est de trousser ses putains ! Il est plein d'ardeur pour cet office ! Si Hunbaut était avec lui, qui prétend à sa chère sœur, notre compagnie ne serait pas inquiète, car ce sont de braves et vaillants chevaliers !

— Gauvain aura peu gagné à venir ici, rétorqua Girflet.

— Il aura la dame toute nue, continua Keu, et ils n'auront qu'à se rendre les coups. Maudites soient mes vertèbres si je n'en parle pas bientôt, et de sorte que l'hôtesse du roi préférerait être servie d'un autre plat. Monseigneur Gauvain a trop démérité cette fois, à mon avis.

Sur ce Ider les rejoignit et vit la chose à son tour. Mais un serviteur, en sortant de la chambre, referma brusquement la porte. S'imaginant ainsi être sûrs de ce qu'ils avaient vu, ils le rapportèrent à tous leurs compagnons :

— Seigneurs, affirma Girflet, on dirait tout à fait Gauvain, c'est prodigieux !

— Ce n'est pas lui, protestèrent-ils, c'est impossible, il n'y a qu'une ressemblance !

— Par Dieu, mon créateur, par mes pieds et mes mains fit Yvain, ce n'est pas lui, c'est le moins qu'on puisse dire, et vous vous êtes trompés : jusqu'à Oissy, il n'y a pas de cheval assez dispos ni assez rapide pour l'amener jusqu'ici depuis qu'il nous a laissé le passage. Pour l'amour de Dieu, ayez pitié de lui, ce sera courtoisie et raison. Non, je ne vois pas de pont ni de passage par où il aurait pu venir.

— En effet, c'est absolument impossible, renchérit Lancelot ;

n'allez pas garder le moindre doute ; et même il m'est désagréable
d'en parler.

Keu en creva presque de rage, il en brûla de colère :

— Eh bien, maudit soit qui s'en soucie ! Laissons ce sujet puisque
je le déforme ! Mais si la réception du roi ne devait pas en souffrir,
par Dieu et peu m'importe qui y trouve à redire, je le débusquerais
tout de suite et le mensonge serait raccourci. Mais la dame se cour-
roucerait et ferait vilaine figure ! [...] [1]

— Que Dieu m'aide, fit Caradoc.

— Certes, approuva Girflet, fils de Don, tous ceux qui contestent
l'avis de Keu et qui disculpent Gauvain, ceux-là ont bien tort.

— Si le roi n'intervient pas, renchérit Ider, je dirai la vérité, que
ce soit folie ou raison !

Mais Keu l'en dissuada :

— Vous ne le ferez pas, car cela contrarie Lancelot et monseigneur Yvain.

— Oui, approuva Lancelot, car nous pourrons bien mettre votre
avis et vos désirs en balance avec une paille d'avoine ! Que Dieu me
pardonne, je ne viens pas de dire des paroles si vaines que je ne
doive jamais chercher à y revenir !

La querelle s'arrêta là.

Le roi, à table avec ses chevaliers, fut bien servi et ils n'eut pas de
répugnance à s'attarder. Ils eurent plus de six services plantureux.
La dame du château leur fit grande fête. Je ne crois pas qu'elle était
contrariée de manger avec le roi ; au contraire elle en avait grande
joie. La nourriture, je ne la décrirai pas. Quand ils se levèrent de
table, un chevalier survint à toute vitesse sur son destrier, puis il
salua le roi et sa compagnie :

— Roi Arthur, si je viens te trouver, tu vas savoir pourquoi :
Gauvain ton neveu est-il là ?

— Je ne sais ce qu'il est devenu, que Dieu m'aide, répondit le roi.
Comment Hunbaut, avez-vous pu laisser ainsi mon neveu ?

— Sire, je n'ai pu faire autrement. Nous étions allés lui et moi
porter notre message au roi, puis nous avions pris le chemin du
retour. Un jour, notre chevauchée nous mena à l'entrée d'une forêt
où nous trouvâmes bientôt une demoiselle qui montrait un grand
désespoir ; elle se désolait pour son ami et pour son père qui avaient
été emmenés par sept chevaliers qu'ils avaient rencontrés ; quatre
avaient pris l'ami, trois le père, et ils s'étaient engagés dans des
directions différentes. Quand elle nous aperçut, la demoiselle nous
appela à grands cris et nous arrivâmes au plus vite. A nos questions
elle répondit qu'elle avait bien raison de montrer une telle peine, et

---

1. Lacune dans le manuscrit.

elle nous raconta son histoire. Alors à l'envi, nous lui proposâmes de la secourir, et nous lui offrîmes de décider de la route à prendre pour chacun. Elle nous sépara si bien que nous ne nous sommes jamais revus depuis. J'allai secourir le père et je vins si parfaitement à bout de mon affaire que j'anéantis ses trois ravisseurs. Monseigneur Gauvain alla tout seul de son côté ; je ne le revis plus. Je ne sais où il est allé, ce qu'il est devenu. Mais le chemin qu'il a pris, Dieu me protège, n'a pu le conduire ici. Je ne puis plus rien vous dire de lui puisque nous nous sommes séparés de cette façon. Vous, je vous ai tant cherchés, je me suis tant informé à votre sujet que je vous ai trouvés. Mais dites-moi en vérité si vous avez entendu parler depuis de Gauvain.

— Oui, assurément répondit le roi ; voilà ce que je puis vous dire en toute certitude : il y a trois jours, il me fit savoir qu'il ne prendrait plus de repos jusqu'à ce qu'il retrouve sa sœur, qu'il sache qui l'avait emmenée et où. Croyant le rejoindre, nous nous mîmes en route. Il y a peu de temps que le sénéchal vient de me dire qu'il l'avait vu au passage d'une rivière.

— Oui, approuva Keu, c'est vrai, et depuis notre arrivée, je l'ai vu encore une fois ici.

— Jamais, protesta le roi, je n'ai entendu rien de pareil ! Il est impossible qu'il ne soit pas venu me voir, me sachant dans ce château ; il ne resterait pas caché, j'en suis sûr !

Le roi fit appeler son hôtesse, une très belle comtesse, et elle vint aussitôt, vêtue d'un bliaut qui la moulait.

— Demoiselle, demanda le roi, pour l'amour de Dieu, dites-moi si ce qu'on me dit est vrai, que Gauvain se tient près de votre lit.

— Sire, sur ma foi, ce n'est pas votre neveu Gauvain, soyez-en sûr ; c'est une très belle statue, qui reproduit son visage, car je l'ai faite ainsi. Je n'aime que lui. La statue a la même taille ; si par bonheur, il venait loger chez moi, je pourrais immédiatement le reconnaître, lui dire que je l'aime, lui faire valoir que cet amour, je le lui voue sans l'avoir vu !

— Ma dame, montrez-nous donc cette chose, fit le roi, je désire la voir.

Aussitôt elle donna l'ordre d'ouvrir sa chambre, prit le roi par la main droite et l'emmena, suivi de tous ses compagnons. Quand ils furent tous entrés, Yvain prit la parole :

— Seigneur Keu, ce n'est pas Gauvain, vous pouvez en être sûr et certain !

Tous examinèrent la statue par-derrière, par-devant, de tous côtés et reconnurent qu'elle était très ressemblante. Alors le roi et les notables revinrent dans la grande salle, vous n'en verrez jamais de plus riche. Les serviteurs eurent vite fait de préparer les lits et d'ai-

der le roi et ses compagnons à se coucher. Ils s'endormirent en toute
sécurité, sans rien redouter.

Le lendemain, au point du jour, le roi se leva et déclara :

— Ma dame, nous allons partir, nous ne pouvons rester davantage. Vous ne devez pas trouver mal que je veuille savoir votre nom.

— Si, je vous le dirai volontiers, sans vous le cacher : je m'appelle
celle de l'Étroite Forêt, qui convoite votre neveu Gauvain.

Le roi prit alors congé et se dirigea vers Carduel. A son arrivée, il
fut reçu avec grande joie.

Maintenant je veux laisser le roi où il est et vous raconter l'errance
de Gauvain, en quête de sa sœur. Il chevaucha tant qu'un jour il
arriva près d'une forêt et vit devant lui une jeune fille avec un chevalier, tout prêt à combattre ; il tenait son écu enfilé au bras, et la lance
dans sa main libre. En entendant venir Gauvain, ils regardèrent en
arrière ; la jeune fille le reconnut aussitôt, se retourna tout à fait et
lui parla comme elle devait le faire :

— Frère, soyez le bienvenu ! Vengez-moi de ce chevalier qui m'a
enlevée malgré moi pour m'emporter en son pays. Oui, il m'emmène
avec lui ; j'en ai grande honte et grande contrariété : il prétend
m'épouser, et affirme que ni vous ni mon oncle, le roi Arthur ne l'en
empêcheront, tant il est plein de présomption.

— Ma chère sœur, répondit Gauvain, désormais il ne pourra plus
vous emmener sans bataille !

— Que Dieu m'abandonne rétorqua l'autre, si vous n'avez pas
cela tout de suite : je vous défie, gardez-vous de moi !

Il prit du terrain pour son élan et renouvela son défi ; monseigneur
Gauvain fixa les yeux sur lui et le vit venir à bride abattue ; alors il
éperonna son cheval et fonça lui aussi au galop. Quand ils se croisèrent, ils frappèrent de si grands coups sur leurs écus respectifs
qu'ils les transpercèrent, se blessant mutuellement. Mais la lance du
chevalier se cassa et le tronçon resta dans l'écu de Gauvain, qui de
son côté, avait si bien visé la boucle de l'écu que le fer de lance atteignit le bras et les flancs de son adversaire ; il s'en ressentit douloureusement et fut renversé à terre, sanglant. Mais il se remit vite sur
ses pieds et, sans s'effrayer du coup précédent, il avança en brandissant son épée d'acier fourbi ; il offrait fièrement de se défendre ;
Gauvain lui dit sans attendre :

— Prenez votre cheval et remontez ; vous ne combattrez pas
ainsi ; je vous l'accorde de bon cœur.

— Que je sois maudit, répondit l'autre, si je remonte après avoir
été ainsi renversé. Notre bataille n'est pas terminée.

— Je ne t'attaquerai jamais à cheval, reprit Gauvain, car j'en
aurais honte.

Il mit donc pied à terre et laissa son cheval. Son adversaire arriva sur lui en brandissant son épée dont il lui asséna un grand coup ; Gauvain le para avec son écu, mais le choc fut si fort que l'écu se fendit par le milieu ; à son tour, Gauvain lui asséna un tel coup d'épée qu'il trancha de même l'autre écu et que le chevalier, s'il ne s'était détourné, aurait été partagé en deux ; mais il en fut tout étourdi. Gauvain reprit son élan et frappa carrément sur le heaume, si fort que le chevalier tomba sur les genoux. Alors il l'agrippa par le heaume, le tira de toutes ses forces, tant et si bien qu'il le lui arracha et que sa tête apparut désarmée. L'épée brandie, il menaçait de le tuer quand l'autre cria grâce :

— Gauvain, épargnez-moi, acceptez ma parole ; je vous jure que je ferai ce que vous voudrez, et que personne ne pourra m'en empêcher. Voici votre sœur, je vous la rends, et moi je me livre à vous absolument.

— J'accepte, mais dites-moi sans rien me cacher pourquoi vous l'avez ainsi emmenée malgré elle. Vous faisiez bien peu de cas de moi !

— Par ma foi, seigneur, c'est vrai.

— Maintenant il me faut savoir ton nom.

— Seigneur, je vous le dirai volontiers et je ne vous le cacherai pas davantage ; on m'appelle Gorvain Cadrus. Grâce, cher seigneur, maintenant que vous savez cela, laissez-moi me relever !

— Si cela ne doit pas trop vous peser, repartit Gauvain, vous me direz avant pourquoi vous me détestez.

— Gauvain, je ne demande qu'à vous informer : l'année dernière, vous avez tué un de mes parents, et j'en ai le cœur plein de douleur. Je croyais bien me venger de vous, mais vous m'avez vaincu, je ne puis le nier. C'est mon orgueil qui m'a mené au déshonneur ; il est juste que j'aie perdu et que je me rende tout à vous, que j'accepte sans restriction de faire ce que vous voulez ; je vous considérerai comme mon seigneur tous les jours de ma vie. Mais jamais dans le passé un homme n'a eu pouvoir sur moi : j'en avais conçu un grand orgueil, qu'il me faut maintenant abandonner. L'orgueil ne peut durer longtemps ; j'ai failli le payer cher. Par votre noble générosité, au contraire de ce que j'éprouvais, vous m'avez laissé la vie, alors que j'aurais mérité la mort pour vous avoir ainsi irrité ; je m'étais lancé dans une immense folie !

— En effet, approuva Gauvain ; vous avez été bien imprudent. quand elle vous a transmis mon message, de ne pas l'accomplir aussitôt. A l'emmener ainsi, vous avez commis une grande faute envers moi ; oui, ce fut une bien triste folie, qui me causa peine et douleur ; et j'ai cherché ma sœur en maints endroits, longtemps : il n'y a pas de forêt ni de château que je n'aie approché. Maintenant, je l'ai retrouvée, Dieu merci et il te faut réparer ton crime ; il s'agit d'une chose importante, écoute-moi : droit à la cour du roi Arthur tu dois aller sans tarder, avec ma sœur ; tu salueras le roi de ma part ; tu lui diras que je t'envoie à lui pour faire ce qu'il t'ordonnera, et après tu lui rendras ma sœur. Enfin tu lui diras que je reviendrai le plus tôt possible, je pense d'ici huit jours, quel que soit l'endroit où il se trouve.

Là-dessus Gauvain s'éloigna, et Gorvain Cadrus de son côté se dirigea vers la cour du roi avec la jeune fille. Il demanda si bien après lui qu'il le trouva à Carlion. A peine arrivé devant lui, il le salua avec tous ses compagnons, loyalement, et lui remit la jeune fille. Après quoi, il lui raconta d'une traite comment Gauvain l'avait vaincu :

— En son nom, je me rends à vous, comme votre prisonnier, à cause de sa sœur que j'emportais dans un château qu'on appelle Pantelion, et moi, cher sire, je vous affirme que mon nom est bien Gorvain. Par Dieu, faites-moi grâce, je me rends tout à vous, sans restriction.

— Ami, lui répondit aussitôt le roi, pourriez-vous me dire ce que Gauvain est devenu ?

— Oui, par Dieu qui demeure là-haut, il me dit en me quittant qu'il serait ici lundi.

— Gorvain, déclara alors le roi, soyez le bienvenu à ma cour. Courtoisement je vous prie d'être de ma maison et de faire partie des pairs de la Table Ronde, qui sont prisés dans le monde entier.

— Très volontiers, répondit Gorvain.

Alors, sans plus, le roi prit place à table, et avec lui ses glorieux chevaliers. Le menu je ne vous le décrirai pas, mais avant qu'ils fussent levés de table...

N.d.T. : le manuscrit est resté inachevé.

LA DEMOISELLE À LA MULE
(La Mule sans frein)

Récit en vers, attribué à Païen de Maisières,
traduit et présenté par Romaine Wolf-Bonvin.

Écrit entre la fin du XIIe siècle et le début du XIIIe siècle.

INTRODUCTION

Un frein manque à une mule et une demoiselle a perdu sa joie avec lui. Pour recouvrer l'un et l'autre, elle vient réclamer l'aide d'un champion à la cour d'Arthur.

Privée de la part essentielle de sa bride, du mors grâce auquel on la dirige, la mule va pourtant emmener Gauvain après l'échec de Keu, sur la voie de l'objet perdu, à l'instar de ces montures féeriques qui entraînent de leur propre chef leur cavalier vers l'être aimé. Car à l'autre extrémité du chemin, la quête aboutira à la sœur de la demoiselle, plus exactement à son lit : lit précieux d'argent pur et d'or plaqué, dont l'éclat brille à la mesure de ce soleil de la chevalerie qu'est Gauvain, dont la force croît avec la montée de l'astre dans le ciel, disent les romans arthuriens. Il s'emparera du frein qu'elle détient, rendra ainsi à la lumière et à la joie tout un peuple plongé dans les ténèbres par le maléfice qui pèse sur le Château Tournoyant où règne la séductrice.

Accumulées avant cette heure de midi qui coïncide avec sa victoire, les épreuves qu'il lui faut traverser composent un vrai kaléidoscope : elles se succèdent en cascade, se pressent dans un espace restreint — moins de 1200 octosyllabes — pour dessiner une aventure énigmatique et chatoyante qui se clôt sans se résoudre. Mais le roman de *La Demoiselle à la mule* (également appelé *La Mule sans frein*) — écrit en dialecte champenois, conservé dans un manuscrit unique et édité récemment par R.C.Johnston et D.D.R.Owen [1] — est loin de se résumer à un répertoire d'épisodes merveilleux dans lequel puisera largement la littérature arthurienne à venir.

Derrière le Gauvain perdu dans les régions infernales puis libéra-

---

1. R.C. Johnston, D.D.R. Owen : *Two Old French Gauvain Romances,* I : *Le Chevalier à l'épée* and *La Mule sans frein* ; II : Parallel Readings with *Sir Gawain and the Green Knight,* Edinburgh/London, Scottish Academic Press, 1972.

teur au zénith de sa gloire, se profile une étrange figure christique [1].
Pourtant la mise en scène de l'aventure est due, pense-t-on, à un
auteur au nom anti-chrétien : Païen de Maisières. Il surgit dans le
prologue axé sur un « proverbe au vilain » qui s'inspire des débuts
d'*Érec et Énide*, proverbe illustré par une métaphore : les vieilles
voies s'avèrent meilleures à suivre que les nouvelles. Or au tournant
du XIIIe siècle, le texte de *La Mule sans frein* abonde en situations
familières aux romans de Chrétien de Troyes [2]. Comme s'il voulait,
en ouvrant ces voies déjà anciennes à un nouveau parcours, mettre à
l'épreuve la poétique de l'auteur champenois pour en tramer le
contre-récit ironique, doté pour la circonstance d'un auteur au nom
antonyme.

Échos qui se prolongent au cours de l'aventure. Parce que la voie
suivie par la mule, en entraînant Gauvain hors des sentiers battus, se
superpose clairement au cheminement du récit lui-même (R.Dra-
gonetti). Mais aussi parce qu'elle le conduit droit au géant qui l'accueille au Château Tournoyant : détenteur d'un savoir occulte sur les
épreuves qui attendent le chevalier, il est tanné par le soleil comme
un vilain de Champagne, comme un Maure issu d'un pays de païen-
nie. Dressés face à face avant de se retrouver liés par une secrète
connivence, le vilain et Gauvain offrent un instant sur la scène de la
fiction le reflet de l'antagonisme malicieux qui oppose le nom de
Païen de Maisières à celui du courtois Chrétien de Troyes.

Car Gauvain sans le savoir, s'apprête à changer de guide. La mule
l'a conduit jusqu'ici, comme ces montures de l'autre monde qui y
retournent quand on leur enlève la bride (*Lai de l'Espine*), mais le
vilain la relaie à l'intérieur du château. Changement de décor, alors
que va s'y rejouer presque la même pièce. Si traverser sur le dos de
la mule une forêt envahie de fauves puis une vallée grouillante de
reptiles constitue autant de tests propres à décourager, à la frontière
de l'autre monde, un Keu définitivement désorienté (*esperdu*) par
l'eau noire d'un fleuve infernal, le château recèle des dangers accrus,
à la mesure de cette topographie prémonitoire. Les combats qu'y
livrera Gauvain contre la paire de lions puis de serpents-dragons

---

1. Voir la littérature des Visions, le *Voyage de saint Brandan*, l'*Espurgatoire saint Patrice*.

2. On y trouve *Érec et Énide* (le combat sous la menace des pieux couronnés de têtes coupées, l'épisode de la joie de la cour), mais aussi des allusions aux trois romans où Gauvain forme contrepoint avec le héros de l'aventure : *Le Chevalier de la charrette* (le Pont de l'Épée sur la rivière infernale, la droite voie qui conduit à la reine, la libération du peuple de Logres) ; *Le Conte du Graal* (le roi Mehaigné, l'épisode du Château des Reines et du lit de la Merveille) et surtout *Le Chevalier au Lion* (l'échec de Calogrenant — ou Cai-lo-Grenant — sur la voie de la fontaine, le vilain qui garde les bêtes sauvages, le combat du serpent et du lion à la queue tranchée, la querelle des sœurs de la Noire Épine).

...uterrains souligneront la spécularité qui se joue
...mondes dont l'un est la préfiguration de l'autre.
...cours linéaire du champion destiné à retrouver les
...es ou presque, évoluera-t-il vers un mouvement cir-
...narche ingouvernable et rectiligne de la mule sans frein
...giration effrénée du Château Tournoyant — deux
...ts des romans de Chrétien de Troyes — comme le sug-
...urs le glissement qui mène Gauvain de la *mule* à la rota-
...*muele* (« meule ») de moulin à laquelle le château est
(C.Méla). Toutes deux puisent leur énergie dans le même
maîtrisable. Une force qui va. Perte de contrôle pour le
...n, qui devra la prendre en compte s'il veut arriver à ses fins,
...en perdre la tête — au sens propre, et non plus se sentir
...! — danger conjuré par l'opération inverse, qui consistera
...Gauvain à mimer ou à réaliser la décapitation de ses adver-
...res.

Après la victoire, il replacera le frein sur la mule qu'il pourra désormais diriger sur la voie familière du retour alors que le vilain freinera la rotation du château jusqu'à immobilisation complète. Double exorcisme. Mais l'énergie se sera déjà déplacée pour renaître ailleurs, dans la hâte croissante manifestée par Gauvain avant de quitter les lieux, malgré le mariage seigneurial proposé par la dame du château. Précipitation qui recoupe celle du conteur qui abrège, accélère, tranche dans le vif des descriptions. Comme si en faisant sien un dynamisme à présent maîtrisé et reconverti, le roman gagné par l'impatience n'allait avoir d'autre but que de courir à sa fin.

Dès lors il ne restera plus au vainqueur qu'à s'avancer sous les fenêtres de Carduel. Retour qui ne s'effectuera plus en l'absence du couple royal — ainsi était arrivée la demoiselle à la mule —, non sous le regard d'un roi failli — ainsi était arrivé Keu — mais, récompense ultime, sous le regard de la reine. Troisième arrivée sur la scène arthurienne, elle relancera ce rythme ternaire qui déjà au Château Tournoyant structurait les épreuves, conduisant Gauvain de lit en lit, du lit vide où il passa la nuit à celui du chevalier blessé, cet avatar du roi Mehaigné, enfin à celui de la dame du lieu.

Destiné à demeurer à perpétuité le neveu non marié du roi, Gauvain se confondra enfin avec le conteur : il récapitulera pour la demoiselle à la mule les aventures qu'il a trouvées. Satisfaite, elle repartira en se justifiant dans les termes mêmes qu'il employa pour refuser l'union avec sa sœur :

« Je ne puis rester ; il se fait assez tard... »

Fenêtres de Carduel ouvertes sur le rêve, quand à force de fixer le pré en contrebas surgit l'aventure — après tout s'est-il passé quelque chose ? Le texte va se clore là où il a commencé, l'aventure dans une circularité onirique déjà inscrite *emprisonnant* de roues, posé sur le lit de la dame. Hâte et brièveté. *La au orné à la mule* oppose aux longs romans de Chrétien de Troyes, celle misme de la parodie : elle les attire dans son orbe et, en décrivant tour complet sur elle-même, les entraîne dans une révolutio... transforme en roue de foire.

Romaine WOLF-BONV

Le vilain dit en un proverbe qu'une fois vieillie et mise au rebut, telle chose s'avère fort utile par la suite. C'est pourquoi chacun doit avec bon sens et réflexion, apprécier ce qu'il possède, car dans la nécessité, il peut aussitôt en advenir un bien. Désormais, on estime moins les vieilles voies que les nouvelles parce qu'on trouve celles-ci plus belles — ainsi sont-elles meilleures en apparence ! — mais il arrive assez souvent que les vieilles soient les plus précieuses. Voilà ce qui fait dire à Païen de Maisières que l'on doit toujours s'en tenir plus aux vieilles qu'aux nouvelles voies.

Ici commence une aventure,
celle de la demoiselle à la mule
qui s'en vint à la cour du roi Arthur.

Il arriva un jour de Pentecôte, que le roi Arthur tenait sa cour à Carduel, comme il en avait coutume. Et maints chevaliers s'y trouvaient rassemblés, venus de toutes terres à la cour. De leur côté, avec la reine se trouvaient les dames et les demoiselles, dont beaucoup de belles, qui étaient venues à la cour. Ils devisèrent jusqu'à ce que les barons après le repas soient montés par la salle se divertir dans les étages supérieurs. Par les fenêtres, ils fixent alors leurs regards dans un pré, tout en bas. Et ils y demeuraient depuis peu lorsqu'ils virent sur une mule arriver à grande allure vers le château, une demoiselle solitaire, très avenante et très belle. Ainsi venait la demoiselle, avec un licol pour seul équipage : sur sa mule, il n'y avait point de frein [1].

Les chevaliers s'en émerveillent fort entre eux : ils se consultent

---

1. Le frein désigne spécifiquement le mors qu'on glisse dans la bouche de la monture et avec lequel on la dirige, mais il peut aussi signifier par métonymie la bride toute entière.

sur ce que cela peut être et en parlent tant et plus ; la reine saurait bien si elle était là, disent-ils, quel besoin pousse la demoiselle à venir en cette terre.

— Keu, dit Gauvain, allez quérir la reine, et dites au roi de venir ; que nul contretemps ne le retienne de venir à nous à l'instant.

Le sénéchal s'en va droit où se trouvent la reine et le roi :

— Sire, dit Keu, venez là-haut, où vos chevaliers vous demandent.

Aussitôt ils l'interrogent :

— Sénéchal, que nous voudraient-ils donc ?

'— Venez avec moi et je vous l'apprendrai, dit-il ; je vous montrerai l'aventure que tous nous avons vue.

Alors la jeune fille est arrivée. Devant la salle elle descend de sa monture. Gauvain se précipite à sa rencontre et nombreux parmi les autres chevaliers sont ceux qui courent vers elle, lui proposent leurs services et l'honorent tant et plus. Mais il semblait bien à la voir qu'elle n'avait pas envie de badiner car elle avait enduré bien des tourments. Le roi la mande et on la lui amène. Sitôt arrivée devant lui, elle le salue :

— Sire, dit-elle, vous le voyez, je suis fort irritée et fort chagrine, et ainsi serai-je à tout jamais — et jamais je n'aurai de joie, tant qu'on ne m'aura pas rendu mon frein que par malveillance on m'enleva, ce qui m'a fait perdre toute ma joie. Je le récupérerais, je le sais bien, s'il y avait ici un chevalier assez audacieux pour s'affirmer résolu à en prendre la voie ; et s'il voulait me le rendre, je serais toute à lui dès que j'aurais recouvré mon frein, sans débat ni contredit. Et moi, sur-le-champ et sans délai, je ferais tant par amour pour lui, que je lui donnerais ma mule pour le mener à un château très bien situé, puissant et beau, mais qu'il n'aura pas en toute quiétude.

A ce mot, Keu s'est porté en avant : il ira, dit-il, quérir le frein, en quelque terre que ce soit, fût-elle la plus étrange ! Mais avant de s'en aller, il veut d'abord un baiser d'elle — ce baiser, il le voulait séance tenante !

— Ah, seigneur, dit-elle, tant que vous n'aurez pas le frein, je ne veux point vous accorder le baiser ; mais quand il me sera rendu, le château vous sera donné en retour, et le baiser et l'autre chose.

Keu n'ose l'en presser davantage. Elle lui dit et lui recommande quant à elle de ne jamais contraindre la mule, de quelque côté qu'elle veuille aller.

Keu n'a cure alors de s'attarder plus longtemps auprès d'eux. Il s'en va vivement à la mule et il y est monté par l'étrier sans se soucier d'être escorté. Quand ils voient qu'il part tout seul, sans compagnon, n'emportant pour arme que sa seule épée, la jeune fille reste en pleurs car elle voit bien — et je m'en porte garant — que cette fois-ci elle ne recouvrera pas son frein, quoi que lui dise celui qui prend la route sur la mule ; celle-ci s'en va, courant à l'amble.

Et la mule le guide parfaitement dans la voie qu'elle a parfaitement apprise.

Et Keu a tant fait de chemin que le voici enfoncé dans une haute et vaste forêt. Mais il ne s'y est guère avancé que les bêtes de l'endroit se sont toutes rassemblées : lions, tigres et léopards. Pour Keu, toutes convergent du côté où il devait aller. Avant qu'il y pût passer, les bêtes se hâtèrent à tel point qu'elles arrivèrent à sa rencontre. Et Keu en éprouva une terreur telle que jamais il n'en connut de plus grande. S'il ne s'était engagé dans cette voie se disait-il, jamais il ne serait entré dans ce bois, quelque discours que des mois durant, on aurait su lui faire.

Mais parce qu'elles connaissaient la dame et pour révérer la mule qui était sous leurs yeux, les bêtes ployèrent les deux genoux à terre. Ainsi s'agenouillaient-elles en l'honneur de la dame — assurées par là même de leur gîte et de leurs allées et venues dans la forêt. Elles ne pouvaient l'honorer davantage. Mais Keu ne voulut s'attarder plus longtemps : au plus vite qu'il put, il quitta la place. Lions et léopards s'en allèrent chacun vers son repaire et Keu dans un petit sentier guère fréquenté où s'engagea la mule.

Pour l'avoir parcouru maintes fois, la mule connaissait bien le sentier, qui le mène hors de la forêt où il avait enduré tant de tourments. Le voici sorti du bois.

Mais à peine était-il allé de l'avant qu'il pénétra dans une très large et très profonde vallée ; elle était si périlleuse, si terrible et si ténébreuse qu'il n'y avait au monde d'homme assez vaillant pour ignorer la peur de mourir s'il l'avait traversée.

A l'instant il faut qu'il y passe ! Qu'il le veuille ou non, il lui faut entrer ! Il y entre, faute de mieux. Non sans peine, il y est entré. Mais le voilà bien épouvanté, car il voyait dans le fond de la vallée d'énormes couleuvres, et des serpents, et des scorpions, et d'autres bêtes dont la tête crachait le feu, ce dont il eut très grand peur. La puanteur lui faisait pire encore, car jamais depuis l'heure de sa naissance, il ne s'était trouvé en lieu si puant. Une chance qu'il n'en soit pas tombé à la renverse ! Peu s'en faut qu'il n'en ait perdu le sens. Plutôt la compagnie des lions dans le bois où il avait été auparavant, se disait-il !

L'été le plus chaud, la chaleur la plus intense ne sauraient attiédir le froid qui y règne comme au cœur le plus rigoureux de l'hiver, tant à mon avis la malveillance de l'hiver siège à perpétuité dans ce lieu. Et la bise charriant le grand froid y vente sans cesse, comme y ventent les autres vents qui s'y entrechoquent. Il y a là tant de malheur qu'à peine en dirais-je la moitié.

Il s'est tant hâté qu'il en a toutefois atteint l'issue. Il aperçoit alors une plaine et se rassérène un peu : il en a tant fait qu'il en a réchappé, du feu et de la puanteur ! Avant d'être sorti de ces lieux, il n'avait jamais cru revoir le jour.

Descendu dans une plaine, il a dessellé sa mule. Il voit alors de l'eau tout près de là, au milieu de la prairie : une fontaine très claire et très pure, qui en faisait tout l'agrément, environnée tout alentour de fleurs, de pins et de genévriers. Il y abreuve sa mule aussitôt, car elle en avait grand besoin. Lui-même, pour se rafraîchir et parce qu'elle lui semblait belle, boit à son tour à la fontaine.

Puis il a équipé sa mule et, à l'amble, se remet en route. Si longue lui semble la voie qu'il pense ne jamais voir ce qu'il était en train de chercher.

Keu a tant chevauché qu'il est parvenu à une grande rivière, mais il est très désorienté de la voir large et profonde ; et il n'y trouve ni nef ni barge, ni passerelle, ni aucune planche. Il a tant longé le rivage que par hasard il a trouvé une planche : guère large, elle l'aurait pourtant bien supporté s'il avait osé marcher sur elle, car elle était toute en fer.

Quand il voit l'eau si noire, il redoute à l'extrême le passage. La traversée pourrait bien ne pas lui réussir, pense-t-il. Encore vaut-il mieux pour lui faire demi-tour plutôt que de sombrer ici — il en sera mieux avisé au contraire ! Et maudit soit-il s'il s'expose à un tel danger pour une affaire aussi minime et aussi vaine, se dit-il. Très périlleuse lui semble la voie qu'il avait prise pour venir, mais bien plus périlleux lui semble être le passage.

Alors Keu fait demi-tour et se remet en route. Tout comme il était venu, il a bien suivi le droit chemin. Tout droit, il parvint à la vallée où il trouva l'ignoble vermine ; à aucun moment il ne cessa de chevaucher tout droit au beau milieu, jusqu'à ce qu'il en fût sorti bien que son corps fût douloureux, brisé et battu. Il s'est enfoncé dans la forêt où se tiennent les bêtes sauvages. Elles vinrent à sa rencontre dès qu'elles l'aperçurent, vers lui elles coururent, avec tant de colère qu'elles l'auraient dévoré je pense, si elles ne l'avaient épargné pour la mule qu'elles honoraient. Keu en eut si grand peur qu'il n'aurait voulu, même pour dix cités, même pour tous les trésors de Pavie avoir pénétré dans ce bois. A la sortie de la forêt, il est entré dans la prairie devant le château.

Le roi Arthur, tout au plaisir de le voir revenir, était venu aux fenêtres avec Gauvain, Gaheriet, monseigneur Yvain, Girflet et de nombreux autres chevaliers qu'il y avait appelés. Lorsqu'ils voient l'arrivée du sénéchal, ils envoient quérir la jeune fille :

— Demoiselle, venez ! disent-ils. Votre frein, vous l'aurez désormais car Keu est déjà dans les parages ; et sachez-le bien, il a le frein !

Ils mentent pourtant, car il n'en n'a pas une miette ! Et elle de s'écrier d'une voix claire :

— Vraiment ! S'il avait dû l'avoir, jamais il ne serait revenu si tôt !

Alors elle tire ses cheveux et se les arrache. Ah, si vous aviez pu la voir ainsi au supplice, exprimer une douleur extrême !

— Que Dieu m'aide, dit-elle, je serais déjà morte s'il ne tenait qu'à moi !

Et Gauvain lui dit en riant :

— Demoiselle, accordez-moi un don.

— Lequel, seigneur ?

— Que vous ne pleuriez plus. Mangez plutôt et montrez-vous joyeuse : ne soyez plus découragée car je vous aiderai de bon cœur et vous rendrai votre frein.

— Seigneur, dit-elle, j'aurai mon frein à coup sûr, dites-vous ?

— Oui, en vérité.

— Je mangerai donc et me montrerai toute joyeuse, pourvu que vous m'en fassiez la promesse.

Alors Gauvain s'y est engagé : si jamais quelqu'un doit l'avoir, ce sera lui qui le récupérera, où qu'il se trouve. Alors la jeune fille se mit en mouvement et s'en alla rejoindre sa mule au bas de la salle.

Et Keu est allé à son logis, tout chagrin, tout triste et très tourmenté. Quand on a dit et rapporté au roi le mauvais comportement de Keu — et qu'il n'ose pour cette raison venir à la cour — il est loin de prendre la chose pour un jeu. Je ne veux plus continuer à parler de lui pour cette fois mais, pour la demoiselle, écoutez comment elle est venue devant le roi.

Voici tout son discours : Gauvain lui a promis que le frein lui sera restitué ; à ce qu'il a dit, il le lui rapportera, son frein, en quelque lieu qu'il se trouve, si fortifié soit-il, pourvu qu'il obtienne son congé.

— Je le lui octroie très volontiers, dit le roi avec la reine, qui lui donnent ainsi leur accord.

Elle s'incline devant eux et engage instamment Gauvain à se hâter ; mais lui, avant de s'en aller, tient d'abord à l'embrasser. Qu'il lui donnât un baiser n'était que justice ! La jeune fille le lui donne de très bonne grâce. La voilà maintenant fort satisfaite, car elle sait parfaitement, sans l'ombre d'un doute et quoi qu'il advienne, qu'elle récupérera le frein. Sa supplique n'est donc plus de saison.

Parvenu à la mule, Gauvain a sauté dans les arçons. La demoiselle lui souhaite la bénédiction plus de trente fois et tous l'ont recommandé à Dieu. Gauvain ne s'attarde pas davantage, mais quitte aussitôt la place. Toutefois il n'y laissa pas son épée !

Il est entré dans la prairie qui le mène vers la forêt où les bêtes ont leur repaire, et les lions et les léopards. C'est de ce côté qu'à présent il s'en va.

Là où Gauvain devait passer, ils viennent droit à sa rencontre. Sitôt qu'ils revoient la mule dont ils avaient connaissance, ils plient les deux genoux en terre et font acte d'humilité, par amour envers le chevalier et parce qu'ils le reconnaissent. Et ceci a un sens : à savoir qu'il récupérera le frein par la force, où qu'en soit le lieu, si fortifié qu'il soit. Mais quand Gauvain voit les bêtes, il perçoit combien Keu eut peur lors de son passage et pense bien que pour cette raison il fit demi-tour.

En riant, il est passé outre et il est entré dans le petit sentier qui le mène droit à la vallée envenimée de reptiles. Comme il ne les redoute en rien, il avance sans s'arrêter jusqu'à ce qu'il soit parvenu de l'autre côté. Descendu au milieu de la plaine où se trouvait la belle fontaine, il a débarrassé la mule de sa selle, la frotte, puis l'équipe à nouveau. Il ne s'y attarde guère, car la voie lui est par trop pénible.

Tout au long, Gauvain poursuit son chemin jusqu'à parvenir à l'onde noire plus bruyante que la Loire. D'elle, je voudrais dire sans plus que jamais personne n'en vit d'aussi affreuse, d'aussi effroyable ni d'aussi cruelle : je ne sais vous en dire autre chose, et pourtant vous dis sans fable aucune que c'est le fleuve du diable : des visions, des semblants de diables, on n'y voit que cela. Et il n'y a point de passage.

Il a tant longé le rivage qu'il a découvert la planche qui n'est pas plus large que la main, bien que toute en fer. Il craint fort la traversée ; ce par quoi il voit et comprend bien que, par manque d'audace, Keu ne poussa plus avant et que c'est de là qu'il s'en retourna.

Après s'être recommandé à Dieu, Gauvain frappe la mule. Alors elle saute sur la planche qui ne cède point. Il arrivait pourtant assez souvent que la moitié de son pied se posât en dehors de l'arête de la planche. Rien d'étonnant à ce qu'il eût peur, mais lui faisait plus grand peur encore le fait que la planche ployait sous lui ! Avec beaucoup de difficulté il est passé de l'autre côté, mais une chose est sûre : si la mule n'avait connu la voie, il aurait fait le plongeon. Pour cette fois, il s'en est gardé.

Il a repris aussitôt son chemin. Avec les dons et les promesses que lui prodigue Fortune, le voilà qui s'engage dans un petit sentier qui le mène vers un château très bien situé, puissant et beau, si solidement fortifié qu'il ne craignait aucun assaut car il était encerclé d'un grand, large et profond cours d'eau et clôturé tout alentour de grands et gros pieux bien affûtés. Et sur chacun des pieux, sauf sur un seul où elle manquait, était fichée une tête de chevalier. Gauvain ne voulut pas renoncer. Pas d'entrée, pas de porte. Le château tournoyait aussi vite qu'une meule de moulin en train de moudre et qu'une toupie que l'on a coutume de mener au fouet. A l'instant il faut qu'il y entre, mais il est frappé d'un émerveillement sans bornes. Au fond de lui-même il s'interroge sur ce que peut être et ce que veut dire tout cela ; il voudrait beaucoup en connaître la nature, mais n'en devient pas lâche pour autant !

Alors sur le pont-levis, il se tient en arrêt devant la porte. Ne pas renoncer à bien faire : voilà ce à quoi Hardiesse l'exhorte vivement. Le château tournoie sans cesse, mais il restera là jusqu'à ce qu'il y entre, se dit-il, à n'importe quel prix. A nouveau lui vient une grande inquiétude : à peine la porte se trouve-t-elle devant lui qu'elle l'a passé à toute allure. Ayant bien repéré l'instant propice, il se dit qu'il y entrera quand la porte lui fera face, quoi qu'il doive lui arriver. Il voit alors venir la porte, pique la mule avec vigueur, elle bondit sous l'effet de l'éperon, se jette à travers la porte, mais derrière elle s'abat un coup si violent qu'il lui tranche près de la moitié de la queue.

Ainsi a-t-il franchi la porte. Et la mule l'emporte à vive allure parmi les rues du château, toute au plaisir qu'elle a de le voir. Et lui, un peu triste de ne trouver à l'intérieur ni femme, ni homme, ni enfant, s'en vint tout droit sous l'auvent d'une maison. Mais avant qu'il fût descendu de sa monture, un nain déboucha en toute hâte au milieu de la rue. Il le salue et lui dit :

— Gauvain, bienvenue !

A son tour, Gauvain s'empressa de lui rendre bien vite son salut et lui dit :

— Nain, qui es-tu ? Qui est ta dame et qui est ton seigneur ?

Mais le nain ne voulut absolument pas lui en dire plus. Au contraire, il repart tout droit ! Gauvain ne comprend rien à ce qu'il voit et s'étonne de ce que cela peut être — et ce nain qui refuse de répondre ! Il l'aurait pourtant forcé à s'expliquer s'il avait daigné se mesurer à lui ! — mais il le laisse aller de bonne grâce.

Aussitôt, il saute à terre. Sous une arche il examine un caveau vaste et profond qui, très bas, s'enfonce sous la terre, car il se dit qu'il voudra explorer toutes les caches avant de s'en aller ; il n'aurait pas un sou d'estime pour lui-même s'il ne connaissait tout à fait l'état des lieux ! C'est alors qu'il voit au sommet d'un escalier, sortir du caveau un vilain tout hérissé. Qui l'eût vu eût certainement dit que son voyage allait échouer là. Le vilain paraît fort cruel ; il est plus grand que saint Marcel et porte sur l'épaule une grande et large guisarme [1]. A la vue du vilain, Gauvain est frappé d'un violent étonnement : il ressemble à un Maure de Mauritanie ou à l'un de ces vilains de Champagne que le soleil a tout tannés.

Il s'est arrêté devant Gauvain et l'a salué aussitôt. Celui-ci a longuement observé sa mine et son maintien :

— Et toi, grand bien t'advienne, dit Gauvain, si tes paroles sont de bonne foi !

— Certes oui. Mais je te trouve téméraire d'être venu ici. Tu as vraiment gaspillé tes pas, car il ne saurait mieux se trouver sous clef, le frein que tu es venu chercher. En effet, il est entouré de bons gardiens. Que Dieu m'aide, il te faut livrer un bien grand combat avant de l'obtenir !

— Tu t'effraies pour un rien, dit Gauvain, car certes j'en livrerai à satiété. Que Dieu m'assiste ! Je mourrai plutôt que de n'être quitte du frein que j'aurai eu.

L'autre ne temporise plus, mais voyant le soir tomber, s'emploie à le servir et le mène droit à son logement ; il se met en quatre pour l'installer confortablement, procure à son tour un bon gîte à la mule. Comme il n'y a plus de serviteurs dans le château, il s'empare d'une blanche et large serviette avec deux bassins et les donne à Gauvain pour se laver les mains.

La table où Gauvain s'assit au repas était déjà dressée. Il mangea donc, car il en avait besoin, et l'autre, qui le sert à volonté, le fournit très copieusement. Sitôt qu'il eut mangé, le vilain enleva la table et lui apporta de l'eau.

Pour dormir, il lui a préparé une grande couche haute et large, car il tient fort à lui fournir toutes ses aises, comme il convient à pareil chevalier. Bientôt il revient à ses côtés :

— Gauvain, dit-il, dans ce lit tu t'étendras tout seul pour cette nuit, sans querelle ni contestation. Avant que tu n'ailles te coucher, je te demande une chose dans un esprit de paix : parce que j'ai entendu qu'on t'estimait et que j'y vois une occasion favorable, je t'offre à présent une alternative. Choisis-la tout à ton gré.

Et Gauvain lui a promis de la choisir, quelle qu'elle soit.

— Parle, que Dieu m'aide ! dit-il. Car je ferai mon choix sur-le-champ et ne manquerai pas d'un mot à ma parole, puisque je trouve en toi un hôte parfait !

---

1. Arme à longue hampe composée d'une lame recourbée en forme de faucille et d'une pointe droite.

— Cette nuit, dit l'autre, coupe-moi la tête avec cette guisarme tranchante. Enlève-la-moi, à la condition que je trancherai la tienne au matin, quand je reviendrai. Choisis donc sans disputer !

— Je serai bien insensé, dit Gauvain, si je ne sais où porter mon choix ! Quoi qu'il advienne, je choisirai. Cette nuit, je te trancherai la tête et au matin, je te livrerai la mienne en retour — si tu exiges que je te la rende.

— Maudit soit qui demande mieux, dit le vilain. Maintenant, viens donc !

Il l'emmène alors. Sur un billot, le vilain étend le cou à son intention. Gauvain s'empare aussitôt de la guisarme et, sans plus tarder, lui tranche la tête d'un seul coup. D'un saut, le vilain se remet à l'instant sur ses pieds et ramasse sa tête. Il est entré dans le caveau. Gauvain a fait demi-tour et s'est rapidement couché. Il dort en toute confiance jusqu'au matin.

Le lendemain, au point du jour, Gauvain se leva et s'équipa. Voici alors que revint le vilain, tout guéri et en parfaite santé, sa guisarme sur l'épaule. Quand il eut porté son regard sur la tête qu'il avait coupée, Gauvain put bien se croire fou ! Pourtant il ne s'en effraya pas du tout. Le vilain prend alors la parole sans se troubler le moins du monde :

— Gauvain, dit-il, me voici venu ; je te rappelle donc notre accord.

— Je ne le conteste en rien puisque — je le vois bien — il faut en passer par là, et que combattre n'est pas de mise.

Il aurait pourtant bien dû le faire, mais il se refuse à commettre une déloyauté. Puisqu'il lui était lié par une promesse, dit-il, il la lui tiendrait volontiers.

— Maintenant viens donc, dit le vilain.

Gauvain sort de la maison. Sur le billot, il étend le cou à son intention. Et le vilain lui dit alors :

— Étire ton cou de tout son long !

— Je n'en ai pas plus, fait-il, mais frappe-le, par Dieu, si tu veux le frapper !

Que Dieu m'aide ! Ce serait malheureux, ce serait consternant s'il le frappait ! Le vilain qui le fait pour l'effrayer, hausse sa guisarme tout droit, mais n'a nulle envie de le toucher parce que Gauvain était très loyal et qu'il lui avait bien tenu sa promesse.

Alors Gauvain lui a demandé le moyen d'obtenir le frein.

— Tu pourras parfaitement le savoir, fait l'autre. Mais avant que midi soit passé, tu seras si rassasié de la bataille que tu ne te soucieras plus de plaisanter, car il faudra te battre contre deux lions enchaînés. Le frein n'est pas vraiment laissé à l'abandon, au contraire, il y a là une garde funeste. Que me brûlent les flammes et le feu de l'enfer ! S'il se présentait dix chevaliers et qu'on les laissât se battre contre les deux lions, pas un n'en réchapperait tant je les sais féroces — à ceci près que je t'offrirai mes services. Ainsi te faut-il manger un peu avant d'aller à la bataille, de sorte que le cœur ne te fasse pas défaut et que tu ne te sentes plus accablé.

— Manger ne servirait à rien, dit Gauvain, en aucune manière. Cherche plutôt une armure dont je puisse m'équiper.

— Il y a ici, dit le vilain, un bon destrier que personne n'a chevauché depuis des mois et d'autres équipements en suffisance que je te prêterai volontiers. Mais juste avant que tu prennes les armes, je te montrerai les bêtes, pour voir si tu te découragerais de combattre les lions.

— Que m'assiste saint Pantaléon, dit Gauvain ; en aucun cas je ne les verrai avant de me battre contre eux. Arme-moi plutôt sur-le-champ !

Avec célérité, l'autre qui sait parfaitement en venir à bout, l'équipe de pied en cap avec de bonnes armes et lui amène un destrier. Gauvain y monta par l'étrier sans se troubler le moins du monde. Le vilain lui fournit sept écus qui lui seront d'un très grand secours.

Puis le vilain va délier l'un des lions et le mène à lui. Et le lion manifeste une si fière arrogance, une fureur si folle et une rage si violente qu'il laboure la terre de ses griffes et ronge sa chaîne avec ses dents. Quand il se retrouve au-dehors et qu'il aperçoit le chevalier, il commence alors à se hérisser et de sa queue se fouette les flancs. Il lui faut certes savoir l'escrime, celui qui se bat contre lui, et ne pas avoir cœur de chèvre ou de limace !

Le vilain le laisse aller sur une esplanade devant le château. Gauvain dédaigne l'esquive ; au contraire il l'attaque, épée dégainée. Le lion a levé le mufle. Il le frappe, l'autre le frappe à son tour. Il se frappent tous deux, bel et bien. Au premier coup, le lion l'a si bien frappé qu'il lui a arraché l'écu et l'a tiré à lui — le vilain en a préparé un autre et Gauvain s'en empare. De l'épée, il frappe le lion avec colère en travers de l'échine, mais la peau est dure et coriace, si dure qu'il ne peut l'entamer. Le lion est la fureur même : comme la tempête il revient sur lui et de sa queue le frappe à son tour au travers de la tête — il lui a ravi le deuxième et le troisième écu, tant et si bien que du quatrième il ne lui en reste plus rien non plus.

— Par ma barbe, dit le vilain, à présent tu risques fort d'attendre avant le prochain repas !

Alors, avec détermination, monseigneur Gauvain frappe le lion de sorte qu'il lui enfonce l'épée entière jusque dans les entrailles et qu'il faut bien que le lion meure !

— Laisse maintenant l'autre venir à moi, dit-il.

Et le vilain le lâche. Il manifeste un profond désespoir et s'exaspère à la vue de son compagnon mort. Il vient tout droit au chevalier et l'attaque avec une force telle qu'au premier coup il lui a ravi l'écu — le vilain lui en prépare un autre et l'assiste en tout ce qu'il peut. Et le lion court à sa rencontre et, de face, le harcèle sans relâche : de ses griffes il lui rompt toutes les mailles de la coiffe jusqu'à la ventaille et derechef lui arrache son écu — et le vilain lui en a redonné un autre. Mais Gauvain sait bien et se rend compte à présent que s'il lui enlevait celui-ci, ce serait ennuyeux ! De son épée tranchante, il le frappe au sommet de la tête si bien qu'il le pourfend de part en part jusqu'aux dents et le lion s'effondre à terre.

— Pour celui-ci, la guerre est finie et la paix conclue, dit Gauvain. Maintenant, par la foi que tu dois à ton père, rends-moi donc le frein.

— Par saint Pierre, il n'en ira pas ainsi ! réplique le vilain. Toute échappatoire sera inutile. Je verrai d'abord la manche de ton haubert toute ensanglantée de vermeil. Si tu veux te fier à mon avis, désarme-toi et mange, de sorte que la force te revienne.

Mais Gauvain ne le veut à aucun prix.

Tout droit le vilain l'emmène, franchissant portes et chambres — car il connaissait bien tous les recoins du château —, jusqu'à ce qu'il pénètre dans la chambre où gisait un chevalier qui portait au travers du corps une blessure.

— Gauvain, sois le bienvenu, lance-t-il dès qu'il l'aperçoit. Fortune t'a envoyé ici ! Puisque à présent je suis guéri et que tu as beaucoup de courage, il faut te battre désormais contre moi.

Du moment qu'il ne peut en être autrement, jamais, dit Gauvain, il ne le contredira. L'autre se lève aussitôt et s'arme tout à son gré. Mais j'ai failli avoir passé sous silence une chose que je ne dois pas laisser en chemin ; elle est néanmoins fort bonne à raconter : la raison pour laquelle il se levait blessé. Il existait une coutume ainsi faite : quand un chevalier d'une autre terre venait quérir pour la jeune fille le frein qui se trouvait dans le château, il devait le combattre. Et s'il était vaincu par lui, il n'obtenait en retour de sa peine rien d'autre que d'avoir la tête coupée puis fichée sur l'un des pieux dont le château était enclos. Et s'il n'arrivait pas que le défenseur fût vaincu par celui-ci, un autre pieu serait planté jusqu'à la venue d'un autre chevalier, que le défenseur devrait vaincre au combat.

Ainsi tous deux se sont armés, puis le vilain a mené un bon destrier à chacun d'eux ; ils y bondissent sans le secours de l'étrier et pendent les écus à leurs cous. Vous allez désormais entendre leurs coups !

Aussitôt qu'ils se sont retrouvés à cheval, le vilain leur a préparé deux grosses lances qu'il leur donne pour engager cette bataille. L'un de l'autre ils s'éloignent alors, puis l'un sur l'autre, sans faillir, ils se précipitent. Avec force, ils échangent de tels coups que peu s'en faut qu'ils ne se désarçonnent ; ils brisent leurs lances et les fracassent et les arçons se disloquent derrière eux et les étriers se rompent ; il n'y reste pas une courroie à trancher, de sorte qu'ils ne peuvent plus soutenir leur effort. Il leur faut descendre à terre.

Ils se remettent à l'instant sur leurs pieds ; ils gardent leurs écus à leurs bras ; ils s'efforcent de frapper dur ; ils échangent de tels coups sur leurs écus qu'en jaillissent des étincelles ; ils se servent de leurs épées comme d'une doloire sur leurs écus, si bien qu'ils en abattent les pièces. L'un contre l'autre ils se battent le temps qu'il faut pour parcourir deux lieues sans que nul ne puisse gagner sur l'autre un seul plein pied de terre.

Qu'il ait tant tardé contrarie fort Gauvain. Aussi l'attaque-t-il avec une vigueur telle qu'il lui tranche le cercle du heaume, le pourfendant tout entier : alors le coup l'étourdit au point qu'il se courbe vers le sol. Et Gauvain attire le chevalier à lui, le secoue avec tant de force qu'il semble vouloir le tuer. L'autre lui crie aussitôt :

— Gauvain, ne me tue pas ! J'ai été fou de m'en prendre à toi, mais ce matin encore je croyais qu'il n'y aurait sous le ciel un chevalier pour oser se dresser contre moi, et toi, tu m'as conquis par la force ! Voilà qui rehausse grandement ta réputation à présent. Et je croyais te trancher la tête et la ficher sur ce pieu où il n'y en a encore aucune ! J'ai pourtant tranché toutes celles des chevaliers qui sont venus céans pour semblable affaire et qui couronnent le pourtour de cette palissade. Je croyais en faire autant de toi, mais il n'existe pas de chevalier à ta mesure sous le ciel.

Gauvain le lâche et il s'en va. Dans la chambre, il se désarme.

— Vilain, dit-il, pense maintenant à la manière dont je pourrai obtenir le frein.

— Gauvain, dit l'autre, veux-tu savoir ce que tu as d'abord à faire ? Avant, tu dois combattre deux serpents fourbes et farouches qui parfois projettent du sang, et de leur bouche jaillit du feu ! Mais sache bien que cet équipement ne te sera plus d'aucune utilité contre eux. Je vais t'en préparer un autre plus robuste et plus résistant. Il y a bien céans quatre cents hauberts à mailles triples, solides et en parfait état qui appartenaient à ces chevaliers dont tu vois les têtes coupées.

Le vilain a tôt fait de lui apporter des armes de diverses espèces. Pour l'équiper, il lui livre une panoplie solide et en parfait état. Gauvain dit alors ·

— Va chercher les diables dont tu parlais.

— [...] [1] dit-il, mais avant que soit passé midi, tu auras fort à faire. Il n'y a pas sous le ciel d'homme assez farouche pour oser les approcher, à part moi — ni même pour oser les regarder !

— Ne t'en préoccupe pas, dit Gauvain.

Le vilain descend alors détacher les serpents d'une taille et d'une férocité extrêmes et les ramène en haut : ce sont des bêtes d'une grande sauvagerie, à tel point que partout, ici et là, les flammes embrasent son écu ; Gauvain en attaque un avec fougue. De son épée, comme en témoigne l'écrit, il lui porte un tel coup qu'il lui tranche la tête. Il l'a tué sur-le-champ. Je ne sais ce que j'irais vous conter de plus sinon qu'avant midi passé, il les a si bien arrangés tous deux qu'ils sont morts et taillés en morceaux.

Il a le visage fortement souillé de sang et d'ordure. Le vilain reprend l'armure avec laquelle il avait combattu. Mais avant qu'il soit désarmé, le petit nain arriva devant lui, le même qui était d'abord venu à sa rencontre sous l'auvent, l'avait alors salué sans daigner lui en dire plus, mais s'en était allé avec tant de morgue.

— Gauvain, dit-il, je t'offre mes services de par ma dame. Mais avec cette clause : que tu partageras son repas ; puis tu disposeras à ton gré, sans combat ni contestation aucune, du frein que tu es venu chercher.

Gauvain dit alors qu'il s'y rendrait si le vilain le conduisait, car il se fiait beaucoup à lui. Tous deux s'en vont, main dans la main. Le vilain l'a fort bien guidé. Ils ont marché de chambre en chambre jusqu'à parvenir tout droit dans celle où la dame qui avait envoyé le nain quérir monseigneur Gauvain était allongée sur un lit.

Sitôt qu'elle le voit venir, elle vient à sa rencontre et lui dit :

— Gauvain, soyez le bienvenu. A cause de vous me sont pourtant arrivés de bien grands ennuis et de grands dommages, car toutes mes bêtes sauvages, vous les avez tuées en chemin. Toutefois, il faut que vous mangiez avec moi maintenant. Jamais en vérité, je ne connus meilleur chevalier que vous, ni plus vaillant.

Ils s'installent tous deux sur le lit. Mais à ce qu'il me semble, il n'était point de bois de saule ni de tremble, le lit où la dame et Gauvain étaient assis, car les quatre pieds chantournés en étaient tous d'argent pur plaqué d'or. Par-dessus, un tissu de soie à motifs circulaires, brodé tout entier de pierres précieuses était disposé, ainsi que d'autres richesses, à profusion. Si je tenais à vous les décrire, j'y perdrais et ma sueur et tout mon temps, mais en parler n'est pas nécessaire.

---

1. Un vers manque dans le manuscrit.

Elle demande de l'eau pour se laver ; aussitôt, le vilain leur donne les bassins d'or et leur apporte la serviette pour s'essuyer. La dame et monseigneur Gauvain s'asseyent alors pour manger ; le nain les sert, accompagné du vilain puisque à l'intérieur du château il n'y a plus de serviteurs. La dame se montre on ne peut plus joyeuse et fait bonne figure à son hôte. Côte à côte, tout contre elle, la dame, qui lui dispense force louanges et lui témoigne grande estime, le fait asseoir et manger dans la même écuelle. Je ne vous décris pas autrement les mets et pour l'heure ne vous en conte pas plus, mais dès qu'ils eurent mangé et qu'on leur ôta la table, la dame demanda de l'eau ; aussitôt le vilain lui en donna.

Gauvain brûle de s'en aller car il pense avoir beaucoup tardé. Alors il a demandé le frein à la dame — car il doit bien l'obtenir !

— Sire, dit-elle, je mets à votre service et ma personne et mon pouvoir. En effet, vous avez entrepris pour ma sœur une bien grande chose en cette voie. Je suis sa sœur, elle est la mienne, et je dois pour cela vous honorer sans réserve. S'il vous plaisait de demeurer ici, je vous prendrais pour mari et vous livrerais ce château tout entier. Et j'en ai encore trente-huit autres !

— Dame, dit-il, n'en soyez pas fâchée : il me tarde, ma foi je vous l'avoue, de me retrouver à la cour du roi, car c'est à quoi je me suis engagé. Donnez-moi plutôt de votre plein gré le frein que je suis venu quérir. En cette terre j'ai trop séjourné. Maintenant voilà ce qu'il en est : je n'y resterai pas davantage quoique je vous sois reconnaissant du bien que vous m'offrez.

— Gauvain, dit-elle, prenez le frein ; là, voyez-le, à ce clou d'argent.

Il s'en empare immédiatement et en manifeste une joie intense. Le vilain lui amène la mule. Gauvain lui met le frein et la selle. Il prend congé de la demoiselle. Celle-ci ordonne au vilain de faire sortir monseigneur Gauvain sans la moindre difficulté et de faire tenir le château parfaitement tranquille jusqu'à ce qu'il soit passé outre. Monseigneur Gauvain, tout au plaisir de reprendre la voie, est monté sur sa mule. Le vilain ordonne au château de se tenir coi et celui-ci s'immobilisa.

Gauvain passa en toute sécurité et quand il eut franchi le pont, regarda vers le château : à l'intérieur, il vit alors parmi les rues, des gens danser la carole en troupes si nombreuses et exprimer une joie si grande que Dieu l'eût-il ordonné, on ne s'y serait pas plus amusé. Les uns avec les autres, tous faisaient la fête. Le vilain qui l'avait conduit au-dehors se tenait encore au-dessus de la porte. Gauvain lui demanda quel sens pouvait avoir le fait qu'à son entrée il n'avait vu là-dedans ni grands ni petits, et que maintenant il y voyait une liesse si grande que tous rivalisaient de joie.

— Sire, répondit l'autre, ils se terraient dans les cavernes en raison des ravages causés par les bêtes que vous avez tuées. Quand par aventure les gens sortaient pour quelque ouvrage, celles-ci menaient si grand vacarme qu'il n'y avait rien d'autre à faire que de les détacher, quel qu'en soit le risque ; alors, avec leur violence et leur rage, elles allaient tous les mettre en pièces. Dans leurs propos, ils disent maintenant que grâce à vous Dieu les a délivrés et qu'il a enluminé de tous biens les gens qui demeuraient dans les ténèbres. De ce qu'ils voient, ils éprouvent une telle joie qu'ils ne peuvent en connaître de plus intense.

En vérité, sachez-le bien, l'explication plaît fort à Gauvain !

Il entra bientôt dans la sente qui le menait droit vers la rivière où était la planche de fer : il passa outre en toute sécurité. Puis il poursuivit sa chevauchée jusqu'à parvenir dans la vallée garnie de vermine : il la franchit en toute sécurité. Il pénétra dans la forêt où se tenaient les bêtes sauvages. Sitôt qu'elles l'aperçurent, elles allèrent à sa rencontre, l'escortèrent, s'inclinèrent jusqu'à terre et se réjouirent de l'approcher : elles lui baisèrent les pieds et les jambes et firent de même avec la mule. Sans s'attarder en route, Gauvain sortit de la forêt. Il entra dans la prairie voisine du château.

Le roi Arthur et la reine étaient montés de la salle se divertir dans les chambres hautes, avec plusieurs chevaliers de leur suite. Gauvain survenait à l'instant.

La reine le voit la première ; elle l'a montré aux chevaliers. Chevaliers et demoiselles sont allés à sa rencontre. Quand elle entendit que monseigneur Gauvain arrivait, la demoiselle — celle à qui doit revenir le frein — fut très heureuse de ces nouvelles. Monseigneur Gauvain est arrivé, et elle va à sa rencontre :

— Sire, dit-elle, que Dieu vous accorde fortune heureuse, et tout le plaisir qu'on peut ressentir et de jour et de nuit !

— Et vous, que la chance vous accompagne, fait-il, descendant de la mule par l'étrier d'argent.

La jeune fille le prend dans ses bras et lui donne plus de cent baisers.

— Sire, dit-elle, il est bien juste que je mette sans restriction ma personne à votre service, puisque je sais bien que jamais, par aucun homme que j'aurais su envoyer à l'intérieur du château, je n'aurais recouvré le frein. En effet, bien des chevaliers en sont morts, qui ont eu la tête coupée sans avoir eu aucun pouvoir de l'obtenir.

Alors Gauvain lui raconta les aventures qu'il avait trouvées : la grande vallée et la forêt, et la fontaine dans les fourrés, et la rivière à l'eau noire, et le château qui tournoyait, et les lions qu'il tua, et le chevalier qu'il vainquit, et la promesse faite au vilain, et la bataille du serpent, et le nain qui le salua et ne daigna lui en dire plus et comment celui-ci revint ensuite, et comment il lui fallut manger dans la chambre de la demoiselle sa sœur, et comment on lui rendit le frein, et comment il avait vu les caroles dans les rues quand il quitta le château, et comment il en était sorti, sans embarras ni difficulté.

Lorsque Gauvain lui eut raconté cela, la jeune fille demanda congé aux barons de la cour. La reine Guenièvre accourut vers elle, ainsi que le roi et les chevaliers, pour la prier de demeurer parmi eux et d'aimer l'un des chevaliers de la Table Ronde.

— Sire, dit-elle, que m'anéantisse le Seigneur Dieu s'il n'est vrai que j'eusse grand plaisir à rester — si jamais je l'osais ! Mais je ne puis, à aucun prix.

Elle demanda sa mule, on la lui amena, elle y monta par l'étrier. Le roi s'apprêta à l'accompagner, mais elle dit que sans vouloir les fâcher, elle ne voulait avoir nulle escorte, bien qu'il fût assez tard.

Elle prit congé, se sépara d'eux et, à l'amble, se remit en route.

> De la demoiselle à la mule
> qui toute seule s'en est allée,
> l'aventure prend fin ici.

L'ATRE PÉRILLEUX
(Le Cimetière du Grand Péril)
D'une aventure de Gauvain, le Bon Chevalier

Récit en vers, traduit et présenté par Marie-Louise Ollier.
Écrit au milieu du XIIIe siècle par un auteur anonyme.

INTRODUCTION

Récit anonyme, daté approximativement du milieu du xiiie siècle, *L'Atre périlleux* appartient au groupe des romans arthuriens en vers consacrés à Gauvain, le neveu du roi Arthur. Parangon de toute chevalerie, modèle insurpassable, Gauvain n'était de ce fait jamais, chez Chrétien de Troyes, le héros de l'aventure. Ce statut s'altère quelque peu dans le dernier roman du maître champenois, avec la quête amorcée parallèlement par Gauvain et Perceval. Si *Le Conte du Graal,* dans son inachèvement et les questions qu'il laissait en suspens, constituait une incitation aux continuations ou aux reprises, le personnage de Gauvain aspirait lui aussi en quelque manière à s'évader d'une perfection redoutable, et à devenir héros à part entière.

Avec toutefois un partage radical des registres. A la prose, l'ampleur des cycles, remaniements somptueux d'une matière narrative inépuisable, l'ambition d'une représentation globale du monde arthurien, la tonalité grave de la christianisation d'un ensemble complexe de valeurs. Au vers, la légèreté d'une structure épisodique, la vulgarisation des types et thèmes hérités, sans autre dessein que le divertissement avec, ici et là, quelque intention parodique. D'où la tentation dans la critique, à l'égard des romans en vers du xiiie siècle, d'une certaine sévérité : poèmes mineurs, dans l'ombre portée par les grands textes en prose, ce dont témoigne la minceur générale de la bibliographie.

L'intérêt de *L'Atre périlleux* tient assurément à un traitement semi-parodique de la plupart des traits propres à Gauvain dans la tradition déjà constituée. L'incident d'ouverture, cette indécision du Bon Chevalier entre troubler le repas royal, ou relever d'emblée l'affront qui vient d'être commis aux yeux de tous, donne le ton. On est loin de l'hésitation, qui pourtant elle aussi faisait sourire, d'un Lancelot tardant (le temps de « deux pas » !) à monter dans la charrette d'infamie... D'une façon générale, notre « soleil de la chevalerie » souffre ici d'une sorte de lourdeur pataude, en dépit de ses victoires répétées sur des ennemis divers, et de son succès final.

C'est que Gauvain se lance dans l'aventure avec un handicap qui ne pardonne pas, qui le vide pour ainsi dire de l'intérieur : il n'a tout simplement plus de nom. On le lui a ravi, par une erreur sur la personne, à cause d'une ressemblance : le faux Gauvain portait un écu comme le sien. Dès lors *cil sans nom* (« celui qui n'a pas de nom »), l'être de chair et d'os, a beau se comporter exactement comme *Gauvain*, manifester les mêmes qualités de courtoisie et de prouesse — il ne se permettra de reprendre son nom, et de le révéler, que du jour où il en aura gagné le droit par duel ! Entre ceux qui prétendent avoir tué Gauvain, et l'intéressé qui défend la prétention contraire, seul un combat de type judiciaire peut faire triompher la vérité, et cette vérité est celle du vainqueur.

Ainsi, au-delà de la pochade — quelle mésaventure, pour le chevalier par excellence, de devenir *cil sans nom*, et de devoir, contrairement à sa conduite la plus fondamentale, la plus distinctive, taire son nom à qui le lui demande ! — le thème de l'identité, si insistant dans toute la littérature arthurienne, reçoit ici un traitement original. Chez Chrétien de Troyes, la recherche du nom est recherche de l'essence, de la coïncidence de soi à soi au terme d'un parcours intérieur dont l'errance aventureuse est à la fois l'expression et le moyen. Le fait d'être privé de son nom ne transforme pas Gauvain en émule d'Yvain ou de Lancelot — pas plus que de Perceval, ni du Bel Inconnu. Sa perfection première lui interdit en principe ce genre d'itinéraire.

A condition toutefois qu'il puisse la conserver. Et c'est là que l'incident initial prend tout son sens : Gauvain a failli publiquement à sa double réputation de prouesse aux armes, et d'assistance aux « dames et demoiselles desconseillies ». Faille fatale qui annonce la désintégration consacrée par la perte du nom. Seules demeurent les apparences, trompeuses, et un *renom* envahissant, que l'annonce de la mort du Bon Chevalier a tôt fait de répandre dans les lieux les plus reculés du monde arthurien.

La quête de Gauvain, c'est donc celle de la reconstitution d'une unité établie au départ, mais éclatée, à l'image du pseudo-Gauvain dont les membres tranchés, déjà voués à la vénération qu'on porte aux reliques, s'opposent dérisoirement mais victorieusement à la présence concrète de Gauvain lui-même. Ce « corps du délit », à la fois introuvable et non identifiable puisque atteint dans son intégrité, de surcroît désigné sous un nom qui n'est pas le sien, devient ainsi l'image exacte d'un Gauvain contraint non à se découvrir ni à se parfaire, comme les héros de Chrétien, mais à réintégrer son identité.

Cil sans nom, Gauvain conservera cette désignation pendant tout le temps de ses errances. Non qu'on aurait mis réellement sa parole en doute : on le croit bien quand il assure qu'il a vu récemment « monseigneur Gauvain » frais et dispos, et ses interlocuteurs s'en réjouissent tous — sauf, justement, les jeunes filles qui lui ont annoncé la nouvelle de sa propre mort, et qui continuent d'en mener le deuil. Mais cette défaite rapide d'un chevalier, qu'un bouclier aux mêmes armes identifie à Gauvain consacre la faillite de celui qui est ainsi réduit à son propre simulacre. Voilà pourquoi, inlassablement, Gauvain reconquiert son nom en se vouant sans réserve à la vocation de prouesse et de courtoisie qui le définit.

Toutefois, à la fin du récit, le jeune garçon recouvre magiquement la vue, et voici qu'il reconnaît le « vrai » Gauvain, lui dont le témoignage visuel était à la source de l'épouvantable rumeur... Ainsi la cécité de l'adolescent se révèle n'être qu'un aveuglement provisoire — comme, les reliques, le résultat d'un simple enchantement. Cette cécité signifie alors à deux niveaux : elle est celle de tous ceux qui, en présence de Gauvain, ne cessent de pleurer sa mort et, tout en s'informant avec insistance de son identité, à aucun moment n'en ont la révélation. Elle est celle aussi des auditeurs ou lecteurs qu'aveugle l'enchanteur-poète : au terme de son récit, l'auteur nous livre un Gauvain différent, auquel il a fait subir un démembrement-remembrement de sa façon, en continuité et rupture tout ensemble avec la tradition.

Le prologue nous informe qu'on va nous conter *une* aventure qui advint au Bon Chevalier ; sans aucun doute l'aventure ainsi singularisée est celle de l'ouverture, qui déclenche et programme toutes les autres : l'attitude de Gauvain déconcerte la cour entière, et le roi d'abord, par un tel manquement à lui-même. Mais l'importance de l'épisode désigné par le titre, *L'Atre périlleux* — version d'un conte foklorique connu —, se laisse moins aisément saisir, pas plus que sa place dans la structure de l'ensemble. Ce n'est pas le lieu ici de hasarder une interprétation. Reste que, déjà, on a affaire à une histoire de nom — et de mort. Le cimetière perd son nom avec la mort du diable, exposé à la vue de tous les gens de la cité. Gauvain va devenir *cil sans nom* par la mort du pseudo-Gauvain, soustraite elle, au contraire, à tout témoignage. Dans *Le Chevalier à la charrette* de Chrétien, le cimetière contenait des tombes vides déjà porteuses d'épitaphes, inscrivant au futur un destin en voie d'accomplissement. L'exploit du Cimetière du Grand Péril, où se consomment la mort du diable et la délivrance de la demoiselle, fonctionnerait lui aussi comme promesse et programme à la fois, réponse à la faillite éclatante de Gauvain à la cour.

Ainsi Gauvain, personnage de la tradition littéraire s'il en est, dans un récit tissu de références intertextuelles — même les mentions obligées d'une source, livre ou conte, y constituent des manières de citations —, devient la matière d'une réécriture qui, dans son ordre modeste, témoigne de l'esthétique du xiiie siècle. Par le détour du « sans nom », le Gauvain de *L'Atre périlleux* sort victorieux à son tour d'une encombrante renommée. Dans la soumission apparente à l'héritage reçu, le poète anonyme transforme un thème en signe, et lui refait ainsi une virginité.

Cette traduction s'appuie sur l'édition critique établie en 1935 par Brian Woledge pour la collection CFMA. Sur les trois manuscrits conservés, l'éditeur a fait choix de N1, et s'en explique dans une étude complémentaire [1]. On l'a suivie rigoureusement, à l'exception, ici et là, de quelques emprunts mineurs aux deux autres manuscrits et, une fois, de la suppression de deux vers particulièrement perturbés. On a également inséré à sa place dans le texte l'épisode que Woledge publie à la fin de son édition, conservé dans le seul manuscrit N2 [2]. Enfin, pour la commodité de la lecture, on a prévu un découpage en chapitres pourvus de titres descriptifs des épisodes — découpage qui ne correspond que de loin, on s'en doute, avec celui du scribe médiéval.

Une dernière remarque : le titre. La traduction du substantif *atre* s'imposait. Quant au qualificatif qui l'accompagne, on a fait choix d'une expression qui a paru mieux appropriée à un lieu hanté par le diable...

Marie-Louise OLLIER

BIBLIOGRAPHIE

S. ATANASSOV : « Gauvain : malheur du nom propre et bonheur du récit », *Le Récit amoureux* (Colloque de Cerisy, juillet 1982), PUF, Champ Vallon, 1984, p. 11-21.

A-M. CADOT : « Le motif de l'âtre périlleux : la christianisation du surnaturel dans quelques romans du xiiie siècle », *Marche Romane*, XXX, 1980, p. 27-36.

B. SCHMOLKE-HASSELMANN : « Der französische Artusroman in Verse nach Chrétien de Troyes », *Deutsche Vierteljahrsschrift für Literaturwissenschaft und Geistesgeschichte*, t. 57, 1983, 3, p. 415-430 et son livre plus ancien, *Der arthurische Versroman von Chrestien bis Froissart. Zur Geschichte einer Gattung*, Tübingen, 1980 (Beihefte zur Zeitschrift für romanische Philologie, 177).

---

1. *L'Atre périlleux, études sur les manuscrits, la langue et l'importance littéraire du poème, avec un spécimen du texte*, Paris, 1930.
2. Ce fragment est d'une rédaction spécialement défectueuse, et il n'a pas toujours été possible d'en gommer les défauts, dans l'ordre notamment des répétitions.

Ma dame m'enjoint instamment de lui conter une aventure qui arriva au Bon Chevalier, et je ne saurais me dérober à sa requête, dès qu'elle en manifeste le désir et que cela lui plaît. Écoutez donc quelle fut cette aventure.

I

L'HUMILIATION DU ROI ARTHUR

Lors d'une Pentecôte, le roi Arthur donna une très grande fête. Jusqu'aux confins de la Cornouailles, il n'y eut vaillant chevalier ou demoiselle de quelque noblesse qui ne s'y rendît. Le roi tint à les honorer en les comblant de dons somptueux. Les barons étaient arrivés et, le samedi, tout le monde se trouvait réuni ; c'était après l'heure de none et le roi se livrait à ses divertissements, quand survint tout à coup, sans escorte, une demoiselle d'une remarquable beauté. Sa parure était magnifique : sa robe, toute fraîche et neuve, était taillée dans une soie vermeille, d'une richesse sans égale. Quant à la selle et à la sangle de son cheval, ainsi qu'au reste de son équipement, je ne veux pas entreprendre pour l'heure de les décrire plus en détail, l'effort serait trop considérable. L'inconnue maintint son allure en entrant dans la grand-salle, ne retenant la bride de sa monture qu'une fois devant le roi.

— Roi, fait-elle, que le Seigneur vous garde, celui qui gouverne l'univers, le ciel, la mer et la terre ! Je suis venue de mon pays pour vous requérir un don [1] : ce ne sera rien de blâmable, d'impudent ou de vil.

Le roi l'assure avec bienveillance qu'il le lui accordera volontiers :

— Dites-moi, fait-il, en quoi il consiste, et vous l'obtiendrez sans faute, pour autant que ce soit en mon pouvoir.

— Sire, je vous en remercie. Voici donc de quoi je vous prie : je veux demain être votre échanson pour la plus importante de vos coupes, et servir à votre table [2]. Je veux en outre qu'un chevalier de cette salle, le plus renommé, celui qui rassemble le plus de qualités, me protège, me défende et m'honore tout le temps que je serai à votre cour, afin que je n'y subisse aucune offense : je n'oserais pas y demeurer sans une très bonne garde.

Le roi la considère avec bonté :

— Belle, vous assurerez le service à votre gré ; pour le reste, je ne peux dire quel est le meilleur chevalier de cette salle ou de ma compagnie. Vous avez reçu une si sage éducation — peut-être pensez-vous à l'un d'eux en particulier ? Alors, s'il vous plaît, désignez-en un vous-même, celui que vous avez en tête. Je lui ordonne sur-le-champ de se charger de votre protection, et de se mettre en votre service aussi longtemps que vous voudrez demeurer parmi nous.

— Sire, fait-elle, il ne m'appartient pas de décerner à l'un de vos chevaliers le prix d'excellence : c'est vous que j'ai chargé de cette responsabilité, quand vous m'avez accordé le don. Je craindrais qu'on ne m'en sût mauvais gré, si je le choisissais moi-même.

— Que jamais Dieu n'abaisse son regard sur moi, fait le roi, si j'ose risquer pareil jugement ; mais je vous prie de m'accorder à votre tour une chose, si vous la jugez convenable : sans établir de préférence, je veux vous mettre en la garde d'un chevalier beau et vaillant, sage et courtois ; s'il n'était de mon lignage, j'en ferais un grand éloge.

La jeune fille, qui était loin de manquer de sens, lui dit :

— Sire, dites-m'en le nom, s'il vous plaît, avant que je vous donne mon accord.

— Belle, fait le roi, il s'agit de Gauvain, sous la protection duquel vous serez tout de suite, et aussi longtemps qu'il vous plaira.

— Sire, quand je suis venue vers vous, on m'a beaucoup vanté les mérites de Gauvain, et je m'en tiens à lui, avec votre assentiment : je ne vous demande personne d'autre.

---

1. La pratique du « don contraignant » (voir lexique) est constante dans notre roman, et s'accompagne régulièrement, de la part du demandeur, d'une clause de non-abus de confiance.

2. Dans le monde arthurien, c'est l'usage de voir de nobles demoiselles faire le service à une table de seigneurs, ou d'hôtes que l'on veut honorer.

Ainsi lui fut accordé le don, dans les circonstances que je viens de vous dire. Tout heureux, Gauvain la conduisit aussitôt à son appartement ; et sachez qu'il le lui aménagea si bien qu'on n'aurait su y trouver la moindre chose à reprendre, car il la confia aux soins empressés d'une suivante et de sa propre sœur, qui était d'une grande beauté ; toutes deux lui tinrent compagnie. Elles passèrent très agréablement cette soirée jusqu'au lendemain. Au matin, Gauvain se leva gaiement, ainsi que les trois jeunes filles. Puis, en tel équipage, il se rendit à l'église entendre la messe. Le roi s'y trouvait déjà, avec la reine et ses suivantes. Quand l'office eut pris fin, ils s'en revinrent tous ensemble. Comme il lui avait été promis, l'inconnue, à ce que je sais, se vit livrer la coupe royale, car les tables étaient déjà mises. Alors commença le banquet, remarquable par le nombre, la richesse et l'abondance des plats. En effet le roi Arthur, qui connaissait les usages, tenait à ce qu'il fût opulent. Mais je n'ai nul besoin de vous dire, pour l'heure, ce qu'il fit ni comment, sauf autant qu'il est nécessaire à mon récit.

La jeune fille faisait le service de la coupe. Auprès du roi avait pris place la reine, et à côté d'elle le roi de Galles. De l'autre côté se tenaient Gauvain et Tor, le fils d'Arès, ainsi qu'Érec ; le quatrième était Caradoc Briesbras [1] ; tous les autres convives s'assirent à la suite. Il y avait là plus d'un brillant chevalier, et plus d'une élégante demoiselle, avec devant eux une profusion de hanaps et d'écuelles en or et en argent. Ils avaient à peine commencé de manger — ils en étaient au premier plat — quand ils virent un chevalier franchir la porte à vive allure. Sachez-le, n'eût été sa taille excessive, il n'y aurait pas eu plus beau que lui sous le ciel, mais il était vraiment trop grand. Il était armé de pied en cap, et c'est en cette tenue qu'il entra dans la grand-salle ; il n'abandonna que sa lance, qu'il appuya contre un mur à l'extérieur.

Le chevalier, plein d'arrogance, ne daigna pas ralentir son train avant de parvenir devant le roi, et il le fit avec une telle brutalité que sa bride heurta la table. Il ne se trouva aucun portier ou connétable pour s'interposer si peu que ce fût. Quand il les eut tous longuement considérés sans un mot, il se tourna vers la jeune fille. Il la saisit par les épaules et l'installa devant lui sur l'encolure de son cheval.

— Roi, fait-il, je ne cherche pas à te le cacher, cette demoiselle est mon amie ; je l'ai suivie dans plusieurs cours depuis que je me suis pris à l'aimer : jamais encore je n'ai pu trouver une seule cour dans laquelle j'aurais osé m'emparer d'elle. Mais je sens la tienne si vulnérable, si pauvre en bons chevaliers — je le dis parce que les voilà bien embarassés, maintenant que j'ai pris possession de mon

---

1. Voir *Le Livre de Caradoc*, p. 431.

amie —, que je n'ai rien à redouter de leur part, et puis l'emmener sans encombre : aucun des chevaliers assis dans cette salle ne prendra jamais son écu pour me la disputer.

« Sire roi, reprit-il, je m'en vais par la grand-route vers ce bois, en direction de mon pays. Savez-vous pourquoi je vous indique par où je compte m'en retourner ? Afin que, s'il y avait parmi vous un chevalier qui, sagesse ou folie, veuille contester par bataille un seul des propos que je viens de tenir ici, il ne puisse prétendre que je pars par un autre chemin. Devant vous tous rassemblés, je le clame bien haut : je m'en irai par celui-ci, et je cheminerai à petite allure jusqu'à la tombée de la nuit : je veux que celui qui aura l'audace de me suivre ait toute facilité de m'atteindre, s'il ne prend pas de retard, avant que je parvienne au bois.

Là-dessus, il se met en route. Il va reprendre sa lance, dont il ne veut pas se démunir. Au petit pas de son destrier il franchit la porte d'enceinte ; ainsi, sans autre ennui, il emporte la demoiselle en son pays.

Assis à sa place à côté du roi, Gauvain était à la fois affligé et soucieux ; il ne parvenait pas à décider de la meilleure conduite : s'élancer par-dessus la table à la poursuite du chevalier, ou demeurer assis jusqu'à la fin du repas. Il resta ainsi longuement perdu dans ses pensées, à en oublier de boire et de manger. Enfin il estima qu'il valait mieux patienter : il savait son cheval tellement rapide qu'il aurait tôt fait de rattraper le ravisseur.

De son côté Keu, qui avait vu toute la scène, prit ses compagnons à partie :

— Maintenant, seigneurs, fait-il, faites en sorte de servir cette cour comme il convient ; car pour moi, je dois suivre sans tarder le chevalier qui, sous nos yeux à tous, vient de commettre l'outrage, d'une rare outrecuidance, d'enlever la demoiselle en présence du roi, pendant qu'il était à table. Il ne s'est trouvé personne parmi nous pour lui résister. Sachez bien une chose : jamais, depuis ses premières fêtes, le roi n'a eu l'occasion d'éprouver une aussi cruelle déconvenue : le lâche que voici, auquel il a confié la garde de la jeune fille, ose rester impassible ! Maudit soit cent fois celui qui le premier a vanté sa valeur !

Sur ce, il se rendit chez lui revêtir une somptueuse armure. Une fois prêt, il enfourcha son cheval robuste, puis s'engagea sur la grand-route par où allait le chevalier. Sur la terre, devant lui, il distingua les traces des sabots ; il se mit alors au grand galop pour l'atteindre au plus vite.

Il chevauchait depuis peu quand il l'aperçut escaladant une colline. Aussitôt il le défia :

— Halte, halte, chevalier ! J'ai l'intention de ramener avec moi la demoiselle et le destrier ; quant à vous, je vous remettrai au roi et en sa justice. Vous allez regretter d'avoir eu l'audace de vous emparer, sous ses yeux, de la jeune fille : si je ne vous rends pas à lui mort ou prisonnier, autant reconnaître que je ne vaux rien !

L'autre fit descendre à terre la demoiselle et ramena sa bride en arrière. Puis il demanda :

— Est-ce Gauvain [1] qui me suit ici avec un tel emportement ?

— Non, c'est Keu, le sénéchal du roi Arthur.

— Tant pis pour moi, fait-il, car ce n'est pas vous que je souhaitais voir : votre prouesse n'a pas grande renommée en mon pays.

Alors, sans autre échange de paroles, ils se lancèrent à l'attaque l'un de l'autre. Keu frappa son adversaire à pleine force sous la boucle de l'écu. Il le lui fendit jusqu'à le trouer, mais l'autre fut protégé par son haubert : pas une maille n'en sauta. Keu le chargea à nouveau avec violence, et y brisa sa lance. L'autre le frappa à son tour avec une telle rage qu'il les jeta à terre, lui et son cheval. Keu tomba sur la pente de la colline, meurtri partout et mal en point : il avait le bras droit cassé entre l'épaule et le coude. Le cheval se redressa, et repartit sur la route par laquelle il était venu. Le chevalier n'accorda pas un mot à Keu, et le planta là gisant ; il revint aussitôt à la jeune fille, et la hissa à nouveau devant lui.

— Belle, fait-il, à ce que je crois, maître Keu ne vous emmène pas !

Alors il continua tranquillement sa route vers le bois, tout à la joie d'être avec son amie.

Il me faut maintenant revenir au roi et à sa compagnie. Il était encore à table, profondément tourmenté par cette aventure. Sans se soucier des regards il prit un couteau, qu'il ficha en plein milieu d'un pain ; puis il y appuya sa main avec une telle force que le couteau se cassa en deux. Aucun des chevaliers présents n'osa, si peu que ce fût, s'informer de ce qui le préoccupait.

Le roi, de son côté, se rendit bien compte que les autres avaient vu comment il avait cassé le couteau.

— Seigneurs, fait-il, je suis accablé par l'humiliation que je viens de subir ; mais je le suis plus encore par la défaillance de Gauvain. Si j'avais une certitude, c'était bien d'être garanti par Gauvain contre toute offense venue d'un chevalier isolé. Un autre peut-être aurait pu, par lâcheté, faillir à la tâche de protéger la jeune fille ; mais Gau-

---

1. Un chevalier est en effet mal reconnaissable sous son armure : seul lui permet d'être identifié — mais ce signe peut lui-même induire en erreur, par exemple les meurtriers du pseudo-Gauvain — un élément de son armure, notamment l'écu, avec son blason propre — et, bien sûr, son cheval.

vain, lui, devait se mettre en peine de la défendre, quand mon honneur était en jeu ! Je suis très contrarié qu'une telle infortune m'advienne en un si beau jour.

Yder, le fils de Nut, lui dit alors :

— Sire, ne vous tracassez pas ; le sénéchal s'est mis en route, il saura bien venger cette honte.

— Je n'en crois rien, répond le roi. Maintenant mon tourment s'en trouve accru. Cet homme-là est d'une si grande prouesse, a tant de force et d'arrogance, que ce n'est pas de Keu qu'il recevra le moindre dommage, quelle que soit la vaillance de ce dernier. Jamais, de ma vie, je n'ai rencontré quelqu'un d'aussi présomptueux.

Gauvain ne se contint pas plus longtemps :

— Sire, de grâce ! Vous avez dit ce que vous attendiez de moi ; mais si je n'ai pas voulu bondir ainsi par-dessus la table en plein repas, c'est par crainte d'en être blâmé ! Vous êtes d'une si grande noblesse, et Dieu vous a placé si haut que, dût l'empereur de Rome lui-même venir ici vous menacer, pour peu que vous fussiez à table, et qu'il s'en tînt là, jamais, quelque outrancières que fussent ses paroles, nul ne devrait s'en émouvoir. Une fois le repas terminé, le chevalier choisi par vous, à qui incomberait cette tâche, aurait tout loisir d'aller venger votre honte et la sienne. Je connais mon cheval : il est si rapide que j'aurai très vite rattrapé le ravisseur. N'allez pas vous imaginer qu'il puisse emmener la demoiselle sans qu'on la lui dispute. J'en prends Dieu à témoin, c'est là l'unique considération qui m'a retenu d'agir. Et si en cela j'ai commis une faute, je suis tout prêt à la réparer.

Sur ces mots, il se lève de table et demande ses armes. Deux écuyers les lui apportent ; il les revêt au plus vite puis, dédaignant les étriers, bondit sur son excellent cheval. Une fois son écu en main et muni de sa lance, il se hâte de partir.

Gauvain s'éloigna en direction de la forêt ; il fut tout dépité de n'apercevoir son adversaire ni de loin ni de près. C'est alors que survint, lancé à toute allure, le destrier de Keu le sénéchal : Gauvain le reconnut aisément et profita d'un resserrement du chemin pour le saisir. Il avait une écorchure au front, qui ne cessait de saigner ; l'arçon de la selle, devant, était en miettes, et la bride, également déchirée et rompue ; du harnais, il ne restait plus que le licou.

— Dieu, dit Gauvain, de quelle vaillance il a fait preuve, celui qui vous a mis dans un état pareil !

Il fut un moment abattu par la crainte que le sénéchal ne fût prisonnier ou mort.

— Ah, Dieu ! Quel crime que le mien, quel malheur m'a frappé aujourd'hui, quand, à cause de moi, le roi a perdu le chevalier qu'il aimait tant ! On me le rappellera sans cesse, où que je me trouve, et j'en serai vilainement blâmé. J'avoue que ce sera justice : il est mort parce que j'ai failli à ma tâche, moi qui avais la jeune fille en ma garde. Alors, tout en s'abandonnant à son affliction, il regarda au loin sur le chemin. Il vit Keu se lever péniblement de l'endroit où l'autre l'avait laissé. Il lâcha la bride à son cheval, et piqua des éperons dans sa direction.

— Seigneur, lui dit-il, me voici fort affligé de votre mésaventure, car je crains fort que vous n'en rejetiez sur moi la responsabilité.

— Espèce de lâche, lui répond Keu, bien sûr ce qui vient de m'arriver est de votre faute ! Vous êtes fier et plein de morgue dans les appartements de la reine ; la voici riche et honorée, celle à qui vous daignez adresser la parole ! Qui, entendant vanter là votre vaillance et votre prouesse, aurait le courage de dire que c'est à votre pleutrerie, à votre lâcheté, à quelque manque en vous que le roi doit d'avoir été humilié, en plein repas, par un chevalier seul ? Je vous ai vu aujourd'hui bien peu prompt à la riposte.

— Seigneur, fait Gauvain, je ne conteste pas que j'ai eu grand tort en cette affaire ; mais voici votre cheval que j'ai attrapé par sa bride ; mettez-vous en selle, je vous en prie ; quant à moi, je vais aller en direction de la forêt à la poursuite du chevalier, car je dois sans délai venger la honte qu'il m'a causée.

— Qu'il soit cent fois maudit, rétorque l'autre, celui qui recevra jamais son cheval de vos mains, et qui vous en sera assez reconnaissant pour se sentir votre obligé !

Gauvain ne se formalisa pas des propos injurieux du sénéchal ; il lui attacha son cheval à un saule proche ; puis il s'en alla vers la forêt au triple galop. Monseigneur Keu rassembla ses forces jusqu'à parvenir à sa monture, puis il la poussa contre la pente. Il s'y hissa péniblement, et s'en retourna chez lui abattu par sa mésaventure.

II

LA FAUSSE MORT DE GAUVAIN

Pendant ce temps Gauvain suivait à vive allure le chevalier qui chevauchait sans encombre ; il avait déjà franchi la plaine et était entré dans la forêt. Gauvain s'engagea sur ses traces et à son tour pénétra dans le bois. Longtemps il alla ainsi, sans jamais l'apercevoir de près ni de loin. C'est alors qu'il entendit les plaintes désespérées de trois demoiselles.

— Ah, Dieu, criaient-elles, pitié ! Misérables que nous sommes,
qu'allons-nous faire, quand toute la joie du monde s'est en ce jour
changée en douleur ! Nous avons bien le droit de dire, pauvres filles,
que nous avons perdu ce qui constituait tout notre secours !

Attiré par leur deuil bruyant, Gauvain laissa sa route et vint vers
elles à bride abattue. Il les trouva au bout d'une lande. Après les
avoir saluées, il s'informa avec douceur de la raison d'une telle
détresse : pourquoi se désolaient-elles de la sorte ?

— Hélas, fait l'une, s'il ne tenait qu'à moi, nous nous serions
toutes trois donné la mort ! Notre vie ne peut être que souffrance
quand nous venons de subir pareille perte : il n'y a pas de mots pour
la dire, aucune bouche humaine ne pourra jamais en rendre compte !

Sur ce elle tomba à terre évanouie, et les lamentations reprirent de
plus belle. Gauvain regarda derrière elle. Il vit, gisant sur le sol, un
adolescent d'une singulière beauté, à la fois grand et bien découplé,
et vêtu avec élégance ; mais il avait les yeux crevés, et la blessure
était toute fraîche, car son visage était encore ensanglanté.

Gauvain sentit monter en lui la colère : l'infortuné était si beau et
si bien habillé, assurément il était de haute naissance. Aussi le chevalier était-il persuadé que ce profond chagrin avait en lui sa source.

— Belle, fait-il, comment a été commis le forfait dont ce jeune
homme est victime, et pour quel motif ? J'aimerais bien le savoir.

L'autre répondit :

— A Dieu ne plaise que je vive désormais longtemps, quand
l'honneur et la distinction, la générosité et la noblesse, la fleur de la
chevalerie enfin, j'ai vu tout cela mourir ici ensemble !

A ces mots, elle trembla toute et, sans couleur, tomba évanouie à
son tour. Gauvain s'adressa à la troisième :

— Belle, fait-il, je vous en prie instamment, et je vous en revaudrai le prix à votre convenance : dites-moi, si vous le pouvez, d'où
vous vient cette affliction que vous montrez.

— Seigneur, répond la demoiselle, vos propos manifestent tant de
courtoisie que vous méritez certes d'entendre le récit complet de ce
qui est arrivé, et dans quelles circonstances. Seigneur, nous pleu-
rons, mais pas autant encore qu'il le faudrait : si le monde entier
apprenait l'étendue de la perte que nous avons faite aujourd'hui,
partout se manifesterait le même deuil. Cette perte est si grande en
vérité que la désolation passera tout ce qu'on a connu, dès que la
nouvelle en sera répandue partout.

« Nos larmes ne sont pas à la hauteur de ce malheur, car celui qui
incarnait la vaillance et la sagesse, dont la valeur était universelle-
ment reconnue, a été tué en cette forêt, ici même, il y a un instant,
sous nos yeux. Vous pouvez aisément deviner qui est celui dont je
vous parle.

— Belle, fait-il, comme je ne l'ai pas vu, je ne puis en être tout à fait certain.

— Seigneur, fait-elle, il s'agit de Gauvain, le neveu du noble roi Arthur, le meilleur chevalier, tant loué et aimé. Il se promenait aujourd'hui par cette forêt sans armes, pour son plaisir, sans compagnie et sans escorte. Il n'avait avec lui que sa lance, son écu, et son épée. Ainsi allait-il tout seul. Trois chevaliers, Dieu les maudisse ! qui le haïssaient depuis longtemps, l'avaient suivi jusqu'ici. Au sortir de ce vallon, l'un d'eux lança son cheval sur lui à fond de train ; les deux autres s'étaient embusqués, lui laissant le soin de l'affrontement. La bataille dura longtemps, et Gauvain finalement eut le dessus. C'en fut trop pour les deux autres qui étaient restés dans le bois : ils vinrent, bride abattue, au secours de leur compagnon. Ils soumirent Gauvain à un tel assaut que celui-ci ne put s'en défendre, seul contre trois, et chacun de ces trois solidement armé. Ce jeune homme que vous voyez là, plein d'une folle témérité, vola à son tour au secours de Gauvain ; il lui prêta toute l'assistance dont il fut capable, mais il avait bien besoin de se défendre lui-même, car les autres étaient grands et vigoureux ; ses efforts sur eux furent sans effet, car il était sans armes. Les scélérats ont crevé les yeux du garçon, et découpé en morceaux le corps de Gauvain. Seigneur, le chagrin et la détresse dans lesquels vous nous voyez, ainsi que notre immense colère, nous pouvons vous l'avouer loyalement, ne sont pas inspirés seulement par l'adolescent qui gît ici ; ce qui nous met en fureur, c'est la mort du Bon Chevalier.

Alors elles reprirent leurs lamentations, si violentes que personne ne pourrait vous les décrire.

— Hélas, font-elles, qu'allons-nous faire ? Ah, Mort, comme tu es mesquine ! Nous n'avions d'autre ami que lui, et c'est lui que nous avons perdu. Ah, Mort misérable, pourquoi ne nous fais-tu pas périr sur l'heure ? Telle est bien ta coutume de toujours : celui qui désire ta venue, qui te réclame en son besoin, tu ne daignes pas répondre à son appel. Mais tu as fait mourir le Bon Chevalier, et le monde entier en portera le deuil. Ah, Mort, comme tu es vile, à te précipiter ainsi sur les bons, et à laisser vivre les lâches ! Tu ne connais ni raison ni mesure. N'as-tu pas souci de ces trois malheureuses qui n'ont que mépris pour leur propre vie ?

Monseigneur Gauvain intervint alors :

— Belles, fait-il, ne vous désolez pas ainsi ; vous n'avez vraiment pas lieu de vous tourmenter, car j'arrive tout droit de la cour, et j'y ai vu il y a un instant monseigneur Gauvain assis à table ; il était en très bonne santé, je vous l'assure, quand je suis parti.

Le jeune homme lui répliqua :

— Pourtant, cher seigneur, sa mort ne fait aucun doute.

— Ami, fait-il, qu'en savez-vous ? Comment êtes-vous certain de cela ?

— J'ai été le servant de Gauvain, une année, à un tournoi ; aussi suis-je absolument sûr que c'est lui dont le corps a été taillé en pièces.

— Ami, montrez-le moi : je saurai bien reconnaître le corps.

— Seigneur, fait-il, ils sont déjà hors de la forêt, ceux qui l'ont tué. Après l'avoir décapité, ils lui ont tranché tous les membres : ils l'ont si sauvagement mutilé qu'il n'y restait ni pied ni poing. Ils sont bien maintenant à une distance de trois lieues, avec le corps qu'ils sont allés mettre à l'abri en leur pays. A cette heure, ils ne redoutent plus personne.

Gauvain éprouva, on s'en doute, une violente colère à la vue du jeune homme ainsi défiguré, et devant les jeunes filles désespérées par sa propre mort. C'est pour le jeune homme surtout qu'il enrage, car celui à qui on a crevé les yeux est malheureux pour le reste de ses jours. Il sait bien par ailleurs que c'est à cause de lui qu'on lui a fait tout ce mal. A l'égard du chevalier qui s'en va, emportant la demoiselle — sa fureur reprend de plus belle à cette évocation —, il ignore encore ce qu'il va faire, laquelle il suivra des deux aventures, la première ou la dernière. L'idée lui vient d'en finir d'abord avec la première, et s'il peut s'en sortir sans encombre et sain et sauf, il se consacrera alors à l'autre et tentera de venger ce forfait.

— Ami, fait-il, je dois poursuivre ma route ; je vous recommande à Dieu. Soyez sûr que, si j'avais pu venir assez tôt, mon écu aurait été percé, mon haubert faussé et rompu et moi-même blessé avant qu'on vous ait maltraité de la sorte. Vous ne connaîtrez pas mon nom avant que je revienne [1] ; et, une fois de retour, je n'aurai de cesse que je meure ou que vous soyez vengé.

III

L'AVENTURE DU CIMETIÈRE

Gauvain prit alors congé des jeunes filles, puis piqua à travers la lande jusqu'à ce qu'il eut retrouvé son droit chemin. Il alla long-temps ainsi et finit par sortir de la forêt. Sur le versant en face de lui, il vit au loin chevaucher le chevalier. Le soir commençait à tomber,

---

1. L'une des coutumes chevaleresques est de décliner son nom. Gauvain est connu pour être celui qui jamais ne refuse de révéler le sien si on le lui demande. S'il se sous-trait ici à cet usage, c'est qu'il est provisoirement dépossédé de ce nom.

et Gauvain pressa si vivement son cheval qu'il franchit à son tour le vallon.

Alors surgit devant lui une place forte, entièrement close d'une enceinte de pierre taillée ; le mur avait bien cent pieds de haut : aussi puissamment fortifiée, la place ne craignait aucun assaut. Gauvain se rendit compte qu'il était tard, et qu'il ne pourrait pas sans difficulté mener à bien sa bataille. Il remettra à demain, pense-t-il, l'affrontement avec le chevalier qu'il pourchasse : il est convaincu en effet que ce dernier passera la nuit dans le château, et lui fera de même, pour y attendre la rencontre avec son adversaire.

Telles étaient les intentions de Gauvain. Il en alla pourtant tout autrement, car le ravisseur franchit promptement la première enceinte, mais à ce moment le soleil se coucha, et les portes furent fermées. Il prit alors par les rues pour monter au château. Dans le petit pré devant la tour, le seigneur était assis avec ses gens. Le chevalier le salua avec courtoisie, puis lui demanda l'hospitalité.

— Cher ami, dit le seigneur, bien volontiers.

Aussitôt un chevalier se leva pour déposer à terre la demoiselle ; le seigneur commanda à ses écuyers de débarrasser l'étranger de ses armes ; puis il lui fit apporter une tunique et un manteau gris. Quand il l'eut installé près de lui, il s'enquit avec beaucoup de bonne grâce de sa situation et de ses projets, de quelle terre il venait et où il allait ; le chevalier le lui conta, sans le tromper en rien.

Il me faut revenir à Gauvain qui chevauche encore dans la plaine : il n'a d'autre souci que d'arriver de jour pour trouver un gîte. Il lance son cheval et se dirige à vive allure droit vers la porte d'enceinte. Il voit les formidables fortifications de la place, et considère longuement le château. Il appelle alors le portier, assez fort pour se faire entendre.

— Cher ami, lui répond le portier, vous vous époumonez en vain, car le soleil est couché ; aucune porte ne sera plus ouverte ce soir ni demain avant qu'il soit grand jour, à aucun prix. Car le seigneur de ce fief, ainsi que les clercs et les chevaliers, les hommes d'armes, les bourgeois et les écuyers l'ont tous juré d'un commun accord : jamais, pour personne sans exception, le guichet ne sera déverrouillé après le coucher du soleil ; il restera fermé jusqu'au lendemain.

— Ami, rétorque Gauvain, je suis épuisé, et il est bien tard ; indique-moi donc où je pourrai ce soir encore trouver à m'héberger.

— Seigneur, dans ce pays, il n'y a chaumière ni maison à dix grandes lieues à la ronde. Je ne sais que vous conseiller : vous pourriez bien errer toute la nuit à travers bois et champs de bruyères.

— Ami, fait Gauvain, je m'en vais. Je vous recommande à Dieu.

A peine avait-il repris sa route qu'il aperçut une chapelle, haute et belle, en bordure du chemin, dont le cimetière était ceint d'un mur.

Gauvain pensa qu'il serait là en toute sécurité et qu'il pourrait y passer la nuit. Mais s'il avait déjà été dans la nécessité de montrer sa prouesse, il allait l'être maintenant plus encore. Jamais, de sa vie, il n'échappa à une aussi grande frayeur. Il alla jusqu'à la chapelle, et mit pied à terre dans le cimetière. Il ôta sa lance et son écu, les adossa au mur de la chapelle. Il libéra de sa selle son bon destrier, puis le pansa et l'étrilla comme il fallait ; il le laissa paître l'herbe ; enfin il s'assit sur une tombe. C'est alors qu'il entendit un jeune homme venir au trot sur son roncin, en direction du bois.

Il sortit du cimetière et lui demanda :

— Qui es-tu, pour passer si tard par ici ?

Le jeune homme poussa un hurlement et s'écria :

— Dame sainte Marie, conservez-moi la vie et la raison ! Dieu glorieux, ne m'abandonnez pas, préservez-moi de la folie et de l'agression du diable !

Gauvain fut stupéfait par cette réaction :

— Ami, fait-il, ne vous tourmentez pas. Que le vrai Dieu dont vous implorez l'aide nous protège l'un et l'autre du mal.

L'autre, en l'entendant parler de Dieu, tourna vers lui son cheval et alla aussitôt lui demander qui il était, et de quel pays.

— Cher ami, je suis Gauvain, le neveu du roi Arthur. Pourquoi avez-vous été si effrayé quand je vous ai adressé la parole ?

— Seigneur, ignorez-vous donc que c'est dans le Cimetière du Grand Péril que vous avez établi votre gîte ? Chaque nuit, je vous le jure — ne pensez pas que je vous conte là des fables —, des diables viennent y habiter, un, deux ou trois, je ne sais pas leur nombre. Il y a bien plus de cent ans que personne, qu'il fût chevalier ou d'une autre condition, ne s'y est arrêté sans qu'on l'ait trouvé mort au matin. Ne vous estimez pas arrivé à bon port, et cherchez un autre logis. Mais si vous voulez me croire, je vous hébergerai moi-même bien volontiers, car ce château que vous voyez là sur la hauteur était à moi ; j'en ai fait don à un chevalier quand il a pris ma sœur pour femme. Ils dormaient encore tous ce matin quand je suis parti chasser en cette forêt : c'est un divertissement qui me plaît beaucoup. Dès le début, j'ai touché un cerf : je l'ai poursuivi toute la journée, si bien qu'enfin un de mes lévriers l'a atteint ; je me suis longuement attardé à le découper et à l'écorcher. Vous pouvez le voir ici déjà chargé sur mon cheval. Nous pourrons en tirer bientôt autant de bouillis et de rôtis que nous voudrons.

« Seigneur, fait-il, au nom de Dieu je vous prie de ne pas rester ici, si vous tenez quelque peu à votre vie. Venez plutôt vous abriter là-haut, vous y serez très bien logé.

— Eh bien, dit Gauvain, ce n'est pas ce que j'ai entendu ; je suis venu tout à l'heure en hâte à la porte d'enceinte, un homme d'armes

m'a répondu que je m'époumonais en vain et m'a informé sans
ambages d'une chose qui m'étonne fort : chaque soir, à peine le
soleil est-il couché que les portes sont verrouillées, et on ne les
rouvre pas avant qu'il fasse grand jour.

— Par ma foi, fait le jeune homme, tout cela est exact ; il vous en
a bien dit la vérité. Mais nous parviendrons bientôt au fossé ; j'y jetterai mon gibier, et nous y sauterons nous-mêmes, puis nous l'esca-
laderons du côté de la muraille. Mes gens s'y trouvent, qui pour
l'heure montent la garde avec vigilance ; ils auront tôt fait de nous
hisser au sommet du mur, la venaison, vous, et moi.

— Ami, dit Gauvain, et que ferions-nous de nos chevaux ?

— Seigneur, nous les laisserons paître librement toute la nuit. Le
mien est très bien dressé à cela : jamais il ne s'éloignera du mur d'enceinte.

— Mais le mien, fait Gauvain, que fera-t-il, lui qui ne connaît pas
les lieux ? A supposer que les loups me le tuent, ou quelque autre
bête sauvage, ma vie durant on me blâmerait dans mon pays — la
chose serait nécessairement sue —, pour l'avoir lâchement abandonné, et offert ainsi à la convoitise des loups. Il n'est absolument
pas question qu'il reste seul à l'extérieur : je prendrai avec lui le bon
et le mauvais.

— Si, fait l'autre, pour l'amour d'un cheval, vous vous laissez
mourir ici, c'est votre folie qu'il faudra incriminer. Des chevaux,
vous en retrouverez sans peine ; aussi, si vous voulez m'en croire,
vous allez venir avec moi dans ce château où je dois me rendre.

Gauvain lui dit :

— C'est tout décidé ; je ne vous accompagnerai pas si mon cheval
doit rester dehors. Mais je vous prierais, s'il était possible, de m'accorder un don ; vous en serez bien récompensé si je puis m'échapper
d'ici.

L'autre lui répond :

— Je vous le promets, avec toute la loyauté dont je suis capable :
si je peux, je vous l'accorderai.

— Ami, dit-il, maintenant écoutez-moi bien : un chevalier d'une
taille excessive — c'est la seule imperfection à sa beauté — s'est logé
en ce château ; il emmène sur son cheval une demoiselle, belle et
élancée, noble et courtoise ; il a eu aujourd'hui l'insolence de l'enlever à la cour du roi, alors qu'elle était sous ma protection. J'en ai
été profondément humilié ; toute la journée je l'ai poursuivi, sans
pouvoir l'atteindre. Rien ne m'a encore jamais autant irrité que la
perspective qu'il puisse garder cette jeune fille avec lui cette nuit.
Pour l'amour de moi, arrangez-vous, si la chose peut se faire d'une
manière ou d'une autre, pour que ce soir votre sœur se charge
d'elle ; vous m'aurez alors rendu un très grand service. Si le chevalier

abusait de cette jeune fille, c'en serait fait, à tout jamais, de mon honneur. Demain, quand il fera jour, qu'il en reprenne possession en toute quiétude. Si vous pouvez obtenir cela, peu m'importe ensuite de quel côté il ira, car alors j'aurai ma bataille.

— Il sera fait comme vous l'entendez, lui assure le jeune homme.

Et sans oser demeurer davantage il part au grand galop. Il parvient au fossé, appelle ses gens, qui se tenaient aux aguets sur le mur et avaient grand-peur qu'il ne fût mort ou blessé. Il jette sa venaison dans le fossé et il y saute lui-même ; il lâche son cheval de chasse dans le champ, après lui avoir ôté le harnais. Il prend tout avec lui, gibier et harnais. Il ne se permet pas d'autre retard. Vivement ses gens le hissent sur le mur.

La nouvelle parvint au seigneur que le jeune homme était de retour. Il sortit du château et courut par une rue à sa rencontre, tout heureux de sa venue. La dame elle-même s'élança sur ses traces, suivie de tous les gens de la cour : il n'y resta pas même un portier ou un garde. Jamais on ne manifesta pour un seul jeune homme une joie semblable à celle qu'on lui fit dans la place, car tout le monde était au courant de sa partie de chasse à l'arc dans la forêt : tous redoutaient, tant il s'était attardé, qu'au moment de revenir le diable qui garde le Cimetière du Grand Péril ne l'eût mis à mal. Ils l'appréhendaient fort, car même le plus hardi d'entre eux aurait perdu sa vaillance en pareille rencontre.

Ils entrèrent alors dans la grand-salle, et le jeune homme porta ses regards sur le chevalier qui s'y trouvait assis. Il vit la jeune fille au sujet de laquelle Gauvain lui avait fait cette prière. Il n'eut pas de mal à reconnaître son compagnon à son visage, à son air et à sa taille démesurée. Il s'adressa alors au maître de céans :

— Seigneur, dit-il, jamais un aussi grand malheur n'est arrivé, làbas hors des murs dans le Cimetière du Grand Péril, sachez-le bien, ni jamais un aussi grand n'arrivera dans l'avenir, que celui qui va se produire cette nuit. L'affliction peut bien être générale, car celui qui en sera victime n'avait pas son pareil au monde en largesse ni en courtoisie, et sa grande valeur ne le rendait pas arrogant pour autant. Maudit soit ce cimetière pour lui avoir ainsi servi de gîte ! Quand le roi Arthur en aura connaissance, il se vengera en détruisant notre pays ; car ce puissant roi nous demandera compte à juste titre de son neveu, qu'il est en ce moment même en train de perdre. Il le perd, c'est un bien grand dommage. Dieu ! quelle désolation dans son lignage quand ils l'apprendront ! Et dans le monde entier, même les gens qui ne le connaissent que par ouï-dire porteront son deuil, tant il était estimé et aimé. Seigneur, fait-il, maintenant écoutez quel odieux outrage est la cause de sa mort.

« Ce chevalier assis là-bas s'est rendu il y a peu à la cour du roi, pendant que celui-ci se trouvait à table. La jeune fille qui l'accompagne y était venue dès hier offrir son service : elle demeurait à la cour à condition d'être chargée de la coupe royale, et Gauvain devait la protéger contre toute honte et déshonneur. Tout à l'heure ce chevalier a eu l'impudence de s'en emparer en sa présence. A travers la forêt de Carduel, toute la journée, Gauvain l'a pris en chasse. C'est dans le Cimetière du Grand Péril que je l'ai vu, et je suis resté un long moment avec lui. Il m'a ainsi conté par le détail cette poursuite. J'ai insisté le plus courtoisement que j'ai pu pour qu'il vienne loger ici, mais il a absolument refusé de se séparer de son destrier. Si vous tenez à mon amitié, et le cas échéant à mon aide, c'est le moment de me montrer vos bonnes dispositions, car j'ai une requête à vous faire.

— Je vous accorde tout ce que vous voudrez me demander, dit le seigneur, serait-ce ma terre entière.

— Seigneur, fait-il, je vous remercie. En ce qui concerne cette jeune fille, je vous prie de la mettre cette nuit sous la protection de ma sœur, et de la laisser reprendre demain sans discussion par le chevalier qui l'a amenée. Telle est la prière que m'a faite monseigneur Gauvain : que la demoiselle soit, cette nuit, soustraite à la garde de son ravisseur.

Celui-ci le regarde alors avec fureur, puis lui dit :

— Il n'en sera rien. Puissé-je être plutôt cinq cent mille fois maudit ! Je l'ai suivie en plusieurs cours, j'ai fait ce matin un scandale à son propos, devant le roi assis à table, au vu de nombreux chevaliers et elle passerait cette nuit sous une autre garde que la mienne ? De ma vie je ne vous l'abandonnerai !

Le seigneur avait de très courtoises manières : il pria affablement son invité de céder la jeune fille de bon gré. La dame l'en pria à sa suite, ainsi que tous ceux du palais : qu'il l'accorde, il fera bien.

— Inutile d'insister, répond l'autre. Il n'est personne qui pourrait m'y faire consentir.

— Finissons-en, dit le jeune homme. Ou l'on exécute mes volontés, ou c'est moi qui m'en retourne auprès de monseigneur Gauvain : je lui dirai que je ne suis pas capable de lui faire avoir ce qu'il désire. J'aime mieux l'en informer et, puisque de toute façon je devais le faire, revenir auprès de lui et lui tenir compagnie dans le meilleur et dans le pire, plutôt que de passer à ses yeux pour un imposteur.

Le seigneur comprit que la résolution du jeune homme était inébranlable et qu'il allait repartir :

— Ami, lui dit-il, si vous ne pouvez obtenir satisfaction par la prière, je recourrai à la violence plutôt que de vous voir quitter ce soir le château. Ami, fait-il en s'adressant au chevalier, il est préférable pour vous de me donner sans protester la jeune fille. Vous y gagnerez une plus grande gloire que si elle était ravie par la force : elle ne vous sera jamais rendue, si on vous l'enlève par bataille, alors que si vous me la confiez de bonne amitié, vous la retrouverez sans tracas demain matin.

L'autre voit bien que c'en est fini et qu'il s'entête en vain : il est contraint de rendre son amie, il n'a pas d'autre issue.

— Seigneur, fait-il, j'ai pris logis dans votre demeure en toute bonne foi. Maintenant, vous allez trop loin avec moi, en m'assurant que la jeune fille que j'aime tant, vous allez me l'enlever par la force et ne jamais me la rendre. Il y a là quelque trahison dont personne ne pourrait vous disculper.

— Ami, je vais vous faire comprendre, fait le seigneur, qu'il n'y a aucune possibilité d'agir autrement, si vous êtes sensible à la raison. La jeune fille que vous emmenez n'est pas à vous, vous l'avez enlevée ; il est donc tout à fait légitime qu'elle ne partage pas votre couche : il y a un chevalier là dehors qui passe la nuit dans la chapelle et qui vous suit pour reconquérir cette jeune fille ; il affirme son intention de vous livrer bataille, et de soutenir demain que vous vous en êtes saisi sans aucun droit. S'il a une possibilité de le prouver de cette façon, il serait bien injuste que vous profitiez d'elle. C'est à grand tort que vous obtiendriez joie et plaisir de son amie, s'il peut ainsi défendre ses prétentions sur elle.

— Seigneur, réplique le chevalier, son dire ne suffit pas à la preuve ; il aurait eu tout loisir de m'atteindre et de me trouver, avant que je n'arrive ici, s'il y avait vu son avantage, car j'allais à une petite allure tranquille, et le cheval sur lequel il me poursuivait, lui, n'était pas lent.

— Vous argumentez pour rien, fait le seigneur, la chose est entendue ; je vais faire prendre la jeune fille sous vos yeux, si vous ne me la livrez pas en toute amitié.

Le chevalier n'ignore pas qu'il lui est impossible de la conserver par les armes ; mieux vaut donc la rendre pacifiquement qu'être mis à mal et la perdre.

— Seigneur, fait-il, puisque je suis contraint de la céder, et que je la retrouverai demain matin, autant me résigner.

La dame prit la jeune fille par la main et l'emmena dans ses appartements, qui étaient luxueux. Elles y mangèrent ensemble fort gaiement. Le seigneur, de son côté, se mit à table dans la grand-salle avec toute sa compagnie ; tous manifestaient le plus vif entrain, à l'exception du chevalier : il ne pouvait éprouver du plaisir au repas du moment que sa demoiselle était absente.

Par toute la ville se répand la nouvelle que Gauvain, depuis que le soleil est couché, se trouve à l'extérieur de l'enceinte, dans le Cimetière du Grand Péril. Clercs, bourgeois, chevaliers, l'angoisse est générale ; le peuple entier court à l'église, prier Dieu qu'il le protège en ce danger mortel. Vous entendriez là une désolation dont aucun récit ne pourrait rendre compte. Certains sont montés sur les créneaux, pour prêter l'oreille à ce qui va se passer et à la manière dont Gauvain va se comporter.

Monseigneur Gauvain avait pris place sur une tombe de marbre gris, entre le mur et la grille. La tombe était sculptée avec une telle magnificence que je crains de ne pas réusssir à la décrire, je ne m'y hasarderai donc pas. A peine venait-il de s'y asseoir qu'il sentit la pierre bouger sous lui et se lever : il fut très étonné de n'apercevoir absolument personne aux alentours. Et la pierre continua de se dresser, si bien que les pieds du chevalier ne touchaient plus le sol. Gauvain s'en alla à la recherche d'un autre siège, plus hospitalier. Il n'eut pas le temps de faire quatre pas, que le tombeau se trouvait complètement ouvert : il y vit, tout entière offerte aux regards, une demoiselle étendue. La voici qui se met sur son séant, sous les yeux de monseigneur Gauvain. Celui-ci lève la main droite pour se signer ; pourtant, lui semble-t-il, de sa vie entière, dès qu'il a su reconnaître la beauté, il n'a vu une aussi superbe créature. Elle était somptueusement vêtue d'un samit velouté de deux couleurs qui le laissa bouche bée : une partie en était verte, l'autre vermeille.

— Gauvain, fait-elle, je suis très surprise que vous ayez peur de moi.

— Demoiselle, je vois ce que jamais encore je n'avais vu : est-il si surprenant que j'en marque quelque frayeur ? Il n'y a aucun chevalier dans le royaume du roi Arthur, si grande soit sa hardiesse, qui eût été bien rassuré en vous trouvant ainsi.

— Je vous affirme, seigneur, que je suis une créature de Dieu, et c'est Dieu qui vous a conduit ici pour me libérer de ma prison. Je le sais bien : à moins que vous ne m'aidiez, je ne pourrais jamais quitter cette vie de chagrin, de peine et de douleur. Mais je m'en évaderai cette nuit, grâce à vous.

— Belle, fait-il, dites-moi ce qu'il en est exactement du Cimetière du Grand Péril : j'aimerais bien savoir comment ce nom lui fut attribué la première fois. Et je veux savoir aussi, en ce qui vous concerne, depuis quand, pourquoi, et par quel moyen vous avez échoué dans un lieu si solitaire.

— Seigneur, répond-elle, mon père se remaria, après la mort de ma mère, avec une femme d'un rang beaucoup plus élevé que le sien ; elle était très belle, mais je l'étais plus encore. Elle éprouva une vive jalousie à mon égard. Elle imagina divers enchantements et sortilèges, et m'ensorcela si bien que j'en perdis la tête. Longtemps je me conduisis comme une folle, sans savoir ce que je faisais. J'allais seule un jour par un chemin quand je rencontrai, c'est la vérité, un diable à figure d'homme. Il m'adressa aussitôt la parole :

« — Belle, de votre tourment actuel, et de la souffrance dans laquelle vous avez vécu si longtemps, je pourrais encore vous guérir aujourd'hui même, si vouliez bien m'appartenir.

« J'avais un ardent désir de guérir, je lui promis donc sur-le-champ de me plier à toutes ses volontés. Il entreprit alors de me délivrer : par la suite, je n'eus plus jamais la moindre attaque de ce mal. Il me fit monter sur son cheval, et m'amena jusqu'ici. Depuis ce jour-là, je suis restée constamment avec lui. Ma vie a été très malheureuse, car il prenait de moi son plaisir chaque nuit, et chaque jour je gisais seule dans ce tombeau ; pourtant tout ce qui pouvait m'être agréable, autant qu'il en avait l'idée et le pouvoir, il me le faisait obtenir. Il accomplissait le moindre de mes désirs : belles robes, bijoux, mets, selon mon envie ; mais j'aurais préféré la mort plutôt que de lui appartenir, tant je le haïssais à le voir venir, chaque nuit, dans sa repoussante laideur. Voilà pourquoi c'est ici le Cimetière du Grand Péril, car c'est ici chaque jour son gîte.

« Seigneur, continua-t-elle, maintenant vous n'avez d'autre issue : apprêtez-vous à vous battre contre lui, car je sais de science sûre qu'il est en route, et qu'il ne se trouve pas loin d'ici. Ne vous laissez pas déconcerter ; ayez en Dieu bonne espérance : si vous avez une foi solide, vous auriez tort de le redouter en quoi que ce soit. Vous connaissez bien la croix dont je vois le signe au-dessus de moi. Alors, quand il vous arrivera d'être particulièrement angoissé sur l'issue de la bataille, portez sans faute vos regards sur elle, reprenez là votre souffle, et vous serez aussitôt entièrement soulagé de votre fatigue. Si vous n'avez pas pitié de moi, cher seigneur, ayez du moins pitié de vous ; car, soyez-en convaincu, l'un de vous deux nécessairement mourra ; et moi, je ne serai jamais tirée de ma misère, si vous ne m'en délivrez cette nuit. Cher seigneur, maintenant préparez-vous et montez sur votre cheval, car l'ignoble traître n'est pas à plus d'une demi-lieue de distance.

Gauvain revêtit alors son heaume, et enfourcha son robuste cheval. La jeune fille au gracieux costume s'empressa de l'armer ; elle lui tendit son écu et sa lance. Déjà le diable avait atteint le mur.

— Maintenant, fit-elle, gardez courage.

Le diable passa la porte :

— Espèce de garce, s'écria-t-il, c'en est fait de votre vie, et de l'honneur de votre galant ! Cet entretien va connaître très bientôt une fin déplorable ; mal lui a pris de faire votre connaissance.

Elle répliqua avec dignité :

— Il me pèse fort, certes, d'avoir dû me prostituer à vous. Mais voici monseigneur Gauvain, dont le monde entier loue la haute valeur. J'ai la ferme croyance que Dieu, cette nuit, lui viendra en aide, et je cesserai à jamais d'être soumise à votre plaisir.

Quand le diable apprit qu'il s'agissait de Gauvain, il en conçut une irritation sans bornes, car il connaissait bien sa renommée de prouesse. Ils se ruent alors l'un sur l'autre de toute la vitesse de leurs chevaux, et se frappent de leurs lances avec une telle violence, en pleine poitrine, qu'elles volent toutes deux en éclats. Ils ne s'arrêtent pas pour autant ; ils se heurtent à nouveau si rudement, des chevaux, des corps et des écus, qu'ils se sont mutuellement jetés à terre, monture et cavalier ensemble. Gauvain est tout tremblant de fureur, il se remet aussitôt sur ses pieds ; l'autre ne reste pas non plus interdit, il a déjà saisi son épée. Alors commence le corps à corps : jamais on n'en a vu d'aussi âpre. Ils se redoutent fort peu l'un l'autre, à en juger par la manière dont ils se comportent. Le diable multiplie les attaques, et assène à son adversaire un tel coup d'épée sur le sommet de son heaume qu'il le lui fend et rompt en plusieurs endroits. Gauvain encaisse avec vaillance ; il lui paie bien ce qu'il lui doit, car il le frappe sauvagement ; c'est cent coups qu'il lui donne sans interruption avant la fin de l'assaut. Le combat est d'une rare violence.

Le diable le frappe de l'épée sur le sommet de son heaume étincelant, si bien que le cercle s'en trouve rompu. Le coup glisse sur l'écu et en abat plus d'un quartier. Gauvain lui rend la pareille, si durement qu'il fait jaillir du heaume les pierres précieuses qui le sertissent : émeraudes, saphirs, topazes, il fait tout choir à terre devant lui ; il n'y reste or ni émail qu'il ne fasse sauter. Le coup descend sur la hanche ; de l'éclatante cotte de mailles, il abat le pan droit. Les deux adversaires sont couverts de blessures et à bout de force, car chacun d'eux fait tout ce qu'il peut pour blesser l'autre et le mettre à mal. La fureur du diable est sans bornes, sa force et sa prouesse, prodigieuses. Gauvain recule jusqu'au porche, à l'entrée de la chapelle.

— Gauvain, s'écrie alors la demoiselle, n'avez-vous donc pas une foi ferme en Dieu, le roi glorieux de majesté ? Voyez là l'image de la croix !

Gauvain a entendu le rappel à l'ordre de la jeune fille. Il court sur son adversaire avec une telle rage qu'il le fait reculer de quinze pieds. La colère du diable s'accroît, quand il voit qu'il doit céder du terrain. A son tour il se lance vers son ennemi le plus vite qu'il peut pour un nouvel assaut. Il le frappe sur son heaume de Pavie, sur le côté droit ; il lui en abat le quart, et déchire une centaine des mailles du haubert. Le coup descend sur l'épaule, si bien qu'il le blesse en deux endroits. Ferraillant sans relâche, il le malmène si bien qu'il le pousse sous le porche. Gauvain brandit son épée tranchante, et se défend de son mieux. Le diable continue son offensive, il lui livre un troisième assaut. Le sang qui jaillit des plaies du chevalier l'a fortement affaibli. Longtemps il soutient le combat ainsi et se défend avec peine. Peu s'en faut que le terrible diable ne le conduise à sa guise, n'était le dernier effort que tente Gauvain devant les pleurs de la jeune fille. Pourtant il lui était bien utile de pouvoir s'adosser à la voûte, car il avait la tête, le cou et les épaules troués de plaies. La jeune fille est envahie d'inquiétude, quand elle le voit faiblir ainsi :

— Hélas, fait-elle, comment expliquer qu'un diable possède une telle vigueur ? Ah, valeureux chevalier, que fais-tu ? Ne ne te souviens-tu donc pas de la croix ?

La force de Gauvain lui revient, ainsi que sa vaillance et sa hardiesse : après avoir regardé la croix, il court rapidement attaquer son ennemi. Il lui donne un tel coup de son épée qu'il l'abat sur les genoux ; il lui fend l'écu de part en part, si bien que les deux moitiés en tombent à terre. Une nouvelle fois il va l'assaillir, car il voit qu'il l'a gravement touché. Il le fait reculer sur un tombeau derrière lui. Le tombeau était grand et long, il le pousse par-dessus. A quoi bon vous en dire davantage ? Le diable tombe dessus si brutalement qu'il ne peut plus se relever. Dans le déséquilibre que provoque la chute, son heaume heurte la terre, si bien que les lacets en sont rompus et qu'il vole loin sur le terrain. Gauvain voit le visage découvert, et il le frappe de son épée en plein milieu ; par-dessus les yeux, le coup a emporté toute la figure jusqu'à la moitié du menton ; il le frappe une nouvelle fois à la volée, tant et si bien qu'il lui tranche la tête. La demoiselle alors s'est assise, après la grande frayeur qu'elle a eue ; puis elle dit :

— Que votre arrivée ici soit bénie de Dieu : ma vie a été longtemps si misérable, en proie au tourment et à la peine ! Le monde entier peut le proclamer, voici le Bon Chevalier, celui qui toujours a su secourir les demoiselles dans l'infortune.

Ceux qui étaient sur les créneaux avaient perçu de loin le bruit du combat et le vacarme des assauts répétés. Ils comprirent que l'un des deux adversaires était vaincu, mais ils ignoraient lequel et avaient grand-peur qu'il ne s'agît de Gauvain. Ainsi patientèrent-ils jusqu'au jour dans ce souci et cette angoisse. Quant à lui, il avait ôté son heaume et s'était couché sur le sol, près de la chapelle, la tête dans le giron de la jeune fille.

Dès qu'il fit jour et que le soleil fut levé, le jeune homme éperonna en direction de la chapelle. Chevaliers, demoiselles, bourgeois, par toute la place, tous s'élancèrent à sa suite afin de voir monseigneur Gauvain ; ils avaient grande envie de savoir comment il s'était comporté pendant la nuit. Leur bonheur fut extrême de le trouver sain et sauf, et ils contemplèrent avec stupeur le diable étendu mort ; comme il avait l'habitude de ravager le pays, ils en manifestèrent une grande joie. La nouvelle se répandit partout que le diable était défait. Tous alors surent bien que le cimetière avait désormais perdu son nom.

IV

L'AFFRONTEMENT AVEC ESCANOR, LE RAVISSEUR

Au château, Escanor s'était levé. Quand il eut fait mettre sa selle et qu'il eut achevé de s'armer, il réclama son amie. Puis il s'engagea dans la grand-route qui devait le ramener en son pays. De son côté Gauvain interrogea le jeune homme venu à sa rencontre :

— Cher ami, fait-il, que sont devenus la jeune fille et le chevalier ?

— Seigneur, il était déjà sur son destrier quand je suis parti, et je sais qu'il s'en retourne dans son pays par la grand-route. Mais hier soir votre demande a bien été satisfaite : conformément à votre désir, ma sœur a eu la jeune fille en sa garde toute la nuit, puis l'a remise en l'escorte du chevalier aujourd'hui, après qu'il se soit armé.

— Maintenant, cher ami, occupez-vous de moi et de mon cheval, que nous ayons à manger, et votre service sera parfait. J'ai passé une bien mauvaise nuit, et n'ai rien pris depuis hier matin.

Le jeune homme monta sur son roncin, une bête puissante et rapide, et il se dirigea promptement vers le château. Il appela deux de ses gens, leur donna pain et vin en abondance, un gros morceau de viande rôtie, et un pâté de deux perdrix. Il leur confia bien d'autres choses encore : serviettes blanches, coupes et sel — et aussi de l'avoine et du foin. Puis il revint à toute allure vers Gauvain, qui l'attendait dans le cimetière.

Il n'y a plus rien à dire à ce sujet, sinon qu'ils mangèrent gaiement. Gauvain ordonna aussitôt qu'on mît au cheval sa bride et sa selle.

— Seigneur, dit la demoiselle, au nom de Dieu et pour l'honneur, je vous prie de ne pas m'abandonner en ces lieux, car j'y serais bien dépourvue. Je voudrais aller avec vous dans votre pays, si vous le voulez bien.

— Seigneur, dit à son tour le jeune homme, emmenez-nous tous les deux, la jeune fille et moi et, si vous acceptez, je me mettrai en quête d'un palefroi qu'elle pourra chevaucher ; il y a si longtemps que j'ai envie d'être en votre service !

— Mon ami, fait-il, qu'il en soit fait à votre gré.

Le jeune homme s'en retourna alors vivement au château quérir un palefroi : jamais vous n'en avez vu de plus beau ni harnaché avec plus d'élégance. Il l'amena auprès de la jeune fille qui monta en selle ; Gauvain revêtit son heaume et enfourcha à son tour son cheval. Puis, tous trois ainsi équipés, ils se mirent sur les traces du chevalier. Longtemps ils chevauchèrent de la façon que je vous dis, tant qu'il fut midi passé.

C'est alors qu'ils aperçurent le chevalier filant bien loin devant eux, mais ils le reconnurent sans hésiter à son destrier et à son écu, qui était d'une couleur vermeille, tout brillant dans le soleil. Ils le repérèrent d'autant plus aisément qu'il avait rejeté son écu en arrière, à cause de la jeune fille qu'il portait devant lui. La demoiselle que Gauvain avait trouvée dans le cercueil s'émut vivement : son visage devint couleur de feu quand elle sut que c'était lui.

— Seigneur, fait-elle, est-ce bien celui-là contre lequel vous devez vous battre ? Même à trois ou quatre, ses assaillants auraient fort à faire avant de pouvoir lui infliger quelque mal. Il n'est pas en Bretagne de chevalier plus arrogant ni plus cruel, et qui soit plus redouté dans son pays ; on ne compte plus les chevaliers qu'il a tués dans son orgueil et sa suffisance. S'il vous est possible, sans vous exposer à la honte ni au blâme, de vous en retourner, je ne saurais trop vous conseiller de renoncer à cette bataille : vous n'en avez jamais livré, je vous l'assure, pas même celle d'hier soir, qui vous ait donné le tourment que vous devriez attendre de celle-ci. J'ai tellement entendu parler de lui, de sa force et de sa vaillance, qu'il me fait terriblement peur.

— A Dieu ne plaise, répond Gauvain, que j'abandonne ainsi la place tant que j'ai vie et santé, et qu'il obtienne sans lutte la demoiselle qu'il emporte !

— J'aimerais mieux être morte, fait la jeune fille, plutôt que de vous voir de mes yeux contraint de perdre fût-ce le petit doigt, vous qui m'avez délivrée de ma misère ! Je redoute tant cet affrontement que de ma vie je n'ai éprouvé une telle frayeur. Seigneur, c'est par le diable que j'ai appris qui il était et quelle est sa valeur. Jusqu'à l'heure de none, il possède la force de trois chevaliers, les plus hardis, les plus vaillants qui se puissent trouver ; quand le soleil commence à décliner, dès qu'on dépasse none, il s'affaiblit quelque peu. Il perd ainsi progressivement de la force jusqu'à l'heure de complie, mais conserve néanmoins de la vigueur et de la hardiesse ; jamais, sachez-le bien, il ne s'affaiblira au point de ne pouvoir résister au meilleur chevalier qui ose porter les armes contre lui. J'ajouterai encore ceci, dont vous savez bien que c'est vrai. Votre mère était d'une grande sagesse, elle vous découvrit certaines choses dont elle avait la connaissance ; je n'ignore pas qu'elle était fée : elle vous annonça votre destin et vous dévoila sans mentir tout ce qui devait vous arriver. Elle vous pria instamment de toujours vous montrer brave : jamais, à aucun jour de votre vie, vous ne seriez vaincu ni tué par quiconque, quelle que fût sa force — à l'exception de celui-ci, dont elle vous avertit de vous garder ; c'était le seul qu'elle redoutât. Et je vais vous dire son nom, vous pourrez mieux savoir ainsi si je mens. Car je sais qu'elle vous le révéla, et vous prévint qu'il n'y avait pas, dans toute la Bretagne, de chevalier d'une aussi brutale arrogance, ni d'une pareille endurance : c'est Escanor de la Montagne. Elle termina même par ces mots : si vous vous trouviez dans la nécessité de le combattre, elle était incapable de dire, lequel des deux l'emporterait.

— Belle, dit-il, c'est la pure vérité : elle m'a parlé exactement comme vous venez de le faire. Mais jamais Dieu ne m'accablera de sa haine au point que je fasse ainsi marche arrière. Je préfère la mort au déshonneur : la mort est tôt passée, mais la honte dure long-temps, car chacun en propage le récit et je ne saurais sans honte, vous le voyez bien, m'en retourner. Il me faut poursuivre le cheva-lier jusqu'à sa mort ou la mienne.

— Je crains fort, fait-elle, qu'il ne vous arrive malheur. Mais puis-qu'il ne peut en être autrement, et que vous êtes instruit désormais de tout ce qui le concerne, notamment que ses forces s'affaiblissent au déclin du soleil, suivez du moins mon conseil : ne l'affrontez jamais avant que soit passée l'heure de none.

— Belle, fait-il, je vous obéirai : je promets, suivant vos recommandations, de ne lui livrer combat qu'après le coucher du soleil !

Ils firent route ainsi toute la journée, et finirent par arriver devant une haie. L'autre, qui ne traînait pas, l'avait franchie depuis long-temps et était entré dans une vallée, si bien qu'un long moment Gau-vain le perdit de vue : il ne vit ni ne sut de quel côté il s'était dirigé.

Alors il se mit à presser l'allure. Puis il l'aperçut à nouveau devant lui, chevauchant très loin au milieu d'un champ. Il parcourut des yeux toute la plaine et il vit devant lui un château : jamais, lui sem-bla-t-il, il n'en avait vu d'aussi bien protégé, d'une telle puissance, ni aussi solidement construit. Il pensa alors que, du fait de l'heure tar-dive, le chevalier qu'il suivait ne manquerait pas de s'y arrêter pour la nuit. Par ailleurs ce dernier était à une telle distance qu'il lui serait absolument impossible, il le voyait bien, de l'atteindre avant la halte.

— Maintenant, jeune homme, dit-il, on ne peut en douter, il est clair que notre chevalier va aller se loger là-bas. Et nous, comment allons-nous faire ?

Le jeune homme, à sa manière noble et affable, lui répondit :

— Cela ne présente aucune difficulté, seigneur ; vous auriez tort de vous en inquiéter aussi longtemps que je suis sain et en vie. Ce château, avec toutes les terres environnantes et la grande forêt que vous voyez, m'appartenait. J'ai donné l'ensemble en dot à une autre de mes sœurs, qui a épousé un chevalier vaillant et sage. A ce que je crois, notre ennemi ira chez lui demander l'hospitalité ; et nous, nous nous rendrons chez un riche bourgeois de bonne compagnie : il fut au service de mon père avant de l'être au mien, et il nous hébergera dans les meilleures conditions. Car il serait malséant, quel qu'en soit notre besoin, que nous allions nous loger au château, chez le même hôte que votre ennemi mortel.

— Va donc, fait-il, faire préparer notre gîte au plus tôt, que nous le trouvions prêt et confortable.

Le jeune homme éperonna sa bête qui l'emporta rapidement. Il vit alors le chevalier qu'ils poursuivaient passer la porte d'enceinte.

Celui-ci alla son chemin le long des rues jusqu'à ce qu'il parvienne auprès du seigneur des lieux.

— Puisse ce Dieu qui pour nous sauver se laissa mettre en croix vous honorer, cher seigneur !

— Ami, fait-il, à votre tour que Dieu vous protège ! Vous êtes las, et il est tard : je n'aurai pas de mal à vous faire apprêter un bon gîte en ce château, car il est bien temps de faire halte.

— Seigneur, c'est là tout mon souhait, je vous en remercie infiniment.

Alors un chevalier s'élança pour déposer à terre la demoiselle ; un écuyer s'empara du cheval de l'étranger, et deux autres accoururent lui enlever ses armes.

Il me faut maintenant revenir au jeune homme, qui s'était rendu chez le bourgeois. Dès qu'il le vit, celui-ci lui fit grande fête :

— Seigneur, fait-il, votre chevauchée est terminée pour ce soir, sachez-le bien ; considérez-vous comme hébergé. Vous auriez tort de vous en faire prier : demain vous aurez tout loisir de rendre visite à votre sœur au château.

— Seigneur, répond le jeune homme, c'est entendu, mais maintenant, prenez vite un cheval : nous allons nous porter au-devant d'un chevalier que je vous amène ici ; recevez-le avec beaucoup d'honneur car il n'a pas son pareil dans toute la Bretagne. On pourrait aller jusqu'en Allemagne sans trouver quelqu'un pourvu d'autant de qualités. Aussi devez-vous être bien heureux que sa venue vous vaille une telle joie.

L'hôte s'en réjouit fort. Aussitôt il manda ses serviteurs, il leur fit préparer les sièges, le feu, le souper, avec une rapidité et un soin au-dessus de tout reproche. Puis il monta sur son destrier, à la fois robuste et léger, et il sortit de la ville. Gauvain était déjà parvenu aux portes d'enceinte du château. Le bourgeois accueillit très courtoisement les deux voyageurs, et les emmena avec lui dans sa propre maison. Il les fit descendre de cheval à l'intérieur de la grand-salle ; il avait donné l'ordre d'étendre des tapis et des coussins sur lesquels s'asseoir, et il y conduisit Gauvain ; devant eux brûlait un grand feu. Les serviteurs s'empressèrent alors pour le débarrasser promptement de ses armes ; la demoiselle aux cheveux blonds lui apporta son aide avec beaucoup de bonne grâce.

— Attendez donc un peu, fait Gauvain ; je ne veux pas quitter mes armes tout de suite.

Il appela alors le jeune homme :

— Ami, fait-il, hâte-toi de courir là-haut vers la tour, et arrange-toi pour que le chevalier ne prenne aucun plaisir avec la jeune fille qu'il conduit. Pour l'amour de moi, fais l'impossible pour que ta sœur ait celle-ci en sa garde cette nuit ; dis en outre de ma part au chevalier que, s'il ne veut pas s'engager à cela, il ne lui reste plus qu'à remonter sur son cheval, car je suis prêt à lui livrer bataille plutôt que de le laisser passer la nuit avec la jeune fille contre mon gré.

Le jeune homme se précipita. Les gens du château avaient quitté la cour pour aller s'asseoir dans la salle ; dès qu'ils l'aperçurent, les chevaliers lui firent le plus chaleureux accueil. Escanor s'était tourné vers lui et il le reconnut fort bien.

— Maudite soit votre venue, fou malintentionné que vous êtes ! De ma vie je ne serai satisfait tant que je ne me serai pas vengé de vous. Si je vous tenais en ce moment hors de ces murs, je n'y manquerais pas, car vous m'avez contraint hier soir à me séparer de mon amie. Seigneurs, fait-il aux autres, vous n'avez jamais vu de garçon aussi insensé ni insolent.

Il leur exposa alors toute l'affaire, le plat que le garçon lui avait servi le soir d'avant. A quoi le seigneur répondit :

— Seigneur, que Dieu, le fils de Marie, ne vous donne jamais force ni pouvoir de l'importuner ou de lui faire dommage !

— Eh bien laissons cela pour l'instant, fait l'autre, il a encore le temps de mourir de mes mains.

Sans se départir de sa courtoisie, le jeune homme lui répliqua tranquillement :

— Seigneur, je n'y peux rien si vous cherchez à me prendre avec cette intention. Seigneurs, ajouta-t-il à l'adresse des autres, en ce qui concerne le forfait dont il parle, je m'en remets à votre jugement : je n'ai fait qu'accomplir les ordres de monseigneur Gauvain à qui j'appartiens [1], et je m'y emploierai aujourd'hui encore, ce ne sont

---

1. Il faut entendre ici que le jeune homme — qui n'est pas encore chevalier — se met volontairement sous la dépendance de Gauvain. En revanche, les vaincus épargnés sont tout naturellement au pouvoir de leur vainqueur.

certes pas les menaces de ce chevalier qui me feront reculer. Seigneurs, je vais vous exposer l'origine de cette querelle.

Il leur conta alors l'histoire depuis le début : comment ce chevalier fit au roi l'affront de s'emparer de la jeune fille sous ses yeux ; comment Gauvain se mit à sa poursuite, et comment il livra bataille au diable dans le cimetière. Il n'omit aucun détail de leur chevauchée de la journée. Il s'adressa alors au maître des lieux :

— Seigneur, je vous prie, si vous avez quelque amitié pour moi, de m'accorder un don.

— Par ma foi, répond l'autre, je n'ai pas le droit de vous refuser quoi que ce soit : je ne le ferai de ma vie, en tout ce que je puis promettre. C'est moi qui devrais me soumettre à vos désirs, pour avoir reçu le château de vous.

— Seigneur, dit le jeune homme, monseigneur Gauvain m'a prié, à propos de cette demoiselle, qu'elle reste en la garde de ma sœur pour la nuit, et qu'elle soit rendue sans dispute demain matin au chevalier ; je vous demande instamment à mon tour de faire qu'il en soit ainsi.

Alors Escanor, qui avait entendu ces propos, ne put se contenir :

— Est-ce ton intention, dit-il, de me séparer de mon amie comme tu l'as fait hier soir ? Plutôt mourir à l'instant que de la laisser, aussi longtemps que je suis vivant, sous une autre garde que la mienne ! Seigneur, fait-il, si vous obéissez à ce garçon-là, vous n'en aurez que honte et tourment : c'est sur votre prière que je suis hébergé dans votre maison ; si l'on m'y créait le moindre ennui, on ne manquerait de vous en blâmer.

— Par ma foi, c'est vrai, dit l'hôte, c'est moi-même qui vous ai offert l'hospitalité. D'un autre côté, j'ai promis à ce jeune homme d'accéder à sa requête. Me voilà bien embarrassé maintenant entre ces deux engagements.

— Seigneur, dit le chevalier, la justice et le bon sens vous incitent à vous garder de trahison, car vous ne manqueriez pas d'en être accusé si, en ce lieu, je recevais quelque dommage de votre fait, ou avec votre accord. S'il m'arrivait ici une expérience malheureuse, affront ou désagrément, on vous en ferait reproche tous les jours de votre vie.

Alors le seigneur lui accorda la garde de la jeune fille et lui donna l'assurance qu'il ne laisserait personne, pas même le roi Arthur, lui faire outrage aussi longtemps qu'il serait sous son toit.

— Ami, fait-il au jeune homme, je ne peux pas la lui enlever s'il n'y consent pas de son plein gré, et je n'ai pas le droit, pour aucune considération, de l'offenser aussi ouvertement, en dépit de l'assistance que vous m'avez apportée.

— Par ma foi, répond celui-ci, je m'étonne fort que vous ne fassiez point passer, à tort ou à raison, mes intérêts avant les siens ; mais puisqu'il en est ainsi, sachez que le chevalier qui cherche à ravoir la demoiselle est encore tout armé, il n'a ôté à son cheval ni sa bride ni sa selle. Il est là en bas chez un bourgeois, et il est déterminé à se battre plutôt que de laisser à l'autre cette nuit la garde de la jeune fille. Je mande donc de sa part au chevalier de remonter aussitôt à cheval et de s'apprêter, car elle va avoir lieu dans votre cour, la bataille, soyez-en bien persuadé, sous vos yeux.

Et il sortit sans attendre Gauvain à son hôtel.

— Maintenant, Escanor, dit le seigneur, vous ne pouvez y échapper : puisque Gauvain se rend ici, il vous faut accepter le combat. Mais je vous conseille d'agir autrement : cette bataille manquerait de noblesse et coûterait cher, si vous la livriez cette nuit ; vous perdriez trop, à mon sens, à ne pas la différer.

Les chevaliers lui répétèrent à leur tour que pareil affrontement serait bien peu digne : mieux valait confier son amie à la dame cette nuit, et la reprendre en toute quiétude le lendemain. La dame elle-même l'en pria, et lui promit qu'elle la garderait loyalement, et la lui rendrait au matin. Le chevalier finit par céder, non sans maugréer. La dame prit la jeune fille par la main, elle l'emmena en sa chambre dans la tour. Elle la combla d'attentions, en lui offrant à manger et à boire, et faisant préparer pour elle un bon lit. L'hôte, tout heureux de ce dénouement, appella un de ses serviteurs :

— Cours, lui dit-il, va dire à Gauvain de se reposer jusqu'à demain, car le chevalier a accepté de confier la demoiselle à la garde de la dame pour la nuit.

L'autre se précipita, il fut bientôt arrivé chez le bourgeois. Il vit monseigneur Gauvain sur le pied de guerre, tout prêt à partir à l'instant même pour la cour. Il lui dit de n'en rien faire, de rester là et de passer une nuit tranquille.

— Ami, dit Gauvain, avant que j'enlève mes armes, dis-moi vraiment si Escanor a accepté de se soumettre à ma demande.

— Je vous le jure, répond l'autre, il l'a accordé à mon seigneur : la jeune fille est allée dans la tour, en compagnie de ma dame, je l'ai vue de mes propres yeux.

Gauvain, qui hésitait à le croire et voulait s'en assurer davantage, envoya son fidèle compagnon vérifier l'exactitude de ses dires. Celui-ci se rendit à la tour ; il trouva la demoiselle assise sur un lit avec sa sœur ; il s'en retourna en courant à l'hôtel, confirmant la nouvelle.

Alors seulement Gauvain consentit à s'asseoir. Aussitôt on lui enleva ses armes. Il avait le visage blessé en plusieurs endroits, le sang en avait jailli. Il en était un peu enlaidi, tant à cause du sang que de la sueur. L'hôte avait une sœur, belle, courtoise et bonne ; il lui fit préparer un bain pour monseigneur Gauvain. Elle s'y employa vite et bien : il fut tôt prêt. On emmena le chevalier dans la chambre, on le baigna et on pansa ses plaies. La sœur de l'hôte le servit de son mieux, avec beaucoup de douceur ; sachez aussi qu'elle s'occupa avec empressement de la jeune fille qu'il avait amenée avec lui. Quand il se fut baigné tout à loisir et qu'il voulut sortir du bain, elle lui apporta courtoisement une chemise et une culotte de chanvre, plus blanche que fleur d'avril. Sa toilette terminée, on fit apprêter le repas.

On demanda alors le service de l'eau. Monseigneur Gauvain prit place confortablement près de la cheminée. A sa droite il fit asseoir son hôte avec la demoiselle qu'il avait amenée de la chapelle. De l'autre côté, il invita, avec la sœur de son hôte, le jeune homme qu'il aimait d'une grande affection. Ils eurent alors en abondance pain et vin, viande et poisson, oiseaux rôtis et gibier, et tout ce dont ils avaient envie ; l'hôte leur assura un service parfait, dans une atmosphère de détente et de plaisir. Ce fut un repas très copieux. Dès qu'ils eurent mangé, comme ils étaient épuisés, on dressa pour le chevalier un lit près du feu. Je ne saurais rendre compte des marques d'honneur que lui prodigua le bourgeois, car il n'épargna pas sa peine, ni aucun des siens, pour faire tout ce qui pouvait leur être agréable. C'est ainsi que Gauvain dormit et restaura ses forces.

V

LA VICTOIRE DE GAUVAIN

De son côté, dès qu'il fit grand jour le lendemain matin, Escanor s'apprêta, car il lui déplaisait fort de s'attarder en ces lieux. Sa contrariété était vive d'avoir été privé de la jouissance de son amie cette nuit et la précédente. Un écuyer l'arma rapidement, il mit à son cheval la bride et la selle ; le chevalier réclama sa demoiselle, et la dame la lui amena. On vint dire à Gauvain qu'Escanor, brûlant d'impatience, avait déjà pendu l'écu à son cou. Il y avait beau temps maintenant qu'il avait franchi les murs de l'enceinte, emportant la jeune fille.

Gauvain prit très mal ces nouvelles. Il eut tôt fait de se lever et de s'habiller et il demanda ses armes. Comme elles étaient très abîmées, le bourgeois, désireux de le satisfaire en tous points, lui apporta un heaume à visière de Senlis, ainsi qu'un élégant haubert conçu pour la joute et des chausses blanches à mailles serrées :

jamais vous n'en avez vu d'aussi somptueuses. Remarquablement brillante et aiguisée était l'épée qui les accompagnait, et l'écu, flambant neuf. La bretelle et les courroies en étaient brodées d'un orfroi précieux. Jamais, en toute sa vie, Gauvain n'avait vu des armes d'une telle splendeur. Un cheval à la fois puissant et fougueux, rapide et vif, le meilleur de tout le pays, lui fut amené sur la place. Gauvain dit alors :

— A Dieu jamais ne plaise que ce service soit perdu ! Puisse-t-Il me donner la force, le courage et le pouvoir de vous en montrer ma reconnaissance, si l'occasion s'en présente un jour, car vous m'avez magnifiquement traité.

— Seigneur, fait-il, je le fais pour l'amour de mon seigneur ici présent, et aussi parce que j'ai la conviction que vous êtes d'une grande valeur. Je ne sais que vous offrir encore, mais n'hésitez pas à prendre ici tout ce qui peut vous être utile : je mets tout à votre disposition.

— Voici, fait Gauvain, un don fort généreux que je n'aurais jamais osé vous demander. Je ne crois pas qu'en aucun pays on ait pareillement honoré un inconnu, et j'en avais bien besoin. Mais l'épée et le cheval, je vous les laisse, je vous en remercie : le mien est robuste et hardi, et mon épée dorée, d'un beau tranchant. Je vous dois encore une immense gratitude pour le reste. Maintenant, il me faut revêtir mes armes, il est temps : je crains de prendre trop de retard.

Le jeune homme et les demoiselles s'empressèrent pour l'armer ; bientôt les selles furent mises, et les chevaux amenés. Dédaignant l'étrier, monseigneur Gauvain enfourcha d'un bond sa monture. Le jeune homme, dès qu'il se fut à son tour mis en selle, se chargea de son écu et de sa lance. L'hôte le servit de son mieux ; il fit monter la jeune fille qu'ils avaient amenée avec eux. Ainsi se mirent-ils en route. L'hôte obligeant les escorta jusqu'à l'entrée du bois.

— Seigneur, dit-il, je m'en retourne ; je vous recommande à Dieu.

Gauvain pénétra alors dans le bois sur le chemin suivi par Escanor. Il reconnut aussitôt celui-ci, tandis qu'il allait embrassant son amie. Monseigneur Gauvain ne voulut plus le tolérer davantage. Il cria au ravisseur :

— Chevalier, déposez cette demoiselle à terre, vous ne l'avez que trop longtemps portée ! Vous ne l'aurez plus désormais sans combat : vous avez bien assez disposé d'elle.

— N'en blâmez d'autre que vous, repartit Escanor. Par saint Lazare d'Avalon, vous auriez pu facilement m'atteindre dès hier, avec un cheval aussi rapide que le vôtre, car je n'allais qu'au pas. Mais je ne vous crois pas du tout décidé à saisir là, en aucune manière, l'occasion d'un combat contre moi, et ce n'est pas moi qui vais vous en prier. Sachez bien une chose : j'ai envoyé de mon pays la jeune fille au clair visage, toute seule, à la cour du roi, puis je suis allé en grand tapage la reprendre, sous les yeux de nombreux barons, à seule fin d'avoir un motif raisonnable de me battre contre vous.

— C'en est décidé, dit Gauvain ; vous l'aurez incessamment, cette bataille, puisque vous l'avez tant désirée !

La demoiselle et le jeune homme étaient aussi mécontents l'un que l'autre, parce que l'affrontement se produisait trop tôt dans la journée.

— Seigneur, fait le garçon, ce n'est pas sur ce chemin que vous livrerez un beau combat ! Je connais non loin d'ici un pré, dans une grande et belle lande ; il serait beaucoup plus convenable, si vous vouliez y consentir — je l'estimerais quant à moi plus conforme aux règles [1] —, que vous alliez y faire votre bataille en terrain découvert. On vous jugerait très sévèrement si elle avait lieu dans ces chemins, pleins d'ornières et de bourbiers.

— Il a raison, dit Escanor. Je ne ferai aucune objection à m'y rendre, si Gauvain est d'accord.

Ainsi fut différée de tout le jour la bataille, à la grande joie du jeune homme.

— Ami, font-ils, va donc devant, et nous te suivrons jusque-là.

Celui-ci s'engagea dans un sentier. Il chevaucha à travers le bois jusqu'à une lande fort étendue et belle. Escanor fit alors descendre la demoiselle à l'ombre des charmes, puis resserra sur lui son armure. Gauvain se harnachait de son côté. Ils se lancèrent alors l'un contre l'autre et le choc mutuel fut si violent que les fûts des lances se brisèrent et volèrent en morceaux. Les chevaliers pourtant demeurèrent fermes sur leurs arçons.

Sa lance rompue, Gauvain tira vivement l'épée, et se porta au-devant de son adversaire avec fureur.

— Gauvain, lui dit l'autre, ce ne sont pas là les usages ni la coutume de mon pays : si un chevalier a été assez présomptueux pour entreprendre un combat contre un autre, aucune épée ne doit être tirée avant la chute de l'un des deux. Ils leur faut d'abord s'éprouver à la joute et se faire apporter des lances, et se battre ainsi, quoi qu'il leur en coûte, jusqu'à ce que l'un des deux soit jeté à terre. Les gens de Normandie affirment qu'il n'y a pas plus bel exploit chevaleresque au monde que la joute. Faisons apporter des lances ; notre lutte n'en sera que plus belle. Demandons à ce garçon, dont la monture est puissante et rapide, de vite retourner au château et nous en ramener un faisceau.

---

1. Les vers 2109-10 sont d'interprétation particulièrement difficile ; ils manquent d'ailleurs dans le manuscrit A.

— Ami, font-ils, rends-nous ce service, nous t'en serons très reconnaissants.

Celui-ci ne se fit pas prier, et s'en mit bien volontiers en peine, car il voulait retarder la bataille jusqu'à l'heure de none. Les chevaliers allèrent se reposer à l'ombre jusqu'au retour du jeune homme, lequel était bien ennuyé et avait le cœur tout chagrin. Eux s'installèrent promptement, chacun près de sa demoiselle ; chacun ôta écu, heaume et selle pour se rafraîchir ainsi que son cheval.

Ainsi passèrent-ils le temps jusqu'à ce que le jeune homme revînt au galop, chargé de six fortes lances, grandes et massives, qui lui inspiraient un profond ressentiment. Toutefois l'une d'elles était d'une longueur exceptionnelle, grosse et à section carrée : le plus vaillant des chevaliers du royaume arthurien, si grand, robuste et aguerri fût-il, n'aurait pu, quelle que fût la vigueur de son élan, la briser dans une joute.

Gauvain considéra les lances et eut une idée qui devrait lui valoir l'admiration du monde entier :

— Va auprès du chevalier, fait-il au jeune homme, et porte-lui de ma part ces six lances : qu'il examine quelles sont les trois qu'il préfère ; tu me rapporteras celles qui restent, car je veux qu'il en ait le choix.

Le jeune homme piqua des éperons sur un sentier longeant le bois. Il présenta l'ensemble des lances au ravisseur, de la part de Gauvain, avec prière d'en choisir trois et de renvoyer les trois autres. Quoi qu'il advînt, celui-ci ne voulait pas — il voyait bien en effet qu'on approchait de none —, si Dieu lui accordait la victoire, que son adversaire trouvait là quelque occasion de la contester, sous prétexte qu'il aurait eu le choix des lances ; aussi aimait-il mieux qu'Escanor se servît le premier.

— Ah, Gauvain ! fait Escanor, de même que l'or surpasse tous les autres métaux, on ne peut compter aucun chevalier qui, comparé à vous, ait encore des qualités. Vous devez être bien heureux de posséder tant de prix, une telle valeur, que même vos ennemis sont contraints de dire du bien de vous ! Moi-même je suis bien fâché d'avoir naguère cherché cette bataille où me voici engagé. Je ne dis pas cela par peur, mais qui fait échec à un chevalier de si haut mérite et le met à mal n'a pas lieu d'être content de lui.

Il prit les trois plus grosses lances, et rendit les autres au jeune homme. Il le pria instamment de remercier Gauvain de sa part pour son somptueux présent : qu'il s'équipât à nouveau au plus tôt, remontât sur son cheval, laissât tomber sa ventaille, et qu'il revînt à l'assaut. C'est une rude chose que la nécessité : ni l'un ni l'autre ne peut renoncer sans honte à la lutte, dès qu'ils l'ont entreprise. Le jeune homme s'en retourna tout préoccupé, tant il avait peur pour Gauvain. De son côté celui-ci se prépara.

C'étaient tous deux des braves. Chacun lâcha la bride à son cheval. Ils se frappèrent de leurs lances en pleine poitrine, si bien que les éclats en volèrent haut et loin, car ils les avaient brisées jusqu'à la poignée. Chacun en saisit aussitôt une nouvelle ; le choc fut à nouveau tel, juste sous les mamelons, que toutes deux éclatèrent en morceaux.

Pour le dernier assaut Escanor prit sa grande lance : c'était la plus précieuse, celle qu'il se gardait en réserve ; avec la force de cette arme qui valait quatre de ses pareilles, il était sûr d'abattre Gauvain. Gauvain à son tour s'empara de la sienne et ils poussèrent à fond leurs destriers.

Ce fut Escanor qui porta le premier coup, à cause de la longueur de sa lance. Mais il ne parvint ni à la briser, ni à désarçonner Gauvain ; il en éprouva une terrible colère. Gauvain soutint le choc sans se laisser déséquilibrer. La lance d'Escanor lui vola des poings, loin dans le pré, et tomba sur un buisson. Gauvain le frappa sans ménagement sous la boucle de l'écu : il le lui fendit et troua, au prix d'y briser son arme. L'autre n'en demeura pas moins ferme sur sa monture. Vivement ils refirent un tour et se firent face à nouveau.

Son épée tirée, Gauvain revint promptement à l'assaut ; il frappa son adversaire en haut, au milieu du heaume. L'autre lui ménagea une telle riposte que Gauvain en fut tout surpris. La lutte entre les deux chevaliers fut ainsi d'une rare violence et dura fort longtemps ; des écus, des corps, des chevaux, ils se heurtèrent à plusieurs reprises, mais ils étaient si bien armés, et leurs hauberts si résistants, qu'ils ne parvenaient pas à se faire grand mal.

Enfin il se trouva que monseigneur Gauvain, au cours d'un de ses violents assauts, frappa son adversaire avec un telle impétuosité, tout en haut, sur son heaume brillant, que le fer glissa et descendit sur l'écu : il le fendit jusqu'à la boucle, si bien que Gauvain ne put en retirer sa lame. Dans un sursaut d'énergie, l'autre se détacha aussitôt de lui ; il lui fit sauter de la main la bonne épée qu'il tenait, ce qui mit Gauvain dans la plus grande fureur.

Après la perte de son épée, Gauvain eut peur de la lutte. Qui s'en étonnera ? Il éperonne son destrier, s'élance par-devant Escanor, et s'empare vivement de la lance qui a échappé tout à l'heure à ce dernier. Il ne s'en serait pas dessaisi pour tout l'or qu'il y a d'ici jusqu'à Antioche. Il ramène en arrière son excellent destrier, et retourne hardiment vers son ennemi. Le temps de l'atteindre, il se dit que, s'il le frappe sur le heaume ou sur l'écu, leur robustesse est telle que sa lance s'y brisera ou qu'elle lui volera des mains ; dans l'une ou l'autre éventualité, cela ne peut que très mal tourner pour lui, car il s'en rend parfaitement compte : s'il perdait cette dernière arme, il ne pourrait en trouver d'autre dont il puisse tirer parti, pas plus pour l'attaque que pour la défense. Il s'avise alors d'une chose : la seule manière qu'il a d'atteindre son adversaire, c'est de viser sa monture.

Il lance donc son destrier ; l'autre, sa lame d'acier bien en main, attend farouchement le choc. Dans la rencontre, Gauvain frappe le cheval en plein poitrail, si bien que le fer en ressort par le milieu du côté gauche. Il se place alors à côté d'Escanor. Tandis que le cheval de celui-ci s'effondre, il le saisit par le bord de son écu, le lui arrache du cou, et en dégage sa lame.

La fureur d'Escanor est sans bornes, quand il voit son cheval mort, et lui à terre. Il se remet debout prestement.

— Gauvain, dit-il, si cette manœuvre ne m'a fait ni mort ni prisonnier, votre valeur en revanche s'en trouve singulièrement amoindrie [1] à mes yeux. Je vais vous mettre à pied comme moi, si mon épée ne me fait pas défaut.

Gauvain sait bien que s'il le laisse attaquer, grand et fort comme il est, il aura tôt fait de lui tuer son cheval ; aussi préfère-t-il le combattre à pied, car il serait trop affligé par la mort du Gringalet [2]. Il est retourné en hâte auprès du jeune homme ; il a mis de lui-même pied à terre ; il lui confie son cheval et l'écu qu'il a pris à Escanor. Puis il revient tout droit dans le pré où celui-ci l'attend. Et lui s'élance à sa rencontre de plus d'un demi-arpent, à pas pressés. Vous pourriez voir alors les rudes assauts reprendre dans une grêle de coups et, sous le choc des épées d'acier, les hauberts se froisser maintes fois ; ils en deviennent tout vermeils, les fers, naguère d'un radieux éclat de fleur ! C'est vraiment un très dur combat que se livrent les deux braves, car sachez qu'ils mettent toutes leurs forces à s'atteindre et se blesser l'un l'autre.

Sous le couvert des arbres, le jeune homme et les jeunes filles se tourmentent fort.

— Hélas ! fait chacune d'elles, s'il ne tenait qu'à moi, je serais morte sur l'heure !

La compagne d'Escanor s'abandonne au désespoir ; sa frayeur est si grande qu'elle tombe à terre sans connaissance ; à peine revenue à elle, elle laisse éclater une violente douleur, pleurant et criant :

— Hélas ! Malheureuse que je suis ! Si, dans un pays étranger, je perds de cette façon mon réconfort, mon cœur, mon ami, c'est que j'y suis venue pour une mauvaise cause ! J'ai entendu dire, et ce n'est que justice, qu'aucun bien ne naît d'un outrage. Le tort en revient à mon ami comme à moi. Car il était en son pays un personnage riche et puissant, et je menais moi-même une vie agréable. Par provocation, mon ami m'envoya toute seule à la cour du roi Arthur, puis il vint sur mes traces s'emparer de moi, sous les yeux d'une foule de barons, pour avoir un prétexte raisonnable de se mesurer à Gauvain. Il était

---

1. L'une des règles d'or du combat chevaleresque est en effet d'épargner le plus possible les chevaux.
2. Nom légendaire du cheval de Gauvain.

convaincu, s'il pouvait le vaincre, qu'il n'y aurait au monde un chevalier qui osât le défier.

Mais elle n'est pas moindre, la désolation de la jeune fille aux cheveux blonds, celle que Gauvain a trouvée dans le cimetière. Son affliction est extrême :

— Hélas, fait-elle, je ne sais que dire si je perds ici, dans de telles circonstances, le bon chevalier, le hardi, qui m'a délivrée d'une si grande misère, et qui m'emmène avec lui dans son pays avec tant d'honneur. Malheureuse que je suis, triste et sans appui, je n'aurai plus qu'à rester ici pour mon tourment !

Quant au jeune homme, de douleur il s'arrache les cheveux, crie et se lamente. Jamais trois personnes ne manifestèrent à elles seules une aussi bruyante détresse. Pendant ce temps, chacun des deux adversaires cherche la mort de l'autre, quel malheur ! Mais Gauvain possède un gros avantage, avec l'écu qui lui pend au cou ; et pourtant il lui oppose une belle défense, Escanor, qui ne semble pas le redouter le moins du monde ! Gauvain lui arrive dessus furieusement. Brandissant sa vaillante épée, il le frappe sur le heaume, si bien qu'il le fend et lui en tranche tous les lacets : près de lui, dans le pré, le heaume a volé à terre. Il le frappe à nouveau avec acharnement ; l'autre se défend à grand-peine. Il lui assène pourtant un tel coup sur le heaume qu'il l'étourdit tout entier ; l'arme a glissé sur l'écu si violemment que la lame s'y enfonce jusqu'à la garde. L'angoisse d'Escanor est grande : il n'a plus rien pour se protéger. Il crie merci à son adversaire et veut se rendre. Mais Gauvain refuse sa reddition, car il craint que le chevalier, se trouvant en mauvaise posture, ne médite une perfidie. Il redoute alors que, s'il lui arrivait de reprendre le dessus, l'autre ne le tue : sa mère l'avertit jadis de n'avoir peur de personne sauf de lui. C'est ce qui le rend soupçonneux, et il éprouve à son égard une telle haine au fond de son cœur qu'il ne le laisserait à aucun prix lui échapper vivant. Il le frappe alors de toute sa force, à découvert, en plein visage. Par-dessus les yeux, il lui emporte le nez entier et l'une des joues, entamant le cou au passage. Il le fend jusqu'aux épaules. Par ce coup terrible il l'étend mort.

Alors le jeune homme arrive au galop, ainsi que, éperdue de joie, la jeune fille que Gauvain avait amenée avec lui. La compagne d'Escanor au contraire pousse de grands cris ; mais Gauvain accourt aussitôt la réconforter. Avec beaucoup de douceur, il la prie d'oublier le mort et de reprendre courage :

— Belle, fait-il, si je l'ai tué, on ne doit pas m'en faire reproche ; il faut n'en accuser que son arrogance, qui vous a fait quitter son pays pour provoquer cet affrontement. Mais soyez assurée que je vous revaudrai bien la perte que vous venez de faire, si vous acceptez de suivre mon conseil. Certes, je ne m'étonne point que vous éprouviez douleur et amertume, mais comptez sur moi pour vous emmener avec grand plaisir à la cour du roi : vous y aurez honorablement pour ami ou époux, à votre choix, celui que vous aurez distingué.

— Seigneur, dit-elle, il n'y a rien à ajouter ; je ferai ce que vous me dites. Puisque je me rends en votre merci, agissez en telle manière qu'au bout du compte j'y trouve profit, et vous, honneur !

VI

LA DEMOISELLE À L'ÉPERVIER

Alors ils se préparèrent à partir. Gauvain aida à monter, sur son bon palefroi, la demoiselle du cimetière. Lui enfourcha son destrier, et le jeune homme, qui n'était pas lourd et le fit bien volontiers, installa devant lui, sur son roncin, la demoiselle d'Escanor. Puis ils se mirent en route.

Le jeune homme les conduisit pour y prendre leur gîte dans le château où ils avaient été d'abord. Ils y furent fort bien traités, car le seigneur connaissait les usages. Pour l'amour du jeune homme qui les amenait, il les accueillit avec grande joie. Il marqua à nouveau un vif plaisir de la présence de Gauvain, et fit preuve d'une courtoisie raffinée : au matin, quand il vit qu'ils devaient repartir, il fit équiper très richement un palefroi. Tout le harnais en était neuf, sangle, bride et selle. Il en fit don à la demoiselle que le jeune homme avait prise avec lui sur le roncin. Ainsi équipés, ils reprirent leur route.

Maintenant Gauvain voyageait bien plus agréablement, car le jeune homme se chargeait de son écu, de son heaume et de sa lance. Pressant l'allure, il força tellement les étapes qu'il arriva à proximité de son pays. Il traversa un bois succédant à un taillis, si bien qu'il parvint à moins de sept lieues de Carduel.

Il connut là une aventure qu'il ne me faut pas passer sous silence : il entendit les cris aigus d'une jeune fille en grande difficulté. C'était si loin dans la forêt qu'il eut du mal à les percevoir.

— Jeune homme, fait-il, as-tu entendu la même chose que moi ?

Celui-ci répond que oui, ainsi que les demoiselles, et depuis longtemps.

— Par ma foi, fait alors Gauvain, il n'est rien au monde qui saurait m'empêcher d'aller apprendre quelle raison elle peut avoir de pleurer, celle qui se lamente ainsi, et je crois bien que ce sentier-là va m'y conduire tout droit. Pour toi, attends-moi ici avec ces demoiselles, jusqu'à ce que j'aie des nouvelles de ce qui la met dans un tel émoi. Quand je saurai ce qu'il en est, je reviendrai ici aussitôt. Sache que je ne m'attarderai pas, si rien d'autre ne me retient. Si toutefois il arrive, cher ami, que je rencontre là une aventure qui m'empêche de revenir aussi vite, tu prendras cette grand-route, droit jusqu'à Carduel. Là tu diras de ma part à la reine que je lui envoie ces jeunes filles ; dis-lui que pour l'amour de moi elle les protège, et les accueille et traite avec honneur jusqu'à mon retour à la cour. Et si elle s'informe à ton sujet ou demande qui sont ces demoiselles, n'hésite pas à lui répondre.

— Avec plaisir, seigneur, fait le jeune homme ; la reine saura toute la vérité.

Alors Gauvain éperonna le Gringalet droit dans la direction des cris de l'éplorée.

Après avoir chevauché un certain temps et dévalé un tertre, il aperçut la jeune fille. La robe qu'elle avait revêtue, si belle et seyante, la sangle de son cheval et la selle, le palefroi (d'un éclat, dit le conte, qui surpassait en blancheur toute fleur), sa bride et son harnais — impossible de les décrire en détail : si appliqué qu'il soit, le meilleur lettré d'ici à Paris échouerait à le faire en une semaine sans en rien oublier.

Monseigneur Gauvain vit clairement que personne n'était en train de lui faire violence ; il piqua son cheval tout droit vers elle :

— Puisse ce Dieu qui jamais n'a fait défaut, belle, vous accorder joie et honneur ! Quelle est la raison de votre douleur ? Pourquoi un tel désespoir ? je vous engage vivement à me le dire, si cela ne vous ennuie pas.

Elle, qui était noble et courtoise, lui répondit :

— Seigneur, bien volontiers. Un chevalier, commença-t-elle, beau et vaillant, courtois et sage — c'est lui qui m'a amenée dans ce bosquet —, m'aimait d'amour et je le lui rendais bien. Je vais vous conter ce qui est à l'origine de mon malheur présent. Ce matin même, alors que nous allions par ce chemin, mon ami cher et moi-même, nous entendîmes des plaintes déchirantes, poussées par une jeune fille. La décision de mon ami fut aussitôt prise : il m'abandonna sur ce chemin là-bas. Il lança au galop son bai de Gascogne, pour aller au-devant de cette aventure. Il m'ordonna de venir l'attendre en cet endroit précis où nous nous trouvons. Mais avant que je ne me sépare de lui il me confia un de ses éperviers, qu'il chérissait plus que tout au monde. Je savais bien qu'il l'aimait au point de ne pouvoir aimer personne davantage, moi exceptée ; aussi m'ordonna-t-il de veiller sur lui par-dessus tout. C'est alors, malheureuse infortunée, que je m'entremis d'une grande folie. Moi, si peu experte en fauconnerie, j'entrepris de faire manger l'épervier.

Pendant que je le nourrissais d'un oiselet qu'il avait pris, l'épervier, qui était entravé, s'est débattu et m'a échappé. Mon ami en perdra la raison, quand il sera de retour ; ainsi ma malchance et ma folie m'ont trahie.

« Je le sais tellement excessif et cruel, d'une telle dureté, j'ai bien peur que c'en soit fini de son amour pour moi ; et je n'ai personne pour rappeler l'oiseau, à moins qu'un autre ne s'en mette en peine.

Gauvain lui donna alors la ferme assurance qu'il lui ferait retrouver son épervier : il ne la quitterait pas avant qu'elle ne l'ait récupéré. La demoiselle, tout heureuse de cette promesse, l'en remercia :

— Seigneur, fait-elle, Dieu vous entende et vous accorde de le reprendre ! Si vous pouvez me le rendre, vous m'aurez vraiment sauvée, et il n'y aura jour de ma vie que, juste à me le répéter, je n'éprouve de l'affection pour vous.

— Indiquez-moi le cri, fait-il, et je vais l'appeler.

Il s'employa longuement à moduler le cri en direction de l'oiseau, qui s'était perché au sommet du chêne ; mais ses efforts furent inutiles : l'oiseau n'en fit absolument aucun cas. Gauvain avança, puis recula, sans plus de résultat. Le seul bon point fut que l'épervier ne s'éloigna pas, attaché comme il l'était à sa corde. Quand il se rendit compte qu'il n'arriva à rien, Gauvain prestement monta dans le chêne, non sans s'être d'abord débarrassé de ses armes.

Tandis qu'il se trouvait dans l'arbre, voici qu'arriva le chevalier. Il vit les armes, le destrier. Il demanda à qui ils appartenaient :

— Au meilleur chevalier du monde, dit la jeune fille, et au plus valeureux, si je le compare à tous les autres, à l'exception de vous.

Elle lui conta aussitôt comment il l'avait trouvée là, seule, accablée et en pleurs pour avoir perdu l'épervier. Son ami lui fit cette réponse :

— Espèce de garce ! Vous mentez, ce n'est pas ainsi que les choses se sont passées ! Je sais fort bien comment il prend le large, celui qui veut couvrir sa fourberie. Croyez-vous pouvoir me tenir pour fou, et me faire passer un mensonge comme vérité ? J'ai bien lieu de le savoir, l'ayant éprouvé à plusieurs reprises : pour se tirer d'embarras, une femme a vite trouvé quoi inventer.

Pour ne pas allonger mon récit, je ne veux pas m'étendre sur le thème de la duplicité féminine. Vous m'avez assez souvent entendu là-dessus en d'autres occasions, aussi m'en tairai-je. Le chevalier prit aussitôt le palefroi par la bride et, de l'autre main, le cheval que Gauvain avait amené. Puis il revint vers la jeune fille, et lui affirma que, de sa vie, elle ne serait plus sa compagne : il la laisserait là toute seule ; elle ne le servirait plus de tromperie, elle l'avait fait déjà trop longtemps, mais jamais il n'avait vu ni connu aussi ouvertement sa fausseté.

Alors monseigneur Gauvain intervint :

— Seigneur, dit-il, n'allez pas imaginer que je suis venu ici pour vous déshonorer. Il ne s'est rien produit de tel, et je n'en ai même pas eu fût-ce l'idée ou l'intention. Jamais je ne perdrai assez le sens pour projeter un tel outrage. Maintenant écoutez la prière que je vous fais : acceptez que je me justifie, et je jurerai sur l'heure, dès qu'il vous plaira, de mon plein gré, entouré de dix-neuf autres chevaliers, que pas un instant je n'ai cherché votre honte, et que je n'ai tenu à votre amie aucun propos qui, si vous aviez pu l'entendre, lui méritât votre haine.

— Ne comptez pas que j'accepte vos excuses, lui répond le chevalier ; je n'ai que faire de votre serment : je sais trop comme il est prompt à mentir, celui qui veut se laver d'une telle traîtrise !

Là-dessus il s'éloigna avec les chevaux et les autres le perdirent de vue. Après avoir récupéré l'épervier, monseigneur Gauvain revint vers la demoiselle au clair visage. Il la réconforta avec douceur :

— Maintenant, demoiselle, cessez de vous inquiéter, fait celui qui en matière d'amitié, d'honneur et de noblesse valait mille de ses pareils. Sachez que mes conseils et mon aide vous sont loyalement acquis ; jamais, à aucun jour de ma vie, ils ne vous feront défaut, sinon parce que vous l'aurez voulu, quoi qu'il m'arrive.

— Seigneur, fait-elle, que Dieu vous protège et vous garde d'autre mésaventure ! Sachez-le, celle-ci me cause une profonde affliction, car c'est pour avoir agi selon le bien et l'honneur que vous sont arrivés ces ennuis : vous n'étiez accouru vers moi que pour me soulager de ma peine.

— Belle, fait-il, inutile d'en parler davantage ; cela ne sert à rien de se désoler. Tout homme de bien est exposé à de pareilles vicissitudes, et, s'il a l'occasion une nouvelle fois de se comporter avec honneur, il ne doit pas s'en laisser détourner pour autant.

Après avoir repris les pièces de son armure, qu'il avait déposées à l'ombre des charmes, Gauvain quitte les lieux sans s'attarder davantage, en compagnie de la demoiselle. Il ignore de quel côté, et dans quel pays, il veut aller chercher l'aventure ; il ne sait pas davantage comment ni sous quelles formes elle se manifestera ; mais, si c'était en son pouvoir, il choisirait volontiers celles qui le mettraient sur la voie du chevalier qui lui a emmené son cheval. Ce souci l'absorbe tout entier.

Et voici que le temps se fit très mauvais : neige, pluie et grêle s'abattaient pêle-mêle. Tonnerre, foudre, éclairs tombaient de toutes parts. Les voyageurs ne surent que faire, où trouver au plus près château, bourg ou logis, car il n'y avait pas le moindre ermitage dans toute la forêt.

— S'il vous plaît seigneur, dit la jeune fille, j'ai vu sur ce chemin par où je suis venue ce matin une croix sous auvent, près d'ici ; si nous pouvions parvenir sans mal jusque-là, au moins pourrions-nous nous mettre à l'abri, avec l'aide du Créateur.

— Belle, fait-il, il n'y a rien d'autre à faire qu'y aller promptement.

Ils se rendirent en hâte à la croix et se blottirent là tous les deux. Ils furent soumis à bien rude épreuve, tant la jeune fille que Gauvain, car la tempête dura ainsi toute la nuit jusqu'au lendemain, et ils restèrent l'un et l'autre sans bouger de là, et sans manger ni boire. Ils s'étendirent à même la terre nue, sans protection d'aucune sorte. Je ne vous dis rien du surplus, s'ils y prirent autre plaisir. Je vous assure seulement que leur couche fut bien dure et inconfortable ; le vent, qui ne s'était pas calmé, les malmena durement. Gauvain, qui ne pouvait apporter d'autre adoucissement à la jeune fille, la tint toute la nuit dans ses bras. Il s'était allongé du côté du vent et il plaça son écu doré dans son dos pour se protéger de la tourmente. Quant à l'épervier qu'il avait pris sur le chêne, il l'installa en haut sur le montant de l'abri. Ils s'étaient aménagé ainsi une sorte de niche [1] : ce fut là tout leur confort. Ils durent patienter dans cet état jusqu'au matin.

Au lever du jour, par la grâce du Créateur, le beau temps était revenu, clair et pur. Le neveu du noble roi Arthur était très préoccupé : la faim qu'éprouvait la jeune fille le mettait dans un grand embarras. Cela faisait trois jours qu'elle n'avait pas mangé, et il ne pouvait rien faire pour elle. Mais elle avait eu tellement peur, lors de ce terrible orage, qu'elle en avait perdu l'appétit et oublié sa faim.

— Belle, fait-il, qu'en dites-vous, que voulez-vous que nous fassions ? Nous n'obtiendrons aucune assistance à demeurer ici dans ce bois.

— Seigneur, répond-elle, faites comme vous voudrez, je me plierai à votre décision. Mais je ne sais, d'attendre ici ou de nous mettre en route, lequel est préférable : nous n'avons rien de ce qui nous serait nécessaire pour rester dans la forêt ; d'autre part, je supporterai si mal le voyage que je ne sais quel parti prendre.

— Jeune fille, à mon avis, il y a plus de risque à nous attarder ici.

Sur ces entrefaites, voici que surgit un chevalier, venant droit sur eux par le chemin. Ce chevalier, dont toute la mine indiquait la bravoure, n'était pas seul : l'écuyer qui le précédait conduisait un second cheval. Gauvain et la jeune fille l'aperçurent en même temps. L'autre, dès qu'il les vit, descendit de son palefroi. Il se disait

---

1. Nous avons maintenu, pour les vers 2820-21 la leçon du manuscrit N1, contestée par les autres manuscrits, en hasardant une interprétation du mot *destois*, qui n'apparaît pas dans les dictionnaires.

en lui-même que ces voyageurs avaient grand besoin d'aide. Ce serait une bonne action de la leur donner, pensa-t-il, car ils sem-blaient être gens de bonne compagnie et mériter qu'on leur portât quelque secours. Il se dirigea vers eux au plus vite. Monseigneur Gauvain s'avança à sa rencontre ainsi que la jeune fille, et tous deux le saluèrent.

Celui-ci les salua courtoisement à son tour :

— Cher seigneur, fait Gauvain, votre venue nous rend bien ser-vice.

— Dites-moi s'il vous plaît, fait le chevalier, comment vous vous déplacez, qui vous êtes et de quelle terre vous venez, et où vous avez passé la nuit. Avez-vous mangé ou bu depuis que vous êtes entrés dans la forêt ? Dites-moi aussi, je vous prie, dans quel but vous avez entrepris ce voyage.

Gauvain s'empressa de lui répondre, et lui exposa en détail ce que je vous ai déjà conté ici. L'autre, qui était d'une parfaite éducation, se signa devant l'étrangeté de leur mésaventure.

— Maintenant que je vous ai rencontrés, et que vous m'avez dit votre état, vous devez en tirer quelque profit. Je vous aiderai, si je peux, mais avant de vous porter secours je requiers instamment un don : que vous me récompensiez de mon aide au jour où je le récla-merai.

— Je le ferai avec plaisir, quand il vous conviendra, fit Gauvain, pour autant que je puisse m'y engager.

— Ne croyez pas, rétorqua l'autre, que j'aie la bassesse de vous faire une demande que vous ne puissiez satisfaire, ce serait bien mal agir.

— C'est entendu, dit Gauvain, puisque vous le requérez en ces termes.

— Dans ces conditions, commandez-moi tout ce que vous voulez. Vous pouvez prendre mon cheval pour votre usage, je vous le donne : j'ai bien vu dans quel dénuement vous vous trouvez, et combien cela vous préoccupe ; aussi ai-je plaisir à ce que vous l'ayez. Je désire également que cette demoiselle, qui me paraît belle et courtoise, accepte de ma part — il lui est bien nécessaire ! — ce pale-froi avec tout son harnais. Ce présent me sera largement rendu quand j'en aurai besoin, et que je vous fournirai l'occasion de le faire, puisque vous me l'avez promis ; je n'ai aucune crainte à ce sujet.

— Vous avez raison, répondit Gauvain. Je vous en remercie mille fois. Il ne saurait être question, après avoir reçu un don aussi somp-tueux, de vous en refuser récompense ; si je peux en trouver un jour la possibilité, vous ne manquerez pas de l'obtenir.

Le chevalier dit alors :

— Certes, je sais que rien ne vous détournera de respecter cette promesse, dès que je vous en ferai la demande. Mais si cela ne déplaît pas à cette jeune fille, ni à vous, que j'en prie vivement, j'aimerais, en attendant mieux, que vous me cédiez cet épervier que je vois campé là sur la fourche ; j'estimerais le présent à son prix. Savez-vous pourquoi je désire l'obtenir ? Si quelque jour je devais vous revoir et que j'aie l'épervier avec moi, vous vous rappelleriez ainsi que vous me devez une récompense. Ma requête n'a pas d'autre sens.

Gauvain enjoignit alors à la demoiselle de le lui donner :

— Seigneur, je vous l'assure, si j'avais les moyens de faire plus encore pour vous, en raison du grand mérite que vous me paraissez avoir, je m'y emploierais sans réserve. Mais sachez bien que je ne peux faire mieux.

— Ce que vous avez déjà fait me convient parfaitement, dit Gauvain.

— Vous ne savez pas, repartit l'autre, qui je suis, et vous ne pourrez pas l'apprendre avant que vous ne soyez en mesure de me payer mon service.

Alors il fit descendre de cheval son écuyer, en homme avisé et de bonnes manières ; et après avoir pris congé d'eux, il monta sur le roncin [1]. Puis il rebroussa chemin à travers la forêt, comme il était venu.

Gauvain prit le palefroi, très richement harnaché et pourvu d'une sangle et d'une selle ; il y jucha la jeune fille, et enfourcha à son tour sa monture. Il repensa alors aux grandes bontés que le chevalier avait eues pour lui, maintes fois il en évoqua le souvenir dans son cœur ; il craignait, et cela le contrariait fort, de ne pouvoir jamais lui en marquer autant de reconnaissance qu'il le souhaiterait. Quant à la demoiselle au clair visage, elle était tout heureuse et gaie du secours que Dieu leur avait envoyé ; car ils étaient en grand souci, et maintenant les voici sur la bonne voie, munis de bons chevaux.

VII

LE ROI DE LA ROUGE CITÉ [2]

Ils s'en retournèrent donc ensemble et allèrent droit leur chemin, au gré de l'aventure. Ils chevauchèrent ainsi jusqu'au-delà de midi, sans avoir mangé ni bu. Soudain Gauvain vit un charbonnier,

---

1. Il y a là un petit problème : le chevalier complaisant ayant déjà fait don de son propre palefroi, et du destrier qu'il faisait conduire à son écuyer, s'il prend le roncin monté par l'écuyer, quelle sera la monture de celui-ci ?
2. C'est cet épisode qui manque au manuscrit de base.

inconnu de lui, venir vers eux au milieu de la voie. Il conduisait deux ânes et un roncin et se déplaçait à très vive allure. Gauvain l'interpela aussitôt : savait-il leur dire de quel côté il pouvait trouver à proximité un lieu où faire halte ?

— Seigneur, dit le charbonnier, la Rouge Cité est tout près d'ici ; mais, quels que soient votre besoin ou votre embarras, gardez-vous bien justement de vous y rendre, car on doit affronter là une épreuve redoutable.

— Cher ami, s'écria aussitôt Gauvain, dites-moi de quelle épreuve il s'agit, et à quoi vous faites ainsi allusion.

— Seigneur, le roi de cette cité est d'une férocité et d'une morgue sans limites ; de fait, de nos cols jusqu'en Allemagne, on ne trouverait pas d'aussi bon chevalier. Là devant, près d'une fontaine, vous le rencontrerez déjà tout en armes. C'est en effet l'habitude qu'il a prise : régulièrement, quatre fois par semaine, il vient à cette fontaine ; il amène avec lui une jeune fille extrêmement belle. Je ne suis pas capable d'en dire plus sur elle, mais si quelqu'un savait décrire l'ensemble de sa parure et sa beauté, on pourrait affirmer en toute vérité qu'il n'y eut jamais de femme qui lui soit comparable : si charmante et noble fût-elle, aucune autre n'eut le quart de sa beauté. Eh bien, sachez que cette jeune fille va être durement traitée car, sans lui demander son avis, il la fait entrer toute nue dans la source glaciale et sombre jusqu'à la ceinture et même au-delà, de manière à ce qu'il n'apparaisse plus d'elle que sa tête et sa poitrine, plus blanche que fleur d'aubépine. Elle demeure ainsi toute la journée dans la fontaine, plongée dans le froid, sans pouvoir sortir de l'eau avant la tombée de la nuit ; alors seulement il l'en retire et la ramène sur le bord. Il n'est aucun roi ni comte, fût-il du rang le plus élevé, s'il lui faisait la moindre représentation, qui n'en mourût sur-le-champ, car il lui faudrait se battre contre lui. Sachez que cinquante-quatre chevaliers lui ont déjà livré bataille : il les a tous vaincus et tués, et leur a découpé les membres. Ils comptaient pourtant parmi les plus estimés de tout le royaume. Maintenant les autres sont si épouvantés, et ils ont vu mourir tant des leurs, qu'ils n'osent plus élever la voix à ce sujet. Quand il les a vaincus et mis à mort, le roi fait ficher sur des pieux aigus, qu'il a fait planter solidement, les têtes coiffées de leur heaume étincelant. Nul, quelle que soit sa valeur, ne peut obtenir de lui autre rançon. Voilà ce que le roi a juré, et vous allez le constater vous-même. Si vous allez dans la cité, vous ne pourrez éviter de passer devant lui. Cher seigneur, ayez souci de protéger votre vie ; si vous tenez à prendre cette direction-là, votre mort est inéluctable, soyez-en sûr : jamais vous ne vous en tirerez sans bataille, si vous prononcez le moindre mot.

Gauvain lui répliqua aussitôt :

— Ami, vous m'en avez trop dit, je vous recommande à Dieu. Mais sachez bien ceci : je vais aller là-bas pour voir la jeune fille et le roi-chevalier, celui qui, dans son orgueil, a fait dresser les pieux sur le chemin, et je lui dirai que je veux apprendre, s'il veut bien y consentir, ce qu'il en est de lui, et la raison de son comportement ; je suis très curieux de la connaître.

Sur ces mots il quitta le charbonnier et se mit en route. Il éperonna tant son destrier qu'il franchit la montagne. Alors il aperçut la fontaine, tout près de la cité. Il vit aussi le chevalier en armes, monté sur un destrier vigoureux et fringant. Jamais, dans tout le pays, il n'en avait vu de si beau. Sachez que son écu paraissait être de cuir tanné, mais il était si résistant et d'un si beau travail qu'il serait bien malaisé de vous le dire ; il n'est pas facile en effet de décrire l'ensemble de son armure, tant elle était somptueuse, à ce que prétend le conte. Elle ne comportait aucun point de blanc : sa robuste lance, grosse et massive, était plus rouge que le sang le plus vif, avec, à son extrémité, un fer bien acéré ; son épée, fourbie et tranchante, flamboyait également d'une couleur rouge. Il était bien assuré sur ses étriers.

Voici que surgit Gauvain, à bride abattue. Il salue la demoiselle, d'une si éclatante beauté, puis, avec sa noblesse coutumière, il interrogea le chevalier :

— Seigneur, pour quel crime faites-vous à ma dame un tel outrage et la traitez si indignement ?

— Chevalier, si vous voulez le savoir, demandez-lui de vous le dire elle-même ; vous agirez très courtoisement si vous parvenez à la tirer de là, mais il vous faudra y laisser en gages votre vie et votre corps.

— Vous tenez des propos qui manquent de mesure, dit Gauvain, vous devriez vous amender. Je vais sur-le-champ la prier de me le dire, si elle veut bien, par amitié et courtoisie. Pourquoi, depuis quand et comment, continua-t-il en s'adressant à la jeune fille, vous fait-il endurer une épreuve si barbare ?

— Je vous le dirai volontiers, seigneur, répondit la demoiselle de la fontaine. Apprenez que ce chevalier est roi de la Rouge Cité ; mais il est si cruel et d'une telle suffisance qu'il ne redoute absolument personne. L'année dernière, j'allai me divertir avec lui dans un verger ; il m'affirma sa conviction qu'il n'y avait aucun chevalier dans le royaume du roi Arthur qu'il ne fût capable de vaincre par les armes. Je ne manquai pas de lui répliquer, malheureuse sotte que j'étais, qu'on disait dans mon pays que ceux de la Table Ronde étaient les meilleurs du monde. Et mon seigneur me répondit : « Demoiselle, à ce que je crois, je suis le meilleur de tous. » « A ce que je crois aussi, dis-je, les meilleurs sont légion ; il est bien fou et outrecuidant celui qui s'imagine être le meilleur d'un royaume ou d'un fief. » Il me répondit avec dédain : « Demoiselle, vous me tenez en bien piètre estime, maintenant j'en ai la preuve ; je ne m'en émeus pas outre mesure, car l'histoire est pleine de semblables témoignages : Samson le fort, qui était d'une si grande prouesse, a été trahi par son épouse. Il est dans la nature d'une femme d'estimer toujours mieux le bien d'autrui que le sien ; elle croit toujours que lui est échu le rebut de tout le pays, et elle s'en considère comme lésée : serait-il le meilleur d'une armée, elle se hâterait d'autant plus de le couvrir de honte. Maintenant, sachez-le bien, vous vous êtes trop échauffé le cœur, à me marquer un tel mépris ; je veux vous le faire refroidir. En châtiment du blâme que vous venez d'exprimer vous devrez, jusqu'à ce que vous ayez trouvé quelqu'un capable de me faire rendre les armes et me vaincre par la force, ou de m'étendre raide mort dans une bataille, vous acquitter du tribut suivant : quatre jours par semaine, sous les yeux de tous, je vous ferai entrer dans cette fontaine sinistre ; dépouillée de tout vêtement vous resterez là debout, jusqu'au coucher du soleil. Je le jure solennellement et mandez-le à vos amis, si vous avez quelque confiance en eux, car ma décision est prise. Je préviens les imprudents qui oseraient soutenir que je n'ai aucun droit à vous infliger ce tourment : dans le cas où je serai le vainqueur, la sanction est toute connue ; près de vous, sur des pieux aigus, j'en ferai ficher la tête, en viendrait-il un millier. »

Pendant que la malheureuse créature plongée dans l'eau glacée parlait à monseigneur Gauvain, le roi, qui n'était pas un rustre, engageait la conversation avec la demoiselle que Gauvain avait amenée.

— Dites-moi, je vous en prie, au nom de l'amitié et de la courtoisie : qui est ce chevalier armé assez fou et présomptueux pour venir par bravade s'entretenir devant moi avec mon amie ? J'aimerais beaucoup savoir qui il est.

Elle répondit avec simplicité :

— Seigneur, j'en prends Dieu à témoin, je ne sais pas vous dire son nom.

— Vous ne le connaissez pas ?

— Je vous jure que non, sur ma tête.

— Par saint Thomas, comment est-ce possible ?

Elle lui conta sur-le-champ comment il l'avait trouvée dans le bois ; elle lui fit le récit de toute l'aventure, sans daigner mentir d'un mot.

Il me faut revenir à Gauvain, à qui la jeune fille décrit sa souffrance et sa misère : il y a plus de trois ans qu'elle les endure. Mais elle est encore plus affligée par la perte des nobles et valeureux chevaliers que son seigneur a défaits au combat. Après sa victoire, dit-elle, il fait dresser des pieux aigus, sur lesquels il place la tête du vaincu, coiffée de son heaume brillant.

— En voici un là devant sur lequel il n'a encore rien fiché, sauf qu'il y a adossé, vous le voyez vous-même, un écu ; il appartenait à sa dernière victime. Soyez bien persuadé que ce pieu attend votre tête. Il attend qu'elle y soit fichée, selon la sentence établie. Dès que ce sera fait, un nouveau pieu sera enfoncé près du premier, prêt pour l'arrivée du prochain combattant.

« Sachez-le bien, seigneur, je vous ai dit l'exacte vérité de ma situation, si vous avez bien suivi mon récit.

Gauvain lui fait alors cette réponse :

— Demoiselle, maintenant vous allez sortir de la fontaine, et écoutez bien dans quelles conditions : jamais plus vous n'y entrerez, aussi longtemps que je serai en vie et en bonne santé.

Elle s'est aussitôt emparée de ses vêtements, qui gisaient près de là. Le roi-chevalier, de toute la puissance de sa voix, interpelle Gauvain avec insolence :

— Cette conversation va vous coûter cher, soyez-en sûr !

— Chevalier, lui réplique Gauvain, menacez tant qu'il vous plaira ! Ce n'est pas moi qui m'enfuirai jamais devant vous ou vos menaces : si quelqu'un veut se mesurer à moi, il me trouvera sur la place, tout disposé à me défendre. Me voici prêt !

Ils se défient mutuellement, puis se ruent l'un contre l'autre au galop de leurs chevaux. De leurs fers très aiguisés, ils s'assènent sur leurs écus de terribles coups, si bien qu'ils les percent et les disloquent. Les lances se fendent et se rompent, et volent en éclats. Aucun des deux pourtant ne se laisse désarçonner. Le roi de la Rouge Cité est fort contrarié et marri quand il constate qu'il n'a pas abattu son adversaire. Il tire sa bonne lame tranchante, il en frappe Gauvain avec emportement, de haut en bas sur le heaume qui étincelle, et il le lui fend jusqu'à la coiffe ; il s'en faut de peu qu'il ne le renverse, mais Gauvain sait tenir bon. A son tour il fonce à sa rencontre. Il le frappe si rudement au plus haut de l'écu qu'il le rompt à l'endroit de la boucle, et du robuste haubert orné d'orfroi il déchire bien mille mailles. La lame descend, dans la violence du choc, entre l'arçon et le cavalier ; il lui tranche tout net le feutre et l'ensemble du harnachement, de même que son vigoureux destrier, si bien que le roi est projeté à terre entre les deux tronçons.

Mais ce n'est pas un pleutre : il se remet rapidement sur pied.

— Par saint Amant, chevalier, s'exclame-t-il, ce coup-là n'était pas d'un novice ! Il ne m'a jamais porté beaucoup d'amitié, celui qui est venu m'assaillir de la sorte ! Mais quand vous me quitterez, n'essayez pas d'en marquer de la contrition ! Maintenant, montrez la noblesse de vos manières : mettez pied à terre comme moi ; si vous refusez, je vous dirai seulement qu'il en coûtera la vie à votre cheval, et ce sera là de votre part une conduite singulièrement indigne.

Gauvain s'avise alors qu'en cela il dit juste : il est bien placé pour savoir, fort et féroce comme est l'autre, qu'il aura tôt fait de lui tuer son cheval. Il met donc pied à terre et court attaquer son ennemi. Mais celui-ci oppose une telle défense que Gauvain en reste tout étourdi ; il lui assène en effet un coup si puissant, au sommet de son heaume orné de gemmes, qu'il en fait sauter fleurs, émeraude et émail. Le coup glisse sur l'écu, il le fend jusqu'à la boucle, et le haubert, sur le côté, est fortement entamé. Mais assurément Dieu protégeait Gauvain car l'épée, dans la main qui la maniait, gauchit vers l'arrière : si elle n'avait pas ainsi dévié de sa trajectoire, elle aurait atteint Gauvain jusqu'au cœur. Le coup toutefois a été d'une violence telle que pour un peu Gauvain roulait à terre. Mais il ne perd pas la tête : tout ce qu'il doit à son adversaire, il le lui rend bien. Il lui fait un nouvel assaut et fonce sur lui l'épée brandie ; mais l'autre reste inébranlable. Quelle grêle de coups sur les heaumes aux pierres étincelantes !

Dans la cité, tous les habitants se hâtent vers les lieux. Il n'y reste personne, jeune ou vieux, homme ou femme, droit ou bossu, grand ou petit, faible ou fort, en état d'y aller, qui ne s'y rende. C'est, par toutes les rues, un vacarme incroyable ; car nobles et petites gens, clercs, bourgeois et chevaliers, dames, jeunes filles, écuyers, tous, d'un même mouvement, accourent pour voir comment les combattants se comportent. La plaine entière autour d'eux se trouve occupée. Et le roi ordonne à tous, pour peu qu'ils tiennent à leur vie, de ne prononcer aucun mot, quoi qu'ils puissent voir ou entendre.

— Car, promet-il, je tuerais de mes propres mains celui qui s'y hasarderait, quel que soit son prestige. Je ne voudrais pas que trahison soit faite à mon adversaire plus qu'à moi, et je lui en fais le serment : s'il peut se défendre contre moi, il n'a à prendre garde de personne d'autre ; qu'il abandonne toute crainte à ce sujet.

Les barons du royaume redoutent tous leur seigneur. En homme respectueux des usages, le roi de la Rouge Cité dit à monseigneur Gauvain :

— Chevalier, que vous en semble ? En présence des gens de mon pays venus assister à la bataille, je vous en fais la promesse solennelle, n'ayez sur ce point aucune inquiétude : vous n'avez à vous défendre ici que de moi seul, quelque malheur qu'il puisse m'arriver. Je suis le seigneur incontesté de mes gens : il n'est aucun d'eux, comte ou baron, qui, pour sauver sa barbe, son nez, ou ses dents, oserait transgresser mes ordres. Je vous ai donné toutes garanties, par un serment loyal.

Gauvain répond :

— Je vous en remercie. Et maintenant en garde, je vous défie !

— Moi également, dit le chevalier.

Mais Gauvain frappe le premier, haut sur le heaume rougeoyant. Il tranche à son adversaire le devant de l'écu, si bien qu'il lui en a rompu les courroies ; avec sa grande maîtrise des armes, il assène son coup avec une telle force qu'il lui démaille et déchire entièrement le haubert au-dessus de l'aisselle, si bien qu'au ras du mamelon il lui emporte la chair du côté. Le roi est très gravement atteint ; le sang lui court à grands ruisseaux jusqu'à l'éperon.

Quand il se sent blessé, une terrible colère s'empare de lui, mais il conserve son sang-froid. Il a en main la bonne lame acérée en laquelle il a toute confiance ; il puise en elle sa hardiesse. Il frappe Gauvain d'un tel élan qu'il lui brise son écu, et enfonce son épée dans le heaume jusqu'à la coiffe. L'acier file droit jusqu'au crâne : il lui tranche l'os de la tête, tant sa lame est aiguisée, sans atteindre toutefois la cervelle. Gauvain est sensible à la blessure, mais sans s'émouvoir autrement, il attaque à nouveau son ennemi avec vaillance, et l'autre se défend très bien. Ils se livrent là tous les deux à un bel assaut d'escrime ; Gauvain porte pourtant à l'autre un tel coup sur le heaume qu'il l'étourdit complètement ; celui-ci le frappe en retour : il lui tranche net la moitié de son écu, et déchire cent mailles du haubert, si bien que la lame est descendue sur le bras à nu, et l'a blessé jusqu'à l'os ; le sang en jaillit ; il ruisselle ainsi, vermeil, tout le long de la ceinture.

L'acharnement des deux chevaliers est féroce, et la bataille est égale : à dire vrai, personne ne saurait désigner le meilleur, le plus vaillant et le plus téméraire, le plus entreprenant ou le plus lent, à cette réserve près que monseigneur Gauvain attaque toujours le premier. Leurs hauberts sont tout démaillés, et leurs écus en pièces : ils n'ont rien d'assez entier pour leur assurer une protection. Ils se frappent souvent à découvert ; ils se rudoient et se blessent l'un l'autre à qui mieux mieux. Ainsi dura cette bataille, de l'heure de tierce, c'est la vérité pure, jusqu'au soleil couchant. Les deux adversaires montrent une telle bravoure que nul ne peut venir définitivement à bout de l'autre. Pourtant Gauvain multiplie les belles attaques, en homme à qui ne manquent ni la prouesse, ni la force, ni l'audace, et l'autre se défend tout aussi bien, sans jamais donner à penser qu'il est le moins du monde effrayé.

Gauvain était tout dépité de voir la bataille s'éterniser. Il fonça sur son ennemi avec rage, le blessant et le fatiguant sans relâche. Il le frappa si fort sur la rive de son écu que le coup glissa tout du long. L'acier froid descendit jusque sur la main qui tenait l'épée : il lui aurait coupé tout net le pouce et deux autres doigts, mais il s'arrêta juste à temps et ils tenaient encore aux nerfs. La bonne épée du roi lui vola de la main, loin de lui. On ne saurait dire sa fureur quand il se vit ainsi blessé. Elle lui donna l'énergie d'un dernier effort : il courut reprendre son épée, tourna dans l'autre sens la bretelle de son écu, et saisit son arme de la main gauche, comme le lui imposait la nécessité. Il s'élança vivement vers son adversaire. Vous auriez vu là recommencer, par attaques serrées, une lutte acharnée. Le roi frappa Gauvain de sa lame d'acier, Gauvain le frappa en retour et il s'en fallut de peu qu'il ne le projetât à terre. Le roi se couvrit de son écu, et Gauvain reprit l'avantage. Il pensait frapper à nouveau sur la tête à découvert ; mais l'autre tenait l'épée brandie ; il lui porta, au sommet de son heaume d'acier, un coup d'une force telle que Gauvain aurait dû en être grièvement blessé, sans la protection de Dieu. Il tomba sur les genoux.

Gauvain court alors le frapper avec une telle fureur sur son écu qu'il le lui brise ; il le frappe et frappe encore sans répit, lui assène vingt coups d'affilée. Il lui écartèle complètement son heaume, et tire au-dehors la ventaille qui était dessous. Il lui aurait coupé la tête, mais l'autre, qui se sent dompté, lui crie :

— Grâce ! vous m'avez vaincu ; puisque j'y suis contraint, tenez mon épée, je vous la rends.

Mais Gauvain ne veut pas la recevoir, il en prend saint Thomas à témoin :

— Je ne sais, s'écrie-t-il, ce qui me retient de vous tuer !

— Ah ! noble chevalier, grâce ! Vous commettriez un acte trop vil si vous me donniez la mort maintenant, puisque je me mets en votre merci.

Gauvain réplique alors :

— Vous devez vous constituer prisonnier. Et demain matin sans attendre vous vous rendrez, vous et cette jeune fille, qui est belle et noble autant que courtoise, à la cour du roi Arthur. Dites-lui de ma part que je lui fais présent de vous, ainsi qu'à la reine. Vous leur ferez, à elle et au noble roi Arthur, le récit de l'assaut tel qu'il s'est passé.

— C'est entendu, répond l'autre, je vous obéirai en tous points, et je me rendrai là-bas de bonne grâce, n'en doutez pas. Je rapporterai fidèlement au roi la vérité sur cette bataille, telle que vous avez dû l'entreprendre contre moi. Mais je voudrais savoir votre nom. Qui dirai-je qui m'y envoie, une fois arrivé à la cour ?

— Cher ami, j'ai perdu mon nom : je suis le chevalier sans nom.

— Je n'en saurai pas davantage ?

— Non, par ma foi. Tenez-vous-en à ceci : vous venez de la part du chevalier sans nom. Qu'ils vous accueillent et vous honorent jusqu'à mon retour à la cour. Dites bien que je reviendrai quand j'aurai trouvé mon nom. Maintenant dites-moi le vôtre.

— On m'appelle Brun sans Pitié ; je suis le roi de la Rouge Cité.

— Vous n'usurpez pas votre surnom, fait Gauvain, soyez-en sûr. Mais retenez ceci : vous allez prendre du repos cette nuit, et quand le jour sera levé, vous ferez seller vos chevaux, la jeune fille et vous, comme vous m'en avez fait la promesse.

L'autre lui jure aussitôt qu'il ira se constituer prisonnier. Autour d'eux tous, chevaliers, bourgeois, vavasseurs se lamentent fort au sujet de leur seigneur, si grièvement atteint, et s'en retournent tout droit dans la cité.

Gauvain à son tour affirme qu'il va partir sans s'attarder davantage. Il ordonne à la demoiselle, celle qu'il a rencontrée dans le bois sur la lande, de monter sur son palefroi.

— Je vous en prie en toute franchise, lui dit le roi, si cela peut se faire en quelque manière, venez avec moi prendre votre gîte pour la nuit.

Tous les chevaliers font à Gauvain la même requête, ainsi que la courtoise demoiselle, si avenante et belle. Mais il leur répond qu'il ne faut pas y compter : rien de ce qu'ils pourraient lui dire ne le ferait rester. Il les recommande tous à Dieu, et eux font de même. Mais le roi lui renouvelle sa promesse de se mettre immédiatement en route le lendemain.

Gauvain ne voulut plus tarder et s'en fut reprendre sa route. Il avait grand besoin de baume pour soigner ses plaies ; sa compagne ne cessait de pleurer. Il lui dit :

— Belle douce amie, ne pleurez pas, je guérirai certainement. Sachez bien une chose : jamais, de toute ma vie, je n'ai vu un homme d'aussi grande vaillance que ce chevalier. Je ne veux pas aller loger chez lui, ce ne serait pas convenable. Je montrerais une vraie grossièreté à accepter son hospitalité, après lui avoir causé de tels ennuis. La seule chose qui me contrarie est que vous n'avez bu ni mangé.

— Ah ! cher seigneur, je n'ai pas faim : il n'y a au monde si bon pain dont je serais capable en ce moment de manger une miette.

Ainsi chevauchèrent-ils bon train, je ne sais de quel côté, en quête d'aventure. Mais voici que, dans la ligne droite, les aperçut un chevalier, armé et vigoureux, qui venait d'en tuer là un autre tout récemment. Sa brillante épée d'acier, bien fourbie et, à ce que je crois, très robuste, en était encore toute sanglante. Gauvain le salua avec courtoisie mais l'autre, loin de lui rendre son salut, lui cria :

— Chevalier, vous n'emmènerez sûrement pas cette dame ainsi, Dieu me sauve ! Je vais vous livrer un assaut que vous payerez très cher.

Gauvain ne pouvait laisser cette provocation sans réponse. Ils se défient alors mutuellement et se ruent l'un contre l'autre. Ils se heurtent tous les deux de toutes leurs forces du fer de leurs lances, si bien qu'ils mettent en pièces leurs écus. La lutte est acharnée. Le chevalier frappe Gauvain en premier, au sommet de son heaume, avec un tel emportement qu'il en fait jaillir des étincelles. Gauvain le frappe en retour à découvert sur son écu brisé, et lui a porté un coup mortel, jusqu'au cœur. Le destrier fait un bond et va son chemin à travers la forêt. Gauvain en est très contrarié car il ne sait que décider ; il ne veut, en aucun cas, laisser la demoiselle seule. Le destrier traîne sa selle, et s'enfuit tout effrayé. Gauvain fait demi-tour, afin de rassurer la jeune fille.

Cette nuit-là, ils couchèrent dans le bois, et au lever du jour, ils repartirent de là tous les deux. En remplacement de son écu, tellement abîmé qu'il ne pouvait plus lui être d'aucun service, Gauvain prit celui du chevalier [1]. Puis ils enfourchèrent tous deux leur monture et ils se mirent en route. Ils chevauchèrent toute la journée jusqu'à près de midi, et sachez que cela faisait le troisième jour qu'ils n'avaient mangé ni bu.

VIII

ESPINOGRE, LE CHEVALIER INCONSTANT

Ils aperçurent alors un chevalier, fort bien armé et de belle allure, qui venait tout droit vers eux. Le chevalier leur cria bien haut :

— Cher seigneur, Dieu vous sauve, vous et votre belle compagne !

— Chevalier, Dieu vous bénisse et vous honore à votre tour, fit Gauvain. J'ai voyagé toute la journée, je ne sais dans quelle direction, à l'aventure.

Et l'autre, sans le laisser parler davantage, répliqua aussitôt :

— Dites-moi votre nom, cher seigneur, si vous voulez bien ; avec votre permission, il me faut savoir qui vous êtes et de quelle terre vous venez : j'ai l'impression que vous êtes perdus, et que vous avez passé la nuit dans ce bois. Vous avez eu, s'il en est ainsi, un bien mauvais gîte : ni pain ni sel ni poisson ni autre vivre, je m'en suis rendu compte, dont vous pouviez avoir besoin. Auriez-vous disposé de toute la fortune du riche sultan, elle n'aurait pu vous faire obtenir un seul pain, ni une seule coupe de vin.

---

1. Le bouclier du chevalier vaincu a été lui aussi fort malmené lors de l'assaut. Il s'agit peut-être de celui du chevalier précédemment mis à mort.

— Vous êtes bon devin, fit Gauvain : c'est bien ce qui nous est arrivé.

Et celui qui était venu à leur rencontre continua :

— Noble chevalier, tout différent fut mon logis hier soir. Je peux m'en vanter, une jeune fille, la plus courtoise et la plus belle qui soit jusqu'aux portes de Rome, de si haut lignage qu'elle est dame du château, m'a réservé le meilleur traitement qu'eût jamais chevalier. Rien de ce que je pouvais désirer ne m'a été refusé ni défendu.

— Alors vous avez été plus gâté que moi : pas plus hier qu'aujourd'hui, nous n'avons eu, la jeune fille et moi, la moindre chose à manger.

— Cher seigneur, fit le chevalier, vous auriez tort de vous tracasser à ce sujet. Je vous promets bien qu'avant que nous nous séparions vous serez mis sur la voie d'un bon gîte confortable. Je désire vivement être votre ami, et me mettre à vos ordres. Mais d'abord, avant que je m'occupe de vous, écoutez donc mon histoire, comment je suis enfin parvenu à ce que je voulais.

« Cher seigneur, il arriva jadis, il y a bien cinq ou six ans — j'étais encore adolescent, novice en armes et inexpérimenté —, que je tombai amoureux d'une jeune fille, la plus courtoise et la plus belle qui soit jusqu'à Carlion. Amour, qui m'emprisonna dans ses lacs, me donna la hardiesse du lion ; il me rendit courtois et entreprenant, au point que j'osai prier mon amie d'amour. Tout préoccupé, je lui exposai ma requête, le plus sagement que je pus. Elle prisa fort peu mon discours et m'en marqua la plus grande irritation. Néanmoins, elle me réclama un délai, et assura qu'elle allait y réfléchir : à notre prochaine rencontre, elle me ferait part de sa décision. Je ne voulus pas endurer une longue attente et revins la voir bientôt : lui rappelant la réponse qu'elle m'avait promise, je la priai de bien vouloir, en dame courtoise et bienveillante, me signifier ses intentions. Après que je me fus longuement plaint et que j'eus fait le récit de ma misère, elle ne fut pas en peine de me fournir une réponse raisonnable, et me convainquit très vite de l'excellence et de la vérité de ses arguments. Jamais par la suite je ne les contestai, car je vis bien que c'était la conduite à tenir, et qu'elle saisirait autrement la première occasion pour m'éconduire.

« — Ami, dit-elle, si vous m'aimez et si vraiment vous êtes à cause de moi dans un état aussi misérable que vous venez de le dire, alors je suis sûre que vous ne chercherez pas à me déshonorer. Dans tout le pays de Galles et d'Angleterre, il n'y a aucun fils de comte, aussi puissant soit-il, qui oserait me prier d'amour au point que j'accède à sa prière ou qui, quelles que soient ses assiduités, obtiendrait de moi la moindre satisfaction, fût-ce un baiser, à moins d'être déjà chevalier. Si vous ne vous soumettiez pas à ces exigences, alors je sais bien que vous rechercheriez ouvertement ma honte ; en revanche, je vous assure que, lorsque vous serez chevalier, si j'entends vanter et célébrer partout votre valeur aux armes, je deviendrai votre amie. Vous auriez tort de mettre ma promesse en doute. Je vous en donnerai la preuve avant que vous ne me quittiez : par ce petit anneau de mon doigt, une émeraude pure, je vous investis de mon amour aux conditions que je viens de vous dire. Et j'ajoute, cher ami, qu'aux termes de cet accord il vous faudra cesser de me poursuivre, car sachez que le surplus vous ferait tout perdre, le moins et le plus.

« Je fus très heureux qu'elle m'eût accordé autant ; je pris d'elle ce qu'elle m'autorisait : l'anneau que je lui retirai du doigt. Par cet anneau, ainsi que par la promesse qu'elle m'avait faite, j'établissais le lien d'amour. Au moment de nous séparer, la demoiselle me dit en outre avec une grande douceur d'éviter, si je voulais jamais jouir d'elle et du don de sa personne, toute arrogance, bassesse, et autres excès. Je lui jurai qu'il en irait ainsi, puisqu'elle en avait exprimé le désir. Je pris alors congé et m'en allai dans mon pays. Grâce à mon père et à mes amis, avant quinze jours j'étais armé chevalier.

« Je consacrai tous mes efforts, sachez-le, à acquérir prix et honneur. Je fis tant que tous les gens du fief, jeunes et vieux, assurèrent qu'ils n'avaient jamais vu un seul chevalier obtenir une telle renommée en si peu de temps. Je ne puis vous raconter chacun de ces faits d'armes ; j'ose vous dire seulement que j'en souffris maint tourment.

« Quand l'année fut écoulée, je revins vers ma demoiselle, je lui rappelai notre débat, et sa promesse. Elle me répondit que je voyais trop grand : je n'étais pas de si haut prix, ma réputation, mon excellence n'étaient pas telles qu'on dût mettre à mon crédit de l'avoir si tôt conquise. Dès lors, si je m'étais donné beaucoup de mal pour me distinguer durant la première année, sachez que, l'année suivante, je m'en donnai quatre fois plus. Au bout de deux ans, je revins auprès de mon amie lui rappeler une nouvelle fois ma prière et sa promesse. Elle me reprocha ma suffisance : je ne m'étais pas encore assez illustré aux armes pour prétendre l'obtenir. Une troisième année, je partis à la conquête de la célébrité, en y employant toutes mes énergies. Je n'entendis parler d'aucun pays, d'aucune terre où il y eût quelque assemblée de guerre ou de tournoi sans m'y présenter le premier, si j'en avais la possibilité. A aucun moment je ne manquai à manifester courtoisie et honneur. Que vous dire de plus ? Cette année-là, j'acquis une telle renommée, de courtoisie, d'enjouement, de beauté, de vaillance et de noblesse, je me fis tellement aimer de tous, partout où l'on me connaissait, que le souvenir en est encore dans toutes les mémoires, tellement on en parla. Ce n'est pas très élégant de ma part de m'en vanter, mais je vous donne ces détails pour vous dire toute la vérité de mon aventure. Et cette troisième année passée, je retournai à mon amie. Je lui rappelai qu'elle m'avait assuré de son amour par le don de son anneau : il n'était guère convenable qu'elle me le refusât plus longtemps.

« La demoiselle m'accorda que j'avais raison ; il ne restait qu'un point qui la retenait de céder. Elle ne contestait pas, la rumeur publique était sur ce point unanime, que je m'étais gagné aux armes un renom suffisant pour avoir désormais le droit de l'obtenir ; mais il se dressait un dernier obstacle. Elle me dit alors :

« — Voilà ce qui vous retarde et vous nuit encore à mes yeux : la perfidie que je vois répandue partout. Les hommes sont si déloyaux que parmi ceux qui sont parvenus à leur fin avec leur amie et ont tout obtenu d'elle, je n'en vois pas un seul que l'assouvissement ne détourne aussitôt vers une autre.

« Ce n'est pas ainsi, me dit-elle, qu'elle voulait m'aimer. Elle voulait pouvoir me proclamer tout à fait sien, si elle était mienne ; jamais je ne pourrais avoir droit sur elle avant qu'elle n'en fût bien assurée. Je répondis aussitôt qu'elle aurait tort de douter de cela : j'étais bien prêt à le lui prouver par serment. Mais ce type d'engagement ne la rassurerait jamais assez, me dit-elle ; le neveu du puissant roi Arthur, Gauvain le preux aux nobles manières, aimé et loué de tous, tel était le garant que je devais lui donner. Voyez combien elle était folle, la malheureuse infortunée, car par tout le pays on savait qu'il avait été tué. Et moi, qui ne voulais pas lui révéler sa mort, je m'empressai de lui répondre que je ne le connaissais pas, et j'ignorais s'il voudrait bien servir de caution à un inconnu.

(A ce point du récit, Gauvain se ressouvint alors, pour la première fois, de l'adolescent et des demoiselles.)

« — Moi-même qui vous le demande comme garant, dit-elle, je ne l'ai pas rencontré plus que vous. Quoi qu'il en soit dans l'avenir, je ne le connais pour l'instant que par ouï-dire. Mais je l'entends célébrer partout comme le plus brillant, loyal, estimé, vaillant et sage de tous les chevaliers de la Table Ronde. Puisqu'il allie ainsi loyauté et prouesse — on le proclame partout et personne n'ose y contredire, pas même ceux qui sont envieux de lui —, je n'hésite pas à réclamer sa caution, si vous y consentez. Car, à moins que vous ne l'en libériez, je sais bien qu'il s'acquittera de son engagement, et n'hésitera pas à vous livrer à moi s'il a à se plaindre de vous, que vous le vouliez ou non. Il est de si grand renom, si courtois, d'une si parfaite éducation, que, si vous avez mal agi envers moi en quelque façon, je connais sa loyauté : si vous me le donniez comme garant, et que j'entreprenne d'aller l'en assigner à la cour, il viendrait m'en répondre ici même et assumer sa responsabilité. Et s'il pouvait vous tenir, il saurait bien vous contraindre à faire amende honorable. J'ai une telle confiance en lui que je me satisferai d'en recevoir la caution ici, sans chercher à le rencontrer.

« — Je vous en fais la promesse, répondis-je, moi qui savais bien que Gauvain était mort.

« Ainsi tombâmes-nous d'accord, ma demoiselle et moi. Cette entente conclue, elle agréa plus volontiers ma requête. Qu'ajouterais-je encore ? Hier soir, pour la première fois, je suis parvenu à mes fins, et j'ai passé la nuit avec elle.

Gauvain alors lui demanda :

— Dites-moi donc où vous allez. J'aimerais bien savoir, puisque votre valeur est telle et que vous avez si belle amie, pourquoi vous l'avez si vite laissée.

— Je ne vous le cacherai pas, fait l'autre. Je vais voir la plus belle créature qui existe d'ici jusqu'à Tours : longtemps je l'ai priée d'amour, elle doit aujourd'hui même me faire réponse.

— Dieu devrait bien vous confondre sur l'heure, fait Gauvain, même si c'est folie de ma part de m'exprimer ainsi, car vous avez bien laidement payé son service à la jeune fille ! Vous l'avez enfin conquise, après l'avoir priée pendant trois ans, et pour la première fois vous avez eu d'elle ce que vous vouliez ; par ailleurs, il est entendu que vous devez lui appartenir tout entier, selon la promesse que vous lui avez faite, cautionnée par Gauvain — et vous voici en quête d'une autre ! Je ne vois là rien de raisonnable, car elle ne vous a donné aucun motif de la haïr. Je vous en prie au nom de Dieu : montrez-vous loyal envers cette demoiselle. Puissent-ils, ces êtres tricheurs et faux envers celles qui ne le méritent en rien, être à l'instant marqués au front du signe d'infamie, par la volonté de Dieu tout-puissant ! Ils sont si nombreux de par le monde qu'ils font grand tort aux amants loyaux.

— Qu'avez-vous à faire, lui rétorque l'autre, de ma demoiselle ou de moi ? Elle est si charmante, si belle, si noble et sage, de si haute lignée, celle qui doit aujourd'hui me donner sa réponse, que les plus éminents barons du pays s'emploieraient à l'aimer. L'autre m'a tellement mis à l'épreuve ! Elle m'a valu tant de peines et de veilles ! Sans doute s'est-elle acquittée envers moi, en me faisant don de son amour. Je l'ai absolument mérité, car je l'ai si longtemps aimée et servie, j'ai dépensé tant d'efforts, qu'elle ne m'aurait pas encore payé, en toute cette année, la moitié de mon salaire. Et puisque j'ai réussi, après tant de tourments, à être en mesure de la chagriner à mon tour, je veux lui faire connaître ainsi ce que j'ai souffert à cause d'elle : on a le salaire qu'on mérite.

— Noble chevalier, au nom de tous les saints qu'on vénère à Rome, renoncez à la traiter ainsi, mais tenez-lui parole, vous agirez bien et en homme courtois. S'il avait fait pour l'obtenir autant que vous, il n'y a sous le ciel aucun roi, si puissant soit-il, qui ne se déshonorerait grandement à la délaisser de la sorte.

— C'est en vain que je vous entends vous interposer, répond le chevalier. Je refuse de vous faire une promesse qu'il ne soit dans mon intention de tenir. Il me plaît fort de la voir affligée, quand elle m'a imposé une si rude épreuve. Finissons là cette querelle : vous ne sauriez me faire changer d'avis.

— Voilà qui me décide, fait Gauvain. J'aimais beaucoup monseigneur Gauvain, et je me conduirais trop bassement si je permettais que, moi présent, il fût exposé au blâme et si, vivant ou mort, il était accusé d'une vilenie. Puisque vous êtes insensible aux représentations de la raison et de la vertu, autant qu'à mes pressantes prières, je vous assure d'une chose : puisque vous persistez dans votre entreprise, préparez-vous à avoir affaire à moi !

— Eh bien, me voilà pris ! dit l'autre ; vous m'avez bien facilement conquis, vous qui croyez me dissuader par vos prières ou vos menaces !

Que vous dirais-je de plus ? Ils prennent un peu de champ ; puis ils s'équipent avec soin, et laissent courir les chevaux. Ils se heurtent avec une telle violence que les deux lances se brisent. Après ce premier assaut, ils se rencontrent une nouvelle fois, à une allure si rapide, si le conte dit vrai, et le choc fut si rude, des chevaux, des corps et des écus, que cavaliers et montures s'effondrèrent. Les chevaliers se remettent sur pied. Dès que Gauvain est debout, il fonce, assuré et prompt, sur son adversaire, l'épée tirée ; l'attaque est si raide que l'autre en est tout étourdi. Pourtant il lui rend largement tous ses coups : il ne les reçoit pas comme des dons, sans les payer de retour ; il lui en assène bien cent quarante d'affilée : tout autre, recevant ce paiement, en aurait été fort secoué.

Pourtant, au dernier assaut, monseigneur Gauvain vint à bout de son adversaire. Celui-ci ne put opposer de défense mais, quand il voulut rendre son épée, monseigneur Gauvain l'assura que jamais il ne l'accepterait ni ne lui ferait grâce sans condition : tout à l'heure il n'avait pas accordé la moindre attention à sa prière. Mais s'il tenait encore à sa vie et à son honneur, il devrait désormais respecter l'amour promis à la demoiselle. Dans les termes dont il conviendrait avec elle, monseigneur Gauvain, après l'avoir livré à sa merci, en prendrait la garantie formelle.

— Volontiers, cher seigneur, répond alors le vaincu.

— Maintenant vous devez me révéler votre nom, fait Gauvain : je veux le connaître pour conter cette histoire à Carduel.

— Je m'appelle Espinogre. En tout le royaume de Logres, je n'imaginais pas trouver d'adversaire capable de me vaincre aux armes. Mon nom vient du pays de Wi [1]. Dites-moi à votre tour quel est le vôtre, et de quelle terre vous êtes ; car si ma malchance veut que j'aie été vaincu et fait prisonnier par un adversaire médiocre,

---

1. Ce nom à consonance insolite n'apparaît nulle part ailleurs que dans ce roman. D'après l'éditeur, il s'agit vraisemblablement d'une altération, comme en témoignent les leçons différentes dans les deux autres manuscrits.

pour peu que cela vienne aux oreilles de mon amie, jamais plus je ne connaîtrai la joie. En revanche, si j'ai la bonne fortune d'avoir été défait par meilleur que moi, ma colère et mon amertume s'en trouveront allégées.

— Je ne puis vous dire mon nom, fait Gauvain, car je l'ai perdu, et j'ignore qui me l'a dérobé.

« Maintenant je dois partir à sa recherche, mais je ne sais où, ni dans quel pays ; venez avec moi, et pliez-vous de bonne grâce à ce que je vous demanderai.

— J'y consens, répond le chevalier : je vous suivrai sans me faire prier, en homme qui vous appartient entièrement et que vous avez légitimement conquis.

— Quand, au terme de notre quête, fait Gauvain, nous aurons enfin réussi à trouver mon nom, je vous le révélerai aussitôt. Et sachez-le bien, je vous en fais la promesse : pendant tout ce temps je me montrerai d'aussi bonne compagnie que je pourrai ; jamais encore, de votre vie entière, vous n'aurez connu de chevalier qui s'en mette à ce point en peine et vous soit plus agréable.

Sans protester, le chevalier souscrit à toutes les exigences de Gauvain. Lui reçoit alors son épée, selon le pacte qu'ils ont établi : le chevalier doit réparer le méfait dont on a entendu le récit.

Alors ils reprirent leurs chevaux, qui près d'eux erraient librement. Le chevalier les conduisit au château d'où il était parti. Ils racontèrent à la demoiselle tout ce qui s'était passé et dit : les circonstances de leur rencontre, comment l'un exposa son histoire, et comment la querelle qui s'ensuivit les fit se battre dans la forêt ; comment se déroula la bataille, comment ils conclurent la paix ; comment Gauvain assura la réconciliation : sur place, sans désemparer, il fit jurer au chevalier que jamais, en toute sa vie, il n'aimerait d'amour une autre femme qu'elle.

La demoiselle voulut savoir le nom de l'inconnu, mais son ami lui dit : « Impossible » ; car de Gauvain il savait au moins cela, qu'il n'était en mesure de révéler son nom à personne. La demoiselle dit alors :

— Cher seigneur, vous qui êtes privé de votre nom, je vois bien que vous êtes un homme de bien, et que vous pouvez prétendre à toute mon affection. Si j'avais dû me plaindre du chevalier que voici auprès de Gauvain, je sais bien que j'aurais difficilement obtenu pleine reconnaissance de mes droits, puisque jamais je n'ai entendu parler de rien, et que jamais mon ami n'a joui d'un autre amour que du mien — sa trahison n'était qu'encore que d'intention ! Or voici que, pour l'amour de Gauvain, cet autre chevalier m'a ramené mon ami. Il l'a assez rudoyé au combat pour venir le mettre en ma merci : il lui a fait payer très cher la folle idée qu'il s'était mise en tête. Assurément, Gauvain est d'une valeur exceptionnelle ; il doit en rendre grâces à Dieu, d'être à ce point estimé et aimé !

Aussitôt la jeune fille, qui se réjouissait fort de l'aventure, se saisit de leurs écus, et les fit descendre de cheval ; puis elle donna toutes instructions à ses gens pour servir et honorer ses hôtes. Elle s'employa de son mieux à mériter la bonté que Gauvain lui avait manifestée, en s'exposant ainsi pour lui restituer son ami. Son château, sa demeure, ses biens, elle mit tout à sa disposition, et le pria d'en user, à titre de récompense, comme si c'était à lui. Ils eurent un fort bon logis, et passèrent la nuit très confortablement : on fit tout ce qu'on imagina pouvoir leur plaire, sans le moindre retard. Mais pour ne pas allonger mon récit, je m'épargnerai le compte de tous les plats, viandes appétissantes, poissons frais, gibier et oiseaux, dont on leur fit un très beau service — ainsi que d'autres, en abondance, et les différents vins. Toutefois, plus précieux encore que tous les mets de la terre fut l'excellent accueil de la demoiselle, qui leur offrit de se servir à discrétion de tout ce qu'elle avait.

Que vous conterais-je davantage ? La demoiselle leur marqua le plus de joie et d'honneur possible. Le lendemain, quand il fit jour, les deux chevaliers se levèrent ; ils s'armèrent vite et bien et ils se mirent en route. La demoiselle au clair visage, celle qui était venue avec eux, était aussi du voyage ; ils recommandèrent leur hôtesse à Dieu. Ils s'enfoncèrent à nouveau dans la forêt par laquelle ils étaient venus. A moins que la fortune ne les sépare, jamais, disent-ils, ils ne cesseront leur quête : par monts et par vaux ils parcourront la terre, à la recherche du Gringalet, où qu'il se trouve. Et quand, au terme de cette quête, ils l'auront reconquis par les armes, ils iront à la recherche des demoiselles, celles qui ont annoncé à Gauvain sa propre mort. Ensuite, ainsi l'ont-ils décidé, ils iront à la poursuite de ceux qui se sont vantés bien à tort de l'avoir tué ; quand ils les auront atteints, ils les contraindront par les armes à démentir cette affirmation : ils livreront bataille aux deux premiers, puis au troisième, s'ils le trouvent. Une fois ces individus convaincus de mensonge, le chevalier sans nom dit qu'il se mettra en peine de Gauvain — et il le trouvera facilement, car il sait bien ce qu'il est devenu.

IX

CADRET, LE CHEVALIER ÉVINCÉ

Quand ils furent à nouveau en rase campagne, s'entretenant ainsi de leurs plans durant ce voyage, voici que leur apparut au loin, au découvert du bois, un chevalier sur une lande. Nulle part on n'aurait pu en rencontrer d'aussi magnifiquement équipé. Le cheval qu'il montait était robuste et rapide, bien nourri et au mieux de sa forme. Les deux chevaliers étaient encore hors de sa vue : chaque pièce de son armure lui seyait à merveille. Il avait aux pieds des chausses de fer plus étincelantes que l'argent ; il était beau, de haute taille et d'allure noble, et il paraissait particulièrement agile et vigoureux. Sous son haubert, sachez-le, il portait un pourpoint garni d'une superbe étoffe de soie. Le haubert lui-même était à fines mailles dorées ; tous ceux qui l'avaient vu lui accordaient plus de prix encore qu'aux chausses de fer, tant il était à la fois solide, léger, et resplendissant. La cotte d'armes du chevalier était taillée dans un drap de Constantinople, et la ceinture qui la ceignait, élégante et de belle facture ; son amie, qui la lui avait envoyée, avait mis tous ses soins à bien l'exécuter, avec des cheveux d'or et de soie. Le voudrais-je, j'aurais du mal à décrire dans le détail ne serait-ce que le heaume qui coiffait sa tête, son cercle et sa visière. Ce heaume était orné d'un panonceau à ses armes, d'un beau travail, que son amie lui avait donné comme gage de son amour. Son cheval, puissant, rapide et impétueux, venait de Lombardie. Ce chevalier n'avait d'autre désir, sachez-le, que d'affronter ses ennemis, pour révéler sa grande valeur et la mettre à l'épreuve. Alors la noblesse de sa nature, qui l'incitait à une conduite valeureuse, lui fit prendre l'écu par les courroies ; il mit sa lance sous le bras et s'assura solidement sur la selle. Puis il éperonna sa monture. Sachez encore qu'il avait fermé son col d'une précieuse agrafe d'or et par-dessous l'écu, il portait un cor pendu en sautoir. L'écu était de gueules, à un lion rampant d'hermine. Sur sa massive lance de frêne flottait un étendard. Quant à l'épée qu'il avait ceinte, c'était la plus belle de tout le royaume de Logres.

Gauvain et Espinogre le contemplèrent tous deux avec grand plaisir. Le chevalier dont je vous parle donnait les marques d'une vive allégresse, chantant une chanson d'amour qu'il avait récemment apprise. Subitement, il saisit son écu par les courroies, ainsi que sa lance : il les jeta à terre avec rage, à ce qu'il me semble, au milieu du champ. Sachez qu'il était d'humeur à se livrer au désespoir — crier, pleurer, frapper ses mains l'une contre l'autre : ceux qui le regardaient eurent l'impression qu'il avait grande envie de mourir, insensible à tout réconfort qu'aurait pu lui donner homme ou femme. Il reprit son écu et sa lance, s'ajusta à nouveau et s'assura sur sa selle, et laissa filer à toute allure son cheval, lance tendue. Et il se remit à sa chanson, dont il avait chanté deux vers.

— Ce chevalier est-il ensorcelé, fait Gauvain, pour se comporter de la sorte ?

L'autre, une nouvelle fois, jeta à terre la lance qu'il tenait à la main et son écu.

— Hélas, fait-il, je vais au-devant d'une aventure qui tournera à mon grand malheur !

Il se livra derechef à son chagrin, avec une telle violence qu'aucun témoin n'aurait pu s'empêcher d'en prendre pitié.

Il s'y abandonna longtemps, en homme à la tête dérangée, puis à nouveau il reprit ses armes et saisit l'écu par les courroies. De nouveau il lança son cheval, et se reprit à chanter la chanson interrompue.

— Je puis me vanter, fait Gauvain, d'avoir connu mainte aventure, mais jamais encore je n'ai vu un chevalier se conduire ainsi. Je ne saurais m'empêcher d'aller lui demander d'où il vient et ce qu'il cherche.

Les deux compagnons piquèrent vers lui à travers la lande. Monseigneur Gauvain lui demanda, non sans l'avoir d'abord salué avec son amabilité et sa courtoisie habituelles, de lui dire, s'il lui plaisait, ce qui faisait naître l'allégresse et l'affliction auxquelles il le voyait en proie tour à tour : même s'il s'en mettait en quête par toute l'étendue de la terre, jamais il ne rencontrerait semblable aventure ! Aussi le priait-il instamment de lui révéler la cause de ces sentiments contradictoires.

— Seigneur, fait l'autre, même si j'éprouvais ici une peine à me déchirer le cœur, je ne saurais m'attarder ni rester assez longtemps avec vous pour vous dire ce qu'il en est de moi, d'où je viens et où je vais. Car il y a un gué au-delà de ce bois, à plus de cinq lieues, où il me faut être de toute urgence. Je peux seulement vous affirmer ceci : si je ne m'y trouve pas avant midi, j'aurai tout perdu, et il serait préférable pour moi d'avoir deux lances à travers le corps.

— Seigneur, réplique Gauvain, si cela vous agréait, c'est moi qui vous accompagnerais un bout de chemin, le temps que vous m'exposiez les motifs de votre peine et de votre joie. J'ai la plus grande envie de vous entendre et de connaître cette étonnante aventure.

L'autre alors, tout en poursuivant sa route, se mit à raconter. Écoutez ce récit, tel que le fit le chevalier.

— Seigneur, dit-il, il arriva jadis qu'un seigneur à qui j'appartenais s'arrêta chez un homme particulièrement puissant. On nous fit là un très bel accueil, et nous fûmes magnifiquement hébergés, mieux que je ne le fus jamais par la suite, sachez-le vraiment. Si je vous en mens d'un mot, que j'en sois déshonoré sur l'heure ! Pourtant je vous assure, moi qui me montre à vous dans toute ma vigueur, que je suis en péril de mort.

« Le maître des lieux traita mon seigneur avec les plus grandes marques d'honneur et lui fit fête, à lui et à sa suite. Quand vint le moment de se mettre à table, on me fit prendre place, à titre d'intime de mon seigneur, auprès de la demoiselle de céans, toute grâce, courtoisie et élégance. Elle n'avait pas sa pareille dans tout le pays. J'étais alors jeune chevalier ; je sus si bien parler et avec tant d'à-propos, ma prière plut tellement à cette si belle demoiselle, qu'elle m'agréa comme ami. Nous nous fîmes mutuellement la promesse que toujours, dans le respect de la foi engagée, sans tromperie, faus-seté ni ruse, notre amour se maintiendrait intact : elle n'aimerait d'autre que moi, à mon tour je n'aimerais d'autre qu'elle. En mon âme et conscience, je pourrais jurer que l'amour entre nous dure encore ainsi : nous ne manquâmes jamais ni l'un ni l'autre à notre contrat, ni ne faillîmes à notre promesse. La situation se prolongea de la sorte jusqu'à ce qu'un jour il nous arrivât malheur. Je ne sais comment cela se fit, quelle en fut la source ou la cause, toujours est-il que sa mère s'aperçut sans doute possible qu'elle m'aimait. Elle en éprouva la plus vive irritation.

« Elle l'a donc soumise à une telle surveillance à cause de moi que mon amie ne peut plus nous ménager de possibilité d'entretien. Cela fait bien deux ans et demi qu'elle est ainsi gardée. Voici qu'elle a été requise en mariage par un riche prétendant de ce pays. Sur le conseil de ses amis et par l'entremise d'un de ses frères, son père la lui a pro-mise, il doit l'emmener aujourd'hui même. Elle en est si affectée que peu s'en faut qu'elle ne soit morte de douleur, mais elle n'ose point s'opposer à ce qui est un ordre de son père ; elle m'a informé par un messager privé que son départ aura lieu aujourd'hui. La joie que j'ai montrée, dont vous avez été témoin d'abord, vient, je vous le dis sans détour, de ce que je sais que je vais la voir très bientôt ; et l'af-fliction qui lui succède, c'est parce que jamais plus je ne la reverrai. J'en éprouve un déchirement que je ne saurais dire ; j'aimerais mieux être mort. Ensuite vient le réconfort, de la certitude que j'ai de me comporter si bien tout à l'heure, sous ses yeux, que personne ne pourrait faire mieux. Car quand je verrai leurs gens, je leur porte-rai de si rudes coups, je me montrerai si vaillant, si plein d'assu-rance, que nul, à l'exception du noble roi Arthur et de Gauvain ... Me voici bien fou et grossier de me vanter ainsi ! Qu'il me suffise de vous dire ceci : je serai d'une telle bravoure que, ces deux-là mis à part, aucun chevalier engagé dans un combat singulier ne ferait si bien pour les beaux yeux de ma belle que je ne fasse mieux encore.

« Mon chagrin est si grand de la voir emmener que personne ne serait capable de supporter la dureté du combat que je m'apprête, moi, dans les limites de ma résistance, à endurer pour elle. Aussi suis-je très content à l'idée qu'elle en sera témoin ; car aucun homme dans la même nécessité ne pourrait, s'il n'aime pas, s'exposer aux risques que prend celui qu'Amour tient et embrase.

« Quant à l'abattement qui s'empare de moi à nouveau, j'ai des raisons pour qu'il soit si profond, car je me suis lancé dans une bien

difficile entreprise. Le chevalier a vingt compagnons, hardis et téméraires. C'est ce que m'a dit le messager qui est venu tout me raconter
en détail. Il m'assure qu'il les a comptés au sortir de la place, avant
de se séparer d'eux. J'en ai donc la conviction : en affrontant seul
une tâche qui dépasse mes forces, je ne puis que courir à ma perte.
Mon avisé et courtois messager m'a dit en outre que les chevaliers
sont, il les a vus, superbement armés. Maintenant je vais vous
apprendre, si vous l'ignorez, la raison d'un tel équipement : il n'est
rien que l'on puisse tenir secret, aussi sait-on plus ou moins que la
demoiselle est mon amie, et que je l'aime d'amour ; ils craignent
donc, sachant que je l'aime, un excès de bravoure de ma part et,
parce que j'ai le droit pour moi, ils ont peur et redoutent à tout
moment que je ne les assaille à un mauvais passage. Ils pourraient
être effrayés à juste titre, si j'avais avec moi une bonne troupe ! Car
à peine verrais-je mon amie, je mènerais si rondement l'attaque
qu'on verrait bien qu'elle est mienne ! Mais même seul, je puis vous
assurer que, quelle qu'en soit l'issue, elle sera chèrement disputée.
Pourtant je sais bien, en dépit de tout ce que je peux dire, que je ne
pourrai pas m'en tirer ; aucun chevalier, fût-il Roland ou Olivier, ne
serait capable de subir un tel assaut sans être au bout du compte, à
moins d'un miracle, pris ou tué. Mais j'ai ainsi entrepris cette aventure : ou j'en mourrai, ou je délivrerai mon amie, il n'y a pas d'autre
alternative.

— Espinogre, fait alors Gauvain, il est bien vil et mesquin, celui
qui voit un chevalier en pareille détresse d'amour sans voler à son
secours quand il en a besoin.

— Seigneur, répond son compagnon, si vous voulez vous en
mettre en peine, je n'hésiterai pas à vous seconder de tous mes
efforts ; car je vous appartiens de droit, et rien ne saurait me détourner de prendre ma part de toutes vos entreprises. Sur ce point,
jamais je ne vous ferai défaut.

Tous deux promettent alors au chevalier leur assistance dans cette
aventure. Et lui leur répond :

— Seigneurs, je vous remercie, mais si je vous ai conté à quel
excès m'a entraîné ma déraison, ce n'est pas pour que vous en fassiez
les frais. Et je n'ai pas l'intention de vous demander, si je vais au-
devant d'un désastre que je ne peux éviter, de vous y associer en
quelque façon. Ce serait bien grand dommage que l'un de vous, par
la folle témérité de ce que j'ai projeté, perde en cette circonstance la
vie ou la liberté.

En entendant ces propos, monseigneur Gauvain, d'une si grande
noblesse de cœur, se sent pris d'une grande pitié. Il sait bien que
seule la générosité inspire au chevalier de les éconduire : il refuse
leur concours de crainte que par sa faute il ne leur arrive malheur.

— Seigneur, fait-il, peu importe l'issue, maintenant que nous l'avons ainsi décidé : ou nous en sortirons prisonniers ou morts, ou nous vous rendrons votre amie.

Le chevalier, enchanté de ces paroles, les en remercie :

— Seigneurs, fait-il, que Dieu vous exauce : puissiez-vous me rendre celle qui fait ma joie, après laquelle j'ai si longtemps langui ! Celui qui s'emploie à vivre selon l'honneur, Dieu, au bout du compte, lui assure honneur et joie en retour ; jamais il ne sera à ce point hors du droit chemin, qu'il ne soit aussitôt remis sur la bonne voie, car Dieu le secourt et le guide.

X

LA DEMOISELLE AUX SEPT FRÈRES

Alors ils se mirent en route en direction du lieu de l'affrontement.

— Seigneur, fait soudain la demoiselle à Gauvain, j'en prends Dieu à témoin, il m'est venu une telle faim que vous me verrez bientôt enrager, si je n'ai pas à manger au plus tôt. Je vous l'affirme, si on ne met pas à ma disposition au moins un morceau de pain, je mangerai mes propres mains. Personne n'a jamais été à ce point affamée.

Gauvain fut extrêmement contrarié par ce discours :

— Belle, fait-il, de grâce ! Il nous est absolument impossible de rien nous procurer ici qui puisse nous sustenter. Vous savez en outre que, raisonnablement, nous ne pouvons nous attarder sous aucun prétexte : nous devons tous deux, Espinogre et moi, nous porter sans délai au secours de ce chevalier. Nous venons de lui en faire la promesse et il serait bien malséant, après nous être engagés, de lui faire défaut dans le besoin où il est. Quel blâme sans fin pour celui qui agirait ainsi, dès que s'en répandrait la nouvelle ! Prenez garde que je ne déchoie et ne voie croître ma honte pour prix de la noblesse et de l'honneur que je vous ai manifestés. On vous le reprocherait éternellement, si l'on apprenait que vous avez ainsi nui à cette entreprise. Je vous prie de n'en avoir ombrage : prenez votre mal en patience jusqu'à ce que l'aventure soit menée à terme.

— Je ne serai pas à ce point folle, rétorque la jeune fille, pour donner de plein gré mon accord à cette proposition ! Je choisirai toujours le désagrément d'autrui plutôt que le mien propre — et tant pis qui le déplore ou s'en offense ! N'allez pas imaginer que je simule : la faim qui m'étreint est plus grande encore que je ne le dis. M'offrirait-on cinq cents marcs d'argent pour l'endurer jusqu'à midi, je vous le dis sincèrement, je ne serais pas en mesure de le faire ; et ce sera grande vilenie, alors que je suis ici sous votre protection, que je meure pour en manquer.

« Seigneur, fait-elle, croyez-moi, j'ai déjà séjourné ici ; j'y ai remarqué, là en face, un château, un peu au-delà de ce vallon, à une lieue et demie à peine. Jamais, de votre vie entière, en fait de superbes tours, de salles magnifiques, nous n'en avez vu seulement six, en Angleterre ou au pays de Galles, qui soient d'une construction comparable.

Mais je n'ai que faire de vous répéter la description qu'elle en fit. Elle conta en effet dans le plus grand détail tout ce qu'elle y avait vu. Elle précisa notamment que le château se dressait au sein d'un bois clôturé, et qu'il était pourvu de tout ce dont un homme de bien peut avoir besoin.

— L'âne tombe sous l'excès de sa charge, à ce que j'ai entendu dire, fait Gauvain ; mais maintenant je n'ai d'autre choix, je le vois bien, que de vous accompagner, puisque vous en décidez ainsi.

Salomon dit en l'un de ses livres qu'il perd toute liberté, celui qui s'embarrasse d'une femme ! Car l'homme qu'elle tient et surprend, dès qu'il est épris, a largement de quoi se plaindre, s'il avait seulement assez de cœur pour oser émettre la moindre protestation. Mais aucun n'a cette audace. Et celui qui se met le plus en peine d'aimer, qui s'emploie toujours davantage à servir la dame dans ses moindres désirs, qui s'y montre le plus attentif et qui l'honore avec le plus de constance, c'est finalement celui qui s'en repent le plus [1]. Mais j'ai envie de passer à autre chose et de revenir à ma matière, car j'en ai assez dit sur le sujet des femmes : personne ne conteste désormais qu'il en est très peu, parmi elles, qui échappent à cette réputation.

— Espinogre, fait alors Gauvain, maintenant je me réjouis que vous ayez deux cors. Chacun de vous en possède un bon ; sonnez-en l'un et l'autre quatre fois et je vous rejoindrai au galop, dès que je me serai arrangé pour faire manger la jeune fille. Mais je dois m'en occuper avant toute autre chose.

— Nous voyons bien, fait-il, qu'il faut en passer par là.

Gauvain et sa compagne tournèrent alors un peu sur la gauche et chevauchèrent le long d'un sentier qui les conduisit jusqu'au château. Il n'était pas ceint de pieux aigus, mais d'une haute muraille et d'un fossé. Il était adossé à un vaste bois, avec une haie tout autour qui clôturait l'enceinte fortifiée et la tour, si bien qu'il ne possédait qu'une entrée. La jeune fille, à qui les lieux étaient familiers, y péné-

---

1. Les couplets anti-féministes sont extrêmement fréquents dans ces textes ; celui-ci (v. 4018 et sq.) se retrouve dans *Le Chevalier à l'épée*, p. 509.

tra ; et lui, qui était étranger et ne connaissait là personne, franchit tout droit la porte d'enceinte et monta vers la tour. Il passa le pont à cheval sans se faire interpeller par quiconque. La jeune fille demeura à l'extérieur et le chevalier, qui était toujours sans nom, entra aussitôt dans la grand-salle. Il aperçut, étendue sur une table ronde, une nappe qui loin d'être sale était plus blanche que neige sur glace. Il y avait dessus une coupe d'or fin, pleine à ras bord d'un excellent vin. Il y vit aussi flans, gâteaux, gaufres et pâtés, poivrade, et des morceaux de viande, dans une écuelle étincelante. Une demoiselle était assise là pour dîner ; et s'il est possible à la beauté, non secondée par la noblesse d'âme, d'embellir une jeune fille, celle-ci pouvait alors se vanter que jamais Nature n'en avait réussi de plus belle, si elle avait été bonne ; mais son orgueil et sa suffisance étaient tels qu'aucun de ses proches n'aurait pu, malgré tous ses efforts, en dire du bien. Le corps est aimable quand le cœur possède courtoisie et loyauté ; aussi puis-je vous dire que l'orgueil est un bien mauvais hôte ; la beauté qui s'y associe est souvent toute perdue.

Le chevalier la salua avec grande aménité, et lui demande la grâce de quelques vivres.

— Écoutez-moi donc, jeune fille, fait-il ; il y a là dehors, dans la cour, une demoiselle à cheval ; si on ne la secourt pas immédiate- ment en lui portant à manger, jamais elle ne sortira de cette enceinte : elle sera morte avant, sans retour. Elle se tient devant la tour là-bas et vous prie d'être assez généreuse et serviable pour m'ai- der en cette nécessité.

— Seigneur, fait-elle, plutôt être maudite que de vous faire don de la moindre chose ! Quelle audace, quelle outrecuidance d'imagi- ner seulement que je doive faire quelque chose à votre prière ! Vous n'êtes pas assez grand personnage pour vous en autoriser même l'idée ! Ils vous en chercheraient méchante querelle, mes frères, s'ils se trouvaient ici — j'en ai sept, tous vaillants et hardis — mais ils sont dans la forêt.

— Jeune fille, fait-il, si c'est une large contrepartie d'un tout petit don que vous voulez, elle vous sera grandement assurée, en échange d'un seul gâteau et d'un pâté.

— Sur ma tête, fait la jeune fille, je ne gaspillerai pas mon bien de la sorte !

— Jamais vous ne parviendrez ainsi à vos fins, dit alors un nain qui assurait son service. Il perd souvent ses paroles, dit-on, celui qui parle au milieu d'une meute. Vous n'obtiendrez rien d'elle, je la connais bien, par les bonnes manières ou la prière ; mais si vous usez de sans-gêne et d'insolence, elle se pliera à tous vos désirs. Dites- moi, vous qui fréquentez les cours, n'est-ce point l'arrogance qui dompte l'arrogance ? Répondez à son attitude par la même, je vous le conseille absolument, puisque la nécessité vous y contraint. La nourriture est à votre portée, vous pouvez vous servir à volonté.

— Il faut se garder de tout outrage, fait le chevalier sans nom, et je craindrais trop de mal agir ; mon intention était de me comporter sans violence, si j'avais pu, pour ne m'attirer de sa part aucun ressentiment.

— Il n'en sera jamais ainsi, dit le nain.

Le chevalier alors s'approcha, il prit dans une main un pâté et un pain, et dans l'autre un des morceaux de viande dont l'écuelle regorgeait. Le nain l'emmena par la bride auprès de la jeune fille qui l'attendait ; il lui offrait les vivres, et la priait de faire vite : ils n'avaient pas le loisir de s'attarder ; il lui fallait absolument se hâter. Le chevalier se prépara à délivrer son amie, il était urgent d'aller l'assister, selon la promesse qu'il lui avait faite. La jeune fille répliqua aussitôt :

— Seigneur, j'en prends Dieu à témoin, je partirai très bientôt avec vous, mais il me faut d'abord penser à préserver ma santé, qui vient d'être soumise à rude épreuve. Cette nourriture toute préparée m'a certainement sauvé la vie. Ne prenez pas mal que je rappelle ainsi mes besoins essentiels : maintenant il me faudrait à boire. Je suis la proie d'une si grande soif depuis ce matin que je ne puis endurer cet état. Je ne saurais résister longtemps, si je ne buvais pas, et dès que j'aurai bu, je me mettrai en route avec vous .

Le chevalier sans nom repartit alors sans se faire autrement prier, et retourna dans la salle. Il alla vers la table prendre la coupe. Mais quand il voulut y tendre la main, la demoiselle assise s'en empara avant lui. Elle lui dit, pleine de morgue :

— Vin et mets vous auraient été bien disputés si mes frères, qui s'amusent là-bas dans la lande et dans le bois, s'étaient tous trouvés ici dans la salle ! Mais voici que vous m'avez surprise seule, et vous avez essayé sur moi votre prouesse : quel grand honneur d'humilier une demoiselle sans défense !

De son côté le nain l'interpela avec colère :

— Seigneur chevalier, lui dit-il, vous n'obtiendrez jamais rien d'elle spontanément, fût-ce un morceau de pain.

Le chevalier se saisit alors de la coupe, sans plus se préoccuper d'elle, et la porta à celle qui attendait à l'entrée du château. La jeune fille assise à la table lui dit :

— Vous êtes bien peu sensé, seigneur chevalier, et peu civilisé, d'avoir pris ainsi contre mon gré une part de mon repas. S'il était en vie, celui dont l'excellence excitait l'envie générale, il m'en ferait encore prompte justice. Ah ! Mort, tu es si ruineuse, si traîtresse et contrariante, jamais tu n'épargneras un homme de bien ! Il n'y a aucune demoiselle, de Bretagne jusqu'à Rome, et de là jusqu'en

Espagne, qui n'en reste sans ressources. Ah ! Gauvain, vous vivant, on ne m'aurait pas ôté ma coupe de la main, ni enlevé ma nourriture sous mes yeux ! Je n'aurais même pas eu à m'en soucier ! Maintenant il n'y a plus personne qui veille sur nos droits, et s'emploie à les faire respecter.

L'autre, indifférent à ses lamentations, rendit la coupe au nain et la jeune fille, qui en avait fini avec la nourriture et le vin, reprit la route avec lui. A peine étaient-il allés quelques pas après avoir franchi le pont, qu'ils rencontrèrent le chevalier qui leur avait fait don, à la croix, du destrier, ainsi que du palefroi avec sa selle et tout son harnais, dont ils avaient alors bien grand besoin. Il tenait sur le poing l'épervier qu'il avait reçu là en gage ; il était si bien armé et de façon si seyante, qu'on aurait en vain cherché ailleurs un chevalier plus élégant. Il salua Gauvain et lui demanda, en homme que pressait la nécessité, de s'acquitter immédiatement de sa dette, et il lui rappela le don qui avait fait de lui son obligé : s'il ne s'en acquittait pas sur-le-champ et se permettait le plus petit délai, jamais il ne serait à même de le faire.

— Je vais vous en dire la raison, fait-il : ce château là-haut est parfaitement tranquille ; il ne s'y trouve en ce moment personne qui puisse vous faire quelque ennui. Les chevaliers du lieu sont tous allés se divertir dans le bois ; je l'ai appris aujourd'hui. Il y a là, enfermée dans le château, une jeune fille que j'ai aimée durant plus de trois ans ; je vous prie de me la livrer.

— Par ma foi, fait Gauvain, il n'est que juste que vous l'ayez, si c'est une chose en mon pouvoir ; et si je la trouve dans le château, je m'emploierai fidèlement à vous satisfaire.

Il fait alors tourner son cheval et revient dans la grand-salle. La jeune fille se répand en imprécations contre lui et le maudit de son mieux. Elle lui souhaite fort rudement de revenir ici pour son malheur. Le chevalier se dirige alors vers elle, la saisit par le bras droit, puis l'installe devant lui sur son cheval, et il s'en retourne sans s'attarder davantage. Elle, pleurant à chaudes larmes, continue de le maudire et prie instamment Dieu de faire dévier ses desseins. Quand elle voit qu'ils s'éloignent et que la porte est déjà franchie, elle s'abandonne au plus vif désespoir. Elle se tord les mains, se lamente et pleure, criant bien haut :

— Ah ! malheureuse, fait-elle, d'être à ce point haïe de Dieu ! Hélas, quel dommage que mon frère, le vaillant Codrovain, ne soit pas informé à cette heure de ce qui se passe ! Ah ! Gauvain, dit-elle, quel énorme préjudice vous nous valez ! Cet outrage, l'incroyable insolence d'un pareil acte envers moi, n'auraient pas été concevables si vous aviez été en vie et dispos !

Lui cependant la livre à celui qui en est tellement épris. Il la lui tend ; et elle aussitôt se reprend à gémir, proclame et jure que jamais, Gauvain vivant, un tel affront n'eût été commis.

L'un de ses frères, qui s'était posté à ce moment derrière un arbre pour tirer, perçoit ses clameurs : il a du mal à l'entendre distinctement. Et la jeune fille, une nouvelle fois, crie quelque chose, il ne sait quoi, car la distance est trop grande ; il comprend bien toutefois qu'elle est en difficulté. C'était Codovrain qu'elle appelait.

Le chevalier amoureux d'elle, qui maintenant l'a en son pouvoir, lui dit :

— Belle douce amie, je suis Raguidel de l'Angarde ; puisque désormais vous êtes sous ma protection, vous avez tout lieu de vous réjouir. Vous pouvez en avoir la certitude, c'est moi, votre ami tout dévoué. Vous m'avez toujours assuré que vous n'aimiez personne que moi. Si l'on peut se fier à votre foi, que vous m'avez jurée en levant la main droite, c'est le moment de m'en donner la preuve.

Quand elle entend ces paroles, la demoiselle ne se tient plus de joie :

— Seigneur chevalier, s'écrie-t-elle, vous à qui j'ai refusé le don de mes plats, me voici au contraire votre obligée, et je vous remercie de ce que vous avez fait car vous m'avez largement payée. Il y a un instant encore j'étais en plein désarroi, toute en peine et égarée : je m'imaginais être livrée à un homme que je n'aimais pas. Si cela avait été le cas, jamais plus je n'aurais consenti à me nourrir. Bienvenue à ce chevalier qui s'est si bien en ce jour acquitté de sa dette ! J'y consens bien volontiers : si tel est son désir, qu'il me donne à vous ! Et je le prie de me pardonner et de ne pas attacher trop d'importance à mon détestable comportement envers lui.

— Belle, fait Gauvain, je vous le pardonne. Il reste que de mon côté, demoiselle, je vous remets à ce chevalier, et je dois moi aussi solliciter votre pardon, car je sais bien que j'ai mal agi en vous faisant ainsi violence.

— Seigneur, fait-elle, je vous l'accorde.

Celui de ses frères qui avait perçu ses cris s'est rendu au plus vite au château, en forçant l'allure. Dans la cour, il trouve un serviteur et lui demande la raison du tapage qu'il a entendu ; l'autre sans attendre l'informe de ce qui s'est passé, sans lui mentir d'un mot.

— C'est donc que je ne suis plus maître chez moi, fait le frère, si ce chevalier peut emmener ma sœur ainsi !

Il sortit sur-le-champ du château, manda un de ses hommes qui lui amena le Gringalet et lui mit la bride et la selle, puis monta dans une tourelle qui se trouvait au-dessus de la porte principale. Il apporta en toute hâte à son maître son écu, son épée et sa lance. Celui-ci, à peine monté sur le destrier, fonça hors de l'enceinte : c'était le chevalier qui avait abandonné Gauvain avec son amie en plein bois, par pure jalousie, en emmenant leurs chevaux. Il allait avec une telle ardeur, dès sa sortie du château, qu'il eut bientôt aperçu les chevaliers en compagnie des demoiselles : s'il ne parvient pas à les séparer, à disperser et défaire rapidement cette troupe, bon chevalier comme il est et seigneur du pays, alors, se dit-il, il ne vaut pas un sou.

Le chevalier sans nom l'entendit venir au galop sur le chemin dans le vallon, et quand il reconnut le cheval qu'il chevauchait, sa joie fut sans bornes. Dans sa colère, il ne prit pas le temps de lui poser de question, mais il fonça hardiment vers lui, tandis que l'autre lança aussi son cheval ; ils se ruèrent l'un contre l'autre. Son adversaire le frappa le premier, sur le quartier antérieur de l'écu, et fit voler sa lance en éclats, telle un jouet du vent. Le chevalier sans nom l'atteignit à son tour sous la boucle, en homme qui n'avait aucune envie de le ménager : il lui plaqua l'écu sur le bras, qu'il tordit ainsi sur le côté, et le porta à terre tout étendu ; puis il saisit son épée. Il lui aurait incontinent tranché la tête sans l'intervention de la demoiselle, qui le supplia de l'épargner :

— Seigneur, dit-elle, je crois bien que si vous l'aviez tué, jamais plus je ne connaîtrais la joie.

Le chevalier y consentit. Il accédera à sa demande, dit-il, à condition que le vaincu en fasse autant pour lui.

— Seigneur, dit Codovrain le Roux, il y a en vous tant de vaillance et de vertu, tant de générosité et de noblesse, que vous ne devez être accusé d'aucun méfait envers moi : mon arrogance fut la seule coupable ; aussi j'accepte sans réserve de me soumettre à vos ordres.

— Seigneur, répond Gauvain, je vous en remercie. Je vous prie d'abord d'oublier votre ressentiment envers cette demoiselle. Mais je voudrais obtenir de vous encore autre chose : que vous admettiez de donner votre sœur à ce chevalier, car il l'aime de tout son cœur, et je crois bien qu'il en va de même pour elle. Enfin, faites la paix tous deux, votre amie et vous, sans rancune ni bassesse. Je vous en fis la proposition dès avant-hier, quand je dus grimper dans l'arbre à la recherche de l'épervier : j'étais prêt à jurer bien volontiers sur les reliques que je n'avais tenu à la jeune fille aucun propos dont on pût me faire reproche, pas plus que si j'avais été un reclus ou un ermite, le plus saint et le plus vertueux de toute la chrétienté.

— Je suis tout à fait convaincu, rétorque l'autre, que vous ne lui aviez rien dit de tel.

Au terme de cette entente, la paix fut conclue. Alors le chevalier sans nom reprit le Gringalet, sans retard ni désormais la moindre contestation, et à son tour il fit don à l'autre de son cheval ; le sien était une excellente bête, je puis vous l'assurer, et d'une grande beauté.

Les frères, qui avaient entendu le vacarme, piquèrent des éperons aussitôt, franchissant tertres et vallons. Ils ne ménagèrent pas leurs montures, qui répondirent bien, et les éperonnèrent à qui mieux mieux. Puis, avant même d'ôter les selles, ils demandèrent des nouvelles au premier écuyer qu'ils rencontrèrent. Celui-ci leur raconta en détail ce qui s'était passé. Ils entrèrent alors dans la salle et réclamèrent leurs armes ; on exécuta aussitôt leur ordre. Vite armés, ils se mirent en selle et sortirent en proie à la plus grande fureur, jurant que le coupable d'un tel outrage, serait-il le roi en personne, aurait son sort vite réglé : il allait le payer de sa mort, rien ne pourrait l'en protéger.

Il se passe peu de temps avant qu'ils n'aperçoivent les autres. Ils poussent alors leurs montures et se ruent impétueusement. Ils ont baissé leurs lances et empoigné les brides des écus pour assaillir leurs adversaires. Codovrain le Roux, qui était déjà monté sur son cheval, s'élance aussitôt à la rencontre de ses frères ; il leur signifie sans ambages que s'ils touchaient un seul de ces chevaliers, aucun ne devrait plus compter sur son amitié. Il assure même qu'il serait prêt à faire pour ces étrangers ce que personne n'a jamais fait : si ses frères poursuivaient leur attaque, il n'hésiterait pas à se ranger du côté des autres et à se battre pour eux.

— Seigneurs, fait-il, maintenant écoutez-moi : j'ai rencontré deux chevaliers à la fois vaillants et d'une parfaite courtoisie ; celui que vous voyez là, qui a échangé son cheval contre le mien, est l'objet d'une telle estime, il a manifesté tant de bravoure et de loyauté, que personne ne pourrait dire la moitié seulement du bien qui est en lui.

Mais c'est un effort ennuyeux de vous refaire le récit que commence Codovrain, comment l'autre était monté dans le chêne et s'y était emparé de l'épervier, et comment lui l'y avait surpris. Il leur conta tout du début à la fin. Il leur apprit ensuite comment le chevalier avait apaisé leur querelle. Il leur dit tant qu'il les réconcilia, et que ses frères tombèrent d'accord sur l'entente établie.

XI

LA VICTOIRE DE CADRET

Les frères prient alors le chevalier sans nom de rester : qu'il les accompagne à leur manoir, et en accepte la seigneurie. Mais lui, avec une grande aménité, leur répond que c'est impossible : il vient de laisser, à deux lieues d'ici sur la gauche, un chevalier qui a un urgent besoin d'aide. Il leur répète alors le récit que ce dernier lui a fait, en route pour aller délivrer son amie. Les chevaliers protestent qu'il ne s'y rendra pas sans eux, et il leur dit :

— Seigneurs, je pense que je me suis trop attardé ici. Maintenant que je me suis engagé envers cet infortuné, j'aimerais mieux perdre mes entrailles, plutôt que de ne lui être d'aucun secours : je m'en considérerais à jamais comme un traître. Aussi je vous remercie mille fois de l'offre que vous venez de me faire : votre compagnie sera la très bienvenue et je vous en donne la ferme assurance, si vous décidez de venir avec moi, vous pouvez me tenir pour vôtre.

Ils lui promettent qu'ils l'accompagneront, et affirment qu'ils feront tout ce qu'ils peuvent pour aider le chevalier dans son entreprise. Codovrain à la chevelure rousse ajoute :

— Seigneur, si vous n'y voyez pas d'inconvénient, je vais faire demi-tour avec mon amie, et si Raguidel est d'accord, j'emmènerai aussi la sienne, car leur place n'est pas avec nous. Il ne doit pas prendre ombrage que je l'emmène, car je vous le jure bien loyalement, elle lui sera fidèlement restituée : dès que nous serons revenus de cette aventure, je la lui rendrai sans dispute.

Puis il leur explique qu'il n'y a dans la forêt détour, sentier ou traverse qu'il ne connaisse, et qu'il les rejoindra dès qu'il sera armé. Mais avant, il ira prendre des armes : s'il s'en trouvait dépourvu, dans une affaire d'une telle importance, où il sera tellement nécessaire de bien se conduire, jamais il ne pourrait se remettre de la honte qu'il en éprouverait.

Il s'en retourne et les autres s'en vont, ainsi que je vous le conte, brûlant d'envie de se battre. Ne venez pas me dire maintenant que quelque chose manque encore au bonheur du chevalier sans nom, que sa satisfaction n'est pas infinie de s'être acquis le précieux concours de tels compagnons, si bien équipés et si désireux de bien faire ! Ainsi, heaumes baissés, ils parcourent sentes et chemins. Ils vont au grand galop, si bien qu'à travers une lande ils trouvent les traces des deux chevaliers qui les précèdent. Ils les suivent en groupe serré. Espinogre et Cadret, qui filent à un train d'enfer, sont déjà parvenus au passage difficile où ils attendent la venue du chevalier et de son amie.

Il s'appelait Cadret, sachez-le, bon chevalier et de grand renom, le héros de cette aventure. Ainsi attendait-il, et Espinogre avec lui : les autres ne les avaient pas encore rejoints quand ils aperçurent le groupe de leurs adversaires. Celui qui emmenait son amie arrive le premier au passage. Cadret laisse aussitôt courir son cheval de toute la vitesse qu'il peut fournir. Il frappe son rival avec une telle violence en haut, sur la boucle de l'écu, qu'il jette à terre tout ensemble monture et cavalier. Quant à Espinogre, il porte, à ce qu'il me semble, un coup si rude au suivant qu'il l'abat de son cheval face contre terre dans un sentier, aux pieds de la jeune fille. Puis il défie rudement les autres et revient rapidement à la charge, à coups de lance et d'épée. Jamais encore deux chevaliers seuls ne supportèrent un tel assaut avec aussi peu de dommage et de perte. Ils furent soumis à fort dure épreuve, et pourtant, je vous le répète, jamais il n'arriva à deux chevaliers, contraints d'en affronter vingt, de réussir pareil exploit : tenir si bien un passage qu'aucun des vingt ne parvint à le franchir. Cadret se meut avec une hardiesse extrême : par une attaque particulièrement rude, il frappe le premier qu'il rencontre en pleine poitrine, entre les deux mamelons, si bien que sa lance vole en éclats ; l'autre tombe d'un seul coup. Avec le tronçon qui lui reste, il en atteint un autre si violemment sur la visière qu'il le renverse sur l'arçon : il serait lui aussi tombé de son cheval si un écuyer ne l'avait retenu. Muni toujours de son tronçon de lance, Cadret repart à l'assaut et s'en prend au troisième, puis au quatrième. Espinogre de son côté n'est pas en retard de prouesse. Chacun d'eux se comporte si brillamment que le reste de leurs adversaires en demeure tout interdit. Ils finissent pourtant par se ressaisir, et se considèrent comme déshonorés d'avoir été tenus en échec par deux chevaliers seuls. Parmi les vingt qu'ils sont aucun, même le plus lâche, ils en sont persuadés, n'aurait pensé, s'il avait dû affronter tout à l'heure un de ces deux-là dans un combat singulier, éprouver la moindre difficulté à le tuer ou à le faire prisonnier. Ils éprouvent une telle honte de se voir infliger un traitement pareil qu'ils se lancent ensemble, en attaque groupée, contre les deux amis. Ils conquièrent sur eux le passage, et ces derniers doivent le leur laisser.

Espinogre se souvient alors de ce que lui a dit son compagnon avant de se séparer de lui. Le voici qui prend son cor, et il en sonne avec une telle puissance que la forêt tout entière se retentit. Ceux qui sont sur ses traces l'entendent. Le chevalier sans nom s'en réjouit fort : il comprend de l'appel du cor que les deux braves se sont bien défendus, et qu'ils pourront résister assez pour que lui puisse arriver à temps. Il lance alors son cheval en disant à ses compagnons :

— Maintenant, seigneurs, suivez-moi ! Car ce cor que vous venez d'entendre, c'est l'un de ceux qui nous attendent qui en sonne, et ils se défendent désespérément.

Dès lors ils laissent aller leurs chevaux. Au moment de dévaler un tertre, ils aperçoivent les combattants : Espinogre est saisi à la bride [1], et toute la mêlée dans le vallon est concentrée sur lui.

Cadret reconnaît aisément le chevalier sans nom. Il se rend compte qu'il vient à son secours sans ménager sa peine, la lance sous l'aisselle ; les autres, à sa suite, tiennent leurs lances tendues. Ils ont passé l'écu

---

1. On maintient ici l'expression « saisir à la bride », qui est une manœuvre de combat, destinée à immobiliser l'adversaire.

au bras, tous bien décidés à lui venir en aide. Quand ils voient ce ren-fort qui leur surgit brusquement, les deux chevaliers sont fous de joie. Encouragés par ce surcroît de force, chacun d'eux étend le bras et s'em-pare d'un autre assaillant par la bride.

Le chevalier sans nom s'élance hardiment de toute la vitesse de son cheval et se porte au plus épais de la mêlée, anxieux de rassembler sur lui les adversaires. Sur son élan il en frappe un, d'une lance très robuste, si bien qu'il le jette du cheval à terre. Ses compagnons se ruent à sa suite, lance baissée. Ils sont nombreux à abattre les chevaliers qu'ils peuvent atteindre de la sorte. Ils les harcèlent avec intrépidité, les forcent à rebrousser chemin, ferraillant à qui mieux mieux sur leur lancée, sans jamais diminuer leur allure. Encore un peu, ils fran-chissaient le passage. Par la vigueur de leurs armes, ils contraignent leurs ennemis à se rassembler tous les vingt et ils ont la gloire, grâce à cette charge, de s'emparer de deux d'entre eux ; ils les font se consti-tuer prisonniers. Puis ils s'emploient à poursuivre leur avantage et reviennent à la mêlée. A eux huit, ils sont d'une grande assistance à leurs deux compagnons qui étaient en bien mauvaise posture, et ils mettent leurs adversaires en déroute. Quand les fuyards parviennent à leur tour au passage [1], ils ralentissent avant d'y entrer. Ils regardent alors derrière eux, et s'avisent que leurs poursuivants ne sont que dix. Ils ont beau inspecter les alentours, ici et là, ils ne voient venir à leur suite aucun renfort. Ils sont tout perplexes. Puis ils reprennent courage et les attaquent hardiment. S'il dit la vérité, le livre dans lequel j'ai trouvé écrite cette histoire, jamais, de mémoire de chevalier, on n'as-sista à une aussi belle joute, avec un aussi grand nombre de partici-pants ; car si les premiers se précipitent, les dix valeureux et hardis compagnons les reçoivent rudement. Sur l'herbe nouvelle tomba maint éclat ou tronçon de lance, et maint chevalier fut pris à la bride. Cadret qui, le cœur plein de son amie, depuis longtemps avait les yeux sur elle, s'aperçoit qu'elle le regarde ; éperonnant avec fougue, il va s'emparer de celui qui, ce jour même, devait la posséder. Voyant cela, le chevalier sans nom, dont la lance était brisée, pique son cheval et se précipite entre le rival de Cadret et ses chevaliers. Aussitôt ses propres compagnons, qui n'étaient pas loin, éperonnent à leur tour. Ils se lancent tous à sa suite, et repoussent leurs adversaires. Loin de s'en-fuir, ceux-ci leur font face : ils se rendent compte que leur seigneur se trouve isolé au milieu d'ennemis qui le tiennent à la bride ; hardiment ils foncent vers lui pour le secourir et le délivrer. Ils y emploient toutes leurs forces, mais ils ne peuvent y réussir. Cadret lui avait déjà arraché

---

1. Il faut se rappeler que les ennemis de Cadret avaient une première fois franchi ce passage ; mis en fuite par les nouveaux venus qui les ont pris à revers, ils y parviennent à nouveau.

le heaume de la tête, il le maintint embrassé par le cou, en homme de guerre consommé, et se laissa glisser à terre.

Quand Cadret le tint à terre, son rival dut se rendre : il n'avait pas d'autre choix. L'assaut en vint bien au point que je vous dis : fous de rage à cause de leur seigneur qu'ils voyaient pris, ses hommes mirent tout leur courage à le délivrer. Ils préféreraient se rendre avec lui plutôt que de laisser Cadret l'emmener prisonnier. C'est à ce moment que Codrovain le Roux surgit du bois, poussant sa monture le plus qu'il pouvait.

Il entre dans la mêlée à toute allure. Il porte un tel coup à un chevalier de l'autre camp qu'il les envoie rouler à terre, lui et son cheval. Il se fraie audacieusement un passage ; avec ce qui lui reste de sa lance, il en frappe un second sur son chemin ; peu s'en faut qu'il ne l'assomme : le chevalier tombe sur le sol sans connaissance. Il s'en prend à un troisième, à qui il coupe la main : elle vole dans le champ, très loin de l'épée qu'elle brandissait. A le voir ainsi les affronter avec une telle témérité, ses adversaires ne peuvent s'imaginer qu'il est seul : ils sont persuadés que le suit une troupe si nombreuse qu'elle aura raison d'eux, et que nul n'en pourra réchapper si on le trouve sur la place. Du coup le cœur leur manque : ils sont sans aucun doute dans une mauvaise posture, si les autres prennent le dessus. Il n'est plus question de se défendre : ils plantent là leur seigneur, et chacun s'enfuit à bride abattue autant qu'il peut pousser son cheval. Alors le chevalier sans nom, qui entend mener à bien la bonne action qu'il a commencée, prend par la bride le cheval de la demoiselle, qui n'oppose guère de résistance, et la rend aussitôt à Cadret.

Maintenant Cadret ne se sent plus de joie : son amie qu'il aime tant, si belle et si courtoise, il l'a reconquise par sa prouesse. Il se réjouit aussi d'avoir fait prisonnier son rival, le chevalier prêt à l'emmener contre son gré dans son pays. Il a été généreusement aidé par celui qui lui a ainsi tenu promesse.

Voilà que les sept frères sont de retour, après avoir longuement pris en chasse ceux qui s'enfuient honteusement. Après s'être informés de son état, ils supplient le chevalier sans nom de prendre quelque repos avec eux. Lui leur fait cette réponse : tous deux, Espinogre et lui, comptent tant chercher, par tout le royaume de Logres, l'aventure qu'ils ont décidé d'entreprendre, qu'ils finiront bien par la trouver quelque part. Quand ils l'auront trouvée, il s'en reviendra directement par ici, il leur en fait la promesse, et il ne repartira pas sans leur dire enfin ce qu'il en est de lui : en aucun cas il ne saurait leur faire cette révélation avant d'avoir trouvé son nom et l'aventure dont il est en quête. Chacun alors le presse avec insistance de le laisser l'accompagner ; mais il assure qu'ils doivent aller eux deux seuls, il ne peut en être autrement : qu'ils ne voient là aucune suffisance, discourtoisie, ou

démesure, ils feront route sans autre compagnie. Puis il les prie, je
crois, de rester tous ensemble et d'aller séjourner dans le château de
Codrovain jusqu'à ce qu'ils le revoient ou qu'ils entendent parler de
lui ; car il lui faudra vivre, il le sait, bien des joies et bien des tourments,
dans l'aventure qu'il cherche, avant de pouvoir revenir. C'est pourquoi
il les invite à rester ensemble jusque-là ; et eux lui promettent volontiers de l'attendre ainsi. Mais ils sont bien ennuyés qu'il n'accepte pas
leur escorte : en cas de besoin, ils l'auraient aidé de grand cœur. Gauvain alors se sépare d'eux et, avec son compagnon, s'en va à la
recherche de son nom.

Cadret et Raguidel se rendirent ensemble au château, conduits par
Codovrain, qui leur fit grande fête et les honora du mieux qu'il put.
Chacun des frères s'employa à son tour à ne rien épargner pour bien les
traiter. Leur séjour fut très gai : il ne se passa de jour que chacun ne se
vît convié, à son choix, à aller chasser le gibier de rivière ou de forêt ; et
ils pouvaient, à leur gré, chasser à courre ou tirer à l'arc, car le seigneur
des lieux était très riche. Son pays, sachez-le, était pourvu de tous les
attraits : il y avait abondance d'oiseaux et de chiens, de limiers, de
flèches et d'arcs, de rivières, de forêts et d'enclos. Tout cela fut mis à la
disposition des invités. Quant à la promesse qui avait été faite à Raguidel, qu'il retrouverait son amie à son retour, elle lui fut tenue très loyalement.

XII

LE RÉCIT DE TRISTAN

Maintenant il me faut raconter comment celui qui s'en allait en aventure par toute la terre en quête de son nom put venir à bout de son
entreprise. Je ne saurais vous donner le détail de ses nombreuses
errances, sauf qu'un jour il lui arriva, chevauchant par un bosquet, de
trouver un ermitage. Un chevalier en sortait, qui y avait écouté la
messe de l'ermite. Il était revêtu d'un manteau de beau drap doublé
d'hermine et ourlé de zibeline — en ce temps-là les manteaux n'avaient
pas de manches. Sa chemise et sa culotte étaient blanches, travaillées à
la mode galloise. Il portait une paire de chausses échancrées, par-
dessus des éperons d'or, d'un travail extrêmement délicat. Apprenez
aussi qu'il montait un très bon destrier et qu'il était sans armes, à l'exception de l'épée qu'il avait ceinte. Il avait rejoint une jeune fille, particulièrement belle et avenante, et lui contait une histoire qui était survenue dans le pays. Celui à qui l'on avait ravi son nom le salua avec
civilité :

— Seigneur, répondit l'autre, que Dieu vous conduise dans la quête que vous menez !

Puis il ajouta :

— Je voudrais que vous m'accordiez une faveur : que vous veniez, ce chevalier et vous, vous divertir ce soir chez moi et y passer la nuit. Vous aurez un gîte aussi bon que si c'était le vôtre ou le sien, car il sera exactement selon vos souhaits.

— Seigneur, répond Gauvain, j'ai entrepris la recherche d'une certaine aventure ; aussi ne prenez pas mal mon refus, je vous en prie : à travers forêts, villes et châteaux, je n'aurai de cesse qu'elle n'aboutisse.

— Chevalier, fait-il, si vous ne voulez pas de mon hospitalité, je vous fais une autre requête ; et celle-là vous ne pouvez la repousser sans commettre une grave incorrection.

— Puisque vous m'en priez avec une telle insistance, je m'engage à la satisfaire le plus loyalement possible.

— Je vous en remercie, répond l'autre. J'ai un château pas loin d'ici, un peu au-delà de ce vallon. En ce moment même m'y attend un dîner tout apprêté ; vous en serez très peu détourné de votre route ; si vous voulez vous assurer mon amitié, je vous convie à venir sans tarder dîner avec moi.

— J'accepte, fait Gauvain.

Alors ils s'en allèrent tous les trois et parvinrent au château. Ils n'étaient pas descendus de cheval que déjà les tables étaient mises, et les serviteurs avaient pris serviettes et bassins. Les nappes, le pain, le vin, tout fut rapidement en place. Puis ils se mirent à table, dès qu'on leur eut présenté l'eau pour se laver les mains, sans attendre davantage. Le repas, sachez-le, fut somptueux, les mets à la fois abondants et recherchés, et accueillis avec autant de plaisir qu'ils étaient offerts. Après qu'ils furent restés un long moment à table, le maître de la maison s'adressa ainsi à ses deux invités :

— Seigneurs, je veux vous faire part d'un événement récent qui a provoqué douleur et colère ; le monde entier s'en affligera quand s'en répandra la nouvelle. Je m'étais mis en route l'autre soir pour m'occuper d'une de mes affaires.... Ah ! s'il était possible de tenir secret ce que je vais vous conter ici, personne ne devrait le révéler ! Mais la chose est maintenant connue de tous, il est impossible de la cacher, je le déplore vivement. Dieu ! la fortune est si peu favorable aux dames et aux demoiselles ! Quand elles apprendront ce dont je vais vous faire le récit, elles auront bien de quoi se désespérer. Car celui en qui Dieu avait mis loyauté, prouesse et noblesse, qu'il avait fait courtois et sage, sans bassesse ni arrogance, sans orgueil ni démesure — soucieux d'éviter tout outrage, il ne chérissait que la justice et l'honneur —, celui-là est mort pour une bien mauvaise raison. Et puisque je vous en ai tant dit, il n'y a pas lieu de vous taire l'origine de cette néfaste aventure. Quand on la connaîtra à la cour, la douleur du roi sera sans bornes. Hélas, qui osera lui parler du Bon Chevalier qu'on a si injustement tué et mis en pièces ? C'est en effet de son neveu dont je parle.

— Par tous les saints de la terre, cher hôte, fait le chevalier sans nom, qu'en savez-vous ?

— J'en ai la certitude absolue.

— Et d'où la tenez-vous ?

— Je vais vous le dire, sans en mentir d'un mot.

« Je m'apprêtais l'autre soir, pour me distraire, à aller voir mes bœufs au pâturage. Au moment de franchir la porte, je vis venir au loin trois chevaliers, armés de pied en cap sur leurs destriers. Le premier piqua vers moi, tout seul, le long d'un chemin ferré, laissant les deux autres en arrière ; nous nous saluâmes mutuellement, puis il me dit :

« — Seigneur, je crois que vous êtes le maître de cette demeure ; aussi, je vous en prie instamment et en serai à tout jamais votre obligé, veuillez me donner asile pour cette nuit.

« Et je lui dis :

« — Bien volontiers.

« Le chevalier entra alors avec moi, nous l'aidâmes à mettre pied à terre, et je lui enlevai moi-même ses armes puis les fis mettre en lieu sûr, et ordonnai à mes écuyers de prendre soin de son cheval. Toutefois, si j'avais été plus sensé et si j'avais fait preuve d'une meilleure connaissance des usages, je lui aurais demandé d'abord qui il était et de quelle terre il venait, et quelle aventure il cherchait. Une fois en effet que je lui eus offert l'hospitalité, quand j'appris l'énormité du crime qu'il avait commis, il ne m'était plus possible de le jeter dehors et le chasser de ma maison. C'est alors qu'arriva, le tronc d'un homme sur sa monture, un des chevaliers qui l'escortait ; l'autre, sur ses talons, en portait les membres et la tête, avec tous les signes de la plus vive allégresse. Je m'enquis aussitôt de l'identité du mort, dont il tirait une si grande joie, et pourquoi ils l'avaient tué.

« — J'en avais promis, dit le premier, la tête à une amie à moi.

« — Et moi, dit l'autre, Dieu me bénisse, le corps à la mienne.

« Je m'informai à nouveau de la raison pour laquelle ils l'avaient mis à mort de cette façon. L'un d'eux commença alors un récit que j'ai honte et chagrin à répéter à quiconque.

— Cher hôte, par tous les saints de Rome, fait le chevalier sans nom, dites-le-moi ; je vous le dis en bonne foi, c'est là l'aventure dont je suis en quête ; aussi, je vous en supplie, contez-m'en l'entière vérité.

— Je vais vous rapporter de mon mieux, fait l'hôte, croyez-le, le récit qu'il me fit :

« Les deux chevaliers priaient d'amour deux demoiselles, d'une remarquable beauté. Trois années durant ils sollicitèrent les jeunes filles, sans obtenir le moindre résultat. Un jour pourtant ils les pressèrent fort doucement de tout leur cœur. Les demoiselles étaient sœurs, et les chevaliers, compagnons. L'aînée assura qu'elle avait déjà fait don de son amour, et qu'il n'était pas né le chevalier qui pourrait le lui faire retirer, car il était si beau, celui à qui elle le donnait, et d'une telle prouesse que, de sa vie entière, elle n'aimerait d'autre chevalier que lui. Alors son prétendant, à moitié fou de douleur et de rage, s'enquit de son nom :

« — Je puis bien le révéler dans toutes les cours, car sa réputation est telle qu'il n'est nulle part possible de la cacher. Il s'agit en effet de monseigneur Gauvain que tous, dans le monde entier, les paysans comme les gens de cour, mettent au-dessus de tous.

« Le second des chevaliers s'informa aussitôt auprès de celle qu'il aimait tant de ses dispositions et sentiments.

« — J'en suis bien préoccupée, dit-elle, soyez-en sûr. Je ne suis pas en mesure de dire le nom de mon ami, ni qui il est, ni quand je le ferai mon ami. Je sais seulement une chose : vous l'avez parfaitement entendu, ma sœur a fait choix sans retour de monseigneur Gauvain ; elle peut à tout moment se rendre à la cour du roi pour le chercher, et lui demander son amour : je l'accompagnerai. Sachez-le bien : s'il accepte ma sœur, de même qu'elle s'est donnée à lui, je m'y donnerai aussi, en ce sens que je n'aimerai un chevalier que sur son conseil ; et ce sera le Chevalier Vermeil. Je vous parle du bon chevalier [1], de celui en qui l'on peut avoir confiance, qui vint l'année dernière à la cour du roi Arthur pour être fait chevalier. Ses armes et son destrier, il les gagna tout seul, sans autre arme que sa seule bravoure. Le roi Arthur lui en fit don : ils appartenaient à celui qui lui avait dérobé sous son nez sa coupe d'or.

« Les deux soupirants furent d'abord désespérés. Puis ils assurèrent aux jeunes filles qu'ils étaient meilleurs chevaliers que leurs rivaux. Elles leur firent alors le serment suivant : si leurs prétentions se trouvaient démenties par leur défaite dans un assaut à l'épée contre Gauvain et le Chevalier Vermeil, il n'était pas question pour elles de les aimer jamais. Mais ils devaient agir à bref délai, sinon elles-mêmes se rendraient à la cour. Eux dirent alors :

« — Si nous l'emportons, nous qui vous avons si longuement priées, n'obtiendrons-nous donc pas votre amour ?

— Nous deviendrons finalement vos amies, assurent-elles, quand la chose se produira, mais s'il plaît à Dieu, cela n'arrivera jamais, car ce serait une trop grande perte.

« La rage au cœur, les chevaliers se mirent en route en quête de Gau-

---

1. Ce « bon chevalier » est cette fois Perceval, et l'épisode est emprunté au *Conte du Graal* de Chrétien de Troyes.

vain. Ils allèrent tant par ce pays qu'enfin un jour ils le rencontrèrent. Ils le trouvèrent seul et désarmé, eux qui le cherchaient pour le tuer. C'est un grand malheur d'avoir à dire cela : sa défense fut inutile. C'est ainsi que mourut le neveu du roi, sachez-le bien. Jamais rien ne me causa une si profonde douleur, et je ne pense pas en éprouver une aussi grande pour rien qui puisse m'arriver.

« Quand, après avoir découpé le corps, les meurtriers se furent introduits ici de la manière que je vous ai dite, je leur demandai de me faire don du bras droit ; ils me l'accordèrent. Au petit matin ils s'en allèrent avec le reste en leur pays. Sachez-le, si je puis vivre assez longtemps, ce bras sera si bien conservé dans l'or et dans l'argent, si l'orfèvre ne ménage pas sa peine, que jamais aucune relique de corps saint n'aura été si richement traitée. J'en ai fait la promesse formelle, et il est juste que je m'emploie à lui assurer ainsi un somptueux reliquaire, car cet homme de bien fit beaucoup d'honneur aux chevaliers des environs. Tous ceux qui pourraient lui en marquer leur reconnaissance devraient bien s'y appliquer.

— Cher hôte, fait le chevalier sans nom, au nom de Dieu et de sa rédemption, connaissiez-vous bien Gauvain ?

— Je vais vous montrer sa main, fait l'hôte, aussi vrai que je demande à Dieu sa bienveillance !

Aussitôt il envoya chercher la relique, qui était enfermée dans un coffre, enveloppée dans une étoffe de soie. Quand on retira le bras, ainsi enroulé dans son suaire de prix, ils l'examinèrent avec la plus grande attention ; puis ils prièrent leur hôte de le conserver pieusement, jusqu'à ce que l'on sût qui était le chevalier auquel il appartenait. L'hôte répondit qu'il n'y manquerait pas : toute relique de lui, bras ou main, serait honorée, où qu'elle se trouvât ; il savait bien que ces reliques étaient de Gauvain, aussi fallait-il les vénérer. Celui qui était venu sans nom dit alors :

— Seigneur, j'en prends Dieu à témoin, vous avez tort de vous faire du souci pour cela : moi-même, il n'y a pas quatre jours encore, j'ai vu Gauvain près de Carduel en parfaite santé, alors qu'il allait en quête d'aventure. Maintenant je veux vous prier, comme une faveur amicale, de m'accorder une seule chose ; ma demande ne sera pas déraisonnable.

— Elle sera donc satisfaite, fait l'hôte, pour autant que ce soit en mon pouvoir.

— Indiquez-moi où je pourrai trouver ceux qui se sont ainsi vantés d'avoir vaincu monseigneur Gauvain, et de l'avoir fait mourir. Sachez bien qu'ils disent faux : jamais il n'a été tué par eux. La vérité est qu'un certain chevalier, qu'ils ont trouvé seul et désarmé, est mort. Sachez aussi qu'ils agirent de manière bien vile en le tuant sans la moindre mise en garde, alors qu'il ne se défiait pas du tout d'eux. Il n'est personne pourvu de sens et de raison qui n'estimerait qu'ils l'ont tué par traîtrise : fut-ce là leur prouesse ? Ensuite ils se vantèrent d'avoir tué Gauvain. Je m'en suis déjà informé à plusieurs reprises : jamais encore je n'ai réussi à savoir de ce chevalier, quels que soient mes efforts, ni son nom, ni de quelle terre il venait — sinon qu'il portait un écu comme en porte monseigneur Gauvain.

Le réconfort de l'hôte fut immense, en apprenant de si belles et bonnes nouvelles. Puis il dit :

— Par ma foi, seigneur, je vous mettrai sur la voie avec le plus grand plaisir, quand vous voudrez. Ce n'est que juste que je vous guide en cette aventure. J'aimerais vous accompagner jusqu'à ce que vous soyez sur la bonne route : j'irai avec vous pour vous l'indiquer.

Sans attendre, il les renseigna le plus complètement possible sur les chevaliers qu'ils recherchaient : sur leur nom, sur leur état, sur tout ce qu'ils voulurent savoir.

— Seigneur, avez-vous jamais vu le Faé [1] Orgueilleux ? Je ne sais pas exactement son nom, mais ce surnom, j'en suis sûr, lui vient de la Roche Faée : c'est ainsi qu'on appelle sa place forte ; tel est donc le nom du premier ; quant à l'autre, on l'appelle partout Gomeret sans Mesure.

— Ce dernier surnom ne m'impressionne guère, fait le chevalier sans nom, il ne révèle pas une bien belle qualité.

— Pourtant il lui convient parfaitement, fait l'hôte, car il a beaucoup d'arrogance et de démesure ; mais je m'exprime mal, et je reviens sur ce que j'ai dit, car on sait bien que jamais « beaucoup » n'a signifié « trop ». Quant au troisième, j'ignore qui il était, sinon qu'il accompagnait les deux autres. Je lui ai entendu dire et répéter que ce ne fut pas dans de mauvaises intentions, seulement pour leur tenir compagnie.

— Ont-ils obtenu l'un ou l'autre leur amie, fait le chevalier sans nom, à la suite de leur exploit ?

— Aucunement, à ce qu'on m'a dit, car elles s'y refusèrent, et rappelèrent à leurs amis qu'ils leur avaient promis Gauvain mort ou vif. Il y eut ainsi entre eux une très vive querelle, car les demoiselles assuraient qu'elles avaient déjà vu Gauvain, et ce corps n'était certainement pas le sien. Les chevaliers rétorquèrent que si, et ils le prouveraient : ils feraient publier sur les marchés, par toutes les places fortes du pays, qu'ils avaient tué Gauvain, et si quelqu'un osait le contester, ils feraient également annoncer qu'ils seraient prêts à soutenir la vérité de leur affirmation [2]. Personne encore n'est venu leur opposer un

---

1. C'est-à-dire « enchanté ».
2. L'ancienne procédure féodale admet en effet l'établissement de la preuve par combat singulier entre les parties. L'idée sous-jacente est que Dieu accorde la victoire à celui qui dit la vérité ou qui est innocent.

démenti. Ils sont l'un et l'autre d'une rare vaillance, aussi veulent-ils faire la preuve par les armes de ce qu'ils avancent.

« Maintenant les choses en sont au point que, si personne ne se présente demain pour les convaincre de mensonge, ils pourront enfin obtenir les jeunes filles sans autre délai. Elles sont tellement inquiètes de ne pouvoir trouver quelqu'un qui ose les contredire en proposant la bataille qu'elles en sont presque mortes de chagrin. Savez-vous la raison d'un tel trouble ? Elles redoutent au plus haut point que les chevaliers ne les obtiennent de la façon que je vous dis. Elles affirment qu'elles se tueront, s'ils les ont pour avoir fourni cette preuve, car elles auront été le prétexte de la mort de Gauvain. Jamais elles ne sauraient s'en consoler.

— Cher hôte, dit Gauvain, ne prenez pas ombrage de ma demande : serait-il possible que nous fassions route cette nuit et demain jusqu'à midi ? Je vous assure bien d'une chose, et je ne le dis pas par vantardise : si le seigneur Dieu nous protège assez pour que nous y parvenions demain à temps, mon intention est que nous vengions la grande forfaiture dont ils répandent le bruit. Tous les deux, mon compagnon et moi, nous en contesterons la vérité par les armes. De toute manière, on ne peut éviter la bataille.

L'hôte lui dit alors :

— Je ne crois pas que vous trouverez ensemble les chevaliers que vous cherchez. Si vous remportez sur eux la victoire, dans cette aventure que vous avez assumée, vous aurez conquis un immense honneur. A condition de ne pas vous attarder trop, vous arriverez largement à temps. Voici exactement de quelle manière attend Gomeret sans Mesure. Il a dressé sa tente — il y a longtemps qu'il est à pied d'œuvre pour cet événement — dans une lande. Là il ne cesse de s'informer : quelqu'un voudrait-il démentir ce qu'il a fait publier, qu'avec l'Orgueilleux ils ont tué Gauvain ? Il est d'une telle hardiesse, si grande est sa force, qu'il ne trouve personne pour le contredire, et il pense obtenir demain son amie. Quant au Faé Orgueilleux, c'est dans son château que pareillement il attend : va-t-il venir quelqu'un, à la fin, pour s'entremettre dans cette affaire, et oser entreprendre d'infirmer ou confirmer la vérité de ce qu'il dit, qu'il a tué Gauvain ? Si demain il ne se présente personne qui le lui dénie par les armes, enfin son amie sera sienne.

Alors ils se levèrent de table, puis chacun monta sur son destrier et ils se mirent en route. L'hôte les escorta assez longtemps, en homme courtois et bien élevé, pour bien les renseigner sur les divers chemins sillonnant le pays : ils ne sauraient en aucune manière échouer à trouver ce qu'ils cherchent. Quand ils eurent chevauché jusqu'au moment où l'hôte dut s'en retourner, Espinogre s'aperçut qu'ils avaient commis une faute grave. Il en éprouva un vif embarras et en fit part à son compagnon : ils ne s'étaient pas informés du nom de leur hôte.

Ils s'adressèrent alors à lui avec beaucoup de courtoisie :

— Seigneur, nous ressentons de l'amitié pour vous, et ce n'est que justice : vous vous êtes bien acquis, en cette circonstance, des droits particuliers à notre gratitude. C'est pourquoi nous vous prions, cher hôte, de nous révéler votre nom. Vous êtes homme de bien, d'une grande réputation, nous sommes heureux d'avoir fait votre connaissance et nous avons le plus vif désir de demeurer en relation avec vous, vous ne devez pas en douter.

— Je m'appelle Tristan-qui-jamais-ne-rit, répond l'autre, je ne cherche pas à le cacher. Seigneurs, à mon tour je vous prie ardemment, par amitié et reconnaissance, de me promettre un don. Je ne solliciterai de vous ni outrage ni bassesse, n'ayez aucune crainte à ce sujet.

— Assurément, fait Gauvain, il est légitime que nous vous accordions ce que vous désirez : vous pouvez nous considérer dorénavant comme des vôtres.

— Seigneur, je vous demande, au nom du service rendu et par amitié, que vous fassiez retour par cette route-ci. Je ne sais pas plus que vous quelle sera l'issue de votre aventure ; mais je désire savoir, quand vous reviendrez, comment vous vous en serez tirés. Vous me raconterez tout alors, qui vous êtes et de quelle terre vous venez, et pour quelle raison vous vous êtes lancés dans cette entreprise. Si vous réussissez à vaincre aux armes ceux que vous avez si longtemps cherchés, vous vous serez acquis une gloire immense.

XIII

GAUVAIN RECOUVRE SON NOM

Ils y consentirent bien volontiers. Quand il les eut convoyés un long moment, l'hôte s'en retourna. Eux poursuivirent leur route en suivant les indications qu'il leur avait données. Ils allèrent tant que l'un d'eux aperçut dans un vallon une belle tour, qui appartenait à un vavasseur. La place était très prospère, et le seigneur des lieux, fort puissant et homme de bien. A ses manières, on voyait bien qu'il jouissait d'une grande autorité. C'est chez lui qu'ils logèrent tous les deux, la nuit venue. Puisse Dieu lui rendre joie et honneur autant qu'il leur en marqua ! Il se divertit fort à leur narrer plusieurs de ses aventures, ce soir-là ; et eux en retour, j'imagine, relatèrent un certain nombre des leurs. Le lendemain, quand il fit jour, et qu'on eut armé les chevaliers, ils montèrent sur leurs chevaux.

Après avoir pris congé, ils se mirent en route. Ils gagnèrent bientôt une voie empierrée. Ils n'avaient guère fait de chemin, car il était encore très tôt, quand ils atteignirent un carrefour, comme Tristan le leur avait annoncé ; l'une des voies conduisait, selon ses indications, au lieu où attendait Gomeret. Quant à l'autre, elle menait au château où l'Orgueilleux faisait crier publiquement qu'il avait sans conteste tué Gauvain ; aussi pensait-il ce jour-là prendre tranquillement possession de son amie. Les deux voyageurs se trouvèrent alors devant la nécessité de choisir et le chevalier sans nom, généreusement, s'en ouvrit ainsi à son compagnon :

— Seigneur, fait-il, à vous de décider ; vous allez prendre l'un de ces deux chemins pour vous acquitter de votre besogne ; et au retour, si Dieu nous fait la grâce de nous comporter assez bien pour convaincre nos adversaires de mensonge, nous nous retrouverons chez Tristan. Le premier arrivé y attendra l'autre, jusqu'à ce qu'il apprenne de ses nouvelles.

— Puisqu'il me faut opter pour l'une ou pour l'autre et que je ne peux m'y soustraire, fait Espinogre, je prendrai celle de gauche, qui me conduira à Gomeret.

— Je prends donc l'autre, fait le chevalier sans nom. Je vous recommande au roi de gloire, le Tout-Puissant. Qu'il vous garde de toute honte et de tout mal !

Chacun alors éperonne son cheval, et ils filent à vive allure. A peine Espinogre est-il allé tout droit une demi-lieue qu'il rencontre une forêt. Il y chevauche longtemps sans en sortir, et finit par trouver la lande où se tient Gomeret en attente d'un adversaire, comme on en a fait le récit — inutile de le répéter, c'est un récit exact et sûr : il est persuadé qu'il aura son amie sans contredit de quiconque. Personne, pense-t-il, ne va se hasarder à soutenir un démenti contre lui. Et pendant qu'il divague ainsi à tenir un discours si sottement présomptueux, comme vous l'avez entendu conter — ce n'est pas la peine de recommencer, vous en avez assez bon souvenir ! —, voici que survient Espinogre. Il s'adresse à lui avec une courtoise retenue :

— Seigneur chevalier, cessez de dire que vous avez tué Gauvain ; c'est bien peu noble de votre part d'en avoir répandu le bruit.

— Et pourquoi donc, chevalier, repartit Gomeret, n'oserais-je pas le faire savoir quand c'est la vérité ?

— C'est faux, dit l'autre, Gauvain pourrait affronter successivement vingt de vos pareils, et vous trancher la tête à tous.

Gomeret alors répliqua :

— Par ma foi, je détiens son corps, sauf qu'il n'a plus bras ni jambes, et je suis tout prêt à prouver que je l'ai et que le Faé en a emporté les membres !

— Il est évident que vous avez menti, répondit Espinogre. Je suis prêt à mon tour à défendre Gauvain contre cette prétention, et à vous faire mort ou prisonnier avant de sortir de cette lande.

Gomeret aussitôt demanda ses armes. On lui apporta de robustes chausses de fer, plus éclatantes que de l'argent pur ; puis ce fut le tour du haubert, solide et léger, resplendissant et tissé de mailles, et du heaume qui venait de Senlis. Toutes les autres pièces de l'armure étaient noires. Quand il fut armé comme il convenait, il ne s'attarda pas davantage. Son cheval était plus noir que mûre. Une fois bien armé, il enfourcha son excellent cheval, décidé à prouver sur l'heure la vérité que l'autre lui contestait.

Tertre ni vallon, aucun obstacle ne les sépare : ils laissent courir les chevaux autant que chacun le peut. Dans le choc de la rencontre, ils se portent de si grands coups qu'ils fendent et percent leurs écus ; les fers les traversent et atteignent les hauberts, qui ne se laissent pas entamer. Ils se frappent de leurs lances avec une telle force et un tel emportement que les chevaux ne peuvent rester debout. Et qui oserait blâmer les cavaliers, quand leurs montures sont touchées, de s'effondrer avec elles ? Ils doivent vider les étriers. Ils se remettent promptement sur pied et se livrent à des attaques rapides et sûres. Aucun spectateur de cet affrontement, je vous le dis, ne serait en mesure d'identifier le demandeur dans cette cause : chacun en revendique le titre. Espinogre marche à pas rapides sur son adversaire, il le frappe à coups redoublés : il lui en assène cent d'affilée. L'autre ne se laisse pas décontenancer, et lui rend hardiment tous les coups reçus. Le heaume est fendu en plusieurs endroits, le haubert tout tailladé ; bois ni fer n'empêchent que le sang ne jaillisse par cent blessures. La bataille fut si féroce que nul n'aurait su vous dire le meilleur ou le moins bon des deux. Mais sachez que cette terrible bataille continua du même train jusqu'à l'heure de midi, de sorte qu'ils s'étaient grièvement atteints l'un l'autre. Au terme d'une si longue lutte, ils avaient enduré tant de coups, que leurs heaumes étaient fendus, les mailles de leurs hauberts partout rompues ; le sang en jaillissait au travers, vermeil et chaud.

A la fin il arriva que Gomeret, se ruant sur son adversaire, le frappa si fort de son épée qu'elle s'enfonça dans l'écu, je crois bien, d'un pied et demi. Peu s'en fallut qu'il ne le tranchât en deux, tant le coup fut violent. Il déploya tous ses efforts pour retirer sa lame, mais avant qu'il n'ait pu y parvenir, elle se fractura au niveau de la poignée, si bien que le pommeau et la garde, tout ornée d'or, lui restèrent seuls dans la main. Espinogre alors fonça sur lui, il le frappa et frappa encore avec acharnement, tant que Gomeret finit par lui dire :

— Seigneur, inutile de continuer. N'ayez pas la victoire méprisable ! Puisque je n'ai plus de quoi me défendre, je n'ai d'autre choix que de me rendre : je me mets en votre merci.

La réponse d'Espinogre fut pleine de noblesse :

— Je vous l'accorde, mais ce sera à une condition : vous viendrez immédiatement avec moi à la cour du roi ; vous vous constituerez son

prisonnier. Vous apprendrez alors votre méprise, à propos du chevalier que vous avez tué. Car sachez que vous vous êtes trompé, en affirmant qu'il s'agissait de Gauvain ; Gauvain est en parfaite santé,
sachez-le bien, vous le verrez à la cour quand vous y viendrez.

Gomeret se soumit à ces conditions. Et, ayant repris leurs chevaux,
ils se mirent en route.

De son côté le chevalier sans nom, qui s'était chargé de chercher
l'Orgueilleux Faé, avait tant chevauché qu'il était parvenu au château
de ce dernier. Il y faisait une fois de plus crier sa proclamation, comme
l'avait dit Tristan, le noble chevalier. Aussitôt Gauvain, sans se départir d'un ton modéré, entreprit de le contredire :

— Chevalier, dit-il, ce serait une grande perte si Gauvain était tué :
il ne s'est rendu coupable d'aucun méfait envers vous ni envers un
autre, à ce que j'ai entendu dire. Jamais encore il n'a éprouvé une irritation telle qu'elle l'ait poussé à commettre une mauvaise action manifeste, ou dont quelqu'un aurait pu être témoin. Vous n'êtes pas très
sage de vous être ainsi vanté d'une chose pareille. Me voici pour oser
vous en donner le démenti et prouver par les armes que Gauvain est
bien vivant ; et je le ferai savoir à tous.

Le Faé lui répondit :

— Je prouverai à mon tour ce que j'avance, et je me moque bien de
ceux à qui cela peut déplaire !

Il fit alors apporter ses armes, et les revêtit rapidement. Il avait une
magnifique prestance, une fois monté sur son destrier. S'il ne s'était
pas trouvé dans un si grand tort, il n'y avait chevalier au monde qu'il
n'eût dû vaincre aisément. Les petites gens firent un large cercle autour
d'eux. Alors on lâcha les brides, sans perdre de temps en autres
menaces. Chacun éperonna son cheval et le poussa à sa pleine mesure.
De sa lance robuste, le Faé porte le premier coup, en pleine poitrine : il
la fait voler en éclats. Le chevalier sans nom le frappe en retour : il fend
les bois de l'écu, de sorte qu'il entame le haubert. Il enfonce son bon
épieu à travers l'épaule jusqu'à la douille, si bien que l'arme ressort
dans le dos d'un bon pied et plus. Elle tranche tout, bois, fer et os. Il la
pousse avec une telle violence qu'il abat tout ensemble, en une même
masse, le cavalier et sa monture. Il saisit alors vivement son épée
d'acier et retourne impétueusement à l'assaut. L'autre, qui gît sur le sol
grièvement blessé, s'empresse de lui dire :

— Seigneur chevalier, je me rends ! Quand vous vous montrez de
cette force et de cette vaillance, je ne peux pas résister contre vous ; je
me mets en votre merci.

Le chevalier sans nom lui répondit avec beaucoup de bonne grâce :

— J'accepte votre reddition. Mais je veux pourtant vous avertir
d'une chose, avant de la recevoir, car je n'ai aucune envie de vous

prendre en traître : vous allez venir avec moi à la cour du roi vous constituer prisonnier. Vous emmènerez avec vous votre amie. Et, si le roi vous l'accorde, vous l'aurez : sachez bien que vous ne pouvez pas l'obtenir si le roi y fait la moindre objection.

Le chevalier reste silencieux : ces propos le contrarient énormément. En réponse le chevalier sans nom lève son épée et fait mine de le frapper. Alors l'autre, trop mal en point pour pouvoir se défendre, se hâte de lui remettre la sienne.

— Ah ! chevalier, fait-il, grâces ! Faites en sorte, puisque je dois en passer par là, que je vous marque ma reconnaissance par une soumission totale ! Si je venais ainsi à perdre mon amie, je perdrais aussitôt la vie, car il n'y a personne au monde que j'aime autant qu'elle. Vous me paraissez d'une si exceptionnelle vaillance et d'une si parfaite courtoisie que je suis bien sûr que le roi me la rendra, si vous l'en priez !

— Chevalier, ne vous inquiétez pas, fait le chevalier sans nom ; quant à cela, sachez-le bien, on ne vous fera pas défaut.

L'autre est au comble de la joie. Il se prépare alors, lui et son amie, et fait panser ses plaies, puis il est prêt à se rendre à la cour avec le chevalier qui l'a vaincu. Tout en chevauchant, il l'interroge courtoisement :

— Cher seigneur, fait-il, je soupçonne — ce n'est pas là une subtilité de ma pensée, mais le pressentiment de mon cœur — d'après ce que je perçois et vois de votre comportement que vous appartenez à la maison du roi. Aussi vous prierais-je, si vous pouviez, de me révéler votre état, afin d'en être tout à fait sûr.

— Par ma foi, fait-il, je suis Gauvain. Il n'y a aucune raison de vous cacher mon nom, maintenant que j'ai prouvé par les armes que je suis bien vivant et en bonne santé. Je serais trop discourtois si, à vous ou à un autre, je taisais désormais qui je suis ; puisque, au prix de longues errances, j'ai recouvré le nom que j'avais depuis longtemps perdu, il est juste que je le fasse connaître partout. Il faut que se répande le récit du crime insensé que vous avez commis envers votre victime : vous êtes allé le mettre en pièces dans le bois, puis avez emporté le corps avec vous. Bien avant d'être sorti du bois, vous avez crevé les yeux du jeune garçon, qui n'était pas seul : il avait auprès de lui trois jeunes filles, aussi nobles que belles, qui manifestaient une vive affliction. S'il n'avait tenu qu'à elles, chacune en serait morte là sur place ; elles avaient toutes le visage pâle et décoloré, tant elles avaient pleuré. Dès que j'eus entendu leurs cris, je me hâtai vers elles. C'est alors que je vis, gisant à leurs pieds, un jeune homme d'une grande beauté mais qui était bien mal en point, car on lui avait tout récemment arraché les yeux de la tête. Quand je le vis si grièvement atteint avec ses deux yeux crevés, je ne mis pas en doute que toute la désolation des jeunes filles avait en lui sa cause. Je m'informai du malheur qui provoquait un si profond désespoir. La première me répondit aussitôt :

« — Seigneur, nous avons vu démembrer, ici même, un chevalier d'une grande valeur, sans pouvoir lui porter le moindre secours. »

« Je demandai qui il était, la seconde me répondit que c'était monseigneur Gauvain, qui cheminait par là frais et dispos mais sans avoir revêtu de haubert, dépourvu de toute arme à l'exception de son écu et d'une lance. Il allait ainsi en modeste équipage, sans serviteur ni écuyer. Voici qu'arrivèrent sur lui deux chevaliers armés, montés sur des destriers d'Espagne, qui traversèrent un champ avant de l'atteindre dans ce vallon. Ils lâchèrent alors les brides à leurs montures, avec l'intention de le tuer et de le mettre en pièces. Puis ils se mirent à l'apostropher :

« — Halte, halte, seigneur chevalier !

« L'autre les attendit de pied ferme, la lance dans la main. L'un des chevaliers lui dit d'une voix forte :

« — Gauvain, cette fois enfin vous ne nous échapperez pas !

« La bataille commença alors, tout à fait inégale. Les lâches traîtres tuèrent Gauvain et se mirent en devoir de découper son corps. Sagesse ou folie, n'écoutant que son courage, ce jeune homme accourut sur les lieux : il pensait venir en aide à Gauvain. Mais il ne lui fut d'aucun secours : on lui avait déjà tranché les membres. Pour prix de son assistance, le garçon eut les yeux crevés. Un des chevaliers attacha le corps sur son destrier ; ils se mirent aussitôt en route à travers le bosquet, filant à vive allure. Alors je promis sur-le-champ aux jeunes filles que le jeune homme serait vengé. Je m'en retournai, après avoir pris congé, sans m'être fait connaître. Je vous ai tellement cherchés et poursuivis que me voici en mesure d'exiger de vous réparation pour l'énormité de ce forfait. Vous pensiez qu'il s'agissait de moi, quand vous l'avez perpétré.

— Je vous assure, cher seigneur, que la situation est bien différente, répond l'Orgueilleux Faé.

Il lui raconta en détail comment fut montée toute cette affaire.

— Il n'y a pas lieu de la considérer comme un tel malheur puisqu'il est possible de la corriger. En présence de tous les gens de votre pays, je vous rendrai ce chevalier, avec ses armes et son destrier, plus sain qu'il ne l'a jamais été. De même, croyez-m'en, personne encore n'a joui d'une aussi bonne vue que le fera celui dont vous venez de parler : il me suffira de lui passer la main droite le long du visage, et il sera entièrement guéri.

Gauvain lui dit :

— Cher ami, je peux vous l'affirmer : si j'obtenais que le jeune homme recouvre la vue, et que le chevalier ne se ressente pas des méfaits de votre traîtrise, il se pourrait encore que vous fussiez quitte, et je m'y emploierai.

— Ne vous tourmentez pas pour cela, seigneur, fait l'Orgueilleux

Faé : jamais le chevalier n'aura joui d'une telle santé, non plus que le jeune homme, dans l'état où je vous les rendrai à la cour ; soyez bien tranquille sur ce point.

XIV

LE CHEVALIER À L'ARMURE NOIRE

Tout en parlant ainsi ils continuaient leur route, si bien qu'ils parvinrent à l'endroit où Gauvain s'était séparé d'Espinogre, son cher compagnon. Ils mirent pied à terre là, près du carrefour. C'est alors que survint, monté sur un cheval plus noir que mûre, un chevalier lancé au galop. Son destrier était incroyablement rapide ; à dire vrai, on n'aurait pu trouver son pareil dans toute la terre du roi Arthur. Le chevalier voyageait en toute sécurité : il était tellement bien armé, sans mentir, qu'il n'avait à redouter aucun coup, d'épée ou d'une autre arme. Il descendit de cheval à l'abri d'un charme, pour sangler plus étroitement son destrier. L'Orgueilleux Faé l'aperçut et dit aussitôt à Gauvain :

— Seigneur, j'ai bien l'impression, à voir là un chevalier sanglant son cheval et laçant son heaume étincelant de gemmes, qu'il a dans l'idée de vous faire quelque affront. Je veux être en votre service, aussi vais-je m'informer de ce que vous avez envie de savoir, d'où il vient et ce qu'il cherche.

Pendant qu'il tenait ces propos à Gauvain, voilà qu'arrivèrent à travers une plaine deux chevaliers armés de pied en cap. Il paraissait bien à leurs écus qu'ils s'étaient livrés un combat acharné : ils étaient tout couverts de sang. L'un montait un destrier blanc, l'autre, un alezan ; ce dernier n'était autre que Gomeret le Maure [1], chevalier de grande valeur. Espinogre le précédait, chevauchant le destrier blanc. Le chevalier à l'armure noire l'aperçoit, tandis qu'ils venaient en traversant le champ. Il monte alors sur son bon destrier rapide, et empoigne son écu et sa lance. Il se hâte d'éperonner dans leur direction, et lance son cheval pour l'attaque. Il se dirige vers Espinogre. Quand celui-ci le voit arriver sur lui, il se porte à ses devants avec fureur. Sans échanger une parole, sans se défier, ils se frappent sur les écus de leurs lances, et les écus se percent et se brisent ; mais les lances, massives et solides, résistent. Le chevalier se jette sur Espinogre avec une violence telle qu'il l'abat sur le gravier sans que l'autre puisse résister. Il s'élance une

---

1. Il s'agit bien entendu du chevalier précédemment connu sous le nom de Gomeret sans Mesure.

nouvelle fois : il frappe Gomeret sur son écu gris, et par-dessus la croupe du destrier l'envoie rouler à terre. Puis il s'empare des deux chevaux, sans se soucier de leurs cavaliers, et s'en revient à toute allure vers les deux qui, à l'ombre du bosquet, l'observaient depuis longtemps. Monseigneur Gauvain le courtois avait reconnu le cheval blanc. Il eut aussitôt la certitude que c'était à son compagnon que l'autre avait fait mordre la poussière. Il avait déjà saisi son vaillant destrier pour aller affronter le chevalier noir assez insensé pour partir seul en aventure. Gauvain n'imaginait pas en effet qu'il pût exister un chevalier assez valeureux pour se défendre de ses assauts, et il n'avait pas l'intention de laisser emmener les chevaux par quiconque.

— Seigneur, dit alors l'Orgueilleux Faé, je vais lui dire de venir vers vous ; et si son arrogance est telle qu'il ne veuille se déplacer à ma prière, je vous fais la promesse solennelle que cela ne finira pas sans bataille. Je lui ficherai dans le cerveau ma bonne épée bien tranchante. Je vous en prie : consentez à m'y laisser aller.

Gauvain s'amusa fort de cette requête, car telle était la coutume en ce temps-là : si, dans un assaut, un chevalier se lançait à l'attaque, un seul adversaire devait l'affronter ; s'il s'en présentait deux ensemble, ces derniers étaient aussitôt, à ce que je crois, hors de jeu et déshonorés. Nul ne se serait jamais mis à leur service dans une cour royale, si la chose était sue. C'est à cause de cette coutume que l'Orgueilleux prit les devants pour se mesurer au chevalier noir ; mais il pensait peut-être que son compagnon le tiendrait pour présomptueux.

Il s'avança donc sur son cheval à balzanes, et piqua droit vers le chevalier. Celui-ci, qui n'avait pas envie de perdre son temps en querelle, se dirigea à son tour vers lui à fond de train. L'Orgueilleux, avec une folle témérité, le frappa d'abord, sur son écu noir : à mon sens, s'il n'avait brisé sa lance, il aurait dû vider la selle, mais sa lance se rompit sous le choc. L'adversaire, arrivant sur lui au galop, l'avait déjà frappé sur son écu peint. Il y employa toute son énergie, tant il était emporté. Il lui disloqua entièrement son écu, et déchira les mailles de son haubert, mais un pourpoint que l'Orgueilleux avait revêtu par-dessous, fabriqué un habile artisan, ce jour-là lui sauva la vie. Toutefois, l'autre l'abattit de son cheval avec une telle violence qu'il lui déboîta le bras droit. Il ne voulut pas s'attarder sur les lieux et le planta là, emmenant son destrier rapide. Il prit également avec lui ceux d'Espinogre et de Gomeret et s'éloigna ainsi.

Gauvain est fortement irrité de la chute de l'Orgueilleux. Il vient à son Gringalet, l'enfourche par l'étrier gauche, et prend sa lance dans la main droite. Puis il dit à l'amie du Faé :

— Demoiselle, ma toute belle, vous allez rester ici sans vous effrayer, à l'ombre de cet ormeau, pendant que j'irai porter secours à votre ami ; je veux lui rendre son destrier, que ce chevalier là-bas emmène. Je souffrirai mille morts plutôt qu'il s'en empare, Dieu me protège !

Il la laisse sous l'ormeau et s'en va. Il rejoint son adversaire à travers la lande. Le chevalier noir lui demande à qui était cette demoiselle :

— Si vous le vouliez, seigneur, ajoute-t-il, nous pourrions en faire notre propriété commune.

— Par l'apôtre saint Paul, réplique Gauvain, je ne vous laisserais pas y toucher !

Et il poursuit :

— Seigneur, je vous demande d'être assez noble et généreux pour me rendre ce destrier blanc, ainsi que celui du chevalier que vous avez désarçonné dans la lande. La demoiselle vous enjoint de le lui restituer de bonne grâce, vous montrerez ainsi votre courtoisie et votre grandeur d'âme. Je vous prie en outre de me rendre le troisième, l'honneur que vous me ferez là sera rapporté dans un lieu où les hommes de bien seront nombreux à l'entendre.

— Par tous les saints de Rome, rétorque le sinistre chevalier, je vous trouve grossier et importun ! Vous m'avez requis d'une chose que je ne ferais pour rien au monde. Allez au diable et votre prière : vous n'aurez pas les chevaux si facilement ! Sachez-le bien, seigneur chevalier, si vous voulez être de quelque aide à la jeune fille, il faudra vous battre contre moi, ou j'emmènerai les quatre chevaux — car le vôtre sera du nombre ! J'emmènerai aussi votre amie qui attend sous l'orme. Et vous serez logé à la même enseigne que les autres : ils gisent là tout étendus, vous serez ainsi tous les quatre ensemble.

Gauvain dit alors :

— Vous me paraissez bien fourbe, et de détestables manières. Je suis convaincu que, quelque prière que j'en fasse, vous ne m'accorderiez rien de plus. Mais si je l'emporte sur vous, je compte bien les venger tous.

— Laissez donc là les menaces, chevalier, nous allons nous battre à égalité : il n'y a ici que vous et moi ; les autres se tiennent bien tranquilles, assommés comme ils sont là-bas. Sachez donc que je vous défie !

Sans perdre une minute, chacun prend son écu et sa lance. Ils se frappent si rudement que les deux lances se rompent sur les écus protégeant les poitrines ; elles partent en éclats. Les lances brisées, ils tirent promptement l'épée et la lutte commence. Ils sont d'excellents escrimeurs, et d'une hardiesse peu commune. Celui dont l'armure est noire comme l'encre va frapper monseigneur Gauvain de plein fouet sur le haut du heaume ; il le fend complètement jusqu'au cercle d'or. Le coup descend sur le coin de l'écu teint de sinople. Quant à Gauvain, il se jette sur son adversaire avec une fougue telle que les deux chevaux s'effondrent. Leurs cavaliers sont vite sur pied, Gauvain plus rapidement encore que l'autre : il n'a d'autre envie que de se venger, il fonce sur son ennemi avec la plus grande énergie, et l'autre fait de même. Ils cherchent réciproquement à se faire le plus de mal possible. Mais Gauvain, pour se venger du coup que l'autre lui a donné, lui rend la pareille : il le frappe à la volée sur le coin du haubert, d'un coup retentissant, et lui fait une large entaille circulaire. Il l'ouvre jusqu'à la coiffe ; encore un peu et le chevalier noir était renversé. A son tour celui-ci l'attaque de biais, il lui fend son écu et le brise ; le coup est d'une force telle que, par-delà l'écu, la lame découpe un des pans du haubert et fait une marque dans la ceinture [1]. S'il l'avait atteint de face, je pense qu'il l'aurait jeté à terre. Mais Gauvain ne bronche pas ; au contraire il marche rapidement sur l'autre et le frappe violemment ; son épée sonne clair au sommet du heaume de métal poli. L'autre, en escrimeur consommé, l'a fort bien reçu : dans l'art des armes, il ne craint personne. Dans un suprême effort, il assène à Gauvain un terrible coup sur l'écu ; il provoque un tel dégât qu'il lui rompt séance tenante cent mailles de son haubert brillant, et lui fait glisser sa cotte d'armes d'un bon pied jusqu'à la ceinture. Gauvain peut s'estimer heureux de n'avoir pas le corps tranché, avec la lame qui a glissé ainsi entre l'aisselle et l'écu. Mais de son côté il fait pleuvoir une grêle de coups sur l'écu noir.

Aucun spectateur de ce combat n'aurait pu dire quel était le meilleur. Jusqu'au soir, à la tombée de la nuit, ils se battirent ainsi sans faiblir, si bien que les trois qui étaient au repos sous les aulnes ne savaient désigner le vainqueur. Ils s'en vinrent vers eux au plus vite. Le chevalier noir, qui avait dégarni Gauvain de son armure jusqu'à la ceinture, se hâta de lui dire :

— Noble et vaillant chevalier, faut-il que je me garde de ces trois qui foncent ici sur moi tout armés ?

Gauvain lui réplique aussitôt :

— Ami, je vous l'assure en toute loyauté et sans plaisanter le moins du monde : il n'est personne, fût-il de mes intimes, que je ne frappe sur-le-champ, s'il vous agressait contre mon gré. Ce n'est pas de cela qu'on me fera reproche !

Alors il ordonne à ses trois compagnons de se retirer en arrière. Eux s'exécutent sans se permettre, quoi qu'il arrive, le moindre mot. Le chevalier noir lui dit :

— Chevalier, écoutez mon conseil : mettez-vous en route, sain et sauf, avec vos trois compagnons, et laissez-moi quittes ces quatre chevaux norois, ainsi que la demoiselle qui vous attend sous l'ormeau ; vous y aurez tout avantage, car vous aurez la vie sauve.

---

1. Nous ne traduisons pas ici les vers 6041-42 ; pour ces deux vers et les deux qui précèdent, la tradition manuscrite est spécialement embrouillée.

— Par ma foi, vous dites là une bien grande folie, riposte Gauvain. Si cette épée ne me trahit pas, je vais vous livrer une telle bataille, avant que nous nous séparions vous et moi, que j'aurai et la dame et les chevaux.

Alors les chevaliers se ruent l'un contre l'autre, si rudement, avec une telle fureur, qu'ils se seront grièvement atteints avant même d'avoir pu se rendre compte à qui ils ont affaire. Gauvain lui assène un tel coup sur le haut de son heaume ciselé que son épée y fait une entaille : la lame s'introduit jusque dans la cervelle. Il la retire par une torsion brutale. Ce coup précipite l'adversaire à terre sur les genoux. Mais il se relève d'un bond, et repart à l'assaut. Jamais encore, en aucun pays, deux hommes ne se sont fait autant de mal. Les trois chevaliers qui se tiennent à proximité et les regardent, assurent qu'il est anormal de se battre encore à une heure aussi avancée [1]. Aussitôt le chevalier noir dit à monseigneur Gauvain :

— Chevalier, montrez-vous civilisé, demeurons pour ce soir en repos ; quand demain le jour sera levé, retrouvons-nous ensemble ici : voyez comme la nuit est tombée. Vous garderez ces chevaux avec vous, à la condition que nous les ramènerons demain ici avec nous, ainsi que la demoiselle, je veux être sûr de cela.

— Certes non ! lui dit Gauvain, je ne les emmènerai que si je peux les gagner par ma victoire. Je vous vois bien trop cruel et sans scrupules !

— Seigneur chevalier, il est trop tard pour continuer, fait le chevalier à la sombre armure, mais n'ayez crainte : je serai là demain matin.

— S'il plaît à Dieu, dit Gauvain, nous ne nous séparerons pour rien au monde avant que je sache si je peux emmener les chevaux, la jeune fille et les chevaliers, sans dispute ni contestation.

— Vous m'estimez donc bien peu, il me semble, seigneur chevalier, parce que le premier je vous ai proposé la trêve ! Vous me trouverez toujours disponible au combat et je vous offrirai plusieurs occasions de vous battre : de ma vie entière, vous n'obtiendrez la moindre chose qui m'appartienne sans la conquérir à la pointe de vos armes. Toutefois, je suis convaincu de votre courtoisie et de votre vaillance ; je vous requiers donc instamment de me dire votre nom ; il est bien juste que je l'apprenne, et vous le mien. Ensuite je vous supplie de ne me ménager en rien. Mais je veux savoir qui vous êtes, et connaître au moins cela de vous. C'est ce que m'enseigna mon maître d'armes : de ne jamais engager le combat contre quelqu'un sans m'informer de son nom, sous peine de me montrer fourbe et grossier.

---

1. La coutume, dans les combats singuliers — notamment dans les duels judiciaires —, est en effet de cesser le combat au coucher du soleil : c'est alors le défendeur qui est donné pour vainqueur.

— Eh bien ! fait l'autre, je m'appelle Gauvain.

— Gauvain, vraiment, le neveu du roi ?

— Mais oui, fait Gauvain, je vous l'assure, vous avez bien dit ; jamais, j'en prends Dieu à témoin, je ne cacherai mon nom à un chevalier.

L'autre voulut alors se mettre à genoux devant lui pour demander grâce :

— Je pourrais le jurer, fait-il, jamais je n'en aurais cru le témoignage de quiconque si je ne vous avais vu de mes yeux ; car on raconte que l'Orgueilleux Faé, dans la folie de son orgueil, vous a tué et coupé en morceaux. Ne voyez pas là le comportement d'un lâche, noble et vaillant chevalier : sur la foi que je dois à Arthur le roi, qui est mon seigneur et mon ami, je considère que vous m'avez réduit à merci. Voici mon épée, je vous la rends. Je suis fort en colère et chagrin de ne pas vous avoir reconnu. Je sais bien que je vous ai créé des ennuis. Je m'en repens, aussi vrai que j'implore mon salut de Dieu ! Je vous l'affirme : dans cet assaut, c'est moi le vaincu. M'offrirait-on cent marcs, ou plus encore, je crois que je ne pourrais pas en endurer davantage. Et puisque je suis conquis, je me rends à vous : recevez mon épée, je vous l'abandonne.

Gauvain se hâte de lui répondre :

— Cher ami, gardez donc votre épée : elle est bien placée en vous, tant vous montrez de courage et d'audace. Et comment vous appelez-vous ?

— Seigneur, mon nom est le Laid Hardi. Pour ce qui est de la laideur, je ne suis pas calomnié. L'autre soir j'ai quitté ma terre pour aller voir si je pouvais apprendre de vos nouvelles. Sachez-le, je vous aurais tant cherché que j'aurais bien fini par entendre parler de vous, avant de songer à revenir. Maintenant je me suis mesuré à vous, et les choses ont bien tourné pour moi ; car si l'assaut avait duré plus longtemps, j'aurais craint pour ma vie.

Gauvain comprend qu'il a en face de lui un ami très cher ; il jette aussitôt son écu et délace son heaume. Ils se serrent dans les bras l'un de l'autre, et se manifestent mutuellement la joie la plus vive. Je ne pense pas que personne puisse voir jamais deux chevaliers d'une si parfaite conduite. Chacun d'eux est d'une valeur exceptionnelle ; tout à l'heure la plus grande férocité les animait, les voici maintenant paisibles et doux. Tous deux se hâtent auprès de la jeune fille qui attendait encore. Ils la font promptement monter sur son cheval, puis ils se mettent en route. Tous trois, Gauvain, le Faé et Espinogre, conduisent Gomeret à sa demoiselle. Espinogre raconte à Gauvain comment s'est déroulé son propre combat, comment son adversaire s'est rendu et a dû venir en sa merci.

— Ami, lui dit Gauvain, vous m'avez admirablement servi. Que la chance soit avec vous, aussi bonne que je le souhaite !

XV

LA FIN DES AVENTURES

Ainsi chevauchèrent-ils rapidement, car on était tout près de l'heure de vêpre. Un autre fit à Gauvain le récit de ce qui lui était arrivé, si bien que chacun lui décrivit comment les choses s'étaient passées pour lui. Ils conversèrent ainsi jusqu'à ce qu'ils fussent parvenus au château de Tristan-qui-jamais-ne-rit, celui qui avait si honorablement traité Gauvain et Espinogre.

Tristan, dès qu'il les vit, se précipita à leur rencontre :

— Seigneurs, soyez les bienvenus ! fait-il.

C'était un homme d'expérience, encore jeune, et chevalier de belle allure. Il se précipita pour prendre Gauvain à l'étrier, et l'aida à mettre pied à terre. Des écuyers coururent prendre son cheval ; beaucoup appartenaient à la noblesse. Ils firent vite descendre les trois autres chevaliers. Ils furent nombreux aussi à aider les deux demoiselles. Et sachez bien qu'avec eux, déjà à terre, se trouvait le Laid Hardi, qui n'était pas peu empressé auprès de monseigneur Gauvain. Tristan prit celui-ci par la main, et le conduisit en haut dans la salle d'apparat, comme la courtoisie l'y invitait. Il apporta toute son attention au service. Le soir, pour leur dîner, ils eurent en abondance pain et vin, oiseaux rôtis, pluviers, faisans, perdrix et grands cygnes, car le parc en regorgeait. Tristan, qui était largement pourvu de tout ce qui convient à un homme de bien, les reçut ce soir-là avec magnificence. Je ne saurais raconter en peu de mots l'accueil qu'il leur fit. Il procura à chacun un bon lit, pour qu'ils pussent dormir et se reposer, car ils étaient fatigués de leurs errances, harassés et fourbus. On voyait bien à leurs écus qu'ils s'étaient livré de terribles assauts.

Tristan était tout fier de l'honneur de tenir Gauvain par la main droite, et sachez qu'il s'enorgueillit d'avoir par deux fois été son hôte. Il se tourna vers le Laid Hardi, qui était d'une haute naissance :

— Seigneur, je crois que vous êtes au bord de l'épuisement ; je vois que vous êtes atteint et blessé sous votre coiffe blanche. J'ai une très charmante fille qui vous y appliquera un baume propre à supprimer la douleur : dès qu'elle vous en aura mis une seule fois, vous n'en souffrirez plus jamais. La plaie sera absolument guérie !

Le chevalier à l'armure noire l'en remercie, tout réjoui de cette promesse ; et monseigneur Gauvain prie leur hôte de lui dispenser son aide, s'il est en mesure de le faire. Tristan se rend aussitôt dans la chambre où se tenait sa fille et lui demande, si elle pouvait secourir ce chevalier, de le faire sans tarder. Elle, dont les manières étaient parfaites, lui dit :

— Malgré tous mes efforts, la plaie ne pourra pas être guérie aujourd'hui même.

Elle pansa la plaie d'une herbe au pouvoir puissant, appelée toscane ; le blessé dormit ensuite tout à loisir, jusqu'à ce que Dieu fît venir le jour. Les chevaliers alors se levèrent et s'apprêtèrent. Ils passèrent tous la journée dans le château à se reposer, jusqu'au lendemain. Puis monseigneur Gauvain prit la parole, la mine sombre et soucieuse. Il parla ainsi à son hôte :

— Cher hôte, vous si noble et bienveillant, vous connaissez bien toute notre histoire, et le détail de nos errances. Maintenant je veux que nous soit présenté dans son écrin le bras que vous nous avez montré, si je me rappelle bien, le soir où nous avons logé chez vous pour la première fois.

Alors Tristan regarda celui qui avait nom l'Orgueilleux Faé.

— Seigneur, dit celui-ci, ses prétentions sont légitimes : il m'a livré un si rude assaut qu'il nous faut, mon amie et moi, nous en remettre à ses volontés. Mais nous avons convenu de la chose suivante : s'il me laissait vivre assez pour vous restituer sain et sauf le corps que je vous avais confié, il est entendu avec lui qu'en échange il me donnera son amitié, et me cèdera mon amie sans réserve — à une dernière condition : que je lui rende le jeune homme avec une vue parfaite et absolument sain. C'est à quoi je me suis engagé au terme de la bataille, et Gauvain me l'a accordé.

— C'est bien en effet ce que je vous ai promis, fait Gauvain, soyez sans inquiétude sur ce point.

— Seigneur, dit l'Orgueilleux Faé, qu'on apporte promptement le bras et le corps dans leurs deux reliquaires [1].

Tristan y court et on les amène aussitôt ; il place devant lui le coffre en cuir de cerf, et le Faé entreprend de le découdre. L'écrin qui contenait le bras du chevalier était déjà là. Sans tarder le Faé en ôte le bras et le pose derrière lui sur le corps ; celui-ci redevient aussitôt plus vif qu'un poisson. L'Orgueilleux, qui était magicien, avait reçu ce don en partage. Le chevalier ramené à la vie leur raconte comment celui-ci le rencontra dans le bois et vint l'attaquer, comment lui se défendit, et mourut sans s'en rendre compte, comment il est ensuite resté en repos, enfermé dans le cuir de cerf. Gauvain s'émerveille fort de ce récit et se signe devant cette étonnante aventure. Le Laid Hardi fait de même. Tristan, témoin de la merveille ainsi que toute sa maisonnée, s'em-

---

1. L'éditeur souligne à juste titre deux incohérences narratives : seul le bras du prétendu Gauvain avait été cédé à Tristan. De même, Gauvain n'a couché qu'une seule nuit chez Tristan.

presse de demander à l'Orgueilleux qui lui avait fait don d'un tel pouvoir. Celui-ci lui répond :

— Il me fut donné la nuit où je suis né.

Gauvain s'informa alors du nom du chevalier tué :

— Seigneur, fait-il, ceux qui me connaissaient m'appelaient le Courtois de Huberlant, je vous en donne ma parole.

L'allégresse fut alors générale. La cour entière frémit de joie ; on se livra aux réjouissances toute la journée jusqu'à la nuit, au moment de se coucher.

Au matin, quand il fit jour, les chevaliers mirent aux chevaux brides et selles, et firent monter les deux jeunes filles — l'une était l'amie de Gomeret, l'autre, de l'Orgueilleux Faé —, puis tout le monde prit la route. Tristan leur hôte les accompagna jusqu'au-delà du vallon, puis il leur dit :

— Seigneur, si vous en étiez d'accord, j'aimerais me rendre avec vous à la cour et j'emmènerais avec nous ma fille, si belle et noble, que Nature a mis tout son art à façonner. Elle est déjà toute prête, voyez-la montée sur sa mule.

Gauvain montre une grande joie de ce qu'il entend :

— Seigneur, fait-il, je vous l'assure, vous ne pouviez pas nous faire une proposition plus courtoise !

Maintenant les demoiselles étaient trois, et les chevaliers, si on les compte, sept, à ce que raconte l'histoire. Ils chevauchèrent si longtemps que vers midi ils approchèrent du château de Codrovain le Roux, dont on connaît le courage et la hardiesse. Là séjournaient ceux qui avaient participé à l'assaut avec Cadret, quand il délivra son amie, et bénéficia ainsi d'un précieux secours. Il s'y trouvait aussi Raguidel de l'Angarde. La jeune fille qui avait refusé à Gauvain le vin, la viande et le pain, le vit venir et, dès son arrivée, ceux qui l'attendaient au château le reconnurent aussitôt. Vous imaginez combien il en fut heureux. Il leur raconta toute son histoire, comme je l'ai fait ici, ce qui lui était arrivé après les avoir quittés, le combat qu'il avait livré à l'Orgueilleux Faé, et Espinogre, à Gomeret, comment ils s'étaient réconciliés.

Chacun s'en réjouit vivement. Tous lui prodiguent les marques d'honneur et assurent que, par amitié pour lui, ils s'attarderont un jour entier.

— Seigneurs, leur dit Gauvain, j'apprécie infiniment votre accueil et vous en remercie, mais avant demain midi je voudrais être à Carlion avec mes compagnons. J'emmènerai avec moi ces jeunes filles, si belles et courtoises.

— Seigneur, dit Cadret, je vous hébergerai ce soir dans ce château de Codrovain. Demain, quand il fera jour, nous irons en votre compagnie.

— Je ne refuse, dit Gauvain, ni telle compagnie ni telle escorte.

Je ne saurais vous rendre compte de la joie qui fut la leur, ni de tous les mets, brochets, poivrade, pains, poissons de mer, vins, qui leur furent servis au souper. Ce fut ce soir-là une grande fête. Au matin, ils montèrent promptement sur leurs chevaux. Pour honorer monseigneur Gauvain, Codovrain fit appel à ses gens, soixante-quatre chevaliers armés de pied en cap sur leurs destriers.

Les chevaliers chevauchèrent sans obstacle. Au bout d'un certain temps, ils arrivèrent dans la forêt où l'Orgueilleux Faé avait crevé les yeux du jeune homme. A force de s'informer des jeunes filles qui lui avaient conté les crimes du Faé, selon le récit qui en a été fait, Gauvain finit par les retrouver. Leur manoir était dans la forêt. La tristesse et l'amertume y régnaient, à cause de la mort de monseigneur Gauvain : tous croyaient être bien sûrs qu'il avait été tué et son corps découpé. Gauvain demanda alors comment allait le jeune homme :

— Seigneur, fait l'une des jeunes filles, comme quelqu'un qui ne voit plus ni le ciel ni la terre.

— Allez le chercher, fait Gauvain, et amenez-le moi au plus vite.

Elle s'exécuta aussitôt. Elle ramena le garçon, qui avait fort belle allure. Il était sage et courtois : fils de comte ou de roi, il n'aurait pas eu une plus noble prestance. L'Orgueilleux Faé lui passa alors sa main le long du visage, et lui rendit la lumière : le jeune homme recouvra meilleure vue que cerf ou daim. Dès qu'il porta les yeux sur Gauvain, il le reconnut.

— Seigneur, soyez le bienvenu, fait le jeune homme avec une grande douceur. J'étais persuadé, j'en prends Dieu à témoin, que c'est vous dont le corps avait été mis en pièces ; je sais maintenant qu'on avait pris pour vous le chevalier ici présent, le Courtois de Huberlant, ainsi nommé parce qu'il ne voulut jamais appartenir à une cour [1].

Le jeune homme raconte tout ce qui lui est arrivé, selon le récit qu'on en trouve dans le livre. Mais le seigneur Dieu l'a regardé, et lui a rendu la vue.

On ne s'attarda pas davantage en ces lieux. Tous se remirent en selle sur l'heure. Monseigneur Gauvain, sans perdre de temps, aida les trois demoiselles et prit garde de ne pas oublier le jeune homme, qui s'appelait Martin ; il le fit monter sur un roncin. Ils chevauchèrent ensuite à vive allure.

Ils s'en vinrent tout droit à Carlion, à l'heure prévue pour le souper : on avait déjà annoncé au son du cor le service de l'eau, et les convives étaient à table. C'est alors que survint un chevalier qui leur donna ces

---

1. Ce trait, qui justifie le nom du chevalier, est attribué plus tard au roi de la Rouge Cité.

nouvelles. Le roi Arthur s'en réjouit fort, ainsi que tous ceux de la cour. Le peuple entier s'élance au-devant de Gauvain ; le roi y court avec la reine ; il n'y a jeune fille ni suivante qui ne manifeste à cause de lui la joie la plus vive. Le roi l'embrasse en riant, tout heureux de sa venue.

Gauvain lui raconte sans désemparer la suite de ses aventures et lui fait le récit détaillé de ce qui lui est arrivé. Ils ont tous mis pied à terre. Il n'y a comte ni baron, roi ni prince, dans la maison, qui n'emploie tous ses efforts à servir les compagnons de Gauvain. Le roi accueille dignement les chevaliers, et leur adresse d'aimables paroles ; de son côté la reine s'en va avec les demoiselles, elle les conduit toutes dans ses appartements garnis de tentures et les traite avec beaucoup d'égards, par générosité et à cause de l'amitié qu'elle éprouve pour monseigneur Gauvain. Cette nuit-là jusqu'au lendemain, ils se reposèrent tous tranquillement.

Au matin, le roi se leva et se rendit devant la salle. Gauvain descendit les marches à son tour et s'accouda près de lui. Il lui raconta de quelle misère il avait tiré la jeune fille trouvée dans le cimetière. Il lui dit ensuite comment il avait conquis celle qu'emmenait Escanor. Il narra les nombreuses aventures qu'il avait rencontrées, dures et éprouvantes. Il lui rappela pour finir qu'il devait marquer sa reconnaissance de l'honneur que tous lui avaient prodigué, ainsi qu'il venait de le rapporter.

Le roi fut au comble du bonheur : il n'était jamais en reste pour s'acquitter, il prenait au contraire le plus grand plaisir à se montrer bon et généreux. Il lui dit :

— Je veux me comporter en cela selon vos désirs. Mais je souhaite d'abord être vengé de celui qui m'a si fort chagriné en se vantant à tort, publiquement, de vous avoir tué. Je tiens à obtenir vengeance de cet outrage.

— Sire, répond Gauvain, je ne le voudrais pour rien au monde. Les coupables sont venus en ma compagnie, et j'ai conclu avec eux une entente dont ils ont respecté tous les engagements : ils ne doivent pas être inquiétés.

— Très bien, fait le roi Arthur, ce sera comme vous voudrez.

— Sire, fait Gauvain, vous allez donner leurs amies aux deux chevaliers ; jamais, depuis l'époque de Jérémie, vous n'avez vu deux êtres plus courtois. Vous donnerez la sienne à Espinogre, et Cadret épousera celle qu'il a reconquise. Raguidel obtiendra également son amie, car il me rendit bien service, en me fournissant un bon destrier.

Le roi à son tour parle du roi de la Rouge Cité, comment il s'est rendu à lui et a pris la vie de cour, lui qui n'y avait jamais appartenu, et comment il lui a fait le serment de chérir désormais son amie. Monseigneur Gauvain le prie, à propos des deux jeunes gens qu'il a amenés, de les adouber au plus vite : qu'il les fasse nouveaux chevaliers, et leur attribue terres et châteaux. Tous s'apprêtent selon les dispositions prises par le roi et son neveu. Ils célèbrent les mariages sans contestation ni querelle. Ils conduisent aussitôt les jeunes gens à l'église. La procession fut imposante, comme le requérait la solennité des circonstances. L'évêque Raignier de Chester marie sans tarder les jeunes filles aux chevaliers auxquels elles étaient promises par mandement du roi.

L'église ne fut pas silencieuse. Tous, petits et grands, s'y abandonnèrent à la plus bruyante allégresse. Les jongleurs de plusieurs pays chantèrent et firent résonner leurs vielles, cornemuses, harpes et orgues, tambours et psaltérions, gigues, flageolets et flûtes, trompettes et chalumeaux. Chacun se laissa aller à la joie, toute la cour en retentit, car le roi Arthur était particulièrement munificent : jamais on ne le vit avare et mesquin. Il s'employa du mieux possible à fournir à tous ce dont ils avaient besoin. Et chacun coucha avec son épouse, à son désir et à sa guise.

Au matin, quand il fit grand jour, les jongleurs furent payés : les uns eurent de beaux palefrois, de riches vêtements et de superbes harnais ; les autres se virent gratifiés selon leur état ; tous furent pourvus de vêtements et de deniers, et reçurent paiement à leur gré. Les plus pauvres se trouvèrent comblés. Une fois payés, les jongleurs retournèrent dans leur pays, et la cour se sépara. Chaque chevalier partit avec son amie dans la joie et l'allégresse. A la fin des noces, tous, grands et petits, regagnèrent leurs terres.

Qu'ils le sachent tous, les haut placés autant que les humbles ! *Le Cimetière du Grand Péril* prend fin puisque Gauvain, après avoir été si longtemps par monts et par vaux, a retrouvé sa place à la cour. Ici finit notre roman. Que Dieu nous donne de vivre cent ans heureux et honorés, et qu'il nous accorde joie et allégresse !

GLIGLOIS

Récit en vers traduit et présenté par Marie-Luce Chênerie,

Écrit dans la première moitié du XIIIe siècle,
par un auteur anonyme.

INTRODUCTION

Ce court roman biographique (2 942 octosyllabes), d'auteur inconnu, datant sans doute de la première moitié du xiiie siècle, figurait dans un seul manuscrit, que détruisit l'incendie de la bibliothèque de Turin en 1904. Par chance, plusieurs copies en avaient été faites pour une édition projetée par W. Foerster. On a dit que, sans être une œuvre littéraire de premier ordre, *Gliglois* était loin de manquer d'intérêt. Il nous semble plutôt que ce récit bref, bien composé, plein de talent, de culture et d'esprit, doit apporter beaucoup à l'étude de l'évolution du genre arthurien et à celle du roman courtois au xiiie siècle.

Le lien avec la matière arthurienne est assez lâche, mais il repose sur une trouvaille qui est le point de départ de toute une série de joyeux contre-pieds : Gauvain, le modèle de prouesse et de courtoisie, le neveu du roi, aimé de loin ou séducteur assuré, est ici évincé dans l'amour d'une orgueilleuse demoiselle par un jeune étranger, un naïf, un *nice ;* la demoiselle, une cadette sans terre, ne vient pas demander assistance au roi Arthur, mais de *servir ;* en fait, le patronage de la reine, détournée aussi de Gauvain, doit l'aider à trouver un mari qui l'aime pour sa beauté, c'est-à-dire pour elle-même, tout en autorisant mises-en-scène et coquetteries courtoises. D'où une première partie qui fait partir l'intrigue du monde arthurien, où le réel se mêle à la fantaisie ; puis un temps d'épreuve, non pas avec une quête parsemée de combats ou de rencontres merveilleuses, mais avec une poursuite humiliante, à pied, dans la chaleur estivale de la forêt, derrière une cruelle insensible ; et à la fin, l'abandon sans réserve à la mystification féminine, ce qui vaut au héros d'être *adoubé,* au double sens du mot, d'être pourvu d'armes et fait chevalier pour le tournoi de la troisième partie. De ce tournoi, thème littéraire à grande fortune, Gauvain est encore écarté avec une malicieuse désinvolture, tandis que la cour admire les vertus de largesse et de prouesse de Gliglois, en qui elle n'ose reconnaître l'humble et timide écuyer de naguère ; cela malgré des contrepoints ironiques, où la malchance fait de lui un homicide involontaire et un prisonnier du camp adverse, remis à la discrétion flatteuse de la reine Guenièvre, qui lui donne la main de Beauté et un fief.

La brièveté de ce roman contraste avec les longs développements des romans arthuriens en vers, qui veulent à la même époque rivaliser avec les romans en prose. Elle repose sur la concentration des lieux et du temps — le tournoi, réduit à un jour, se tient non loin d'une ville royale —, sur le petit nombre de personnages, sur l'intrigue relativement réduite, l'absence de digressions. Mais cette brièveté est d'autant plus appréciable qu'elle joue avec nombre de réminiscences littéraires, jusqu'à l'épilogue qui ramasse le thème du roman, dans la louange des contradictions de la *fin amor,* à la manière de la lyrique courtoise. Une narration rapide, des dialogues vivants ou piquants, ménagent volontiers le suspens et les coups de théâtre, surtout tirés des contradictions de la nature féminine. Le folklore ne fournit ni merveilleux ni fantastique ; l'auteur lui préfère un réalisme léger, malicieux ou fonctionnel — le service de l'écuyer tranchant, les soins aux oiseaux et la séduction dans le verger, le religieux qui vit de ses écritures, la toilette et les vêtements du nouveau chevalier, la grange fortifiée, l'affluence et la fête pour le tournoi, les précisions sur les manœuvres et la mention des aléas de ce jeu guerrier.

L'humour soutenu, le ton parfois burlesque, ne nous paraissent pas relever d'intentions parodiques ; l'esprit critique, qui renouvelle les types littéraires comme pour un joyeux divertissement, confirme, en les épurant au besoin, les préjugés et les modes de la société courtoise, qui gagnaient alors la petite noblesse ou la riche bourgeoisie. Le talent et la manière de l'auteur méritent en tout cas d'être rapprochés de ce qu'offrent des œuvres plus célèbres, *Ipomedon, Le Bel Inconnu, Guillaume de Dole, Aucassin et Nicolette* même, et qui furent peut-être ses sources plus ou moins directes.

Marie-Luce CHÉNERIE

BIBLIOGRAPHIE

Gliglois, édition par Ch. H. Livingston, Cambridge, Mass., U.S.A., Harvard University Press, 1932. Compte rendu par A. Längfors, *Romania,* 58, 1932, p. 450-3.

Voici comment Gliglois endura de grands tourments pour son amie.

Au temps où Arthur régnait en Grande Bretagne, il y avait en Allemagne un noble et vaillant châtelain ; sa femme lui avait donné un beau garçon, à qui ne manquaient ni le savoir ni les bonnes manières. Son vrai nom, celui qu'il avait reçu au baptême, était Gliglois. Toutes ses belles qualités justifiaient l'amour de ses parents ; à quatorze ans passés, grande était la beauté du jeune seigneur ; il s'y connaissait fort bien en chiens et en oiseaux, la chasse à courre et au vol n'avait pas de secrets pour lui.

Un jour son père décida de l'équiper richement et de l'envoyer sans plus tarder à la cour du roi pour y mériter ses armes de chevalier ; quand il eut tout prêt, deux jeunes gens lui furent donnés pour le servir. Son père lui avait dit :

— Je désire que vous alliez à la cour pour y apprendre à bien vous conduire. Prenez sur mon trésor tout ce que vous pouvez désirer, ne vous restreignez aucunement. Offrez vos services à Gauvain : s'il vous retient, n'ayez pas de fierté, servez-le avec soumission, pour l'amour de moi.

— Seigneur, avait-il répondu, je vous rends grâce de ces conseils que je suivrai, et je vous dis adieu.

Après, il avait embrassé sa mère plus de cent fois, et tandis qu'on amenait les chevaux, il avait recommandé ses parents à Dieu. Puis il avait enfourché sa monture, et ne s'était jamais arrêté le jour, ne dormant que peu la nuit, jusqu'à son arrivée à Carduel.

Cela se passait en mai, un jour de la saison chaude. Gliglois mit pied à terre devant le pont-levis et monta les marches de la grande salle. Le repas était terminé et le roi s'était retiré dans sa chambre pour se reposer ; Gauvain s'était mis à jouer au tric-trac avec un chevalier. Gliglois rencontra un écuyer et lui demanda fort courtoisement :

— Ami, cher frère, où est Gauvain le neveu du roi ?

— Très cher ami, le voilà là-bas, avec un manteau de petit-gris ; il vient tout juste de commencer à jouer.

Gliglois le rejoignit, et, avec une distinction parfaite, il s'agenouilla devant lui pour lui dire :

— Seigneur, je vous le demande, retenez-moi pour vous servir.

Gauvain lui répondit volontiers :

— Entendu, bien cher ami. Mais de quel pays venez-vous ?

— Seigneur, je suis né en Allemagne, ainsi que toute ma parenté, à l'intérieur de ses frontières. Dieu fasse que par mon service je puisse gagner des armes et retourner dans mon pays.

Gauvain le pria de se relever et le fit conduire là où il logeait. Quand le soir arriva, Gliglois alla servir à la cour.

Il se fit aimer de bien des gens, car il sut se distraire en étant généreux ; il ne se passa pas trois mois que tout le monde l'avait pris en affection, à commencer par le roi, ce qui était justifié, car jamais personne nulle part ne se donna tant de peine pour servir. Gliglois allait souvent chasser dans les bois et sur les rivières ; il allait aux fêtes, aux joutes, où ses exploits lui attiraient force louanges. Il dépensait sans compter.

Il arriva qu'à une Pentecôte, Arthur tint cour plénière ; suivant l'usage, chacun se préparait à y aller — elle se tenait à Carahet — car personne, si loin fût-il, n'aurait osé la manquer, sinon cette absence aurait coûté cher. Bref, quinze rois et trente comtes vinrent participer à la fête décidée par le roi. Vous auriez pu voir alors de somptueux équipages. Il arriva maintes aventures ; mais je ne veux rapporter que celle d'un jeune homme et d'une jeune fille, aussi beaux l'un que l'autre.

La fête battait son plein dans la ville et les jeunes gens s'y amusaient fort ; dans les églises on célébrait nombre de grands offices ; les cloches sonnaient à toute volée ; les religieux s'efforçaient de faire retentir les orgues. Le roi Arthur se rendit à la chapelle, escorté avec honneur par bien des chevaliers. Grands et petits portaient des vêtements de soie ; le roi trouvait devant ses pas des tapis qu'on étendait avec grand soin ; il porta couronne ce jour-là, en présence d'une foule de grands seigneurs ; la reine aussi porta couronne, avec la même noblesse. Les offrandes furent magnifiques ; après les chants, Arthur se recueillit en prières, puis revint dans la salle du palais. Quand les serviteurs eurent dressé les tables, un repas délicieux et somptueux fut servi. C'était une très belle fête de cour.

Soudain surgit une jeune fille en très noble appareil ; elle était vêtue fort richement de soies diverses, brodées jusqu'aux poignets, avec une pelisse de dessous en petit-gris. Elle était si belle et si blanche que tout ce qu'on aurait pu en dire aurait été conforme à la vérité. Elle arrivait sur un mulet bien dressé à l'amble, qui la mena juste devant le roi ; alors seulement elle tira légèrement sur ses rênes. Gauvain se précipitait déjà pour l'aider à descendre quand elle lui demanda d'attendre un peu ; elle salua alors le roi avec solennité :

— Que Dieu le créateur du firmament prenne en sa sauvegarde l'empereur et qu'il lui accorde beaucoup d'honneur !

La voyant si bien vêtue et si belle, le roi Arthur lui répondit :

— Chère amie, que le Très-Haut, notre Créateur, vous protège !

— Sire, je viens de loin pour vous prier de me retenir ; j'aimerais rester parmi les vôtres.

Le roi Arthur, fort réjoui par ces propos, se leva alors et reprit :

— Soyez la bienvenue !

Il la prit dans ses bras pour la faire descendre de son mulet, puis la saisissant par la main, il appela Gauvain :

— Cher neveu, de ma part menez la jeune fille que voici à la reine, et dites-lui bien que je la lui envoie, que je lui demande d'avoir les mêmes égards pour elle que pour moi.

— Sire, à vos ordres, répondit Gauvain en prenant à son tour la main de la jeune fille.

Il lui fit traverser courtoisement la vaste salle, en lui demandant avec une grande délicatesse :

— D'où êtes-vous, ma chère fleur ?

— Seigneur, je suis née à Landemore ; nous sommes deux sœurs, et je suis la cadette ; j'ai perdu ma mère il y a deux ans, je n'ai pas le souvenir d'avoir vu mon père.

— Quel est votre nom ?

— Beauté.

— Belle, je suis tout prêt à me mettre tout à votre service.

— Seigneur, c'est une noble parole ; eh bien, quand je vous le demanderai, faites-le, et je vous en saurai gré.

Ils entrèrent alors dans la chambre de la reine, et Gauvain, la tenant toujours par la main, la remit :

— Ma dame, le roi vous demande de servir cette jeune fille, et ainsi vous lui ferez honneur à lui-même ; mais moi aussi je vous prie instamment de lui faire honneur en mon nom.

— Seigneur, elle sera traitée noblement pour le roi et pour vous ; (sachez bien que son cœur y était, et qu'elle n'en fit pas une affaire) et aussi en raison de sa beauté, car je ne serai jamais jalouse.

Elle prodigua ensuite à la demoiselle de flatteuses promesses. Gauvain la remercia avec force saluts, puis quitta la chambre, tout absorbé par la pensée de la jeune fille ; il revint à la salle en déclarant :

— Par la Vierge reine, on n'a jamais vu une si belle créature !

Il se disait qu'il retournerait auprès d'elle pour lui demander son amour, car la guérison n'était pas possible autrement. Avec de profonds soupirs, incapable de rester en place, il alla se poster à une fenêtre où il put tressaillir et trembler à son aise, ainsi livré aux assauts de l'amour. Mais n'en pouvant plus, il retourna dans la chambre. La jeune fille vint à sa rencontre avec beaucoup de simplicité ; alors Gauvain saisit le pan de son manteau d'orfrois ; ils allèrent s'asseoir sur un lit, avec la reine qui prit place à droite de Gauvain et Beauté à gauche. Il ne fut pas question des saints, de leur vie exemplaire, mais d'amour et de chevalerie.

Penché sur Beauté, Gauvain lui disait à la dérobée ce qui lui tenait à cœur :

— Écoutez-moi, ma chère amie : à tort ou à raison je vous demande la permission de vous aimer, autrement je ne peux vivre davantage. Si vous refusez mon amour, jamais aucune femme au monde ne pourra me consoler. Vous m'avez plongé dans d'affreux tourments : secourez-moi, ma chère amie, sinon peu m'importe la vie !

— Hélas ! seigneur, par la grâce de Dieu, ne me parlez plus jamais de cela, et laissez-moi parfaitement en paix. En vérité je ne suis pas venue chez le roi afin d'aimer un chevalier. Je vous avertis donc de ne jamais m'adresser de requête ; vous n'arriverez à rien.

Gauvain rougit, fort humilié ; non seulement un flux de sang lui monta à la figure, mais son cœur sautait dans sa poitrine, et il se tourna vers la reine :

— Ma dame, ayez pitié de moi, aidez votre chevalier, qui vous a si souvent servie, qui a fait tant d'exploits chevaleresques en votre nom, vous le savez bien.

— Seigneur, tout ce que je pourrai et saurai, je le ferai très volontiers ; tout ce que j'ai, je le mets à votre disposition, comme à mon seigneur, excepté mon corps, au nom de mon honneur.

— Ma dame, voilà de belles paroles. Vous aurez vite récompensé le grand service que je vous ai réservé. Mais à coup sûr Beauté, le seul objet de mes désirs, me fera mourir si vous n'appuyez ma demande ; parlez pour moi, voilà ma requête, car elle a refusé mon amour et je ne sais que faire. Parlez-lui et faites-la changer. Que Dieu m'assiste, je préfère mourir plutôt que de souffrir si longuement !

La reine tenta de le raisonner :

— C'est une folie ; si vous voulez avoir une amie, aimez de plus nobles personnes. Ayez donc un peu de sagesse : il vous faut aimer à votre mesure. Je n'ai jamais entendu parler d'une femme qui vous ait refusé et qui n'ait été flattée que vous ayez daigné la posséder ! Je ne vous trouve guère raisonnable d'être si vite épris. Mais en est-il bien ainsi ? Alors, non, je ne vous trouve pas raisonnable. Retenez un peu votre cœur ; attendez une autre occasion, et ne vous abandonnez pas si vite aux tourments. Soyez généreux, donnez. Mettez-vous en peine de faits d'armes et d'exploits. C'est ainsi que l'on conquiert une amie. Pour ce qui est de moi, je serai avec elle tous les jours, et je lui dirai grand bien de vous. J'engagerai de mes biens propres plutôt que vous n'arriviez pas à vos fins. Mais il vous faut montrer de la valeur et ne pas être si vite saisi d'amour.

— Par Dieu, ma dame, cinq cents mercis ! Je m'en remets tout à vous. Dieu m'aide et saint Germain ! Si je n'obtiens pas son amour, je ne penserai pas grand bien de moi. Je tiendrai compte de vos reproches et de vos conseils, mais n'ayez cesse de bien lui rappeler ma requête.

— Plus un mot là-dessus ! J'agirai, et si elle le veut bien, elle entendra mes prières ; j'y mettrai tous mes soins.

Elle fit naître l'espoir en Gauvain ; mais malgré cette promesse absolue d'aide et d'amour, le refus de Beauté le laissait plein d'angoisse. Il retourna dans la salle, après avoir pris congé ; livide, assombri par de douloureuses pensées, il gagna une fenêtre. Ni Tristan, ni Iseut ne furent jamais un seul jour aussi tourmentés que Gauvain, près de la fenêtre. Pensif, replié sur lui-même, peu lui importait son rang. Cependant les jeunes gens préposés à son service se dépêchaient de quitter les premiers la table et de traverser la salle pour aller se détendre. Gliglois se trouvait en tête ; il portait une robe pleine d'accrocs, il l'avait déchirée dans de belles joutes : rien d'étonnant à cela, car en vérité, il était là le meilleur. Gauvain le considéra, puis s'avisa de l'appeler, et l'autre vint s'agenouiller devant lui :

— Mon cher Gliglois, par Dieu, je n'ose te dire ce que je pense !

— Pourquoi pas ? Parlez donc !

— Me promets-tu de ne pas aller le raconter ailleurs ?

— Seigneur, vous pouvez bien jurer que je me laisserais écarteler plutôt que de vous causer du tort ou de révéler rien sur vous ; aussi dites-moi votre affaire.

— Par Dieu, Gliglois, aujourd'hui, après le repas, as-tu vu celle qui vint demander au roi de rester avec lui ?

— Oui, en vérité.

— Qu'en penses-tu ?

— C'est une fée !

— Ah ! mon Dieu ! Quel bonheur si elle daignait m'aimer un jour ! Elle a mis le tourment dans mon cœur, et fera peut-être encore pis.

— Seigneur, envoyez quelqu'un le lui dire, et il s'informera sur ses sentiments.

— Quoi Gliglois ? Voilà trois fois que je l'ai implorée ; elle n'a pas daigné me prêter la moindre attention.

— Comment ? Elle ne veut pas vous aimer ?

— Non, en vérité, mon cher Gliglois. Mais si tu tiens à moi autant que tu le dis, je le verrai bien à ta conduite. Il te faudra être toujours dans ses appartements ; tu trancheras à sa table à ma place, et tu feras tout ce qu'elle te commandera. Un jour elle s'avisera que c'est moi qui t'ai envoyé ; elle prendra cela pour une conduite courtoise, et elle se souviendra de moi. Si elle voulait être mon amie, tu me verrais peiner, jouter quand l'occasion se présenterait. On va voir ce que tu feras, par la fidélité que tu me dois ; et moi je te récompenserai largement.

— Seigneur, vous n'aurez rien à me donner, car je la servirai très volontiers pour les bons sentiments que vous aurez à mon égard.

Après ce conciliabule, Gliglois s'éloigna en rendant grâce au ciel :

— Douce dame, sainte Marie ! Bénis soient le père qui m'engendra et la mère qui me mit au monde, puisque me voici attaché à un être plus beau que la rose et plus blanc que le lys ! Par Dieu, je crois que je ne manquerai pas un seul jour de lui présenter de mes deux mains ce qu'elle daignera manger. Je dois me féliciter d'avoir cette fonction, oui, à coup sûr ; à me le répéter, je serai plus vaillant, plus généreux, plus compétent.

L'heure venue, Gliglois entendit crier l'eau ; il se dirigea vers les appartements de la reine, qui le fit avancer jusqu'à elle, avant de s'adresser à Beauté :

— Voici le beau jeune homme, intelligent entre tous. Tenez, je vous donne ma parole que dans toute la cour du roi, il n'y a pas un autre qui mérite un tant soit peu sa place et sa réputation. Gauvain a été fort courtois de nous l'envoyer.

Mais Beauté ne répondit rien et son visage resta impassible. « Dieu ! se dit Gliglois, qu'elle est donc fière ! Elle ne daigne pas dire un mot à un homme, ni lui jeter un regard. » Il alla prendre la serviette et les bassins et versa l'eau, d'abord à la reine, puis à Beauté, tandis que les serviteurs posaient sur les tréteaux le sel, le pain et les hanaps. Puis il se mit à trancher, avec maints regards sur Beauté. « Dieu ! Que le feu de l'enfer me brûle si j'ai jamais vu une plus belle femme ! Que Dieu ait mon âme, si j'étais entré au paradis et que Beauté acceptait de m'aimer, je reviendrais droit à elle, quoi que dût me coûter la folie d'un retour sur terre. » Gliglois était si absorbé qu'il oubliait de trancher. Beauté s'en aperçut et le regarda ; alors il en eut grande honte et grand tourment, reprit le couteau pour trancher, tout rougissant, baissant la tête, saisi par l'amour. Il se disait : « C'est pour mon malheur que je suis venu servir ici ! Amour ne cherche qu'à me trahir, en attachant mes pensées à cette demoiselle qui ne saurait consentir à m'aimer. Si mon maître le savait, il en serait à coup sûr affecté. Affecté ? Mon Dieu, aurait-il tort ? Non, même s'il allait jusqu'à me haïr mortellement. » Gliglois ne savait quel parti prendre.

Après le repas, une fois que la reine se fut fait donner l'eau par Gliglois, elle interpella la jeune fille, qui avait eu son tour après elle :

— Eh bien, demoiselle, elle doit fort se louer celle qui est l'objet d'un si beau service !

Et elle ajouta en souriant :

— Le chevalier qui l'a envoyé doit en bénéficier. Que je meure avant le soir, que Dieu me confonde, si je connais un jeune homme plus estimable au monde. Il est de grand lignage, car il a bien ce qu'il peut désirer.

La reine s'étonna fort que Beauté ne répondît pas. Dans la pièce, il n'y avait pas une jeune fille qui ne regardât Gliglois d'un air aimable, mais Beauté ne daignait pas lui adresser le moindre mot. Il quitta alors la chambre pour revenir chez lui, tête baissée, tout pensif, plein de tourments. Ses compagnons vinrent à sa rencontre et le pressèrent de questions sur sa tristesse :

— Mon Dieu, j'ai un peu de chagrin. Faites mon lit, je veux dormir.

Mais quand il fut couché, sachez qu'il ne put fermer l'œil ; le sommeil n'était qu'un prétexte.

— Amour, gémit-il, quelle trahison de m'avoir mis sur une voie où j'allais sans méfiance ! Hélas ! Quel malheur d'être entré dans ces appartements où j'ai attrapé la mort ; il n'y a pas de mesure ni de justice ; jamais je n'aurai le bonheur de recevoir un baiser ou la garantie de son amour. N'y songeons plus ; tenons-nous en retrait ; servons-la de manière à ne pas avoir d'ennui avec notre maître qui nous aime tant. Il pourrait t'en coûter cher s'il savait que tu y penses et que tes sentiments te portent vers elle ; tu n'as aucune chance ; au contraire, tu pourrais t'en repentir sous peu. Hélas ! mon Dieu ! quel dommage que ton maître ait cru réussir par tes bons offices, que tu aies mis tant de peine dans le servir. Il t'assure bien de l'honneur ; si tu le perds par ta démesure, personne ne te donnera raison. On te fera honte, on se moquera de toi ; n'y pense plus, laisse ta folie.

Il passa ainsi toute la nuit jusqu'au lendemain, en proie à l'amour ; à l'aube seulement le sommeil le prit, mais dès son réveil il se leva et se précipita à la cour. Je crois bien qu'à son retour il sera encore plus tourmenté que la veille. Il en est ainsi de bien des gens : plus ils aiment ardemment une belle dame impitoyable, plus ils la voient, et plus ils la désirent. Ainsi de Gliglois : la vue de Beauté augmentait son attirance et ses tourments.

Quand la table fut dressée, Gliglois enleva son manteau, s'agenouilla pour saisir le couteau, puis vint humblement devant Beauté qu'il contempla, le regard ardent, en se disant : « Hélas ! mon Dieu ! certes Beauté vaut mieux qu'un royaume ! Que Dieu ne me protège plus si je ne préfère un seul baiser qu'elle me donnerait en témoignage d'amour à la moitié de cet honneur. Hélas ! malheureux ! si elle pouvait m'aimer et m'accorder quelque faveur ! Mais je n'ose ni le lui dire ni le lui faire savoir. Certes il souffre un grand martyre celui qui est ainsi épris d'amour, qui aime comme moi sans retour. » Gliglois, absorbé dans ses pensées, oubliait complètement de trancher ; Beauté s'aperçut de son état :

— A quoi pensez-vous, fit-elle, mon ami ? Tranchez et laissez un peu vos préoccupations.

Plein de honte, Gliglois reporta ses regards sur la table, mais il préférait à tout autre présent être plaisanté ou même raillé par elle. « Hélas ! mon Dieu ! se disait-il, sainte Marie, en vérité, je ne saurais renoncer à l'aimer, à lui consacrer mes pensées à cause de mon maître. Je sais bien que je suis fou, car je ne réussirai jamais à me faire aimer d'elle ; mais elle ne peut empêcher que je l'aime malgré moi. Je ne ferai jamais le fier, et peut-être m'en saura-t-elle gré. Souvent un beau service fait obtenir l'amour. Oui, ma passion est telle que je veux l'aimer malgré elle. » Gliglois resta ainsi longtemps sans que sa douleur diminuât le moins du monde ; néanmoins il ne manqua pas à son service un seul jour. Des insomnies agitées augmentaient ses souffrances.

A la cour, il était le seul écuyer à savoir s'occuper d'oiseaux. Tous les jours il leur donnait à manger dans un verger. Un matin, il s'était levé de très bonne heure et était allé au verger pour nettoyer les oiseaux et lisser leurs plumes. Beauté, couchée, ne pouvait dormir ; de guerre lasse, elle se leva, fit le signe de croix et enfila une chemise moins blanche que sa peau ; elle agrafa un court manteau, se chaussa et, pour se détendre, gagna le verger, qui était le plus beau du monde. Gliglois donnait de la nourriture à un oiseau. A la vue de Beauté, il fut transporté de bonheur, et sourit en lui-même sans oser dire un mot, tant il craignait de regarder de son côté ; il redoutait sa fierté. « Bénie soit l'heure de ma naissance, se dit-il. Ah ! mon Dieu ! J'ai été bien inspiré d'apprendre à soigner les oiseaux et de me lever de bonne heure. Jamais pareil bonheur n'est arrivé à un jeune homme, quand je vois venir ici l'objet de mon amour. Si dans sa bonté le Dieu du ciel lui donnait de doux sentiments pour moi, je n'aurais jamais d'inquiétude. » Beauté s'en allait par le verger, attachant sa chemise avec un cordon de lin. Gliglois remarqua qu'elle avait bien du mal à y arriver ; aussi lui demanda-t-il :

— Ah ! douce rose, accepteriez-vous mon aide, si dérisoire fût-elle ?

— Oui, viens ici.

Plein de joie, Gliglois se précipita et s'agenouilla devant elle. Beauté lui montra les cordons, croisa les bras au-dessus de sa tête, en s'appuyant un peu sur lui. Gliglois découvrit une chair, des épaules étincelantes de blancheur. « Ah ! mon Dieu ! toi le Créateur du monde, le maître du ciel, si je pouvais être assez fou pour sentir sa chair nue ! » Fasciné par ce qu'il voyait, il perdait son sang-froid, oubliait de lacer. Amour lui faisait délaisser l'objet de sa passion.

— Gliglois, s'écria-t-elle, a-t-on jamais vu cela ! Vous avez à lacer mes côtés, et vous restez si absorbé que je ne sais quoi penser de vous. Dépêchez-vous de le faire !

Jetant un soupir, Gliglois revint à son devoir ; devant lui il voyait l'objet de son désir, ce qu'il convoitait le plus au monde, et il ne pouvait rien en avoir, pareil au loup affamé devant la bergerie où il aperçoit les brebis sans pouvoir entrer, ce qui redouble sa faim. Mais il était bien plus malheureux que le loup affamé, car il tenait entre ses mains la créature qu'il aimait le plus au monde et n'osait rien lui dire. Sa souffrance devenait martyre ; Amour le tenait prisonnier, le possédait. Beauté reprit alors :

— Gliglois, dis-moi donc, que regardes-tu ?

— Vous, demoiselle.

— Qu'y a-t-il ?

— Vous me paraissez belle.

— Que t'importe ?

— Beaucoup !

— Pourquoi ? Penses-tu à moi ? Tu veux m'aimer d'amour ?

Gliglois commença à trembler et répondit en soupirant :

— Belle, grâce, au nom du Très-Haut, votre amour me possède si fort que je ne puis, jour et nuit, lui résister !

— Débauché ! Qu'avez-vous dit ? Que vous m'aimez ? Ah ! quel plaisir pourriez-vous me donner ? Dehors, quittez ce verger ! Malheur à moi si je ne le dis pas à votre maître. Je vous trouve bien effronté d'avoir tenu ces propos. Certes vous me croyez bien folle. Vous m'aimez ? En quoi cela vous regarde-t-il ? Hélas ! Quelle honte ! Prenez garde à ce que je ne vous voie nulle part.

Gliglois retourna à son logis, plein de honte et de tourment ; il s'étendit sur un lit, poussa maints soupirs. Sachez qu'il n'avait pas envie de rire, qu'il laissa aller des pleurs et des plaintes :

— Maudite soit l'heure où je me suis levé pour aller au verger, parce que je m'y connaissais en oisellerie. Il aurait mieux valu que je sois lépreux, et que je passe ma vie sans honneur. Le maître qui m'a délégué pour le servir a fait du berger un loup ; puisque j'ai voulu le supplanter, il est normal que cela me coûte cher. Hélas ! malheureux ! infortuné ! que faire ? Amour, c'est une trahison déloyale.

Hélas, Beauté, quelle blessure mortelle vous m'avez infligée ! Par votre faute me voici bien déloyal, et je n'aurai jamais l'audace de regarder Gauvain en face. Certes, il aurait mieux valu que je reste en mon pays ; quand mon maître le saura, il ne me portera plus jamais dans son cœur. Faut-il fuir ? Non pas. J'irai dans ses appartements vérifier si elle refuse toujours mon service. Elle est pleine de noblesse, et ne dira mot de notre affaire en public. Si elle ne se laisse pas aller à la pitié, je ne vois pas comment je ne me donnerai pas la mort ! Hélas, Beauté, quel malheur de vous avoir vue ! Par votre faute, Amour m'a trahi, et je mourrai à coup sûr si vous n'avez pas pitié de moi. Ah ! mon Dieu, celui qui n'a jamais voulu aimer, comment peut-il trouver le bonheur ?

Ses longues plaintes durèrent jusqu'à l'heure du repas, lorsque les chevaliers se rendirent à la cour. Gliglois se leva pour y aller lui aussi, toujours obsédé et craignant le pire ; car si Beauté le réprimandait ou lui reprochait ce qu'il avait dit le matin, personne au monde ne pourrait empêcher qu'il prît la fuite. Amour le possédait et le torturait. Tremblant de tous ses membres, il entra dans la pièce où les serviteurs dressaient les tréteaux. Il prit l'aiguière, les deux bassins, et donna l'eau. Beauté ne fit mine de rien, ce dont Gliglois se réjouit fort ; sachez que devant cette tournure de son affaire, il ne fut jamais si heureux. Il servait donc à table, sous les yeux de Beauté ; il avait tant de plaisir à la regarder qu'il ne pouvait en détacher ses yeux ; elle était le seul objet de ses désirs.

Un long moment après le repas, un messager pénétra dans l'enceinte du palais à vive allure, et il éperonna son cheval jusqu'aux appartements de la reine ; là il mit pied à terre et salua la souveraine avec beaucoup de hauteur :

— Dame, écoute-moi. Celle de l'Orgueilleux Château m'envoie à toi parce qu'elle veut convenir d'un tournoi.

Le beau jeune homme continua avec assurance :

— Dame, voici les conditions que je transmets à votre cour : que tous les chevaliers viennent équipés de leur mieux, et avec leur amie. Car sachez que les nôtres seront ainsi accompagnés ; il y a déjà un moment que ma dame a fait demander ses dames et ses jeunes filles, parmi lesquelles on verra bien des beautés. Vous, faites de même. C'est le message que je dois vous transmettre à propos de ce tournoi. Voici mes lettres de créance.

Il n'en dit pas davantage ; la reine alors appela Gliglois :

— Ami, allez chercher Gauvain au palais et ramenez-le sans tarder.

Gliglois arriva auprès de Gauvain et le tira par un pan de son manteau :

— La reine vous demande, seigneur.

— Pour quelle affaire, ami ?

— Elle veut jurer un tournoi dont la demoiselle de l'Orgueilleux Château lui a lancé le défi par un jeune messager. Les dames y viendront pour juger des meilleurs. C'est vous que veut la souveraine pour garantir son engagement.

— Béni soit le Tout-Puissant ! S'il plaît à Dieu, là devant mon amie, je montrerai ma prouesse !

Rien ne le réjouit plus que ce tournoi si proche, et sans retard, il arriva chez la reine. Elle se leva à sa rencontre et lui dit :

— Seigneur, avancez et veuillez me prêter assistance. Celle de l'Orgueilleux Château me défie ici, pour un tournoi.

— Ma dame, j'en suis fort aise. Acceptez, je ne pourrais vous conseiller autre chose, et moi je ferai tout pour que votre honneur triomphe dans ce tournoi.

— Gauvain je m'en remets à vous. Avancez et jurez le tournoi.

— Ma dame, vous me comblez. Gliglois, mon ami, jurez, vous aussi. Le tournoi aura lieu ce lundi en quinze.

Le messager s'avança, prit congé, remonta à cheval dans la salle même et quitta ainsi la cité. A la vue de Beauté, plus belle que la rose, Gauvain était fasciné ; mais de l'amour qui le possédait, il n'osait lui dire le moindre mot. Il s'imaginait gagner au tournoi ; c'était pour elle qu'il donnerait le meilleur de son effort, qu'il briserait maintes lances ; s'il échouait, plus jamais il ne croirait aux tournois.

Mais c'est de ce sujet que nous devons parler à présent. Ah ! mon Dieu ! comment décrire toutes ces armes, tous ces beaux écus ? Jamais on ne vit plus belle assemblée. Ah ! mon Dieu ! que de riches vêtements brodés, en soie, auront les spectatrices ! Aucun chevalier ne négligera son équipement ; chacun fera de son mieux. Celui qui aura le prix pourra se vanter à jamais et entrer dans les appartements des dames !

Gauvain fit prendre cent quarante lances peintes ; à l'intérieur de son écu, sous la bordure de fourrure, il fit représenter Beauté tenant gracieusement une rose à la main : à la voir ainsi devant ses yeux, il en jouterait mieux. Ah ! mon Dieu, Seigneur glorieux ! comme la reine veille à ses atours, de son côté ! Dans ses appartements, pas une jeune fille qui ne se prépare. On proclame à la cour que chacun se mette en peine de préparatifs, qu'à la date convenue personne ne manque et que chacun amène son amie. Tous en sont fort aise, les chevaliers comme les damoiseaux ; le roi lui-même se réjouit de cet engagement et déclare qu'il y assistera en personne, et qu'il tiendra là une très riche cour. De son côté Gliglois se disait : « Voilà bien une autre vie ! Bénie soit l'heure où mon père m'engendra, où ma mère me donna naissance, puisque j'irai au tournoi où se trouvera aussi celle qui possède mon cœur. Par ma foi, je ferai si bien en son honneur que s'il plaît à Dieu, elle m'en saura gré. Mon Dieu, quelle conquête si cela arrive ! Tous les jours je lui mettrai sa selle et je la servirai si parfaitement, avec tant d'amour et de délicatesse qu'il faudra bien qu'elle s'en aperçoive ; j'y mettrai tous mes soins. Jamais nul n'a démérité de servir ! »

On ne saurait décrire l'amour de Gliglois. Pourtant, huit jours avant le tournoi, c'est chose bien sûre, il revint en son pays pour revoir sa parenté et parce qu'il était arrivé au bout de ses ressources. Pour dépenser largement, il faut avoir où prendre, ce que Gliglois avait pu faire jusqu'alors, pour ses gens. Son père l'accueillit avec grande joie, tout comme sa mère ; ils lui donnèrent tout ce qu'il demandait en vêtements, en chevaux. Mais il ne resta qu'un seul jour, le temps de se faire tailler et coudre un ensemble de cour et que ses écuyers soient habillés de neuf. Le lendemain matin, il revint à la cour, plein de richesses, et gagna sans tarder son logement.

Gliglois était donc un beau jeune homme plein de savoir, de bravoure, d'amabilité, d'intelligence, de vertu, et ses vêtements le mettaient encore en valeur. Il se rendit à la cour sans manteau, et tout le monde se réjouit quand il entra dans la salle, à commencer par Gauvain qui l'interpella :

— Gliglois, quand êtes-vous revenu ?

Le jeune homme s'agenouilla pour répondre :

— Seigneur, je viens de mettre pied à terre.

— Dites-moi, Gliglois, cher frère, comment va votre mère, et votre père, se portent-ils bien ?

— Seigneur, fort bien en vérité.

— Gliglois, vous connaissez l'amitié que j'ai pour vous, vous savez que je veux votre bien ; vous pourrez compter sur ce que j'ai, sur mes revenus. Quand vous voudrez être chevalier, je vous donnerai des armes dans une grande fête ; on n'aura jamais vu de jeune homme armé plus somptueusement en cour royale. Certes vous avez ma faveur ; j'apprécie fort votre service.

— Seigneur, Dieu fasse que je mérite encore plus vos bons sentiments.

— Ils vous sont acquis si vous pensez à bien servir Beauté. Je ne désire rien d'autre au monde que son amour dont elle se montre avare.

— S'il plaît à Dieu, répondit Gliglois, je ferai tout pour l'avoir, et il ajouta en sourdine : Vous l'aimez ? En vérité, moi je l'aime bien davantage.

Et Gliglois s'en alla, tandis que le roi sortait de ses appartements pour demander l'eau, car il voulait se mettre à table. Gliglois, qui ne se souciait pas de s'attarder, arriva sans détours dans la chambre de la reine : le désir intense qu'il avait de Beauté faisait qu'il ne pouvait plus attendre. A son entrée, la reine l'accueillit aimablement :

— Gliglois ! Gliglois ! Vous voici revenu ! Vous avez pris un bain, et je vous vois équipé de vêtements neufs ! Dites-moi donc, ami, cher frère, comment vont votre mère et vos gens ? Sont-ils en bonne santé ?

— Ma dame, oui, assurément !

— Que Dieu ne m'accorde aucun bonheur s'il y a dans notre pays un seul jeune homme que j'apprécie autant que vous, soyez-en sûr !

— Que le Seigneur Dieu en soit remercié !

Pendant que Gliglois donnait l'eau pour les mains, pendant qu'il assurait le service de la table devant Beauté, celle-ci ne lui adressa pas le moindre mot, et lui non plus, plein de timidité. Il est entré en grande peine, l'homme que l'amour possède alors qu'il n'est pas payé de retour et qu'il n'a pas l'espoir d'arriver à ses fins. Mais Gliglois sert, porté par l'espoir. Immense est le pouvoir de l'espérance, car si Beauté lui avait dit alors qu'il pouvait la servir avec espoir, soyez sûrs qu'il l'aurait servie avec le plus grand empressement sept années entières pour obtenir son amour, alors que déjà, sans attendre la moindre récompense, il assurait son service parfaitement ! Grande est la donne, maigre est la prise ! Bien souvent il arrive qu'un homme, voulant obtenir l'amour d'une femme, la voit multiplier ses coquetteries au fur et à mesure qu'il s'applique à la servir et à la prier.

Mais il faut que vous sachiez que le tournoi était si proche que le départ devait avoir lieu le lendemain. Partout, sur la terre du roi Arthur, la nouvelle était annoncée.

Maints chevaliers se préparaient à emporter des habits de fête et à rivaliser entre eux de beaux vêtements et de parures. Ah ! mon Dieu ! qui pourrait dire les soins que les dames, elles aussi, apportaient à leur costume ? Leurs préparatifs n'avaient rien d'étonnant, car depuis la création du monde et jusqu'à sa fin, on ne devait voir pareil tournoi ! Quelle belle suite quand chacune amènerait son ami ! Gliglois rejoignit son logis ; son père, eût-il été comte ou roi, ne se serait pas montré plus libéral. Il fit venir ses compagnons, allumer les chandelles, acheter du vin et des fruits. On dansa, on joua de la vielle ; grandes furent la joie et la détente pour tous. Gliglois priait Dieu de lui accorder la conquête de Beauté, son plus cher désir. La soirée se passa dans la liesse, mais on attendait impatiemment le matin et le plaisir de la chevauchée. Les chevaliers, qui devaient se lever avant le jour, allèrent se coucher, et la cour se trouva vide.

Gauvain revint chez lui à son tour et rassembla ses écuyers :

— Tu porteras mon écu, dit-il à l'un ; toi, tu mèneras mon cheval, et toi tu te chargeras de mon haubert, dit-il à d'autres.

Chacun s'entendit fixer des attributions, sauf Gliglois. Gauvain le chercha des yeux et lui dit :

— Gliglois, vous resterez. Par Dieu, vous vous occuperez de mes oiseaux, j'y tiens beaucoup ; je ne vous demanderai rien d'autre que de veiller sur eux, cher ami.

Plein de trouble et de douleur, Gliglois regagna son logis, morne, muet, triste, prostré. Il déclara encore une fois qu'il se sentait très mal et se coucha, pour soupirer et se lamenter :

— Hélas ! mon Dieu ! pourquoi me suis-je laissé accaparer par Amour, qui n'aura jamais pitié de moi, qui me tuera tout entier ? Maudite soit l'heure où j'ai été engendré, celle où je suis né, le temps où j'ai appris à m'occuper des oiseaux ! Par les saints du Paradis, pour rien au monde je ne les nourrirai, et ainsi il leur faudra mourir !

Maintenant nous devons mettre nos soins à parler de ceux qui s'apprêtaient à partir. Dans la ville, il y avait maints chevaliers tout équipés pour le tournoi, ainsi que maintes dames dans leurs plus beaux atours. Tous s'étaient levés dès le petit matin pour faire le déplacement, et on quitta la ville en bon ordre. Tandis que Gauvain s'en allait en riche équipage avec tous les siens, Gliglois restait, poussant de profonds soupirs et de longues plaintes. Pourtant il reprit un peu ses esprits, tandis qu'Amour ne cessait de le rappeler à l'ordre :

— Lève-toi vite, et va soigner tes oiseaux. En effet, pense que si tu veilles bien sur eux, ton amie te paiera de retour, ton maître t'en saura gré ; ainsi tu récolteras honneur et gratitude.

Gliglois se leva du lit où il avait trouvé bien peu de repos et alla nourrir ses oiseaux. Il aurait voulu qu'ils ne fussent pas nés, car c'était par leur faute qu'il était resté ! Il traversa la salle et se dirigea vers la chambre par laquelle il fallait passer pour aller au verger. En portant ses regards à droite, il vit, assise à la fenêtre, Beauté dont il était si fort épris ; il se crut alors en Paradis. Elle avait renoncé au tournoi, à cause de Gauvain le neveu du roi ; à son arrivée à la cour, le roi l'avait retenue, et par l'intermédiaire de Gauvain il l'avait envoyée à la reine ; celui-ci était aussitôt tombé amoureux d'elle, mais Beauté n'en avait cure et elle était restée de peur qu'on imaginât qu'elle était son amie, si on la voyait dans la suite royale. N'osant la regarder, Gliglois voulait continuer jusqu'au verger ; mais elle, elle le regardait s'en aller raide et muet.

Or il avait les cheveux blonds et grande était sa beauté ; elle l'arrêta :

— Gliglois !

— Qu'y a-t-il pour vous plaire, demoiselle ?

— Venez ici me parler.

— Très volontiers.

— Dites-moi, pourquoi n'êtes-vous pas allé au tournoi ?

— Belle, c'est à cause de vous. Mais dites-moi, vous aussi, ma douce dame, au nom de notre salut, pourquoi n'y êtes-vous pas allée non plus ?

— Gliglois, et qui donc m'y aurait emmenée ?

— Belle, qui aurait pu refuser si vous aviez fait connaître votre volonté ?

— Gliglois, sachez en vérité que de toutes les jeunes filles qui devaient y aller, j'étais celle qui le désirait le plus si j'avais trouvé quelqu'un pour m'y emmener.

— Belle, pour celui qui trouverait un chevalier convenable, auriez-vous quelque gratitude ?

— Oui, par ma foi, et de l'amitié aussi.

— Par Dieu, belle, je vais le chercher, mais je ne sais si j'aurai ce que vous dites.

— Allez toujours, on verra bien si vous n'en tirez rien !

Gliglois dégrafa son manteau et traversa la salle en courant, puis descendit les marches du palais. Il regarda derrière lui et vit venir à grande allure un chevalier qui cherchait à rattraper le roi, déjà parti. C'était un chevalier très élégant, en chausses, avec une paire d'éperons tout en argent, de riches vêtements et une couronne de fleurs blanches qui faisaient ressortir son teint vermeil ; grande était sa beauté. Soixante écuyers l'accompagnaient, qui portaient soixante lances, toutes peintes et non pas blanches, avec une bannière. Ce chevalier avait sur le poing gauche un faucon, et devant lui, il faisait mener à droite, avec son écu, un cheval, tout recouvert de soie vermeille ; lui-même chevauchait un palefroi. Gliglois s'avança vers lui et tira légèrement un pan de son manteau :

— Cher seigneur, s'il vous plaît, par pitié, laissez-moi vous parler !

— Volontiers, frère, dis ce que tu veux, ne me le cache pas ; mais il ne faut pas que je m'attarde.

— Cher seigneur, de grâce, daignez écouter ma prière et ma requête : emmenez au tournoi une jeune fille qui est très belle. Le roi vous en aimera davantage et Gauvain vous en saura gré de façon fort généreuse.

— Allez la chercher, mon ami, et béni soit le jour de sa naissance, puisque Dieu m'a accordé l'honneur de pouvoir réaliser ce qui lui plaît. Faites-la vite descendre !

— Cher seigneur, voilà de belles paroles. Attendez moi un peu ici, je reviens à l'instant.

Gliglois, tout joyeux d'avoir trouvé un chevalier, retourna dans la chambre de Beauté qu'il aimait de tout son cœur, et il lui rendit compte de la nouvelle :

— Demoiselle, il y a là un chevalier qui vous emmènera très volontiers et qui vous attend ; allez vite le retrouver.

— Gliglois, c'est parfait ; sachez vraiment que je vous en ai beaucoup de gratitude.

— Ma demoiselle, je n'en demande pas plus.

Il n'avait jamais éprouvé tant de joie. Elle était vêtue d'une étoffe de soie, qui flattait ses cheveux blonds. Gliglois, très soucieux de la servir, la prit par la main et descendit l'escalier avec elle pour l'emmener tout droit au chevalier ; à sa vue, celui-ci descendit de son palefroi et s'avança à sa rencontre ; puis il la salua le premier, la prit entre ses bras pour la mettre sur sa monture ; il se dirigea alors vers son destrier qu'il enfourcha et revint courtoisement vers Beauté pour prendre les rênes du palefroi. Ils recommandèrent Gliglois à Dieu et s'en allèrent de compagnie.

Gliglois les regardait partir et il s'avisa qu'il restait seul ; il pensa qu'il avait eu tort de faire en sorte qu'elle allât au tournoi, tandis que lui restait :

— Hélas ! malheureux ! Que faire ? J'ai bien mal mené mon affaire, puisqu'elle s'en va et que moi je reste ! Par Dieu, mon créateur, je ne vais pas tarder une heure à la poursuivre à pied !

Il prit un léger bâton et sans se soucier de son manteau qu'il avait laissé dans la salle, il se mit à courir après Beauté qui s'en allait à l'amble rapide ; le chevalier hâtait encore l'allure, pressé de rattraper ceux qui les précédaient. Ils parlaient de chose et d'autre, tandis que Gliglois, dans la grande chaleur d'été, courait après Beauté, soucieux de ne pas s'arrêter avant de les avoir rejoints. Il courut ainsi une heure entière, jusqu'à ce que le chevalier, regardant en arrière, l'aperçoive :

— Demoiselle, fit-il, regardez !

— Qu'y a-t-il ?

— Par Dieu, voilà celui qui me pria tout à l'heure de vous mener au tournoi. Arrêtez et prenons-le à cheval.

— Hélas ! cher seigneur, par Dieu le Créateur, jamais plus vous n'aurez l'amitié de Gauvain ; au contraire, il vous détestera si vous agissez ainsi, car ce jeune homme doit veiller sur les oiseaux. S'il devait monter, sachez bien que moi je descendrais et que je continuerais à pied ! Voulez-vous nous mécontenter pour un fou, un vrai sot qui doit rester près des oiseaux ? Que Dieu m'aide, ce serait une folie et je ne supporterai pas qu'il monte à cheval ; qu'il retourne plutôt à ses oiseaux !

Le chevalier n'insista pas et Gliglois comprit bien qu'elle ne le désirait pas dans le voyage ; il se résigna, sans dire un mot. Il faisait très chaud, vu la saison. Ne vous étonnez pas si, épuisé, il avait le sang à la figure ; il enleva sa tunique, l'abandonna par terre et vêtu de sa seule chemise, continua de courir après Beauté. Sur un nouveau regard en arrière, le chevalier intervint derechef :

— Hélas ! demoiselle, que Dieu m'aide, jamais un lâche n'a rien fait de tel ! Finissons, je ne pourrais plus supporter de le laisser continuer à pied !

Il fit alors descendre un écuyer, et s'apprêtait à faire monter le roncin par Gliglois, quand Beauté l'arrêta :

— Holà ! cher seigneur, que Dieu m'aide, je peux bien vous dire que vous n'êtes pas très courtois, vous qui, malgré ma défense, voulez faire monter un vaurien dont vous n'aurez que des ennuis. Sachez en vérité que, quand bien même je ne serais plus qu'à deux lieues du tournoi, s'il allait à cheval, lui, moi je descendrais et m'en retournerais à pied ; oui, par Dieu et cette belle journée, puisque je vous dis que c'est une vilaine action que de le faire monter. Vous imaginez-vous que je l'aime d'amour ?

— Non, demoiselle, ou je me tromperais fort ! Je crois au contraire que vous le détestez à mort, et je n'en parlerai plus. Chevauchez bien en paix : je renonce à intercéder pour lui davantage.

A grande allure, bien mal en point, Gliglois courait derrière la troupe, et cela d'autant plus qu'il n'avait pas d'entraînement à ce genre d'épreuve. A un moment donné, il s'assit par terre et jeta au loin ses sandales ; il courut alors nu pieds, sur la terre durcie par une chaleur exceptionnelle ; le sang vermeil apparaissait entre ses ongles, pitoyablement. Beauté continuait en plaisantant avec Aharer, lequel tout en cheminant nourrissait d'un oiseau le faucon qu'il portait sur le poing ; puis il lui lissait les plumes, en disant à Beauté :

— Belle, je croirais volontiers qu'il n'y a guère d'oiseaux aussi beaux et aussi bien dressés que celui-ci.

— Seigneur, je le crois volontiers.

— Belle, je vous le donnerais à une condition que je vais vous dire, et si vous acceptez.

— Seigneur, parlez ; si c'est possible, je serai d'accord.

— Eh bien voici, vous le donnerez à celui qui se distinguera le plus au tournoi.

— En vérité, j'accepte.

Le chevalier le lui tendit alors et le lui posa sur le poing :

— Demoiselle, je vous garantis que je l'aurai encore dans huit jours !

— C'est bien possible, cher seigneur. Mais jusqu'à ce que vous le gagniez par les armes, il est à moi ; alors seulement vous pourrez vous en vanter. Un bel exploit vaut mieux qu'une parole outrecuidante !

Même Gliglois se mit à rire de ce bon mot ! Ils n'allaient pas à petite allure, et il suivait à grand-peine ; la fatigue l'envahissait, car il courait depuis le matin sans boire ni manger ; il était midi passé ; la chaleur du jour était à son comble. Ils avaient bien fait les deux tiers du chemin qui devait les mener au campement du roi ; ils devaient arriver bientôt, mais Gliglois n'en pouvait plus. A voir la misère de ses pieds en sang, personne n'aurait manqué de verser des larmes de pitié ; le chevalier ne pouvait résister lui non plus, mais aucune parole ne pouvait convaincre Beauté de le laisser monter à cheval ; toutes les prières qu'il aurait voulu lui adresser étaient inutiles.

Tout près de là, il y avait une chapelle, un peu au-dessus du chemin, à ce que dit le conte ; le moine qui l'avait construite habitait sur place, pour chanter la messe chaque jour, au nom de Dieu. Beauté interpella le chevalier :

— Cher seigneur, allons prier ; vous allez tournoyer ; demandons à Dieu qu'il nous mène et nous ramène dans la joie.

— Volontiers, demoiselle, répondit le chevalier qui fit signe à ses écuyers :

— Avancez, avancez tranquillement.

Ils eurent vite fait d'arriver à la chapelle, où Gliglois s'était précipité pour tenir les chevaux ; quand Beauté mit pied à terre, lui qui n'était pas un rustre, il courut l'aider, et par les rênes, il retint les deux chevaux, plein de gratitude pour ce service. Une fois dans la chapelle, Beauté se dirigea vers le chœur tandis que le chevalier restait en retrait ; traversant la nef, elle trouva le moine consacré au service divin en train d'écrire, car il tirait de là toutes ses ressources. Beauté s'assit près de lui, et lui dit :

— Cher seigneur plein de bonté, pourriez-vous à l'instant m'écrire une lettre que je voudrais envoyer ?

— Oui, demoiselle.

— Eh bien écrivez, seigneur frère.

Beauté lui indiqua le contenu, et l'autre transcrivit de mémoire en latin, sur du parchemin ; puis il plia la lettre avant de la tendre à Beauté qui s'empressa de la mettre dans son aumônière ; par charité et pour l'offrande, elle donna au moine cinq sous, puis s'éloigna en le recommandant à Dieu. Elle sortit de la chapelle avec le chevalier et revint auprès de Gliglois qui la prit dans ses bras pour la mettre en selle sur le palefroi, avant de servir d'écuyer au chevalier en lui tenant son cheval.

Ils partirent alors plus vite qu'au pas. Gliglois était si épuisé que c'était un prodige qu'il continuât. Le chevalier se retourna et vit bien qu'il ne pouvait plus avancer, que ses pieds saignaient ; il intervint encore une fois auprès de Beauté :

— En vérité, demoiselle, nous sommes bien ingrats, mais c'est votre faute si ce jeune homme continue à pied. A présent il ne peut plus retourner, il a trop avancé. Voyez comme ses pieds saignent !

— Seigneur, seigneur, déclara Beauté, vos protestations sont inutiles ; il ne montera pas à cheval sans me fâcher. Qu'il retourne s'il veut, car la folie l'a poussé, et moi je ne l'aime pas d'amour ; je crois que vous vous trompez sur moi.

— Mais non, car je suis persuadé que vous le détestez d'une haine noire et mortelle. Que Dieu m'aide et saint Denis : ou bien vous ferez en sorte qu'il s'en retourne, ou bien il montera ici à cheval, ou bien j'irai à pied avec lui. Pourquoi n'avez-vous pas pitié de la peine qu'il a eue à cheminer ainsi ? Voyez comme ses pieds saignent ! Si vous l'aimiez d'amour, je ne crois pas que vous accepteriez cela, ce serait trop cruel. Et si vous pouviez le convaincre de retourner, puisque vous ne voulez pas le laisser monter à cheval, par Dieu, ce serait une bonne action, qui vous ferait grand honneur et à moi aussi.

— Eh bien, finit-elle par dire, allez un peu en avant, et moi je vais savoir ce qu'il veut.

Elle s'écarta un peu du chemin et appela Gliglois qui arriva vite.

— Gliglois, cher ami, où allez-vous donc ?

— Belle, au tournoi.

— Pour quoi faire ?

— Pour vous, par ma foi.

— Pour moi ? Que Dieu me garde !

— Rien d'autre au monde ne compte que vous ; c'est mon destin, mais je ne sais si j'y trouverai mon bonheur.

— Par Dieu, vous êtes fou de m'aimer ; j'ai refusé bien des hommes de grande noblesse, rien n'a pu me faire changer de sentiment, et vous imaginez que je vous accorderai mon amour ! Ce serait une folie ; je ne saurais vous aimer ; retournez plutôt et pensez à soigner les oiseaux, votre maître vous en saura gré. Nous serons revenus dans huit jours : si ces oiseaux succombent, votre maître vous vouera une haine mortelle, et il aura presque raison. Vous aurez souvent l'occasion de me revoir.

— Demoiselle, inutile d'insister ; si vous avancez, j'avancerai ; jamais je ne reviendrai sans vous.

— Par Dieu, je vois bien que vous êtes épuisé et que vous ne pouvez plus avancer, alors qu'il vous faudra bientôt traverser une grande forêt. Si vous êtes assez fou pour y entrer sans nous, je suis persuadée que vous y resterez, car nous irons à grande allure.

Gliglois portait à la ceinture un grand couteau pointu ; il le tira de sa gaine et le montra à Beauté :

— Demoiselle, je sais fort bien que vous ferez ce qui vous plaît ; mais plutôt que de vous perdre, je me tuerai avec ce couteau. J'irai sûrement au paradis puisque je serai mort pour vous.

— Vous voulez donc mourir pour moi ?

— Oui, je vous en donne ma parole.

— Eh bien s'il en est ainsi, on verra ce que vous ferez, et si vous mourrez, on ne s'en désolera pas !

Elle tira de son aumônière la lettre et un petit anneau qu'elle lui passa au petit doigt avant de lui tendre la lettre :

— Gliglois, dit-elle, écoutez bien. Veillez soigneusement sur cette lettre et portez-la à ma sœur qui demeure dans un château près d'ici. Elle reconnaîtra cet anneau, et vous pourrez lui dire que je lui demande de faire absolument tout ce qu'elle trouvera écrit dans la lettre. Le château s'appelle Landemore. Vous avez la force de faire quatre fois le chemin, si vous voulez ; mais reposez-vous un peu. Je n'ai plus rien à vous dire.

— Demoiselle, puisque vous daignez me commander de faire votre volonté, que Dieu vous le rende !

— Bah ! malheureux, ma sœur vous fera pendre !

— Qu'importe, si c'est pour vous ! J'y consens, par Dieu.

— Sur vos deux yeux, prenez bien garde de ne rien lui refuser ; soyez généreux ; acceptez d'être pendu ou brûlé, en gardant bon espoir.

— Demoiselle, très volontiers. Du moment que c'est votre ordre, elle ne pourra décider de si grand tourment que je ne l'accepte. Bien des grands martyrs ont été décapités pour l'amour de Dieu ; de même, pour l'amour de vous, je consens à mourir.

— C'est bien ce que je veux. Mais encore, ne bougez pas d'ici avant que nous soyons à distance.

Elle prit alors congé et le quitta. Gliglois s'assit par terre. Le chevalier se mit à rire quand il le vit faire et dit à Beauté :

— Voilà bien un miracle !

— Oui, pour un fou qui nous poursuivait sans savoir ce qu'il voulait. Mais j'ai tant fait et tant promis qu'il s'en retournera.

— Certes je vous approuve car j'avais grande pitié de le voir courir ainsi.

— Vous avez raison, mais allons-nous en.

Ce qu'ils firent rapidement et leur voyage ne prit fin qu'avec leur arrivée au château où se trouvait déjà le roi. Ils mirent pied à terre devant la grande salle.

Gliglois, lui, resta sur le chemin, pieds nus, épuisé, jusqu'à ce que Beauté fût entrée dans la forêt, à droite. Il prit alors le chemin à gauche et marcha jusqu'à l'orée du bois, d'où il aperçut le château indiqué, au milieu de vastes prairies en fleurs. Ce château devait ses multiples ressources à son emplacement au milieu d'un pays prospère ; les bourgeois étaient fort riches. Gliglois s'y dirigea tout droit, mais il était bien fatigué. Le long de la rivière, il vit venir un chevalier ; c'était le prévôt du pays, un homme de grande noblesse, plein de renommée, et qui avait trois fils chevaliers, beaux, vaillants, qu'il chérissait fort. Il aperçut sur le chemin Gliglois, en chemise, sans chaussures, boitant. D'un coup d'éperons il le rejoignit et lui demanda qui il était, où il allait.

— Cher seigneur, je suis un pauvre domestique du roi Arthur ; seulement, aujourd'hui, une jeune fille de la maison du roi m'a enjoint d'aller voir ce que devenait sa sœur, si elle allait bien. Des nouvelles sûres lui feront plaisir davantage.

— Bien cher frère, bien cher ami, elle vous a envoyé dans ce pays ? Et où est-elle donc ?

— Elle s'en va avec le roi au tournoi.

Devant sa politesse, le prévôt pensa que ce jeune homme était de naissance noble :

— Certes vous n'avez pas les manières d'un pauvre serviteur, vous vous moquez de moi ?

— Mais non, je vous assure, cher seigneur, protesta-t-il.

Sans un mot de plus, le prévôt le fit monter sur son palefroi, derrière lui ; il l'emmena jusqu'au pont principal du palais et lui indiqua l'appartement où il trouverait la demoiselle qu'il cherchait.

— Seigneur, je vous rends grâce, dit Gliglois en descendant du palefroi.

Puis il monta dans le beau palais, jusqu'à la chambre où il trouva la jeune fille à qui il dit avec assurance :

— Demoiselle, votre sœur me charge de vous transmettre son affection et ses saluts. Elle ne m'a pas dit ce qu'elle désirait vous faire savoir, mais elle m'a confié une lettre pour vous. Tenez, la voici ; elle n'a pas de sceau, et c'est par cet anneau que vous connaissez qu'elle vous fait dire d'accomplir absolument tout ce que la lettre indiquera. Vous savez bien de quoi il s'agit. Voilà tout mon message.

— Ami, vous serez le bienvenu. Ma sœur va-t-elle bien ? Que devient-elle ?

— Demoiselle, elle est allée au tournoi, dans la fête et la joie, avec le roi.

Après ces mots, Gliglois s'assit par terre. La jeune fille manda aussitôt un chapelain. Dès qu'il arriva, elle le mena près d'une fenêtre et lui tendit la lettre qu'elle tenait à la main :

— Seigneur, Beauté, ma vraie sœur, m'a fait parvenir cette lettre par un individu à pied, avec de bons signes de reconnaissance. Je ne sais s'il s'agit d'un bonheur ou d'un malheur ; mais quoi que la lettre dise, si j'en ai la possibilité, il n'y aura rien au monde que je ne ferai absolument.

— Demoiselle, montrez-moi donc la lettre.

— Seigneur, la voilà.

Il lut et fut rempli d'étonnement.

— Qu'est-ce donc ? demanda la jeune fille.

— Un vrai prodige ! Vous voyez cet homme en chemise et sans chausses, celui qui est venu ici ?

— Oui, assurément.

— Votre sœur vous fait savoir en vérité que c'est celui qu'elle aime entre tous, et à juste titre, car il n'y a nulle part au monde un jeune homme plus doué, plus courtois, plus généreux ; il est le favori de Gauvain, et Arthur lui-même le chérit entre tous. Votre sœur vous fait dire qu'elle l'aime plus que tout et que vous le fassiez chevalier pour son honneur et le vôtre. Jamais elle n'aura d'autre mari, car elle lui a fait endurer bien des maux ; elle n'a pas voulu encore lui avouer ni lui laisser voir le moins du monde qu'elle l'aimait. Donnez-lui des armes, un équipement et envoyez-le au tournoi. Je crois bien moi aussi qu'il est fort brave, et votre sœur est si réfléchie qu'elle n'aurait jamais jeté son dévolu sur lui s'il n'avait eu de la valeur. Maintenant agissez comme vous l'entendez.

A ces mots, la jeune fille dégrafa son manteau, se précipita sur le jeune homme et l'embrassa très courtoisement. Gliglois était stupéfait, éperdu, car il croyait être pendu.

— Ami, quel est votre nom ?

— Ma dame, on m'appelle Gliglois.

— Gliglois, voulez-vous manger ?

— Belle dame, j'en aurais bien besoin, car je n'ai rien pris depuis hier soir.

— Rien, cher ami ?

— Absolument, belle.

On lui apporta alors du pain, du vin et un pâté sur une nappe, mais il se contenta de très peu. La demoiselle lui fit dresser un lit dans une chambre à l'écart, où il se coucha volontiers, car il aspirait au repos.

De son côté, sans tarder, la demoiselle fit venir le prévôt et le prit à l'écart :

— Prévôt, j'ai toujours eu pour vous beaucoup d'amitié, et il en est toujours ainsi.

— Ma dame, je me dois de travailler au bien de ma dame en toute occasion.

— Alors, prévôt, écoutez-moi bien : sur tous les revenus que vous administrez pour moi, faites engager jusqu'à soixante chevaliers, les plus coûteux de ma terre. Qu'on aille les chercher dès ce soir afin qu'ils soient ici demain de très bon matin : j'ai avec moi un jeune homme dont je veux faire un chevalier. Il faudra aussi trouver et acheter le meilleur destrier, des armes appropriées, les meilleures, sans défaut et au complet, même la lance. Moi, je m'occuperai des vêtements, en quantité. Enfin, prenez dix de mes écuyers, faites-les baigner dans la rivière et procurez leur tout ce qu'il faut pour être chevalier. On verra bien alors qui m'aimera !

— Demoiselle, à vos ordres ; s'il plaît à Dieu, rien ne manquera répondit le prévôt avant de s'en aller.

La demoiselle s'empressa alors d'appeler ses compagnes et elle leur commanda de préparer un bain. Celles-ci envoyèrent deux jeunes gens tirer l'eau et l'apporter, puis elles se mirent en peine de la faire chauffer ; en temps voulu on la versa dans une cuve. La demoiselle gagna la chambre où Gliglois dormait dans un lit, bien à son aise. Il avait un peu transpiré et son visage humide attira les regards de la demoiselle.

— Dieu, toi en qui toute chose trouve son origine et sa forme, a-t-on jamais vu pareille créature ? Ah ! on dirait un portrait, fait pour être contemplé ! Mon Dieu, où trouver un plus bel homme dans le monde entier, ces bras, ce cou, ce front, ces yeux, cette bouche, ce nez, ce visage ? En vérité nulle part ! Il n'est pas étonnant que Beauté, ma chère sœur, ait fixé son cœur sur lui, qu'elle l'aime !

Elle s'avança, le réveilla, puis le fit lever et entrer dans la cuve. Elle le servit elle-même avec amabilité, courtoisie et compétence. Gliglois en avait grande honte, mais Beauté lui avait enjoint de prendre en gré tout ce que sa sœur ferait, de ne rien dire, pas un mot sur les traitements qui lui seraient infligés. La demoiselle, avec grande distinction, servit Gliglois aussi bien que si elle avait eu affaire au roi Arthur, et rien ne lui coûtait : elle lui lava la tête, puis lui mit un bonnet, avant de le faire sortir de la cuve. Son lit avait alors été refait et il se coucha à nouveau. Des braies brodées, une ceinture, le tout en soie, furent apportées. La demoiselle se faisait fête de l'aider à s'habiller, sans l'aide d'aucun serviteur ; elle lui enfila encore des bas de soie, ajourés, lui fit revêtir une tunique précieuse, tout en soie d'outre-mer, brodée par les Sarrasins, de fleurs, d'oiseaux, de bêtes ; le manteau était de même tissu et doublé d'une fourrure de cisemus, avec une encolure de zibeline noire, et une ceinture précieuse, à boucle d'or. Quel riche costume ! Gliglois, devant ces dons, s'imaginait recevoir un trésor. Alors, en guise de siège, sur un coussin de soie brodée, elle prit place avec Gliglois, tous deux selon les convenances. En bonne hôtesse, elle lui enleva son bonnet aussi aimablement et fit apporter une couronne de fleurettes, qu'elle plaça elle-même sur sa tête.

Il était minuit passé déjà. Il allait bientôt faire jour quand les chevaliers arrivèrent devant le pont, où ils mirent pied à terre, ceux que le prévôt avait envoyé chercher, et les dix autres que la demoiselle avait commandés, tous équipés richement, à souhait : tout ce qu'ils avaient pu demander, le prévôt le leur avait procuré. Il les fit attendre sur place tandis qu'il montait seul au palais. Comme il se devait de le faire, le prévôt cria à la porte et on lui ouvrit. Au bruit, la demoiselle vint à sa rencontre et lui jeta les deux bras autour du cou, car il était noble et elle le tenait en amitié :

— Prévôt, voilà mon chevalier ; que t'en semble ?

— Dieu merci, malheur à moi si j'ai jamais vu un plus bel homme au monde. Serais-je le pape de Rome, s'il m'arrivait de me trouver aussi beau que ce nouveau chevalier, j'abandonnerais toute ma terre, pourvu que Dieu m'accorde la gloire !

Il s'avança, salua Gliglois qui s'était levé et qui lui répondit avant qu'il ne le refît asseoir. Mais la demoiselle, fort inquiète, tira le prévôt à part :

— Prévôt, écoutez-moi, où en êtes-vous ?

— Tout va bien, par ma foi. Les soixante chevaliers que vous avez commandés hier sont là en bas, tout équipés et à vos ordres.

— Et les dix nouveaux ?

— Ils sont là aussi, ma dame.

— Parfait.

Pendant cet aparté, Gliglois était resté assis, émerveillé des habits si précieux qu'il avait revêtus, contemplant son corps, ses bras.

— Dieu ! faisait-il, je suis chevalier ! Je ne sais plus où j'en suis !

Avec le prévôt la demoiselle revint auprès de lui et l'interpella aimablement par son vrai nom :

— Gliglois, pour votre âge, vous êtes très bel homme : grand, membru, bien fait de votre personne, le plus beau du monde. Mais cette beauté ne vous vaudra pas l'attache de votre manteau si vous manquez à la prouesse. Si vous êtes vaillant, Dieu me garde, vous aurez tout, vous serez fort riche. Sachez enfin que ma sœur Beauté vous aime fort, qu'elle est votre amie.

— Par Dieu, le fils de la Vierge, ce n'est pas vrai ! Douce dame, pitié !

— Mais si, je vous dis ce qui est ; écoutez-moi seulement un instant : dans la lettre que vous m'avez apportée hier soir, elle m'a fait savoir qu'elle n'aimait en vérité que vous, et qu'elle vous avait choisi entre tous. Prenez garde à ce qu'elle n'y trouve pas sa perte ! Et parce qu'elle s'en remettait à moi, elle me demandait de ne pas rechigner à vous armer noblement pour vous envoyer au tournoi. C'est ce que je vais faire, avec tout l'éclat possible, très volontiers et de tout cœur. Je vous ferai donner des deniers, de l'argent, de l'or, des gens. Et vous pourrez dépenser largement ; veillez à bien employer cette richesse ; je ne vous demande rien d'autre que d'être preux.

— Que Dieu m'aide, je le voudrais bien ! Que Dieu me l'accorde et qu'il vous le rende. Je serai à vous à jamais.

Il voulait tomber à ses pieds, mais elle le redressa et lui donna un baiser, très courtoisement ; puis elle dit :

— Prévôt, allez chercher en bas vos gens.

— Volontiers, demoiselle.

En les retrouvant, il leur déclara :

— Seigneurs, mademoiselle vous donne l'ordre de monter ; vous allez entendre ce qu'elle attend de vous.

Ils obéirent très volontiers. A la vue de ses chevaliers, elle se réjouit et s'avança pour les accueillir aimablement :

— Seigneurs, je vous ai fait venir ici comme mes fidèles vassaux ; vous êtes tous mes hommes liges, et vous tenez de moi de riches fiefs. Je désire que vous sachiez que j'ai un nouveau chevalier ; menez-le pour moi au tournoi et faites-lui honneur, comme à votre seigneur lige ; soyez-lui fidèles, comme vous le seriez avec moi, si j'étais un homme et votre seigneur. Voilà tout ce que j'avais à vous dire ; celui qui montrera ses bons sentiments pour moi, sachez que je le lui revaudrai loyalement.

Les plus vaillants prirent la parole :

— Demoiselle, nous vous obéirons, car c'est la loi. Nous ferons ce qu'il voudra tout comme s'il était comte ou roi. Allez donc le chercher dans vos appartements et amenez-le nous ; alors nous le verrons et ferons connaissance.

A l'entrée de la demoiselle, Gliglois, qui était avisé et courtois, alla à sa rencontre. Après avoir fait allumer des cierges et des chandelles, celle-ci le conduisit par la main à ses hommes à qui elle le confia. Ils le saluèrent avec beaucoup de considération et tous célébrèrent sa beauté. Puis ils prirent congé, et la demoiselle les accompagna jusqu'au pont où Gliglois la quitta pour enfourcher avec eux les palefrois.

Il s'en allait ainsi au tournoi en grande pompe, avec beaucoup de richesses et une belle escorte ; il emportait de l'or, de l'argent, des sommiers et soixante chevaliers, tout à sa dévotion. Que Dieu lui accorde de conquérir valeur et gloire ! Ils chevauchèrent jusqu'à ce qu'il fît grand jour et grand soleil ; la troupe, fort joyeusement chantait sur la route, alternant avec des conversations sur Gliglois, sur sa fière jeunesse dont on se félicitait, en se promettant de l'aider. A ses côtés, le prévôt lui témoignait beaucoup d'amitié et de considération ; il lui donnait de bons conseils, que Gliglois accueillait avec empressement.

Au terme de cet agréable parcours, Gliglois demanda à ses compagnons quoi faire, qui envoyer en avant pour trouver un logement et pourvoir au repas.

— Voilà qui est judicieux, répondirent-ils. Choisissons dix écuyers polis et compétents, puis envoyons-les devant nous au château pour retenir le plus beau logement du bourg. Mais défendez-leur absolument de dire votre nom et dites-leur de crier partout que s'il y a de pauvres chevaliers, des ménestrels et des jongleurs, ils viennent tous ce soir à la cour que nous tiendrons, car vous leur ferez sur vos richesses de somptueux cadeaux.

C'était l'avis général ; on le mit donc à exécution, et Gliglois recommanda encore de ne pas ménager les deniers pour se procurer le meilleur menu ; les dix bons écuyers le promirent et prirent congé, tous bien équipés, bien vêtus, sur de beaux roncins. Ils arrivèrent à midi passé au château où le roi Arthur, la reine et leur suite étaient descendus. Tout le bourg était retenu, pas une maison qui ne fût pleine, car tous les chevaliers étaient arrivés en grand équipage, ainsi que les dames qui les accompagnaient. Ils encombraient les rues sur le passage des écuyers et leur demandaient d'où était leur maître, qui il était.

— C'est un nouveau chevalier qui vient pour le tournoi, mais il n'aura pas où loger, répondaient-ils.

Tandis qu'ils se lamentaient, un bourgeois qui avait en charge la police du bourg apparut ; il leur demanda aimablement le nombre de ceux qui devaient arriver.

— Seigneur, soixante chevaliers, avec leurs destriers et leur équipage.

— Ma foi, c'est somptueux ! Mais vous vous démenez en vain car dans tout le château il n'y a pas un abri, si modeste soit-il, qui ne soit plein de chevaux, et jusqu'à mon propre logis. Je vous le dis, inutile de vous mettre en peine, vous ne trouverez rien.

— Que faire alors, cher seigneur ? Aidez-nous à nous loger ; prenez de notre bien et nous vous en donnerons encore largement car il nous reste beaucoup d'or et d'argent.

— Certes, si je le pouvais, je vous renseignerais volontiers, sans vous demander un dédommagement que je ne convoite pas.

— Bien cher seigneur, aidez-nous, si cela vous est possible : notre maître est si généreux que, sans mentir, il pourra vous en advenir grand bien et grande considération.

Le bourgeois réfléchit un peu et reprit :

— N'allez pas plus loin, je vais vous dire ce que je vois de mieux, parce que vous êtes des étrangers. J'ai là en bas une grange, hors des remparts ; mais elle est elle-même entourée de fossés pleins d'eau, au milieu des pâturages. Les tournois se déploient souvent jusque-là ; si donc le gros des combattants vient là, jamais ceux qui seront dans la grange ne feront rien sans être vus par ceux du palais où est descendu le roi Arthur ; tout ce que vous ferez, ils le verront, et vous verrez tout ce qu'ils feront. Il y a quantité de fourrage et de foin ; vous pourrez en faire des sièges et des couches pour y dormir la nuit. Ce logement est à vous si vous le voulez et si votre maître veut y descendre.

— Seigneur, grand merci. Il nous sera beaucoup plus agréable de loger là-bas, plutôt qu'ici à l'intérieur du bourg : notre troupe y sera plus à l'aise. Faites-nous conduire, car nous devons nous occuper du repas et du logement ; il ne nous faut plus tarder, nos maîtres vont bientôt arriver.

— Volontiers, venez donc.

Et le bourgeois lui-même les conduisit à la grange.

L'emplacement au milieu des prairies leur sembla si beau qu'ils s'écrièrent :

— Ma foi, on ne saurait trouver plus beau logis, ni même l'imaginer ou le souhaiter ! Et ils s'y installèrent joyeusement.

L'hôte insista pour qu'ils en disposent comme si c'était leur bien propre, pour qu'ils en fassent tout ce qu'ils voudraient ; il leur ferait parvenir tout ce qu'ils pourraient commander. Alors ils commencèrent aussitôt les préparatifs. Ah ! si vous aviez vu confectionner les sièges, tirer des malles pour en joncher le sol des taffetas matelassés ! Elle pouvait bien descendre là, dans ce beau et grand logement, la troupe attendue ! Six des serviteurs de la grange furent réquisitionnés pour apporter le repas. Tout ce qu'on ne manqua pas d'acheter, viande de chapons, de gelines, d'oiseaux d'élevage, poisson, on l'envoya aux cuisines. On fit descendre aussi du pain et du vin. C'était cent quarante chevaliers qui paraissaient attendus ! Pour la considération publique, le crieur dut proclamer qu'aucun prisonnier croisé ou pauvre chevalier ne solliciterait le nouveau chevalier sans recevoir largement et de bon cœur ; les jongleurs, les ménestrels, les chanteurs pouvaient tout aussi bien venir. La nouvelle s'en répandit vite. Chevaliers, dames, demoiselles, parlaient de Gliglois et brûlaient de le voir arriver, sans cesser pourtant de s'interroger avec étonnement sur le bénéficiaire de si fastueux préparatifs, de lui supposer une suite importante. La demeure était déjà pleine de femmes légères, de vagabonds, de jongleurs qui comptaient sur la générosité de Gliglois. Le roi Arthur et les siens se demandaient eux aussi qui allait loger là, mais Beauté savait très bien à quoi s'en tenir.

Gauvain finit par enfourcher un cheval ; pour rien au monde il n'aurait renoncé à aller voir et se renseigner lui-même ; il se dit qu'il lierait amitié avec l'inconnu. Justement Gliglois et sa troupe arrivaient, richement équipés ; les chevaliers, revêtus d'habits neufs, entrèrent au château, rangés par deux et précédés de leurs écuyers. Sur leur passage ce fut une affluence générale, de chevaliers, de dames, de jeunes filles de toute condition. Le roi Arthur et la reine étaient aux fenêtres de la grande salle. Ah ! mon Dieu, Gliglois notre chevalier était si beau que tout le monde s'émerveillait ! Il avait la figure aussi vermeille qu'une cerise, d'une couleur belle entre toutes, que Dieu y avait mise. Gauvain chevauchait à ses côtés et le regardait intensément, n'osant le reconnaître ; car d'une part le fait que c'était un chevalier, d'autre part le fait qu'il avait un si riche train et une troupe si nombreuse l'empêchaient de croire que c'était Gliglois. Le roi lui-même le regardait avec étonnement. Gauvain insista pour lui offrir ses services, mais Gliglois le remercia et s'éloigna.

Alors Gauvain remonta au palais.

— Cher neveu, lui demanda le roi, qui est donc celui qui descend vers ces pâturages et va loger dans la grange ?

— Sire, je ne sais d'où il vient, mais il me paraît de grande noblesse. Je vous assure en fait que je n'ai jamais vu si grande ressemblance avec mon écuyer Gliglois, que j'ai pourtant laissé pour soigner mes oiseaux. Si c'était possible, j'affirmerais que c'est lui, car, oui, je n'ai jamais vu pareille ressemblance !

— Ce n'est pas lui, cher neveu, il n'aurait pas eu une pareille compagnie de chevaliers ; celui-ci est beaucoup trop riche. N'allez pas croire que c'est lui, mais je reconnais qu'il lui ressemble fort !

Beauté qui savait bien que c'était Gliglois, l'objet de sa flamme, éclata de rire.

Celui-ci était arrivé à son logis, avec ses compagnons et ses gens. Ah ! si vous aviez vu la maison se remplir, les prisonniers, les croisés descendre dans le vallon. Le chemin en était couvert. A chacun Gliglois faisait fête, de son mieux, et les chevaliers qui l'entouraient attiraient sur lui les faveurs et la considération. On fit préparer l'eau pour laver les mains, car les cuisiniers avaient tout prêt. Les serviteurs de Gliglois étaient habiles, courtois, bien formés ; ils servirent largement et dans la liesse tous ceux qui s'étaient attablés ; on mangea à satiété, on but des meilleurs vins du pays. Puis on ôta les nappes. Que de lumières alors vous auriez pu voir fixées au mur ! Rien ne manqua à la réception, pas même le service des fruits secs avant le coucher. On avait tiré la vielle, qui entretint la grande fête, car il y avait une foule de jongleurs — jamais on n'en avait tant vu en un seul logis et ils savaient bien que tous pourraient compter sur une large part de richesses ; dans la grande salle, ils attiraient les regards avec leurs joyeuses mimiques. Gliglois et les siens firent si bien les choses qu'on leur donna le prix de la fête ; dans aucun logis en effet, on ne dépensa seulement la moitié de ce qui fut donné là ; oui ce soir-là, on ne lésina pas sur les jeux et les plaisirs, avant que les lits fussent préparés et que les chevaliers puissent dormir.

Seigneurs, sachez en vérité qu'il y eut à ce tournoi trois fois plus de chevaliers contre les gens du château avec lesquels s'était rangé Arthur, car la dame de l'Orgueilleux Château y avait bien veillé : ses écuyers, ses damoiseaux, toute la quinzaine, n'avaient cessé de parcourir le pays pour convoquer au nom de la demoiselle maints chevaliers de valeur. Le parti adverse était bien pourvu : le roi de Galles était venu ; pourquoi ? parce qu'il avait un fils nouveau chevalier, qu'il aimait beaucoup car le jeune homme était beau et bien doué ; avec lui trois cents compagnons avaient passé la mer. Aussi Arthur avait-il fait fermer les portes ; il ne voulait pas qu'on s'avisât de tenter une folle sortie, car il savait bien qu'une rencontre en pleine campagne lui serait défavorable ; il voulait au contraire que l'adversaire vînt jusqu'aux lices, où se tiendraient quantité d'hommes d'armes à pied, et que le tournoi ait lieu là devant ; la décision en fut bien signifiée. Pourtant quand il fit grand jour et grand soleil, il y avait dans le bourg bien des jeunes prêts à jouter qui auraient voulu sortir à tout prix ; mais le roi ne se laissa pas fléchir.

Gliglois, lui, logé au milieu des prairies, n'était pas enfermé. Quand il vit la belle clarté du jour, il s'empressa de se lever et d'appeler tous ses compagnons. Il y avait hors du château une chapelle où l'on célébrait les offices ; ils y entendirent la messe du jour, puis revinrent prendre une légère collation de pain et de vin ; mais certains préférèrent s'abstenir. Puis tous s'armèrent, et les prisonniers, les croisés eux aussi se dépêchaient, car ceux d'en face arrivaient, impatients de se battre.

Pour s'armer, Gliglois s'était assis ; il laça ainsi facilement ses chausses ; puis le prévôt l'aida à enfiler son haubert, lui laça son heaume et lui ceignit son épée ; enfin il leva la main et le frappa légèrement de la paume sur le cou. On retenait Ferrant, le cheval que lui avait donné sa demoiselle ; Gliglois l'enfourcha et il se trouva ainsi parfaitement équipé pour le tournoi. Un de ses écuyers monta à cheval avec son écu, et dix autres les suivirent, montés eux aussi, portant ses lances, tous choisis pour leur vaillance. Le prévôt lui tint alors ce discours :

— Seigneur, prêtez-moi attention. Vous avancerez pour jouter et ainsi déclencher le tournoi, tandis que nous vous suivrons de loin. En cas de besoin, cette tour est bien fortifiée : j'y ai veillé soigneusement ; les fossés sont pleins d'eau, et infranchissables, sauf par un petit gué étroit, par où nous rentrerons nous-mêmes. C'est là que nous laisserons nos écuyers, et les braves ne manquent pas parmi eux ; ils n'ont pas leurs pareils pour servir d'armes et tous sont pourvus de haubergeons [1] de chapeaux de fer, de gilets de cuir ; ils nous aideront à l'emporter. Ainsi nous n'aurons pas besoin d'entrer au château, où toutes les barres des portes sont mises depuis hier soir. C'est une bonne tactique pour le tournoi que je vous indique là.

— Assurément, répondit Gliglois. Vous me suivrez donc, et moi je vais tout faire pour engager les joutes.

---

1. Petit haubert.

Piquant Ferrant des éperons, il s'écarta d'eux. De son côté le prévôt mit le reste de son plan à exécution : il arma les écuyers, les disposa sur le rebord du fossé, puis fit passer le gué à tous les autres chevaliers. Gliglois continuait d'avancer à bride abattue, jusqu'à ce qu'il vît arriver en face un chevalier bien prêt pour la joute. Gliglois mit sa lance et son écu en position et repartit de plus belle, droit sur l'adversaire qui fonçait lui aussi lance baissée. Les joutes allaient donc commencer.

Le coup contre Gliglois fut si rude que la lance se brisa en trois morceaux, tandis que lui-même frappait sur la boucle de l'écu et renversait brutalement l'autre à terre. Il redonna alors de l'élan à Ferrant, tendit la main et saisit par les rênes la monture qui n'avait plus de cavalier, avant de la ramener à grande allure. Telle fut la première joute, un modèle du genre, qui mit tout son camp dans l'allégresse. Mais Gliglois interpella un écuyer :

— Va, je te prie, et conduis ce destrier à mon hôte ; dis-lui que je le lui envoie.

Ce fut un beau cadeau que l'hôte étrenna !

Vous auriez pu voir alors les dames monter sur les murailles, contempler Gliglois qui était repassé en avant et qui se dépensait dans de belles joutes impétueuses. Beauté surtout le regardait, du haut des fenêtres, et entre toutes se réjouissait. Gliglois fit si bien qu'il gagna deux chevaux dans ces préliminaires. Ceux du dedans en voulaient au roi de ne pas les laisser sortir, car ceux du dehors voulaient endommager Gliglois et les siens : le roi de Galles surgissait avec sa compagnie, fonçant à grande allure. Gliglois exhorta les siens à garder raison, mesure et vaillance, sinon ils auraient des pertes cuisantes. Ils furent poursuivis jusqu'au gué, où étaient disposés les hommes d'armes à pied, et la mêlée, violente, se produisit là. Ah ! si vous aviez vu Gliglois se dépenser, chercher partout l'affrontement ! Personne ne devait faire mieux, et son camp lui donnait le prix. C'est à ce moment-là que Girflet sortit du château par la porte enfin ouverte ; il était suivi de deux cents chevaliers, lance levée, tout frais pour le combat. Les autres leur tournèrent le dos, mais Gliglois avec à propos piqua son cheval et tendit les mains pour prendre deux chevaliers ; il les ramena aussitôt dans la cour, mais il les laissa libres après avoir reçu leur serment. Il entraîna alors un grand nombre de chevaliers de son camp, qui revinrent à la charge, de sorte que le tournoi reprit, magnifique, devant les lices où les hommes à pied attendaient sans intervenir. Dans le camp du roi, pas un n'osait s'avancer, si hardi fût-il. Gliglois fonça, l'écu passé au bras, et jouta si bien devant les rangs qu'il cassa sa lance en deux ; oui, Gliglois multiplia les belles joutes ce jour-là ; et parmi ceux du dehors, il y en eut qui frappèrent dur ceux du dedans. Mais sachez que Gliglois fit mieux que tous : il lui arriva bien souvent même de briser sa lance et de foncer avec le tronçon, en s'exposant sans ménagement. Que vous dire de plus ? Il l'emporta sur tous à la joute, à l'assaut, à l'épée, à la mêlée, et cela jusqu'au soir ; pas un autre tournoyeur ne gagna autant de destriers à lui seul, pas un autre ne fit autant de riches prisonniers. Pourtant tous se dépensaient sous les yeux des spectatrices à qui rien n'échappait. Aux vêpres, le combat avait été acharné, et Gliglois joutait toujours au milieu des rangs, lui qui l'avait fait plus que tous ce jour-là, lui qui avait brisé maintes bonnes lances, des siennes et des autres.

Or voici que le fils du roi de Galles, monté sur un destrier d'Espagne, fort, léger et rapide, s'était écarté de ses compagnons, et que la lance et l'écu en position, il s'était élancé près des rangées pour jouter. Gliglois, qui l'avait vu tourner dans sa direction, éperonna Ferrant à sa rencontre ; sans un mot, sans discuter, ils frappèrent ; le fils du roi atteignit bien la boucle de l'écu, mais Gliglois le toucha à l'œillère et transperça son heaume ; par un grand malheur il lui plongea ainsi le fer d'une grosse lance dans le cerveau. Oui ce fut une grande malchance et une grande perte, car le fils du roi tomba mort. Mais Gliglois, qui ne s'était pas rendu compte qu'il l'avait atteint dans sa chair, s'était arrêté sur lui pour le faire prisonnier. Alors ceux de Galles, le roi en tête, éperonnèrent à la rescousse, tandis que tous les compagnons de Gliglois brochaient aussi pour lui porter secours. Ah ! quelle terrible mêlée ! On n'en verra jamais de pareille ! Gliglois et les siens, à soixante contre trois cents, se dépensaient sans compter ; sur les heaumes s'abattaient de grands coups de tronçons de lance, d'épée. Ah ! si vous aviez vu Gliglois porter secours, parcourir les rangs en tous sens, donner de grands coups d'épée, se lancer bien souvent parmi les adversaires ! Il donna bien des coups de lance, il abattit bien des chevaliers, mais la chance tourna contre lui. Le roi de Galles, qui était venu sur lui, bride abattue, le retint par le frein de son cheval. Entendez cette malchance : Gliglois fut emmené prisonnier à l'arrière, et il dut donner sa parole. Le roi de Galles ne savait pas que son fils était mort ; aussi fit-il jurer à Gliglois qu'il irait se rendre prisonnier à l'épouse du roi Arthur :

— Dites que je lui envoie mes salutations, et qu'elle doit m'accorder toute son amitié puisque j'ai pris le meilleur chevalier, le meilleur tournoyeur. Jurez-moi que vous lui direz bien cela.

— Sire, votre message sera fait comme vous le désirez.

— Allez, quant à moi je vous tiens quitte ; remettez-vous en tout à elle.

— Sire, fit-il, soyez remercié.

Gliglois s'en alla donc tout joyeux sur son destrier, sans avoir perdu un denier. Mais un chevalier qui s'était croisé arriva au galop jusqu'au roi de Galles et lui dit en pleurant que son fils avait été blessé mortellement. Une clameur de deuil s'éleva et l'on mit le corps sur un écu pour l'emporter hors du champ de bataille. Devant cette grande perte, devant la mort de leur jeune seigneur, ceux de Galles se retirèrent après avoir tué jusqu'à quinze chevaliers, je ne sais combien d'écuyers et s'être tous livrés au butin. Comme ils continuaient de crier, le tournoi prit fin complètement. Les compagnies rejoignirent leur logement.

Gliglois allait de son côté, avec ses gens, pour se désarmer ; mais il attira une foule de gens, tant il était beau et de grande prestance ; cela le remplit de confusion, d'autant plus qu'il y avait beaucoup de dames. Soudain Beauté surgit, éperonnant un mulet, tenant sur le poing le faucon qui lui avait été donné en chemin, le plus bel oiseau du monde. Elle alla directement à Gliglois, lui présenta l'oiseau et le lui posa sur le poing.

— Tenez, dit-elle, cher ami, en vérité, vous l'avez fort bien mérité, Dieu merci.

Avant de repartir, elle lui donna un baiser qui ne passa pas du tout inaperçu ; Gliglois en fut heureux, sachez-le, et préféra de beaucoup le baiser au faucon !

En face on se désarmait aussi, chacun regagnait son logement, le roi la grande salle. Partout on parlait de Gliglois, de sa belle démonstration chevaleresque. La reine se réjouissait beaucoup de ce qu'il devait venir se constituer son prisonnier. Avant de quitter son logis, Gliglois distribua tous les chevaux qu'il avait gagnés à ses compagnons ; à tous les chevaliers qu'il avait fait prisonniers, il ne retint pas même la valeur d'un roncin ; il distribua tout, donnant aussi aux prisonniers et aux croisés, qui s'en revinrent pleins de joie. Tous ceux du palais l'attendaient, et les dames brûlaient de le voir arriver, mais il était retardé par les dons, les distributions qu'il lui fallait faire. Il donna même sur les richesses qu'il avait apportées, pour combler tout le monde, et les jongleurs ne furent pas les derniers à le célébrer. On dressa les tables et quand le repas fut prêt, on prit place. Mais à la fin, Gliglois s'adressa à ses chevaliers :

— Seigneurs, il nous faut aller là-haut pour tenir mon engagement.

Alors tous enfourchèrent leurs chevaux et gagnèrent la cour, richement équipés.

Là-haut, le repas était terminé, mais tous attendaient Gliglois, et même le roi s'impatientait. Quand il entra dans la salle, Gauvain alla à sa rencontre et l'embrassa avec grande amitié. Les autres chevaliers se levèrent alors et s'avancèrent pour saluer courtoisement ses chevaliers à lui. Arthur, sachez-le, lui fit aussi un fort bel accueil en allant à sa rencontre, en le saluant le premier, et lui donnant un baiser après l'avait fait asseoir auprès de lui. Avec des manières accomplies, Gliglois répondit à toutes les amabilités. Puis il prit le roi par la main, appela Gauvain et les entraîna à l'écart, où il s'adressa alors au roi :

— Sire, je vous prie de m'aider à implorer votre neveu et la reine, car on m'envoie pour qu'elle dispose de moi comme son prisonnier. Aidez-moi, je vous le demande !

— Par Dieu, c'est la moindre justice de faire tout pour vous, car vous êtes brave entre les braves. Je ne veux pas vous manquer jamais, et vous allez faire partie de ma Table.

— Sire, vous vous en féliciterez, j'en suis sûr, quand vous saurez qui je suis.

Sur ces mots, il inclina la tête, car la reine sortait de ses appartements. Un chevalier lui avait dit qu'un prisonnier était arrivé pour elle. Devant elle, Gliglois se leva, se laissa prendre par la main droite et emmener dans la grande chambre, après avoir demandé au prévôt qu'il aimait fort de venir avec lui ; ses autres compagnons étaient restés dans la salle. Le trio entra donc dans la chambre, et s'assit sur un lit d'ivoire poli, où Beauté prit place aussi, entre le prévôt et Gliglois à qui elle fit bien des cajoleries.

Celui-ci s'adressa alors à la reine :

— Ma dame, je me rends à vous ; vous pouvez disposer de moi ; le roi de Galles me remet en votre merci ; ne voyez pas un affront dans la parole que je lui ai donnée, car je pourrais vous dire en vérité qu'il vous envoie le meilleur chevalier du tournoi d'aujourd'hui. Faites de moi ce que vous voulez.

Il rougissait, fort troublé ; la reine voyant sa confusion, lui dit :

— Seigneur, qu'y a-t-il d'outrecuidant dans vos paroles ? Pourquoi avez-vous honte ? Nous savons parfaitement que vous avez été le meilleur. Puisque vous avez donné votre parole, il n'y a rien d'extraordinaire à parler ainsi, et d'ailleurs nous n'avons été que trois à l'entendre ! Ainsi vous avez tenu votre engagement ; moi, je vous tiens quitte, à condition que vous me disiez seulement qui vous êtes ; ne me le cachez pas, dites-moi qui vous êtes, car je crois bien que je vous connais. Êtes-vous Gliglois, dites-le moi !

— Oui, c'est moi, en vérité, on ne peut rien vous cacher.

— Par ma foi, vous m'en êtes d'autant plus cher. Mais dites-moi encore, Gliglois, qui vous a fait chevalier ?

— Ma dame, Beauté m'a fait tout entier ce que vous voyez.

La reine pria Beauté de lui expliquer ce qu'il voulait dire.

— Ma dame, vous allez le savoir. Je vous sais dame si courtoise que jamais je n'aurai à m'en repentir.

Elle lui raconta alors dans le détail la vie qu'elle lui avait fait mener, combien il l'avait aimée à la cour du roi, toutes les souffrances qu'il avait endurées et comment il avait couru derrière elle sans vouloir retourner.

— Ma dame, je voulais l'éprouver, car je l'aimais plus que tout, à cela seulement que je ne voulais pas le lui dire. Je l'envoyais à ma sœur avec un mot pour lui demander de le faire chevalier, ce qu'elle exécuta volontiers. Ma dame, je l'aime par-dessus tout, et lui de même, je le sais bien ; je n'aurai pas d'autre mari. Chère dame, au nom de votre honneur, veuillez prier le roi de penser à lui et à moi.

— Par le Dieu de vérité, vos deux amours me plaisent : Gliglois est beau et brave ; vous-même, vous êtes une noble jeune fille, et je ne connais pas au monde une demoiselle de votre valeur. Il est donc bien juste qu'on s'occupe de vous : je vous donnerai une bonne terre en fief héréditaire ; mais Gliglois m'en fera hommage, et mon époux vous la rendra le jour de votre mariage. De son côté, Gliglois attend de son père et de sa mère un grand héritage ; avec les grands biens que vous avez déjà, vous serez riches et vous vous convenez bien. Maintenant faisons venir le roi pour qu'il entende ce que vous avez à lui dire.

Avec beaucoup d'à-propos, Beauté remercia la reine en s'inclinant profondément. Sans plus attendre, la reine demanda le roi, et Gauvain qui jamais ne fit une bassesse, vint aussi.

Ils s'assirent sur le lit et la reine leur dit que c'était Gliglois.

— Par Dieu, s'écria le roi, je m'en étais bien douté en le voyant !

Gauvain aussi s'en réjouit comme jamais plus on ne le verra ; il s'approcha pour lui donner un baiser et lui manifester son allégresse :

— Ami, je n'osais pas dire que vous étiez Gliglois ! Votre vaillance me rend très heureux. Désormais vous serez mon compagnon, et moi le vôtre. Le moins que je puisse faire, c'est de n'avoir pas un seul denier que je ne partage avec vous. Je serai votre ami, car vous le méritez.

— Gliglois, déclara le roi à son tour, vous ferez partie de ma maison, et je vous trouverai quantité d'armes et de chevaux.

— Sire, répondit Gliglois, croyez à toute ma gratitude.

— Sire, enchaîna la reine, savez-vous pourquoi je vous ai fait venir ? Voici Gliglois et Beauté qui s'aiment d'un grand amour. S'il a pu venir en si riche appareil tournoyer hier matin, c'est que Beauté, par une lettre, a demandé à sa sœur de l'adouber. Elle l'aime par-dessus tout, et lui aussi, j'en suis certaine ; on n'a jamais vu couple mieux assorti. Beauté veut vous demander votre amitié, votre aide et votre protection, car elle va recevoir promesse de mariage.

A ces mots Gauvain baissa la tête ; tout malheureux, il poussait des soupirs, croyant aimer Beauté ; mais d'un autre côté, il se réjouissait pour toute l'affection qu'il portait à Gliglois et parce qu'il n'avait jamais commis de bassesse ; il réussit à prier le roi d'accroître leur héritage et de conclure leur mariage.

— Très volontiers, répondit le roi. Gliglois est un vaillant chevalier, et j'apprécierai fort son hommage. Ma décision est prise : il recevra tant de mes richesses et de mes terres qu'il m'en saura gré.

Gauvain l'en remercia. Alors Beauté reçut la promesse de Gliglois, qui la garantit par un baiser. Arthur s'avisa qu'il reviendrait avec eux à Carduel, où il présiderait à leurs noces.

— Nous ferons là une grande fête, je vous le promets.

Il quitta la chambre, et Gliglois regagna son logis, accompagné longuement par Gauvain, qui ne le quitta pas sans avoir pris congé.

Gliglois mena dès lors une belle vie. Il s'était assuré de son amie en triomphant de toutes ses épreuves. Amour avait récompensé ses grandes souffrances. Sachez donc que celui qui accepte de servir, celui-là trouve sa récompense tôt ou tard. On doit prendre exemple sur Gliglois qui servit et pria si bien, qui supporta tant de peines avant de trouver son bien. Certes, tel croit bien s'y connaître qui, dans le plus grand besoin, saurait bien peu de l'amour vrai. Il y a bien des gens, quand ils n'ont pas ce qu'ils veulent de l'amour vrai, qui abandonnent et vont chercher ailleurs, en prétendant que c'est être avisé en amour que d'en esquiver les souffrances. Mais ils mentent ; ce n'est pas de l'amour, car on ne plaisante pas avec lui, sinon il serait par trop volage ; ce ne serait pas aimer d'un cœur sincère. Pour bien aimer il faut avoir du mal à se quitter. Amour ne brûle pas, il consume. Quand on se croit le plus loin, c'est alors qu'Amour prend possession de l'être, bon gré mal gré, et qu'il faut se plier à sa volonté. Amour fait trembler nombre de gens ; mais plus tard, il sait récompenser ; Amour peut bien accabler, mais il sait donner la contrepartie. Il est bon le mal dont on peut obtenir du bien, quand l'heure est venue. Ainsi en fut-il de Gliglois : Amour le dédommagea de toutes les peines qu'il endura en son nom, tandis que lui en obtint tout ce qu'il désirait.

Ici s'arrête le livre.

Raoul de Houdenc

MÉRAUGIS DE PORTLESGUEZ

Récit en vers, traduit et présenté par Mireille Demaules.
Écrit dans le premier quart du XIIIe siècle.

INTRODUCTION

De l'auteur de *Méraugis de Portlesguez*, nous ignorons presque tout. Né vers 1165-1170, mort probablement vers 1230, Raoul de Houdenc fut sans doute un petit hobereau du Beauvaisis qui, outre l'administration d'un domaine réduit, consacra son activité à la poésie. Ce n'est certes pas *Méraugis* qui signala notre auteur à la postérité. Ce « roman de jeunesse », parfois jugé désinvolte, a été vite éclipsé par le reste de son œuvre : *Le Songe d'enfer* ou *Le Roman des ailes*. L'inspiration du poète semble avoir été des plus hétéroclites. Que peut-il y avoir de commun entre ce roman de la Table Ronde, redevable de toute la tradition arthurienne et *Le Songe d'enfer* qui présente le premier cas dans notre littérature d'un voyage allégorique dans l'au-delà, entrepris à la faveur d'un songe ? Tout compte fait, on a retenu l'esprit novateur, la gravité mordante d'un poète didactique et oublié à tort son savoir-faire de simple romancier.

Méraugis de Portlesguez fut probablement écrit avant 1220 et nous est parvenu dans deux fragments et trois manuscrits complets, l'un conservé à Turin, l'autre au Vatican et le troisième à Vienne. En 1897 un jeune philologue autrichien, Mathias Friedwagner fit paraître l'édition de ce texte, fondée essentiellement sur le manuscrit du Vatican. C'est cette édition qui fait toujours autorité et nous en proposons aujourd'hui la traduction. Celle-ci suit exactement le texte édité, mais nous avons pris en considération les critiques qu'avait formulées Gaston Paris dans un compte rendu, et adopté le cas échéant les corrections qu'il proposait à la lumière du manuscrit de Turin. Notre préoccupation constante a été de traduire avec exactitude en évitant « le mot à mot » et les archaïsmes. Moderniser la poésie subtile de Raoul de Houdenc n'est pas chose aisée, et le premier problème auquel nous avons été confronté est celui des temps verbaux. Il nous a semblé inutile de conserver le mélange des temps si caractéristique de l'ancienne langue et nous avons choisi d'unifier leur emploi pour faciliter la lecture de ce récit.

Que le manuscrit choisi par l'éditeur contienne aussi une copie du roman *Yvain* de Chrétien de Troyes ne relève pas d'une mise en recueil fortuite. Dès le Moyen Age en effet Raoul de Houdenc fut estimé comme le digne émule du grand maître champenois et par sa composition, sa facture, ses éléments poétiques, *Méraugis* prend place dans la lignée des récits arthuriens du xiiie siècle, tous inspirés par l'univers qu'imagina Chrétien.

Si Méraugis, le héros éponyme, n'est pas, quoique fils naturel du roi Marc, une célébrité de l'univers arthurien, pas plus que son brillant rival Gorvain, nous retrouvons néanmoins la plupart des figures familières des romans de Chrétien. Le poète a donc choisi d'entrer dans un système narratif par l'insertion des péripéties dans un cadre bien connu. La composition, sans être dépourvue d'invraisemblances, d'épisodes inutiles ou de questions laissées en suspens utilise astucieusement le système de l'entrelacs des quêtes. L'aventure se présente à la cour sous les traits d'un nain qui presse les chevaliers d'aller délivrer Gauvain. Parti avec Lidoine, Méraugis oublie curieusement son amie et perd sa trace au moment où il réussit cette première épreuve. La seconde partie du roman consacrée à la reconquête de Lidoine, prisonnière d'un seigneur pillard, Belchis le Louche, s'achève heureusement à la cour par le mariage du héros et de son amie. Le schéma serait tout à fait conventionnel, si Raoul n'avait greffé sur cette intrigue un conflit psychologique : deux amis, Méraugis et Gorvain s'éprennent de la même femme, se brouillent au début du roman et finissent par se réconcilier. Les variations de l'amitié établissent donc des correspondances qui encadrent nettement le récit et lui donnent une rigoureuse unité.

On aurait tort de prendre à la légère ce thème de l'amitié entre deux chevaliers, unis par l'amour même qui les sépare. On a jugé de mauvais goût le stratagème burlesque imaginé par Méraugis pour délivrer Gauvain. Déguisé en dame, « aussi paré qu'une coquette », il s'enfuit en barque avec Gauvain. Cette arlequinade équivoque a pour effet d'annuler la dame, la vraie, puisque notre héros l'oublie, tout à la joie de retrouver son ami. Ce pourrait être une grossière ficelle destinée à provoquer la seconde quête, si Méraugis ne récidivait, perdant le souvenir même de Lidoine dans une ronde magique. Et quand il conquiert enfin la femme et la terre, il ne savoure pas tant l'amour retrouvé et la puissance assurée que l'effacement de la rivalité, l'amitié consolidée par l'épreuve et sanctifiée par un serment sur les reliques. A l'image des entrelacs savants de la fiction, il n'y a pas de droiture de l'amour, mais déplacement et discontinuité du désir, nourri par la feinte et la fuite. Gorvain, Gauvain : ces homophonies combinatoires révèlent la séduction du miroir, le pouvoir captivant de la fontaine de Narcisse.

Méraugis est donc le récit d'une sympathie, détruite et métamorphosée en émulation sous l'effet du pouvoir attractif d'un tiers : la dame. Dans ces chassés-croisés de sentiments, dans cette relation entre hommes, c'est elle qui met en mouvement le jeu mobile des affinités. Dire que Raoul de Houdenc s'inspire des lieux communs de la rhétorique courtoise pour célébrer la dame et l'amour est vrai. Par exemple, il met en scène une cour d'amour où la casuistique fait passer le récit du plan narratif au plan théorique des débats et jeux-partis. Et si dans toute la poésie d'amour du Moyen Age le désir se conçoit dans la contemplation de son objet et s'exaspère au souvenir de son image imprimée dans le cœur, on comprend que la langue poétique de notre texte transpose la fascination exercée par l'image adorée en jeu de métaphores-clichés sur le regard et la subtilité de ses pièges. Filet où se prend le cœur de l'aimé, il est aussi le dard qui transperce ses yeux et son cœur. Ne voyons cependant aucune naïveté dans ces poncifs car les interruptions du récit par la voix brusquement surgie d'un auditeur fictif qui s'étonne, s'impatiente, feint l'incompréhension, crée une mise à distance du cliché ou de l'innovation poétique hasardeuse. Raoul de Houdenc s'amuse avec le lieu commun et ce jeu donne à la fiction ce ton léger et dégagé qui rehausse la préciosité même du style.

Le jeu de ces réminiscences poétiques coïncide naturellement avec la forme du récit qui sur le modèle des romans de Chrétien de Troyes épouse le rythme de l'octosyllabe et nous emporte sur cette cadence allègre durant presque 6 000 vers. Outre cette parenté formelle, Raoul emprunte à Chrétien des épisodes justement célèbres de son œuvre. Les clins d'œil sont d'autant plus facétieux que les situations subissent des variantes. Lorsque Calogrenant se fracture le bras pour avoir voulu se mesurer avec Méraugis, Raoul fait une allusion appuyée à un épisode célèbre du *Conte du Graal* : Perceval abat Sagremor, et désarçonne Keu le sénéchal qui dans sa chute se brise le bras. La fusion dans la figure de Calogrenant de deux chevaliers du *Conte du Graal* relève du savoir-faire parodique qui use d'un personnage-structure et par déplacement lui attribue un nom par ailleurs bien connu des lecteurs d'*Yvain*. Certes ce travestissement ne tourne jamais en ridicule l'œuvre du maître, mais l'univers chevaleresque, ses imbroglios juridiques et ses joutes héroïques sont souvent traités sur le mode burlesque. On lira dans ce texte quelques caricatures de chevaliers, quelques portraits-charges qui annoncent la verve ironique du *Songe d'enfer*.

A l'instar de Chrétien de Troyes, Raoul de Houdenc mêle le merveilleux à l'exploit chevaleresque et il s'inspire comme son devancier du surnaturel, propre à la matière de Bretagne : la quête du repaire de Merlin, l'enchantement du Château des Rondes, la Cité et l'Île sans Nom apportent au récit un soupçon de mystère qui s'harmonise parfaitement avec la subtilité de la progression narrative. Reste que le merveilleux se dérobe et se donne comme un insaisissable objet. La quête de l'Épée à l'étrange baudrier est réduite à moins de dix vers et Merlin ne daignera pas apparaître à notre héros. L'échec de cette aventure est sciemment organisé et le dépit de Méraugis est à la mesure du nôtre.

Raoul de Houdenc malmène-t-il son lecteur ? Certes, non. S'il nous prive du rire de Merlin, il sait nous faire sourire par la légèreté de sa parodie qui honore et célèbre les merveilles du récit arthurien.

Mireille DEMAULES

BIBLIOGRAPHIE

Édition :

Raoul de Houdenc, Sämmtliche Werke, herausgegeben von Mathias Friedwagner, I, *Meraugis von Portlesguez*, Halle, 1897, Genève, Slatkine reprints, 1975.

« Compte rendu de l'édition établie par Gaston Paris », dans *Romania*, t. 27, 1898, p. 307-318.

Travaux critiques :

D.E. CAMPBELL : « Form and meaning in the Meraugis de Portlesguez », dans *Genre*, t. 2, 1969, p. 9-20.

A. FOURRIER : « Raoul de Houdenc : est-ce lui ? », dans *Mélanges Maurice Delbouille*, 2, 1964, p. 165-193.

V. KUNDERT-FORRER : *Raoul de Houdenc, ein französicher Erzähler des 13. Jahrhunderts*, Bern, 1960 (*Studiorum romanicorum, collectio Turicensis*, 12).

A. MICHA : *De la chanson de geste au roman*, « Raoul de Houdenc est-il l'auteur du Songe de Paradis et de la Vengeance Raguidel ? », Genève, Droz, 1976, p. 487-531.

M. PLOUZEAU : « Amour profane et art sacré : A propos d'un " crucefiz " dans Méraugis de Portlesguez », dans *Senefiance*, nº 7, Mélanges Pierre Jonin, 1979.

M. PLOUZEAU : *Une Vieille bien singulière* (Méraugis 1463-1478) dans *Vieillesse et vieillissement au Moyen Age, Senefiance* nº 19, 1987, p. 391-411.

R.M. SPENSLEY : *The theme of Meraugis de Portlesguez*, dans *French Studies*, t. 27, 1973, p. 129-133.

PROLOGUE

Pour qui entreprend de faire des vers, y met son cœur et son application, tout ce qu'il conte ne présente aucun intérêt, s'il ne consacre
son travail à une histoire toujours agréable à raconter ; car on trouve
de la joie à composer une belle œuvre dont la matière plaise à tout
jamais : un conteur de talent se doit de raconter les aventures de
jolis contes. Tous ces rimailleurs de serventois, sachez ce qu'ils font :
rien, parce que leurs discours et leur travail ne mènent à rien. Ce
sont des disputailleurs, ils ne trouvent rien par eux-mêmes, mais sont
de ceux qui gardent leur savoir pour eux. C'est pourquoi Raoul de
Houdenc déclare vouloir avec son savoir, certes faible, commencer
un nouveau conte qui sera toujours plaisant à raconter et qui jamais
ne disparaîtra ; aussi longtemps que durera ce monde, durera la
renommée de ce conte. C'est l'histoire de Méraugis qui accomplit les
exploits que je vais raconter. A moins que vous ne soyez floués par
mon récit, vous n'y trouverez aucune vulgarité. C'est au contraire
une histoire pleine de noblesse, racontée dans une langue belle et
plaisante. Personne, s'il n'est courtois et valeureux n'est digne
d'écouter l'histoire que je vais vous relater.

I

LIDOINE ET LES DEUX AMIS

Seigneurs, au temps du roi Arthur qui était si valeureux, vivait en
Grande Bretagne un roi qui gouvernait un très puissant royaume.
C'était le roi de Cavalon, qui était plus beau qu'Absalon, comme
l'atteste Le *Conte du Graal*. Ce roi, vaillant et loyal, puissant et

entouré d'amis avait une fille d'un grand mérite. La jeune fille s'appelait Lidoine. Il n'y avait jusqu'aux ports de Macédoine aucune femme qui l'égalât en beauté, et tout autre jeune visage comparé au sien eût semblé la disgrâce même. C'est pourquoi il me plaît de faire d'elle un beau portrait. C'était le plus aimable rejeton auquel Dieu ait jamais donné vie ; je crains de ne pouvoir parvenir à décrire une telle créature : car la jeune fille avait des traits harmonieux, et les cheveux plus dorés que les ailes d'un loriot. Elle avait un front haut, pur et régulier. Les sourcils étaient bruns et point trop mal dessinés : ils étaient même si beaux qu'on les eût dit tracés à la main ; ils étaient légèrement étirés vers les tempes et bien écartés. Ses yeux, à vrai dire, avaient une expression si subtile que la flèche de son regard aurait bien transpercé l'épaisseur de cinq écus, triomphant ainsi du cœur caché dans la poitrine. Du regard d'un œil si pénétrant, je vous assure qu'il vaut mieux se préserver : nul n'aurait pu la regarder sans être embrasé d'amour. J'ai entendu tant de louanges à son sujet que je vais vous rapporter un prodige : elle avait le teint plus frais et plus vermeil que la rose des prés ; celui qui créa un être si beau avait le goût délicat et sûr. La nature se montra pour elle plus prodigue qu'elle ne le fut sûrement jamais : elle avait le nez fin et droit, une belle bouche et des dents très blanches ; quand sa langue se déliait, ses dents avaient, semblait-il, l'éclat de l'argent. Pour mieux séduire les gens, elle avait une gorge divine, plus lumineuse que la neige ou le cristal ; son cou était long, blanc et droit. Si à cet instant même je l'avais sous les yeux en chair et en os, je ne pourrais pas mieux décrire sa beauté. Qui aurait pu la voir en réalité, l'eût-il contemplée à loisir, ne l'aurait jamais mieux décrite que moi : j'ai seul ce privilège. Si elle avait un joli visage, agréable à tout le monde, elle avait aussi un corps plus gracieux que n'avait Lorete de Brebraz. La jeune fille avait de belles épaules, de jolis bras et des mains fines qui ne restaient pas inertes quand l'occasion de donner se présentait. La jeune fille était douée de tant de qualités que l'homme qu'elle aurait enlacé de ses bras si blancs aurait été guéri à jamais de tous ses maux.

Si l'on trouvait en elle de la beauté, il y avait bien plus encore d'intelligence et de bonté, car elle était en tous points si courtoise qu'autour d'elle, seule la courtoisie étendait son empire. C'était une jeune fille de grand renom, un modèle de vertus. Auprès d'elle on aurait pu puiser les mérites à pleines mains, aussi les jeunes filles venaient-elles de fort loin, de Cornouailles et d'Angleterre, pour la trouver personnellement, la voir et l'écouter parler. Tout le monde avait pris l'habitude d'accomplir un si courtois pèlerinage. En effet la jeune fille était d'une telle sagesse que jamais un homme, aussi courtois fût-il, n'aurait bavardé avec elle sans la quitter plus courtois qu'avant, pour peu qu'il voulût retenir ses propos. A cette époque on la tenait pour la plus noble demoiselle. Mais si elle était noble, honorable et belle, elle avait par-dessus tout la grâce de rendre heureux ; qui en effet se rassasiait de la regarder, ne devait craindre aucun malheur imminent, non, je le jure sur ma tête ! Fût-il tombé de toute la hauteur d'un clocher, il n'en aurait pas boité pour autant, puisqu'il l'aurait vue ce jour-là. Rien qu'à la voir tout le monde savait qu'elle avait une telle grâce. Le destin cependant voulut que la jeune fille perdît son père. Elle n'en éprouva certes aucune joie : elle faillit sombrer dans le désespoir, sans que s'altérât le mérite de son cœur. A la mort de son père, elle prit possession de la terre, car son père à vrai dire n'avait d'autre héritier qu'elle : sa terre lui revint donc. Je vous assure, elle la gouverna si bien que jamais personne ne lui déclara la guerre. Elle dirigea ainsi sa terre sans difficultés.

Elle gouvernait depuis trois ans et sa conduite avait recueilli les louanges de tous, quand elle eut envie un jour d'aller aux portes de Lindesores où la dame de Landemore avait organisé un tournoi ; grâce à elle on lancerait maints cris de ralliement et on échangerait bien des coups : le chevalier qui aurait l'honneur d'être le vainqueur du tournoi, remporterait en prix un cygne qui serait perché dans un pin, et il embrasserait, je vous assure, la demoiselle de Landemore qui n'était certes ni laide ni noire de peau. Une fois le cygne donné, on sonnerait aussitôt du cor auprès de la fontaine sous le pin : sur un perchoir de sapin, se tiendrait un épervier déjà mué que personne ne toucherait ni ne prendrait avant que ne l'emportât celle qui se révélerait la plus belle de toutes. Sa robe pourrait être trouée aux coudes, si c'était elle la plus belle, aucune autre jeune fille n'aurait l'épervier, car on le donnerait en tout cas à celle que l'on jugerait la plus belle.

On fixa alors le jour du tournoi. Les jeunes gens amoureux y amenèrent leur amie. Le tournoi s'annonçait comme un succès car tous les jeunes chevaliers aventureux du royaume de Logres allaient s'y rendre pour remporter le prix. Lidoine quant à elle, fit venir au moins trente demoiselles, les plus nobles et les plus belles qu'elle pût trouver dans son pays. En prévision des rencontres qu'elle ferait, elle leur donna de riches atours. Elle n'arrêta pas le jour de son retour, mais au départ elle les fit vêtir des soieries de Tyr les plus précieuses qu'on pût acheter. La demoiselle ordonna à sa suite et à toutes ses dames de compagnie de se mettre en selle : je ne saurais compter tous ceux qui ce jour-là l'escortèrent ; elles chevauchèrent jusqu'aux plaines qui s'étendent devant Lindesores. On était alors sur le point de se rassembler pour le tournoi. Elles se mirent à l'amble et virent près d'un étendard un héraut qui tenait dans sa main un javelot au fer acéré. Il prenait un malin plaisir à le lancer au milieu des combattants. Il était si laid qu'on l'eût dit taillé à la hache ; en effet sa tête était oblongue et anguleuse et tout son corps contrefait. Mais ne comptez pas sur moi pour décrire plus longuement cet être oublié de Dieu car je ne pourrai en effacer la hideur extrême. Il se retourna et aperçut les dames qui arrivaient au petit trot. Il les reconnut mais n'en manifesta rien et courut auprès de la dame qui réunissait la cour et se tenait sur une tribune. Sans détours il alla droit vers elle et lui dit :

— Ma dame, vous pouvez en être sûre, la dame qui aura l'honneur de recevoir l'épervier vient d'arriver.

— Je veux savoir, dit-elle, quelle est donc cette femme si belle.

— Ma dame, répondit-il, c'est la fille du roi de Cavalon.

— Allons, dit la dame, descendons de ces gradins pour l'accueillir.

Lidoine, dont on ne taira aucun détail indispensable à une belle histoire, rencontra au bas des gradins la dame qui présidait au tournoi ; celle-ci l'arrêta et la salua :

— Ma dame, soyez la bienvenue ! Prenez donc place, je vous en prie, sur cette tribune.

— Ma dame, je vous remercie, j'accepte volontiers la loge à condition que vous y veniez, dit Lidoine avec sagesse ; je l'accepte et vous y prendrez place aussi puisque nous la partagerons. Qu'elle nous soit commune, nous pourrons bien y tenir toutes.

Alors toutes les dames s'apprêtèrent à monter sur les gradins ; mais telle la rose ou la fleur de lys, Lidoine l'emportait en beauté sur toutes les autres. Fenice, l'épouse d'Alis, ne l'égala jamais en beauté. Nature lui fut fidèlement dévouée, car elle lui prodigua tout ce qu'il fallait. Lorsqu'elle prit place à la tribune où se trouvaient de nombreuses jeunes filles, alors je vous l'assure, la plus belle, celle dont le corps était le plus parfait, semblait auprès d'elle février auprès de mai.

Une fois les dames installées à la tribune, les chevaliers se mirent alors en marche, ceux du moins qui voulaient jouter les premiers. Ils commencèrent à se ranger par troupes sous des bannières. Il y avait de nombreux chevaliers aux armes fort diverses et quand l'un d'entre eux avait reconnu Lidoine, il ne montrait pas une lâche indolence, au contraire il redoublait d'ardeur au combat, traversait les lignes de bataille où il frappait alors et abattait maints chevaliers. Tous les valeureux chevaliers du tournoi s'en donnaient à cœur joie. Quand ils surent avec certitude que la jeune fille se trouvait là, ils brûlèrent du désir de jouter et de frapper de beaux coups : ils s'élançaient contre leur adversaire, quand l'un pourchassait l'autre. La lance solidement assujettie sur le feutre, les chevaliers galopaient vers la tribune, sous le regard des dames ils empoignaient le bois de leur

— Cher chevalier, merci ! dit-elle, Vous pouvez d'ores et déjà être sûr que je suis heureuse, à juste titre d'ailleurs, de faire votre connaissance et de vous voir, car j'ai entendu dire que vous étiez un très noble chevalier et je veux bien le croire.

— Ma dame, dit Gorvain, vous me voyez au comble du bonheur. Sur ces mots, il prit congé.

Voilà donc ce qu'il arriva à Gorvain Cadruz. Mais s'il aima la dame pour sa beauté, son ami Méraugis qui l'accompagnait, après avoir bavardé un peu avec elle, aima aussi ses mérites, sa courtoisie et sa conversation raffinée au point qu'il fut cent fois plus épris que son compagnon. Ainsi tous deux éprouvaient-ils les tourments d'un même amour. L'amour est bien cruel de séduire ainsi les gens et de les perdre. Lidoine monta en selle ; pour l'escorter les chevaliers vinrent de toutes parts. Elle partit alors, mais Gorvain ne l'accompagna pas. Des chevaliers vinrent en foule lui faire escorte. Méraugis, qui ne trouvait pas désagréable de la regarder, la suivit et se faufila auprès d'elle tandis qu'elle se rapprochait de lui. Mais alors qu'ils cheminaient en bavardant ensemble, sa douleur ne faisait que s'aviver. — Pourquoi ? — L'amour l'accablait davantage à chaque mot. Il l'aimait plus qu'il ne l'aimait l'instant auparavant. Il l'aimait et succombait peu à peu, si bien que l'amour pénétrait en lui par ses yeux, son visage et tout son corps : on n'aurait pu en puiser ailleurs, tant il en était inondé. Il fallait avoir bu à une source bien agréable pour être si vite abreuvé ! Il était bel et bien épris d'amour : il n'y a rien d'autre à ajouter. A Dieu ne plaise qu'il pût proférer un seul mot pour prendre congé ! Plongé dans ses pensées, il restait tout éperdu au milieu du chemin. Ses yeux et son cœur la suivirent, car lui était hors d'état d'aller plus loin. Alors il fit tourner bride à son cheval gris et s'en revint doucement au pas. Aussitôt Gorvain Cadruz remonta en selle et se dirigea vers lui. Le rencontrant, il lui demanda :

— Avez-vous vu comment Dieu a rassemblé toutes les beautés en cette jeune fille qui semble toutes les surpasser en splendeur ?

— Peu importe sa beauté, répliqua Méraugis, si elle n'est une femme de mérite, car si son honneur n'était pas irréprochable, fût-elle plus belle encore, tout amoureux s'épuiserait en vain à l'aimer. A s'enflammer d'amour pour la beauté d'un corps sans aimer la courtoisie de l'être, il pourrait bien en éprouver de l'amertume.

— Vous croyez ?

— Oui, s'il l'aime vraiment.

Gorvain Cadruz répartit aussitôt :

— Mais, ami, pourquoi ? A mon sens, même si elle était en soi un démon, une vipère, un fantôme ou un serpent, pour la beauté de son apparence tout le monde doit aimer son corps.

— Mais non !

— A mon avis, si !

Gorvain dit alors à Méraugis :

— Je vais vous parler à cœur ouvert, car j'ai de l'amitié pour vous et je sais pertinemment que vous m'aimez sincèrement. Pour cette raison mon ami, je ne dois pas vous cacher le secret de mes pensées. Bien souvent, à vrai dire, nous avons été un conseiller l'un pour l'autre.

Méraugis lui répondit :

— Nous n'avons plus maintenant à nous prouver notre amitié. Si je peux vous donner un conseil, pour ce que vous voulez me dire, je vous le donnerai.

— Vous le ferez pour moi, mon ami ?

— Oui, bien sûr, si je le peux.

Gorvain dit alors :

— Je vais vous dire ce que je ne dirais à aucun autre homme ; conseillez-moi, en un mot voici : j'aime Lidoine de tout mon cœur, jamais je ne pourrai vivre sans elle, c'est vrai. Je l'aime, mais pourquoi donc ? Pour sa beauté !

— Pour sa beauté ?

— Oui, et rien de plus ! Je renonce à tout le reste car c'est pour cela que je suis amoureux d'elle ; si Dieu lui a donné d'autres qualités, je n'en suis ni joyeux ni triste. Qu'elle soit grossière ou courtoise, ou même femme de mauvaises mœurs, j'aime ainsi sa beauté, d'un amour si violent que j'ai tout lieu de m'en étonner moi-même.

— Vous êtes facile à conseiller ! dit Méraugis.

— Comment, seigneur ?

— Puisqu'il ne peut en être autrement, aimez-la, tel est mon conseil.

— Jamais je n'ai manqué de suivre votre avis, dit Gorvain, et je le suivrai cette fois encore, car vous m'avez en l'occurrence conseillé comme je le souhaitais.

Méraugis lui dit tout en cheminant :

— Cher ami, je le fais pour votre bien. Si vous voulez le mien, conseillez-moi donc à votre tour sur une affaire semblable. Si vous refusiez, nous ne pourrions nous quitter ici amis.

Gorvain répondit alors :

— A Dieu ne plaise que la discorde surgisse entre nous ! A moins que ce ne soit votre faute, jamais elle ne viendra de mon fait. Que Dieu ne me dispense aucun bienfait, si je ne faisais de bon cœur tout mon possible pour vous conseiller dans la difficulté !

— Pourquoi ?

— Je sais sans aucun doute que vous m'apporteriez votre aide.

— Conseillez-moi donc avec sincérité, mon ami, si vous le pou-

— Je ne sais comment cette affaire se terminera, dit Keu, mais dans ces conditions je n'ai plus rien à ajouter.

Les autres prirent ensuite la parole et chacun donna son avis. Ils discutaient depuis un bon moment, quand la reine arriva et demanda à réunir sa cour de justice mais le roi lui intima le silence. Elle s'obstina. Très fière, elle exposa sa requête :

— Sire, on sait bien que tous les jugements d'amour me concernent, vous n'avez aucune compétence en la matière.

Alors Keu ne put s'empêcher de dire aussitôt :

— Ma dame a raison.

Les barons se rangèrent à son avis et dirent d'un commun accord qu'il leur semblait juste et raisonnable que la reine puisse réunir une cour de justice. Constatant qu'on lui accordait sans réserve le droit de juger, le roi lui concéda cette prérogative.

— Sire, lui dit la reine, libérez-nous donc cette salle ! Mes nombreuses suivantes rendront leur jugement ici même.

Les barons sortirent alors et les dames entrèrent. Admirez ces toilettes qui arrivent ! Elles sont toutes plus belles les unes que les autres. Que pourrais-je ajouter ? Personne ne parviendrait à décrire le dixième de cette splendeur. — Pourquoi ? — Parce que tout ce qui pouvait se compter de plus beau se trouvait rassemblé là. De ce seul spectacle, on aurait pu faire un long récit pour d'éventuels amateurs : plus de deux cents dames sortirent des appartements à l'étage, ici vingt, là dix, tantôt plus, tantôt moins. Elles arrivèrent par groupes. La reine, qui dirigeait l'assemblée, prit la parole la première — comme il se doit — et réclama l'attention à deux reprises.

— Mes dames, s'écria-t-elle, écoutez-moi, on vous soumet un problème ! Vous avez sûrement toutes entendu parler de l'objet de ce jugement. De vous doit venir l'arrêt propre à recueillir l'assentiment de tous.

Alors s'élevèrent aussitôt débats et discussions. Par groupes de deux ou trois, cinq ou six, les dames allèrent délibérer. Quand l'une donnait son avis, l'autre exprimait le sien à son tour. A peine l'une finissait-elle son long discours, que l'autre en entamait un plus long. Certaines se taisaient, d'autres parlaient.

Elles se querellaient toutes ensemble, car aucune ne souscrivait à l'avis de l'autre. Demoiselle Amice, l'amie du jeune seigneur de Galvoie leur dit :

— Mes dames, je suis déconcertée par ce litige que vous jugez ici, car chacun aime la dame à moitié et chacun la veut toute à soi. Je ne trouve pas cette exigence raisonnable. Non ! car je suis convaincue que sa valeur et sa beauté ne font qu'un. Puisqu'elles forment un tout, comment faire le partage ? Je ne sais pas et personne ne sait comment. C'est là toute la question du jugement. Cependant réfléchissez : que vaut le corps dénué de courtoisie ? Rien, et la courtoisie n'aurait aucune valeur sans la beauté du corps qui illumine tout le reste.

— Ma foi, dit la reine, je ne vois pas alors ce qu'on peut faire !

La comtesse de Gloucester répondit :

— Les propos d'Amice sont très justes. L'une sans l'autre n'a aucune valeur. C'est vrai, mais là n'est pas l'essentiel. Il faut penser et cerner la question de près et non de loin. Lidoine dit qu'elle veut savoir lequel lui porte l'amour le plus juste. Voici l'exposé des faits : Celui qui l'aime pour la beauté de son corps n'exclut rien de sa personne, au contraire il veut ainsi posséder tout le reste. L'autre de son côté veut apporter la preuve irréfutable qu'il l'aime pour sa courtoisie et qu'ainsi elle doit être son amie. Il réclame donc la jouissance du reste. Je ne vois rien à ajouter, si ce n'est qu'il faut décider en l'occurrence, quel amour devrait être agréé et lequel a la meilleure origine. Sur ce point précis, suivant la règle du débat, on accordera la dame à l'un d'entre eux, sans combat, par un jugement.

— Ma foi, dit Lorete aux cheveux blonds, ce que vous dites sur cette affaire est incontestable et absolument vrai. C'est bien là l'origine de ce jugement. Mais on peut facilement trancher et juger quel amour est sans doute préférable.

— Pourquoi ?

— Si l'on s'en tient à leurs propos, je ne puis concevoir qu'en vertu d'un jugement, l'homme qui l'aime pour sa beauté puisse prétendre à elle. Sûrement pas ! Car si l'on pouvait argumenter que cet amour est le plus juste, je n'en verrais alors de meilleur que celui porté à l'image sublime du Crucifié [1] ! La Beauté qu'est-ce ? Une parole, un mot qui arrive par hasard : Beauté se pose dans sa course légère, Beauté va là, elle aurait été mieux ici, Beauté frappe les gens par le regard. Qui naît donc en même temps que Beauté ? L'Orgueil, bien sûr, l'Orgueil. C'est un gage de bassesse, je l'affirme. En revanche Amour naît de Courtoisie, il est son fils, ma foi j'en suis sûre ! Dans l'amour il y a un gage certain de courtoisie. Certes, à moins que la nature ne se pervertisse, l'amour qui ressemble à sa mère doit être en tous points courtois. Pourquoi ? Courtoisie est chagrinée quand l'être né de sa personne n'est pas courtois partout où l'honorabilité l'exige. Pour cette raison, j'ai bien l'intention de prouver qu'Amour doit aimer Courtoisie. Si Amour aime ce qu'il doit, alors c'est Méraugis le légitime amoureux, car il aime

---

1. L'allusion au Christ dans ce passage éminemment courtois se laisse difficilement comprendre. May Plouzeau a donné une explication pertinente à cette énigme dans un article intitulé : « Amour profane et art sacré : A propos d'un " crucefiz " dans Méraugis de Portlesguez », dans *Senefiance*, n° 7, *Mélanges Pierre Jonin*, 1979. Mme Plouzeau constate que le représentation du Christ en croix jusqu'au début du XIIIe siècle est perçue comme l'image d'une beauté sublime et sereine.

Lidoine pour sa courtoisie. Voilà la vérité. Je dirai que Gorvain qui l'aime pour sa beauté, ne lui porte pas un amour aussi sincère ni aussi pur.

— Bien sûr que non, dit Soredamor, et j'en conviens, aucun jugement après ce débat ne peut l'accorder à Gorvain.

Si vous aviez pu entendre discuter ces dames ! Mais pour finir, elles prirent, je crois, le parti de Méraugis à l'unanimité. A ce jugement la reine n'ajouta rien ; on appela alors le roi et le verdict fut rendu public devant toute la cour. Entendant qu'elles le déboutaient de sa demande, Gorvain Cadruz fut atterré :

— Je n'accepte pas ce verdict, dit-il, je préfère avoir un combat franc et immédiat. Je ne suis pas venu ici pour être jugé, mais pour me battre ; et je vous le garantis, je vais annuler ce verdict, car il est injuste. Je prouverai qu'il est malhonnête si Méraugis ose soutenir ces dames qui lui ont accordé Lidoine sans conteste possible.

Méraugis bondit alors et répondit :

— Gorvain, j'en prends Dieu à témoin, vous ne serez pas privé de ce combat ; bientôt vous pourrez me trouver ici, portant l'écu, bien résolu à faire la preuve de votre tort et de mon droit.

— Mais je suis d'ores et déjà prêt pour le combat, répliqua Gorvain.

Tout était dit et poings serrés, ils foncèrent alors l'un sur l'autre. Un instant de plus, puisqu'ils n'avaient attendu ni armes ni chevaux, et le plus valeureux des deux se serait révélé, si le roi n'avait interdit qu'on fût assez hardi pour frapper le premier coup et commencer la bagarre à la cour, car il ne le voulait pas. La reine alla droit aux deux chevaliers et leur dit :

— Seigneurs, Dieu m'en soit témoin, c'est inutile, n'y songez pas, ce combat n'aura jamais lieu à la cour.

— Ma dame, dit Méraugis, pourquoi ? Dieu sait s'il m'en coûte ! Je vous assure qu'en fin de compte j'aurais préféré me battre, conquérir l'amour de Lidoine par le glaive plutôt que de le recevoir sans efforts.

— Pourquoi ?

— La gloire m'en serait revenue.

— Je ne sais lequel des deux aurait à s'en féliciter, fit la reine, mais je tiens à vous le dire : puisque vous voulez vous battre, plutôt que d'essuyer une honte publique, quittez la cour, vous pourrez commencer ailleurs ce combat.

— Comment ? s'exclama Gorvain, cette cour est-elle sous le coup d'un enchantement, qu'on n'y puisse avoir le droit de se battre ?

— Seigneur, certainement pas ; pour tout autre raison on en aurait le droit, mais en l'occurrence c'est impossible puisque le jugement est rendu.

— Je ne suis pas venu ici pour des assises, ma dame, dit Gorvain Cadruz, mais pour prouver que la jeune fille doit me considérer comme son seul soupirant. Si Méraugis veut poursuivre cette guerre, il l'aura sans relâche. On ne l'empêchera certes pas pour le roi qui s'en est remis à vous pour juger. Vous le menez sûrement comme vous le voulez et je me sens presque consolé, puisque le monde est à l'envers, d'être ici victime d'un jugement inique. Mais je tiens cependant à vous faire savoir que vous me lésez de mes droits. Ce serait me prendre pour un enfant que de me croire ainsi calmé. Je n'aurais rien et je m'estimerais heureux ! C'est pour cette raison que je porte plainte, et à bon droit, car dans cette cour la justice va de travers.

Gorvain s'en alla, sans plus attendre. Alors Méraugis resté dans la grande salle de la tour, savoura son bonheur, car le roi pria Lidoine de lui accorder son amour en tout bien tout honneur.

— Sire, disaient les chevaliers, il serait normal que la jeune fille scelle cet amour d'un baiser.

En entendant cette requête, quelle ne fut pas la joie de Méraugis ! S'il s'en réjouissait, c'était bien légitime et Lidoine n'en était pas mécontente non plus, je crois.

— Sur l'ordre du roi et le conseil de la reine, dit-elle, je lui accorderai cet amour comme vous l'avez décidé. Mais il n'en aura la jouissance que dans un an jour pour jour car je ne goûterai aucun plaisir avec lui avant ce terme, et sachez-le bien, je ne consens à le fréquenter que s'il agit comme le doit tout chevalier à l'égard de son amie. L'année prochaine, je ne dis pas, je lui donnerai d'autres plaisirs. Mais je lui promets que pour l'instant les choses en resteront là : devant tous il sera mon ami et je le considèrerai comme mon chevalier. Aujourd'hui il n'emportera que ce titre en gage et le baiser, mais à la fin de l'année si j'ai entendu dire du bien de lui, il aura alors la récompense méritée : ou bien je lui accorderai une grande faveur ou bien il m'aura perdue à tout jamais.

A ces mots, Méraugis répondit en pleine assemblée :

— Cette douce pénitence que vous m'avez enjointe ici, je l'accepte et je vous remercie de m'ordonner ce qui vous plaît, car aucune de vos volontés ne saurait m'être désagréable, bien au contraire ! La seule joie d'être appelé votre chevalier me suffit.

Alors le baiser fut donné tout aussitôt.

— Je vous revêts, dit Lidoine, des insignes de mon amour comme je l'ai promis.

Dans un rire elle tendit alors vers lui son doux visage et sa bouche délicate. Penché sur elle, Méraugis la prit par le bout de son joli menton. Sans mentir, il lui donna un baiser plein de tendresse. — Avec sa bouche seulement ? — Mais non bien sûr, son cœur brûlant de désir eut le même élan, et savez-vous ce qu'il reçut par ce baiser, et de quelles vertus il fut comblé ? En un mot il fut doté, sans aucune exception de toutes les qualités nécessaires à un valeureux chevalier. Vous pouvez être sûr que donnant un tel éclat à la vaillance, ce baiser pourrait guérir bien des maux. — Guérir ? — Oui, absolument ! On entend souvent des propos bien plus surprenants ; je pourrais vous parler de ce baiser si je ne craignais de trop vous ennuyer ; je m'empresse donc de vous raconter l'histoire et je vous fais grâce de ce discours. Mais à propos de ce baiser je voulais dire... — Et quoi ? Qu'y a-t-il donc à ajouter ? Ne fut-il pas un instant doux et précieux ? — Si, mais il les frappa tous deux en les unissant. — Frappa ? Mais comment ? — Lidoine s'avança très doucement. Des parcelles d'amour jaillirent du chevalier à l'approche de Lidoine, si bien qu'au moment du baiser il en jeta dans le cœur de la dame. Elle ne se contenta pas de mordre à l'hameçon, lorsqu'on lui lança l'amour. — Mais quels étaient donc les appâts de l'amour qui s'élançait en elle ? Je ne sais, mais son cœur l'avala comme un poisson l'hameçon. Et son cœur lui disant : « Je l'aime », il n'y avait rien à faire, elle ne pouvait qu'aimer. Elle ne connaissait pas la cause de son trouble, mais se méfiait cependant lorsqu'elle le regardait, car l'amour naît du regard. Elle cherchait donc à s'en préserver. Elle résista longtemps : elle ne lui jetait pas un seul regard. — C'est vrai ? — Oui ! Mais elle finit par céder, pressée par son cœur qui sans cesse aspirait à le voir. Vainqueur malgré elle, il lui dit : « Tu peux tout de même le regarder. » Alors, comme pour un timide essai, elle risqua un bref coup d'œil et l'amour se prit dans le filet. — Quel filet ? — Vous me demandez ce que je désigne par filet ? Mais les yeux ! Ne puis-je donc mieux les nommer ? Et bien non. — Pourquoi ? — On le voit tout de suite, ce sont les yeux qui pêchent les amours. Apprenez-donc que les yeux sont le filet des amours. Et à vrai dire, sachez qu'avec le filet des yeux, le regard dont elle croyait se prémunir pêcha son cœur ; mais il avait tendu ses réseaux auparavant. — Et que prit-il ? — Des amours à foison : un autre se serait contenté de bien moins. Alors, une fois son bateau plein, Lidoine se dit tout étonnée : « Je l'aime. — Mais non. — Je crois bien que oui. — Mais qu'est-ce qui me le prouve ? Si je l'aimais, jamais je ne lui aurais imposé cette trêve d'amour. Non, c'est vrai, je ne l'aime pas ! » Elle hésitait, et changeait d'avis ; mais finit par admettre qu'elle était amoureuse de lui. Dès lors elle ne se réjouit guère de lui avoir imposé ce délai d'un an. Cette année d'attente la désolait. Elle aurait bien voulu, croyez-m'en, abréger cette année-là si elle l'avait pu. Jamais elle n'eut de désir plus vif que celui de changer l'année à venir en journée à passer.

Sans plus attendre, le roi demanda que l'on apportât l'eau et il dit à ses barons :

— Venez vous laver les mains !

Si vous aviez pu voir venir tous ces jeunes gens et ces jeunes filles si élégantes ! Il était d'usage les jours de fête que les jeunes filles de haute naissance fassent le service devant le roi. Déjà les plus nobles de la maison royale s'y activaient. Les jeunes gens de la noblesse, jouissant d'un grand renom, servaient à table devant la reine. Tout fut alors bientôt prêt : le roi prit place et l'on apporta le repas ; toutes les tables furent chargées de plus de vingt mets différents. Que vous dire ? Le roi fut servi au dîner comme un roi. Ils ne songeaient pas encore à se lever de table — cela n'aurait su tarder — quand arriva soudain sur un cheval pie un nain on ne peut plus laid. — Comment était-il donc ? — Il était camus. — Camus ? — Certes, autant qu'il était laid ; car avant lui, jamais Dieu n'avait fait de créature plus camuse. Le nain, toujours prêt à faire le bouffon, s'arrêta devant le roi et dit :

— Roi, accorde-moi quelque attention, écoute-moi, fais taire ta compagnie ! Roi, comment peux-tu être joyeux ? J'en suis fort étonné. Je tiens à te dire que dans cette cour personne n'a de quoi rire.

— Comment ça ?

— Parce qu'il y a de bonnes raisons. Roi, regarde autour de toi : Gauvain, ton neveu, est-il là ?

— Mais non, c'est vrai !

— Il serait bien vain alors de redouter ta cour, n'est-ce pas ? car elle est privée du meilleur chevalier du monde. Roi, te voilà déclinant alors que tu dois monter vers le sommet.

— Pourquoi ?

— Je vais te le dire. Est-ce que cela te fera plaisir ? Sûrement pas. Dis-moi, ne te souviens-tu pas que monseigneur Gauvain s'en alla cette année même aux rogations pour étendre la renommée de ta cour ? Roi, tu sais bien que pour ta gloire et ton prestige il partit en quête de l'Épée à l'étrange baudrier, ce glaive merveilleux, et je m'étonne que tu ne t'inquiètes pas plus car il t'a dit, je le tiens de lui-même, qu'il serait ici aujourd'hui s'il était sain et sauf. Roi, sache donc qu'un grave empêchement le retient puisqu'il n'est pas là. Je me demande donc avec étonnement comment on peut encore être joyeux dans cette cour.

— Ha ! se désola le roi, nain, tu dis vrai, certes il aurait dû venir aujourd'hui.

Le roi ne put retenir ses soupirs et son visage changea. Nul ne saurait dire combien l'absence de Gauvain le remplit de tourments. Le chagrin envahit tous ceux qui, joyeux, s'amusaient un instant auparavant. Plus que tout autre alarmé, le roi s'adressa au nain :

— Ami, dis-moi donc, Gauvain est-il sain et sauf ou bien est-il prisonnier ? Ne me cache rien !

— Ce n'est pas moi qui vous dirai s'il est vivant ou mort, répliqua le nain, il n'y a qu'une solution : s'il se trouvait dans cette cour un seul chevalier assez hardi pour partir à sa recherche, il aurait alors de ses nouvelles.

— Où ?

— A l'esplumoir [1] de Merlin. Si personne n'y va, c'est fini, vous n'entendrez jamais plus parler de Gauvain. Mais avant qu'un chevalier ne se fasse fort d'entreprendre cette quête, je l'avertis : s'il ne se sent pas des plus audacieux, je lui conseille de n'y plus songer.

— Pourquoi ?

— Fût-il le meilleur chevalier du monde, je n'oserais cependant pas garantir qu'il puisse revenir un jour dans ce royaume, mais je peux assurer qu'il se couvrira de gloire et qu'il se fera une grande renommée. Voyons maintenant qui se désignera pour aller aux nouvelles du chevalier, aimé des demoiselles.

Après avoir écouté le nain, le roi s'aperçut qu'autour de lui ses chevaliers s'étaient tus et il en fut peiné car à la proposition du nain personne ne sembla vouloir répondre, sauf Méraugis :

— Sire, dit-il alors, si ma dame le voulait, son chevalier partirait pour cette quête ; priez-la d'accepter.

— Je vous en remercie, ami, répondit-elle, mais il n'est nul besoin de m'en prier, car c'est une grande joie pour moi que vous vous lanciez dans cette quête. Comme vous m'êtes ainsi plus estimable, j'ai bien envie de vous accompagner dans ce voyage pendant la trêve d'amour que je vous ai fixée, à condition que vous la respectiez jusqu'au retour.

Le chevalier lui répliqua aussitôt :

— Vous emportez avec vous le respect assuré de la trêve. Que pouvez-vous demander de plus ? Vous n'avez qu'à ordonner, je ne vous refuserai rien.

— Voici un accord parfait, dit le roi qui n'en était pas mécontent, ce que vous dites ma dame, témoigne d'une grande noblesse et Méraugis parle en généreux chevalier. Comme ils partent sans hésiter, je peux assurer que cela leur portera bonheur.

---

1. *Esplumoir, esplumeor, emplumeor.* Nom donné à l'habitation de l'enchanteur Merlin. On se perd en hypothèses sur le sens de ce mot curieux. Dans son compte rendu de l'édition de M. Friedwagner, G. Paris s'en tient au sens propre du terme : « mue, cage où les oiseaux sont enfermés pendant la mue ». En accord avec l'éditeur, il identifie l'esplumoir au lieu de retraite du magicien, bien connu pour ses « mues », ses surprenantes métamorphoses. Pour sa part, P. Zumthor estime dans son ouvrage *Merlin le Prophète* que le mot *esplumeor* à travers sa variante graphique *emplumeor* provient de la traduction mal comprise d'un passage de la *Vita Merlini*. En effet le mot *emplumeor* désigne selon Godefroy, « celui qui se sert de la plume, qui écrit des caractères magiques ». Le mot *emplumeor, esplumeor,* pourrait renvoyer à « la maison aux scribes » que selon la *Vita*, Merlin se fait construire dans la forêt. (Cf. Paul Zumthor, *Merlin le Prophète*, Lausanne, 1943. Genève, Slatkine reprints, 1973, p. 166-167.)

— Jamais je n'empêcherai de faire le bien, dit Lidoine, mais s'il est valeureux, je préfère le constater par moi-même plutôt que l'apprendre de la bouche d'autrui. C'est vrai, on ne peut me contredire sur ce point : il vaut mieux connaître par soi-même qu'apprendre par ouï-dire. C'est pour cette raison que j'ai envie de l'accompagner.

Après avoir écouté la dame, le nain tira la bride à son cheval et s'en alla. Keu tourna alors son regard vers lui et l'interpella :

— Créature au museau plat, viens ici, descends de cheval, repose-toi et attends donc ta suite.

Sans s'émouvoir, le nain revint sur ses pas :

— Monseigneur Keu, dit-il, vous avez toujours été ainsi et vous le resterez toujours. Votre langue, sans cesse prête à darder, a bien souvent lancé de méchantes piques mais vos railleries sont singulièrement émoussées et négligeables car tout le monde ne vous accorde que mépris. Je vous propose cette gageure : que voulez-vous ? Si vous aimez mieux vous disputer que vous taire, me voici tout prêt à la querelle.

Alors Keu, n'osant plus grommeler, se tut et le nain s'en alla. A vrai dire, le roi le rappela, mais il ne voulut pas revenir. Le chevalier fit ses préparatifs de départ le plus rapidement possible. Que vous dire ? Ils se mirent en selle et prirent congé.

III

L'ÉCU DE L'OUTREDOUTÉ

La journée était froide car il avait neigé ce matin-là et le chevalier, parti avec la demoiselle, chevauchait sur la route inconnue, dans la direction qu'avait prise le nain. Pressant l'allure des chevaux, au-delà du bois enclos ils finirent par trouver le nain qui marchait dans un essart. Méraugis alla doucement au pas vers lui. La neige était haute et le nain n'était pas bien grand : il ne pouvait avancer. Il avait l'allure d'un bel écuyer quand il quitta la cour, mais alors il apparaissait camus, courtaud et disgracié par la bosse de félonie. Le chevalier s'écria à son approche :

— Qui t'a donc pris ton cheval ?

— Qui ? Toi qui es noble et fier, change donc la honte en honneur !

– Ma foi, s'exclama le chevalier, je le ferai de bon cœur, mais je n'éprouve aucune honte.

— Certes, pas encore, mais elle viendra pour toi à point nommé, si cuisante que les chevaliers en auront honte quand ils entendront parler de toi. A moins que je ne te l'épargne, tu n'y couperas pas. Écoute-moi bien : autant cette honte qui t'attend sera humiliante, autant je vanterai ta gloire si tu me rends mon coursier !

— Tu l'auras donc ! Dis-moi qui l'a pris.

— Qui ? C'est cette vieille, là-bas à l'entrée de la lande qui me l'a volé.

Alors le chevalier lui demanda :

— Sais-tu pourquoi ?

— Je ne sais pas, mais elle a foncé sur moi et m'a attaqué. Que vous dire d'autre ? Ma honte est d'autant plus vive que je fus abattu sur le coup. Je ne ferai pas toute une histoire d'avoir été vaincu, mais m'être laissé prendre mon cheval me déshonore et me contrarie amèrement. Va, rends-le moi !

Aussitôt le chevalier piqua des éperons, galopa vers la vieille et la regarda quand il l'approcha : elle était hirsute, grande et solidement charpentée. Alors que tout le monde grelottait de froid, elle avait un tempérament si ardent, qu'elle chevauchait découverte, vêtue d'une robe aussi légère que si l'on était en été. Qu'ajouter ? Elle avait été belle et conservait une allure altière et élégante. Si la vieillesse ne l'avait marquée, on n'aurait pu imaginer plus gracieuse. Par souci d'élégance, elle ne dissimulait sa chevelure sous aucun voile et portait un diadème d'or. Mais la beauté du diadème ne pouvait malheureusement faire oublier le blond fané de ses cheveux. Néanmoins elle était de belle prestance pour son âge. Elle avait ôté le frein au cheval du nain et le tenant bien en main, en frappait le cheval pour le chasser au loin ; et je vous assure que le nain avait été bien servi avec ce frein : elle l'en avait battu jusqu'à n'en plus pouvoir. Elle s'arrêta lorsqu'elle entendit le chevalier la suivre. Il arrivait à sa hauteur quand la vieille qui l'attendait le frein à la main le leva soudain pour le frapper en plein visage. Il s'en empara au vol et le tira tandis qu'elle le retenait fermement.

— Comment ? dit-elle, ce que je vois ne m'est encore jamais arrivé, non, jamais !

— Comment ?

— Oseriez-vous donc me frapper, seigneur chevalier ?

— Ma dame, sûrement pas ! mais par Dieu, vous manquez singulièrement de manières à mon égard !

Elle lui rétorqua :

— Vous en êtes froissé ? Vous m'en voyez d'autant plus réjouie, fuyez d'ici !

— Taisez-vous ! ma dame, de grâce ne soyez pas si arrogante, je vous pardonne volontiers l'humiliation que vous m'avez infligée, mais à condition que vous rendiez immédiatement le cheval au nain.

— Voulez-vous, dit-elle, que je vous considère en ami ?

— Oui.

— Alors n'en parlez jamais plus ! Car vous ne pourrez l'emmener en toute tranquillité à moins de me l'arracher de force. Mais si vous y tenez au point de faire ce que vais vous dire, le voici, je vous le rendrai sans plus attendre. Voyez-vous là-bas cette tente dressée sous le frêne où pend un écu ? Si seulement vous alliez abattre cet écu pour moi, je ne vous opposerais plus aucune résistance et vous pourriez prendre le cheval comme s'il vous appartenait.

Prêt à rendre service de bon cœur, à la vieille comme au nain, Méraugis répondit :

— Au nom de la dame que j'aime, je ne manquerai pas de vous aider !

Il prit alors son élan ; une fois arrivé, il abattit l'écu mais alors qu'il s'apprêtait à revenir, il s'arrêta : des lamentations s'élevaient de la tente, si déchirantes qu'il n'entendit jamais de tels sanglots. Tandis qu'il écoutait ces plaintes, il vit de l'autre côté de l'essart la vieille rendre le cheval au nain puis le quitter. Il élança alors son cheval pour aller là-bas. Il s'adressa au nain qui était déjà en selle :

— Nain, explique-moi donc comment je vais me couvrir de gloire et éviter la honte.

Le nain répliqua avec aigreur :

— Je ne suis pas assigné à comparaître aujourd'hui devant une cour pour répondre à cette question. Que Dieu te protège, car l'explication t'arrivera à point nommé !

Il fouetta son cheval, piqua des éperons et partit au grand galop. Il fut bientôt hors de portée du chevalier qui l'envoya au diable. Il retourna vers la tente au milieu de la lande pour connaître la raison de ces lamentations. Une fois arrivé à la tente, il y entra et trouva une jeune fille montée sur un mulet. Dans sa main elle portait une lance. A terre dans la tente, deux autres dames manifestaient un tel chagrin qu'on les aurait dites au bord du suicide, mais bien sûr, rien de tel ne se produisit. Lidoine qui venait d'arriver, se mit à pleurer de concert avec elles. Lorsque le chevalier vit son amie pleurer, il faillit en perdre la raison.

— Que se passe-t-il ? s'exclama-t-il, pourquoi pleurez-vous ?

La jeune fille lui répondit alors :

— Seigneur, je pleure car j'ai pitié de la douleur de ces femmes. Je sais bien qu'elles se lamentent pour cet écu malheureusement abattu. Maudits soient les jours de cette femme qui vous conseilla de le faire !

— Comment ? est-ce donc un tel crime ? s'exclama Méraugis qui n'avait pas pensé mal agir. Non, ce n'est sûrement pas la raison de leurs pleurs, car c'est facile à arranger.

Il ramassa alors l'écu et alla le replacer là où il était accroché. Voyant cela, la jeune fille montée sur le mulet lui dit :

— Voilà l'écu en meilleure place que par terre. On ne saurait vous demander rien de plus, vous vous êtes fort bien acquitté de votre tâche.

Méraugis comprit qu'on se moquait de lui :

— Maintenant je ne suis plus sûr de rien, répondit-il, mais je croyais bien faire.

— Vraiment ? Eh bien vous avez parfaitement réussi.

La jeune fille fouetta alors son mulet puis s'en alla, lance au poing sans mot dire. Dans la tente, effondrées, les dames pleuraient et la poursuivaient de leurs imprécations :

— Va-t'en et ne reviens jamais plus !

La jeune fille qui s'en allait à l'amble les entendit, mais ne sembla pas touchée par leur douleur. Muet d'étonnement devant ce spectacle, le chevalier ne trouva que ces mots pour exprimer sa vive contrariété :

— Dieu, quelle pénible histoire ! Ce chagrin est ma faute et je ne vois pas comment l'expliquer. Ha ! fit-il aux deux jeunes filles restées dans la tente, mes dames, de grâce ! Avant que je ne m'en aille d'ici, si vous le savez dites-moi donc la raison de votre douleur, et je m'engage alors, quelle que soit la gravité du péril, à faire sur-le-champ tout mon possible pour réparer ma faute, si elle est réparable. Car votre douleur me peine très sincèrement et m'est insupportable.

— Seigneur chevalier, lui répondirent-elles, c'est sûr et certain que jamais vous n'y remédierez en rien, quoi que vous puissiez faire. Mais ne vous inquiétez pas de voir votre bien-aimée verser quelques larmes pour nous. Bientôt sonnera l'heure où elle pleurera vraiment, mais ce sera sur vous. Le chagrin, suscité maintenant par notre malheur, la concernera alors tout autrement, car ici ses pleurs ne font que commencer : elle pleure sur notre sort et nous sur le sien.

Le chevalier s'emporta :

— Me voilà menacé d'un danger, et je ne sais ni par qui ni pourquoi ! Maintenant je ne vais pas rester sans agir, car on me prendrait pour un lâche.

Il saisit à nouveau l'écu qui pendait à l'arbre et le jeta au loin :

— Mes dames, dit-il, je vous accorde une faveur : je vais coucher ici cette nuit, n'en déplaise à quiconque, si bien sûr vous n'y voyez aucun inconvénient. Vous verrez alors ce qui se passera dès que mon hôte viendra.

— Cher seigneur, nous ne voulons pas vous refuser notre humble hospitalité, lui répondirent-elles. Que vous partiez ou restiez nous est absolument égal, et nous n'acceptons aucun remerciement pour notre hospitalité. S'il vous arrivait malheur ou si la chance vous souriait, ne nous en attribuez pas la responsabilité !

— Mais je ne le ferai pas, je ne souhaite rien d'autre que votre assentiment !

Il mit pied à terre :

— Voilà mon gîte ! dit-il. Je verrai bien qui osera me le disputer !

— De grâce, cher seigneur, calmez-vous ! dit Lidoine.

— Soit, ma dame.

Il s'assit alors et dit :

— Je vous le jure, quel qu'il soit, je ne demande qu'à me battre avec ce géant !

Le chevalier passa toute la nuit dans la tente, reçu le plus agréablement possible par les deux dames : elles mirent tout ce qu'elles avaient à sa disposition pour le traiter en hôte de marque, mais cette nuit-là aucun chevalier n'arriva de nulle part à la tente. Lorsque disparut la nuit, Méraugis resta évidemment perplexe. Son étonnement de la veille n'était rien auprès de celui qui le saisissait à présent : puisque personne ne venait à la tente, il n'attendrait pas davantage. Il alla chercher sa monture et la sella. Une fois la demoiselle à cheval, il se rendit auprès des dames et prit congé.

— Mes dames, je ne sais que dire. Puisque personne ne revient à la tente, je ne peux que m'en aller, mais je tenais à vous assurer de mon total dévouement partout où je pourrais vous être utile. Mais encore une fois, je vous en prie, dites-moi la vérité : Pourquoi toutes ces lamentations ici ? Qui est le seigneur de ces lieux ?

— Ce n'est pas la peine, nous ne vous dirons rien de plus ; vous le saurez bien assez tôt.

A ces mots, le chevalier leur dit adieu et sans plus tarder s'en alla, suivi de son amie. Ils chevauchaient ainsi tous deux au milieu de la grande forêt obscure, quand près d'un gué ils rencontrèrent par hasard un chevalier qui venait vers eux en s'écriant :

— Ohé !

Il criait Ohé ? — Oui, je vais vous expliquer pourquoi. Au gué, bordé d'une aulnaie, un chevalier se lançait à la rencontre de Méraugis. De la berge où il se trouvait, notre chevalier fut stupéfait par ce qu'il vit : l'homme qui sortait du gué chevauchait une monture sans frein, sans bride ni éperons, ne tenait ni verge ni baguette et ne portait que l'écu et la lance de rigueur ; mais il était d'une si grande beauté, qu'on aurait cherché en vain plus beau chevalier, car jamais on ne vit sur cette terre d'homme qui portât les armes mieux que lui. Comme Méraugis s'approchait, il s'écria :

— Chevalier, n'avance pas plus ! Si tu viens jusqu'au gué, tu auras immédiatement le combat. Ayant parfaitement compris, Méraugis lui rétorqua :

— A la bonne heure chevalier, approche, je combattrai, tu m'as défié.

Alors, après avoir traversé le gué le chevalier abaissa sa lance et prit son élan pour jouter tandis que Méraugis lâcha la bride à son cheval car il ne redoutait pas l'adversaire. De toutes ses forces, le chevalier le frappa sur l'écu : le coup fut si violent que sa lance se brisa en deux. Méraugis, le redoutable guerrier, brandit sa lance et le frappa en haut, d'un coup si juste qu'il projeta tout ensemble le chevalier et sa monture dans les broussailles. Mais celui-ci ne se fit aucun mal et se releva d'un bond. L'épée à la main, prêt à se défendre il s'avança vers Méraugis qui lui lança :

— Arrière ! que veux-tu ? Ne t'approche pas de moi ! Remonte sur ton destrier, je t'en donne volontiers le droit.

— Malheur à moi, répondit-il, si je remonte en selle alors que je suis tombé. Autant être prisonnier dans ces conditions. Crois-tu échapper ainsi au combat ?

— Bien sûr que non, reviens te battre, jamais je ne me déroberai. Mais je ne t'attaquerai pas à cheval, fit Méraugis, j'en serais déshonoré.

Il mit pied à terre au milieu du chemin. Avec toute leur énergie, ils foncèrent l'un sur l'autre. Le chevalier qui était d'une grande vigueur l'assaillit et le frappa à nouveau si violemment qu'en tombant le coup mit en pièces et pourfendit tout ce qu'il atteignit. Méraugis, prompt à lui donner la réplique, bondit à sa rencontre et se défendit si bien que lui aussi mit en pièces et pourfendit tout ce qu'il atteignit avec son épée. Comme ce combat entre eux dura longtemps ! Vraiment, une telle bataille ne se produisit jamais ! Le chevalier était très violent et très audacieux, mais en cet instant Méraugis le surpassait encore en vaillance et en intrépidité. — Et le chevalier, que pensait-il de lui ? — Il le trouvait d'un courage inégalable : Méraugis finit par mener aisément le combat, dominer et vaincre son adversaire d'une manière si décisive que celui-ci implora pitié.

— Dis-moi avant, lui demanda Méraugis, pourquoi tu n'as ni frein ni éperons. Allez, parle, ou jamais tu ne partiras d'ici vivant !

Craignant pour sa vie, le chevalier lui répondit :

— Je veux bien vous raconter le point de départ de toute cette histoire. Écoutez, voici la raison :

« Le roi Patris de Cabrahan réunit — il y aura un an à Pâques — une cour si brillante qu'elle n'eut jamais sa pareille ; de fait tous les chevaliers du royaume étaient venus. Le roi les avait fait appeler de tous les coins du pays, et ils arrivèrent en grand nombre. Au moins vingt parmi les meilleurs, avant que la cour ne se dispersât, firent des paris par vantardise. Voilà ce qu'ils promirent : devant les dames ils se flattèrent d'accomplir des exploits chevaleresques ; ainsi Guivret, en s'engageant le premier, promit de ne porter une année durant, ni haubert, ni heaume, et de jouter avec son écu pour seule arme. Le grand Riolent qui se trouvait là jura de ne jamais coucher sous un toit, avant d'avoir tué un chevalier au combat. L'affreux Hardi de Cornouailles se trouvait à la cour : il se mit au service des dames, puis il promit d'aller sans hésitation au secours de toute jeune fille dans la détresse, du plus loin qu'elle implorerait son aide. A son tour Gaheriet fit savoir qu'il voyagerait à cheval pendant toute l'année : tout chevalier escortant son amie devrait le laisser embrasser sa bien-aimée tranquillement, sous peine de combattre contre lui jusqu'à l'épuisement : il remporterait ainsi toujours le baiser. Quant au cruel Séguradé, il s'engagea à tuer durant un an tout chevalier vaincu au combat. Qu'ajouter ? Chacun s'engagea solennellement et moi qui étais présent à la scène, je décidai de faire une promesse que nul n'oserait faire : je leur déclarai, et je les réduisis ainsi au silence, que de toute l'année je n'aurais ni frein, ni éperons, ni cravache en main parce que je ne frapperais jamais mon cheval ni ne lui interdirais un chemin pour lui en imposer un autre ; je chevaucherais cependant sans arrêt, toute l'année, jusqu'à rencontrer plus fort que moi. Que pourrais-je vous dire d'autre ? J'ai poursuivi ainsi ma route qui finit à ce jour, sans pouvoir dire ni savoir où j'arriverai ce soir.

En toute franchise Méraugis lui répondit :

— Tu as pris les plus grands risques et tu n'as pas enfreint ta promesse parce que tu as dû reconnaître ma vaillance plus grande que la tienne. Il n'y a rien à dire ; mais si tu veux être gracié, tu devras prendre la route d'où je viens et traverser ce grand bois ; arrivé au-delà de ce bois, tu trouveras dans une tente deux dames, abandonnées à leur douleur ; tu te constitueras prisonnier auprès d'elles et tu leur en expliqueras la raison. N'oublie pas surtout de les saluer de ma part !

A ces mots, le chevalier s'exclama :

— Comment ? Êtes-vous donc allé à la tente ?

— Oui, j'y ai couché.

— Vous n'avez pas touché à l'écu qui pend ?

— Bien sûr que si, je l'ai abattu.

— Assurément, vous avez commis une lourde erreur !

— Mais en quoi ?

— Vous ne le savez pas ? Le diable qui était auparavant en prison s'est échappé. Voilà par une circonstance malheureuse le pays livré à l'infamie. Moi, aller à la tente ? Ne me demandez jamais une telle folie ; je n'irai pas pour y trouver une mort certaine, non, tenez, j'aimerais mieux qu'on me tranche la main droite. Même ici, vous n'avez pas intérêt à vous attarder.

— Je n'ai pas intérêt à m'attarder ? Pourquoi ? Il faut que je le sache, dis-moi, à qui appartient cet écu ?

— Vous voulez vraiment que je vous le dise ? Très bien, vous

ıgnorez toute la vérité et moi je la connais parfaitement. C'est l'Outredouté qui ne redoute rien, le vainqueur de tant de chevaliers qui a
fait accrocher cet écu ; il lui appartient. C'est vrai, et je vais vous
expliquer toute l'histoire : il n'y eut jamais d'homme plus cruel que
l'Outredouté en question et il est si valeureux au combat que personne n'ose riposter à ses attaques. Quel prodige que le récit de ses
prouesses ! Quoi qu'il en soit, écoutez jusqu'où peuvent aller sa vaillance et son courage : n'en doutez pas, s'il apprenait que bien loin
existe un chevalier assez valeureux pour être connu de tous, il ne
connaîtrait aucune joie avant de l'avoir tué ou déshonoré sans raison. Il ne chercherait pas de juste motif en sa faveur, non, il hait
absolument la justice : lorsqu'il apprend que se prépare un combat,
il demande lequel des deux adversaires est dans son tort, ensuite il
adopte ce parti pour rentrer dans la bataille.

— Pourquoi ?

— Il veut par son criminel orgueil que le tort l'emporte sur le
droit. Penserait-il s'être engagé pour une juste cause qu'il ne se rendrait jamais au jour assigné, car il préfère abattre le droit avec le
tort.

— Eh bien, il se montre toujours des plus retors et pourtant il
n'est pas contrefait ; n'est-ce donc pas inique ?

— Oui, ce n'est pas juste qu'un homme puisse être à la fois retors
et normalement constitué.

— Et pourtant, c'est possible : le corps ne présente pas d'imper-
fections, mais à l'intérieur le cœur est perverti ; il corrompt sa pensée
déjà tordue au point que, par sa perversion, il tue tout esprit de justice. C'est ainsi, dis-je, qu'est perverse la conduite d'un homme bien
bâti.

— C'est vrai, mais il y a plus encore : sa méchanceté est telle que
s'il venait à rencontrer un chevalier escortant son amie, il s'empres-
serait de l'attaquer avant que l'autre ait eu le temps de souffler mot ;
s'il remportait le combat, il déshonorerait la jeune fille sous ses
yeux, vous pouvez me croire. Pour tout dire, c'est un homme aux
mœurs bien cruelles. Jadis le dieu d'Amour qui soumet les cœurs les
plus durs, le contraignit à prier d'amour une dame ; l'Outredouté la
pressa de lui accorder son amour, mais la dame finit par lui dire
qu'elle ne l'aimerait jamais.

— Pourquoi ?

— A cause de son extrême méchanceté. Éperdu d'amour pour
cette dame qui en avait séduit bien d'autres, il la supplia et lui dit
qu'il accomplirait tout ce qu'elle voudrait ordonner. Qu'ajouter ?
Elle promit d'accéder à son désir, mais auparavant il jura sur les
reliques de ne tuer aucun homme, et de ne causer de tort à personne
à moins d'être en légitime défense

— Exigea-t-elle davantage de lui ?

— Oui, elle le fit venir dans son domaine et jurer ensuite sur les reliques qu'il n'en sortirait sous aucun prétexte sauf pour venger son honneur, au cas où il aurait été bafoué. L'Outredouté, ne pouvant s'empêcher de faire le mal à qui bon lui semblait, fit dès lors pendre son écu dans la forêt, au milieu de la clairière, dans l'espoir qu'on lui fît tort. Alors il sortirait de sa prison. Voilà que sa folie courrait partout ! Quelle terreur ! Aucun chevalier après avoir reconnu l'écu rouge au serpent noir n'est assez téméraire pour oser approcher même de loin, cette tente et cet écu. Rien qu'à les voir, tous les chevaliers de cette terre s'avouent vaincus.

— Alors, dit Méraugis, à mon avis, l'autre demoiselle que j'ai rencontrée là-bas est partie le chercher ; c'est la moins belle des trois et elle portait une lance dans sa main. Qu'est-ce que cela veut dire ? Sais-tu quelque chose à ce sujet ?

— Oui, je vois fort bien. Elle est sans aucun doute partie le lui dire. Dieu la hait ! Que de reproches a-t-il à lui faire ! Elle était là pour surveiller l'écu. Quand il voyageait, ce chevalier n'avait aucun écuyer ; mais il portait lui-même sa lance, jusqu'au jour où il laissa son écu et donna pour le garder sa lance à cette demoiselle, espérant que quelque chevalier la lui enlèverait de force. Ce méfait accompli, il aurait pu alors sortir. Voilà qui est fait : elle s'en va, lance au poing, pour le dire à l'Outredouté. Quand il arrivera, il sera pour cet outrage plus que jamais cruel et sans pitié ; c'est pour cela que les autres dames avaient de la peine

— Pourquoi se lamentaient-elles ainsi ?

— Seigneur, parce qu'elles sont d'une nature noble et généreuse, qu'elles abhorrent le crime. Autant la demoiselle qui s'en va hait le bien, autant abominent-elles l'orgueil meurtrier. Déjà pour empêcher ce malheur, elles sont restées une année entière, mais la demoiselle était là pour provoquer le malheur qu'elle souhaitait inéluctable et les dames sont accablées de douleur parce qu'elles verront le pays dévasté à la venue du chevalier. Il donnera libre cours à sa folie et emprisonnera sa raison.

— Qui la lui a fait perdre ?

— C'est Fortune qui lui a donné le coup mortel. Maintenant chacun va fermer sa porte, personne ne sortira de chez soi pour oser l'affronter. Là où il arrive, on ne peut rien. Mais en vérité, tous s'écrient : « Fuyez, c'est l'Outredouté ! » Voilà, je vous ai tout expliqué.

— S'il ne tenait qu'à moi, dit Méraugis, si je pensais rencontrer ce soir le chevalier, je n'hésiterais pas à rebrousser chemin. Mais j'ai autre chose à faire et je ne peux donc m'attarder dans ce pays ; pour rassurer les dames, tu dois aller à la tente.

— Il n'en est pas question !

— Mais si.

— C'est non, je n'irai pas !

— C'est un ordre !

— Je n'irais pour rien au monde !

— Tu vas y aller, je le jure ou ta dernière heure est arrivée ! Que préfères-tu ? Mourir ou aller porter mon message ?

Craignant quelque malheur pour sa vie, il se laissa convaincre et dit :

— Pour sûr, seigneur, je vois bien que je dois accepter cette funeste aventure, j'irai. Mais au nom de qui me rendrai-je en arrivant ? Qui m'a vaincu ?

— Tu te constitueras prisonnier auprès des dames et tu les serviras en vassal, au nom de Méraugis. Et toi, qui es-tu donc ?

En réponse le chevalier se nomma à son tour :

— Je m'appelle Laquis de Lampagrés. Voilà, tout est dit. Vos désirs sont des ordres. Que votre message soit insensé ou raisonnable, je le leur transmettrai mot pour mot. Si votre message est insultant pour elles, la honte dont on pourrait me couvrir vous reviendra mais le malheur retombera sur moi.

— Va, sois tranquille, ne crains rien ! Aussi loin que je puisse avoir chevauché, si tu trouves ce chevalier, reviens aussitôt vers moi ! S'il n'est pas là à ton arrivée, attends-le jusqu'à ce qu'il vienne. Au nom de Dieu, redonne aussi courage aux dames et défends leur honneur. Si tu le fais, tu en seras récompensé. Mais quand le chevalier arrivera, ne combats surtout pas contre lui !

— Que dois-je donc faire ?

— Tu lui révéleras mon nom et tu lui feras savoir de ma part que j'ai jeté son écu à terre dans l'unique but de me battre avec lui, de lui nuire et de salir son nom. S'il réclame alors vengeance, ramène-le vers moi aussitôt.

— Mais comment ? demanda Laquis. Vous, vous allez par là, c'est votre chemin, et moi je m'en vais de ce côté ; je ne saurai où vous trouver.

— Mais si tu sauras !

— Et comment ?

— Tu me suivras en prenant tous les chemins à droite. Ne tourne jamais à gauche, sous aucun prétexte avant mardi. Tu peux avoir confiance dans ce que je dis.

— Oui, seigneur.

Alors Laquis s'en alla. De son côté, Méraugis reprit sa route à droite. Le voilà en quête de l'esplumoir de Merlin.

Laquis arriva à la tente. Il se constitua prisonnier auprès des deux dames et annonça aussitôt qui l'envoyait. L'Outredouté, l'homme qui ne redoutait rien, n'était pas encore arrivé. Après s'être acquitté de son message, Laquis descendit de sa monture. Il dit aux dames qu'il attendait l'Outredouté et qu'il l'attendrait jusqu'à ce qu'il vînt. Alors il lui expliquerait tout simplement ce qu'il était venu faire ici. Les dames qui connaissaient Laquis et ne voulaient pas son déshonneur le supplièrent :

— Cher ami, remonte à cheval, va-t'en ! Nous sommes sûres que si l'Outredouté a l'occasion de se battre avec toi, il te tuera.

Laquis, bien décidé à ne pas bouger de là, quoi qu'il lui arrivât, patienta jusqu'à ce qu'il vît venir l'Outredouté.

— Quel air avait-il en arrivant ? — Il venait aussi courroucé que s'il devait détruire le monde entier. Aussi vite que la fureur faisait fondre la neige sous ses pas, le courroux le pressait d'arriver à la tente. En approchant, il vit Laquis de Lampagrés. C'était son voisin et il le reconnut facilement. Il lui jeta un coup d'œil, puis il galopa droit au frêne, vit son écu gisant à terre, le saisit et dit après l'avoir ramassé :

— Comment diable, est-ce donc Laquis qui est venu ici abattre mon écu ?

— Non.

— C'est bien toi pourtant, viens te battre avec moi, toute excuse serait vaine !

Laquis répondit :

— Je le jure formellement, ce n'est pas moi, c'est un autre chevalier avec lequel je me suis battu et qui m'a vaincu.

Il lui raconta toute la vérité, en rajoutant quelques détails aux paroles de Méraugis. Après avoir écouté le présomptueux message de Méraugis, l'Outredouté se sentit provoqué dans son orgueil et demanda :

— De quel côté va-t-il ?

— Je vais vous le dire.

— Pas avant de t'avoir vaincu par les armes. Va, remonte en selle, tu vas devoir jouter contre moi.

— Quoi ! dit Laquis, certainement pas, je me constitue prisonnier et je vous mènerai jusqu'à lui.

— Tu ne me conduiras pas à lui et tu ne m'indiqueras pas le chemin avant que je ne sache sans l'ombre d'un doute qui de nous deux est le plus fort au combat ; je vais te dire la raison : si tu es plus fort que moi, je ne vois pas pourquoi je partirais en quête d'un chevalier encore plus fort ; si je réussis à te vaincre, ne te fais pas d'illusion, mets-toi bien ça en tête, je n'aurai aucune pitié, tu seras mutilé.

Laquis répondit :

— Je vous en empêcherai, je me défendrai aussi longtemps que je pourrai.

Que dire ? C'était le dernier mot. Ce combat eut peu d'éclat, car en quelques instants le vainqueur l'emporta. L'Outredouté, qui les tuait tous, réussit à le vaincre et le réduisit à merci. Les deux dames implorèrent alors la grâce de Laquis, mais en vain, car il n'y eut jamais de place pour la pitié. — Où ? — Dans son cœur que Dieu maudisse ! Parce qu'il voulait savoir de la bouche de Laquis où il avait laissé Méraugis, il le frappa et lui dit :

— De quel côté est-il parti ? Indique-moi le chemin !

— Seigneur, à droite.

Il le saisit alors par le côté gauche et lui fit sauter l'œil : c'était selon lui pour mieux trouver la direction de la route ; ainsi il ne l'oublierait pas. Il le blessa très grièvement :

— Laquis, lui dit-il après, je ne te ferai aucun mal avant d'avoir vaincu Méraugis, je te tuerai ensuite.

— Moi, je mourrai heureux après vous avoir vu combattre tous deux. La colère qui m'emplit le cœur ne s'apaisera pas avant que ne sonne l'heure de ma vengeance.

— Tant que je ne l'aurai pas massacré, tu n'as rien à craindre, en route !

Sur ce, il partit. Ainsi Laquis le conduisit sur les traces de son maître. Les dames, peu désireuses de rester plus longtemps à la tente s'en allèrent pleurant à chaudes larmes sur le sort de Laquis. Voilà parties celles qui entendirent la clameur du combat !

IV

UN BEAU MARIAGE

Laquis guida l'Outredouté à vive allure et ils allèrent grand train pour rattraper le chevalier. Tandis qu'ils galopaient ainsi à sa suite, Méraugis allait devant au pas et cheminant dans la forêt, arriva au carrefour de quatre chemins. Là, il fit halte, considéra la route et pensa à Laquis qu'il avait envoyé à la tente ; il tardait tant que le délai fixé jusqu'à mardi était déjà passé depuis longtemps : on était jeudi. Il se dit, ne le voyant pas venir, qu'il pouvait bien sans lui nuire emprunter le chemin qui lui plairait. L'instant d'après il changeait d'avis. Mais pour remplir au mieux son engagement, il décida de poursuivre son chemin à droite ce jour-là encore, à moins d'être contraint de l'abandonner. Il reprit alors la route. Il cheminait depuis peu, quand le nain camus, ce chien enragé, sortit du bois en lui barrant la route. Sans mot dire, il leva un bâton dont il donna un

coup sur la tête du brave destrier. Il leva son bâton et frappa encore
le cheval mais Méraugis s'arrêta et lui cria :

— Nain, va-t'en d'ici, si tu continues je te tue !

— Tu me tuerais ? fit le nain.

Il se mit alors à trembler de peur, tendit les mains et les joignant :

— Prends le meilleur parti, dit-il, voici la honte et voilà l'honneur
que je te dois en contrepartie de ton aide. C'est la promesse que je
t'ai faite avant-hier. Que décides-tu ?

— File, sale nain ! Tu ne me donneras aucune contrepartie et je
ne te demande rien. Va-t'en, je t'envoie à tous les diables ! Que
veux-tu donc ?

— Je veux que tu reviennes sur tes pas. Si tu vas là où tu t'ap-
prêtes à aller, la honte s'abattra sur toi.

— Comment ?

— Je vais tout t'expliquer. Rebrousse immédiatement chemin,
car si tu avances un pas de plus, tu es déshonoré. Tu es allé bien
assez loin, la honte te trouble déjà l'esprit.

Le chevalier qui à tout prendre préférait l'honneur à la honte, s'arrêta et dit qu'il irait là où le nain voulait aller :

— Dis-moi nain, où veux-tu m'emmener ? Où est l'honneur ?

— Je vais t'y mener.

— Conduis-moi donc, je verrai ce que c'est.

— Volontiers, seigneur.

Alors ils retournèrent au carrefour et empruntèrent une autre
voie. Dieu, comme le nain l'a préservé d'une grande honte ! — Comment cela ? — S'il avait continué son chemin, il aurait couché cette
nuit-là sans espoir de retour dans l'essart où les braves sont plus peu-
reux que le lièvre et les lâches plus braves que le lion. C'est heureux
qu'ils aient pris une autre route ! Ils cheminèrent longtemps et après
être enfin sortis du bois, ils découvrirent au bord d'une rivière un
château dominant la rive en face. Je ne sais comment on avait pu
l'élever sur un piton, mais disons pour clore la question que c'était
assurément le plus beau château du monde. Entre le château et le
bois, au milieu de la prairie, ils virent un rassemblement de chevaliers, le plus magnifique qui fût jamais. Le roi Amangon qui réunissait une cour aussi somptueuse qu'il le devait pour le jour de l'an,
avait fait venir tous ses vassaux. Comme l'année précédente, ils
étaient venus là pour jouter. Le roi avait fait monter sa tente dans la
prairie. Devant la tente se dressait une quintaine. C'est là que se
tenaient toutes les réjouissances et devant ce spectacle Méraugis dit
au nain :

— Qui sont tous ces gens ?

— Seigneur, ma foi, voici l'honneur que je dois te donner à la
place de la honte. Tu te couvriras de tant de gloire que l'on célèbrera
tes mérites à tout jamais ! Allons, galopons vers eux !

Ils s'approchèrent ainsi de l'assemblée. Devant la tente, ils reconnurent le roi ; à ses côtés la reine se tenait sur un banc de pierre. Là étaient rassemblés tous les puissants barons et ils étaient bien trente à être armés. Le chevalier les estima à ce nombre, pas à moins. Ils étaient à pied et restaient debout l'épée à la main. Un seul d'entre eux était à cheval, armé de pied en cap, bien protégé de toutes ses armes : rien ne lui manquait et de plus il avait l'air d'avoir grande envie de jouter.

Le nain et le chevalier s'avancèrent. Quand Méraugis s'approcha du roi, le nain prit son cheval par la rêne et dit assez fort pour être entendu de tous les barons :

— Seigneur, voici mon champion. Rendez-moi justice !

— Bien volontiers, nain.

A ces mots, le guerrier à cheval sortit du groupe des trente chevaliers et tout en armes, se présenta devant le roi.

— Nain, dit le roi, ce chevalier est déjà en selle et semble tout prêt à se défendre. Que décides-tu ?

— Ma décision est déjà prise, répondit le nain, Faites-les combattre ensemble, car mon champion, je pense, n'acceptera aucun accord ni aucune discussion sur cette affaire.

Le roi déclara alors :

— Puisque c'est ainsi, que tu te montres sans pitié, que ton champion ne veut ni conciliation, ni arrangement, qu'ils aillent se battre, on n'y peut plus rien.

A ces mots le chevalier se retira, après avoir passé l'écu pour jouter. Il se préparait à la rencontre. Voyant qu'il devait nécessairement aller au combat, Méraugis se dit en lui-même : « Me voilà fou ! C'est sûr le nain me prend pour un sot : il m'a présenté au roi pour que je remporte son combat. Je ne sais ni pour qui ni pour quoi je vais me battre, rien ; mais voilà la seule chose dont je suis sûr : si je préfère me couvrir d'honneur plutôt que de honte, je dois me battre. » Il dit au nain qui s'avançait vers lui :

— Est-ce là ce que tu m'as promis ?

— Je m'en suis remis à toi, lui rétorqua le nain, n'aie aucune crainte, jamais je ne conclurai de paix ni d'arrangement avant d'avoir vidé ma querelle et lavé ton honneur.

Écoutez un peu la traîtrise des paroles du nain ! En effet quand on lui posait une question embarrassante, il répondait à côté et allait répétant :

— Mon champion qui est plus fort qu'un lion m'a dit que jamais il n'accepterait de compromis.

En l'entendant Méraugis n'osa pas dire : « Tu mens ! » S'il avait contredit son tyran, il s'en fût trouvé pour dire : « Le voilà d'ores et déjà vaincu ! » Il gardait donc le silence, mais il était on ne peut plus courroucé contre le nain. Il devait faire cependant contre mauvaise fortune bon cœur !

Puisqu'il lui fallait bien se résigner, Méraugis éperonna sa monture ; son adversaire fonça alors à sa rencontre. Ce fut l'affrontement : les tronçons de lances volent en éclats vers les nues. Ils s'attaquent par surprise, frappant de leurs épées nues si violemment que les heaumes se fendent et étincellent sous les coups. La prouesse ne peut se cacher. Si le chevalier était valeureux, Méraugis l'était cent fois plus. Les barons se demandaient avec surprise où le nain avait trouvé un tel champion.

Pour finir, qu'ajouterai-je ? Le champion du nain camus a remporté une victoire incontestable sur le chevalier. Il le plaqua à terre sur son écu, prêt à lui couper la tête.

— Seigneur, c'est à vous de les marier, dit le chevalier désormais sans défense.

Ne comprenant pas ce qu'il voulait dire, Méraugis l'aurait tué sur-le-champ si le roi ne s'était élevé :

— Arrêtez, vous en avez assez fait ; le prix vous revient, il vous l'abandonne puisque vous l'avez vaincu sans conteste. Tenez, voici mon gant, je vous décerne le prix ainsi que les jeunes filles. Plus de cent jeunes filles d'une grande beauté attendent que vous les mariiez.

Ces paroles du roi laissèrent Méraugis perplexe :

— J'ignore ce que vous me donnez, je ne sais si je serai gagnant ou perdant, mais je crois comprendre qu'il est question de marier des dames dont je ne sais rien.

— Vous connaissez sûrement l'origine de cette fête, dit le roi.

— Non, répondit Méraugis, mais s'il vous plaît j'aimerais la connaître.

— Sans trahir la vérité, je vais tout vous raconter : de tous temps dans ce royaume, la coutume a exigé que pour ce jour tous mes vavasseurs et mes barons, où qu'ils soient, envoient leurs filles s'ils en ont, à cette fête annuelle. Ainsi elles sont là cette année, comme toutes devront l'être l'an prochain.

— Mais pourquoi leur père les envoie-t-il ici tous les ans ?

— Elles sont réunies ici et tous les chevaliers, venus de tous les coins du pays se rassemblent pour l'occasion, comme vous pouvez le constater ; le chevalier qui se révèle le meilleur joueur et réussit à prouver qu'il est le plus valeureux de tous, remporte alors un grand privilège : il peut marier les dames à sa guise et les donner en partage aux chevaliers comme il l'entend. Mais s'il veut raisonnablement les attribuer afin que sa réputation n'ait à souffrir, il ne doit pas les dégrader par une mésalliance. S'il les répartit sans les déshonorer, sa réputation de courtoisie est faite. S'il se trouve qu'il n'ait pas d'amie, il choisit celle qu'il veut. Je me conforme comme le faisait mon père à la coutume que je vous explique. Voilà la dignité dont je vous investis en présence de tous, car la justice a tranché. Aucun chevalier à ma connaissance ne s'élèvera contre vous, je crois. Si vous n'étiez venu ici, aucun chevalier quelque courroucé qu'il fût n'aurait osé se désigner pour jouter contre votre adversaire. L'année dernière, il a remporté le prix sans rencontrer de résistance, sans coup férir. Voilà comment les choses se sont passées. Aujourd'hui, c'est vous qui avez remporté le prix. Après avoir accepté et reçu le prix avec le gant, Méraugis remercia le roi, mais lui dit alors :

— Seigneur, je ne laisserai pas ce chevalier aller en paix, je préfèrerais le tuer si le nain n'obtient pas tout ce qu'il demande.

Quels que fussent ses désirs, le roi ordonna qu'on les accomplît s'ils n'étaient pas trop extravagants. Le nain s'avança alors et dit aussitôt à Méraugis :

— Seigneur, c'est à vous de me donner ce qui fait ma joie. J'ai le complet assentiment de l'homme que je vois réduit à merci, qui d'un mot régnait sur tous et surestimait tant sa force qu'il faisait des promesses avant la fête et attribuait les dames à sa guise. A la Pentecôte, à la belle saison, le roi a réuni sa cour et il y est venu. Après manger il a promis vingt jeunes filles parmi celles qui nous semblaient toutes les plus belles. Alors moi, habitué à fréquenter la noble société, je me suis présenté plein d'assurance devant lui. Là pour son malheur, je lui ai demandé de m'accorder une jeune fille, mais c'était la seule demoiselle sans égale dans ce royaume. Personne n'aurait voulu la demander à part moi et je vais vous expliquer pourquoi : elle est plus camuse, plus petite que moi et elle est bossue. Ainsi comme le fou et la massue doivent toujours aller de pair, tous deux nous avons bien le droit, me semble-t-il, de réclamer notre union. J'ai demandé au chevalier de me l'accorder : « File loin d'ici, chien galeux ! » m'a-t-il répondu. Qu'il m'éconduise ainsi m'a rendu furieux. Je lui ai répondu tout aussitôt que le privilège de donner des épouses ne lui revenait pas de droit et qu'il réjouissait en vain ceux à qui il les promettait. Orgueilleux comme il l'était, il s'est mis en colère et s'est avancé vers moi : la présence du roi ne l'a pas retenu, en pleine cour il m'a même donné une chiquenaude sur mon nez court. Ce geste méprisant m'a profondément blessé. Alors sur-le-champ j'ai proposé de prouver que jamais je n'avais été frappé de la main d'un chevalier ; en outre j'ai ajouté qu'il avait de ce fait discrédité son privilège si honteusement qu'il en était déshonoré et ne devait plus accorder d'épouse de cette main ; ainsi le lendemain, je me suis engagé devant le roi à trouver un chevalier : j'allais lui prouver devant la cour que cette main droite témoignait sûrement d'un chevalier sans droiture. Voilà que tu as fait de ce chevalier un gaucher. Et puisque tu l'as vaincu, toi seul peux me donner l'être que je désire le plus au monde. Je formule cette demande sans orgueil, car si elle appartient à un noble lignage, je suis également de noble famille, mon père était parent du roi.

— Nain, je n'ai pas honte de toi, dit le roi avec un sourire, ce que l'on dit est bien vrai : « n'est si haut bois qui n'ait de menues pousses ». Seigneur, accordez-lui donc cette jeune fille, l'être qui lui ressemble le plus au monde. Je ne sais s'ils sont nés en même temps : tous deux sont si camus de naissance qu'ils se ressemblent par ce trait.

Méraugis répondit aussitôt :

— Sire, je serais heureux qu'on obéisse à votre désir et je vous prie humblement de prendre en considération les autres dames. Mariez-les donc cette fois et je vous donne l'assurance que l'année prochaine, si je suis en vie, je reviendrai pour ce jour et je séjournerai quelque temps, si je reste titulaire de mon droit. Avec votre assentiment, à condition de ne léser personne, je les marierai toutes moi-même. Car en l'occurrence je ne pourrais rester jusqu'à demain, même si l'on m'en suppliait.

— Puisque vous ne pouvez absolument pas rester, fit le roi, ni rien faire d'autre pour nous, faites-nous connaître votre nom et pour cette fois je consentirai à les donner en mariage à votre place, si vous promettez de revenir sans faute.

— C'est inutile de vous inquiéter à ce sujet, sire ! Je m'appelle Méraugis de Portlesguez. Si je suis vivant, dans un an jour pour jour je serai ici.

Alors le roi a donné au nain sa promise, puis Méraugis a pris congé. Les chevaliers l'ont escorté dans une atmosphère de réjouissance. Jamais on ne vit lors d'une fête escorte plus bruyante et plus joyeuse ; ils l'accompagnèrent jusqu'à l'entrée d'une forêt où Méraugis fit halte : le roi s'il le voulait pouvait s'en retourner ; c'est ce qu'il fit et Méraugis poursuivit sa route.

V

VERS L'ESPLUMOIR DE MERLIN

L'Outredouté et Laquis, toujours en quête de Méraugis, finirent par arriver aux quatre voies où s'arrêta Méraugis, avant sa rencontre avec le nain qui réussit à le convaincre de revenir sur ses pas, comme vous venez de l'entendre. A cet endroit Laquis resta perplexe devant tant de chemins :

— Seigneur, nous sommes au bout du chemin, dit-il, et je ne sais pas comment vous conduire plus avant, ni quel chemin indiquer pour continuer, car Méraugis que nous cherchons m'a dit que si je voulais le trouver, je devais toujours tourner à droite, sans changer de direction jusqu'à mardi. Le jour fixé est passé et nous voici devant quatre chemins. Je ne sais plus que faire. A vous de retourner ou de continuer, de prendre ce petit chemin ou cette grande route, car là où vous vous engagerez je vous suivrai !

L'Outredouté tourna bride et dit en le regardant droit dans les yeux :

— Laquis, est-ce vrai qu'au-delà de ce carrefour, tu ne sais pas ce qu'a pu devenir Méraugis ?

— Oui.

— Laquis, si maintenant je te tuais de mon épée, je serais dans mon droit. Mais pour l'heure j'abandonne cette prérogative, car je veux que Méraugis voie le spectacle de sa honte. Suis donc ce chemin ! C'est ce que je veux. Sais-tu pourquoi ? Si tu le trouves avant moi, dis-lui que je le cherche et raconte-lui que par mépris pour lui, je t'ai infligé cette blessure infamante afin de le couvrir de honte. Mais toutefois avant de partir, dis-moi donc quel écu porte Méraugis car je veux pouvoir le reconnaître grâce à cela en n'importe quel pays si je le trouve.

— Seigneur, répondit Laquis, je peux vous le décrire précisément.

Alors il lui détailla la composition de l'écu, tel qu'il l'avait vu. Ils allèrent chacun de leur côté. En se quittant, ils ne se recommandèrent même pas à Dieu. Laquis ne cessa de chevaucher quand au matin, près d'un bouquet d'arbres à l'entrée des plaines de la Bacloche il finit par rejoindre Méraugis. Lidoine l'aperçut la première et le montra à Méraugis. Il tourna son regard vers Laquis et remarqua aussitôt qu'il ne voyait plus que d'un œil et que l'autre suintait. Quelle ne fut pas sa tristesse, sans mentir ! Il comprit ce qu'avait fait l'Outredouté, se porta à la rencontre de Laquis et le salua. Toutefois il s'étonna :

— Que se passe-t-il Laquis ? Qui t'a fait cela ?

L'autre lui répliqua alors aussitôt :

— Seigneur, c'est vous ! J'ai tout lieu de me plaindre de vous, car c'est à cause de vous que j'ai subi ce préjudice. Vous m'avez envoyé malgré moi à la tente : je savais bien que je n'en reviendrais pas sain et sauf. Maintenant je suis dans un tel état que je préférerais mourir ou perdre la raison.

Alors c'est vrai, la honte et la tristesse envahirent Méraugis au point qu'il ne savait que répondre, mais en lui-même il se maudissait et s'en voulait.

— Laquis, répondit-il, je me rends bien compte que ton infortune est ma faute. C'est moi le coupable, que te dire d'autre ? Puisque l'infamie me revient, sais-tu ce que je vais te promettre ? Je ne puis te rendre ton œil ni même te donner le mien, mais si tu sais où se trouve l'Outredouté, viens, emmène-moi jusqu'à lui. Je te jure que si je le trouve, je te rendrai immédiatement — ou bien c'est lui qui me tuera — la main avec laquelle il te creva l'œil.

— Ah ! dit Laquis en soupirant, si je pouvais vivre assez longtemps pour vous voir tous deux dans un champ clos, vous affronter à l'épée d'acier, pour assister à cet instant où l'un de vous aurait la tête tranchée, alors je n'aurais pas de joie plus grande, car je vous hais comme je le hais. Mais on n'en est pas encore là, car je l'ai laissé depuis maintenant trois jours et je ne sais pas où il s'en est allé ni ce qu'il est devenu. Apparemment la voie qu'il a suivie ne l'a pas mené jusqu'ici. Ah ! si cent diables pouvaient être à ses trousses ! Je ne suis plus en état de poursuivre, je préfère retourner à Lampagrés pour me reposer, je suis malade.

Méraugis lui dit :

— Jamais je n'ai été plus triste que je ne le suis pour toi ; mais je te jure, tu peux me croire sur parole, que jamais je ne reviendrai dans mon pays avant de t'avoir vengé de l'Outredouté : il aura la main tranchée.

Tout était dit. Laquis s'en alla, plein de chagrin ; Lidoine pleurait, compatissant à la douleur qu'il manifestait. Qu'importe ? Pleurer ne sert à rien.

Méraugis poursuivit son chemin à la recherche de l'esplumoir de Merlin. Il en avait demandé le chemin dans de nombreuses contrées, quand un matin au bord de la mer, le long d'un chemin, il découvrit un château d'allure redoutable, bâti sur une roche. Il était perdu au loin dans la montagne ; très élevé, taillé d'un seul bloc, il offrait un aspect verdoyant en toutes saisons, car le lierre recouvrait tous ses murs d'enceinte. Au sommet de cette forteresse ronde qui était la plus haute du monde, Méraugis aperçut au moins douze demoiselles. Là-haut les jeunes filles étaient assises dans un petit pré, à l'ombre d'un laurier. Elles passaient tout leur temps à discuter. — De quoi ? Du passé ? — Certes non, elles n'aborderont jamais ce sujet et leur discussion n'aura pas de fin ; elles s'entretiennent de ce qui doit advenir. Dans l'intention d'y grimper, Méraugis galopa jusqu'au pied du château ; il en fit aussitôt le tour, mais il ne vit aucun moyen d'y accéder, car il n'y avait ni porte, ni fenêtre, ni escalier. Je ne sais si Dieu le fit ainsi à dessein. Il s'élevait très haut et avait belle allure. Méraugis en fit au moins trois fois le tour et cria aux demoiselles :

— Dames, comment puis-je arriver jusqu'à vous ?

— Cher seigneur, vous n'avez aucun moyen de monter ici ; mais dites-nous ce que vous voulez.

— J'aimerais discuter un peu avec vous.

— Dites-nous donc ce que vous voulez.

— Il ne m'est encore jamais arrivé, répliqua Méraugis, de crier d'aussi loin, en public, ce que je suis venu chercher. Permettez-moi donc de monter là-haut.

Ennuyée par cette discussion, la dame retourna s'asseoir et le laissa discourir. Méraugis dut crier trois ou quatre fois avant qu'on daignât lui répondre ; une autre demoiselle répéta alors deux ou trois fois au chevalier :

— Vous devez discuter de l'endroit où vous êtes, car personne ne monte jusqu'ici.

Comprenant qu'il n'obtiendrait rien de plus, Méraugis lui cria alors :

— Parlez-moi de Gauvain, le neveu du roi. Auriez-vous de ses nouvelles ?

Alors la première de toutes les demoiselles lui répliqua :

— Dis donc, quel importun tu fais, chevalier ! Va-t'en et si tu veux bien te fier à moi, prends le chemin qui monte à droite. Au-delà de ce bois, au pied de la montagne, tu trouveras bientôt une chapelle et une croix ; il n'y en eut jamais de plus belle. Une fois arrivé à la croix, tu trouveras conseil auprès d'elle.

— Puisque vous ne m'avez rien appris sur ce que je demande, répondit-il, dites-moi si vous connaissez le chemin le plus court pour arriver à l'esplumoir de Merlin. C'est là, je pense, que j'aurai des nouvelles de Gauvain.

La demoiselle lui répondit :

— Regarde-moi. Voici l'esplumoir de Merlin, j'y suis. Désormais, tu ne pourras que perdre ton temps, car nous ne te dirons rien de plus sur Gauvain, pas un mot, ni pour t'approuver ni te contredire.

Peu d'humeur à plaisanter, Méraugis releva la tête et cria :

— Comment demoiselle, vous vous moquez ? Le nain m'a dit il y a près d'un mois que si jamais je devais le trouver un jour, j'entendrais parler de lui ici à l'esplumoir. Arrivé là, je vais y perdre toute la journée, sans pouvoir y accéder. Par saint Denis, si je pouvais malgré tout monter là-haut, j'en apprendrais davantage, je crois.

La demoiselle lui répondit avec arrogance :

— Quel bonheur qu'on ait fait ce château si haut ! Puisque malgré tous vos efforts vous ne pouvez pas y monter ; voilà que vous hurlez ici jusqu'à me fatiguer.

Elle retourna alors s'asseoir. Méraugis reprit sa route, bouillant de colère et chevaucha jusqu'à ce qu'il découvrît la chapelle et la croix plantée devant. Mais il ne vit aucun être vivant aux alentours de la croix de marbre. Parvenu sur le plateau, il mit pied à terre sous un grand arbre, entra dans la chapelle, chercha partout mais ne trouva âme qui vive ; il revint alors en disant :

— Maintenant j'en suis sûr, elle m'a pris pour un sot en me faisant venir ici. Ah ! Dieu, que vais-je devenir ? Je vois bien la croix, mais que faire ? Qui me renseignera ? Je ne vois pas.

Méraugis s'en allait ainsi en se lamentant. Mais son amie, restée devant la croix, leva les yeux pour la contempler. En haut, sur un bras de la croix, elle vit une inscription peinte en lettres d'or. Après l'avoir lue, elle fut bouleversée et s'écria :

— Seigneur, sur le bras de cette croix se trouve une inscription en lettres de vermeil, et ce sont des conseils magiques !

Alors Méraugis qui savait parfaitement lire, regarda la croix, et vit ces paroles inscrites qu'en même temps il entendit proférer :

— Chevalier, toi qui aimerais trouver le conseil que tu cherches, tu peux choisir. Voici trois chemins. Cette première voie s'appelle la Route sans Merci. Si tu la prends, sache-le bien, tu ne rencontreras aucune pitié. Si tu veux à l'occasion avoir quelque compassion, n'escompte pas en revenir vivant. C'est pourquoi, si tu veux emprunter cette voie et si jamais tu tiens à revenir chez toi, tu dois abandonner ici toute pitié.

— Et la seconde voie comment s'appelle-t-elle ? demanda Méraugis.

— C'est la Route de l'Injustice.

— Pourquoi ?

— C'est facile à expliquer. Tu dois agir partout avec injustice, si tu prends ce chemin. Quiconque s'engage dans cette voie ne rencontrera nulle part un seul homme, prêt à lui rendre justice. Quant à la troisième route qui tourne à droite, elle ne porte pas de nom, à juste titre.

— Pourquoi est-elle sans nom ? reprit Méraugis.

— Je ne sais rien de plus à ce sujet, hormis qu'aucun de ceux qui s'y engagèrent n'en revint jamais. Comme personne n'en revient jamais, je ne peux savoir où ils vont, ce qu'ils deviennent, s'ils sont ou non rentrés chez eux par une autre route. Pour cette raison, c'est la Route sans Nom. A toi de choisir maintenant ! Tu prendras celle des trois que tu voudras.

Méraugis s'exclama alors :

— Après avoir reçu ce conseil, je ne vois pas davantage quel parti prendre. Non, au contraire rien ne peut m'étonner davantage que ce que je viens d'entendre. Que dire ? Pourtant je dois finir par choisir, il le faut bien. Ma dame, dit-il, qu'allons-nous faire ?

— Je ne sais pas.

— Comment vous ne savez pas ?

— Moi, non, fit-elle, mais allez où vous voulez, je vous suivrai.

— Ma dame, lui répondit-il, je vais prendre la Route sans Nom. Telle est ma décision. Il ne me plaît guère d'emprunter les deux autres, la Route sans Pitié et la Route de l'Injustice. C'est ce qui me détermine pour partir d'ici, car de ce côté on ne peut trouver le bien. Certes cette autre voie ne m'indique en rien si je ferai ou non un bon voyage. Malgré tout, la raison me dit d'aller avec plus de confiance par la voie inconnue, car sur les voies du mal, je suis absolument fixé. Allons ! dit-il.

— En route ! lança Lidoine.

Trêve de discours, ils empruntèrent alors la Route sans Nom et chevauchèrent longtemps avant de quitter la forêt.

VI

L'ÎLE SANS NOM ET SON CÉLÈBRE PRISONNIER

Juste après une futaie, ils débouchèrent sur une plaine. Devant eux, au pied d'une montagne, ils aperçurent la Cité sans Nom qui fut pour lui ensuite la Cité Perdue ; car plus tard il la chercha et n'épargna pas sa peine pour la retrouver, mais il ne la trouva pas. Ainsi il allait au pas chevauchant vers la cité. Jamais il n'avait vu une cité d'une telle splendeur : elle était aussi belle qu'on pouvait l'imaginer. Solidement établie au bord de la mer, ses murailles étaient battues par les vagues et une flotte imposante, il n'y avait pas à dire, mouillait dans le port. En somme, c'était une cité très puissante. Sur le chemin de la ville, le chevalier rencontra deux demoiselles précédées d'un nain. Inutile de demander si elles étaient belles ! En tête le nain portait pour elles un furet et quatre filets. Le chevalier alla saluer les demoiselles.

— Vous avez dépassé les bornes, se contentèrent-elles de dire, non sans ajouter en partant : Quel malheur pour vous !

C'était dit assez fort pour qu'il entendît parfaitement.

Sans plus attendre, le chevalier partit au grand galop quand il rencontra par hasard un garçon et le salua. Sans lui rendre son salut, le garçon s'arrêta juste un instant. Il répéta à Méraugis ce que les demoiselles lui avaient dit. Il n'ajouta rien de plus. Tout étonné, le chevalier avait fait halte quand son amie lui dit :

— Ces gens ne me rassurent guère.

— Pourquoi ? lui demanda-t-il.

— Seigneur, je ne sais pas. Tout ce que je peux dire, c'est que je n'ai jamais eu si peur que maintenant.

— Mais que craignez-vous ? N'ayez aucune inquiétude ! Soyez-en sûre : à moins que je ne périsse par malheur, la peur est inutile, nous ne perdrons rien. Rassurez-vous, allons !

— Oui, je suis tranquille.

Ils poursuivaient ainsi leur route, tout en parlant, et s'approchaient peu à peu de la cité quand les gens sur les remparts — les chevaliers qui se trouvaient là — les aperçurent. — Que firent-ils alors ? — Ce qu'ils firent ? Dès qu'ils les virent, ils cornèrent à l'attaque dans le château. Si la cité avait été la proie des flammes, on n'aurait pas entendu alors de plus grand tumulte à l'intérieur. En prêtant l'oreille à ce vacarme — car il avait entendu corner à l'attaque et prolonger l'alarme comme s'ils avaient pris d'assaut le port — le chevalier ignorait que, contrairement à l'usage de son pays, on pût sonner l'alarme sans attaque.

— Je ne vois pas, fit-il, ce que peut signifier cette sonnerie.

— Moi non plus, dit Lidoine. Nous ne savons pas ce qui nous attend.

— Advienne que pourra ! Ils peuvent toujours corner, qu'est-ce que j'en ai à faire ? dit le chevalier. Absolument rien !

Par la porte principale, ils virent alors le peuple sortir de la cité jusqu'ici bien close et affluer sur la terre alentour. Toutes les habitantes de la cité étaient venues et toutes arrivaient en chantant. Une foule de jeunes filles venaient vers eux et, sur l'air de leurs chansons, formaient des rondes telles qu'on ne vit jamais plus grandes aux fêtes de mai. Devant elles, les chevaliers allaient au galop sur des chevaux fringants et robustes. Rien d'étonnant si leurs chevaux étaient à la fois beaux et puissants, car ils ne paissaient pas souvent sur des terres incultes.

Ils se dirigeaient donc vers eux.

— Ils viennent à notre rencontre, je crois, déclara Méraugis en les voyant.

— Cher seigneur, savez-vous ce qui nous attend ?

— Non, ma dame. Mais la joie ne peut être que signe de bonheur. C'est pourquoi je me sens mieux que tout à l'heure, et je me sentirai mieux encore un peu plus tard, car je n'aime rien autant que la joie !

— Que Dieu nous donne le bonheur d'apprendre la raison d'une telle réjouissance ! répliqua Lidoine sans en paraître réjouie.

Comment cela ? — Non, à vrai dire elle était même plutôt chagrinée. Ils n'eurent pas le temps d'en dire plus long : ils rencontrèrent alors les cavaliers qui arrivaient. Méliadus le sénéchal salua le premier Méraugis. Alors tous les autres s'avancèrent, lui souhaitant en chœur la bienvenue ; Méraugis répondit à leur salut et se joignit à eux.

Sur ce, ils prirent le chemin du retour. La foule entourait Méraugis et le dévisageait avec une vive curiosité. Les uns discutaient, d'autres s'entretenaient à voix basse, d'autres encore le regardaient. Cependant Méraugis ne prêtait aucune attention à tous leurs propos ; par moments, tout en chevauchant il saisissait des bribes de conversation entre deux personnes :

— Ce chevalier n'est pas moins grand que lui.

Voici ce qu'il entendit et rien de plus. Méraugis et Méliadus, le sénéchal de la cité, poursuivirent leur chemin jusqu'à la ville : ils y entrèrent, allèrent droit vers la mer et mirent pied à terre, une fois parvenus sur la grève. Ils trouvèrent une embarcation au port. Méliadus exposa les faits à Méraugis :

— Cher seigneur, prenez place dans ce bateau et vous traverserez la mer jusqu'à cette île là-bas.

— Certainement pas.

— Pourquoi ?

— Ma foi, je n'en ai aucune envie.

— Vous irez, dis-je.

— Je vous assure bien que non !

— Vous passerez pourtant dans l'île !

— Mais pourquoi moi ?

— Parce qu'il faut le faire. La coutume exige que tout chevalier arrivant ici traverse la mer jusqu'à l'île.

Méraugis répliqua :

— Que la chance me sourie et j'abats cette coutume !

— Auparavant vous devez aller dans l'île bon gré mal gré.

— Arrière ! s'écria Méraugis, suis-je donc prisonnier ?

Il dégaina alors son épée :

— Je vous avertis, il y aura des membres tranchés, si l'un de vous bouge ! Restez tous tranquilles !

— Vous oseriez résister ?

— Certainement !

— Je vais vous expliquer. Vous voyez bien cette tour là-bas au milieu de l'île ; à l'intérieur habite un fier chevalier et avec lui se trouve une dame : ils sont donc deux. Il y a deux suivantes et un domestique pour les servir. C'est tout, ils ne sont pas plus nombreux dans l'île. Si vous parvenez à vaincre le chevalier qui vous attend, vous pouvez être sûr que la dame et le château vous appartiendront. Mais s'il vous vainc, vous serez à nous, soumis à notre bon plaisir. Il faut que vous le sachiez, les dames venues jusqu'ici pour nous faire cortège, ne chantent que pour célébrer le combat qu'elles attendent avec joie.

Alors Méraugis, toujours à la poursuite de joutes et de combats, déclara au milieu du refrain de la chanson :

— Allez, chantez tous en chœur ! Voici le refrain. A moins qu'il ne s'enfuie, il devra jouter.

Ils chantèrent alors tous en chœur, de leurs voix fortes ou fluettes, graves ou aiguës, transportés par une allégresse sans trouble.

Heureux d'avoir à se battre, Méraugis regarda vers l'île et vit que le chevalier de la tour était sorti richement équipé et se promenait de long en large sur l'île.

— Je vois déjà le chevalier là-bas, dit Méraugis, amenez l'embarcation !

Les marins montèrent au mât et firent voile vers l'île où ils abordèrent. Une fois dans l'île, Méraugis remonta prestement à cheval ; alors l'embarcation repartit. Méraugis lança sa monture et fonça droit vers le chevalier qui l'attendait. Le chevalier qui était dénué de toute bassesse, de malveillance ou de méchanceté fit halte et attendit le temps nécessaire pour que Méraugis s'équipât, puis ils tournèrent bride et éperonnèrent leurs chevaux. Tous deux étaient vaillants et courageux. Ils frappèrent de leurs lances bien taillées : elles traversèrent les écus et leur fer heurta les poitrines avec une telle violence que sans les transpercer leur cœur défaillit de douleur ; par leurs coups d'épées ils déchirèrent les poitrails, tranchèrent les sangles, mirent en pièces leur équipement puis lâchant les rênes, ils sautèrent à terre : ils se battirent avec une telle ardeur que vous n'avez jamais vu combat plus acharné. Sous la violence des coups, leur vue se troubla au point qu'ils ne voyaient presque plus rien. Chacun s'allongea à terre, s'appuyant sur son coude pour un bref instant de repos. Une fois revenus à eux, il leur sembla que la tour dansait et que l'île tremblait. — Pourquoi ? — Les coups les avaient étourdis. Ils crurent ainsi avoir été victimes du tonnerre et plus rien ne leur importait hormis la reprise du combat. Alors l'épée dégainée, ils foncèrent l'un sur l'autre, la tête protégée par le bouclier levé. Ils ne se faisaient pas de cadeaux, au contraire ils se livraient de violents assauts. Les gens de la cité qui n'avaient jamais vu un tel combat s'en rendaient bien compte. La joute les avait divertis car ils avaient pris du plaisir à la regarder ; mais s'il en était pour s'amuser, Lidoine ne se réjouissait guère. Non, au contraire la peur lui serra le cœur dans la poitrine et l'étreignit si fort au spectacle de ce combat que tout ce qu'elle entendait s'effaçait devant ce qu'elle voyait. — S'effaçait ? Comment ? Vous voulez dire qu'elle n'entendait plus rien ? — Non, sous l'effet de la peur qui la torturait ainsi, toutes les forces de son ouïe et toutes ses facultés se concentrèrent dans ses regards qui ne quittaient pas Méraugis, incapable de prévenir l'angoisse qu'elle éprouvait pour lui. Ainsi les deux chevaliers combattaient-ils pied à pied dans l'île, se rendant coup pour coup avec leurs épées nues. Des heaumes le feu volait en étincelles vers les cieux si bien que le soleil en devint violet et vermeil. — Pourquoi ? — Quand le soleil mêle sa lumière à l'éclat des heaumes, on dirait de loin que le feu grégeois les enflamme. Ils connaissaient bien le maniement des armes, certes mieux que quiconque ! Ils se livrèrent au moins quarante assauts semblables et s'attaquèrent jusqu'à n'avoir plus enfin ni écu ni heaume à mettre en pièces. — Mais puisqu'ils étaient si valeureux, tous deux privés d'armes pour se protéger, comment expliquer que l'un des deux ne fut pas tué ? — Comment ? Bien fou qui pourrait le savoir. S'ils avaient frappé d'aussi bons coups qu'au début de leur combat, sa tête fût-elle d'acier, le plus fort n'aurait pu résister long-temps. Mais désormais à chaque coup, l'épée tournait et s'échappait de leurs mains ; car celui qui avait le dessous, faisait un tel effort que cette défaillance ne pouvait manquer d'arriver. Ils restèrent debout, immobiles.

La bataille dura pour ainsi dire jusqu'à midi. Une fois midi passé, le chevalier reprit ses esprits : il se dirigea vers Méraugis et l'assaillit. Bondissant à sa rencontre, Méraugis se défendit mais son adversaire le serrait de près. Assurément le chevalier l'attaquait mieux que jamais et lui assénait des coups plus violents. Étourdi par les coups, Méraugis reculait :

— Je ne suis désormais plus maître de la partie, la chance tourne mal pour moi. Car je me disais et je persiste à le penser que ce che-valier était tout à l'heure recru de fatigue par le combat et affaibli. Mais voilà qu'en un instant, ses coups sont changés du tout au tout.

Le chevalier de son côté s'empressait de revenir à l'attaque, le bouclier serré sur l'avant-bras. Rempli de crainte devant lui, Mérau-gis avait reculé :

— Chevalier, au nom de Dieu, dis-moi ton nom.

— Veux-tu vraiment que je te le dise.

— Oui.

— Que Dieu te bénisse, voilà : je m'appelle Gauvain. C'est ainsi que les Bretons m'appellent communément.

— Comment ? s'exclama alors Méraugis. Êtes-vous vraiment Gauvain, mon ami ?

— Ma foi, oui. Dites-moi donc à votre tour comment vous vous appelez.

— Je suis Méraugis de Portlesguez, votre ami. Je viens de votre terre. J'ai quitté la cour pour me mettre à votre recherche depuis Noël, mais grâce à Dieu, je suis bien content de vous avoir retrouvé ici ; car au dire de tous, monseigneur Gauvain était perdu. Votre amie et la brillante compagnie rassemblée autour du roi ont perdu l'espoir de vous revoir un jour.

— A juste titre ! Vous pouvez être sûr que le roi ne me reverra jamais !

— Ne dites pas cela, cher seigneur, c'est impossible ! Ces propos sont à mon avis insensés. Je me constitue prisonnier, allons-nous en ! Traversons de l'autre côté, voici la barque.

— Méraugis, c'est hors de question.

— Comment donc ?

— Le plus fort de nous deux doit nécessairement tuer l'autre.
C'est ainsi : aucun chevalier n'est jamais sorti vivant de cette île,
jamais vous n'en partirez.

— Pourquoi ?

— Ma foi vous ne pourrez pas. Je vais vous expliquer pourquoi :
voyez-vous là-bas comme moi cette femme penchée à la fenêtre de la
tour ? C'est une noble dame et je ne pourrais vous décrire de plus
grande beauté aux alentours. Cette cité et ce pays tout entiers lui
appartiennent. Mais jadis un chevalier très audacieux se rendit
auprès d'elle et la pria d'amour. Par la suite elle s'éprit de lui et
devint son épouse. Mais elle devint si jalouse et son amour si posses-
sif qu'elle fit bâtir cette demeure dans cette île pour le garder avec
elle. Il s'y installa. Il y séjourna très longtemps avec son amie, mais
quand il voulut s'en aller, il ne le put, non, ce fut impossible.

— Pourquoi ?

— La dame de ces lieux ordonna à ses gens dans le pays de ne
laisser personne venir dans l'île sous aucun prétexte, à moins qu'elle
ne l'exigeât ; en outre, aucun chevalier ne pouvait passer sur ses
terres sans venir ici disputer le prix de la victoire contre son champion. Ainsi bon gré mal gré, bien des chevaliers passèrent par ici ; ils
prenaient plaisir à trancher des têtes, jusqu'à ce que les vainquît par
les armes ce chevalier farouche, audacieux et vaillant au combat. Il
mena cette vie pendant sept ans. Il tua bien des hommes, jusqu'au
jour où comme vous je vins ici. Le chevalier entama alors un âpre
combat contre moi, et moi avec une grande fierté je reçus l'attaque
du mieux que je pus. Je finis par l'emporter sur lui et le tuer ; mais il
m'en arriva malheur car malgré moi depuis ce jour j'ai gardé ce château à cause de lui. Ma dame a décidé ainsi que j'y resterai jusqu'à
ce que je sois tué par un chevalier plus fort que moi. Après ma mort
il sera à son tour le gardien du château. Que vous me vainquiez ou
que je vous tue, quoi qu'il arrive, c'est l'usage, le vainqueur reste
toujours en otage jusqu'à l'arrivée d'un chevalier plus fort que lui.
Vous devez donc vous battre contre moi, je ne vois pas d'autre issue.
Mais si vous remportez la victoire et que ma force vous soit inférieure, vous serez le châtelain, maître de cette tour le reste de vos
jours.

— Je n'en ai pas grande envie, dit Méraugis, jamais je ne serai le
seigneur de ce château, certes non, car je n'en connais pas de plus
haïssable. Mais puisque personne n'ose s'approcher d'ici, qui donc
vous donne à manger ?

— Nul besoin de s'en préoccuper. Nous avons tout ce qu'il faut,
car nous avons à satiété tous les mets que nous pouvons exiger.

— Comment ?

— Tous les jours, chaque matin avant le repas de midi ma dame sort de la tour, et d'en bas elle fait signe à la barque qui vient aussitôt. Alors la dame demande qu'on lui apporte tout ce qu'il nous faut. Mais si moi, j'allais vers le port une fois la barque arrivée, celle-ci s'en irait toutes voiles dehors, car elle ne resterait pas au port pour me servir.

— Pourquoi ?

— Ma dame penserait que si je montais à bord, je ferais mon possible pour ne jamais revenir. Elle me retient prisonnier et me surveille de si près que jamais je ne pourrai m'éloigner d'ici. Mon chagrin est si violent que quand j'y songe, mon seul souhait est que la foudre, l'orage viennent me frapper ici. N'ai-je pas raison ?

— Oui.

— Je vois bien que vous êtes venu ici pour me chercher et je dois cependant vous tuer. Mon Dieu, que faire ? La vie me dégoûte tant et je souhaite si ardemment la mort que si je pouvais vous sauver, je me tuerais sans hésiter avec mon épée. Mais la mort viendrait-elle m'enlever maintenant, vous ne vous échapperiez pas d'ici pour autant, vous garderiez l'île à tout jamais sans connaître de plaisir ni de joie, jusqu'à l'ultime jour de votre vie. J'en suis si attristé que je ne sais que dire.

— Je vais vous dire ce qu'il y a de mieux à faire.

— Quoi selon vous Méraugis ?

— Mon idée est très simple. Si vous acceptez de vous fier à moi et de suivre mes conseils, je crois pouvoir vous faire échapper de cette île. Vous n'y mourrez pas.

— Et pourtant si !

— Qu'allez-vous faire alors ?

— Je ne sais que vous répondre. Mais je serais prêt à suivre tout conseil que l'on oserait me donner, même celui de me jeter à la mer, si vous jugez que c'est pour mon bien.

— Jamais je ne vous donnerai ce conseil, nous agirons tout autrement.

— Allons, par Dieu dites-moi comment !

— Nous allons nous battre jusqu'à la tombée du jour et nous finirons le combat au bord de la mer dans ce val là-bas : la dame de la tour et tous les gens de la cité nous verrons parfaitement. Alors je ne me défendrai plus, je m'allongerai tandis que vous me frapperez et feindrez de me laisser bel et bien mort. Pour mieux abuser les gens, vous saisirez mon heaume, vous l'enlèverez de ma tête et vous le jetterez à la mer sous les yeux de tout le monde. Par cette ruse tous croiront que vous m'aurez tué et coupé la tête avec votre épée. Sur ce, vous regagnerez cette tour. Je continuerai à faire le mort jusqu'à la nuit noire et dès que je jugerai l'obscurité complète, je vous rejoindrai et nous trouverons le moyen de nous échapper.

Monseigneur Gauvain répondit :

— Ma foi, je me range à cet avis et j'accepte cette proposition car je la trouve très séduisante.

Ils reprirent alors le combat et firent exactement ce dont ils avaient convenu. On les observait de tous côtés et les spectateurs déclarèrent Méraugis vaincu. — A la vue de cette chose incroyable, que fit donc Lidoine ? — Elle se frappa de douleur et maudit la terre qui la supportait encore. Pour un peu elle se serait noyée, si on ne l'avait retenue de force. Que vous dire à son sujet ? Elle manifestait un si profond chagrin que je ne saurais vous en décrire le dixième. J'ai été bien souvent le témoin de grandes afflictions, mais aucune comparaison n'est possible. Car tout chagrin n'est que joie auprès de la douleur qu'elle laissait éclater, tandis qu'une jeune fille du nom d'Amice l'emmenait dans sa demeure. Jusque là-bas il n'y avait pas plus de quatre lieues. Tout en la réconfortant on la conduisit à son logis. Là on mit pied à terre et elle reçut une hospitalité on ne peut plus agréable. Mais l'embarras de ses hôtes ne cessait de croître car Lidoine en pleurs se lamentait sur la mort de Méraugis. Par moments elle tressaillait de douleur, égratignait son visage et s'écriait :

— Ha, Méraugis ! plus de cent fois de suite. Mon Dieu, quand pourrai-je jamais le revoir ? Je n'en sais rien, c'est sans espoir.

Quant à Méraugis, laissé pour mort au milieu de l'île, il se leva, se rendit à la tour et y trouva la dame en compagnie de sa suite. D'un bond léger, il s'avança et s'arrêta devant la table. A sa vue la dame prit peur et se leva brusquement de table. Redoutant une apparition du diable, elle se signa plus de sept fois :

— Mon Dieu, par pitié quel est cet homme ? s'écria-t-elle.

— Je suis venu vous rendre une petite visite. Vous êtes mortes, soyez-en sûrs si vous soufflez mot !

Alors il les regroupa. Il les enferma à clef dans une chambre, me semble-t-il. La dame et ses suivantes se mirent à discuter, mais à voix basse, car si d'aventure elles ouvraient la bouche pour crier, Méraugis leur avait promis de mettre aussitôt le feu à l'intérieur.

Les voilà donc toutes enfermées. Le chevalier ôta ensuite ses armes mais comme il en avait envie, il mangea à satiété car la table était abondante. Monseigneur Gauvain était content. Les chevaliers allèrent se coucher. Une fois levés le lendemain matin, ils ne se rendirent pas à l'église, certes, car il n'y en avait pas dans l'île. Maintenant veuillez prêter attention à ce passage d'une si courtoise inspiration. Méraugis décida de... — Que fit-il ? — Ma foi, il prit tous les habits de la dame et s'habilla exactement comme une femme : il serra les lacets à la taille et se pomponna. Aussi paré qu'une coquette, il descendit les escaliers du château, l'épée dissimulée sous son manteau. Que vous dire ? Il alla au port ainsi vêtu. Cela lui allait fort bien, car il était beau et bien fait de sa personne. De l'autre côté du rivage, les gens aperçurent Méraugis qui se promenait dans l'île et leur faisait signe de la main, selon l'habitude de la dame. Ne soupçonnant pas un tel stratagème, ils crurent que c'était la dame : ils embarquèrent, et toutes voiles dehors ils mirent aussitôt le cap sur l'autre rivage. Le batelier avec trois autres marins aborda dans l'île, et Méraugis qui avait mûri son plan auparavant, sauta dans le bateau de tout son élan. On aurait dit que les planches allaient se disloquer et se fracasser. Au bruit de la chute, les marins comprirent tout et ils se mirent à trembler de peur devant lui, se pensant pris au piège. Ils l'étaient bel et bien. Dessous son manteau ourlé, Méraugis dégaina son épée.

— Votre dame est arrivée !

— Où est-elle ?

— La voici dans ma main !

Pour la leur montrer, il dégagea son ceinturon et dit aux marins :

— Sur mon âme, cette épée c'est la dame qui vous damnera tous. Je vous promets une prompte mort sans confession si vous ne m'obéissez pas. Mais je vous jure que si vous le faites, vous serez largement récompensés. Tout ce que vous pourrez jamais exiger, je vous le donnerai.

Nécessité faisant loi, les marins ne s'opposèrent en rien à Méraugis. — Pourquoi ? — Ils préféraient, se disaient-ils, vivre longtemps et dans l'aisance que mourir au combat sans confession.

— Seigneur, dirent-ils, nous ferons ce que vous voudrez, nous ne nous opposerons à aucun de vos désirs.

— Est-ce bien vrai ?

— Oui.

— Quittez-donc ce rivage et emmenez-moi de l'autre côté de l'île afin que nous ayons la tour entre le bateau et la cité.

Désireux d'échapper à la mort, ils se dirigèrent vers la tour. Là, ils s'arrêtèrent et attendirent que Gauvain descendît dans le bateau : ils eurent alors la force de cent chevaliers. Ils avaient leurs armes. Avant d'appareiller, les chevaliers dirent aux marins que s'ils pouvaient aborder sur une terre des proches alentours, il leur en cuirait d'aller plus loin ; il fallait les débarquer le plus près d'ici. Tremblant pour leur vie, ils promirent de toucher terre le plus tôt possible.

Mais trêve de discours, ils mirent à la voile. Je ne raconterai pas ce que devinrent les dames, non, car je ne le peux pas. — Pourquoi ? — Ma foi, je ne m'y trouvais plus, ni monseigneur Gauvain. Ils naviguèrent ainsi le long des côtes dans des eaux peu profondes car ils ne voulaient pas se diriger vers la haute mer, mais après avoir traversé le détroit et dépassé tout le pays, ils accostèrent. Ils voguèrent long-

temps avant de toucher terre. — Quelle terre ? — C'était le pays
d'Handitou. — A qui appartenait-il ? — Le comte Gladoain en était
le seigneur et il possédait de nombreuses terres par ailleurs. Les
marins mirent le cap pour accoster à Handitou, mais ils se hâtèrent
un peu trop en arrivant. — Ah bon, comment ça ? — Ils pénétrèrent
si brutalement dans le port que le bateau éperonna un rocher, il se
fracassa et se brisa en deux. Qu'importe ? Tous sortirent sains et
saufs du bateau. Le comte Gladoain qui se trouvait alors à Handitou, descendit droit au rivage. Là, il vit les chevaliers et les reconnut.
— Et alors que fit-il ? — Il courut à leur rencontre, les salua en leur
donnant l'accolade. Comme c'était un homme de grand mérite, dans
ses paroles de bienvenue, il mit tout son bien à leur disposition. Il
leur fit un accueil chaleureux, tout heureux de les recevoir. Il les
conduisait donc vers sa demeure, quand Méraugis s'arrêta et laissa
éclater son chagrin. — Pourquoi ? — A cause de son amie. « Qu'est-
ce ? dit-il, où est ma vie ? Où est-elle ? Comment l'ai-je abandonnée ? — Oui, c'est pour cette raison qu'elle n'est plus à mes côtés. —
C'est pour cela ? — L'ai-je donc perdue ? — Oui. »

Alors il se frappa de douleur. Si son amie avait manifesté un profond chagrin à cause de lui, ce n'était rien auprès de celui qu'il laissait voir. Que dire ? Jamais il n'en exista de tel. Monseigneur Gauvain le soutenait et tous ses autres compagnons le consolaient. Ils
durent presque le porter, pour monter dans une grande salle à
l'étage. Le comte leur accorda cette nuit-là l'hospitalité la plus courtoise du monde : le moindre désir ou la moindre requête furent satisfaits. Mais tout à son chagrin, n'en déplaise aux moqueurs, Méraugis
ne passa pas un agréable moment. Éperdu de douleur, il se lamentait
et gémissait sur la perte de son amie. Le soir il poussa des plaintes si
déchirantes que monseigneur Gauvain bouillant de colère, faillit
devenir fou de rage :

— Vous passez la mesure et vous nous importunez fort à manifester si bruyamment votre chagrin.

Ils le forcèrent à taire sa douleur ce soir-là, mais sa compagnie ne
fut pas plus gaie. Après le repas les chevaliers allèrent aussitôt se
coucher. Méraugis qui n'avait pas dormi de la nuit, se leva de bon
matin avec toute la compagnie. Une fois lavés, ils se rendirent à
l'église pour écouter la messe. N'oubliant pas Lidoine, Méraugis se
prépara à partir. Il vint parler à monseigneur Gauvain.

— Dites-moi, Seigneur, accorderez-vous quelque attention à ce
que je vais vous dire ? J'ai décidé de partir, jamais je ne connaîtrai
de joie ni de repos avant d'avoir retrouvé mon amie. Elle me croit
sûrement mort.

— C'est vrai, je sais bien Méraugis que je suis responsable de
votre tristesse et que votre venue m'a délivré de cette cruelle prison,

si infamante que nul ne peut la souhaiter. Que dire ? Je vous dois la vie et soyez-en sûr, mon aide et mon soutien vous sont acquis, vous les avez bien mérités. Je dois repartir à l'aventure en quête de l'Épée, comme je l'avais entrepris. Si je revenais dans mon pays sans elle, mon honneur serait perdu. Jamais je ne rentrerai avant d'avoir ceint l'Épée au merveilleux baudrier. Je la retrouverai. Mon Dieu, puisses-tu me guider ! De votre côté, vous irez à la recherche de Lidoine. C'est ici que s'achève notre compagnie. Voici cependant un bon conseil : il n'est pas bon de rester plongé dans l'affliction. Si j'arrivais par hasard là où se trouve votre amie, vous n'auriez nul besoin d'être à mes côtés pour que votre honneur soit défendu. Et si j'arrive un jour à la cour avant vous, alors sachez-le bien, je n'y resterai pas une seule nuit.

— Que ferez-vous donc ?

— Je partirai sans plus attendre à votre recherche. Si l'on venait à m'apprendre que vous ayez besoin de moi, où que ce soit, même très loin, je risquerais ma vie pour vous aider.

— Je vous remercie ! répondit alors Méraugis. A mon tour je vais vous faire cette promesse : si je reviens à la cour avant vous, je n'y passerai pas plus d'une nuit et le lendemain je partirai à votre recherche jusqu'à ce que je vous aie retrouvé !

Voilà ce qu'ils se promirent.

Tout était dit, ils allèrent prendre congé du comte et recommandèrent à sa bienveillance les quatre marins. Alors cédant bien volontiers à leur prière, le comte répondit au sujet des marins :

— Ils auraient tort de partir, je vais les combler de bienfaits.

Il les retint tous auprès de lui et leur donna chacun un fief par amitié pour eux. Ensuite, pour les chevaliers qu'il aimait beaucoup, il fit venir deux chevaux de prix et les leur offrit : Méraugis et Gauvain acceptèrent en le remerciant, puis revêtirent leurs armes. Au moment du départ, une fois montés en selle, ils se saluèrent et se recommandèrent à Dieu. Les voilà armés comme ils le voulaient. Ils se mirent alors en route. Chacun s'en alla de son côté.

Ils poursuivirent leur chemin dans la solitude. Si je le pouvais, je vous raconterais ce qu'il advint de Méraugis. Il chevaucha longtemps, parcourant bien des contrées. — Que cherchait-il ? — La Cité sans Nom. Partout il la chercha et en demanda le chemin. Qui s'en souciait, puisque aucun être doué de parole ne savait le guider, que tous en l'entendant demander la route de la Cité sans Nom, ne lui répondaient que par des railleries ? Que vous dire ? A vouloir trouver Paris en Angleterre, on peut chercher longtemps. C'est ce que ne cessa de faire Méraugis et il ne trouva rien. Il jurait et maudissait le monde entier. Dans sa colère, il leva un jour les yeux au ciel et dit (jamais vous n'entendrez rien de tel) : « Mon Dieu, n'as-tu

rien en ton pouvoir pour me consoler ? — Non. — Mais si ! Mon
Dieu tu devrais au moins me donner la mort ou avoir pitié de moi !
— Comment ? — Ne suis-je pas tout seul ici ? Tu me demandes
quelle grâce je désire obtenir ? — Le paradis. — Qu'ai-je dit ?
Jamais je n'aurai de cesse que je n'y accède. — Pourquoi ? — Ceux
qui y sont n'ont-ils donc pas tout ce qu'ils veulent ? — Oui ! — Donc
si je m'y trouvais maintenant, ou bien Lidoine viendrait, ou bien
tous ceux qui y seraient n'auraient pas tous leurs désirs satisfaits. —
Comment cela ? — Non, à mon avis Dieu n'a pas de paradis susceptible de me plaire sans elle. — Mais qui donc ? — Mon amie, je la
désire près de moi. Qui s'en soucie ? Dieu ne veut pas que je l'aie à
mes côtés, il préfère qu'elle appartienne à un autre. C'est justice que
la perde l'homme qui l'a laissée. Et moi, je l'ai abandonnée. »

L'angoisse le faisait alors tressaillir, tandis que Dieu et Amour le
pressaient. Ces émois lui serraient le cœur. Sa douleur restait
muette, son cœur ravalait sa peine mais le torturait. Quand éclatait
son chagrin, il soupirait alors, s'élançait au grand galop et après une
longue course impétueuse, il avait de nouveau endigué sa souffrance. Il soulagea ainsi sa peine en galopant, mais il connut de tels
accès de dépit dix ou vingt fois ce jour-là. Il finit par arriver à l'entrée d'un enclos où Maret d'Escaldeïs faisait le guet toute la matinée : celui-ci vit le chevalier arriver dans un de ses emportements.
« Il vient m'attaquer », se dit alors Maret. Il prit son élan et partit
pour combattre. Bouleversé par sa douleur, Méraugis ne le remarqua pas et continua d'éperonner sa monture vers l'enclos. De son
côté Maret qui venait à la charge, abaissa sa lance et lui donna sur
l'écu un coup qui résonna fort. Effrayé, Méraugis revint à lui et tint
bon : Maret brisa sa lance et dans son élan le dépassa. Méraugis qui
avait retrouvé ses esprits, fit volte-face et dégaina son épée. Maret
chargea et ils engagèrent immédiatement le combat. Jamais je ne vis
de combat plus farouche. Soudain, devant eux, surgit de la forêt un
chevalier qui aurait tué volontiers Méraugis, s'il l'avait reconnu. Et
Méraugis en aurait fait autant, s'il l'avait pu. — Qui était-ce ? —
C'était l'Outredouté, le cruel, le fou, qui chercherait Méraugis longtemps encore. Mais il ne le reconnut pas et passa son chemin.

— Si je pouvais partir d'ici, dit Méraugis en songeant à l'Outredouté, je saurais aujourd'hui qui de nous deux est le plus fort.

Maret lui répondit :

— Si j'étais mort, tu le suivrais ?

— Oui.

— Pourquoi ?

— Parce que je lui porte plus de haine qu'à toi, et c'est avec raison car il m'a causé du tort.

— Puisqu'il t'a offensé au point que la guerre est déclarée entre vous deux, je t'accorde une trêve, si tu veux, mais à une condition : lors de notre prochaine rencontre, nous n'irons chercher d'autres armes que celles que nous porterons alors, et nous foncerons l'un sur l'autre comme deux ennemis mortels. Comprends-moi bien : par cet accord, je ne t'épargne nullement le combat, même à la cour d'un roi, devant tous je te donnerais l'assaut !

— Et moi, je me défendrais contre toi, dit Méraugis, je t'attendrais de pied ferme.

— C'est entendu, tu as ma parole ! dit Maret qui repartit dans le bois.

Méraugis de son côté se lança à la poursuite du chevalier qu'il haïssait. La neige était haute et Méraugis savait la direction qu'il avait prise, car il suivait toujours sa trace, tout en menaçant de le tuer s'il le rattrapait. Que vous dire d'autre ? Il le suivit jusqu'à ce qu'il parvînt devant un château. Les pierres qui recouvraient le château et les murs d'enceinte étaient taillées dans le marbre. Aussitôt Méraugis alla jusqu'à la tour, s'arrêta devant la porte et regarda par l'embrasure : il découvrit au milieu de cette enceinte un pin aussi vert que si c'était l'été. Il est inutile de se demander si le pin était d'une grande beauté. Autour du pin des jeunes filles chantaient en faisant une ronde. Parmi elles dans la ronde ne se trouvait qu'un seul chevalier. Là pour mettre la joie à son comble, il entonnait le chant.
— Mais qui était-ce ? — C'était l'Outredouté, celui que Méraugis avait poursuivi si longtemps. En le voyant danser, la tête casquée, le bouclier pendu au cou et l'épée ceinte, comme prêt à se défendre, Méraugis se dit : « Laquis de Lampagrés va être vengé sur-le-champ ! » Alors de tout son élan, il fonça droit sur le chevalier et lui cria :

— Va-t'en chevalier, cesse de chanter, je te défie, tu vas bientôt mourir !

Tout-à-coup ses intentions furent bouleversées. — Comment ? — Elles furent changées du tout au tout, car autant avait-il envie un instant plus tôt, avant d'entrer dans l'enceinte, de transpercer de sa lance le chevalier qu'il haïssait, autant avait-il envie désormais de danser : il oublia le reste du monde, même son amie.

Sans le vouloir, il oublia son amie ; il alla danser le bouclier pendu au cou et il entonna le chant. L'autre chevalier qui chantait auparavant, quitta la ronde, monta à cheval et sortit par la porte du château. Une fois dehors, il aperçut son ennemi dans l'enceinte et il le reconnut aisément à ses armes. Sur terre, il ne haïssait personne autant que lui.

— Qu'est-ce ? fit-il. Je vois celui qui a jeté mon écu à terre. Je l'ai retrouvé et je n'ose pas aller le chercher là où je le vois. Mon Dieu, que faire ? Si je vais là-bas, je chanterai de nouveau dans la ronde. Je me prêterai à tout autre chose que cette mauvaise plaisanterie.

Alors il le menaça, déclarant que jamais il ne quitterait ces lieux avant que Méraugis ne sortît du château ; mais en vain, car à l'intérieur Méraugis n'accordait aucune attention à ce qu'il disait. Il continua de mener le chant et dansa si longtemps que l'Outredouté qui ne redoutait aucun chevalier, préféra partir sans attendre davantage car la faim le pressait. N'eût été la faim, jamais personne ne l'eût contraint à quitter les lieux. Personne ne peut vivre de l'air du temps. Voilà pourquoi il s'en alla, mais il ne tarda pas à revenir bientôt, apportant sa tente qu'il planta devant la porte pour guetter Méraugis. C'est ainsi qu'il l'assiégea. Jamais il ne déplacerait sa tente, disait-il, avant d'avoir réussi à venger sa honte. Que vous raconterais-je encore ? Méraugis avait l'air de bien s'amuser, il continuait à chanter et frappait du pied.

VII

LIDOINE EN PÉRIL

Je ne peux le laisser en meilleur point. Maintenant je vais vous apprendre ce que devint son amie. Vous savez bien qu'elle passa la première nuit après le combat chez Amice. Lidoine qui n'était point sotte, à force d'assurances sut convaincre son hôtesse : celle-ci promit de l'accompagner dans son pays. Sans plus attendre, elle partit avec Amice dès le lendemain matin. Les voilà en route ! Ensemble elles chevauchèrent longuement. Lidoine voyageait depuis si longtemps qu'elle approchait, je crois, de son pays. Soudain, par malheur un chevalier croisa son chemin : c'était Belchis le Louche qui avait la tête plus dure que du bois. C'était l'être le plus laid que la nature pût jamais faire. Jamais il n'y eut de créature plus malfaisante. Aucun homme de mérite ne pouvait trouver grâce à ses yeux, mais tous les méchants étaient ses amis. Belchis avait un nez pointu très long, aussi était-il désagréable à regarder. Le Louche dont les yeux s'entrechoquaient, avait les traits durs : il était grand, sec et maigre. Mais il était très audacieux et très cruel dans les combats et les assauts. Il possédait de puissants châteaux et de belles tours, près de Cavalon. Son domaine était sans conteste celui d'un grand baron. Partout il avait fait en sorte que tous ses voisins le redoutassent.

Quand apercevant Lidoine, Belchis la reconnut, il accourut vers elle au grand galop et la salua :

— Ma dame, lui dit-il, de tout cœur, soyez la bienvenue ! Je mets à votre disposition ma terre, mon bien et tout ce que je possède, et si vous le voulez je vous hébergerai très confortablement pour cette nuit. Votre père était un ami du mien et moi-même je lui portais une grande affection.

En entendant Belchis assurer qu'il avait aimé son père, Lidoine le remercia pour son offre d'hospitalité et accepta d'aller loger chez lui.

— Demoiselle, lui demanda alors Belchis, dites-moi ce qu'est devenu Méraugis ?

— Seigneur, répondit-elle, c'est une grande perte pour moi.

— Mais comment ?

— Je l'ai abandonné dans la cité où on l'a tué sous mes propres yeux.

A ces mots, la trahison qui germait en lui, s'imposa tout à coup à son esprit ; en effet il conçut une machination qui le couvrirait de honte avant de lui coûter la vie. Alors ils se mirent en route et chevauchèrent jusqu'à l'un de ses châteaux. Ce château était un bel et puissant édifice. Ils montèrent jusqu'à la demeure seigneuriale et mirent pied à terre. A leur arrivée, des chevaliers vinrent leur faire un très joyeux accueil, parce qu'ils avaient vu la jeune fille et savaient qu'elle était du pays : elle-même connaissait bien ceux qui vinrent l'accueillir. Belchis qui fit emmener les chevaux, les reçut avec faste. Mais nul ne doit apprécier un commencement dont la fin est dommageable. Lidoine passa une nuit agréable. Mais quand le lendemain matin en se levant, elle ordonna à sa suivante de faire seller son cheval, Belchis déclara alors à cette dernière :

— Demoiselle, il n'est pas question de partir ! Lidoine est la dame de ces lieux. Puisque Méraugis est mort, mon fils, le courtois Espinogré, sera désormais son ami. Jamais dans le royaume de Logres ne grandit de plus beau jeune homme. Son oncle, Méliant de Liz, veille à son éducation et il assure qu'il le fera chevalier à la Pentecôte, avec tous les honneurs dus à son rang.

En entendant cette injonction si pénible, Lidoine répondit :

— Si tel est votre désir, je serais très heureuse de contracter ce mariage, car je ne vois pas d'homme susceptible de me plaire autant que votre fils, à condition qu'il soit chevalier et que cette union lui agrée. Ce serait une grande chance pour moi que tous deux, vous désiriez cette alliance. Vous êtes un homme de grande valeur : vous dirigeriez parfaitement mes possessions ; mais cependant, avant de prendre un époux, je dois retourner dans mon pays. Sans plus tarder, ordonnez que votre fils soit fait chevalier. Une fois qu'il sera chevalier, je reviendrai aussitôt dans cette marche, je le prendrai pour époux et il sera couronné roi. Mais avant je dois m'en aller.

Belchis lui rétorqua immédiatement :

— Lidoine, il en ira tout autrement que vous ne le souhaitez. C'est inutile de protester, vous êtes prisonnière. Vous ne partirez pas d'ici avant d'avoir épousé mon fils : il sera roi du domaine de Cavalon et vous en serez la reine.

— Je suis heureuse qu'il prenne ainsi possession de mon royaume ! Puisque c'est ainsi, à la grâce de Dieu, je resterai ici aussi longtemps qu'il vous plaira.

C'est ce que répondit Lidoine, mais elle pensait tout autre chose.

Ainsi la malheureuse, arrivée chez un hôte perfide, fut retenue prisonnière. Elle ne savait que faire et sa peine était vive. Elle pleurait de dépit et errait dans la grande salle, s'abandonnant à son chagrin. A la vue de Belchis le Louche, elle tremblait de peur et se disait qu'il n'avait jamais existé d'homme aussi laid créé par Dieu, mais personne ne devinait ses pensées. « Quoi ! faisait-elle, alors que Dieu ne le porte pas dans son cœur, moi je l'aimerais ? Certes non, car je pécherais contre Dieu si je l'aimais. Pour son seul air grimaçant, je hais son fils de tout mon cœur, car je ne pourrais l'aimer à aucun prix, ni lui ni aucun être né de son sang. Que vais-je donc faire ? Par quelque messager je dois faire savoir à Gorvain Cadruz que s'il me secourt, il deviendra mon bien-aimé. »

Elle révéla le fond de son cœur à Amice :

— Amice, belle rose, fleur au doux parfum, au nom de la miséricorde divine, je ne partirai jamais d'ici, à moins que vous ne m'aidiez !

— Moi, vous aider ? Mais comment ? fit Amice. Soyez en sûre, si je pouvais le faire, je vous délivrerais volontiers d'ici, mais je ne le peux pas.

— Mais si !

Amice répondit :

— Il n'y a rien au monde que je ne fasse pour vous !

— Alors pour m'aider, puisqu'il n'y a pas d'autre solution, vous devez prendre congé : je vous en supplie, dites que vous voulez repartir dans votre pays. Ensuite vous irez trouver de ma part un chevalier qui m'aime beaucoup, il s'appelle Gorvain. Sa demeure est le château de Pantelïon. Racontez-lui la mort de Méraugis et dites-lui comment Belchis le Louche m'a faite prisonnière. S'il m'aime et m'estime assez pour vouloir m'arracher à lui, je le fais sur-le-champ seigneur de ma terre afin qu'il vienne livrer bataille. S'il réussit à soutenir victorieusement ma cause, je lui appartiendrai. Mais s'il échoue, je lui transmets la succession de mon royaume car je souhaite qu'il lui revienne. En effet, si ce misérable fait de moi ce que bon lui semble, pour rien au monde je ne garderai alors ni terre, ni richesse ni joyau. Amice, mon amie, mon sort est entre vos mains ! Dites de ma part à Anchisé le Roux, mon sénéchal, qu'à titre de souveraine je lui demande expressément d'accueillir Gorvain Cadruz comme le seigneur de ma terre le jour où il viendra réclamer ses droits, et de faire tout son possible pour l'aider à mener cette guerre. S'il m'obéit, je l'assurerai de mon affection. Si au contraire il ne faisait pas ce que je demande, je le haïrais. Comme signe de reconnaissance, afin qu'il se fie à vous, vous lui apporterez cet anneau d'or. Il l'a acheté sur mon trésor et il le connaît bien. Je crois ainsi qu'avant la fin du mois Belchis aura de mes nouvelles.

Les jeunes filles arrêtèrent leur plan et Amice alla prendre congé de Belchis qui la laissa partir, sans rien lui demander. Recommandant Lidoine à Dieu, Amice monta en selle, quitta alors le château, et partit du côté où elle pensait trouver Gorvain. Cette jeune fille avisée mit tant de diligence à faire ce voyage qu'elle ne tarda pas à le trouver. Au nom de Lidoine qui lui envoyait son salut, elle s'acquitta de son message. Après avoir écouté la demoiselle, Gorvain fut rempli de joie. Aucune nouvelle au monde n'aurait pu le combler d'une plus grande joie : Belchis, déclara-t-il, aurait donc la guerre. Il n'y avait pas de pays sur cette terre où il ne fût allé disputer Lidoine, alors qu'il avait la certitude ainsi de lui complaire. Tout joyeux, il demanda à tous ses amis de venir. Tous les puissants vassaux du pays se rendirent auprès de Gorvain qui réunit une grande armée : il rassembla jusqu'à trois cents chevaliers, tous barons de haut rang. Amice alla à Cavalon trouver le sénéchal de la jeune fille. En apprenant que sa souveraine était prisonnière, il blâma, honnit Belchis et dit qu'il ne connaîtrait pas de joie avant d'avoir réglé l'affaire : Belchis serait condamné à l'exil et devrait abandonner sa terre s'il ne libérait pas sa souveraine. Il ferait tout ce qu'elle demandait, assurat-il sans hésiter. Puisqu'elle ordonnait de recevoir Gorvain sur ses terres, il serait le bienvenu ! Il l'accueillerait avec plaisir. Alors il fit savoir à tous les chevaliers du royaume qu'ils seraient des hommes perdus et déshonorés s'ils laissaient leur souveraine en prison. Les chevaliers, qui étaient très attachés à leur dame, apprirent que Belchis voulait faire de son fils le roi de Cavalon, contre la volonté de Lidoine ; ils s'en émurent beaucoup et dirent tous que Belchis en aurait la guerre. On en était arrivé là. Le pays tout entier était bouleversé par les nouvelles qu'on apprenait. A Cavalon tous les puissants barons se réunirent dans une assemblée plénière. Après délibération, ils ne trouvèrent d'autre issue que la guerre. Ils mobilisèrent leurs troupes dans tout le pays et leur ordonnèrent par lettres d'être toutes là dans huit jours. Le jour où se tint l'assemblée, Gorvain Cadruz arriva avec une nombreuse armée. En apprenant qu'il venait avec une armée si puissante, les habitants de la cité furent tout heureux et se portèrent à sa rencontre. Les bourgeois qui aimaient leur souveraine sortirent tous de Cavalon. Aussitôt descendu de sa monture, Gorvain fut accueilli ce jour-là par de joyeux cortèges. Anchisé, le sénéchal loyal et valeureux s'avança vers lui et l'investit du domaine de la dame, en déclarant solennellement qu'elle-même l'ordonnait. Pour accomplir scrupuleusement ses ordres, il mit son trésor à sa disposition. Gorvain distribua l'or et l'argent qu'il avait fait prélever. Chaque pauvre, avide de recevoir sa part, repartit aussi riche qu'un chevalier. Ainsi Gorvain leur fit-il comprendre qu'il n'était ni vil ni avare. Ils s'exclamaient au contraire :

— Ce nouveau seigneur nous a tous faits riches. Qu'il soit le bienvenu !

On le félicita de la largesse qu'on découvrit en lui. Largesse est une qualité dont découlent tous les biens. Ni Beauté, ni Sagesse, ni Prouesse n'ont de valeur sans Largesse, car Largesse donne tout son éclat à Prouesse ; Largesse est un élixir qui stimule Prouesse. Nul ne saurait, sans Largesse, conquérir la gloire par la seule vertu de son bouclier. Après avoir vaincu tous les obstacles, Largesse subjugua les habitants de la ville au point qu'ils aimèrent Gorvain Cadruz comme jamais ils n'aimèrent de seigneur. Car apprenaient-ils alors le moindre de ses désirs, qu'aussitôt ils le satisfaisaient, s'ils le pouvaient.

Gorvain était le seigneur, disais-je : on l'avait investi de tout pouvoir. Il fit disposer dans les châteaux des postes de garde, prit en main tout le royaume, puis annonça qu'il partirait le lendemain de Cavalon avec son armée. Les nouvelles circulant rapidement, parvinrent jusqu'au cruel et farouche Belchis : il apprit cette expédition et sut qu'il devrait sans aucun doute se battre pour Lidoine, s'il ne la rendait pas. Mais à moins que Belchis le Louche ne fît mentir sa réputation, il aurait préféré être parjure, périr brûlé vif, noyé, assassiné, plutôt que se laisser abattre devant leurs forces réunies. Quoi qu'il pût advenir, il assurait qu'il ne rendrait pas Lidoine. Cette querelle ne prenait pas l'allure d'une plaisanterie, mais dégénérait pour de bon. Pour compenser les pertes de chacun, Belchis envoya des renforts dans ses marches et convoqua ses parents, comblés de joie par ce conflit et cette guerre. La terre tout entière jusqu'à la mer était en effervescence à cause de cette folie. Belchis appartenait à un lignage puissant, réputé pour sa vaillance et sa cruauté. Par nature, aucun de ses parents ne fut jamais enclin à l'amour ni la paix. Plus de trois cents chevaliers de son lignage se rassemblèrent et vinrent au château où il demeurait.

Belchis s'était ainsi préparé à la guerre. Gorvain fit demander que lui fût remise la demoiselle, son amie. Ayant refusé, Belchis apprit le lendemain matin que Gorvain incendiait sa terre. Alors le Louche fut envahi par le dépit et la colère. Sans ajouter mot, il sortit à la tête d'une troupe nombreuse et il déclara que même pour mille marcs d'argent, on ne saurait l'empêcher de foncer au combat. Tous ses parents chevauchèrent sous sa bannière et allèrent se poster en embuscade à la lisière du bois où ils rencontrèrent les premiers assaillants qui arrivaient dans le plus grand désordre par groupes de vingt, dix, cinq ou parfois moins encore. Ils faisaient de nombreuses captures, abattaient les paysans et les poursuivaient dans les plaines. Toutes les montagnes tremblaient sous le déferlement des hommes d'armes et des chevaliers. En première ligne, devant tous les autres s'avançait Anchisé, le sénéchal. Ils galopaient depuis si longtemps que leurs chevaux étaient épuisés. Ils étaient d'autant plus faciles à mettre en déroute ; aussi les hommes de Belchis postés en embuscade les surprirent-ils, en les attaquant sauvagement lances baissées. Quand il aperçut leur armée si proche et comprit que l'assaut était inévitable, Anchisé dit alors qu'il préférait mourir plutôt que d'abandonner le champ de bataille. Anchisé qui était un chevalier audacieux s'arrêta et fit rassembler ses troupes. Il avait sous ses ordres au moins trois cents hommes, tant chevaliers que fantassins. Alors ses troupes et celles de Belchis le Louche se rencontrèrent dans la plus grande confusion. Lors du choc des deux armées, le fracas des lances fut terrible : ils se donnaient des coups si violents qu'ils étaient désarçonnés, ils plongeaient le fer luisant dans leurs poitrines et, mortellement frappés, tombaient à la renverse. Au milieu du champ, au moins cent chevaliers abattus exhalèrent leur âme. Si vous aviez vu la multitude des coups distribués dans la mêlée, et ces guerriers par centaines qui abandonnaient la bataille, frappés dans leurs entrailles ! Ils se fracassaient la cervelle, se tranchaient le corps des épaules jusqu'aux flancs. Ils furent abattus en si grand nombre que le sang coulait en ruisseau dans les champs. Tout le pays aux alentours était jonché de bras, de têtes et de mains. L'armée d'Anchisé fut décimée dans la bataille et si affaiblie que les ennemis les mettaient en fuite rien qu'à la force de l'épée. Jamais Gorvain n'arriverait à temps pour les secourir. Il lui restait encore une lieue à parcourir avant d'arriver sur le champ de bataille où ses soldats en débandade fuyaient tantôt seuls, tantôt par deux. Par malheur, le Louche fit prisonniers au moins dix chevaliers, qui tous étaient de grande renommée. En outre il captura promptement autant de soldats qu'il voulut. Mais soudain il vit surgir du bois la bannière de Gorvain qui arrivait. L'armée qui l'accompagnait ne prêtait pas à sourire, car il y avait tant de chevaliers que de loin, on aurait cru voir arriver tous les habitants du monde. Cette armée était si nombreuse que Belchis avait l'impression de n'avoir jamais vu une telle multitude. Il redoutait beaucoup Gorvain et il résolut de ne pas l'attendre. Il se retira bien vite avec son butin. En le voyant s'enfuir, les chevaliers de Gorvain jurèrent de n'être jamais contents tant qu'ils ne le conduiraient pas sous bonne escorte. Quatre cents d'entre eux environ partirent à sa poursuite, mais ce fut en vain car ils ne purent donner une chasse assez rapide pour les rattraper. Leurs chevaux firent des chutes mortelles dans ces landes de bruyère tandis que Belchis, connaissant parfaitement le pays, poursuivit sa fuite dans la forêt et parvint le soir à Campadoine, l'un de ses châteaux, puissamment fortifié. Gorvain Cadruz et ses troupes restèrent dans les plaines devant le château de Hardecin. Il était situé sur le bord d'un chemin. Là Gorvain établit son campement et entama le siège du château blanc qui se dressait fièrement. Il n'y avait pas de plus bel édifice en Angleterre. Belchis le Louche possédait un vaste domaine tout autour, mais les hommes de Gorvain eurent tôt fait de ravager le pays. Quand ils se virent assiégés de toutes parts, les habitants de la tour se préparèrent alors à se défendre. De son côté, Gorvain Cadruz fit faire plus de vingt échelles pour prendre la forteresse. Le lendemain dès le lever du jour, l'armée de Gorvain les assaillit et les assiégés se précipitèrent pour défendre les murailles où les échelles avaient été rapidement dressées. Les murailles étaient fort basses et les assiégés se défendirent âprement. Les assaillants multiplièrent tant leurs forces, qu'ils grimpèrent par-dessus les murailles en de très nombreux endroits, rendant désormais impossible toute résistance dans l'enceinte. Les assiégés furent contraints de monter dans la tour. Alors Gorvain demanda qu'on fît du feu et qu'on incendiât les bâtiments. Ils allumèrent le feu sous le vent et l'incendie se déclara devant la porte d'un édifice. Comme poussé par le diable, le feu se propagea de l'édifice à la tour, car elle était entourée d'une palissade hérissée de pointes de fer. Il vola de la palissade au corps de bâtiment de la tour. La torture du feu est si cruelle que personne ne peut lui résister. Les gens réfugiés dans la tour ne purent supporter plus longtemps ce supplice et au mépris de leur vie, préférèrent sauter par les fenêtres du château. Dans leur chute ils se fracassaient le cou, les épaules, les bras et le crâne. Les habitants du château se rendirent, n'ayant plus aucun recours. Gorvain Cadruz fit lever le camp, se mit en route et l'armée se rendit tout droit au château de Campadoine. Ils traversèrent la rivière d'Autecoine et incendièrent tout aux alentours. Belchis le Louche se trouvait dans la tour de Campadoine. A la vue de sa terre en feu, il dit aussitôt à ses parents :

— Tous à cheval, tous à cheval !

Ils sortirent tous du château de Campadoine et se répandirent dans les prés, bien résolus à commettre des atrocités. En dépit de toute objection, Belchis dit qu'il irait observer l'armée ennemie. Pour l'épier, il sortit du bois et, sur une colline, se plaça en avant-poste. Mais alors qu'il se croyait en sécurité, Gorvain surgit soudain du bois où il avait attaqué et pris un petit château. Montée sur de bons coursiers de prix, la troupe de Gorvain fonça sur eux. Voyant que Gorvain Cadruz lui barrait déjà toute fuite vers le bois à droite,

Belchis alla l'attaquer parce qu'il n'avait pas d'autre solution : alors commença la bataille. Mais la troupe de Belchis ne résista pas longtemps : ses hommes tournèrent vite le dos à l'ennemi qui les massacrait à l'épée. Devant le spectacle indubitable de ses forces vaincues, le Louche s'enfuit lance levée, suivi de ses parents. Leurs ennemis qui les suivaient de près, les tuèrent en nombre prodigieux. Pas un seul homme ne fut fait prisonnier, ils les pourfendirent tous. Ils ne firent pas de quartier. La troupe de Belchis quitta les lieux au grand galop. Ils se poursuivirent pendant quatre lieues jusqu'à ce que Belchis pût trouver un refuge, car il ne pouvait bien sûr revenir à Campadoine. Il ne cessa d'éperonner sa monture avant d'arriver à Monhaut, un de ses châteaux qui se dressait sur un promontoire élevé, dominant un détroit. Ainsi Belchis pouvait se vanter de n'avoir crainte d'aucun assiégeant. Même encerclé par tout l'empire romain, il n'aurait eu aucune inquiétude, car d'un côté la mer d'Écosse le protégeait. Si l'arrière du château était solidement bâti, aucun château en Angleterre n'offrait de plus belle façade. Devant la porte, du côté de la terre ferme, il y avait un magnifique fossé, creusé dans la falaise sur une profondeur de plus de cent toises. L'arrière de l'édifice, surplombant la mer, était couronné de murs et de tourelles sans pareilles au monde.

Belchis avait fait garnir Monhaut, ce château dont je viens de parler, de tout ce qu'il pouvait posséder sur terre. C'était là que se trouvait l'essentiel de ses biens, que vivaient sa femme et sa suite, et ce fut là aussi qu'on envoya Lidoine, retenue prisonnière par de scandaleux agissements. De nombreux chevaliers valeureux et courtois s'y trouvaient emprisonnés. Belchis s'y retrancha contre son gré, craignant pour sa vie. Il vit bien arriver l'armée de Gorvain, mais il ne s'en émut pas car il la redoutait peu désormais. Gorvain conduisit toute son armée devant Monhaut. Il apprécia du regard la beauté, la puissance et la hauteur du château et l'assiéger le remplit de crainte. Mais, certain que Lidoine se trouvait là-haut, il jura de ne jamais partir avant de l'avoir pris de force. Il fit cantonner son armée au bord de la rivière. Du côté de la mer, il ne pouvait accéder à l'arrière du château. Il fit donc venir ses hommes devant la forteresse.

Ainsi le Louche, qui pour rien au monde ne se rendrait, était-il assiégé à Monhaut. Il savait bien cependant que dans son domaine le moindre pied de terre, en dehors de ces murailles, avait été dévasté par Gorvain. Ce dernier fit ensuite installer son armement devant le château qu'il avait assiégé. Il fit convoquer des ingénieurs dans le monde entier : ils vinrent nombreux. Jamais on ne fit construire autant de machines de guerre que lui. Après les avoir fabriquées, on les dressa le long des murailles le plus vite possible et on passa à l'attaque. Les assiégés se précipitèrent à leur rencontre, reçurent l'assaut avec bravoure et sortirent très souvent pour les attaquer hors du château : ce jour-là ils leur livrèrent bataille trois fois, jusque dans leur campement. Leurs adversaires, brûlant de les mettre à mal, leur donnèrent l'assaut avec une telle violence qu'il y eut des morts et des blessés de part et d'autre lors des affrontements. Un jour vaincus, l'autre vainqueurs, ceux du château virent leur sort bien adouci grâce aux navires qui allaient et venaient au port. En effet, renforts et vivres leur arrivaient ainsi.

VIII

MÉRAUGIS CONTRE L'OUTREDOUTÉ

Les uns attaquaient et les autres se défendaient. Ils étaient bien assez occupés. — Et Méraugis, que devenait-il ? Dansait-il toujours ? — Oui, selon ce que rapporte le conte. Raoul qui raconte cette histoire, sait qu'il ne quitta pas la ronde, mais dansa dix semaines jusqu'à ce qu'un autre chevalier arrivât à son tour et entrât par hasard dans le château. L'enchantement du château voulait qu'il y eût toujours un chevalier. Là, il oubliait le sentiment de sa propre existence jusqu'à l'arrivée d'un autre chevalier. Désormais le chevalier chantait, tandis que Méraugis se dirigeait vers son destrier qui n'avait pas eu envie de manger depuis qu'il avait franchi la porte. Il monta alors en selle et le cheval l'emporta hors du château. Une fois à l'extérieur, il vit la tente dressée devant la porte, ce qui l'étonna fort. Tout à coup il entendit le rossignol chanter et vit l'herbe verte, parsemée de fleurs fraîchement écloses : le bois était tout fleuri. Consterné, Méraugis s'arrêta : « Mon Dieu, où suis-je ? Suis-je victime d'un enchantement ou bien ai-je songé ? Je n'en sais rien, ma foi ! Mais j'entends des sons magiques quand vient à mes oreilles le chant du rossignol : oci, oci [1] ! Or tout à l'heure, ici-même, la couche de neige était très épaisse dans tout le pays. A mon avis, ce rossignol que j'entends chante pour m'ensorceler. — Mais non ! — Si, on peut dire ce qu'on veut ! Il n'y a aucune raison pour qu'il chante si tôt, cela n'arriva jamais. — Pourquoi ne chanterait-il donc pas ? N'est-ce pas l'été ? — Bien sûr que non ! — En quelle saison sommes-nous alors ? — En hiver ! — En hiver ? Je vois l'herbe aussi verte qu'en été. — Mais non, la neige est tombée ici, je l'ai vue tout le long de

---

1. Onomatopée médiévale imitant le cri du rossignol. *Oci* est en réalité l'impératif du verbe *ocire* qui signifie tuer. On devrait donc traduire textuellement par « tue, tue ! »

mon chemin. — Ma foi, pour un peu je ne saurais plus qui je suis. — Pourtant j'existe bien ! — Ne suis-je pas à la recherche de mon amie ? Ne suis-je pas Méraugis ? — Oui, c'est moi. — Mais ne suis-je donc pas celui qui a vu la neige tout récemment ? — Bien sûr, c'est moi qui ai vu la neige aujourd'hui-même. — Non, c'est impossible, en aucun cas l'herbe n'aurait pu pousser aussi vite après la neige. Ce que j'ai vu tout à l'heure n'était qu'hallucination. — Ce n'est pas vrai, j'en suis sûr. Alors le spectacle que j'ai sous les yeux est une illusion, car il n'y a pas un mois, je le sais, c'était Noël. Ce devait être plutôt le mois d'avril car le rossignol chante. Je suis certain qu'il m'ensorcelle. Sur ma tête ! J'ai moins de doutes sur l'hiver passé que sur l'été présent. J'ai vu la neige et je suis sûr d'y avoir cheminé sur les traces du chevalier que je poursuivais. Mon Dieu, où est-il ? Maintenant j'aimerais bien le trouver ! Jamais je n'y arriverai ! De quel côté va-t-il ? Que faire ? Il n'est pas loin ! »

Il se dirigea alors vers la tente. A toute allure, sans prendre aucune précaution, il se précipita à l'intérieur, mais il ne vit aucun homme en chair et en os. L'Outredouté n'était pas là. — Où était-il ? — Il venait de partir, las de faire le guet à la tente, et il était allé sillonner le bois dans l'espoir de trouver quelque occasion de se battre : il aurait été tellement plus heureux de pouvoir faire le mal ! Mais où qu'il allât, il revenait toujours à la tente : il serait bientôt de retour. Comme il n'avait trouvé personne dans la tente, Méraugis s'en était allé. Fou de rage, en proie à la consternation, il partit à fond de train le long d'un chemin et poussé par la colère, il galopa jusqu'à la rencontre d'un carrefour. Là il fit halte en voyant quatre hommes qui ornaient une croix de rameaux et se hâtaient de la décorer pour la dresser ensuite. A la vue de cette croix ornée de buis, il s'écria :

— Mon Dieu, que vois-je ? Où suis-je resté si longtemps ? Où donc ? — Dans ce château où j'ai chanté dans la ronde. Le rossignol me disait la vérité, j'étais bien fou de mettre son chant en doute. Je vois bien que c'est Pâques, mais que puis-je dire ? Le diable de l'enfer m'a en peu de temps fait sortir de l'hiver.

Alors il se lamenta et regretta son amie :

— Je ne m'étonnerais pas, dit-il, douce amie de vous avoir perdue, car j'ai commis la folie de vous laisser et je suis certain qu'en voyant le combat, vous m'avez cru mort. Maintenant je ne vois pas comment retrouver grâce à vos yeux, j'ai dansé dans la ronde trop longtemps !

Il partit comme un fou, éprouvant un tel chagrin qu'il était hors de lui. Il chevauchait ainsi quand, sur une lande, il rencontra l'Outredouté qui ne demandait qu'à se battre avec lui. Il reconnut nommément Méraugis dès qu'il vit son écu, car après avoir été vaincu,

Laquis lui en avait fait la description. De son côté, sitôt qu'il vit l'écu rouge au serpent noir, Méraugis se dit :

— Inutile de chercher plus loin. Voilà celui qui a humilié Laquis pour se venger de moi. Justice en sera bientôt faite. Je ne saurais accepter de conciliation.

En le rencontrant, l'Outredouté cria à Méraugis :

— Lâche, tu as assez chevauché ! Eh oui, puisque je t'ai rencontré, tu n'iras pas plus loin, n'escompte aucune pitié de ma part, je vais te tuer. Je t'ai trouvé ici, je ne te chercherai pas davantage.

— De qui que ce soit, je saurai rabattre l'orgueil, rétorqua Méraugis, tu demandes ce que je veux : le duel me convient tout à fait. Si tu désires ce combat, moi, je le souhaite au point que je n'ai jamais connu un tel bonheur.

L'Outredouté répondit :

— Je n'ai jamais été plus heureux qu'en cette occasion. Quoi qu'il arrive, il n'y aura jamais de réconciliation, j'en fais le serment devant Dieu. J'ai hâte de t'avoir réduit à merci.

Mais trêve de discours ! Ils éperonnèrent leur cheval et se lancèrent au galop, plus farouches et plus téméraires que des léopards. Avec leurs lames, leurs lances, leurs javelots, ils se frappèrent si violemment que les écus craquèrent. Les hauberts cédèrent sous le choc et les fers s'abreuvèrent dans leur poitrine. Les deux guerriers se désarçonnèrent. Quand ils furent à terre, les chevaux s'enfuirent plus vite que la foudre. Allongés dans la poussière, les deux chevaliers étaient gravement blessés. L'Outredouté avait été atteint au côté droit en tombant dans l'herbe. Il en guérirait bien. Méraugis avait reçu sous la poitrine une blessure si profonde que la lame du glaive, pleine de sang l'avait transpercé de part en part. Je ne sais comment il pourrait s'en sortir, car cette plaie serait très difficile à guérir ; mais pour le moment il ne la sentait pas et n'avait pas conscience de sa gravité. Aucun des deux, malgré la douleur, ne perdait courage : ils se redressèrent. Ils levèrent leur bouclier, bien utile en l'occurrence. Les épées brandies se croisaient et se retiraient, se levaient et s'abattaient sur la tête : on n'aurait pu voir entre eux que leurs épées, au tranchant effilé et brillant, qui allaient et venaient vers les nues. Ils se frappaient avec une telle violence que dès les premiers coups, ils firent céder les clous des heaumes : les cercles furent brisés et les heaumes mis en pièces. Les hauberts qu'ils estimaient solides ne valaient rien et furent tout déchirés. Avec leurs épées, capables de tout tailler, ils faisaient jaillir le sang de leur tête. Ils se rendaient coup pour coup, sans jamais faiblir et fonçaient l'un sur l'autre en proie à la fureur :

— Tu m'as frappé, eh bien à mon tour maintenant !

Je ne sais lequel fit le plus de mal à l'autre. Mais le premier assaut commencé ne touchait pas encore à sa fin, que dix blessures entaillaient leurs mains, ce qui aurait affolé tout autre chevalier. Ils n'avaient pas encore récupéré leurs forces que sans plus de répit, ils reprirent le combat. Ils recommencèrent et menèrent un combat de plus en plus âpre et au troisième assaut, ils s'étaient blessés plus dangereusement encore. Ils reprirent si souvent le duel qu'ils frôlèrent la mort, mais loin de vouloir abandonner, ils redoublaient d'ardeur. Alors l'Outredouté déclara :

— Malheureux combat ! Tu es le plus valeureux qui pût jamais être mené par deux hommes et tu resteras sans égal.

A ces mots, Méraugis s'étonna :

— Pourquoi malheureux ?

— Parce qu'il est perdu, aucun de nous deux n'en connaîtra jamais l'issue.

— Pourquoi ?

— Je me rends bien compte que tu m'as mortellement atteint et que je t'ai frappé à mort. C'est un grand malheur car tu es le plus audacieux qui m'ait jamais attaqué. Pourtant j'ai rencontré beaucoup de chevaliers, je ne sais combien, mais j'en ai tué ou capturé un grand nombre. Je t'accorde néanmoins la suprématie sur eux tous, car tu es le plus extraordinaire. Ne te rengorge pas, si je t'estime. Cet éloge tu vas le payer de ta vie sur-le-champ.

— Tais-toi donc, fit Méraugis, je sais bien que la colère et le dépit te font parler ainsi. Certes, j'ai tout lieu de croire que je vais mourir, mais aussi longtemps que je vivrai, tu ne me tiendras pas pour lâche. C'est tout à ton honneur de m'estimer ainsi, mais je te porte un plus grand respect encore. Ma mort ne sera pas une aussi grande perte que la tienne, non ! Car si je ne suis pas sans gloire, ta renommée est plus grande que la mienne. A lui seul, le nom que tu portes suffit à faire frémir de peur. Ton nom fait savoir à tous que l'on doit te redouter par-dessus tout. Nul doute que bien des chevaliers ne te redoutent. Moi-même, je te crains plus que je n'ai jamais craint personne. Aucun nom n'est plus justement porté que le tien. Cependant, même si le roi Arthur était ici, il ne parviendrait pas à nous réconcilier. J'ai promis à Laquis de Lampagrés la main avec laquelle tu lui crevas l'œil. Ou tu me laisseras ici cette main, ou je perdrai la vie.

— Est-ce vraiment là ce que tu veux Méraugis ?

— Oui !

— Tu es fou, car de cette main tu vas recevoir les coups dont tu mourras. Nous discutons paisiblement ici, depuis trop longtemps, je t'invite à reprendre la partie : nous jouerons tout à quitte ou double, un seul de nous deux remportera la mise.

Ils n'ajoutèrent mot. Aussitôt, l'épée brandie, ils se précipitèrent

l'un sur l'autre à grands pas, mais ils ne frappèrent que sur les plaies
déjà à vif, car les hauberts étaient tout déchirés, tant ils les avaient
martelés à coups d'épées redoublés. C'était étonnant que leur âme
tînt au corps, qu'elle ne s'en échappât point, car chacun avait au
moins dix plaies sur le corps. De la plus légère de ces blessures, une
âme aurait pu s'envoler aussitôt, les ailes tendues. Mais leur âme tint
bon et ils résistèrent longtemps : ils perdirent tant de sang que leur
raison et leurs forces les abandonnaient. Malgré toute sa volonté, le
plus vigoureux n'avait pas assez de force pour tenir l'épée, ni même
le bouclier qu'ils avaient du reste laissé tomber. Leurs bras se
nouèrent autour de leurs têtes. Ils restèrent là, appuyés l'un sur
l'autre, sans rien faire, sans rien dire car aucun des deux n'aurait pu
tenir debout sans l'appui de l'autre. Sans son adversaire, chacun
serait tombé.

Ils restèrent ainsi un bon moment, jusqu'à ce qu'enfin mourût
l'Outredouté : ils s'effondrèrent ensemble. Méraugis s'écroula sur lui
car il n'avait plus de forces. Il était encore en vie et gémit doucement
en tombant. Alors il se souvint de son amie et de la main promise à
Laquis. Dans cette pensée, il puisa une nouvelle vigueur, il réussit
alors à se redresser et dans un violent effort il saisit une épée, puis
regarda l'Outredouté qui gisait sur le dos, paumes ouvertes. Il leva
l'épée vers les nues et d'un coup, l'abattit sur la main. Elle retomba
un mètre plus loin et il alla la ramasser. Dès qu'il s'en empara, il soupira. Dans ce soupir s'exhalèrent ses dernières forces et il tomba à la
renverse au milieu de la lande. Il tenait serrée sur sa poitrine la main
du chevalier, puis il l'y attacha pour bien manifester qu'il voulait la
garder.

Les deux chevaliers restèrent ainsi étendus au milieu de la lande
jusqu'à ce que passât par là une troupe de chevaliers. C'était l'armée
entière de Méliant de Liz. Ce chevalier valeureux et audacieux qui la
conduisait, était le beau-frère de Belchis le Louche qui lui avait
demandé de le rejoindre à Pâques. D'une fidélité exemplaire,
Méliant de Liz allait au rendez-vous toute affaire cessante. Avec lui
venait son neveu Espinogré qui devait épouser Lidoine et devenir
ainsi roi. Mais le jeune homme serait fait chevalier avant qu'on la lui
donnât pour épouse. Sans plus attendre, on le ferait chevalier à
Monhaut, à la Pentecôte. Ils chevauchaient dans le bois, quand ils
trouvèrent gisant à terre les chevaliers qui s'étaient battus jusqu'au
bout de leurs forces. En les voyant, les chevaliers de l'escorte se dirigèrent vers eux, firent halte à leur hauteur et après les avoir longtemps observés, reconnurent l'Outredouté. A vrai dire, ils ne
connaissaient pas le chevalier qui l'avait tué, mais tous se demandaient :

— Mon Dieu, qui était donc ce chevalier si brave ?

— Que s'est-il passé ? demanda Méliant de Liz, le fier chevalier

— Seigneur. le chevalier qu'on redoutait dans tous les pays est mort.

— L'Outredouté ?

— Oui, c'est sûr. Jamais il n'y eut de combat plus terrible, puisqu'il est mort !

— Qui l'a tué ?

— Je ne sais à qui revient la victoire, mais chacun aura vengé sa propre mort.

— Celui qui a tranché la main de l'Outredouté est sans conteste le vainqueur, répliqua Méliant de Liz. Mais pourquoi la tient-il serrée contre sa poitrine ? Qu'est-ce que cela signifie ? Apparemment il ne l'aurait pas laissée sur le champ de bataille, si son cœur n'avait lâché. De toute façon cette main lui fit sûrement grand tort. conclut Méliant de Liz.

Alors la belle Odeliz mit pied à terre. Cette dame était l'amie de Méliant de Liz et par ses manières sans vulgarité. elle révélait de grands mérites et une noble éducation. Elle posa sa main blanche sur la poitrine de Méraugis, pleine de compassion pour lui, et tâta pour voir s'il était déjà froid. Mais non, elle sentit au contraire qu'il était encore chaud et que son cœur très vigoureux battait toujours.

— Mon Dieu, fit-elle, cet homme n'est pas mort, son cœur bat et je sens la chaleur de son corps. Peu m'importe l'Outredouté puisque Dieu a vengé le monde de ses méfaits. Celui qui lui a tranché le poignet possède un grand courage. Si je parvenais à le guérir, j'offrirais ses services à Belchis et il l'aiderait contre Gorvain ; personne n'oserait mesurer sa prouesse à la sienne. Si un jour il pouvait jouter à la lance, j'en éprouverais une grande joie.

— Moi aussi, je serais heureux s'il pouvait guérir. dit Méliant. Il nous faut faire une civière pour le transporter.

Aussitôt ils allèrent cueillir deux longues branches avec lesquelles ils firent une civière d'une beauté sans égale. On y disposa du muguet qu'on recouvrit d'une jonchée de violettes fraîchement écloses. Les serviteurs et la demoiselle désarmèrent le chevalier. Mais lorsqu'il sentit partir la main que la jeune fille ôtait, il ouvrit les yeux, la considéra d'un air menaçant puis son regard se révulsa aussitôt. En jetant une plainte, il perdit à nouveau connaissance. La dame dit alors

— Nous avons commis une faute en lui enlevant cette main.

Elle la replaça et la serra aussi étroitement qu'auparavant contre sa poitrine. Selon elle. à en juger par son attitude il tenait tant à cette main, qu'on le ferait mourir de chagrin si on la lui enlevait. On la remit donc sur sa poitrine. La dame prit alors une manche blanche et fine avec laquelle elle lui essuya le visage maculé de sang. Sans ménager sa peine, elle lui pansa de nombreuses plaies. Plus que tout autre, Espinogré s'occupa de le soigner. Ce jeune homme de noble naissance le pansa et lui posa bien des garrots, en priant Dieu de tout cœur pour sa guérison. Ensuite ils le prirent dans leurs bras, le déposèrent sur la civière tirée par deux chevaux qui n'étaient pas impétueux. Ils s'en allèrent au pas et laissèrent là l'Outredouté, mort sans confession.

IX

RETROUVAILLES

Ils cheminèrent jusqu'à un port au bord de la mer. Ils embarquèrent joyeusement et firent voile vers Monhaut qu'ils aperçurent, perché sur un promontoire surplombant la mer profonde. Ils cinglèrent vers la tour et jetèrent l'ancre à une portée de fronde. Ils sortirent des barges en riche équipage et Belchis fonça à leur rencontre. Inutile de se demander s'il était heureux en la circonstance. Aussitôt il embrassa ses amis et leur donna l'accolade. Les soldats de l'armée de Gorvain, virent bien ces renforts arriver, mais ils ne pouvaient accéder au rivage pour aller les attaquer. Ils auraient bien du mal à leur porter atteinte, ils avaient reçu de trop nombreux renforts. Le Louche s'empressa de demander qui était le chevalier couché dans la civière et on lui répondit qu'on ne le savait pas, mais qu'il avait tué l'Outredouté, celui qu'on redoutait dans le monde entier.

— Quoi ? fit le Louche, il est vaincu ?

— Oui, seigneur, définitivement, c'est lui qui l'a tué.

— Qu'il ait abattu l'Outredouté, voilà une nouvelle bien agréable !

Belchis remercia la demoiselle et puisqu'elle l'avait déjà soigné, il la pria de ne pas hésiter et de redoubler d'attentions, par amitié pour lui. Au pied de la tour, dans une chambre retirée et loin du bruit, on installa seul le chevalier qui prononça quelques mots tandis qu'on le transportait. Alors il fit enlever la main coupée et enjoignit qu'on la lui gardât soigneusement. On la conserva pour lui dans un coffret que l'on rangea dans une armoire, comme si c'était une relique.

Quand on alita le chevalier dans la chambre, Lidoine, la noble dame qui priait chaque jour pour le salut de son âme, ne le vit donc pas ? — Comment voulez-vous qu'elle le vît ? Non, elle n'a entendu parler de rien. Mais l'amour qu'elle lui portait n'était pas mort, au contraire, il la pressait tant qu'elle se demandait comment elle pouvait vivre désormais. Alors peu lui importaient les allées et venues du château, elle ne s'enquérait pas de ce qui se passait. Elle restait là-haut avec les autres demoiselles, silencieuse et pensive, et personne ne pouvait s'attirer un doux regard. Dans son cœur naissaient de si tristes pensées que, toute bouleversée, elle ne parvenait pas à se distraire du chagrin qu'elle ne cessait de manifester. A moins qu'elle ne mourût, il n'aurait jamais de fin pour elle, tant sa vie et ses amis lui devenaient insupportables. Le blessé qu'on venait d'installer dans la chambre ne savait pas chez qui il était, et il ignorait que son amie se trouvât dans le château. S'il l'avait su, cette seule joie l'aurait guéri. Mais il était bien loin de songer à tout cela ou à quoi que ce fût d'autre, et pour chacun son état ne laissait présager que sa mort prochaine. S'il ne guérissait pas, c'est que la demoiselle n'y parviendrait pas, mais elle s'y employa si bien, qu'en moins d'une semaine elle le sauva et il put parler :

— Madame, où suis-je ? demanda-t-il.

— Cher ami, dans un château assiégé.

— Qui l'a assiégé ?

— Gorvain Cadruz.

— Gorvain ? Mais pourquoi est-il venu investir un château si lointain ?

— Pour l'amour de Lidoine, une dame qu'il veut épouser et qui se trouve là-haut.

Alors elle lui raconta fidèlement comment Belchis la fit prisonnière et comment Gorvain Cadruz entreprit cette guerre par amour pour elle. En l'écoutant, Méraugis éprouva une telle joie que tous ses maux disparurent. Il soupira et, le voyant songeur, la demoiselle s'empressa de lui demander :

— Cher chevalier, me direz-vous qui vous êtes ?

— Certes non, ma dame et je ne veux pas révéler mon nom avant de m'être battu contre Gorvain Cadruz : je le hais. Et je n'ai pas tort de le haïr, car il me voue une haine mortelle.

En entendant la déclaration du chevalier, la demoiselle en fut tout heureuse. Elle quitta la chambre et alla la rapporter devant la cour réunie si bien qu'en l'apprenant tous les chevaliers se réjouirent et en discutèrent longuement entre eux. Ils se rendirent à son chevet dans sa chambre, pour l'encourager. Le Louche et ceux qui l'accompagnaient lui promirent de mettre le château à son entière disposition s'il parvenait à guérir. Il allait sûrement guérir, répondit-il, mais le bruit qu'ils faisaient l'importunait car il avait très mal à la tête. Alors les chevaliers qui désiraient le combler d'aise, n'osèrent le fatiguer plus longtemps. Ils retournèrent dans la salle principale et Méraugis, resté silencieux et triste, se mit à se lamenter. — Se lamenter ? Mais sur quoi ? Sur ses douleurs ? — Oh non, plutôt sur son amour. En effet il n'avait rien de ce que désirait son cœur et jamais la tristesse de son âme n'aurait de fin avant qu'il n'ait revu son amie. « Que j'aimerais la revoir maintenant ! se disait-il. Si j'en ai envie, c'est bien justifié car elle est mon amie, mon plaisir, ma joie, mon bonheur et mon réconfort, elle est tout ce que j'aime ; elle est ma force, ma bannière, ma lance et mon bouclier, elle est ma vaillance, ma dignité et ma gloire. Elle vaut le monde entier à mon sens, c'est mon château, la tendresse de mon cœur, c'est ma beauté, ma main droite, c'est ma dame et c'est moi-même car elle est mon âme, la santé qui va me conduire à la guérison. — Tu crois pouvoir guérir ? — Oui, si je la vois ! — Mais la verrai-je ? — Non. — Pourquoi ? Qu'ai-je fait de mal ? Alors que tout autre chevalier pourrait voir mon amie, moi qui revendique sa main, je ne le pourrais ? C'est injuste. » En cet instant il ne songeait pas au moyen de l'avoir à lui, non, il n'aspirait qu'à la voir le plus tôt possible. Ou bien il la verrait tout de suite, ou bien il en mourrait.

Il resta longtemps en proie à ce profond chagrin, car il n'osait dire le fond de ses pensées et personne ne s'apercevait de son désarroi. Ainsi il trompa la demoiselle en lui disant qu'il mourait d'ennui et que seul ce repos forcé le faisait languir et le torturait. Justement, le lendemain de Pâques, ce jour de joie que l'on doit fêter dans l'allégresse, Méraugis se leva sans demander l'avis de personne : on aurait de toute façon jugé préférable qu'il attendît encore un peu car il souffrait encore beaucoup. Mais il rassembla toutes ses forces, dans l'espoir de voir son amie. Quand elle vit le chevalier se lever malgré ses souffrances, la demoiselle en fut très contrariée et lui dit :

— Cher seigneur, où voulez-vous aller ?

— J'ai eu un bon médecin, répondit-il, et je suis guéri.

— Guéri ? dit-elle, ce n'est certes pas aujourd'hui que vous vous lèverez ! Recouchez-vous donc.

— Si je reste encore alité, jamais je ne me relèverai, répliqua-t-il. C'est vraiment une honte de garder le lit si longtemps, mon isolement n'a que trop duré. Vous m'avez si bien soigné que je me sens en bonne santé maintenant. Trêve de discours ! Je veux aller là-haut pour me divertir avec la compagnie, et là je trouverai bien une conversation pour m'intéresser.

La demoiselle qui n'osait pas s'opposer à ses désirs, sortit avec lui de la chambre, et ils montèrent dans la tour. Les chevaliers réunis là-haut allèrent les accueillir avec de grandes démonstrations de joie. Mais tout ce qu'il pouvait entendre lui était égal : il ne voyait pas l'objet de son désir. Il demanda qu'on lui installât un siège devant le feu et on lui en fit un. Le chevalier alla s'asseoir sur un tapis, mais il faut vous dire que je n'ai jamais vu de créature plus laide. Il était hideux, mais cela venait du fait que, malheureusement pour lui, on lui avait rasé la tête. Il ne lui manquait plus que la massue pour ressembler trait pour trait à un fou. D'ailleurs il était alors vraiment fou. — Pourquoi ? — J'affirme, quoi qu'on dise, qu'on est fou quand on commet une folie. Méraugis perdait donc la raison, puisqu'en l'occurrence il ne voulait pas que Dieu lui donnât la sagesse de haïr sa folie. Au contraire son désir insensé de la revoir le charmait au point qu'il croyait pouvoir ainsi guérir. La folie s'était emparée de lui. Il demeurait assis là, quand dans les appartements à côté, on apprit que le valeureux chevalier qui avait réussi à tuer l'Outredouté s'était levé. Désireuse de le voir, la dame appela ses suivantes. Beaucoup d'entre elles étaient belles et elles mirent de très élégantes parures. La dame sortit la première de ses appartements. A ses côtés s'avançait Lidoine, à qui naturellement revenait cet honneur. Dès qu'il l'aperçut, Méraugis la reconnut. Comme il souhaitait qu'elle le reconnût sans hésiter, il abaissa son capuchon sur ses épaules et se découvrit ainsi la tête. En le voyant, Lidoine pensa : « Mon Dieu, est-ce possible ? Voilà Méraugis. C'est lui, j'en suis sûre et certaine. Dieu, d'où vient-il ? » Méraugis s'aperçut alors qu'elle le reconnaissait. Pour mieux se faire reconnaître, il la regarda dans les yeux avec tendresse. Elle le regarda et fut fascinée : elle ne prenait garde à ce regard quand elle sentit ses yeux frappés de la flèche d'Amour qui lui transperça le cœur de sa pointe et la fit tressaillir. Son cœur défaillit sous cet assaut, elle voulut soupirer, mais elle ne put exhaler un souffle de son cœur. Dans son envie de soupirer, elle s'évanouit. En la voyant tomber sans connaissance, Méraugis qui l'aimait tant se dit : « La voilà morte, mon amie ! » Dans un transport de chagrin, une douleur lui traversa le corps tout entier et alla droit au cœur. Elle s'y concentra. — Pourquoi ? — Le sang afflua de tout son corps, jaillit de ses plaies comme l'eau d'un étang qui déborde, et de ses blessures ouvertes, il gicla jusqu'au feu. Il perdit connaissance et serait resté là inerte si les gens dans la salle ne s'étaient précipités à son secours.

Ils le transportèrent dans la chambre d'où il venait et quand il revint à lui, il regarda les gens qui lui demandèrent alors :

— Seigneur, qu'avez-vous ?

— Quoi ? fit-il, vous ne le savez pas ? Le feu m'a tué. Mon Dieu, que vais-je devenir ? Jamais plus je ne me réchaufferai auprès du feu.

— Seigneur chevalier, Dieu m'en soit témoin, à vouloir se chauffer on se brûle, répliqua sa garde-malade. J'avais beau vous le dire, vous n'avez pas voulu m'écouter. Ce que je craignais est maintenant bien arrivé.

— Ma dame, je voulais me réchauffer auprès du feu, cela m'a tué. Alors on le recoucha. S'il était profondément malheureux, ce n'était rien auprès de son amie qui là-haut s'évanouit tant de fois qu'au dire de la dame très attristée, elle se mourait. La demoiselle resta longtemps dans cette violente agitation. Quand elle reprit ses esprits, la dame s'empressa de lui demander :

— Qu'avez-vous eu ?

— Qu'ai-je, malheureuse ? J'ai vu ce fou. Veillez à ce que je ne le voie jamais plus. Si jamais je revoyais ce chevalier fou, j'en perdrais la raison. Mon Dieu, empêchez que je ne le revoie !

— Du calme, mon amie, dit la dame, il est loin d'être fou, c'est au contraire un chevalier blessé, très valeureux, que tout le monde tient en grande estime.

— Ma dame, je ne sais pas, mais il est si laid que j'en suis morte de peur. A son souvenir, une telle peur m'étreint qu'il me semble être sous son emprise maintenant.

Alors elle perdit à nouveau connaissance. Lorsqu'elle revint à elle, on lui fit une croix au milieu du front avec un peu de baume. Grâce à cette croix, on pensait que le diable ne pouvait désormais lui ravir l'esprit par quelque imagination.

Ils demeurèrent un bon moment dans un grand désarroi, mais ils agirent avec tant de prudence que personne ne s'aperçut de leur amour. Ils mystifièrent bien les gens, elle avec son fou, lui avec son feu, mais le nœud de leurs amours forma un lien indissoluble car tous deux n'avaient qu'une seule préoccupation : elle pensait à lui et lui à elle. Ils séjournèrent longtemps au château, tout au souci de leur cœur.

X

BELCHIS LE LOUCHE ASSIÉGÉ

J'abandonne ici le chevalier et son amie. C'est le moment de vous dire où alla monseigneur Gauvain, ce qu'il devint et s'il trouva cette épée qu'il recherchait. Il la trouva et la ceignit dans le pays même. Après avoir ceint l'épée et réussi l'aventure, il s'en retourna le plus vite possible et gagna ainsi Butôt le jour de Pâques. Le roi y avait réuni sa cour. Monseigneur Gauvain, le chevalier courtois arriva à la cour. Tout le monde se réjouit de son retour. Jamais le roi n'éprouva tant de joie qu'en retrouvant son neveu car on le croyait mort. Les chevaliers manifestèrent une vive allégresse à le voir plein d'ardeur, de santé et d'entrain. Monseigneur Gauvain fut ainsi honoré par tous et toutes. Lorsqu'on eut célébré la messe avec un faste digne de ce jour de fête, le roi Arthur revint aussitôt de l'église et demanda l'eau pour se laver les mains. On la lui apporta. Le roi et tous ses convives se lavèrent les mains. Cette cour était fort nombreuse et brillante.

Le roi prit place à table ainsi que tous ses invités. Mais à peine venaient-ils de s'asseoir, que surgit une demoiselle montée sur une mule. Elle tenait un fouet dans sa main droite. Vous vous demandez qui pouvait être cette dame ? C'était Amice qui avait accueilli Lidoine puis était partie chercher Gorvain sur ses instances. Cette demoiselle Amice mit pied à terre. Elle n'était pas niaise. Elle s'adressa au roi d'un ton assuré :

— Roi Arthur, noble roi, Dieu te protège ainsi que toute ta compagnie à l'exception de Gauvain ! A lui je n'adresse aucun salut car il n'a pas droit à mon salut.

— Pourquoi demoiselle ? s'enquit le roi, que vous a-t-il fait ?

— Quoi donc ? Majesté, il s'est si mal conduit qu'aucune dame ne doit le saluer. Gauvain, on devrait te huer car jusqu'à présent tu avais la réputation la plus glorieuse. Mais te voilà convaincu de lâcheté, tu es en bien fâcheuse position, car tu as perdu toute qualité. Tu es déshonoré, tu n'es plus rien. On pourrait les compter par milliers, tu resterais le plus misérable de tous les hommes ici présents !

— Jeune fille, tu me couvres de honte, fit monseigneur Gauvain, pourquoi m'injurier ainsi ? Qu'as-tu à me reprocher ?

— Gauvain, je vais t'en expliquer le motif, répliqua-t-elle. Un chevalier de ce pays est mort. Il s'appelait Méraugis. Il est parti d'ici en compagnie de son amie pour aller à ta recherche. Malheureusement, dans sa quête inlassable, il finit par passer dans l'Île sans Nom. On l'a tué là-bas, je l'ai vu et après sa mort son amie est restée dans le pays seule et éperdue de douleur. Je me suis mise en route pour la ramener dans son pays mais au cours de notre voyage, nous avons rencontré par hasard Belchis le Louche. Il nous a capturées par traîtrise, se rendant coupable d'un grave forfait. Le Louche la garde prisonnière et la retiendra de force car il veut, dit-il, la donner pour épouse à l'un de ses fils. Elle préférerait être morte et c'est légitime. Si elle parvenait à sortir du château, un de ses amis, Gorvain Cadruz aurait ses faveurs. Par amour pour elle, Gorvain Cadruz est parti en guerre et il a mené l'attaque avec tant d'ardeur qu'il a assiégé Belchis le Louche dans Monhaut. C'est là qu'est Lidoine. A quoi bon ? Monhaut est une puissante forteresse. Personne ne saurait la prendre par la force des armes. J'en viens tout juste. Gauvain, ce n'est pas une nouvelle. Chacun sait que cette demoiselle a perdu son ami en t'apportant de l'aide. Maintenant tu sais qu'elle est prisonnière à cause de toi. Ne pas la secourir te déshonore dans toutes les cours du monde.

Aussitôt monseigneur Gauvain demanda si cette demoiselle avait dit la vérité. Tous répondirent immédiatement :

— C'est vrai !

Il s'enquit de la vérité ou du mensonge de ses propos, non qu'il ignorât l'exacte vérité. — Alors pourquoi posa-t-il cette question ? — Parce qu'il ne voulait pas que son oncle ou quelqu'un d'autre sût que Méraugis, loin d'être mort, était bel et bien en vie. Il ne voulait pas ébruiter la nouvelle. — Pourquoi ? — Il savait pertinemment que si Belchis et Gorvain apprenaient que Méraugis n'était pas mort, ils concluaient une alliance qui causerait sa perte. Alors il se souvint de la promesse qu'il lui avait faite à Handitou. Après quelques instants de réflexion, monseigneur Gauvain déclara :

— Demoiselle, puisque le roi me garantit que cet homme est mort pour moi, je suis déshonoré je vous l'accorde, si je ne fais pas tout pour secourir son amie. Recevez l'assurance devant Dieu que je me mettrai en route dès demain, avec autant d'hommes que je pourrai avoir. Alors les chevaliers qui lui portaient une grande amitié prirent la parole :

— Seigneur, vos paroles sont celles d'un valeureux chevalier ! Votre armée sera considérable. Nous irons tous avec vous, aucun de vos amis ne restera ici. Que le déshonneur s'abatte sur celui qui restera ici !

— Viendrez-vous ? se disaient-ils entre eux.

— Oui.

— Et vous ?

— J'irai au siège de Monhaut.

— Moi aussi !

— Et moi aussi !

Tous s'engagèrent à partir dès le lendemain. Amice avait bien rempli sa mission. Le roi lui offrit de prendre place à table devant lui et ses chevaliers lui demandèrent comment était bâti le château. La demoiselle leur raconta le siège et leur vanta la puissance du château construit au bord de la mer. Aucune force armée ne pouvait bloquer le port. Agravain déclara alors :

— Sur ma tête, monseigneur Gauvain, toute attaque est vaine ! Personne ne pourrait prendre le château à moins de réussir à leur interdire le port où chaque jour, sans répit les marins vont et viennent à bord de leurs navires. Mobilisez donc dans tous les ports de cette terre, navires et galères et conduisez-les droit à Monhaut que vous assiégerez du côté de la mer, car on ne peut envisager d'autres moyens de le prendre.

Alors tous s'exclamèrent :

— C'est ce qu'il y a de mieux à faire !

— Oui, je crois, dit monseigneur Gauvain. Ma foi, pour ma part, c'est ce que je conseille de faire.

— Mon neveu, quoi qu'il arrive, que la chance vous accompagne !
dit le roi. Pour vous aider à faire ce siège, je vais vous faire un
présent. Je mets à votre disposition l'or, l'argent et les deniers de
mon trésor. Partout, donnez ces richesses aux marins, distribuez-les
sans compter à tous afin qu'ils n'aient d'autre souci que le montant,
je vous en prie.

— Cher oncle, je vous remercie. Je vais suivre votre conseil.

Ils discutèrent à table de leur projet. Quand on ôta les tables, les
barons se dispersèrent dans la grande salle. Alors monseigneur Gauvain se hâta de dicter ses lettres, demandant aux marins que dans
tous les ports jusqu'en Irlande, il ne restât navire ou galère qu'on ne
lui amenât à Sterling. Même depuis Dublin, tous les navires jusqu'au
dernier vinrent sans retard. Le premier lundi de mai, toute la flotte
était réunie. Monseigneur Gauvain arriva le jour même, accompagné de la plus grande armée qu'il avait pu mobiliser. On comptait de
nombreux chevaliers. Il ordonna aux marins de monter à bord les
armes et les vivres qu'ils avaient en abondance. Il fit embarquer tous
les hommes qui avaient quelques connaissances en navigation.
Ensuite on hissa les voiles au plus vite, et on mit le cap droit sur
Monhaut. Un vent on ne peut plus favorable gonflait les voiles. De
son côté, monseigneur Gauvain voyagea par voie de terre et chevaucha le plus vite possible. Avec son armée il poursuivit sa route jusqu'au château assiégé, mais deux ou trois jours avant son arrivée, ses
navires avaient interdit le port aux assiégés si bien qu'aucun ravitaillement ne pouvait leur arriver par mer, quoi qu'il advînt.

Gorvain Cadruz était très heureux que monseigneur Gauvain fût
venu l'aider pour le siège. Gorvain et tous ses chevaliers allèrent
l'accueillir et le remercier de son aide, l'assurant par là même de leur
total dévouement. Monseigneur Gauvain mit aussitôt pied à terre et
fit cantonner ses troupes dans une plaine, entre l'armée de Gorvain
et la mer. Une fois installés, ils se préparèrent à l'attaque. On cria
aux armes et chacun se précipita sur ses armes. Voici monseigneur
Gauvain parti à l'assaut, avec une centaine de guerriers, tous chevaliers confirmés et sûrs d'eux-mêmes. L'assaut donné à la muraille fut
important et si violent qu'il ne prêta pas à rire. Au contraire à l'intérieur, nombreux étaient ceux qui, remplis de crainte, n'osaient
mettre le nez dehors et préféraient se reposer. — Pourquoi ? — A
cause de monseigneur Gauvain. La peur qui les envahissait, car il
leur avait enlevé l'accès au port, les rendait éperdus, taciturnes,
abattus, et bien embarrassés. Cependant, ils reprirent courage pour
se défendre si bien que personne ne put revenir vivant de la muraille.
En un mot, ils se défendirent si vaillamment ce jour-là qu'ils ne
subirent aucune perte.

Les assaillants se replièrent. Ils ne firent aucune tentative cette fois-là. Maintenant je vais vous faire le récit fidèle de ce que je sais à propos de Méraugis. Il restait dans la tour, mais il avait eu un si bon médecin que, resplendissant de santé, il avait les joues aussi rebondies qu'une pomme. Ce jour-là Méraugis fut le premier à défendre le château. Il surpassa tous les autres dans son ardeur à combattre l'assaillant. Il savait alors que monseigneur Gauvain avait établi sa tente et le campement de son armée dans les plaines en contrebas. Cette nouvelle le réjouissait. Mais il était attristé de ne pas voir son amie. — La vit-il ce jour-là ? — Non, et elle non plus ne le vit pas de sitôt, alors qu'elle en mourait d'envie. — Mais puisqu'elle désirait tant le voir, pourquoi n'y parvenait-elle pas ? — Pourquoi ? La dame n'aurait jamais voulu qu'elle le vît, même un bref instant. Lidoine avait failli mourir la semaine précédente en le voyant. Jamais plus, disait la dame, elle ne le reverrait. Elle ne voulait pas que cette angoisse la fît retomber dans de telles affres. Elle lui évitait donc une telle rencontre, mais lui disait :

— Madame, vous n'avez rien à craindre de lui.

Elle voulait la rassurer. Mon Dieu, de tout autres pensées agitaient cette noble créature ! Mais à quoi servait de se préoccuper ainsi ? Elle avait beau y réfléchir, elle ne trouvait aucun prétexte qu'elle pût raisonnablement invoquer pour voir son ami, qui jour et nuit cherchait aussi le moyen de la voir. « Jamais je ne parviendrai, se disait-il, là où mon amie est enclose. Y arriverai-je ? Certes non, il m'est impossible de la voir. » Voilà que Méraugis brûlait de revoir Lidoine, autant qu'elle-même désirait le rencontrer. Un jour, je ne sais plus lequel, il fut au comble du désarroi en songeant à son amie : « Si l'on me reconnaît ici, je la perds et elle me perd aussi. Je ne vois pas quel motif alléguer pour partir, ni quel moyen trouver pour l'emmener avec moi. Mon Dieu, que faire ? » A s'inquiéter et se désoler ainsi, la nuit passa sans que le sommeil fût aussi long que la cuisson d'un œuf. Le lendemain matin, au lever du jour, il fit le signe de croix et après avoir entendu la messe, il ordonna aussitôt qu'on lui apportât une armure et qu'on l'armât sur-le-champ. On s'empressa de lui obéir et on le revêtit de ses armes. Pendant qu'on lui passait son armure, le Louche vint le voir, étonné de ce qu'il s'armait ainsi en toute hâte. Plein d'assurance, il s'écria en entrant dans la pièce :

— Ami, Dieu vous bénisse ! Mais expliquez-moi donc pourquoi vous vous armez.

— Sûrement pour une bonne raison, rétorqua Méraugis, la plupart d'entre vous pourront le constater. Parce qu'il est loué de tous, je désire aller me battre corps à corps contre le meilleur chevalier du monde, c'est-à-dire contre Gauvain, installé sous ces remparts. Je veux que tous soient témoins de ce défi : je prétends prouver aujourd'hui même, à moins d'une dérobade de sa part, que je suis aussi valeureux que lui.

— Seigneur chevalier, je ne crois pas qu'il esquive le combat, mais je conçois de grandes craintes pour vous.

— Pour moi ? Ne montrez pas tant de zèle à m'aimer. Je ne vous suis rien ! Si je meurs sous ses coups, que vous en coûtera-t-il ? Absolument rien.

Ce dessein plaisait fort au Louche, mais il n'osait l'approuver et ne cessait de l'en dissuader :

— Seigneur, disait-il, j'ai beaucoup apprécié votre compagnie, mais puisque telle est votre volonté, je ne mettrai aucune entrave à votre projet, je vous recommande simplement à Dieu. Puisse-t-il m'accorder de voir ce que je souhaite !

Dès que Méraugis fut armé, on lui amena dans la grande salle un cheval de prix. Il était recouvert jusqu'aux pâturons d'un drap de soie blanc. On appela Méraugis « le Chevalier Blanc » parce que toutes les armes qu'il portait étaient blanches. On ouvrit la porte et il sortit lance levée. Il arriva à un gué et passa la rivière. Il se dirigea au plus vite là où il savait que monseigneur Gauvain avait établi ses quartiers. En voyant arriver le chevalier, monseigneur Gauvain s'exclama :

— Ma foi, ce chevalier blanc cherche à combattre, il a l'air très menaçant.

Calogrenant, un chevalier, s'empressa de dire :

— A moi de combattre ! J'irai jouter contre lui, rien ne saurait m'en dissuader. Apportez-moi mes armes !

On le revêtit aussitôt de ses armes et il quitta le camp sur un cheval plus noir que la mûre. Dès qu'il arriva devant Méraugis, ils foncèrent l'un sur l'autre. Dans la joute Calogrenant brisa sa lance et le chevalier à l'écu blanc l'abattit d'un coup adroit au milieu de la plaine. Il ne se passerait pas de jour qu'il ne se plaignît d'être tombé comme une masse, car dans sa chute son bras se démit et se cassa net. Il ne pouvait pas plus se relever que s'il avait eu tous les os brisés. Alors le Chevalier Blanc alla chercher son cheval et le lui ramena. Avec quelque peine, il l'aida à remonter et après l'avoir remis en selle, il lui dit :

— Ami, cette bienveillance que je te témoigne, je vais t'en expliquer la raison : si tu veux être en bons termes avec moi, tu n'as qu'à transmettre un message en mon nom.

— Quel message ?

— Tu diras de ma part à Gauvain que je suis venu ici pour lui. Dis-lui que je l'invite à jouter contre moi.

— Volontiers, seigneur.

Au dire des témoins qui avaient regardé les adversaires, le Chevalier Blanc était audacieux et faisait preuve de courtoisie et de noblesse par une telle mansuétude. Calogrenant se retira si humilié que tout le monde s'en aperçut. Monseigneur Gauvain l'accueillit avec animosité :

— Calogrenant, ce chevalier vous a-t-il remis vos gants ? Quel est son nom ?

— Je ne sais pas, mais c'est vous qu'il demande et personne d'autre. Monseigneur Gauvain, il vous provoque en duel et il dit qu'il n'attend que vous.

— Puisqu'il m'invite à me battre, je ne me déroberai pas, répliqua monseigneur Gauvain. Donnez-moi mes armes !

On lui apporta alors ses armes. Aussitôt il monta en selle sur un destrier pie et partit, prêt à combattre. Le chevalier qui allait jouter contre lui se précipita à sa rencontre au grand galop. Quand ils furent près l'un de l'autre, ils se frappèrent avec leurs lances qui se rompirent tandis que leurs écus se brisèrent en mille morceaux. Ils se dépassèrent, mais revinrent à la charge et se battirent à l'épée dans un duel si âpre que tous les spectateurs affirmèrent n'en avoir jamais vu de si violent. Le combat durait depuis longtemps et ils résistaient toujours quand Méraugis finit par dire :

— Monseigneur Gauvain, cher ami, assez, reposez-vous ! Savez-vous contre qui vous vous battez ?

— Contre qui je me bats ? lança-t-il, mais contre toi qui t'es vanté de me vaincre. Qui es-tu ?

— Je suis Méraugis qui connaît bien des malheurs pour vous avoir aidé, comme vous le savez.

— Ha, Méraugis, vous m'avez vaincu ! C'est vous qui m'avez délivré du dangereux péril où je me trouvais. Vous êtes le seigneur, je suis le vassal, je joins mes deux mains entre les vôtres !

— Mais vous oubliez que vous êtes monseigneur Gauvain ?

— Oui, mais je vous suis entièrement dévoué.

— Alors voici : si un jour je vous ai été de quelque utilité, rendez-moi aujourd'hui un service en retour !

— Méraugis, je vous accorde tout ce que vous voudrez. Commandez, j'obéirai avec plaisir à tout ce qu'il vous plaira d'ordonner.

— Pour m'être agréable, vous devez donc vous rendre devant tous, afin que j'aie l'honneur de vous faire prisonnier.

Aussitôt Gauvain remit son épée à Méraugis, se rendit à lui et Méraugis l'emmena comme son propre prisonnier.

Quand les barons de la cour virent que Gauvain était vaincu, ils manifestèrent une si vive douleur dans tout le camp qu'on n'en vit jamais de plus poignante.

— Gauvain a perdu son renom ! disaient-ils. Jamais, au grand jamais, la Table Ronde ne fut déshonorée si ce n'est par lui. Cette humiliante journée éclabousse de honte tout ce qu'il a fait naguère. Puisque ce lâche est encore en vie, alors nous aussi, nous sommes tous des lâches si nous abandonnons ici un seul pouce de terrain avant de l'avoir tué. Nous enverrons sa tête à son oncle, le roi.

Chacun se disait en soi-même : « Nous ne partirons pas d'ici, avant de le tenir entre nos mains ! »

Ils éprouvaient un profond chagrin, mais bien plus profonde était la joie des habitants du château. Le vif chagrin des chevaliers de l'armée n'aurait pu surpasser l'immense joie qu'éprouvaient les gens là-haut : à lui seul, le Chevalier Blanc valait tous les autres, disaient-ils. Cent chevaliers galopèrent à sa rencontre mais au lieu de chevaucher en bon ordre, ils partirent en troupe pour l'accueillir dans l'allégresse ; tous étaient au château et se réjouissaient donc.

Quand ils furent descendus de cheval et désarmés, Belchis interrogea le chevalier qui ramenait le prisonnier :

— Seigneur, où allons-nous mettre ce prisonnier ? C'est à vous d'ordonner l'endroit où vous voulez qu'on le garde.

— On ne le mettra pas, répondit-il, ni dans une prison, ni dans un cachot, pourvu qu'il accepte de faire ce que je veux. Gauvain, aussi vrai que je demande à Dieu de me protéger, vous avez le choix, voici ce que je vous propose : ou bien je vous garderai dans une geôle ou un cachot comme mon prisonnier, ou bien vous lèverez la main et jurerez de m'être fidèle, de m'apporter secours contre tout ennemi !

— Seigneur, je n'irai pas en prison, je n'en ai pas la moindre envie, je préfère vous jurer fidélité solennellement sur les reliques, et vous aider contre tout ennemi.

Tous s'exclamèrent alors :

— Nous voilà plus puissants que jamais !

Ce serment rendit Belchis fou de joie, aussi déclara-t-il devant monseigneur Gauvain :

— Ce n'est pas méprisable, à mon sens, d'être le vassal d'un si bon chevalier. Comme je pense m'attirer ainsi une plus grande considération, je veux aujourd'hui devenir son vassal. Ensuite je ferai venir ici tous ceux qui sont à mon service dans ce château, et chacun lui prêtera serment comme vous l'avez fait, de sorte que tous lui seront liés par une légitime fidélité. En effet, je lui abandonne la conduite de la guerre que je mène, et je veux que personne ne désobéisse à ses ordres.

— Je vous en prie, seigneur, je ne requiers aucun serment de vos hommes ! Leur parole suffira à me garantir la vérité de tout ce qu'ils diront.

— Ils vous prêteront serment puisque je le veux, répondit le Louche, il me semblerait bien impudent de me dédire. Vous accepterez ce serment parce que vous vous fierez plus aisément à eux et qu'ils vous accorderont plus pleinement leur confiance quand la nécessité vous réunira.

Tous lui jurèrent fidélité de bonne grâce sauf Méliant de Liz. Il n'avait aucune envie de prêter serment, mais son beau-frère l'en pria si instamment qu'il finit par lever la main droite et jurer ; alors tous ses compagnons l'imitèrent.

Quand ils eurent prêté serment, le Chevalier Blanc leur dit aussitôt :

— Seigneurs, vous m'avez témoigné un grand honneur et je me réjouis de vous voir tous satisfaits. Voilà donc ma décision prise : si je vis jusqu'à demain, je ferai savoir à Gorvain combien mon armée s'est renforcée aujourd'hui.

Ils éprouvèrent une grande joie et s'exclamèrent tous :

— Soit ! A demain ! Ceux qui vous feront défaut demain seront de fieffés lâches.

Ils allaient assaillir Gorvain le lendemain, disaient-ils, quoi qu'il advienne. Le jour déclina, la nuit tomba et le lendemain matin, comme on l'avait décidé, les chevaliers impatients de se battre, sortirent le plus tôt possible. En tête se trouvait le Chevalier Blanc pour les guider. A ses côtés chevauchait monseigneur Gauvain, son ami. Aussi rapides que la foudre, ils foncèrent sur l'armée ennemie. — Et les chevaliers de l'armée que firent-ils ? — Ils étaient armés : dès qu'ils les virent descendre du château, ils allèrent vaillamment à leur rencontre, mais les assaillants abattirent les premiers chevaliers, venus à l'attaque. Ils les vainquirent dans une âpre bataille. Épées brandies, ils se lancèrent à bride abattue au milieu du camp vers la tente de Gorvain. C'est là que Gorvain les rencontra. Dans le choc des deux armées, bien des chevaliers furent abattus. Ils combattaient devant la tente, quand les chevaliers de la Table Ronde — une troupe de plus de trois cents guerriers, tous remplis de haine à l'égard de monseigneur Gauvain — jaillirent des tentes et fondirent sur la plaine plus vite que les oiseaux ne plongent du ciel. Pour surprendre monseigneur Gauvain, ils allèrent à fond de train prendre position entre le camp et la chaussée. — Pourquoi ? — Ceux du château étaient sortis. Ils ne pouvaient rentrer dans la forteresse qu'en passant au milieu des chevaliers dont la réputation de bravoure restait inégalée. Monseigneur Gauvain les vit le premier, puis ce fut le tour de Méraugis.

— Arrière ! cria alors monseigneur Gauvain, nous sommes encerclés. Si nous ne réussissons pas à percer leurs rangs, ne pensez pas rentrer au château un jour, c'est inutile.

— C'est vrai ! dit Méraugis.

Alors ils tournèrent bride : les chevaliers de l'armée les poursuivirent et par une violente charge, les chassèrent droit sur les autres qui les assaillirent par devant. Durant cette attaque, ceux du château furent pris comme dans un étau : devant comme derrière, ils servirent bien leurs adversaires et rendirent les coups de tous côtés dans la bataille où chacun se bousculait. Pour percer la mêlée, monseigneur Gauvain finit par lancer une offensive. — Comment ? — Il lança l'attaque avec l'aide de Méraugis : ils réussirent à pénétrer dans les rangs ennemis, les contraignirent à ouvrir une brèche et parvinrent à s'échapper en faisant quarante prisonniers au cours de leur repli, tandis que leurs adversaires firent trente prisonniers dans leurs rangs. Les chevaliers du château se replièrent dans la forteresse et ceux de l'armée revinrent droit au campement. Au château, Méraugis mit pied à terre avec tous ses prisonniers dans une grande salle. Aussitôt des serviteurs allèrent au devant de Méraugis. Tandis qu'il se désarmait, le Louche qui n'avait jamais été enclin à la bonté, se montra sans pitié :

— A quoi servent ces prisonniers ici ? Donnez-les moi après les avoir comptés. N'allez pas vous embarrasser à les enchaîner ! Je possède une bonne cage pour des oiseaux de cette espèce.

— Vous n'y songez pas seigneur ! Jamais on ne les mettra en prison, s'ils me jurent fidélité.

Alors il leur demanda de prêter serment ; ils délibérèrent à ce sujet. Certains jurèrent, d'autres refusèrent. Aussitôt ceux-ci furent mis au secret dans la prison d'enfer. C'était le nom de la prison où on les emmena. Savez-vous ce qui se passa le jour même où ils livrèrent bataille ? Dans la mêlée, Lidoine avait vu Méraugis qui s'était si bien battu. Elle en parla toute la journée :

— Mon Dieu, demanda-t-elle, qui est ce chevalier à l'écu blanc qui a vaincu tout le monde ?

— Ma dame, c'est celui qui vous a effrayée ; vous avez failli mourir de peur en le voyant, je ne sais plus quel jour.

— Jamais je n'ai eu peur de ce chevalier, répliqua Lidoine, ce n'est pas lui !

— Mais si !

— C'est impossible, ce chevalier n'a pas la même allure. L'autre avait l'air d'un fou, c'était un être hideux, celui-ci est un homme avisé, bien fait de sa personne, de noble éducation. Il ne ressemble pas plus au fou que l'écarlate au feutre.

— Demoiselle, dit la dame, c'est bien étonnant que vous nous contredisiez ainsi ! Nous savons bien toutes autant que nous sommes que c'est lui qui vous a terrifiée, n'en doutez pas.

— Je l'ai donc vu en de mauvaises circonstances pour avoir eu si peur de lui. Quiconque l'aurait vu l'autre jour et le verrait maintenant, refuserait de vous croire, à moins de le voir désarmé. Je veux le voir tout de suite, car j'en ai brusquement envie. Mon impatience est si vive que de même que j'ai failli mourir à sa vue, de même pourrai-je mourir du désir de le voir, si je ne le voyais pas immédiatement.

— Ma foi, je vais vous conduire à lui tout de suite, avant que vous ne mouriez, fit la dame, mais je crains fort que le mal ne vous reprenne.

Elle lui conseilla donc de se signer. D'un trait, Lidoine fit plus de cent fois le signe de croix. Sur ce, toutes se précipitèrent vers la porte et sortirent de la chambre. C'est vrai qu'alors ils se revirent. Dès qu'ils s'aperçurent, ils coururent dans les bras l'un de l'autre devant tout le monde, et ils s'enlacèrent. Avant de trouver d'autres mots pour le dire, ils se donnèrent mille baisers au cri de « doux ami », et de « douce amie ». C'était tout ce qu'ils pouvaient se dire. Alors le Louche ne parvint plus à cacher ce que lui inspirait cette scène ; il faillit devenir fou de rage. Il bondit vers eux et saisit Méraugis par le bras.

— Arrête, fit-il, avant que je ne te fasse un affront, va-t'en d'ici !

— Holà ! De grâce, taisez-vous donc, pas un mot de plus ! C'est moi Méraugis et elle est mon amie. Par saint Denis, n'en déplaise à quiconque, c'est Méraugis qui vous l'enlève de force, si vous voulez vous rebiffer !

Le Louche fou de rage s'exclama alors :

— Comment, misérable, pour qui te prends-tu ? Tu pourrais être Méraugis et Dieu tout à la fois, tu n'auras pas Lidoine, tu as eu tort de le penser ! Tu vas en mourir ! Saisissez-le moi !

— Toi, te saisir de moi ? Mais c'est moi qui vais m'emparer de toi. N'es-tu pas mon vassal ?

— Certes, non !

— Alors je t'accuse de trahison !

Méraugis voulut le frapper. Belchis s'esquiva. Levant aussitôt le poing, monseigneur Gauvain l'aurait frappé, n'eût été Méliant de Liz qui les sépara de force. Le Louche qui se retirait, cria alors :

— Aux armes ! Nous sommes trahis !

Tous ses parents et tous ses hommes bondissaient déjà sur les lances et les glaives, quand Méliant de Liz lui dit :

— Belchis, vous êtes sot ; vous avez ici bien peu de partisans à lui opposer, excepté des traîtres. Que ceux qui porteront atteinte au seigneur dont je suis le vassal soient avertis : mes troupes seront de son côté contre vous, si on en vient à se battre. Vous-même Belchis, vous m'avez fait prêter ce serment devant votre cour. Vous pouvez être sûr que je le respecterai.

Le Louche qui n'osait ni ne pouvait venir à l'attaque, en resta coi. En effet la plupart de ses parents dirent aussitôt :

— Seigneur, c'est vrai ! Nous serions parjures si nous marchions contre lui. Rendez-lui son amie.

Ils lui disaient : « rendez-la lui ! », non que l'idée d'être parjures les chagrinât vraiment... — Pourquoi cette prière alors ? — Parce qu'ils étaient très inquiets de voir réunis Méraugis, les chevaliers qu'on avait faits prisonniers le jour même, ainsi que Méliant de Liz et Gauvain qui était tout équipé pour la bataille. Ils estimèrent qu'ils allaient tous à la mort, ou qu'ils se mettaient en bien fâcheuse posture, s'ils en venaient à se battre. C'est pourquoi ils le suppliaient :

— Rendez-lui la dame, car il est son ami.

— Sur ma tête, fit Méraugis, il n'est pas question qu'il me la rende car elle m'appartient. Mais s'il y trouve à redire, je le transperce sans crier gare. Qu'il taise toute prétention à son égard ! A part elle, aucun être ne saurait me plaire, ni aucune terre, ni aucun bien. S'il s'agissait d'autre chose, pour me réconcilier avec lui, je ferais toutes les concessions qu'il voudrait. Il est mon vassal, je suis disposé à devenir son ami, s'il le veut.

— Méraugis, je m'avoue vaincu ! Il n'y a rien à ajouter à cela, je vous abandonne Lidoine.

— Je vous remercie infiniment, seigneur !

Ils allèrent se donner le baiser de paix. Cependant le Louche qui n'osait plus rechigner, ne l'embrassa pas de gaieté de cœur, car à aucun prix il n'aurait pu le faire de bonne grâce. — Pourquoi ? — Parce qu'il ne l'aimait pas sincèrement. — La dissimulation l'aurait donc poussé à embrasser n'importe qui en l'affaire. — Qui s'en souciait ? Méraugis avait la dame, mais il était loin d'avoir la terre. Un de leurs prisonniers sauta par-dessus les murailles et alla raconter à Gorvain ce qu'il en était. En apprenant la nouvelle, Gorvain leva le camp en toute hâte puis fit route vers Cavalon. Il y faisait suivre toute son armée, car il voulait s'emparer de la terre.

XI

LA RÉCONCILIATION

Gorvain partit comme si l'urgence le réclamait, et il avait presque parcouru deux lieues que ses adversaires sur place, les chevaliers de l'armée et les autres cantonnés à bord des navires ne savaient toujours pas la raison de son départ. Mais ils furent tous bientôt au courant. Vous voulez savoir qui le leur apprit ? Ce fut monseigneur Gauvain. Il sortit le tout premier du château pour leur parler. Avec Méraugis, il leur révéla tout. La vérité leur était confirmée et leur grand chagrin se transforma alors en immense joie. Le discrédit si sévère qu'ils avaient jeté sur monseigneur Gauvain changea alors du tout au tout, et devint une considération cent fois plus respectueuse qu'on ne saurait dire. Tous les chevaliers de l'armée passèrent la nuit au château sans la moindre réticence. Dans une atmosphère de joie et de fête, Belchis les reçut avec tous les honneurs possibles. Cette nuit-là au château, la clef ne fut mise sur aucun cellier ni aucune dépense et quoique je ne connaisse pas le fond de son cœur, Belchis mit sans réserve tout son bien à leur disposition. Mais voilà qu'arriva à la cour une jeune fille estimable et avisée : cette demoiselle était la messagère de Gorvain Cadruz. Écoutez plutôt ce qu'elle dit. Elle s'adressa devant tous à Méraugis :

— Méraugis, c'est Gorvain qui m'envoie auprès de toi, pour te faire savoir par ma bouche qu'il a pris possession de Cavalon. Mais si tu étais assez hardi pour accepter de lui disputer le royaume, en duel dans un champ clos, le conflit serait ainsi tranché. Il n'a pas d'autre exigence. Il a été l'objet d'une sentence inique à Noël lors d'un jugement rendu en ta faveur à la cour du roi. Jamais plus il ne t'attaquera en justice, mais il réclame le combat. L'obtiendra-t-il ?

— Oui, sans faute, répondit Méraugis, je consens volontiers à mettre un terme à cette guerre par un duel entre nous. Que l'on fixe le jour du combat, je partirai dès demain.

— Il te donne rendez-vous à la Pentecôte, répondit-elle, et il te fait savoir qu'il ne t'attendra à nulle autre cour que celle du roi Arthur. Comme il y a été injustement jugé, il veut convaincre la cour de tes torts.

— Quoi qu'il arrive, dites à Gorvain que j'y serai.

— Je n'y manquerai pas, dit-elle.

Elle se retira, laissant Méraugis qui participa aux réjouissances comme un homme heureux car tous les barons étaient en joie. Ils passèrent la nuit dans la liesse. Que vous dire ? Le lendemain matin, Méraugis se mit en route avec son amie. Il emmenait une noble compagnie, fort nombreuse : les barons qui s'étaient battus dans l'armée de Gauvain partirent avec lui et l'accompagnèrent au combat. Il chevaucha jusqu'à la Pentecôte où il trouva le roi qui avait réuni sa cour à Cantorbéry. Dans tout l'empire, on savait la bataille imminente. Laquis arriva à la cour, privé de l'œil gauche que lui avait crevé l'Outredouté. Quand Méraugis le rencontra, il lui remit, c'est la pure vérité, la main avec laquelle l'éborgna l'Outredouté, poussé par sa morgue. C'était la contrepartie de son œil perdu.

Méraugis était donc arrivé à la cour. — Et que devenait Gorvain Cadruz ? Vint-il ? — Oui, le jour même. Outre la nombreuse armée qu'il conduisait, il amenait aussi plus de cent dames. Dès qu'il mit pied à terre, Gorvain demanda au roi la permission de se battre.

— Seigneur, fit Méraugis, vous me voyez tout prêt à le suivre.

— Il me semble que ce combat est décidé, dit le roi Arthur, je ne le différerai pas. Allez vous battre en champ clos !

Ils partirent alors au milieu des prés. C'est là qu'on mit face à face les deux chevaliers. Comme de mortels ennemis, ils foncèrent l'un sur l'autre plus rapides que la foudre. Dès le début ils se donnèrent des coups de lances d'une telle brutalité qu'elles volèrent en éclats. Tous deux furent projetés à terre par une charge menée au grand galop. Mais quelques instants plus tard, ils s'attaquaient à l'épée.

Que dire ? Leur combat fut assurément le plus téméraire que l'on eût jamais mené en champ clos, mais Méraugis finit par l'emporter sur Gorvain. En raison de leur amitié passée, Méraugis lui dit :

— Ami, je te demande en toute amitié de renoncer à mon amie. Parce que tu as été mon compagnon, je préférerais renouer notre amitié par un serment sur les reliques plutôt que te couper la tête, car j'en aurais un profond chagrin.

Comme il n'avait d'autre issue que d'en passer par ses volontés, Gorvain lui abandonna le royaume, la demoiselle et toutes ses possessions. Ils se jurèrent amitié et sitôt dit, sitôt fait, les voilà compagnons et amis fidèles comme par le passé. Puisqu' il aimait Gorvain et que Gorvain lui portait une amitié plus profonde, Méraugis était désormais comblé.

Le conte s'achève, Raoul de Houdenc qui a entrepris ce livre sur ce sujet, l'abandonne ici. Si quelqu'un trouve davantage à dire, qu'il poursuive, car Raoul se tait maintenant.

LE ROMAN DE JAUFRÉ

Récit en vers, traduit et présenté par Michel Zink.
Écrit dans le premier quart du XIIIᵉ siècle par un auteur anonyme.

INTRODUCTION

Jaufré est le seul roman arthurien conservé en langue d'oc. Les extraits que l'on trouvera traduits ici, et qui représentent environ la moitié de ce long roman (10 956 vers), le sont d'après l'édition de Clovis Brunel, qui suit le manuscrit Paris Bibl. nat. fr. 2164 et dont nous avons conservé le découpage. Le roman a déjà été traduit, avec en regard un texte qui reproduit pour l'essentiel celui de Brunel, par René Lavaud et René Nelli On s'est ici inspiré bien des fois de cette traduction, si on a cru devoir s'en séparer ailleurs.

Le roman doit beaucoup à l'œuvre de Chrétien de Troyes, à laquelle il emprunte l'évocation du monde arthurien, un certain nombre de personnages et plusieurs épisodes. On a souvent relevé que la première apparition du héros n'est pas sans rappeler celle de Perceval au début du *Conte du Graal*. Ce héros, Jaufré fils de Doson, n'est probablement autre que Girflet fils de Do, qui apparaît dans *Érec et Énide*, dans *Le Conte du Graal* et ses continuations et dans de très nombreux autres romans. L'auteur connaissait certainement la première continuation de *Perceval*, comme paraît le montrer au vers 6640 (absent des extraits qui suivent) une allusion malencontreusement corrigée par C. Brunel. Il était également très au fait de la rhétorique et de la casuistique amoureuses telles qu'elles sont mises en œuvre à la fois dans les romans « antiques », dans ceux de Chrétien et dans la poésie des troubadours.

De cet auteur, on ne sait rien, même pas s'il y en a un ou deux. En faveur de la seconde hypothèse, on a invoqué les derniers vers, qui invitent à prier pour que Dieu pardonne à celui qui a commencé le roman (comme s'il était déjà mort) et pour que celui qui l'a achevé mène une vie qui lui mérite le salut (comme s'il était encore en vie). On a cru, du coup, reconnaître une différence de manière entre le début du roman (jusqu'à l'épisode des lépreux inclus), à la fois mouvementé et quelque peu décousu, et la suite, plus construite, plus réfléchie et où le héros présente une personnalité plus complexe. L'éloge du roi d'Aragon, qui s'insère de façon inattendue aux vers 2616 à 2630, marquerait l'intervention du second poète. Mais aucun de ces arguments n'est décisif, et on peut à l'inverse montrer sans peine que le roman tout entier est construit de façon assez rigoureuse et que certains traits, comme la complaisance pour les scènes sanglantes, s'y trouvent tout au long. Au demeurant, un premier éloge du roi d'Aragon occupe les vers 61 à 84.

Ces éloges du roi d'Aragon désignent l'auteur — peut-être un jongleur, si l'on se fie à ce que paraît suggérer le prologue — comme son obligé. Le dialecte du manuscrit édité par C. Brunel, qui présente des traits propres à la Catalogne et au sud du Languedoc, s'accorde avec cette localisation. De quel roi d'Aragon s'agit-il ? Jacques Ier, si le roman a été composé entre 1225 et 1228, comme le pense C. Brunel. Alphonse II, s'il remonte à 1180, comme le croit Rita Lejeune. Enfin, pour Martin de Riquer, une première version dédiée à Alphonse II vers 1169-70 aurait été remaniée après 1200.

Certes, dès avant 1200 les troubadours font à Jauffré des allusions au demeurant obscures. Mais une seule date convient au roman tel que nous le lisons, la plus tardive. Non seulement son auteur connaît l'œuvre de Chrétien et celle de certains de ses continuateurs, mais encore il n'a pu écrire qu'à une époque où les conventions du roman breton sont devenues très familières à tous, et même où elles commencent à s'user, voire à lasser. Les deux interventions de l'enchanteur, au début et à la fin du roman, ne jettent pas seulement une ombre de ridicule sur le roi Arthur et sur sa cour. Elles trahissent aussi un certain essoufflement des aventures, qui ne s'offrent plus spontanément au monde arthurien et que vient pallier le recours interne à des artifices gratuits. L'obligation que le roi Arthur s'impose et impose à sa cour de ne pas passer à table le jour de la Pentecôte aussi longtemps qu'une aventure ne s'est pas présentée apparaît comme une contrainte désuète que l'on tourne comme on peut. C'est, on peut le supposer, que trop de romans l'avait rendue déjà trop familière.

Jaufré présente, à vrai dire, peu de traits caractéristiques de l'univers d'oc et qui le distingueraient de ses congénères de langue d'oïl. Faut-il pourtant voir l'affirmation d'une identité méridionale dans le fait que l'héroïne n'est pas blonde, comme le sont toutes ses sœurs des romans français, mais qu'au contraire, bien qu'elle ne soit pas décrite, l'onomastique la désigne comme brune — à la différence, par exemple, de Soredamors, « Blonde d'Amour », dans le *Cligès* de Chrétien : Brunissen de Monbrun règne sur un château de pierres sombres.

Au reste, ce roman écrit pour un roi d'Aragon a connu une certaine fortune dans la péninsule ibérique : au XIVe siècle, des fresques représentant l'histoire de Jaufré ornaient le palais royal de Saragosse. Au XVIe siècle, il en existe un remaniement castillan — mais aussi un autre en prose française. Et les Espagnols l'ont fait connaître jusqu'en Malaisie, où il en existe une version rédigée dans un dialecte des îles Philippines.

Un mot encore : certains morceaux de bravoure du roman — diatribe contre les médisants, éloge du roi d'Aragon, tourments amoureux et aveu de Jaufré et de Brunissen — ont été copiés au XIVe siècle dans deux anthologies de pièces lyriques en langue d'oc. Ce fait ne confirme pas seulement le mouvement général par lequel la poésie « lyrique » de la fin du Moyen Age se sépare de la musique, qui lui était au XIIe siècle indissolublement unie. Il montre surtout, pour ce qui nous intéresse ici, combien la tradition de la littérature narrative était ténue et fragile en langue d'oc, puisqu'on dépeçait les rares romans pour en extraire les passages qui marquent une pause dans l'action et se rapprochent des genres poétiques et des formes rhétoriques où la littérature d'oc excelle.

Michel ZINK

BIBLIOGRAPHIE

C. BRUNEL : *Jaufré. Roman arthurien du XIIIe siècle en vers provençaux,* (édition critique), Société des anciens textes français, 2 vol., Paris, 1943.

R. LAVAUD et R. NELLI : *Les Troubadours* (texte et traduction), Bruges, Desclée de Brouwer, 1960, p. 17-618.

E. BAUMGARTNER : « Le Roman aux XIIe et XIIIe siècles dans la littérature occitane », dans *Le Roman jusqu'à la fin du XIIIe siècle,* éd. Jean Frappier et Reinhold Grimm, *Grundriss der romanischer Literaturen des Mittelalters,* t. IV/1, Heidelberg, Carl Winter, 1978, p. 627-634 (cf. t. IV/2, 1984, n° 292).

R. LEJEUNE : « A propos de la datation de *Jaufré.* Le roman de *Jaufré,* source de Chrétien de Troyes », dans *Revue belge de philologie et d'histoire* 21, 1953, p. 717-747.

G. PINKERNELL : « Zur Datierung des provenzalischen *Jaufré*-Romans », dans *Zeitschrift für romanische Philologie* 88, 1972, p. 105-110.

« Realismus (v. 1-6234) und Märchenhaftigkeit (v. 6235-10956) in der Zeitstruktur des provenzalischen *Jaufré*-Romans : ein Beitrag zur Stützung der Zwei-Verfasser-Theorie », dans *Germanisch-romanische Monatsschrift* 53, 1972, p. 257-276.

F. PIROT : *Recherches sur les connaissances littéraires des troubadours occitans et catalans des XIIe et XIIIe siècles,* Barcelone, Real Academia de Buenas Letras, 1972, partic. p. 498-506.

P. REMY : « *Jaufré* », dans *Arthurian Literature in the Middle Ages,* éd. Roger S. Loomis, Oxford, Clarendon Press, 1959, p. 400-405.

M. DE RIQUER : « Los problemas del roman provenzal de *Jaufré* », dans *Recueil de travaux offerts à M. Clovis Brunel,* Paris, 1955, t. II, p. 435-461.

PROLOGUE. LE ROI ARTHUR

Voici un conte bien tourné, sur un sujet plaisant et véridique : de la réflexion et des exploits chevaleresques, de la hardiesse et de la courtoisie, des prouesses et des aventures — étranges, difficiles et rudes —, des assauts, des rencontres, des batailles, le voici qui commence, vous allez pouvoir l'entendre. Si vous voulez, je vous dirai tout ce que j'en ai appris et tout ce que j'en sais. Dites-moi si vous êtes prêts à m'écouter de bon cœur vous le réciter. Car ce n'est pas le moment d'acheter ni de vendre, ni de se concerter entre soi, quand on entend conter un bon roman. Quand il n'est pas écouté avec attention, celui qui le récite perd sa peine et les auditeurs de leur côté n'en tirent aucun profit s'ils n'entendent pas dans leur cœur ce qui entre par leurs oreilles.

Voici un roman royal, plein de grandeur, de puissance, de vérité, au sujet de la cour du bon roi Arthur. Nul chevalier de son temps ne fut tenu en aussi haute estime, nul ne l'égala en largesse. Telle était sa vaillance, telle était sa valeur que sa gloire ne mourra jamais : toujours on rappellera ses prouesses, toujours on parlera des bons chevaliers qui à sa cour furent choisis pour siéger à la Table Ronde et de leurs propres prouesses, car jamais quelqu'un venu demander leur aide — pourvu qu'il pût montrer son bon droit — ne s'en est retourné dépourvu de secours. Auprès d'eux, jamais Tort ne pouvait se faire écouter : cette cour était si loyale et vertueuse que jamais personne n'y défendit le tort. Et jamais personne venu pour accomplir des faits d'armes en guerre et en bataille n'y a essuyé de refus. Jamais personne ne trouva cette cour en défaut, quel que fût son besoin. Dames veuves, enfants orphelins, jeunes filles, jeunes gens, petits et grands, quand on leur faisait injustement la guerre ou que l'on prenait leur héritage par la force, y trouvaient protection, aide, secours, vaillance. C'est pourquoi elles doivent être bien accueillies, les histoires qui proviennent d'un si noble lieu ; il faut les écouter sagement, sans quolibets. Celui qui les a rimées vous le dit : lui, il n'a jamais vu le roi Arthur, mais il a seulement entendu raconter cette histoire à la cour du roi le plus honoré qui soit, chrétien ou infidèle — c'est le roi d'Aragon, père de Prix et fils de Libéralité, seigneur d'Heureuse Aventure. C'est une nature simple et loyale. Il aime Dieu, le craint, croit en lui. Il maintient Loyauté et Foi, Paix et Justice. C'est pourquoi Dieu l'aime, parce qu'il soutient les siens, qu'il est son nouveau chevalier, qu'il combat ses ennemis. Jamais Dieu ne l'a trouvé en défaut, mais à la première bataille qu'il a livrée, il a vaincu celui qui renie Dieu. C'est pourquoi Dieu l'a tant honoré qu'il l'a élevé au-dessus de tous, lui donnant plus de prix, d'intelligence et de courage. Jamais un roi couronné si jeune n'a réuni tant de belles qualités : il fait de bon cœur des cadeaux de prix aux jongleurs et aux chevaliers. Aussi tous ceux qui passent pour preux viennent à sa cour. Et celui qui a rimé cette chanson en a entendu raconter le sujet par un chevalier étranger, parent d'Arthur et de Gauvain : c'est une aventure arrivée au roi Arthur, qui tenait cour plénière à la fête de la Pentecôte. Chaque année une foule y accourt, parce que le roi les convoque. Et peu y viennent sans recevoir quelque don.

Le jour de cette fête somptueuse, le bon roi mit la couronne sur sa tête et alla à l'église entendre la messe. Ses chevaliers de la Table Ronde y étaient aussi, l'entourant et lui faisant honneur. Il y avait là monseigneur Gauvain, Lancelot du Lac, Tristan, le preux Yvain, le noble Érec, le sénéchal Keu, Perceval, Calogrenant, Cligès, un chevalier de prix, Coedis l'avisé. Il y avait aussi le Bel Inconnu et Caradus au Court-Bras : ils étaient tous à cette cour, et il y en avait beaucoup plus que je ne vous le dis, car j'en oublie. Quand ils eurent entendu tout l'office, ils sortirent de l'église et vinrent au palais, dans la gaieté, les jeux, le tapage. En guise de passe-temps, ils se mirent alors à raconter chacun ce qui lui plaisait. Les uns parlent d'amour, les autres de chevalerie, se proposant de chercher les aventures là où ils pourront les trouver. Cependant le sénéchal Keu entra dans la salle, désinvolte et tenant à la main une canne façonnée dans une branche de pommier. Pas un vaillant chevalier qui ne lui cédât le passage avec empressement, car chacun redoutait sa langue et les railleries discourtoises qu'elle proférait. Il ne respectait personne et au meilleur de tous il disait ce qu'il savait être le plus blessant pour lui, au reste, chevalier vaillant, écouté, expérimenté et compétent à la guerre, puissant seigneur de grands domaines, homme avisé et distingué. Mais ses plaisanteries et ses propos discourtois lui ôtaient beaucoup de son prix. Le voici qui s'approche du roi et lui dit :

— Seigneur, s'il vous plaisait, il serait l'heure d'aller manger.

Le roi s'est retourné vers lui :

— Keu, dit-il, vous êtes né pour être désagréable et pour parler de façon discourtoise. Vraiment, vous le savez pourtant bien, vous l'avez vu bien souvent : si solennelle que soit la cour que je tiens, je ne mangerai pour rien au monde avant qu'une aventure survienne ou quelque nouvelle étrange d'un chevalier ou d'une jeune fille. Allez vous asseoir dans un coin !

Quittant le roi, Keu va alors écouter les propos qui se tenaient dans la salle, où il y avait des gens de diverses conditions — chevaliers, jongleurs, courtisanes. Ces conversations se prolongèrent bien au-delà de midi : on approchait maintenant de l'heure de none. Le roi Arthur fait alors appeler son neveu, monseigneur Gauvain, qui se présente aussitôt devant lui :

— Mon neveu, dit le roi, faites seller. Nous irons chercher les aventures, puisque je vois qu'elles ne viennent pas à notre cour. Nos chevaliers sont mécontents de ce retard : ils devraient déjà avoir mangé.

Gauvain répond courtoisement :

— Seigneur, vos ordres seront exécutés.

Il dit alors aux écuyers de seller les destriers et de sortir les équipements pour que chacun puisse s'armer au besoin. Il ordonne que nul ne s'attarde et que tout soit fait sur-le-champ. Les écuyers sont vite allés vers les logis, et il n'est resté de cheval qui ne soit aussitôt sellé. Ensuite, une fois les roncins chargés de pourpoints et d'équipements, le roi et ses barons montent à cheval et ceignent leurs épées tandis que les écuyers prennent les autres armes. Voilà tout le monde en route vers la grande forêt de Brocéliande. Quand ils s'y sont engagés profondément, le roi prête l'oreille en demandant qu'on fasse silence :

— J'entends, dit-il, une voix au loin. C'est quelqu'un, je crois, qui aurait grand besoin du secours de sainte Marie : il ne cesse d'implorer Dieu. Je veux y aller tout seul, sans aucun compagnon.

— Non, seigneur, j'irai avec vous, s'il vous plaît, dit monseigneur Gauvain ; vous n'irez pas seul.

— Mon neveu, dit le roi, pas un mot de plus. Personne n'ira avec moi. N'insistez pas.

— Seigneur, dit Gauvain, je m'en garde. Je me conformerai en tout à vos désirs.

Le roi demanda son écu et sa lance, puis, éperonnant son cheval, il se dirigea vers l'endroit où la voix retentissait. Bientôt il entendit les cris redoubler de façon étrange. Il parvint au bord d'une rivière où il y avait un joli moulin dont la chute avait bien trente brasses de haut et, à l'entrée du moulin, il vit une femme qui s'arrachait les cheveux, se tordait les mains, criait et se lamentait comme quelqu'un au déses-

poir. Le roi, plein de pitié, s'approche pour lui porter secours et lui
demande :

— Femme, qu'as-tu ?

— Seigneur, au secours, s'il vous plaît ! Une bête énorme et terrible, venue de cette montagne, est à l'intérieur et mange mon blé.

Le roi regarda à l'intérieur et vit la grande bête sauvage. Il examina comment elle était faite : plus grosse qu'un taureau, le pelage
épais et roux, un long cou, une grosse tête avec une haie de cornes,
de gros yeux ronds, de grandes dents, un museau camus, de longues
jambes, de grands pieds bien aussi longs que les landiers d'une
grande cheminée. Stupéfait à sa vue, le roi s'est signé. Le voici qui
met pied à terre, se couvre la poitrine de son écu et tire aussitôt son
épée. La bête ne fit pas mine de l'avoir vu. Elle ne bougea pas et, le
cou baissé, elle mangeait à plus grosses bouchées qu'une truie le blé
qui était dans la trémie. Voyant qu'elle ne se dérangeait pas, le roi,
se fiant à l'apparence, pensa que ce n'était pas une bête farouche,
puisqu'elle ne se souciait pas de se défendre. Il lui donna sur les
flancs un coup du plat de son épée : elle ne bougea pas pour autant.
Il se plaça alors devant elle et fit mine de la frapper, tandis qu'elle
paraissait ne pas le voir. Posant son écu et remettant sa bonne lame
au fourreau, il la prit à deux mains par ses cornes longues et plates et
tira, secoua, tordit : le roi était grand, massif et fort, et pourtant il ne
put seulement l'ébranler. Il voulut lever le poing pour lui donner un
coup sur la tête, et voici qu'il avait beau tirer, il ne pouvait pas plus
ôter ses mains des cornes que si elles y avaient été clouées. Quand la
bête comprit qu'il était bel et bien pris, elle se mit en branle, le roi
pendu à ses cornes, dépité, furieux, éperdu. La bête sortit du moulin
avec lui et suivit son chemin, bien tranquillement, bien doucement,
au pas, à travers la forêt, là où il lui plaisait. Monseigneur Gauvain,
le preux, s'était posté en observation avec deux compagnons sur une
éminence. A un moment, en se retournant, il vit l'énorme bête
farouche, portant le bon roi suspendu à ses cornes devant elle. Il faillit perdre le sens et cria de toutes ses forces :

— Chevaliers, allons au secours de monseigneur le roi Arthur !
Par Dieu ! que nul ne s'esquive ! Qui ne viendra pas à son aide sera à
tout jamais exclu de la Table Ronde. Nous serons tous tenus pour
traîtres si le roi périt faute de secours.

Il descend aussitôt de son poste de guet et galope au-devant de la
bête sans attendre aucun compagnon. Il ne va pas renoncer à lui porter un coup ! Il baisse sa lance pour la frapper, mais le roi a peur de
mourir et lui crie :

— Pitié, mon cher neveu ! Ne la touche pas, pour l'amour de moi,
car si tu la frappes, je suis mort, et sain et sauf si tu ne la touches pas.
Je me dis pour me rassurer que j'aurais bien pu la tuer et qu'elle aura

pour moi les mêmes égards que j'ai eus pour elle. En colère comme j'étais, je n'ai pas voulu la frapper, et elle ne m'a rien fait non plus : il me semble donc qu'elle ne me fera pas d'autre mal. Laissons-la agir à sa guise, et que pour rien au monde les gens de ma suite ne la frappent s'ils ne veulent pas me tuer ! Et vous, mon neveu, allez le leur dire !

Gauvain suspend son coup et répond en pleurant :

— Seigneur, comment pourrai-je supporter de rester là sans vous défendre de la mort ?

— Savez-vous, mon neveu, comment vous m'en défendrez ? Seulement en vous abstenant de frapper la bête.

Gauvain jette là sa lance, détache son écu de son cou et l'envoie au loin avec colère. Il déchire ses vêtements et s'arrache les cheveux à deux mains de toutes ses forces. Pendant ce temps ses compagnons, Tristan et Yvain, étaient arrivés en piquant des deux, lances baissées, prêts à frapper. Gauvain lève les mains et leur crie :

— Ne la frappez pas, seigneurs, au nom de tout ce que vous aimez ! Le roi est mort si vous la frappez !

— Que ferons-nous donc ?

— Suivons-la et voyons ce qu'elle va faire : si elle tue le roi, elle mourra.

La bête s'en va tranquillement, doucement, sans manifester seulement qu'elle les a vus. Mais soudain, plus droit qu'une hirondelle, elle escalade une roche arrondie, haute, raide et escarpée, tandis que Gauvain et ses compagnons arrivent en se lamentant, tristes, furieux, gémissant. Une fois là-haut, la bête se dirige sans attendre vers le côté où elle voit le plus grand précipice et elle tend la tête au-dessus, si bien que le roi était suspendu dans le vide. Voilà Gauvain dans l'angoisse, ses compagnons aussi. Chacun déchire ses vêtements, s'accable de coups. Les autres, qui étaient restés en arrière, ont entendu leurs lamentations. Chacun pique de l'éperon autant qu'il peut, et les voici au pied de la roche. Levant les yeux, ils virent leur seigneur pendu aux cornes de la bête. Les voilà à se lamenter de façon si extraordinaire qu'on n'a jamais, je crois, rien entendu de pareil et que je ne peux vous le décrire. Vous auriez vu chevaliers et jeunes gens s'arracher les cheveux, déchirer leurs vêtements, maudire les aventures qu'on trouve dans la forêt et qui ont tourné pour eux à un tel drame. Le sénéchal Keu s'écrie :

— Hélas ! bonnes gens, quel malheur ! Comme vous avez bien su prévoir la mort qu'un destin cruel réserve à notre bon roi ! Quelle triste aventure est arrivée ! Nous pouvons dire que nous avons aujourd'hui perdu Valeur !

Sur ce, le voilà qui tombe de son cheval de tout son long à la renverse. Cependant le roi était toujours là-haut, bien contrarié ! Il se cramponnait des deux mains : il n'irait pas les ôter maintenant, même s'il le pouvait, car il a grand-peur de tomber. Pendant tout ce temps, là-haut, la bête ne se pressait pas. Le roi priait sainte Marie et Dieu, son glorieux fils, de le sauver de ce péril. Gauvain, Yvain et Tristan, avec je ne sais combien de chevaliers, disent qu'ils vont prendre tous leurs habits et les mettre au pied du rocher sous le roi : s'il tombe sur les vêtements, il ne se fera pas mal. Ils expliquent la chose aux autres et Gauvain leur adresse cette prière :

— Seigneurs, cessons de nous lamenter ! cela ne peut nous avancer en rien. Mais prenons chacun nos vêtements et mettons-les au-dessous du roi.

Aussitôt ils se mettent tous à se déshabiller. Vous les auriez vus apporter en toute hâte leurs vêtements, leurs manteaux, leurs capes ! Il ne leur reste rien sur eux — ni chausses, ni chemise, ni culotte — que chacun n'enlève bien vite. Ils ont fait un tel monceau de vêtements sous le roi que, s'il tombait, je ne crois pas qu'il se ferait grand mal. Quand la bête vit cela, elle fit mine de se mouvoir et secoua un peu la tête. Ceux d'en bas poussèrent un cri terrible, chargé d'angoisse. Ils se sont mis à genoux, priant Dieu de protéger le roi et de le leur rendre sain et sauf. Et voici que la bête joint ses quatre pattes et saute au milieu d'eux. Elle laissa alors tomber le roi qui se cramponnait à ses cornes, et s'est transformée en un chevalier grand, beau, élégant, somptueusement vêtu d'écarlate de la tête aux pieds. Il est venu s'agenouiller devant le roi et lui dit en riant :

— Seigneur, dites à vos gens de se rhabiller. Ils peuvent à présent aller manger : plus besoin que vous vous en absteniez, eux et vous, pour attendre l'aventure, car vous l'avez trouvée, encore qu'un peu tard.

Stupéfait, le roi s'est bien signé cent fois en pensant à la façon dont les choses s'étaient passées. Il a reconnu le chevalier : il appartenait à sa cour, où il était au nombre des meilleurs, de ceux qui sont vaillants, sages et courtois, de ceux qui ont de l'aisance, sont de bonne compagnie et plaisent à tout le monde, de ceux qui sont bien appris et courageux, sans jamais être couards, de ceux qui sont aimés et honorés, prudents et discrets, simples et aimables. De plus, il connaissait tous les enchantements et les sept arts tels qu'ils sont écrits dans les livres et tels qu'ils ont été découverts, pratiqués, enseignés. Il était convenu entre le roi et lui que, lorsque le roi réunissait ses invités pour tenir sa cour, célébrer une fête ou apparaître la couronne en tête, s'il réussissait à changer de forme, le roi devrait lui donner une coupe d'or, le meilleur cheval de sa cour et le droit de donner un baiser devant tout le monde à la plus belle jeune fille, celle de son choix. Cependant Gauvain s'était approché de son seigneur le roi. Il pensait qu'il s'était rompu les membres pour être tombé de si haut, et il le trouva sain et sauf, allègre, souriant, de belle humeur. Il vit près de lui l'enchanteur :

— Par ma foi, cher ami, dit-il, vous nous avez bien enchantés, puisque vous nous avez fait ainsi aller tout nus !

Et le chevalier répondit à monseigneur Gauvain :

— Maintenant vous pouvez vous rhabiller, le roi a échappé à la mort.

Gauvain s'éloigne alors ainsi que tous les autres et ils se sont rassemblés pour s'habiller. Mais personne n'a cherché à faire le tri. L'un prend une cape, l'autre un manteau, et puis on se dirige vers le château de Cardueil où se tient une cour nombreuse. Le roi et monseigneur Gauvain vont devant et tous les autres suivent en manifestant leur joie. Quand ils entrèrent dans le palais, le repas était prêt. Ils demandèrent de l'eau pour se laver les mains car ils avaient hâte de se mettre à table.

I

LE CHEVALIER JAUFRÉ

La cour était nombreuse et magnifique. Il y avait là beaucoup de puissants personnages, des rois, des comtes, des ducs. Monseigneur Gauvain, le bien doué, et Yvain aux bonnes manières prirent chacun un bras de la reine et la conduisirent à table sans précipitation. Elle alla s'asseoir à côté du roi, et Gauvain de l'autre côté, tandis que Yvain au cœur vaillant s'asseyait à côté de la reine. Ils ont alors beaucoup plaisanté et ri du bon tour que l'enchanteur avait joué ce jour-là à leur seigneur. Et la reine Guilalmier, les barons et les chevaliers qui n'étaient pas sortis, en entendant ce qui s'était passé, se tiennent pour bien attrapés de n'avoir pas tout vu ni tout entendu, et ils ont bien ri et plaisanté sur l'aventure. Alors le sénéchal Keu, sans véritable distinction mais avec faste, leur a apporté le premier service, d'abord au roi, puis à la reine, à qui toute beauté rend hommage. Puis il alla vite s'asseoir, car il avait bien envie de manger. Ensuite on servit des potages, que des jeunes gens apportèrent. Rien ne manqua de ce qu'un seigneur peut désirer manger : ni grues, outardes ou paons, ni cygnes, oies ou chapons, ni poules grasses, ni perdrix, ni pain blanc, ni bons vins. Il y avait de tout en abondance.

Chacun était tout occupé à manger quand on vit entrer, monté sur un roncin gris, un jeune homme grand, beau, élégant. Il s'avançait avec une aisance distinguée. Je crois qu'on n'eût jamais pu trouver un homme né de mère qui fût mieux fait que lui. Ses épaules étaient larges d'une brasse, son visage beau et bien dessiné, ses yeux tendres et rieurs, ses cheveux blonds et brillants, ses bras charnus et musclés. De belles mains, des doigts bien formés, une taille fine, l'enfourchure large, le pied cambré comme il fallait. Il portait une tunique bien coupée dans une fine étoffe chatoyante avec des chausses assorties et sur la tête une couronne bien tressée de fleurs nouvelles aux diverses couleurs. Son visage était vermeil car le soleil l'avait frappé. Quand il fut entré dans la salle et descendu de son roncin, il chercha du regard qui était le roi et vint aussitôt vers lui, allègre et joyeux. Il s'agenouilla et prit la parole :

— Que le Seigneur qui fit le tonnerre, qui fait le don de tout ce qui existe au monde et qui n'a personne au-dessus de lui sauve le roi et ceux qui l'entourent !

— Mon ami, dit le roi, que ce même Seigneur te donne une heureuse fortune ! dis-moi sans crainte ce que tu veux : je te le donnerai bien volontiers.

— Seigneur, je suis un écuyer et je suis venu à votre cour parce qu'on m'a dit que vous étiez le meilleur roi qui soit au monde. Je vous prie, par sainte Marie, de me faire chevalier, s'il vous plaît.

— Mon ami, dit le roi, relevez-vous : nous satisferons votre désir. Allez vous asseoir là-bas.

— Seigneur, avec votre permission, je ne le ferai que si vous me promettez, en présence de tous, de m'octroyer le premier don que je vous demanderai.

— Mon ami, je te l'accorde.

Il se lève alors et va se laver les mains, car il ne demandait rien de plus. Mais soudain il voit un chevalier tout armé sur son cheval qui arrive au galop à travers la salle et de sa lance va frapper un chevalier à la poitrine si bien qu'il l'abat mort aux pieds de la reine. Puis il fait volte-face et s'écrie d'une voix forte :

— Roi lâche, j'ai fait cela pour te déshonorer. Si tu veux me faire poursuivre par quelque chevalier de prix, qu'il demande Taulat de Rougemont : c'est moi. Tant que je vivrai je commettrai contre toi une agression de ce genre chaque année, le jour de cette fête.

Le bon roi baisse la tête, accablé et soucieux. Mais le jeune homme, en garçon avisé, saute sur ses pieds et s'avance devant le roi :

— Seigneur, dit-il, je vous prie de m'accorder ce qui est convenu entre nous. Donnez-moi l'équipement dont vous savez que j'ai besoin : je suivrai ce chevalier qui aujourd'hui dans votre cour vous a causé tant de tort et d'irritation.

Keu s'empresse de répondre :

— Mon ami, vous aurez plus de courage quand vous serez ivre.

Allez donc vous asseoir, s'il vous plaît. Quand vous aurez bu un peu plus, vous supporterez mieux le poids des armes. Retournez vous asseoir. Je vais vous dire une bonne chose : avec les armes du buveur vous saurez mieux abattre un chevalier que si vous combattiez avec le tranchant de l'épée.

Le jeune homme ne lui répondit rien. C'était par égard pour le roi qu'il ne réagissait pas : si ce n'avait été pour sa présence, il lui aurait sur-le-champ fait payer ses paroles bien cher. C'est le roi, en colère, qui répondit :

— Keu, vous ne resterez jamais en paix et vous ne renoncerez jamais à vos médisances jusqu'à ce que je vous aie fait taire ! Comment pouvez-vous parler si grossièrement à un étranger, quel qu'il soit, venu à ma cour me demander quelque chose ? Ils ne peuvent donc pas tenir dans votre poitrine, les propos désobligeants dont elle est farcie, les plaisanteries blessantes, les paroles discourtoises ?

— Seigneur, dit le jeune homme, par Dieu, laissez-le dire. Rien ne m'atteint de ce que ce puissant seigneur peut dire ou faire. Je sais que sa langue est perfide. Je m'en vengerai avec éclat. Si ses propos sont discourtois, cela ne me cause aucun dommage. Mais faites-moi donner un équipement tel qu'il vous plaira et je poursuivrai l'homme qui s'en va. Jusqu'à ce que je l'aie trouvé, je n'aurai pas de plaisir à manger.

Le roi lui répond aimablement :

— Mon ami, je vous donnerai très volontiers des armes et un destrier, et je vous ferai chevalier sur-le-champ, puisque vous savez si bien le demander. Mais vous n'êtes pas de force à pouvoir combattre cet homme. Dans toute ma cour il n'y a pas quatre chevaliers qui puissent se défendre contre lui ou qui oseraient l'attendre en champ clos. Laissez d'autres y aller : je serais triste de vous perdre si vite, vous que je vois grand, beau et élégant.

— Seigneur, n'est-ce pas une grande injustice, puisque vous dites que je suis grand et fort, de m'interdire de me battre ? Vous voulez tourner en fraude la promesse que vous m'avez faite devant tous. Mais, pour ce qui dépend de moi, vous n'en ferez rien, car ce n'est pas bien de la part d'un roi de ne pas tenir sa promesse.

Le roi répond :

— Mon ami, vous aurez donc ce que vous voulez, puisque vous le désirez tant et que, nous le voyons bien, cela vous plaît tant. Mais d'abord vous serez adoubé et fait nouveau chevalier.

Il appelle alors deux écuyers qui lui apportent son équipement : lance et écu beaux et bons, un heaume, une épée tranchante, des éperons et un cheval de prix. Quand ils ont tout apporté comme le roi l'a ordonné, ils font vêtir comme il faut le jeune homme et lui passent le haubert. Le roi lui chausse l'éperon droit, lui ceint l'épée au côté gauche et le baise sur la bouche. Puis il lui a demandé son nom :

— Seigneur, Jaufré, fils de Doson : c'est le nom que je porte dans mon pays.

En entendant le nom de Doson, le roi soupira tandis qu'il répondait :

— Quel chevalier, et de quel prix, barons, que ce Doson ! Il était de ma Table et de ma cour. Un chevalier vaillant et courtois que jamais aucun chevalier ne put vaincre en bataille. Pas un dans toute ma terre qui lui fût supérieur, qui fût plus fort que lui ou plus renommé à la guerre. Qu'il plaise à Dieu de l'avoir pleinement en pitié, car il mourut pour moi : un archer le frappa d'un carreau qui lui perça le cœur devant le château, en Normandie, d'un de mes ennemis qu'il combattait.

Pendant qu'il parlait ainsi, un chevalier amène devant Jaufré un cheval balzan : il prend l'arçon d'une main et, depuis le sol même, saute tout équipé sur le cheval, sans toucher à l'étrier. Puis il demande son écu et sa lance : on les lui donne. Il prend la lance, éperonne son cheval, recommande le roi à Dieu et prend congé des autres. Le voilà qui sort de la salle au galop. Son cheval, beau et élégant, file comme une flèche.

II

ESTOUT DE VERFEIL

(A la nuit tombée, Jaufré trouve successivement sur son chemin trois chevaliers morts ou mourants, tous trois victimes d'Estout de Verfeil ; plus loin un nain et d'autres chevaliers qu'il a vaincus préparent son repas près d'un grand feu. Malgré leurs conseils, Jaufré affronte Estout et en est vainqueur. Il revêt son haubert et son heaume, qui le protègent de toutes les armes, et ceint son épée, à laquelle rien ne résiste. Puis il l'envoie avec ses quarante captifs délivrés témoigner de sa défaite à la cour du roi Arthur.)

III

LE CHEVALIER À LA BLANCHE LANCE

(Le lendemain, vers midi, Jaufré voit une lance blanche appuyée à un arbre. Il la prend et laisse la sienne à la place. Un nain qui survient pousse un grand cri. Un chevalier apparaît et provoque Jaufré : s'il est vaincu, il sera pendu,

comme trente-trois chevaliers avant lui ; s'il refuse le combat, il devra s'astreindre à une vie humiliante. Jaufré est vainqueur, et son adversaire est lui-même pendu, tandis que le nain va informer Arthur de ce nouvel exploit.)

IV

LE SERGENT

Laissant le nain, nous parlerons désormais de Jaufré, qui ne veut pour rien au monde s'arrêter, ni pour manger ni pour dormir, tant il est obsédé du désir de poursuivre Taulat. Il se souvient de ce que lui a dit Keu l'importun en présence de son seigneur : qu'il serait plus vaillant quand il serait ivre. C'est pourquoi il se raidit farouchement. S'il le peut, il ne mangera pas tant qu'il n'aura pas affronté Taulat. S'il peut le vaincre, il fera apparaître combien Keu manque de pondération, lui qui s'est exprimé de façon si discourtoise. Au milieu de ces réflexions, il va son chemin jusqu'à ce que la moitié de la nuit soit largement écoulée. Il voit alors en face de lui une grande montagne à l'aspect sinistre, avec un chemin étroit par où il lui faudra passer, car il n'y en a pas d'autre. Comme il chevauche à l'amble, voici qu'un sergent à pied surgit devant lui. Il était musclé, grand et large, leste, fort, bien bâti. Il avait les cheveux tondus et portait trois javelots si affûtés et si tranchants qu'un rasoir ne l'est pas davantage. En dehors d'eux, il n'avait pas d'autre arme qu'un grand couteau à la ceinture et sur le dos une pièce d'armure bien faite et de bonne qualité :

— Halte ! lui crie-t-il, chevalier ! écoute ce que je vais te dire.

Jaufré s'est arrêté et lui a dit :

— Cher ami, que voulez-vous ?

— Je vais te le dire, dit l'homme : il te faut laisser ici ton cheval et tes armes, car sinon, impossible de passer !

Jaufré répond hardiment :

— On ne peut donc pas voyager armé et à cheval, mon ami ?

— Si, mais dans cette vallée je dois prélever cette rente.

— Que le diable emporte ta rente, dit Jaufré, et moi avec, si je laisse mon cheval infatigable et mes armes, aussi longtemps que je serai en état de me défendre !

L'homme répond :

— Si tu ne le fais pas de bon cœur, tu le feras pour ton malheur. Tu verras comme je te les enlèverai. Je vous ferai prisonniers, toi et ton cheval.

— Tu me feras prisonnier ?

— Oui, et tout de suite.

— Et pourquoi ? T'ai-je fait aucun mal, sinon de vouloir passer par ici ?

— Ce n'est pas pour cela, mais parce que tu ne veux pas me laisser tes armes et ton cheval jusqu'à ce que je t'en fasse tomber honteusement.

— Et comment m'en feras-tu tomber ?

— Tu vas le voir tout de suite, dit l'autre. Et maintenant en garde : je te défie !

— C'est entendu, dit Jaufré.

L'homme se prépare alors : il balance un javelot à la hauteur de son oreille, prêt à le lancer. Jaufré n'a pas l'intention de l'attendre, car il craint pour son cheval. Il se met à galoper en tous sens. L'homme jette son javelot qui va frapper l'écu si fort qu'il en fait jaillir feu et flammes, mais sans y pénétrer, tandis que le fer du javelot est plié et le bois rompu et en pièces. Jaufré fait volte-face aussitôt et fond au galop sur le fantassin qu'il croit bien jeter à terre. Mais l'autre, avec agilité, réussit une habile esquive. Il fait un saut de côté et le laisse passer outre, puis il lui lance un autre javelot qui frappe le heaume si fort qu'il semble y mettre le feu : il en fait jaillir de telles flammes que vous pourriez distinguer les deux combattants à leur lueur. Jaufré en est tout étourdi, mais le javelot n'a pas pénétré dans le heaume. Son deuxième javelot brisé, l'homme pensa perdre la raison. Il était fou de colère en voyant que Jaufré n'était pas blessé et que son heaume n'était pas entamé. Jamais auparavant son javelot n'avait manqué, où qu'il frappât, de s'enfoncer sans peine de plus de trois pieds. Jaufré reste un instant étourdi du grand coup qu'il a reçu sur la tête. Puis il virevolte autour de l'adversaire en se demandant comment il pourra s'y prendre pour lui faire lancer son dernier javelot, sans cependant se jeter tout droit sur lui, car il craint par-dessus tout que son cheval soit blessé. Mais l'homme s'en garde bien, car il se dit qu'il aimerait mieux l'avoir vivant. Il court vivement à lui, tenant fermement son javelot ; il le brandit, puis le lance en s'écriant :

— Par le Christ, chevalier, vous allez bien vite laisser ici cheval, haubert, heaume luisant, écu, épée : tout cela ne vous servira de rien !

En entendant ces mots et en voyant le javelot venir sur lui, Jaufré se jette de côté. Le trait arrive dans un grand sifflement et frôle son dos de si près, alors qu'il s'était baissé, qu'il démaille son bon haubert et le déchire sur plus d'un empan — le peu qu'il a atteint, il l'a tranché. Puis il s'éleva si haut que personne ne l'a plus vu ni n'a su où il était allé. Jaufré s'est judicieusement dirigé vers l'homme, quand il a vu qu'il avait jeté ses trois javelots :

— A présent, dit-il, je vais tirer vengeance de vous à la pointe de ma lance.

Tournant la bride du cheval, il vient sur lui lance baissée et ne pense pas désormais le manquer. Mais l'homme se met à sauter et à faire des bonds de côté plus hauts qu'un chevreuil ou un cerf. Une fois Jaufré passé, il se baisse et ramasse devant lui une pierre très dure. Il lui en aurait porté un coup mortel si Jaufré n'avait placé devant lui son écu qui reçut le coup, un coup tel que la pierre se brisa. Elle avait été lancée avec une telle force que le bon écu en fut cabossé. Jaufré était furieux et dépité de ne pouvoir atteindre son adversaire, incapable qu'il était de le talonner ni de le suivre. L'autre est loin devant, l'évite, saute avec tant d'agilité qu'il ne peut avoir le dessus.

— Dieu ! dit Jaufré, roi glorieux, que ferai-je avec ce démon ? On peut me montrer n'importe quoi, cela ne vaut pas un sou à mes yeux si je ne puis parvenir à mes fins !

Il s'approche alors de lui, la lance bien assurée dans la main qui la soutient :

— Maintenant, dit-il, pas de doute, la question va être réglée sur-le-champ : ce sera vous ou moi !

L'homme a tiré le grand couteau qu'il portait à la ceinture :

— Vous aurez tôt fait, dit-il, de me laisser ce qui me revient avant de me quitter !

— Volontiers ! répond Jaufré. Avant que je te quitte, tu auras ton dû : je te rendrai ta politesse.

Et il pense le frapper au moment où il s'approche de lui, mais pas moyen : d'un bond, l'homme s'est écarté. Puis habilement, au moment où Jaufré va le dépasser, il saute sur la croupe du cheval et saisit Jaufré à bras-le-corps en s'écriant :

— Ne bougez pas ! Si vous bougez, vous êtes mort !

Se sentant pris, Jaufré est désolé et ne sait que faire. L'homme l'entoure de ses bras et l'étreint, si bien qu'il n'est plus maître de ses mouvements et qu'il ne peut être à lui-même d'aucun secours. Ils s'en vont ainsi tous les deux, et l'homme dit qu'il le mène en un lieu où il ne connaîtra plus que tourments : jamais prisonnier n'a subi une peine et une douleur comparables à celles qui seront les siennes. Il le conduisit ainsi jusqu'à l'aube, le tenant embrassé devant lui. Quand il commença à faire jour, Jaufré se dit :

« Par le Dieu qui a fait le ciel et la terre, j'aime mieux mourir que de laisser cet homme m'emmener ainsi prisonnier. Je vais tout de suite voir si je peux m'en tirer. »

Il jette alors sa lance au loin et attrape par le bras droit celui qui le tenait si serré. Il lui tire et lui tord tellement le bras qu'il lui a pris des mains son couteau et l'a laissé tomber à terre, car il ne pouvait rien en faire. Puis, des deux mains, il prend le bras gauche, encore valide, et le tire avec une force telle qu'il le lui arrache du corps. Alors il a précipité l'homme à bas du cheval : peu s'en est fallu qu'il lui rompe le cou. Jaufré met pied à terre. Étendu de tout son long sur le sol, l'homme ne bouge plus d'un pouce ; il implore seulement pitié à grand-peine. Jaufré lui dit :

— Par le Dieu que j'adore, jamais je n'aurai pitié d'un voleur : pas de pitié pour lui !

Et il lui tranche les deux pieds :

— A présent, lui dit-il, je vous prie de ne plus courir, de ne plus sauter et de ne plus attaquer les chevaliers. Apprenez un autre métier : vous avez trop longtemps exercé celui-là.

(Jaufré délivre vingt-cinq chevaliers retenus captifs dans la maison du sergent sous la garde d'un nain. Il les envoie avec leur gardien à la cour du roi Arthur, non sans qu'ils se soient réjouis au passage d'abandonner au milieu du chemin le sergent sans bras ni pieds. Tous lui crient en chœur : « Par ma foi, vous resterez là ! »)

V

LES LÉPREUX

Nous parlerons à présent de Jaufré, qui va au trot et au galop, le plus vite possible, à la poursuite de Taulat. Jusqu'à ce qu'il l'ait trouvé, il n'aura plaisir à rien et ne prendra ni repos ni bon temps. Il y a deux nuits qu'il n'a pas dormi et il n'a pas mangé depuis qu'il a quitté le roi, lorsque le sénéchal Keu lui a tenu, vous l'avez vu, des propos désagréables. S'il le peut, il ne mangera pas avant de s'être mesuré à Taulat, qu'il aura tant cherché. Il a ainsi chevauché jusqu'à ce que l'heure de tierce fût passée. Il s'est levé alors une grande chaleur qui a fatigué son cheval : il a dû le faire avancer au pas. Car si on ne mange ni ne boit ni ne se repose, il est naturel qu'on soit fatigué. Voilà donc le cheval harassé et Jaufré épuisé. Mais il a si peur de prendre du retard qu'il ne veut s'arrêter nulle part. Il avance donc tout doucement quand il voit venir à vive allure un écuyer beau et bien fait dont la tunique était déchirée jusqu'au-dessous de la ceinture. Il manifestait une douleur extrême : des deux mains il s'arrachait ses cheveux blonds et lisses, il se frappait et s'égratignait le visage au point que le sang lui dévalait sur la poitrine. Du plus loin qu'il vit Jaufré, il s'écria :

— Vaillant chevalier, sauve ta vie, fuis aussi vite que tu pourras !

— Qu'as-tu, mon ami, lui demande Jaufré, et quel est ton sentiment ?

— Noble chevalier de bonne mine, fuis bien vite, pour l'amour de Dieu, car tu aurais tôt fait d'attendre jusqu'à ce qu'il soit trop tard !

— Mon ami, dit Jaufré, as-tu perdu le sens de t'être ainsi déchiré les vêtements, le visage, les cheveux ?

— Non, seigneur, répond le jeune homme. C'est au contraire le bon sens qui vous parle par ma bouche : fuyez vite, croyez-moi !

— Pourquoi donc m'invites-tu à fuir puisque, à part toi, je ne vois venir personne dont je doive avoir peur ? Tu es fou et tu le fais bien voir.

— Non, seigneur, par ma foi, je ne le suis pas.

— Si, tu l'es, puisque tu ne veux pas me dire pourquoi tu m'invites à rebrousser chemin.

— Seigneur, c'est pour te sauver la vie.

— Dis-moi donc tes raisons.

— Seigneur je ne saurais vous décrire — un an n'y suffirait pas — celui qui m'a fait une telle peur et qui a tué mon bon seigneur, un chevalier très vaillant, qui menait avec lui une charmante jeune fille, belle et gracieuse, de très grande naissance, fille d'un puissant comte normand. Cet être l'a enlevée contre son gré et il m'a tellement épouvanté qu'il me fait frémir encore.

— C'est pour cela que tu me conseillais de fuir, dit Jaufré, parce que tu as peur ? Je te tiens pour un pauvre sot.

Comme ils parlaient ainsi, surgit un lépreux avec un enfant qu'il portait dans ses bras. Derrière lui venait une femme qui criait, pleurait, gémissait, s'arrachait les cheveux. Elle alla tout droit à Jaufré :

— Seigneur, par Dieu tout-puissant, je vous crie merci. Secourez-moi et rendez-moi vivant mon enfant que le lépreux emporte : il l'a enlevé devant ma porte.

— Dis-moi, femme, pourquoi te l'a-t-il enlevé ?

— Pour rien, seigneur, pour le plaisir.

— Il n'y a pas d'autre raison ?

— Non, seigneur, par la foi que je dois à Dieu.

— En ce cas, dit Jaufré, je vais te le rendre tout de suite, mort ou vif, si je peux, puisque le lépreux est dans son tort.

Il éperonne son cheval et se dirige en hâte vers le lépreux, tandis que la femme trotte derrière lui.

— Messire le traître, crie Jaufré, lépreux insensé, rustre insupportable, tu n'emporteras pas cet enfant !

Mais l'autre se retourne et lui fait la figue :

— Tiens, dit-il, prends-en plein la figure !

Et il ne fait pas ce geste une seule fois, mais trois ou quatre.

— Sur ma tête, dit Jaufré, vous me paierez votre grossièreté, messire le lépreux puant : si je peux, je vous ôterai la vie.

Le lépreux était près de l'abri de sa maison, et il y entre. Jaufré arrive tout de suite après devant la porte par où il est entré, et descend de cheval. La femme le rejoint, pleurant et criant : « Dieu nous aide ! » Jaufré lui ordonne de garder son cheval et sa lance jusqu'à ce qu'il revienne. Alors il entre dans la maison, l'épée à la main, l'écu au bras. C'était une belle et grande maison. Un autre lépreux, d'un aspect terrible et farouche, était couché sur un lit et tenait embrassée une jeune fille, la plus belle du monde à ce que je crois. Elle avait le teint plus frais qu'une rose à peine éclose. Sa tunique était déchirée jusqu'en dessous des seins, qu'elle avait plus blancs que fleur de farine. Elle se plaignait bien fort, manifestait un grand désespoir, et ses yeux étaient plus grands que de coutume, tant elle avait pleuré. Le lépreux s'est aussitôt levé et a pris une grande massue. Jaufré fut saisi d'effroi en le voyant si monstrueux : il était bien aussi haut qu'une lance et ses épaules faisaient bien deux brasses. Il avait les bras épais, les mains enflées, les dents crochues et toutes déchaussées, le visage couvert de bosses — de grosses bosses extraordinaires, les paupières sans cils, dures et enflées, les prunelles obscures, les yeux troubles et éraillés, tout bordés de rouge, les gencives retroussées, bleuâtres, épaisses et gonflées. Il avait de grandes dents rousses, vénéneuses et puantes. Tout son visage était vermeil et enflammé comme un charbon ardent et son nez écrasé avec de larges narines. Il soufflait et était si enroué qu'il pouvait à peine parler. Il s'approcha de Jaufré et lui demanda :

— Qui t'a amené ici ? Es-tu venu te rendre prisonnier ?

Jaufré répondit que non.

— Alors pourquoi es-tu entré ici ? Que cherches-tu ?

— Un lépreux qui, sous mes yeux, est entré ici avec un enfant que sa mère m'a supplié en pleurant de lui rendre, pour l'amour de Dieu.

— Tu trouveras bien qui t'en empêchera, espèce de fou, de rustre, d'insolent ! Ta mauvaise étoile t'a conduit ici. Tu t'es levé sous de mauvais auspices, car tu n'as plus longtemps à vivre.

Alors il brandit sa massue et l'assène de telle façon sur l'écu de Jaufré qu'au premier coup il l'a jeté à terre. Il veut lui porter un second coup, mais Jaufré s'est remis sur ses pieds et fuit devant le coup qu'il voit venir. Heureuse fuite, car la massue va donner si fort sur le sol qu'elle le fait tout trembler et que toute la maison en frémit. Jaufré bondit alors, court sus au lépreux et, rassemblant ses forces et son courage, il lui porte, de l'épée qu'il tient à la main, un coup si bien dirigé qu'il lui tranche un empan de sa tunique blanche et le gras de la hanche, la chemise et la ceinture, et tout un morceau de ses braies — il ne pouvait pas l'atteindre plus haut. L'épée va frapper le sol avec une telle force qu'elle s'y enfonce de la largeur d'une main. Se sentant blessé et voyant son sang couler à terre, le lépreux, furieux, attaque à nouveau. Il lève sa massue à la hauteur de l'épaule. Cette fois Jaufré ne peut esquiver par un déplacement rapide, mais il s'abrite derrière un pilier, ne voulant pas attendre le coup. Le lépreux abat sa massue sur le pilier : il l'ébranle tout et manque de l'abattre, au point que toute la maison en tremble. A l'écart, la jeune fille est en oraison, mains jointes et à genoux, et elle prie Dieu humblement :

— Seigneur, toi qui naquis, c'est la vérité, de la sainte Vierge Marie et donnas une compagne à Adam après l'avoir fait à ta ressemblance, toi qui souffris pour nous la passion, fus cloué sur la croix, eus le flanc percé de la lance : défends-moi de ce démon et protège ce chevalier de la mort par ta sainte douceur. Donne-lui force et vigueur pour qu'il puisse l'emporter sur l'autre et me délivrer de ses mains.

Et voilà que Jaufré s'approche avant que le lépreux se soit redressé et lui porte un tel coup sur le bras droit qu'il le lui a tranché complètement et l'a séparé de l'épaule. Voyant son bras tombé à terre, le lépreux pousse un cri. Ivre de douleur, il s'avance, haineux, sur Jaufré, qui ne l'attend pas, car il a bien vu comment il savait frapper : c'est pourquoi il veut esquiver son coup. Mais il ne l'esquive pas assez pour l'empêcher de le lui donner au passage sur la tête, si fort qu'il le fait s'agenouiller et lui fait jaillir le sang par la bouche et par le nez. La massue va frapper le sol avec tant de force qu'elle se brise par le milieu. Tenant son épée nue, Jaufré va frapper le lépreux au-dessus du genou : il lui tranche la peau, la chair ; l'os lui-même, dur et gros comme il était, il l'a complètement tranché. L'autre s'écroule dans un tel fracas qu'on aurait dit la chute d'un grand arbre. Jaufré se précipite, tenant son épée nue levée sur lui :

— Désormais, dit-il, par ma foi, nous ferons la paix, vous et moi, et je sais que vous me ferez droit !

Et, pendant que l'autre était sur son séant, il lui donne un coup d'épée d'une telle violence sur la tête qu'il la fend jusqu'aux dents. Cependant le lépreux décoche une ruade : son coup de pied envoie Jaufré à l'autre bout de la pièce. Il heurte le mur si fort qu'il en perd la vue et l'ouïe et va s'écrouler à terre sans pouvoir dire une parole. L'épée lui était tombée des mains — il était incapable de se défendre — et le sang tout vif, clair et vermeil, lui sortait par le nez et par la bouche. Il ne bougeait pas plus qu'une souche. La jeune fille s'est alors approchée de lui, toute éperdue, le voyant ainsi tombé de tout son long à terre. Elle pensait bien qu'il était mort. Elle délace la ventaille, puis le heaume luisant. Quand elle lui eut mis la tête à l'air libre, Jaufré poussa un soupir. Sans perdre de temps, elle court chercher de l'eau claire qu'elle lui jette sur le visage. Il se lève comme il peut et, croyant tenir son épée, il donne à la jeune fille un tel coup près de l'oreille que, s'il avait vraiment eu son épée nue, il l'aurait fendue par le milieu, tant il avait frappé avec violence. C'est qu'il croyait avoir affaire, non pas à elle, mais au lépreux. Il a tellement peur de ses coups de massue qu'il en est tout égaré : il croit sans cesse qu'il va être frappé et il fuit en courant à travers la salle en homme qui a perdu le sens et ne voit ni n'entend ni ne sait où il est. Il se place derrière un pilier et s'y tient appuyé, tenant devant lui pour se protéger l'écu passé à son bras, car il croit toujours qu'on va le frapper. La jeune fille s'approche doucement de lui et lui dit avec bonté :

— Noble et charmant chevalier, regardez, et voyez qui vous parle. Rappelez-vous votre valeur chevaleresque qui vous donne le pas sur tous, votre prix, votre vaillance. N'ayez plus peur désormais. Otez ce bouclier de devant votre poitrine, car le lépreux est vaincu et tué.

Jaufré revient à lui et, sentant sa tête désarmée, répond à la jeune fille :

— Dites-moi, demoiselle, qui a enlevé le heaume de ma tête et où est ma bonne épée.

Elle lui répond bien vite :

— Seigneur, je vais tout vous rendre. J'ai désarmé votre tête uniquement, croyez-le, pour votre bien. Quand j'ai vu le coup que vous aviez reçu, je vous ai cru mort. Je suis vite venue vous enlever votre heaume et apporter de l'eau dont je vous ai arrosé le visage. Aussitôt vous vous êtes relevé. Mais votre épée est restée sur le sol : vous ne l'avez pas perdue.

— Et le lépreux, jeune fille, que fait-il ? Où est-il allé ?

— Seigneur, il est mort. Le voici étendu, qui ne bouge ni ne remue.

Jaufré s'approcha de lui péniblement et le vit étendu de tout son long. Il lui manquait un bras et un pied, et sa tête était si affreusement fendue que la cervelle en était sortie. Jaufré s'assit sur un banc jusqu'à ce qu'il eût complètement recouvré ses esprits. Puis il se mit à fouiller la maison pour voir s'il pourrait retrouver l'enfant que le lépreux y avait conduit sous ses yeux. Mais il a beau chercher, il n'en trouve pas trace, ce qui l'afflige et l'irrite.

— Mon Dieu, dit-il, où donc est allé ce lépreux avec cet enfant ? Jeune fille, je vous le demande : ne l'auriez-vous pas vu sortir ?

— Seigneur, par le Christ, je ne peux vous le dire, répond-elle, et je ne sais où il est. J'étais si désespérée, j'avais si peur de ce lépreux que, si on m'avait enfoncé dans le corps un couteau entier, je n'aurais pas su qui l'aurait fait.

— Je le trouverai sans tarder, ici ou dehors, dit Jaufré. Je ne donne pas un sou de moi-même si je ne puis rendre l'enfant à sa mère et faire payer au lépreux la honte et l'avanie qu'il m'a faites. Puisqu'il n'est pas à l'intérieur, j'irai le chercher dehors, pour voir si je pourrai le trouver.

Il gagne rapidement la porte et veut sortir, mais il ne le peut pas : il a beau dire et beau faire, il ne peut franchir la porte. Il en est fort étonné :

— Dieu, dit-il, suis-je donc victime d'un enchantement, que je ne puisse pas sortir d'ici ?

Il pensa alors qu'il pourrait d'un bond se retrouver dehors, mais il ne pouvait pas bouger les pieds ni leur faire franchir le seuil. Quand il vit que ses efforts étaient inutiles, il revint s'asseoir à l'intérieur, furieux et désespéré : il pleure, il grogne, il soupire. Puis il se lève, va se placer le plus loin possible de la porte, et, arrivant en courant, pense pouvoir sauter dehors. Mais il n'en est rien : il pourrait s'acharner pendant un mois, pendant deux ans, trois ans entiers, qu'au bout de tout ce temps il ne serait toujours pas sorti.

Laissons-le maintenant où il est, car les médisants et les rustres me font changer le cours de mes pensées : je ne puis être joyeux quand je vois tant de gens sans savoir-vivre. Le fils de quelque chambrière ou de quelque vil bâtard, sorti on ne sait d'où, quand il a amassé de l'argent, qu'il est bien vêtu, bien chaussé, le voilà qui se croit l'égal du meilleur. Ce sont eux qui font déchoir Prix, Joie, Plaisirs-de-la-société et Courtoisie. Ils ont tant exalté Vilenie que tous se mettent à son école : sur cent, je n'en puis trouver un seul qui maintienne Prouesse ou qui aime autrement qu'en paroles, au point que je ne sais plus discerner les meilleurs. C'est pourquoi j'ai au cœur une grande douleur quand je me rappelle les prouesses, les exploits, les largesses, la vie qu'ont menée ceux qui nous ont précédés. Je vois bien à présent que tout est perdu, car ceux d'aujourd'hui apprendraient plus volontiers à commettre une folie qu'à accomplir une prouesse. Quand ils entendent parler quelque part de Plaisirs-de-la-société, de Bienséance, de Prix, de Courtoisie, ils passent aussitôt leur chemin. Ils auront bien du mal à parler ou à agir courtoisement, ceux qui ne veulent pas écouter Courtoisie ! Ils ressemblent à du bois recouvert d'une riche peinture, qui est à l'intérieur pourri et vermoulu tout en ayant au-dehors une belle apparence. C'est ainsi qu'un homme vil, mais bien vêtu, a au-dehors une belle apparence, mais au-dedans est pourri et tout farci de vice. Ils en sont si remplis et enflés qu'il ne peut tenir tout entier à l'intérieur et qu'il paraît au-dehors. C'est pourquoi, en voyant que tout a ainsi changé, j'ai tant de colère au cœur que c'est à peine si je peux composer mon poème en trouvant les mots qu'il faut et en les plaçant avec agrément au bon endroit. J'étais sur le point de tout laisser tomber et de ne plus vous dire un mot de Jaufré et de sa prison, mais je vais vous l'en faire sortir pour l'amour du bon roi d'Aragon, que je veux servir autant que je l'aime. Car nous devons bien honorer le meilleur de tous, puisque Dieu lui fait honneur, et nous devons bien lui obéir et l'aimer, car ni misérable rustre ni bavard n'ose apparaître à sa cour. Ses manières sont simples et agréables, il est aimable pour ses amis et si farouche pour ses ennemis qu'il les fait tous trembler. Il se fait ainsi craindre de tous, car les misérables l'aiment par peur et les gens de bien par affection naturelle. Et moi, pour l'amour de lui, je reviendrai à Jaufré, je le délivrerai de la prison où il est entré, et je n'oublierai pas non plus l'enfant : il sera rendu à sa mère. Tout cela ne va pas tarder. Quant à la jeune fille dont le lépreux avait déchiré les vêtements et qu'il voulait violer, elle sera délivrée aussi.

Je vais donc vous parler de Jaufré et vous dire combien il est malheureux et angoissé, tout honteux aussi, de ne pouvoir sortir de là, quoi qu'il puisse dire ou faire.

— Hélas ! dit-il, Roi glorieux, mon Père, comment ai-je bien pu croire que je viendrais à bout de ce pourquoi j'étais venu ici ? Je vois bien maintenant que mon prix est abaissé, lui que je croyais augmenter. J'aurais préféré mourir les armes à la main ou être blessé en mille endroits plutôt que de demeurer ici sous le coup d'un enchantement, car je ne peux plus désormais accroître ma valeur. Hélas ! mon Dieu ! pourquoi m'avoir permis d'entrer ici et de tuer ce démon, s'il m'a ainsi fait prisonnier ? J'aurais préféré qu'il me tuât, car je n'ai plus rien à présent pour me réconforter et jamais plus, je crois, je ne reverrai mon seigneur le roi, pas plus qu'il ne me reverra.

Tandis qu'il se lamentait ainsi, il entendit soudain des enfants en grand nombre crier de toute leur voix :

— Seigneur, notre Dieu, secourez-nous !

Il se dirige aussitôt dans cette direction, sans flâner, certes, mais au contraire en courant. Il passe la porte d'une grande salle longue et large et trouve ensuite une autre petite porte, verrouillée et fermée de l'intérieur. Il se met à appeler et à crier bien fort : « Ouvrez ! » mais nul ne lui répond. Il frappe, cogne, secoue tant et si bien qu'il brise la porte. Il bondit à l'intérieur, l'épée nue, et là il a trouvé le lépreux qui tenait un grand couteau et avait tué huit enfants. Il en restait, petits et grands, de vingt-cinq à trente, qui tous pleuraient et se lamentaient. Jaufré est saisi de pitié. Il donne au lépreux un coup de pied qui l'envoie à terre et s'apprête à le frapper encore. L'autre, tout tremblant de peur, appelle son maître.

— Par Dieu ! seigneur enflé, lépreux puant, dit Jaufré, vous ne le verrez plus. Il est mort, bien mort, et vous, vous allez perdre sur-le-champ la main avec laquelle vous m'avez fait la figue. Ainsi, vous ne recommencerez plus.

Et il le frappe si fort que d'un seul coup d'épée il lui emporte la main. Le lépreux est tombé à terre. Puis il se relève tout éperdu et se jette aux pieds de Jaufré en s'écriant :

— Pitié, seigneur ! Aussi vrai que Dieu fut mis en croix, qu'il ait pitié de vous ! Noble chevalier, ne me tuez pas : ce serait un grand péché, car c'est contraint et forcé, avec douleur et désespoir, que j'ai tué ces huit enfants et que je devais faire subir le même sort à tous. Mon maître m'obligeait, malgré moi, à recueillir ici leur sang — je ne vous mens pas, par la foi que je dois à Dieu ! — parce qu'il lui fallait s'y baigner pour guérir de la lèpre.

Jaufré lui dit :

— Si tu veux rester en vie, dis-moi en toute vérité si je puis sortir d'ici.

— Oui, seigneur, répond-il, que Dieu me garde, si vous me garantissez la vie sauve, vous serez sorti dans un instant. Mais, je vous avertis, si vous me tuez sans connaître les enchantements, grands et terribles, de ce lieu, vous pourrez rester ici cent mille ans sans que rien puisse vous en faire sortir.

— Promets-moi donc, dit Jaufré, que tu feras pour moi ce qui est convenu.

— Oui, par ma foi, s'il plaît à Dieu, bien volontiers, répond le lépreux.

— Alors, dit Jaufré, passe devant, je te suivrai : libère-moi d'ici.

— Seigneur, je ne peux pas le faire si vite, car vous ne pouvez pas sortir si facilement. Il vous faut souffrir encore plus de maux que vous n'en avez endurés.

— Dis-moi clairement si tu peux me libérer ou non.

— Oui, seigneur.

— Dis-moi comment : ne me fais plus perdre de temps, car je me mets en retard et je veux m'en aller.

— Seigneur, dit l'autre, — que ma foi me vienne en aide ! — celui qui a fait cet enchantement l'a établi de telle manière que tout homme qui entrait dans cette maison dans une intention hostile devait y rester prisonnier jusqu'à ce que mon maître l'en tirât pour le tourmenter cruellement. Mais sur ce mur il y a une tête de jeune garçon placée dans une fenêtre. Prenez-la, brisez-la aussitôt et l'enchantement disparaîtra. Mais il est nécessaire que vous soyez revêtu de vos armes, car vous recevrez des coups violents. Toute cette maison s'effondrera et disparaîtra avec l'enchantement.

Jaufré lui demande :

— Me dis-tu bien la vérité ?

— Oui, seigneur, soyez sans crainte.

— Malgré tout, je veux prendre mes précautions.

Aussitôt il lui attache les bras étroitement et solidement. Ensuite il l'a confié à la jeune fille en lui disant :

— Mademoiselle, voici ce que vous allez faire : gardez-moi bien
ce lépreux et, s'il m'a menti en quelque manière, faites-le mourir de
male mort.

Puis il les fait sortir tous et reste seul. Il lace son heaume luisant et
s'approche de la fenêtre. Il y voit la tête, élégante, belle et bien faite.
Aussitôt il l'a prise et va s'asseoir sur un banc. Puis il lui donne un
coup qui l'a partagée en deux. La tête bondit et crie, siffle, mène
grand tapage. Il semble que tous les éléments, le ciel et la terre se
mêlent. Il ne reste pierre ni poutre qui ne combatte l'une contre
l'autre, qui ne s'abatte sur Jaufré, qui ne le frappe de telle sorte que,
si cela continue, ce sera l'épouvante. L'obscurité se fait, il tonne, il
pleut. Jaufré reste là sans bouger : il se contente de mettre son écu
sur sa tête. La foudre et la tempête s'abattent. Il n'y a solive ni che-
vron, tuile, pierre ni moellon qui ne le le frappe ou ne le heurte. Le
ciel est trouble et obscur. Il se lève un vent si fort qu'il emporte tout
à l'instant : peu s'en est fallu qu'il n'ait emporté aussi Jaufré, si
celui-ci n'avait pas invoqué Dieu. Il se lève une telle poussière, un tel
fracas, une telle fumée qu'on ne pourrait voir le ciel. Les pierres, les
éclairs, la foudre se mettent à tomber sans interruption. Avec ce
vent toute cette malédiction s'en est allée. Il n'est rien resté de la
maison, pas même les fondations, comme s'il n'y avait jamais rien eu
à cet endroit.

Jaufré reste là tout moulu, meurtri de tant de coups qu'il sait à
peine où il en est. Il va s'étendre dans un coin, épuisé. La femme et
les enfants, la jeune fille et le lépreux, qui s'étaient réfugiés loin de
là sous une grande roche escarpée, ont vu comment ont disparu
ensemble la maison et l'enchantement. Ils accourent vers lui et le
trouvent étendu à terre, bien fatigué.

*(Jaufré envoie la jeune fille, le lépreux, la femme et les enfants à la cour du
roi Arthur, où ils content ses exploits, tandis que lui-même repart à la poursuite de Taulat.)*

VI

DANS LES MURS DE MONBRUN

En voilà assez sur ceux qui se sont acquittés de leur message. Lais-
sons-les à présent, car nous devons parler de Jaufré. Il s'en va tout
doucement sans trouver, voir ou entendre personne qui lui donne
des nouvelles véridiques de celui qu'il cherche. Il est fatigué et accablé d'avoir été tellement frappé et meurtri, et il est resté si longtemps

sans manger, sans dormir et sans se reposer qu'à chaque instant il pense qu'il va tomber de faiblesse, car il ne peut plus se soutenir sur son cheval. Il a tellement sommeil qu'il s'endort à tout moment et à tout moment se laisse aller d'un côté ou de l'autre, au point qu'il a toujours peur de tomber. Il chemina ainsi jusqu'au soir, sans suivre chemin ni route, sans voir ni savoir où il était, laissant son cheval le mener. La nuit était belle et douce, toute claire.

Et voici qu'il arrive par hasard dans un verger tout enclos de marbre. Je ne pense pas qu'il existe au monde une seule espèce d'arbre, pourvu qu'elle soit belle et bonne, qui n'y ait un ou deux représentants, ni herbe bénéfique ni belle fleur qui ne s'y trouve en abondance. Il s'exhale de là un parfum aussi puissant, aussi doux, aussi agréable que si c'était le paradis. Dès la chute du jour, les oiseaux de ce pays, jusqu'à une grande journée de chemin tout autour, y viennent jouer dans les arbres ; puis ils se mettent à chanter si harmonieusement, si doucement qu'il n'est pas d'instrument si agréable à écouter, et ils continuent jusqu'à l'aube. Ce verger appartient à une jeune fille qu'on appelle la belle Brunissen et son château a nom Monbrun. Et ne croyez pas qu'elle n'en a qu'un : elle en possède beaucoup d'autres. Mais Monbrun est le plus important et a la prééminence.

La jeune fille n'avait père ni mère, ni mari ni frère. Tous étaient morts et avaient quitté ce monde. Ainsi elle possède tout l'héritage, qui n'a pas d'autre maître. Dans le château, il y a en abondance ménestrels, bourgeois, jeunes hommes courtois qui vivent toute l'année dans l'insouciance, maintenant Joie et Plaisirs-de-la-société, jongleurs de toutes sortes qui tout le jour vont par les rues, chantant, dansant et folâtrant, faisant de beaux récits des prouesses et des guerres qui ont lieu en terres étrangères, dames aux bonnes manières et à la conversation agréable, habituées à accueillir agréablement, à faire agréablement des dons, à manifester toutes les qualités. Elles ont tant de prix, elles sont si enjouées que chacune dit qu'elle vaut mieux que l'autre et se considère comme la plus belle. Si on les prie d'amour, elles savent répondre de façon agréable et appropriée, que ce soit pour accepter ou pour se dérober.

Les huit portiers du château ont chacun sous ses ordres mille chevaliers pour garder les huit portes. Quand on leur fait la guerre, ils sont tous ensemble à leur poste et de cette façon ils ont déjà résisté longtemps. Chacun a l'esprit occupé par l'amour et pense aimer la meilleure. C'est pourquoi ils sont tous preux et vaillants, charmants, avec de bonnes manières, et chevaliers excellents. Car c'est l'amour qui rend plus vaillant, plus enjoué, plus généreux, c'est lui qui garde le mieux de la bassesse. Les hommes bas ne se soucient nullement qu'on parle d'eux en mal ou en bien, car ils sont tous — sachez-le en vérité — livrés à la bassesse en paroles et en actions. Mais celui qui veut augmenter sa valeur doit être généreux, accueillant, aimable avec tout le monde. Tous ceux du château sont ainsi. Pas un, laid ou beau, qui ne soit d'un abord agréable et qui ne fuie la méchanceté.

Le palais est bâti de grandes pierres sombres et carrées, et ceint tout autour d'un rempart aux créneaux serrés. Les tours sont sombres aussi ; au milieu il en est une superbe, haute, puissante, bien d'aplomb, que jamais rien au monde ne pourra forcer. Là, cinq cents demoiselles, nuit et jour, servent Brunissen à son plaisir. Mais Brunissen l'emporte sur toutes par sa grande beauté. On pourrait chercher dans le monde entier et énumérer toutes celles qui y ont vécu : on n'en trouverait pas une seule aussi belle et aussi bien faite. Ses yeux et son beau visage font oublier, à qui les contemple avec attention, toutes celles qu'il a vues : il en aura perdu jusqu'au souvenir. Car elle est plus fraîche, belle et blanche qu'après le gel la neige sur la branche ou que la rose et la fleur de lis. Pas la moindre imperfection en elle, rien qui soit peu seyant ou désagréable. Elle est faite avec une telle perfection qu'elle n'a besoin de rien de plus ou de moins. Sa bouche est si gracieuse que, quand on la regarde bien, elle semble toujours dire qu'on aille lui donner un baiser. Elle serait deux fois plus belle si depuis près de sept ans elle n'était plongée sans relâche dans la tristesse et le souci, au point d'avoir perdu toute allégresse. Chaque jour, il lui faut à quatre reprises gémir et manifester sa douleur. Chaque nuit elle se lève trois fois, pleure jusqu'à l'épuisement et manifeste une douleur si violente qu'il est étonnant qu'elle soit encore en vie et qu'elle puisse dormir et se reposer. Elle va écouter les oiseaux dans le verger qu'elle a au pied du rempart, et quand elle les a écoutés, elle se calme, se rendort, puis se réveille à nouveau, se lève, gémit, se lamente. Et tout le monde, dans ses domaines, se livre aux mêmes démonstrations : chacun crie, pleure, gémit — jeune ou vieux, petit ou grand.

Jaufré mit pied à terre et entra dans le verger par une porte qu'il avait trouvée, grande, belle et bien ouvragée. Il ôta le frein à son cheval et le laissa paître à volonté la belle herbe nouvelle qui ranima ses forces et le rafraîchit. Puis il mit son écu sous sa tête, et ni bruit ni tapage ne purent l'empêcher de s'endormir, après toutes les peines qu'il avait subies : c'est à peine s'il l'entendait. Brunissen s'entretenait avec quelques chevaliers qui étaient de ses familiers dans son palais, après le souper, jusqu'à ce qu'il fût l'heure de se coucher. Elle leur dit alors :

— Séparons-nous pour ce soir.

Et tous quittèrent le palais. Brunissen entra dans sa chambre privée avec celles qui devaient la servir. Elle pensait entendre, comme chaque soir, les oiseaux chanter à l'heure de son coucher. Elle n'en entend aucun : la voilà irritée. Elle dit que c'est certainement une bête qui est entrée dans son verger ou quelque chevalier étanger, pour son tourment et son dommage. Elle envoie en hâte une jeune fille chercher le sénéchal, qui arrive aussitôt et lui demande :

— Qu'avez-vous entendu ?

— Il me traite bien mal, dit-elle, celui qui est entré dans mon verger : il a fait peur aux oiseaux qui à cause de lui ont cessé de chanter. A présent il me sera difficile de me reposer.

Et elle lui ordonne d'aller voir qui est là : si c'est un homme, qu'il le tue ou le fasse prisonnier.

— Ma dame, répond-il, très volontiers.

Il fait venir deux écuyers portant chacun une grande torche et ils vont là-bas en toute hâte. Quand ils sont entrés dans le verger, ils y trouvent Jaufré endormi, la tête sur son écu. Le sénéchal lui crie bien fort de se lever immédiatement, mais il n'entend rien. L'autre le pousse et le secoue en lui disant :

— Levez-vous tout de suite, sinon je vous tue.

Jaufré se réveille alors, se dresse sur son séant et répond avec courtoisie :

— Noble chevalier, de par Dieu, n'en fais rien ! Que tes qualités chevaleresques, ta valeur, ta bonne éducation viennent à mon aide ! Laisse-moi dormir tout mon saoul !

Mais l'autre répond :

— Vous ne dormirez pas plus longtemps ici, mais vous monterez avec moi vous présenter devant ma dame, que cela vous plaise ou non. Elle n'aura pas de joie au cœur tant qu'elle n'aura pas tiré vengeance de toi, car tu es entré dans son verger pour faire peur à ses oiseaux et tu lui as ôté le sommeil et le repos.

— Dieu me garde ! dit Jaufré, tu ne m'y conduiras pas sans bataille, à moins que tu attendes que j'aie assez dormi.

Voyant qu'il cherche la bataille et qu'il la réclame, le sénéchal ordonne à un des écuyers qu'on lui apporte ses armes. Quant à Jaufré, il s'est rendormi, et il dormit jusqu'à ce que l'écuyer eût apporté au chevalier ses armes et lui eût amené son cheval. Le sénéchal s'écrie alors :

— Debout, combattant ! Tu as devant toi un chevalier !

Comme Jaufré ne dit mot et continue à dormir profondément, il le secoue et le pousse jusqu'à ce qu'il l'ait réveillé. Se voyant traité sans égards, Jaufré répond, après s'être levé :

— Chevalier, tu me fais grand tort en ne me laissant pas dormir. Je peux à peine me soutenir tant j'ai sommeil et tant je suis brisé de fatigue. Mais puisque je vois que tu es bien décidé à combattre avec moi, si je peux t'abattre de ton cheval, me laisseras-tu ensuite dormir ?

— Oui, dit le sénéchal, par Dieu ! n'aie aucune crainte en ce qui me concerne.

Jaufré court à son cheval, lui met le frein, le sangle. Le voici aussitôt en selle. Il se précipite avec fougue vers l'endroit où est le sénéchal. Celui-ci, de son côté, lui court sus impétueusement et le frappe, sans cependant le renverser ni même l'ébranler. Jaufré lui assène un coup si vigoureux qu'il le jette à terre.

— Désormais, lui dit-il, si cela ne vous ennuie pas, vous me laisserez dormir, j'espère, puisque vous vous y êtes engagé.

— Oui, car j'ai toute raison de le faire.

Puis il fait volte-face en donnant de l'éperon, tout honteux et furieux. Rentré au château, il va trouver sa suzeraine Brunissen qui lui dit :

— Venez ici ! Qu'avez-vous découvert dans le verger ?

— Ma dame, un chevalier armé, le meilleur que l'on puisse trouver. Il dormait si fort que j'ai eu bien du mal à le réveiller.

— Et comment l'avez-vous laissé partir ? Pourquoi ne me l'avez-vous pas amené ? Ce n'est pas une raison pour le laisser maintenant en liberté : gardez-vous-en, car, Dieu me garde, je ne mangerai pas jusqu'à ce que je l'aie vu pendu.

Le sénéchal lui répond :

— Par ma foi, ma dame, je ne peux le décider à venir ni le tirer de son sommeil.

Et elle :

— Faites appeler mes chevaliers par le guetteur.

— Très volontiers, ma dame.

Il ordonne au guetteur de sonner le rassemblement des chevaliers : ils sont bien cinq cents à accourir en un instant. Ils se tiennent, tout équipés, au milieu de la salle. Toute courroucée, Brunissen leur dit :

— Barons, un chevalier méchant, agressif, arrogant est entré dans mon verger, dont il a effrayé les oiseaux pour mon tourment et mon malheur. Mon sénéchal n'a pu le contraindre à se présenter devant moi, tant il est orgueilleux. Si pour cela je ne lui fais pas couper la tête et je ne le fais pas mourir dans les souffrances, je ne veux plus conserver mon fief.

Alors un chevalier appelé Simon le Roux — beau et fort, arrogant et farouche, excellent chevalier — lui répond :

— Ma dame, j'irai là-bas, avec votre permission, et, si je le trouve, je le ramènerai mort ou vif.

— Seigneur, dit-elle, j'y consens très volontiers.

— Sur ma tête, Simon, dit le sénéchal, ne prenez pas la chose à la légère. Il sait très bien défendre sa cape. Je tiens pour vaillant celui qui la lui enlèvera.

Simon est alors monté à cheval et il est entré dans le verger où il a trouvé Jaufré endormi.

(Simon le Roux reçoit le même traitement que le sénéchal. Le chevalier qui lui succède est grièvement blessé. Chaque fois, Jaufré croit avoir affaire au même adversaire qui n'aurait pas tenu sa parole de le laisser dormir en échange de la vie sauve. Brunissen perd patience :)

— Me voilà pourvue de bien mauvais défenseurs ! Qu'ils y aillent à cinquante ou à cent, à plus si c'est nécessaire ! Je verrai s'ils me le ramèneront. Qui veut obtenir quelque chose de moi et conserver mon amitié, qu'il y aille tout de suite et me le ramène, même s'il essaye de se cacher ou de s'enfuir !

En entendant ces propos, les chevaliers sont descendus de la salle tous comme un seul homme et sont allés dans le verger où ils ont trouvé Jaufré endormi. Sans rien lui demander, à qui mieux mieux, ils l'attrapent avec zèle, qui par les jambes, qui par les bras, qui par les cuisses, qui par les flancs, qui par les épaules, qui par la tête. Jaufré n'est pas à la fête quand il s'éveille et se sent pris :

— Dieu ! dit-il, qu'est-ce que c'est que ces gens-là ? Sainte Marie, je vous appelle à mon secours !

Et s'adressant à eux :

— Seigneurs, par Dieu, arrêtez et dites-moi quelles gens vous êtes, où vous m'emportez, ce que vous voulez, pour vous être ainsi emparés de moi par surprise. Êtes-vous des diables ? C'est sûr, à mon avis, ou alors des revenants privés du repos éternel, puisque vous errez à cette heure. Par Dieu et par la Vierge, sa mère, retournez à vos affaires et laissez-moi me rendormir !

— Auparavant, font-ils, il vous faudra venir devant notre dame cette nuit même. Elle vous fera payer chèrement le tourment que vous lui avez causé et votre agression : vous n'en sortirez pas vivant.

Ils l'ont ainsi emporté tout armé là-haut, dans la salle, où il a trouvé Brunissen. Elle y est venue en hâte quand elle a vu qu'on l'amenait. Elle le fait déposer là. Jaufré se relève. Il était grand, bien fait, richement revêtu de son haubert, qui était beau et brillant, et son heaume bien fourbi et resplendissant. Il est debout devant Brunissen. Elle l'a bien regardé, puis lui a demandé :

— Est-ce vous qui m'avez causé cette nuit tant de tourment et fait tant de mal ?

Jaufré lui répond :

— Moi, ma dame ? Non ! Ce n'est pas moi qui vous ferais jamais du mal. Je ne vous ai jamais causé de tourment et ne vous en causerai jamais. Je vous affirme au contraire que si quelqu'un vous en fait, je vous défendrai de tout mon pouvoir.

— Rien de ce que vous dites n'est vrai. N'êtes-vous pas entré dans mon verger et ne m'avez-vous pas blessé un chevalier si gravement qu'il est près de mourir ?

— C'est vrai, ma dame, mais c'est lui qui avait tort, car il me tirait de mon sommeil, ma dame, et il est venu trois fois me donner des coups de lance dans le flanc. Pourtant il m'avait donné l'assurance et promis sur sa foi, les deux fois précédentes où je l'avais abattu, qu'il ne me réveillerait plus, ne me secouerait plus, ne me tourmenterait plus. Mais si j'avais su qu'il fût à vous, il aurait pu être deux fois plus importun, désagréable et grossier, jamais je ne l'aurais frappé.

Brunissen lui répond :

— Par tous les saints du monde, quand vous sortirez de mes mains, vous ne serez plus jamais en état de me faire du mal. Dieu me garde, je vous le dis, vous ferez un très beau pendu ou un bel aveugle ou un bel estropié, car avant demain j'aurai tiré de vous vengeance.

En l'entendant parler ainsi, Jaufré comprit qu'elle était furieuse. Et il se mit à regarder attentivement son front, son cou, son visage qui était frais, blanc et clair, sa bouche, ses yeux charmants, clairs et dont le regard propre à éveiller l'amour lui pénétra jusqu'au fond du cœur. Le voilà amoureux. Plus il la voit, plus elle lui plaît et moins il a peur des menaces qu'il l'entend proférer. Plus elle s'y entête, plus il a de goût pour elle. Brunissen ordonne qu'on s'empare de lui sur-le-champ et qu'on le tue, qu'on le pende, « ou qu'on le fasse périr d'une mort capable d'apaiser mon cœur ».

— Ma dame, lui répond aussitôt Jaufré, vous pouvez faire de moi tout ce qu'il vous plaira, car en votre chemise, sans aucune autre armure, vous auriez plus vite fait ma conquête que cent chevaliers tout armés, tant mes dispositions sont bonnes à votre égard. Et si, sans le savoir, je vous ai causé quelque mal, quelque tourment, quelque déplaisir, tirez-en vengeance vous-même, car je ne prendrai ni écu ni épée ni lance pour défendre ma cause et pour vous empêcher d'agir selon votre plaisir.

En l'entendant parler avec tant de courtoisie et d'habileté, Brunissen sent sa colère s'apaiser. Amour l'a blessée au cœur de son dard, au point qu'elle pardonnerait tout de suite à Jaufré, si c'était convenable. Mais, par peur de la médisance, elle n'ose découvrir son cœur. Elle ordonne qu'on le dépouille de son équipement et qu'on lui fasse un mauvais sort. Mais alors même qu'elle le menace, elle ne lui veut pas plus de mal qu'à elle-même, à cause de toutes les qualités qu'elle lui voit. Et Jaufré lui dit :

— Ma dame, par Dieu, accordez-moi une grâce, si cela ne vous ennuie pas.

Et elle :

— Dieu me pardonne, vous n'aurez de moi d'autre grâce que celle d'être mis à mort.

— Ma dame, vous m'accorderez pourtant une chose, s'il vous plaît : je ne vous demande pas de repousser ma mort, mais seulement de me laisser dormir mon saoul. Faites ensuite de moi ce qu'il vous plaira, puisque je n'ai aucun pouvoir sur vous.

Le sénéchal dit alors :

— Ma dame, voilà qui est sans danger pour nous : laissons-le dormir, car il ne serait pas sage de le tuer avant de savoir qui il est ni d'où il vient. Beaucoup de ceux qui vont par le monde, cherchant combats et aventures, sont des hommes puissants et de grande naissance.

Brunissen fait mine d'être mécontente, mais cela lui fait grand plaisir que le sénéchal ait dit de ne pas le tuer, et qu'en même temps personne n'ait conseillé de le laisser partir.

— Barons, si vous voulez me le garder, au nom de tout ce que vous tenez de moi, je vous le laisserai, mais, par ma foi, si vous ne me le rendez pas demain matin, jamais plus aucun d'entre vous, de toute sa vie, n'aura mon amitié ni ne sera en paix avec moi.

Et elle multiplie les menaces en recommandant de bien le garder.

— Ma dame, dit le sénéchal, il n'est plus besoin d'en parler. Jamais, à mon gré, on n'a vu homme mieux gardé. Je vous le dis tout net : je le garderai et je vous le rendrai demain, n'ayez crainte, car je ne veux pas perdre votre bienveillance.

— Je vous le confie donc, répond Brunissen. Et à présent, gardez-le bien !

— Ma dame, dit Jaufré, il est bien facile de me garder, car vous avez tant de pouvoir sur moi qu'il vous est plus facile de me retenir que ce le serait à mille autres — prenez en considération mes paroles ! — qui m'auraient étroitement ligoté.

Brunissen a soupiré en lui jetant un regard amoureux, et Jaufré n'était pas si endormi que son cœur n'en bondisse et qu'il n'en transpire, non de chaleur, mais de l'amour qui l'échauffe.

Le sénéchal a commandé qu'on apporte un lit dans la salle, puis il fait armer cent chevaliers qui veilleront autour de Jaufré et qui le garderont. Les autres sont tous partis. Un serviteur a apporté au milieu de la salle un tapis sur lequel il a dressé un lit avec des matelas et des couvertures : on ne pourrait en chercher de meilleurs, car il n'y manquait rien. Le sénéchal alla poliment chercher Jaufré et le conduisit à son lit, puis il lui demanda d'où il venait, ce qu'il cherchait, d'où il était.

— Je vais vous le dire, répond Jaufré : je suis de la cour du roi Arthur. Par Dieu, ne m'en demandez pas plus et laissez-moi dormir, car je ne peux à présent vous en dire davantage.

Il s'est jeté sur le lit tel qu'il était, tout armé, tout chaussé, tout habillé, et le voilà endormi. Brunissen de son côté est entrée dans sa chambre et s'est couchée, mais elle ne peut trouver le repos ni le sommeil, car Amour vient l'assaillir. Il l'oblige à sans cesse se tourner d'un côté sur l'autre et à pousser de profonds soupirs :

— Hélas ! mon Dieu ! dit-elle, que vais-je faire ? Qu'en sera-t-il de cet homme ? Vais-je l'aimer ? Oui, certes, l'aimer, et tout de suite, car il a pris mon cœur dans ma poitrine et y a mis le sien à la place. Et là, il mène contre moi une telle joute, un tel combat, une telle querelle que je meurs déjà de n'être pas avec lui. Je suis complètement folle de dire ainsi que je vais faire de lui mon ami : je ne l'avais jamais vu auparavant, je ne sais pas d'où il est, et peut-être reprendra-t-il sa route demain ou après-demain, s'il en a envie, quand je lui aurai pardonné l'offense qu'il m'a faite. Chasse de toi ces pensées ! Je ne sais, en effet, s'il est de haute naissance, et c'est une chose à bien considérer car, si tu voulais aimer, tu en trouverais beaucoup de meilleurs, de plus puissants, de plus beaux qui s'estimeraient honorés de ton amour : il n'y a pas d'empereur au monde qui ne s'en tiendrait pour bien payé. Mais c'est une folie que je dis là, de supposer qu'on puisse en trouver un meilleur et qui mérite autant d'être aimé. N'a-t-il pas vaincu par les armes et abattu trois chevaliers de ma cour, les trois que je croyais les meilleurs du monde par la valeur chevaleresque ? Il est beau et bien fait, il s'exprime bien, il a de bonnes manières. Je n'ai que faire de la richesse : je ne veux pas qu'on dise de moi que j'ai aimé un homme pour son argent ; je veux l'aimer pour sa prouesse. Car tel est riche qui ne vaut rien, tandis que tout le monde est bien disposé envers le preux. Tel est riche que sa richesse rend pire, tandis que le preux ne cesse de s'élever et de s'améliorer. Tel est riche et déshonoré, tandis que le preux est toujours au premier rang. Tel est riche et inconnu, tandis que le nom du preux est sur toutes les lèvres. Tel est riche dont on fait peu de cas, tandis que le preux est servi avec amour. Tel est riche qui ne veut que s'abaisser, tandis que le preux veut s'élever sans cesse. Tel est riche qui est couard, tandis que le preux est toujours courageux. Tel est riche qui est de basse naissance, tandis que le preux a le cœur haut placé. Tel est riche dont la lâcheté est prouvée, tandis que le preux est craint et redouté. Tel riche a les façons d'un rustre, tandis qu'un preux, avec en tout et pour tout sa chemise sur le dos, vaut quarante riches aux manières de rustres. Que le malheur frappe donc la dame qui donne son amour à un homme sans valeur à cause de sa richesse, car elle ne le fait que par cupidité ! Mais celle qui choisit le preux, celle-là aime loyalement, avec l'approbation de tous.

« C'est pourquoi je ne veux plus me séparer de lui et je l'aimerai, cela ne fait pas de doute. Mais son cœur à lui, je ne sais pas, par ma foi, s'il se plaît en ma compagnie. Si fait ! il le fait bien paraître quand il dit que je pourrais mieux le retenir nue, sans le moindre équipement, que ne le feraient cent hommes en armes. Mais je suis folle, et bien sotte : il parle ainsi par dissimulation, parce qu'il veut s'échapper loin de toi ! Va le surveiller toi-même, puisque ici tu ne peux pas dormir du tout.

Elle s'habille alors, se chausse et sort de sa chambre. A ce moment le guetteur de la tour fait entendre son cri. Aussitôt les gens se lèvent par la ville et pleurent, crient, se lamentent. Les bourgeois et les chevaliers manifestent une douleur terrible et extrême. Les dames et les demoiselles, et parmi elles Brunissen, font de même. Vous les verriez s'arracher les cheveux, se tordre les mains, s'égratigner le visage, qu'elles ont blanc, frais et clair ! Tous se lèvent dans la salle en criant et en faisant un tel bruit que Jaufré s'est réveillé. Comme fou furieux, il s'est assis sur son séant dans son lit.

— Dieu ! dit-il, quelles gens ! Seigneurs, qu'avez-vous donc entendu ? Pourquoi manifester une telle douleur ?

Voilà que chacun va le frapper avec ce qu'il a sous la main. Il crie :

— Arrêtez ! Par Dieu ! ne me tuez pas, seigneurs !

— Monsieur le rustre ! fou ! fils de traître ! vous allez mourir, cela ne fait pas de doute !

Et de le frapper, qui avec un couteau ou une lance, qui avec une épée, qui avec une masse d'armes, qui avec un dard, qui avec une cognée. Pas un des cent chevaliers qui n'aille lui porter aussitôt un, deux, trois ou quatre coups. Vous n'avez jamais entendu des chaudronniers battre le métal plus dru avec quatre marteaux : avec leurs épées et leurs couteaux, ils le frappaient de toutes leurs forces. Jaufré s'est allongé. Son haubert aux mailles très serrées et les draps dans lesquels il s'est enveloppé l'ont protégé et garanti, si bien qu'il n'a été blessé nulle part. Pourtant ils pensent bien l'avoir tué, tant ils l'ont frappé, meurtri, battu avec acharnement. Entre-temps, la clameur s'est calmée. Les chevaliers se recouchent.

— Désormais, font-ils, vous n'avez plus à avoir peur qu'il s'enfuie : il ne respire ni ne bouge seulement plus. Vous pouvez dormir tranquilles, ce n'est plus la peine de vous en priver à cause de lui.

Jaufré se tient bien tranquille, écoutant attentivement tout ce qu'ils disent. Il a peur et ne bouge pas du tout, mais il prie Notre-Seigneur avec ferveur, de tout son cœur — il ne plaisante pas ! —, car il croit être en enfer, tant ils se comportent tous méchamment avec lui. Mais quand il se rappelle le visage et la beauté de Brunissen, il s'étonne fort qu'au milieu de gens si méchants il puisse y avoir une personne si ravissante, si belle et si charmante.

« Mais Dieu sait qu'il l'a comblé de belles qualités et de sagesse, car sa puissance s'exerce sur toutes choses, aussi bien sur les méchants que sur les bons. Bienheureux celui qui pourra gagner son amour et la serrer nue dans ses bras ! Mais je ne puis la conquérir sans qu'elle m'aime et sans lui plaire. Je ne peux pas l'aimer malgré elle. Et même si je pouvais le faire, l'amour par contrainte n'est pas bon, car quand il n'est pas donné de bon cœur, il est mensonger et ne dure pas. Au contraire, quand l'un et l'autre s'accordent leur amour, tous deux peuvent en jouir. Mais il ne se peut pas qu'elle me donne son amour d'aussi bon cœur que moi, qui l'aime parfaitement, car elle ne sait pas qui je suis, et je ne crois pas qu'une dame si courtoise donne son amour à un homme si elle ne sait qui il est. Pourtant si je pouvais rester auprès d'elle assez longtemps pour qu'elle pût connaître mon prix et ma valeur chevaleresque, peut-être l'obtiendrais-je. Mais je ne peux pas le faire, si je ne veux pas tromper la confiance du roi qui m'a fait chevalier et tant que je n'aurai pas imposé la paix et la concorde à son ennemi, que j'aurai si longtemps cherché. »

Pendant qu'il se parlait ainsi à lui-même et se rappelait dans son cœur les actions et les paroles de Brunissen, à minuit juste le guetteur poussa soudain son cri et les gens du château se réveillèrent. Tous se lèvent en même temps, sans s'attendre l'un l'autre, et tous se mettent à crier et à manifester autant de douleur que si chacun avait trouvé son père mort. Ni moi ni personne ne pourrait raconter la douleur, les pleurs, les plaintes, les cris de tous ces gens. Brunissen et ses suivantes entreprennent aussi de manifester leur douleur. Tous se sont levés dans la salle et ont mené ce deuil étrange. Chacun tord ses mains et ses doigts, se frappe la tête contre les murs, se laisse tomber à terre avec violence de toute sa hauteur. Mais Jaufré ne bouge pas pour autant, car il est si affolé qu'il croit à tout moment qu'on va le frapper. Il est si abasourdi que c'est tout juste s'il entend et comprend quoi que ce soit. Il se dit tout bas à lui-même :

« Sur ma tête, il ne fait pas bon rester ici, et si Dieu veut que j'en réchappe et que je puisse sortir vivant d'ici, j'aimerais mieux me laisser frapper de dix coups de lance à travers le corps et être coupé en petits morceaux que de jamais retomber au pouvoir de ces gens, car ils sont de bien mauvaise compagnie. Ce ne sont pas des hommes en chair et en os, mais des diables — Dieu me sauve — qui sont venus de l'enfer sur la terre, eux qui mènent un tel tumulte la nuit, quand les autres gens se reposent. Si Dieu me prête assistance, ils ne me trouveront pas ici demain. »

Cependant la clameur a cessé, car ils l'ont fait entendre assez longtemps comme cela. Quand tout est bien apaisé et qu'on n'entend plus retentir un seul mot, les chevaliers vont s'allonger autour du lit, tout vêtus et chaussés, et ils s'endorment aussitôt. Mais Brunissen ne dort ni ne se repose ; elle se soucie de tout autre chose : de Jaufré, et de la façon dont elle pourra se faire aimer de lui. Car l'or, l'argent, les richesses, tout cela, pour elle, ne vaut pas un sou à côté de lui. Jamais elle n'a vu de chevalier qui plaise tant à son cœur ni pour lequel Amour la tourmente tellement. Elle se dit que, si elle peut attendre jusqu'au jour, il sera son mari, c'est sûr. Mais Jaufré se préoccupe de bien autre chose : il se demande comment il pourra sortir de là. Quand il voit les chevaliers endormis, il s'asseoit sur son lit, mais s'il savait, en vérité, l'amour que Brunissen lui porte, les gens du château à eux tous ne pourraient lui faire franchir la porte : il y aurait auparavant un tel massacre que les morts se compteraient à foison, car il serait cent fois plus fort si Brunissen lui donnait son amour. Mais il est tellement épouvanté par les gens qui sont là qu'il pense ne jamais voir le moment où il leur aura échappé. Il se lève et voit sa lance et son écu qu'on avait accrochés au râtelier. Il les prend et s'en va. Juste en sortant il trouve son cheval tel qu'il l'avait laissé : il ne lui manquait ni le frein ni la selle. C'était une chance ! Il monte dessus bien doucement et s'en va tranquillement. Et quand il se fut éloigné :

— Loué soit Dieu, dit-il, de m'avoir permis de m'échapper ainsi ! Je ne pensais pas m'en tirer sain et sauf aussi honorablement. Mais je regrette de n'avoir pas appris qui est cette belle dame, car Dieu n'en a jamais fait de si belle et aucune créature ne me plaît davantage. Mais ceux de sa suite sont si méchants qu'il ne fait pas bon séjourner parmi eux. Pourtant, si cette dame qui est leur maîtresse voulait me donner son amour, je me soucierais d'eux tous comme d'une guigne et, à condition qu'elle fût de mon côté, rien, je crois, ne pourrait m'atteindre.

Il s'en va ainsi, parlant tout seul. Et Brunissen est en proie au tourment dans la chambre où elle est couchée, car Amour la brûle au point qu'elle ne peut dormir ni se reposer. Elle ne fait rien d'autre que se tourner et se retourner, et sans cesse elle pense à Jaufré, se demandant comment elle pourra le retenir auprès d'elle. Elle se torture ainsi jusqu'à ce que la nuit ait fait place au jour et que le guetteur, là-haut, lance son cri. Les gens du château se réveillent et tous ensemble poussent le leur. Il n'y a jamais eu et il n'y aura jamais nulle part des gens pour jeter des clameurs aussi douloureuses : toute la terre en résonne. Jaufré frappe et éperonne son cheval, galope en tous sens sans suivre chemin ni sentier : il ne sait où il va ni où il est tant il est hors de lui. A la fin les cris cessent et le jour commence à paraître. Brunissen ne peut s'empêcher de se lever et de venir dans la salle en faisant semblant d'être dans les dispositions les plus cruelles. Elle s'enquiert du chevalier auprès du premier qu'elle rencontre et lui demande s'il dort ou s'il est éveillé.

— Ma dame, répond l'autre, soyez sûre, en vérité, que vous ne le verrez jamais plus vivant.

Cette nouvelle lui fut si douloureuse qu'elle faillit devenir folle. Elle changea si complètement de couleur que vous l'auriez crue morte. Elle a demandé :

— Qu'est-ce que c'est que cela ? Qui l'a tué ? Comment cela est-il arrivé ?

Le sénéchal lui répond :

— Je vais vous le dire, ma dame, sans mentir d'un seul mot. Cette nuit, quand nous fûmes tous couchés comme d'habitude, il a posé la question périlleuse touchant notre coutume. Et même s'il avait eu la peau aussi dure que du fer ou de l'acier trempé, il n'en aurait pas moins été taillé en pièces. Il a été rudement frappé et a reçu plus de cinq cents coups. Voyez-le dans ce lit : il est mort.

— Je suis très contrariée, dit-elle, que les choses aient tourné ainsi. Si vous me l'aviez rendu comme je vous l'avais confié, je l'aurais ensuite traité selon mon désir. Je suis folle et sotte de l'avoir laissé à la garde de gens comme vous. Si je l'avais mis avec moi dans ma chambre, je l'aurais retrouvé vivant.

Elle s'approche alors rapidement du lit, pensant le trouver mort : elle ne peut plus cacher son amour. Elle soulève les draps et, ne le voyant pas, elle est bien près de perdre le sens. Elle crie comme une forcenée :

— Barons, pourquoi m'avez-vous trahie ? Où est allé ce chevalier ? Par Dieu, malheur à vous de l'avoir laissé partir ! Je ne plaisante pas : même si cent mille diables me l'ont emporté en enfer, vous me le rendrez malgré vous ou alors, par la puissance de Dieu, vous serez tous pendus par la gorge, sans que rien puisse vous sauver.

En entendant ces mots, ils sont tous accourus autour du lit, le sénéchal tout le premier. Il soulève les draps et les couvertures et en voyant qu'il n'y est plus, il a si peur qu'il s'éloigne des autres. Il a bien l'impression que ce jour-là sera celui de sa honte. Il se tient à l'écart et se met à déchirer ses vêtements jusqu'au-dessous de la ceinture.

— Mon Dieu ! dit-il, quelle aventure ! Comment cela a-t-il pu arriver ? Comment l'avons-nous ainsi perdu ? Il nous a cruellement trompés. Par Dieu, ce chevalier connaît trop d'enchantements et de ruses, car, même s'il était de fer ou d'acier, nous aurions dû l'étendre mort, tant il a reçu de coups cette nuit.

Dans un coin, Brunissen, désolée, se lamente et crie, menace son sénéchal, persuadée que par sa faute il a laissé partir le chevalier. Elle dit qu'il le payera cher, car :

— Il n'y a personne d'assez haut placé pour s'en tirer au prix d'un moindre châtiment que la mort et sans que je le fasse brûler ou pendre.

— Ma dame, dit le sénéchal, je ne puis vous le rendre, vous le voyez. Mais puisque vous ne me croyez pas et que vous pensez que je vous ai menti, je présenterai ma justification devant votre cour, qui en jugera.

— Par Dieu, répond-elle, il n'y aura pas d'autre justification que de me le rendre mort ou vif, car c'est ce qui avait été convenu lorsque je vous l'ai laissé en garde.

— Mais ma dame, je ne peux pas. Essayez, si vous voulez. Pour moi, je ne sais où le chercher, car je ne l'ai pas vu depuis cette nuit et je ne sais pas où il est.

— Vous le chercherez, s'il vous plaît, car, par Dieu et ses saints, vous n'aurez plus mon amitié jusqu'à ce que vous me l'ayez rendu exactement comme je vous l'avais remis.

Elle l'a menacé durement, après quoi on aboutit à l'arrangement suivant : le sénéchal et les cent chevaliers doivent jurer que ce n'est pas volontairement ni de leur plein gré qu'ils ont laissé partir le chevalier, et le sénéchal doit le chercher toute une année sans pouvoir, à cause de cette mission, se reposer nulle part plus d'une nuit, s'il n'a pas le malheur d'être prisonnier ou malade. S'il le trouve, il doit le ramener ; sinon, il sera mis en prison sans rémission au bout de l'année. Enfin il devra se justifier par les armes contre quiconque voudra le provoquer, sans refuser le combat à personne. Il prêta serment en ces termes sur les reliques et donna assez de bons garants pour que la dame fût sûre qu'il exécuterait les clauses fixées. Elle mit alors un terme à ses plaintes contre eux. Quant au sénéchal, il se met en route de bon matin et, avec deux compagnons, pas davantage, il se dirige tout droit vers la cour du valeureux roi Arthur pour savoir s'il pourra trouver Jaufré.

VII

LE BOUVIER

(En s'éloignant, Jaufré entend encore une fois la clameur douloureuse. Un bouvier qui conduit un char de vivres à Monbrun lui donne à manger — il est à jeun depuis trois jours — et lui apprend l'identité de Brunissen. Mais, interrogé sur le fameux cri, il se met en colère, jette un javelot, puis des pierres en direction de Jaufré, et enfin, voyant qu'il ne peut l'atteindre, brise de dépit son propre char et tue ses quatre bœufs à coups de cognée.)

VIII

AUGIER D'EISSART

Jaufré continue son chemin jusqu'à ce que l'heure de none soit passée. A ce moment la clameur s'élève une fois encore, forte et farouche, terrible et pénible.

— Seigneur mon Dieu, dit Jaufré, qu'est-ce que c'est ? Qu'est-ce qui se passe ? Pourrai-je trouver quelqu'un qui m'en dise la vérité ? Oui, certes, à force de chercher !

Il chemine ainsi doucement, sans s'arrêter malgré la chaleur, l'effort, la fatigue. Il chevauche tout le jour jusqu'au soir. A ce moment il a rencontré deux jeunes gens montés sur de beaux chevaux qui chassaient à l'épervier et menaient avec eux des chiens de chasse et des lévriers. Dès qu'ils virent arriver Jaufré, ils allèrent l'accueillir, lui faire fête, l'embrasser :

— Seigneur, c'est à présent l'heure de trouver un gîte. Demeurez avec nous.

— Mille mercis, barons, répond-il, mais pour rien au monde je ne m'arrêterais.

— Si, font-ils, vous vous arrêterez, car vous ne pouvez aller plus loin : vous ne pourriez trouver ville, cité ni château avant d'avoir chevauché à tout le moins douze longues lieues éprouvantes. Si vous vouliez rester avec nous, vous ne sauriez trouver hospitalité offerte de meilleur cœur ni personne à qui votre présence fît autant de plaisir qu'à nous.

— Je resterai donc avec vous, dit Jaufré, puisqu'il vous agrée tant.

— Dieu vous donne bonne fortune ! répondent-ils. Nous vous savons plus de gré que si vous nous aviez donné tout ce que vous possédez ou dont vous disposez.

Ils se mettent alors en route doucement, tranquillement, agréablement, en conversant, plaisantant, riant jusqu'au coucher du soleil. Alors la clameur s'est levée à travers le pays, grande et farouche. Hommes, femmes et enfants pleurent et crient à voix haute. Les deux jeunes gens s'y mettent aussi et crient comme s'ils étaient enragés ou qu'ils avaient perdu le sens.

— Dieu ! dit Jaufré, par ta puissance, que peut bien être ce cri ? Seigneurs, qu'avez-vous entendu ? Pourquoi criez-vous ? Avez-vous peur ?

— Par Dieu, monsieur le jeune traître, font-ils, les mots qui sont sortis de votre bouche ne vous porteront pas bonheur : nous vous ferons tenir pour fou !

L'un a pris son épervier — il n'avait rien d'autre à lancer — et lui en a frappé le visage. L'autre approche, prêt à l'imiter, et voit devant lui un lévrier : il le prend par les pattes de derrière et l'en frappe avec une telle force qu'il l'a tué contre son écu. Jaufré s'éloigne d'eux et ils le poursuivent précipitamment avec des cris et des menaces :

— Vous ne nous échapperez pas, monsieur le rustre, fils de bouseux !

Jaufré se retourne alors vers eux et leur dit :

— Dites-moi cela de loin, messeigneurs, vous ferez sagement, je crois. Et éloignez-vous de ma présence : je ne souhaite pas votre compagnie.

Et il poursuit son chemin au plus vite, jusqu'au moment où la clameur a complètement cessé. La colère des jeunes gens retombe et aussitôt ils rappellent Jaufré aimablement en lui disant d'accepter leur hospitalité.

— Dieu me sauve, je n'en ferai rien, dit Jaufré, car vous êtes de mauvaises gens. Gardez tout ce que vous avez, car je ne veux ni de votre hospitalité ni de vous.

— Seigneur, nous vous prions par le Dieu de gloire, en toute amitié, par charité, de revenir. N'ayez plus aucune crainte : nous vous ferons réparation entière du mal que nous vous avons dit et fait.

— Barons, ne vous occupez plus de mes affaires : je ne peux plus avoir confiance en vous.

— Seigneur, ne vous défiez plus de nous : nous vous promettons loyalement de vous défendre contre tous, sans tromperie et en toute bonne foi.

— Barons, dit Jaufré, je vous crois, puisque vous me le promettez avec tant de force.

Les voilà de nouveau ensemble tous trois. Mais ils lui recommandent avec insistance de ne jamais poser aucune question au sujet du cri s'il ne veut pas être mis à mort :

— Nous vous le disons pour votre bien.

Tout en parlant ils cheminent ainsi tous les trois jusqu'à ce qu'ils arrivent devant un beau petit château, aux murs hauts et épais, bien fortifiés tout autour, avec au pied de profonds fossés remplis d'eau où il y a un grand vivier. Sur le pont se tenait un chevalier qui se faisait chanter par un jongleur le lai des *Deux Amants*. C'était le père des jeunes gens. En voyant avec eux le chevalier, il s'empressa à sa rencontre d'un air joyeux. A sa vue, Jaufré descendit de cheval, et le chevalier lui fit fête :

— Seigneur, dit-il, ils m'ont bien servi, ceux qui vous ont amené ici. Il y a bien sept ans que je n'ai vu dans ma maison un étranger qui me plaise autant que vous, Dieu me sauve !

Ils pénètrent ainsi dans le château, en parlant à leur fantaisie. Une fois entrés dans le palais :

— Seigneur, venez maintenant dîner, dit le chevalier à Jaufré, et vous vous reposerez, car je crois que vous n'avez guère pris de repos aujourd'hui.

Les deux jeunes gens sont alors entrés et se sont empressés de désarmer Jaufré. Peu après ils virent sortir d'une chambre une belle jeune fille, fraîche et charmante. Elle apportait un manteau dont Jaufré s'est revêtu et un coussin de soie finement travaillé pour qu'il s'y appuyât. Puis elle est allée s'asseoir à côté de lui et ils parlèrent à loisir jusqu'au moment où on les invita à se laver les mains, car le repas était prêt. Jaufré se leva ; un jeune homme était tout prêt pour lui verser de l'eau sur les mains. La jeune fille s'approcha pour l'aider.

— Ma demoiselle, je ne refuse pas votre aide. Si la mienne vous est utile un jour, je vous l'offrirai volontiers — que Dieu m'assiste ! Je serais votre chevalier partout où vous en auriez besoin, sans attendre de convocation.

— Seigneur, grand merci, dit-elle. Je sais bien — et c'est ma conviction — qu'un preux doit se montrer reconnaissant d'un service, quand il l'accepte, et comme vous l'acceptez volontiers, je vois que vous avez vraiment l'intention de me le rendre au double si l'occasion s'en présente.

Tout en parlant ils se sont approchés de la table, et ceux qui avaient faim s'y sont assis. La jeune fille s'asseoit devant Jaufré ; elle a découpé et lui a servi gracieusement un morceau de paon rôti. Quand ils eurent solidement mangé, autant qu'il leur plaisait, la jeune fille est entrée dans la chambre pour faire les lits, ce dont elle s'est acquittée avec grand plaisir. Elle a laissé à leur conversation Jaufré et son père. Celui-ci lui a demandé d'où il venait, ce qu'il cherchait, où il allait, de quel pays il était.

— Je ne vous cacherai rien, répond Jaufré. Je suis de la cour du roi Arthur. Le nom de mon père était Doson et je m'appelle Jaufré. Je suis à la recherche d'un chevalier qui a commis une agression condamnable à la cour du roi, et je n'estime pas ma vie la valeur d'un sou si je n'arrive pas à le trouver.

En entendant le nom de Doson, Augier s'est levé d'un bond.

— Seigneur, dit-il, nous serons désormais tout à votre service : par ma foi, vous ne me quitterez pas d'un mois, jusqu'à ce que vous soyez bien reposé et que je vous aie fait tout l'honneur que je peux. Votre père a été mon compagnon juré pendant au moins sept ans. Il avait conclu avec moi cet accord que si je mourais le premier sans héritier légitime, toute ma terre serait à lui et que s'il mourait avant moi, tout ce qu'il possédait serait mien. Je n'ai jamais été aussi lié d'amitié avec aucun homme né de mère. C'est pourquoi je vous aime plus que tout au monde et je vous prie, par sainte Marie, de rester ici avec moi. Je vous promets, en toute bonne foi, que je vous aimerai comme un de mes enfants et, sans nulle tromperie, je ferai de vous mon héritier au même titre qu'eux.

— Seigneur, répond Jaufré, c'est impossible. Je n'aurai de joie à rien tant que je n'aurai pas trouvé le chevalier que je cherche et je ne resterai pas de mon plein gré plus d'une nuit dans une maison : si vous ne le prenez pas en mauvaise part, je partirai demain de bon matin.

— Mon ami, n'en faites rien ! Restez avec moi ne serait-ce qu'un mois.

— Seigneur, n'insistez pas. Rien ne pourrait me retenir, et si vous voulez me faire plaisir et me servir selon mes vœux, ne me retenez pas ici contre mon gré. Car j'agis de façon inconsidérée et je me conduis mal envers mon seigneur en m'arrêtant soit une nuit soit un jour tant que je n'aurai pas rejoint le chevalier et que je n'aurai pas combattu contre lui jusqu'à ce que l'un de nous se soit avoué vaincu.

— Mon ami, je vous servirai selon vos désirs, mais vous me feriez une grande joie en restant ici.

— Seigneur, dit Jaufré, n'en parlons plus. Faites-moi plutôt préparer un lit, car il est l'heure de se coucher. Je partirai demain de bon matin.

Le riche seigneur fit apporter le vin du soir, puis chacun se retira pour dormir. Dans sa chambre, Jaufré fut servi et honoré à sa convenance et sitôt couché il s'endormit tranquillement, car il ne vit ni n'entendit rien de pénible ni de désagréable. Il dormit ainsi paisiblement toute la nuit sans rien entendre des pleurs, des lamentations, des clameurs qui avaient retenti la nuit précédente dans le château où tous avaient fait entendre leurs plaintes à trois reprises. Il s'éveilla avec le jour, s'habilla et se chaussa. Son hôte s'était levé en même temps que lui, et ses fils, qui étaient déjà de grands jeunes gens, lui apportèrent de l'eau pour se laver les mains en priant saint Julien de lui donner un bon réveil et une bonne journée.

— Barons, répond-il, que, de votre côté, Dieu vous garde. A-t-on sellé mon cheval ?

— Mais, seigneur, dit l'un, vous mangerez bien quelque chose avant de nous quitter.

— Non, par la foi que je vous dois. Ni pour boire ni pour manger ni pour quoi que ce soit d'autre je ne renoncerai à partir sur-le-champ.

— Seigneur, dit l'hôte, pour l'amour de Dieu et par amitié pour moi, mangez ne serait-ce qu'un peu de ce qui est là tout prêt, à votre disposition. Cela ne vous dérangera pas, car vous aurez fini de manger avant qu'on ait équipé votre cheval.

Ils franchissent alors la porte de la salle. La fille du seigneur apporte deux pains sur de belles serviettes, suivie d'un écuyer bien appris avec deux chapons bien rôtis et préparés. Tous deux sont venus devant Jaufré, qui dit :

— Il faudra bien que je mange, à ce que je crois.

Et quand il a bien bu et bien mangé à son goût, autant qu'il a voulu et qu'il le désirait, on lui apporte ses armes somptueuses et il s'en revêt. Puis il est sorti, a pris congé de tous, et le voilà monté sur son cheval qu'un écuyer lui a amené. Après quoi la jeune fille lui donne son écu et sa lance. Et il lui dit :

— Belle amie, que Dieu m'accorde de me trouver à l'avenir en un endroit où je puisse vous servir, car je le ferais de grand cœur.

Il se met ainsi en chemin. Son hôte sort du château avec lui, ainsi que les deux jeunes gens, chevauchant leurs palefrois, et ils vont ainsi devisant jusqu'à ce qu'ils soient assez loin du château. Jaufré avait envie de demander la cause de la clameur, car il pensait bien que son hôte la lui dirait, puisqu'il lui avait fait de telles offres de services, et il s'imaginait que cela ne le fâcherait pas. Il chevauche ainsi un grand moment sans dire un mot. Son hôte lui a demandé :

— Comme je vous vois cheminer d'un air soucieux ! Si quelque chose vous met en souci, dites-le-moi, vous ferez bien.

— Seigneur, dit Jaufré, je vous le dirais, si je savais ne pas vous déplaire.

— Bien loin de me déplaire, cela me fera plaisir, car, tromperie et trahison exceptées, il n'est rien au monde que je ne fasse pour l'amour de vous.

— Alors, par la foi que vous me devez, dites-moi la vérité, si vous le pouvez, touchant les clameurs que poussent si sauvagement les gens d'ici la nuit et le jour : pourquoi manifestent-ils une telle douleur ? Le font-ils sous la contrainte ou librement ?

Voilà que le chevalier s'écrie :

— Monsieur le bâtard plein de vices, c'est votre mort que vous avez demandée !

Et il vient sur lui la main levée, pensant saisir les rênes de son cheval. Cependant ses fils se mettent à crier :

— Tenez-le, seigneur, qu'il ne nous échappe pas !

Jaufré a fait tourner bride à son cheval et il prend la fuite en les voyant tous les trois s'approcher de lui avec des cris et des menaces.

— Barons, dit-il, qu'est ceci ? Vous auriez dû me lancer d'abord un défi. Est-ce là la grande amitié que vous me porteriez si je restais avec vous ? C'est un rameau de l'arbre de Trahison, car après m'avoir hébergé et servi, vous imaginez de me trahir sans que je vous aie rien fait de mal. Fou qui prend ses logis chez vous !

Mais le chevalier s'écrie d'une voix forte :

— Par Dieu ! vous ne vous en tirerez pas vivant !

Et il le poursuit de toute la vitesse de son cheval en se tirant et en s'arrachant les cheveux, tant il est désespéré de ne pouvoir le rattrapper — il en est si loin qu'il n'arrive pas à le talonner ni même à le suivre. Voyant cela, il s'est arrêté et s'est mis à déchirer ses vêtements. Il aurait tué son cheval sur-le-champ s'il avait eu sous la main de quoi le faire. Après s'être bien tourmenté, frappé, battu, meurtri, il renonça à ces manifestations de douleur en voyant qu'il n'y avait plus rien d'autre à faire. Le voilà qui crie à Jaufré :

— Seigneur, revenez vers moi et n'ayez plus peur désormais. Ma colère, mon irritation et ma douleur sont passées.

— Vous vous donnez du mal pour rien, lui dit Jaufré, en me disant cela maintenant : vous ne m'approcherez plus. Si vous voulez me dire quelque chose, faites-le de façon que je puisse vous entendre d'ici.

— Au contraire, seigneur, venez ici. Je vous dirai ce que vous voulez savoir et je vous donnerai des renseignements vrais sur ce que vous cherchez. Ne craignez rien désormais. Je vous le jure sur ma foi et sur tout ce que je crois, je vous en donne loyalement ma parole : je vous dirai toute la vérité sur ce que vous m'avez demandé. Vous n'avez plus rien à redouter.

— Je reviendrai donc vers vous, dit Jaufré, puisque je vois que vous me promettez en bonne foi de me renseigner et de me donner des indications sur le chevalier que j'ai tant cherché.

— Oui, seigneur, par le Christ.

Jaufré s'est alors approché et quand ils se furent rejoints, le chevalier lui dit :

— Ne m'en veuillez pas de ce que je vous ai fait — que Dieu vous sauve ! — car, par la foi que je lui dois, il m'est si douloureux, si insupportable, si cruel d'entendre quelqu'un parler de cette aventure, que, même si c'était mon fils ou mon frère, je voudrais le voir pendu. C'est pourquoi je me suis tellement mis en colère. Seigneur, n'en soyez plus irrité.

Jaufré lui répond :

— Je ne le serai plus si vous pouvez me dire de façon certaine où je pourrai trouver le chevalier que je cherche. Vous ne pourriez me donner de nouvelles dont je vous sache plus de gré.

— Qui est-il ?

— Il s'appelle Taulat.

— Taulat ?

— Oui, seigneur, en vérité.

— Et pourquoi le cherchez-vous ?

— Je vous le dirai bien volontiers. Il est si orgueilleux et si arrogant qu'il est venu l'autre jour à la cour du roi et y tua un chevalier qui ne lui avait rien fait de mal, mais qui servait à table le valeureux roi et la reine. Il lui donna un tel coup à la poitrine qu'il l'abattit mort devant eux : un acte indigne, injuste, outrancier, insensé. Je demandai au roi, mon seigneur, la permission de me battre contre lui : il me la donna et m'en remercia. Mais il serait en droit de me blâmer si je ne livrais pas ce combat. Je le livrerai sans faute : je ne verrai plus le roi et je n'aurai ni joie ni plaisir jusqu'à ce que j'aie combattu contre lui et que l'un de nous se soit avoué vaincu, et aussi jusqu'à ce que j'aie appris en vérité pourquoi les gens d'ici poussent leur clameur.

Le chevalier lui répond :

— Seigneur, Dieu m'assiste ! vous vous êtes préparé de grandes peines en allant à la recherche de ce chevalier : c'est le plus méchant et le plus arrogant dont j'aie jamais entendu parler. Dans le monde entier il n'a pas, je crois, son égal : il n'en est pas d'aussi terrible ni d'aussi farouche, il n'en est pas qui ait remporté autant de victoires que lui les armes à la main, par sa valeur au combat.

— C'est possible, dit Jaufré, mais fût-il deux fois plus fort, je n'aurai pas de repos jusqu'à ce qu'il soit ou que je sois tué ou vaincu. Dites-moi où je pourrai le trouver, et cessez de le louer, car je n'en ai que faire. S'il est vaillant, il en sortira à son avantage, mais ce n'est pas pour cela que je renoncerai à le combattre, si je le trouve. Il peut dès maintenant faire un nœud à son mouchoir pour se souvenir de ma promesse : si je le peux, je lui ferai cher payer son arrogance à la cour de Cardueil.

— Seigneur, que Dieu vous en donne la force ! car, je vous le dis, si vous réussissez à triompher de lui, vous aurez remporté une plus grande victoire qu'aucun chevalier que j'aie vu dans ma vie.

— Seigneur, laissons cela, mais si vous pouvez m'indiquer où il est, faites-le vite, ne tardez pas.

— Seigneur, vous suivrez toute la journée ce chemin sans trouver pain ni vin, château ni ville ni cité, pas âme qui vive. Quand il sera l'heure de prendre gîte, vous pourrez, si vous le voulez, vous reposer dans la belle herbe des prés. Demain avant midi vous arriverez dans une plaine dominée par une montagne escarpée. Au pied vous verrez un beau château, élégant et bien bâti et dehors de nombreuses tentes dressées, des cabanes, des pavillons, avec des chevaliers et des barons puissants et de haute condition. Il vous faudra passer au milieu d'eux, mais ne dites mot à personne. Quand vous les aurez tous dépassés, entrez tout de suite dans le château et ne vous arrêtez pas, pour quelque créature que ce soit, jusqu'à ce que vous soyez au palais. Quand vous y serez, descendez de cheval et laissez sans aucune crainte votre écu et votre lance. Entrez alors dans la salle : vous y verrez — c'est un grand dommage — un chevalier blessé, couché dans un lit, et, assise à ses pieds, une dame jeune et très belle, triste, dolente, en larmes. Au chevet du lit il y aura une autre dame, âgée celle-là. Toutes deux prennent soin du chevalier. Ne craignez rien, mais appelez la dame la plus âgée, prenez-la à part et dites-lui qu'Augier d'Essart — c'est mon nom, mais il y a bien sept ans qu'elle ne m'a pas vu — vous envoie pour qu'elle vous dise toute la vérité sur la clameur. Quand elle vous l'aura contée, vous saurez où est Taulat. Mais avant d'être là-bas, vous ne trouverez personne qui veuille vous en dire plus long, à moins de vouloir mourir. Moi-même je n'ose rien vous dire de plus, car j'éprouve une telle colère et une telle douleur quand j'en parle ou quand j'en entends parler que c'est comme si mon cœur allait éclater sur l'heure.

— Seigneur, dit Jaufré, vous m'avez marqué beaucoup d'amitié et beaucoup d'honneur en me donnant ces informations, et si je pouvais vous témoigner ma gratitude, par Dieu, je le ferais volontiers. Avez-vous encore quelque chose à me dire ?

— Oui, ceci : si Dieu permet que vous en reveniez, je vous prie de revenir loger chez moi. Ne me le refusez pas.

— Seigneur, dit Jaufré, je vous promets de prendre à nouveau mes logis chez vous, si seulement Dieu veut bien me protéger du malheur.

— Allez, à présent ! Bonne chance ! Que le Seigneur dont la justice s'étend sur le monde entier et qui connaît et voit le mal et le bien vous permette, dans sa miséricorde, de revenir chez moi après avoir abattu l'orgueil de Taulat !

Jaufré alors s'en va. Et Augier, aussi longtemps qu'il le voit, reste sans bouger, pleurant abondamment. Il fait sur lui le signe de la croix et le recommande à Dieu.

IX

LE CHEVALIER TORTURÉ

Jaufré se hâte, plein de joie et d'allégresse. Il est si heureux, si joyeux de ce que lui a raconté Augier que son cœur en est comme placé plus haut dans sa poitrine. Il chemine ainsi tout le jour jusqu'à ce que le soir soit tombé et son cheval bien las. Arrivé dans un beau pré, il met pied à terre, dessangle son cheval, lui enlève le mors et le laisse paître l'herbe qui le rafraîchit et le ranime. Quand il a pâturé un bon moment, Jaufré monte en selle et poursuit son chemin : il ne prendra pas de repos jusqu'à ce qu'il soit arrivé au château et qu'il ait trouvé quelqu'un qui lui dise des nouvelles de Taulat.

Il chemina ainsi toute la nuit, jusqu'à ce qu'au matin il vît la montagne et le château, les campements, les tentes, les cabanes de branchages. Il vit les chevaliers s'affairer — ils étaient en train de se lever — et il éprouva une telle joie qu'il n'en avait jamais eu de plus grande. Il frappe son cheval, lui donne vigoureusement de l'éperon et arrive ainsi à vive allure jusqu'au camp qu'il a tôt fait de traverser. Tous le regardent avec attention et disent :

— Ce chevalier n'a pas pris beaucoup de repos, cela se voit. Il est bien pressé de venir chercher son malheur. Il a sûrement chevauché toute la nuit pour son tourment et son dommage.

Jaufré entend et comprend très bien ce qu'ils disent, mais il fait mine de ne pas les entendre et passe son chemin jusqu'à ce qu'il soit entré dans le château. Il regarde tout autour de lui et voit beaucoup de belles maisons et de salles hautes bien construites. Mais il n'a trouvé personne, ni homme, ni femme, ni aucune créature, sinon en peinture. Il poursuit son chemin tout en regardant les belles constructions qui s'offrent à ses regards jusqu'à ce qu'il soit arrivé au palais. Aussitôt il met pied à terre, attache son cheval, pose sa lance et son écu. En regardant autour de lui, il voit à l'un des angles du palais une porte ornée de fleurs sculptées, peinte de nombreuses couleurs, très élégamment voûtée. Elle était un peu entrouverte. Il s'approcha doucement, frappa et entra. A l'intérieur, il vit un lit, rien de plus. Sur le lit gisait un chevalier blessé et devant le lit deux dames, dont la contenance disait assez le profond chagrin car elles cachaient leur visage au creux de leur bras et ne cessaient de soupirer et de pleurer. Jaufré se dirigea vers la plus âgée.

— Ma dame, dit-il, s'il vous plaît, je vous demande, comme une grande marque d'amitié et de charité, de m'accorder un instant d'entretien.

Elle se leva aussitôt.

— Seigneur, dit-elle, pour l'amour de Dieu et de sainte Marie, parlez doucement à cause de ce chevalier qui gît blessé dans ce lit, car il y a bien longtemps qu'il est privé de tout plaisir et de toute joie.

— C'est entendu, ma dame, dit Jaufré. Je vous prie, s'il vous plaît, de m'écouter. Augier d'Essart m'a envoyé à vous pour que vous me disiez, en toute vérité, où je pourrai trouver Taulat et que vous me donniez des informations au sujet de la clameur que j'ai entendue si souvent.

La dame a poussé un soupir.

— Seigneur, dit-elle, je vais vous dire la vérité sur ce que vous me demandez. Mais je voudrais savoir, s'il vous plaît, d'où vous êtes et ce que vous êtes venu chercher ici.

— Ma dame, je vais vous le dire sans plus tarder et sans mentir.

J'appartiens à la cour du roi Arthur qui m'a récemment armé chevalier et je suis à la recherche de Taulat qui s'est conduit de façon très insultante à la cour du roi mon seigneur : il a frappé un chevalier à la poitrine et l'a étendu mort aux pieds de la reine, puis il a dit à voix haute et forte, si bien que toute la cour l'a entendu, que chaque année, le jour de cette fête, il infligerait au roi la même humiliation et le même déplaisir. Je veux le combattre, et si Dieu me donne l'occasion de le vaincre et de l'abattre, je l'enverrai à la reine, à Cardueil, pour qu'elle tire vengeance à son gré de la honte qu'il lui a fait subir.

La dame lui répond en pleurant amèrement :

— Cher seigneur, par Dieu, si Taulat s'est conduit avec une telle arrogance, ce n'est pas la première fois. Il en a fait bien d'autres. Il a séparé bien des âmes de leur corps, injustement et poussé par l'orgueil, il a fait prisonniers et tué bien des chevaliers, plongeant bien des dames dans l'affliction, bien des demoiselles dans le chagrin, rendant bien des enfants orphelins, privant bien des royaumes de leur souverain. Un an ne me suffirait pas pour vous raconter la moitié du mal qu'il a fait.

— Ma dame, dit Jaufré, s'il est méchant, orgueilleux, déloyal, il manifeste ainsi de l'amitié à son ennemi, car Orgueil tue son maître. Quand il l'a peu à peu élevé, il le fait tout d'un coup trébucher de telle façon qu'il ne se relèvera jamais. C'est pourquoi, si je puis, je ne manquerai pas de voir ce que je pourrai faire. Et si vous pouvez m'indiquer où il est, faites-le, car je l'ai beaucoup cherché : ce sera de votre part une grande marque d'amitié.

— Seigneur, dit-elle, je vais vous renseigner, mais que je vous raconte d'abord l'orgueilleuse brutalité dont il se rend coupable, le malheur du chevalier que vous voyez ici et la douleur mortelle qu'il lui inflige. L'infortuné aimerait mieux être mort que de souffrir cette angoisse. Taulat a injustement et sauvagement tué son père et, après l'avoir tué, il a poursuivi la guerre contre le fils. Il lui a pris une grande partie de sa terre, il a tué beaucoup de ses gens, et il l'a si cruellement blessé d'un coup de lance à travers la poitrine qu'il a fait sortir le fer de l'autre côté, seigneur, au milieu du dos, de la largeur d'une main. Il l'a conduit prisonnier ici et — Dieu m'assiste ! — il y aura sept ans à la Saint-Jean d'été qu'il l'y garde. Et chaque mois ce chevalier est lâchement martyrisé. Car quand ses plaies sont guéries et saines, quand il est rétabli, Taulat vient ici, le fait lier par ses valets, puis lui fait gravir cette montagne en le fouettant avec des lanières. Quand il arrive en haut, ses plaies sont rouvertes devant et derrière, tant il est affaibli et épuisé. Et la fièvre se réveille. Voilà dans quel tourment il passe sa vie.

En entendant cela, Jaufré répond :

— Par tous les saints du paradis, quel terrible destin ! Je m'étonne que ce chevalier supporte ce traitement si longtemps. Et ces gens qui campent dehors, dites-moi qui ils sont, si vous en savez la vérité.

— Seigneur, dit-elle, je la connais bien et je ne vous mentirai en rien. Ce sont tous des chevaliers prisonniers de Taulat. Il les a tous conquis par sa valeur au combat. Pas un qui ne soit seigneur de trois ou quatre châteaux. Ils étaient venus le combattre pour délivrer ce chevalier, mais aucun n'y est parvenu. Quant à moi, je n'ai plus confiance en aucun chevalier et je n'espère plus qu'aucun puisse le délivrer, sinon Gauvain. Car toutes les entreprises difficiles et pénibles devant lesquelles les autres échouent, il en vient à bout facilement : il confond les orgueilleux et secourt ceux qui en ont besoin.

— Ma dame, dit Jaufré, croyez bien que tant que je n'aurai pas échoué moi-même, monseigneur Gauvain ne viendra pas. Mais dites-moi, quand Taulat sera-t-il ici ? Ne vous souciez pas du reste.

— D'aujourd'hui en huit, certainement, seigneur, et sans faute : il viendra infliger sa pénitence au chevalier qui gît ici blessé, car alors ses plaies seront guéries. Si donc vous voulez revenir ici à ce moment-là, vous le trouverez facilement, puisque vous dites que vous l'avez tant cherché.

Jaufré répond :

— Ma dame, par le Christ, j'aimerais bien le trouver avant, car ce délai me paraît long comme une année. J'ai tellement envie de le voir que je voudrais y être déjà.

La dame lui dit alors :

— Seigneur — que Justice et Foi me viennent en aide ! —, si ce délai vous paraît long, à moi il paraît court, terrible et cruel. Il sera ici plus tôt que je ne voudrais, car, si je pouvais ne plus jamais le voir, Dieu m'aurait fait un grand honneur et délivrée d'un grand tourment. Il n'est pas très normal que sa venue soit bonne pour vous et mauvaise pour moi, car je ne l'ai jamais vu sans en être malheureuse.

— Ma dame, dit Jaufré, cette fois vous en serez joyeuse, si auparavant vous en étiez triste, car mon bon droit, qui est entier, le tort qui est sien et son orgueil vont causer sa mort.

Et elle :

— Dieu vous l'accorde ! Il serait bien juste que c'en fût fini de son orgueil, car depuis toujours il fait ce qu'il veut.

Ils ont ainsi parlé longtemps, et Jaufré a demandé :

— Où pourrai-je attendre Taulat ?

— Seigneur, dit la dame, il vous faut retourner là d'où vous êtes parti hier, car vous ne trouverez ici personne qui ose en rien vous servir, à moins de vouloir mourir.

— Comment cela ? Dites-moi la vérité.

— Si Taulat venait à savoir que quelqu'un vous eût hébergé ici, l'audacieux aurait joué sa vie sur un coup de dés.

A ces mots, Jaufré dit :

— Puisqu'il en est ainsi, ma dame, je m'en retournerai, mais je vous garantis que je serai ici d'aujourd'hui en huit sans faute, tout armé et prêt pour la bataille. Mais avant que je prenne congé, s'il vous plaît, vous me direz pourquoi les gens d'ici poussent de telles clameurs et pourquoi ils prennent comme une injure mortelle la moindre question sur ces clameurs.

— Je vais vous le dire, seigneur. Ils ont une très bonne raison pour se conduire ainsi : c'est que le blessé qui gît ainsi en prison est leur seigneur légitime. Il a été pour eux si loyal, si bon, si courtois que chacun est profondément attristé par son sort et en a le cœur si chagrin qu'ils poussent ces clameurs à cause des douleurs qu'il endure : ils savent en effet qu'il souffre extrêmement. Ils doivent continuer de la sorte jusqu'à ce que Dieu, par sa grande puissance, leur ait rendu leur seigneur. Et quand l'un d'eux entend quelqu'un mentionner ce malheur, il en éprouve une telle douleur que, même si c'était son frère, il aurait envie de le tuer. Ils n'ont pas tort, je vous le dis, car il les aimait sincèrement et le leur faisait bien voir, car il n'a jamais traité quelqu'un avec morgue. Sa cour était si équitable que chacun y voyait ses droits reconnus, les méchants comme les bons. Et c'est pourquoi tous, sans exception, grands et petits, bons et méchants, sont affligés, tristes, dolents. Voilà toute la vérité sur ce que vous m'avez demandé. Si vous voulez que je vous renseigne sur autre chose, je le ferai bien volontiers.

— Ma dame, dit-il, je n'ai plus rien d'autre à demander.

— Allez à présent, je vous recommande à Dieu.

X

LE CHEVALIER NOIR

Jaufré s'en va aussitôt et quitte le château, triste et mécontent de ne pouvoir trouver celui qu'il cherche. Il se dit qu'il ne veut pas revenir chez son hôte, bien que celui-ci l'en ait prié, avant d'avoir trouvé le chevalier pour lequel il s'est donné tant de mal. Il traverse ainsi le camp et, laissant le chemin par où il est venu, il voit un sentier qui conduisait vers un bois à la ramée épaisse.

« Par ici, se dit-il, sont passés des gens qui habitent ce bois. J'irai loger chez eux. Ils ont certainement de quoi manger, car sans cela, on ne peut pas vivre. »

Et il s'engage dans ce chemin, à vive allure. Quand il se fut bien enfoncé dans le bois, il regarda autour de lui et vit sur son chemin une vieille couchée sous un pin, appuyée sur le coude. Elle était velue et ridée, maigre, plus sèche que du bois à brûler. En voyant Jaufré, elle ne daigna pas seulement bouger. Elle leva seulement la tête qu'elle avait plus grosse, sans plaisanterie, qu'une cruche de deux setiers. Les yeux pas plus grands qu'un denier, chassieux et éraillés, cernés de bleu et meurtris ; les cils extrêmement longs ; les lèvres épaisses et lippues ; de grandes dents longues et rousses comme de l'orpiment qui sortaient de trois doigts hors de la bouche. Elle avait des poils follets au menton et de longues moustaches blanches. Ses bras étaient plus secs que ceux d'un pendu, ses mains plus noires que du charbon. Le bas du visage, le front, le menton étaient noirs, ridés, plissés ; le ventre enflé et gonflé ; les épaules voûtées et pointues ; les cuisses sèches et menues, où il n'y avait que la peau et les os ; les genoux raboteux et gros ; les jambes longues et desséchées ; les pieds enflés avec des ongles si longs qu'elle ne pouvait les faire entrer dans des chaussures. Avec tout cela, elle portait une ample aumusse d'écarlate bordée de zibeline, un léger voile de filoselle qui enserrait ses cheveux tout hérissés par-dessus. Un manteau d'écarlate orné d'hermine enserrait son cou. Elle avait une tunique de soie rouge sang et une chemise d'une précieuse toile blanche, fine et délicate. Quand il la vit, Jaufré la salua tout en considérant avec attention son allure et sa laide apparence. De son côté, quand elle le vit devant elle, elle lui dit :

— Chevalier, que vas-tu faire ? Retourne-t'en plutôt où tu pourras !

— Ma dame, dit Jaufré, je n'en ferai rien. Je ne m'arrêterai pas avant de bien savoir pourquoi.

— Par ma foi, dit-elle, si tu ne le fais pas tout de suite, tu t'en repentiras, car quand tu voudras le faire, tu ne pourras plus. A partir d'ici, si tu continues ton chemin, tu ne pourras plus t'en retourner sans grand danger d'être fait prisonnier ou tué.

— Comment cela, ma dame ? demande Jaufré.

— Vas-y : tu le verras bien !

— Allons ! dit-il, je veux que vous me disiez, s'il vous plaît, quelles gens sont là-bas.

— Ceux que tu trouveras te le diront.

— Dites-moi au moins qui vous êtes.

Alors la vieille se dresse sur ses pieds :

— Tu peux le voir, dit-elle, et elle laisse tomber son manteau.

Voilà qu'elle était aussi grande qu'une lance ! A cause de la chaleur elle tenait à la main un chasse-mouches avec lequel elle se faisait du vent.

— Dieu ! dit Jaufré, je me rends à vous ! Qui a jamais vu une telle figure et une créature si étrange ?

— Sur ma tête ! dit la vieille, tu verras pire quand tu reviendras si, pour ton malheur, tu vas de l'avant.

— C'est ce qui arrivera tout de même, dit Jaufré, car tout ce que vous me dites, je le tiens pour du vent et pour du néant.

Là-dessus il s'en va. Il chemina jusqu'à ce qu'il vît une toute petite chapelle où un saint ermite servait l'autel de la Sainte-Trinité. Soudain un chevalier armé, noir comme du charbon, avec un cheval, une lance, un écu également noirs, fondit sur Jaufré avec impétuosité et aussitôt, sur son élan, le frappa avec une telle violence qu'il le fit tomber à terre. Plein de honte et de colère d'être ainsi tombé, Jaufré se relève adroitement, tire aussitôt son épée en se protégeant de son écu et marche sur celui qui l'a frappé. Mais voilà qu'il ne le trouve plus, ne le voit plus, ne sait pas de quel côté il s'en est allé. Il en est stupéfait. Il regarde de tous côtés sans voir ni chevalier, ni cheval, ni personne.

— Dieu ! dit-il, quelle aventure ! Où est parti ce chevalier ?

Il remonte sur son cheval et, dès qu'il est en selle, le chevalier apparaît promptement, tout prêt à le frapper. Mais Jaufré, le voyant venir, est prêt lui aussi et fonce impétueusement sur lui de toute la vitesse de son cheval. Ils se portent de tels coups que tous deux tombent à terre. Avec sa vigueur, Jaufré se relève bien vite. Furieux, plein d'énergie guerrière, il marche, l'écu au bras, sur celui qui l'a jeté à bas. Impossible de le trouver, de le voir, de l'entendre ! Il ne voit même pas le sentier et les empreintes montrant par où il a dû venir. Voilà Jaufré furieux et hors de lui.

— Dieu ! dit-il, il s'est bien moqué de moi ! Comment ce chevalier a-t-il pu si lestement s'enfuir je ne sais où ? Trouverai-je jamais où il se cache ?

Il regarde de tous les côtés, puis revient à son cheval. Aussitôt le chevalier arrive, impétueux et farouche, sifflant, soufflant, menant autant de vacarme que la foudre qui tombe du ciel, et il porte sur l'écu de Jaufré un tel coup qu'il le jette à terre. Mais Jaufré l'a frappé lui aussi, et si bien qu'il a transpercé l'écu et le corps du chevalier : le fer et la moitié du bois de la lance ressortent de l'autre côté. Il tombe à terre ; l'arçon n'a pu le retenir. Jaufré se précipite, mais il ne le trouve pas, il ne sait pas où il est. Et il voit sur le sol sa lance, qu'il lui avait plongée dans le ventre !

— Sainte Marie ! où est donc allé ce diable, ce démon ? dit Jaufré. Je lui ai passé une brasse de ma lance à travers le corps, je l'ai fait tomber, et je ne peux le trouver ni le voir ! Jamais personne ne m'a livré un tel combat ! Je ne sais s'il se cache sous terre où de quel côté il a disparu. Saint-Esprit, venez à mon aide !

Il retourne à son cheval. A peine y est-il monté que le chevalier vient le frapper et le fait tomber à terre. Que vous dire de plus ? Cela a duré jusqu'au coucher du soleil et à la chute du jour. Quand Jaufré était à pied, il ne le voyait pas. Mais dès qu'il était sur son cheval, l'autre accourait, le frappait, le désarçonnait, puis disparaissait aussitôt. Irrité, Jaufré se dit qu'il ne remontera plus sur son cheval, mais qu'il ira à pied jusqu'à la chapelle. Il met sa lance sous son bras et prend son cheval par la bride. Mais voilà que le chevalier arrive à pied, dans un élan sauvage. La nuit est noire et obscure si bien que Jaufré peut à peine le voir, mais quand il le sent venir, il pose sa lance sur le sol, tire son épée, en qui il se fie, et attend debout, l'écu au bras. Arrivant ainsi précipitamment, le chevalier lui porte un tel coup qu'il s'en faut de peu qu'il ne le jette à terre et qu'il fait jaillir des flammes de son heaume. Jaufré le frappe si furieusement en haut du bras qu'il lui emporte toute l'épaule et la moitié de l'écu. Mais il en est bien peu avancé, car l'autre est toujours frais et en pleine santé : on dirait que ce n'est rien et que Jaufré ne l'a même pas touché. Le chevalier frappe Jaufré si fort qu'il l'étourdit complètement et le fait tomber à genoux. Jaufré se relève aussitôt et le frappe de telle sorte qu'il lui fend la tête jusqu'aux dents. Mais il est bien vite guéri, car à peine Jaufré a-t-il retiré son épée qu'il semble n'avoir pas reçu de coup. Ils se battent ainsi férocement et se frappent de leurs épées durement, de toutes leurs forces, si bien qu'il est impossible de dire lequel est le meilleur. Jaufré le fend et le partage en deux, mais il se reforme de lui-même aussitôt. Le chevalier, de son côté, ne peut le blesser, mais il le fait souvent trébucher. Il le frappe et le cogne si durement qu'il a mal partout, aux cuisses, aux flancs, aux bras, aux jambes. Pour autant, ne croyez pas qu'il veuille abandonner ni tourner le dos. Pourtant le chevalier ne le laisse pas avancer d'un pas sans ensuite le faire reculer de plus de deux, tout vaillant qu'il est, tant il le frappe durement et fort. Jamais on n'entendit, sans qu'il y ait mort d'homme, donner de si grands coups d'épée, mais pour rien au monde ils ne veulent se séparer. Quand ils sont fatigués de se battre à l'épée, ils s'empoignent à bras le corps et tombent, l'un d'abord, puis l'autre. Ils se bourrent de coups de poing et de coups de pied dans la poitrine, les flancs, la figure. Je crois que personne n'a encore jamais vu un combat si gigantesque et si sauvage.

Le saint homme qui était dans l'église a écouté toute la nuit, car ils l'empêchaient, malgré lui, de se reposer et de dormir. A bout de patience, il se lève et va prendre ses armes — celles avec lesquelles on doit se défendre du diable et des siens —, l'étole et l'eau bénite, la croix et le corps de Jésus-Christ, puis il s'avance vers ceux qui se sont battus si cruellement toute la nuit, en leur jetant l'eau bénite et en récitant les psaumes. En le voyant venir, le chevalier rompt le combat et prend la fuite aussi vite qu'il peut en hurlant. Et il se lève un grand orage de pluie, de vent et de tonnerre. Le saint homme dit ses prières et ses psaumes, puis, prenant Jaufré avec lui, il l'emmène dans l'église. Jaufré n'a pas oublié son cheval : il l'a d'abord bien installé à l'abri, lui a donné de l'avoine et du foin et lui a fait une litière de bonne paille. Puis il délace sa visière de fer et enlève son heaume. La foudre et la tempête s'abattent toute la nuit. Il pleut et il tonne jusqu'au jour, au moment où la clochette sonne et où le saint homme vient dire sa messe et invite Jaufré à quitter son armure. Après avoir pieusement chanté la messe, il enlève ses ornements liturgiques et demande à Jaufré d'où il est et ce qu'il cherche.

— Mon bon seigneur, je ne vous le cacherai pas : je suis de la cour du roi Arthur, et il y a bien six jours et plus que je cherche un chevalier nommé Taulat qui s'est très mal conduit à la cour du roi l'autre jour. Je ne m'en retournerai pas de mon plein gré avant de l'avoir trouvé, car c'est ce que j'ai promis au roi, mon seigneur, en venant ici.

— Mon ami, ce n'est pas de ce côté que tu dois le chercher, car par ici personne, homme ou femme, petit ou grand, ne peut passer, et n'est en effet passé, depuis plus de trente ans.

— Par Dieu, seigneur, si cela ne vous ennuie pas, dites-moi donc la vérité touchant ce chevalier si fort au combat et qui m'a si cruellement attaqué.

— Mon ami, je vais vous le dire d'un mot, répond le saint homme, mais quand je vous l'aurai dit, vous ne saurez toujours pas qui il est, car ce n'est nullement un chevalier, mais le plus grand démon qui ait sa résidence en enfer. Par la nécromancie, la mère d'un géant l'a fait venir, une grande vieille farouche, maigre, sèche et ridée : je ne sais si vous l'avez rencontrée.

— Oui, seigneur, dit Jaufré. Contez-moi donc, cher ami, ce qu'il en est.

— La vieille avait pour mari un méchant rustre de géant qui a ravagé en tous sens tout le pays à un jour de marche à la ronde, si bien qu'on n'y trouve plus rien que bois, mauvais chemins, buissons, ronces et prés. Tout est tellement mort et dévasté que tous les habitants sont partis et ont fui vers d'autres pays, ne pouvant supporter les hostilités de ce géant, car personne n'en était à l'abri. Mais un jour il partit on ne sait où et revint si gravement blessé qu'il mourut au bout de trois jours. Il n'était pas si cruel ni si fort qu'il ne trouvât pire que lui. Voyant son mari mort, la vieille eut grand-peur pour elle-même et pour ses deux fils, encore petits, craignant qu'on les lui prît et qu'on les fît périr. Par ses enchantements, elle a fait venir cette créature qui interdit le passage et le chemin. Rien au monde ne pourrait faire qu'un homme né de mère pût y passer, et vous non plus, mon frère, n'y seriez pas parvenu de mille ans si je ne vous avais conduit ici avec les armes de Jésus-Christ, car aucune créature ne peut leur résister ni soutenir la lutte contre elles. Celui qui les porte avec lui, à condition qu'il ait en Dieu une foi solide, rien ne peut lui faire de mal, et si quelqu'un pense y parvenir, si arrogant et si fort soit-il, il sera confondu et mourra. Elles m'ont si bien protégé qu'aucune créature n'a pu me nuire, ennemi, bête ou géant, depuis plus de vingt-quatre ans. La vieille a donc élevé ses petits enfants tout près de moi. Et comme le mauvais est resté là vingt ans, ce passage est si bien gardé que nul ne peut s'y engager, quoi qu'il fasse. Beaucoup ont pourtant essayé : les uns sont morts, les autres s'en s'ont retournés. Les enfants sont partis d'ici — ce sont maintenant des adultes grands et forts — et ils se sont mis à faire tant de mal que leur père n'était pas pire qu'eux ni plus redouté. Mais l'un est devenu lépreux et il s'est séparé de son frère. Sa mère lui a fait faire par un enchantement une maison, je ne sais où, mais elle va l'y voir souvent. Actuellement son frère est parti, triste, dolent, furieux, parce qu'on lui a dit qu'un chevalier l'a tué — je ne sais qui c'est, je n'en ai pas demandé davantage. Je leur ai seulement entendu dire qu'il venait de la cour du roi Arthur. Ils ne savent pas où il est allé et le géant le cherche partout. Que Dieu, dont la puissance s'exerce sur le monde, le protège par sa miséricorde !

— Seigneur, dit Jaufré, je crois qu'il saura bien se défendre lui-même, à mon avis. Et l'autre n'a pas besoin de se donner tant de mal pour aller chercher ce chevalier, car il pourrait le trouver tout près : c'est moi, c'est bien moi, qui ai rompu l'enchantement et tué le lépreux. Je vais vous dire pourquoi et comment.

Il lui raconta alors toute l'histoire : comment la femme, en larmes, lui avait demandé pour l'amour de Dieu de lui rendre son enfant que le lépreux emportait ; le geste insultant que le lépreux lui avait fait ; comment l'autre lépreux tenait dans ses bras la jeune fille qu'il avait prise au chevalier qui l'emmenait et comment il voulait la violer sur son lit ; et le cruel combat ; et l'enchantement, comment il le rompit sur les indications de l'autre lépreux ; et comment la maison avait disparu avec la tête qui jetait éclairs et tempête ; et comment il avait délivré les enfants que le lépreux géant faisait saigner et tuer, parce qu'il pensait, d'après ce qu'on lui avait enseigné, guérir en se plongeant dans leur sang. Il lui raconta tout mot pour mot, sans mentir en rien, comme vous l'avez entendu.

— Mon ami, dit le saint homme, si cela ne vous ennuie pas, dites-moi qui vous a envoyé ici.

— Seigneur, Aventure, qui me mène.

— Que Dieu, s'il lui plaît, vous accorde, par sa douceur, de bien vous en tirer ! dit le saint homme, car j'ai grand-peur pour vous que le géant vous trouve à son retour.

— Seigneur, dit Jaufré, il peut bien me trouver s'il veut, il ne me fait pas peur. J'ai toute ma confiance en Dieu, dans la force qu'il m'a donnée, dans mon bon droit et dans le tort de mon adversaire : je le vaincrai et le tuerai, car je sens mon cœur ferme et fort.

Le saint homme lui répond :

— Oui, s'il plaît à Dieu. Mon ami, levez-vous, lavez-vous les mains et allez manger, et puis pensez à votre affaire et partez pendant que vous en avez encore le loisir et que le géant n'est pas là.

— Comment, seigneur, dit Jaufré, me chassez-vous de votre maison ?

— Non, mon ami, mais, sur ma tête, j'ai peur, si le géant vous sait ici, qu'il ne vienne vous en faire sortir.

— Que je ne porte plus jamais de culottes, dit Jaufré, s'il arrive à m'en faire sortir, aussi longtemps qu'il me trouvera vivant et que je pourrai manier l'épée ! Mais si vous vouliez bien supporter ma présence chez vous, ouvertement ou en cachette, pendant huit jours, pas un de plus, vous me feriez une marque d'amitié et me rendriez un grand service. Au bout de ce temps, il me faudra partir : je ne pourrai rester plus longtemps, car ce même jour, sans faute, je me battrai avec Taulat. Je me le suis promis et, si je le puis, je tiendrai cette promesse.

— Mon ami, Dieu me garde ! vous aurez beaucoup à faire avant d'y parvenir, dit le saint homme. Mais puisque Dieu vous a envoyé ici, aussi longtemps que vous y serez, rien de ce qui y est ne vous sera refusé, mais nous partagerons tout par moitié.

— Seigneur, grand merci.

— Mon ami, ne me remerciez pas : remerciez Dieu qui vous a conduit ici.

Jaufré séjourna chez l'ermite jusqu'à ce que les huit jours fussent écoulés. Le huitième jour, il prit congé de son hôte, mais il lui a bien demandé comment se débarrasser du diable s'il survenait.

— Mon ami, ne craignez rien : il ne vous fera plus ni bien ni mal et ne peut plus se mettre sur votre route. Mais que le Dieu qui a créé le monde vous protège des mains du géant !

Ils se sont alors quittés. Jaufré s'en va, l'ermite reste. Il ne cesse de faire sur lui le signe de la croix et de le recommander à Jésus-Christ aussi longtemps qu'il peut le suivre des yeux. Puis il entre

dans la chapelle, se dirige vers l'autel, revêtu des ornements liturgiques, et chante pour Jaufré la messe du Saint-Esprit, afin que Dieu
le protège et le guide.

XI

LE GÉANT

Jaufré s'en va aussi vite qu'il le peut — il ne veut pas s'attarder ici.
Il se hâte de son mieux en vaillant chevalier. Il n'avait pas cheminé
longtemps quand il vit venir le cruel géant avec une jeune fille qu'il
portait sous son bras comme on ferait d'un enfant. Elle se lamentait
et criait :

— Sainte Marie, secourez-moi !

Elle était enrouée d'avoir tant crié, au point qu'elle pouvait à
peine articuler clairement. Ses cheveux qui luisaient comme le clair
soleil, comme des fils d'or brunis, étaient épars, répandus en
désordre. Sa tunique était déchirée et rompue par-devant et par-
derrière. Ses yeux clairs, bien dessinés, étaient un peu gonflés, tant
elle avait pleuré. Elle se tordait les doigts, se meurtrissait les mains.
On n'a jamais vu créature du Christ manifester une telle douleur.
Son regard se fixe sur Jaufré quand elle le voit venir vers elle et elle
lui crie comme elle peut, d'une voix suppliante :

— Noble chevalier plein de courage, venez au secours de la malheureuse que je suis, qui ne sait plus que faire. Je suis si désespérée,
si misérable, qu'il me pèse d'être encore en vie.

Jaufré en a pitié et tourne son cheval de son côté. Puis, mettant
écu et lance en position de combat, il pique des deux en direction du
géant et lui crie d'une voix forte :

— Dieu m'assiste ! monsieur le démon, c'est pour votre malheur
que vous avez porté la main sur cette jeune fille. Laissez-la immédiatement !

En le voyant venir tout armé et si impétueusement, le géant laisse
tomber la jeune fille. Il court à un arbre, l'attrape par une branche,
le tire et le déracine. Mais avant qu'il l'ait brandi, Jaufré arrive et lui
donne un tel coup de sa lance qu'il la lui enfonce d'une brasse dans la
poitrine, le perçant de part en part. Le géant, qui avait soulevé
l'arbre, l'abat aussitôt sur Jaufré mais sans l'atteindre de plein fouet
— sinon il l'aurait coupé en deux. Jaufré en est si étourdi qu'il est
précipité de son cheval à terre sans plus rien voir et sans savoir où il
est, tandis que son cheval est tombé sur les genoux. Mais Jaufré
saute bien vite sur ses pieds, met la main à l'épée et va frapper le

géant un peu au-dessus la ceinture de son épée dure et solide, si bien qu'il lui emporte plus d'un empan de chair tout le long du flanc : on pourrait lui voir le cœur ! Le sang jaillit si violemment que le géant ne sait plus où il en est et n'a plus la force de soulever l'arbre. Pourtant il frappe Jaufré sur son heaume d'un coup si fort, si violent qu'il l'étend à terre sans connaissance, n'entendant et ne voyant plus rien. Le sang vif, rapide et clair lui sort par le nez et par la bouche. Il ne remue pas plus qu'une souche. Son épée lui a échappé des mains. La jeune fille s'écrie :

— Sainte Marie, secourez-le ! Daignez le faire pour la malheureuse que je suis !

Elle s'étend à plat ventre sur le sol, les bras en croix :

— Seigneur, vous qui êtes mort pour nous sauver et vous êtes laissé clouer sur la croix, vous qui avez sauvé Daniel du lion, le fils d'Israël de la main du roi Pharaon, Jonas du ventre du poisson, Noé du péril de la mer, Suzanne de la lapidation : protégez ce chevalier et accordez-moi ce que je vous demande !

Le géant approche, soulève l'épée du sol et pense venir vers Jaufré, mais il est si faible qu'il n'y voit pas, ne peut plus se mouvoir et tombe de tout son long sur place. Jaufré revient à lui. Il se lève aussitôt, court vers le géant qu'il voit couché face contre terre, tenant l'épée dans sa main, non pas mollement, mais si serré, si fermement, que Jaufré a bien du mal à la lui reprendre. Le voyant vaincu, il lui tranche les pieds et le laisse là. La jeune fille va aussitôt se jeter aux pieds de Jaufré :

— Seigneur, cinq cents mercis de m'avoir ainsi délivrée.

Jaufré, qui l'a aussitôt reconnue, la salue.

— Jeune fille, dit-il, Dieu vous assiste ! Que vous est-il donc arrivé ?

— Je vais vous le dire, seigneur. Ma mère m'avait emmenée hier pour me distraire dans un verger, comme nous le faisons souvent. Quand nous voulûmes nous en retourner, nous vîmes venir ce géant qui m'a enlevée malgré moi et m'a apportée jusqu'ici. Mais Dieu et vous m'avez protégée : il ne m'a pas déshonorée.

— Sainte Marie soit remerciée, dit Jaufré, de m'avoir fait venir là où je pouvais vous servir ! Mais dites-moi où étaient votre père et vos deux frères ?

— Ils chassaient dans la forêt, seigneur. Mais je me demande avec étonnement comment vous connaissez mon père et pourquoi vous remerciez tellement Dieu de ce que vous m'avez servie ici, car je ne me souviens pas de vous avoir jamais vu.

— Jeune fille, il n'y a pas bien longtemps que vous, Auger, votre père, et vos deux frères m'avez servi chez vous à ma convenance : c'était l'autre jour.

— Cher seigneur, bénie soit l'heure que vous y êtes venu, car jamais jusqu'ici je n'avais reçu le moindre bien en retour d'un service que j'avais pu rendre.

— Jeune fille, dit Jaufré, vous pouvez savoir à présent quel profit peut trouver celui qui se met de bon cœur au service de tout le monde, car un seul vous récompense de l'ingratitude de cent. On ne sait pas qui va ni qui vient, ni quand il va vous faire du mal ou du bien. C'est pourquoi il est toujours bon de se mettre au service de l'étranger, quand on le voit venir, de l'accueillir, de lui parler, de lui donner de son bien. Qui agit ainsi se conduit bien, mais celui qui accepte un service se conduit mal s'il ne s'en reconnaît pas, fût-il un comte ou un plus grand personnage encore.

— Seigneur Jaufré, dit la jeune fille, s'il vous plaît, racontez-moi : quelle aventure vous amène ici ?

— Jeune fille, ne me demandez pas de vous en raconter plus, car j'ai beaucoup à faire et j'ai grand-peur d'être en retard. Je vous raconterai tout avec exactitude quand nous en aurons le loisir.

Il resserre alors la sangle de son cheval, puis monte et se fait donner son écu et sa lance. Il prend doucement la jeune fille et la pose devant lui : ce n'est pas lui qui l'abandonnera avant de l'avoir rendue à son père qui croit l'avoir perdue !

XII

TAULAT DE ROUGEMONT

Il s'en va ainsi en hâte vers le château où on l'attend, là où gît le chevalier blessé, qui aurait grand besoin de secours, car Taulat est arrivé avec des hommes d'armes qui lui ont lié les mains étroitement derrière le dos. Ils sont quatre gaillards qui portent quatre grandes lanières de cuir de cerf avec des nœuds nombreux, dont ils le fouettent en lui faisant gravir la montagne, selon leur habitude. Cela fait sept ans qu'ils le traitent ainsi. Ils l'ont tiré hors du château, tout nu, puis l'ont mené au pied de la montagne. Chacun a retroussé ses manches et ils s'apprêtent à le frapper. Ils ont vu alors arriver Jaufré au galop, ayant devant lui la jeune fille.

(Défié par Jaufré, Taulat dédaigne de s'armer et ne prend que sa lance et son écu. Désarçonné, blessé et vaincu, il est envoyé à la cour d'Arthur, accompagné de ses prisonniers délivrés, pour y être jugé. A Cardueil, une jeune fille cherche en vain un champion, en l'absence de Gauvain, d'Yvain et de Jaufré. Taulat reconnaît ses crimes et demande une grâce que le roi et la

reine sont prêts à lui accorder, mais non sa victime, car « seule la vengeance efface du cœur d'un homme digne de ce nom l'humiliation physique ». Une cour de cent juges le condamne à subir le supplice qu'il a infligé.)

XIII

LA FILLE D'AUGIER

(Jaufré ramène la fille d'Augier à son père. Il feint d'abord de vouloir lui faire accepter une inconnue en échange de sa fille perdue. La reconnaissance qui suit n'en est que plus touchante. Malgré l'insistance de ses obligés, Jaufré refuse de s'attarder et repart pour Monbrun.)

XIV

BRUNISSEN

(Comme Augier et ses fils lui font un bout de conduite, ils trouvent en chemin le sénéchal de Brunissen qui revient de Cardueil où il a vu Taulat et sa victime, dont on apprend le nom, Mélian de Monmelior. Brunissen, informée de l'arrivée de Jaufré, vient à sa rencontre et le reçoit de façon splendide. Après le repas, on revient sur le premier — et malheureux — séjour de Jaufré à Monbrun.)

Quand ils eurent bien mangé, la conversation s'engagea. Jaufré leur a raconté comment il s'était enfui après qu'ils l'eurent battu et comment son haubert ainsi que les draps l'avaient protégé et empêché d'être blessé. Puis il demande si le chevalier qui trois fois était venu le réveiller et l'attaquer dans le verger était guéri ou pouvait guérir. Le sénéchal lui dit :

— Il guérira, seigneur, il ne s'en ressentira plus. Mais, par la foi que je vous dois, il en était venu avant lui deux autres, Simon et moi : nos écus le font bien voir. Chacun de nous a vidé les arçons et nous en avons eu les vêtements tout terreux. J'ai dit alors que vous traiteriez de même tous ceux de Monbrun jusqu'à ce que nous y allions tous ensemble nous saisir de vous. Je crois qu'à ce moment-là vous avez eu peur.

— Cela oui, jamais je n'ai eu aussi peur, dit Jaufré. Que Dieu et ma foi me sauvent, je croyais que c'étaient des diables sortis de l'enfer qui m'avaient pris, quand je les vis autour de moi tout armés. Mais quand ils m'eurent porté là-haut, que j'eus parlé à ma dame et que je l'eus vue, j'ai eu l'impression d'être avec Dieu au paradis : désormais je n'ai plus eu peur de rien. Tout au contraire — je vous le dis sur ma foi : pourvu seulement qu'elle fût de mon côté, rien, je crois, ne pourrait me nuire.

Brunissen a soupiré et elle a jeté sur Jaufré un regard si expressif et si doux que, venant de l'œil, il lui est descendu jusque dans le cœur, tandis qu'à elle, le sang montait du cœur au visage et la faisait rougir. Tous deux sont cruellement blessés d'un dard empenné par Amour qu'on ne voit pas venir et qu'aucune armure ne peut arrêter, tant son coup est subtil et puissant à la fois. Il n'y a moelle ni os, veine ni nerf qui ne le sente. Il blesse quand il lui plaît grièvement, délicieusement, doucement, sans qu'on voie venir le coup, sans qu'on l'entende, et sa blessure ne sera jamais guérie sinon par celui qui l'a faite. Mais comment peut-il frapper et blesser puisqu'il lui faut ensuite guérir ? Je vous en dirai bien la raison : je vous ai blessé et vous, moi ; si tous deux nous pouvons nous guérir mutuellement, nous serions fous de nous laisser mourir, car chacun de nous a hâte de guérir de son mal, tant il souffre. Mais quand l'un seulement a blessé l'autre, il faut déployer beaucoup plus de finesse, car le blessé doit chercher comment il pourra frapper à son tour celui qui l'a frappé, puisque rien sinon ne saurait le guérir. Et je vais vous dire comment il peut le frapper : en se mettant bien à son service et en lui faisant bien la conversation, en flattant, en se faisant humble. Qu'il évite les comportements bas, qu'il accomplisse autant de prouesses qu'il le pourra, qu'il se montre envers tout le monde doux, aimable, agréable, de façon que tous disent du bien de lui. Qu'il évite par-dessus tout d'être fâcheux, d'agir de façon commune, orgueilleuse ou arrogante. Qu'à l'occasion il soit généreux, selon ses moyens. Qu'il ait des manières comme il faut et évite de fréquenter les gens grossiers et d'être leur intime. Surtout, qu'il se dévoue entièrement à la personne qu'il voudra blesser, qu'il en dise du bien quand il en aura l'occasion, qu'il soit irréprochable et sincère, aimable avec tous ceux qui pourront le servir auprès d'elle. Qu'il manifeste aussi ses bonnes dispositions à ceux qui pourraient lui nuire et qu'il sache dissimuler. Voilà quels sont les dards d'Amour, qui blessent doucement et de façon agréable. C'est ainsi que l'on peut blesser l'être le plus dur si bien qu'il soit contraint d'aimer. Tous deux sont blessés de ce dard et tous deux guériront aisément, pour peu qu'ils puissent être ensemble, puisque chacun en sent violemment le désir.

Au palais, les conversations vont leur train, car chacun conte ce qui lui plaît. Mais Brunissen n'a d'yeux et d'oreilles que pour les exploits et les propos de Jaufré, et elle ne prête attention à rien d'autre. Elle ne cesse de gémir et de soupirer, de tressaillir, de frémir, de défaillir. Déjà elle se demande dans son cœur quand elle pourra voir le moment où il lui sera donné de le tenir dans ses bras. Jaufré, de son côté, gémit, défaille, s'embrase et brûle en la voyant, gaie et charmante : il se meurt déjà de ne pas lui être uni. Voilà dans quel état ils furent tout ce jour-là. Brunissen a fait préparer son lit : elle va aller goûter le repos du sommeil, car la chaleur qu'il a fait l'a un peu fatiguée. Elle s'approche de Jaufré et lui dit avec une aimable douceur :

— Seigneur, vous allez vous coucher : que Dieu vous donne une bonne nuit et demain matin un lever meilleur encore ! Je vais aller me reposer moi aussi ; mais j'ai grand-peur que vous vous enfuyiez cette nuit, quand nous serons couchés, comme vous l'avez fait la dernière fois.

— Je n'en ferai rien, dit Jaufré, car — Dieu me garde, lui et ses saints ! — j'aimerais mieux rester sept ans ici que de m'en aller sans votre congé et contre votre volonté.

— A la bonne heure ! répond Brunissen, j'en serai plus rassurée.

Elle se retire alors et fait recommander à ses gens de ne faire aucun bruit et de laisser Jaufré dormir en paix, comme un vaillant chevalier, car elle a l'impression qu'il en a bien besoin. On a fait coucher Jaufré dans un lit somptueux et bien préparé, où il pourrait dormir tranquillement, si Amour ne venait pas l'assaillir. Mais le bien-être d'une couche confortable ne peut rien contre Amour : on peut aussi bien coucher sur la paille, dès lors qu'Amour vous tourmente. Et lui, il en est tellement tourmenté qu'il se retourne cent fois pendant la nuit, sans remarquer si son lit est dur ou mou. Il ne reste guère tranquille, car il pense sans cesse au visage de Brunissen, au point que son cœur se brise : tous ses gestes, toutes ses paroles sont écrits et scellés dans son cœur. Il se demande s'il pourra en quelque façon trouver l'occasion de lui découvrir son cœur et l'amour qui le fait ainsi languir. Après avoir bien réfléchi, il ne voit pas d'autre chemin que de lui demander merci. Il se dit que dès qu'il pourra la voir, il s'adressera à elle en ces termes :

« — Ma dame, votre grande beauté, la perfection de votre personne, vos yeux, votre belle bouche, vos propos enjoués qui s'introduisent dans mon cœur m'ont si bien assujetti, pris, enlacé, que sur rien au monde vous ne m'avez laissé de pouvoir, car tout est en votre puissance : mon cœur, mon savoir, ma raison, ma vaillance, ma hardiesse, mon plaisir et ma volonté, vous m'avez dépossédé de tout, et tout est plus vôtre que mien. Et si je vous ai parlé comme on parle à Dieu, il ne devrait pas m'en tenir rigueur, car c'est lui qui vous a donné ce pouvoir sur moi. Et pour l'amour de lui, dame courtoise, parce qu'il vous a donné tant de valeur, de prix, d'esprit et de beauté, vous devez avoir pitié de moi, car vous m'avez conquis, assujetti, pris dans vos lacs, au point que je ne vois ni n'entends ni ne comprends plus rien, que je ne peux avoir ni joie ni plaisir sans votre amour, et si je ne l'ai pas, je vous le dis, je mourrai bien vite. Pour l'amour de Dieu, belle dame vertueuse, ne consentez pas que je meure pour vous, car vous ne pouvez faire valoir aucune raison pour laquelle vous deviez me faire périr, sinon que je vous aime : voilà tout mon tort. Et si pour cette raison vous voulez ma mort, vous ferez mal, me semble-t-il. Mais aucun droit ne peut prévaloir contre vous, tout dépend de votre bon vouloir. Seule Pitié peut me venir en aide, elle que je vous demande, belle dame courtoise...

« ... Je suis un fou complet, je ne dis que des folies quand je m'imagine avoir déjà son amour. Comment oserais-je le lui demander ? Ma valeur n'est pas telle que son amour soit en moi bien placé. Elle est riche, de haut rang, elle n'a pas son égale en beauté. Il n'y a personne au monde, si elle lui donnait son amitié, qui ne s'en considérât comme comblé. Ne suis-je pas bien extravagant de penser qu'elle puisse me la donner à moi ? Elle ne m'a jamais vu, elle ne sait pas qui je suis ! Retire-toi cette idée de la tête, cela n'arrivera jamais. Va-t'en, reprends dès demain ta route !

« Hélas, mon Dieu ! comment puis-je parler ainsi ? Je pensais à chaque instant mourir quand je ne voyais pas sa charmante personne, chaque jour je pleurais et je me lamentais, et maintenant que je suis auprès d'elle, je m'en irais ! Je ne trouve pas que ce soit une bonne chose ! Mais alors, que ferai-je ? Quand je la vois, mon mal, mon tourment, ma douleur redoublent. De l'amour, cela ? Jamais de la vie, mais bien le pire mal qui soit au monde, qui m'anéantit de toutes les manières, me tue, m'emprisonne, me tient asservi aussi bien quand je ne la vois pas que quand je peux lui parler. Comment puis-je endurer ce tourment ? Il me faudra le supporter jusqu'au bout ou mourir.

« Je crois pourtant que je trouverai grâce à ses yeux, car déjà elle a été si aimable avec moi, elle s'est si bien occupée de moi, m'a fait tant d'honneur, m'a si gracieusement accueilli et offert son hospitalité que je peux clairement m'apercevoir qu'elle a fait tout cela poussée par l'amour, comme quand elle m'a donné une fleur.

« Je vois bien à ces réflexions que j'ai perdu le sens ! Des fous dans mon genre, on en voit souvent : si une dame vertueuse veut bien montrer de l'amitié à l'un d'eux et s'occuper de lui parce qu'il se conduit comme il faut, il s'imagine qu'elle désire son amour, et il se croit sûr d'obtenir le sien : c'est de la folie, mais il pense bien être aimé. Je suis pareil, je le vois bien : parce que cette personne s'est mise en frais pour m'accueillir aimablement et m'honorer, me voilà sûr de son amour. Quels mérites, pourtant, quelle prouesse, quelle beauté, quelle richesse, que j'aurais ou qui seraient en moi, me vaudraient son amour ? Je ne vois pas de chemin qui puisse mener à ce résultat, sinon celui que suit, dit-on, Amour, indifférent au rang et à la richesse. J'aurai donc cet amour, moi qui ne suis pas riche, ou du moins je serai son ami sincère, humble et sans artifice, et je la servirai de tout mon cœur. »

Toute la nuit il se lamenta ainsi et fut en proie à ces tourments, sans pouvoir fermer l'œil. Et Brunissen pousse les mêmes plaintes, elle ne cesse de soupirer profondément, elle prie Amour d'abord, Dieu ensuite, de l'aider contre ce mal qui la tue contre toute raison :

« Car c'est sans raison qu'Amour me tue : je ne lui manque en rien, je fais tout ce qu'il m'ordonne, j'aime celui qu'il m'ordonne d'aimer. Et puisque j'obéis à ses commandements, c'est à tort, me semble-t-il, qu'il me fait périr. A tort ? Non pas, mais à bon droit, au contraire, car je ne fais pas ce que je dois faire. Je le fais pourtant : n'aimé-je donc pas Jaufré ? Non, car je ne fais pour lui — et pourquoi cela ? — rien de ce qu'on doit faire pour son ami. Je crois l'aimer comme il faut parce que je le dis, mais je ne fais rien. Il faut autre chose. Mes paroles ne valent pas une guigne. Mais si ! Mais non ! Je dis des folies et j'y gagne l'inimitié d'Amour, car si je lui ai promis d'aimer Jaufré et que je ne le fais pas, j'ai tort de me plaindre de lui : s'il me fait périr, s'il me met à mort, il aura raison et moi tort. Hélas ! pauvre de moi ! que ferai-je donc ? Si Amour ne me conseille, je n'en sais rien. Je me mets entièrement en son pouvoir et je ferai tout ce qu'il m'ordonnera. Ce qu'Amour m'ordonne, c'est que je livre à Jaufré mon amour, mon cœur et moi-même, que je lui abandonne tout cela pour qu'il en fasse ce qu'il lui plaira, sans rien lui refuser : voilà ce que doit faire une amie. Tout cela je le ferai volontiers pourvu seulement qu'il lui plaise de me le demander. En effet Amour ne peut pas vouloir que ce soit moi qui aille le prier et le solliciter : ma gloire en serait abaissée. Une dame doit rester en situation dominante : c'est à l'homme de la solliciter et à elle de l'écouter. Et si cet amour ne lui plaît pas, qu'elle n'en écoute la déclaration qu'une fois, car elle ne doit pas laisser espérer ce qu'elle n'a pas l'intention d'accorder. Mais s'il lui plaît et a du prix à ses yeux, qu'elle se fasse prier trois fois. Ce ne sera pas humiliant pour celui qui lui demande son amour d'avoir eu à l'en prier trois fois ; au contraire, elle devra lui en être plus chère. Car on désire toujours plus ardemment, plus avidement, plus obstinément ce qui vous plaît quand on voit qu'on ne peut l'avoir ; et ensuite, quand on l'a, on le garde mieux que ce qu'on a eu sans prière. Ce qui est bon marché, ce n'est pas grand-chose. Aussi, une dame qui donne son amour sans attendre qu'on le lui ait beaucoup demandé ne sera jamais aussi honorée que celle qui s'est fait prier. C'est pourquoi il est juste que j'attende qu'il vienne me demander mon amour.

« Mais s'il ne me le demande pas, que se passera-t-il ? Me laisse-

rai-je mourir ? Non, certes. Irai-je alors l'en prier moi-même ? Oui,
par Dieu, plutôt que de me laisser mourir. En serai-je donc déshonorée ? Non, parce que c'est Amour qui m'y contraint de force : il peut
m'y forcer, et moi je ne peux lui résister, car il veut faire paraître en
moi sa puissance et sa souveraineté : celui qui veut obtenir de lui
quelque joie doit suivre ses commandements — qu'ils soient folie ou
sagesse — et faire en tout sa volonté, car tout est en son pouvoir.
Beauté, Noblesse, Fortune ne peuvent rien contre Amour quand il
veut montrer son pouvoir : il donne à son gré la joie à l'un, à l'autre
la peine, il obligera un riche à aimer une femme de basse condition
et à une dame distinguée, de haute naissance, il fait aimer un homme
de basse extraction, pauvre, d'humble lignée, tant il a de douceur,
de charme, de bonté pour ceux à qui il s'attache. Il sait si bien
séduire par ses manières aimables et plaisantes que Naissance, Fortune ni Raison ne peuvent lui tenir tête. Puisqu'il est si puissant,
comment donc pourrais-je lui résister et ne pas faire sa volonté ? Je
lui obéirai, et il m'en saura gré. Avant de souffrir davantage, j'irai
demander à Jaufré son amour et lui donner le mien en échange. Je
lui parlerai en ces termes :

« — Seigneur Jaufré, je vous le déclare : je fais de vous mon seigneur et mon ami. Je vous donne entière seigneurie sur mon cœur et
sur mon amour. Et vous ne devez pas m'aimer moins de ce que c'est
moi qui suis venue vous solliciter : c'est Amour qui m'y a contrainte,
Amour qui a fait que Floire aimât tant Blanchefleur, lui qui était fils
de roi, et lui a fait pour elle quitter sa religion ; Amour qui fit
paraître Tristan fou pour Iseut qu'il aimait tant, et l'a séparé de son
oncle, et elle, elle est morte d'amour pour lui. Je suis transportée
d'un amour aussi grand que Fénice, qui s'est fait ensevelir pour celui
de Cligès, que par la suite elle put aimer longtemps. Jamais Biblis
amoureuse de son frère — comme vous l'avez entendu raconter —
ne fut plus folle d'amour ni plus égarée. Didon non plus, qui se
frappa d'une épée et en mourut pour l'amour d'Énée, qui la quittait
et se séparait d'elle. Ainsi Amour m'a surprise et s'est rendu si entièrement maître de moi que je ne sais où aller et que ma bouche ne
peut vous dire le quart de la douleur que j'endure pour l'amour de
vous.

« Malheureuse ! j'ai bien perdu le sens d'avoir accueilli de si folles
pensées. Comment pourrai-je lui dire tout cela ? Je dois plutôt me
laisser mourir que de dire de telles folies, ce qu'aucune femme ne fit
jamais. Jamais je ne serai la première dont on dise qu'elle a fait des
avances à un homme, jamais je ne donnerai pareil exemple aux
autres. Que ferai-je donc ? Je vais me laisser mourir ainsi, puisque je
ne peux supporter mon tourment. J'ai encore bien peu souffert.
J'aurais bien du mal à dissimuler mon cœur trois mois, deux mois, un

seul, me semble-t-il, puisque je ne peux cacher mes sentiments une seule nuit. Car pour rien au monde je ne pourrais cacher que le mal cruel qui vient d'Amour me presse tant que j'en meurs. Et s'il augmente en moi dans la même proportion qu'il a soudain commencé, je l'aurai trop caché, pour mon malheur. Eh bien ! je ne le cacherai plus, car celui qui dans son grand malheur ne cherche aucune aide alors qu'il peut en trouver quelque part, il est juste que tout le monde se refroidisse à son égard. Et si j'ai près de moi un excellent remède naturel qui peut aisément me guérir de mon mal, je suis bien folle de me laisser mourir. De ces deux alternatives — aller me déclarer ou non —, je choisirai la meilleure, si j'en suis capable : je prie Dieu qu'il me conseille. Faire cette démarche, je sais que c'est déshonorant. Mais non, puisque Amour m'y contraint, lui qui m'a complètement en son pouvoir : ce ne sera donc pas un déshonneur. Car celui qui en amour est bien raisonnable n'aime pas aussi parfaitement que celui qui sait agir en fou. C'est pourquoi, si je puis voir poindre le jour, j'irai aussitôt lui déclarer mon cœur. »

Voilà ce qu'elle a décidé après y avoir bien pensé toute la nuit. Et le matin, dès que le jour paraît, elle s'habille et se chausse. Elle est entrée dans la salle et a fait lever ses suivantes, qui préparent vite le déjeuner de façon que rien n'y manque, puis elle va prier à l'église. Jaufré, de son côté, se dispose à se lever. Sa joie s'est accrue quand il a reconnu Brunissen à sa voix douce. Le sénéchal et cent autre personnes viennent servir Jaufré dès qu'il se met en peine de se vêtir. Une fois habillé et chaussé, après s'être lavé le visage et les mains, il va écouter la messe. En le voyant entrer, Brunissen est si enflammée d'amour que pour un peu elle courrait à sa rencontre. Elle se lève d'un bond, mais, pour ne pas faire jaser, elle se contient, à grand-peine. Cependant elle change de couleur : le sang du cœur lui monte au visage : il apparaît alors, à qui la regarde bien, que Dieu l'a faite de façon merveilleuse. Le mince trait de ses sourcils est noir, fin, délicat, bien dessiné de façon naturelle : ils n'ont jamais été épilés ni rasés. Jaufré est si troublé en la voyant qu'il ne sait que dire. Il pense seulement que trop lui tarde le moment où il pourra lui découvrir son cœur, et sans cesse lui échappent de profonds soupirs. C'est ainsi qu'ils ont écouté la messe.

Brunissen sort avec ses suivantes, et Jaufré aussi. Tous ensemble s'en reviennent allègres, gais et joyeux. Ils montent au palais et commencent à s'entretenir. Jaufré, en homme bien élevé, va s'asseoir à côté de Brunissen, et il ne pouvait lui faire plus de plaisir qu'en venant s'installer près d'elle. Mais il était si troublé que tout ce que la nuit précédente il avait médité de lui dire, il l'avait oublié. Si son esprit est à ce point bouleversé, c'est qu'Amour lui enlève la hardiesse que d'habitude, en tout autre lieu, il lui donne, qu'il augmente, qu'il double en lui. Brunissen l'a si bien vaincu et l'affole tellement qu'il ne sait plus comment s'y prendre et que sa langue ne peut dire l'état de son cœur. Il a constamment peur d'un échec, et c'est pourquoi il n'ose lui déclarer son cœur. Il resta ainsi un long moment, et Brunissen était contrariée qu'il ne fît pas le premiers pas. Quand elle vit qu'il n'y avait rien à faire, Amour lui donna du courage — il voulait qu'elle eût l'autorité de parler la première —, et elle lui dit avec douceur :

— Seigneur Jaufré, votre venue a accru notre joie ; elle nous a ôté peine et souci, elle nous a donné plaisir et allégresse. Notre situation s'est beaucoup améliorée grâce à vous. Bénis soient la terre où vous êtes né, le roi Arthur qui vous a envoyé ici et votre amie, là où elle est !

— Oui, dit-il, ma dame, quand j'en aurai une ! Je vous le déclare, je n'en ai pas encore.

— Il est tout à fait impossible qu'avec votre vaillance et vos qualités vous n'ayez pas de fidèle amie.

— Elle m'a, mais je ne l'ai pas, ma dame, car elle n'est pas mienne et je ne la dirai pas telle avant que cela soit.

— Et sait-elle que vous êtes sien ?

— Je ne sais, ma dame, Dieu me garde ! Elle ne l'a pas appris de moi, si elle ne s'en est pas aperçue elle-même.

— On ne peut le lui reprocher. Si vous ne voulez pas lui montrer votre mal, que vous dites si grand, et si vous en mourez, à qui sera la faute ? Pas à elle, certes, mais à vous. Qui a besoin de feu le prend avec les doigts !

— C'est vrai, ma dame, mais les qualités qui sont en elle me rendent timide, si bien que je n'ose lui demander son amour. Car il n'y a pas d'empereur au monde qui ne serait honoré de son amour, tant est parfaite sa beauté, tant sont grandes sa naissance et sa richesse.

— C'est une folie que je vous entends dire : que les rois et les empereurs auraient plus de droits en amour que toute autre personne courtoise. Amour ne regarde pas la richesse. La valeur, les belles qualités — pour qui peut les avoir — ont plus de pouvoir en amour que la fortune, les terres, la naissance. Bien des hommes de haute lignée ne valent pas un fétu de paille, et tel est riche qui ne vaut pas un sou. Aussi, ne dissimulez pas votre cœur, vous seriez fou, car vous avez tant de mérite et de valeur que toute dame, quelle qu'elle soit, ne peut que vous donner son amour ; assurément il convient qu'elle vous fasse bon accueil.

— Ma dame, je vous remercie de bien vouloir faire un tel éloge de moi. C'est un effet de votre grande bienveillance. Mais s'il vous plaisait de me servir — je sais que vous en avez le pouvoir — auprès de celle qui me tient sous sa loi, qui m'a sous sa domination absolue et qui peut me faire vivre ou mourir, vous m'auriez gagné tout à vous.

— Seigneur, il fait bon vous gagner à soi, et je n'y manquerai pas, en rien que je puisse dire ou faire.

Jaufré se prend à soupirer très profondément, puis il dit :

— Ma dame, je vous prie, par Amitié, par Dieu, par Pitié — et prenez pour l'amour d'eux ma prière en bonne foi —, de me secourir loyalement et sans la moindre tromperie.

— Seigneur, dit-elle, je vous promets par le Dieu qui est venu sur terre recevoir pour nous une blessure au côté que, si je le puis, je mènerai votre affaire à bonne fin et que je m'en entremettrai loyalement et de tout mon pouvoir. Vous ne devez nullement en douter.

— Ma dame, désormais je vous crois. Et ne me tenez pas, s'il vous plaît, pour fâcheux — car je vous le dis bien haut, jamais ce que je vais vous dire n'a franchi la gorge et les lèvres de quiconque, sage ou fou : cette amour m'est si chère que pour elle je me laisserais plutôt écorcher. Mais à présent je ne dois plus le cacher : vous êtes celle que j'ai désirée, vous êtes ma mort, vous êtes ma vie, vous avez, soyez-en sûre, le pouvoir de me faire mourir ou vivre, vous êtes celle que, sans mensonge, j'aime, je crois, je crains, j'invoque, vous êtes ma joie, mon allégresse, vous êtes toute ma pensée, vous êtes mon plaisir et mon délice, par vous me viennent joie et tristesse, vous êtes celle qui peut m'aider et qui peut, si elle le veut, m'abattre, vous êtes celle dont je me réclame, vous êtes celle pour qui je brûle, vous êtes celle dont je me loue, vous êtes celle qui tient la clé de tout mon bien, de tout mon mal, vous êtes celle — que Dieu me sauve ! — qui peut, à son vouloir, me rendre lâche comme un renard ou hardi, et faire de moi un sot ou un homme supérieur.

A présent Brunissen a ce qu'elle voulait. Ce qui lui cause le plus de tourment, ce qu'elle désire le plus au monde, ce pour quoi elle ne cesse de gémir et de soupirer : de cela elle se fait abondamment prier. C'est ainsi qu'elle sait joliment dissimuler son cœur. Elle éprouve une grande joie de ce qu'elle entend, mais elle répond doucement à Jaufré :

— Seigneur, vous savez bien vous moquer et dire de jolies phrases aimables. Ce que vous dites est pur divertissement : je n'ai pas sur vous le quart du pouvoir que vous dites — que Dieu me tienne en joie.

— Ma dame, vous en avez pourtant, sans mentir, mille fois plus que je ne saurais dire.

— Il est très facile d'essayer, car si vous voulez m'aimer parfaitement, comme vous le dites, vous avez trouvé qui vous aimera loyalement et sans duperie. Mais je redoute une chose — et j'ai de bonnes raisons pour cela —, une faute bien laide qui s'est répandue en ce

monde, par laquelle Courtoisie est perdue, Amour réduit à néant :
tel dit qu'il aime, et ment. Il montre l'apparence de l'amour, mais la
réalité n'y est pas, car ils ne sont pas quatre, pas trois dans le monde
entier à aimer du fond du cœur autant qu'ils le disent et s'en donnent
l'apparence. C'est pourquoi, si je le puis, je me garderai de donner
mon amour à un homme s'il ne m'a pas formellement juré que
jamais — que les choses aillent bien ou mal — il ne me quittera pour
une autre.

A ce discours Jaufré répond :

— Ma dame, je sais bien que vous avez raison, et ce que vous
dites est la pure vérité. Les orgueilleux, les gens sans éducation, les
hypocrites menteurs, les outrecuidants, lorsqu'ils aiment, causent la
perte d'Amour et sont cause que les dames se méfient de lui. Elles
n'en sont pas à blâmer, car le mal vient de ceux qui exercent leurs
tromperies à leurs dépens, à cause de quoi le dommage retombe sur
les amants sincères. Et puisqu'il vous plaît que je m'engage, votre
bouche ne dira, votre cœur ne pourra penser aucun engagement
auquel je doive souscrire, que je n'y souscrive plutôt trois fois
qu'une à l'heure que vous voudrez, de meilleur cœur que je ne sais le
dire.

— Alors, dit Brunissen, je vous tiendrai pour mon ami et pour
mon seigneur, et ainsi vous aurez mon amour. Et voici quel est
l'engagement : je veux que vous me preniez pour femme. Vous
pourrez ainsi plus légitimement faire de moi ce que vous désirerez,
vous pourrez aller et venir dans de meilleures conditions, en évitant
les accusations des médisants importuns, qui sont envieux de l'amour
et font que bien des amours à tort se désunissent. Mais le nôtre ne se
désunira qu'à la mort, car c'est Dieu qui l'a établi, et c'est pourquoi
il ne doit pas être désuni. Et s'il vous plaît de prendre loyalement
envers moi cet engagement entre les mains du vaillant roi Arthur, je
ne vous en demanderai pas plus, car il tient les jeunes filles sous sa
protection, et si quelqu'un leur fait du mal, il ne considère ni l'heure
ni le terme ni la saison, il traite toujours le coupable comme il le
mérite — l'autre ne sera jamais assez redoutable ni assez vaillant
pour y échapper —, pourvu seulement qu'il en ait le pouvoir. Et
quand il ne peut y parvenir, il le fait poursuivre par les vaillants chevaliers de la Table Ronde. C'est ainsi qu'il vient en aide aux jeunes
filles et aux dames, si bien que dans son royaume aucune d'elles, en
paix ou en guerre, ne peut subir de tort tant qu'elle est sous sa puissance, d'où qu'elle vienne et où qu'elle aille.

Après l'avoir écoutée, Jaufré répond avec un profond soupir :

— Ma dame, Dieu m'assiste ! cet engagement m'est si léger, si
doux, si aimable, si plaisant, qu'il me sera désormais difficile d'être
joyeux, d'avoir le moindre plaisir, de prendre du repos la nuit ou le

jour, jusqu'à ce que soit fait tout ce que vous ordonnerez, puisque vous le voulez.

Et Brunissen :

— Vous le voulez donc ainsi ?

— Oui, ma dame, de toute ma volonté, car je n'ai jamais rien fait plus joyeusement ni d'aussi bon cœur, par ma foi.

— Je vous fais donc maître de ma personne, de mon amour et de tout ce que j'ai, richesses, vassaux et fiefs. Je vous donne seigneurie sur tout.

— Ma dame, je veux que vous soyez à moi, mais je ne veux rien du reste. Ne tenez pas pour une marque d'orgueil que je ne veuille pas accepter votre richesse. Je ne suis pas venu ici par convoitise d'argent, de terres, de fiefs, mais simplement pour votre amour que je désire plus — Dieu m'assiste ! — que la possession du monde entier. Mais je prendrai votre terre sous ma garde et je protégerai vos vassaux de la guerre autant que je le pourrai et de toutes mes forces.

— Dieu m'assiste ! dit Brunissen, c'est folie de vous demander davantage.

Et tous deux ont pris cet engagement mutuel. Brunissen dit qu'elle parlera à ses vassaux et leur rapportera les propositions de Jaufré avec habileté, sans montrer le moins du monde qu'elle ait le désir de les accepter. Là-dessus elle appelle son sénéchal et lui dit, si le repas est prêt, de le faire annoncer : que ceux qui ont envie de manger se présentent ! Il répond que ce sera fait.

XV

MÉLIAN DE MONMELIOR

(On annonce l'arrivée de Mélian de Monmelior, qui revient de chez le roi Arthur. Dans l'intervalle, deux jeunes filles éplorées se présentent : l'une d'elles est dépouillée de ses biens par un chevalier qu'elle refuse d'épouser. Elle n'a trouvé aucun champion à la cour d'Arthur et cherche pour tenir ce rôle un chevalier nommé Jaufré. Celui-ci refuse de se lancer tout de suite dans cette aventure. Arrivée de Mélian, qui raconte une fois de plus comment Jaufré l'a sauvé des mains de Taulat.)

Quand ils eurent bien mangé selon leurs goûts et à loisir, ils se levèrent de table et se regroupèrent pour prendre part à la conversation dans la salle. Mélian vint s'asseoir à côté de Jaufré, un peu à l'écart :

— Seigneur, dit-il — que Dieu vous garde ! —, dites-moi pourquoi vous tardez tant à retourner à la cour du bon roi qui désire tant vous voir ?

En entendant ces mots, Jaufré soupire — un gros soupir, un profond soupir —, puis, au bout d'un moment, il répond :

— Seigneur, Brunissen m'a prié de m'arrêter chez elle pour me reposer. Par égard pour vous, elle m'a traité de façon charmante et m'a fait beaucoup d'honneur.

— Dites-moi donc, dit Mélian, sans rien me cacher, si vous l'aimez, car c'est une affaire que je peux régler facilement. Aussi, pas de cachotteries.

— Oui, seigneur, je l'aime, dit Jaufré, et j'ai de bonnes raisons pour cela. Elle m'a traité de façon si charmante et si agréable que je ne peux lui vouloir aucun mal. Je dois au contraire être tout prêt à la servir en toute occasion.

— Je ne parle pas de ce genre d'attachement, dit Mélian. Je vous demande si vous voudriez avoir d'elle l'amour que peut donner une femme.

— Oui, seigneur, si c'était possible, car il n'est rien que je désire autant. Mais cela ne peut se produire, car il n'y a pas d'empereur au monde qui ne serait honoré d'être aimé d'elle. Je serais donc bien outrecuidant si je ne m'estimais pas comblé par son amitié, et j'aurai du moins cette joie, puisque je vois que je ne peux en avoir une autre.

— Si, vous l'aurez, dit Mélian, car je m'y emploierai. Rien à craindre : je ferai en sorte qu'elle se donne à vous avec tout ce qu'elle possède.

Mélian se lève alors et, d'un air aimable, s'en vient droit à Brunissen, là où il la voit assise. Elle se lève pour l'accueillir, puis ils vont s'asseoir à l'écart pour parler à loisir.

— C'est un honneur pour vous, Brunissen, dit Mélian, de plaire à celui qui a le plus de prix au monde. Dieu me garde, je ne dis pas cela de façon mensongère ou par flatterie, mais parce que je le sais de façon certaine. D'ailleurs, vous le savez bien, vous aussi, car vous avez certainement entendu parler des grandes prouesses qu'il a accomplies et de la façon dont il les a menées à bonne fin. Et n'eût-il rien fait d'autre que de me tirer de prison, vous devez, par amour pour moi, en faire, si je le veux, votre mari, votre seigneur et maître.

Brunissen lui répond gracieusement, en femme habile à cacher les assauts qu'Amour lui livre et qui la font gémir et languir. Elle lui dit, l'hypocrite :

— Je sais bien et je reconnais volontiers, cher seigneur, que je tiens de vous tout ce que je possède : je serai vôtre tant que je vivrai, car je n'ai pas, après Dieu, d'autre seigneur que vous. De votre côté, vous devez me conseiller avec bienveillance, de bonne foi, et me donner un mari qui me fasse honneur et qui convienne à mes vassaux. A cause de vous je me suis longtemps abstenue de me marier et j'ai refusé de nombreux partis riches, vaillants et considérés. Celui-ci, je ne l'avais jamais vu, je n'en ai jamais entendu parler, je n'ai jamais vu non plus personne de sa famille, je ne sais s'il est de bonne naissance. Peut-être s'en ira-t-il un jour, car l'amour des hommes comme lui ne dure pas : il se brise plus facilement que verre et fuit plus vite que le soleil d'une vallée. Je ne sais où j'irais le chercher ni en quel lieu j'irais me cacher s'il me quittait et me ridiculisait. Tout le monde se moquerait de moi, et vous-même n'en tireriez aucun honneur.

— Ce n'est pas cela qui doit vous faire peur, dit Mélian. Je le connais : il est si noble, si accompli, si loyal qu'il ne fera jamais rien de bas. Même en cherchant dans le monde entier, sur terre et sur mer, on n'en pourrait trouver un meilleur que lui.

— Seigneur, répond Brunissen, je ne sais que penser de ce que vous m'en dites. Mais je ferai tout ce que vous voudrez, que ce soit bien ou mal. Je ne m'opposerai à vous en rien, car tout ce qui me touche est vôtre et c'est à vous de voir ce que vous avez à faire.

Et elle ajoute tout doucement, de façon que personne ne l'entende :

— Cher seigneur Mélian, par Dieu, même si cela vous déplaisait fort, je le ferais tout de même sans rien y changer.

Mélian fait alors convoquer ses vassaux en assemblée, il réunit tout le monde et leur a tout expliqué de telle façon que tous ont donné leur accord et déclaré que le projet leur plaisait. Pourtant Brunissen feint d'en être irritée, comme si ce mari ne lui plaisait pas ; mais si tous avaient juré qu'elle en était mécontente, ils auraient tous affirmé un mensonge sous la foi du serment. Et elle leur dit que, puisque la décision en est prise, elle veut que le mariage se fasse sous l'autorité du roi Arthur. Tous s'écrient :

— Très bien, très bien !

XVI

FELLON D'AUBERUE

(Jaufré et Brunissen partent pour Cardueil avec une suite nombreuse. Le quatrième jour, on campe dans une prairie. Attiré par des cris de détresse, Jaufré trouve une jeune fille qui se lamente parce que sa compagne est en train de se noyer dans une fontaine. Jaufré lui tend sa lance, mais il est tiré vers l'eau, dans laquelle la belle éplorée le pousse par-derrière. Il disparaît sous les eaux

avec les deux jeunes filles. Douleur de Mélian et de Brunissen, qui se jette à l'eau à son tour, mais est rattrapée par les cheveux. Cependant Jaufré trouve au fond de l'eau le pays des deux jeunes filles — celles-là mêmes qui avaient en vain demandé son aide — ravagé par l'horrible Fellon d'Auberue. Jaufré l'affronte et en est vainqueur. La jeune fille fait cesser l'enchantement. Jaufré retrouve Brunissen et sa suite, à laquelle se joignent la jeune fille et Fellon, possesseur d'un oiseau de chasse merveilleux qui sera offert au roi.)

XVII

LES NOCES

(Aux portes de Cardueil, un simulacre d'attaque fait sortir le sénéchal Keu, qui est désarçonné par Jaufré et puni ainsi des propos désobligeants qu'il a tenus au début du roman. Les fiancés sont chaleureusement reçus par le roi et la reine. Huit jours plus tard, le mariage est célébré par l'archevêque Galés en présence du roi et de cent mille chevaliers. Il est suivi d'un tournoi, puis d'un somptueux repas agrémenté par les chants et les danses des jongleurs.)

Soudain, ils virent venir un écuyer qui criait de toutes ses forces, l'air très effrayé :

— Aux armes, seigneurs, allons, debout ! Que chacun pense à se défendre et à sauver sa vie !

Le roi le fait appeler et lui demande :

— Qu'as-tu, mon ami ?

— Seigneur, pourquoi me le demander ? levez-vous vite, ne tardez pas : j'ai peur que vous perdiez du temps.

— Comment cela, perdre du temps ? Dis-moi donc ce que tu as vu.

— Seigneur, je ne saurais le dire, par le Christ ; je ne puis, tant je suis épouvanté. J'étais sorti du château il y a un instant pour me promener quand un oiseau est venu s'abattre sur moi et a failli m'emporter. Je m'en suis tiré, Dieu merci. Aucun homme né de mère ne pourrait seulement vous le décrire : je crois que son bec — ce n'est pas la peur qui me fait dire cela — est plus grand que dix échalas — les plus grands que l'on ait faits depuis mille ans. Sa tête est plus grosse qu'une jarre, ses yeux si clairs et si beaux qu'on dirait des escarboucles. Ses pattes sont plus hautes, sans aucun doute, que cette grande porte. Je remercie Dieu d'avoir pu sauver ma vie, car, sans mentir, je n'ai jamais été si près de mourir.

— Par Dieu, dit le roi, je vais me rendre compte de façon certaine s'il dit vrai ou s'il ment.

Il appelle un page :

— Apporte-moi mes armes !

Aussitôt Gauvain, Jaufré et Mélian s'avancent tous trois devant le roi, qui est décidé à s'armer et à sortir à la rencontre de l'oiseau, et lui disent :

— Seigneur, nous irons avec vous pour vous aider au cas où l'oiseau aurait le dessus de quelque façon ou vous ferait du mal.

Le roi répond :

— N'en parlez plus ! Personne n'ira avec moi, ni vous ni personne. J'irai seul.

— Cher seigneur, n'en faites rien, par Dieu !

— Vous ne m'en croyez donc pas ? dit le roi.

Aussitôt il s'équipe de son haubert, de sa cotte armoriée, de son heaume clair à grand nasal, de son bel écu luisant et solide, de son épée claire et resplendissante. Il se met en route à pied et sort du château à la recherche de l'oiseau. De leur côté, les chevaliers se sont équipés, mais ne sont pas sortis avec lui, car ils ont peur de l'irriter. Le sénéchal Keu dit alors :

— Seigneurs, soyons vigilants, afin que notre vaillant roi soit secouru, si nous voyons qu'il en a besoin, sans attendre qu'il nous appelle.

Chacun répond :

— Inutile de nous le dire, même si nous savions que nous y trouverions tous la mort.

Quand le roi fut sorti du château et qu'il vit l'oiseau, il en fut stupéfait et se signa à maintes reprises. Sans attendre, il commence à s'approcher tout doucement de l'oiseau, l'écu au bras, l'épée à la main. L'oiseau étend tranquillement les ailes et fait mine de vouloir le frapper de son bec. Voyant cela, le roi pense lui porter un coup direct de son épée. Mais l'oiseau l'a bien esquivé et montre qu'il est en colère. Tout à coup il s'élève, saisit du même élan le roi par le milieu des bras et l'emporte dans son vol. De son bec, il lui arrache l'épée des mains et la fait tomber à terre. A cette vue, les chevaliers poussent de grands cris, s'arrachent les cheveux, déchirent et lacèrent leurs vêtements, se lamentent violemment.

— Seigneur Dieu, Notre Père ! dit Gauvain, que faire ? Où aller ? Maudit soit celui qui a apporté ces nouvelles et qui les lui a contées, car — Dieu m'assiste ! — nous avons perdu à cause de lui le meilleur roi qu'il y ait jamais eu. Hélas ! Mort, pourquoi ne viens-tu pas me tuer, puisque désormais je ne pourrai me défendre de mourir ?

Jaufré jette son écu et son épée, qu'il tenait dégainée, et il déchire tous ses vêtements en s'écriant :

— Néfaste ma naissance, seigneur Dieu, puisque je ne peux être d'aucune aide à mon seigneur et que je reste impuissant !

La reine arrive en pleurs, s'arrachant les cheveux :

— Mon Dieu, à l'aide ! Que faire, seigneurs ? Quelle décision prendre pour mon mari, que cet oiseau emporte ainsi ? Dieu ! Pourquoi ne suis-je pas morte ? J'aimerais mieux cela que vivre en souffrant une telle douleur.

Tous les autres chevaliers manifestent une douleur si extrême que, si elle avait duré quelque peu, ils en auraient perdu la vie. L'oiseau, cependant, vole d'un trait ici et là, tenant fermement le roi. Les dames et les chevaliers qui étaient dans les prés et les vergers priaient Dieu humblement, avec ferveur, de leur rendre leur seigneur. L'oiseau commence à monter plus haut ; et eux de se lamenter ! Arrivé à une grande hauteur, il laisse tomber le roi : le voilà qui tombe à une vitesse folle. Alors leur douleur éclate sauvagement, ils courent de toutes leurs forces là où le roi doit toucher terre pour le recevoir dans leurs mains. Mais l'oiseau, qui n'était pas méchant, vire en direction du roi, le saisit et remonte aussitôt. Les lamentations deviennent telles qu'on n'en a jamais entendu de pareilles. Tous s'écrient :

— Vrai Dieu glorieux, Seigneur, s'il vous plaît, rendez-le-nous sain et sauf, par votre miséricorde !

Un comte dit alors :

— Écoutez-moi : laissons ces lamentations, ces plaintes et ces pleurs. Faisons écorcher cinq bœufs et faisons-les tirer à quelque distance. L'oiseau, à mon avis, viendra aussitôt vers les bœufs morts qu'il verra dans le champ, et ainsi le roi sera sauvé.

A l'unanimité ils se rallient à la proposition de ce seigneur. Ils font venir les cinq bœufs et les font tuer sur place : vous pouvez bien penser qu'ils n'ont pas traîné pour faire ce massacre. Aussitôt, à qui mieux mieux, ils tirent les bœufs à une bonne portée d'arbalète. Mais ils se donnent du mal pour rien, car l'oiseau ne fait même pas mine de les avoir vus. Il poursuit rapidement son vol et se pose sur une tour, déposant à côté de lui le vaillant roi tout armé. Alors un grand cri s'éleva, car ils croyaient bien qu'il allait tuer le roi là-haut et le manger. Mais l'oiseau n'en avait pas envie. Quand il s'est un peu reposé, il repart, après avoir repris le roi, et l'emporte vers un bois épais qui s'étend sur plus de vingt grandes lieues et où ni homme ni femme ni enfant n'ose pénétrer par peur des serpents, des lions, des sangliers et de bien d'autres bêtes sauvages qui y ont leur repaire. Alors ils manifestent une telle douleur que jamais, je crois, on n'en montrera de pareille. Chacun rompt et déchire ses vêtements, se frappe le visage cruellement et avec tant de violence qu'il en fait jaillir le sang clair. Vous auriez vu seller les chevaux et les chevaliers sauter en selle sans s'attendre les uns les autres ! Ils galopent vers le bois, si bien que personne ne reste au château : tous y vont, petits et grands, et les femmes aussi. Personne n'a jamais vu une telle désolation. Cependant l'oiseau poursuit son chemin avec le vaillant roi en suivant le cours d'une rivière et pénètre dans le château de telle façon que personne — homme ou femme — ne l'aperçoit. Il entre dans le palais et y dépose le roi. L'oiseau s'est alors transformé en un chevalier, beau et grand, vigoureux et accompli, qui s'est agenouillé devant le roi en lui disant :

— Mon excellent seigneur, je vous prie, pour l'amour de Dieu, de me pardonner la grande peur que je vous ai faite aujourd'hui, car je crois bien que jamais vous n'en avez eu de pareille.

Le roi reconnut l'enchanteur — il n'y avait pas de meilleur chevalier à sa cour ni de plus estimé aux armes — et, le prenant par la main, il l'a relevé.

— Je vous pardonne, lui dit-il, mais que va-t-il advenir de mes barons qui sont en train de courir en tous sens ?

— Je vais les faire revenir tout de suite.

L'enchanteur sort vite du château et va survoler la troupe des chevaliers. Tous s'écrient :

— Voici l'oiseau ! Il se dirige vers le château ! Il a déposé le roi quelque part, ou peut-être l'a-t-il mangé !

L'oiseau entre dans le château en marchant, et tous les chevaliers le suivent jusqu'à ce qu'ils arrivent au palais où ils ont trouvé le vaillant roi sain et sauf, sans rien qui pût l'affliger. Près de lui était le chevalier qui ce jour-là les avait ensorcelés au point de les faire aller dans des vêtements en lambeaux. La reine et Gauvain se sont approchés du roi et lui ont demandé s'il n'avait point de mal. Il leur répond :

— Non — Dieu me garde ! —, si ce n'est que j'ai eu grand-peur, mais, grâce à Dieu, elle m'a bien vite quitté.

La reine Guilalmier dit alors au chevalier :

— Seigneur, je peux vous dire une chose : vous ne ferez jamais assez de bien, aussi longtemps que vous vivrez, pour compenser le mal que vous m'avez fait aujourd'hui — Dieu me garde ! Je ne crois pas que de toute ma vie j'oublierai la peur que j'ai eue.

— Ma dame, laissons cela, dit le roi.

Il fait aussitôt appeler son sénéchal, qui est venu en toute hâte et lui a demandé :

— Seigneur, que désirez-vous ?

— Descendez au bourg au plus vite, répond-il, et faites apporter toutes les étoffes que vous pourrez trouver : ces vêtements ont été déchirés pour moi, je veux qu'ils soient remplacés.

A ces mots, le sénéchal, piquant des deux, descend bien vite au bourg. Il ordonne à tous les drapiers de faire porter au palais toutes les étoffes de couleur et de vair qu'ils ont en réserve ou qu'ils peuvent trouver : ils seront payés sur l'heure, au prix qu'il leur plaira. Aussitôt les bourgeois font charger cinq chars entiers de cendaux, cinq de samits à orfrois, dix des meilleurs draps d'écarlate que chrétien ou chrétienne ait jamais vus nulle part, et ils en chargèrent vingt autres d'étoffe verte et de soies diverses, somptueuses et de belle qualité. Ils sont ainsi entrés au palais, où ils ont déchargé leurs marchandises et les ont étalées sur les tapis pour les vendre au roi. Celui-ci fait aussitôt proclamer que qui veut se faire tailler des vêtements vienne choisir les étoffes et qu'ensuite on les lui fera coudre. Que vous dirais-je de plus ? Tous les tailleurs et les couturiers ne firent rien d'autre que des vêtements pour les chevaliers et également pour les dames. Jamais dans aucune cour on n'aura coupé tant de soies diverses ni distribué tant d'or et tant d'argent, et aussi tant de beaux équipements. Si on voulait vous décrire en détail les vêtements et les cadeaux somptueux que le roi a donnés à ses barons, cela vous paraîtrait ennuyeux à entendre.

(Le roi Arthur accorde sa grâce à Fellon d'Auberue.)

XVIII

LE FÉE DE GIBEL

(Le lendemain matin, Jaufré, Brunissen et Mélian quittent la cour. Arrivés près de la fontaine enchantée, ils en voient sortir tout un cortège, qu'ils croient d'abord hostile. C'est en réalité la jeune fille délivrée par Jaufré qui leur apporte des présents. Après un festin sous une tente enchantée qu'elle offre ensuite à Jaufré, elle apprend au héros une formule magique qui le protégera des bêtes dangereuses. A Brunissen elle accorde le don de ne jamais déplaire, à Mélian celui de n'être jamais fait prisonnier. Ceux de leur suite ne sont pas oubliés. Elle révèle enfin son identité : elle est la fée de Gibel [« djebel » ?] et le château délivré par Jaufré s'appelle Guibaldac [Gibraltar ?].)

ÉPILOGUE. RETOUR À MONBRUN

(Avant d'entrer dans Monbrun, Jaufré reçoit l'hommage des chevaliers et pardonne à la mère du lépreux et du géant. Un festin, occasion de grandes largesses aux jongleurs, aux chevaliers et aux dames, célèbre l'arrivée des jeunes époux.)

Cependant la nuit est venue, et il y a encore une grande rumeur dans le palais. Brunissen ordonne de préparer bien vite les lits, puis

on ira se reposer, car c'est l'heure du coucher. Les suivantes se sont
levées et sont entrées dans les chambres pour préparer les lits. Les
chevaliers vont se coucher dans leurs demeures, et il ne reste que
Mélian et toute sa suite. Ils vont se coucher dans les lits qu'on leur a
préparés.

Brunissen s'est alors retirée dans sa chambre privée. Un peu après
Jaufré y est entré, et ils se sont couchés ensemble. A présent Brunissen et Jaufré sont tous deux ensemble. Aucun des deux n'arrivait à
croire que ce pouvait être vrai, qu'ils fussent si tôt couchés
ensemble, que ce pouvait être bien vrai : chacun d'eux le désirait
tant ! Jaufré dit à Brunissen :

— Mon amie, maintenant je sais en vérité qu'est accompli ce que
j'ai tant désiré, tant convoité : me trouver avec vous dans l'intimité.

— Seigneur, lui répond seulement Brunissen, mon plaisir en est
doublé. Et — que Dieu nous comble ! — mon cœur est dans la joie
rien que pour l'amour de vous.

Ils passèrent ainsi cette nuit ensemble, sans que rien vînt les
contrarier dans tout ce qu'il leur plut de faire. Et le lendemain,
quand le jour parut, ils se sont levés tout paisiblement.

Jaufré est aussitôt allé voir Mélian : qu'il se lève, ils iront ensuite
entendre la messe à l'église. Mélian se prit à dire :

— Dieu ! comme vous êtes matinal, vous qui aviez l'habitude de
dormir si longtemps ! Mais je sais que vous n'aurez plus d'ennuis
avec le chant des oiseaux du verger : ils ont chanté toute la nuit pour
que rien ne vienne vous troubler.

— Mélian, dit Jaufré, vous pouvez bien vous moquer de moi.
Mais je suis sûr d'une chose, c'est que je m'en vengerai quelque
jour !

Mélian s'est alors vêtu et chaussé, il s'est lavé les mains, et ils s'en
vont à l'église avec tous les autres chevaliers. De son côté, Brunissen
s'y rend avec les dames. Quand ils furent arrivés à l'église, le service
a commencé. Je crois qu'on ne l'aurait pas célébré plus beau même si
cela avait été Pâques ou Noël : ils font cela seulement pour honorer
Brunissen et leur seigneur. Après le service, ils sont tous sortis de
l'église et ont gagné le palais où ils ont trouvé le déjeuner élégamment servi. Ils n'eurent qu'à se laver les mains, et tout le monde prit
place aussitôt autour des tables. Ne faisons pas de long discours sur
ce repas : poule, chapon, ou quoi que ce soit d'autre, il ne manquait
rien de ce qu'on peut désirer manger. Quand tous eurent fini de
manger, Mélian s'est levé et a dit à Jaufré qu'il voulait aller au château où il faisait garder Taulat, prisonnier et blessé :

— Car demain, c'est le début du mois : je dois lui faire gravir la
montagne en le frappant, comme il avait l'habitude de me faire.

— A la bonne heure ! dit Jaufré. Mais je voudrais vous demander une chose : que pour l'amour de moi vous lui fassiez grâce ce mois-ci seulement, sans lui faire aucun mal.

Et il a insisté et supplié jusqu'à ce que Mélian finisse par accepter. Mélian fait alors seller les chevaux pour se rendre au château. Les écuyers s'approchent alors pour amener aux chevaliers tous les chevaux sellés. Avant qu'ils montent en selle, Mélian a pris congé de Brunissen. Puis il monte à cheval et se met en route. Et Jaufré reste à Monbrun : voyez comme tout a bien tourné pour lui !

A présent prions tous ensemble Celui qui est venu au monde pour tous nous sauver qu'il daigne pardonner — s'il lui plaît ainsi — à celui qui a commencé ce roman ; et à celui qui l'a achevé, qu'il donne de vivre et de se conduire en ce monde d'une façon qui lui mérite le salut. Dites tous ensemble : « Amen. »

Ce beau livre est terminé. Que Dieu en soit sans fin remercié !

BLANDIN DE CORNOUAILLE

Récit en vers, traduit et présenté par Jean-Charles Huchet.
Écrit au XIVe siècle par un auteur anonyme.

INTRODUCTION

Le Roman de Blandin de Cornouaille et de Guillot Ardit de Miramar n'a jamais laissé un souvenir impérissable à ses lecteurs. Si Raynouard, qui redécouvrait au milieu du xix⁰ siècle la littérature occitane du Moyen Age, vit là un « récit rapide et animé », Diez, peu après, jugeait sévèrement ce « récit aussi pauvre d'invention que pitoyablement conduit ». Paul Meyer ne dissimulait pas son mépris pour un texte qu'il fut néanmoins le premier à éditer. Il n'y eut guère que Jehan de Nostredame, au xvi⁰ siècle, pour voir en lui un « beou romant en rithme provensalle » contant les « amours de Blandin de Cornouaille et de Guilhen de Myremas, des beaux faicts d'armes qu'ils firent, l'un pour la belle Bryanda, et l'autre pour la belle Irlanda, dames d'incomparable beauté ». Sans doute, plus près du Moyen Age, savait-il encore rêver autour de ce texte et en faire, au mépris de l'histoire, une pièce du roman des amours de l'infante Éléonor de Provence et de Richard le Lion ou découvrir, dans ces défauts qui offusqueront si fort les philologues, les signes d'un traitement original de la matière arthurienne.

Blandin de Cornouaille est atypique et cette singularité s'avère révélatrice du destin de la littérature arthurienne dans l'Occitanie médiévale. Le qualificatif de « roman arthurien » est peut-être d'ailleurs usurpé, tant les signes d'appartenance à la matière de Bretagne paraissent y faire défaut. Le personnel romanesque habituel y est absent et, au premier chef, Arthur, pôle autour duquel s'ordonnent les récits et la mémoire du livre qu'ils composent. On n'y croise pas non plus Gauvain, Lancelot et Perceval, ombres familières permettant aux héros de reconnaître l'univers dans lequel ils évoluent. Il n'est guère que le surnom « de Cornouaille » attribué à Blandin et peut-être, par équivoque, le nom d'une demoiselle, Yrlande, qui ancrent ce récit dans la matière bretonne. Cet effacement des signes de reconnaissance du roman arthurien dépouille le texte de toutes préoccupations idéologiques attachées à la personne d'Arthur et aux relations, conflictuelles ou non, qu'entretiennent avec lui les héros.

Néanmoins, les créatures de l'Autre Monde, dans lequel on s'engouffre dès les premiers vers à la suite d'un brachet surgi d'on ne sait où, abondent : autour blanc, oiseau parleur, géants monstrueux, demoiselle enchantée... Dans la matière de Bretagne, seul le merveilleux intéresse l'auteur de *Blandin*. La quête de l'*aventura* (notion récurrente) n'y épouse pas le mouvement d'un désir qu'il faut s'approprier pour pouvoir en reconnaître l'objet, elle n'est que l'occasion de multiplier les épiphanies de l'Autre Monde, privé du statut de représentation de l'autre-scène de la conscience qu'il pouvait avoir chez un Chrétien de Troyes ou chez ses successeurs.

A côté des presque 11 000 vers de *Jaufré,* un autre roman arthurien occitan, les 2 386 vers de *Blandin* font pâle figure. Ce manque d'ampleur l'ancre davantage dans la tradition occitane des *novas* et donne souvent l'impression au lecteur qu'il n'a affaire là qu'à une ébauche de roman, à un canevas rédigé et rimé à la hâte, laissé en attente d'une reprise qui l'aurait étoffé. Avant-texte d'un texte jamais advenu, autorisant le sacrifice du style.

Il n'est pas jusqu'à la langue du roman, connu par un manuscrit unique conservé à la bibliothèque nationale et universitaire de Turin [1], qui ne soit atypique. On a cru, à cause du recours constant à une forme verbale, que l'auteur était catalan et essayait maladroitement d'écrire en provençal. L'examen du vocabulaire donne plutôt à croire que l'auteur était un Provençal du bassin du Rhône dont la langue aurait été dénaturée par un copiste italien... Les caractéristiques linguistiques du texte laissent à penser qu'il a été composé au XIVe siècle, peut-être dans la zone d'influence intellectuelle d'Avignon.

Dans son imperfection, *Blandin de Cornouaille* est révélateur du travail qu'un clerc provençal pouvait effectuer sur la matière arthurienne au XIVe siècle, sentie comme exogène, « française » pour tout dire, peu digne d'être mise en écrit et surtout exténuée, imaginairement stérile. Les motifs du roman breton sont bien là mais, sortis de leur contexte, ils fonctionnent à vide, n'y déploient aucun univers de fiction, se refusent à donner la moindre étoffe psychologique à des personnages privés d'un désir qui, leur écrivant une histoire, supporterait la trame romanesque. De ce point de vue, *Blandin* incarne

---

1. Manuscrit G.II.34 de 131 feuillets de 305 x 220 mm reliés en cartonnage marron. *Blandin* se trouve sur les feuillets 94 r. et 99 v., copié sur deux colonnes, chaque colonne tenant le plus souvent deux vers. Quelques vers manquent ou sont en partie illisibles.

le degré zéro du roman arthurien, réduit à l'épure d'une machine narrative enchaînant rapidement thèmes et motifs sans produire d'effets littéraires. Blandin et Guillot ne cessent pas d'entrer dans des « déserts », des contrées solitaires ; le roman arthurien y pénètre à leur suite, se met à l'épreuve du « désert », de la réification, de l'ascèse imaginaire qui ramène le roman à l'essentiel : à une structure réglant le fonctionnement de quelques unités narratives.

Dès lors, les maladresses de style, l'abus des répétitions et des chevilles, les négligences de la rime paraissent moins des signes d'une absence de talent qu'un choix, une manière d'« écriture blanche » médiévale destinée à mettre à plat les procédés d'un genre dont la fécondité appartient désormais au passé et à une culture que les soubresauts de l'histoire occitane ont rendue douloureusement étrangère. Par sa récurrence, la répétition se hausse à la dignité d'un principe de fonctionnement du texte. Ce principe s'illustre plus particulièrement à la fin, lorsque Blandin part à la recherche de Guillot et parcourt les mêmes aventures, rencontre les mêmes personnages et se replie sur soi. Ainsi, la répétition n'affecte pas seulement le style qu'elle neutralise, mais aussi la construction du roman qui livre le principe de son fonctionnement et dévoile ce qu'est tout roman arthurien lorsqu'on l'a dépouillé de l'apprêt de sa rhétorique et de la chair de ses thèmes : la répétition décalée d'unités limitées, étoffées par l'écriture. *Blandin de Cornouaille* est donc moins une parodie, une mise à distance amusée et ironique du roman arthurien, qu'un « anti-roman » breton dévoilant le caractère exsangue du genre, condamné à n'être plus, au xive siècle, en terre occitane, qu'une structure narrative, réduite à sa plus simple expression, à l'intérieur de laquelle s'étiolent quelques motifs.

La traduction a été faite à partir de l'édition fournie par C.H.M. Van der Horst, *Blandin de Cornouaille. Introduction, édition diplomatique, glossaire,* The Hague-Paris, Mouton, 1974. Nous avons, autant que faire se pouvait, essayé de rendre l'économie extrême des moyens stylistiques mis en œuvre par ce roman qui est une manière de curiosité.

Jean-Charles HUCHET

BIBLIOGRAPHIE

Édition :

P. MEYER : « Le *Roman de Blandin de Cornouaille et de Guillot Ardit de Miramar* », dans *Romania*, II, Paris, 1873, p. 170-202.

Étude :

J. DE CALUWÉ : « Le *Roman de Blandin de Cornouaille et de Guillot Ardit de Miramar* : une parodie de roman arthurien ? », dans *Actes du VIIᵉ congrès international de langue et littérature d'oc et d'études franco-provençales. Cultura neolatina*, XXXVIII, 1-6, Modena, 1978, p. 55-66.

Au nom de Dieu, je vais entreprendre un beau poème ; j'y parlerai d'amour, de chevalerie et de la noble compagnie de deux chevaliers, bons guerriers de Cornouaille, qui voulurent parcourir le monde pour y chercher l'aventure. L'un, sur Dieu, avait pour nom Blandin de Cornouaille, l'autre se faisait appeler Guillot Ardit de Miramar. J'évoquerai tout d'abord la manière dont ils se comportaient. Du fond du cœur, ils se donnèrent leur foi et se jurèrent sur les reliques de se montrer fidèles et sans tromperie. Les serments ainsi échangés, chacun alla prendre son équipement et, comme un vrai chevalier, se mit en selle sur un bon destrier. Ils quittèrent leur logis, s'en allant en tenant leur chemin, par Dieu, comme des preux. C'était un lundi, tôt le matin.

Ils pénétrèrent dans des contrées abandonnées comme d'habiles et prestes chevaliers, cherchant chaque jour l'aventure et devisant de leurs affaires. Ils chevauchèrent ainsi bien six mois sans rencontrer d'aventure. Puis, lorsqu'un jour elle surgit, ils cheminaient à travers un bois comme de bons chevaliers de noble naissance. Ils allaient chevauchant depuis un bon moment dans la forêt, lorsqu'ils virent un brachet qui se dirigeait droit vers eux. Il se posta à leur tête et les précéda dans le sentier. Ils s'étonnèrent de rencontrer là le brachet et se dirent :

— Voilà sans conteste une aventure !

— Suivons-le jusqu'à la nuit, ajouta Blandin, et nous verrons quel chemin il tiendra et quelle aventure il nous fera découvrir.

Le brachet filait à bonne allure ; il entra dans le lit d'un torrent où il trouva une grotte qui pénétrait dans la terre. Il s'y enfila, la tête la première, si bien qu'on ne pouvait plus l'apercevoir. Guillot Ardit qui l'avait vu faire en resta tout ébahi. Blandin, qui ne s'était pas rendu compte du manège du chien, demanda à son compagnon :

— Voyez-vous le chien quelque part ?

— Il est entré dans cette grotte, répondit Guillot.

Blandin ajouta alors :

— Attendez-moi, Guillot Ardit, je veux, en vérité, entrer là et y chercher l'aventure. Attendez-moi ici trois jours, au-delà ne comptez plus sur moi.

— Comme il vous plaira, ami ! répondit Guillot, revenez quand vous voudrez, vous me trouverez ici.

Ils prirent ainsi congé. Blandin s'engouffra dans la grotte revêtu de son armure vermeille et d'autres armes merveilleuses, s'avançant toujours dans l'obscurité comme un bon chevalier aventureux. Après avoir erré un bon moment, il aperçut une grande clarté. Là-bas se trouvait un logis qui possédait un très grand portail vers lequel il se dirigea ; il rencontra un portier qui lui ouvrit aussitôt la porte en lui disant :

— Entrez en ce jardin, vous y rencontrerez l'aventure, si vous le souhaitez.

Blandin franchit alors le seuil et y pénétra. Il trouva vraiment dans ce jardin un très agréable divertissement. Dessous un beau pommier fleuri, il s'est endormi. Durant son sommeil, alors qu'il ne risquait pas de se réveiller, arrivèrent deux demoiselles d'une merveilleuse beauté. L'une dit à l'autre :

— Un beau chevalier dort là, dessous ce pommier. Je te prie d'aller le réveiller. S'il pouvait vaincre le géant qui nous retient prisonnières ici, nous l'aimerions de bon cœur.

Elles se dirigèrent alors vers Blandin et l'appelèrent :

— Debout, chevalier, allez-vous-en avant l'arrivée du géant. Il vous tuera sûrement s'il peut vous atteindre. Il en a déjà tué et fait mourir de male mort beaucoup d'autres qui voulaient nous conquérir et nous obtenir par leur prouesse.

En les entendant, Blandin fut aussitôt frappé par l'amour des deux beautés et leur demanda :

— Nobles demoiselles, voudrez-vous partir avec moi si je parviens à gagner votre liberté par les armes ?

— Oui, certainement, répondirent-elles et nous agirons [...] [1].

Pendant qu'ils devisaient ainsi, arriva l'immense géant qui interpella le chevalier :

— Qui es-tu, malheureux, pour t'être aventuré si avant dans le jardin ?

— En vérité, j'ai nom Blandin. Je suis venu en ce lieu pour conquérir ces deux demoiselles et je veux les emmener avec moi !

Le géant se montra fort courroucé des propos tenus par Blandin ; il brandit une grosse masse d'arme en déclarant qu'il lui ferait quitter

---

1. Le reste du vers est illisible dans le manuscrit.

la place. Blandin se mit alors en colère, fit un saut de côté et lui porta, au milieu du corps, un coup de la lance, qu'il avait apportée pour plus de sûreté, si violent qu'il le renversa. Le géant se sentit alors blessé, jeta un hurlement et se remit sur pied. Il se précipita vers Blandin et lui donna un si rude coup qu'il lui brisa entièrement l'écu. Blandin fut précipité à terre. Le géant, qui perdait son sang et ne pouvait l'étancher, sentit son cœur défaillir et mourut sur place. Les voilà tous deux étendus au sol à cause des terribles coups qu'ils se sont portés.

Les deux demoiselles qui se tenaient là, agenouillées en train de prier Dieu, ont assisté à la mort du géant. Elles se dirigèrent vers leur ami — Blandin de Cournouaille — qui avait engagé le combat et lui dirent :

— Noble chevalier, pénétrez plus avant dans le verger ! Vous avez tué le géant et lui avez infligé une mort cruelle. Souvenez-vous de votre amie et de noble chevalerie !

En entendant les nouvelles apportées par les deux gracieuses demoiselles, il se releva et reprit courage en bon chevalier de noble lignage qu'il était. Il vit le géant étendu, se dirigea vers lui avec son écu brisé. Il sentit qu'il respirait encore un peu, il le décapita aussitôt. Les deux demoiselles éprouvèrent une grande joie en voyant le géant ainsi mort :

— Hardi chevalier, disposez de nous selon votre bon plaisir. Nous vous servirons et vous resterons toujours fidèles. Je vous prie de nous sortir d'ici et de nous emmener.

— En vérité, allons-nous-en, répondit sur-le-champ Blandin. Il y a dehors un chevalier qui m'attend dans le sentier ; il serait très surpris de ne pas voir revenir son compagnon.

Blandin lui prit les mains qu'elle avait blanches et se mit en route. Il s'en retourna vers Guillot Ardit qu'ils trouvèrent endormi. Blandin lui adressa alors la parole :

— Levez-vous, compagnon, et songeons à partir car j'ai rencontré l'aventure que nous avions souhaitée. Voici deux nobles demoiselles d'une merveilleuse beauté que j'ai conquises sur un géant qui était plein de mauvaises intentions.

Guillot, en les voyant venir, sortit rapidement de son sommeil et répondit :

— Par Dieu, soyez vraiment tous trois les bienvenus ! En vérité, ne vous voyant pas revenir, j'étais très inquiet à votre sujet. L'intention m'était venue de pénétrer dans la grotte pour vous chercher. Reposez-vous et nous envisagerons le parti à prendre.

— Partons, répliqua Blandin, je ne veux pas me reposer. Prenez avec vous, sur le devant de votre selle, une de ces demoiselles, moi l'autre et en route.

Guillot fit monter une des demoiselles et la plaça devant lui sur sa selle. Blandin agit de même avec la seconde, elle le méritait bien.

Les deux chevaliers de noble lignage s'en vont maintenant à travers la forêt, chevauchant au milieu du chemin, accompagnés des deux demoiselles. Le jour se mit à décliner. Blandin interrogea alors son compagnon :

— Qu'allons-nous faire, Guillot Ardit ? Le jour est sur le point de nous manquer à cause de la nuit qui va tomber.

— Je vais monter sur un arbre et regarder si je n'apercevrais pas quelque hameau où nous puissions séjourner.

Il y alla, grimpa dans un arbre et scruta plaines et vallons pour découvrir quelque maison. Là-bas, dans la vallée, il aperçut un château qui lui parut très beau. Il interpella son compagnon :

— Poursuivons notre chemin ; j'ai entrevu là-bas un château, je n'en ai jamais vu de plus beau. Chevauchons rapidement afin de sortir de ces lieux déserts tant qu'il fait encore jour.

Ils se mirent au galop, si bien qu'ils quittèrent vite cette inquiétante solitude. Ils arrivèrent dans une prairie d'herbe fraîche qui leur plut. Au milieu, se dressait, impressionnant et beau, le château. Les demoiselles, en le découvrant, se mirent à pleurer amèrement et à se plaindre sincèrement l'une et l'autre. Blandin, qui aimait bien les demoiselles qu'il convoyait, s'enquit de ce qui les faisait pleurer et de la raison de leur douleur. L'aînée lui répondit alors :

— Comment ne manifesterions-nous pas notre affliction ? Ce château nous appartient et on nous en a spoliées par la force. On retient prisonniers toute ma parenté et de vaillants chevaliers de noble naissance.

— Ne pleurez plus, répond Blandin, vous récupérerez bientôt le château. Prenons donc quelque repos en ce lieu et nous livrerons bataille demain matin.

— Que non, par Dieu ! s'écrièrent-elles. Ayez soin de passer votre chemin, car celui qui tient le château n'a pas peur de vous, sire, ni de plus puissant.

— Qui en a la garde ? demande alors Blandin.

— Un géant très fort, répondent-elles, frère de celui que vous avez tué.

— En vérité, je ne quitterai pas ce lieu, rétorque Blandin, avant d'avoir vérifié que ce géant est aussi robuste que son frère que j'ai tué. Mettons pied à terre et nous combattrons demain matin.

Les voilà descendus de leur monture. Ils traversèrent la prairie.

— Que mangerons-nous, demanda Guillot, nous possédons peu de vivres ?

— Nous nous en passerons, répliqua Blandin, nous deviserons allègrement d'amour et demain nous en trouverons, de gré ou de force.

Ils reposèrent toute la nuit, jusqu'à l'aube où ils se levèrent. Sitôt debout, ils s'armèrent prestement et se préparèrent à attaquer le château.

— Je combattrais très volontiers ce géant, dit Guillot, s'il vous plaisait, seigneur, de m'accorder un si grand honneur.

— Si vous vous en sentez le cœur, lui répond sur-le-champ Blandin, livrez le combat.

Il se dirigea bientôt droit vers le château dont il trouva la grande porte ouverte et y pénétra rapidement. Une fois à l'intérieur, on ferma aussitôt le portail. Il vit alors l'épouse du géant, pleine de mauvaises intentions, qui détachait deux lions méchants et félons. Les deux fauves se précipitèrent sur Guillot et l'assaillirent. Il se défendit immédiatement comme un preux et porta à l'un un tel coup qu'il le décapita ; il se tourna vers l'autre et le combattit longtemps sans parvenir à le vaincre, quelque effort qu'il déployât. Finalement, d'un coup puissant et bien ajusté, il rompit un membre du lion qui s'effondra. Le géant, qui se tenait là et regardait le combat, voyant les deux lions à terre, commença à pousser de hauts cris. Survinrent alors deux autres géants : je crois que c'étaient le père et le fils. Ils se dirigèrent vers Guillot pour l'assaillir. Valeureux, Guillot se défendit sur-le-champ. Il se porta à la rencontre de l'un et lui asséna un tel coup qu'il lui brisa entièrement l'écu et le blessa grièvement. Alors, l'autre géant, plein de haine, marcha sur Guillot, et lui donna un si violent coup de massue au côté qu'il le renversa. Quoi qu'il fît, Guillot ne put se remettre sur pied ; le coup qu'il avait reçu le privait de la force de se relever. Les géants le capturèrent et l'enfermèrent dans une solide prison.

— Tu vas payer, dit l'un des géants, le dommage que tu m'as causé.

Voilà Guillot prisonnier. Que Dieu lui vienne en aide car il en a grand besoin !

Blandin, attendant Guillot Ardit qui ne revenait pas, s'adressa aux deux demoiselles :

— Je vais au-devant de Guillot car j'ai peur que ce géant, plus puissant que l'autre, ne l'ait mis à mort. Gardez ici les chevaux ; vous pouvez le faire, ils ne sont pas méchants.

Les demoiselles se mirent alors à pleurer et à manifester une grande affliction ; chacune l'embrassa. Blandin se mit en route et galopa en brandissant sa lance ; il se dirigea vers le château où il pénétra bientôt, observé par l'un des géants. Ce dernier appela son fils, qui se nommait Lionet, et lui dit :

— Va à la rencontre de celui qui chevauche vers le château et défends-lui-en l'entrée de manière à ce qu'il rebrousse chemin.

Aussitôt, le fils du géant se précipita vers Blandin, mais pas assez rapidement pour l'avoir rejoint avant qu'il ne fût entré. Les voilà face à face. Le géant tenait une masse d'arme, elle pesait un quintal, voire davantage ; il en porta un tel coup à Blandin qu'il le renversa. Courageux, ce dernier se releva rapidement et se montra fort courroucé ; il s'avança vers son adversaire l'épée brandie et, sans mentir, lui trancha un pied. Amputé, le géant s'effondra. Blandin se dirigea vers lui et était sur le point de le mettre à mort. Voyant son fils vaincu, étendu au sol, l'autre géant se précipita vers Blandin et, plein de haine, lui cria :

— Tu es né pour ton malheur ! Tu vas mourir sur l'heure pour le dommage que tu m'as causé.

Il entreprit alors une telle bataille avec Blandin de Cornouaille, ils échangèrent des coups si violents qu'ils se renversèrent tous les deux à terre. Ils se relevèrent bien sûr rapidement et se précipitèrent l'un contre l'autre. Vous auriez vu briser là maintes armes ! Quel rude combat !

Et Guillot, qui entendait de sa prison le fracas de la bataille, se disait :

— Hélas ! puissions-nous être ensemble, Blandin, afin que je te porte aide et que tu agisses de même à mon endroit.

Dans le même temps, il réfléchissait à la manière de rejoindre Blandin. Furieux, il se dirigea vers la porte de sa geôle et, la tirant de toute la force de ses deux bras, il la jeta à terre. Il sortit précipitamment de sa prison, pénétra dans une salle et y trouva un grand lot d'armes ; il s'arma rapidement et se porta au secours de Blandin.

— Ami chevalier, voici Guillot Ardit ! Souvenez-vous de votre amie et de noble chevalerie !

En voyant Guillot, Blandin éprouva une grande joie et bondit ; il marcha sur le géant et lui porta un coup si puissant qu'il mit en pièces son écu et l'expédia au sol. Le géant se releva sur-le-champ et voulut se jeter sur Blandin ; il trouva sur son chemin Guillot qui lui donna un coup de lance et la lui passa au travers du ventre. Le géant se sentit blessé et s'effondra. Il n'eut point la possibilité de se relever, Blandin fondit sur lui, brandissant le poignard de fin acier qu'il portait sur lui et, avec l'aide de Guillot, il l'acheva. Voici morts les deux géants pleins de malveillance !

Les deux chevaliers s'aventurèrent ensuite dans le château qui était beau et agréable, puis appelèrent les demoiselles qui arrivèrent sur-le-champ. Elles manifestèrent une grande joie, point n'est besoin d'en parler ; chacune embrassa son ami. Elles visitèrent les appartements et fouillèrent de bas en haut ; elles découvrirent dans une cellule toute leur parenté, leur père, mais aussi leur frère Balthassar. Elles revinrent vers Blandin pour lui demander :

— Sire ami, allez là-bas et délivrez nos parents !

En vérité, Blandin se porta aussitôt vers la cellule, les en fit sortir et les libéra de ce tourment.

Alors, le seigneur du château, ainsi que tout son lignage, rendirent de grands honneurs aux deux valeureux chevaliers. Les demoiselles embrassaient et serraient dans leurs bras tous les membres de leur famille. En sortant de leur prison, ils pleuraient tous ensemble de la grande joie qu'ils éprouvaient. Ils se firent fête et honneur et, quand ils cessèrent, la moitié de la journée s'était déjà écoulée. Blandin demanda alors :

— Qu'allons-nous faire, Guillot Ardit ? Voulez-vous que nous passions la nuit ici et restions jusqu'à l'aube ?

— Comme il vous plaira, ami, répondit Guillot.

Les membres de la famille se concertèrent et déclarèrent :

— Chevaliers de haute naissance, auriez-vous l'intention de partir si vite et de renoncer à vous reposer plus longtemps ? Par amour, par courtoisie, par Dieu, seigneurs, ne nous faites pas un tel déshonneur, nous mourrions de douleur. Séjournez ici un mois ou deux, autant qu'il vous plaira, sires. Prenez les clefs du château et, si cela vous agrée, soyez-en les maîtres.

— Noble seigneur, répond Blandin, s'il vous plaît, pardonnez-nous, nous ne pouvons rester, il nous faut partir. Nous sommes des chevaliers venus d'Orient, cherchant véritablement l'aventure. Il nous convient de la quérir sans tarder dans des lieux déserts, autrement nous ne serions plus prisés ni réputés bons chevaliers. Gardez donc votre château car, sur ma foi, il est fort beau ! Je vous assure qu'à vous tous vous pouvez le défendre en combattant. Rendez grâce à Dieu, qui vous apporta de l'aide, et non à moi.

En entendant qu'ils ne voulaient pas demeurer, les demoiselles prirent alors la parole avec une grâce merveilleuse :

— Gentils chevaliers de noble parage, ne nous aimez-vous donc pas d'amour courtois que vous voulez vous en aller si vite ? Pour rien au monde nous n'y consentirions. Nous vous prions, nobles seigneurs, de rester, pour l'amour de nous, cette nuit et puis, à l'aube, vous reprendrez votre chemin.

Les demoiselles les supplièrent tant qu'ils passèrent la nuit au château.

Lorsque le jour commença à éclaircir le ciel, ils se mirent en selle et chevauchèrent ensemble vers le levant en devisant de l'aventure qui leur était arrivée. Une fois loin du château, ils perçurent un chant d'oiseau qui leur disait :

— Nobles seigneurs, allez de l'avant, vous parviendrez à une immensité déserte ; entrez-y bien vite. Parvenus sous un beau pin, que vous trouverez sur le chemin, que l'un prenne à droite par un chemin étroit et l'autre à gauche ! Vous y rencontrerez une fabuleuse aventure.

Ils s'émerveillèrent d'entendre parler l'oiseau :

— Avez-vous entendu ce que vous a dit cet oiseau ? demanda Guillot.

— Certainement, répondit Blandin, et j'en ai été fort étonné. Nous allons certainement chercher l'aventure si nous pouvons la trouver. Chevauchons, nous verrons bien si nous la rencontrons.

En vérité, ils ont tant galopé qu'ils sont arrivés au désert et l'ont traversé si rapidement que les voilà au pied du pin. Blandin déclara alors :

— Guillot Ardit, voici le pin ! Il nous faut nous entretenir de ce que nous a dit l'oiseau. Envisageons, si nous le pouvons, la bonne manière d'agir.

Ils descendirent de leur monture sous le pin et là tinrent conseil :

— Avez-vous réfléchi, Guillot Ardit ? Quelle est votre opinion sur les deux chemins ? Prenez-en un, celui que vous préférez ; nous sommes forcés de courir l'aventure si nous pouvons la rencontrer.

— Je suis fâché, lui répond Guillot, chaque fois que nous décidons de nous séparer. Mais, puisque l'aventure l'exige, je souhaite suivre le grand chemin. Voici ce que nous allons faire : si cela vous agrée, nous conviendrons qu'il ne faut pas nous chercher, en quelque lieu que nous nous trouvions.

— Par saint Thomas, rétorque Blandin, cela me plaît. Retrouvons-nous sous ce pin le lendemain de la Saint-Martin.

Ils s'étreignirent, se donnèrent le baiser de l'amitié et se séparèrent en pleurant et en soupirant à cause de la peine éprouvée. Blandin suit la voie étroite, Guillot Ardit le grand chemin.

Guillot prit rapidement le galop sans s'attarder. Il s'enfonça dans le désert comme un bon chevalier avisé. Le premier homme qu'il rencontra était un berger en train de manger. Guillot l'interpella :

— Dis-moi, berger, as-tu de quoi manger ?

— Oui, grâce à Dieu ! J'ai aujourd'hui un beau quartier de mouton rôti que m'a envoyé un de mes frères. Si vous en voulez... Mangez-en, si cela vous fait envie ; sur ma foi vous y prendrez grand plaisir.

Guillot descendit de cheval et dîna avec le berger. Tandis qu'ils mangeaient et échangeaient des nouvelles, ils virent venir un messager galopant à toute allure par le sentier. Il passa devant eux sans leur adresser la moindre parole. Guillot bondit alors sur ses pieds et l'appela :

— Ami, fais demi-tour et, s'il te plaît, viens me parler !

— Noble sire, laissez-moi aller, lui cria le messager, car je suis si pressé que je ne saurais le dire.

— Si la hâte te presse, ralentis-la ! Confie-moi ton message, sinon je te le ferai avouer !

— J'appartiens au Chevalier Noir qui est très avisé et habile ; il garde ces lieux désertiques. Il doit combattre demain contre deux chevaliers de Cornouaille. Aussi, sire, m'a-t-il envoyé à un de ses frères, Lionet, afin qu'il lui fasse parvenir son cheval car le sien n'est pas d'aussi bonne qualité.

— Poursuis ton propos, s'il te plaît. Dis-moi en quel lieu je pourrai rencontrer le Chevalier Noir que tu m'as présenté comme un excellent combattant, car, sur ma foi, je veux m'y rendre !

— Sire, noble chevalier, vous le trouverez en un lieu désert que l'on appelle le Clos Couvert. Mais je voudrais vous conseiller de ne pas désirer y aller ; tous ceux qui sont passés par le désert où il réside, tous, sire, ont reçu de sa main souffrance et mort horrible.

— Peu t'importe, répond Guillot, s'il me livre au tourment et à la peine ! Va-t'en maintenant, je vais faire de même.

Guillot s'équipe et prend congé du berger. Il chevaucha à bride abattue et trouva le désert ; il y pénétra, animé des sentiments qui conviennent à un chevalier de bon lignage. Après avoir erré et chevauché un bon moment dans cette contrée solitaire, il découvrit un grand verger à l'intérieur duquel il y avait un beau vivier recouvert et entouré d'une magnifique tente. Il s'étonna de trouver là un tel vivier. Pendant qu'il l'observait et l'admirait, il vit venir le chevalier dont lui avait parlé le messager. Il montait un grand cheval rapide tout harnaché et interpella Guillot :

— Qui es-tu, chevalier, pour avoir ainsi pénétré dans mon verger ? Descends sur-le-champ de ton cheval et abandonne tout ton équipement. Sur ma foi, tu mourras d'être entré dans mon jardin. En vérité, je vais t'arracher le foie et le donner à dévorer à mes chiens, à mes mâtins et à mes dogues.

Les narines de Guillot s'enflèrent de colère et ses dents crissèrent entre ses mâchoires :

— Qui es-tu, toi le mauvais, dont les paroles m'ont avili ? Je ne te prise pas plus qu'un bouton et vais déchirer ton pavillon ; si tu veux t'y abriter, apprête-toi à combattre. A cause de tes propos je vais le mettre en pièces et ta présence ne m'arrêtera pas !

Il se dirigea alors vers la tente et l'arracha. Le Chevalier Noir, gardien du vivier, sentit monter en lui une violente colère et une haine farouche à la vue de son pavillon éventré ; il s'avança vers Guillot et lui asséna un coup si terrible sur le pennon de l'écu qu'il le rompit sur deux empans. Après quoi, Guillot lui porta un tel coup de lance que, sans mentir, il lui brisa l'écu et le blessa grièvement. Ils combattirent ainsi une bonne demi-journée sans parvenir à se vaincre. Ils échangèrent de tels coups qu'ils tombèrent à terre, roulant l'un d'un côté, l'autre de l'autre, jambes renversées. Ils restèrent ainsi paralysés au milieu du sol, abasourdis, dans l'impossibilité de se relever à cause de la violence des coups reçus. Au bout d'un moment, ils se remirent sur pied et recommencèrent à combattre. Au premier coup asséné, ils ont brisé leur épée, se retrouvant alors à égalité, le poignard à la main. Ils s'étaient très gravement blessés et perdaient tous deux beaucoup de sang. Guillot comprit que l'affaire tournait mal car tout son sang s'échappait ; un sursaut de courage lui fit porter un coup de poignard qui atteignit son adversaire au milieu du cou et le jeta à terre. Alors Guillot l'enfourcha, lui ôta le bassinet et le frappa à la gorge comme un maréchal-ferrant dans sa forge. Il le blessa en plein milieu du cou sans que l'autre consentît à se rendre. Guillot lui dit :

— Tu vas te rendre et, sois-en sûr, tu vas mourir sur-le-champ !

— Je suis vaincu, sans mentir, dit le chevalier. Je te prie de m'accorder un don puisque tu vois que je suis sur le point de mourir : donne-moi un peu à boire ; sur ma foi, tu en seras remercié.

— Que te donnerai-je ? répond Guillot, je n'ai ni vin ni eau.

— Apporte-moi de l'eau du vivier.

— En vérité, je le ferai de bon cœur !

Guillot se dirigea donc vers le vivier et lui rapporta de l'eau. Pendant qu'il le faisait boire, le chevalier passa ; il mourut réellement à ce moment-là et Guillot s'en montra peiné car il aurait préféré qu'il vécût et lui eût accordé grâce.

— Dieu te pardonne, lui qui en a la possibilité, dit le bon Guillot. Ici je ne peux rien faire d'autre. Je prie Dieu de t'accorder son pardon.

Il souleva alors le chevalier et le jeta dans le vivier afin que les chiens, ou d'autres bêtes qui viendraient là, ne le dévorent pas. Le bon Guillot quitta les lieux d'un trot rapide. Tout blessé, il chevauche à vive allure.

Sur son chemin, il rencontra un saint ermite qui l'accueillit avec bienveillance, le mena dans sa cabane et le fit coucher dans son lit. Le bon prudhomme l'a réconforté avec ce que Dieu lui a alloué. Il le désarma et pansa ses plaies. Le prudhomme lui demanda ensuite :

— Pourriez-vous nommer, noble gentilhomme, l'homme qui vous a blessé et qui vous a si mal arrangé ?

— Un chevalier noble et habile m'a, sans mentir, mis dans cet état parce que je traversais une contrée déserte sur laquelle il régnait. Voyez dans quel état il m'a mis. Mais, en vérité, il n'y a rien gagné car, sur ma foi, je l'ai jeté mort dans un vivier de son jardin.

— Dieu en soit remercié, ajouta l'ermite, il a bien séjourné là sept ans, gardé ce bois et ce verger et tué trop de chevaliers de grande noblesse ; c'était un homme de grand courage et de haute naissance. Aussi, sire, prenez garde, car ses parents sont de puissants seigneurs ; ils pourraient vous faire grand tort ou, d'aventure, vous punir. Soyez sûr qu'ils apprendront la nouvelle de sa mort. Sire, croyez-moi, ne sortez pas de la cabane car ils vont vous chercher là où ils seront susceptibles de vous trouver.

— S'ils me cherchent, répond Guillot, ils me trouveront dans votre cabane ; sur ma foi, je ne fuirai pas. Aussi nombreux soient-ils je ne quitterai pas la place. Je me sens un tel courage qu'ils ne m'outrageront point et, s'ils s'y hasardent, nous nous battrons et combattrons en champ clos. Mais je vous prie de bien vouloir me panser et de faire acheter rapidement des vivres. Voici de l'or et de l'argent. Dépensez d'abondance, à bon escient, afin que le bon Guillot Ardit soit promptement guéri. Et puis que vienne aussitôt la parenté du mort.

Guillot Ardit séjourna à l'ermitage jusqu'à ce qu'il allât mieux et se sentît guéri. Puis, un jour, il prit congé du saint ermite, son hôte. Il lui donna de l'or et de l'argent et le baiser de l'amitié sur la bouche puisqu'il l'avait accueilli et servi dans sa demeure. L'ermite le bénit et le bon Guillot Ardit s'en fut.

Il erra à cheval par monts et par vaux. Il a chevauché un jour entier sans rencontrer l'aventure. Puis, à l'aube du jour suivant, il croisa sur son chemin un chevalier à l'armure noire qui se plaignait à haute voix et criait très fort :

— Malheureux ! Que vais-je faire ? En vérité, je mourrai de cette terrible peine si je ne trouve pas celui qui a mis à mort le bon combattant !

Guillot le salua alors et lui demanda des nouvelles en disant :

— Chevalier errant, à quel propos manifestez-vous une telle indignation ? Vous inquiétez-vous du chevalier qui a jeté son adversaire mort dans le vivier ?

— En vérité, oui, répond l'autre, je suis envahi par le chagrin car il a tué mon frère et l'a livré à une mort cruelle. Aussi voudrais-je ardemment le rencontrer et me mesurer à lui.

— Vous l'avez trouvé, répond sur-le-champ Guillot ; je suis celui qui vous l'a tué après un rude combat dans un jardin.

Le chevalier, le frère du mort, lança un terrible hurlement :

— Es-tu celui qui l'a tué ? Prépare-toi à combattre immédiatement, tu ne peux en réchapper. Sois sûr de mourir pour mon frère que tu as mené au trépas.

— Je ne sais, rétorque Guillot, si l'aventure fera que je meure.

Ils pénétrèrent dans une belle clairière pour livrer bataille. Ils s'élancèrent l'un vers l'autre en se donnant des coups de lance. Guillot porta à son adversaire un tel coup qu'il lui passa sa lance à travers le corps ; le chevalier vida les étriers, tout rompu, privé de l'usage de la parole quoi que pût faire Guillot. Ce dernier, le voyant étendu mort, retira sa lance et reprit son chemin.

Il chevaucha sans s'arrêter jusqu'à l'heure du dîner. Il prit son repas dans un beau pré, à côté d'une source qu'il avait découverte. Aussitôt son repas terminé, à peine en selle, il vit venir au milieu du chemin une grande troupe de chevaliers, criant très fort dans un grand tumulte : « A mort ! A mort le traître ! » Voyant cette foule de gens se diriger au galop vers lui, il piqua son bon cheval et se mit de côté. Deux chevaliers s'approchèrent alors de lui pour lui demander de se rendre. Irrité, il répondit :

— Je n'en ferai rien de bon cœur. Qui capitule au premier coup n'agit pas en bon chevalier. Mais, si vous voulez me faire tort, préparez-vous à combattre sur-le-champ.

— Tu le verras bientôt, répondirent les deux chevaliers et ils retournèrent aussitôt vers les chefs de la troupe.

— Courtois sire, il ne veut se rendre à aucun prix, déclarèrent-ils.

Le seigneur ordonna alors que tous aillent le combattre. Vingt-trois partent et menacent de près le bon Guillot. En les voyant venir, il éperonne son cheval et va les attaquer. Il passa au milieu de la mêlée et en désarçonna deux. Guillot Ardit le bon baron se comporta comme un lion. Mais contre eux tous, il restait impuissant car il recevait de grands coups. Alors, la lance au point, il s'éloigna un peu et cria aussi fort qu'il put :

— Venez à Guillot un par un mais n'y venez pas de manière si prudente, car il semble que vous ayez peur !

— En vérité, répondit un chevalier, cousin du premier mort, tu sais parfaitement que tu as causé un grand tort. Pour cela, tu vas mourir ou être capturé, si nous le pouvons de quelque manière que ce soit.

Guillot les vit fondre sur lui, aussi nombreux qu'ils pouvaient l'être. Une nouvelle fois, sans mentir, il s'élança au milieu de la mêlée et renversa mort d'un coup de lance le premier qu'il rencontra. Alors, les autres chevaliers l'encerclèrent en lui criant :

— Rends-toi ! Rends-toi ! sinon, tu vas mourir.

— Je vous ai déjà déclaré, répond Guillot, que je ne me rendrai pas volontiers. Si vous parvenez à me capturer par la force, vous ferez ensuite de moi ce que vous voudrez.

Un chevalier passa alors derrière lui et le saisit par-dessous les bras, puis un autre s'avança et blessa son cheval qui, se sentant atteint, s'effondra. Désemparé, Guillot se considéra comme vaincu et se rendit. Ils le lièrent, l'emmenèrent dans leur château et l'enfermèrent dans une solide prison car ils étaient dénués de pitié. Voici Guillot prisonnier ! Dieu lui vienne en aide, il en a bien besoin !

Le bon Blandin quitte le pin et suit la voie étroite ; il pénètre dans la forêt comme un chevalier de haut parage, cherchant vite l'aventure s'il lui est possible de la trouver.

Après avoir un temps parcouru le bois où il était entré, il aperçut une demoiselle d'une grâce merveilleuse en train de garder un cheval blanc tout sellé dans une clairière. En vérité, elle chantait joliment une chanson d'amour. Lorsqu'il vit la demoiselle, Blandin se dirigea aussitôt vers elle, la salua courtoisement et galamment lui demanda :

— Demoiselle de haute noblesse, que faites-vous dans ce bois ? A qui appartient ce si beau cheval ? Je prie Dieu qu'il le protège de tout mal car, sur ma foi, tout damoiseau aurait plaisir à le chevaucher.

La demoiselle répondit alors courtoisement à Blandin en ces termes :

— En vérité, sire, je vais volontiers tout vous dire : je suis une demoiselle qui vient de l'autre côté de la mer et va cherchant l'aventure. Je me dispose à manger en compagnie de mon cheval au milieu de cette prairie. Et, s'il vous plaisait de partager mon repas, vous me feriez une grande joie ; il y a, sans mentir, assez de provisions pour vous et pour moi.

Blandin, en entendant les propos courtois que lui tenait la jeune fille, lui répondit tout aussi courtoisement en parfait chevalier qu'il était :

— Noble demoiselle, je penserais vous outrager si je continuais ma route et ne dînais pas avec vous. En vérité, si je déclinais l'invitation, je commettrais un acte discourtois. Je l'accepterai pour l'amour de vous et mangerai en votre compagnie.

Blandin mit alors pied à terre et accompagna la jeune fille. Elle dressa rapidement la table, à l'ombre d'un beau saule, et étendit une nappe blanche devant Blandin de Cornouaille. Ils commencèrent le repas et mangèrent les vivres dont ils disposaient. Blandin prit alors la parole et demanda à la demoiselle :

— Noble créature, je vous prie de me confier l'aventure que vous cherchez comme vous me l'avez dit. Contez-la moi rapidement de bon cœur et, sur ma foi, je vous promets de me mettre à votre service.

— Grand merci, sire, répliqua la demoiselle, de ce que vous venez de dire. Mais dans l'aventure que je quête vous ne pouvez m'être d'aucun secours. Dînons d'abord, je vous la raconterai ensuite.

Ils dînèrent là tous les deux, en toute noblesse. Une fois le repas achevé, ils se divertirent au milieu de la prairie. Mais, alors, Blandin éprouva en vérité une grande envie de dormir et déclara :

Il voulut alors, sans mentir, donner un coup de lance à Blandin, mais ce dernier s'en avisa et le para avec son écu. Courroucé, il s'avança vers le chevalier et lui porta un coup si puissant qu'il lui trancha les deux jambes et l'étendit mort à terre, sur son écu. Alors, les autres chevaliers, qui venaient tous à sa suite, aperçurent leur seigneur mort et en éprouvèrent un grand désespoir ; ils se mirent à pleurer et à manifester là une profonde affliction. Lorsqu'il les vit pleurer et se désespérer si fort, Blandin se dirigea vers eux et voulut continuer le combat. En le voyant arriver, les chevaliers commencèrent à s'enfuir et, sans mentir, dans leur fuite, pénétrèrent dans le château. En entrant, ils criaient d'une seule voix :

— Noble seigneur, sur notre foi, faites-nous grâce, au nom de Dieu ! Nous agirons suivant votre volonté, comme de bonnes gens.

— En vérité, répond Blandin, je le ferai volontiers, si, sur la foi, vous me jurez de rester loyaux.

— Soyez-en sûr, nous prêterons un vrai serment de loyauté et jurerons de vous servir de bon cœur.

Alors ils se désarmèrent et jurèrent sur les reliques d'agir loyalement à son égard et de le servir d'un cœur fidèle. Blandin recueillit les serments des six chevaliers et les jeta tous dans une geôle qu'il trouva là. Il quitta ensuite les lieux et entra dans le château à la recherche de la demoiselle et des nouvelles qu'il pourrait en obtenir.

Pendant qu'il inspectait et examinait le château, il découvrit un vaste verger ; il pénétra immédiatement à l'intérieur. Charmant, le verger était plein d'arbres feuillus où chantaient, très doucement, en leur langue, une multitude d'oiseaux merveilleux et splendides. Dès qu'il les entendit, Blandin, à cause du grand plaisir que leur chant lui procurait, éprouva le besoin de dormir. Il se dirigea alors vers un arbre sous lequel il se reposa. Pendant qu'il écoutait le chant de ces oiseaux et regardait droit devant lui, il aperçut un gracieux jeune homme qui se trouvait sous un pommier et tenait au poing un épervier. Blandin se leva alors et alla vers lui, le salua courtoisement et s'enquit des nouvelles en ces termes :

— Charmant damoiseau, je vous prie de me dire, au nom de l'amitié, si vous connaissez dans cette contrée une demoiselle victime d'un enchantement. Je la cherche, jeune homme, et je souhaiterais fort la délivrer.

— Noble chevalier, répondit alors courtoisement le jeune homme à Blandin, celle à propos de laquelle vous m'interrogez est ma sœur, s'il vous plaît de le savoir. Elle est enfermée dans ce palais et ne peut jamais en sortir, car notre père l'a enchantée à l'époque où il perdit la totalité de son comté, ainsi que sa terre, à cause de la grande guerre ; il laissa la garde des lieux à dix chevaliers afin qu'on n'y pénétrât pas. Aussi suis-je fort étonné que vous ayez été aussi avant sans que les barons ne vous aient tué et conduit à une méchante mort.

— Par Dieu, je vais vous expliquer, répond Blandin. Sachez, en vérité, que je leur ai livré bataille, que j'ai tué quatre chevaliers et que je retiens six prisonniers, car ils ne me laissaient pas entrer pour délivrer la demoiselle.

— Noble seigneur, demanda alors le jeune homme, dites-vous la vérité en déclarant que les chevaliers qui se montraient de si terribles meurtriers sont morts ?

— Absolument, répond Blandin, ils sont morts ou prisonniers, soyez-en sûr !

Le jeune homme s'agenouilla alors aux pieds de Blandin et, s'humiliant beaucoup, il lui fit en pleurant la prière suivante :

— Noble sire, ne partez pas avant d'avoir délivré ma sœur.

— Ne plaise à Dieu, rétorqua Blandin, que je commette une aussi grave faute et que je quitte cette contrée avant de l'avoir libérée. Aussi préoccupez-vous de me la montrer car je veux la délivrer.

— Noble sire, répondit le jeune homme, pénétrons ici à l'intérieur du château, et puisque vous souhaitez tant la voir, sire, je vous la montrerai. Mais il vous convient de livrer encore davantage bataille si vous voulez la conquérir. Je crois sincèrement que vous êtes pourvu de tant de hardiesse, puisque vous avez vaincu les dix chevaliers félons, que vous vaincrez de même et ainsi la délivrerez.

— Assurément, répondit Blandin, je la gagnerai ou je succomberai à la peine.

Ils entrèrent alors et le jeune homme lui montra là, dans une chambre, la jeune fille, qui était gracieuse et belle, d'une beauté qui resplendissait tant elle était jolie. Elle se tenait assise sur un lit, possédée par l'enchantement. L'entouraient sept demoiselles, extraordinairement belles, qui, nuit et jour, la servaient sans la quitter jamais. Lorsqu'il vit la demoiselle à la beauté lumineuse de blancheur, Blandin s'éprit si violemment d'elle qu'à l'intérieur de lui il ne sut plus que faire. Il demanda au jeune homme :

— Savez-vous s'il existe dans ce château chose ou créature grâce à laquelle on pourrait la délivrer ?

— Oui, noble sire, répond le jeune homme, il y a un oiseau que l'on appelle l'autour blanc, il niche ici à l'intérieur d'une tour. Il vous faut le capturer si vous voulez délivrer ma sœur. Et, s'il vous plaît d'en faire la conquête, je vous dirai comment vous y prendre. Vous vous rendrez à la tour où vous trouverez trois grandes portes. A la première, vous rencontrerez certainement un immense serpent, à la seconde un dragon, méchant et terrible, et, à la troisième, soyez-en sûr, un Sarrasin enchanté qui est comme je vais vous le décrire : sa gueule a la largeur d'un empan, voire davantage, ses dents sont aussi

longues que celles d'un sanglier, puissantes et dures comme l'acier ;
il a les narines bien fendues et les oreilles très pointues ; il est, sans
mentir, tout noir et effraye tout le monde ; sa barbe est longue d'une
demi-brasse et une grosse masse d'arme pend à son cou. Il vous faut
savoir qu'il ne peut mourir sans avoir perdu au préalable une dent de
la mâchoire ; lorsqu'il aura perdu une dent, peu importe laquelle, sa
force physique disparaîtra aussitôt. C'est pourquoi je vous dis de
faire attention à bien lui arracher une dent. Entrez ensuite dans la
tour, vous trouverez l'autour blanc. Prenez-le sans hésiter, vous pouvez le faire en toute sécurité. Il vous faut accomplir tout cela si vous
voulez délivrer ma sœur.

— Damoiseau digne d'amitié, répond Blandin de Cornouaille,
Dieu vous veuille du bien ! Montrez-moi donc ces bêtes, j'ai déjà le
nez enflé par les propos que vous m'avez tenus à propos de ce Sarrasin si terrible.

— Très volontiers, bon chevalier, dit le jeune homme.

Ils se mirent alors en route et le jeune homme lui montra aussitôt
la tour dans laquelle nichait l'autour blanc. Là, ils prirent congé et
Blandin entra dans la tour et, comme un vaillant chevalier, il pénétra
par la première porte. Une fois à l'intérieur, il dirigea son regard
d'un côté et vit, sur toute la longueur d'une grande dalle de pavage,
un gigantesque serpent sorti d'une fosse. Il était si long et si énorme
qu'il mesurait huit ou neuf pas de long et bien deux brasses de dia-
mètre. Blandin, le cœur plein de courage, courut vers lui ; le serpent
le voyant approcher voulut l'attaquer et avança son immense gueule
ouverte comme une créature enragée. Mais Blandin, sur ses gardes,
lui administra un si grand coup de lance au milieu des mâchoires
qu'il la lui enfonça bien de trois empans, voire davantage, et le tint
embroché et renversé au sol. Dès lors, le serpent ne put plus se servir de sa gueule pour faire mal, mais il s'enroula autour de Blandin ;
valeureux, celui-ci tira son épée luisante et lui porta tant de coups
qu'il l'éventra. Alors le serpent ne put vraiment pas supporter un tel
jeu, il mourut et resta consterné sans vie sur le sol. Blandin constata
qu'il était mort et le laissa derrière la porte.

Sans mentir, il se précipita en courant vers la seconde porte devant
laquelle il découvrit le dragon endormi, affalé au milieu du sol. Il se
garda bien de lui adresser un mot mais franchit la porte ; il pénétra à
l'intérieur et rencontra le Sarrasin. Au moment où il voulait ainsi
entrer, le Sarrasin, sans prononcer un mot, marcha sur lui, l'attaqua
avec une grosse masse d'arme en fer et voulut lui assener un terrible
coup, mais Blandin l'évita ; la masse frappa le sol si rudement que,
par saint Christophe, tout le château trembla sous la violence du
coup. Avec une grande vigueur, Blandin prit alors sa valeureuse
épée et lui en donna un tel coup qu'elle lui ressortait d'un empan

dans le dos. Le belliqueux Sarrasin agit alors comme s'il n'avait en rien été blessé et, comme un furieux, il prit la lance et la brisa avec rage ; il souleva une nouvelle fois la pesante massue puis, plein de haine, se dirigea vers Blandin le bon baron en voulant le frapper. Blandin l'évita et il alla se jeter contre un pilier qui l'expédia à terre. Alors Blandin, dépossédé de sa lance, dégaina sa fidèle épée et, tout courroucé, avança, se porta vers lui et lui en donna un si grand coup qu'il lui rompit le bras gauche, puis un second qui lui ôta la vue et l'ouïe. Voilà donc le Sarrasin blessé, étendu à terre, tout abasourdi, perdant abondamment son sang à cause des coups que Blandin lui a infligés. Toutefois, il ne parvenait pas à mourir car il avait la particularité de rester en vie jusqu'à ce que sa mâchoire perdît une dent. Blandin, le voyant ainsi, se jucha sur lui et, se souvenant du couteau que lui avait donné le damoiseau, le tira prestement de son fourreau, visa la mâchoire et lui donna un coup si violent qu'il lui arracha deux molaires. Ensanglanté, le Sarrasin sentit qu'il avait perdu une dent ; il se contenta d'émettre un soupir et trépassa brusquement.

Blandin, en constatant qu'il l'avait tué, reprit confiance ; il pénétra à l'intérieur de la tour et trouva l'autour blanc. Il le prit doucement, sans conteste, sur son poing ; il entreprit de sortir, rempli d'une joie extraordinaire, impossible à traduire, parce qu'il avait trouvé et conquis l'autour.

Lorsqu'il arriva sur le dragon méchant terrible, il le vit, sans mentir, debout et réveillé. Blandin, quoi qu'il entreprît, ne pouvait passer car le dragon lui interdisait le passage autant qu'il le pouvait.

— Dieu, dit-il alors, me donne des rentes afin que toujours croissent mes affaires. Aussi me faut-il livrer bataille si je veux aller plus avant.

Il reporta aussitôt l'autour à l'intérieur de la tour, puis s'en revint rapidement, tout encoléré, vers le dragon. De son épée flamboyante, luisante et tranchante, il lui administra un si rude coup qu'il lui brisa deux côtes. Sans mentir, le dragon se dirigea vers Blandin, lui sauta au col et voulait le dévorer, mais Blandin se tenait sur ses gardes et lui grimpa sur le dos. Je vais vous dire comment il s'y prit : il tira son couteau et lui en darda de coups la gueule, si bien que tout le sang de la bête s'écoula. En vérité, le dragon commença bientôt à perdre la vie. Le voyant trépasser, Blandin saisit l'autour et reprit son chemin ; il pénétra dans le château et rencontra aussitôt le jeune homme, prêt et équipé, en compagnie de deux demoiselles qui, en vérité, l'attendaient là, priant Dieu à genoux de lui donner force et vigueur afin qu'il gagnât l'autour blanc. Blandin adressa alors la parole au jeune homme :

— Est-ce bien cet oiseau-là qui a le pouvoir de désenchanter votre sœur ? car je n'en ai pas trouvé d'autre.

— En vérité, répondit le jeune homme, c'est celui-là ! Dieu en soit remercié !

Ils se dirigèrent alors vers la chambre où se tenait la jeune fille et y entrèrent. Une fois devant elle, le jeune homme dit de bonne grâce à Blandin :

— Noble sire, donnez-moi l'autour blanc ; je connais depuis long-temps sa grande vertu et je vais guérir ma sœur sur-le-champ.

— Vous avez bien parlé, dit Blandin, le voici, prenez-le !

Alors notre jeune homme prit l'oiseau blanc. Je vais vous dire comment il a agi : il saisit la main de la jeune fille et plaça doucement l'autour au-dessus ; la demoiselle, lorsqu'elle sentit sur elle l'oiseau blanc, recouvra aussitôt la vie, se sentit soignée et guérie. Elle se leva droite sur ses jambes et commença bientôt à soupirer. Elle restait ébahie de ce qu'il l'avait désenchantée. Le jeune homme lui adressa alors la parole :

— Gentille sœur, voici un chevalier plein de bienveillance qui est venu vous délivrer et vous conquérir par les armes. Aussi ne soyez plus étonnée et rendez-lui plutôt mille grâces.

Je vais vous décrire maintenant l'attitude de la jeune fille : elle se dirigea vers Blandin et s'agenouilla à ses pieds en lui disant :

— Noble chevalier, fleur des bons chevaliers, je vous remercie mille fois du service que vous m'avez rendu et je vous prie, comme mon seigneur, autant qu'il m'est possible, d'accepter ce château, pour l'amour de moi, et toute la seigneurie qui en dépend, tout mon or et tout mon argent. Tout est à votre disposition et je vous prie de tout prendre, si cela vous agrée. Mais, afin que je puisse raconter qui est venu me délivrer, moi, Briande, je vous requiers de me dire votre nom.

— Par Dieu, Briande, répond Blandin de Cornouaille, je ne veux de vous pour présent ni château ni terre ni argent ni rien d'autre que vous possédez, mais seulement votre amour, s'il vous plaît. Sachez, en vérité, que je suis si sincèrement épris de vous que je suis sur le point de mourir. Aussi ne veux-je point d'argent mais uniquement votre amour. Et puisqu'il vous plaît de savoir mon nom : on m'appelle, par Dieu, Blandin de Cornouaille.

— Chevalier digne de m'inspirer de l'amour, répond alors la demoiselle d'une extraordinaire courtoisie, soyez certain, devant tous ceux qui connaissent le désir, que mon amour est vôtre, sans faille. Sans mentir, il n'y a pas au monde seigneur ni duc ni roi ni empereur que j'aime avec autant de certitude et je vais le montrer.

Elle se leva alors et se dirigea vers Blandin, lui ôta le bassinet de l'armure et le regarda franchement ; elle vit son teint pâle et gracieux, plein de beauté, de courtoisie et d'amour ; elle commença à l'embrasser avec un amour sincère, point n'est besoin d'en parler.

Blandin, par Dieu, agit de même avec Briande. Ils demeurèrent ainsi un long moment enlacés, puis se séparèrent avec une grande joie, il n'est pas utile d'en parler.

La demoiselle salua le jeune homme et l'embrassa ainsi que toutes les demoiselles, une à une. Je viens d'évoquer les comportements de la demoiselle.

Le jeune homme s'adressa alors à Blandin :

— Vous êtes épuisé car vous avez beaucoup combattu. Aussi, si cela vous agrée, allons dîner ; j'ai fait préparer le repas.

— Voilà qui me plaît, répond Blandin. Par ma foi, je suis recru de fatigue. Auparavant, je vous prie d'aller à l'extérieur devant la porte où vous trouverez Poitevin, mon écuyer, qui garde mon destrier ; je vous invite à le faire entrer afin qu'il se joigne à nous pour dîner.

Le jeune homme se précipita alors en courant vers la grande porte :

— Compagnon Poitevin, messire Blandin m'envoie ici et vous fait dire d'entrer rapidement et sans tarder.

Poitevin pénétra alors immédiatement dans le château avec le jeune homme. Ils ont conduit leurs chevaux à l'écurie et leur ont donné de l'avoine, puis ont rejoint Blandin. Une fois arrivés, ils se sont rendus tous ensemble dans le très charmant verger où les oiseaux chantaient l'amour. Là, les tables étaient dressées et d'excellents mets préparés ; ils s'y assirent et se mirent à dîner ; Blandin et les demoiselles continuaient tout en mangeant de se raconter les nouvelles. Tandis qu'ils mangeaient et s'informaient les uns les autres, Blandin se souvint de la demoiselle d'outre-mer, de celle qui avait emmené son cheval lorsqu'il se reposait dans le pré.

— Briande, dit-il, je vais vous conter l'histoire d'une jeune fille qui commit une grande vilenie à mon encontre pendant que je dormais en un pré. En vérité, vous devez savoir qu'elle a emmené mon cheval. Toutefois, sans mentir, je dois à la vérité de vous dire qu'elle m'en a laissé un autre en échange afin que je puisse continuer à chevaucher. Aussi, pour compenser sa vilenie, elle m'a manifesté un peu de courtoisie. Mais j'ai juré sur ma tête que je ne célébrerai pas une fête jusqu'à ce que j'aie retrouvé le cheval et la selle qu'elle a emportés.

Briande déclara alors à Blandin en riant :

— Blandin, ne vous mettez pas en colère, vous retrouverez votre cheval. Sachez pour sûr que celle qui vous l'a ravi c'est moi, sire, qui l'avais envoyée de par le monde quêter quelque noble chevalier valeureux, hardi et bon guerrier, capable de me délivrer et de me conquérir les armes à la main. C'est pour cette raison qu'elle vous trompa et Dieu voulut qu'elle vous rencontrât de manière à ce que, la cherchant, vous veniez me délivrer. Aussi ne soyez pas surpris ; je vous prie plutôt de lui accorder votre pardon.

Sans mentir, Blandin se montra alors fort réjoui et fort amusé des nouvelles de l'autre demoiselle.

— En vérité, dit Blandin, je lui pardonne bien volontiers. Je vous assure que l'aventure me plaît beaucoup puisque je l'ai retrouvée grâce à vous ; je n'aurais pas cessé de la chercher jusqu'à ce que je l'eusse rattrapée.

Ces propos échangés, le dîner se trouva achevé. Ils se levèrent de table et entrèrent dans le verger ; ils s'y divertirent agréablement, comme vous pouvez sans nul doute l'imaginer. Blandin prit alors la parole :

— Demoiselle, que pourrions-nous faire de ces malheureux chevaliers que je retiens prisonniers ? Vous plaira-t-il de leur rendre la liberté ou dites-moi qu'en faire ?

— Délivrez-les rapidement, répond aussitôt Briande, et qu'ils s'en aillent piller puisque, par ma foi, cela leur convient.

Le bon Blandin, le jeune homme et Poitevin allèrent vers les chevaliers qu'ils retenaient prisonniers et les délivrèrent ; Blandin leur ordonna d'emmener à l'extérieur leurs quatre morts et de les enterrer.

— En vérité, répondent-ils, nous le ferons bien volontiers.

Ils les jettent hors du château et referment la grande porte. Le bon Blandin, le jeune homme et Poitevin retournèrent ensuite auprès des demoiselles dans le verger où ils jouèrent avec elles. Ils s'amusèrent fort bien dans ce jardin la moitié restante de la journée. Puis, la journée passée, quand vint la nuit, Briande s'adressa à Blandin en lui disant :

— Blandin, mon seigneur, je vous prie par amour de rentrer, vous, moi et mon frère, au château, car, seigneur, je veux vous montrer tout mon trésor et tout mon bien.

— Voilà qui me plaît, répond Blandin sur-le-champ, allons-y !

Tous trois quittèrent alors le verger et pénétrèrent dans une chambre. Sans mentir, Briande ouvrit tous ses coffres, puis appela Blandin et lui montra l'intégralité de son trésor et des bijoux qui étaient de grand prix et fort beaux.

— Noble chevalier, dit-elle à Blandin, je vous prie de vous montrer assez bon pour prendre autant d'or et d'argent que vous le désirerez. Par ma foi, si vous acceptez, soyez sûr de me faire un grand plaisir.

Blandin de Cornouaille, par Dieu, répond courtoisement :

— Briande, je vous ai déjà dit que ne m'agréent ni l'or ni l'argent, ni rien d'autre que vous possédiez, mais seul votre amour, s'il vous plaît de me l'accorder ; c'est lui, en vérité, que je veux servir aussi longtemps que je vivrai.

Je viens à l'instant de vous parler de Blandin et de la manière dont Briande le conquit, je vais vous raconter ensuite comment il agit.

Il demeura au château avec Briande et le jeune homme un bon mois entier et n'en bougea pas. Puis, une fois le mois écoulé, il prit congé de Briande et du jeune homme et voulut quitter le château car il se souvenait de Guillot et de la date qui approchait. Briande se met alors à pleurer, à manifester un grand chagrin et, en larmes, lui dit :

— Noble chevalier, homme aimé, vous voyez bien, cher seigneur, que vous ne m'aimez pas d'un amour véritable car, si vous vouliez m'aimer, vous ne souhaiteriez pas vous éloigner de moi.

— Briande, répond Blandin, je veux vous confier sans mentir la raison qui m'oblige à partir. Vous devez savoir que dans notre contrée, pour suivre la bonne guerre [...] [1].

« Nous avons bien chevauché une demi-année sans rencontrer d'aventure. Puis arriva un matin où suivant notre chemin nous avons pénétré dans un bois situé dans une contrée déserte. Là, nous avons trouvé une aventure très pénible et très difficile : je ne veux pas vous la raconter mais évoquer ce qui précède.

« Nous avons galopé très avant dans le bois et lorque nous fûmes parvenus près d'un château, nous entendîmes un chant d'oiseau qui nous disait :

« " Nobles sires, allez de l'avant ! Vous trouverez un grand désert, pénétrez-y rapidement et lorsque vous serez arrivés sous un beau pin que vous rencontrerez sur le chemin, que l'un prenne à droite par une voie étroite et que l'autre prenne à gauche, vous trouverez une grande aventure. "

« Après avoir entendu les propos de cet oiseau, nous avons galopé jusqu'à ce que nous ayons découvert ce désert ; nous y avons rapidement pénétré et erré jusqu'à la découverte du pin. Là, nous avons tenu conseil sur ce que nous avait dit l'oiseau et nous nous sommes séparés sans nous revoir depuis. Nous avons décidé de nous retrouver en toute certitude en ce lieu, sous le pin, le lendemain de la Saint-Martin. Aussi, sans mentir, me faut-il respecter ce terme.

Briande, tout en pleurant très fort, répondit à Blandin :

— Seigneur, s'il vous plaît, accordez-moi au moins un don : lorsque vous aurez retrouvé votre compagnon, revenez tous les deux ici.

— Je serai de retour sous peu, répond Blandin, soyez-en sûre, s'il plaît à Dieu.

En vérité, il prit alors congé de tous ceux qui étaient là, puis embrassa Briande et se mit en selle. Le bon Blandin quitte le châ-

---

1. Lacune d'un ou plusieurs vers.

teau, accompagné de son écuyer Poitevin. Ils chevauchèrent à toute
allure, des journées entières ; ils galopèrent longtemps, sans se reposer ni nuit ni jour, jusqu'à ce qu'ils fussent parvenus sous le pin, le
lendemain de la Saint-Martin. Là, ils mirent pied à terre et attendirent le bon Guillot. L'attente de Blandin dura trois jours sans que
Guillot ne revînt. Après une bonne attente, de trois jours après la
date fixée, Blandin s'étonna de son absence et se dit qu'il irait le
chercher et ne reviendrait pas avant d'avoir appris de ses nouvelles.
Le bon Blandin quitta les lieux en compagnie de son écuyer Poitevin ; il entra dans le désert comme un bon chevalier avisé. Après
avoir un long moment chevauché et erré dans cette solitude, il rencontra par un heureux hasard le bon berger avec lequel Guillot avait
dîné le jour où il était passé par là. Blandin le salua et s'enquit des
nouvelles en lui disant :

— Oh, berger, par Dieu, dis-moi, Dieu te sauve et te protège du
mal, aurais-tu rencontré un chevalier, un bon guerrier de Cornouaille, qui se fait appeler Guillot Ardit de Miramar ? Je te prie, si
tu l'as vu, de me le dire, si cela te plaît.

— Sire, répondit alors courtoisement le berger à Blandin, en
vérité, il y a beau temps qu'il est passé et aussi qu'il a dîné avec moi
le jour qu'il passa. Puis il a suivi ce chemin, sire, et je ne l'ai pas revu
depuis.

Blandin le salua et poursuivit sa route. Il se mit dans le sentier
avec Poitevin son écuyer et chercha, autant qu'il le put, le bon Guillot dans ce désert. Après avoir longtemps erré dans le désert où il
était entré, il arriva au verger où se trouvait le beau vivier, là où
Guillot avait tué le Chevalier Noir si robuste. Il ne rencontra là personne et poursuivit sa route. Il chevaucha si longtemps qu'il finit par
trouver l'ermite qui avait guéri le bon compagnon Guillot Ardit.
Blandin le salua et lui demanda des nouvelles :

— Bon prudhomme, par Dieu, dites-moi, Dieu vous protège du
mal, auriez-vous vu un chevalier de Cor [...] [1] qui se fait appeler
Guillot Ardit de Miramar ? Je vous prie, si vous l'avez vu, de me le
dire et sans tarder.

— Sire, en vérité, répondit courtoisement l'ermite à Blandin, il y
a beau temps qu'il est passé et, sire, par Dieu, il séjourna aussi huit
jours dans ma cabane, puis suivit ce chemin ; depuis, sire, je ne l'ai
pas revu.

Blandin le salua et poursuivit son chemin. Le bon Blandin quitta
les lieux en compagnie de son écuyer Poitevin. Il chercha, autant
qu'il put, le bon Guillot dans ces lieux abandonnés. Il chevaucha
toute cette journée sans jamais obtenir de nouvelles. Puis, le jour

---

1. Il y a quelques mots illisibles à cet endroit ; on peut supposer qu'il faut lire « de
Cornouaille ».

suivant, il galopa à bonne allure ; après une chevauchée d'une bonne demi-journée, il arriva devant un magnifique château d'une imposante noblesse. Sous ses murs, en lisière du bois, se trouvait un maigre hameau d'une cinquantaine de masures, certaines en bon état, d'autres non. Blandin y pénétra et, une fois descendu de cheval, se dirigea vers un homme de bien et lui demanda :

— Ami, par Dieu, dites-moi, Dieu vous protège, si vous avez vu un chevalier, un bon guerrier cornouaillais, qui se fait appeler Guillot Ardit de Miramar. Je vous prie, si vous l'avez rencontré, de me le dire sans tarder car je le cherche et je voudrais bien le trouver.

— Je sais de ses nouvelles, répondit alors cet homme de bien mécontent, et elles ne sont ni bonnes ni agréables. En vérité, il y a bien deux mois que le seigneur de ce château et les membres de sa parenté le retiennent prisonnier et enchaîné. Il avait tué, sire, quatre robustes chevaliers, assurément tous parents de ce seigneur. Aussi, sire, si vous voulez me croire, ne posez plus de question au sujet de cet homme ! Si vous allez cherchant de ses nouvelles, il se pourrait que cela soit pour votre malheur.

— Je vous prie, courtois ami, lui a alors répondu Blandin, de me conduire au château, je veux m'entretenir avec lui.

— Bien volontiers, bon chevalier, répondit l'autre.

Ils quittèrent les lieux et se dirigèrent ensemble vers le château. Blandin, par Dieu, s'empresse d'aller frapper à la grande porte ; le portier accourt aussitôt et demande :

— Qui es-tu, chevalier, pour venir ici aussi effrontément ?

— Je suis Blandin de Cornouaille, répond Blandin, et, par Dieu, je te prie d'aller dire au seigneur du château que je veux lui parler.

Le portier rentra et rapporta les propos à son maître :

— Sire, il y a dehors un chevalier sur un destrier qui m'a dit que, s'il vous plaisait, vous alliez vous entretenir avec lui.

Sans mentir, le seigneur se dirigea vers Blandin, le salua sur-le-champ et lui demanda des nouvelles :

— Que cherchez-vous, chevalier, et que désirez-vous ?

— Je suis venu ici, répond Blandin, car j'ai ouï dire que vous reteniez captif Guillot Ardit, le bon guerrier. Je voudrais vous supplier de bien vouloir me le livrer car vous ne le détenez pas conformément au bon droit ; c'est pourquoi je vous prie de lui rendre la liberté.

— En vérité, je retiens bien prisonnier et enchaîné Guillot Ardit, répondit avec colère le seigneur à Blandin, et, en dépit de tout votre pouvoir, vous ne l'obtiendrez pas si vous ne me livrez pas bataille et si vous ne me vainquez pas par les armes. Je vais vous faire une belle proposition : par Dieu, j'installerai bien volontiers Guillot Ardit à une extrémité du champ de bataille et si vous parvenez à me vaincre, emmenez-le immédiatement !

— Bon chevalier, lui répondit alors Blandin avec une grande joie, bien volontiers. Je vous invite à vous armer et pensons à combattre car, sur ma foi, vous n'avez jamais tenu propos qui me procure un tel plaisir !

Le seigneur pénétra alors dans le château, s'arma rapidement et, sans mentir, ressortit bientôt en compagnie de Guillot ; il entra bien vite dans le champ de bataille et se porta en son milieu. Par Dieu, Blandin agit de même avec beaucoup de vaillance. La bataille commença immédiatement. Ils se sont précipités l'un contre l'autre ; les coups de la lance portés leur firent mordre à tous les deux la poussière. Les voilà aussitôt debout, échangeant de si violents coups d'épée sur les écus qu'ils se sont rompu les brassards de l'armure. Le seigneur du château assena un tel coup d'épée sur le bassinet de Blandin que du feu et des étincelles en jaillirent. En homme courageux, Blandin marcha sur lui sans tarder et, de son épée flamboyante, le frappa si fort qu'il lui transperça le haubert et le blessa très grièvement. Ils se battirent ainsi un bon moment, avec une telle âpreté qu'ils durent, malgré eux, reprendre haleine et force. Lorsqu'ils eurent retrouvé leur souffle, l'un et l'autre se remirent sur pied et se frappèrent si rudement de leur épée que, sans mentir, ils tombèrent à terre étourdis et tout abasourdis. Ils finirent par se relever et par retourner rapidement au combat. Blandin rassembla alors son courage, et je vais vous dire comment il se comporta : il se précipita sur son adversaire et le frappa si violemment qu'il l'envoya à terre et le blessa grièvement. Le chevalier voulait se relever comme un bon combattant, mais Blandin s'en aperçut et se jucha sur lui et, en vérité, lui arracha brusquement le heaume en lui disant à voix haute :

— Chevalier, rendez-vous sur-le-champ ! sinon soyez assuré de mourir à l'instant.

En entendant que Blandin voulait le mettre à mort, l'autre se rendit immédiatement. Blandin le fit alors se relever et lui accorda grâce et le renvoya bien vaincu à son château, puis s'assura de Guillot Ardit et lui dit :

— Guillot, allons-nous-en rapidement, sans tarder, nous n'avons plus rien à faire ici.

Ils se mirent alors en chemin et, tous trois, en vérité, quittèrent les lieux sans délai. Ils entrèrent dans des contrées sauvages comme de bons chevaliers avisés. Pendant qu'ils chevauchaient et galopaient à travers ces solitudes, Blandin raconta au bon Guillot de Miramar l'aventure rencontrée avec la conquête de Briande. De son côté, Guillot Ardit lui fit le récit et lui dit la manière dont le capturèrent les chevaliers, ces bons guerriers dont plusieurs avaient été tués par lui. Tout en chevauchant, ils firent route et s'en retournèrent vers le château de Briande et du jeune homme.

Lorsqu'ils en approchèrent, Blandin déclara à Poitevin :

— Poitevin, cours tout droit au château sans tarder et porte à Briande la nouvelle de mon arrivée ce soir auprès d'elle.

Poitevin partit devant et fila tout droit au château. Il y rencontra aussitôt le jeune homme qui se divertissait. Il le salua immédiatement et lui dit :

— Noble damoiseau, Blandin vous envoie son salut ainsi que Guillot de Miramar. Par Dieu, ils ne manqueront pas d'être bientôt là.

Sans mentir, le jeune homme l'accueillit avec une grande joie, puis se précipita vers Briande et l'informa que Blandin passerait la nuit auprès d'elle. La gracieuse Briande éprouva joie et allégresse lorsque le jeune homme et Poitevin lui fournirent des nouvelles de Blandin. En vérité, elle fit un charmant accueil à Poitevin. Elle voulut aussitôt se porter sans tarder à la rencontre de Blandin. Elle fit apprêter ses suivantes, seller les chevaux, et tous montèrent prestement à cheval et se dirigèrent vers lui. Une fois sortis du château, ils les virent bientôt arriver. Sans mentir, en apercevant les deux chevaliers, Briande piqua aussitôt son cheval des éperons et galopa en direction de Blandin qui, par Dieu, agit de même vers Briande. Au point de rencontre, ils s'accueillirent avec une grande joie, point n'est besoin de vous la décrire. Puis, ils tournèrent leur monture et se dirigèrent vers le château en s'amusant et en riant. Une fois entrés à l'intérieur, ils mirent aussitôt pied à terre et, tous ensemble, s'en allèrent vers le lieu où ils devaient souper. Là les tables avaient été dressées et les mets préparés ; ils s'y sont assis et ont commencé à manger. En vérité, le souper se déroula dans une allégresse générale. Le repas achevé, Blandin prit la parole :

— Allons tous nous coucher et reposons-nous la nuit entière jusqu'à l'aube. Demain, nous envisagerons la conduite à adopter.

Briande et les demoiselles allèrent bientôt se coucher, puis Guillot, Blandin, le jeune homme et Poitevin pénétrèrent dans une chambre où ils se mirent au lit ; ils y reposèrent toute la nuit, jusqu'au matin où ils se levèrent. Une fois debout, Blandin et Guillot se rendirent sur les remparts du château où ils tinrent conseil. Blandin déclara alors :

— Que conseillez-vous, Guillot Ardit ? Ainsi Briande est de grande noblesse, affable et pleine d'humilité ; je l'aime d'un sentiment pur, sans penser au moindre outrage. Je me propose, si vous en étiez d'accord, de la prendre pour épouse. De même, je vous conseillerais, Guillot, si cette proposition recueillait votre agrément, de vous fiancer avec l'autre sœur et de l'épouser. Il est préférable pour nous de nous marier en même temps puisque nous le pouvons.

— Si vous, Blandin, me le conseillez, répondit le bon Guillot Ardit, cela me plaît sur-le-champ.

— Retournons donc, ajouta Blandin, et parlons-en à Briande.

Ils revinrent alors sur leurs pas et rejoignirent Briande ; Blandin la salua et la prit à part pour lui dire :

— Briande, sachez que je souhaite, si cela ne vous déplaît pas, que votre sœur prenne pour époux mon compagnon Guillot Ardit. Par Dieu, c'est un noble chevalier, vaillant et preux, bon guerrier, doux et courtois et plein de loyauté. Je vous prie, si cela vous agrée, de faire cela pour moi. Ensuite, je vous prie, aussi humblement qu'il m'est possible, de me prendre pour époux et, sur ma foi, j'emploierai tout mon plaisir à vous servir sans cesse, aussi longtemps que je vivrai, soyez-en sûre.

— En vérité, sire, répondit alors courtoisement Briande à Blandin, je vais agir bien volontiers selon votre désir car, sur ma foi, il n'y a personne de vivant au monde que j'aime, d'un cœur pur et sincère, autant que vous, Blandin. Et, sur ma foi, puisque tel est votre désir, je vais le satisfaire très volontiers. Je vous prie d'appeler le damoiseau afin qu'il soit associé à cette décision.

Le jeune homme fut donc appelé et informé de leur projet. En vérité, celui-ci leur répondit très courtoisement.

— Sire, cette affaire me plaît, concluez-la au plus vite.

On appela donc Yrlande, la sœur de Briande, et Guillot, devant tous, se fiança et l'épousa. Blandin, par Dieu, agit de même avec Briande. Une fois fiancés et mariés tous quatre, Blandin demanda à Briande et à sa sœur Yrlande d'inviter leurs parents car ils voulaient vraiment que, le jour de la Saint-Antoine, leurs noces fussent célébrées. Puis, il ajouta en direction de son compagnon Guillot Ardit :

— Guillot, faisons annoncer les joutes à tous ceux qui souhaiteront y participer. Vous et moi, en vérité, nous tiendrons table ouverte à tous ceux qui y viendront.

Ainsi dit, ainsi fait. Les joutes furent annoncées. Puis, à la date fixée, arrivèrent de nobles chevaliers et un grand nombre d'écuyers pour faire honneur à Briande et à sa sœur Yrlande. Tous ensemble, ils menèrent une belle fête, tout à fait brillante. Il y eut des joutes et des tournois qui durèrent bien quinze jours. Les tournois achevés, les étrangers s'en allèrent. Blandin de Cornouaille et Guillot, par Dieu, restèrent en compagnie de leurs épouses. Ils agirent en bons chevaliers et ne voulurent pas les quitter ni aller à la guerre. Ils se comportèrent en honnêtes hommes et Dieu leur accorda beaucoup de bien.

Voici donc contée la manière dont Blandin et Guillot Ardit trouvèrent de bonnes épouses car ils étaient de bons chevaliers. Priez Dieu qu'il agisse ainsi envers vous et vous donne, à tous et à toutes, le bonheur. Amen.

LES MERVEILLES DE RIGOMER

Roman en vers traduit et présenté par Marie-Luce Chênerie.

Écrit dans le dernier tiers du XIIIe siècle
par un auteur anonyme.

INTRODUCTION

Ce roman arthurien inachevé (17 270 vers), du milieu du
xIII^e siècle, ne se trouve que dans un seul manuscrit (Chantilly 472) ;
mais deux éditions du xIX^e siècle avaient reproduit la dernière
relance (v. 15916-17270) qui figurait dans un autre manuscrit, détruit
dans l'incendie de la bibliothèque de Turin en 1904. Du « Jehan »
qui est nommé avec éloge aux vers 1 et 6430 par celui qui est sans
doute un lecteur professionnel, on ne sait rien, mais il n'est probablement pas le seul auteur de cette forme cyclique.

On a trouvé la composition « échevelée », le développement
« pesant, filandreux et rapidement monotone [1] » ; il nous semble
pourtant que si la structure n'est pas lourdement géométrique,
comme celle de *Claris et Laris,* un roman en vers un peu postérieur,
une mise en œuvre assez appliquée des procédés d'amplification de
la quête ou du voyage à l'aventure rend la lecture de ce foisonnement d'aventures plus facile que dans bien des méandres du *Tristan
en prose,* par exemple. Le fil conducteur est la fin des enchantements
de Rigomer, réservée au chevalier élu, ici Gauvain, tandis que
d'autres quêteurs, et notamment Lancelot, échouent après avoir
eux-mêmes affronté et dissipé nombre de maléfices et enchantements qui accablaient les longues voies d'accès, les passages, menant
à Rigomer, cet autre monde où règne Denise, en attente d'un époux.

On distingue donc un roman de Lancelot (v. 1-6402), qui triomphe
jusqu'à Rigomer, où, ensorcelé, il est retenu prisonnier avec d'autres
chevaliers, en attente d'un libérateur ; un roman de Gauvain
(v. 6402-14775), qui conduit une quête de cinquante-huit chevaliers
de la Table Ronde — avec le détail des aventures de sept d'entre eux

---

1. J.C. Payen, dans *Entretiens sur la Renaissance du xII^e siècle,* Paris, Mouton, La
Haye, 1968, p. 436. D. Boutet « Les Merveilles de Rigomer », dans *Dictionnaire des littératures,* Bordas, 1984.

— et qui, seul, réussit à maîtriser les derniers enchantements, délivrant du même coup les prisonniers ; un roman de Denise (v. 14775-1596), à qui Gauvain trouve un époux à la cour d'Arthur ; enfin le début d'un roman d'Arthur (v. 15916-17270), qui se fait chevalier errant, et part à l'aventure avec Lancelot et Keu, pour ne pas être jugé moins brave que ses chevaliers éprouvés à Rigomer.

Assurément ce vaste roman en vers n'a pas la qualité des grands textes en prose qui l'ont précédé, mais on sait que les œuvres de second choix offrent souvent beaucoup d'intérêt pour les folkloristes, les historiens et même les littéraires, en particulier ceux qui s'intéressent à l'évolution des genres.

D'abord la partie qui a reçu parfois le sous-titre de *Lancelot de Jehan* devrait être considérée dans ce qu'on pourrait envisager comme un cycle de Lancelot, avec *La Charrette* de Chrétien de Troyes, le *Lanzelet* d'Ulrich von Zatzikhoven, le *Lancelot en prose* et ses divers prolongements. On trouverait qu'ici Lancelot n'a rien du *fin amant* de la reine Guenièvre ; comme Lanzelet, il lui arrive même de s'unir temporairement à une fille de roi ; s'il réussit plus longtemps que d'autres, c'est que, comme un héros de conte, sans évoluer, il fait preuve des qualités chevaleresques les plus courantes, courage, vaillance, vigueur, générosité, mais aussi de vigilance et même de ruse. Il n'a pas d'ascendance royale ni de généalogie biblique ; seul le souvenir du rapt par une fée aquatique de l'enfant exilé permet à l'auteur de lui faire décliner une identité où tous les chevaliers pauvres peuvent se reconnaître : « Je n'ai jamais eu un sillon de terre, mais je m'appelle Lancelot du Lac. » Alors, si Gauvain est l'élu, c'est parce qu'il est, lui, neveu d'Arthur, double parfait de la figure royale, et accompagné d'une personnification païenne et merveilleuse de la grâce divine, la fée Lorie. Ce roman choisit donc entre les deux héros proposés par Chrétien de Troyes, dans le *Conte du Graal*, et nous avons une nouvelle adaptation arthurienne de l'histoire biblique de la Rédemption à l'avènement d'une chevalerie idéale. Il s'agit d'une sorte de vision eschatologique, populaire, profane, qui met les différents héros sur le chemin d'une vocation à découvrir et de fonctions bien spécifiques, à reprendre jusqu'à la fin des temps. Les chevaliers doivent accomplir œuvre de police et de justice contre leurs doubles brigands, ravisseurs de femmes, violeurs ou prétendants brutaux à un mariage mal assorti ; mais surtout ils ont à déjouer et à dissiper les maléfices d'une féérie païenne, qui est souvent investie par les démons ou la perversité humaine, afin d'abuser les faibles et de semer la mort.

On découvre alors dans ce roman « une succession ininterrompue de thèmes manifestement folkloriques, venus du fond des âges [1] », et

---

1. J.C. Payen, *ibid*.

pas seulement celtiques ; la matière arthurienne, qui déjà plaisait tant, s'ouvre plus largement à un folklore de caractère païen et rural ; les tabous imposés par la dame de Rigomer viennent peut-être de très vieilles civilisations agricoles, de cultes rendus à des déesses mères, d'une vision animiste de la nature, de la crainte des morts — peut-être même déjà du vampire — particulièrement répandue dans les milieux paysans ; une horrible sorcière dans sa chaumière de la forêt fait penser à la Baba Yaga des contes russes, à l'ogre si vieux du mabinogi de *Kulch et Olwen* qu'il ne peut se tenir éveillé qu'en accrochant ses paupières ; le vieux chevalier que chaque visite d'un chevalier étranger empêche de mourir rappelle le Roi-Pêcheur, mais aussi tout simplement l'attachement de bien des civilisations et de l'Église aux bienfaits de l'échange et au développement de l'hospitalité. On retrouvera le thème de l'homme sauvage, du fou dans la forêt, dans le vieillard nu et pitoyable que Lancelot éconduit, dans ce lamentable chevalier à la tête moussue qu'il est devenu lui-même après sa libération de Rigomer, et qui se fait reconnaître par une cicatrice héroïque, comme si un rejet dans l'ascèse de la forêt annonçait pour lui un nouvel essor. Les prisons de Rigomer offrent un curieux mélange de réalisme, elles qui montrent les chevaliers béats dans une condition servile, alors que le travail manuel devait encore être rejeté avec horreur par la mentalité aristocratique ; de féerie païenne avec ces cuisines où Lancelot s'abrutit dans un très vieux rêve de nourriture pléthorique, avec cette « fosse » rocheuse de Rigomer en cristal, ces anneaux ensorcelants ; de déguisements diaboliques à connotations bibliques, comme celle de la demoiselle à la pomme d'or ou du cavalier blanc.

Le rôle des chevaliers arthuriens est donc dans ce roman, plus encore que dans d'autres, d'anéantir le merveilleux païen notamment quand ce sont des déguisements diaboliques ou humains. Mais on sait que l'Église, après avoir vraiment tenté d'abolir croyances et superstitions païennes, chercha à tirer parti de leur ambivalence, et en tout cas de leur séduction sur l'imaginaire et qu'elle fit entrer le merveilleux dans un système nettement partagé entre le bien et le mal. Si les enchantements de Rigomer tombent purement et simplement devant Gauvain, c'est qu'il se trouve investi en raison de son origine royale d'une sorte de charisme, bien proche de la magie blanche.

Les autres protagonistes et même Lancelot se ressemblent tous. Ils ont quelque chose de « populaire » ; l'habitat où ils rencontrent leurs aventures humaines ou merveilleuses correspond à de simples chaumières, de modestes manoirs avec seulement un fossé et un mur, un domaine ou une agglomération isolée dans la campagne. Seul Gauvain a un style, un environnement, des goûts plus spécifiquement courtois. L'amour ne tient aucune place dans ce roman ; le mariage est seulement un établissement difficile pour la dame de Rigomer. Plusieurs traits dans le comportement et les aventures de ces héros de second choix font penser à ceux de l'Homme Fort ou de l'Homme sans Peur, types qui rassemblent un certain nombre de contes populaires, eux-mêmes probablement issus du héros folklorique qu'est devenu Héraclès, et notamment en Gaule, où subsistent bien des témoignages de sa popularité. Le type d'Héraclès implique que l'on ait affaire à un « errant » dont la force fait un redresseur de torts et un partenaire secourable, voué à des épreuves qui se changent en exploits ; ses démêlés avec les brigands constituent un motif récurrent dans sa mythologie ; il pénètre jusqu'aux Enfers ; les traditions lui attribuent des liaisons et plusieurs épouses ; il n'est pas jusqu'à son appétit légendaire qu'on ne pourrait rapprocher de celui de Lancelot dans ce roman [1].

Les appels à l'attention d'un public de grande naissance, « Maintenant écoutez, rois et comtes », « Seigneurs barons », ne sont que des formules épiques ; ici elles flattent sans doute un auditoire essentiellement masculin de petits chevaliers ruraux, ce qui expliquerait la forme versifiée, qui dans la littérature narrative devient conservatrice et plus populaire que la prose, dès la première moitié du XIIIe siècle. Comme les héros des contes populaires remplissaient une fonction précise au sein d'une communauté essentiellement rurale, les chevaliers de ce roman ont un rôle plus délimité, moins grandiose que dans toute une partie du cycle arthurien, et ce rôle est indiqué dans le titre *Les Merveilles de Rigomer* : ils ne doivent pas seulement exercer une action pratique sur la classe chevaleresque, et plus précisément sur celle des petits hobereaux de village ou de propriétaires isolés, repliés sur eux-mêmes, jaloux, ambitieux, cruels, rusés, souvent en conflits d'intérêts avec les couvents qui s'étaient établis dans les campagnes ; ils doivent encore prendre le relais des clercs dans la christianisation de ces campagnes.

Marie-Luce CHÊNERIE

---

1. G. Dumézil, *Heur et malheur du guerrier*, Paris, PUF, 1969, p. 84.

BIBLIOGRAPHIE

Édition :

Les Merveilles de Rigomer, éd. par W. Foerster et H. Breuer, Dresden, 2 vol., 1908 et 1915.

Études :

E. VESCE : « Celtic material in *Merveilles de Rigomer* », dans *Romance Notes,* 11, 1970, p. 640-646.

M.-L. CHÊNERIE : « Un recueil arthurien de contes populaires au XIIIᵉ siècle ? *Les Merveilles de Rigomer* », dans *Réception et identification du conte depuis le Moyen Age,* Actes du colloque de Toulouse, janvier 1986, université de Toulouse-Le Mirail, Service des publications, p. 39-49.

PH. MÉNARD : *Le Rire et le sourire dans le roman courtois en France au Moyen Age,* Genève, 1969.

I

À LA COUR D'ARTHUR,
UNE MESSAGÈRE PROPOSE L'AVENTURE DE RIGOMER.
YVAIN ET SAGREMOR SONT ÉLIMINÉS.

Jean, qui est plein de talents, et qui a composé plus d'un beau poème, a mis pour nous en chantier un roman. Son résumé, en roman, est très bref, mais je crois bien que le sujet comptera parmi les meilleures aventures de Bretagne ; il s'agit en effet du roi Arthur et de ses chevaliers. Vous savez que l'un d'eux l'emportait sur les autres par la sagesse et la mesure, et que c'était monseigneur Gauvain. Mais aujourd'hui je me propose de vous parler de Lancelot du Lac, et de vous raconter les *Merveilles de Rigomer*, dont je tire mon développement.

Au printemps, par un beau dimanche de mai, il y avait cinq jours que le roi était à Carlion, avec ses chevaliers et ses vassaux. Ils auraient dû se mettre à table, mais parce que c'était la coutume, et pour se distraire, ils attendaient que surgisse d'abord quelque aventure. Vous pouvez le vérifier dans le conte, telle était leur habitude : ils comptaient, au moment de s'asseoir, sur une de ces belles aventures qui les flattaient. Pour mille marcs d'or, à la cour du roi Arthur, on n'aurait pas rompu avec cette coutume. Aussi les chevaliers, docilement, avaient-ils mis la tête dans l'embrasure des fenêtres, à l'étage, et ils regardaient au loin.

Ils aperçurent alors, dans la plaine, une jeune fille qui, toute seule, sans escorte, chevauchait un riche et vigoureux palefroi ; en raison de la chaleur, elle portait une cape et une tunique tout en soie, par-dessus une chemise de coton, plus blanche que neige ; mais elle avait aussi, plus blancs que fleur de lis, la chair sur les côtés et les hanches, la poitrine, le cou, le visage ; elle paraissait fort distinguée et avisée. Elle apportait à la cour un message ; on se la montra du doigt selon les bonnes manières, et tous de dire : « Cette jeune fille nous apporte quelque nouvelle ! » Chevaliers et vassaux descendirent à sa rencontre, tandis qu'elle arrivait au perron pour mettre pied à terre ; avec courtoisie, ils la firent descendre, et monseigneur

Gauvain lui prit la main droite pour la mener à la salle du palais ; elle avança avec l'assurance d'une jeune fille bien élevée, sans trop de modestie ni d'amabilité, puis salua solennellement le roi, la reine et l'ensemble des chevaliers, qui lui répondirent : « Belle, soyez la bienvenue ! » Elle savait ce qu'elle voulait, et ils se turent tous quand elle se mit à parler, car ils comptaient se réjouir de ses paroles ; mais jamais l'assistance n'entendit propos si désagréables.

— Noble roi, dit-elle, je vous le déclare, ainsi qu'à tous ceux que je vois ici, on ne doit pas faire plus de cas de vous que d'une fleur de cerisier : vous voici tous abandonnés à la paresse, sans vous soucier d'autre exploit que de vous engraisser ! Auriez-vous peur de vous enliser si vous alliez en terre étrangère, pour conquérir valeur et honneur ? Pourrait-on trouver ici aventure plus prestigieuse qu'en Irlande, par-delà la mer ? Dans le monde entier, il n'y a pas de plus belle terre que là d'où je viens. Alors j'invite à s'y rendre ceux d'entre vous qui sont pleins d'entrain et de bravoure ; c'est la mission que m'a confiée ma dame. Allez jusqu'à elle, elle vous le fait dire, si vous voulez avoir valeur et renommée, belle amie, grandes richesses, accueil des plus belles dames, des confins de l'Orient à l'Occident. En deux mois vous pouvez être rendus. Là un grand bonheur peut vous advenir, car ma dame a mis en jeu tout son fief et son pays ; elle voudra dépenser dans la joie tous les revenus de sa terre. Celui qui voudra l'avoir pour amie chère, il l'aura, à coup sûr. Là-bas, grande est la conquête ! Mais je veux m'en aller, je n'ai que faire de rester ; je repars sur mon palefroi.

Les chevaliers se retrouvent tout désemparés : ils n'ont pas eu la présence d'esprit de demander à la messagère les noms de la dame et de la terre, de façon à mener leur quête, jusqu'à la découverte de sa demeure ; ils se tiennent pour de vrais écervelés.

(Yvain de Lionel, puis Sagremor s'élancent, mais ne réussissent pas à ramener la demoiselle ; vaincus par son ami, ils reviennent à la cour.)

II

DÉPART DE LANCELOT. ANÉANTISSEMENT D'UN REPAIRE DE VOLEURS ET DE LEUR CHEF QUI EN VOULAIT À LA FILLE DU VICOMTE

A son tour Lancelot du Lac s'avance, lui qui peut prétendre à toute seigneurie. Dans la main de la reine, il jure :

— Dame, soyez sûre que je poursuivrai à mon tour la jeune fille.

Je ne sais si je la rattraperai, mais si je ne la ramène pas avec son ami, je ne reviendrai pas d'aujourd'hui ni de demain.

Ce fut un malencontreux engagement, dont la fierté et le prestige de la reine n'eurent d'abord pas à se féliciter. Quant au roi Arthur, un jour viendrait où il n'aurait pas voulu que cette affaire ait été lancée. Lancelot confirme qu'il veut s'en aller ; la reine, pleine de tristesse lui dit alors :

— Lancelot, cher ami, le jour est déjà bien tombé, nous approchons de vêpres, et la jeune fille est loin. Renoncez à cette affaire, ou alors emportez toutes vos armes !

— Dame, répondit-il, sur votre conseil, et suivant votre bon plaisir, puisque vous m'y autorisez, j'emporterai mes armes. Il est juste que je fasse ce qui vous plaît.

On amène donc son cheval sur la place, et on lui apporte ses armes qu'il endosse et prend, avant d'enfourcher son cheval, lui que réjouit la prouesse. Mais ainsi il va chercher sa honte, sa peine et son malheur ; car jamais créature humaine n'eut autant de mal que Lancelot sur sa route, à coup sûr. Seigneurs barons, que Dieu vous regarde ! Prêtez-moi un peu d'attention ! Non seulement Lancelot fut plus de deux ans sans revenir à la cour, mais il rencontra bien des aventures difficiles.

Il s'éloigne à travers la campagne, puis lance son cheval dans la forêt. Le jour décline, le soleil baisse, mais lui n'a cure de retourner. Le reste du jour et dans la nuit obscure, il poursuit la jeune fille, sans pouvoir la rattraper ; le lendemain, au point du jour, il se remet aussitôt en route, et chevauche jusqu'à midi ; pour lui il ne trouve ni pain ni vin, et pour son cheval ni blé ni avoine. Il franchit des bois, des collines et des vallées, jusqu'à ce que son regard découvre, dans un essart, un homme qui venait de quitter une petite cabane ; il lui demande alors s'il avait vu passer ce jour-là ou la veille une dame et un chevalier :

— Oui, seigneur, ce matin avant midi, je les ai vus. Sur mon âme de pécheur, je ne sais si l'homme était chevalier, mais son cheval était fort beau !

— Ami, crois-tu qu'ils soient loin ?

— Seigneur, à vous dire ce que j'en pense, ils allaient très vite, et ils sont sans doute loin maintenant ; ils avaient l'air pressés, et leurs chevaux étaient lancés à vive allure.

— Et toi, qui es-tu ?

— Je suis un ermite.

— Ah ! seigneur, sauriez-vous alors m'indiquer pour ce soir un bon hôte ?

— Seigneur, c'est tout vu, à trois lieues à la ronde, il n'y a ni bourg, ni village, ni forteresse, ni château, ni cité, ni manoir. Si vous voulez vous arrêter chez moi, je donnerai à votre cheval de l'herbe fraîche et de l'orge, et vous-même vous aurez des raves et du pain.

— Voilà tout ce qu'il me faut, répondit Lancelot, qui se laissa tenter.

Il fit donc étape là pour la nuit, mais le lendemain, au point du jour, il repartit sans s'attarder davantage et sa chevauchée dura bien encore jusqu'à midi. Suivant le jeu du hasard, il trouva sur sa route un château qui prenait bien sa place. C'était la demeure d'un homme distingué, sans grande richesse, mais qui avait donné tous ses soins à sa forteresse. Quand Lancelot entra dans la cour, un jeune homme se précipita pour lui tenir son cheval, car il avait eu vite fait de mettre pied à terre au perron ! Le seigneur, qui l'avait bien reconnu à son cheval brun à balzanes et à son écu blanc, vint à sa rencontre et le salua noblement :

— Cher seigneur, soyez le bienvenu !

Et Lancelot qui avait de belles manières lui répondit sans hésiter :

— Que Dieu vous bénisse, cher seigneur !

Son hôte le fit monter au château en lui manifestant une grande joie. Ce soir-là, il fut bien reçu et bien logé ; à la fin le seigneur l'interrogea sur son voyage, et Lancelot lui apprit l'aventure du chevalier et de la jeune fille, celle qui avait apporté un message devant le roi et sa cour. Avec beaucoup de courtoisie, il lui fut répondu :

— Seigneur, ne vous en déplaise, ils ont passé ici la nuit dernière, mais ils n'ont pas voulu rester plus, et ils sont repartis bien avant le jour. Vous ne pourriez pas les rejoindre, à moins d'y laisser votre cheval ; abandonnez votre poursuite, vous n'y gagnerez rien, sinon de passer pour un fou. Retournez à la cour du roi !

— Eh bien, répartit Lancelot, je renoncerai à eux, mais j'irai à la découverte des aventures de ce pays.

Personne n'aurait pu le détourner de mener à bien son projet.

Il s'arrêta donc là pour la nuit, mais dès l'aube, il se remit en route. Il voyagea et chevaucha tant par longues étapes, il parcourut tant de chemin qu'il franchit la Bretagne, l'Angleterre, le pays de Galles, l'Écosse et au-delà, pour arriver finalement en Cornouailles. Je ne me trompe pas, il passa trente jours sans rencontrer de gêne ni d'aventure déplaisante ; en effet toute la noblesse du pays le reconnut et le traita comme un comte ou un roi. Partout où il s'arrêtait, on lui demandait de rester ou de revenir en arrière, mais nulle part on ne réussit à le convaincre, et il lui fut dit :

— Bien cher ami, quelle téméraire entreprise ! En Irlande il y a tant de redoutables dangers ! Emportez du moins une pierre à feu et l'amorce.

— Pour cela, oui, disait-il, je ne saurais m'en passer.

Avec ce qu'on lui donna, il sortit donc de Cornouailles, franchit un bras de mer, et arriva dans le pays amer. C'était l'Irlande, une région inconnue immense avec de vastes et profondes forêts, des

marais, des landes de bruyère ; les agglomérations étaient si disper-
sées qu'on avait du mal à les rejoindre ; à suivre bien son chemin, on
en avait de l'aube jusqu'au soir, sinon l'on se perdait à travers les
forêts, dans les tortures de la faim et de la soif. Alors Lancelot
déplore grandement l'erreur qui lui a fait désirer ce pays. C'est une
terre périlleuse que l'Irlande ; il la voue sans cesse aux cent diables
avant le soir ; et il prie Dieu pour trouver de quoi se refaire.

A force de se tromper de chemins, il arrive au sommet d'une montagne, qui dominait la grande forêt sauvage. Là, pas de village ni de
monastère, seulement un étroit sentier qui longeait les hauteurs ; en
le suivant, il trouve bientôt une demeure fortifiée, avec des murailles
et une porte ; il y avait aussi des troncs d'arbre, des fossés, des palissades ; ainsi protégée et bien appuyée au flanc de la montagne, la
demeure était imprenable. Des voleurs et des pillards l'occupaient,
car un chevalier du pays, noblement apparenté, s'y était installé pour
ravager la contrée. Les habitants et les étrangers ne pouvaient passer
sans être soumis au pillage, et cela sans relâche. La montagne et la
demeure étaient appelées Rude Travers, et le chevalier qui s'était
arrogé ce fief, Savari.

Au-delà du chemin, là-haut, la table était déjà mise et le repas
prêt. Lancelot tomba sur une nombreuse compagnie de serviteurs et
de chevaliers, et il se réjouit fort des préparatifs ; trois ou quatre
jeunes gens se précipitèrent pour recevoir son cheval et lui enlever
ses armes. Alors il entra dans la salle, en saluant le seigneur et sa
fête, comme il savait le faire ; il demanda l'autorisation de se mettre
à table et elle lui fut accordée. Mais s'ils lui laissaient tous les mets à
discrétion, ils ne lui rendirent pas son salut, ce qui le troubla fort ;
aussi leur redit-il :

— Bonsoir à vous !

Mais tous continuèrent de se taire, tout en prenant place avec lui à
table. Il y eut quantité de volailles rôties, du gibier, et des bouteilles
pleines de bonne vendange vermeille. Quand ils eurent bien mangé
et bien bu, dans l'euphorie, ils s'attardèrent à table, et le maître de
céans prit la parole :

— Seigneurs, j'ai parlé au vicomte. Demain nous aurons Fleur
Désirée, il me l'a juré. Dans la lande, sous l'olivier, il la livrera avec
un seul chevalier ; si celui-ci ne peut la gagner contre moi, demain
soir, nous l'aurons ici.

Ces propos les réjouirent tous, et ils parlèrent beaucoup de cette
fleur. Lancelot, lui, craignait le pire : il aurait bien demandé des
éclaircissements ; mais il n'était pas assez à son aise pour oser le
faire, et préféra se taire. Ils parlèrent ensuite de leur redevance, et le
seigneur déclara :

— Je la fixerai, sans discussion possible. Chacun d'entre vous donnera ce qu'il a gagné aujourd'hui ; quant à celui qui est venu à cheval jusqu'ici, il s'en retournera à pied et tout nu.

Quand Lancelot apprit son sort, il n'éprouva que de la colère ; s'il avait eu ses armes, à coup sûr, il ne serait pas parti sans se battre chèrement. Mais il n'avait pas de haubert : quel triste hébergement ce soir-là ! On l'empoigna par les bras pour le déshabiller, lorsqu'un chevalier intervint en sa faveur :

— Seigneurs, ne le déshonorez pas ! Il est chevalier, et il nous paie suffisamment en nous laissant ses armes et son cheval.

Ils lui laissèrent donc ses vêtements, mais ils le ramenèrent brutalement au bas de la montagne, et ils lui promirent que s'il revenait jamais là-haut, il serait rossé et déshabillé. Sur ces menaces, ils s'en retournèrent.

Désemparé, Lancelot arrache le pieu d'une haie, et toute la nuit, il va, le pieu pendu à son cou. Oui, lui-même il se tient pour un fou, et se répand en malédictions contre la jeune fille dont le message à la cour a entraîné pour lui cette avanie. Puis il s'en prend à ceux de là-haut, et prie Dieu de les anéantir et de les précipiter en enfer. Mais il se reprend :

— Il ne faut pas que je parle ainsi. Maudire est une piètre vengeance. Dieu les garde, jusqu'au jour où je pourrai me venger dignement. Oui, à maudire, on se venge médiocrement !

Toute la nuit, il va, le pieu au cou, sans rencontrer personne jusqu'au lendemain matin, où, vers six heures, il tombe sur un beau château fort, entouré de puissants ouvrages de défense et de marécages, le château de Pavongai. La porte, que beaucoup n'avaient pu franchir, était flanquée de deux barres, mais un guichet y était ouvert. Lancelot s'y engage, car il était harassé. Il trouva bientôt fort étrange de ne voir que des petits enfants de sept ans ou moins dans les demeures et l'agglomération, et qui gémissaient :

— Mon Dieu, que faire ?

A la vue de Lancelot, ils eurent si peur qu'ils s'enfuirent ; mais lui jette son pieu et les rassure, si bien qu'un des enfants l'attend.

— Frère, lui dit le chevalier, écoute moi ! Où sont les gens de ce château, ceux qui y habitent ?

— Seigneur, à l'église, mais je ne sais ce qu'ils y font.

Lancelot repart de ce côté, et rencontre alors tous les gens de l'agglomération, car le service était terminé ; ils formaient un cortège avec un prêtre, des clercs, des chevaliers, des bourgeois, des dames et des jeunes filles, qui tous marchaient sans manteau, les vêtements retroussés et pieds nus ; ils arrivaient les mains jointes, pleurant et manifestant une grande affliction ; en tête marchait le seigneur, tout aussi affligé, puis la dame et le prêtre en habits d'officiant. Le seigneur désemparé s'arrête devant sa demeure, au milieu de la place, avec ses gens, et les consulte longuement. Lancelot regarde, écoute, sans qu'on prenne garde à lui, mais il n'arrive pas à saisir le sujet de leur discussion. Le seigneur, qui avait les cheveux tout blancs et paraissait très âgé, finit par s'asseoir pour attendre, sous un arbre qui ombrageait la place de son large couvert. Alors Lancelot s'avance avec empressement pour le saluer :

— Seigneur, que le roi de l'univers, qui pardonne aux bons leurs péchés, vous protège, vous et votre compagnie !

Quand il voit le beau chevalier étranger, et sa vigueur manifeste, le vieillard aux cheveux blancs s'empresse de lui répondre :

— Ami, soyez le bienvenu !

Mais il s'aperçoit que Lancelot avait la tête et le cou meurtris par le haubert, et que son bliaut était fendu là où les mailles avaient cédé ; il comprend alors qu'il était chevalier, et qu'il avait passé la nuit à s'éloigner de l'endroit où on l'avait dépouillé. A voir sa force et sa prestance, il désire l'honorer ; aussi, après l'avoir fait asseoir à sa droite, il s'informe de ce qui le touche :

— Ami, s'il vous plaît, où avez-vous logé cette nuit pour être arrivé si tôt ce matin ? A plus d'une grande journée, il n'y a pas un bourg ou un village où l'on trouve à bien se loger.

Et puis il se reprend :

— Mais je ne me conduis pas courtoisement en vous parlant le premier ; dites plutôt ce que vous voulez ! Et moi, je dois me taire, écouter et répondre à propos.

Lancelot prend donc la parole :

— Si j'osais, je vous interrogerais bien sur vous-même et votre compagnie ; jamais je n'ai vu gens si désemparés, à être ainsi pieds nus, court vêtus et sans manteau, menant si grande douleur. Si cela ne doit pas vous affecter, j'aimerais vous interroger là-dessus, et sur autre chose encore.

— Bien cher ami, répond le vieillard, qu'il en soit selon votre bon plaisir ; posez toutes vos questions sans crainte, j'y répondrai sans restriction aucune.

— Eh bien, cher seigneur, vous qui ne me refusez rien, dites-moi donc d'où vient cette douleur, l'extraordinaire affliction que montrent tous les gens de ce château. Un grand malheur les a frappés sans doute, et je les plains fort.

— Cher ami, reprend le vieillard aux belles manières, je vais vous dire tout ce que vous désirez savoir. Je suis leur seigneur, le vicomte de la terre de Demedi ; jusqu'aux frontières de Brefeni, j'administre le pays. Notre malheur vient d'un chevalier qui réside sur cette montagne. A coup sûr, il ne m'aime pas, il me hait plutôt ; à mes hommes et à moi-même, il a fait bien du mal et causé bien des hontes. Un homme tombe, l'autre monte ! Me voici rabaissé et ruiné, tandis que lui est dans les hauteurs, puissant, orgueilleux et plein de démesure. Il s'autorise de sa noble parenté pour être brigand et vivre de ses rapines. Il est vrai que personne n'a vu de meilleur chevalier : il est si grand, si fort, et si fier ! Oui, c'est sa vaillance et son orgueil qui l'ont rendu puissant, et mis si haut. C'est à lui que nous devons l'affliction que vous voyez, bien cher ami.

Ces propos éclairent Lancelot :

— Je crois bien qu'hier soir, mon chemin m'a mené chez ce personnage ; avec lui je n'ai pas trouvé des saints, mais des gens perfides et cruels ; ils m'ont fait bien du mal.

— Du mal ?

— Assurément !

— Comment cela ?

— Par Dieu, seigneur, je croyais avoir trouvé un bon logis ; en effet quand j'eus quitté mes armes, je pus apaiser à satiété ma faim et ma soif à leur table plantureuse ; mais après le repas, ils me volèrent mon équipement et mon cheval.

— Ils n'avaient pas peur de nous, je le vois bien, reprit le vicomte. Mais savez-vous s'ils ont parlé de moi ?

— Oui, seigneur, il me semble ; il était question du vicomte, et d'une fleur très belle, que le vicomte devait leur céder aujourd'hui, si elle ne trouvait pas de chevalier pour la défendre ; ils l'appelaient Fleur Désirée. Elle les rendait tout joyeux ; mais je ne sais de quelle fleur il s'agissait.

A ce nom de Fleur, le vicomte laisse aller une douleur si forte qu'il en tombe presque inanimé, et les larmes ruissellent le long de son visage. Ému par tant de peine, Lancelot le conjure au nom de Dieu de lui dire son malheur.

— Ami, je vous le dirai ; pourtant je sais que je n'y gagnerai absolument rien. Fleur Désirée est ma fille ; on ne saurait trouver plus belle créature, plus sage, plus distinguée, plus noble, plus pure ; non, dans toute l'Irlande, il n'y a pas sa pareille. Le chevalier la veut pour lui, et je vous l'affirme, j'ai dû subir une guerre si longue que je suis presque ruiné. Il a déjà pris possession de tout mon vicomté, qui est en son pouvoir. De mon château, pourtant si puissant, nous n'osons plus sortir. Nous en sommes réduits à lui envoyer aujourd'hui ma fille sous l'olivier, avec un seul chevalier ; si celui-ci ne peut l'emporter sur mon ennemi, alors je dois lui céder ma fille. Mais c'est moi qui l'accompagnerai là, car je n'ai pas trouvé d'autre chevalier pour oser l'affronter. Ce n'est pas que j'imagine pouvoir le vaincre ou le tuer, mais je préfère avoir la tête tranchée plutôt que de lui livrer ma fille sans combat. S'il en disposait, je ne voudrais plus vivre, car elle servirait à son plaisir : il ne cherche pas d'autre union avec elle.

Devant ce père qui pleure si tendrement sur sa fille, Lancelot trouve aussitôt les paroles qui doivent le réconforter :

— Seigneur, n'ayez crainte ! Ce combat, je le ferai à votre place, s'il plaît à Dieu. Ne vous tourmentez plus. N'allez pas croire que je manquerai de courage : je suis de Bretagne et de la Table Ronde. Pour tout l'or du monde, je n'userai d'aucune bassesse, tromperie ou trahison. Fiez-vous à moi ; faites amener votre fille sur la place, et nous verrons bien.

Alors le vicomte appelle ses gens, et leur fait part des paroles de Lancelot. La nouvelle s'en répand à travers les places et les rues ; à travers le château, elle suscite des actions de grâce ; les mains se tendent vers le seigneur Dieu ; tout le château se félicite de sa piété, car les prières ont obtenu un noble secours : cet homme beau et sympathique, qui a bien l'air d'un vaillant chevalier. Tous manifestent une grande joie. Quatorze chevaliers accompagnent alors la demoiselle sur la place.

La neige, par-dessus la glace, la fleur de lis, la goutte de lait, n'étaient pas aussi blanches que sa carnation et même la fleur à peine éclose. Son corps était gracieux, délicat, sa beauté parfaite, au point qu'un peintre n'aurait pu la faire plus belle, même au prix de vingt ou trente jours de travail : belle était sa bouche, autant que ses yeux et son nez ; sur son tendre visage, au milieu du blanc, Nature avait jeté une fraîche touche de vermeil, qui faisait penser à une rose. C'était une admirable créature ; aussi l'avait-on surnommée Fleur Désirée, mais le nom qu'elle avait reçu avec l'huile du baptême était Ingle.

A la vue de la jeune fille, Lancelot est confondu par sa beauté. Il exige qu'on lui apporte des armes sans retard, ce qu'approuve le vicomte, et celles qu'on fait venir pour lui, sur la place, ne sauraient convenir à un goujat. Lancelot veut les passer, mais on lui fait prendre auparavant une légère collation avec un coq de bruyère rôti au poivre, et du vin où il trempe trois tranches de pain, avant de boire au masarin. On lui lace alors une paire de chausses en acier pur ; des jeunes gens lui fixent des éperons d'acier effilé, qui valaient bien quatre besants, car ils étaient incrustés d'or niellé ; le haubert qu'on lui passe sur le dos avait trois rangs de mailles robustes, et il était plus blanc que fleur de lis ; on lui ajuste la coiffe et la ventaille ; avant de les lui tendre, on lui prépare un heaume clair et une épée tranchante. Quand il ne lui manque plus rien, on lui amène un vigoureux destrier, aussi intrépide que rapide. A l'ombre du feuillage, on prépare aussi la selle, où deux de ses plus fidèles chevaliers font asseoir la jeune fille, en présence de son père, de sa mère, et de tous ceux qui tiennent un fief relevant du château. Quant à Lancelot, d'un bond il saute sur son destrier, sans s'aider de l'étrier. On l'escorte en grande pompe à travers le château, jusqu'à la porte ; un chevalier porte son écu, un autre sa lance qui avait fière allure ; après s'échelonnent les chevaliers, les serviteurs d'armes, les bourgeois, la foule, tout un imposant cortège. Lancelot, le beau cavalier, le preux au visage hardi, s'avance fièrement en tête. Ils s'éloignent du château et arrivent dans la lande, où les adversaires étaient déjà là ; ils avaient eux aussi richement armé leur seigneur, et sans traîner. De part et d'autre, les rangs s'écartent ; sans hésiter le vicomte prend la main blanche de sa fille, et pour tenir son engagement de naguère, il la remet au chevalier, en disant :

— Seigneur, je tiens parole. Voici ma fille que je vous abandonne, mais je vous prie de l'épouser.

— Nous avons eu bien tort de penser que je devrais en faire mon épouse, rétorque l'ignoble chevalier ; elle n'est pas trop noble pour servir à mon plaisir.

Il croit l'emmener aussitôt, sans contestation ni bataille, mais Lancelot empoigne son écu et sa lance, puis éperonne vers le chevalier :

— Vassal, lui crie-t-il, laissez mon amie ! Sur ma tête, vous ne l'emmènerez pas aussi facilement que vous l'imaginez. Quelle outrecuidance, quelle démesure !

— Seigneur vassal, dit le brigand, je tiens quitte le père ! Jamais, sur toute sa contrée, je ne lui ferai ni tort ni guerre. Mais puisque vous me lancez un défi, il est bien juste que je le relève. Je veux me distraire avec vous. Si vous êtes vaincu ou mort, on ne s'en affectera guère.

Alors, sans attendre davantage, ils commencent la bataille dans la lande fleurie. Le chevalier avait saisi son écu et sa lance, lui aussi. Ils se précipitent l'un sur l'autre à une telle vitesse qu'ils s'atteignent en pleine poitrine, en brisant leurs écus et leurs lances ; oui, ils font voler en éclats les écus et les lances. Ils tirent donc des fourreaux leurs épées tranchantes et acérées, puis reviennent à cheval l'un contre l'autre. Ils sont tout à fait à égalité ; mais Lancelot frappe le chevalier au visage, et il lui tranche un morceau du nasal sur le heaume ; l'épée glisse jusqu'à l'arçon de la selle. Quel coup de maître ! Il coupe non seulement la selle, mais il pourfend aussi l'échine du cheval, qui tombe mort, dans l'herbe. C'est le destrier qui a payé le premier. Quand Lancelot voit son adversaire à terre, il prend du champ sur une demie portée d'arbalète, met pied à terre, et attache sa monture à une branche d'olivier. Puis il rejoint l'autre, qui l'attendait, menaçant. Ils se frappent avec rage ; le chevalier de la montagne s'acharne, avec des coups puissants, car il était très fort. Mais Lancelot ne recule pas, il lui rend si vite et si bien ses coups qu'il lui fend un morceau du heaume et de la coiffe ; l'épée glisse sur l'oreille, et la coupe. Quand il voit son oreille par terre, le chevalier s'écrie :

— Sainte Bride, à l'aide ! A qui donc m'en suis-je pris ?

— A celui à qui vous avez volé ses armes brillantes et son beau cheval ! Maintenant je vais vous les faire payer cher, sans pourtant vous prendre un denier.

A ces mots, l'autre le fixe et lui demande :

— D'où êtes-vous donc ?

— D'outre les ondes.

— Quel est votre nom ?

— Je m'appelle Lancelot du Lac.

— Lancelot du Lac ?

— Oui, en vérité.

— Alors j'ai ce que je mérite, reconnaît le brigand, puisque j'ai fait du tort au meilleur chevalier du monde, et qui est de la Table Ronde. Il n'y a plus qu'à le venger !

Il tenait toujours son épée d'acier, et Lancelot avait tiré la sienne ; l'écu au bras, décidés à ne pas s'épargner, d'un même élan ils entament le combat à l'épée. Ils chargent, et les coups tombent drus sur les écus peints, qu'ils mettent en morceaux, se faisant alors de cruelles blessures. Quand leurs écus sont hors d'usage, ils passent au corps à corps, tant et si bien qu'ils se renversent à terre. Lancelot tombe sur les genoux, mais il avait sous lui le forcené à l'oreille coupée, à qui le serrement du heaume arrachait des cris de douleur. De son côté, le courageux vicomte avait fait armer en secret dans la forêt dix chevaliers et trente serviteurs d'armes, de ceux qu'il savait les plus braves et les plus entraînés ; cela, pour répondre à la demande de Lancelot ; selon la tournure de la bataille, ce renfort devait assurer la victoire. Cependant le combat singulier continue, avec des hauts et des bas. Finalement le preux de Bretagne remporte la victoire sur celui de la montagne, qui n'en pouvait plus. Écoutez bien la requête que celui-ci tente alors de faire valoir :

— Noble seigneur, faites la paix entre le vicomte et moi ! Plus jamais de ma vie, je ne le provoquerai. Je serai son vassal et son allié, et s'il veut du mariage, je prendrai sa fille pour l'épouser bien volontiers.

— Sur ma main droite, il faut d'abord vous avouer vaincu, et le dire avec votre bouche !

Mais l'adversaire rétorque, furieux :

— Aussi vrai que je crois en Dieu, jamais de mon vivant je ne m'avouerai vaincu !

Il s'évertue alors à reprendre le combat, mais ce sursaut dure peu ; il a perdu tant de sang qu'il tombe évanoui. Lancelot peut en faire tout ce qu'il veut ; il arrache le heaume, délace la ventaille et fait voler la tête devant force témoins. C'est la fin de la bataille.

A peine le vaincu avait-il été décapité que le vicomte avait crié le nom de son château : « Pavongai ! », pour faire sortir du bois et rallier ses hommes d'armes. A leur vue, les brigands se sauvent vers la montagne, mais ils sont talonnés et cruellement frappés par leurs poursuivants. Ils étaient près d'une cinquantaine ; tous sont pourfendus et achevés. Ils étaient tombés en de redoutables mains ! Le vicomte arrive à leur repaire, y met le feu, et rase les murailles. Puis ils reviennent à Pavongai, gagnent aussitôt l'église et rendent grâces à Dieu pour la mort des brigands. Dans la liesse générale, ils arrivent au palais pour continuer la fête. On désarme Lancelot, pièce par pièce, solennellement, jusqu'aux éperons qu'un jeune homme lui retire. Ce soir-là, Lancelot trouva un bon hôte, car on lui offrit une femme, des vassaux, des richesses.

— Bien cher seigneur, lui dit en effet le vicomte, vous m'avez rendu un immense service. S'il vous plaisait de rester avec moi, vous pourriez commander mon château et mon vicomté, et épouser ma fille, ou l'avoir seulement dans votre lit. Tout ce que vous voyez, vous pouvez le considérer comme à vous ; rien ne vous sera interdit.

Mais Lancelot lui répondit :

— En cette terre, c'est autre chose que je viens chercher.

Sans se formaliser, le vicomte reprit :

— J'entendrais volontiers la raison qui vous mené jusqu'ici.

Sans se faire prier, Lancelot lui raconte toute son histoire, mais le vicomte jette alors un profond soupir :

— Seigneur, gémit-il, je suis bien affecté, tourmenté et peiné de la mort que vous allez chercher.

— Je vais chercher la mort ?

— Oui, et sans recours.

— Comment cela ?

— Je vais vous le dire. J'ai bien compris que vous alliez à Rigomer. Vous trouverez le lieu amer et les aventures accablantes. Jamais un chevalier, si vaillant fût-il, n'en est revenu indemne. Maudits soient les chemins et les sentiers qui mènent à ce port, où tant de preux chevaliers sont morts ! Rigomer ! que le feu d'enfer te consume ! Tu as fait commettre tant de crimes dans les îles d'Avalon ! Tu as fait cruellement disparaître tant de vaillants et preux chevaliers ! Là, pas de sauf-conduit. Maudit soit ton pouvoir ! Tant de nobles barons y ont été vaincus, blessés, emprisonnés, tués, qu'on ne peut les dénombrer et qu'on ne sait ce qu'ils sont devenus. Ton pouvoir ne prendra fin, la jeune fille ne sera mariée — celle qui a causé notre malheur, toujours plus grand — avant que vienne celui qui sera beau et sage, qui sur tous les chevaliers du monde aura l'excellence de la prouesse, au vu du passé et du présent. Alors, en vérité, ma parole s'accomplira : les malades seront guéris, les prisonniers délivrés, et elle sera mariée la jeune fille qui naquit à une heure maudite. Alors la douleur passera et la joie régnera dans le pays où

tous s'égarent. Mais je ne crois pas qu'on voie cela tant que les oiseaux chanteront dans la forêt : les enchantements sont si horribles qu'on ne verra jamais un tel héros.

Ce furent ses derniers mots.

Or, quand Lancelot eut entendu ces propos sur Rigomer, ses prodiges, ses enchantements, il trouva que c'était un grand bonheur ; lui aurait-on donné un vaste royaume, il ne l'aurait pas apprécié autant que ce qu'il venait d'apprendre. Bon gré, mal gré, il saura bien demander le vrai chemin vers Rigomer, car il croit que là se trouvent les plus grandes merveilles du monde. Il passe la nuit au château, mais dès le petit matin il se prépare à partir. Après une légère collation, il prend courtoisement congé du vicomte, de sa fille, de son épouse et de ses gens. Ils n'avaient pas omis de lui donner des armes et un cheval. Bien tristes, ils le laissent reprendre sa route. Il quitte donc le château, mais le vicomte veut l'accompagner sur tout son vicomté ; chemin faisant, à voix haute ou à l'oreille, il ne cesse de le dissuader d'aller à Rigomer. Mais Lancelot jure sur sa tête qu'il a si grande envie d'y aller que, lui donnerait-on toute l'Irlande, que ce soit sagesse ou folie, il ne renoncerait pas à découvrir ce que sont ces merveilles qui attirent tant de vaillants chevaliers :

— C'est décidé, je mourrai là-bas, ou je verrai les merveilles.

Devant son impuissance, le vicomte s'en retourne, tout affligé, tandis que le héros va chercher le péril où plus d'un brave a trouvé sa perte.

III

FANTASMAGORIES NOCTURNES DE LA FORÊT

Lancelot reprend donc sa chevauchée dans la forêt, toute la journée, jusqu'à la tombée du jour ; l'obscurité de sa route l'oblige à mettre pied à terre, sous un arbre. Il a vite fait de rassembler grosses bûches et menu bois, et d'y mettre le feu avec son fusil ; quand le feu a bien pris, il s'assoit sur une branche morte. A travers la forêt, pas même le cri d'une corneille. Près du feu, de fatigue, il s'assoupit et s'endort. Quand il se réveille, il a retrouvé sa vigueur. Il entend alors du bruit, et sans bouger, il tend l'oreille pour savoir d'où vient ce bruit. Imperturbable, il finit par reconnaître un grand vacarme de cors, de chiens, de chasseurs. Il les entend distinctement, et croit qu'ils sont près ; pourtant ils sont à plus de dix lieues et demie. Ces bruits ne lui causent ni inquiétude, ni frayeur, ils le réjouissent au contraire.

— Dieu, père tout-puissant, quelle douce mélodie ! Et il conti-

nue : Dieu, est-ce une troupe enchantée, des chrétiens ou de vrais diables, qui à cette heure vont chasser ?

Il rattache son épée, avec le dessein d'aller demander là-bas la raison de cette chasse nocturne. Ah ! si vous aviez entendu alors le vacarme grandir à travers la forêt ! Les cors sèment leurs notes, les gens crient, les chiens aboient : la forêt tout entière résonne de cette chasse forcenée ; on dirait qu'elle va se déraciner, si violente est la tourmente. Soudain une bête surgit dans un sentier et se précipite sur le feu. Lancelot tire son épée, et lui assène un coup qui lui tranche la tête ; il croyait en rôtir des filets et des tranches sur les braises, mais il n'eut jamais rien à manger de la bête, car l'aventure reprit aussitôt. Un effrayant prodige se déroula sous ses yeux : une chandelle brillait clair, au bout d'une bière, portée par deux chevaux, qui l'emmenaient à grande allure à travers la bruyère et l'espace ; un chevalier y était couché, le corps transpercé d'une lance, dont on ne voyait même plus le tronçon. Le blessé, dans la bière chevaleresque, se plaignait à grands cris de ses souffrances ; il se lamentait aussi sur une promesse qu'on lui avait faite en le mettant dans la bière, et qui le tourmentait encore plus que sa blessure ou la mort. Sans hésiter, Lancelot se dirige à sa rencontre :

— Qui est couché là ? fait-il.

Et de la bière, on lui répond :

— Je suis un chevalier blessé, plein de souffrances et de tourments.

Posément Lancelot l'interroge :

— Puis-je faire quelque chose pour vous secourir ?

— Rien d'autre que des souhaits. Mais s'ils se réalisaient, vous pourriez alors rapidement me soulager.

— Par ma foi, protesta bravement Lancelot, cela va changer ! Restez ici, je vous arrête ; vous ne quitterez pas la forêt avant de m'avoir dit qui vous blessa.

— Celui qui jamais n'aura de joie, seigneur, voilà celui qui m'infligea blessure et tourment ; mais moi je l'ai si maltraité qu'il va mourir, je crois ; sa blessure n'a pas besoin de baume.

Lancelot reprit, avec la même assurance :

— Où cela s'est-il passé ?

— A Rigomer.

— Vous avez donc été à Rigomer ?

— Oui, par Dieu notre créateur.

— Alors, seigneur, parlez-moi des merveilles !

— Sur ma foi, personne ne peut franchir impunément les passages sans être vaincu et tué, ou au moins blessé et prisonnier. Voilà ce que j'y ai appris.

— Cher seigneur, qui maintient cet abus ?

— Vous ne tirerez rien de moi, dit le chevalier, car je n'en sais

rien ; je ne puis rien vous révéler, je n'ai jamais passé le pont, derrière lequel il y a les grandes merveilles. Mais sachez qu'en deçà s'étend une lande où la joute est à la demande ; qui veut vraiment combattre, trouve vite qui abattre ou qui l'abatte. Nombre de vaillants chevaliers se sont mesurés là ; mais je vous le répète, tous ceux qui restent en deçà du pont ne savent ce qui se passe au-delà. Et sur mille des plus preux, il n'en passera pas deux ; en effet sur ce pont, un dragon monte la garde, si énorme, si féroce qu'un chevalier a un mal infini à passer. Le dragon a beau être attaché à une chaîne, il a précipité dans l'abîme bien des braves, que les vivants n'ont plus jamais revus. Voilà tout ce que je puis vous dire. Laissez-moi partir, s'il vous plaît.

Mais Lancelot insiste :

— Pardonnez-moi ; dans la nuit, je vous ai entendu vous plaindre encore d'une promesse, mais je ne la connais pas.

— Je vais vous renseigner, cède le chevalier. Deux jeunes filles qui me déposèrent dans cette litière me firent la promesse d'un triste destin ; la blessure qui m'épuise ne sera jamais guérie jusqu'à ce que vienne celui que ses exploits chevaleresques rendront célèbre entre tous ; il sera le plus courtois, il saura le mieux aimer les dames, il donnera avec la plus grande largesse ; il doit être justement plein de sagesse et de mesure ; sans défaillance, il lui faut tourner tout son cœur vers le bien ; il sera encore aimable, expert en toutes les belles manières, loyal et de haute naissance royale ; il n'aura enfin jamais fait de vilenie. Si donc il se prépare à ce haut destin, sans défaillance, un tel chevalier pourra conjurer les merveilles de Rigomer. Mais si loin qu'on puisse aller par mer, par terre, par forêt, je ne crois pas que personne au monde puisse être si hardi, si brave, si ardent, si parfait. Non, sur la terre entière, dans aucun royaume, on ne pourrait trouver un homme qui saurait si bien se conduire. Et s'il est vrai qu'il doit venir de mon vivant, il ne saurait être déjà venu ; mais j'aimerais mieux la mort plutôt que d'endurer cette douleur ; jamais ma langueur ne me quittera. Non, je n'imagine pas que puisse venir un si vaillant chevalier, sans défaut, et qui l'emporte sur tous en vertus. Mais si par hasard il venait celui dont le cœur resplendirait de tant de bien, alors je sais que les blessés guériraient, que les prisonniers sortiraient, que les vaincus retrouveraient leur valeur. Des morts, je ne puis rien vous révéler, car Dieu seul a le pouvoir de les rendre à la vie. Du moins elles seraient alors élucidées les merveilles qui à présent nous sont cachées. Cette fois vous n'avez plus rien à me demander ; laissez-moi donc partir !

— Cher seigneur, dites-moi tout de même votre nom et votre demeure.

— Il est juste en effet que vous les sachiez : je m'appelle Brios de Montascon.

IV

LIBÉRATION
D'UNE VEUVE AU DOUAIRE CONTESTÉ

La conversation s'arrêta là, et tandis que le blessé s'éloignait dans les plaintes, Lancelot, lui, reste dans le bois. Il commence à rôtisser son feu, mais il n'entend plus ni le bruit des cors, ni les cris des chiens, des chasseurs ou des forestiers. Aussi quand le jour se lève, reprend-il sa chevauchée. A travers les forêts de Brefeni, il avance jusqu'à midi passé, quand il rencontre une dame et un chevalier qui avaient quitté leur manoir pour se détendre dans le bois. Le chevalier s'appelait Baudris, et sa demeure Antiufais ; il était fort distingué, et comme sa compagne, montait un palefroi. Quand il voit que Lancelot était armé comme un chevalier, il le salue courtoisement :

— Cher seigneur, soyez le bienvenu ! par Dieu, si vous le vouliez, je vous offrirais mon logis pour cette nuit. Tout près d'ici, sur votre route, se trouve ma tour. Venez, et nous reviendrons avec vous. Je vois bien que vous avez veillé cette nuit, que vous avez couché dans la forêt : votre cheval est épuisé, et peut-être depuis hier, vous n'avez rien bu ni mangé non plus. Je vois bien que vous avez besoin de vous refaire d'ici à Pavongai ; à plus d'une journée, je ne connais pas de village ni de château. Votre dernier repas est bien trop loin. Il me plaît donc de bien vous traiter et de vous honorer en ma demeure.

Lancelot lui rend son salut et le remercie de cette offre si bienveillante. Le chevalier le ramène avec lui, et Lancelot découvre un puissant donjon, tel que pouvait en avoir un valeureux chevalier, aimant la dépense et généreux. A loger chez un honnête homme, on ne peut être dans le besoin. Le repas fut préparé, avec l'abondance habituelle, et la table dressée dans la forteresse. On but et mangea à satiété. A la fin du repas, l'hôte brûlait d'adresser une requête à Lancelot :

— Seigneur, si j'osais, je vous demanderais bien en quel pays vous êtes né, de quelle terre vous êtes, quel est votre nom, et votre bannière, à vous qui chevauchez sans aucune escorte.

Lancelot ne se formalise pas et répond :

— Je n'ai jamais eu un sillon de terre, mais je m'appelle Lancelot du Lac.

— Que Dieu m'aide, reprend son bon hôte. Je ne vous ai jamais

vu, mais aucune visite ne me fait plus plaisir, car de vous et de votre entreprise, j'ai entendu dire beaucoup de bien. Bénie soit donc votre venue !

Il lui renouvelle ses congratulations, ses saluts, ses amabilités, auxquels la dame s'associe. Il n'y eut plus alors de frein aux questions qu'ils désiraient se poser.

— Seigneur, commença le noble chevalier, parlez-moi donc de votre voyage : qu'êtes-vous venu faire jusqu'à notre terre sauvage, toute pleine de forêts ?

— Pour Rigomer, que Dieu m'aide, j'ai passé la mer. Dites-moi donc sans rien me cacher, si vous le savez, comment est la terre et ses environs, où est situé Rigomer ; comment est son seigneur, ses habitants ? Les alentours sont-ils agréables ? Y a-t-il encore loin, d'ici ?

— Hélas, répondit le chevalier, n'insistez pas ! Pourtant je vous dirai la vérité, j'en prends Dieu à témoin ! A bien connaître le chemin, on aurait du mal à y arriver en trois semaines et quatre jours. D'autre part, je vous déclare pour l'honneur de Dieu aussi, qu'il n'y a pas de seigneur, mais une noble demoiselle ; jusqu'en France il n'y en a pas de plus belle, mais elle connaît bien des maléfices. Ah ! Rigomer est bien mal loti ! Ce n'est pas que j'y sois allé, ou que je veuille le faire ; mais je l'ai souvent entendu dire à ceux qui y ont trouvé tant de peines que je ne les envie pas du tout. Même contre Toulouse, je n'irais en voir l'entrée. Maudite soit l'heure de sa fondation, et ses entrées ! Maudits soient jour et nuit les divertissements et les plaisirs qu'on peut trouver à Rigomer ! Jamais un chevalier n'en revint avec son honneur, sans y être blessé ou fait prisonnier. Oui, ce lieu est si pernicieux que bien des chevaliers valeureux y ont été vaincus ou tués dans le déshonneur. Avant qu'on y arrive, il y a là bien des lieux périlleux. A droite s'étend une eau profonde, bordée par la forêt dont nul ne revient. Sachez qu'il se prépare un triste sort celui qui arrive en Urikevreue : personne d'autre n'en est jamais revenu que trois chevaliers pleins de vaillance. Mais l'un fut blessé d'une lance, et les deux autres eurent aussi un triste sort, à ce que l'on m'a dit. Je trouve donc insensé de s'entêter à chercher la douleur et la mort, là où on ne peut conquérir la gloire. Jamais je n'ai entendu qu'un chevalier ait grandi sa réputation dans cette forêt ou ce château ! Mais écoutez plutôt ce que je puis vous dire avec certitude : c'est ici, sur ce territoire qu'un preux pourrait gagner de la gloire et l'amour de Dieu.

— Comment cela, seigneur ?

— Je vais vous le dire. En ce pays, il y avait un grand seigneur qui avait pris une épouse originaire de Cornouailles. Il est mort sans héritier ; un neveu à lui, légalement, a pris possession de ses biens ;

mais il veut faire tort à la dame ; il prétend récupérer son douaire, sous prétexte qu'elle est étrangère, et parce qu'elle a peu de parents. Personne n'est capable de la défendre. Noble chevalier, au nom de cette vaillance qui fait votre noblesse, ayez pitié de la dame, acceptez de lui venir en aide !

— Seigneur, si vous me garantissez que la dame est en son droit, je lui porterai secours sur-le-champ.

— Oui, seigneur, je vous le garantis en toute vérité : le présomptueux lui fait grand tort ; son douaire est légitime ; mais la colère l'a égarée au point qu'elle a demandé un combat judiciaire ; elle fut bien mal avisée, car elle ne trouvera pas de champion contre cet homme.

— C'est pour quel jour ?

— Seigneur, demain au petit matin, l'affaire se réglera.

— A quel endroit ?

— Seigneur, ici. Le chevalier amènera de nobles répondants, et il y aura le prévôt du roi, qui présidera avec moi. Mais la dame est bien démunie, parce qu'elle est née en terre lointaine. Précisément, je vous le jure sur mon âme, son adversaire lui conteste à tort son douaire parce qu'elle n'a pas la force de parents à lui opposer.

— Seigneur, que vaut le chevalier ?

— Il est vaillant, cruel et orgueilleux ; ce serait le meilleur de toute l'Irlande, s'il était dans son droit. Oui, il est si preux que dans toute l'Irlande, il n'y a pas deux hommes qui imagineraient avoir à faire à lui sans devoir le payer cher.

— Comment s'appelle-t-il ?

— Macob Dicrac.

— Seigneur, conclut Lancelot, s'il vous plaît, soyez en paix, ne vous troublez pas. Le jour viendra bientôt où le douaire sera disputé. Mais ce soir, arrêtons notre conversation ; nous la reprendrons demain, si nous pouvons, et s'il plaît à Dieu.

Après la pause de la nuit, ils s'entretinrent en effet jusqu'à l'heure prévue pour l'affaire. Les débats commencèrent devant le prévôt du roi, qui donnait à la justice une grande solennité, au milieu de dames et de chevaliers. Des notables se firent les défenseurs et les avocats du chevalier ; mais la dame, en vérité, ne trouva personne pour défendre sa cause et l'assister. Elle déplorait déjà son triste sort quand la dame du château, en digne épouse du seigneur, s'approcha d'elle et lui glissa à l'oreille de demander comme défenseur celui qu'elle voyait debout près de son mari. C'était Lancelot le preux, car personne ne s'était mis entre eux. A peine la demande et l'accord avaient-ils été échangés que Lancelot s'élance vers la plaignante. Il l'emmène à l'écart et la conjure sur son âme de lui dire s'il pouvait, lui Lancelot, prêter vrai serment sur sa cause ; elle tend la main et jure de sa bonne foi. Quand il revient de cet aparté, on le regarde de partout ; l'assemblée grossit près de la tour, et l'on joue des coudes pour approcher. Le chevalier déclare alors avec arrogance qu'il enfoncerait son pieu dans l'œil de celui qui voudrait dire un mot contre lui. La dame, indignée, désemparée, effrayée, comme une femme privée de ses parents peut l'être, pleure à chaudes larmes devant tout le monde, les bons comme les mauvais. Le tumulte grandit devant la tour, car les hommes discutent entre eux de l'affaire ; tous disent en effet :

— En vérité, c'est incroyable, jamais nous n'avons vu défendre un douaire ; quelle innovation aujourd'hui !

L'examen de la cause et la procédure terminés, Lancelot se présente comme défenseur. Ah, si vous aviez alors entendu les paroles outrecuidantes du chevalier !

— Vassal, puisque je dois soutenir contre vous que le préjudice est mien, je suis tout prêt et je n'admettrai aucun retard. J'enrage ! Trêve de discours, et honte sur moi si je ne vous maltraite pas jusqu'à ce que vous vous reconnaissiez vaincu, et que j'aie ce qui me revient.

Mais Lancelot lui rétorque :

— Tant pis pour les mécontents ! On verra bien, avant ce soir, lequel emportera le juste droit à détenir ce bien.

Satisfait de ces préliminaires, le prévôt qui présidait au jugement demande les otages, et on les lui présente aussitôt. Il donne l'ordre que les adversaires s'arment pour la bataille qui s'imposait alors. Dans une vaste prairie, on fait monter les deux chevaliers sur leurs destriers, armés de toutes leurs armes. Aussi fiers, superbes, braves et preux l'un que l'autre, ils éperonnent vigoureusement leurs montures, et s'assènent d'étonnants coups de lance sur leurs écus qu'ils ont détachés de leur cou. Il n'en faut pas plus pour transpercer ces écus, mais les haubers retiennent dans leurs mailles serrées les fers des lances. Avec une force étonnante, ils tirent sur les hampes, et ils dégagent ces fers pour reprendre la joute aussitôt. Mais les difficultés et les peines redoublent, car les deux lances se brisent ; pour n'être pas en reste, chacun des partenaires tire l'épée d'acier, dont ils veulent s'endommager, et ils échangent des coups prodigieux. La lutte à l'épée fait rage : Lancelot, que sa bravoure exalte, assène un coup sur son redoutable adversaire ; mais il le manque, car l'autre a détourné son cheval ; cependant l'épée descend et coupe la partie du pied qui dépassait l'étrier, avec l'avant-pied de fer, plus blanc que la neige en hiver ; les morceaux volent dans l'herbe. Lancelot, avec sa façon de parler, lui lance alors :

— Vassal, pour continuer vos méfaits, il vous faudra un pied en bois !

Quand Macob voit tomber son pied, plein de fureur, il repart contre Lancelot, à cheval, car il aurait bien voulu lui rendre le mal qu'il lui avait fait ; il lui ajuste un coup d'épée, que Lancelot connaissait bien mieux que lui ; sans pour autant se lasser, Macob frappe encore et tranche cette fois un morceau de fourrure en haut de l'écu de Lancelot :

— Vassal, se vante-t-il, je ne vous redoute plus maintenant.

— On dirait que vous n'avez pas votre compte, lui répond Lancelot. On aura vite fait de vous le présenter.

Sans plus parler, à l'instant, ils reprennent leurs assauts forcenés. En effet celui qui avait le pied entamé multiplie les attaques et les coups furieux contre son adversaire ; mais Lancelot les pare fort bien, car à l'instar des Bretons, il s'y connaissait quelque peu en matière d'écu et d'épée. Sans plus rien dire, les chevaliers échangent des coups terribles quand ils font mouche ; ils hésitent si peu à se frapper de taille sur leurs larges boucliers qu'ils en font tomber toute la peinture et les rognent sur tous les bords ; quand l'un voit que l'autre se découvre, il lui porte un coup écrasant ; quand les preux se manquent, ce sont les chevaux qui payent ; ceux-ci reçoivent tant d'estocades sur la croupe ou l'encolure qu'ils ne peuvent plus tenir et tombent à terre. Alors les combattants sont mis à pied ; Macob s'en arrange mal, car il souffrait très fort là où il avait été estropié, et sa force en était bien diminuée ; au contraire, le suivant d'Arthur avait encore toute son ardeur et sa vigueur. Très affaibli donc, Macob prend du recul, s'appuie sur son écu et interpelle Lancelot :

— Vassal, vous qui m'avez fait tant de mal, dites-moi votre nom, votre bannière, votre réputation !

— Je vais tout vous dire : mon nom est Lancelot du Lac.

— Par ma foi, tout Lancelot que vous êtes, soyez le malvenu en cette affaire, car je ne craignais que vous. Si j'avais su cela ce matin, jamais le combat n'aurait eu lieu : c'est votre nom que je redoute. Mais maintenant je vais risquer le tout pour le tout, car si j'hésite, vous serez un méchant partenaire. Avancez ! me voici prêt à revendiquer mon droit, et si en dernier ressort j'ai tort, je n'ai pas envie de réparer.

Lancelot lui rétorque :

— Votre folie vous fait tenir des propos bien insolents.

Et tout en échangeant provocations ou sarcasmes, ils reprennent le combat ; les coups pleuvent à nouveau sur les heaumes ciselés et les mettent à mal. Ils en viennent au corps à corps, ils se poussent, ils se tirent, tant et si bien que Macob finit par avoir le dessous.

Quand les hommes de son lignage voient cela, ils viennent trouver le prévôt du roi et le prient de faire la paix. A force de supplications et de propositions, on réussit à les séparer définitivement. La dame eut son douaire, exonéré de toute redevance, et Macob, avec tout son lignage fit hommage à Lancelot ; un baiser de bonne foi scella l'accord, sur lequel on ne revint plus. Il avait aussi été décidé que si Macob guérissait, il irait trouver la reine, pour se mettre à sa disposition. Pour sa prouesse, Lancelot se voit prier par tous de rester dans le pays en seigneur ou en ami, et de prendre tout ce qu'il peut vouloir de leurs richesses et de leurs terres. Lancelot les remercie vivement, mais il refuse de rester ; il consent seulement à passer quatre jours avec eux, au château, en leur disant qu'il veut aller à Rigomer, découvrir les aventures. On l'avertit qu'elles sont très dures, et on lui répète :

— Nulle part on n'a vu un chevalier, si réputé fût-il, y trouver la gloire ; au contraire, mille dégringoleront plutôt qu'un seul s'y élève. Vous qui avez acquis dans ce pays honneur et richesses, si vous allez chercher la mort, quel malheur que vous ayez entrepris de quitter votre pays !

Mais Lancelot ne fait aucun cas de ces dissuasions :

— Seigneurs, cela suffit ! Rien ne me fera abandonner mon but.

V

NOUVELLES ÉPREUVES NOCTURNES EN FORÊT ET DANS L'HOSPITALITÉ

Au cinquième jour donc, dès le petit matin, Lancelot demande congé et reprend la route, tant et si bien qu'il arrive dans une vaste forêt. Que le feu d'enfer la consume ! Il eut à y endurer des privations, des peines, des souffrances plus que jamais chevalier n'en supporta, dès la première nuit. En effet, le soir, ne trouvant pas de logis, il doit battre son fusil et préparer son feu ; mais c'est tout ce qu'il peut faire puisqu'il ne dispose ni de pain ni de vin. Il trouve son sort bien dur, mais avec son courage habituel, il réagit, et tantôt prie Dieu, l'implore, tantôt maudit le moment où il s'engagea dans cette forêt qu'il n'appréciait guère.

Soudain surgirent deux serviteurs qui s'en revenaient chez leurs maîtres, des brigands. Ils avaient été acheter du ravitaillement dans un bourg proche : une pièce de cerf gras à mettre à la broche, et un baril plein de vin ; ils avaient encore un hanap, une toile avec du pain, et beaucoup d'autres emplettes pour leurs maîtres, qui habitaient dans la forêt. Surpris par le grand feu, ils avaient fait un détour. Ils aperçurent Lancelot, et regrettèrent fort de ne pas le connaître ; pourtant ils le saluèrent poliment, et lui demandèrent qui il était, d'où il venait :

— Je suis un chevalier étranger ; je me suis laissé surprendre dans la forêt, et je n'ai pas su où loger.

A ces mots, ils s'apitoyèrent et le réconfortèrent de leur mieux, avec un morceau de cerf, qu'il mit sur ses braises, avec du vin plein le hanap, et du pain en quantité ; Lancelot ne se fit pas prier pour se refaire, près de son feu. Les autres le regardaient, et le servaient de bon cœur, puis ils prirent congé :

— Jeunes gens, que Dieu vous garde ! dit le bon chevalier qui ne voulait plus les retenir.

Ils rejoignent donc leurs maîtres, des chevaliers brigands, qui depuis la forêt, pillaient et désolaient le pays, avec des complicités, car ils n'étaient que trois. Ces brigands se tenaient eux aussi près d'un feu ; pour leur repas on ne sonna ni cor ni trompette : ils mirent à rôtir la viande, étendirent la toile sur le sol, et les jeunes taillèrent le pain. Maîtres et serviteurs arrosèrent si bien leur plantureux repas qu'ils furent vite tous ivres. Un des brigands demanda alors :

— Pourquoi avez-vous tant tardé à faire votre ravitaillement ?

— Seigneur, répond l'un des deux, nous avons trouvé un chevalier, avec son destrier, dans la forêt. Il se chauffait près d'un bon feu, et c'est là que nous nous sommes attardés.

— Comment ? Il y a donc près d'ici, dans la forêt, un chevalier ?

— Oui, seigneur, je le jure.

— Eh bien voilà mon marché, je veux avoir le cheval !

— Et moi, dit le second, seigneurs vassaux, avec votre accord, je veux le haubert.

— Moi, s'écria le troisième, les chausses de fer, le heaume qui brille clair, et je vous le garantis, je veux aussi l'épée.

Ainsi se partageaient-ils la richesse du chevalier ; mais je ne pense pas qu'il la leur donne sans la disputer. Sur cet accord, ils endossent leurs hauberts, mettent leurs heaumes, et gagnent un chemin creux. Leur chef prend de l'avance, la longueur d'un jet de pierre, et déclare :

— Par saint Pierre, si j'arrive le premier, je me vante d'avoir son cheval.

Et ils continuent sans se perdre de vue. Lancelot entend du bruit, et voit arriver le premier ; il ne sait s'il doit le saluer ou faire autre chose :

— Maudit soit celui qui saluera le premier, décide-t-il.

L'autre va droit au cheval, lui passe le frein — c'est là grande folie — puis rajuste la selle.

— Cher seigneur, intervient Lancelot, que voulez-vous faire avec mon destrier ?

— Mon ami, tu n'as pas d'écuyer ; alors je veux te rendre le service de l'emmener au gué.

— Cher seigneur, pas du tout ! Il ne boira pas avant midi, car hier soir, il n'a pas mangé d'avoine, mais seulement de l'herbe fraîche. Je ne veux pas qu'on l'abreuve maintenant.

Malgré cet avertissement, le brigand enfourche le cheval ; mais alors Lancelot lui assène un coup de lance acérée ; il l'enfonce à travers la cuirasse et le corps, de sorte que l'autre tombe de cheval, mort. Lancelot tire sa lance pour la récupérer. Il n'a plus à se garder de son adversaire, qui le laissera tranquille ; ce fut une première chance. Les deux autres arrivaient menaçants. Quand ils virent que leur compagnon était mort, ils se précipitèrent ensemble sur Lancelot ; c'était abusif et déloyal ; en effet, à ce que j'ai entendu dire, en ce temps-là aucun grief ne pouvait justifier une attaque à deux contre un, à moins d'être un lâche ou un traître. Et lâches ils le furent, puisqu'ils foncèrent à deux sur lui, aucun n'osant entreprendre seul l'affaire, comme cela se devait. Lancelot eut à soutenir leur double assaut et sur ses flancs le choc des deux lances fermement tenues. Son haubert était si solide que pas une maille ne cassa.

Alors Lancelot, à son tour, frappe l'un d'eux de sa lance raide, et l'abat près de son feu. Il tire son épée avec fureur, tranche la lance de l'autre, et lui donne sur son heaume d'acier un tel coup qu'il en coupe un morceau, avec la coiffe et le bonnet ; il lui enlève aussi sur les os la chair et les cheveux ; sa bonne épée tranchante glisse enfin le long de la clavicule ; ce coup le blesse et l'étourdit. Mais celui qui avait été jeté à terre, n'avait pas perdu tous ses moyens ; il se redresse, debout, et se rapproche, l'épée dégainée. Les voici tous trois dans la bataille, et je dois vous dire ce que je sais.

A deux contre un commença jusqu'au jour une lutte mouvementée, périlleuse, épuisante. Après de furieux échanges, ils finirent par tomber à terre tous les trois ; mais Lancelot avait le blessé sous lui, et il réussit à l'étouffer ; s'il était débarrassé des deux autres, il avait encore un adversaire indemne. Alors bravement, il court reprendre son écu, imité aussitôt par le bandit. Nos cahiers nous disent qu'ils recommencèrent la bataille à l'épée tranchante, mais elle fut brève : Lancelot frappa en pleine face son adversaire, et lui mit en pièces le nasal, la ventaille ; il arracha la mentonnière et son épée atteignit la carotide, sur le cou ; le chevalier tomba, blessé mortellement. Voici Lancelot délivré des trois bandits : cent mille livres d'esterlins blancs ne l'auraient pas réjoui davantage, j'en suis sûr !

Entre-temps le jour s'était levé. Lancelot reprit sa pénible chevauchée, au hasard des chemins, tout en priant Dieu de le guider. En vain, car il ne réussit à trouver ni bourg, ni village. Aux alentours de midi, dans la forêt en question, il tomba sur une tour, avec une muraille entourée d'un fossé plein d'eau. Là, jadis, s'élevait la demeure d'un puissant seigneur ; il y avait trente ans qu'il n'y était plus, et il ne restait qu'un très beau verger, avec des arbres fruitiers et des oiseaux, près de la tour, elle-même dressée au-dessus d'une grosse porte fortifiée. En s'avançant pour regarder, Lancelot découvrit la porte et le pont, avec un chevalier, appuyé contre la poterne ; il salue, attend que le chevalier lui réponde dans les formes, et de loin, lui demande :

— Seigneur, il me faudrait loger chez vous cette nuit, s'il vous plaît, et si je ne vous dérange pas trop.

— Avancez, passez le pont ; sans rien dépenser, vous serez traité aussi bien que moi-même.

Devant cet aimable accueil, Lancelot met pied à terre et franchit le vaste pont. A son arrivée dans la cour, un jeune enfant prend le cheval par le frein, avec habileté et gentillesse ; après l'avoir mené dans un coin du verger, il lui donne de l'avoine et du foin, il le frotte et le soigne, ne le laissant manquer de rien. Quant aux deux chevaliers, ils se prennent par la main, et sans attendre davantage, se dirigent vers une tente dressée dans une autre partie du verger. A l'entrée, ils trouvent une très belle jeune fille, assise sur un lit. Gracieuse, élancée, c'était l'amie du chevalier, une amie distinguée, racée, élégante. A la vue de l'étranger, elle se lève et le salue en même temps que son compagnon, salut que Lancelot ne manque pas de lui rendre ; puis ils s'asseoient tous trois sur le lit, après que le garçonnet eut enlevé ses armes à notre héros. Ils eurent ce soir-là, un vendredi, du pain, du vin et du poisson, mais je ne sais d'où tout cela était venu. Le lendemain, samedi, ils se lèvent au point du jour, déjeunent légèrement ; alors seulement le chevalier demande à Lancelot sa terre, son itinéraire et le but de son voyage. Sans hésiter, Lancelot répond qu'il va à la découverte des merveilles de Rigomer.

— Mais je suis parti sous une mauvaise étoile, car j'ai eu bien des malheurs.

— Holà ! Quelle pleutrerie, vous vous plaignez trop tôt ! Vous aurez encore bien des tourments avant d'y mettre le pied ; et quand cela arrivera, vous serez vaincu et tué, ou au moins blessé et fait prisonnier ; voilà ce qui est arrivé à beaucoup, plus forts que vous et moi. Néanmoins confiez-nous les malheurs qui vous ont frappé.

— Seigneur, très volontiers.

Et il lui raconte comment il vint à Ruiste Vallée, et tout ce qui lui arriva ; la mort de Savari, qui faisait tort au vicomte ; comment il coupa le pied à Macob Dicrac avant d'aboutir à une victoire complète sur lui ; les trois brigands qu'il avait tués près de son feu de braise.

Alors, ne se contenant plus, le chevalier lui déclare :

— Malheur à vous ! Vous ne savez pas sur qui vous êtes tombé : ces trois hommes étaient mes parents, et je vous tiens pour mon ennemi. Macob est mon cousin germain : pour lui, vous mourrez de mes mains. Savari était mon oncle : vous l'avez rencontré pour votre malheur. Mais vous êtes venu loger chez moi, et pour cela je ne veux pas vous prendre au dépourvu : armez-vous d'abord et moi après.

— Ce sera bien malgré moi, répond Lancelot, car vous êtes mon hôte.

— Sur ma foi, il faut le faire, répète l'autre.

Ils rivalisent de vitesse pour s'armer, et passent l'écu au bras. Alors chacun entame la bataille avec autant d'affliction que de violence, et elle dure, sans concessions, jusqu'à près de quinze heures. A pleine volée, ils se portent des coups terribles ; mais ils savent aussi bien se protéger des écus quand les épées frappent de plein fouet. Tantôt les preux se tâtent, tantôt les assauts sont retentissants, et leur fureur s'en accroît d'autant. Ils en viennent à la lutte corps à corps, et font tant qu'épuisés, d'un commun accord, ils décident un répit. Pendant ce repos, le chevalier d'Irlande demande son nom à Lancelot, qui déclare aussitôt :

— Bien des braves le savent, Macob Dicrac en est témoin, je m'appelle Lancelot du Lac.

A ce nom de Lancelot, à l'estime que marquait la révélation du nom, l'hôte éprouva la plus grande joie de sa vie :

— Bénie soit l'heure de ma naissance, puisque j'en suis venu à me battre avec vous, et que je vous ai rendu tant de coups ! Quand on le saura dans nos régions, mon renom grandira fort de ce que je me suis battu avec le meilleur qu'on sache. Mais cela suffit : je me rends à vous, et je vous pardonne l'objet de mon ressentiment. Je me mets en votre dépendance, prenez mon épée ; cette bataille est terminée.

— Je ne le ferai pas le moins du monde, si votre amie et vous, vous ne faites pas ce que je vais vous dire.

— Certes, je n'y mettrai aucune opposition, acquiesça le chevalier, tout heureux.

— Il vous faut donc, votre amie et vous, aller trouver la reine de Bretagne, la saluer de ma part, et vous mettre à sa discrétion.

— Ma foi, très volontiers !

Ils étaient déjà sortis du jardin pour reprendre la route, quand Lancelot se souvint qu'il aurait voulu savoir le nom de son adversaire ; aussi le rappela-t-il poliment :

— Seigneur, dites-moi votre nom, et puis je vous laisserai à votre voyage.

— Avec grand plaisir : je m'appelle Maudin le Jardinier ; mon surnom me vient de ce que souvent, avec mon amie, je me plais à séjourner dans le jardin.

— Allez, et que Dieu vous protège !

Je ne pense pas qu'ils se revoient avant que Lancelot ait eu bien des affrontements et bien des souffrances.

Lancelot reprit sa chevauchée, épuisé par son long combat, mais le beau temps et la lumière lui réjouissaient le cœur. A vêpres, il finit par avoir la chance de sortir de la forêt, et de trouver, sur sa droite, le beau château fort d'un chevalier, où il voulut s'arrêter. C'était le château de Frais Marais, que régissait le seigneur Bedioné. Il fut bien logé et bien fêté ce soir-là, dans ce château où il était allé tout droit. En effet, quand le seigneur vit qu'il était un chevalier étranger, solitaire et sans escorte, il lui posa des questions empressées, auxquelles Lancelot répondit, sans toutefois lui révéler son but, de peur de tomber mal à nouveau, et il arrangea de son mieux ses propos. Il passa donc la nuit au château, jusqu'à l'aube du lendemain, où il se remit aussitôt en chemin.

VI

RENCONTRE DU VIEIL HOMME NU

Il s'enfonça à trois lieues et demie dans la forêt, jusqu'à midi ; à cette heure précise, il rencontra, debout dans le chemin, un homme qui vint au-devant de lui. Jamais on ne vit pareille créature. Il était absolument nu, si pauvre qu'il n'avait vêtement ou haillon pour couvrir ses os ; on lui voyait le ventre aussi bien que le dos ; la misère ne lui avait pas laissé le moindre morceau de lin ou de laine, mais sa barbe avait poussé, longue et blanche, jusqu'à la ceinture, et ses cheveux lui tombaient sur les épaules. Ce qui le rendait encore plus hideux, ce mâle, c'est qu'il était velu comme une bête, sur le dos, le ventre, le buste, les pieds, les jambes, les bras ; non, il n'avait ni lin, ni chanvre pour se couvrir. Il pouvait à peine ouvrir les yeux ; il était si débile et si vieux qu'il pouvait avoir au moins deux cents ans ; de la mousse lui sortait des oreilles. Lancelot le regarda avec stupeur : il était si maigre, sa peau était si dure et si rugueuse, sous laquelle ses os saillaient ! Lancelot lui demanda depuis combien de temps il était là :

— Il y a bien cent ans passés, répondit-il.

Lancelot reprit :

— Pourriez-vous, par charité, m'indiquer où passer la nuit ?

— Ma foi, non ; une grande journée à cheval ne vous mènerait à rien, bourg, village ou maison, excepté à une abbaye, qui se trouve dans cette vieille forêt antique ; mais même là, votre cheval ne pourrait vous mener aujourd'hui. Si donc vous vouliez rester avec moi, j'en serais fort heureux ; certes, j'aurais grande joie à avoir ce soir un hôte comme vous. Ne méprisez pas ce que je vous offre ! Voici la cabane où j'habite. Je vous ferai une soupe de légumes, et j'y mettrai cuire les entrailles d'un chevreuil, bien nettoyées, que des chasseurs m'ont laissées il y a quatre jours, je crois ; je les gardais pour le dimanche, et c'est dimanche aujourd'hui. Vous serez bien traité : elles sont très bonnes, ces entrailles ; presque pas de vers ; il n'y en aurait même pas du tout si c'était l'hiver. Je vous donnerai aussi beaucoup de bon pain d'orge ; j'en ai acheté avant-hier, sur ce chemin, à un pèlerin, quinze miches pour un denier que me donna un marchand qui était passé là aussi. Mais je n'ai plus le moindre denier ni la moindre maille. Acceptez, c'est de bon cœur ! Certes, vous avez beaucoup de chance, car il y a bien deux ou trois ans que je n'ai vu ni pain ni farine. Acceptez, cela vous portera bonheur !

Mais Lancelot lui répondit :

— Je ne te prendrai rien, j'irai à l'abbaye. Parle-moi plutôt de cette terre.

— Seigneur, c'est Brefeni, une terre pleine de violence. La faiblesse de la seigneurie fait qu'il y a quantité de voleurs et de brigands. Il est bien étonnant que vous ayez encore votre cheval, à cheminer ainsi solitaire. Avec un bon guide, vous pourriez entrer demain en Conart ; dans ce pays-là, on est plus libre, la violence n'y règne pas ; car un roi puissant le gouverne, noble et vaillant chevalier aussi ; il inspire une grande crainte aux voleurs et aux brigands : il en a pendu des quantités aux fourches et n'importe où. Si vous pouvez arriver jusque là, grand bien vous adviendra sans doute, car il y a davantage de chevaliers. On vous y retiendra bien, et je pense que c'est ce que vous recherchez.

— Je m'en vais, que Dieu vous garde, répond Lancelot sans plus attendre.

Et le brave homme, qui n'en peut plus, pleure de pitié, et jette de profonds soupirs ; car il comptait lui faire beaucoup de bien. Nous l'avons souvent entendu dire : quand on est démuni de tout, un petit bienfait paraît très grand ! Ce brave homme, qui avait proposé à Lancelot de le loger et de partager avec lui ce que Dieu lui avait donné, pensait donc ainsi. Lancelot ne daigna pas accepter ; mais avant qu'il atteigne une terre cultivée, je crois que s'il avait pu tenir la pâture en question, il lui aurait vite fait sentir ses dents : il ne mangea pas de toute la journée, chevauchant jusqu'à vêpres.

VII

RENCONTRE
DES TROIS CHEVALIERS BLESSÉS À RIGOMER

A l'approche de la nuit, il trouva un embranchement. Il se trompa et quitta la bonne route, mais il continua, plein d'assurance. Quand l'obscurité fut telle qu'il ne voyait plus son chemin, il descendit de son bon cheval, et s'installa sous un arbre ; mais il y demeura bien peu, car en levant la tête il aperçut au-dessus du bois touffu la lueur et la fumée d'un feu de cheminée. Il crut que cela venait de l'abbaye. Il remonta donc et se dirigea de son mieux jusqu'à ce qu'il tombe sur une maison de belle apparence. Il y entra, mit pied à terre et se dirigea vers le feu. Il aperçut alors sur un des côtés un châlit qui supportait un beau lit, confortable et luxueux, avec la courtepointe qui le recouvrait ; mais il le regarda sans prétention. Plus bas, il y avait une bière sur deux tréteaux, ce qui ne lui sembla pas de bon augure ; quatre cierges d'argent massif l'entouraient, avec des chats sauvages, aussi grands que des léopards, au moins trente ou quarante, sans mentir. Lancelot frémit devant les chats plantés là, mais les chats non plus n'appréciaient pas son intrusion ; ils n'avaient pas la moindre peur de lui, et se mirent à pousser un tel miaulement qu'une foule de chats surgit et remplit toute la maison.

Lancelot saisit dans le feu un grand tison enflammé, et donne sur le plus gros des chats un tel coup qu'il l'assomme sur les cendres de la cheminée ; mais les autres, au lieu d'abandonner leur congénère, attaquent le chevalier tous ensemble, sautent sur ses épaules, enfoncent leurs griffes dans son heaubert tressé, qui laisse passer son sang. Lancelot ajuste son tison et leur distribue de grands coups sur le cou, les côtés, tandis qu'ils continuent de faire couler son sang ; mais cela ne l'affecte guère ; seul son dos lui cuit, tant il était endurci. Ainsi, avec le tison enflammé, il assène de terribles coups sur les têtes, les croupes des bêtes. Sa vaillance et ses efforts réussissent à les chasser de la maison ; sur eux il referme soigneusement les portes, et revient sur ses pas. Mais voilà que la bière se dresse et vient à sa rencontre ; toujours brave, Lancelot laisse le tison pour l'épée, pourfend la bière, mais la trouve vide.

— Dieu, s'écrie-t-il, c'est un enchantement ou une diablerie !

Et il la jette dans le feu, qu'il attise jusqu'à ce qu'elle soit consumée. Alors il a gagné sa bataille.

— Ah ! mon Dieu, secouez-moi, s'écrie-t-il, j'ai faim et soif !

Et il se lamente, en se disant qu'il s'arrangerait bien maintenant des entrailles de chevreuil, du pain d'orge et de la soupe que le brave homme lui avait proposés. Ses regrets concernent aussi son cheval, qui a grand soif et grand faim, et toujours le mors en place. Rien ne vient atténuer le malaise de Lancelot ; il ne peut compter sur rien.

— Mon Dieu, s'écrie-t-il, quelle malchance m'a fait entrer ici cette nuit ! J'aimerais mieux être maintenant avec le brave homme qui voulait m'héberger. Tout me manque, à moi qui avais un si beau logis ! Celui-ci, maintenant, ne m'apporte ni réconfort ni joie. Mon Dieu, de si haut, je suis tombé si bas !

Il se désole, il délire au point de croire qu'il ne verra pas le jour.

Mais nous avons souvent vu que petite pluie abat grand vent, qu'après la pluie vient le beau temps. S'il n'a pas tout ce qu'il souhaite, il se peut qu'avant de partir, il ait part à quelque bien. Si épuisé qu'il soit, il réussit à gagner le lit, où il s'endort tout armé. Il se trouve alors un peu plus à son aise ; mais il n'a guère sommeillé que sa grande faim et la frayeur le réveillent. Devant lui il voit une demoiselle, qui était là, plus blanche qu'un nuage du ciel, tandis qu'une autre entrait justement. Elles viennent à ses côtés et le saluent noblement ; puis l'une d'elles lui demande de bien vouloir les suivre.

— Par Dieu, chère amie, je n'irai pas si mon cheval n'est pourvu.

— Seigneur, n'ayez aucun souci, il est déjà à l'étable, bien soigné, pansé, avec sa ration ; on lui a même apporté de l'eau de source, dont il peut boire à volonté.

Mais Lancelot ne veut les croire que si elles le mènent jusqu'à lui, et elles acceptent aimablement. Il constate alors que son cheval a bien tout ce qu'il lui faut, orge, avoine, herbe fraîche, eau de source :

— Vous m'avez bien dit la vérité ! Mon cheval est bien traité ; il ne lui reste plus de traces de tout ce qu'il a enduré, il est gros, reposé, brillant ; oui, mon destrier a tout ce qu'il lui faut ; eh bien, je serai votre chevalier, et j'irai là où vous voudrez !

— Seigneur, venez donc.

Il les suit docilement dans une pièce voûtée, où était dressée une table abondante, avec des sirops et de vieux vins délicieux. Sur un lit était assise une dame, mieux parée que ne fut jamais aucune fée. Avec courtoisie et élégance, elle se lève devant Lancelot.

— Seigneur, soyez le bienvenu.

— Que le bonheur soit avec vous, répond-il à la dame, dont la beauté valait un royaume.

— Seigneur, n'attendons plus ; du moment que vous êtes parvenu jusqu'ici, asseyez-vous sur ce fauteuil, pour que l'on vous désarme.

— Me désarmer ? Ma dame, je ne saurais accepter !

— Holà, seigneur, je ne saurais faire de bassesses à un chevalier, dût-on me donner le fief et la puissance qu'eut jadis ma dame Lorie, la supérieure de notre communauté.

— Dans ces conditions, volontiers, dame.

Il prend donc place dans le fauteuil ; les deux jeunes filles, belles et distinguées, ont vite fait de lui enlever ses armes ; puis elles lui passent l'eau et le mettent à table, car il avait grand faim. Quand il eut mangé tout ce qu'il voulait, elles le couchent dans un lit, et le massent jusqu'à ce qu'il s'endorme ; il trouve enfin quelque repos. Le lendemain, à son réveil, on le baigne et l'habille, une fois que la dame a frotté ses plaies avec un onguent aussi odorant que le piment, ce qui les cicatrise aussitôt, en ne laissant ni trace, ni douleur aucune. Il demande ses armes, qu'on lui apporte, étincelantes, et les jeunes filles lui amènent son cheval tout sellé. Maintenant, il peut dire le contraire de naguère :

— Seigneur Dieu ! De si bas, je suis remonté si haut !

Il prend congé de la dame, qui le recommande à mille saints, et lui conseille de tenir sa droite, car à gauche, il entrerait dans une forêt où il chevaucherait cinq ou six jours sans trouver d'habitation, et où tout irait de mal en pis ; et mettre le pied en Urikevreue, ce serait un grand malheur : aucun renseignement, aucun effort, ne pourraient jamais l'en faire sortir. Mais s'il tient son chemin à droite, il ne manquera pas d'arriver bientôt dans la terre de Conart.

Bien loin de se moquer de ces recommandations, Lancelot s'y conforme, ce qui lui vaut une chevauchée sûre, jusqu'à vêpres, où il entre dans la terre de Conart. Là, entre Brefeni et Conart, il trouva un château bien situé, avec une belle entrée par-devant, une enceinte de branchages, de solides murailles, et une grande tour bâtie sur roche : mais dans la basse cour, il y avait une demeure en bois, belle entre toutes ; en temps de paix, on y habitait, en temps de danger ou de guerre, on restait dans la tour. Pour se garder des environs, il y avait devant une porte, une poterne et un fossé profond avec un pont-levis.

Lancelot entre et voit tout près, dans la cour, un grand nombre de dames, de chevaliers, de jeunes filles, d'écuyers, qui s'affligeaient très fort, pleuraient et se tordaient les poings ; et chacun disait :

— Bien cher seigneur, votre sort doit nous mettre en grande peine. Il nous faut perdre le plus sage et le meilleur de notre lignage !

Mais tandis qu'ils rivalisaient dans la douleur, ils voient venir Lancelot et courent à sa rencontre : il fut heureux le premier arrivé ! On le salue alors chaleureusement, au nom du seigneur qui créa Abel ; lui s'empresse de mettre pied à terre et de rendre à chacun son salut ; puis il demande qu'on le loge, mais c'était inutile, car tous lui disent avec force :

— Soyez le bienvenu, cher seigneur !

Ils le recevaient en effet dans l'allégresse, ils l'entouraient de leur joie, parce que son arrivée leur apportait un grand bonheur. On l'emmène dans la maison de bois, où on allume quinze cierges, qui faisaient un beau luminaire. De grosses et longues bûches brûlaient dans la cheminée. A côté un beau lit était dressé, avec des pieds d'argent massif, un chevet et des rebords garnis d'émaux, et de pierres précieuses. Un chevalier y était étendu, d'âge vénérable, chenu ; il était affligé d'une grande infortune, car il portait une plaie à la tête, et ce jour-là, il y avait trente ans accomplis qu'il ne pouvait guérir ; si ce soir-là un hôte, un chevalier étranger ne s'était pas présenté, il n'aurait plus vécu que trente jours. D'où leur grande douleur d'abord, puis la joie manifestée à Lancelot qui les avait secourus, et qui fut leur seul hôte. Quant au chevalier mutilé, son allégresse dépassa celle de tous les autres. C'était le seigneur du château ; sa compagnie était nombreuse et magnifique, car il était de grande noblesse ; il avait trois fils chevaliers, tous trois mariés, avec de riches fiefs ; mais pour réconforter et soutenir leur père, ils demeuraient avec lui, et montraient par là leurs nobles sentiments.

Quand Lancelot fut désarmé, lavé, et remis des meurtrissures de son haubert, le vieillard ordonna qu'on fît asseoir son bon hôte à côté de lui. Le repas se trouva prêt. Quand il fut terminé, on commença à raconter des aventures de rois, de ducs et de comtes, à réciter des lais, à tour de rôle. Cependant Lancelot regardait son hôte, sans oser lui dire sa pensée ; il finit par se décider devant son air heureux, avec grande délicatesse :

— Seigneur, si j'osais, je vous interrogerais sur un hôte qui m'a reçu, le vicomte de Pavongai ; vous vous ressemblez trait pour trait, à ceci près que la douleur a marqué votre visage, et que je me demande qui est l'aîné. Sans votre blessure, je croirais que vous êtes le même homme.

Quand le seigneur l'entendit parler du vicomte, il esquissa un sourire :

— Vous avez donc fait étape chez lui ?

— Oui, jamais je n'ai été mieux traité.

— Et quand cela ?

— Il y a neuf jours aujourd'hui.

— Sur ma foi, rien d'étonnant à ce qu'il me ressemble : nous sommes frères jumeaux, un même ventre nous a portés. Il a l'héritage qui vient de notre père ; et moi, ici, celui de notre mère, la part la plus importante, qui m'est échue. Mais dites-moi, que devient ma nièce, la précieuse Fleur Désirée, si distinguée et si sage ; il y a bien longtemps que je ne l'ai vue ; et mon frère, et son épouse ?

— Seigneur, il va très bien, et il a toute sa puissance.

— Sa puissance ? Un de ses voisins lui fait tant de mal !

— Seigneur, vous voulez parler de Savari ?

— Oui, c'est bien cela.

— Savari est mort ; jamais il ne fera plus aucun tort !

— Mort ? Je ne le crois pas.

— Par Dieu, de mon épée fourbie, je lui ai séparé la tête du buste.

A ces mots, la joie de l'hôte redoubla, et il lui jeta les deux bras autour du cou, en lui demandant :

— Comment avez-vous fait ?

Lancelot lui raconta l'histoire ; mais je ne me soucie pas de la recommencer, car il me faut avancer. Le seigneur ne se lassait pas d'écouter, jusqu'à ce que Lancelot profitant d'une pause, lui demande :

— Seigneur, comment vous appelez-vous ?

— Mon nom est Torplain de Gringneplaine ; pas un voisin n'a à se plaindre de moi.

— Seigneur, quel est donc ce mal qui vous rend si pâle ? Où vous tient-il ? Qui vous l'a infligé, et quel est votre triste sort ?

— Bien cher ami, je vais vous le dire volontiers, car vous m'êtes cher ; vous pouvez l'affirmer, sur un pot que vous casserez avec un bâton ! Mais revenons à vos questions ; je vous dirai toute la vérité. Jeune chevalier, j'étais agile, et je joutais fort bien, ce qui me valait une grande gloire. J'ai honte de le dire, je me croyais bien alors le plus vaillant du monde. Aussi m'en allai-je à Rigomer, avec trois autres jeunes chevaliers. Le plus mauvais d'entre nous croyait arriver aux aventures et les anéantir. Mais nous n'en vînmes jamais à bout : mettre fin aux merveilles, ce serait prétendre passer la mer à pied sec ! De là nous viennent nos blessures et notre triste sort. Que pourrais-je vous dire des autres ? C'est de moi que je puis longtemps parler. A chaque anniversaire du jour où je fus blessé, il me faut avoir un hôte, un chevalier étranger, tel que Dieu me l'envoie d'une contrée lointaine. Si alors je n'avais pas d'hôte, sans recours, je devrais mourir dans un nombre de jours égal à celui des années qui me séparent de ma blessure.

— Par saint Martin, s'écrie Lancelot, que font donc vos voisins, à ne pas venir ici, quand ils savent votre attente ?

— Ami, vous n'avez pas bien compris : tous ceux que je pourrais demander viendraient en foule ; mais il faut absolument que vienne d'abord le chevalier errant d'un pays lointain ; un voisin, pour me guérir, me ferait plus de mal que de bien ; mais si un autre arrive sans rien savoir, alors la mort s'éloigne de moi pour un an et autant de jours que les années qui me séparent de ma blessure. Voilà pourquoi vous m'avez apporté la joie. Je me languissais d'un hôte, quand vous êtes arrivé dans ce château. Bénie soit l'heure de votre naissance !

Cependant Lancelot revient à la question qui lui tenait à cœur :

— Seigneur, de Rigomer j'ai souvent entendu parler ; comment est la terre, la région ? On en dit tant de choses. Je veux y aller, en vérité.

L'hôte se met alors à lui détailler les merveilles de Rigomer, situé sur un golfe :

— Un fleuve vient de la terre, qui se jette dans un autre, sortant de la mer, de façon que le pays est ceinturé d'une eau qui repart dans la mer ; c'est une frontière si sûre qu'on n'y craint personne ; le lit de ce chenal est tel que la flèche d'un arc, tirée du fond, n'atteindrait pas la surface. D'autre part, inutile d'essayer de le franchir : un dragon enchaîné a tué et jeté dans ce gouffre maints vaillants chevaliers qu'on n'a jamais revus ; c'est le gardien du pont de cuivre. Cher hôte, je ne veux pas vous leurrer, il est insensé le bon chevalier qui va là-bas porter ses armes. Toutefois il n'est pas étonnant qu'on vienne s'y détendre et s'y distraire, car maintes aventures y arrivent ; mais si on prend les armes, on y est blessé fatalement et sans recours ; tel est le dilemme de la lande. D'autres questions sont inutiles ; personne n'a pu en savoir davantage. Ne peuvent passer, en vérité, que rois, ducs ou comtes ; ils ont un sauf-conduit pour voir le plaisir et la joie ; mais quand ils en reviennent, ils se trouvent bien bêtes, car ils ne peuvent donner d'autres informations sinon que là-bas, on se détend dans la richesse, le plaisir, les réjouissances ; de cela qui abonde à Rigomer, ils peuvent parler ; mais les merveilles sont cachées à tous jusqu'à ce que vienne celui qui les anéantira toutes. A quand cet événement ? On ne le verra jamais, ni l'avril, ni le mai qui le suivront ! Cher hôte, par ce Dieu, le roi des rois que j'adore, à qui je demande de vous assister et de nous mettre en paradis, dites-moi votre nom, et de quel pays vous êtes. Ne prenez pas ma question pour de l'orgueil, mais pour de l'amitié. Je ne cherche pas à vous retenir ni à vous commander, je veux seulement me lier avec vous, comme à celui qui m'est cher entre tous.

Le vaillant Lancelot répondit :

— Avez-vous jamais entendu parler de Lancelot du Lac ?

— Moi ? Par Dieu, oui ; mais je ne l'ai jamais vu.

— Eh bien seigneur, le voici !

— Est-ce vous ?

— Oui, cher seigneur.

Alors l'hôte n'éprouva pas de peine ; au contraire, il fut si rempli d'allégresse qu'il appela ses enfants :

— Fils, voyez la fleur, le plus grand, le meilleur de tous les chevaliers qui ont existé et qui existent au monde ! Celui-là pourrait bien mettre fin aux merveilles de Rigomer, si on y arrivait par la prouesse ; mais il faut d'autres qualités, et personne ne saurait en posséder seulement la moitié. Avant tout sont nécessaires la prouesse, la beauté et la sagesse ; et puis il lui faudrait aussi humilité, affabilité et générosité ; qu'il ait pour amies belle parole et courtoisie ; enfin il lui faudrait tant de connaissances qu'on ne peut trouver qui en posséderait la moitié. Non, jamais en un seul homme, il n'y aura tout ce qu'on attend de celui dont je vous parle. Cher hôte, n'y allez pas, vous perdriez la vie ! Vous aimez tant les armes, vous êtes un chevalier si vaillant et si hardi que vous ne manqueriez pas d'y trouver la prison ou la mort, à tort ou à raison.

Devant tant de dissuasions, Lancelot consent à ne pas porter les armes là-bas, mais il ne veut absolument pas renoncer à y aller. Le seigneur le supplie, le presse, pour qu'il demeure une semaine :

— Vous avez eu bien des épreuves. On ferrera votre cheval ; vous vous baignerez et vous reposerez.

— C'est impossible, répète Lancelot ; aussi vrai que je demande à Dieu le secours d'un prêtre à mes derniers instants, je vous garantis que je n'ai jamais tant désiré voir Rigomer. Demain, je me mettrai en route.

Ainsi tous les efforts pour le retenir sont-ils vains.

Le lendemain, il reprend au plus vite son voyage, à travers la terre de Conart. On doit bien croire notre source, qui dit que c'est un antique pays, bon et riche à traverser, avec des gens bienveillants et charitables. Prévôts, maires, connétables, chevaliers, vavasseurs, lui faisaient grand honneur, le logeaient avec joie, et le remettaient sur son chemin. Du matin jusqu'aux vêpres, il faisait de longues étapes, solitaire. Après le combat nocturne contre les chats, après l'hospitalité de Torplain, il alla ainsi quinze jours entiers, sans la moindre contrariété. Le quinzième jour, il logea chez un vilain, garde-chasse et forestier, qui habitait au bord de la forêt. Il était vilain, par sa parenté, mais il avait de nobles sentiments et de bonnes manières ; aussi Lancelot fut-il bien reçu. La journée ne me suffirait pas pour dire le dixième des qualités de ce vilain. Il avait autorité sur toute la région, les campagnes, les labours, les forêts, jusqu'à une bonne journée. A l'ombre d'un arbre, devant sa porte, il était assis, plein de dignité et d'autorité, richement habillé, à la mode d'alors, avec un bonnet de fourrure, et un seyant mantelet d'hermine ; la pelisse qu'il portait à cause de la fraîcheur du soir était de martre, par-dessus une chemise plissée, longue jusqu'aux chevilles. Autour de lui, se tenait une imposante compagnie de chevaliers, de serviteurs, de voisins, d'amis ; et sa femme qui, elle, était noble de naissance, pleine de vertus et d'intelligence, se trouvait là aussi, avec des jeunes filles distinguées. Le vilain n'était pas chevalier, mais pour son train seigneurial, on lui avait donné le plus beau parti de la contrée. Ils avaient si bien fait fructifié leurs domaines qu'ils avaient pu faire chevaliers quatre de leurs cinq enfants, et les entretenir chez eux avec leurs armes et leurs destriers ; la dernière, une fille, encore enfant, était très belle. Lancelot chevaucha à l'amble avant de mettre pied à terre et de saluer le seigneur et son entourage, sans attendre ; ils lui rendirent son salut, et lui offrirent bon logis pour la nuit. Après un souper plantureux, on raconta des fabliaux.

En pleine détente, alors qu'il faisait presque nuit, voici qu'on appela à la porte. Un jeune homme, avec les clés, courut ouvrir le guichet, passa la tête et demanda qui était là. Il revint dire que c'était un chevalier, demandant l'hospitalité, puis rapidement lui ouvrit une poterne. L'autre entra, la tête couverte, mit pied à terre en s'aidant du perron et pénétra dans la demeure. Il salua le maître de maison, la dame et tous les autres, au nom de Dieu qui fut immolé sur la croix, et tous lui rendant son salut le reçurent avec grand plaisir. Mais il ne pouvait s'associer à leur fête, car il portait une mystérieuse blessure ; c'était un grand malheur pour lui : il avait perdu un œil. A la vue de cette infirmité, on lui demanda aussitôt qui l'avait mis dans cet état ; il leur expliqua qu'il avait perdu son œil à Rigomer, dont il revenait :

— A vrai dire, ajouta-t-il, je ne l'ai pas perdu, je l'ai avec moi, bien attaché dans une soie très fine.

— Seigneur, pourquoi le gardez-vous ?

— Je vais vous le dire : la jeune fille qui me donna cette soie m'expliqua que peut-être viendrait celui qui mettrait fin à Rigomer. Alors mon œil serait guéri, et c'est pour cela que je veux le garder.

On se mit alors à l'interroger sur les merveilles de Rigomer, et il leur dit ce qu'il en savait, par ouï-dire ou par lui-même : aucun chevalier, si vaillant fût-il, n'en revenait dans la joie ; s'il portait des armes, il était blessé ; s'il y renonçait, il était blâmé ; aussi leur disait-il bien que nul n'en revenait sans grande peine. Lancelot écoute de toutes ses oreilles, de plus en plus intrigué par Rigomer. Personne n'en ramène son destrier ; personne n'en rapporte oiseaux de proie ou chiens dont les aboiements répondent aux chasseurs ; personne n'en revient qui puisse chasser à courre ou en rivière ; personne n'en rentre heureux. Mais Lancelot demande bravement :

— Seigneur, savez-vous combien il y a jusque là ?

— Comment ne le saurais-je pas ? En vérité, en bonne santé et sans détours, il faut six jours de route.

— Comme je voudrais y être, pour voir les merveilles, ce qu'elles peuvent être ! s'exclame Lancelot.

— Vous avez mieux à faire ! Personne n'en revient sain et sauf, si fier soit son lignage, si vaillant et brave soit-il lui-même. Non, aucune valeur ne peut empêcher un retour déshonorant.

La soirée continua avec d'autres avis sur Rigomer ; et puis on installa au mieux pour la nuit le chevalier mutilé.

Le lendemain, ils se séparèrent, pour aller chacun à ses intérêts. Lancelot, lui, poursuivait son chemin vers Rigomer, sans désemparer. Il entra en Tüesmomme, une terre pleine de rapide, de voleurs, de sauvagerie, peuplée de méchants.

(Dans une lande, Lancelot défait un chevalier qui l'insulte au lieu de lui indiquer où se loger ; il refuse sa protection pour atteindre Rigomer, et l'envoie avec son amie se livrer à la reine. Un jeune pâtre lui offre l'hospitalité chez ses parents, et Lancelot tombe d'abord sur la mère.)

VIII

ÉLIMINATION DES LARRONS
QUI EN VOULAIENT AU CHEVAL

— Dame, Herbert qui garde les bêtes dans la lande vous demande de me loger ce soir ; il m'a garanti que vous le ferez bien.

— Seigneur, puisque c'est le désir d'Herbert, vous verrez que nous vous traiterons le mieux possible.

A ce moment-là, le mari arrivait du bois, avec une branche de chêne bien droite, qu'il avait coupée pour faire une barre de fermeture, car celle de sa porte était cassée. Mais sachez que je ne cherche pas à plaisanter ni à inventer ; au lieu de perdre mon temps à cela, je vais vous dire ce qui arriva réellement. Herbert revint bientôt de la pâture. A la lueur du jour, ils mangèrent tranquillement, puis le moment venu, ils se couchèrent, heureux d'avoir tout vérifié. Mais pendant leur sommeil, quatre voleurs, lâches et rusés, qui avaient épié Lancelot dans la forêt, arrivèrent là pour voler son cheval. Or la pleine lune brillait, pour leur malheur : la femme, qui dormait à côté de son mari, les aperçut. Il y avait en effet un trou dans la cloison, par où on voyait la lumière, mais le passage des voleurs le bouchait par intermittences. Du coude gauche, elle poussa son mari, et prise de peur et de colère, elle lui dit précipitamment :

— Il y a des voleurs dans ton enclos !

— Qu'en sais-tu ? Allons !

— Je les ai vus par cette fente et avec la lune.

Le bonhomme se décide à se lever, et tout nu va secouer Lancelot pour le réveiller et lui dire l'événement :

— Seigneur, levez-vous, enfilez vos chausses et armez-vous ; il y a des voleurs dans l'enclos, ils vont emmener votre cheval !

Mais Lancelot, alourdi de sommeil, répond comme un paresseux :

— Ta cloison est bien entière ?

— Certes, seigneur, mais par saint Pierre, ils ont de quoi briser la plus solide.

Il n'avait pas plus tôt dit cela que les voleurs firent un trou avec une hie. A l'intérieur, on bondit dans la confusion et l'affolement. Mais Lancelot empoigne le pieu — comme dit la chanson — dont on devait faire la barre. L'hôte saisit une hache, sa femme une massue — elle n'avait pas pris le temps non plus de se vêtir, et Herbert arriva au trot avec un grand bâton. Ils sortent sur le chemin pour défendre leur bien. Le tapage attire Heudin, qui accourt précipitamment avec sa femme et sa fille, demoiselle Eme, qu'Herbert chérissait quelque peu, pour son avenante figure. Surpris, les voleurs croient à un piège, et cherchent à fuir n'importe où. Mais Lancelot en rattrape deux ; il les assomme et les laisse inertes, couverts de sang vermeil, par terre. Le troisième, il le rejoint dans le chemin, et lui enfonce son pieu entre les deux épaules, sans que l'autre ait pu dire un mot et il ne bouge plus, tout comme les autres. Le dernier s'était caché dans un buisson, n'osant plus fuir ; mais il ne put s'empêcher de tousser, et Lancelot, qui le cherchait, lui assène un tel coup avec le bois qu'il lui brise la tête avant qu'il ne tombe dans un fossé. Les voilà tous morts sans confession, ces voleurs qui gisent là. Les hôtes se remettent, et tous se rendorment jusqu'au jour.

Lancelot enfourche son cheval, et avant même de voir bien clair, il suit un sentier battu qui le mène à une grande forêt touffue, d'aspect sauvage, impénétrable. De tout le jour, il ne rencontra ni bourg, ni village, ni château, ni lande, et ne s'arrêta pas jusqu'à la nuit, ce qui lui fut bien pénible.

IX

LA SORCIÈRE DE LA FORÊT ET SA JEUNE NIÈCE

Il était minuit passé quand, dans la forêt, il déboucha sur une maison étrange, tout ouverte. Il regarda à l'intérieur et vit un feu qui brûlait clair, comme par enchantement, et il entra à cheval. Sur une natte de roseaux, il aperçut une créature qui le plongea dans l'étonnement. A la regarder, il ne pouvait dire si c'était une femme ou une fée ; mais sachez qu'elle n'était pas plaisante, tassée, les deux bras autour des genoux, endormie. Très intrigué par cet être qui dormait près du feu, Lancelot le contourna, par-derrière, par-devant, à droite, à gauche. A la longue, il se rendit compte que c'était une femelle, mais ni belle ni gracieuse. Elle se mit à ronfler, ce qui fit renâcler son cheval, et lui causa une telle panique qu'il ne voulut plus approcher, malgré les coups d'éperons que Lancelot lui donnait dans les flancs ; il ne savait plus que faire ; la bête menait si grand tapage, avec ses pattes et ses fers qu'on se serait cru en enfer. Cette tempête de la monture épouvantée finit par éveiller la créature, qui tout étonnée demande ce que c'était. Et Lancelot de répondre :

— C'est un chevalier qui a besoin d'être hébergé. Logez-moi cette nuit !

— Ma foi, c'est à discuter, car je n'ai jamais vu de chevalier. Les diables t'ont apporté en cette forêt profonde !

Elle leva un peu le front, et redemanda avec animosité :

— Qui es-tu ? Allons !

— Je suis un chevalier.

— Belle garantie ! Je n'ai jamais vu de chevalier. Es-tu armé ?

— Oui, amie.

— Alors je ne t'hébergerai pas ; tu m'apportes la douleur et la peine. Il y a mille ans que j'ai entendu dire que les chevaliers armés sont les plus mauvaises créatures du monde. Jamais un chevalier en haubert ne sera hébergé par moi. Rien n'émeut ces gens-là, rien ne leur fait peur ; ils tuent selon leur bon plaisir. Si je t'hébergeais, je sais bien que le matin, au moment de prendre congé, tu me tuerais, sans autre remerciement.

— Sœur, j'enlèverai mon haubert.

— Dans ce cas, je t'hébergerai, puisque tu y tiens.

Alors pour la première fois, elle ouvrit les yeux ; de ses laides mains elle leva ses paupières par-devant son front, et comme des fenêtres coulissantes elle les attacha à deux protubérances, deux cornes qu'elle avait sur le crâne, comme une bête sauvage ; deux gros crochets de fer tournés, plantés dans les paupières, les retenaient à ces cornes. Elle avait la tête grosse et chenue, et une bosse dans le dos ; par-devant, son ventre était plus gros que le plus gros chêne du bois. Mais elle dit aimablement à Lancelot :

— Frère, écoute-moi. Puisque ton cheval tremble si fort, j'irai dans ma chambre, et j'enverrai ma nièce passer un moment avec toi. Tu pourras bientôt manger et boire à satiété.

Quand elle se mit debout pour aller dans sa chambre, ses muscles craquèrent comme des courroies de cerf qu'on aurait brusquement rompues. Elle avait la chair plus noire que l'écorce. Quand Lancelot vit debout cette vieille sorcière hideuse, malgré sa bravoure, il ne manqua pas d'avoir peur, et il aurait laissé fuir son cheval plutôt que de l'arrêter ; mais il n'eut pas la témérité de lui tourner le dos, car il craignait qu'elle ne l'engloutît s'il s'enfuyait. Face à elle, il tira donc son épée, mais elle se dirigea vers la chambre, et près de lui, passa l'entrée. Quand elle eut disparu, la tourmente se calma : le cheval s'apaisa, le chevalier retrouva ses esprits, tout content de lui. L'histoire raconte qu'une jeune fille sortit alors des appartements, très jeune, mais avisée et très courtoise, à entendre ses propos ; elle demanda en effet au chevalier de mettre pied à terre, ce qu'il fit aussitôt. Il crut avoir plus de joie qu'un duc ou qu'un roi quand il vit son cheval tranquillisé. La jeune fille prit la bête pour l'emmener se remettre, et revint vite auprès du chevalier. Elle le combla de prévenances ; en un mot, il n'eut plus ni mal ni peur, et sur place, elle le fit manger et boire à satiété. Puis elle ouvrit la porte d'une chambre où ils entrèrent, avec leur éclairage, comme il se devait. Dans la chambre, un lit était préparé. Notre chevalier qui avait longuement peiné méritait bien la détente ; il dormit plus qu'il ne veilla, tant qu'il fut allongé. Écoutez-moi encore un peu : le lendemain, au petit jour, la jeune fille l'aida à se préparer, jusqu'à ce qu'il fût à cheval. Il avait alors tout ce qu'il pouvait souhaiter.

Il prend donc congé, et son chemin le mène dans le bois, puis dans la forêt profonde. Il n'avait pas fait plus d'une lieue que trois chevaliers lui barrèrent la route. L'un d'eux s'écria :

— Seigneur vassal, descendez de cheval, laissez le heaume et l'écu, enlevez ce haubert brillant ! J'aurai les chausses et l'épée que vous avez apportées ici ; sachez-le, elles me reviennent. Votre équipement est à nous trois. Malheur à vous d'avoir dormi dans la demeure d'où vous venez ! La laide vieille au visage pâle et plombé a conclu un mauvais marché en vous logeant ; sachez qu'elle le paiera cher. Oui, malheur à elle, et malheur à mon amie, qui vous a servi, et malheur à vous ! Vous perdrez peut-être bientôt la vie, et cela ne lui portera pas chance. Mais dites-moi d'abord qui vous êtes, et où vous allez !

— Bien cher seigneur, très volontiers, répondit Lancelot. Je fais route vers Rigomer.

— Vers Rigomer ? Malheureux ! Il y a tant de valeureux chevaliers qui en rêvent. Et vous, que ferez-vous, pauvre misérable, vous, un beau chevalier, mais nécessairement le pire des lâches ! A Rigomer vous n'irez pas c'est un trop beau rêve, et vous n'êtes ni duc ni roi. Vous n'avez pas encore mis pied à terre ? Descendez ! Continuez à pied, avec le diable pour vous conduire, et laissez-nous votre armement. Vite ! Vous n'avez que trop tardé !

— Que dites-vous ? répond Lancelot.

— Et vous ?

— Je dis que l'hydromel sera à point avant que vous ayez droit à mes armes.

— Je les aurai !

— Ma foi, non !

(La discussion continue, mais Lancelot défait les trois brigands, qui « par honneur » l'avaient attaqué individuellement. Il leur dit son nom et refuse alors leur compagnie pour Rigomer ; ils iront se rendre à la reine. Un chevalier de rencontre lui dit qu'il est à trois jours de Rigomer.)

— Seigneur, j'aime entendre conter de Rigomer. Pour l'amour de Dieu, parlez-moi des merveilles ! Le pays est-il en paix ou en guerre ? Un chevalier peut-il y aller sans opposition le jour, la nuit ?

Lancelot reçut cette réponse :

— Oui, jusqu'au pont. Néanmoins je vous garantis qu'il faut aussi un bon sauf-conduit ; ce qui est votre cas, à vous entendre.

— Un sauf-conduit ? Seigneur, je n'en ai point !

— Mais si.

— Et lequel donc ?

— Des armes brillantes, un bon destrier et un corps vaillant de chevalier. Vous êtes fort vaillant et brave, et apparemment sans orgueil. Aussi doit-on guider celui qui cherche à se conduire avec de telles dispositions. Mais je sais que cela ne vaut que jusqu'à la fin de la lande. Au-delà, pour passer le pont, il faudrait être bien brave et fort.

— Cher seigneur, et si on le passait, savez-vous ce qui arriverait ?

— On tomberait dans une peine inouïe, qui durerait toute la vie. Vous qui êtes si vaillant, quelle tristesse de vous voir vaincu ou mort ! Je vous le certifie, de terribles blessures, la prison, la défaite ou la mort vous attendent, et personne n'y pourra rien.

— Vous voulez m'éprouver, rétorqua Lancelot. Par Dieu qui créa la lune et le soleil, avez-vous un autre conseil à me donner ?

— Oui, descendez de cheval, faites un ballot de vos armes, et portez-les derrière vous ; quand vous aurez fait ainsi deux bien petites étapes, vous serez parfaitement tranquille.

— Mais, seigneur, si d'ici là quelqu'un me veut du mal ?

— Par Dieu, cela arrivera ! alors vous devrez vous battre, et si vous perdez, il vous faudra abandonner votre équipement, et vous en aller nu ; à moins qu'on ne vous le rende sur votre prière. Mais quel avilissement ! Celui qui s'abaisse ainsi, on n'en fait pas plus de cas qu'une feuille de lierre. Ce n'est pas de l'habileté, c'est de la lâcheté pure.

Alors Lancelot déclare :

— Je n'irai pas désarmé, quoi qu'on me dise. Je préfère la souffrance et l'honneur au repos et à la honte. Avez-vous encore à me parler ?

Le chevalier, qui ne peut le blâmer, lui répond avec chaleur :

— Par le Dieu tout-puissant, je ne puis sortir de la forêt, ni vous donner d'autres avertissements. Dieu vous accorde de mener à bien votre entreprise ; c'est une grande folie. A Dieu !

Mais poliment le chevalier solitaire le rappelle :

— Seigneur, ne vous en déplaise, dites-moi votre nom et ce que l'on sait de vous.

— Volontiers, seigneur. En vérité je suis né en Gavoni, et le roi Arthur ainsi que ses compagnons m'appellent Lancelot du Lac.

(A ce nom, l'interlocuteur se désole : rien ne saurait préserver Lancelot de son triste sort. Mais celui-ci continue, et se résigne à s'arrêter sous un arbre, à la nuit.)

X

LIBÉRATION D'UNE JEUNE FILLE
QUI ALLAIT ÊTRE VIOLÉE. REFUS DE SON FIEF

Il lui arriva alors une aventure, à propos d'une jeune fille noble et pure, la fille du roi de Dessemoume. Vous allez entendre comment elle était venue là. Un chevalier, qui l'aimait passionnément, lui avait tendu un piège. Elle ne voulait pas se plier à son désir, mais, par politesse, elle s'était rendue, avec deux compagnes, dans un verger où le chevalier l'avait priée de venir. Il l'avait enlevée de force, sur son cheval, devant les deux autres. Effrayées, celles-ci avaient regagné leur chambre, sans rien dire, aussi longtemps que possible. Cependant le ravisseur passant par une porte dérobée, emportait la demoiselle à travers champs et bois ; il finit par arriver sur le tertre où Lancelot était étendu, bien inconfortablement. Ignorant sa présence, le chevalier mit pied à terre, avec celle qu'il aimait, et lui dit :

— Ma chère, cela suffit ! Nous sommes ici entre nous, et je voudrais savoir si j'ai amené une vierge.

— Pitié, supplia la demoiselle. Ne pensez pas à me déshonorer. Je me suis fiée à votre amour, mais j'ai été trop crédule, et vous disposez de moi par surprise. Bien cher ami, ne pensez pas à cette infamie. Si vous me preniez de force, jamais plus vous n'auriez mon amitié ni mon amour : ce serait la honte pour moi, et vous, vous risqueriez votre tête. Mais si vous m'épousez d'abord, alors je m'estimerais heureuse. Vous auriez la royauté avec grand honneur, car je n'ai ni sœur, ni frère.

Elle croyait le flatter ainsi, mais en vain, car il répondit brutalement :

— Peu m'importe qui sera comte ou roi, mais sur ma tête, rien ne m'empêchera de faire avec vous tout ce que je veux.

Il la saisit, il l'attire par sa tunique frangée d'or, l'étreint et la jette sous lui. Quand elle se voit à terre, elle se met à appeler avec colère et affolement :

— Noble dame, sainte Marie ! mère du roi des rois ! Ne permettez pas cet outrage, que je sois déshonorée par ce soudard qui m'a enlevée en me trompant !

Elle criait si fort dans sa révolte que Lancelot l'entendit. Il comprit l'affaire, bondit et accourut, l'épée au poing :

— Femme as-tu besoin d'aide ? Mais dis-moi, es-tu une créature humaine ?

— Oui, en vérité, seigneur, je suis chrétienne, vierge et fille de roi. Noble seigneur, secourez-moi ! Vous aurez une récompense à la mesure de votre bravoure : si vous êtes chevaleresque, vous pourrez gagner un royaume, car en un mot je suis la fille du roi de Dessemoume.

A ces mots, devant la femme étendue que le chevalier déshabillait, Lancelot n'hésita pas :

— Brute, laissez votre besogne ! Vous ne ferez pas cela !

Vexé, l'autre répondit avec colère :

— Goujat, qu'allez-vous espionnant ? Êtes-vous un forestier, un chasseur, un braconnier, à vous trouver ici ? Malheur à vous, et gare à la mort !

— Mais non, vous ne me faites pas peur !

La jeune fille pleurait et implorait l'étranger, pour l'amour de Dieu, qu'il la protégeât de son partenaire. Avec un mouvement tournant, Lancelot, d'une seule main, saisit par les cheveux le violeur, et le tira si fort qu'il lui en arracha plus d'un millier. Sous la douleur, le chevalier se releva ; il aurait bien voulu se venger, mais sachez qu'il n'avait que son épée ; il la tira du fourreau pour en frapper Lancelot de toutes ses forces, mais sans lui faire le moindre mal.

Comprenant qu'il avait un haubert, il se lamenta :

— Hélas, que faire ? Je ne puis rien contre lui !

— C'est la vérité, s'écria Lancelot. Alors laissez-moi la jeune fille.

A ces mots, le chevalier se fait humble, et supplie du fond du cœur :

— Seigneur, rendez-moi mon amie !

— Non, vous ne l'aurez pas ; elle m'a demandé mon aide, et jamais, je vous le déclare, je ne l'ai refusée à une jeune fille ou à une veuve en difficulté. Et je ne le ferai jamais tant que je pourrai enfourcher mon cheval.

La lune brillait et il allait bientôt faire jour. Lancelot reprit sa chevauchée, après avoir mis la jeune fille sur la monture du chevalier, qui, lui, resta là.

Ils se dirigent avec assurance vers Corque, la noble cité, capitale du royaume. Mais vous ne savez pas l'affliction du roi qui avait découvert qu'on l'avait trahi avec sa fille, et qui croyait l'avoir perdue. La nouvelle en avait été répandue, avec grand bruit, par tout le pays, en même temps que cette proclamation : à celui qui ramènerait sa fille, plus belle qu'une pierre précieuse, le roi la lui donnerait pour épouse, avec la moitié de son royaume, en toute paix ; il en avait fait la promesse formelle. Tous ses barons s'étaient lancés à travers champs, rivages et bois pour rechercher la jeune fille. Le pays était si troublé qu'on ne se rencontrait pas sans parler de la nouvelle qui affectait tout le monde ; la colère était à son comble. Un chevalier de grande vaillance, qui portait bien l'écu et la lance, armé à souhait, avait déjà devancé tout le monde d'une grande lieue. Dans la forêt séculaire, il rencontre Lancelot, qui conduisait la jeune fille par la rêne. Elle reconnaît le chevalier qui approchait et dit à son compagnon :

— Cher frère, voici un chevalier de mon père. Il est de grande naissance. Je ne sais s'il vous veut du mal, mais il a l'air bien agressif. Restez en arrière, j'avancerai et je lui dirai de ne pas vous toucher.

— Douce amie, je ne vois pas pourquoi vous voulez ainsi me faire honte. Je n'ai pas encore à me garder de lui, et jamais une femme ne m'a servi de garde du corps ; ce n'est pas aujourd'hui que vous commencerez une coutume de ce genre ; restez en arrière, moi, j'avancerai.

Il prend un peu de champ, tandis que l'autre lui criait :

— Vassal, qui vous confia la dame ? Malheur à vous qui l'avez prise, sur mon âme !

Tous deux abaissèrent alors leur lance, piquèrent l'un contre l'autre et se frappèrent de toutes leurs forces. Mais Lancelot réussit à désarçonner son adversaire qui tomba sur un buisson de genièvre ; il saisit son cheval, et l'emmena de la main droite, laissant l'autre à pied, sans recours.

Il reprit sa chevauchée à travers la forêt et vit surgir devant lui un puissant chevalier, sur un cheval noir comme la mûre, avec des armes claires et un pennon gris. Il avait déjà mis son écu en position de combat, et près du visage, quand il aperçut Lancelot :

— Vassal, vous n'emmènerez pas la jeune fille que vous avez enlevée ! C'est pour votre malheur qu'elle est née ; vous allez vous en repentir ! Sur l'écu qui pend encore à votre cou, je vais frapper.

Lancelot fait passer son écu en avant, et lui répondit :

— Le voici ! Mais ayez pitié de lui, n'abîmez pas la peinture ! Puisque vous m'avez rejoint à l'improviste, si vous voulez prendre la jeune fille en bonne paix, je suis prêt à la rendre ; mettons-nous seulement d'accord.

— Je ne donnerais pas un dé de vos flatteries. Vous n'êtes pas le maître ; je la reprendrai assurément, mais d'abord je vous apprendrai à enlever une jeune fille.

— Bien cher seigneur, intervient celle-ci, par Dieu, il ne m'a pas enlevée. Au contraire, il m'a sauvée de la honte, et me ramène en toute bonne foi.

— Ah, dit l'autre, comme je vous crois ! Vous voulez que je ne lui fasse pas de mal. Maudit qui croira votre mensonge !

Alors Lancelot prend un peu de champ, puis relance son cheval sur son adversaire qui fait de même. Ils se heurtent si violemment que les écus se brisent sous le choc des lances ; celle du chevalier se casse, mais avec la sienne, Lancelot le désarçonne. Lui-même ne tombe ni ne chancelle, et saisit le cheval noir ; avec raison, car c'était un très bon cheval : ni comte, ni roi n'en avait de meilleur, dans tout le pays. Belle rencontre donc, qui lui valait cette prise ! Il l'enfourche, assure les étriers, se baisse et sent l'échine vigoureuse de la bête ; à travers la lande, avec de petits coups d'éperons, il lui fait faire de grands sauts ; devant cela Lancelot ne l'aurait pas rendu pour deux cités. Il continue avec les deux chevaux, car il ne veut pas en laisser un seul. Les deux vaincus ne lui auraient fait aucun mal s'ils avaient pu se lancer derrière lui ; mais un homme à pied, s'il est armé, n'est pas assez fou pour courir après un cavalier ; ils ne peuvent donc lui faire le moindre mal. Peu après, Lancelot rencontre un troisième adversaire, qui arrivait à grande allure et qui lui crie :

— Attention aux coups, je viens pour vous enlever la jeune fille que vous emportez.

— Soyez courtois, bien cher ami ; vous ne m'avez pas bien abordé, et vous ne savez pas ce que vous demandez. Mais vous voulez commander ? A votre gré, venez prendre la jeune fille !

Le chevalier s'avance et tend la main ; mais Lancelot tire son épée, et avant qu'elle ait pu se poser sur le frein, il lui coupa l'extrémité du bras, en lui criant :

— Vassal, enlevez votre main ! Vous ne l'emmènerez pas de sitôt.

Quand le chevalier s'entend ainsi brocardé, quand il voit son poing coupé, la peur et le désespoir l'obligent à faire demi-tour, dans la souffrance et le dépit. En effet, pour mille marcs, il n'aurait pas attendu davantage ; il aurait même préféré que son château fût brûlé. A toute bride, il regagna Corque, où il trouva le roi éploré.

(La vérité se rétablit, mais Lancelot refuse la récompense promise par le roi.)

— Sire, je ne veux pas qu'on me donne une terre et une femme. Dieu vous accorde de régner avec bonheur sur votre royaume : sur mon âme, ce ne sera jamais moi, car je m'en vais à Rigomer.

— Vous n'allez pas le faire, seigneur.

— Mais si !

Le roi réussit néanmoins à le retenir une semaine, et cela parce qu'il lui avait promis de lui dire tout ce qu'il savait sur les merveilles de Rigomer ; aucun autre argument n'aurait pu le faire rester. Ils rejoignirent la cité, où Lancelot fut reçu et comblé ; la jeune fille, séduite par sa beauté, et parce qu'elle lui devait tant, le servit si bien qu'à son départ, elle était enceinte.

Au cours d'un entretien avec le roi Frion, Lancelot revint à ses instances :

— Sire, la promesse de me détailler les merveilles de Rigomer, je vous sollicite de la tenir !

Le roi fut contrarié et embarrassé ; il s'imaginait qu'il pourrait si bien le traiter que Lancelot se déciderait à épouser sa fille, et qu'il le couronnerait. Mais tel n'était pas le souci de Lancelot :

— Je vous adresse encore trois demandes, reprend-il.

Le roi lui raconte alors un peu de ce qu'il savait sur la lande extérieure.

— Je savais tout cela, réplique Lancelot. On me l'a dit sur ma route. Mais les merveilles que les autres ne connaissent pas, s'il vous plaît, parlez m'en.

— Bien cher ami, il n'est pas encore né le père de celui qui mettra fin à Rigomer. Jusque-là, aucun baptisé de la main d'un prêtre ne saura ce qu'il en est. Tout est enchantement, magie noire, féerie. Mais votre vaillance m'avait fait prendre un autre engagement : de bonne foi, je veux vous donner une femme et vous faire roi. Ma fille, si distinguée, vous l'aurez dès que vous voudrez, avec ma couronne, devant mes vassaux et mes sujets. Mais Lancelot répète :

— Terre, femme, argent, or, je ne prendrai rien ; je veux aller en quête de Rigomer !

On le retient à grand-peine jusqu'au lendemain matin, et en attendant il se prépare. Le roi Frion revient encore à la charge, mais Lancelot lui dit qu'il perd sa peine. Devant cette obstination, ah ! si vous aviez vu la grande douleur du palais, les pleurs, les poings tordus, les cheveux arrachés ! Le roi, la reine, les jeunes filles, les servantes, les serviteurs, les chevaliers, les écuyers, les vavasseurs, tous pleurent et montrent une douleur qui n'aurait pas été plus forte pour la mort du roi Frion, leur maître. Quant à la fille du roi, son chagrin est tel qu'elle en perd presque la raison ; cent fois elle souhaite mourir, et finit pas tomber de tout son long sur le pavé de marbre, évanouie, ne respirant même plus. On la ranime avec de l'eau froide sur le visage, mais soutenue par deux barons, elle continue à se lamenter :

— Hélas, malheureuse, infortunée, quelle heure cruelle que celle de ma naissance ! Je croyais être mariée au meilleur chevalier du monde, à bon droit. Mais cela ne le tente pas, cela ne lui convient pas. Pourtant j'avais mis tous mes soins à le servir !

— Ma chère fille, intervient le roi, laissez ce brave étranger chercher les aventures qui lui conviennent. C'est la coutume des chevaliers de son pays ; prions-le seulement de revenir.

Alors Lancelot déclare :

— Si j'ai de la chance, si Dieu m'accorde d'échapper aux grands périls de Rigomer, je reviendrai auprès de vous, mon amie. Ne vous désespérez plus !

— Quand le ferez-vous ?

— Chère, je ne sais ; quand il plaira à Dieu et quand je pourrai.

Elle s'avance et il l'enlace, lui baise la bouche et la figure, puis lui demande congé.

— Cher seigneur, je vous confie à Dieu ! dit-elle le cœur triste.

Mais Lancelot ne retarde plus son départ.

XI

PREMIÈRES AVENTURES AUX ABORDS DE RIGOMER

Il continue son voyage ; je ne saurais en dire le détail. Mais il finit par arriver aux landes de Rigomer. Il n'y était pas encore entré qu'un chevalier sans armes chevaucha à sa rencontre :

— Cher seigneur, soyez le bienvenu, salua-t-il.

— Que le bonheur soit avec vous, bien cher seigneur, répondit Lancelot.

— Sur ma foi, je veux vous être utile : d'où êtes-vous, de quelle terre, et où devez-vous aller ?

— A Rigomer, je vais voir les aventures.

— Par ma foi, je vous fais confiance, vous me dites sans doute la vérité. On doit apprécier et rendre la pareille à ceux qui disent la vérité et font le bien. Mais aux orgueilleux, pleins de prétention, à ceux-là on doit répondre dans leur langage. Dites-moi donc, bien cher ami, d'où êtes-vous, de quel pays ?

— Seigneur, je suis de Grande Bretagne.

— Et vous voyagez sans aucune compagnie ?

— Je n'ai que celle de Dieu.

— C'est là un bon compagnon. Dites-moi encore, ne me le cachez pas, quel est votre nom ?

— Seigneur, je m'appelle Lancelot du Lac.

— Lancelot du Lac ?

— C'est vrai, seigneur.

— Certes, j'ai entendu dire qu'il y avait en vous une grande bravoure. Et quelles sont vos intentions, voulez-vous porter les armes dans les landes de Rigomer ? Voici la frontière et l'entrée ! Mais si vous les passez, vous entrerez dans l'espace où maintes lances sont mises en pièces, où sont reçues maintes blessures, plus que mortelles. Je m'explique : celui qui meurt vite, tant mieux pour lui ; mais qui ne guérit pas de sa blessure, plus dure sa langueur, plus il endure peines et souffrances ; pour lui, pas d'autre réconfort que de croire qu'il va mourir.

— C'est juste, acquiesça Lancelot.

— Sachez encore que si vous passez l'entrée en armes, vous mourrez de la lance ou de l'épée ; ou bien vous recevrez une blessure dont vous ne guérirez jamais ; ou bien vous serez vaincu, et à jamais jeté en prison. Ne vous fâchez pas de ces maux, je les ai annoncés à bien des braves. S'ils avaient voulu me croire, ils ne les auraient pas éprouvés, sachez-le ! Pensez-vous que je sois heureux de voir un brave déshonoré ? Non, par saint Pierre de Rome, j'en suis plus triste que je ne saurais le dire. Sachez encore que ce n'est pas la jalousie qui me pousse à vous avertir ; je m'acquitte en effet d'une rente ; je dois le faire, car j'accomplis ainsi le service de mon fief. Mais si vous voulez bien me croire, je vous protégerai contre la prison, la blessure, la mort.

— Comment cela, seigneur ?

— Je vais vous le dire précisément : mettez pied à terre sous cet arbre, en vous aidant de ce bloc de marbre ! Faites délacer votre heaume, retirer votre haubert, détacher vos chausses ; mettez-les sous ces branches. Vous n'y perdrez pas la valeur d'une maille, qui ne vous soit rendue au double. Et quand vous serez désarmé, sachez que vous pourrez voir les merveilles qui sont au-delà. Mais quoi qu'on vous dise, il ne faudra jamais passer le pont ; c'est dans la lande, devant, que vous trouverez de quoi vous détendre et vous distraire. Oui, là il y a beaucoup de plaisir, jour et nuit ; celui des dames, les plus belles de cent royaumes. Restez sept mois, un an ou deux ou trois, alors vous serez quitte, et vous aurez trouvé Mélite [1] ! Si vous voulez d'autres plaisirs, vous irez chasser en bois et en rivière. Et si cela ne vous comble pas, vous aurez les échecs et les tables. Mais si vous désirez jouer de l'épée, attention : vous trouverez facilement votre adversaire ; avec des armes, vous jouterez. Alors je vous redis l'essentiel : jamais un homme n'a jouté avec un autre sans être si cruellement blessé qu'il ne guérira pas avant que

---

1. C'est-à-dire l'Ile de Malte, considérée comme le pays de Cocagne ou la Terre Promise, terre de « miel » et de « lait ».

vienne le héros, celui qui n'a pas son pareil au monde. S'il arrive, celui-là mettra fin à la fatalité. Ainsi le choix, dans la lande, est-il grave : rien ne peut nuire à celui qui décide de s'y distraire sagement ; mais les fous, les présomptueux y trouvent les blessures et la mort, au lieu des danses et des caroles que mènent les autres ; tel est le partage, la peine et la joie sont séparés. Voilà la vérité que je devais vous faire connaître. Mais si vous ne voulez pas vous y plier, vous pouvez encore retourner en Grande Bretagne malgré la longueur d'un itinéraire inconnu ; ce serait d'ailleurs fort sage. Aucun de mes aïeux, lointains ou proches, ne vit jamais un seul brave qui ait réalisé ce dont vous vous croyez capable. Bien des insensés, des présomptueux, pleins de fantasmes, ont cherché cette folie ; tous y ont trouvé un triste sort. Mais c'est surtout pour vous que cela m'affecte.

Lancelot ne savait que faire ; il lui répugnait de laisser ses armes, autant que d'entrer armé, car on avait réussi à lui faire un peu peur. Cependant il allait descendre de cheval pour se désarmer, quand il regarda derrière lui et vit venir de la forêt un chevalier, en armes, menant grand tapage. Il poursuivait Lancelot depuis deux jours. Il s'était fait très bien armer, avec un solide haubert, un heaume de prix, une lance raide et une épée d'acier ; son écu était blanc comme fleur de lis. Lancelot fut ravi de voir que l'écu blanc portait une croix dorée ; plus l'autre approchait, mieux il voyait l'écu, et plus il le désirait :

— Ah, Dieu, fils de Marie ! Mon chemin n'est pas triste quand je vois un écu avec mes armes. Je crois bien que ce chevalier me l'apporte ; il est bien avisé et bien aimable s'il me donne cet écu ; je saurai bien le récompenser, ou le dédommager.

Tandis qu'il approchait, piquant des éperons, le chevalier cria d'une voix forte :

— Ah, traître ! vous n'auriez pas dû entrer dans les landes de Rigomer, car elle est interdite aux chevaliers voleurs, pillards, félons. Avant demain midi, si Dieu m'en donne la force, vous me rendrez ce cheval noir : vous l'avez volé à mon frère, que vous avez blessé, et vous avez coupé la main au fils de mon cousin germain. Je vous accuse donc de félonie.

Mais Lancelot ne répondit pas, car il était absorbé par son écu, le fixant intensément, et priant Jésus de vérité de le lui faire avoir. Cependant il finit par dire :

— Vassal, vous avez tort de m'accuser de trahison. Je suis prêt à me défendre, et à reconnaître le jugement de ceux qui décideront.

Le chevalier qui avait à garder les landes intervint :

— Seigneur, en un mot voici le jugement : il n'y aura qu'une joute, je ne veux pas qu'il en coûte davantage. S'il vous abat du cheval noir, il l'aura en pleine possession ; dans le cas contraire, il est à vous, définitivement.

Ils acceptèrent et la joute se prépara. Mais auparavant, un cor résonna pour rassembler ceux de la lande ; ils accoururent aussitôt de partout, rassemblés en groupe épais, sortant des champs et des forêts. Ils savaient bien qu'un chevalier était venu pour jouter. On les fit mettre en rangs pour le spectacle, et les chevaliers se mirent en position de combat avec assurance. L'adversaire passa son bras dans l'écu, mais Lancelot se prépara en tournant sa lance, le fer derrière et l'arestuel devant. Sans mentir, c'est qu'il voulait avoir l'écu intact. Les spectateurs le regardaient stupéfaits :

— Dieu, disaient-ils, quelle folie de croire frapper mieux avec l'embout qu'avec le fer ! Il faudra que l'aident les diables d'enfer !

Alors les chevaliers laissent la bride à leurs bons chevaux qui soulèvent la poussière, et ils se frappent avec une grande violence, l'adversaire de Lancelot, comme le compagnon d'Arthur ; mais celui-ci réussit à l'atteindre là où il le vise avec l'arestuel qu'il lui enfonce dans l'œil, par l'œillère ; blessé, l'autre tombe, et l'écu lui saute hors du cou. En le voyant à terre, Lancelot se précipite avidement pour le prendre, enlève le sien, et quand il a au cou l'écu à la croix dorée, le sang lui monte au visage.

— Par ma foi, je crois bien que je suis Lancelot du Lac, tout pareil à celui que j'étais. Maudit soit celui qui s'en ira avant de savoir quelles sont les aventures de Rigomer, jusqu'au pont !

Mais il ajoute : « Et au-delà, si je puis ! »

A travers la lande, il éperonne donc sans relâche, et toute la foule se précipite derrière lui, en masse. Le chevalier sans armes le suit aussi, tout en le guidant, jusqu'au pont où se tenait le dragon. Il le lui montre, ainsi que le pont, et le lit du fleuve, large et profond ; sur l'autre berge, il y avait des maisons derrière des remparts, des tours puissantes et fortifiées, et les riches demeures des notables. Notre source le dit bien : les tours avaient même des arbalètes toutes prêtes, mais c'était à titre dissuasif ; le château était si puissant qu'il n'avait à redouter ni assaut ni siège ; et personne ne pouvait barrer la mer, par où arrivait tout ce qu'il fallait à ce château superbe. Sans se laisser impressionner, Lancelot interroge le bailli :

— Seigneur, ai-je le droit de passer le pont au dragon sans enfreindre la loi du château ?

— Vous ne le passerez pas aujourd'hui. Je vous informerai d'abord des coutumes et des lois. Cher seigneur, s'il vous plaît, vous passerez la nuit chez moi, et demain, au point du jour, nous reparlerons de tout cela.

Le chevalier l'emmène dans sa tente personnelle, et le comble d'attentions ce soir-là. Dès l'aube, ils se lèvent, et Lancelot réclame ses armes, comme il savait le faire. Mais le chevalier les lui refuse, disant qu'il n'en aurait que faire ; qu'il prenne seulement son épée et la tienne prête.

— Montez sur votre cheval, ajoute-t-il, et prenez garde au grand dommage qui peut vous arriver !

Ils chevauchent alors à grande allure vers le fleuve, et aperçoivent sur le pont un chevalier sans haubert, plus blanc qu'une fleur des prés ; blancs sont ses vêtements, son cheval, la lance et le pennon qu'il tenait en sa main. Sur ce chevalier, Lancelot interroge son hôte à qui il sait pouvoir se fier :

— Je vous en prie, renseignez-moi.

— Sur la foi que je vous dois, je ne puis vous le refuser. De lui, je voudrais que vous soyez délivré, dût-il m'en coûter mille livres, si votre honneur était sauf ; car, par le Dieu que j'adore, je suis terrifié pour vous.

Mais Lancelot lui réplique :

— Vous voulez m'éprouver, me faire peur. Mais, par le Dieu que j'adore, je ne redoute aucunement le chevalier et sa lance.

L'adversaire descend du pont, devant la foule des spectateurs, et le préposé au cor fait retentir à nouveau son instrument à travers la lande fleurie ; dans tous les cœurs, quand on entend le cor, grande est la joie. Ceux qui sont encore couchés se lèvent et s'habillent ; tout le monde se rassemble sur les lieux. Alors le Chevalier Blanc, devant tous, prend son élan, à portée d'une arbalète et plus, plein d'orgueil et de présomption. Dans un trou, il plante sa lance, et revient au galop, l'air aussi fier. Son cheval était plus rapide qu'un cerf de bois ou de lande, qu'un oiseau de haute volée, qu'une arbalète. Lancelot le convoite, comme aurait fait Gauvain lui-même. Mais tout autour, on plaint le chevalier arrivé de la veille dans la lande, et tous disent :

— Son malheur est grand ! Il est mort, en vérité, le chevalier au cheval noir, qui a trouvé sa force et son plaisir dans la belle joute de là-bas.

Cela n'effraie pas Lancelot, car il n'avait ni plaie ni bosse ; les plaintes l'étonnent seulement. Le chevalier désarmé, avec délicatesse, va trouver le Chevalier Blanc :

— Seigneur, grâce ! Ce chevalier que vous voyez là, laissez-le-moi sain et sauf !

— Je vous en ai déjà tant laissé ! C'est par trop m'ennuyer. Votre prière ne sert à rien, je ne l'écouterai pas ; il perdra la tête et la vie. Il est sans doute vaillant, mais il a fait une folie en entrant armé dans les landes, et sans permission. Le fou doit payer son extravagance, et le sage en tirera leçon.

Cette réponse du Chevalier Blanc afflige le désarmé, tandis que

Lancelot s'étonne de ce conciliabule qui dure ; il rejoint le chevalier des landes, et lui dit fièrement :

— Seigneur, il me semble que vous intercédez pour moi ; mais c'est mal de tant cacher ce qu'il faudra bien révéler.

— Eh bien, il n'y aura plus de secret ; je dois vous annoncer votre perte. Il vous faut faire la course avec le cheval blanc, il n'y a plus de recours. Le grand malheur est que chacun doit mettre sa tête en gage.

— Seigneur, comment nous déplacerons-nous ?

— Vous vous tiendrez tous les deux, et quand je crierai « Partez ! », vous commencerez la course. Le premier arrivé à la lance aura gagné la tête de son partenaire, s'il n'est pas gracié.

— Il me semble que le jeu est bien partagé, s'écrie Lancelot. Bénie soit cette répartition si juste !

— Vous n'êtes pas plus effrayé ?

— Non seigneur, rassurez-vous !

Ils se prennent alors par la main, et le chevalier leur crie aussitôt :

— Partez !

Fin prêts, tous deux éperonnent leurs bons chevaux, qui filent à toute allure. Mais Lancelot qui s'y connaissait, retient si bien l'autre, de la main droite, qu'il ne le laisse pas s'échapper.

— Vassal, crie le chevalier, laissez-moi aller !

— Non pas. Vous avez été trop présomptueux. Ce que vous m'avez promis, je vous le donnerai, sans faute !

Du fourreau, il tire alors son épée, plus claire qu'un nuage, et frappe le cheval à la tête qui s'envole devant eux. Le destrier tombe avec le cavalier, et Lancelot se précipite au galop sur la lance qu'il saisit. Puis il revient allègrement, l'épée encore tirée. Il aurait volontiers coupé la tête de son concurrent, quand le chevalier désarmé lui crie :

— Ne le touchez pas ! Il m'a accordé bien des braves, je veux le lui rendre. Donnez-le-moi, faites-lui grâce !

— Seigneur, le voici, faites-en ce que vous voulez, si cela suffit à vous dédommager.

C'est ainsi que le chevalier réchappa aux blessures ou à la mort, et que l'aventure prit fin.

Mais celle qui survint le lendemain était plus notoire, et ses suites furent très fâcheuses. Un messager, avisé et qui savait parler roman, quitta les landes, et sans cheval, arriva rapidement au château. Là-haut, dans le donjon principal, il y avait la dame, les seigneurs et la grande suite qui la distinguait. Apercevant le messager, elle l'appela aimablement :

— Bienvenu sois-tu, et prouve-le-nous avec des nouvelles, si tu peux.

— Dame, j'en ai beaucoup.

— Par Dieu, donne-les-nous donc !

— Dame, hier après-midi, un chevalier est arrivé, sur un cheval balzan noir ; de lui je puis vous dire des choses étonnantes, inouïes !

(Le messager raconte ce qui vient de se passer.)

XII

VICTOIRE SUR LE CHEVALIER AUX ARMES TRIPLES

La dame admire :

— Quelle belle action ! Mais dis-moi encore, que dit-on de lui, d'où est-il, le sais-tu ?

— Dame, il est de la maison d'Arthur. On dit qu'il vient pour l'aventure ; que personne ne tient devant lui.

A ces mots, un chevalier fort, hardi et fameux combattant, se lève ; il avait un demi-pied de plus que le plus grand chevalier du pays.

— Tu dis bien qu'il a rendu le Chevalier Blanc ? demande-t-il.

— Oui, seigneur, en vérité, il l'a rendu et désarmé, avec grande courtoisie.

— Ce n'est pas de la courtoisie, mais de la lâcheté : il n'a pas osé refuser ! Mais s'il me joue le même tour, honte sur lui, s'il me donne ; et honte sur moi, si vainqueur, je ne le fais pas pendre par la gueule. Par moi, il saura bientôt s'il a eu raison ou tort d'entrer en armes dans les landes. Avant trois jours, je me fais fort de si bien le divertir qu'il n'aura plus envie de faire la cour aux dames.

Ce jour-là, il y eut bien des commentaires, dans le château et la lande. Cependant, le preux Lancelot se repose jusqu'au lendemain, à l'aube. Alors, aussitôt les bruits reprennent. Le grand chevalier se lève en effet au même moment, et demande des armes. On lui apporte trois hauberts, blancs à l'envers, et plus encore à l'endroit ; on lui lace des chausses de fer à sa mesure et après on lui passe les hauberts, qu'il avait la force de porter ; sur sa tête, on attache trois heaumes d'acier pur, et il se fait ceindre trois épées. S'il le peut, il n'hésitera pas à maltraiter Lancelot ! On lui amène enfin son cheval, mais une fois monté, je vous le dis, il déforme l'étrier et casse l'étrivière, par son poids et celui de son armure. On lui remet une autre selle, plus solide, plus appropriée. Une fois remonté sur son destrier bien dressé, il prend son écu et sa lance, éperonne et fait son galop d'essai à travers le château, comme il l'entend. Que Dieu détourne de Lancelot le malheur ! S'il peut en réchapper cette fois, il aura bien manœuvré, car dans le pays, il n'y a pas un homme qui ait la moitié de sa force. Il a mis à mal nombre de chevaliers : jamais il n'a jouté sans blesser ou tuer son adversaire. Seigneurs, c'est l'homme aux armes triples, qui tue les forts et les faibles ; il a mené à leur perte bien des braves. Que Dieu, le roi du monde, protège Lancelot, car le voici en grand péril ; ce chevalier, qui est excessivement cruel, le hait. Le voici qui monte sur le pont, faisant un tel vacarme qu'on l'entend à deux lieues et demie ; il mène un tel train avec son cheval que dans les landes, la forêt ou la mer, à près de deux lieues, il n'y a bête, oiseau ou poisson qui ne craigne un cataclysme ; tous ceux du château se réveillent, et ceux de la lande sont frappés de saisissement. De son lit, Lancelot appelle son hôte et lui dit :

— Seigneur, écoutez ; s'il vous plaît, quel est ce tapage qui ébranle la lande ?

— C'est un bruit redoutable ; il a commencé pour vous, et il ira grandissant. Vous en aurez une bien triste fête, qui vous coûtera la tête.

Sagement Lancelot demande :

— Ne peut-on y échapper ?

— Si, à condition de savoir se défendre ; mais cela est bien périlleux : plus de nobles et beaux chevaliers y ont eu la tête tranchée qu'on ne voit de gens dans une église. Contre celui qui a mis à mal bien des braves, vous allez devoir vous battre. Quoi qu'il en soit, armez-vous, du moins si vous savez vous défendre ! Mieux vaut pour vous mourir avec honneur, que vivre dans la honte et trop souffrir. Je vous le dis, il vous tuera, vous blessera ou vous jettera dans une prison dont aucune rançon ne vous tirera.

Sur ce, ils se lèvent, et l'hôte arme Lancelot ; il lui lace les chausses, enfile les éperons, passe le haubert, place le heaume et l'épée, puis lui amène son cheval. D'un bond, Lancelot l'enfourche.

— Que Dieu t'accorde de grandir ton honneur avec un tel adversaire, lui dit son bon hôte.

Il lui tend enfin son écu, que Lancelot passe au cou, et une lance grosse, raide et solide, toute en ivoire blanc ; la hampe, faite de trente morceaux assemblés avec de la colle, des nerfs, des clous, était inflexible et incassable.

— Ami, fait-il, prenez cette lance ; je vous la donne parce que votre adversaire a exactement la même. Prenez garde qu'à la joute elle ne vous glisse du poing ; ainsi il tombera, ou ce sera vous ; l'un d'entre vous sera blessé de telle façon qu'il ne guérira pas ; ou bien encore les deux chevaux chuteront. A ces alternatives, il n'y a pas d'échappatoire ; sur ma foi, que Dieu vous aide !

Ils quittent la tente et gagnent le pont sans plus tarder, l'hôte sonnant du cor énergiquement ; on l'entend à quatre grandes lieues, et l'on sait bien qu'une bataille doit avoir lieu dans la lande, car la coutume veut qu'alors on sonne du cor dès le matin. Des appels retentissent, des groupes se forment dans les landes, et ceux du château se préparent. Un cortège animé finit par en sortir ; d'abord les chevaliers, les jeunes filles, les serviteurs d'armes, puis les dames et les bourgeois, tous se tenant par le doigt ; ils passent le pont devant le dragon. Je ne saurais vous dire la richesse qu'il y avait alors dans cette lande, et le nombre de chevaliers de grande vaillance, de dames nobles et courtoises, de jeunes filles distinguées, au beau teint frais. Ah ! si vous aviez vu aussi les vêtements brodés d'or et d'argent, les fourrures d'hermine, de vair, de petit-gris, les étoffes de coton et de soie, les coussins, les tapis de siglaton et de samit étendus sur le sol, pour les dames et les demoiselles ! Bien séparé, un magnifique trône, profond, massif, incrusté d'or niellé, avait été dressé par quatre serviteurs ; il était garni d'un coussin à plumes d'alouette, et d'une tapisserie sombre. On se pressera bientôt autour de la puissante dame qui viendra assister à la bataille. Elle arriva, accompagnée d'au moins quatre cents chevaliers. On lui faisait de l'ombre sur la tête avec un dais de soie verte. Sa grandeur se voyait aux quatre chevaliers, fils de roi, qui se tenaient à sa droite, superbement. Elle était très belle, et sa silhouette délicate ; je ne saurais dire la richesse de ses vêtements ; elle portait un galon d'or dans ses cheveux blonds comme l'or, eux aussi. Mais je ne veux pas décrire sa grande beauté, car il me faudra en parler ailleurs, et on ne gagne pas à trop développer. Je vous dis seulement qu'elle n'était jamais venue encore assister à une bataille dans la lande ; mais pour celle-ci, elle voulait voir le preux de Grande Bretagne, dont on lui avait dit la prouesse extraordinaire ; c'était donc pour lui que venait la belle dame, si jolie, si avisée. On la plaça sur le trône ; la foule était derrière, la place dégagée par-devant.

Les deux chevaliers en armes avaient été conduits chacun à l'ombre d'un olivier ; des gardes compétents les entouraient, avec des massues, des guisarmes aiguisées, des haches danoises, des épées et quelques masses ferrées, pour veiller au maintien de la stricte justice ; on voyait bien que la règle était de ne point laisser faire le tort, dût-on en avoir toutes les dents arrachées. Au chevalier désarmé qui l'entretenait, Lancelot demanda :

— Cher seigneur, oserais-je vous dire que je me confesserais volontiers ?

On fit donc venir un prêtre, auquel Lancelot avoua ses fautes en confession. Mais l'autre s'en moqua bien. Pour qu'ils ne soient pas à jeun, on leur apporta du pain à tremper dans du vin, et à chacun la cuisse d'un paon. Quand tout fut prêt, quand la foule se fut placée en rangs, les deux chevaliers reçurent le signal de la bataille. Ils se mirent en selle et firent leur galop d'essai ; le plus laid était beau de corps, de bras, de jambes, de carrure, de toute la silhouette. Leur assaut fut tel, et ils s'entrechoquèrent si durement avec leurs lances tendues en avant qu'ils se désarçonnèrent mutuellement. Leurs chevaux s'écroulèrent étendus, évanouis, assommés, sans pouvoir se relever pendant longtemps. Presque tous les assistants les plaignirent ; et quelques-uns s'écrièrent :

— On n'a jamais vu cela ! Jamais pareil chevalier n'est venu combattre dans ces landes. Désormais le chevalier aux armes triples ne pourra plus se vanter d'avoir trouvé tout le monde couard ou faible, quand il vient d'être battu si rapidement.

Et d'autres :

— Il a bien souvent joué des armes, mais aujourd'hui, il a trouvé son maître !

A ce moment-là, les combattants retrouvèrent leurs esprits et leur belle contenance.

En effet, quand Lancelot entendit le tumulte des commentaires, il se souvint de la grande valeur de Gauvain et du roi Arthur, et leur excellence à tous deux lui fit honte. Il se remet sur pied le plus vite possible, et se dirige vers le grand chevalier qui s'efforçait de se relever, accablé par le poids insolite du fer ; avant qu'il y arrive, Lancelot lui assène un coup d'épée qui tranche les lacets de ses deux premiers heaumes, lesquels s'envolent à plus d'une toise et demie. Le grand chevalier bondit, affolé par cette perte ; il reprend son écu, s'en recouvre, et Lancelot fait de même, en homme averti. Ils se rapprochent car ils n'éprouvaient pas l'un pour l'autre de tendres sentiments, et entament l'escrime. Les voici pied contre pied, chacun bien décidé à montrer sa valeur à son partenaire. Le grand chevalier frappe Lancelot le premier, et fait voler à terre un morceau de son écu. A la vue de cette brèche, Lancelot l'aurait bien frappé au visage, mais l'autre, apeuré, se détourne, et le frustre de son coup. Néanmoins il l'atteint à l'épaule, son épée tranchante et dure glisse et coupe dans le haubert plus de mille mailles, qui tombent en éclats sur la prairie. Le grand chevalier du château reprend ses beaux assauts ; à son tour il croit le frapper au visage, mais Lancelot arrête le coup avec son écu tout blanc, et riposte avec tant de violence qu'il brise son heaume ciselé jusqu'à la coiffe. Ce heaume ne servait plus à rien, mais dessous il y avait trois coiffes d'acier pur ; si deux se trouvent tranchées, la troisième, la meilleure, en alliage d'acier et d'or, reste intacte ; sans elle, avec un tel coup, l'épée tranchante aurait été jusqu'à l'échine. Devant de tels dégâts, le grand chevalier prend un peu de recul et prie son adversaire de lui dire son nom et d'où il est.

— Je suis de la maison d'Arthur.

— Et votre nom ?

— Lancelot, seigneur.

— Ah, j'ai bien entendu dire que vous êtes le meilleur chevalier que l'on connaisse, hardi, vaillant et fort aux armes. Il est bien juste que je vous déteste. Je sais que vous voulez m'écraser, mais vous ne tiendrez pas, et c'est par moi qu'il vous faudra mourir, aujourd'hui, à votre heure. Vous ne pourrez y échapper. Mais avant de reprendre, avouez donc votre audace !

— J'en aurai encore, répond crânement Lancelot. Avant que vous repassiez le pont, je pense si bien vous réduire que vous n'aurez même plus la force d'y monter.

Ils arrêtent la dispute pour retrouver leur souffle, et avec une violence inouïe, ils recommencent en même temps la mêlée. Partout où portent les coups, les armes se teignent de sang. Lancelot vise à nouveau le côté gauche, là où il avait tranché le haubert : il y met tant de force, il en arrache encore tant de mailles qu'il lui fait une entaille dans la chair, et il le jette à terre, sur la hanche. Pour la Bourgogne ou la France, le chevalier n'aurait pas voulu recevoir ce grand coup à gauche ! Se sentant blessé, il s'écrie :

— Bien fou celui qui consent aux folies d'un chacun. Mais vous, vous avez trop de hardiesse dans le corps, vous qui avez osé trancher dans le mien ; avec l'aide de Dieu, avant de nous séparer, je veux prendre ma part du vôtre ; quand nous serons également servis, vous en voudrez peut-être encore, si vous connaissez un peu le métier.

Sans plus en dire, il rassemble ses forces pour un assaut forcené ; il vise la tête à son tour, mais Lancelot se couvre et se détourne ; par malchance, le coup atteint le haut de l'écu, le tranche, descend et emporte généreusement un grand morceau de la chausse droite, avec un lambeau de chair qui s'envole. Les voilà à égalité ; tous deux blessés, l'un au côté, l'autre à la jambe. Pourtant la mêlée continue ; ils échangent de grands coups d'épée, ils arrachent des morceaux de haubert. C'est un prodige s'ils ne se blessent pas davantage, à droite, à gauche. Chacun implore le glorieux roi du ciel qu'il le tire d'affaire et qu'il sauve son honneur et son âme. Frappé de partout, aucun ne peut se vanter de savoir mieux se protéger que l'autre. Midi approche ; avant la nuit Lancelot devra passer à la lutte corps à corps ; s'il ne connaît pas quelque bonne prise, quel malheur qu'il ait commencé cette bataille ! En effet le grand chevalier croyant être le plus fort, jette dans l'herbe son écu et son épée ; Lancelot l'imite aussitôt, et ils se retrouvent face à face. Le grand chevalier agrippe son adversaire ; mais celui-ci, qui n'était pas un novice, lui fait une prise qui le jette à terre ; sous le choc, sa blessure au côté s'aggrave et lui fait très mal ; s'il avait eu alors son épée, il s'en serait bien servi ; mais elle était loin de lui, brillante dans l'herbe drue. Le grand chevalier comprend donc que Lancelot savait lutter et décide de ne pas continuer là où il aurait le dessous. Avec fureur, il reprend son épée et son écu, imité encore une fois par Lancelot. Tous deux, l'écu couvrant la tête, recommencent l'escrime, à la manière des Français.

(Les épées se brisent ; le grand chevalier en tire une seconde, mais Lancelot lui arrache la troisième de sa ceinture. malgré sa férocité, le combat dure jusqu'à la nuit : jeté encore une fois à terre, épuisé, l'adversaire se rend.)

— Noble chevalier, grâce ! Prends mon épée, ne me tue pas : je me reconnais pleinement vaincu. Mais sache que je ne me soucie pas de vivre. Je veux seulement la confession qui lave les péchés, et me repentir, car j'ai commis bien des fautes. J'ai tué plus de chevaliers que je n'en vois de vivants à l'église ; bon nombre d'autres, je les ai emprisonnés, vaincus ou blessés, l'un à la tête, l'autre à l'œil ; si mon corps est perdu, du moins, avec la confession ne perdrai-je pas mon âme.

Lancelot déclare :

— Sur votre religion, il vous faut jurer votre parole que vous ferez ce que je vous ordonnerai si vous guérissez.

— Seigneur, je ferai absolument ce que vous m'ordonnerez.

Il lui enjoint alors d'aller sans faute en Grande Bretagne se rendre à la reine la plus courtoise et la plus parfaite qui porte couronne en ce monde ; l'autre accepte et consent volontiers à y aller, armé comme il l'était. Cet échange de paroles, les gardes du champ de bataille l'ont bien entendu. Alors seulement serviteurs, écuyers, jeunes gens, ont transporté le grand chevalier au château, où par la suite on le soigna si bien qu'il retrouva la santé et le goût des armes. Avec courtoisie, le chevalier désarmé recueillit Lancelot dans sa tente, et grâce aux soins, en moins d'un mois, celui-ci fut complètement guéri, frais et sain comme une pomme.

XIII

PASSAGE DU PONT AU DRAGON

Alors il réclame ses habitudes, la chevauchée et la bataille, et il pense au passage du pont gardé par le dragon. A ses questions, son bon hôte répond :

— Je ne saurais m'en mêler. Si vous voulez franchir le pont, voici le plus sûr moyen : volez comme un oiseau ! Et puisse le dragon ne pas vous rejoindre, ni vous agripper avec ses dents et ses ongles. S'il arrivait à vous saisir, il vous traiterait à sa guise, et vous en perdriez la vie. De tout temps, ceux qui passent et passeront le pont, il s'acharne sur eux.

Avec ingénuité, Lancelot répartit :

— Je ne suis pas un oiseau, je ne saurai jamais voler !

— Et moi, je ne puis vous donner d'autre conseil que de voler, sous peine d'être blessé ou tué. Si le dragon vous voit, il se déchaînera, à coup sûr, et fondra sur vous la gueule ouverte. Et il ne craint ni lance, ni épée, ni hache, ni massue ; vous n'aurez rien pour vous aider.

Au mot de massue, Lancelot s'épanouit : il en avait vu une accrochée à un clou d'acier dans la tente du chevalier, grosse et robuste à souhait. Il court la prendre, et ne l'aurait pas rendue pour mille marcs d'or. Mais il exige aussi d'être armé pour passer le pont au dragon ; cela fait, il part avec son bon hôte qui le conduit, et tous les assistants les suivent. Le préposé au cor veut faire venir les autres ; il lance un nouvel appel, qui d'une extrémité de la lande à l'autre attire tout le monde. Lancelot avance si vite sur le pont que le dragon croit le manquer ; il bondit, tendant sa chaîne ; quand Lancelot la voit raidie, il s'avance intrépidement vers le monstre, tenant la massue à deux mains. Celui-ci attaque le premier, et plante les griffes de ses deux pattes dans le haubert, sans lequel il l'aurait tué et dévoré. Mais pas un pouce de chair ne lui fut enlevé, car Dieu, dans sa complaisance, le protège : avant que la bête puisse arracher ses griffes du haubert, qu'elle tire et démaille, Lancelot lui assène un coup de sa vigoureuse massue près de l'oreille ; le dragon fut bien fou de ne pas daigner fuir, car prestement, de toutes ses forces, le preux frappe encore, et l'assomme au troisième coup. Quand il le voit à terre, tout à son désir de passer, il s'en va tranquillement, sans être pour cela couard ou pris de boisson ! Mais le dragon se remet vite : le temps de parcourir moins d'un demi-arpent, et la force lui revient ; il se redresse, aperçoit Lancelot au bout du pont, et le poursuit de toute la longueur de sa chaîne. Lancelot se retourne, décidé à l'affronter jusqu'au bout. Jamais personne n'imagina cela ! Mais sa prouesse lui faisait chercher la gloire plus que la récompense, et sur le dragon qu'il méprise, il casse sa massue comme un fétu. Alors il doit revoir ses prétentions ; il comprend que la bataille est terminée, car elle dépendait de la massue ; cependant il est fort étonné qu'elle se soit brisée, car il l'avait jugée bonne. Il se doute qu'il y a eu enchantement, et implore le roi du ciel :

— Ah ! Dieu ! D'où vient que cette massue si fiable m'abandonne ? Je ne pourrai pas tuer le dragon !

Il se décide alors à descendre du pont.

XIV

ENSORCELÉ, LANCELOT EST RETENU
DANS LES CUISINES DE RIGOMER

Maintenant commencent les merveilles qui n'ont jamais eu leurs pareilles. Si vous voulez entendre évoquer les *Merveilles de Rigomer,* vous aurez votre compte, avant que celui qui a passé le pont puisse revenir, avec de la chance. En effet, d'une tente, Lancelot voit bientôt sortir une jeune fille. De l'autre côté, il y avait une grotte, pavée à l'entrée ; c'était la Fosse Gobïenne ; aucune prison de la terre ne renfermait autant de vilains, autant de chevaliers célèbres que cette Gobïenne ; car c'était la demeure du chevalier qui prend par enchantement ceux qui ont affronté le dragon et réussi à passer le pont ; il les cache dans cette fosse, et dès lors, si nombreux soient leurs bons amis, personne ne peut rapporter un indice de leur vie ou de leur mort. Lancelot jette un coup d'œil à la jeune fille, qui aussitôt tourne la tête vers lui, et il la regarde encore. Elle était vêtue de soie rouge, et elle jouait gracieusement avec une pomme d'or ; sur la tête, elle avait une couronne de roses ; elle était plus belle qu'une sirène. Au chevalier qu'elle voit là, elle cligne de l'œil, elle fait signe de la tête, et il s'approche en saluant :

— Dieu vous sauve, douce amie !

— Ah ! fleur de chevalerie, lui répond celle qui avait le cœur faux, que vous êtes noble et preux ! Comme ma demoiselle vous aime ! A travers les plaines, les forêts, les rivages, vous avez pour elle enduré bien des peines. Votre arrivée lui cause une grande joie, car elle vous sait vaillant chevalier. Si vous pouviez la venger d'un chevalier qui la déteste, vous entreriez en possession de ma dame et de sa puissance seigneuriale sur toute sa terre, ses nombreux sujets, et son château qui est fort beau.

A Lancelot qui l'interroge sur ce château, la scélérate dit encore :

— Vous le trouverez tout près, je vais vous y conduire. Mais il faudrait auparavant ôter vos armes françaises, que le dragon a abîmées. En voici de bien meilleures et de plus belles, toutes neuves et brillantes ; je vous donnerai aussi un cheval hardi, fort et rapide.

— Demoiselle, où sont donc ces armes ? Montrez-les moi !

— Seigneur, vous les verrez dans cette tente.

Ils y entrent ; elle lui enlève son armure, et s'empresse de la remplacer par de bonnes armes, toutes prêtes ; il trouve aussi un bon cheval, vigoureux et léger, qu'il enfourche. Elle lui tend alors l'écu qu'il doit suspendre à son cou ; mais quand il veut saisir la lance, elle lui dit :

— Seigneur, pas comme cela ! C'est moi qui la porterai, vous l'aurez bien assez.

Ils quittent alors la tente. Blanc est l'écu, forte la lance, claire et brillante l'armure, et plein de prestance le chevalier. Hélas ! Dieu ! quelle tristesse, quel malheur, que la méchante diablesse ait ensorcelé la lance par ses attouchements perfides ! Dès qu'il l'aura en main, il ne pourra plus combattre ni se défendre. Il le prendra facilement, celui de la Fosse Gobïenne, où le mène la mauvaise chrétienne. Là elle lui dit en lui tendant la lance :

— Seigneur, prenez cette lance, et mettez-la devant vous sur le feutre, en criant : « Chevalier, une autre joute ! » Alors vous aurez votre adversaire, et nous verrons ce qu'il en adviendra.

Docile, Lancelot lui prend la lance des mains et crie :

— Chevalier, une autre joute ! si fort qu'on l'entend à travers la grotte.

L'adversaire surgit, vêtu, armé et monté comme un chevalier, l'écu en position de combat. A sa vue, Lancelot, qui était déjà tout ensorcelé, sans dire un mot, reste coi et désemparé ; il ne donne pas même un coup d'éperon. Au contraire celui de la grotte fonce sur lui à bride abattue, comme un enragé, et lui brise sa lance sur l'écu qui éclate en morceaux. Lancelot ne bronchait toujours pas, et l'autre le saisit et l'emporte dans ses bras. Incroyable aventure ! Lancelot ne se débat pas, il tient encore sa lance quand l'autre se précipite avec son fardeau dans la grotte. Ils descendent ensuite une longue pente et s'arrêtent. Le chevalier malfaisant, qui avait subjugué Lancelot, le décharge de son cheval, et aussitôt deux jeunes gens viennent le désarmer ; d'abord l'écu et le heaume d'acier, puis son épée à la ceinture ; enfin la lance qu'on lui arrache du poing, et le haubert qu'on lui dire du dos. Cela fait, ils disparaissent aussi mystérieusement qu'ils étaient venus.

Mais c'est l'histoire de Lancelot qui nous intéresse. A peine avait-il lâché la lance, qu'il retrouve la mémoire et la raison ; il comprend son malheur, il devine que la jeune fille l'a abusé. Il parcourt du regard la grotte, et n'aperçoit ni entrée, ni sortie, ni fenêtre, ni porte, ni guichet ; le lieu était impénétrable, et il ne voit d'ailleurs pas de gardien. Alors il commence à se lamenter :

— Je suis prisonnier à Rigomer ! Maintenant il me faudra rester ici ! Mon Dieu ! On me l'avait bien dit ! Comme j'aurais dû me méfier ! J'aimerais mieux être lardé de coups plutôt que prisonnier à Rigomer, sans pouvoir en sortir ; car je vois bien que jamais je n'en sortirai.

Sa douleur est si grande qu'il s'arrache les cheveux, se tord les

poings ; sa peine et sa honte sont telles qu'il en devient presque fou.
Oui, il aurait perdu la raison, si un secours ne lui était venu, qui met
fin à son désespoir, mais qui le soulage pour son malheur. Une
demoiselle surgit auprès de lui, avec une baguette dans une main, et
dans l'autre un anneau d'or pur niellé. Elle lui dit d'une voix forte :

— Seigneur, Dieu vous sauve ! Ma demoiselle vous salue, vous lui
avez apporté une grande joie ; si elle se félicite de votre capture,
c'est qu'elle est éprise de vous ; elle vous envoie son anneau, par
amour, avant de vous voir. Pour l'amour d'elle, prenez-le !

— Ah ! ne me trompez pas davantage, jeune fille ; je n'ai pas
besoin d'empirer mon sort ! Qu'elle soit l'amie de qui elle veut ! Moi
je ne veux pas de son anneau si je n'ai pas l'assurance qu'elle me
remettra en état de porter les armes ! Alors seulement elle pourrait
être sûre que je serai son ami, et que je ferai ce qu'elle me commandera.

— Seigneur, lui répond l'autre, il n'y a rien à faire ! Elle vous
refuse le port des armes ; du moment que vous êtes entré ici, vous
n'y aurez plus jamais droit ; mais viendra ce qui doit arriver. Passez
l'anneau à votre doigt, pour ne pas irriter ma dame ; elle me l'a dit
elle-même : si elle vous retire son amour, il se peut que vous ayez
une bien pire proposition.

Elle entremêle tant le faux et le vrai pour venir à bout de Lancelot
qu'il ne sait plus que faire, accepter ou refuser. Tantôt il se dit : « Si
je cède, et que je trouve pis qu'avant, j'aurai bien tort, et je serai
tombé de mal en pis. » Tantôt il pense que, s'il refuse l'anneau, et
qu'elle dise la vérité, ce sera peut-être pis encore ; en effet, dans ces
lieux, il ne peut rien faire. Désemparé, il tend la main, et elle lui
passe l'anneau au petit doigt. Quand ce fut fait, Lancelot se trouve si
envoûté qu'il ne se rappelle plus rien, ni la carrière des armes, ni
d'autre bien. Il se met à ressembler à une bête ; il tient la tête baissée, comme un abruti, indifférent au bien comme au mal. Dès lors il
a trouvé sa punition : la jeune fille l'emmène à la cuisine, lui fait couper des bûches, préparer les aliments, et lui enjoint d'exécuter tout
ce qu'on lui dira. Il répond qu'il obéira, sans faute.

Le voici donc assigné à demeure, parfaitement docile. Cependant
il jouit d'une grande faveur : pour l'exploit qu'il avait accompli, on
l'avait dispensé des basses besognes. Car il y avait là maints prisonniers, contraints à de vils métiers. Je vais vous révéler les travaux
qu'on y faisait. Il suffisait qu'on soit mis à un métier pour que le
même jour on sache le faire, et plus jamais on n'en sortait. Les vaillants chevaliers tissaient des étoffes de soie et de brocart, des tentures impériales. d'autres vaquaient à différentes tâches, si l'on en
croit le conte : les uns faisaient de l'orfèvrerie, mais plus encore de la
sellerie ; d'autres maçonnaient, charpentaient, au gré de leur

maître ; et ceux qui paraissaient les plus sots, on les envoyait travailler dans les champs, les vignes, les enclos. Les récoltes étaient toujours mûres ! Mais sachez que tous avaient au doigt un anneau d'or pur ; ces anneaux les tenaient ensorcelés, par le même pouvoir qui avait eu raison de Lancelot. Revenons aux métiers : les artisans et les tisserands, qui fabriquaient riches étoffes et franges, ceux-là étaient les plus nombreux. Écoutez bien, seigneurs barons : c'est pour cette raison qu'on appelle souvent encore les tisserands chevaliers. Mais ceux-là ne savent pas d'où vient cet honneur ; au contraire, ils ont la sottise de s'en irriter quand un plaisantin le leur reproche ; s'ils savaient la vérité, ils en auraient grande joie !

Maintenant il me faut dire d'où venait la grande clarté qui régnait là, alors que la prison était sous terre, sous une vaste prairie et une grande roche naturelle, qui dominait la mer d'une portée d'arc ; du côté de la mer, il y avait de beaux étages, des portes, des colombages, des fenêtres d'où provenait la lumière ; et la mer battait sur trois faces, de sorte que la prison était toujours exposée au soleil et éclairée.

Nous avons donc entendu ce qu'il en était de Rigomer et de sa redoutable prison, où tant de bons chevaliers vaillants sont devenus lâches et sots. C'est là que doit rester Lancelot, jusqu'à ce que l'heure advienne d'une autre aventure.

(Le récit passe à Gauvain qui emmène cinquante-huit compagnons restés à la cour dans une quête des prisonniers de Rigomer. Pour sept d'entre eux, une aventure est relatée.)

XV

AVENTURE DE CLIGÉS AU CIMETIÈRE MALÉFIQUE

Seigneurs, s'il vous plaisait d'écouter, vous pourriez maintenant entendre et découvrir de beaux exemples que nous tirerons de la fameuse compagnie des Bretons. Il y en avait encore cinquante-deux, mais le lendemain, à midi, l'orgueil poussa Cligés de Grèce à se séparer du groupe. Il s'était préparé dès le matin, et bien armé, le heaume sur la tête, il vint à son cheval qu'il enfourcha. Par un sentier étroit il entra dans une haute futaie, pleine de mousse, et chevaucha tout le jour, puis la nuit jusqu'au matin. Alors seulement il se trouva dans une lande couverte d'herbe et de fleurs. Il regarda et vit un magnifique manoir, complètement entouré d'un fossé et d'une muraille, si riche que personne, de tous ceux qui prennent nourriture humaine, n'en vit jamais de pareil. Au petit trot, docile à l'aventure, il se dirigea vers la porte, et la passa après le pont ; à l'intérieur, il regarda à droite et vit un cimetière, je ne vous mens pas ! Il passa la tête au-dessus du petit mur qui en faisait le tour, et il aperçut une belle chapelle, où un corps avait été déposé dans un écu, maintenu par des tréteaux à trois pieds de terre. Le long du mur, il y avait encore trente cercueils en marbre blanc, alignés trois par trois, qui contenaient tous un mort ; un seul, vide, attendait au bout, la lame levée. Cligés pensa à bon droit qu'il était réservé au chevalier couché dans la chapelle. Il vit encore quatre maçons avec des jauges, des poinçons, des ciseaux à la main ; deux s'occupaient du cercueil, les deux autres de la lame. Fort étonné, Cligés gagna le manoir.

(Là, deux serviteurs lui apprennent le nom du cimetière, l'Atre Maleïs, et la fatale coutume : tout chevalier qui y entre armé, ne peut en sortir vivant ; c'est pour lui qu'on prépare un nouveau cercueil. Des dames et des chevaliers lui confirment cela, mais il se ressaisit et demande crânement à manger. Après le repas, il est emmené au cimetière, mais tandis qu'on mène le deuil autour de lui, il s'étonne :)

— Seigneurs, écoutez-moi ! Quand donc ce chevalier a-t-il été tué ? Il me paraît encore bien vivant, car je vois couler de sa plaie des filets de sang vermeil. C'est folie de ne pas lui avoir enlevé le tronçon : on le reverrait alors plein de vie !

Il arrache aussitôt le tronçon par la courroie qui pendait, mais le chevalier bondit fou de rage, et comme un possédé — c'est la vérité — il se mit à hurler :

— Quoi ? Qui a fait ce crime de m'arracher à ma délectation ? Il va avoir ce qui l'attend, rien ne m'empêchera de le tuer de mes propres mains !

(Malgré les menaces qui redoublent, Cligés demande ses armes qu'il avait dû laisser dans le manoir.)

— Seigneur, dirent les chevaliers, les armes sont inutiles, vous ne pourrez vous défendre contre lui ! Vous n'avez qu'à tendre le cou, et un seul coup de son épée vous enlèvera la vie ! Cependant puisque vous le voulez, vous aurez vos armes.

— Oui, je les veux, répondit-il.

(Un combat acharné commence, mais Cligés n'arrive pas à entamer la chair du faux-mort, qui paraît plus dure que le marbre. Lors d'une pause, le possédé raconte son histoire : malgré l'avertissement de fées marraines, il était allé à Rigomer, où le Chevalier aux Armes Triples lui avait fait une terrible blessure ; les fées, revenues, lui avaient révélé la suite de son destin :)

— Tant que le tronçon est en moi, ma joie est parfaite ; mais quand on le retire, je deviens fou, croyez-le bien : il me faut tuer celui qui me l'a enlevé. J'en ai ainsi tué trente, et chaque fois, les gens d'ici sont venus replacer le tronçon en moi ; je retrouve ainsi mon extase. Quand vous êtes arrivé, j'étais dans la joie, au gué de la Blanche Épine ; avec la reine Guenièvre et la fée Morgue, il y avait une foule de belles dames et de demoiselles, et plus encore de chevaliers ; c'était la grande assemblée que le roi Arthur avait amenée pour le tournoi qui devait se tenir dans la belle grande lande fleurie. Mais le roi n'avait pas ses meilleurs chevaliers, et l'on regrettait fort Gauvain, Sagremor, Agravain, Yvain, Gaheriet, Bliobleris, Cligés, et bien d'autres que je ne vous nommerai pas. Ils étaient partis vers Rigomer, et on disait qu'ils en étaient proches. Moi, j'étais étendu dans la prairie, parmi les courtisans de Morgue la fée, et j'étais ravi, pourquoi le cacher ? car déjà on me donnait le prix du tournoi. Il n'y a qu'une façon de venir à bout de moi, mais je n'ai aucune envie de vous dire comment, car j'aurais vite à m'en repentir. Retournons à nos épées ; mais vous ne pourrez entamer ma chair !

Ils se relevèrent alors pour reprendre la bataille. Cligés se couvrait de son écu, cherchant à se protéger des coups serrés et drus que l'autre lui assénait tant et si bien que malgré sa solidité, son épée se brisa au niveau de la poignée et que la lame tomba sur une pierre. Cligés bondit et saisit le tronçon, car il n'avait pas oublié ce qui venait de lui être raconté ; il frappe dans la blessure, fait chanceler et abat son adversaire ; avec à propos, avec acharnement, il enfonce si fort le gros tronçon qu'il finit par atteindre le cœur et qu'il le transperce ; l'autre mourut alors définitivement et Cligés reprit en mains son épée, la bataille étant terminée, tandis qu'on déposait le mort dans le cercueil qui lui avait été promis à lui, Cligés.

XVI

GAUVAIN LIBÈRE LANCELOT ET LES AUTRES CHEVALIERS PRISONNIERS À RIGOMER

(L'errance de Gauvain est décrite dans le détail, jusqu'au pont et au-delà, où les enchantements n'ont pas prise sur lui ; au contraire la jeune fille à la pomme d'or lui annonce qu'il est le libérateur attendu. Il arrive devant la cuisine où se trouve Lancelot.)

Par la fumée qui sortait de la cheminée, Gauvain comprend qu'il y avait une demeure, où l'on faisait du feu, et qu'il y avait des gens. Il entre et fait si bien qu'il trouve Lancelot. Celui-ci se tenait accoudé

au foyer ; il était le seigneur et maître de la cuisine, car cela faisait
alors une bonne année qu'il s'y trouvait. Il avait bien mangé et bien
bu, sans s'être vu infliger beaucoup de peines ni de souffrances. Mais
il était là, parfaitement abruti, aussi sot qu'une bête. La tête baissée,
il parlait très mal, il était lamentable. Au bout de cette année d'en-
fermement, il avait tant travaillé des dents qu'il était fort et gras, des
bras, des jambes, du corps ; il aurait bien porté sur le cou une charge
que n'auraient pas remuée quatre hommes ; mais il était aussi stupide qu'un chameau ou qu'une bête de somme. En le voyant ainsi,
Gauvain s'écrie :

— Hélas, seigneur vassal ! quelle figure vous me faites ! Ne me
reconnaissez-vous donc pas ?

Mais l'autre, borné, répond comme un imbécile :

— Comment connaître quelqu'un que je n'ai jamais vu ? Que je
sache, je ne vous ai jamais vu, pas plus que vous moi-même. Vous
êtes-vous échappé de l'enfer ? Vous me paraissez tout en fer, bras,
jambes, corps et tête. Je n'ai jamais vu pareille bête, tressé de fer
comme vous l'êtes. Ce sont les diables qui vous ont conduit jusque
dans ma cuisine : bouche, nez, yeux, dents, tout en vous est de fer.
Vous me faites grand tort à pénétrer jusqu'ici ; je crois bien que
vous serez battu avant que nous nous séparions. Allez-vous en tis-
ser en bas dans cette salle, et descendez de votre cheval ! Je vois
bien à votre allure que vous saurez sous peu faire des bottes de
paille, que vous serez charpentier ou terrassé : avec cette planche,
je vais vous frapper en travers des épaules, et vous tomberez à la
renverse dans le feu. Partez, videz ma cuisine. Si je sonne de ma
trompette, vous serez balancé dans le feu par les pieds et par les
mains, on vous y laissera griller, et puis on vous jettera dans cette
grande mare !

XVII

GAUVAIN FAIT TOMBER
LES DERNIERS ENCHANTEMENTS

Gauvain sourit d'abord de ces sottises, mais la douleur l'envahit, à
voir ce noble et valeureux chevalier devenu si stupide, et il se met à
pleurer à chaudes larmes. Il est vite passé du rire aux pleurs ; pourtant je n'ai jamais entendu dire que Gauvain, sorti de l'enfance, ait
pleuré pour une malchance, un malheur, un mal, la prison ; mais
pour Lancelot il a pleuré, devant sa déchéance. Pour tout l'or et la

richesse du monde, il n'aurait pu certainement se retenir de pleurer, et il lui dit :

— Chevalier, Lancelot, seigneur, que vous dire de vous et votre triste état ? La Bourgogne et la France ne changeraient pas en joie la peine que vous me faites. Quand le roi Arthur saura cela, je crois qu'il se mourra de peine.

Lorsqu'il s'entend appeler Lancelot, celui qui paraissait si sot sent une pensée le pénétrer, qui lui touche le cœur au fond de lui-même :

— Vassal, vous qui m'appelez par mon nom, dites-moi le vôtre, et vous ne serez pas un rustre.

— Mon nom est Gauvain.

— Gauvain ? En vérité, sur votre foi, est-ce Gauvain que je vois ici ?

— Oui, je suis Gauvain.

— Mettez donc pied à terre, je vous y autorise !

— Et pourquoi le ferais-je ?

— Je veux vous donner à manger de la graisse tendre. J'ai aussi une poule qui vient d'être rôtie au poivre ; je vous la donnerai, avec du vin et un morceau de galette. Je vous traiterai mieux que les autres, parce que je crois me souvenir de vous avoir vu dans votre enfance. Vous ai-je vu ? Il me semble au moins avoir entendu parler de vous. Mais je ne sais si c'est vrai ou faux, mon souvenir est comme un rêve.

A ces mots, Gauvain lui demande :

— Ami, voudriez-vous quitter l'Irlande et venir avec moi ?

— Avec vous ? Non, par ma foi ! je ne le ferais pas, car mon amie en aurait de la peine ; c'est la dame de ce château. J'ai encore l'anneau qu'avant-hier elle me fit mettre au doigt par une jeune fille très noble ; je n'ai pas voulu l'enlever, il est là depuis avant-hier, et je l'ai toujours.

Vous entendez comme il était stupide, le noble et vaillant chevalier, qui disait avant-hier, alors qu'il y avait déjà un an entier ! Gauvain fut accablé de douleur en voyant la dégradation de celui qu'il chérissait tant. Lancelot lui tendait la main pour lui montrer son anneau ; Gauvain le vit au petit doigt ; il le saisit, le tord, le brise et le laisse tomber à terre. Alors il comprend que les enchantements seront détruits, qu'ils n'auront plus aucune force, aucun charme. En effet Lancelot recouvre la mémoire, et rend grâce au roi de gloire de lui avoir rendu la raison ; il dit enfin :

— Gauvain, mon ami, vous m'avez quêté en terres lointaines ; pour moi vous êtes venu jusqu'ici ! Vous m'en tirerez, ou personne n'y réussira. Si j'avais maintenant un cheval et des armes, si je tenais mon écu en position de combat, jamais il n'y aurait eu un chevalier comme je suis et comme je serai !

Tout en parlant, ils s'éloignent de la cuisine, à travers la prairie verdoyante. Ils ont la chance de découvrir bientôt le logis où se trouvaient les armes des chevaliers qui travaillaient là. Il y avait des hauberts, des heaumes bruns, des épées au pommeau doré, des lances, des écus, de bons chevaux tout sellés. Ils ont pris tout ce qu'ils voulaient pour bien armer Lancelot. Et quand il fut à cheval, il s'écria :

— Hé ! mon Dieu ! quel bon combattant il y aurait en moi, si j'étais là où je pourrais le montrer.

Il disait cela, par jeu, en plaisantant ; mais par la suite, il le prouva bien.

(Gauvain délivre les autres prisonniers et arrive au dernier bastion des enchantements.)

Au-delà du pont, il y avait un îlot, bien visible en pleine mer, avec un jardin. Maintes jeunes filles de haut lignage s'y rendaient pour se détendre, maintes dames, maints chevaliers jour et nuit y trouvaient bien du plaisir. Mais ils n'en préféraient pas moins le château, s'ils avaient eu le choix, car cela durait depuis bien longtemps. Là, une perche d'argent se dressait, avec un bel autour, plein de noblesse, le gant à côté. Gauvain affirme qu'il a accompli ce qu'on attendait de lui, et ses compagnons en témoignent sans restrictions ; mais on ne veut pas croire que ce soit vrai ; s'il peut apporter l'autour, alors seulement on croira qu'il dit la vérité. Hélas ! mon Dieu ! Comment fera-t-il, alors que jamais personne n'a passé le pont ? Et pour avoir raison, il faut le passer, et aussi rapporter l'autour. Gauvain est bien informé des dernières conditions : s'il est le plus vaillant du monde, qu'il aille au pont, sinon il échouera. Il s'exécute donc, mais à peine est-il sur le pont que les défenses enchantées dont je vous ai parlé disparaissent : le passage ne lui coûte guère ! Les occupants du jardin se réjouissent fort de le voir arriver ; lui, en connaissance de cause, se hâte vers l'autour ; avec compétence, il enfile d'abord le gant, puis saisit l'autour qu'il emporte avec joie, et tous ceux du jardin le suivent. A l'arrivée de l'autour, on répète à travers la cité :

— Sur notre foi, il n'y a pas à dire, voici le seigneur des seigneurs, excepté de Dieu, le roi du ciel ! Avant la fin de ce jour, il aura brisé tous les enchantements !

En effet il y avait encore un cheval dans une prairie ; la bête, vigoureuse, vive et rapide, était attachée à un arbre, près d'un bloc de marbre. Il n'y avait pas un cavalier au monde, si fort fût-il, que le cheval n'aurait tué plutôt que de se laisser monter ; il piaffait, il mordait. Si Gauvain pouvait enfourcher et maîtriser le cheval, passer à son cou un écu qui était pendu à l'arbre, saisir la lance qui y était appuyée, et ainsi aller frapper la quintaine, près d'une source, alors il aurait mené la prophétie à son parfait accomplissement. On fait donc grande joie à Gauvain, encore une fois, et on l'informe du détail de l'épreuve, qui lui donnera absolument tous les pouvoirs. Gauvain répond qu'il fera son possible, et que Dieu décidera, ils le verront bientôt.

Alors avant de gagner la prairie, il remet l'autour à la dame. Ensuite, près de l'arbre, le cheval le voit venir ; mais, au lieu de ruer et de mordre, il s'incline devant lui, les genoux à terre ; il y avait là une auguste signification. Quant à l'écu suspendu, il s'abaisse de lui-même, à au moins trois pieds ; la lance s'offre aussi, l'enseigne déployée tout contre Gauvain. Merveilleux prodige, s'écrie-t-on, de voir des choses inanimées se présenter ainsi.

Tous célèbrent Gauvain, les habitants du pays, les voisins :

— C'est un très saint homme !

Quelques-uns avancent même :

— C'est Dieu en personne, qui est descendu de son royaume pour faire ici-bas ces miracles !

Alors Gauvain lâche le frein du cheval, et va donner sur la quintaine un tel coup qu'il la brise et la jette à terre, avec sa lance qui se casse en trois morceaux sous le choc. Cette joute fut fort appréciée ! Voilà le coup qui apporta le salut à bien des hommes. Les prisonniers sont libérés, les blessés et les malades sont guéris et ne souffrent plus, les vaincus retrouvent leur honneur. Ainsi prennent fin les merveilles et les enchantements.

(Gauvain, rejoint par son amie, la fée Lorie, refuse sa récompense, la couronne d'Irlande, avec la dame de Rigomer ; mais il lui promet de lui trouver un noble mari d'ici un an, et il revient à la cour d'Arthur, tandis que Lancelot reprend son errance, à travers l'Irlande durant une bonne année. Le mariage de la dame de Rigomer se conclut à la cour d'Arthur, par une intrigue compliquée, qui réunit les deux protagonistes de Rigomer. Une demoiselle vient demander à Arthur qu'un de ses chevaliers la défende, à date convenue, contre un prétendant abusif : Miraudiel ; celui-ci s'arrange pour retenir Gauvain loin de la cour, car il ne craint que lui et Lancelot dont on est sans nouvelles. Le jour de la bataille, alors que Miraudiel est sûr de sa victoire et d'épouser la demoiselle, un chevalier nouveau, fils de roi et de reine, Midomidas, surgit de la forêt, et obtient le privilège de défendre la demoiselle. Il se fait armer, et d'abord on lui lace ses chausses.)

XVIII

RÉAPPARITION DE LANCELOT À LA COUR D'ARTHUR ET MARIAGE DE LA DAME DE RIGOMER

A ce moment sortit de la forêt un chevalier de bien grossière allure. Il venait au pas sur un cheval de somme, poussif ; cette bête avait le dos écorché et plein de gale ; la croupe, l'échine, les flancs et la poitrine décharnés, le cou grêle et la tête grosse ; la misérable rosse mourait de faim et de soif ; les ferrures de son frein ne valaient pas grand-chose, non plus que ses rênes, faites d'une courroie de chausses, comme le licou ; la selle, avec des auves [1] lamentables, sans rembourrage, était celle d'un charretier ; les étriers ne valaient pas deux billes ; les étrivières étaient en corde ; les éperons, que le cavalier avait enfilés, tout émoussés, et pourtant les flancs de la monture avaient des lambeaux de chair arrachés. Le jeune homme qui la chevauchait était vêtu bien pauvrement, d'une pitoyable étoffe de Cornouailles, trouée de partout ; sur ses hanches pendaient des lambeaux de manches et de robe, et pareillement son manteau tombait en haillons. Sa tête, volumineuse, ébouriffée, n'avait pas été lavée de deux ou trois mois, et une pleine poignée de mousse était encore emmêlée aux cheveux. Pour ceinture, il avait une ficelle d'étoffe où était accroché un étui avec deux canifs bien coupants. Je crois bien que c'était tout son avoir. Oui, il était pauvre, laid, en guenilles et même ses braies, en méchante étoffe, ne tenaient que par des nœuds.

A la sortie du bois, l'inconnu parvint jusqu'aux chevaux, parce que le sien avait senti leur odeur ; mais là, ni verge, ni éperons ne purent faire avancer la bête d'un seul pas ; elle restait plantée sur ses quatre pattes écartées. L'homme met alors pied à terre, enlève son manteau en loques, tenu par un morceau de corde ; il en couvre les flancs écorchés de sa monture, et continue rapidement à pied. Il fend les groupes qui se pressaient pour voir sa hure, il en accoste d'autres pour demander fébrilement où était le chevalier qui devait se battre. Des moqueurs lui répondent :

— Ami, vous n'êtes pas courtois ! Vous avez quitté trop tard votre pays, le champion est trouvé depuis longtemps. Vous n'aurez rien de la bataille ! En toute justice, il doit l'avoir celui à qui on l'a

---

1. Les deux proéminences à l'avant et à l'arrière de la selle.

attribuée sur ses instances. Vous, vous n'avez que faire d'une mêlée. Mais votre tête est bien volumineuse : combien ont gagné les jeunes filles qui vous ont lissé les cheveux ? C'est un grand plaisir de la regarder : les petits oiseaux y ont fait leurs nids ! Êtes-vous chargé de bourrer le four, avez-vous renoncé à un fier louage ? Quand vous êtes-vous échappé de l'enfer ? Et l'hiver, comment vous en êtes-vous sorti avec si peu de vêtements ? Vous avez sans doute tiré deux as aux dés, ou bien ce sont les chiens qui vous ont dépenaillé !

Il essuie maintes railleries des jeunes, des écuyers, les rires des chevaliers, les huées des ribauds qui le bombardent de paquets d'herbe. Malgré ces déboires, il a tant fait, il s'est tant démené qu'il s'est fait indiquer Midomidas, et qu'il l'a trouvé au milieu de ses écuyers, affairés. Ceux-ci avaient lacé une de ses chausses, et ils avaient déjà enfilé la moitié de la seconde ; mais la courroie était trop dure et elle leur donnait bien du mal, raidie qu'elle était après avoir été trempée de la sueur du cheval. Ils avaient surtout à faire avec un trou de cette courroie : quand il passait, la chausse était trop serrée ; quand il restait, il fallait faire un bourrelet à la chausse. Ils s'irritent fort de ne pouvoir y arriver. Mais voici que le jeune inconnu aperçoit le trou qui leur faisait difficulté ; il tire son canif d'acier, s'agenouille au milieu d'eux et lisse la courroie ; puis il la frotte dans ses mains, l'assouplit, la détend, et la chausse se trouve bien fixée. On se réjouit du résultat autour de lui, et Midomidas déclare bien haut :

— Ami, vous vous y connaissez en armes ! Sur votre foi, aidez-moi à finir de m'armer, et je vous donnerai une étoffe de soie ; et puis quand j'aurai vaincu le chevalier, revenez, je vous donnerai le meilleur de mes chevaux.

A tous ses écuyers, il confirme sa volonté :

— Faites tout ce qu'il vous demande ; à son idée, armez-moi, et ajustez comme il l'entend jusqu'aux courroies de l'écu !

On lui obéit, et ainsi le haubert est vite passé, le heaume lacé, l'épée ceinte. On lui amène alors son cheval impatient. Midomidas s'approche, met le pied à l'étrier, la main à l'arçon ; il avait déjà levé le talon quand il voit une tout autre affaire : le nouveau venu, qui de la main gauche tenait l'étrier et de la droite l'arçon, avait à celle-ci une cicatrice qu'il s'efforçait de cacher ; Midomidas crut qu'il était blessé, alors que la paume était guérie depuis longtemps.

— Ami, s'écrie-t-il, je ne vous aime pas pour rire, mais plus que mon cousin germain ; montrez-moi votre main droite !

— Seigneur, je ne le ferai pas ; vous voulez m'humilier. Que vous importe ma main ? Pensez à votre affaire. A cheval, pas de mollesse, pensez à la vaillance et à l'honneur !

Mais Midomidas, interdit, retire son pied de l'étrier et insiste :

— Ami, par la foi que vous devez au roi Arthur, à Gauvain et à tous les compagnons qui portent lances et pennons, dites-moi votre nom !

— Eh bien, seigneur, puisque vous me conjurez ainsi, répondit l'autre avec fierté, je m'appelle Lancelot du Lac.

Il tend alors la main ouverte et montre une blessure cicatrisée et guérie, que lui avait faite le fer acéré d'une lance. On le connaissait bien à ce signe particulier ; aucun chevalier de Bretagne ne l'ignorait. Midomidas s'exclame alors :

— Vous êtes Lancelot du Lac ? Advienne donc que pourra ! Me voici quitte de la bataille. Venez avec moi.

En se donnant la main, ils vont trouver le roi, et Midomidas dit sans détours :

— Sire, noble roi, je devais faire cette bataille, à la condition qu'il n'y ait pas meilleur que moi. C'était le cas, assurément, mais voici que vient d'arriver le meilleur qu'on ait jamais vu. Par conséquent, je lui cède la bataille.

Alors Keu ne peut se retenir :

— Vassal, cela fait deux fois qu'avec vos caprices vous vous moquez du roi. Vous êtes bien présomptueux et méprisant de prétendre que ce ribaud vaut mieux que nous, en cette cour. Malheur à celui qui sera de cet avis, alors qu'il ne peut être persuadé que du contraire !

Midomidas lui répond par un éclat de rire, mais le roi déclare :

— Cher ami, si vous vous fiez plus à sa force et à sa vaillance qu'aux vôtres, j'accepte qu'il fasse ses preuves. Armez-le vite et bien ; Dieu lui accorde d'en tirer bon parti !

Ils retournent alors et Midomidas se désarme. Mais tandis que Lancelot se prépare, un jeune homme se précipite auprès de Miraudiel et lui dit :

— Seigneur, vous ne savez pas, le chevalier s'est désarmé, celui qui devait combattre contre vous ; il ne tient plus à vous abattre.

— Je le savais bien, s'exclama Miraudiel, qu'il s'en irait au lieu de m'attendre sur place. Personne ne me fera croire qu'il voulait se battre contre moi ; il sait bien comment taille mon épée, pour l'avoir entendu dire.

Peu après un autre messager arrrive auprès de Miraudiel, toujours en armes, sous un charme :

— Seigneur, un autre passe les armes que le premier a quittées.

— Sais-tu qui il est ?

— Non seigneur, je n'ai pas entendu ce qu'il disait. Mais je l'avais vu passer peu avant, pâle et sale, la cotte en lambeaux ; sa tête grosse comme une hure n'était ni blonde ni rasée, mais toute noire et pleine de mousse. Tous les écuyers se moquaient de lui, les palefreniers couraient après lui. Je croyais que c'était un fou. Mais il a les bras et les poings forts, les membres solides et musclés ; il n'a pas l'air d'avoir été élevé dans du coton. C'est lui qui se prépare pour la bataille, mais je me demande bien s'il pourra se mesurer à vous.

— Nous le saurons ; allons le lui demander, répond Miraudiel.

Il enfourche un palefroi, après s'être couvert d'un riche manteau ; avec élégance, il avait rejeté le capuchon sur ses épaules, et il avait ainsi belle allure. A l'amble, avec quatre de ses compagnons, il trouve Lancelot, qui avait déjà endossé son haubert et lacé sa ventaille ciselée d'or ; tandis qu'on lui ajustait son heaume, Miraudiel l'interpelle :

— Vassal, vous qui lacez votre heaume, je viens vous voir car je veux savoir, si possible, votre nom et votre condition.

— Seigneur, de mon nom et de ce qui me regarde, vous n'avez que faire.

— Vassal, par la foi que vous devez au roi Arthur, au roi Lot, au roi Lac, à Gauvain, à Lancelot du Lac, et à tous les preux dont vous aimez le compagnonnage, dites-moi seulement votre nom, et soyez quitte du reste.

— Seigneur, puisque vous m'en conjurez, je vais vous le dire ; sachez que je suis natif de Gavoni, à quelque distance d'ici, et qu'il m'appellent Lancelot du Lac ceux qui me connaissent et qui m'aiment.

— Par la foi que vous devez à Gauvain, montrez-moi votre main droite !

Lancelot tend la main, et l'autre voit la cicatrice, bien fermée ; il la regarde, la reconnaît et déclare avec franchise :

— Par ma foi, vous êtes bien Lancelot. La victoire vous est acquise ; je ne dégainerai pas mon épée ; arrêtons tout, si bon vous semble et allons trouver le roi tous les trois.

— J'accepte, répond Lancelot.

Donc, tous les trois viennent en cortège devant le roi, et Miraudiel prend la parole :

— Sire, voici la fleur de la chevalerie et de l'honneur. Il m'a vaincu absolument ; de la victoire disposez : je m'en remets tout à votre volonté, ma personne, ma terre, mes richesses. La demoiselle a eu double chance avec lui : plus jamais je ne mettrai sa terre à mal, si je ne peux la conquérir par l'amour.

Alors tous s'écrient à travers la prairie :

— Cette bataille est vite terminée ! Miraudiel s'en faisait une fête, mais il a eu peur pour sa tête.

Et à travers la prairie on dit aussi bien qu'à la campagne, « la vache qui brait le plus est celle qui donne le moins de lait » :

— Miraudiel s'était bien vanté ; il a vite été maté.

Cependant Miraudiel prie Lancelot de montrer sa main à tous ; Lancelot accepte, et quand on voit cette main ouverte, alors l'infamie est réparée. Tous déclarent, et même les gens du peuple, que Miraudiel était dans son droit de renoncer à la bataille, devant Lancelot. Miraudiel raconte ensuite comment il avait retenu Gauvain, et il l'envoie chercher par deux messagers. Quand le preux, le sage chevalier, revient à la cour, il la ranime de sa présence, pour la plus grande joie de la reine et du roi Arthur. A la vue de ses compagnons, le roi jura par le fils de Marie qu'il tiendrait une cour, jusqu'à la fin du temps de Pentecôte, quoi qu'il en coûte. Il tint parole jusqu'au bout, et grands et petits chevaliers eurent maints tournois. Midomidas se montra à la cour un des meilleurs chevaliers, un des plus forts au maniement des armes. Gauvain, le preux, se lia d'amitié avec lui : il projeta de lui donner pour épouse Denise de Rigomer, car le chevalier s'était épris de l'élégante demoiselle. Mais là commence une longue carole, et je ne m'y attarderai pas. Quant à Miraudiel, il resta à la cour qui rassemble tous les mérites, et il devint compagnon de la Table Ronde, où abonde toute la meilleure prouesse.

(Une greffe, sans doute due à un autre auteur, relance le roman. Cette fois c'est Arthur, jaloux de la réputation acquise par ses chevaliers à Rigomer, qui part secourir une demoiselle et quêter les aventures. Il a confié le royaume à Gauvain, et emmène Lancelot sur la demande de la reine, qui le juge le meilleur chevalier. Après deux aventures dont Lancelot est le héros, le roi combat pour la demoiselle et on célèbre sa victoire. Le manuscrit s'interrompt au vers 17271, avec la reprise de l'errance du roi et du chevalier.)

Jean Froissart

MELIADOR
(extraits)

Récit en vers, traduit et présenté par Florence Bouchet.

Écrit dans le dernier tiers du XIVe siècle.

INTRODUCTION

Les tribulations des manuscrits actuellement connus du *Meliador* de Froissart sont assez symptomatiques de l'« accueil » peu favorable qui fut souvent réservé aux œuvres de la fin du Moyen Âge par la critique littéraire, jugeant fade, dénué d'originalité, « décadent » plus d'un roman du XIVᵉ ou du XVᵉ siècle. De fait, *Meliador*, composé entre 1365 et 1388, semble avoir été victime de ce préjugé et du désintérêt qu'il entraînait : seuls quatre feuillets nous sont parvenus de son manuscrit le plus ancien (BN, N.A.L. 2374, fᵒˢ 36-39), le reste ayant été dépecé en Bourgogne au cours du XVIIᵉ siècle pour utiliser les feuillets à la couverture de divers livres et registres ! Le second manuscrit (BN, fr. 12557), quasiment complet, a servi de base à l'édition du texte par A. Longnon, que nous traduisons ; mais il était longtemps resté comme perdu à la Bibliothèque nationale à cause du titre erroné — mais significatif — de « Roman de Camel et d'Hermondine ». Froissart ayant nommé ailleurs son roman (*Chroniques*, livre III ; *Dit dou Florin*, v. 295), il fallut donc attendre qu'A. Longnon identifie en 1893 le manuscrit, puis fournisse, entre 1895 et 1899, la seule édition que le roman connut jamais. Si *Meliador* eut une fortune si peu éclatante après le Moyen Âge, il fut davantage goûté en son temps, et non des moindres personnalités : Gaston Phébus, le plus prestigieux des comtes de Foix et de Béarn, apprécia vivement la lecture que Froissart lui en fit pendant l'hiver 1388-1389 ; au siècle suivant, le duc Charles d'Orléans, aussi grand poète et mécène, possédait l'œuvre dans sa bibliothèque.

Sans doute la complexité de la place qu'occupe *Meliador* au sein de l'histoire du genre arthurien est-elle en partie responsable des malentendus qui reléguèrent le texte dans l'oubli. Or, cette complexité fait aussi son remarquable intérêt. *Meliador* constitue un repère important dans la mesure où il est le dernier roman arthurien français en vers connu. Il clôt donc toute une tradition esthétique et s'ancre sur une matière particulièrement riche puisque déjà vieille en France de trois siècles de littérature. De façon plus frappante, *Meliador* apparaît, pour ainsi dire, après un siècle de silence : l'avant-dernier roman arthurien en vers connu, l'*Escanor* de Girart d'Amiens, remonte aux années 1280. Le xive siècle a vu peu de véritables créations arthuriennes et, comme la mode était à la prose, les anciens romans en vers furent « dérimés ».

Par sa facture archaïque, *Meliador* surgit comme une sorte de provocation qui le fit taxer, dès ses premiers commentateurs, à la fin du xixe siècle, d'« anachronisme ». Conjointement toutefois, Froissart répondait à un intérêt très vif du public du xive siècle pour la légende arthurienne, engouement qui se traduisait socialement par l'organisation de fêtes et de tournois arthuriens, par l'adoption d'armoiries ou de noms de héros arthuriens... N'oublions pas que Froissart écrivait en pleine guerre de Cent Ans, temps troublé où le malaise grandissant d'une chevalerie sur le déclin a pu provoquer une réaction aristocratique visant à préserver et magnifier, notamment par la réactivation de la littérature arthurienne, l'idéal chevaleresque ancien. Sur le plan des sensibilités et de l'imaginaire, *Meliador* est donc tout à fait à la mode. Enfin, il se signale par sa modernité de ton. On ne peut que remarquer le fort investissement subjectif du narrateur, presque constamment présent dans son récit pour justifier sa démarche, anticiper sur la suite des événements, formuler des jugements sur ses personnages — qu'il va jusqu'à feindre d'avoir côtoyés ! — ou s'adresser au lecteur pour guider sa lecture... Loin de se réduire à de simples traces orales de récitation du texte, ces intrusions du narrateur, au xive siècle, disent l'avènement d'une nouvelle génération d'écrivains de plus en plus conscients du fait littéraire en tant que création reposant sur leur désir et leur talent. D'autre part, le plaisir du lecteur est suscité par la surprise que lui réserve plus d'un épisode de l'histoire imaginée par Froissart : passages où sont remaniés, voire détournés, des motifs rendus canoniques par les textes arthuriens antérieurs ; où émergent des préoccupations neuves des personnages faisant écho à l'évolution des mentalités au xive siècle.

Tout autant que la place du roman dans l'histoire littéraire, la situation temporelle fictive de l'action relatée dans *Meliador* est significative et particulièrement détaillée au début du texte. Froissart situe son histoire « à l'époque où le roi Arthur, qui fut si comblé de grandes qualités, de sagesse, d'honneur, de générosité, régnait en sa prime jeunesse et qu'il commençait à présider de grandes fêtes et à retenir les chevaliers pour remplir les salles de son château » (v. 1-7). Ce rapide ancrage arthurien du récit étant assuré, le romancier précise son projet : « Environ neuf ou dix ans avant que le preux Lance-

lot, Melyadus, le roi Loth, Guiron, Tristan, Galehaut, Gauvain,
Yvain, Perceval et ceux de la Table Ronde fussent connus en ce
monde, avant aussi qu'on ait entendu parler de Merlin et appris ses
prophéties, plusieurs hauts faits de chevalerie se produisirent en
Grande Bretagne — comme ce livre nous l'apprend — que je vais
maintenant raconter, dans la mesure où mes paroles sauront traiter
le sujet. » (v. 28-43.) Contrairement à l'habitude prise par les roman-
ciers du xiiie siècle, qui conçurent des amplifications ou des continuations des premiers textes arthuriens, Froissart retourne aux origines
de la geste arthurienne et propose une sorte de récit d'« enfances ».
C'est pourquoi il élimine tous les héros renommés de la légende au
profit de Camel, Meliador, Sagremor... qu'il invente purement et
simplement. Ainsi, tout en se référant explicitement à la tradition
arthurienne, il prend soin de préserver sa liberté créatrice en inves-
tissant un espace temporel pratiquement vierge dans la légende élaborée au fil des textes depuis le xiie siècle.

L'intrigue, soigneusement construite par Froissart, laisse néanmoins elle aussi une grande liberté dans sa mise en œuvre. Som-
mairement, elle peut être résumée ainsi : pour provoquer la mort du
chevalier Camel de Camois, prétendant indésirable parce qu'affligé
de somnambulisme, Hermondine, fille du roi d'Écosse, conseillée
par sa cousine Florée, promet sa main au chevalier qui, au terme
d'une quête de cinq années, aura accumulé les exploits les plus
remarquables. Proclamée dans toute l'Angleterre, cette quête lance
sur les routes nombre de chevaliers amoureux et avides de gloire,
dont les aventures constituent l'essentiel du roman — les itinéraires
personnels étant de loin en loin relayés par quatre tournois rassemblant tous les protagonistes. L'histoire s'achève dans une grande
« joie de la cour » où non seulement Meliador épouse Hermondine,
mais où d'autres mariages unissent les principaux personnages.
Roman de quête nuptiale donc, euphoriquement conclu, comme
bien des romans de l'époque. La structure du récit est celle de
l'entrelacement : les aventures de chacun des participants à la quête
sont alternativement relatées, épisode par épisode — éventuellement en interrompant la relation d'un épisode par un autre. Ce procédé narratif, déjà présent chez Chrétien, avait pris toute son
ampleur au xiiie siècle, au point de devenir une caractéristique fréquente des textes en prose. Utilisé dans un roman aussi long que
Meliador — qui compte plus de 30 000 vers —, il exige du poète une
virtuosité indéniable, en même temps qu'il favorise la multiplication
des épisodes individuels. Ainsi prennent relief et consistance psychologique d'autres personnages que le seul Meliador, et dont le lecteur
suit aussi volontiers le destin, d'autant plus que tous ces trajets individuels se croisent maintes fois.

Signalons une autre caractéristique de l'écriture de *Meliador* : les insertions lyriques. Né au xiiie siècle dans le *Guillaume de Dole* de Jean Renart, ce procédé confine à la gageure chez Froissart, en ce sens que les onze ballades, seize virelais et cinquante-deux rondeaux intégrés au récit ne sont pas de sa plume, mais de celle du duc Wenceslas de Brabant, son maître et protecteur. Quoique d'un style assez mièvre, leur fonction dans le texte n'est pas que d'hommage ou d'ornement : les poèmes donnent une épaisseur lyrique au temps nécessaire aux déplacements des héros fréquemment sur les routes ; ils soulignent l'état psychologique — joie ou douleur de la chanson d'amour — de ceux qui les profèrent ; utilisés comme message par l'un des personnages, ils peuvent même servir au déclenchement d'une action.

A côté des prouesses hautement traditionnelles que renferme *Meliador*, nous avons donc préféré retenir quelques passages — non les seuls du roman — plus surprenants, témoignant de l'écriture tardive du genre arthurien. Dans un souci d'équilibre, chacun des quatre principaux héros est présenté dans un extrait.

Camel est celui par qui tout arrive : sa chasse au cerf, d'où le merveilleux traditionnel est apparemment gommé, lui fait découvrir un amour impossible. Car Camel est le premier somnambule connu de notre littérature, et c'est là l'unique défaut qui lui est reproché ; la quête n'est finalement qu'une machination vouée à son élimination. Curieuse figure que celle de ce chevalier presque parfait mais irrémédiablement condamné, antihéros plus pathétique que véritablement odieux, qui sera tué par Meliador dès le premier tiers du roman.

Le comportement de Meliador reflète une sorte d'«embourgeoisement» de la morale du roman : ce n'est plus quelque château du Graal que le héros cherche à gagner pour y connaître une révélation supérieure, mais celui de sa bien-aimée, pour des satisfactions plus terrestres — quoique chastes ! L'«amour de loin» auquel croyaient certains troubadours comme Jaufré Rudel est passé de mode : l'aimée, «dame souveraine», doit être approchée et vue, pour répondre au désir du temps. Le chevalier ne craint également plus de déroger en revêtant l'apparence d'un marchand — il est vrai que ce déguisement avait antérieurement servi à Guillaume d'Orange dans le *Charroi de Nîmes* ou à Kaherdin dans *Tristan et Iseut*... Déjà moderne aussi apparaît la familiarité qui lie les chevaliers à leurs écuyers, conseillers et complices astucieux, tant Lansonnet avec Meliador que Bertoulet avec Agamanor.

On remarquera d'ailleurs combien la démarche d'Agamanor peut se lire parallèlement à celle de Meliador. D'abord rival de celui-ci dans la quête d'Hermondine, il s'éprend ensuite de Phénonée —

sœur de Meliador —, qu'il finit par épouser, devenant ainsi le vainqueur en second de la quête. Agamanor choisit non le négoce, mais l'art pour déguiser sa venue chez l'aimée — l'intervention du narrateur à ce propos fait écho à la promotion sociale des peintres au xive siècle. Tandis qu'il essaie de se déclarer à travers l'image peinte, il faut cependant que l'insertion lyrique passe du texte à la toile pour que cette dernière prenne toute son efficience de message amoureux. Ce jeu subtil de Froissart sur le problème de la communication par la peinture, par la poésie, se double d'un jeu intertextuel avec les fresques où Lancelot, retenu prisonnier chez Morgane, relate ses amours avec Guenièvre.

Quant à Sagremor, fils du roi d'Irlande, tard venu dans le récit et vite tombé amoureux d'une jeune Sebille aperçue à la cour d'Arthur, ses aventures, quoique amputées par les lacunes du manuscrit, gardent une densité exceptionnelle grâce à leur statut ouvertement merveilleux. Ainsi, sa rencontre avec le Blanc Cerf apparaît comme une réécriture ludique et particulièrement réussie du motif de la chasse au Blanc Cerf, fréquent dans les lais et romans arthuriens.

Certes, notre roman, précisément parce qu'il est situé aux débuts de la royauté arthurienne, n'a ni l'éclat de son apogée, ni la sombre grandeur des troubles qui la détruisirent. On ne peut cependant acquiescer sans réserves à la sévérité de la plupart des commentaires faits sur *Meliador*. Nos esprits modernes devront notamment se garder de juger anodins des textes qui en leur temps constituaient, comme c'est le cas ici, une interprétation assez neuve de la matière qu'ils utilisaient. Dénué des prétentions spirituelles de la *Queste del Saint Graal* ou du tragique de la *Mort le roi Artu, Meliador* est avant tout un divertissement arthurien où Froissart, ne se limitant pas à l'exaltation nostalgique d'une matière prestigieuse, mêle innovation et tradition dans un jeu constant sur les *topoï* du genre.

Si la langue de Froissart se lit agréablement, sa traduction n'en est pas moins délicate. Nous avons tâché de rester le plus fidèle possible au style : aussi trouve-t-on certains redoublements d'expression et détails apparemment superflus parce qu'ils n'étaient, dans le vers médiéval, que des chevilles nécessaires à la rime. Toutefois, il a fallu uniformiser les temps grammaticaux en conservant pour telle ou telle séquence le temps majoritaire le plus approprié, alors que la phrase médiévale « glisse » volontiers du présent au passé composé et au passé simple. L'abondance des présents « de narration » correspond chez Froissart à un effort pour rendre plus visuelles les scènes décrites. Enfin, les insertions lyriques, devenues prose, ne se détachent du récit que par la mention de leur genre — tout comme, dans le manuscrit, leurs vers succèdent aux octosyllabes à rimes plates du récit sans autre distinction que leur titre noté à l'encre rouge. Ces approximations — c'est le sort de toute traduction — ne sauraient qu'inviter à savourer le texte original, de même que les extraits n'épuisent nullement la diversité d'intérêt de *Meliador*.

Florence BOUCHET

BIBLIOGRAPHIE

Édition :

J. FROISSART : *Meliador*, éd. Auguste Longnon, Paris, Firmin-Didot, S.A.T.F., 1895 (vol. I et II) — 1899 (vol. III). Cette édition a été reprise chez Johnson Reprint Corporation, New York/London, 1965.

Études :

P.F. AINSWORTH : « The Art of Hesitation: Chrétien, Froissart and the Inheritance of Chivalry », *The Legacy of Chrétien de Troyes*, vol. II, N.J. Lacy/D. Kelly/K. Busby eds., Amsterdam, Rodopi, 1988, p. 187-206.

F. BOUCHET : « Froissart et la matière de Bretagne : une écriture " déceptive " », à paraître dans les *Actes du 15e congrès international arthurien* (Louvain, juillet 1987).

P.F. DEMBOWSKI : *Jean Froissart and his Meliador: Context, Craft and Sense*, Lexington, Kentucky, French Forum Publishers, 1983.

R. DESCHAUX : « Le Monde arthurien dans le *Meliador* de Froissart », dans *Mélanges C. Foulon*, vol. II, Liège, 1980, p. 63-67.

A.H. DIVERRES : « The Geography of Britain in Froissart's *Meliador* », dans *Mélanges E. Vinaver*, Manchester University Press, 1965, p. 97-111.

A.H. DIVERRES : « Les Aventures galloises dans le *Meliador* de Froissart », dans *Mélanges C. Foulon*, vol. II, Liège, 1980, p. 73-79.

L. HARF-LANCNER : « La Chasse au Blanc Cerf dans le *Meliador* : Froissart et le mythe d'Actéon », dans *Mélanges C. Foulon*, vol. II, Liège, 1980, p. 143-152.

J. LODS : « Amour de regard et amour de renommée dans le *Meliador* de Froissart », dans le *Bulletin bibliographique de la Société internationale arthurienne* n° 32, 1980, p. 231-249.

M. ZINK : « Froissart et la nuit du chasseur », dans *Poétique*, n° 41, 1980, p. 60-77.

M. ZINK : « Les toiles d'Agamanor et les fresques de Lancelot », dans *Littérature* n° 38, 1980, p. 43-61.

I

NAISSANCE D'UNE PASSION FATALE :
LA CHASSE AU CERF DE CAMEL [1]

(v. 117-364)

(Camel de Camois est le premier héros présenté en action dans le roman, après le prologue du narrateur et la mise en place du récit indiquant qu'Hermondine, fille du roi d'Écosse, s'est réfugiée à Montgriès chez sa cousine Florée, tandis que son père et son oncle sont en guerre contre le royaume de Suède.)

Monseigneur Camel poursuivait un jour dans ses bois un cerf fort rapide que ses chiens avaient levé. Il chevauchait un excellent coursier, agile et bien endurant à l'effort : celui-ci avait si bon souffle qu'après avoir galopé presque un jour entier, il n'aurait guère eu besoin de repos.

Le cerf s'enfuit. Camel, sans jamais perdre sa trace, le pourchasse. Il traverse les bois, puis la lande et les plaines du Northumberland. Sa course le mène jusqu'à l'étang de Montgriès. Le cerf sent l'eau douce et froide ; il s'y précipite pour se rafraîchir. Le chevalier, les yeux fixés sur sa proie, ne craint nullement l'étang, mais y pénètre agilement. Le cheval a de l'eau jusqu'au ventre, et même au-delà, car il lui faut nager. Le cerf, qui avait soif et chaud, boit tant d'eau qu'il en perd ses forces ; ses membres, transis, deviennent gourds. Le chevalier le suit toujours. Le cerf nage jusqu'à une prairie qui faisait face au château de Montgriès. Monseigneur Camel le poursuit et l'atteint là comme il veut. L'animal est si fatigué qu'il n'en peut plus. Alors Camel descend de cheval, dégaine son épée et s'approche du cerf qui reste immobile ; Camel lui plonge l'épée dans le corps. Le cerf s'écroule, à l'agonie ; il est mort. Camel se prépare, prend son cor, sonne la mort du cerf, sonne et resonne encore ; tout alentour, le son se répand. Les gens du château s'éveillent à ce bruit et s'en

---

1. L'unique miniature du manuscrit, représentant précisément cet épisode, est placée en tête du f° 1 comme pour illustrer sa fonction inaugurale dans le récit.

étonnent grandement. Le chasseur, qui tient toujours son cor embouché, sonne à nouveau la prise du cerf pour rassembler ses limiers, ses gens et ses lévriers ; mais ils ne l'entendent pas car ils sont trop loin.

Au même moment, aux fenêtres qui dominaient la prairie, se tenaient les demoiselles du château, Florée et Hermondine. Elles avaient vu tout ce que je viens de conter, la fuite du cerf, comment le chevalier l'avait poursuivi et mis à mort à cet endroit précis. Florée dit à Hermondine :

— Je vous en prie, chère cousine, rendons-nous sur ce pré. J'ai très à cœur de savoir qui est cet homme qui est là sous nos yeux. J'ignore comment il est sorti de l'étang, quand j'y réfléchis.

— Allons-y, répond Hermondine.

Elles descendent alors du château et gagnent la prairie par une petite porte qui était ouverte. L'endroit où gisait le cerf était beau et verdoyant, car on était en été, en juillet plus exactement. Monseigneur Camel voit aussitôt les dames qui se dirigent vers lui. En homme poli, il s'éloigne alors du cerf, va à leur rencontre et dit :

— Bienvenue aux belles !

Celles-ci voient le chevalier qui sait si bien les accueillir. Florée le reconnaît alors, car elle l'avait déjà vu autrefois. Elle lui dit :

— Soyez le bienvenu, Camel. Il est juste que vous voyiez notre château et notre demeure. Vous y dînerez, il le faut. C'est en maîtresse des lieux que je vous invite.

Camel répond :

— Demoiselle, par mon âme, vous me faites une offre fort courtoise ; il ne sied pas que je la refuse.

Florée l'emmène par la main, ainsi que sa cousine germaine, qui avait à l'époque environ treize ans. Nulle n'était plus agréable, plus aimable, plus gaie qu'elle. Son vêtement était de très riche étoffe, joliment taillé à sa mesure. Monseigneur Camel, qui ne l'avait encore jamais vue, ne pouvait la reconnaître ; mais, à voix basse, il demande à Florée :

— Dites-moi donc, puis-je savoir son nom ?

— Oui, répond la demoiselle, elle est fille de roi et de reine, et ma cousine germaine : c'est la fille de mon oncle le roi d'Écosse.

A ces paroles, le chevalier se tait et la contemple. Par ce regard pénétra en lui le dard d'Amour, qu'il n'avait jamais éprouvé auparavant. Mais je crois que c'était son destin d'en être frappé à cet instant à cause de la jeune fille, car le feu d'Amour, qui étreint son cœur, le saisit avec tant de force qu'il se met à prononcer tout bas ces paroles :

— En vérité, belle Hermondine, étiez-vous donc ma si proche voisine sans que j'en sache rien encore ? C'est pour mon bonheur

que j'ai sonné du cor qui vous fit descendre pour venir me voir avec
le cerf. Je vous jure à présent, sur ma foi et sur mon âme, que je
ferai de vous ma dame ou que je demeurerai dans le tourment, tout
comme Pâris à l'égard d'Hélène. Et si je meurs pour l'amour de
vous, ce sera tout à mon honneur.

Ils pénétrèrent alors dans la salle du château, où des danses
avaient lieu de temps à autre. Ils trouvèrent le dîner tout prêt,
allèrent se laver les mains. A table, Hermondine fut installée comme
il convient à une fille de roi, monseigneur Camel un peu plus bas,
puis Florée. Je ne dirai rien du dîner, car il fut beau, courtois et
noble. Après le repas, on se leva. Florée réclama les jeux pour divertir le chevalier, et on lui apporta l'échiquier et les pions. Elle entama
une partie avec le chevalier. Pendant qu'ils s'amusaient, Hermondine, restée debout, observait le jeu avec intérêt. Camel sentait un
feu l'embraser tandis qu'il regardait la jeune fille, si gracieuse et si
belle qu'aucun portrait n'aurait pu la surpasser. Camel fit des erreurs
au jeu, car il y pensait à peine ; il avait l'esprit ailleurs, pour sûr,
occupé qu'il était à contempler la demoiselle. Il fut maté et se leva,
car il ne désirait pas jouer davantage, à cause du soleil qu'il voyait
baisser. Il réclama alors son cheval pour s'en aller. Et Florée de
dire :

— Qu'est-ce qui vous fait partir déjà, à cette heure ? Vous resterez ici ce soir et repartirez tôt demain ; peut-être aurez-vous alors
des nouvelles de vos gens et de vos chiens.

— Dame, répond le chevalier, je ne suis pas digne de l'offre que
vous me faites. Il me faut absolument partir, car j'ai rendez-vous
demain matin pour une affaire qui m'oppose à l'un de mes voisins ;
je dois à tout prix y être. Je connais tous les sentiers de la forêt, à
gauche comme à droite : avant le lever du jour, je serai à Camois.
Grand merci pour votre courtoisie et pour la bonne compagnie que
vous et les vôtres m'avez accordée.

Quand Florée voit que Camel veut partir, elle lui fait amener son
cheval. Camel l'enfourche aussitôt et s'en va ; mais auparavant, de
sage et belle manière, il prend congé des demoiselles et promet qu'il
ne manquera pas de revenir les voir.

Qu'on ne s'étonne pas du soudain départ de monseigneur Camel,
tel que je viens de le conter : le chevalier sentait en lui quelque chose
qu'il n'osait, à la vérité, découvrir à personne, sauf à ses gens, et
dont il n'aurait à aucun prix voulu que les demoiselles de Montgriès,
qui sont jeunes, gaies et belles, eussent connaissance. Cette chose,
vous la saurez rapidement : la vérité est que monseigneur Camel se
montrait en toutes occasions tel que doit être un preux chevalier et
que, tout alentour, on ne lui trouvait pas d'égal, ni plus preux, ni
plus fort, ni plus hardi, à la guerre comme au tournoi, car personne

ne lui résistait. Mais quoiqu'il fût d'une telle vaillance, tous les trésors de France n'auraient pu le faire demeurer couché seul en une chambre, ni dormir ; et il lui arrivait fréquemment de se relever tout en dormant, de demander son armure, son épée, sa lance et ses parures, tantôt blanches, tantôt vermeilles ; il faisait alors tant de choses étonnantes que les compagnons qui veillaient sur lui en étaient stupéfaits. Au matin, on lui relatait son comportement afin qu'il ne s'y abandonnât plus. Mais lui ne changeait pas et recommençait toujours. Aussi osait-il chevaucher de nuit à travers forêts et landes, voies tortueuses et longues, et s'engager dans des passages périlleux ; mais il n'osait pas dormir seul. Jamais il ne perdit cette habitude, toute sa vie durant. Voilà, je vous ai expliqué pourquoi il ne voulut pas rester ce soir-là à Montgriès. Pour rien au monde il n'aurait souhaité que l'on y soupçonnât ou connût son état. Florée était néanmoins tout à fait au courant, des chevaliers du pays lui en ayant parlé. Cependant, Camel tenait bien cachés son état et ses agissements, et il aimait tant ses serviteurs qu'il n'en laissait aucun, fût-ce une question de vie ou de mort, le quitter.

(Florée révèle bientôt à sa cousine la tare secrète de Camel afin de la dissuader de céder à son amour. De fait, Camel ne reverra plus Hermondine. Celle-ci, pour satisfaire son père qui, rentré de la guerre, désire vivement la marier, acquiesce à l'idée suggérée par Florée d'une quête de cinq ans qui devrait lui permettre de découvrir, parmi les chevaliers qui s'y engageront, un prétendant tout à fait digne d'elle.)

II

UN CHEVALIER AMOUREUX DÉGUISÉ EN MARCHAND : MELIADOR

(v. 11817-12616)
(Premier parti vers les aventures après l'annonce de la quête, Meliador s'est vite signalé par divers succès, dont une victoire au tournoi de La Garde, puis la mise à mort de Camel au terme d'un duel acharné. Un nouveau tournoi doit avoir lieu à Tarbonne, où notre héros voudrait se rendre pour accroître la gloire qui le recommandera dans le cœur d'Hermondine. Malheureusement, une tempête a détourné vers l'Écosse le bateau sur lequel il s'était embarqué.)

Le chevalier au soleil d'or [1] était fort contrarié : tenez pour certain qu'il ne s'est pas encore remis du dépit qu'il a de ne pouvoir arriver à

---

1. Un soleil d'or orne l'écu de Meliador, dont la couleur emblématique est par ailleurs le bleu.

temps à Tarbonne pour le tournoi qui pouvait lui apporter grand honneur. Maintes fois il se déclare infortuné, mais son écuyer, qui l'aime énormément, aussitôt le réconforte avec beaucoup de cœur et de sagesse.

Voici que Lansonnet, à son côté, lui dit à voix basse :

— Seigneur, vous vous plaignez grandement de Fortune ; vous avez tort, d'après ce qu'on m'a laissé entendre.

Et son maître de lui répondre :

— Comment donc ? Tu sais bien que nos affaires nous mènent à rebours de mes désirs, et je crois que tu ne peux apprendre nulle nouvelle capable de me réjouir. De fait, si je me voyais aussi près de Tarbonne que j'en suis actuellement éloigné, mes soucis s'en iraient ; mais non, c'est tout le contraire.

Alors Lansonnet s'avance et réplique :

— Seigneur, taisez-vous donc. Voici une raison de vous calmer : la chance vous sourit. Vous êtes en effet à moins d'une journée du château où demeure celle pour qui vous n'avez cessé d'endurer maux et tourments. Voilà qui ne sera pas pour vous déplaire. Si vous osiez vous rendre chez la noble Hermondine et parvenir, avec courage et honnêteté, à la voir, je vous tiendrais pour bien chanceux et fortuné. La chose est connue de tous, et vous pourriez en secret aller parler à Hermondine, pourvu que vous agissiez prudemment.

A ces mots de son écuyer, Meliador s'écrie :

— Tes discours puissent-ils être véridiques, tu m'as réjoui ! Il y a dix jours et plus que je n'ai entendu d'aussi agréables paroles et, puisque c'est la condition de mon bonheur, dis-moi tout de suite, du fond du cœur, si tu dis la vérité ou un mensonge pour me tirer d'embarras.

— Seigneur, répond Lansonnet, c'est la vérité. Veuillez donc avoir confiance, et d'ici quatre jours vous verrez celle pour qui le mal d'amour vous tient depuis votre départ de Carlion, où vous avez vu son portrait peint sur un bouclier [1].

Alors la joie envahit Meliador, qui dit en riant :

— Compagnon, réfléchis sans tarder au moyen qui me permettra de voir ma belle. Si tu as quelque idée ou stratagème à cet effet, tu ne peux m'apporter aucun réconfort qui me fasse mieux plaisir, et ma tristesse disparaîtra.

— Monseigneur, dit Lansonnet, je sais de source sûre que demoiselle Hermondine loge et prend ses repas dans un château très proche d'ici, du nom de Montségur, comme je vous le dis. La belle y a sa demeure, ses gens et tout son train de maison. Mais pour vous y rendre, il conviendra d'agir honnêtement et avec grande sagesse, car

---

1. Les messagers venus à la cour d'Arthur promulguer la quête d'Hermondine portaient un bouclier orné du portrait de celle-ci (v. 2741-6).

je suis sûr qu'elle est gardée dans ce château sous étroite surveillance. La demoiselle de Montgriès, sa cousine germaine, vous a déjà à peu près dit ce qu'il en était, si vous vous en souvenez. Mais, pour y faire une visite, il faudra trouver un moyen rusé, car la garde est vigilante. Pensez-vous qu'elle soit loin ? Non, assurément ; et si je m'en charge, vous lui parlerez bientôt. Je vais arranger quelque fin tour grâce auquel vous irez à son logis, où vous aurez tout le loisir de la contempler en paix, même si cela vous pèse.

Entendant cela, Meliador demande :

— Et le moyen, mon ami, d'y arriver raisonnablement ?

Et Lansonnet :

— Il est parfois nécessaire de connaître quelques tours ; j'en sais de bons et de courtois qui vous seront très utiles.

— Je t'écouterai, dit Meliador, volontiers à ce sujet ; apprends-le-moi sans délai.

Et Lansonnet lui expose son plan :

— Seigneur, il nous faut d'abord sans hésiter changer d'habits et endosser l'allure et l'apparence de deux marchands vêtus de manteaux à plis longs et amples.

Meliador, que cette idée met en joie, lui demande comment procéder :

— Lansonnet, de quel genre de marchandise nous chargerons-nous ?

Lui, qui a bien compris, répond :

— Nous feindrons d'être des marchands désireux de venir présenter dans les maisons et les châteaux de beaux anneaux, des parures et des broches, car vous savez, et c'est la vérité, que les dames et les demoiselles qui ont vent de telles visites ont naturellement grande envie de voir tous ces marchands, à cause des bijoux qu'ils apportent et qui leur plaisent tant. Vous en possédez, et nous nous en procurerons d'autres, car nous nous trouvons dans une cité où il y a des gens du métier, qui au besoin sauront en fabriquer. Quand nous en serons pourvus, nous nous rendrons près de Montségur ; là, nous aviserons.

Meliador, pris d'une joie fébrile, s'exclame :

— Je t'ai véritablement écouté avec autant de plaisir qu'on saurait dire ou imaginer, pour l'amour de tes paroles et tant j'y trouve mon profit. Amour, qui m'a fait entamer et poursuivre ma quête, m'inspire à présent un joli petit rondeau. pour l'amour de celle que tu m'as promis de me faire rencontrer sous peu, je m'en vais te le chanter, d'un cœur joyeux, amoureux et gai.

> En pensée m'arrive un bien de la pénible douleur qui me tient
> Voilà tout le bien qui est en moi.
> En pensée...
> Ma dame, puisque je ne vous vois, je penserai à vous.
> En pensée...

Les voici tous deux parvenus à Aberdeen, tout heureux à la pensée qui les habite.

Lansonnet sortit aussitôt, alla d'orfèvre en orfèvre : il y trouva de nombreux joyaux qu'il acheta à un prix élevé ; de tous les plus coûteux, il en recueillit tellement à travers la ville qu'il finit par avoir toute une pile de bons anneaux bien dorés. Retourné auprès de son maître, il lui montra sa marchandise, des anneaux qu'il appréciait fort et je ne sais combien de broches, puis dit :

— Vous serez un marchand et je serai votre valet.

Il lui confia ensuite les anneaux et les rangea avec les broches à l'intérieur d'un coffret en bois blanc bien ouvragé. Meliador se souvint alors de l'anneau qu'on lui avait donné [1] : à l'observer, celui-ci lui parut encore plus précieux, mieux travaillé, plus plaisant et plus élégant que tous les autres, fussent-ils couverts d'azur et d'or. Il tira l'anneau de son doigt et dit à Lansonnet :

— Celui-ci, je crois que je l'offrirai comme le meilleur et le plus joli, le mieux fait et ouvré que nous ayons trouvé jusqu'à présent. Je le donnerai pour commencer à ma noble Hermondine.

Et Lansonnet :

— Vous ferez bien : ce qui est à vous lui appartient.

— C'est vrai, répondit Meliador.

Lansonnet se procura promptement deux curieux habits tout noirs. Quand il les eut, je vous assure qu'il rentra à l'auberge où l'attendait son seigneur. Il lui dit :

— Je n'ai rien trouvé d'autre. Il faut que vous essayiez ceci.

Alors Meliador revêtit l'habit qui lui était destiné. Lansonnet, pour accentuer le déguisement, lui fronçait le drap au-dessus de l'épaule et commentait l'arrangement :

— Vous ressemblez vraiment à un marchand. Vous relèverez bien les côtés de votre habit et vous serrerez votre ceinture de façon à creuser le pli derrière. Mais vos mains sont trop blanches, ce ne sont point là des mains de rustre : demain, vous devrez les noircir pour assurer votre affaire et contrefaire parfaitement le manant. Vous devrez aussi chausser ces souliers à boutons.

— Je ferai ce que tu voudras, répondit le jeune homme.

Le lendemain matin, Meliador et son valet laissent leurs vêtements et enfilent ceux que Lansonnet s'était procurés la veille : les voilà bien déguisés. Ils appliquent à la lettre ce qu'ils avaient prévu de faire, et se noircissent soigneusement les mains pour imiter les manants. Ils emmènent avec eux un jeune garçon qui connaissait bien le chemin et qui, avec l'aide de Dieu, saura bien les mener au

---

1. Après qu'il eut tué Camel, Meliador avait reçu de Florée un anneau (v. 9604-14). Celui-ci, pourvu à l'intérieur d'une devise secrète, permettra ultérieurement à Hermondine de connaître l'identité du « marchand » qui le lui a offert (v 14398-472).

château de Montségur. Tous trois sont partis en grande joie, ils ont quitté l'auberge d'Aberdeen très tôt sans se montrer à quiconque. Ainsi affublés, ils ont tant cheminé que les voilà parvenus à Montségur. Pourvus de tout ce qui leur est nécessaire, ils vont aussitôt se loger dans une auberge proche du château. Là, ils se mettent tout à leur aise et demandent à l'hôtesse de s'enquérir pour le lendemain matin du plus court chemin qui mène au château : elle aura un beau bijou si elle réussit à leur faire présenter leur marchandise à la fille du roi Hermont. L'hôtesse les assure de sa diligence. Le lendemain, sans faute, à l'heure de prime, elle se prépare et demande à monter au château. Les gardes ne s'y opposent pas et la laissent aller et venir sans rendre de comptes car, à coup sûr, étant bien connue, elle aurait pu venir tous les jours. Elle se dirige vers une porte, la pousse, trouve une chambrière qui lui fait bon accueil. Celle-ci la présente à la dame de compagnie la plus intime d'Hermondine — cette dernière était encore couchée. Quand la princesse se lève, la suivante lui explique qu'est descendu à l'auberge de dame Fromonde la Grise un marchand estimable, car il a de beaux bijoux, des broches, des anneaux bien dorés et de bonne taille :

— Et il aurait incontestablement plaisir, ma dame, à ce que vous les voyiez et en achetiez ! Ils conclueront bon marché avec vous.

Hermondine, sans tarder, répond aussitôt :

— Qu'on l'amène bientôt, lorsque je serai levée.

La confidente répète tout cela à Fromonde et lui précise que le marchand doit venir sans compagnie aucune :

— Sauf vous, Fromonde, ou, ma foi, il ne pourrait entrer dans le château.

— Par saint Daniel, dit celle-ci, c'est comme si je lui avais déjà tout dit !

— Allez, ne tardez pas trop, car notre maîtresse sera bientôt levée.

— Je m'en vais.

— Adieu, ma chère ! Quand vous reviendrez, vous me trouverez a cet endroit précis.

Fromonde s'en est retournée, qui gagnera bien sa journée, selon moi, car elle s'est correctement acquittée de sa mission en faveur du marchand. Elle retrouva Meliador assis avec son valet à ses côtés, et lui dit :

— Maître, laissez ici votre valet ; je crois bien que vous ne repartirez pas sans avoir vendu vos bijoux.

Et lui :

— Dieu bénisse votre journée, belle hôtesse, par saint François ! Tenez, avant que je les vende, vous en aurez votre part.

Il lui en offre alors généreusement, et lui en aurait bien donné davantage, mais Fromonde ne voulait en accepter plus. Tous deux se sont mis en route ; personne ne les accompagne, car Fromonde connaissait bien le chemin pour l'avoir parcouru bien des matins et bien des soirs. Sans s'arrêter nulle part, ils se rendirent droit au château. Le portier les accueillit aimablement et les introduisit dans l'enceinte : chose normale, puisque c'était pour leur apporter des marchandises. Meliador, en entrant, s'empressa encore de donner un bel anneau au portier, qui lui dit :

— Je suis votre serviteur, cher maître, très grand merci.

Meliador, vêtu d'un habit noir comme l'hirondelle, suivait dame Fromonde qui le menait et le guidait à l'intérieur du château. Elle le conduisit à la porte de la chambre d'Argentine. Là, elle demande si Hermondine est prête, et l'autre, bien avisée, lui répond :

— Oui, je vais la trouver.

Quittant alors sa chambre, elle se rend auprès de sa maîtresse et lui dit :

— Par mon âme, ma dame, le marchand est là. Dois-je le faire entrer ?

— Oui, répond Hermondine, je veux voir, avant le repas, quels bijoux il nous apporte. Faites-le amener à la porte !

Argentine de dire :

— Il y est déjà.

Elle rejoint alors Fromonde et lui dit :

— Faites venir le marchand.

Fromonde retourne, car Meliador était resté en arrière, et lui dit :

— Maître, avancez, je vous prie. Ne restez pas là et hâtez votre vente.

— Assurément, c'est ce que je vais faire, répond Meliador.

Il allait s'élancer, mais son hôtesse le calma et le retint à ses côtés, Survinrent trois jeunes filles, pleines de grâce et de beauté, qui lui demandèrent :

— Cher maître, montrez-nous donc, s'il se peut, votre marchandise.

Meliador, sur le conseil de son hôtesse Fromonde, répond qu'à personne au monde il ne montrera rien de ce qu'il possède avant que la maîtresse des lieux n'ait tout à loisir et selon ses désirs fait son choix. Les demoiselles s'apaisent ; tandis qu'il parlait avec elles, arrive Argentine qui appelle Meliador et lui fait signe d'approcher. Tous trois se rendent là où les attend Hermondine. Dès que Meliador voit devant lui la dame de ses pensées, son sang frémit, je l'assure, si fort qu'il est tout transporté en contemplant le visage de la très parfaite Hermondine. Il ouvre alors son coffret et retire du dessus l'anneau que tous, y compris lui, tenaient pour un bijou de prix, sans rien savoir de son secret ni des mots gravés à l'intérieur [1]. Dès

---

1. Voir note 1, p. 1053.

qu'il eut prit cet anneau si bien conçu, il s'avance sur le dallage et dit à Hermondine :

— Tenez, celui-ci, je vous en fais don : les autres le rachèteront. C'est l'habitude des joailliers de notre contrée, ma dame, de commencer une vente en offrant un des bijoux à la première acheteuse. Celui-ci sera votre cadeau !

Hermondine le prit :

— Voilà un bel anneau, dit-elle, et elle le passa à son doigt.

Elle l'admira cinq à six fois et dit :

— Merci beaucoup, maître. Ce bijou sera votre meilleure vente.

Sachez qu'Hermondine ne s'est pas retirée alors ; au contraire, elle demande le coffret pour en examiner le contenu. Meliador le lui confie et commence à lui faire l'article :

— Un moment, je vous prie. Ces broches sont bien jolies ; prenez celles que vous voulez. Et là, en voici de moins larges ; je les réserve aux jeunes filles de douze ans. Il y en a aussi de plus lourdes et de plus précieuses. Vous les maniez si noblement, si courtoisement que nulle demoiselle ni chambrière ne pourrait vous égaler. Mettez-moi de côté tout ce que vous préférez. Je suis sûr qu'avant mon départ nous aurons fait affaire.

Hermondine lui dit :

— J'aurais bien tort, en effet, de ne rien acheter. Mais, dites-moi, pourquoi vous mettez-vous en peine de faire cette vente ?

— Je vends, répond Meliador, et cela m'est très nécessaire, car j'ai besoin d'argent, et vous en avez, auquel prix vous aurez les bijoux. Dites-moi donc, je vous prie, ce qui vous ferait plaisir parmi tout ceci.

— Eh bien, maître, voilà : je veux ce petit tas de broches et d'anneaux. Sur la fidélité que vous devez à votre ville, mettez-y bon prix ou gardez votre calcul pour vous : laissez-nous le tout pour un denier.

Et Meliador, qui aurait préféré se faire prier d'abandonner sa marchandise plutôt que d'en tirer profit, aurait voulu la donner et non la vendre ; aussi acquiesça-t-il :

— Volontiers, ma dame.

La marchandise, qui valait bien six deniers sans qu'on en puisse rien rabattre, il la laisse pour quatre seulement, si bien que toutes les demoiselles se moquent de lui :

— Maître, maître, réfléchissez. Vous feriez assurément trop pour nous en nous en proposant un tel prix.

Meliador leur réplique :

— Mes dames, j'agis à ma guise et, que le bénéfice soit petit ou grand, cette affaire est conclue. Votre maîtresse m'a fait venir, il est normal que je la satisfasse et que je n'abuse pas à ses dépens, surtout

— Puissé-je recevoir souvent des hôtes comme vous ! S'il en venait deux cents par an, je serais riche !

Et Lansonnet, sans prêter attention à ces propos, prend congé, ainsi que son maître. Ils s'engagent dans le chemin de droite pour retourner à Aberdeen.

Le preux Meliador, pour combattre l'ennui, ne se lasse pas de parler à son écuyer, qui le précédait en portant une lance de belle envergure qu'ils avaient prise à leur logis. Chemin faisant, Meliador poursuit ses propos. Il détaille tant son récit que l'écuyer y prend plaisir. Il retrace toute la visite, comment on l'a reçu, comment il s'est rassasié de tendres regards qui lui font à présent goûter une peine extrême. Lansonnet s'évertue à réconforter son maître :

— A mon avis, vous devriez composer, au sujet de si plaisants regards, quelque chose de nouveau qui surpasse tout.

Et lui, entièrement absorbé dans ses pensées, répond :

— Mon ami, j'ai trop grande peine à parler encore d'elle et, foi que je te dois, j'étais avant-hier plus joyeux, moins soucieux et moins affligé que je ne suis maintenant. Laisse-moi donc dans mes pensées, c'est un ordre, et ne me dis ni ne me demande rien, car je me plais fort en cet état.

L'autre, qui ne recherche, comme il se doit, que l'agrément de son maître, dit :

— D'accord, avançons donc, avançons. S'il plaît à Dieu, votre tristesse vous aura quitté avant la tombée de la nuit.

Il le laisse donc en cet état, sachez-le, un grand moment, sans rien lui dire. Et Meliador, perdu dans ses pensées, pense et repense. Il lui vient l'idée de composer une ballade, d'un cœur lourd et souffrant, puisqu'il n'a plus l'espoir de revoir sa dame, à moins d'une chance extrême. Et, malgré la peine qu'il en éprouve, il commence à imaginer une ballade et persévère tant qu'il en vient à bout. Il ne l'oublia pas par la suite, mais la répéta tout à fait bien, avec sagesse et habileté, quand il eut regagné l'auberge. Voici les paroles exactes de la ballade, que je vais vous dire sans mentir d'un mot :

> Vraiment, je ne sais qui eut plus de peine au monde, de Narcisse ou de moi : car Narcisse mourut de son amour pour mettre un terme à sa douleur, et je languis de ne voir celle qui est ma dame et mon amie.
>
> Narcisse voyait aussi face à lui son propre reflet qui, je crois, lui faisait dire : « Que celui-ci daigne me réconforter. » Voilà la joie qu'il tirait de ses pensées et que je n'ai point, car trop loin de moi se trouve celle qui est ma dame et mon amie.
>
> Je supporterai tout ce qui m'arrive pour aimer en toute loyauté et fidélité. Car Amour sait tout récompenser, si bien que jamais je n'oublierai, tant qu'il me restera un souffle de vie, celle qui est ma dame et mon amie.

Meliador composa la ballade d'un bout à l'autre tout en poursuivant sa route. Une fois achevée, il eut le cœur plus joyeux qu'auparavant.

Les voilà parvenus à l'auberge d'Aberdeen d'où ils étaient partis ; tous deux regagnèrent diligemment leur chambre. Meliador, encore sous le charme de la ballade, qu'il savait entièrement par cœur, tant, mon Dieu, il se l'était répétée de tête, la récite immédiatement à son écuyer. Lansonnet, tout ouïe, fait l'éloge de la composition et ajoute :

— Si la parfaite Hermondine, que vous aimez tant, pour qui vous vous déclarez misérable, savait à cette heure que son joaillier est en fait un élégant chevalier qui, pour l'amour d'elle, compose des chansons, elle aurait assurément bien lieu de s'en émerveiller !

Meliador, qui s'anime à ces paroles de son écuyer, s'en réjouit. L'entretien cessa là.

Meliador voulait repartir tôt le matin. Ils payèrent généreusement le valet qui les avait guidés jusqu'au château. Dieu m'en soit témoin, ils réglèrent leurs comptes avec chacun. Au matin, sans plus attendre, ils prirent congé de leurs hôtes et repartirent de bonne heure par monts et par vaux, ainsi qu'ils l'avaient toujours fait. Mais ils chevauchèrent cinq jours entiers, en faisant bien des détours, sans jamais trouver, d'après ce qu'affirme ce livre, nulle aventure d'aucune sorte, douce ou amère, qui soit digne de mémoire. Le vaillant Meliador en était fort courroucé, je vous l'assure. Il restait pourtant presque toujours à cheval pour trouver des aventures auxquelles il pût se mesurer.

(Si Meliador repart amer de n'avoir su se faire reconnaître auprès de sa bien-aimée, il sera, après de nouveaux exploits, plus heureux : à l'issue du tournoi de Signandon qu'il a remporté, il obtient, lors de la fête qui suit, une entrevue secrète avec Hermondine, qu'il épousera au terme de la quête.)

III

LES TOILES D'AGAMANOR

(v. 20059-21053)

(Agamanor, venu de Normandie, avait remporté, équipé d'armes rouges, le tournoi de Tarbonne auquel n'avait pu participer Meliador. Il s'y est épris de Phénonée, fille du duc de Cornouailles et sœur de Meliador. Cette dernière est aussi devenue amoureuse du vainqueur du tournoi, qu'elle a pris pour son propre frère, avant que cette méprise ne soit levée par Lyonnel, le chevalier blanc, parti à la recherche du vainqueur de Tarbonne. Afin de clarifier totalement sa situation auprès de Phénonée, Agamanor imagine un stratagème pour lui rendre visite et lui déclarer son amour.)

L'amoureux Agamanor, l'esprit occupé à de nobles pensées, ne redoutait, je le certifie, nuls périls ni peines que pût lui valoir l'amour de sa dame. Après qu'il eut confié ces réflexions à Bertoulet son écuyer, celui-ci, qui recherchait son bonheur, lui répliqua pour le corriger :

— Seigneur, ce n'est point de cette manière, quoique vous soyiez un chevalier amoureux accompli, que vous devez vous comporter. C'est par d'autres voies que vous parviendrez au château de Phénonée : la ruse y sera bien plus utile que la prouesse chevaleresque.

Alors Agamanor retomba dans ses sombres pensées et se mit à réfléchir au meilleur moyen grâce auquel il pourrait, en tout bien et tout honneur, parler à Phénonée. A force d'y songer et d'envisager la situation sous tous les angles, il eut bientôt pratiquement trouvé une solution. Quand il l'eut exposée à son écuyer, Bertoulet n'y vit rien à redire :

— Vous voilà en bonne voie et, si j'avais une meilleure idée, je vous la confierais volontiers.

Ce qu'avait imaginé le Chevalier Rouge, je vais vous le dire sans mentir d'un mot.

La vérité, la voici : Agamanor, qui se trouvait tout songeur pour la raison que vous savez, avait eu en sa jeunesse un goût très vif — vous saurez lequel, en me le demandant — pour peindre des portraits et des effigies tellement belles, pures et élégantes qu'on n'aurait su y faire la moindre retouche. En cette matière, je le recommande sur tous les chevaliers de son temps. Bien qu'aimable et noble, vaillant et hardi entre tous, il avait un penchant naturel pour faire des portraits et représenter tout ce qu'on peut imaginer. Et son talent était tel que cela ne lui coûtait pas plus de peine à exécuter que de rédiger une lettre. Mais il avait abandonné le pinceau depuis qu'il était parti chevaucher pour la quête que vous connaissez. Si cela vous étonne, mon argument est tout prêt : j'ai vu plusieurs nobles chevaliers puissants, vaillants et preux, fort courageux aux armes, qui eux aussi s'appliquaient avec goût à cet art qu'ils tenaient en grande estime ; et ils avaient vraiment raison, car c'est une noble science, à laquelle le fils de l'empereur de Constantinople lui-même pourrait se consacrer sans déchoir en rien.

Ainsi disposé, Agamanor exposa son avis et sa décision à Bertoulet :

— Mon ami, voilà bien des projets que je t'explique et te soumets sans que tu y voies nulle opposition. Tu peux me reprendre et me faire toutes les remontrances que tu veux, car tu as toujours su me conseiller à propos. Sous peu, j'irai trouver Phénonée suivant le plan que je vais te dire. Comme tu le sais, je connais l'art et la manière de faire des portraits. Aussi ai-je l'intention de peindre la chose suivante : sur une toile, je représenterai, en mêlant habilement le blanc et le noir, le cadre et tout le déroulement du beau et noble tournoi qui eut lieu devant Tarbonne. Je peindrai le grand rassemblement de preux sur la lice, puis la fête qui suivit dans la nuit, les réjouissances et divertissements des dames du château, les chansons qu'elles dirent et que j'ai bien retenues, ainsi que les faits du Chevalier Rouge, lui qui prudemment était entré dans le château et avait assisté à la désignation du vainqueur à qui devait échoir le faucon en prix ; mais il n'avait parlé à personne et s'en était sagement retourné. Je ne manquerai pas non plus de figurer sa poursuite, à travers bois, du chevalier armé de blanc. Toutes ces scènes, c'est évident, présenteront matière à réflexion à Phénonée. Quand j'aurai achevé ma toile, je te promets que je la lui apporterai discrètement et me présenterai d'abord comme l'auteur de ces peintures. Je verrai vite à sa contenance si cela lui fait plaisir. Si elle accepte la toile, ce sera bon signe pour moi, car avant que je la quitte, je lui aurai découvert mes intentions.

— Certes, voilà un noble stratagème, répondit aussitôt Bertoulet.

Agamanor s'en tint donc à cette résolution ; il l'a tant prise à cœur que nul ne peut plus l'ôter de ses pensées.

Aussi les deux hommes chevauchaient-ils en direction de Tarbonne.

En chemin, Bertoulet réfléchit sagement à l'affaire et dit :

— Je n'ai assurément que faire de vous accompagner à Tarbonne ; convenons plutôt d'un endroit où je pourrai demeurer et où vous me retrouverez.

Ils finirent par arriver au terme de leur chevauchée. A moins d'un jour de route de Tarbonne se trouvait, dans un bois, le logis d'une veuve qui demeurait là, c'est la vérité, avec ses gens ; il y avait de belles prairies, des champs et suffisamment de quoi se divertir. Agamanor continua son chemin, mais y laissa son équipement avec Bertoulet, toujours prêt à bien conseiller son maître. La dame accueillit Bertoulet avec beaucoup de joie et de douceur, et mit toute sa maison à son service. Monseigneur Agamanor agit autrement : il n'entra pas chez la dame, ne croisa homme ni femme susceptible de le reconnaître et il se rendit à Tarbonne.

Là, il se prépare soigneusement et fait croire au brave homme qui lui fournit le boire et le manger qu'il est un ouvrier itinérant qui n'a pas revu son pays depuis plus de cinq années. L'hôte lui dit :

— Cher ami, vous êtes ici le bienvenu.

De cette manière, Agamanor [1] garde l'incognito et fait diligem-

---

1. Le manuscrit et l'édition Longnon mentionnent ici Meliador (v. 20232), mais il s'agit évidemment d'une erreur.

ment chercher, par l'entremise de son hôte, tout ce qui est nécessaire à la peinture, couleurs, huile, gomme arabique. Agamanor resta ainsi installé jusqu'à ce qu'il eût achevé de peindre sur une toile pas trop large, d'environ cinq quartiers, comment le Chevalier Rouge s'était comporté au tournoi de Tarbonne. Il représente artistement le tournoi, et comment le Chevalier Rouge agit et gagna le prix par sa prouesse, et comment il rendit visite aux dames du château la nuit. Il figure l'ensemble avec une si élégante habileté que l'œuvre est un plaisir pour les yeux ; ensuite, il l'enroule comme il faut autour d'un bâton. Il dit à voix basse au brave homme :

— Cher hôte, je vais aller au château pour voir Phénonée et savoir si elle voudrait acheter mon œuvre. A mon retour, je vous offrirai du vin et du bon, car je ramènerai des deniers.

L'hôte lui répond :

— Mon cher, allez partout à votre guise, mes gens et moi sommes tout à votre service.

Sans plus demeurer, Agamanor, muni de son ouvrage, sort du logis et quitte aussitôt Tarbonne car il n'était pas loin des portes de la ville. Il finit par atteindre, en pleine forêt, l'endroit où Phénonée séjournait et se divertissait avec sa cousine Lucienne. Par chance, elle était encore là quand arriva Agamanor, qui se tint à couvert jusqu'à ce qu'il l'eût entendue parler. Phénonée et ses suivantes étaient entrées dans un verger planté d'églantiers et de rosiers ; l'endroit était beau et agréable. Agamanor, qui était fort bien fait de sa personne, s'apprêtait à parler sagement à sa belle quand il jugerait venu son moment. Celui-ci ne se fit guère attendre : Phénonée sort du verger, vêtue d'une tunique tissée de fils de soie de plusieurs couleurs. Agamanor, assailli et chargé des peines que lui vaut son honnête amour, s'approche, s'agenouille sans délai devant la jeune fille et prépare le rouleau qui contient les peintures. Il le déploie un peu et se met à dire :

— Ma très chère dame, j'ai travaillé et consacré mon âme à ce bel ouvrage que je vous ai dédié.

Voyant l'ouvrier à ses genoux, Phénonée dit :

— Levez-vous et ne partez pas, je veux le regarder.

Agamanor entreprend alors de le dérouler petit à petit. La belle qui apprécie grandement l'ouvrage, le touche des doigts et s'écrie :

— Oh ! je n'ai jamais vu de ma vie quelque chose d'aussi beau ; où l'a-t-on fait ?

— A Tarbonne, ma dame.

— A Tarbonne !

— C'est la vérité, ma dame ; c'est là, par mon âme, que je l'ai réalisée, chère dame, au nom de vous.

— Pour moi ?

— Assurément.

— Très cher maître, je dois vous en savoir bon gré et reconnaître que vous avez beaucoup fait pour moi. Rangez-le à présent, nous le reverrons à loisir.

Mais Lucienne, qui avait grande envie de lire un petit rondeau noté sur la toile, dit :

— Attends encore un peu pour le replier. J'aperçois là une récente affaire, survenue dans l'année. Foi que tu dois à saint Jean, laisse-moi donc lire ce petit rondeau que je vois prononcer à cette dame. Sont-ce bien les paroles d'une dame ?

Lucienne s'approche alors de l'ouvrage, l'examine et déchiffre promptement le rondeau. Celui-ci avait été dit par une femme le soir où Agamanor s'était introduit dans le château de Tarbonne sans se faire reconnaître de quiconque. Aussi, pour rendre mon livre encore plus agréable et divertissant, le dirai-je sans tarder, car il est original. Écoutez-le donc, je vous prie :

Mon ami, gardez donc loyalement le cœur que de bon gré j'ai confié à votre garde.
Il est tout entier à vous, de tout son désir.
Mon ami...
Assurément, vous pouvez rester toujours certain qu'il n'en sera jamais autrement.
Mon ami...

— Roulez la toile, maintenant, dit Lucienne. Ces paroles ne sont pas miennes, car jamais je n'ai aimé de telle manière. Dieu vous garde et dites-moi, beau maître, si c'est vous qui avez fait cela et si vous avez assisté à la fête qui se tint à ce moment-là au château, ou bien si ce sont ceux qui s'y trouvaient qui vous ont raconté comment elle s'est déroulée.

Agamanor ne répondit pas un mot, mais enroula son ouvrage comme il l'avait fait initialement. Je vais à présent vous décrire la contenance de la jeune Phénonée. En retournant à sa demeure, elle appelle l'artiste d'une voix douce et lui dit :

— Maître, dites-moi la vérité, avez-vous peint cette toile ?

— Assurément, sage et douce dame. Oui, c'est réellement moi qui l'ai peinte. S'il y manque un détail, je le corrigerai volontiers, ou alors je soutiendrai contre tous que les événements ont bien eu lieu tels que je les ai figurés.

— Dites-moi donc, je vous prie, maître, si je suis la première à voir cette toile.

— Oui, ma chère dame, et c'est pour vous que je l'ai réalisée.

— Aussi la retiens-je, maître. Je désire la garder.

Phénonée fait aussitôt emporter la toile par l'une de ses suivantes, puis s'adresse à Agamanor :

— Votre ouvrage est vendu. Suivez cette femme, elle veillera à vous payer.

En entendant les ordres de Phénonée, Agamanor se fige, puis s'en va la tête basse, sombre et fortement affligé de voir tourner ainsi les événements : déjà, la dame de son cœur arrive à la porte et disparaît. Une chambrière lui dit :

— Maître, venez donc, on va vous payer.

Agamanor est excessivement courroucé et ne se repent que trop d'être ainsi resté déguisé sans parvenir à faire connaître ses véritables intentions. A peine peut-il suivre la demoiselle, qui l'appelle toujours :

— Cher maître, avancez. Vous devez être bien content de votre vente. Ma maîtresse a grandement apprécié votre ouvrage, sachez-le ! Ne vous croyez pas chassé d'ici, revenez-y au contraire : je vous promets que votre richesse est assurée. Vous êtes un jeune homme élégant et bien tourné, taillé pour devenir le peintre attitré du duc de Cornouailles.

De vrai, le Chevalier Rouge est si consterné à ces mots désastreux pour lui qu'il préférerait avoir beaucoup déboursé et n'avoir jamais exécuté ce qu'il imagine lui valoir un tel échec. La demoiselle s'empresse de le faire entrer dans une chambre belle et jolie, à l'extrémité du logis, et lui dit :

— Restez ici ; sachez, par ma foi, que vous ne partirez pas sans avoir dîné et reçu tout ce qu'il vous faut ; je vous le garantis, ma maîtresse le veut et l'a ordonné ainsi.

Elle peut toujours parler, le noble Agamanor n'en est pas moins chagriné. En dépit de son goût pour les chiens et les oiseaux de chasse, de son habileté aux armes [1], il s'estime bien déjoué, et l'amertume étreint son cœur. La chambrière s'éloigne vite et a bien perçu l'irritation de celui qu'elle prend pour un peintre. En partant, elle ajoute :

— Je ne sais combien de florins je vais vous rapporter mais, pour sûr, je vous paierai, j'ai déjà aperçu l'argent.

Elle part alors et va rejoindre sa maîtresse qui, s'apprêtant à dîner, se lavait les mains devant la table. Celle-ci demande à la servante :

— Qu'as-tu fait de notre homme ?

— Ma dame, répond-elle, quelle somme voulez-vous que je lui remette ? Il pense à bien autre chose que de l'argent. J'ignore ce qu'il veut. Un moment durant, il garde la tête basse, puis la relève, tel un simple d'esprit.

— Donne-lui quarante marcs et avant qu'il s'en aille, dis-lui de

---

1. C'est-à-dire : en dépit des qualités qui prouveraient sa noblesse s'il n'était déguisé.

revenir et que j'aimerais vraiment qu'il m'apporte une nouvelle œuvre ; je parlerai de lui à monseigneur mon père et, sous peu, il aura une très belle place.

La chambrière repart et va dire au maître des cuisines :

— Garoul, notre maîtresse vous ordonne d'apporter sans faute à manger.

— A qui ? lui répond Garoul.

— A un homme qui est avec moi et à qui notre maîtresse veut faire plaisir.

— Ma belle, ne vous en faites pas. Allez et faites-lui bon visage. Vous saurez bien le servir, ne vous souciez pas du reste.

La demoiselle retourne à sa chambre, qui n'était pas loin. Elle y retrouve Agamanor, qui ne se réjouit pas des dispositions prises à son égard et ne sait comment réagir ; toute l'affaire lui semble un malheur déplorable, dont il ne pense pas pouvoir se tirer. La chambrière, qui voudrait bien le réjouir, s'applique à le faire servir le mieux possible et lui dit, c'est la vérité, les paroles suivantes :

— Maître, revenez bientôt. Travaillez, travaillez avec zèle ; car ma maîtresse m'a dit que lorsque monseigneur son père viendrait la voir, elle ne manquerait pas, c'est là son intention, de faire en sorte qu'il vous garde à son service ; vous recevrez de lui des gages et pourrez revenir ici.

Agamanor la regarde et se retient à grand-peine de lui découvrir sa pensée ; mais il ne croit pas que cela soit une bonne chose. Bon gré mal gré, il lui faut se maîtriser ; mais c'est à contrecœur, car rien de ce qu'il voit ne lui plaît. Quand Agamanor eut fini de dîner — petitement et de maigre appétit, car il lui en coûtait de rester là —, la chambrière, me semble-t-il, lui apporta son salaire et lui dit sans retard :

— Maître, prenez ces quarante marcs que ma maîtresse, dont le seul regard surpasse les dons d'une autre, vous a fait préparer.

L'une de ces paroles suffit à réjouir Agamanor : c'était la simple mention du regard de sa belle, qui lui ôta sa peine. Aussi répondit-il gaiement :

— Jeune fille, je ne veux pas en tenir un sou pour cette fois. Vous venez de dire que je reviendrai et travaillerai pour votre maîtresse. Je le ferai, très certainement, volontiers. Laissez donc là ces marcs, ou bien conservez-les pour vous, car je ne veux pas en garder le moindre.

La chambrière, toute surprise, lui dit alors :

— Je n'y comprends rien ; vous devez emporter l'argent.

— Ma belle, dit-il, je le prendrai quand je reviendrai, laissez-le là. Dieu merci, j'ai encore suffisamment de quoi vivre !

Sur ces mots, Agamanor se leva brusquement. Et la chambrière :

— Allons, du calme ! Vous devez absolument accepter cet argent ; sinon, je vous assure que ma maîtresse s'estimerait outragée.

— Je n'accepterai rien pour cette fois, répondit rapidement Agamanor ; je ne tarderai pas à revenir. On me paiera tout d'un coup.

La chambrière, à ce qu'il me semble, n'insista plus ; elle laissa partir Agamanor et le raccompagna à la porte. Agamanor regagna Tarbonne à pied. Sachez bien qu'il se préparait déjà à revenir chez Phénonée.

Il est juste que je parle à présent de la chambrière et des dames. Quand notre noble Agamanor fut parti sans être reconnu, les deux demoiselles, Phénonée et Lucienne, chacune joliment coiffée d'une couronne de roses, se retirèrent seules dans une chambre. Là, elles déployèrent la toile dont j'ai parlé et l'examinèrent. Écoutez-moi bien : Lucienne l'interprétait différemment de Phénonée et avait son idée quant à la raison pour laquelle on la leur avait apportée. Voici ce que dit Lucienne à sa cousine :

— Il est vrai, chère cousine, que cette toile est dessinée et peinte avec beaucoup d'art mais considérez, je vous prie, la façon dont votre noble personne est représentée : la renommée va loin, je vous l'affirme, et je crois que nous en entendrons bientôt des nouvelles.

La belle tressaille alors et lui demande à voix basse :

— Chère cousine, vos paroles m'inquiètent. Les choses que je vois inscrites là me donnent vraiment fort à penser. J'ignore si j'ai tort ou raison ; donnez-moi donc votre opinion.

Lucienne répond :

— Il m'est avis, à ce que je vois ici représenté, que celui qui participa au tournoi retracé par ce tableau et qui en remporta le prix et la gloire au terme de la journée de combat — voilà une chose assurée — a entendu parler de vous ; il a su que votre cœur noble et doux s'était attaché à lui ce jour-là ; il a certainement entendu parler de votre amour et de la manière dont, sur la seule foi de ce que vous aviez vu, vous l'avez voué à votre frère. Oui, ma cousine, je suppose qu'ensuite ce chevalier a trouvé un peintre expérimenté, l'a fait venir, pour vous offrir la représentation de cet épisode de sa vie et atténuer votre langueur. Aussi, Phénonée, ma douce, faisons venir sur le champ votre chambrière, et que l'une de nous enquête sur l'affaire pour connaître les agissements de cet homme que nous venons de payer.

— Volontiers, qu'on l'appelle, répond l'autre.

La chambrière fut donc convoquée et répondit sagement à ses deux maîtresses, car elle n'avait rien à se reprocher dans l'affaire. Lucienne s'adressa à elle avec douceur :

— Écoutez, Valienne. Ce peintre, qui vient de partir, qu'a-t-il dit en s'en allant ? La somme qu'on lui a offerte devrait bien lui suffire ?

— Ma dame, dit-elle, j'ai une preuve qu'il reviendra sous peu : c'est qu'il ne s'est pas soucié de vos deniers.

Entendant cela, Lucienne répliqua :

— Comment donc ? Il n'a pas accepté l'argent ?

— Mon Dieu, non ! répondit Valienne.

Et Lucienne :

— Et, dites-moi, quelle attitude avait-il pendant qu'il était avec vous ?

— Ah, ma dame, il était tout triste, et regardait tantôt en l'air, tantôt par terre, comme un égaré. Je n'en aurais pas tiré une parole si je m'étais tue. Il disait qu'il n'avait que faire de boire ou de manger. Je l'ai vu rester ainsi prostré une bonne heure et demie.

— Dites-moi encore, ma chère : disait-il quelque chose, pendant qu'il restait là sans bouger ?

— Oh non ! Sachez-le, il a très peu parlé pendant tout ce temps. Toutefois, au moment de partir, je ne veux pas le cacher, il voulait tout de bon que je prenne les deniers pour mon propre compte.

Ces renseignements suffirent à Lucienne, qui s'empressa de dire à sa cousine :

— Ces faits et ces paroles me suggèrent plusieurs hypothèses. Voici mon avis : ou bien cet homme est noble, ou bien il est fou. Quand il reviendra, il faudra l'observer, de nuit ou de jour, et le surveiller pour apprendre ce qu'il a derrière la tête.

L'entretien s'arrêta là. Mais il est juste que j'ajoute combien Phénonée aimait la toile : durant presque toute la journée, elle la contempla. On aurait cru la voir brûler, tant elle était enflammée d'amour. Sachez-le, elle ne découvrait pas entièrement son cœur, pris au piège d'amour, à sa cousine, quoiqu'elle lui confiât bien des secrets.

Parlons à présent d'Agamanor. Après avoir quitté le fameux bois, il était rentré à son auberge et s'était enfermé dans sa chambre. Là, il resta longtemps à se lamenter :

« Je pense que j'ai tout perdu par ma folie et laidement dérogé à l'ordre de la chevalerie. Me voilà bien abaissé ! Je voudrais brûler ces mains capables de peindre ainsi et qui m'ont abusé en me faisant croire qu'une dame de la qualité de Phénonée, ma foi, tomberait amoureuse à cause de mon œuvre. Elle peut placer son cœur bien plus hautement qu'en un artisan et, à n'en pas douter, elle a bien des gens chez elle pour la conseiller. Ah, Bertoulet, c'est peine perdue, je le vois. En partant, j'aurais bien dû réfléchir à l'effet qu'aurait la recommandation d'une chambrière. Je m'imaginais valoir assez pour que Phénonée me fît bon accueil, désirât me connaître mieux : elle m'aurait pris par la main et m'aurait mené en d'agréables lieux. Alors, à l'instant que j'aurais estimé propice, moi qui éprouve bien de l'amertume pour son amour, je lui aurais, sans rien en cacher, doucement dévoilé mes raisons à l'aide de délicates paroles : comment j'avais erré et souffert nuit et jour en veillant pour elle ; comment, ne sachant autrement pénétrer chez elle pour lui exposer mes tourments, j'avais imaginé, estimant que c'était le moyen le plus discret, de me faire passer pour un peintre, puisque j'en connaissais l'art depuis ma jeunesse. En lui avouant et montrant ainsi mes pensées, j'aurais aussitôt su si elle avait quelque affection pour moi. Mais voilà mes plans mis en échec sur toute la ligne : on ne me connaît pas là-bas sous mon nom, mais sous celui d'un peintre. Oh mon âme, voilà qui me déplaît trop ! Puisque je n'ai recueilli ici que cette honte, je ferai bien de ne pas m'y attarder et de retourner prendre conseil auprès de Bertoulet. »

Agité par ces pensées, Agamanor compta l'argent qu'il devait à son hôte, le paya et lui dit :

— C'est ainsi, mon cher hôte, je m'en irai demain matin. Votre hospitalité m'a été très agréable.

Mais Agamanor n'en fera rien, car le soir, couché dans son lit, il se remit longuement à penser à Phénonée. Revenant sur sa précédente résolution, il arrêta quelque chose d'autre : ce nouveau projet lui plut davantage et il abandonna l'ancien.

« Ma foi, se dit Agamanor, si j'ai perdu mon temps, autant risquer le tout pour le tout. Je vais donc me peindre sur une petite toile, faisant face à Phénonée et tenant un faucon sur mon poing ; pour les besoins de la cause, je tiendrai de l'autre main un petit rondeau écrit sur un rouleau. Et quand j'aurai travaillé de la sorte, si je n'ai pas rattrapé le temps perdu, alors je m'en irai découragé, et je dirai que mes espérances sont anéanties et qu'il y a loin des chimères à la réalité. »

Sur ces paroles, Agamanor ne prit ni retard ni repos : il agit comme il l'avait dit. Il mit à peu près quatre jours à peindre avec art et compétence un portrait de Phénonée ; puis il se représenta devant elle, du mieux qu'il put : il s'inclinait très humblement devant Phénonée. Le tableau était très beau : d'une main, Agamanor tenait élégamment un faucon ; de l'autre, ce n'est pas mensonge, il tenait sur un petit rouleau un rondeau bien amoureux. Ce rondeau, j'aurai grand plaisir à vous le lire :

Penser à vous, ma très douce dame, me réconforte toujours.

De ma douleur trop forte, penser à vous, ma très douce dame, me réconforte toujours.

Cette douce pensée me divertit de toute peine, c'est pourquoi je dis : penser à vous, ma très douce dame, me réconforte toujours.

Lorsqu'il eut achevé son ouvrage, Agamanor se mit en route vers

la demeure de Phénonée. Il arriva sans tarder au bois ; il ne s'arrêta
nulle part, n'adressa la parole à personne avant d'avoir atteint la
porte par laquelle il était parti — il n'était pas retourné dans cette
maison depuis le jour où Valienne la chambrière l'y avait sagement
fait entrer. Parvenu devant la porte, Agamanor se risque à regarder
à l'intérieur par un trou : il aperçoit Valienne assise. Il frappe doucement et elle se lève, s'avance et ouvre la porte. Agamanor, face à
elle, la salue :

— Demoiselle, Dieu vous donne le bonjour !

— Et vous de même, cher seigneur ! répond-elle.

Agamanor lui explique alors l'objet de sa visite :

— Demoiselle, me voici, et personne ne sait que je suis ici ni
pourquoi. Je le ferai volontiers savoir à vous et à votre maîtresse,
mais à personne d'autre, j'en fais serment. J'ai apporté une très belle
toile mais, comme je vous le dis, je ne la montrerai et ne la dér_oule-
rai qu'en présence de votre chère maîtresse.

La chambrière répond alors :

— J'ai bien compris, seigneur peintre. J'irai volontiers répéter à
ma maîtresse vos propos. J'aurai peu de chemin à faire, elle est tout
près d'ici.

Valienne s'éloigne et entre dans la chambre où se tenait sa maîtresse avec sa cousine Lucienne ; elle fait signe qu'elle voudrait lui
parler. La jeune fille dit :

— Me voici. Que veux-tu, Valienne ?

A l'écart de Lucienne, elle répond :

— Ma dame, le peintre est revenu, et il affirme que personne
d'autre que vous, pas même un parent, ne verra son œuvre, qu'il
estime bonne.

Phénonée n'ose pas garder un tel secret et, avec l'intention d'en
faire profiter sa cousine, elle dit :

— Va, amène-le donc ici.

La chambrière s'en va et Phénonée, en peu de mots, fait se cacher
sa cousine derrière une courtine :

— Restez bien ainsi. Notre visiteur de l'autre jour va revenir, il
est déjà dans la maison.

Elle lui explique alors pourquoi sa chambrière était venue. En
toute hâte, sans rien répondre, Lucienne se glisse derrière une courtine. Voici qu'arrive Agamanor, son ouvrage à la main. Il salue élégamment Phénonée et celle-ci, fort polie, lui rend doucement son
salut.

— Va-t'en, dit-elle à Valienne, laisse-moi seule avec ce peintre.

La chambrière se retire sur la gauche. Aussitôt, Agamanor
adresse de belles paroles à Phénonée et s'incline devant elle :

— Ma dame, j'ai la chance de vous apporter de nouveau une

petite œuvre, que j'ai pris beaucoup d'intérêt à peindre car, c'est la vérité, elle me tient fort à cœur.

Phénonée, trop aimable et courtoise pour percer le sens de ces propos, n'y entend que futilités et répond :

— Allons, mon ami, je vous promets que vous serez largement payé pour cette toile et la précédente, je sais très bien ce qu'on vous doit.

Elle tend alors la main et Agamanor, à ce geste, lui donne la toile. Elle la déroule vite, la regarde et se réjouit à la vue des deux portraits et de leurs attitudes.

— Maître, c'est du beau travail, dit-elle, mais dites-moi en secret : connaissez-vous ce chevalier dont, aujourd'hui et l'autre jour, vous avez peint les faits et gestes ?

— Oui, ma dame, pour sûr, je l'aime comme moi-même.

A ces mots, Phénonée s'étonna un peu ; il lui revint à la mémoire le sage avis de sa cousine qui avait jugé les propos du peintre comme ceux d'un fou ou d'un noble personnage. Aussi la douce jeune fille s'avise-t-elle de dire, pour amener Agamanor à se démasquer :

— Et que s'apprête à faire cet homme représenté là dans cette attitude ? Je sais bien qu'il a été le vainqueur du tournoi et, ma foi, j'ai d'abord cru que c'était mon frère Meliador ; mais ce n'est pas lui, j'en ai depuis eu la preuve.

Agamanor, dans la crainte de s'avancer et de parler, devient pensif et change de couleur. Phénonée, candidement, lui demande :

— Maître, que vous arrive-t-il ? Avez-vous trop froid ou trop chaud ? Je vous vois décontenancé.

Agamanor, à ces paroles, se ressaisit, tandis que Phénonée lui demande doucement :

— Ce chevalier qui emporta le prix du tournoi est-il d'Irlande ? Très cher maître, dites-moi son nom ; je vous en serai très reconnaissante et garderai le secret, je vous le promets !

Tristement, Agamanor répond :

— Chère dame, je n'ose le nommer, je le jure, mais il m'a chargé de vous dire à quel point il souffre nuit et jour pour obtenir votre amour. C'est là son vœu le plus cher ; s'il pouvait obtenir par un souhait tout ce qu'il désire, il ne voudrait rien demander d'autre, ma dame, que votre amour, je le certifie.

Phénonée était tout étonnée et aurait été bien gênée si elle n'avait senti la présence de sa cousine cachée. Voilà qui la réconfortait et lui inspirait fermeté et sagesse dans ses réponses. Aussi, pour mettre son interlocuteur à l'épreuve, lui dit-elle :

— Cher maître, je vous prie de nommer le chevalier qui, dites-vous, voue tous ses efforts à mon amour. Je veux bien croire qu'il est noble et doux, beau et bien découplé : à coup sûr, vous l'avez fort noblement représenté sur ces portraits. Mais vous devez tenir pour certain que jamais je n'accorderai, en paroles ou autrement, mon amour à aucun homme si je ne le connais d'abord. Nommez-le moi, ce sera mieux.

Agamanor baisse alors les yeux et dit :

— Par mon âme, je n'ose le nommer, ma dame, car c'est un des chevaliers de la quête. Mais si vous vouliez accéder à sa requête et devenir la maîtresse dame de son cœur, je vous garantis que je saurais vous rassurer.

Phénonée, qui veut en savoir plus, répond adroitement :

— Ah, maître, vous n'êtes pas fou ! Mon cœur consent à vous écouter pour connaître ce chevalier, et je vous remercierai comme vous le méritez.

C'est alors qu'Agamanor, préparant bien ses paroles, alla tout risquer. Il s'agenouille et dit :

— Ma dame, je me demande avec étonnement comment je me suis si longtemps retenu, en venant ici, et ne vous ai pas encore découvert mon identité ni ouvert mon cœur. Sachez, ma chère et douce dame, que vous voyez devant vous le chevalier qui gagna le prix du tournoi. Et je me rends à vous comme votre prisonnier ; vous me tenez en votre prison et pouvez faire de moi ce qui vous plaît. Mais je vous sens si noble, si courtoise, si aimable et si fort amoureuse que vous aurez pitié de moi. Et je vous jure, sur ma foi, je vous assure que je n'esquiverai nulle souffrance, nul péril, nulle douleur que je pourrai endurer en tout lieu, ici ou ailleurs, pourvu que vous m'élisiez votre chevalier. Oui, ma dame, vous me tenez comme un petit oiseau en cage. Ne me laissez pas parler en vain, car j'y ai mis tout mon cœur et s'il vous plaît d'éprouver plus avant la vérité de mes paroles, sachez, ma dame, que je montrerai ce que je sais faire, contre un, voire deux hardis chevaliers.

Puis Agamanor se tait, et Phénonée le regarde, un peu hésitante. Il n'est pas bien surprenant qu'elle s'étonne de se voir priée d'amour avec tant de courtoisie par cet homme. Tout cela lui semble un rêve et elle ne sait que répondre.

(Cet aveu d'amour ne sera véritablement cru et accepté de Phénonée qu'après un combat où Agamanor vainc ses deux adversaires : l'art ne suffit pas à authentifier le chevalier. Phénonée promet alors sa main au second preux de la quête — qui ne manquera pas d'être Agamanor.)

IV

SAGREMOR ET LE BLANC CERF
OU LE RETOURNEMENT DU MERVEILLEUX

(v. 28277-28830)

(Sagremor, le fils du roi d'Irlande, a rejoint la cour d'Arthur pour y apprendre les règles de la chevalerie. Il y découvre aussi la courtoisie en s'éprenant de la jeune Sebille. Celle-ci ne répondant pas à ses sentiments, Sagremor est à son tour parti en quête d'aventures pour mériter par ses exploits l'amour de sa belle.)

Nous laisserons Sebille pour cette fois et parlerons maintenant de Sagremor qui, monté sur un destrier fauve de la maison du roi, est toujours disposé et prêt à affronter tout chevalier. Le jour où il prit congé de Morenois dont j'ai parlé ci-dessus, il chevaucha sans rencontrer aucun assaillant. Le soir, il rencontra un habitant de la forêt auquel il demanda son chemin pour trouver un lieu d'hébergement : l'autre le lui indiqua bien comme il faut. Mais voilà que notre Sagremor, à peine parti, perdit son chemin, et il dut se résoudre à passer cette nuit en pleine forêt. Il n'en fut guère contrarié, car il ne faisait pas froid : c'était le beau et joli mois de mai. Aussi Sagremor n'eut-il crainte ni frayeur. Sachez bien qu'il passa la nuit à penser inlassablement à ses amours. Pour parachever sa conduite, notre chevalier, rompu aux manières courtoises, se mit à composer, d'un cœur aimable et pur, un virelai qu'il n'abandonna pas avant de l'avoir terminé. Le poème était beau et joli, empli d'un fin sentiment. J'ai envie de le dire ici, pour l'amour de Sagremor qui, à mon avis, en concevra plusieurs autres, puisque le voilà sur la route et que son bel amour lui en inspire avec tant d'agrément l'esprit et la manière.

Dame, votre pouvoir est grand, j'en suis sûr d'expérience, car vous m'avez ôté toute douleur par votre douceur exquise et parfaite, qui fait de moi votre obligé serviteur.

Car dès que j'ai pensé à votre très grande bonté, un bonheur parfait m'a aussitôt envahi sans délai. Aussi ai-je désir et volonté de vous servir sans jamais trahir, tant que me dureront vie et honneur, car vous êtes mon juste asile, et je jure n'en avoir jamais d'autre.

Dame, votre pouvoir est grand..

C'est la vérité, vous me trouverez toujours déterminé à ne jamais vous abandonner, tant que j'aurai vie et santé. Mettez donc mes dires à l'épreuve. Vous verrez que je suis sans repos à vous, par désir sincère, mon doux amour, en toutes circonstances, du matin au soir.

Dame, votre pouvoir est grand...

Sans attendre, Sagremor chanta ce virelai le jour même. Il se plut à le répéter plus de cinq fois, car il avait une fort bonne voix, et il souhaita que pût l'entendre la belle qui le mettait en joie — mais elle ne l'entendra point, car elle est trop loin.

Sagremor parcourait donc ainsi la forêt, à la recherche d'aventures. Or, les écrits nous affirment qu'il n'en trouva aucune. Et, bien ennuyé, il allait par monts et par vaux à travers la forêt où il s'était engagé, portant sa lance et son écu. Un jour, notre amoureux parvint à un bois fort étendu, dont la traversée prenait deux jours, et il y pénétra. Cette forêt, du nom d'Archenai, était peuplée de fées dont je vous parlerai. C'est à son ombre que la grosse rivière de l'Humber prend sa source. En ce temps reculé, il y faisait très mauvais, à l'inverse de maintenant, où c'est une contrée habitée riche et agréable. Cette forêt, alors fort célèbre pour les très merveilleuses aventures qu'elle recelait, dont plusieurs étaient extrêmement périlleuses, était très belle et très sombre. Sagremor, qui en lui-même s'irritait de ne toujours rien trouver contre quoi éprouver sa lance, y chevaucha un jour entier sans se souvenir ou se soucier de boire et de manger. Car la forêt dont je vous parle était ainsi faite qu'on pouvait la traverser ou y séjourner sans rien vouloir goûter : on était toujours rassasié. Telle fut l'expérience de Sagremor, qui s'en émerveilla. Il s'imagina que c'était le port de ses armes vermeilles et de la dame bleue dont son écu était renommé qui en était la cause. Afin de le vérifier, il ôta son armure et pendit son écu à un arbre glacé comme le marbre, y appuya sa lance, puis pendit à une autre branche sa bonne épée. Ainsi s'affairait Sagremor, et il plaça son heaume sur un pieu qu'il avait taillé. Il resta de la sorte désarmé, et son cheval, de l'autre côté, paissait l'herbe abondante.

Soudain, un cerf blanc surgit des taillis et passe à toute allure juste devant Sagremor. Le cheval, encore occupé à paître, est saisi de peur à la vue du cerf ; muet, l'animal lève la tête, s'élance et s'enfuit dans la forêt. Sagremor, resté coi, se courrouce de la perte de son cheval. Il se met à le poursuivre à toutes jambes ; le cheval s'enfuit toujours. Sagremor le poursuit, et le cerf s'élance à son tour comme pour le servir, car partout où va Sagremor, çà et là, le cerf le suit, au grand trouble du jeune homme. En effet, si le cerf l'avait quitté sans le suivre, lui aurait, au bout de sa peine, rattrapé son cheval, tant il le poursuivait ardemment. Mais le cheval, quand il voit le cerf ou sent sa présence, redouble sa course. Sagremor ne peut rien y faire ; il est si épuisé qu'il n'en peut plus : il s'arrête et s'assied, bien en peine de savoir quoi faire désormais. Le cerf s'arrête au même endroit et semble vouloir lui dire : « Montez donc sur moi. » Sagremor se dit qu'en montant sur le cerf il poursuivra son cheval, car il ne peut continuer à pied. Il se dispose alors à enfourcher le cerf, qui tolère la chose et même s'y prête volontiers. Une fois monté sur le cerf, Sagremor regarde dans quelle direction était parti son cheval. Pendant un moment, il suit ses brisées, mais finit par perdre complètement sa trace. Le cerf, sans ralentir, poursuit sa course et sait bien ce qu'il doit faire. Sans nulle peine ni difficulté, il emmène Sagremor à son gré. Il arrive sans encombre au bord d'un lac et y pénètre. Sagremor a de l'eau jusqu'au ventre (...).

(Ici intervient une lacune de 137 vers dans le manuscrit. Mais on peut comprendre ce qui s'est passé : le fond du lac est une demeure féerique. Sagremor, plongé dans un sommeil magique, croit entendre en rêve sa bien-aimée lui chanter un plaisant virelai. Le songe se poursuit ainsi :)

[Sagremor] reprenait ses esprits et commentait le style du virelai :
— Dame, il m'a fait très plaisir à entendre, hormis un détail. Ces médisants, si j'ose le dire, ne favorisent point ma cause, car, sans mentir, je vous jure que jamais de ma vie, quels que fussent la peine ou les maux qu'il m'a fallu endurer, je n'en ai touché mot à quiconque, si ce n'est à une jeune fille qui est la discrétion même.
Alors Sebille, de son côté, répondait :
— Ma foi, Sagremor, je vous crois bien. Mais pour apaiser les maux qu'Amour occasionne, maintes belles demoiselles ajoutent de telles paroles, qui égayent les danses et les fêtes où elles se rendent. Sachez enfin que ce n'est pas moi qui ai conçu les paroles de ce poème.
Sagremor la priait alors de lui dire qui l'avait composé, mais Sebille s'appliquait tellement à garder le secret, quelque pressantes que fussent les prières de Sagremor, qu'elle persistait à n'en rien dire. En revanche, il lui restait un rondeau tout prêt, bon et agréable, qui suivait l'air qu'elle venait de chanter : il est vrai que les vers en avaient été inspirés par un amoureux sentiment et par une dame. Sagremor, voulant à tout prix le connaître, disait alors :
— Ma dame, très chère et toute puissante, je vous en prie à mains jointes, vous serez encore plus joyeuse et plus belle si vous me dites ce rondeau.
Et Sebille semblait lui répondre très joyeusement :
— Sagremor, c'est à contrecœur que je le dis, car il me semble que vous l'interprétez différemment qu'il n'est. Je veux vous apprendre qu'il faut prendre en bonne part toutes ces chansons, car on les compose uniquement pour se divertir, non pour discuter et se quereller.
Sagremor lui répondait :
— Certes dame, vous avez raison. Dites-moi maintenant, je vous prie, ce petit rondeau sans plus tarder ; jamais je n'en parlerai.

Sebille, sans délai, le commençait alors en chantant à grande joie, de la manière suivante :

Les médisants perfides et pleins d'envie s'imaginent-ils donc, par leurs paroles, réussir à nous séparer l'un de l'autre ?
Certainement pas ! Nul jour de ma vie mon cœur ne pense à le quitter.
Les médisants...
Toujours je resterai pour lui une amie loyale, car je ne saurais placer mon amour mieux qu'en lui, quoi qu'on en dise.
Les médisants...

Sagremor répondit alors :

— Ma dame, vous m'avez servi comme je le désirais, et je tiens pour bon et prudent le cœur qui prononce ces paroles. Quand de si plaisants mots sortent de la bouche d'une dame, on doit, à dire vrai, lui en savoir beaucoup de gré : car si elle n'était amoureuse et constante dans son amour, elle ne pourrait concevoir un tel poème.

Il eut aussi l'impression que Sebille tournait son visage vers lui et lui disait :

— Vous m'avez priée et j'ai exaucé votre requête. A mon tour, je vous demande, puisque j'ai chanté, de chanter aussi pour me divertir à l'instant.

Et Sagremor, que cette demande mettait en grande joie, répondait :

— Très volontiers, rien ne pourrait me faire plus plaisir aujourd'hui.

Sagremor se voyait alors occupé à offrir et chanter un virelai de sa composition, habilement conçu et inspiré d'un bon et loyal sentiment :

Ne vous en laissez pas accroire à mon sujet, ma très entière dame, je le jure, quant à mes actions, mes paroles, mes intentions. En tout vous me trouverez, foi que je vous dois, entièrement loyal à votre égard.
Car il est vrai que je n'ai d'autre intention, d'autre volonté, d'autre désir que de me consacrer totalement à votre plaisir. Ainsi agirai-je, vu que tout mon bien me vient de vous. Pour cela je vous ai tout donné, mon cœur et mon amour, très volontiers, pour vous servir sans nul désagrément.
Ne vous en laissez pas accroire...
Cela me fait vivre dans la joie, car je sais bien que tout le déplaisir sera pour les médisants, qui ne pourront accomplir leurs perfides projets, à ce que je vois : car je me suis mis en tel service, ma douce dame, en vérité, que je n'ai plaisir ou pensée que pour vous, en qui j'ai placé mon amour, ma crainte et ma foi.
Ne vous en laissez pas accroire...

Sagremor avait l'impression qu'une fois chanté ce virelai, Sebille se réjouissait grandement en disant :

— Dieu, entre mille virelais, celui-ci serait le meilleur !

Et sur ces paroles, elle disparaissait de sa vue, et Sagremor était si courroucé de son départ qu'il s'en éveilla.

Il regarde alors autour de lui, n'entend âme qui vive. Il ne sait quoi dire ou faire, ni d'où lui venait son plaisir. Voilà que les chansons lui reviennent en mémoire : il en reste pensif un moment. Il réfléchit et se demande en son for intérieur : « N'ai-je point pourtant vu Sebille et entendu son doux chant ? Oui, pour sûr, mais c'était en rêve ! En ce moment, elle ignore qu'un cerf m'a emporté, et où. Si elle savait ce qui m'arrive, peut-être en serait-elle chagrine et souhaiterait-elle que je sois à ses côtés ; j'aimerais bien y être, car, pas plus à gauche qu'à droite, je ne vois quoi que ce soit susceptible de soulager mon sort. Il va falloir me résigner de bon cœur à ce que Dieu m'enverra, que ce soit pour mon bien ou pour mon malheur, car je n'ai plus ni cerf, ni cheval, ni armure convenable ni rien pour soutenir un combat au cas où je serais assailli par des chevaliers de cette contrée. J'oserais presque qualifier mon aventure de diablerie ou d'enchantement, car j'ignore ce qui m'est arrivé et comment j'ai perdu mon cheval, le meilleur qui m'ait jamais servi. »

Pendant que Sagremor se désolait ainsi, il vit arriver au-devant de lui trois dames si respectables et de si grande beauté que c'en était merveille. Elles étaient vêtues de robes non pas vermeilles, vertes, bleues ou bicolores, mais toutes blanches, à plis et à longues manches qui traînaient jusqu'à terre. Ces trois dames à l'allure enjouée se tenaient par la main et lui adressèrent très aimablement la parole :

— Chevalier, vous qui êtes resté allongé ici un moment, ditesnous donc qui vous a gracieusement fait entrer dans notre verger, si vous y êtes venu sans permission, il vous faudra le payer.

Sagremor, sans se troubler, répondit avec beaucoup de sagesse :

— Mes dames, tenez pour sûr que je suis venu ici malgré moi. Je m'en serais bien abstenu, n'eût été celui qui m'a amené ici.

L'une des dames dit alors :

— Cher ami, mais qui vous a mené en ce jardin ?

Sagremor se mit à conter toute son aventure par le menu, comme vous venez de l'entendre, au grand plaisir de son interlocutrice. Les trois dames se retirèrent à l'écart, tout en gardant l'œil sur le jeune Sagremor. Là, je crois bien qu'elles tinrent aimablement conseil au sujet du chevalier : en fait, elles l'avaient fait enlever et doucement amener chez elles. Notre conte se tait au sujet de Sagremor pour le moment, et sachez que ces trois dames étaient des nymphes, jeunes filles au service de Diane : ce sont elles qui enlevèrent le chevalier. Foi que je dois à saint Valier, nous en reparlerons ailleurs, mais nous achèverons d'abord la quête en cours, qui fait la matière de ce livre.

(La lacune finale du manuscrit nous prive de la fin de l'histoire de Sagremor promise par le narrateur. On peut néanmoins supposer que Sagremor finissait lui aussi par épouser celle qu'il aime.)

LE CHEVALIER AU PAPEGAU

Récit en prose traduit et présenté par Danielle Régnier-Bohler.
Écrit à la fin du XIVe siècle ou au début du XVe siècle
par un auteur anonyme.

LE CHEVALIER AU PAPEGAU

INTRODUCTION

Ce récit, tard venu dans la légende arthurienne, vers la fin du XIVe siècle a-t-on dit, ou même au cours de la première moitié du XVe siècle, s'est vu attribuer une source en vers, un récit perdu qui aurait fourni dès le XIIIe siècle la matière d'un roman en moyen allemand, le *Wigalois* de Wirnt von Grafenberg. Une comparaison du récit allemand et du *Chevalier au Papegau* permet de suggérer en effet, sans trop de certitude cependant, l'usage d'un modèle commun. Mais il ne faudrait pas pour autant considérer *le Chevalier au Papegau* comme un dérimage : l'auteur anonyme semble avoir composé un récit nouveau à partir d'une source considérablement enrichie de motifs appartenant à une large tradition narrative.

Œuvre d'un remanieur, le *Chevalier au Papegau* témoigne d'un véritable brassage romanesque, à commencer par le choix d'un héros prestigieux, le roi légendaire de la Table Ronde : c'est la première fois en effet qu'Arthur devient le héros principal d'un roman. Hormis l'histoire mystérieuse de sa naissance et de son avènement au trône suivi de l'instauration de la Table Ronde, les autres récits lui ont donné le rôle d'une clef de voûte. Dans l'univers de la Table Ronde, il a toujours été toujours un pôle, plus qu'un personnage.

Dans notre dernier récit arthurien, le temps du roi est pris à rebours : si la Table Ronde est déjà constituée et célèbre. véritable institution d'un idéal chevaleresque puisque le seigneur des Estranges Iles veut se rendre à la cour d'Arthur, ce dernier apparaît à ses débuts, nouvellement couronné : dans la bonne tradition des *Enfances* (dans le sens qu'on donnait à ce terme dans les cycles épiques dont les récits les plus tardifs s'attachaient, paradoxalement. aux débuts des exploits du héros, à ses *enfances,* à sa jeunesse, à ses premiers faits d'armes), Arthur se voit ici donner le temps d'une formation personnelle. Et cette fois, contrairement aux autres récits de la légende qui foisonnent en quêtes de chevaliers errants. le jeune roi est l'unique chevalier « en aventure ». Si la renommée de sa cour s'est déjà répandue par le monde, Arthur, paré de toutes les promesses, décide qu'il lui faut encore acquérir, et par lui-même, une véritable habilitation à la souveraineté et à la gloire.

C'est ainsi qu'il revendique la première aventure qui survient à sa cour dès son couronnement, et à la fin du récit, il revendique de même l'aventure de l'île, pour lui-même et « à part entière », ce qui lui permettra de revenir à la cour pour son apothéose.

Le temps du récit est le temps cyclique de l'année révolue, qui offre l'espace et le déroulement possible d'une quête : de l'octave d'une Pentecôte à la Pentecôte de l'année suivante, où la cour se trouve à nouveau réunie, le jeune Arthur fait une moisson de belles aventures et de prouesses prodigieuses, il effectue un parcours amoureux aussi, dont il sort immanquablement comme le « meilleur chevalier du monde ». Ainsi l'usage de la quête, propre au monde arthurien, est assigné à celui qui doit, de toute nécessité, revenir couvert de gloire de son périple d'une année !

Sans aucune pesanteur, ce récit allègre est pétri, on le voit, de matériaux narratifs tirés de la tradition. Avec, en plus, des éléments qui semblent bien parler de la mode romanesque de son époque et dire à quel point la société était traversée par l'imaginaire littéraire de la légende arthurienne qu'elle a su adapter.

Pourquoi avoir soumis Arthur au risque de l'aventure ? Pourquoi lui faire prendre le risque... de ne pas se montrer digne d'Arthur ? Sa naissance mystérieuse et l'éclat de son élection lors de l'épisode de l'enclume le promettaient à un noble destin, mais d'un beau programme captif de la parole de Merlin à la fonction souveraine exercée à sa cour, ne fallait-il pas laisser à Arthur quelque pause, pour le soumettre au hasard merveilleux et périlleux de ses propres aventures ?

De la parole prophétique de Merlin, il est fait mention à plusieurs reprises. Mais si Merlin faisait, on le sait, soigneusement consigner par Blaise tous les faits étonnants, liant le devenir du monde à la mise par écrit et donc à la sécurité d'une mémoire, à quoi s'ajoutaient les paroles véridiques de ceux qui, revenant à la cour, pouvaient témoigner des aventures qu'ils avaient rencontrées et accomplies, ici — dans le roman en prose, tard venu dans notre littérature — une parole, parodique et malicieuse, vient commenter les actes du jeune roi, et même les mettre en musique : le papegau, témoin joyeux, prophète du bon déroulement des aventures, commente à loisir et chante les prouesses de son jeune seigneur. Oiseau magique, il enchante les cœurs, il les devine aussi. Rien ne lui échappe des émois amoureux du roi qui se déroulent, il faut le souligner, entre le couronnement et son mariage avec Guenièvre.

On voit ici Arthur en héros tout disponible, au même titre que Gauvain, pour l'amour et la prouesse. Le papegau est son chantre, un chantre officiel qui connaît dès le début son identité et qui est intimement mêlé à ses exploits puisqu'il sait constamment inspirer le courage !

Notre roman en prose a déjà la brièveté des récits du xve siècle : il agence allègrement les motifs arthuriens venus de la tradition, tel le prix de beauté et la récompense de l'oiseau, que l'on peut lire dans *Erec et Enide*, dans le *Bel Inconnu*, dans *Durmart le Gallois* ou dans *Méraugis*, rappels probablement familiers aux lecteurs de l'époque, au même titre que les épreuves d'un Pont Périlleux ; et encore les ordres impérieux donnés par la dame, qui font revivre l'épisode fameux du *Chevalier à la charrette*. Mais les temps ont changé : si Lancelot avait obéi à Guenièvre, Arthur obéissant à sa dame accepte de se couvrir de honte, mais il punit sévèrement ses ordres démesurés ; l'amour dit « courtois » semble avoir changé de nature et Arthur est à cet égard plus réaliste que Lancelot. De même les monologues intérieurs, les luttes d'un cœur avec lui-même, avec Amour qui le presse et le contredit, tous ces éléments d'une psychologie amoureuse ont été habilement transmués pour se colorer de malice et d'une préciosité ludique.

En toile de fond, la Table Ronde, le roi Lot, et la parole lointaine de Merlin qui assure le bon déroulement des faits. Mais peut-être faut-il mettre en relief ce qui relèverait plus largement d'une tradition orale, et qui rappelle en tout cas l'investissement littéraire du conte, qu'illustrent d'autres récits comme le *Roman de Jaufré* ou les *Merveilles de Rigomer*. Des motifs en effet appartiennent au domaine des contes et en retrouvent ici la brièveté : le monstre marin sorti des ondes sous la forme d'un chevalier, l'arbre magique dont la fleur protège le jeune Arthur, le tournoi fantôme, un revenant tout de blanc vêtu, qui apparemment séjourne encore en purgatoire, un dragon ou une femme sauvage. L'auteur anonyme a rendu hommage non seulement à l'ensemble des motifs romanesques arthuriens, mais aussi à une tradition plus folklorique. L'épisode du nain et du géant nourri par une licorne donne un rôle étiologique au bon roi qui va clore son année de quête. Les débuts d'une civilisation se disent ainsi à travers l'accès de l'homme sauvage — le géant à la massue — au monde chevaleresque, où il est baptisé, où il est fait chevalier et est admis à la cour.

Dans ce tourbillon d'aventures, quelques pauses, amoureuses cette fois, sont tirées de la tradition. Mais le récit a l'originalité de mettre en scène une sociabilité exaltée : les gestes et les rites de l'accueil, les réjouissances et les cortèges viennent fêter le héros rédempteur, plus que dans d'autres récits arthuriens, et il s'y ajoute la permanence du chant et de la musique. L'oiseau merveilleux, bien parlant et bien chantant, diffuse sa joie à tous ceux qui l'entourent, si bien que les sons règnent. Tout exploit accompli par Arthur est commenté par les notes mélodieuses du papegau, puis perpétué par les chants de la cour. Mouvements de scènes d'un imaginaire social où la « farciture » lyrique fait partie de l'action ! Le papegau devient lui-même personnage de récit, personnage savant et délié qui témoigne d'une belle éducation musicale et courtoise. Ce développement du motif de l'oiseau merveilleux, de l'animal compagnon du héros, est un véritable enrichissement de la tradition. Conseiller, ami et mentor du jeune chevalier : si le papegau a été conquis par Arthur, il forme désormais couple avec le roi.

Récit-symptôme d'un épuisement de la légende arthurienne ? En prenant Arthur pour centre en effet, la légende se referme en boucle, elle remonte le temps, usant de la tradition du chevalier inconnu, puisque Arthur devient, pour toute la durée du récit, le *Chevalier au Papegau* et n'est rendu à son identité de roi de Bretagne qu'à la fin, sur l'île inconnue. Il accomplit son éducation par lui-même, en s'engageant dans une sorte de *Bildungsreise*. les maximes en triade qui viennent ponctuer le récit ne sont pas gratuites ! Enfin très linéaire au premier regard, ce récit — malgré la juxtaposition apparente des épisodes — sait proposer des temps suspendus : une promesse d'aide peut être différée pour faire place à une autre aventure qui doit s'accomplir, afin que le héros puisse revenir à la première qui était venue le solliciter.

Il n'existe de ce récit qu'un seul manuscrit sur parchemin, à la Bibliothèque nationale, le manuscrit du fonds français 2154, qui semble avoir appartenu à la famille de Tournon.

L'édition ici utilisée est celle qu'a publiée en 1897 Ferdinand Heuckenkamp, Halle, Niemeyer. Nous en avons gardé le découpage en séquences, en en modifiant parfois les titres.

Danielle RÉGNIER-BOHLER

BIBLIOGRAPHIE

H.M. J. TAYLOR : « The fourteenth century : context, text and intertext », dans *The Legacy of Chrétien de Troyes*, t. I, p. 294-298.

Que ceux qui prennent plaisir à entendre parler de grandes prouesses et de nobles aventures, prêtent l'oreille afin d'apprendre les premières aventures du noble roi Arthur, tout au commencement de son règne.

En voici le début.

I

L'AVENTURE DU CHEVALIER DE LA MER

Le jour de la Pentecôte, le jour même du couronnement d'Arthur, il y eut de grandes manifestations de joie et d'allégresse en la cité de Camaalot. Lorsque la messe chantée solennellement comme il convenait pour une telle fête eut pris fin, le roi et ses seigneurs montèrent tous au palais.

Et voici qu'une demoiselle, toute seule et sans escorte, montée sur une mule qui avançait à belle allure, chevaucha si bien qu'elle arriva à la cour où se déroulait la fête. Lorsqu'elle eut mis pied à terre au perron et qu'elle eut attaché sa mule, elle monta vers la salle, se dirigeant vers l'endroit où elle avait aperçu le roi qui avait déjà pris place à table. Elle le salua avec déférence :

— Noble seigneur, l'une des plus belles, des plus nobles et des plus gracieuses dames que l'on connaisse au monde m'envoie vers vous pour implorer votre pitié ! Elle vous demande de bien vouloir lui envoyer un chevalier de votre cour, assez courageux et assez hardi pour la secourir contre un chevalier qui demeure au bord de la mer et qui chaque jour vient l'attaquer, ainsi que les habitants de sa terre. Il a déjà tué soixante chevaliers parmi les meilleurs de sa terre, de sorte qu'elle ne peut trouver de combattant assez audacieux pour aller le défier. C'est la première aventure qui arrive à votre cour ! Je m'adresse à vous au nom de Dieu et au nom de ce que vous devez à vous-même : accordez-lui ce qu'elle demande !

Lorsqu'Arthur l'eut saluée à son tour, il lui répondit avec beaucoup de bienveillance :

— Demoiselle, j'ai prêté grande attention à ce que vous m'avez dit. Que Dieu protège votre dame qui vous a envoyée vers moi, car je ferai de bon cœur ce qu'elle demande !

Il ordonna alors à un jeune homme de très noble naissance qui se trouvait là, de se mettre à sa disposition et de lui faire donner tout ce dont elle aurait besoin. Il l'assura que lorsque le moment serait venu, il s'occuperait de sa requête. Le jeune homme fit ce que le roi lui avait ordonné ; il la mena vers la demeure d'un des plus nobles et des plus riches bourgeois de la ville, qui l'accueillit de grand cœur et la fit servir avec beaucoup d'égards, comme elle le désirait. La demoiselle y séjourna sept jours entiers, tant que dura l'assemblée.

Après l'octave de la Pentecôte, pour laquelle le roi avait réuni une cour grande et solennelle, les seigneurs des contrées lointaines prirent congé. Le roi, en homme qui sait être généreux, distribua à chacun, selon son rang, de l'or, de l'argent, des vêtements de soie ; chacun se mit en route pour rentrer chez soi, rempli d'une joie extrême. Tous proposèrent instamment au roi leur service [1] s'il devait en avoir besoin, et ceci à tout moment.

Le roi resta à Camaalot avec les plus proches de ses seigneurs. Mais voici que la demoiselle vint lui rappeler la requête de sa dame. Chevaliers et grands seigneurs se proposèrent tous pour aller secourir la demoiselle, mais le roi Arthur ne voulut l'accorder à personne :

— Il est juste que cette aventure me revienne, car c'est la première qui survient à ma cour, et comme je suis nouvellement couronné, personne d'autre que moi — voilà ma volonté — n'ira au service de la dame !

Malgré toutes leurs prières, les seigneurs ne réussirent pas à le convaincre de rester. Il confia son royaume et sa cour à l'un de ses seigneurs qui se nommait monseigneur Lot, et il fit proclamer par toute sa terre que chacun lui devait obéissance jusqu'à son retour. Après quoi il se fit apporter son armure et ses armes, il monta sur son destrier et sortit de la ville avec la demoiselle. Tous ses seigneurs l'accompagnaient, et ils chevauchèrent ensemble si bien qu'ils arrivèrent à la forêt de Camaalot.

---

1. Les termes « service, servir, proposer le service » sont particulièrement fréquents dans ce récit. Il s'agit d'un engagement propre à la relation féodo-vassalique. Cf. lexique.

Au moment de pénétrer dans la forêt, le roi Arthur ordonna à tous ses seigneurs de s'en retourner. Voyant que c'était le désir du roi, ils repartirent pour Camaalot, accablés et soucieux de voir leur seigneur, si jeune chevalier, si fragile encore et en même temps si valeureux, partir pour des contrées lointaines dont ils ne savaient rien. En vérité, pour son âge c'était le meilleur chevalier du monde !

II

DANS LA FORÊT DE CAMAALOT

Quand le roi eut quitté ses seigneurs, il chevaucha seul avec la demoiselle, parlant de choses diverses tout à leur gré. Après avoir fait route quelque temps, ils entendirent une voix crier très fort, ce qui laissait supposer qu'elle avait besoin d'aide :

— Cher Seigneur Dieu, ayez pitié de moi !

Il y eut ainsi trois cris. Le roi regarda dans la direction d'où ils venaient et il vit arriver sur une mule une dame très belle et fort somptueusement vêtue, fuyant devant un chevalier armé, monté sur un destrier, qui la poursuivait l'épée nue à la main. Lorsque la dame aperçut le roi chevauchant aux côtés de la demoiselle, elle se dirigea vers lui :

— Ah ! noble chevalier, lui dit-elle, pitié ! Pour l'amour de Dieu, ayez pitié de moi ! Faites-moi échapper à la mort, ne laissez pas ce chevalier m'enlever la vie ! Il a déjà tué mon ami sans raison, et maintenant c'est moi qu'il veut tuer !

Elle n'avait pas encore terminé ces mots que le chevalier levait l'épée pour la frapper. Mais le roi se précipita :

— Seigneur, s'écria-t-il. Au nom de la chevalerie, ne touchez pas cette dame : il n'est pas honorable pour un chevalier de mérite de tuer ainsi une dame ou une demoiselle !

Lorsque le chevalier vit que le roi venait au secours de la dame, il dit avec hostilité :

— Seigneur vassal, si vous voulez prendre sa défense, méfiez-vous de moi, car je crois bien que vous ne pourrez défendre ni la dame ni vous-même !

Le chevalier remit alors l'épée au fourreau et se dirigea vers une lance qu'il avait posée au pied d'un arbre. Il la saisit, éperonna son cheval qui se lança impétueusement contre le roi. Celui-ci se préparait à lui résister. Le chevalier qui avait pris son élan de loin frappa le roi si brutalement de la lance au milieu de l'écu qu'il le lui brisa, atteignant le haubert du côté droit : si la lance ne s'était brisée, il aurait gravement blessé le roi, mais celui-ci frappa à son tour très vigoureusement, de toute la force de sa lance, de sorte que ni écu ni haubert n'empêchèrent son adversaire de tomber si brutalement qu'il fut hébété au point de ne plus savoir où il se trouvait. Et au bout d'un moment, après avoir retrouvé ses esprits, il vit le roi qui, ayant déjà mis pied à terre, se dirigeait vers lui, l'épée à la main, avec un vif désir de le frapper :

— Noble chevalier, pour l'amour de Dieu ne me tuez pas ! Oubliez la façon dont je me suis comporté !

Quand le roi entendit qu'il lui demandait l'épargner, il lui dit :

— Si tu veux que je te fasse grâce, ma volonté sera que tu te mettes en la merci de cette dame et qu'elle fasse de toi ce qu'elle voudra !

— Ah ! cher seigneur, fait le chevalier, pour Dieu, plutôt que me trouver en son pouvoir je préfère que vous me donniez la mort !

Le roi lui demanda alors pourquoi il avait tué son ami :

— Seigneur, je vous le dirai bien volontiers, lui répondit le chevalier. Comme vous pouvez le voir, elle est la plus belle dame du monde, en vérité : sa beauté est pour moi la mort, car je l'ai plus aimée que nul chevalier n'a jamais aimé une femme ! Mais elle a accordé son amour à autre que moi, et pour cette raison je voulais lui donner la mort puisqu'elle ne veut pas être à moi. Son ami, je l'ai tué parce qu'il était sien, malgré moi, malgré ma volonté !

— Ah, chevalier ! fit le roi plein de colère, quel est ton nom ?

L'autre lui répondit qu'il se nommait le Chevalier de la Gaste Lande. Le roi lui dit alors :

— Il faut te mettre en la merci de la dame, ce qui sera ta prison, ou bien je te tuerai ! Je pense qu'elle t'épargnera par égard pour moi.

— Ah, seigneur, dit le chevalier, la pitié d'une femme est pleine de périls, mais comme je vois que c'est votre volonté, je m'y plierai !

La dame qui avait bien entendu ces propos s'adressa au roi :

— Seigneur, il m'importe peu de tenir mon ennemi captif, dès lors que je ne puis me venger ; car la captivité est la demeure de l'homme méchant et voici pourquoi : si l'homme méchant n'était retenu captif, il poursuivrait à tel point sa mauvaise vie qu'il serait tué et détruit par ses actes mêmes. Pour cette raison, noble seigneur, je vous le laisse, afin que vous en fassiez selon votre plaisir

Le roi lui fit promettre qu'il se rendrait à Camaalot, qu'il irait trouver monseigneur Lot de la part du jeune chevalier qui chevauchait avec la demoiselle et qu'il resterait en sa merci jusqu'au retour du roi Arthur à la cour.

III

LE COMBAT CONTRE LION SANS MERCI

Une fois le Chevalier de la Gaste Lande envoyé à la cour, comme vous venez de l'entendre, le roi Arthur demanda à la dame dans quelle direction elle voulait aller. La dame lui répondit :

— Noble seigneur, j'aimerais vous amener, si cela vous convient, vers l'une des plus belles cours que vous ayez jamais vues : elle est toute proche. Il y aura bien trois cents dames et damoiselles, les plus belles et les plus nobles que vous ayez jamais vues ! Et il y aura bien cinq cents chevaliers, les meilleurs du pays, qui sont déjà arrivés pour voir cette cour, où il convenu que celui qui aura l'amie la plus belle et auquel les armes viendront donner raison, aura pour récompense un papegau qu'un nain y présente chaque année. C'est l'oiseau le plus habile du monde : il sait chanter les tendres et beaux chants d'amour, il sait parler avec éloquence et dire, comme il convient, tout ce qui peut séduire un cœur d'homme et un cœur de femme.

« Mais il doit y venir un chevalier qui a vaincu tous les autres du pays par les armes, et qui fait à tous le plus grand tort, de la façon la plus insensée que l'on ait jamais vue chez un chevalier !

— Et quel tort leur fait-il, dame ? demanda le roi.

— Seigneur, dit-elle, une fois par mois il fait venir en la prairie de Causuel tous les chevaliers, toutes les dames et demoiselles et les jeunes gens de toute la contrée, et sous la contrainte il leur fait rendre hommage, ceci sans droit et sans raison ! Ensuite, comme il a une amie qui est la plus affreuse créature que vous ayez jamais vue, il leur fait sous la contrainte affirmer qu'elle est la plus belle et la plus noble et la plus raffinée du monde !

« Noble seigneur, ce serait un acte de très grande générosité de délivrer les chevaliers, les dames et les demoiselles du servage injuste qui les accable. Et vous avez le pouvoir de les délivrer si vous le voulez, car vous avez pour vous la justice. Et voici comment : comme vous avez vaincu au combat le Chevalier de la Gaste Lande, je me ferai peindre sur votre écu [1] lorsque vous affronterez le cheva-

---

1. La figuration d'une dame sur l'écu du chevalier est un motif connu des romans médiévaux : la figure peinte apporte au chevalier le courage nécessaire, tel dans *Gliglois,* le portrait à l'intérieur de l'écu, et d'autres fois la figure arborée à l'extérieur de l'écu. Si la figure peinte inspire courage au chevalier, elle vaut également comme preuve de la qualité de la dame pour laquelle on combat.

lier, et ainsi vous lui montrerez par cette preuve que je suis bien plus belle, plus noble et plus riche de biens que son amie. Mais vous ignorez encore qui je suis et à qui vous avez apporté votre aide !

— En vérité, fait le roi, je ne sais qu'une chose, c'est que vous êtes — voici le fond de ma pensée — la plus belle et la plus charmante dame que j'aie jamais vue. Amour m'ordonne de me mettre tout à vos ordres et de faire tout ce qu'il vous plaira. Si cette demoiselle qui m'accompagne et me conduit le veut bien, il ne tiendra pas à moi que je ne fasse tout ce que vous désirez !

La dame se tourna alors vers la demoiselle et lui dit :

— Demoiselle, accompagnez-le à cette cour, je vous en prie, et soyez assurée, s'il réussit à vaincre le chevalier, que vous n'aurez jamais fait un voyage d'une importance plus grande !

— Dame, dit la demoiselle, si la plainte venait de moi, je ferais tout ce qu'il vous plairait, tant je vous vois noble et pleine de qualités. Mais je suis au service d'une dame qui m'a envoyée le chercher à l'endroit où je l'ai trouvé, et je n'ai pas d'ordre à lui donner : je n'ai qu'à lui montrer le chemin. S'il veut se rendre à cette cour, je n'ai rien à dire, ni oui ni non. J'irai là où il lui plaira !

Lorsque le roi vit que la demoiselle ne s'y opposait pas, ils prirent tous trois le chemin de la cour. Après une courte chevauchée, ils aperçurent sur une belle prairie des tentes et des pavillons, des tentures somptueuses de soie superbement ouvragée ; ils virent des dames et des demoiselles montées sur des mules et des palefrois, magnifiquement vêtues, qui regardaient au milieu de la prairie ceux qui, montés sur leurs destriers, se donnaient des coups de lance et faisaient un singulier vacarme.

Voyant s'approcher le roi et ses compagnes, ils s'arrêtèrent et crièrent au roi, car ils voyaient qu'il venait d'une autre contrée :

— Seigneur, maudite soit votre arrivée ! Maudite soit votre arrivée, seigneur ! On verra bien votre valeur !

Les autres se moquaient de ses compagnes. Quand le roi s'entendit ainsi tourner en dérision, il leur dit :

— Ah, misérables, qui ne témoignez ni générosité ni mesure, qui acceptez lâchement votre asservissement ! Je suis venu ici pour vous délivrer et vous me tenez ces propos méprisants ? En vérité, personne ne devrait venir à votre aide !

Entendant ses mots, les chevaliers furent très honteux, se repentant d'avoir si mal reçu le roi et ses compagnes, et bien à tort. Alors le roi leur demanda où se trouvait le chevalier à qui ils devaient rendre hommage. Il n'avait pas encore fini de parler qu'il vit venir un chevalier armé de la tête aux pieds, monté sur un destrier noir et menant grand vacarme. A ses côtés une demoiselle sur une mule somptueusement équipée. Je ne pourrais vous parler de sa beauté, car elle en était tout à fait dépourvue ! Et il ne me plaît pas de décrire sa laideur, car à peine les mots me suffiraient-ils ! A sa suite et autour d'elle, venaient des dames et des demoiselles, qui semblaient très joyeuses, au son des harpes et des vielles. Et derrière elles, un nain vêtu d'écarlate fourrée de vair poussait devant lui un palefroi qui portait une cage où se trouvait le papegau dont je vous ai parlé plus haut.

Lorsque le chevalier vit le roi parler aux chevaliers et aux dames, il fut aussitôt persuadé, comme il était armé, qu'il était venu pour l'affronter. Et sans autre discussion, poussé par la colère et la rage, il saisit son écu et sa lance et ordonna de dégager la place.

On lui obéit sur-le-champ. Lorsque la place fut dégagée, le roi qui voyait bien qu'il lui faudrait combattre se couvrit la poitrine de son écu et saisit son épée. Le chevalier en fit de même. Piquant des éperons, ils se lancèrent l'un contre l'autre, écu contre écu, avec tant de fougue et de force qu'ils les mirent en pièces, tout brisés. Mais les hauberts étaient si résistants que les adversaires échappèrent à la mort. Les destriers se lancèrent alors l'un contre l'autre si vigoureusement qu'ils tombèrent morts sous les combattants. Ceux-ci se sentaient forts et légers, ils se relevèrent en hâte, saisissant leurs écus. Mettant la main à l'épée, ils coururent l'un vers l'autre avec grande impétuosité.

Elle fut impressionnante, la lutte du roi et du chevalier qui combattait contre lui, et elle dura longtemps, de sorte qu'on ne pouvait savoir qui avait le dessus. Tous ceux et toutes celles qui étaient présents s'étonnaient grandement de voir combien de temps le roi, qui était si jeune, avait déjà résisté contre leur seigneur ; et à cause de la bravoure qu'ils lui reconnaissaient, poussés aussi par le désir d'être délivrés de l'asservissement qu'ils devaient subir, tous priaient Dieu du fond de leur cœur que leur seigneur soit vaincu et mis à mort.

Leur combat dura si longtemps que le chevalier aux prises avec le roi était fort irrité de sa résistance, honteux surtout de le voir si jeune.

Il se lança, plein de colère et de rage, et frappa le roi sur l'avant du heaume avec une telle violence qu'il le fendit et y enfonça son épée, le blessant gravement au visage.

Quand le roi vit son sang couler par dessous la ventaille, il fut pris d'une grande rage qui doubla ses forces ; car la rage chez les êtres de mérite accroît la force et la hardiesse, alors qu'elle accroît chez les mauvais la lâcheté et la médiocrité !

Animé de fureur et de courage, il courut vers le chevalier et lui donna de toute sa force entre le heaume et l'écu un coup tel qu'il lui trancha le bras gauche, qui tomba sur place avec l'écu qu'il tenait.

En voyant porter ce coup, tous ceux qui étaient là s'écrièrent en chœur :

— Notre seigneur a trouvé un adversaire qui le vaut et le dépasse !

Voyant son bras perdu, le chevalier se laissa tomber à terre, saisi de terreur. Le roi se dirigea vers lui, lui arracha le heaume de la tête, et le chevalier de son mieux lui demanda grâce, implorant au nom de Dieu d'être épargné. Et comme le roi avait estimé qu'il était hardi chevalier, il éprouva pour lui de la pitié, mais les dames et les chevaliers, tous ensemble, lui demandèrent d'une seule voix de le tuer, de sorte que le roi était bien perplexe. Et il dit au chevalier :

— Avant de te faire grâce, je veux que tu me dises ton nom et ton origine ; alors je saurai le traitement que tu mérites !

Le chevalier lui répondit :

— Si vous le voulez je vous le dirai de bon gré.

IV

LES ORIGINES DE LION SANS MERCI
ET SON CHÂTIMENT

— Cher seigneur, mon père était un pauvre vavasseur, qui n'avait rien au monde, sauf ce château qui se trouve là et qui se nomme Causuel. Et comme j'étais un enfant très méchant, il m'appela Méchant Garçon. Je n'ai pas eu de nom véritable jusqu'au moment où l'on me fit chevalier ! C'est alors que alors mon nom fut changé en « Lion sans Merci » parce que j'étais vainqueur de tous les chevaliers qui joutaient contre moi. En effet, quand j'avais obtenu la victoire, je leur faisais jurer qu'ils resteraient prisonniers, et sans aucune pitié je leur faisais mettre toutes leurs terres en mon pouvoir.

— Et que faisais-tu à ceux qui ne s'y pliaient pas ? demanda le roi.

— Seigneur, répondit le chevalier, je les mettais à mort. Je prenais leurs épouses, leurs enfants et leurs biens, où qu'ils fussent, et je les gardais asservis afin qu'ils se soulèvent jamais contre moi.

— Et que faisais-tu de ceux qui se mettaient ainsi totalement en ton pouvoir ?

— Seigneur, je leur enlevais les deux tiers de ce qu'ils possédaient à l'heure où j'avais obtenu la victoire et je les faisais venir, eux, leurs épouses et leurs enfants, petits et grands, une fois par mois : je me faisais rendre hommage, de sorte qu'ils ont bien obéi à mes ordres jusqu'à ce jour !

— Et pendant combien de temps as-tu usé de ce pouvoir ?

— Cher seigneur, pendant quinze ans et plus, durant lesquels je n'ai trouvé adversaire qui pût me résister, mais vous m'avez vaincu, et eux avec moi ! Vous m'avez soumis à votre pouvoir. Je vous prie, cher seigneur, pour l'amour de Dieu, épargnez-moi !

— Lion, dit le roi, tu as bien mal respecté les règles de la chevalerie, car celle-ci exige la loyauté à l'égard de tous. Et tu t'es mieux conformé au nom que ton père t'avait donné qu'à celui qui te fut attribué lorsque tu devins chevalier. Car tu as pris le bien des chevaliers qui ne pouvaient se défendre contre toi, et à grand tort. Tu les as ensuite tenus en ton pouvoir, ainsi que leurs proches, contre le droit et la justice. Ainsi tu t'es conformé au nom de Méchant Garçon, mais certainement pas au nom de Lion. Car le lion est l'animal le plus généreux du monde : quelle que soit sa faim, face à une bête qui se met à terre pour lui témoigner des marques d'attachement, son hostilité n'ira jamais jusqu'à la toucher à partir de ce moment. Voilà pourquoi tu ne t'es pas conformé au nom de Lion !

« Mais je ne veux pas que ta méchanceté gâche ma bonté, et je te ferai grâce, car tu le mérites. Sais-tu quelle est ma volonté ? Que tu déclares quittes tous ceux qui sont ici, petits et grands, que tu leur rendes tout le bien que tu leur a pris, si tu l'as encore, et que tu répares le mal que tu leur a fait à tort, par ton orgueil. Voici ce que je veux encore : que tu restes en cet endroit même, en une prison que tu feras édifier. Je veux que tous ceux, petits et grands, qui devaient régulièrement te prêter hommage, viennent une fois par mois te contempler, jusqu'à ce que le roi Arthur de Bretagne te fasse dire de venir à sa cour, de la manière que je vais décrire :

« Tu seras vêtu du mieux que tu pourras, et tu monteras sur une charrette équipée somptueusement, comme il convient à un chevalier qui n'a pas le droit de monter à cheval[1]. J'ordonne à tous les chevaliers que tu avais l'habitude de tenir asservis de te mener alors à la cour, chacun prêtant son aide aux autres. Je tiens à leur infliger cette peine, à cause de leur lâcheté et de leur peu de mérite !

V

LE PAPEGAU ENTRE EN SCÈNE

Tout comme le roi l'avait annoncé, Lion sans Merci ainsi que les autres chevaliers durent s'engager par serment. Les chevaliers et l'ensemble des grands seigneurs se demandaient avec étonnement

---

1. Il pourrait s'agir ici d'un clin d'œil à la tradition littéraire de la « charrette » qui est un signe d'ignominie chez Chrétien de Troyes. Dans *Le Chevalier à la charrette*, Lancelot, qui y monte pour l'amour de Guenièvre, accepte en même temps de renoncer à son honneur de chevalier. Il est hué par tous et couvert d'outrages.

comment un chevalier aussi jeune que le roi pouvaìt imaginer une telle vengeance pour Lion sans Merci. Ils en furent fort satisfaits et consentirent tous à exécuter ses volontés.

Mais nul ne pourrait vous dire l'agitation du papegau. Il dit au nain de le porter à l'endroit le plus élevé qu'il pourrait trouver :

— Nain, criait-il, nain, emporte-moi voir le meilleur chevalier du monde ! C'est celui dont Merlin a tant parlé dans sa prophétie, lorsqu'il disait que le fils de la brebis devait soumettre le Lion sans Merci rempli d'orgueil, de violence et de rage. Ah, nain, ne tarde pas ! Porte-moi vite vers lui, car je lui appartiens désormais !

Lorsque le papegau fut proche du roi, il se mit à relater tous les événements qui étaient survenus depuis le temps de Merlin jusqu'à cette heure : ses paroles étaient si belles que le roi et les autres s'étonnaient fort de ce qu'il disait.

— Seigneur, pourquoi ne me prenez-vous pas ? demandait-il au roi. Je suis vôtre par justice, car vous êtes le meilleur chevalier du monde et le plus valeureux, et vous avez avec vous la plus belle dame que l'on connaisse au monde ! Pourtant vous ne savez ni son nom ni son origine !

— Seigneur, dit la Dame sans Orgueil, je suis la sœur de Morgane, la fée de Montgibel [1].

Le roi fut très joyeux des propos du papegau et de la réponse de la dame. Il s'avança et prit le papegau, le nain et tout l'équipement ; puis il remercia fort la Dame sans Orgueil de l'avoir mené à cette cour. Les habitants de la contrée, tous ensemble, lui témoignèrent de grandes marques de respect, le priant avec insistance de rester à Causuel tant qu'il lui plairait. Mais il leur dit que cela ne lui était pas possible à cause d'une aventure qu'il devait entreprendre pour une dame.

Le Grec Darsenois, qui était venu à la cour, présenta au roi un beau destrier, bien en point et de belle taille, comme il convenait à un tel chevalier. Le roi l'accepta très volontiers en retour de son service, car il en avait besoin. Il monta à cheval, ainsi que la demoiselle et le nain qui poussait le palefroi tout en portant le papegau. La Dame sans Orgueil et toutes les autres dames et demoiselles qui se trouvaient là, tous les seigneurs et les autres montèrent également à cheval pour accompagner celui qui les avait arrachés au servage qui les accablait.

Ils chevauchèrent dans la joie, au son des vielles et des harpes. Après avoir chevauché une bonne lieue anglaise, le roi demanda à

---

1. Il s'agit de Morgane, demi-sœur d'Arthur. Ici elle est dite sœur de la Dame sans Orgueil, mais la parenté avec Arthur n'est pas indiquée. *Le Chevalier au Papegau* est le seul récit arthurien à faire état de sa résidence à Montgibel.

tous et à toutes de s'en retourner. Comme ils voyaient que c'était son désir, ils lui demandèrent le nom de celui qui les avait délivrés de leur servage :

— Le Chevalier au Papegau ! répondit le roi.

Puis il les recommanda à Dieu et pria la demoiselle qui chevauchait à ses côtés de ne pas l'appeler autrement. La Dame sans Orgueil prit congé du roi, en lui proposant instamment son service s'il en avait besoin. Elle retourna à Causuel avec les autres qui étaient remplis de joie et de bonheur, pour la belle aventure qui leur était arrivée. Tout comme Lion sans Merci, ils firent ce que le Chevalier au Papegau leur avait ordonné.

VI

RÉVÉLATIONS DU PAPEGAU

Ainsi ils s'avançaient à cheval, le Chevalier au Papegau et sa demoiselle, extraordinairement heureux de l'aventure qui leur était arrivée. Le roi regardait bien souvent la demoiselle qui était belle, blanche et rosée, tout comme la rose au mois de mai, et ils chevauchaient l'un près de l'autre, parlant à loisir de ce qui leur plaisait. Mais quand le papegau aperçut les regards que l'un avait pour l'autre, il ne put s'empêcher de dire :

— A vous deux, vous formeriez le plus beau couple du monde, car vous êtes, seigneur, le plus beau chevalier et le meilleur que l'on puisse trouver en quelque contrée que ce soit ! Quant à elle, elle est si belle, si noble et si raffinée que rien en elle ne saurait être modifié ! Tous deux vous êtes du même âge, et elle est de très haute naissance !

— Papegau, dit la jeune fille, comment sais-tu qui je suis ?

— Demoiselle, répondit le papegau, ne vous souvenez-vous pas de l'époque où vous étiez à la cour de la reine notre dame, pour l'éducation de la Demoiselle du Château d'Amour ? C'est à cette époque, demoiselle, que j'entendis pour la première fois parler de votre nom et de votre lignage. Depuis toujours je vous suis attaché et je le serai pour le reste de mes jours, à cause de votre grande beauté et à cause du beau nom que vous portez !

Il se tourna vers le roi :

— Seigneur, voulez-vous entendre le plus beau nom qu'ait jamais porté une demoiselle ?

— Volontiers, répondit le roi.

— La demoiselle qui se trouve ici, dit le papegau, se nomme de son vrai nom Belle sans Vilenie ! Apprenez qu'elle est une comtesse de très noble et haute origine, très riche de biens et de terres, car son père était le comte de Valfin, mais il est mort et n'avait d'autre héritier que Belle sans Vilenie.

Le Chevalier au Papegau était fort heureux de ce qu'il entendait au sujet de la demoiselle et de son lignage. En sa compagnie il continua son chemin, dans la joie et l'allégresse, jusqu'à l'heure de vêpre.

Quand le papegau remarqua que l'air commençait à fraîchir, il dit à son nain qu'il avait froid. Le nain sortit d'une aumônière qu'il portait une couverture faite d'une étoffe de soie richement travaillée, pour en couvrir le cage du papegau, qui était la plus belle et la plus somptueuse que nul homme ait jamais vue. Elle était toute d'or pur ajouré, avec des figures de bêtes et d'oiseaux divers ; il n'y avait oiseau ni bête qui n'eût dix-neuf rubis, les plus beaux qu'on ait jamais vus. Aux quatre angles de la cage, quatre escarboucles qui valaient un grand trésor resplendissaient dans l'obscurité et diffusaient une telle clarté que cent chevaliers et cent dames auraient pu s'en éclairer somptueusement !

Peu de temps après le moment où la cage fut recouverte, ils aperçurent à droite devant eux, sur un tertre, un château magnifique. Le chevalier demanda à Belle sans Vilenie si elle savait à qui appartenait ce château, et s'ils pourraient y loger en sécurité. Elle répondit affirmativement. Ils ne chevauchèrent pas longtemps : le seigneur du château vint à leur rencontre, monté sur un palefroi somptueusement équipé. Ils se saluèrent et le seigneur du château les pria fort courtoisement de venir loger chez lui, car c'était le moment de faire halte. Le Chevalier au Papegau et Belle sans Vilenie acceptèrent son offre. Le seigneur les en remercia vivement. Que vous dire de plus ? Le seigneur du château mit à leur disposition tout ce qu'il savait leur être agréable, et sans restriction.

VII

LE CHEVALIER POISSON

Le matin, au lever du jour, le papegau s'adressa en chantant à son chevalier :

— Seigneur, levez-vous car le jour est venu où vous devez être comblé d'honneur !

Les habitants du château étaient très surpris en entendant cette voix si douce, si nette, qui parlait si bien. Dès qu'il l'eut entendue, le

Chevalier au Papegau se leva ainsi que Belle sans Vilenie ; grâce au nain, les chevaux étaient déjà préparés pour le départ.

Le seigneur du château insista pour qu'ils mangent avant de monter : le repas était déjà prêt. Ils acceptèrent, à cause de la grande bienveillance qu'il leur témoignait. Quand ils eurent mangé à leur gré, ils prirent congé de leur hôte, le remerciant vivement de l'honneur qu'il leur avait fait ; ils l'assurèrent de leur service. Après avoir recommandé leur hôte à Dieu, ils montèrent à cheval, allant dans la direction où Belle sans Vilenie les guidait, tout droit vers le pays où résidait la dame que le Chevalier au Papegau allait secourir. C'était une fée qui possédait la sagesse.

Et le papegau continuait à leur dire d'agréables récits et à chanter de beaux chants d'amour, jusqu'après l'heure de sexte. Lorsque celle-ci fut largement passée, ils entendirent devant eux une grande clameur et un surprenant vacarme ; les habitants fuyaient devant un chevalier qui dévastait toute la contrée. C'était précisément le chevalier à propos duquel Belle sans Vilenie était allée à la cour chercher du secours pour sa dame, et c'était pour l'affronter qu'elle ramenait le Chevalier au Papegau.

Peu de temps après, ils virent de loin venir à cheval le plus hideux, le plus horrible chevalier que l'on ait jamais vu, qui répandait le bruit d'une tempête : les gens fuyaient devant lui de tous côtés, de sorte que lorsque le nain et la damoiselle l'aperçurent, ils furent saisis d'une telle épouvante qu'ils s'enfuirent, eux aussi, dans des directions opposées. Et ce n'était pas surprenant, car le cheval était aussi grand qu'un éléphant, le chevalier à l'avenant : il vociférait si fort que ses cris faisaient résonner les pierres et la terre, et trembler les arbres à une lieue au moins à l'entour.

Quand le papegau vit son nain et la damoiselle prendre la fuite et qu'il entendit cette voix qui faisait résonner la terre sous lui — c'est du moins ce qu'il lui semblait — il crut sa mort arrivée :

— Ah, nain, lui cria-t-il, ne me laisse pas mourir ici ! Rappelle-toi les grands honneurs dont tu as bénéficié grâce à moi dans les pays lointains !

Mais le nain n'avait qu'une envie, celle de s'enfuir, lui d'un côté, la demoiselle de l'autre, car ils étaient tellement saisis de peur qu'ils ne pouvaient même plus rester l'un près de l'autre. Quand le papegau eut ainsi perdu son nain qu'il ne pouvait plus suivre des yeux, il se mit à prier fort courtoisement le chevalier de le laisser sortir de sa cage, afin de s'envoler sur un arbre pour ne pas être tué par ce démon.

Le chevalier rit de la peur du papegau :

— Papegau, avez-vous oublié la chanson que vous aviez commencée ? Gardez-la en mémoire et n'ayez aucune crainte, car nous la chanterons encore ce soir au lieu où nous passerons la nuit, si Dieu le veut !

Pendant que le chevalier et le papegau parlaient de la sorte, voici qu'approchait l'être le plus hideux qui fût jamais vu par nul homme au monde. Quand le chevalier le vit tout près de lui, il se signa, se recommanda à Dieu et se dirigea vers lui avec grande audace, après avoir saisi son écu, l'épée à la main. Ils s'affrontèrent sans autre discussion.

Le Chevalier au Papegau le frappait si vigoureusement sur l'écu qu'il le lui transperça ainsi que le haubert, et lui enfonça une bonne toise de son épée dans le corps. Le démon le frappa à son tour, si bien qu'il eût été en danger s'il ne s'était protégé de son écu, faisant glisser le coup. Dieu le protégea ! Voyant qu'il avait résisté au premier assaut, le papegau reprit courage, mais il n'avait pas encore retrouvé l'envie de chanter !

Après la première joute, les chevaliers mirent la main à l'épée et se donnèrent des coups nombreux et étonnants sur les heaumes. Le Chevalier au Papegau était très habile à l'épée, il savait bien se dérober et se garder ; il en avait bien besoin, car il combattait sans écu contre le plus grand monstre qu'on ait jamais vu et qu'on verra jamais. Apprenez qu'il y avait en lui tant de noblesse qu'il ne voulait frapper que sur le heaume. Et pour cette raison le Chevalier au Papegau mettait toute son attention à protéger le sien, car il était certain que la mort l'attendait si son adversaire pouvait l'atteindre d'un seul coup seulement.

Alors qu'il le frappait sur l'écu, voici qu'il en vit jaillir un sang rouge et chaud, ce qui étonna fort le Chevalier au Papegau, car il ne lui semblait point qu'il eût touché de son épée autre chose que du bois ou du fer. Et malgré tout, son seul but était de frapper sur le bras qui tenait l'épée, il le regardait attentivement et frappait toujours sur les bras. Ainsi dura la lutte des deux adversaires, elle était violente et âpre. Elle dura de midi au soleil couchant.

A cette heure-là le chevalier en frappant le monstre lui trancha le bras droit et l'épée. Aussitôt le papegau entonna de la façon la plus charmante :

— Qui m'a délivré de la peur que j'avais ?

En l'entendant, le Chevalier au Papegau se mit à rire, reprit du courage et de l'audace et frappa son adversaire sur le heaume, sur l'écu, sur le haubert. De chacun de ces lieux le sang jaillissait en telle abondance qu'on se demandait comment le chevalier pouvait tenir. Pour finir, il fut tellement affaibli par le sang qu'il perdait, en particulier de son bras droit, qu'il lui fut impossible de poursuivre le combat et il prit la fuite vers sa demeure, de toute la vitesse de son cheval. Mais le Chevalier au Papegau continuait à le frapper, le pourchassant partout où il pouvait le suivre. Il réussit à l'affaiblir si bien qu'il ne parvint plus à se tenir droit, et, saisi par la peur de la mort, il s'effondra à terre à cause du sang qu'il avait perdu.

Proche de la mort, il combattait encore si farouchement que si le Chevalier au Papegau ne s'était un peu écarté, le dernier affrontement eût été pire que le premier. Mais la sagesse, à ce moment-là, valait mieux que la prouesse : le Chevalier au Papegau recula un peu, jusqu'au moment où il vit que son adversaire ne pouvait se relever. A distance il observait la façon dont il se démenait : c'était la chose la plus stupéfiante du monde, car, en tournoyant dans tous les sens, il avait abattu dans les champs et la prairie une vingtaine d'arbres et plus encore, si grands qu'il aurait bien fallu quatre bœufs pour tirer le moindre d'entre eux. Ses gémissements faisaient résonner toute la contrée alentour. Effrayé par le frémissement des arbres, le palefroi du papegau se dirigea vers le destrier du chevalier, bien contre le gré du papegau, mais dès que celui-ci fut proche de son chevalier, voici que l'adversaire était arrivé à son dernier souffle : il était mort.

VIII

ENTRÉE D'ARTHUR DANS LA VILLE

Lorsque le Chevalier au Papegau vit sur le lieu du combat son adversaire inerte et mort, il se dirigea vers lui pour voir comment il était fait et équipé. Il le trouva assis sur le cheval comme s'il était vivant, et il vit des armes d'apparence sombre, noircies de fumée. Il tourna autour de lui, observant bien son corps ainsi que son destrier. Après avoir tout examiné, il voulut saisir le heaume pour voir s'il était léger, car il était de très grande taille. Or il était chaud. Ensuite il voulut l'ôter, mais cela fut impossible ; il s'en étonna fort et en chercha la cause. Après avoir bien cherché il vit qu'il ne faisait qu'un avec la tête, que celle-ci, toute ronde, était faite comme un heaume, et que la peau en était noire comme la peau d'un serpent. Son haubert était de même nature, mais de l'extérieur il semblait être fait de mailles, comme le sont les hauberts, de sorte qu'il paraissait un haubert véritable. Le Chevalier au Papegau observa le mort avec tant d'attention qu'il découvrit que le chevalier, le destrier, le haubert, le heaume, l'écu, l'épée et la lance étaient de même nature et ne faisaient qu'un, et il se demanda avec étonnement d'où le chevalier était venu.

Regardant de tous côtés, il se tourna dans la direction d'où il avait vu venir le chevalier au début, lorsqu'il chevauchait derrière son palefroi qui portait son papegau. Il retrouva les traces de Belle sans Vilenie et se mit à galoper à bonne allure, lui et son papegau, de peur que la nuit ne les surprît.

Peu de temps après ils rencontrèrent quatre chevaliers montés sur quatre beaux destriers, armés de la tête aux pieds, que la généreuse fée avait envoyés pour secourir le Chevalier au Papegau. Ils n'eurent pas de peine à le reconnaître, car le nain et la jeune fille qu'ils avaient rencontrés leur avaient raconté en détail toute son aventure. Ils le reconnurent aisément grâce au palefroi qui portait la cage où se trouvait le papegau, et aussi parce qu'il était visible qu'il avait combattu.

S'étant approchés, ils lui témoignèrent de grandes marques de déférence et de joie, et il en fit de même. Puis il lui demandèrent ce qu'était devenu le grand chevalier, et il leur raconta l'aventure de bout en bout, tout comme elle s'était déroulée.

Nul ne pourrait vous dire la joie des chevaliers lorsqu'ils apprirent qu'il était mort ! Leurs manifestations de joie et d'allégresse éclataient aux regards. Ils demandèrent au Chevalier au Papegau de les mener à l'endroit du combat pour voir celui que redoutaient tant les habitants de la contrée, et il le fit sans se faire prier. Quand ils eurent tout constaté comme ils le souhaitaient, ils retournèrent très heureux vers la ville, s'étonnant fort de ce que ce jeune chevalier pût avoir tant de courage et tant d'audace ! Pourtant il apparaissait bien bâti et tout à fait capable de se montrer chevalier de valeur.

Ils demandèrent au Chevalier au Papegau d'accepter que l'un d'eux les précède pour apporter les nouvelles à leur dame. Il leur dit d'agir comme ils le souhaitaient. Alors l'un d'eux partit vers la ville aussi vite que son cheval pouvait le porter. Il trouva sa dame dans le palais et lui raconta l'aventure du Chevalier au Papegau, de bout en bout. La dame fut plus heureuse que nul ne pourrait le dire. Elle fit tout de suite sortir de sa chambre des tentures de soie, superbement ouvragées d'or, demandant que le palais en soit tout décoré. Puis elle monta sur une mule bien sellée et couverte d'une magnifique étoffe de soie. Elle fit monter à cheval seigneurs et chevaliers, dames et demoiselles, et ordonna à tous les habitants de la ville de se rendre avec la croix et en procession au-devant du meilleur chevalier du monde, car il les avait délivrés de celui qui, chaque jour, venait saccager les terres et nuire aux habitants.

Elle ordonna encore qu'on fît sonner les cloches de la ville. Tous ses ordres, et même bien au-delà, furent exécutés. Tous sortirent de la cité, à cheval et à pied, et bientôt ils furent proches du Chevalier au Papegau ; ceux qui l'accompagnaient lui témoignaient beaucoup de respect.

A la vue de la procession, le Chevalier au Papegau mit pied à terre pour aller vers la croix, mais le bruit des instruments, de la fête et de l'allégresse que tous manifestaient au sujet du Chevalier était tel que l'on n'aurait entendu le tonnerre ! La dame elle-même mit pied à terre avec toutes les autres dames, avec les plus grandes marques d'égards et tous disaient en chœur :

— Soyez le bienvenu, vous, le meilleur chevalier qui soit au monde, qui avez aujourd'hui fait vos preuves en chevalerie !

Il remercia fort la dame et les seigneurs de l'honneur qu'ils lui faisaient, puis la dame remonta sur son cheval, en compagnie de ses seigneurs et ils retournèrent vers la ville, dans la joie et l'allégresse. Le Chevalier au Papegau et la dame chevauchaient côte à côte, la dame sur sa mule, le chevalier sur le palefroi blanc comme neige que la dame lui avait offert lorsqu'elle l'avait accueilli. Il faisait porter par un écuyer son heaume et son écu, et mener par un autre son destrier de la main droite.

IX

LE FESTIN

A l'entrée de l'Amoureuse Cité, la joie et le soulagement de tous, petits et grands, étaient si manifestes que nul ne pourrait les décrire. Ils ne pouvaient se rassasier de contempler le Chevalier au Papegau. Au pied du palais principal, ils lui firent mettre pied à terre pour le mener vers la salle où ils lui enlevèrent ses armes avec de nombreuses marques d'honneur.

Après quoi, ils le revêtirent d'un mantel que la dame lui fit remettre, d'une somptueuse étoffe de soie. Et voici que s'avançait Belle sans Vilenie, en compagnie de deux autres demoiselles : elle le pria très humblement de lui pardonner de s'être enfuie avec le nain, il lui accorda son pardon. Ils parlèrent de choses et d'autres jusqu'à l'heure du souper.

Si Belle sans Vilenie avait obtenu l'indulgence du chevalier, il n'en fut pas de même pour le nain et le papegau, car dès que le chevalier eut mis pied à terre, le nain courut s'occuper du papegau, comme il avait l'habitude de le faire, mais le papegau ne voulait pas de ses soins :

— Va-t-en, lâche, misérable nain, car tu n'es pas digne de me toucher, et je ne veux plus de toi ni de tes soins !

Il cria tant que tous ceux qui l'entendaient, petits et grands, s'en étonnèrent, car ils ne savaient pas le motif de leur querelle. Le papegau se mit à crier encore plus fort pour être entendu de son seigneur :

— Où est le meilleur chevalier du monde ? Pourquoi ne me fait-il pas porter avec lui ? Ne sait-il pas que j'ai aujourd'hui perdu mon nain dans la forêt ?

Il cria si fort que le chevalier l'entendit et ordonna à un jeune homme de le lui apporter, ce qu'il fit aussitôt. Quand le papegau fut devant son chevalier, il manifesta une telle joie que tous furent rassurés. Et ils furent soulagés de ce qu'il dit au sujet de son nain et de Belle sans Vilenie, mais le chevalier insista tant que le papegau oublia sa fureur et sa mauvaise humeur.

Alors Belle sans Vilenie entra dans la chambre où se trouvait la fée qui détient la sagesse et elle lui raconta l'accueil joyeux que le papegau avait fait à son maître et seigneur. Puis elle lui parla de la beauté et du mérite du chevalier, en femme qui connaît le pouvoir des mots. Elle raconta, en témoin, ce qu'elle avait vu en chemin. Elle agissait ainsi pour la distraire et la servir. Mais point n'en était besoin, car dès le premier moment où la dame l'avait vu, l'amour avait pénétré au plus profond de son cœur, si bien qu'elle ne pouvait plus songer à autre chose que de faire tout ce qu'il pouvait souhaiter.

Quand le souper fut prêt, les tables furent dressées dans le palais et les chambres, et les nappes disposées, belles et blanches, délicatement ouvragées, ainsi que le pain et le vin, le sel et les couteaux. Quand l'eau fut proposée, on installa le Chevalier au Papegau au plus bel endroit de la salle, et tous les seigneurs de l'Amoureuse Cité prirent place après lui. Les dames s'installèrent dans la chambre, très confortablement et agréablement, car un maître de vielle qui savait très bien jouer de son instrument leur chantait un lai d'amour courtois [1] : il avait accordé sa voix qui était fort belle aux notes de sa vielle, et la mélodie était douce à entendre.

En un autre endroit de la salle, il y avait une telle fête et tant de lumières que nul ne pourrait le décrire : les quatre escarboucles de la cage du papegau répandaient un tel éclat dans le palais que c'était un spectacle surprenant ! Le papegau, quant à lui, racontait en chantant tous les faits que son chevalier avait accomplis lorsqu'il l'avait obtenu en récompense de son courage, si bien qu'il inspira audace et hardiesse aux chevaliers qui l'entendaient. Ainsi le souper se déroula à la cour dans la joie et l'allégresse.

Mais je ne veux pas m'attarder à raconter tous les mets qui furent servis, ce serait aussi lassant de raconter que d'écouter ! Ils sou-

---

1. Poème d'origine celtique : il s'agit ici d'un lai musical. Il existe comme on le sait des lais narratifs. Voir lexique.

pèrent dans la joie. Le souper terminé et les tables enlevées, tous se lavèrent les mains et commencèrent à parler de ce que le papegau avait raconté au sujet de son chevalier.

La dame sortit de la chambre pour se rendre dans la salle, avec Belle sans Vilenie et au moins vingt autres dames et demoiselles, belles et élégantes, filles de princes et des plus grands seigneurs du pays. Les chevaliers se levèrent tous en voyant s'approcher leur dame et celles qui l'accompagnaient. Elle s'assit devant le Chevalier au Papegau sur une étoffe de soie qui était étendue dans la salle. Les autres s'installèrent çà et là avec les chevaliers, par groupes de trois ou de quatre ; ils parlaient d'amour et de ce qui leur plaisait.

La dame regardait tant le Chevalier au Papegau, ses manières, ses yeux, sa bouche, son front, son menton, toute sa personne, qu'elle ne pouvait se rassasier de le contempler. Quand elle l'eut regardé à souhait, elle lui dit :

— Que le bonheur comble la terre où naissent des chevaliers qui nous apportent tant de joie et de consolation ! Que le bonheur comble celui celui qui vous a fait chevalier, car par vous la chevalerie s'est bien illustrée ! Et qu'elle soit comblée de joie, la mère qui a porté un tel fils, considéré comme le meilleur chevalier du monde, ce dont témoignent ses actions elles-mêmes !

En entendant les éloges de la dame, le Chevalier au Papegau lui dit sa vive gratitude :

— Ma dame, je voudrais bien, pour l'amour de vous, être le meilleur chevalier du monde, car vous me semblez bien la plus belle dame, la plus noble que la nature ait jamais faite. Et si j'étais le meilleur chevalier du monde, je vous servirais comme la meilleure dame du monde, et je le ferais plus volontiers qu'aucune autre chose au monde. Mais j'ai si peu de mérite qu'aucune dame aussi belle que vous l'êtes, aucune dame aussi noble que vous, n'accepterait mon service !

— Comment ? dit la dame. N'avez-vous point d'amie ?

— Non, en vérité, ma dame !

— Et pourquoi ? dit-elle. Ne l'avez-vous pas souhaité ?

— Dame, je ne veux qu'un seul être, si je puis le posséder : celle qui m'a blessé au cœur, celle à qui mon cœur s'est livré, prêt à exécuter tous ses ordres !

— Noble seigneur, dit la dame, qui est-elle donc, cette dame ? Dites-le moi, que Dieu vous garde, je vous en supplie !

— Dame, c'est celle qui me parle de ma mort !

— De votre mort ? et comment donc ? dit la dame.

— Elle me parle de ma mort, puisqu'elle exige que je lui dise ce dont je mourrai !

Pendant qu'ils parlaient de la sorte, le papegau avait bien entendu ce qu'ils avaient dit — car nul ne pouvait murmurer si secrètement qu'il ne sache ce qui se disait — et pour cette raison il vit bien quel était le désir de son seigneur, lui qui avait le savoir de toutes choses : il entonna alors un lai d'amour si doux que la dame cessa de parler, écouta et emprisonna dans son cœur les notes que chantait le papegau. Et celui-ci chanta jusqu'à l'heure du coucher, lorsque la dame ordonna que l'on apporte le vin.

Quand ce fut fait, la dame se rendit dans sa chambre avec ses demoiselles, tous les seigneurs se séparèrent. On installa dans la salle même un lit magnifique et somptueux pour le Chevalier au Papegau et il s'y glissa avec plaisir, car il avait eu une journée bien lourde. Quand il fut couché, le papegau se mit à lui faire le récit d'une aventure qu'il savait fort belle, l'histoire d'une dame qui était captive, très injustement, et il la lui racontait en termes si bouleversants que le chevalier en fut tout ému.

X

LE LIGNAGE DU CHEVALIER POISSON
ET LE ROYAUME DES PUCELLES

Ainsi le Chevalier au Papegau s'endormit pour toute la nuit. Au matin, quand l'aube se leva, à l'heure où les oiseaux chantent les matines, le Chevalier au Papegau se prépara, mit des chausses et de superbes vêtements ouvragés d'or que la dame lui avait envoyés. Quand il fut habillé et prêt, ainsi que les autres de la cour et de la ville, petits et grands, la dame donna l'ordre de seller les chevaux pour les seigneurs, les dames et demoiselles, car elle voulait aller voir celui qui lui avait si longtemps causé des torts, aussi bien à ses gens qu'à sa terre.

Ils montèrent tous à cheval, heureux et joyeux, et ils chevauchèrent fort allègrement au son des vielles et des harpes. Le Chevalier au Papegau et la Dame aux Cheveux Blonds — tel était le nom de la dame de l'Amoureuse Cité, la fée qui détient la sagesse — chevauchaient en tête, parlant de tout ce qui leur plaisait ; et les chevaliers et dames les suivaient, chantant très harmonieusement des chansons à deux voix, si bien qu'ils arrivèrent au lieu où le combat s'était déroulé. Voilà sous leurs yeux le mort gisant à terre. Que vous dire de plus ? Ils le regardèrent et l'examinèrent si bien qu'ils affirmèrent que c'était le spectacle le plus horrible du monde entier.

La dame ordonna alors au maréchal de le faire écorcher et d'apporter sa peau en l'Amoureuse Cité, de la faire placer en un lieu où elle puisse toujours être contemplée comme une chose prodigieuse. Il fit ce que sa dame lui avait ordonné. On écorcha le mort, on ne trouva qu'une seule peau, aussi bien pour le destrier que pour le chevalier : ils étaient en effet de même nature. Car on lit en un livre qu'on appelle Mappemonde [1] qu'il existe un monstre qui vit dans la mer, que l'on appelle le Chevalier Poisson, qui semble avoir destrier, heaume, haubert, lance, écu et épée, mais tout ceci en réalité fait partie de lui-même, ce qui était ici le cas.

Ensuite ils retracèrent le chemin qu'il parcourait quand il venait dans la contrée, et ils découvrirent que ce chemin menait tout droit vers la mer. Arrivés sur le rivage, ils ne purent aller plus avant et s'arrêtèrent, regardant en amont et en aval, les uns vers la mer, les autres en direction de la terre. Et bien peu de temps après ils virent sur la mer se lever des vagues si hautes qu'il leur semblait qu'elles touchaient le ciel. Puis ils entendirent un vent et un tonnerre d'une telle violence qu'ils pensèrent tous être voués à la mort. Cette tempête dura un bon moment. Lorsqu'elle fut terminée, ils entendirent des cris, des gémissements et des pleurs, mais ils ne savaient de qui et ne pouvaient percevoir autre chose que la clameur et les plaintes dans les roseaux. Et ils se demandaient avec grand étonnement ce que cela pouvait être. Certains disaient que c'était le lignage du Chevalier Poisson, les autres que c'étaient des démons qui manifestaient leurs pouvoirs. Les avis étaient divers et l'on ne pouvait savoir la vérité.

Ils s'attardèrent là un bon moment, puis s'en retournèrent tous ensemble vers la ville.

Et voici qu'arriva au devant d'eux une demoiselle à cheval, pleurant et criant de toutes ses forces ! Elle était tout enrouée, elle venait battant ses paumes, se tordant les mains et s'arrachant les cheveux qu'elle avait blonds et luisants : elle se comportait comme une femme hors de son sens. Quand elle fut près d'eux, elle descendit de sa mule en clamant :

— Où est le Chevalier au Papegau ?

Le chevalier accourut pour savoir ce qu'elle demandait et ce qui lui arrivait, la Dame aux Cheveux Blonds en fit de même. Le papegau se mit à crier à son nain de le porter vers son seigneur pour voir et entendre ce que la demoiselle allait demander. Ce qui fut fait. Et

---

1. La *Mappemonde* à laquelle se réfère le récit doit être l'un de ces textes que l'on appelait *Imago Mundi*. De Gossuin de Metz, au XIIIe siècle, à Pierre d'Ailly, au début du XVe siècle, les parties consacrées à l'Inde font état de prodiges divers. Gossuin de Metz parlant des « diversitez d'Ynde » décrit en particulier des êtres « qui sont moitié bestes et moitié honmes ». L'*Imago Mundi* de Gossuin a joui d'un grand succès ; il est possible que la *Mappemonde* du *Papegau* se réfère à cette tradition d'un monstre, qui semble un centaure à armure médiévale !

quand la demoiselle vit le Chevalier au Papegau, elle se laissa tomber à terre.

Quand le chevalier la vit étendue, il descendit de son cheval pour relever, mais elle avait perdu conscience et il fut impossible de la soulever. Quand elle eut repris ses esprits, elle dit :

— Cher et noble seigneur, j'implore votre pitié, au nom de Dieu, ayez pitié de moi !

Il lui en demanda la raison et elle lui répondit qu'elle ne la lui dirait point et ne bougerait pas du lieu s'il ne lui promettait de l'aider et de la secourir. Elle lui exprima sa demande si instamment qu'il lui promit de faire tout ce qu'elle voulait. Alors la demoiselle, à genoux, lui exposa sa plainte :

— Noble et cher seigneur, fit-elle, la renommée de votre vaillance qui s'est répandue à travers le monde m'a poussée à partir à votre recherche, si bien que je vous ai enfin trouvé, par la grâce de Dieu ! Mais ce n'est pas pour moi que je vous ai cherché : c'est pour la meilleure des demoiselles, la plus avisée que l'on puisse trouver au monde, celle à qui appartient la plus grande terre, celle qui est emprisonnée par la plus grande des injustices ! Et voici la vérité : la demoiselle dont je vous parle est la fille du roi Belnain de l'Ile Forte. Son royaume, fort beau et plein de délices, que la mer enclôt de part et d'autre, se nomme le Royaume des Pucelles. La demoiselle, quant à elle, s'appelle Flor de Mont ; son père fut blessé au cours d'un tournoi, il mourut. Il n'avait nul héritier, sauf la belle Flor de Mont qu'il confia, ainsi que toute sa terre, à son maréchal qui l'avait bien servi de son vivant. Quand ce dernier eut le royaume en son pouvoir, il se fit prêter hommage par tous les seigneurs qui durent s'engager à lui donner la belle Flor de Mont pour épouse. Ils le firent car il était valeureux et avait entre ses mains tous les châteaux et toutes les forteresses, à l'exception d'une château bâti sur un roc, qui est très résistant et fort impressionnant. Celui-ci est encore aux mains de la reine et de sa fille, qui se défendent avec bien peu de gens contre le maréchal qui veut par la contrainte épouser la jeune fille.

« Mais la grande renommée de vaillance, de prouesse, de loyauté, de générosité, de mesure et de pitié qui est vôtre m'a fait entreprendre cette quête avec tous ses risques, au grand péril d'y laisser la vie ! Car si j'avais été trouvée ou aperçue par les gens du maréchal, tous les biens du monde ne m'auraient préservée d'une mort honteuse, et je ne reprendrai jamais le chemin du retour si ce n'est avec votre aide.

Alors elle demanda au chevalier :

— Savez-vous ce que vous m'avez promis ?

Il le savait, lui répondit-il, et comme elle l'interrogeait plus avant, il lui répondit qu'il lui avait promis d'agir totalement selon sa volonté, dans la mesure de ses possibilités.

— Je vous demande, dit-elle, de la part de Flor de Mont, qui m'a envoyée ici vers vous, de venir directement avec moi au château où elle se trouve avec sa mère, pour les arracher à la captivité qu'elles subissent injustement.

— Demoiselle, dit le Chevalier au Papegau, je ferai ce que vous voulez, puisque je vous l'ai promis et je serai fort heureux si je puis accomplir ce que demande votre dame. Montez sur votre cheval et rendons-nous avec ces chevaliers à l'Amoureuse Cité ! C'est ainsi que nous commencerons notre parcours.

Elle le fit, comme il le lui dit.

XI

LE TOURNOI DE LA DAME AUX CHEVEUX BLONDS

Le Chevalier au Papegau fut couvert d'éloges pour avoir promis de secourir la demoiselle. Seule la Dame aux Cheveux Blonds ne voulait y consentir. Quand elle apprit qu'il avait promis de partir avec la demoiselle, elle éprouva un tel chagrin qu'elle crut bien perdre la raison. Cependant, face à tous ses proches, elle le dissimula si bien que nul ne put s'en apercevoir, et comme auparavant, elle fit très bon visage au Chevalier au Papegau,.

C'était d'ailleurs pure justice, car il l'avait bien mérité. Ils chevauchèrent tant et si bien qu'ils arrivèrent dans la ville, au pied du palais principal. Lorsqu'ils eurent mis pied à terre, la dame fit proclamer un tournoi qui aurait lieu huit jours plus tard : celui qui aurait le prix du tournoi obtiendrait d'elle un baiser devant tous les seigneurs, elle le considérerait comme son ami durant toute une année. Elle insista tant auprès de la demoiselle de Flor de Mont pour qu'elle reste auprès d'elle jusqu'à la fin du tournoi avec le Chevalier au Papegau qu'elle fut bien obligée de l'accorder.

XII

LE RENDEZ-VOUS AVEC LA DAME

Tous les seigneurs étaient très heureux que la dame ait décidé d'accorder le baiser à celui qui montrerait le plus de mérite au tournoi, et ils espéraient que celui qui obtiendrait le baiser serait pris pour époux.

Chacun s'habilla aussi somptueusement que possible. De toutes part affluaient seigneurs et chevaliers afin de participer au tournoi pour l'amour de la dame.

L'amour qu'elle suscitait faisait que chacun, au fond de son cœur, s'imaginait qu'il serait le meilleur chevalier du tournoi et qu'il aurait droit au baiser devant tout l'ensemble des seigneurs, et parmi tous il n'y aurait qu'un seul à l'obtenir !

En attendant le terme du tournoi, la Dame aux Cheveux Blonds et le Chevalier au Papegau menaient une vie très agréable, et ils dînaient souvent ensemble dans la chambre ou le jardin. Un jour avant la date prévue pour le tournoi, tous les seigneurs du pays se trouvèrent rassemblés dans la prairie située devant l'Amoureuse Cité. La dame avait déjà fait édifier d'un côté de la prairie des gradins où elle devait prendre place avec ses demoiselles pour bien voir le tournoi, ce qui devait inciter les chevaliers, lorsqu'ils les verraient, à se montrer plus courageux et hardis.

Ce jour-là encore, la veille du tournoi, la dame fit préparer un lit couvert de tentures de soie incrustées de pierres précieuses qui répandaient une très vive clarté dans une chambre que de savants maîtres avaient construite avec un grand art : elle était telle que toute personne qui la voyait de l'extérieur ne savait pourquoi elle était si blanche et si claire qu'on pouvait à peine la regarder.

A l'intérieur elle était haute et claire, avec des voûtes ; au plafond de la chambre se trouvaient toutes les sortes de pierres de l'univers, possédant quelque vertu ; elles étaient taillées en formes d'animaux, d'oiseaux ou de fleurs, ou bien elles évoquaient nombre d'histoires des anciens faits. Et au milieu de la chambre se trouvait une pierre sculptée en forme de faucon, qui tenait dans son bec une chaînette d'or. Elle pendait bien d'un empan, où était fixée une escarboucle qui resplendissait dans l'obscurité d'une si grande clarté qu'il semblait que la chambre en était toute embrasée.

La poitrine du faucon cachait une fiole de verre remplie d'un baume qui répandait par le bec de l'oiseau une odeur si pénétrante que toute la chambre en était remplie, si bien que tous ceux qui s'y trouvaient se croyaient au paradis. Et le faucon tenait entre ses pattes une tablette de marbre, longue d'au moins une aune et large d'au moins un empan, toute peinte d'or, où se trouvaient tracées d'une belle écriture des lettres qui se laissaient lire aisément.

La Dame des Cheveux Blonds fit dire au Chevalier au Papegau de venir lui parler dans la chambre. Il s'y rendit plein de joie, car c'était la chose au monde qu'il désirait le plus. Quand elle le vit arriver, elle alla à sa rencontre jusqu'à la porte de la chambre, le prit par la main nue en souriant et lui dit la bienvenue. Il s'inclina devant elle en la regardant avec tendresse. Puis ils s'assirent sur le lit, échangeant de tels regards qu'ils se dérobèrent leurs cœurs, l'un à l'autre, et parlèrent de ce qui plaisait le plus à tous deux :

— Seigneur, dit la dame, Amour m'a blessée au cœur et m'ordonne de me plier à sa volonté, mais je ne sais si vous en éprouvez autant !

— Ma dame, dit le chevalier, je ne sais si Amour vous a touchée en ma faveur ou pour un autre et je ne peux que prêter foi à vos paroles. Mais si Amour vous conseille de m'accorder quelque bonté, il ne le fait pas parce que je serais en mesure de lui ordonner quoi que ce soit — car je n'ai pas encore tant fait pour lui que je puisse être digne de le voir faire quelque chose pour moi ! — mais il me l'accorde par sa générosité et sa grâce ! Et pour cette raison j'ai placé mon cœur totalement en sa volonté, et je lui demande nuit et jour qu'il m'accorde de faire et de dire ce qui lui plaira, et rien d'autre !

— Seigneur, dit la dame, quel est l'objet de votre prière à Amour ? Est-ce que vous lui demandez de vous apprendre à me parler ?

— Dame, dit-il, je le prie de diriger vers moi votre cœur de sorte que vous ayez de la pitié pour ce que je ressens pour vous.

— Mon cœur ? Seigneur, par ma foi, mon cœur, je ne l'ai plus ! dit-elle.

— Et qui le possède donc, dame ? dit le Chevalier au Papegau.

La dame ne répondit mot, mais elle s'appuya contre lui en le regardant avec tendresse, de sorte qu'il devint plus hardi et la prit dans ses bras. Ils tombèrent tous deux sur le lit, échangeant baisers et caresses selon leur désir et sans entraves. Et je crois bien que la dame aurait alors perdu le nom de chasteté, s'ils n'avaient entendu une demoiselle s'approcher de la porte de la chambre. Alors ils se levèrent afin de ne pas être surpris.

La dame demanda au chevalier s'il savait lire. Il répondit que oui :

— Lisez donc, dit-elle, les lettres qui sont tracées là-haut sur la tablette que tient ce faucon.

Elle le laissa lire, puis lui demanda ce qu'elles disaient :

— Dame, répond-il, je lis les mots suivants : « Toi, chevalier, qui te trouves à mes pieds, accorde avec joie ce que te demandera la dame à qui tu parles. »

— Seigneur, dit la dame, voulez-vous m'accorder ce que disent ces mots ? Ensuite vous aurez mon cœur selon votre désir !

— Dame, dit le chevalier, il n'est rien au monde que je puisse faire et que je ne fasse pour cette promesse !

— Et puis-je donc en être sûre ?

— Dame, dit le chevalier, oui ! Dites ce qu'il vous plaira et je le ferai si je le puis.

— Seigneur, dit-elle, je veux que vous combattiez demain au

tournoi pour moi et que vous m'y serviez comme le plus mauvais chevalier du monde, car je veux que votre mauvais mérite soit connu de par le monde et s'oppose ainsi au grand mérite qu'on vous a reconnu jusqu'à maintenant !

— Ah, ma dame, par pitié, dit le chevalier, permettez que je vous serve demain comme le meilleur chevalier qui sera au tournoi, s'il vous plaît, et ensuite seulement comme le plus mauvais des chevaliers !

— Ceci n'est pas ma volonté ! dit la dame, je veux que vous m'accordiez ce que vous m'avez promis.

— Certes, dit le chevalier, je le ferai, puisque je vous l'ai promis, mais il me plairait davantage de vous servir comme le meilleur chevalier ! Pourtant je ne veux faire que ce qu'il vous plaît, car nul ne peut mieux servir son seigneur qu'en faisant ce qui lui plaît et ce qui lui convient.

Alors il quitta la chambre et se rendit dans la salle, tout plongé dans ses pensées. Pourtant il simula la joie, si bien que personne ne s'aperçut de rien. Et le papegau se mit à chanter fort gracieusement à l'intention de son seigneur :

— Le chagrin que vous éprouvez cédera à une grande gloire, si bien que personne ne le connaîtra !

Tous ceux qui l'entendaient étaient fort étonnés, à l'exception du chevalier lui-même qui pensait pouvoir se fier à tout ce qu'il disait ; et il reprit courage grâce à ce qu'avait dit le papegau. Sa nuit en fut plus douce.

XIII

LE PLUS MAUVAIS CHEVALIER DU MONDE

Le matin du jour où le tournoi devait avoir lieu, la Dame aux Cheveux Blonds se leva, s'habilla magnifiquement d'une tunique et d'un mantel de sidoine blanc comme neige — il semblait exactement de la même couleur — et la blancheur lui allait bien. Le mantel était si léger qu'on aurait pu, sans la fourrure, le placer en une aumônière : il était d'une riche étoffe de soie fort habilement travaillée d'or et de pierres précieuses. Ainsi revêtue et parée, elle sortit de la ville avec ses dames et ses demoiselles. Elles montèrent sur les gradins que la dame avait fait édifier dans la prairie, pour mieux voir le tournoi et pour inspirer à ceux qui combattraient plus de hardiesse et de courage.

Lorsqu'elles furent toutes montées sur les gradins, les chevaliers sortirent des rangs, piquant des éperons l'un vers l'autre, s'affrontant avec un bruit stupéfiant de lances brisées. Lorsque les lances furent rompues, ils mirent la main à l'épée pour un combat violent et plein de périls. Les dames et les demoiselles regardaient avec attention le Chevalier au Papegau. Aucune lance en effet ne le frappait sans le désarçonner ! Lorsque les siens le voyaient à terre, ils le relevaient et il se laissait à nouveau frapper, prendre et mener vers chaque chevalier, l'un ou l'autre, sans se défendre. Que vous dire de plus ? Ce jour-là il se comporta si mal que tous ceux qui se trouvaient là disaient que jamais on n'avait vu un chevalier aussi mauvais que lui en ce tournoi, et tous se demandaient avec étonnement comment il avait pu vaincre le Chevalier Poisson. Ils se disaient :

— Il a dû en venir à bout par quelque enchantement !

Mais ensuite ils ajoutaient que s'il avait eu ce pouvoir, pour rien au monde il ne se serait laissé ainsi couvrir de honte devant une telle assemblée de seigneurs.

Un grand nombre de chevaliers de la cour furent affligés à cause des grands mérites qu'ils lui connaissaient. Quand le tournoi eut pris fin, le comte Doldois du Château d'Amour, qui avait depuis longtemps fait sa cour à la Dame aux Cheveux Blonds, voyant qu'il avait ce jour-là désarçonné à deux reprises le Chevalier au Papegau, pensa bien obtenir le baiser de la dame et devenir son ami pour un an. Il se vanta devant tous les seigneurs et devant la Dame aux Cheveux Blonds, disant qu'il était le meilleur chevalier du monde et qu'il n'y avait chevalier en ce lieu à qui il ne le prouverait au corps à corps. Nul ne le contredisait. Lorsque le Chevalier au Papegau le vit ainsi se vanter, sans que nul puisse le contredire, il dit :

— Si demain la volonté de ma dame devait être changée, je vous prouverai bien, lorsque le tournoi sera terminé, que vous n'êtes pas le meilleur chevalier du monde !

Quant le comte Doldois entendit le Chevalier au Papegau, il rétorqua :

— Mauvais, lâche chevalier, qui avez aujourd'hui été désarçonné par tous les chevaliers du tournoi — et par moi-même qui vous ai désarçonné à deux reprises —, comment êtes-vous assez audacieux pour parler de prouesse devant moi ?

— Certes, dit le Chevalier au Papegau, je suis certain de ce que je dis, et si ma dame y consent, je vous le montrerai bien demain !

Alors le comte Doldois s'avança pour donner son gage à la Dame aux Cheveux Blonds qui était déjà descendue des gradins avec ses compagnes à cause de la querelle qui opposait le comte Doldois au Chevalier au Papegau. Quand elle vit qu'il tendait son gage contre le Chevalier au Papegau, la dame le prit et le confia à quatre seigneurs du lignage du comte Doldois. Elle ajouta qu'il avait commis une grande folie et s'était avancé bien imprudemment en insultant celui qui avait tué le Chevalier Poisson, que lui-même ni aucun autre n'avait pas même osé affronter du regard ! Puis elle s'adressa au Chevalier au Papegau :

— Seigneur, qui se portera garant de vous ?

— Dame, dit-il, votre propre bienveillance, ainsi que mon papegau !

— Très volontiers, dit la dame, si votre papegau est d'accord !

Alors le papegau se mit à crier :

— Seigneur, voulez-vous que je meure ?

— Non, assurément, papegau ! répondit le chevalier.

— Dame, dit alors le papegau, prenez-moi sans vous inquiéter, à la condition que mon chevalier soit présent demain au tournoi et puisse prouver son mérite, de sorte que le comte Doldois ait à se repentir de ce qu'il a avancé devant vous.

— Aujourd'hui n'était-il donc pas au tournoi ? demanda la dame au papegau.

— Dame, non !

— Et où était-il donc ?

— En captivité !

— Et où donc ?

— Sur ce champ de bataille où nous sommes !

— En captivité ? dit la dame, et comment cela pourrait-il être ? Je l'ai vu aujourd'hui chevaucher sur le lieu du combat et il n'y avait personne pour l'en empêcher ! Dans quelle prison était-il donc, papegau ! Pour l'amour de Dieu, dis-le moi !

— Dame, ce fut la pire qu'homme ait jamais eue, car il avait dû abandonner la valeur de soi.

— Et pour quelle raison ? demanda la dame.

— A cause de l'ordre le plus mauvais et le plus infâmant qui fût jamais donné à un chevalier !

— Et qui le lui avait donné ?

— Vous savez certainement que ce fut une méchante créature, car nul être doué de bonté n'aurait jamais donné un ordre aussi inique !

— Qui donc était cette personne ? demanda la dame.

— Laissez-moi en paix ! répondit le papegau. Car ce qui devrait être dit maintenant serait plus volontiers écouté que ce que je viens de dire !

— Si vous ne le dites, dit la dame, je ferai de vous à ma guise, demain, quand votre chevalier sera vaincu !

— Dame, dit le papegau, s'il ne doit m'arriver d'être mal en point qu'au moment où il sera vaincu par un chevalier au corps à corps, en combat singulier, hé bien, je vivrai bien longtemps !

XIV

LA VENGEANCE D'ARTHUR

Ils cessèrent alors de parler et s'en retournèrent vers la ville. Le Chevalier au Papegau éprouvait une grande honte d'avoir si mal combattu ce jour-là au tournoi, et des propos qu'avait tenus le comte Doldois du Château Amoureux. Toutefois il reprit courage en pensant que le lendemain il se vengerait bien. Son papegau ne cessait de lui chanter des chansons belles et agréables à entendre, pour lui donner courage.

Quand ils furent arrivés à la ville, la Dame aux Cheveux Blonds et le Chevalier au Papegau montèrent vers la salle ainsi que leurs compagnons.

La dame n'était plus du tout maîtresse d'elle-même, car Amour la faisait souvent changer de couleur, la tourmentait et l'accablait si fort pour l'amour du Chevalier au Papegau qu'elle ne pouvait se tenir tranquille. Elle se leva, entra dans l'une de ses chambres, celle où elle s'était entretenue le jour précédent avec le Chevalier au Papegau ; elle fit dire qu'elle ne se sentait pas bien et refusa toute compagnie.

Elle lutte contre Amour. Amour l'assaille, lui disant que le Chevalier au Papegau est le plus beau et le meilleur et le plus loyal chevalier du monde, celui qui sait aimer le plus sincèrement ; il affirme qu'il n'aurait pas accepté de subir une grande honte pour elle, comme cela a été le cas au tournoi, s'il ne l'avait pas aimée du plus profond de son cœur.

Amour la presse tant qu'elle finit par se dire qu'elle ne saurait trouver de récompense pour ce qu'il avait fait pour elle, ni lui rendre un honneur comparable au déshonneur qu'il a subi pour elle. Elle dit alors qu'elle le fera venir cette nuit-là auprès d'elle et s'abandonnera totalement à son désir.

Puis elle se dit qu'il la repousserait ! Mais Amour lui rétorque qu'elle est si belle et si séduisante qu'il n'est nul chevalier au monde, si hardi soit-il, qui n'accepte le risque de perdre sa vie pour un seul baiser donné de ses lèvres. Mais elle dit à son tour qu'il ne viendra pas pour autant, car elle s'était la veille abandonnée à son désir et se serait livrée toute à lui « s'il n'y avait eu une jeune fille qui avait failli les surprendre... »

— Mais précisément pour cette raison, réplique Amour, il viendra de meilleur gré, car il a bien goûté la douceur de votre baiser et de vos bras, et se fera prisonnier d'une telle prison qu'il n'est rien au monde que vous lui commandiez, qu'il ne fasse pour vous !

— Hélas, dit la dame, le bon accueil que je lui ai fait hier m'a enlevé la vie, car il m'a dérobé le cœur, par les délices où nous étions, de sorte que jamais je ne pourrai le recouvrer, tant que je vivrai !

— Et si tu lui voulais tant de bien, dit Amour, pourquoi lui as-tu donné l'ordre de se couvrir d'un tel déshonneur qu'il lui sera difficile dans l'avenir de s'en laver ?

— Je lui ai donné cet ordre, pour savoir s'il m'aimait sincèrement ! Et je n'imaginais pas qu'il en ferait tant pour moi : si j'avais deviné qu'il le ferait, je ne le lui aurais ordonné pour rien au monde ! J'en serai affligée et accablée pour le restant de mes jours ! Si cependant je pouvais y changer quelque chose, je le ferais avec plus d'ardeur que l'ordre ne lui en fut donné, et si j'osais penser qu'il vienne vers moi, je le ferais venir. Mais je pense qu'il ne l'accepterait pas, car je n'aurais pu lui donner d'ordre pire que celui que je lui ai donné hier.

— Certes, dit Amour, il n'aurait pu être pire, mais toutefois, il ne pourra s'empêcher de venir ! Je vous conseille d'aller vers lui, de lui accorder l'accueil le plus tendre et le plus amoureux que vous pourrez. Dites-lui les mots suivants : « Seigneur, je vous aime plus que moi-même, et c'est pure justice et pure raison, car vous m'avez aimée plus que vous-même. Je suis certaine d'une chose, c'est que vous avez aujourd'hui accompli pour moi une action que vous n'auriez pas faite pour vous, bien plutôt vous auriez préféré la mort ! Ainsi il est juste que je sois vôtre tous les jours de ma vie. Et je veux que vous veniez avec moi dans ma chambre, et votre force en sera plus grande demain au tournoi, dans l'affrontement contre le comte Doldois qui s'est vanté de ce qui sera sa honte. »

« Menez-le dans votre chambre, ajouta Amour, et abandonnez-vous à son désir.

Pourquoi allonger le récit ? Elle fit ce qu'Amour lui avait conseillé, elle le mena dans sa chambre et lui manifesta le plus grand attachement qu'aucune femme pût montrer à un homme, elle était prête à s'abandonner à sa volonté et à son désir.

Quand le Chevalier au Papegau se rendit compte qu'il pouvait la posséder sans entraves, il saisit avec rage ses tresses de ses deux mains et la jeta à terre :

— Mauvaise femme, pleine de méchanceté, lui dit-il, voici ! Voyez le service que je vous ai promis : j'ai promis de vous servir comme le plus mauvais chevalier qui soit au monde. Et je suis disposé à tenir ce que je vous ai promis ! Vous m'avez aujourd'hui arraché à la vaillance et à l'honneur, et ma honte durera toute ma vie ! Il y a un instant, vous vouliez vous abandonner à mon désir, et vous m'avez encore pris pour le plus mauvais chevalier du monde : il vous aurait été plus profitable de me prendre pour le meilleur ! Pour cette raison, en ce jour, je vais vous rendre le service que vous rendrait le plus mauvais chevalier du monde, puisque c'est ce que vous méritez.

Alors il la traîna par les tresses à travers la chambre, en la battant et en la piétinant. Tout en pleurs elle ne cessait de le supplier de prendre pitié d'elle :

— Pour l'amour de Dieu !

Elle se lamentait tout bas, à voix étouffée, afin de ne pas être entendue dans la salle, et pour que ses demoiselles, qui se trouvaient dans les autres chambres, ne l'entendent pas.

Quand le chevalier l'eut bien battue et foulée aux pieds, il la laissa, quitta la chambre et revint dans la salle où il trouva les chevaliers et les grands seigneurs qui jouaient aux jeux de table et aux échecs. Il leur montra le visage le plus accueillant possible, afin que nul ne s'aperçût de sa colère.

XV

LES TOURMENTS DE LA DAME

La Dame aux Cheveux Blonds resta pleine de chagrin et de honte, après le départ du chevalier, mais toutefois afin que nul ne s'aperçût de rien, elle s'essuya au plus vite les yeux et les larmes qui lui collaient au visage, elle arrangea ses cheveux de son mieux, en se disant : « Ah ! malheureuse, comme il m'a couverte de honte, ce chevalier maudit, cet étranger dont je ne sais qui il est, hormis qu'il est le plus insolent du monde ! »

Et puis au fond d'elle-même une voix lui dit qu'il n'était pas insolent, mais courtois et courageux, hardi et sincère, et plus courageux qu'aucun chevalier au monde : « Et s'il n'y avait en lui une grande générosité et une grande sincérité, il ne m'aurait pas tenu la promesse de se comporter au tournoi comme le plus mauvais chevalier du monde, ce qu'il a fait ; ce qui lui a valu tant de honte qu'aucun chevalier au monde n'aurait accepté — après avoir reçu en cette cour autant de marques d'estime à cause de ce qu'il avait accompli pour moi et pour les miens, comme cela a été le cas — la honte qu'il a subie, pour aucun bien qu'on puisse lui donner ni pour aucune paroles élogieuse ! Seule sa perfection lui a fait supporter le traitement infligé par le comte Doldois, et s'il n'avait été plus audacieux et plus courageux que nul autre, jamais il n'aurait osé me toucher comme il l'a fait.

« Et puis, ajouta-t-elle, ce ne fut pas une action courageuse de me battre, mais plutôt un acte insensé, car s'il ne m'avait battue, il aurait fait de moi ce qu'il aurait voulu et aurait été proclamé roi riche et puissant.

« En me faisant ainsi payer mon ordre inique, il a accompli, se dit-elle encore à elle-même, l'action la plus noble qu'un chevalier ait jamais accomplie ! Hélas, malheureuse ! n'aurait-il pas été préférable pour moi qu'il m'ait servie comme le meilleur chevalier du monde ? Certes oui, car tous ceux qui l'auraient vu au tournoi auraient dit : « Une dame comme la nôtre convient bien à un tel chevalier ! » Et comme il aurait plu à tous, par sa vaillance et sa générosité, il ne m'aurait pas déplu, car il est beau et séduisant.

« Malheureuse, ajouta-t-elle, je ne sais que faire. Je sais bien qu'il est l'homme le plus noble et le plus courageux du monde. Et comme par mon ordre inique il s'est montré aujourd'hui mauvais chevalier, il a accompli en ce jour l'acte le plus noble qui ait jamais existé, car il a dédaigné prendre ce qu'il aurait pu avoir sans difficulté, parce qu'il ne s'en sentait pas digne à cause de la lâcheté qu'il avait manifestée au tournoi. C'est pour cette raison qu'il n'a pas voulu assembler son démérite et ma noblesse !

« Malheureuse, qu'ai-je dit ? Je n'ai aucune noblesse car je n'aurais pas dû lui donner l'ordre que je lui ai donné, mais j'aurais dû lui accorder plus belle récompense pour le service qu'il m'avait rendu et les grandes peines qu'il avait endurées pour moi, que je ne l'ai fait en lui donnant cet ordre ! J'en mourrai, si c'est la volonté de Dieu. Ah, Dieu, noble père de Jésus-Christ ! dit la dame, aide-moi par ta puissance ! car la faute dont je suis coupable m'a couverte de honte. Par cette faute le diable me tient si bien en son pouvoir qu'il m'a poussée à faire ce qui a provoqué ma honte, si vous ne m'apportez secours et pitié ! Et si le Chevalier au Papegau s'en va sans se réconcilier avec moi, je mourrai de la douleur et de la honte qu'il m'a causées, si un autre devait l'apprendre à l'exception de nous deux.

« Malheureuse, qu'ai-je dit ? Cacherai-je ce qu'il m'a fait, celui qui m'a maltraitée et couverte d'une honte plus grande qu'a jamais endurée aucune dame au monde ? Certes, je le ferai mettre en pièces, pour qu'il ne puisse s'en vanter en aucun lieu, où qu'il aille !

Puis elle se dit à elle-même : « Que diront donc ceux de cette terre qui ont vu que tu lui as rendu un si grand honneur, alors qu'ils savent bien ce qu'il a fait pour toi ? » Ils diront : « Elle est belle, la récompense que notre dame accorde à celui qui a vaincu le Chevalier Poisson ! » Ce serait un beau sujet de honte. Personne, en l'apprenant, ne viendrait plus à mon service.

Elle était plongée dans de telles pensées et dans un tel désarroi qu'elle ne savait que décider. Alors elle appela l'une de ses demoiselles et lui dit de faire venir le maréchal. Ce qui fut fait. Il se présenta et elle lui dit :

— Je veux que vous fassiez demain armer cent chevaliers parmi les meilleurs qui soient dans toute la ville, car je crains que si le Chevalier au Papegau se rend demain au tournoi, le comte Doldois n'ait donné ordre de le faire mourir, et ce serait pour moi un sujet de très grande honte s'il était couvert de déshonneur en ma propre cour, celui qui m'a délivrée de la terreur que causait le Chevalier Poisson. Je vous prie et je vous ordonne de le prendre dès maintenant en votre garde, afin que vous me le rendiez sain et sauf quand je vous le demanderai. Si vous ne le faites, sachez que je vous ferai pendre, vous et tout votre lignage !

Le maréchal fit ce que la dame lui avait commandé. Le Chevalier au Papegau s'en aperçut parfaitement, il reprit confiance, courage et audace.

XVI

LES VANTARDISES DU COMTE DOLDOIS

Nous vous parlerons maintenant de ce que le comte Doldois fit à son retour du tournoi où il avait désarçonné à deux reprises le Chevalier au Papegau. Il assembla une cour grande et solennelle, distribua de l'or, de l'argent, des palefrois et des destriers, bref tout ce qu'il pouvait posséder, de ses biens propres mais aussi du bien des autres. Il fit de si grands dons que tout le monde le considéra comme fou.

Tout cela, il le faisait parce qu'il se croyait parfaitement assuré d'obtenir la Dame aux Cheveux Blonds. Et il y en avait qui lui faisaient bon visage à cause de ses dons, et qui pour rien au monde ne voudraient le voir le jour où il n'en aurait plus les moyens !

Amour inspire aux fous de folles pensées. N'entendez pas par là que je dis qu'Amour conseille de commettre des folies ; mais l'anxiété, qui s'empare du fou qui se donne à l'amour, lui fait tenir des propos qui font imaginer qu'il a perdu la raison. Parce que certains ne connaissent pas la vraie nature d'Amour, ils accomplissent parfois des actions qui ne leur rapportent ni honneur ni bien. Et tout ceci ne plaît pas à Amour, qui exige à la fois la souffrance et la mesure : or le comte Doldois ne connaît ni l'une ni l'autre !

Ainsi le repos fut pris jusqu'au lendemain, à l'heure où les chevaliers qui devaient combattre demandèrent leurs armes, s'équipèrent et montèrent sur leurs destriers pour se rendre au lieu du tournoi. La Dame aux Cheveux Blonds et ses demoiselles montèrent vers les gradins, sur de petites tours, magnifiquement et élégamment parées pour mieux plaire aux chevaliers du tournoi.

XVII

LE TOURNOI

Lorsque les dames eurent pris place sur les gradins — et il y avait bien une centaines de dames et demoiselles — et que le tournoi fut commencé, le vacarme et la clameur furent si grands au froissis des lances que l'on n'aurait entendu le tonnerre ! Tous s'efforçaient d'accomplir un exploit.

Mais ce n'était rien, comparé à ce que faisait le Chevalier au Papegau. Il n'y avait chevalier touché par sa lance qu'il n'abatte avec son cheval tout ensemble, si bien que tous eurent en peu de temps vidé le champ de bataille. Tous s'écartaient devant lui, criant d'une seule voix :

— Mais ce chevalier est habité par le diable !

Et encore :

— Qui a jamais vu porter de tels coups de lance ?

Car celui qu'il frappait ne se remettrait pas en selle pour ce tournoi ! Mais quels que soient les propos qu'ils lui adressaient, le Chevalier au Papegau ne se troublait aucunement et jouait si bien de sa lance qu'il n'y avait personne qui, à cette vue, ne considérât ces faits comme des prodiges.

Et lorsqu'il eut brisé sa lance, il mit la main à l'épée qui se nommait Chastiefol et se lança au plus épais de la mêlée, comme le loup au milieu des brebis lorsque la faim le pousse. Il frappait à droite, à gauche, de tous côtés, et fit si bien qu'en peu de temps tous avaient fui devant lui. Nul coup n'osait lui répondre !

Le papegau se mit à dire à la Dame aux Cheveux Blonds :

— Dame, maintenant mon chevalier est bien présent au tournoi et vous pouvez le constater, si vous voulez. Maintenant il n'est plus prisonnier, et je crois bien qu'il me libérera de votre captivité, puisque je suis en gage pour lui. La cause en fut la folie du comte Doldois : car folie n'est pas courage, et personne ne devrait se réjouir sans avoir de bonnes raisons. Une très grande joie, si elle n'est pas justifiée, se transforme souvent en très grande affliction !

Les propos du papegau donnèrent du courage au chevalier si bien qu'il accomplit un tel nombre d'exploits qu'il n'était seigneur, dame ou demoiselle qui ne parle de lui. Tous disaient :

— Ce qu'il a fait la veille, il ne l'a fait que pour démontrer son mérite et sa générosité. Voici ce qu'il nous montre aujourd'hui !

Que vous dire de plus ? Il n'y avait nul adversaire assez fort pour oser l'affronter, et il chassa si vigoureusement hors des lices tous ses adversaires que le tournoi fut achevé avant l'heure de midi, à cause de la peur qu'inspirait à chacun le Chevalier au Papegau.

Lorsqu'il fut victorieux du tournoi, le Chevalier au Papegau s'avança vers les gradins des dames :

— Dame, dit-il, je suis prêt à libérer votre bienveillance ainsi que mon papegau, qui ont été otages à ma place durant mon combat contre le comte Doldois !

Ce qu'il dit réconforta la dame au plus profond d'elle-même et elle dit au comte :

— Seigneur comte, entendez-vous ce que dit ce chevalier ?

— Dame, dit le comte, certes !

— Hé quoi ? Qu'en dites-vous donc ?

— Dame, je dis que je suis prêt à laisser partir mes otages.

Alors la dame donna l'ordre à son maréchal de faire dégager la place, ce qu'il fit, puisque c'était un ordre.

XVIII

LA VICTOIRE D'ARTHUR

Lorsque la place fut dégagée, les chevaliers s'éloignèrent pour mieux s'élancer et piquant des éperons, ils s'affrontèrent de toute la force de leurs chevaux. Ils se frappèrent de toutes leurs forces et de tout leur pouvoir. Poussé par la rage et la fureur, le comte Doldois, frappa le Chevalier au Papegau si fort que ni écu ni haubert ne purent le protéger : il lui fit une grande blessure au côté gauche. Le Chevalier au Papegau resta ferme sur sa selle, et de son côté frappa si bien le comte Doldois qu'il lui transperça l'écu et le haubert et lui enfonça la lance dans le corps d'au moins trois doigts : le voilà désarçonné, jambes en l'air, grièvement blessé, mais il n'était pas mort !

Quand le Chevalier au Papegau vit le comte à terre, il descendit de son cheval, se dirigea vers lui l'épée à la main pour l'empêcher de se relever. Il n'était d'ailleurs pas en mesure de le faire et cria grâce au Chevalier au Papegau, lui demandant de l'épargner et de lui pardonner l'infamie qu'il avait proférée et commise. Quand le Chevalier au Papegau vit le comte gisant à terre, immobile, implorant sa grâce d'une façon si humble, il fut pris de pitié ; d'ailleurs il savait bien que ce n'est pas à l'honneur d'un chevalier de valeur de tuer un autre chevalier dès lors qu'il implore sa grâce :

— Je tiens à ce que vous sachiez, seigneur comte, lui dit-il, qu'il existe trois fous de par le monde. Le premier est celui qui menace tant son ennemi qu'il ne le redoute aucunement. Le deuxième est celui qui parle tant qu'on n'ajoute pas foi à ses propos, qu'ils soient vrais ou mensongers. Le troisième est celui qui donne tant à autrui qu'il ne garde rien pour son héritier.

« Seigneur comte, si vous aviez connu hier cette maxime quand vous avez quitté le tournoi, vous n'auriez pas agi et parlé comme vous l'avez fait ! Je ne vous en dis pas plus. Mais dès lors que vous me demandez grâce, je vous l'accorde, mais à la condition que vous vous mettiez en la merci de la Dame aux Cheveux Blonds et que vous me teniez quitte du combat !

Le comte Doldois accepta, ne pouvant faire autrement, il se releva du mieux qu'il put et alla se mettre en la merci de la Dame aux Cheveux Blonds.

XIX

UNE SEMAINE D'AMOUR

La dame lui aurait bien fait payer la honte qu'il avait infligée au Chevalier au Papegau — si bien qu'il n'aurait plus jamais eu envie de se comporter de la sorte à l'égard d'un chevalier, sans que la chose lui revînt en mémoire ! — s'il n'y avait eu l'intervention du Chevalier au Papegau lui-même qui adressa à la dame d'instantes prières. Et, afin que la cour puisse s'adonner à la joie et à l'allégresse, la dame céda à sa requête.

Alors le comte prit congé, lui et ses compagnons, et chevaucha vers sa demeure où l'on soigna la blessure qu'il avait reçue durant le combat. Le Chevalier au Papegau, sans plus attendre, alla vers la dame et comme il s'était montré le meilleur chevalier du tournoi, ils échangèrent un baiser devant tous les seigneurs. Puis ils se dirigèrent dans la joie et l'allégresse vers la ville ; tous mirent pied à terre devant le palais principal que la dame avait fait orner, à l'extérieur, de tentures de soies superbement ouvragées. Les tables étaient déjà dressées et l'eau fut distribuée dès qu'ils entrèrent dans la salle. La dame s'assit à la table la plus élevée, elle prit le Chevalier au Papegau par la main droite et l'installa entre elle-même et le duc de Valfort.

Pourquoi faire un plus long récit ? Quand ils eurent mangé à leur gré, avec grand plaisir, et que les tables furent enlevées, ils se mirent à danser de nombreuses et gracieuses caroles, au son des vielles et des harpes et d'autres instruments dont les jongleurs répandaient les sons à travers le palais. Le maréchal qui souhaitait exécuter les ordres de sa dame, fit étendre dans la chambre des tapis et des tentures de soie afin que ceux qui voudraient bavarder puissent le faire confortablement.

Alors le Chevalier au Papegau prit la Dame aux Cheveux Blonds par la main et ils s'assirent côte à côte d'un côté de la salle. Ils parlèrent tant de choses diverses qu'ils se pardonnèrent réciproquement leur irritation et leur hostilité, et ceci du fond du cœur. Leurs dispositions intimes étaient désormais bien modifiées ! Ils partageaient le même désir, si bien qu'ils décidèrent que cette nuit-là, ils la passeraient dans les bras l'un de l'autre. Ils avaient hâte que vienne la nuit ! Dans un autre coin de la salle, dames et demoiselles bavardaient à loisir avec les chevaliers ; chacun d'eux voudrait avoir une amie, si le Chevalier au Papegau avait pour amie leur dame. Ainsi passa le temps jusqu'à l'heure du souper et le repas se déroula dans la joie.

Quand vint l'heure d'aller se coucher, ils quittèrent la salle et chacun rentra chez soi. La Dame aux Cheveux Blonds entra dans la chambre, accompagnée de deux jeunes filles qui lui préparèrent une couche très confortable. De son côté le Chevalier au Papegau fut bien entouré par ceux qui s'occupèrent de lui jusqu'à ce qu'il fut couché comme il le souhaitait.

Quand la cour fut endormie, le Chevalier au Papegau se leva, glissa un mantel autour de ses épaules et vint à la porte de la chambre où la Dame aux Cheveux Blonds était couchée, comme ils l'avaient décidé le jour même. Il la trouva ouverte, entra et ferma la porte derrière lui. Il respira à l'entrée de la chambre l'odeur du baume qui émanait de la fiole de verre que le faucon portait dans la poitrine, si bien qu'il lui sembla pénétrer au paradis. Il s'approcha du lit de la dame qui ne pouvait dormir et l'attendait pleine de désir. Elle l'accueillit entre ses bras, avec de grandes manifestations de tendresse. Voici le Chevalier au Papegau au comble du bonheur avec la Dame aux Cheveux Blonds. Ils s'abandonnèrent à la joie sans entraves, comme ont coutume de faire les jeunes gens lorsqu'ils en ont la possibilité et le temps. Que vous dire de plus ? Ils passèrent la nuit la plus douce que jeunes gens aient jamais passée : ils auraient voulu qu'elle durât un an. Mais ces choses-là n'arrivent pas !

Peu avant le jour, le Chevalier au Papegau retourna dans son lit afin que personne ne s'aperçût de son absence. Il s'endormit très vite, en homme qui n'avait pas fermé l'œil de la nuit, et il dormit environ jusqu'à l'heure de tierce. Alors il se leva et s'habilla, pénétré d'une joie immense, sachant qu'il possédait et le jour et la nuit un bonheur tel qu'aucun être au monde ne saurait le décrire. Cette joie et ce sentiment de plaisir ne le quittèrent pas durant huit jours entiers, de sorte qu'il ne se souvenait de nulle autre chose au monde, et il ne se souciait que de prendre son plaisir avec la Dame aux Cheveux Blonds, si secrètement que personne ne s'en aperçut !

XX

LE DÉPART D'ARTHUR

Il arriva un jour qu'au sortir du dîner, la demoiselle de Flor de Mont vint trouver le Chevalier au Papegau pour lui demander de se souvenir de sa dame, pour l'amour de Dieu, et de tenir la promesse qu'il lui avait faite. Honteux d'avoir si longtemps retardé son aide à la demoiselle, le Chevalier au Papegau insista tant auprès de la Dame aux Cheveux Blonds qu'elle lui permit de s'en aller. Comme elle voyait qu'elle ne pouvait faire autrement, elle le laissa partir, mais ce fut bien contre son gré !

Lorsque le Chevalier au Papegau fut armé de la tête aux pieds comme il convient à un chevalier, il monta sur son destrier, avec son nain et son papegau. La dame et tous les seigneurs l'accompagnèrent à cheval à la suite de la demoiselle, parlant de choses diverses jusqu'à une bonne lieue de l'Amoureuse Cité. Alors le Chevalier au Papegau pria la dame et tous les seigneurs de s'en retourner. La dame le prit par la main et lui dit si discrètement que personne d'autre ne l'entendit :

— Cher et très doux ami, vous reverrai-je un jour ?

— S'il plaît à Dieu, oui, ma dame ! répondit le chevalier.

— Cher seigneur, fait-elle, vous partez, heureux et joyeux, pour le pays de cette demoiselle, et moi je reste dans la douleur et l'affliction, car vous emportez mon cœur avec vous, et pour l'amour de Dieu, je vous implore de pouvoir vous revoir dès que possible !

Alors le Chevalier au Papegau recommanda à Dieu la dame et tous les seigneurs, leur disant de s'en retourner, et à leur tour ils le recommandèrent à Dieu, afin qu'il écarte de lui le mal et le danger, puisqu'il était le plus noble chevalier qu'ils aient jamais vu !

Tout absorbé par la pensée de sa dame, le Chevalier au Papegau chevauchait avec ses compagnons, mais le papegau le tirait de ses pensées, car il ne cessait de chanter les plus belles chansons du monde, aux sons les plus mélodieux. Mais ici nous allons laisser le Chevalier au Papegau pour vous parler d'un autre épisode qui concerne notre sujet, et lorsque le moment sera venu, nous saurons bien y revenir.

XXI

LA DUCHESSE D'ESTREGALES

Ce récit nous dit qu'une dame que l'on appelait la duchesse d'Estregales avait fait proclamer un tournoi devant sa ville, et elle l'avait fait annoncer jusqu'en des terres lointaines, car elle voulait y faire venir les chevaliers hardis qui en entendraient parler : elle prendrait pour mari celui qui se montrerait le meilleur aux joutes. Ainsi beaucoup de gens se rassemblèrent au moment du tournoi. La nouvelle fut apportée au Chevalier au Papegau dont tous disaient qu'il était le meilleur chevalier du monde. On parla tant de lui que la duchesse l'apprit, ainsi que ses demoiselles.

Quand la duchesse entendit raconter qu'il avait tué le Chevalier Poisson et en avait délivré la terre de la Dame aux Cheveux Blonds, elle en fut si affectée qu'elle pensa mourir si elle ne réussissait pas à le garder auprès d'elle. Ainsi elle fit retarder le tournoi d'un mois, parce qu'elle s'imaginait que le destin lui amènerait le Chevalier au Papegau. Elle était sûre que s'il en entendait parler, il viendrait volontiers pour accroître son mérite et son prestige.

Lorsque les chevaliers du tournoi apprirent que la dame avait retardé le tournoi d'un mois, ils n'en furent pas très heureux, car chacun espérait au fond de son cœur avoir la duchesse pour épouse. Ils commencèrent à s'entraîner à la lance sur les destriers, sous les yeux de la duchesse et de ses seigneurs. Quand ils eurent ainsi échangé quelques coups de lance et se furent divertis tout à leur gré, ils vinrent prendre congé de la duchesse. Elle les remercia chaleureusement et leur demanda de revenir le moment venu. Ils répondirent qu'ils voudraient que ce moment fût déjà arrivé.

Alors un grand seigneur, connu pour sa grande vaillance, dit à la duchesse :

— Dame, s'il plaît à Dieu, je serai au tournoi le meilleur combattant de la cour. Et je dis plus : je serai en tous points le meilleur de la cour et du monde entier ! Car je n'ai jamais trouvé de chevalier assez fort pour pouvoir me résister sur le champ de bataille, je n'ai jamais trouvé de chevalier qui, après m'avoir vu plein de fougue, n'ait imploré ma grâce. Je suis donc bien certain de pouvoir vous obtenir ! Pour cette raison je vous demande de me donner vos ordres comme à un homme qui est tout à vous, car il n'est rien dans le monde entier que je ne fasse pour vous, rien qui puisse s'accomplir par le mérite ou par la force !

— Seigneur, dit la duchesse, pourquoi affirmez-vous ce qu'il ne vous serait pas possible de faire ?

— En vérité, dame, je ferais plus que je ne dis, et bien plus encore ! Vous pourrez l'éprouver toutes les fois qu'il vous plaira !

— Si vous êtes aussi bon chevalier que vous me le dites, je vous accorde mon amour, reprit la duchesse, mais j'aimerais bien que vous combattiez contre le Chevalier au Papegau car toutes mes demoiselles me disent que nul ne doit parler de chevalerie s'il n'a jouté contre lui : il l'emporte, dit-on, sur tous les chevaliers du monde !

— Ma dame, j'irai puisque vous le voulez, et je vous apporterai sa main droite comme preuve de ma victoire. Alors vous saurez en toute certitude que je suis bien le meilleur chevalier du monde !

XXII

DÉFAITE DU CHEVALIER GÉANT

Alors le chevalier demanda ses armes qui étaient les meilleures du monde : il avait un haubert qui n'avait pas son égal. Ni fer ni acier n'auraient pu l'entamer si peu que ce soit. Il avait un heaume tout rond, extraordinairement beau et solide, avec, sur le devant, une pierre sculptée en forme de dame, qui produisait une si grande clarté que dans l'obscurité une bonne centaine de chevaliers auraient pu voir clair et suivre leur chemin. Il possédait une épée telle qu'on n'aurait pu en trouver de meilleure, ainsi qu'un écu recouvert de peaux de poissons.

Dès qu'il fut armé de toutes ses armes, telles que je viens de les décrire, il prit congé de la duchesse et se mit en chemin sans chausses de fer, tout seul, à pied, car il était si grand qu'il ne trouvait de cheval qui pût le porter quand il était armé. A pied il se déplaçait mieux et plus rapidement qu'aucune bête sauvage, et pour cette raison il ne portait pas de chausses de fer, car elles lui auraient abîmé les pieds dans la marche. Quand il eut quitté la duchesse, il alla à la recherche du Chevalier au Papegau, il demandait de ses nouvelles à tous ceux qu'il rencontrait. Comparable au lion redoutable, qui va suivant sa proie quand il est tourmenté par la faim, le chevalier ne cessait de chercher le Chevalier au Papegau et il s'en enquit tant qu'on lui apprit qu'il s'était trouvé auprès de la Dame aux Cheveux Blonds dans l'Amoureuse Cité. Entendant ces nouvelles, il s'y rendit dans la plus grande hâte et avança si bien, jour après jour, qu'il arriva en l'Amoureuse Cité, le lendemain même du jour où le Chevalier au Papegau l'avait quittée ! Il arriva en courant dans la ville comme le lion affamé qui va suivant sa proie, la brebis ou un autre animal, et il ne s'arrêta qu'au palais où il demanda :

— Où est le Chevalier au Papegau qui m'a causé tant de peines ?

On lui répondit qu'il était parti la veille, pour aller au secours d'une demoiselle, et on lui indiqua le chemin qu'il avait pris. Alors sans s'attarder, il suivit ce chemin qu'il trouva à la sortie de la ville, si bien que là où le Chevalier au Papegau logeait le soir, la nuit suivante c'était le chevalier qui y logeait. Mais il s'efforça si bien de le rattraper qu'il le trouva un soir, à la tombée de la nuit, dans une forêt où il se reposait sous un grand arbre, avec sa demoiselle, son nain et son papegau.

Il l'entendit venir par la forêt, grâce au vacarme qu'il faisait en marchant, et il se leva tout armé pour voir ce que cela pouvait être. Quand il vit la clarté que la pierre du heaume répandait et qu'il se rendit compte que celui qui la portait venait dans sa direction en courant au milieu de la forêt, il se demanda avec étonnement ce que cela pouvait être, si bien que l'autre fut arrivé avant qu'il eût lui-même put brider son cheval :

— Le Chevalier au Papegau ne devrait pas fuir le combat contre un seul chevalier ! cria-t-il.

Le Chevalier au Papegau lui répondit qu'il ne fuyait pas.

— Comment ? dit l'autre, vous ne fuyez pas alors je vous poursuis depuis au moins quinze jours et que je n'ai pu vous atteindre que maintenant ?

— Et pourquoi m'avez-vous poursuivi ? demanda le Chevalier au Papegau.

L'autre lui dit qu'il voulait combattre avec lui. Le Chevalier au Papegau lui en demanda la raison, et il répondit qu'il avait promis à une dame de lui apporter sa main droite ; que cette dame lui avait dit que s'il y parvenait, elle le prendrait pour mari et lui donnerait toute sa terre. Le Chevalier au Papegau lui répondit :

— Voici une promesse qui vous apportera, s'il plaît à Dieu, de grandes contrariétés et un grand malheur ! Cependant je vous prie, si cela est possible, de retarder ce combat jusqu'à ce que j'aie achevé une aventure entreprise au service d'une demoiselle qui est emprisonnée à grand tort et fort injustement. Je vous promets que dès que je l'aurai menée à terme, je me trouverai à l'endroit que vous m'indiquerez !

— Je ne vous l'accorde pas, répond-il, puisque je vous ai trouvé, et je vous défie sur l'heure.

Et alors, sans ajouter un mot, il se lança sur lui, le frappa sur le heaume d'un coup si fort qu'il l'a tout étourdi, mais le Chevalier au Papegau le frappa avec une telle vigueur qu'il lui prouva bien qu'il n'était pas son allié et qu'il avait l'intention de défendre sa main droite.

Dès le début, le combat des deux chevaliers fut âpre. Ils se frappaient sur les heaumes, sur les hauberts, sur les écus, se donnant des coups forts et pesants, pressés et nombreux. En peu de temps l'un connut la tactique de l'autre, car ils ne se frappaient qu'à coups d'épée. Et l'adversaire du Chevalier au Papegau faisait des bonds si légers, en avant et en arrière, comme fait le léopard devant un chevreuil, que si le Chevalier au Papegau n'avait su se garder comme il le faisait, il n'aurait jamais résisté aussi longtemps.

A la clarté de la pierre fixée au heaume de l'adversaire du Chevalier au Papegau, ils se frappaient de telle sorte que l'heure de minuit était déjà passée. A ce moment, le Chevalier au Papegau frappa son ennemi au nasal du heaume de sorte qu'il trancha tout ce qu'il avait touché. La pierre tomba sur l'herbe et disparut. Ils durent repousser le combat jusqu'au lendemain et s'éloignèrent l'un de l'autre pour prendre du repos. Mais il ne fut pas question de dormir ; au moment où le sommeil les gagnait, il leur semblait que l'adversaire était sur le point de porter un coup, de sorte qu'ils ne purent fermer l'œil de toute la nuit.

Au matin, quand l'aube se leva, les oiseaux se mirent à chanter à travers les bois. Et le papegau dit à son nain :

— Ote la couverture de ma cage afin que je puisse voir mon chevalier et celui qui combat avec lui !

Le nain lui obéit. Le papegau demanda alors à son chevalier où il en était du combat. Au moment où il allait lui répondre, son adversaire se précipita vers lui et ils se lancèrent l'un sur l'autre sans attendre, se portant de si grands coups que toute la forêt en retentissait : on pouvait les entendre d'une lieue à la ronde, et même plus. Ils combattirent si vigoureusement que le Chevalier au Papegau crut n'avoir jamais mené de combat aussi sanglant, car il était blessé en plus de sept endroits. Le combat dura sans avantage ni pour l'un ni pour l'autre, jusqu'après l'heure de nonne. Le Chevalier au Papegau s'étonnait de frapper si fort sur le haubert de son ennemi sans pouvoir l'affaiblir en quoi que ce soit. Puis il le regarda avec attention et le frappa de toute sa force sur l'écu, d'un coup si violent qu'il trancha tout ce qu'il avait touché. Le coup glissa vers le genou gauche et trancha le pied et toute la jambe : il tomba à terre devant les pieds du Chevalier au Papegau. Dans sa chute le chevalier fit un très grand bruit, comme si l'un des arbres de la forêt était tombé. Et le Chevalier au Papegau alla sur lui, aussi vite que possible :

— Cher seigneur, pour l'amour de Dieu, grâce ! Car vous êtes bien l'un des meilleurs chevaliers du monde. Et pour cette raison je vous prie de prendre avant ma mort le haubert que je porte. Sachez que c'est le meilleur que vous ayez jamais vu, car quel que soit le coup qu'on lui porte, de la lance ou de l'épée, il ne pourrait être entamé si peu que ce soit. Il est si léger qu'un jeune enfant pourrait le porter une journée entière et sachez que vous pouvez bien en enlever sur le bas un grand empan que j'y ai fait ajouter lorsque je m'en suis emparé, car il était trop court pour moi. Pour vous, je pense, il sera bien assez long !

Lorsque le Chevalier au Papegau entendit celui qui l'avait affronté lui parler avec tant d'amitié, il fut pris de pitié. Il lui demanda son nom et son lignage et qui il était. L'autre lui répondit qu'il était un comte, fort noble et très riche de biens, qu'il possédait au moins quatorze châteaux, magnifiques et forts, regorgeant de biens, d'argent et d'habitants ; puis il lui raconta que son père était un géant qui avait dépucelé sa mère malgré elle, qu'elle l'avait finalement pris pour mari parce qu'il était plein de courage et d'audace, et que les habitants de la contrée le craignaient beaucoup :

— Comme lui, ils m'appellent le Chevalier Géant !

Et il ajouta :

— Noble seigneur, mon père m'enseigna une maxime qu'il vous faut connaître. Trois leçons existent en ce monde et nul ne peut avoir quelque mérite s'il ne les connaît. La première est de connaître son Sauveur. L'autre, de connaître le mal et le bien que l'on peut commettre par ses actes, ou dire par sa bouche. La troisième est de se connaître soi-même, car si je m'étais évalué avant de m'exposer à combattre avec vous, ma vie serait plus longue. Car je sais bien que je vais mourir. Et je vous prie de me pardonner pour vous avoir défié contre toute raison et contre toute justice. Je vous demande, pour Dieu, d'entendre mes péchés afin que Dieu ait pitié de mon âme lorsque je serai sorti de ce monde !

Lorsqu'il se fut bien confessé au Chevalier au Papegau, il battit sa coulpe et mourut là, devant lui. Le Chevalier au Papegau prit son haubert, le chargea derrière le nain, priant Dieu qu'Il ait pitié de son âme, et il recouvrit son corps de branches et d'herbes afin de le protéger du soleil. Il l'aurait bien volontiers enterré si cela avait été possible, mais il pesait trop lourd. Le chevalier se remit alors en chemin avec la jeune fille, son nain et son papegau qui chantait des chants très doux, et priait Dieu que, dans sa bonté, Il donne cette nuit bonne demeure au chevalier.

XXIII

LA FRANCHE PUCELLE
GUÉRIT ARTHUR DE SES BLESSURES

Ils chevauchèrent ainsi paisiblement, à petit amble, car le roi avait plusieurs blessures. Sortis de la forêt, ils débouchèrent sur une belle prairie où ils aperçurent un château magnifique sur une hauteur tout à fait agréable, située au milieu de la prairie. Ils se dirigèrent vers le château pour y trouver si possible un hébergement, et bientôt ils virent sortir du château quatre demoiselles qui chevauchaient vers eux à vive allure. Lorsqu'elles furent proches, des salutations furent échangées, et les demoiselles transmirent au chevalier de la part de leur dame l'invitation de venir passer la nuit avec ses compagnons au château ; il leur répondit qu'il n'avait aucune crainte, qu'il accepterait volontiers l'hospitalité, car il était grièvement blessé, si bien qu'il chevauchait sans trop savoir où aller. Les demoiselles lui dirent que leur dame était si généreuse qu'elle se laisserait plutôt mettre à mort que de le voir lui-même, ou d'autres auxquels elle aurait offert l'hospitalité, subir honte ou infamie dans sa maison.

— Et qui est votre dame ? demanda le chevalier.

— Seigneur, répondit l'une des demoiselles, notre dame est une très noble comtesse. Elle reste seule de son lignage et elle a bien trois mille marcs d'argent de rente chaque année, sans compter le blé et le vin. Elle est maîtresse d'une contrée qui fait bien trente lieues à la ronde, qui abonde en beaux et forts châteaux. Comme elle est la demoiselle la plus avisée qui ait jamais vécu dans la contrée, et la plus noble, la plus belle et la plus sincère, on la nomme la Franche Pucelle.

« Seigneur, ajouta-t-elle, venez-y en toute confiance ! Sur nos âmes, vous y serez bien traités et bien accueillis. Elle accorde plus volontiers des marques d'honneur aux chevaliers venus de loin que nulle autre dame au monde, et en matière de blessures, elle connaît bien plus de médecines qu'aucun maître de chirurgie que l'on puisse trouver, près ou loin.

Alors le papegau dit à son chevalier :

— Seigneur, je vous conseille, et même je vous supplie, de faire ce que vous demandent les demoiselles.

Le chevalier s'exécuta de bon gré, car il lui était plus nécessaire de se reposer que de chevaucher, à cause du sang qu'il avait perdu. Ils allèrent ainsi dans la direction du château ; les demoiselles contemplaient le chevalier et sa demoiselle, écoutant avec plaisir les propos du papegau. Elles se disaient les unes aux autres :

— Cet oiseau plairait à notre dame !

Puis elles se demandaient :

— Serait-ce donc le Chevalier au Papegau ?

— Non, dit une autre, car un chevalier tel que lui ne serait pas si seul !

Parlant de la sorte, ils chevauchèrent jusqu'au château. Arrivés au palais, ils mirent pied à terre et montèrent vers la salle. Que vous dire de plus ? Jamais homme ne fut mieux accueilli par amie ou parente qu'ils ne le furent par la Franche Pucelle. Quand elle apprit que c'était le Chevalier au Papegau, elle se donna beaucoup de mal pour le soulager et guérir ses blessures, avec le plus grand art dont on ait jamais entendu parler : elle fit si bien qu'au bout de quinze jours, elle le rendit à la santé, aussi capable de porter les armes qu'il l'avait toujours été. Quand il se senti bien rétabli, il prit congé de la dame et lui proposa instamment son service, en lui affirmant qu'il ne se trouverait en aucun lieu qu'il ne quitterait — à condition qu'il pût s'en aller — si elle avait besoin de lui et si elle le lui faisait savoir. La Franche Pucelle le remercia infiniment et le recommanda à Dieu, lui et ses compagnons, pour qu'ils chevauchent dans la joie et l'allégresse et que Fortune les conduise à bon port. Le papegau ne cessait de chanter fort joliment les hauts faits que son chevalier avait accomplis. Ils étaient alors sur le point d'entrer dans la forêt.

Quand ils y furent entrés, ils virent venir sur la gauche un chevalier armé de toutes ses armes, sur un destrier noir, chevauchant avec tant de fougue que la terre résonnait sous les pieds du cheval. Quand il vit le Chevalier au Papegau, il le reconnut bien vite, car il le voyait accompagné de la demoiselle et du papegau, et il s'élança pour l'affronter : il était son ennemi mortel !

XXIV

DÉFAITE DE GÉANT LE REDOUTÉ

Quand le Chevalier au Papegau aperçut celui qui venait l'affronter dans une telle intention, il ne chercha pas à s'abriter, mais se tourna vers lui comme doit le faire un chevalier dans cette situation. Ils se donnèrent de tels coups sur les écus, avec une force telle qu'ils rompirent sangles et poitrail ; ils tombèrent à terre, les selles entre leurs cuisses, mais ils se relevèrent bien vite, mirent la main à l'épée et se donnèrent des coups si forts que chacun eut grand peur pour sa vie. Ils se frappaient sur les écus et les heaumes, de sorte qu'ils s'infligèrent de grandes blessures. Le combat dura, cruel et effrayant, de l'heure de prime jusqu'au soleil couchant, et l'on ne pouvait savoir qui avait l'avantage. A ce moment-là le Chevalier au Papegau frappa son ennemi sur le sommet du heaume, de toute sa force, et il le pourfendit, du haut en bas, et enfonça l'épée d'au moins trois doigts, lui portant un coup si fort qu'il fut désarçonné, restant tout hébété et ne sachant plus où il se trouvait.

Le chevalier courut vers lui, l'autre vit qu'il ne pouvait plus se défendre et lui cria merci du mieux qu'il put, le priant de l'épargner. Le chevalier lui demanda qui il était et comment il se nommait :

— Je suis, répondit-il, le frère de celui que vous avez tué dans la forêt, que l'on nommait le Chevalier Géant, et je m'appelle Géant le Redouté de la Roche Segure.

XXV

GÉANT LE REDOUTÉ VENGE LA MORT DE SON FRÈRE

Quand le Chevalier au Papegau apprit qu'il était le frère du Chevalier Géant qui s'était avec tant de confiance confessé à lui, il fut pris de pitié et lui pardonna son acte, à cause de son frère qu'il avait tué. Puis il insista de façon si pressante auprès de Géant le Redouté qu'ils se dirigèrent ensemble vers une demeure qui appartenait à ce dernier et ils prirent du repos jusqu'à la guérison de leurs blessures. Jamais homme ne fut mieux accueilli, fût-il le père ou la mère, que le Chevalier au Papegau en compagnie du Chevalier Géant.

Quand le Chevalier au Papegau l'eut quitté, il monta tout armé sur son destrier, chevauchant tout seul vers Estregales. Arrivé au château, il mit pied à terre devant le palais de la duchesse et monta dans la salle, tout en armes. La duchesse qui avait bien vu le chevalier gravir les marches, s'enferma dans l'une de ses chambres avec trois comtesses qui se trouvaient avec elle. Comme le chevalier ne la trouvait pas dans la salle, il demanda où elle se trouvait, disant qu'il voulait lui parler de la part du Chevalier Géant. La duchesse qui l'avait bien entendu, fit entrouvrir une fenêtre qui se trouvait dans la porte même de la chambre et fit demander par l'une des comtesses qui il était et ce qu'il voulait.

Il répondit :

— Je suis Géant le Redouté de la Roche Segure, frère du Chevalier Géant qui a combattu avec le Chevalier au Papegau. Apprenez qu'il l'a tué et qu'il vous envoie sa main droite, mais il est si mal en point qu'il ne peut venir jusqu'ici. Dites à la duchesse de me faire ouvrir la porte pour recevoir ce que mon frère lui envoie !

Sur l'ordre de sa dame, la comtesse lui dit :

— Seigneur, j'ai conseillé à ma dame d'accepter la preuve qui fait de votre frère le meilleur chevalier du monde. Donnez-moi donc la main !

— Qui êtes-vous, dame ?

— Seigneur, dit-elle, je suis la comtesse Bliandois.

— Dame, dit-il, je serais plus satisfait si je pouvais lui donner moi-même la main du Chevalier au Papegau. Mais si tel est le désir de la duchesse, sortez votre main et prenez-la, car la fenêtre est si petite que je ne pourrais moi-même y glisser la main.

La comtesse qui n'était pas aussi avisée qu'elle le paraissait, fit le geste sans mal y voir, elle tendit sa main et son bras. Alors le chevalier tira son épée et lui trancha le bras avec toute la main, coupant tout ce qui sortait de la fenêtre :

— Ah, méchante créature, dit le Chevalier Géant, que Dieu a créée pour ruiner la bonté et le mérite et pour accroître le mal, jour et nuit : à cause de vous j'ai perdu le meilleur frère qu'un homme puisse jamais avoir, car le Chevalier au Papegau l'a tué, et ma douleur n'aura de cesse !

Quand la comtesse se sentit frappée, se rendant compte qu'elle avait perdu le bras et la main, elle poussa des cris et des gémissements ; elle tomba en pâmoison aux pieds de la duchesse. Quand le chevalier l'entendit crier et vit qu'il ne pouvait en faire davantage à cause de ceux qui accouraient, il alla en grande hâte vers son destrier et s'en retourna dans son pays.

La duchesse fut bien accablée pour la comtesse, et elle crut mourir de chagrin. Elle fit venir tous ceux qui tenaient d'elle une terre, et devant eux fit éclater sa plainte. Ils lui conseillèrent de soulever une grande armée parmi les siens et de se lancer sur le chevalier et sur ses terres, pour se venger du crime. Ce fut le début une guerre mortelle : des deux côtés moururent nombre de chevaliers et cette guerre dura longtemps.

XXVI

CHEZ LE CHEVALIER ANDOIS

Mais je ne veux plus maintenant vous parler de cette guerre, et je reviens au Chevalier au Papegau qui chevauchait dans la forêt avec sa demoiselle, son nain et son papegau, fort joyeusement. Ils chevauchèrent si bien, jour après jour, qu'ils arrivèrent devant un fort beau château qui appartenait à un chevalier de la dame Flor de Mont. Mais il ne lui apportait pas son aide contre le maréchal : comme il était lié à ce dernier, il ne lui faisait pas la guerre. Quand il reconnut que la demoiselle était au service de sa dame, il lui manifesta une grande joie et reçut fort bien le chevalier et ses compagnons, il mit à sa disposition tout ce dont ils avaient besoin, pour eux-mêmes et pour leurs chevaux.

Le soir, après le souper, il les mena en un jardin de beauté, un véritable lieu de délices et de plaisirs. Il fit venir tous ses enfants qui étaient très beaux, il y avait là cinq garçons et une fillette : l'aîné des garçons était chevalier, les quatre autres n'étaient pas encore adoubés. Ils s'efforcèrent d'honorer le chevalier, pour l'amour de leur dame. Alors le Chevalier au Papegau dit à son hôte :

— Je me demande vraiment comment vous avez supporté ce que le maréchal a fait à votre dame !

Son hôte lui répondit :

— Je vais vous en dire la vérité. Son père était un roi riche et puissant, et il arriva qu'il entra en guerre contre le roi du Maroc et le duc de la Cité Forte ; ils ravagèrent sa terre et son royaume et lui prirent quatre châteaux, le mettant en si mauvaise position qu'il ne put se défendre. Quand j'appris que mon seigneur était si mal en point, je rassemblai tous les chevaliers que je pouvais avoir, de sorte que nous fûmes bien trois cents chevaliers, avec de bonnes armes et des destriers rapides, pour nous rendre à son service. Nous fîmes tant que, saisis de peur, ses ennemis se retirèrent de la terre dont il était le maître, et pour chaque château qu'ils lui avaient pris, ils lui donnèrent une journée de terre [1] et ils lui jurèrent sur les reliques que jamais ils ne prendraient parti contre lui. Ils ont bien tenu cet engagement. Quand la guerre fut terminée, le roi mon seigneur distribua de grands dons aux chevaliers venus de loin. Mais à moi, tout comme

---

1. Ils lui donnèrent une surface de terre égale à celle qu'on pourrait cultiver en une journée.

à ses chevaliers, à nous qui avions mené sa guerre à bonne fin, il ne voulut rien donner, alors qu'il avait fait des dons aux chevaliers venus d'ailleurs, et il disait à ceux qui lui en demandaient la raison, que nous étions ses hommes et que c'était notre devoir. A mon sujet il disait même que si je n'avais pas été un homme riche comme je le suis, je l'aurais mieux servi que je ne l'avais fait !

« Noble seigneur, ajouta l'hôte du Chevalier au Papegau, voici la récompense que j'ai reçue de mon seigneur le roi, pour le service que j'avais accompli pour lui. Et je vous affirme que je n'ai rien de lui qui vaille quoi que ce soit, sauf d'être son homme. J'en suis très affligé. Je ne pouvais accomplir d'acte dont il m'ait su gré, et pourtant je le servais plus loyalement que nul autre chevalier. En vérité, il a confié sa terre et sa fille à son maréchal plutôt qu'à moi, et pourtant celui-ci n'avait pas plus de mérite que moi, ni pour la richesse ni pour le reste, mais mon seigneur me haïssait plus qu'aucun autre à sa cour. Ainsi j'ai subi des choses que je n'aurais pas supportées, même au prix de la mort, s'il ne s'était pas montré si inflexible envers moi ! Et par ailleurs, parce qu'elle est ma dame, même si elle est la fille d'un mauvais père, je ne veux pas servir le maréchal contre ma dame Flor de Mont.

« Noble seigneur, dit le châtelain, vous savez maintenant la vérité, et votre demoiselle sait bien si je dis vrai ou si je mens !

Le Chevalier au Papegau pressa tant son hôte de se mettre au service de la demoiselle qu'il lui promit de l'aider, et par ses biens et par ses proches, dans la mesure de ses moyens. Alors l'hôte fit apporter du vin, et ils burent. Après quoi il fut l'heure d'aller coucher et ils allèrent dormir.

XXVII

L'ÎLE FORTE

Au matin, au lever du jour, le Chevalier au Papegau se leva et s'habilla. Lorsqu'il eut pris son armure et ses armes, il monta sur son destrier. Il reprit son chemin, avec sa demoiselle et son nain. Leur hôte, entouré de ses proches, les accompagna sur un trajet d'au moins deux lieues. Le Chevalier au Papegau lui demanda instamment de ne pas oublier sa dame, si elle avait besoin de lui. Il affirma qu'il le ferait. Alors ils se recommandèrent à Dieu, l'un et l'autre, et se quittèrent.

Le Chevalier au Papegau demanda à sa demoiselle quel était le nom de leur hôte. Il se nommait Andois, lui répondit-elle, c'était l'homme au cœur le plus généreux du royaume et il avait bien dit la vérité au sujet du roi et de lui-même.

Ainsi ils chevauchaient tout en parlant, le Chevalier au Papegau et la demoiselle, et ils pénétrèrent dans une marche qui devait par droit appartenir à la dame Flor de Mont, car elle avait appartenu au roi Belnain son père ; et maintenant c'était un chevalier qui la tenait de son maréchal.

Ils chevauchèrent si bien qu'ils arrivèrent au pied d'une montagne qui empêchait à la fois de sortir de cette marche et de pénétrer sur les terres de la dame Flor de Mont, à moins de passer par un château qui se trouvait au-delà de la montagne, à l'entrée de l'Ile Forte. Le maréchal y plaçait ses meilleurs chevaliers pour en interdire le passage, et en particulier au Chevalier au Papegau, car ils le redoutaient beaucoup à cause de sa renommée qui était parvenue à leurs oreilles.

Quand le Chevalier au Papegau parvint à cette entrée, voulant passer outre, le chevalier qui la gardait se mit à crier :

— Seigneur vassal, faites chemin arrière, car vous ne pouvez passer outre !

Le Chevalier au Papegau en demanda la raison et il lui répondit que son seigneur lui avait ordonné de ne laisser passer personne sans en connaître l'identité.

— Ce n'est pas un obstacle, dit le Chevalier au Papegau, car je vais vous la dire. Apprenez que je viens de Bretagne et qu'on m'appelle le Chevalier au Papegau. Je veux me rendre en l'Ile Forte pour réparer le tort que votre seigneur a fait à ma dame Flor de Mont !

En le voyant, le chevalier fut pris de pitié et crut qu'il parlait ainsi parce qu'il avait perdu la raison :

— Cher ami, reprit-il, rebroussez chemin !

— Cher seigneur, dit le Chevalier au Papegau, je ne suis pas arrivé jusqu'ici pour faire chemin arrière — si je puis avancer en quelque manière que ce soit — jusqu'à ce que j'aie accompli ce pour quoi je suis venu !

L'autre lui répondit que bonté et générosité ne signifient pas grand-chose pour ceux qui ne veulent pas les comprendre :

— Je vous ai parlé comme je ne parle à personne depuis que mon seigneur m'a envoyé ici, mais maintenant je vous affirme que si vous voulez passer en l'Ile Forte, ce sera à la condition de combattre avec moi. Si je puis vous désarçonner ici, sans toucher à votre cheval, vous serez totalement en ma merci. Si vous deviez me désarçonner, vous passerez en toute sécurité : c'est la seule condition pour passer. Faites donc ce que vous voudrez !

Le Chevalier au Papegau répondit :

— Puisque je ne puis passer autrement, je combattrai !

Alors ils se préparèrent pour le combat et, après avoir pris leur élan, se heurtèrent avec une telle fougue qu'ils rompirent leurs lances sur leurs écus sans se faire de mal. Lorsque les lances furent brisées, le chevalier qui gardait le passage en fit apporter nombre d'autres, disant qu'il leur faudrait combattre jusqu'à ce que l'un jette l'autre à terre. Chaque combattant brisa bien quatre grosses et fortes lances avant que l'un pût ébranler l'autre de la selle. La demoiselle ainsi que le nain étaient épouvantés, mais le papegau chantait si bien que son chevalier puisa dans son chant force et audace et frappa le chevalier du passage sur son écu d'un si fort coup de la lance qu'il avait ramassée parmi les autres, qu'il le jeta à terre, avec son cheval tout ensemble, mais il ne le blessa pas. Et l'autre, se voyant à terre, se releva en hâte et se dirigea vers le Chevalier au Papegau, le priant fort courtoisement d'accepter l'hospitalité pour la nuit, avec ceux qui l'accompagnaient, et l'assurant qu'il serait en toute sécurité dans la maison de son père et de sa mère, ce que lui accorda le Chevalier au Papegau, à cause de la grande courtoisie qu'il voyait en lui. Il leur témoigna beaucoup d'égards et les logea très confortablement avec tout ce qu'il leur fallait pour la nuit.

Au matin, vers le lever du jour, le Chevalier au Papegau se leva et se prépara ainsi que ses compagnons, et prit congé du chevalier du passage : ils chevauchèrent, suivant la demoiselle, vers le château bâti sur la hauteur où était assiégée la demoiselle Flor de Mont avec sa mère la reine. Lorsqu'ils furent à une distance d'une lieue, la demoiselle qui accompagnait le Chevalier au Papegau éclata en sanglots. Le chevalier lui demanda la raison de ses larmes :

— Je pleure par pitié pour vous, répondit-elle, car je vois venir un chevalier contre lequel vous devrez combattre, et c'est le meilleur chevalier qu'on connaisse dans le monde entier !

Le chevalier lui demanda où il se trouvait, et elle dit :

— Voyez-le là sur ce tertre, tenant ce gonfanon rouge ! C'est le chevalier le meilleur et le plus orgueilleux de tout ce royaume, et même du monde entier. Et comme je sais bien qu'il est rempli d'orgueil et qu'il n'y a en lui aucune pitié, je pleure. C'est parce qu'il a tant de hardiesse que le maréchal en a fait son maître-gonfanonier.

— Demoiselle, dit le Chevalier au Papegau, s'il est fort, Dieu en revanche est puissant et Il peut bien nous protéger contre lui !

XXVIII

ARTHUR EST VAINQUEUR
DU GONFANONIER DU MARÉCHAL

Voici qu'arrivait le chevalier dont ils parlaient, qui les avait bien vus venir du chemin, au pied de la montagne, par là où ils devaient passer. Quand il les vit s'approcher de lui, il s'avança sans mot dire pour affronter le Chevalier au Papegau, car il était poussé par la fureur en le voyant chevaucher avec la demoiselle ; il avait entendu qu'elle était allée chercher un défenseur pour sa dame contre le maréchal. Lorsqu'il le vit venir vers lui, le Chevalier au Papegau ne prit pas la fuite, il s'approcha et se prépara à se défendre avec vigueur, et ils se donnèrent de tels coups qu'ils se désarçonnèrent dès le premier assaut, si bien qu'on ne put savoir qui avait frappé le coup le plus fort. Puis ils se relevèrent bien vite, mirent la main à l'épée et commencèrent un si âpre combat qu'il semblait bien à chacun qu'il n'avait jamais eu d'adversaire si redoutable. Après avoir combattu un bon moment à pied avec l'épée, celui qui luttait contre le Chevalier au Papegau, lui dit :

— Seigneur, faisons bien les choses ! Allons avec nos destriers sur cette montagne devant la porte du château et commençons la joute, afin que la dame pour qui vous combattez puisse vous voir et vous reconnaître. Elle verra celui qui sait le mieux frapper de la lance. Ainsi notre mérite sera plus grand !

— En vérité, dit le Chevalier au Papegau, cela me convient !

Ils remontèrent alors sur leurs destriers, et chacun saisit une lance pour se rendre dans la prairie la plus belle du monde, située devant le château. La mêlée recommença, forte et cruelle. Quand ils eurent rompu les lances, ils se donnèrent de grands coups d'épée, essayant de se comporter avec gloire pour la dame Flor de Mont, qui s'était appuyée aux fenêtres pour voir le combat, et en sa compagnie au moins vingt demoiselles, toutes filles de princes et de seigneurs. A propos du Chevalier au Papegau, elles se demandaient avec grand étonnement qui cela pouvait être. La demoiselle qui était venue avec lui s'approcha si près d'elles avec son cheval qu'elles la reconnurent du haut des fenêtres où elles se tenaient. Elles furent alors certaines que c'était le Chevalier au Papegau et en eurent la plus grande joie qu'elles aient jamais éprouvée, car elles avaient beaucoup entendu vanter sa prouesse.

Elles admiraient et louaient sa façon de combattre, et parlaient toutes de lui à voix si haute qu'il pouvait les entendre. Il accrut alors son effort et frappa son adversaire d'un coup surprenant sur le sommet du heaume, si bien qu'il le lui fendit ; l'épée resta fichée dans la tête, la plaie était si grande qu'il ne fut plus capable de tenir sur sa selle. Il tomba à terre si hébété qu'il ne savait plus distinguer le jour de la nuit.

Le Chevalier au Papegau se dirigea vers lui, il aperçut l'épée qu'il avait laissé tomber près de lui, il la plaça dans son fourreau. Celui qui gisait à terre ouvrit les yeux au bout d'un moment, et voyant venir le Chevalier au Papegau qui était déjà tout près de lui, l'épée toute nue à la main, il eut si grande peur d'être tué qu'il cria grâce.

— Si vous voulez que j'ai pitié de vous, lui dit le Chevalier au Papegau, il faudra vous mettre en la merci de ma dame Flor de Mont.

Le chevalier le lui promit aussitôt. Que pouvait-il faire d'autre ?

XXIX

ARTHUR CHEZ LA REINE

Levant alors les yeux vers la hauteur, ils aperçurent la dame Flor de Mont et ses demoiselles qui étaient déjà descendues pour accueillir le Chevalier au Papegau. Elles lui témoignèrent les plus grandes marques d'honneur et d'allégresse qu'une dame ou une demoiselle ait jamais accordées à un chevalier. Le chevalier du maréchal fut mis totalement en la merci de la demoiselle, elle l'accepta mais ordonna qu'on l'accueille bien, par égard pour le Chevalier au Papegau, mais aussi parce qu'il était de haut lignage et cousin de Flor de Mont.

Ils montèrent vers le palais avec la plus grande joie qu'on ait jamais vue depuis le temps du roi Belnain. Les demoiselles, qui étaient toutes du même âge, le désarmèrent elles-mêmes, et elles ne se souciaient que de rire, de lui montrer leur gaîté et leur amabilité. Lorsque le papegau vit les demoiselles, qui avaient toutes une quinzaine d'années, manifester tant d'allégresse pour son seigneur, il se mit à chanter les prouesses qu'il avait accomplies. Lorsqu'il eut achevé une chanson dont son seigneur était le héros, il entonna cette fois à propos des demoiselles :

— Je passerais plus volontiers deux mois entiers auprès de vous qu'en nul autre lieu du monde !

Ensuite il chanta un lai d'amour si joliment composé, sur des notes si mélodieuses, que toutes les demoiselles lui répondirent en chantant. Il régnait donc la plus grande allégresse du monde, au moment où arriva la reine, la mère de Flor de Mont, avec toutes les apparences d'une dame qui avait perdu son mari et qui avait subi l'injustice de la captivité.

Voyant venir la reine, les demoiselles mirent fin à leur chant et aux manifestations de joie ; le papegau n'en fut pas heureux, car tout ce qu'il souhaitait voir, entendre ou faire, c'était de chanter, de danser et de s'adonner au bonheur ! Cependant il se tut à la vue de la reine, car elle ne lui semblait guère heureuse. Quand il apprit sa venue, le Chevalier au Papegau alla vers elle, la salua avec une extrême courtoisie, et elle le saisit par la main, pleurant de façon bien émouvante :

— Cher seigneur, soyez le bienvenu !, lui dit-elle, puis elle lui demanda son nom et son origine.

— Dame, répondit-il, je viens de Bretagne

Elle lui demanda encore s'il était un proche du roi Arthur, et il répondit :

— Oui, plus que de nul homme au monde !

Alors la reine reprit :

— Votre renommée nous a poussés à vous chercher dans le monde entier, si bien que vous êtes là, par la grâce de Dieu et par votre générosité, pour nous délivrer de la captivité que nous subissons injustement, à cause de la traîtrise de notre maréchal.

— Dame, répondit le chevalier, je suis ici, prêt à faire tout ce que vous voudrez, et rien d'autre, du mieux que je pourrai ! Montrez-moi le chemin par lequel je pourrai facilement trouver le maréchal.

Lorsqu'il eut achevé ces mots, la reine l'entoura de ses bras et lui dit tout en larmes :

— Cher seigneur, ce serait trop de hâte, car vous êtes bien fatigué et épuisé par votre chemin, et c'est l'un des chevaliers les plus redoutables du monde. Je vous en prie, prenez quelque repos ici avec votre destrier, pour une huitaine de jours. Car la demoiselle qui est allée vous chercher et qui vous a ramené, pour notre bien s'il plaît à Dieu, m'a raconté que vous avez accompli de nombreux exploits depuis que vous avez quitté l'Amoureuse Cité.

— Ma dame, dit le Chevalier au Papegau, je ne suis pas venu ici pour prendre du repos, mais pour accroître mon mérite et ma valeur. Apprenez qu'un jeune chevalier ne doit pas tarder à agir, pour autant que cela lui est possible. Je veux tenter l'aventure, si vous le permettez !

La reine fut prise d'une grande pitié en entendant ces mots du chevalier. Elle savait au fond d'elle-même qu'il était hardi et audacieux. Elle reprit courage, car une prédiction lui avait annoncé qu'un Breton viendrait la sauver de leur captivité pour les rendre à la joie et à l'allégresse.

— Cher seigneur, lui dit-elle, si vous acceptez de vous arrêter ici, il viendra demain quelqu'un qui vous mettra sur le bon chemin !

XXX

LE REVENANT ET L'ARBRE MERVEILLEUX

Ainsi se passa la journée. Après le souper, lorsqu'il fut temps d'aller se coucher, quatre demoiselles se présentèrent au Chevalier au Papegau ; elles l'installèrent dans la chambre de la reine, très confortablement. Apprenez que la reine et sa fille ne le quittaient point et lui manifestaient de leur mieux des marques d'estime. Mais au bout de peu de temps, un jeune homme appella la reine, qui quitta la chambre en évitant tout bruit car il lui semblait que le chevalier était sur le point de s'endormir.

Après avoir parlé au jeune homme, elle revint vers la chambre et dit au Chevalier au Papegau :

— Cher seigneur, dormez-vous ? Je le vois bien, ajouta-t-elle, Dieu veut que vous partiez pour la plus dangereuse des aventures qui soit jamais survenue. Le messager qui doit vous conduire est arrivé. Auparavant il ne se présentait qu'une fois tous les trois jours, et il ne s'était plus montré depuis notre captivité. Mais il est venu hier soir et ne devait pas revenir aujourd'hui, si Notre-Seigneur Jésus Christ n'avait fait connaître sa volonté. Il faut donc vous lever et prendre vos armes, je ferai seller votre destrier. Je vous conseille en toute bonne foi de vous confesser à mon chapelain, car vous serez mieux protégé. Vous ne savez en effet où vous devez vous rendre : j'y ai envoyé un bonne quinzaine de chevaliers dont nul n'est revenu, et ils étaient tous plus forts et plus âgés que vous !

Les propos de la reine réjouirent fort le Chevalier au Papegau, à cette seule chose près qu'elle lui avait dit que nul n'en était jamais revenu ! Il se confessa au chapelain comme elle le lui avait dit. Après la confession, lorsque le chapelain lui eut imposé une pénitence, il descendit du palais en compagnie de la reine, de Flor de Mont et de ses demoiselles ; devant la salle il trouva son destrier qu'un jeune homme lui avait amené sur l'ordre de la reine. A l'arçon de la selle, elle avait fait mettre deux barils de vin et, dans une belle serviette, de la nourriture pour trois jours.

— Cher seigneur, lui dit-elle, il faudra chevaucher par des lieux où vous ne trouverez ni à boire ni à manger ! Vous serez seul, sans compagnons !

— Dame, répondit-il, que tout se passe selon la volonté de Dieu !

Il monta alors sur son destrier, armé de toutes ses armes, à l'exception du heaume que Flor de Mont tenait entre ses mains car elle y avait fixé une étoffe de soie belle et somptueuse qu'elle avait elle-même brodée d'or et argent. Lorsqu'elle le vit monté à cheval, elle lui dit :

— Prenez ce heaume, cher et noble ami, et que Dieu vous accorde de revenir sain et sauf !

Elle lui plaça le heaume sur la tête et le laça. Quand ce fut fait, la reine le mena en un lieu dégagé situé près de cette hauteur où ils trouvèrent un fort bel animal, d'une taille qui était au moins celle d'un taureau, avec le cou délié comme un dragon, et une petite tête semblable à celle d'un cerf, qui portait deux cornes plus blanches que neige avec des cercles d'or pur ; son pelage était plus rouge que nulle autre teinture.

A la vue du Chevalier au Papegau, l'animal s'inclina devant lui comme l'aurait fait un homme pourvu de raison et il lui témoigna des marques de respect. Le chevalier était rempli d'étonnement. Lorsque la reine vit que l'animal s'était incliné devant le chevalier et qu'il était venu à ses pieds, elle s'adressa tout en larmes au chevalier :

— Cher seigneur, voici l'animal qui doit vous montrer le chemin ! Que Dieu vous accorde de revenir dans la joie !

L'animal se plaça devant le chevalier, le regardant au visage comme s'il voulait lui parler. Il l'aurait fait bien volontiers, je pense, s'il en avait eu le pouvoir ! Il se mit alors à avancer très paisiblement. Après avoir pris congé de la reine, le chevalier suivit l'animal, se demandant avec stupéfaction quelle était sa nature car il le voyait si rouge qu'il lui semblait fait de flammes. L'éclat que réfléchissaient ses cornes, à la lueur de la lune claire, donnait une clarté aussi grande qu'en plein jour ; grâce à cette clarté, il suivit l'animal. Ils firent route jusqu'à minuit passé et arrivèrent alors dans une très belle prairie, au milieu de laquelle l'animal fit mine de s'endormir sous un arbre. Le chevalier pensa que l'animal voulait qu'il se repose avec son destrier. Il mit donc pied à terre, attacha son cheval à un arbre et coupa autant d'herbe qu'il put pour son cheval. Alors il s'endormit malgré lui jusqu'à l'aube, lorsque les oiseaux se mirent à chanter les matines.

Il se leva alors, aperçut l'animal debout devant lui qui lui faisait signe de se mettre en route. Lorsqu'il eut équipé son destrier, il monta et suivit l'animal, qui le mena dans une contrée fort belle dont l'odeur était si suave qu'elle semblait être le paradis : c'était la vertu des plantes qui abondaient en ce lieu.

Il suivit ainsi l'animal toute la journée jusqu'à l'heure de vêpres, ils trouvèrent alors en un lieu magnifique un château tout en ruines que le maréchal avait fait raser. L'animal s'y rendit tout droit, faisant signe qu'il voulait s'arrêter là et dormir. Le chevalier mit pied à terre sous l'un des plus beaux arbres que nul ait jamais vu, très feuillu, avec une riche floraison de fleurs qui répandaient la plus douce odeur que nul homme ait jamais respirée.

Après avoir mis pied à terre, il vit venir vers lui un très beau chevalier, tout chenu et blanc, vêtu d'une robe toute blanche. Il allait à pied. Le Chevalier au Papegau se demandait avec étonnement qui il pouvait être, il alla vers lui et le salua par le roi du ciel. L'autre répondit à son salut et prit la parole :

— Roi de Bretagne, ne crains rien, car je viens t'aider pour la plus périlleuse aventure dont on ait jamais entendu parler au monde, qui n'a jamais été menée à bien, et qui ne pourrait jamais être menée à bien sauf par un être d'origine royale, qui serait le meilleur chevalier du monde et le plus juste !

— Seigneur, dit le Chevalier au Papegau, qui êtes-vous donc ?

— Je suis, répondit le chevalier chenu, l'animal qui t'a conduit jusqu'ici.

— Et comment cela peut-il se faire, cher seigneur ? demanda le Chevalier au Papegau.

Et il lui répondit :

— Je suis le roi Belnain ! Je fus tué par grande traîtrise en un tournoi par l'un de mes seigneurs que je ne peux nommer, car je ne veux pas nuire à mon âme. Lorsque je fus blessé à mort, Dieu me laissa le temps de faire mon testament, je choisis le maréchal qui me semblait le meilleur de tous et je lui confiai la garde de mon royaume et de ma fille. Il s'en est mal acquitté, comme vous l'avez entendu dire ailleurs. Mais voici qu'approche le moment où il recevra ce qu'il mérite !

Alors le Chevalier au Papegau lui demanda où il demeurait :

— Je suis en un beau lieu, dit-il, et j'y resterai jusqu'à ce que soit accomplie la prophétie de Merlin, et ensuite j'irai dans un autre lieu plus beau encore et plein de délices, jusqu'à ce que Dieu récompense ceux qui lui sont fidèles, qui auront alors tant de gloire que nul ne pourrait le dire !

Et il ajouta :

— Roi de Bretagne, je ne peux demeurer plus longtemps avec toi, mais avant de partir, je te donne le conseil de passer la nuit sous l'arbre où tu te trouves. Prends l'une de ces fleurs, place-la sur ta poitrine : je vais t'en dire la raison.

« Quand la nuit sera tombée, tu verras venir dans cette prairie devant toi une grande assemblée de chevaliers et de seigneurs, armés sur leurs destriers, portant dans leurs mains des enseignes petites et

grandes. Tu verras aussi une noble assemblée de dames et de demoiselles, la plus somptueuse qui ait jamais été assemblée par un roi ou
un empereur. Quand ils seront tous rassemblés, tu verras le tournoi
le plus élégant que tu aies jamais vu de ta vie. Et les chevaliers viendront en joutant dans ta direction et te crieront à très haute voix :
« Où est le Chevalier au Papegau ? Pourquoi ne vient-il pas au tournoi avec nous ? » Alors, si tu veux rester en vie, il faudra te retenir
de les rejoindre. Car si tu participes à ce tournoi, tu seras frappé
d'un coup mortel, par une arme telle qu'il n'est nul médecin au
monde qui pourrait te guérir. Si tu veux échapper et accomplir ce
que tu as entrepris, reste sous l'arbre où tu te trouves ! Aucun chevalier du tournoi ne pourra t'approcher, car l'ombre et l'odeur de cet
arbre te protégeront.

XXXI

LE TOURNOI FANTÔME

Quand il lui eut indiqué tout ce qu'il devait faire, il le recommanda
à Dieu et s'en alla, en lui disant qu'il ne le reverrait plus. Le Chevalier au Papegau resta sous l'arbre et tira son destrier tout près de lui.
Il cueillit l'une des fleurs qu'il approcha de son nez : elle répandait
une si douce odeur qu'il lui semblait se trouver dans un lieu céleste.
Et l'odeur le rassasia si bien qu'il n'avait plus envie de boire ni de
manger.

Lorsqu'il fut tout à fait nuit, il vit venir des jeunes gens et des serviteurs dans la prairie, qui se mirent à tendre des pavillons, des
tentes et des tentures de soie. Il vit venir des dames et des demoiselles à cheval, magnifiquement vêtues, avec de grandes lumières,
des torches et des cierges, au son des vielles et de nombreux autres
instruments. A la suite des dames, il vit s'avancer des chevaliers et
des seigneurs, les mieux équipés qu'il eût jamais vus en nulle cour.
Chacun descendit de son cheval devant sa tente.

Après avoir pris un peu de repos, ils commencèrent un tournoi
fort beau et plaisant au regard. Au bout d'un bon moment, ils se
mirent à crier à voix très haute :

— Où est le Chevalier au Papegau ? Pourquoi n'est-il à ce tournoi ?

Alors les chevaliers qui fuyaient devant les autres qui les poursuivaient se précipitèrent tout près de l'arbre merveilleux sous lequel se
tenait le Chevalier au Papegau, en criant très fort :

— Ah, Chevalier au Papegau, noble créature, seigneur, pitié !

Aidez-nous contre nos ennemis, car si nous sommes défaits devant vous, dont nous implorons la pitié et à qui nous demandons si instamment de l'aide, vous en serez blâmé tous les jours du monde, durant toute votre vie !

Ils insistèrent tant que la pitié s'empara de lui. Quand le Chevalier au Papegau eut mis la bride et la selle à son cheval, prêt à se lancer dans la folle entreprise, il entendit un ermite, dont l'ermitage se trouvait près de là, sonner les matines. Au premier son de la cloche, le tournoi s'évanouit de telle sorte que le Chevalier ne put voir ni savoir ce qu'il était devenu. Les tentes et les pavillons avaient également disparu.

XXXII

ARTHUR ET LE DRAGON

Au lever du jour, il monta sur son destrier fort intrigué par ce qu'il avait vu cette nuit-là et chevaucha jusqu'au moment où il arriva à un beau perron où se trouvait une petite croix qui était fort belle. Il regarda avec attention le perron et y découvrit des lettres gravées. Il les déchiffra et voici ce qu'elles disaient :

— Toi qui me lis, apprends de moi qu'il existe trois grands malheurs en ce monde. Le premier consiste à ne connaître nul bien, et à n'en point vouloir apprendre. Le second consiste à connaître le bien, mais à ne point le mettre en œuvre, ni pour soi-même ni pour autrui. Le troisième consiste à connaître le bien et à réprimander autrui, sans se priver soi-même de mal faire.

Et l'inscription du perron ajoutait :

— Si tu veux trouver une autre aventure étonnante, chevauche vers la droite, et ne t'attarde plus ici aujourd'hui.

Alors le Chevalier au Papegau se mit à chevaucher tout droit sur le chemin que lui avait indiqué l'inscription et chevaucha toute la journée sans trouver l'aventure jusqu'à l'heure de vêpre. Il entendit alors une voix qui criait très fort :

— Ah, cher ami ! Que Dieu ait pitié de vous. Je ne puis vous apporter de l'aide !

Il regarda devant lui et aperçut une demoiselle qui descendait à vive allure d'une montagne et manifestait une très grande affliction. Le Chevalier au Papegau lui demanda ce qu'elle avait. Quand elle fut un peu rassurée, elle lui répondit :

— Cher seigneur, j'éprouve une grande douleur, car un dragon a emporté mon ami si sauvagement qu'il est probablement déjà mort !

— Demoiselle, où est ce dragon ?

Elle lui indiqua la direction dans laquelle il s'était envolé. Peu de temps après il aperçut le plus grand, le plus hideux dragon qu'on eût jamais vu, qui tenait dans sa gueule le chevalier armé encore en vie, car son armure l'avait protégé. Le Chevalier au Papegau éperonna son destrier et alla frapper de sa lance le dragon au milieu de la poitrine qu'il transperça jusqu'au cœur, si bien que, se sentant frappé, il laissa tomber le chevalier. Il se débattait dans tous les sens et donnait des coups de son immense queue qui tournoyait. On aurait cru un démon. Il donnait tant de coups de queue, à l'approche de la mort qui le pressait, qu'il toucha par malheur le Chevalier au Papegau, si violemment qu'il le jeta avec son cheval dans l'eau large et profonde. S'il n'était tombé à l'eau, le chevalier aurait perdu la vie sans recours. Pourtant il était fort mal en point et il était infecté par une morsure du dragon : si Dieu ne lui apporte de l'aide, il est en grand danger !

Sorti de l'eau au prix de grands efforts, il chevaucha du côté qui lui parut le meilleur et n'avait pas parcouru une lieue depuis qu'il était sorti de l'eau qu'il perdit connaissance, à cause de la force du venin qui s'emparait de lui. Il tomba à terre. Peu s'en fallut qu'il ne retombe à l'eau ! Il souffrait tant qu'il ne savait plus où il était. il perdit connaissance.

Le chevalier que le dragon avait laissé échapper de sa gueule, voyant qu'il était bien mort, alla vers sa demoiselle et lui demanda ce qu'était devenu le chevalier qui avait tué le dragon. Elle lui raconta comment elle l'avait trouvé et comment il lui avait de si grand cœur porté secours. Et le chevalier déplorait fort ce qui lui était arrivé, car il le croyait mort. Quelle que soit son identité, disaient-ils, il était fort courageux et audacieux ! Ils reprirent leur chemin et arrivèrent à une hauteur où se trouvait leur demeure, qui était fort belle et bien défendue.

Quand ils furent montés dans la salle, ils firent allumer cierges et torches, la nuit était déjà tombée. Prêtant l'oreille, ils entendirent un pêcheur qui, sur le point de rentrer, disait à sa femme .

— Je crois qu'il est encore vivant. Dieu ! comme il possédait de belles armes !

— Dieu ! comme nous avons mal agi de l'avoir laissé ! lui répondit sa femme.

Quand le chevalier entendit le pêcheur, il se pencha à une fenêtre et dit au rustre :

— Qui êtes-vous, vous qui parlez de la sorte ?

— Seigneur, dit le pêcheur, je suis de vos gens.

— Et que disais-tu donc ?

Le pêcheur, qui avait peur de son seigneur, répondit

— Seigneur, rien de particulier !

Le chevalier vit bien qu'il avait peur et pensa qu'il avait commis une mauvaise action. Il ordonna à ses gens de lui amener le rustre et sa femme.

Lorsque ceux qui devaient s'emparer du pêcheur arrivèrent à la rive, ils trouvèrent dans sa barque les plus belles et les plus riches armes qu'ils aient jamais vues.

Le chevalier, qui les avaient bien aperçues également du haut de sa fenêtre, s'adressa au rustre :

— Ah ! méchant homme, je crois que tu as accompli un acte qui m'affligera tous les jours de ma vie ! Dis-moi la vérité au sujet du chevalier à qui ont appartenu ces armes.

— Seigneur, pitié, au nom de Dieu, répondit le pêcheur effrayé, je ne l'ai pas tué. Peu avant la tombée de la nuit, j'ai trouvé sur le bord de cette rivière un chevalier tout raidi de froid, et à côté de lui un destrier mort. Le chevalier était encore en vie, mais il ne pouvait parler.

Alors le chevalier fut certain qu'il s'agissait de celui qui l'avait délivré du dragon. Il descendit vers la rive en compagnie de son amie, ils montèrent dans la barque et se firent mener par le pêcheur à l'endroit où il avait trouvé le chevalier. Ils le trouvèrent inanimé et bien proche de la mort si on ne lui portait secours.

Pourquoi allonger le récit ? On le porta dans le bâteau, on le conduisit jusqu'au château. Il fut étendu sur un lit confortable, bien recouvert, et on lui prodigua tous les soins possibles, tant et si bien qu'avant l'heure de minuit, il ouvrit les yeux et se mit à parler :

— Ah, cher Seigneur Dieu, où suis-je ?

La demoiselle qui se trouvait devant lui lui raconta ce qui s'était passé. La feuille qu'il avait cueillie sur l'arbre merveilleux lui avait été bien utile, car elle l'avait protégé du venin qui n'avait pu le tuer, et en trois jours il fut tiré d'affaire, aussi sain qu'un mois auparavant, et en meilleure santé que jamais.

XXXIII

COMMENT ROMPRE UN ENCHANTEMENT

Alors le chevalier du château lui demanda qui il était et comment il se sentait, et il lui raconta la vérité. Quand il apprit que c'était le Chevalier au Papegau qui allait affronter le maréchal, il fut rempli de joie :

— Cher et noble seigneur, lui dit-il, il vous faudra bien deux petites journées jusqu'au Château Périlleux où réside votre ennemi, qui est le lieu le mieux défendu du monde, et aussi le plus dangereux. Il est situé sur une montagne ronde qui n'est pas haute, mais c'est la plus impressionnante et la mieux défendue du monde ! Elle est entourée d'un bras d'eau profond et large, de sorte que nul n'y peut passer sinon par un pont, un passage extrêmement dangereux, car il est si étroit que personne n'y peut passer à cheval. Au milieu du pont, il y a une roue qui tourne si vite par enchantement, qu'il n'est nul chevalier qui puisse y passer. Quinze chevaliers y ont déjà perdu la vie, qui étaient allés chercher cette aventure comme vous ! Mais parce que vous m'avez sauvé, je vais rendre ce que je vous dois.

« Noble seigneur, vous allez parvenir en un lieu où il ne s'est jamais trouvé de chevalier venu de loin depuis la mort du roi Belnain. Vous trouverez au milieu du pont, ajouta-t-il, d'un côté et de l'autre de la roue, deux piliers de marbre rouge, fort beaux, où se trouvent gravés les mots suivants : " Toi qui veux passer outre, ne poursuis pas dans cette direction, mais passe par ici près de moi, car la voie est pleine de dangers ! " Celui qui alors passe par là est instantanément tué par la roue, rien au monde ne peut le sauver. Elle est ainsi faite par enchantement pour garder le passage du maréchal, mais je vous indiquerai ce que vous allez faire. Quand vous serez sur le pont, et que vous serez proche des lettres gravées, quand vous verrez celles qui vous diront de passer près d'elles, n'éprouvez aucune crainte, mais tournez-vous de l'autre côté et regardez au milieu du pilier, bien au milieu de l'inscription, et vous y trouverez une ouverture : vous y verrez quelque chose bouger à l'intérieur du trou, fichez-y votre épée. L'enchantement sera rompu et la roue ne pourra plus tourner ! Cher seigneur, ainsi vous pourrez passer, c'est la seule possibilité. Puisque vous voulez y aller, je ne puis vous en empêcher.

XXXIV

LA FEMME SAUVAGE

Lorsque le chevalier du château lui eut ainsi indiqué la voie et la façon dont il devait agir, il lui fit amener l'un de ses destriers et rapporter ses armes que le pêcheur lui avait enlevées. Quand il fut armé, il se mit en chemin. Le chevalier du château monta sur l'un de ses palefrois pour l'accompagner, ils parlaient de choses diverses, si bien qu'ils arrivèrent à une montagne. Le chevalier du château s'arrêta, disant au Chevalier au Papegau :

— Noble seigneur, je ne puis aller plus loin, car je manquerais à ma parole. Voici le chemin qui vous mènera tout droit au Château Périlleux.

Ils se recommandèrent l'un l'autre à Dieu, et comme le Chevalier au Papegau voulait savoir comment il se nommait, il lui répondit qu'il portait le nom de Chevalier Amoureux du Château Sauvage.

Ils se séparèrent. L'un retourna chez lui, priant Dieu qu'il apporte son aide au Chevalier au Papegau, et ce dernier descendit de la montagne où il l'avait laissé. Il parvint en suivant son chemin à une grande lande où il chevaucha toute la journée jusqu'à l'heure de prime, si bien qu'il arrive sur une voie qui était très étroite et entourée d'arbres et de buissons, près d'une montagne très haute. Il était très attentif et regardait devant lui. Voici que surgit par-derrière une femme sauvage qu'il n'aperçut qu'au moment où elle l'eut saisi entre ses bras : si son armure ne l'avait protégé, elle l'aurait tué. En vérité il aurait été mis à mort si le destrier ne s'était mis à hennir et à ruer violemment quand il sentit cette méchante créature, si bien qu'elle prit peur et relâcha un peu son étreinte. Le Chevalier au Papegau en profita pour la jeter à terre. Puis il tira son épée pour se débarrasser d'elle et remonta sur son destrier pour continuer son chemin à vive allure. Soyez sûr qu'il n'osera dormir tant qu'il sera dans cette lande, à cause de la peur que lui avait inspirée la femme sauvage ! Il chevaucha si bien que le soleil baissait déjà à l'horizon.

XXXV

LE PONT PÉRILLEUX

A l'heure dont je vous parle, le Chevalier au Papegau était parvenu à la tête du pont du Château Périlleux. Apprenez que c'était le lieu de la grande et de la plus terrible épouvante ! Car l'eau était profonde et large, obscure et noire, plus que nul ne pourrait vous le dire, et la rive du fossé était haute de plus de cent toises. Le pont était si étroit, fait de telle sorte que personne ne pouvait passer pardessus sans qu'il fût si fort ébranlé qu'il semblait s'écrouler. La roue était tout entière de fer, tranchante comme un rasoir, elle ne cessait de tourner d'un mouvement si rapide qu'on ne pouvait même pas la voir ! Et de l'autre côté du pont il y avait une tour haute de plus de trente toises, toute ouvragée de marbre, avec des escaliers de toutes les couleurs, et derrière la tour se dressait un château, le plus impressionnant et le mieux défendu du monde.

Le Chevalier au Papegau se mit à contempler le pont, la tour et le château, en disant :

— Cher Seigneur Dieu, comment pourrai-je passer de l'autre côté ?

Mais il se rappela les indications du Chevalier du Château. Il mit pied à terre, attacha son destrier à un perron qui se trouvait à l'entrée du pont, puis il se mit à avancer, fort attentif, sur le pont : celui-ci branlait si fort qu'il ne pouvait tenir sur ses jambes, il avança donc à quatre pattes, et encore bien prudemment, à cause de la peur qu'il avait de tomber. Il se traîna du mieux qu'il put, de sorte qu'il parvint près de la roue qui le remplit d'épouvante, tant elle tournait fort, soulevant un vent tel que peu s'en fallait qu'il ne le pousse à l'eau. Celle-ci ressemblait à l'enfer. Le Chevalier au Papegau trouva ce que le chevalier lui avait indiqué : arrivé à l'ouverture du pilier, il sortit son épée et l'y planta, coupant tout ce qu'il voyait bouger. C'était un fil de métal qui était à la clé de tout l'enchantement !

Dès que le Chevalier au Papegau eut taillé le fil de métal, la roue s'arrêta, le pont s'immobilisa. Il se dirigea tout droit vers la tour de l'autre côté du pont, y pénétra par la porte qui était grande ouverte, toute d'argent pur. Lorsqu'il fut à l'intérieur, il trouva devant lui deux grands rustres armés de la tête aux pieds, sans chausses de fer, qui lui dirent :

— Ami, voici le moment de mourir, tu as pénétré ici en passant le pont, et voici que tu es en notre pouvoir !

— Ah ! chers seigneurs, fit le Chevalier au Papegau, doivent-ils donc mourir tous ceux qui passent le pont ? Ce serait horrible !

Alors l'un des rustres regarda l'autre et ils se dirent :

— Ce chevalier semble plein de hardiesse et ce serait mal de le tuer. Laissons-le aller affronter le maréchal. Si Dieu veut l'aider, il nous en saura gré ! S'il a le dessous, nous nous enfuirons bien à temps, avant sa mort.

Lorsqu'ils se furent mis d'accord, ils s'adressèrent au Chevalier au Papegau :

— Cher seigneur, vos bonnes manières nous invitent à vous épargner. Allez tenter là-haut votre aventure ! Nous avons tué tant de chevaliers et tant d'autres encore, que nous voulons nous arrêter là ! S'il plaît à Dieu, nous préférons risquer la mort plutôt que d'accomplir encore des actes mauvais !

XXXVI

DÉFAITE DU MARÉCHAL

Le chevalier fut bien heureux de leurs propos, car il redoutait fort d'avoir à les affronter. Il se dirigea vers la salle, la plus belle et la plus grande qu'il ait jamais vue, mais elle était très sombre à cause de la nuit qui était tombée. Le maréchal était déjà au courant de l'aventure ; il savait que les défenseurs avaient laissé passer le chevalier. Ainsi, tandis que le Chevalier au Papegau se trouvait dans la salle, très absorbé, la porte d'une chambre s'ouvrit et il en vit sortir une demoiselle vêtue d'une robe moitié pourpre, moitié écarlate : dans chacune de ses mains elle tenait une torche allumée. Quand elle fut dans la salle, elle monta sur une table surélevée qui faisait le tour de la salle : elle était face au Chevalier au Papegau.

Peu de temps après, il vit en sortir une autre, vêtue de la même façon, qui tenait également deux torches allumées dans les mains ; elle fit tout comme l'autre, mais elle se plaça de l'autre côté. Que vous dire de plus ? Il arriva tant de demoiselles, toutes vêtues d'une même étoffe, qu'elles s'étaient réparties tout autour de la salle. La clarté des torches qu'elles tenaient dans leurs mains était si grande que la salle était éclairée comme au jour le plus clair. Le Chevalier au Papegau était fort stupéfait par l'arrivée de ces demoiselles et par leur silence.

Peu de temps après, par la même porte d'où étaient sorties les demoiselles, vint un chevalier fort bien équipé d'armes toutes vermeilles et neuves. A sa suite une très belle dame qui était son amie. Avec la dame, au moins vingt jeunes filles qui, toutes, jouaient d'instruments divers. C'est avec de telles marques d'honneur que se montra le maréchal. Arrivé dans la salle, après avoir aperçu le Chevalier au Papegau, il ne le salua pas, mais saisit son écu et courut vers lui en disant :

— Misérable, fils de garce, c'est pour ton malheur que tu es venu !

Le Chevalier au Papegau, sans se troubler, saisit son épée avec une grande hardiesse et il accueillit le maréchal comme il le fallait. L'affrontement fut violent et dangereux, et il dura jusque minuit passé, de sorte que l'un ne put avoir l'avantage sur l'autre.

Toutes celles qui regardaient le combat s'étonnaient fort, elles se disaient entre elles :

— Il pourrait bien se faire que notre maréchal ait trouvé plus fort que lui !

Lorsque le maréchal se rendit compte qu'il ne pourrait avoir le dessus, il éprouva une telle rage de voir son adversaire lui résister si longtemps qu'il leva l'épée et frappa le Chevalier au Papegau si fort sur son heaume que la coiffe ne l'empêcha pas de lui faire une plaie profonde sur la tête, si bien que chacune des demoiselles pensa bien que ce coup-là mettait fin à l'affrontement. Mais quand le Chevalier au Papegau sentit le sang qui coulait tout chaud et tout rouge de son front, il fut hors de lui, si bien que, poussé par la rage, il retrouva assez de force et de puissance pour frapper violemment le maréchal. Il le pourfendit jusqu'au menton. Le voilà aux pieds du Chevalier au Papegau ! Dès que son amie vit qu'il était mort, elle courut l'entourer de ses bras et cette étreinte fut si violente qu'elle mourut aussitôt.

Alors toutes les demoiselles qui tenaient les torches descendirent et les placèrent sur les tables, sur des chandeliers d'argent ; elles coururent vers le Chevalier au Papegau, le serrant dans leurs bras, l'embrassant plus de cent fois. Elles disaient, elles chantaient même de joie :

— Que soit comblé de bonheur le meilleur chevalier du monde qui nous a cette nuit délivrées du pire, du plus méchant seigneur qui ait jamais existé !

XXXVII

TOUS PRÊTENT HOMMAGE À ARTHUR

Alors quatre demoiselles montèrent sur la tour de marbre, à l'étage le plus élevé, et firent sonner une petite cloche qui n'avait plus sonné depuis la mort du roi Belnain. Cette cloche apprit à ceux qui l'entendirent qu'ils étaient délivrés de leur méchant seigneur et que le maréchal était mort. Et à cause de la grande allégresse que fit naître l'événement, ils firent sonner toutes les cloches de la contrée pour répondre à la clochette du Château Périlleux, de sorte qu' avant l'heure de tierce, mille chevaliers au moins s'assemblèrent, avec leurs épouses et leurs enfants. Ils se présentèrent tous au Chevalier au Papegau, le serrant dans leurs bras et l'embrassant :

— Seigneur, acceptez l'hommage de vos vassaux que vous avez délivrés de la terreur de ce démon qu'était notre seigneur. Car mieux on le servait, moins on était récompensé. Et nous pouvons bien affirmer qu'il y a trois sortes de maux en ce monde. Le premier, le plus grand, est une grave maladie. Le second est une vie mauvaise. Le troisième, c'est un mauvais seigneur ! Et tous ces maux sont des tourments pour les hommes.

« Nous avons été tourmentés par un mauvais seigneur plus que tous les hommes du monde, mais vous nous en avez délivrés ! Que Dieu soit béni et vous aussi ! Ainsi nous sommes venus ici pour vous obéir en tout !

XXXVIII

ACCUEIL AU CHÂTEAU DE LA ROCHE SANS PEUR

Le Chevalier au Papegau, qui éprouvait la plus grande joie du monde, leur dit :

— Je veux que vous et tous les vôtres, tels que vous êtes, veniez avec moi vers la reine et sa fille, qui est votre dame et doit l'être par droit et par raison : je veux que vous lui prêtiez hommage et fidélité, comme vous devez le faire.

Ces paroles leur plurent beaucoup, ils affirmèrent qu'ils s'y plieraient bien volontiers. Chacun se prépara avec munificence. Quand le Chevalier au Papegau fut reposé et remis des blessures qu'il avait reçues durant le combat, tous et toutes se mirent en chemin, avec de grandes manifestations d'allégresse et de joie. Jour après jour, ils finirent par arriver à la Roche sans Peur où demeuraient la reine et sa fille. Ils trouvèrent une grande assemblée de chevaliers que monseigneur Andois y avait amenés pour le service de sa dame, comme il l'avait promis au Chevalier au Papegau, le jour où celui-ci avait reçu l'hospitalité dans sa demeure.

En apprenant que le maréchal était mort et que le Chevalier au Papegau et tous ceux de la contrée venaient vers la reine et vers sa fille Flor de Mont pour rendre leur hommage, ils éprouvèrent la plus grande joie du monde.

La reine ordonna à tous et à toutes de monter à cheval, elle en fit de même avec sa fille Flor de Mont, accompagnées de nombreuses dames et demoiselles ; elles allèrent à la rencontre du Chevalier au Papegau. Le papegau ne voulut oublier de chanter — il avait été bien longtemps emprisonné ! — car il avait eu grand peur pour son seigneur : en effet il ne connaissait pas l'aventure qui lui était arrivée depuis qu'il l'avait quitté et il se fit porter avec la dame. Ils chevauchèrent joyeusement à la rencontre du Chevalier au Papegau et de ses compagnons. La joie que tous témoignèrent au Chevalier au Papegau fut la plus grande qu'on eût jamais vu témoigner à qui que ce soit.

Le papegau chantait sans cesse avec Flor de Mont les hauts faits de son seigneur. Quand il le vit s'approcher, il entonna une mélodie si suave que tous, en ces lieux, durent s'arrêter pour la douceur du chant. Le papegau lui-même fut tellement pénétré de joie qu'il tomba à la renverse dans sa cage quand son chant fut achevé, si bien que chacun s'imagina qu'il était mort d'émotion lorsque son seigneur vint à lui et lui dit :

— Ah, beau papegau, je vous en supplie, si cela est possible, ne m'abandonnez pas si vite !

Dès que le papegau entendit sa voix, il se releva et se remit à chanter très joyeusement. Les voilà repartis et ils chevauchèrent si bien qu'ils arrivèrent à la Roche sans Peur, où ils mirent pied à terre dans l'allégresse.

La fête, grande et solennelle, dura huit jours. La reine accepta les hommages de tous et de toutes. Tous prirent congé de la reine et s'en retournèrent dans leur contrée, disant que tous les jours de leur vie ils seraient au service de la reine et du Chevalier au Papegau, dès qu'il en aurait besoin.

XXXIX

LE NAUFRAGE D'ARTHUR

Quand le Chevalier au Papegau y eut séjourné quinze jours entiers, il prit congé de la reine et de sa fille : leurs prières ne réussirent pas à le persuader de rester plus longtemps, ni à lui faire accepter quoi que ce soit. Il n'exprima qu'une seule demande : qu'elles lui fassent préparer un navire dans un port sur la mer qui se trouvait à trois lieues de la Roche sans Peur, car il voulait effectuer la traversée pour aller en Bretagne. Ce qu'elles firent de bon gré et très rapidement, faisant placer sur le navire tout ce dont il pouvait avoir besoin, lui et vingt chevaliers parmi les meilleurs du pays, des hommes forts et jeunes qu'elles faisaient partir avec lui pour lui servir de compagnons.

Quand ils furent prêts, ils montèrent à cheval et se rendirent au port, en grande compagnie de chevaliers, de dames et de demoiselles. Celui qui aurait vu le chagrin de la reine et de sa fille ne l'oublierait jamais, au moment où le Chevalier au Papegau entra dans le navire, parce qu'il s'éloignait d'elles. Ils se recommandèrent à Dieu, les marins levèrent l'ancre et hissèrent les voiles ; comme le vent était bon, ils naviguèrent en haute mer. Ils partaient dans la joie et le papegau chantait les plus jolies chansons du monde.

Leur joie cependant se transforma bien vite en détresse. Car l'un des vents les plus violents du monde se leva, frappa les voiles du navire et le porta vers une terre sauvage. La force du vent brisa le mât et déchira les voiles, si bien que le navire aurait pu couler, mais Dieu dans sa gloire entendit la prière du Chevalier au Papegau et les mena au rivage de cette terre, rapidement et sans risques.

Au milieu du péril de la mer, le papegau avait appelé son nain :

— Nain, pour l'amour de Dieu, ouvre ma cage et laisse-moi au moins voler à terre. Si le navire coule — que Dieu le préserve ! — je ferai prier dans le pays pour l'âme de mon seigneur et pour la vôtre, et je porterai les nouvelles de vos aventures à la cour du roi Arthur !

— Certes non ! dit le nain, je ne te laisserai pas partir. Tu resteras ici avec nous, et tu souffriras et tu attendras l'aventure avec nous !

— Ah, nain, je t'en supplie, en récompense des grands honneurs dont tu as bénéficié tant de fois à cause de moi, je te supplie de couvrir ma cage ou de me placer en un endroit où je ne puisse voir les vagues de la mer ! Je suis terrifié !

— Certes non ! dit le nain, car je n'ose pas bouger. Il me semble que si je me mettais à bouger, je tomberais à l'eau tant le navire est agité. Mais je vais te dire ce que tu peux faire de mieux : si tu ne veux pas voir les vagues, ferme les yeux, tu ne les verras plus !

— Ah, méchant nain, lâche et couard, vous moquez-vous de moi ?

— Dieu et le monde se moquent déjà de vous !

Alors le papegau se plaignit au chevalier de son nain et le chevalier lui ordonna d'obéir au papegau :

— Volontiers, seigneur ! lui dit le nain.

Mais au moment où il devait se lever pour couvrir la cage du papegau, le vent souffla si fort qu'il poussa à terre la proue du navire. A cette vue, le papegau commença à chanter pour réconforter son seigneur et les autres qui étaient présents, chantant tant et si bien qu'ils oublièrent vite les souffrances dans lesquelles ils avaient été plongés.

Alors le Chevalier au Papegau descendit du navire avec les autres chevaliers. Il prit la parole en premier :

— Seigneurs, y a-t-il quelqu'un parmi vous qui connaisse cette terre ? y a-t-il quelqu'un qui y ait jamais été ?

Ils répondirent tous que non.

XL

LE NAIN ET LE GÉANT

— Écoutez-moi, seigneurs, dit le Chevalier au Papegau. L'aventure est mienne à part entière jusqu'à mon retour à la cour, et vous êtes venus avec moi pour être mes compagnons et exécuter mes ordres. Je vous dirai donc ce que vous allez faire. Je vais aller explorer le pays, les alentours et bien au-delà, jusqu'à ce que je sache où nous sommes arrivés et quelle est cette terre, dans le but aussi de chercher de la nourriture lorsque nous en manquerons, car nous en avons peu pour reprendre la mer. J'ai ici un cor : lorsque vous l'entendrez sonner, venez me porter secours, car soyez certains que je n'en sonnerai point sans grande nécessité !

Les chevaliers répondirent :

— Seigneur, acceptez que nous venions avec vous pour vous protéger !

Mais il leur ordonna de demeurer dans le navire.

— Puisque telle est votre volonté, nous la suivrons, lui dirent-ils.

Ils firent sortir du navire le destrier du Chevalier au Papegau ; sans même mettre le pied sur l'étrier, il y monta, armé de la tête aux pieds. Puis il les recommanda tous à Dieu, piqua des éperons et chevaucha vivement jusqu'à un tertre.

Il regarda de tous côtés vers le bas et vit se dresser près de l'orée d'un bois une tour très isolée, il n'y avait aucune demeure aux alentours. Cela le réjouit beaucoup et il alla de ce côté, pensant y trouver quelqu'un qui le renseignerait sur la contrée. Quand il arriva près de la tour, il la trouva construite à même la terre, et sans fondements. Elle était carrée et haute d'au moins soixante toises, mais elle était grossièrement bâtie. Il regarda tout autour et ne trouva ni porte ni fenêtre. Il remonta un peu plus haut pour voir s'il y aurait quelque ouverture et aperçut une grand trou sur le toit. Il s'approcha alors un peu de la tour et cria à voix très forte :

— Toi qui te trouves dans la tour, parle-moi, car j'ai besoin que tu m'indiques mon chemin !

Il appela ainsi trois fois, puis regarda vers le bas, du côté de l'ouverture et aperçut un nain, vieux, chenu et bossu qui sortait la tête. Quand il vit le Chevalier au Papegau, stupéfait il fit le signe de la croix. Alors le Chevalier au Papegau lui demanda pourquoi il se signait. Le nain lui répondit :

— En vérité, je fais le signe de la croix parce qu'il y a soixante ans que je demeure ici, et, à part vous, je n'y ai vu passer ni homme ni femme. Mais des morts, j'en ai vu plus que je n'en voulais, et voici comment :

« Je suis né en Northumberland et nous sommes arrivés par voie de mer, moi et ma femme qui était alors enceinte d'un enfant qui vit ici avec moi. Depuis le moment où je suis venu ici, il est devenu si grand et si fort qu'il porte une grande massue faite d'un chêne équarri tel que six hommes comme vous auraient peine à le porter [1]. Il tient cette massue à la main quand il sort, quand il va se distraire dans la forêt ou ailleurs ; tout homme, toute femme qu'il trouve — et ils sont ne sont pas rares par ici — il les tue et me les apporte pour savoir ce que c'est et si c'est bon à manger ! Il m'apporte souvent des corps d'hommes et de femmes, de chevaliers armés et de pêcheurs, d'autres encore ! Il me les apporte morts, vêtus et armés comme au moment où il les a tués, à leur arrivée sur cette île. Je lui ai fait faire une grande fosse qui se trouve par là, où je lui fais jeter les créatures mortes qui ne se mangent pas ; et celles qui se peuvent manger, je les lui prépare pour son repas.

« Sachez que nous n'avons point de pain, et mon fils mange tant que c'est chose prodigieuse. Sachez, seigneur, que je lui demande et que je lui ordonne constamment de ne tuer ni homme, ni femme, mais de me les apporter vivants — il me le promet toujours et n'en fait rien ! — car ce serait pour moi un grand soulagement d'avoir de la compagnie. Mais mon fils est trop sot, malgré sa taille : son corps a grandi bien plus que son intelligence, de sorte qu'il oublie toujours ! Pourtant il affirme constamment qu'il me les rapportera tout vivants ! Certaines fois il s'en souvient, mais les choses se passent souvent ainsi : épouvantés de le voir si grand, les gens prennent la fuite, et alors il les poursuit et en courant, les frappe ou les pousse de sa massue, ils meurent aussitôt car il est si fort qu'il ne sait modérer son coup. Il me dit également qu'il y en a qui veulent combattre avec lui, et qui font mine de le frapper de leurs épées, de leurs haches ou de leurs lances : il les tue tout suite ! Même s'il devait y en avoir une centaine, nul ne pourrait lui résister, tant il est fort. Sachez qu'il se lève le matin et ne revient pas avant le coucher du soleil, et il ne revient jamais sans rapporter des proies, beaucoup ou peu, selon les jours. Et quand il revient, il est étonnant de voir comme il est affamé !

— Et par où entre-t-il donc dans la tour ? demanda le chevalier.

— Seigneur, dit le nain, par ces pierres qui dépassent, que vous voyez dehors. Et quand je veux sortir, il me porte et me rapporte

---

1. Le géant à la massue poursuit ici la tradition bien connue en littérature de Rainouart au tinel dans la *Geste de Guillaume*.

très vite à cause de la peur des bêtes féroces, afin qu'elles ne me dévorent pas quand il serait loin de moi. Sachez, seigneur, qu'il me redoute, qu'il m'aime et me craint, si bien qu'il n'est rien qu'il ne fasse dès que je le lui ordonne, tant que je suis près de lui. Mais il arrive souvent, quand je ne suis pas là, qu'il en perde la mémoire !

Alors le chevalier lui demanda pourquoi cette tour était faite sans porte et sans fenêtre, qui l'avait construite, d'où il venait et comment il était arrivé là :

— Seigneur, je vais vous le dire : écoutez bien ! Lorsque nous arrivâmes sur cette île, mon seigneur, le Chevalier des Estranges Iles, dont j'étais le nain et le serviteur, m'avait emmené avec lui, ainsi que ma femme. Mon seigneur devait se rendre à la cour du roi Arthur, car il voulait devenir compagnon de la Table Ronde. Ainsi il arriva avec nous sur cette île ; ma femme qui m'accompagnait était enceinte de ce fils qui vit ici avec moi. Elle était sur le point d'accoucher, et mon seigneur la fit débarquer pour que les choses se déroulent mieux ; elle était fort mal en point, l'accouchement dura cinq jours. Au troisième jour il se leva assez de vent pour que mon seigneur puisse faire voile. Les marins lui firent savoir qu'ils n'attendraient plus, en aucune manière, ils dirent à mon seigneur qu'il fallait se préparer. Ils hissèrent les voiles pour le départ.

« Mon seigneur vint me trouver pour me demander si je voulais rester avec ma femme ou monter sur le navire. Je répondis qu'en aucun cas je ne laisserais ma femme en une situation aussi difficile et que je préférais mourir avec elle. En m'entendant, mon seigneur fut pris de compassion et me laissa de la nourriture pour quinze jours. Puis ils s'en allèrent et me laissèrent avec ma femme, sur cette île où je suis encore. Le cinquième jour ma femme accoucha, mais peu de temps après la naissance de l'enfant la mère mourut.

« Elle fut enterrée sur ce tertre à l'endroit où se trouve une grande pierre que mon fils y a placée l'autre jour ; il y a une grande croix de chêne et un siège fait d'un arbre près de la tombe, où nous allons nous asseoir, mon fils et moi ; car nous y allons bien souvent prier pour son âme, afin que Dieu ait pitié d'elle !

« Écoutez-moi bien, cher et noble seigneur, je vous vais vous raconter une grande merveille, la chose étonnante qui m'est arrivée ; car si un autre m'avait annoncé ce qui m'est arrivé, en toute vérité et en toute sincérité, je n'aurais pu le croire, seigneur ! Quand ma femme fut enterrée, je pris mes provisions pour les placer dans mon gilet et j'enveloppai mon enfant nouveau-né du mieux que je pus ; j'allais cherchant partout, ça et là dans le bois, un gros arbre où je pourrais me reposer et m'abriter contre la pluie, pour la durée de la nuit. Je ne savais pas encore qu'il y avait tant de bêtes sauvages sur cette île.

« Je trouvai un arbre creux, le plus grand que j'aie jamais vu, il en existe encore dans ce bois. Il y avait un creux suffisant pour y abriter six chevaliers. Je découvris là de jeunes animaux qui venaient de naître d'un animal sauvage. Chacun des petits avait une petite corne pointue au milieu du front [1]. Quand je les aperçus, j'entrai et les examinai longuement avec stupeur, je m'assis à côté d'eux. Peu de temps après arriva la mère des petits. C'était une bête d'une taille surprenante, aussi grande qu'un grand cheval ; elle portait au milieu du front une corne plus acérée qu'aucun rasoir au monde. Elle avait quatorze grandes mamelles dont la plus petite était aussi grande que la mamelle d'une vache. Quand elle me vit, elle me regarda si férocement que j'eus grand peur et je m'enfuis. Mon enfant me tomba des bras et se mit à hurler. Il était si beau, si blond et mignon qu'on ne vît jamais si bel enfant ! La bête en prit pitié et pénétra dans le creux de l'arbre, j'étais caché derrière la racine de l'arbre, j'observai ce qu'elle ferait de l'enfant. Elle le saisit de son museau, entra, s'allongea devant lui et fit tant et si bien que l'enfant prit sa mamelle dans la bouche. Quand il sentit la mamelle tendre, l'enfant but le lait, tout comme la nature le veut. Quand il fut rassasié, il s'endormit. Je restai là toute la nuit, je ne pouvais m'endormir et n'osais remuer : je croyais constamment que la bête me tuerait ! Elle resta là pendant la nuit, l'enfant dormait aux côtés de ses petits. Le lendemain matin, quand la bête alla chercher sa pâture, comme j'avais très faim, je mangeai. J'avais très soif, mais je n'osais sortir pour chercher de l'eau. Je pris l'enfant, et pendant que je l'emmaillottais, la bête revint, mais elle me témoigna beaucoup d'attachement et je restai auprès d'elle. Quand mon fils et ses petits furent bien allaités, la bête qui me voyait petit s'imagina que j'étais jeune — vous voyez que je suis nain ! — et elle me poussa la tête vers l'une de ses mamelles qui était encore toute pleine. Comme j'avais soif, je fis ce qu'elle voulait : je bus le lait, qui me sembla le meilleur et le plus doux que j'aie jamais goûté.

« Seigneur, voici quelle fut ma vie, tant que durèrent mes provisions. Mon enfant profitait fort bien de ce lait, comme cela se voit encore maintenant, par la grâce de Dieu ! Quand mes provisions furent terminées, je me sentis faible de ne vivre que de lait. Un jour, par la grâce de Dieu, un grand cerf passa devant notre arbre creux. J'avais très faim, car l'allaitement ne me suffisait pas. « Cher Seigneur Dieu, dis-je, ah ! si j'avais maintenant une cuisse rôtie de ce cerf ! » La licorne qui passait près de nous pour me protéger, moi et ses petits, aperçut le cerf qui était arrêté et me regardait ; elle eut peur pour moi et pour ses petits, et elle se précipita furieuse sur le

---

1. Il s'agit de licornes, animaux fabuleux que la littérature et l'iconographie médiévales ont fréquemment mis en scène.

cerf, avant que celui-ci pût s'en rendre compte. Son mouvement fut si rapide qu'elle le toucha de sa corne avec une violence prodigieuse et, en se retirant, elle le coupa en deux ! Le cerf tomba mort. J'étais fou de joie : je me hissai de l'arbre dont je n'étais pas sorti depuis trois semaines, je regardai devant moi et aperçus un morceau de bois en forme de crosse qui était tombé d'un arbre, je m'en approchai. Pour rien au monde je n'aurais pu le remuer, je le laissai donc à sa place et creusai par-dessous une fosse. Une source en jaillit, je la dirigeai en aval pour nettoyer le morceau de bois courbé, et puis je versai l'eau et je fis du feu avec ma pierre à feu. Je pris aussi du sable de la mer, qui était salé et je l'y mélangeai. La licorne passait partout où j'allais, pour me protéger des autres animaux, tant elle m'aimait. D'ailleurs elle passe encore devant cette tour chaque jour, une fois ou deux.

« Au bout d'un an, quand la bête n'eut plus de lait, mon fils se mit à manger de la viande. Et j'avais si bien apprivoisé et dressé la licorne — car elle m'aimait comme une mère aime son enfant — qu'elle faisait tout ce que je lui indiquais et tuait pour moi cerfs, ours et autres animaux, que nous mangions, mon fils et moi. Voici la vie que j'ai menée sur cette île, depuis au moins vingt ans, et je n'ai pu trouver de lieu par où en sortir, sauf par mer. A vingt ans, mon fils était si grand et fort qu'il était capable d'arracher un gros arbre hors de terre. Comme il y avait beaucoup de pierrres et beaucoup de sable sur cette île, je me dis que je pourrais édifier une tour. Je fis apporter par mon fils des pierres et du sable, et nous avons construit cette tour en quinze jours, haute et sans porte parce que, si la porte était au bas de la tour, lorsque mon fils va se divertir, les bêtes sauvages pourraient s'emparer de moi et me dévorer. Voici donc la raison pour laquelle la tour est si haute.

« Je vous ai raconté, seigneur, toute la vérité en ce qui me concerne.

— Nain, donne-moi un conseil, dit le chevalier. J'aimerais beaucoup voir ton fils et si nous pouvions sortir de cette île, si toi et ton fils vouliez venir avec moi, je te montrerais que ton seigneur, le Chevalier des Estranges Iles, est encore en vie !

Quand le nain entendit ces propos, il fut comblé de bonheur :

— Noble seigneur, demanda-t-il, qui êtes-vous et comment êtes-vous arrivé ici, et où trouverions-nous un navire ? Racontez-moi donc toute votre aventure, puisque je vous ai raconté la mienne

Alors le Chevalier au Papegau lui raconta toute son aventure, de bout en bout, il lui dit qui il était et comment il était arrivé là. Après l'avoir écouté, le nain s'écria :

— Ah, noble roi Arthur, fleur des chevaliers, puisque tu vas me montrer mon seigneur en vie et puisque tu as un navire pour faire voile, je suis certain que Dieu ne m'a pas encore oublié ! Sois confiant jusqu'au retour de mon fils : avec l'aide de Dieu et des marins, il tirera le navire avec la corde le long du rivage, grâce à sa force, si bien que nous atteindrons le fleuve. Nous passerons à la force des rames.

Quand le roi entendit les propos du nain, il éprouva la plus grande joie de sa vie, car il avait de grandes craintes sur la façon dont il pourrait quitter l'île.

Le Chevalier au Papegau et le nain de la tour passèrent ainsi leur temps à parler jusqu'au coucher du soleil. Bientôt alors le fils du nain qui se nommait le Géant sans Nom, parce qu'il n'était pas encore baptisé, arriva à vive allure. Il portait dans l'une de ses mains un ours qu'il avait tué, et de l'autre sa massue. Apercevant le roi sur son destrier si élégant et de belle taille, il crut que les deux n'étaient qu'un seul animal : il prit peur, car il n'en avait jamais vu de tel. Il laissa tomber à terre son ours, prit sa massue à deux mains, trépigna et sauta, levant très haut la massue de sorte que la terrre sous lui tremblait.

Le nain qui l'entendit arriver poussa de grands cris, aussi vite qu'il put :

— Ah ! mon cher fils, Géant sans Nom, reste tranquille, écoute-moi !

Il s'arrêta dès qu'il eut entendu son père. Le roi que regardait le nain était prêt à se défendre si le géant s'était précipité sur lui. Mais le nain lui dit :

— Seigneur, pour Dieu, ne donnez pas l'impression de vous défendre, car il vous tuerait sur-le-champ !

Le nain parla alors à son fils :

— Regarde cet homme, cher enfant, et ne lui fais aucun mal, car c'est ton seigneur et le mien après Dieu, qui est venu nous chercher, et tu ne feras de mal à aucun de ses compagnons. Apporte-le moi là-haut, car je veux l'embrasser !

Alors le Géant sans Nom alla vers le Chevalier au Papegau et lui dit :

— Seigneur, soyez le bienvenu ! Puisque vous êtes mon seigneur, je ne vous ferai pas de mal. Parlez-moi si vous le pouvez !

— Oui, mon frère, par la grâce de Dieu ! dit le chevalier.

— Qui vous a donné une cotte ainsi faite, et de quoi est-elle faite ? dit le géant.

— Portez-moi là-haut, frère, dit le chevalier, et je répondrai à toutes vos questions.

Le roi craignait le géant qu'il voyait si grand et fort, car il avait bien peu de raison, de bon sens et d'intelligence. Il serait plus volontiers resté auprès du nain, jusqu'à ce qu'il fût plus habitué aux façons d'être du géant.

Celui-ci descendit chercher l'ours qu'il avait laissé tomber et le porta vers la tour, puis il vint vers le chevalier qui avait déjà ôté la bride et la selle à son destrier pour le laisser paître.

Le géant saisit le chevalier aussi facilement qu'un enfant et il l'emporta tout armé dans la tour. Là le nain tomba à ses pieds, manifestant la plus grande joie du monde :

— Seigneur, vous êtes le troisième homme qui soit jamais entré dans cette tour : nul n'y est jamais entré sauf moi, mon fils et vous en cet instant.

Alors le Géant sans Nom mangea au moins la moitié d'un cerf et but de l'eau, et ce n'était guère étonnant pour un homme si grand qui ne mangeait qu'une fois par jour. Il ne mangeait ni pain ni autres mets et ne buvait pas de vin. Le roi ne mangea point, tellement il le contemplait avec stupéfaction ; le nain mangea fort peu, à cause de la grande joie qu'il éprouvait.

Après le repas le nain ordonna à son fils de s'incliner aux pieds du roi Arthur et de lui demander grâce, afin de lui apprendre la crainte. Puis il rendit hommage au roi et lui promit fidélité : désormais il ferait ce qui lui plairait et ce qu'il lui ordonnerait. Enfin ils parlèrent de leur projet, de la façon dont ils le mèneraient à bien, puis ils se couchèrent et se reposèrent jusqu'au matin.

Quand il fut jour, le roi, le géant et le nain se levèrent. Une fois monté à cheval, le roi installa le nain devant lui, le géant allait à pied sa massue à la main, et à son cou il avait attaché toutes ses affaires. Comme ils se rendaient ainsi vers le navire, voici qu'arriva la licorne qui avait allaité le géant et qui venait, comme à son ordinaire, chaque jour vers la tour, car elle voulait voir le géant, son fils. Elle venait volontiers le matin, car au milieu de la journée elle ne l'aurait pas trouvé. Elle suivit le géant, afin de l'aider s'il en avait besoin. Si grand était l'amour qu'elle lui portait !

XLI

LE RETOUR À LA COUR

Ainsi le Chevalier au Papegau s'en retourna vers le navire, portant devant lui le nain, et à sa suite venait le Géant sans Nom avec la licorne. Quand ils furent proches, les chevaliers et les marins éprouvèrent tout ensemble joie et terreur. De la joie parce qu'ils revoyaient leur seigneur, et de la terreur à cause du géant qui était immense, mais aussi à cause de la licorne !

Le Chevalier au Papegau dit aux marins comment ils devaient faire, ils prirent des cordes, les jetèrent hors du navire en les attachant au mât et à la coque. Le géant prit l'un des bouts de la corde, l'attacha autour du poitrail de la licorne, et l'autre bout autour de ses propres épaules ; il tenait toujours sa massue à la main. Le Chevalier au Papegau et le nain montèrent dans le navire.

Et pourquoi allonger le récit ? Le géant et la licorne tirèrent le navire avec l'aide des marins si bien qu'il fut remis à l'eau. Alors le géant entra dans le navire, et la licorne, voyant que le géant, qu'elle aimait tant, y était monté, y entra également. Ils ramèrent tous ensemble pour dépasser le fleuve, sur environ quatre milles : l'eau était si impétueuse et profonde que c'était une chose prodigieuse.

Quand ils eurent effectué la traversée, ils découvrirent une très belle contrée : alors le Chevalier au Papegau reconnut qu'il s'était trouvé là auparavant et qu'il connaissait le pays. Il descendit du navire avec ses compagnons.

Ils chevauchèrent un moment et aperçurent l'Amoureuse Cité où demeurait la Dame aux Cheveux Blonds. Ils allèrent jusqu'au palais principal. La Dame aux Cheveux Blonds les reçut avec des égards extraordinaires. Immédiatement le Chevalier au Papegau envoya un messager au château de Causuel, à Lion sans Merci pour lui dire que le roi Arthur lui faisait savoir de se trouver avec ses chevaliers comme il l'avait promis, s'il tenait à son honneur, le jour de la Pentecôte à Windsor où le roi tiendrait sa cour. Lion sans Merci répondit qu'il le ferait volontiers. Le messager rapporta sa réponse. Alors il fut l'heure de se coucher. Tous allèrent dormir.

XLII

APOTHÉOSE

Cette nuit-là le Chevalier au Papegau dormit aux côtés de la Dame aux Cheveux Blonds, comme il l'avait fait dans le passé, et leur joie fut grande. Au matin, très tôt, le Chevalier au Papegau prit congé avec ses compagnons. Jour après jour ils chevauchèrent tant qu'ils ne trouvèrent plus aucune aventure et arrivèrent en Bretagne au château de Windsor, la veille de la Pentecôte. Le roi Arthur y retrouva le roi Lot qu'il avait laissé à sa place, et tous les chevaliers de la Table Ronde étaient présents.

Le roi Arthur, ainsi que ses compagnons, fut accueilli avec de grandes manifestations de joie, comme jamais roi ne fut accueilli.

Tous étaient émerveillés par les étonnantes créatures que le roi Arthur leur seigneur avait ramenées de ses aventures. Pour sa générosité et sa vaillance, il jouissait de leur estime.

Ainsi le roi Arthur revint chez lui, et le souper se déroula dans une allégresse extraordinaire, surprenante à voir et à entendre. Après le repas, tous allèrent dormir. Le jour se leva, qui était le jour de la Pentecôte ; le roi Arthur rassembla la cour la plus joyeuse et la plus somptueuse qu'un roi ait jamais réunie. Et pendant qu'on était à table, le papegau chantait si merveilleusement toutes les aventures qui étaient arrivées au roi Arthur, que ceux qui étaient présents en étaient stupéfiés, au point d'en oublier le boire et le manger. Quand il eut cessé de chanter, Lion sans Merci entra dans la salle avec ses chevaliers superbement vêtus, comme le roi l'avait ordonné. Il raconta devant tous les seigneurs son aventure et se mit en la merci du roi. On leur fit grand honneur et on les installa, pour le repas, d'un côté de la salle.

Quand les tables furent rangées, le roi fit baptiser le Géant sans Nom, il le fit chevalier et de nombreux autres avec lui, pour l'honorer. Il retrouva le nain son père, tous deux étaient remplis de joie.

Au terme des quinze jours, la cour se sépara et le roi distribua de l'or et de l'argent, comblant les désirs de chacun. Tous, petits et grands, s'en félicitèrent. Chacun retourna heureux dans son pays, et le roi fut plus heureux encore.

Ici se termine le *Conte du Papegau.*

LEXIQUE
DES TERMES DE CIVILISATION

Ce lexique est destiné à faciliter la lecture des récits traduits dans ce volume. Pour cerner plus amplement les mots dans leur contexte littéraire et social, voir le *Dictionnaire étymologique de la langue française* d'O. Bloch et W. von Wartburg, Paris, 5ᵉ éd., 1968 et *Cinquante mots clefs de l'histoire médiévale*, de Pierre Bonnassie, éd. Privat, 1988 éd. mise à jour Si l'on souhaite se reporter aux textes dans leur langue d'origine, on tirera grand profit du *Dictionnaire de l'ancienne langue française et de tous ses dialectes du IXᵉ au XVᵉ siècle*, de Fr. Godefroy, Paris, 1937-38, 10 vol., et de l'*Altfranzösisches Wörterbuch* d'A. Tobler et de E. Lommatzsch, nouv. éd. Wiesbaden, 1955 et ss. (publié jusqu'au T, avec de nombreux exemples tirés de textes littéraires et non littéraires). Un dictionnaire plus succinct, donnant les mots les plus courants en ancienne langue, est d'accès facile : il s'agit du *Dictionnaire de l'ancien français jusqu'au milieu du XIVᵉ siècle*, par A.J. Greimas, 2ᵉ éd. revue, Paris, 1977. Voir aussi l'excellent glossaire établi par Lucien Foulet (*The Continuations of the Old French Perceval of Chrétien de Troyes*, vol. III, Part 2 *Glossary of the First Continuation*, Philadelphie, 1955).

A

ADOUBER : armer chevalier, faire chevalier. L'adoubement est une cérémonie, un rite initiatique auquel l'Église conféra très tôt un caractère sacré. Le jeune homme reçoit armes et équipement.

ALLEU : bien sur lequel n'existent d'autres droits que ceux de son possesseur direct. En général le mot désigne des terres, domaines et forteresses.

AMBLE : marche du cheval qui avance en même temps les deux pattes du même côté. Allure douce ou rapide selon le gré du cavalier.

ARESTUEL : bas de la lance qu'on saisissait de la main ; il y avait probablement soit une entaille soit un autre dispositif pour empêcher la main de glisser.

AVENTURE : épreuve extraordinaire ou merveilleuse, rencontrée souvent par hasard, qui permet au héros d'affirmer sa valeur. Le chevalier arthurien se doit de partir pour l'aventure, qui est un signe d'élection. Celui qui oublie l'aventure est recréant.

B

BALLADE : poème lyrique en vogue à la fin du Moyen Age, trois couplets de sept à dix vers, même schéma de rimes, souvent un envoi.

BARON : homme de haute naissance. Les barons apparaissent dans les récits comme personnages marquants. Par rapport aux chevaliers, les barons en constituent l'élite, ils sont très proches de leur seigneur. Souvent le terme désigne l'ensemble des chevaliers.

BASSINET DE L'ARMURE : calotte de fer portée sous le casque.

BLIAUT : vêtement qui semble être une sorte de tunique, que portent les dames nobles, ou les chevaliers sous ou sur le haubert. L'étoffe en est mince et fine.

BOUCLE : également dite bosse du bouclier. Il s'agit de la partie en fer qui forme une bosse au centre du bouclier. On peut y loger des reliques.

BOUTEILLIER : échanson, celui qui est chargé du service de la boisson. Lucan, le bouteillier d'Arthur, déborde largement cette fonction.

BRACHET : chien de chasse, braque.

BRAIES : culotte.

C

CAROLE : danse au son des chansons.

CENDAL : étoffe de soie.

CERCLE : entoure le heaume et en maintient l'armature.

CHAUSSES : partie du vêtement masculin, en étoffe ou en mailles de métal, protégeant les pieds et jambes des chevaliers et éventuellement le corps, de la taille aux pieds.

CHEVALERIE : l'ensemble des chevaliers, mais désigne surtout dans nos textes l'ensemble des qualités et le code chevaleresque que met en œuvre le chevalier, principalement la vaillance et, par suite, l'exploit et la gloire qui en résulte.

CHEVALIER : jeune noble adoubé, et tenant la plupart du temps un fief de son seigneur.

CHEVALIER : un noble reçoit ce titre au cours d'une cérémonie rituelle. Ce n'est pas une récompense, bien plutôt le point de départ d'une mise en œuvre des qualités attendues d'un chevalier.

CISEMUS (fourrure de) : peau de petit rongeur.

COIFFE DU HAUBERT : capuchon de mailles qui, sous le heaume, protège la tête.

COLÉE : coup d'épée.

COMPLIES : voir Heures.

CONNÉTABLE : grand personnage de la cour. Sa fonction est militaire.

COTTE : tunique que portent sur la chemise aussi bien les hommes que les femmes.

COULEURS : les récits arthuriens font souvent place à des épisodes où interviennent des personnages dont les armoiries sont monochromes : Chevalier Vermeil, Chevalier Vert, Chevalier au Bouclier Blanc, etc. La couleur préfigure le déroulement des événements, elle fait sens. Le système chromatique médiéval est ici concerné, il évolue d'ailleurs dans le temps. Le noir est souvent pris en mauvaise part : un chevalier noir cherche à cacher son identité. Le rouge peut être péjoratif : il annonce un personnage animé de mauvaises intentions. Un chevalier vert a un comportement fougueux. Le blanc annonce l'amitié, et le bleu progressivement la loyauté et le courage.

COURTINE : tenture masquant une partie d'une pièce, servant éventuellement à délimiter plusieurs compartiments dans une même pièce.

COURTOISIE (courtois, courtoisement) : sa signification première est « ce qui concerne la vie de cour ». Au sens large, la courtoisie est un art de vivre, donc un ensemble de qualités sociales (raffinement, élégance, bonnes manières, disponibilité à aider autrui, etc.). Dans un sens plus spécialisé, important pour nos textes littéraires et concernant les relations entre sexes, la « courtoisie » désigne une représentation de l'amour, un véritable art d'aimer (« amour courtois », « fin'amor », c'est-à-dire amour parfait).

D

DAME : épouse du seigneur, femme de haut rang. Mais une jeune fille de très haut rang peut également être nommée « dame ».

DAMOISEAU : jeune noble qui sert à table dans une cour.

DÉMAILLER : mettre en pièces les mailles d'un haubert.

DEMOISELLE : souvent de naissance noble, alterne avec « pucelle » pour désigner la femme non mariée : « pucelle » désigne plus simplement la jeune fille.

DENIER : petite unité monétaire, valant 1/240 de la livre tournois (ou franc d'or).

DESTRIER : cheval de bataille que monte le chevalier armé. On l'appelle destrier puisque l'écuyer doit le mener de la main droite (destre).

DON (« don contraignant ») : celui à qui il est demandé doit accepter de l'accorder sans en connaître le contenu. Extrêmement fréquent dans les récits arthuriens, aussi bien dans les rapports d'homme à homme que dans les rapports entre homme et femme.

E

EAU (corner l'eau, demander l'eau, apporter l'eau) : on sonne du cor pour appeler au repas. L'eau est alors présentée dans des bassins avec des serviettes pour se rafraîchir.

ÉCARLATE : étoffe fine de drap ou de soie dont la couleur était très variable.

ÉCHANSON : voir Bouteillier.

ÉCU : bouclier généralement oblong, muni sur le centre d'une bosse appelée « boucle ». Fait de matières diverses : bois, métal ou cuir (l'un des récits indique des peaux de poisson). Aussi bien dans la réalité que dans les œuvres d'imagination, l'écu est souvent orné ou peint (armoiries, héraldique).

ENSEIGNE : étendard qui sert à rallier des combattants. Voir Gonfanon.

ESCARBOUCLE : l'une des pierres les plus précieuses, d'un rouge foncé qui brille de façon surprenante. Elle est capable de lutter contre l'obscurité. Elle orne parfois les armes des chevaliers, et parfois le heaume.

ESTERLIN : sterling, nom de monnaies anglaises.

F

FEUTRE : bourrelet de feutre placé sur le devant de la selle, servant de point d'appui à la lance au moment de la charge.

FIEF : à l'origine désigne un salaire. Les services militaires étant souvent payés en terre, le sens va de « service » à « terre ».

FLORIN : monnaie d'or, d'origine italienne.

FRANC (franche) : libre donc noble, aussi bien au niveau de la naissance que sur le plan psychologique. Désigne souvent la générosité.

G

GAGE : objet (éventuellement un être vivant, comme un oiseau dans l'un de nos récits) remis pour garantir une promesse, celle par exemple de se trouver présent pour un combat.

GAMBISON : vêtement long qui se mettait sous le haubert.

GASTE : dévasté, ravagé, désolé et par suite stérile. Cet adjectif apparaît fréquemment dans la matière arthurienne : Terre Gaste, Gaste Cité, Gaste Forêt, etc.

GONFANON : étendard, enseigne d'étoffe attachée à la lance.

GUISARME : arme à longue hampe composée d'une lame recourbée en forme de faucille et d'une pointe droite.

H

HAUBERT : longue tunique de mailles d'acier tressées.

HEAUME : casque.

HEURES : la journée médiévale est

rythmée par les heures canoniales, espacées de trois en trois heures : matines ou minuit, laudes (3 heures du matin), prime (6 heures), tierce (9 heures), sexte ou midi (12 heures), none (15 heures), vêpres (18 heures), complies (21 heures).

HOMMAGE : l'un des éléments essentiels du pacte qui lie au seigneur son vassal. Le vassal devient l'« homme » du seigneur par la cérémonie de l'« hommage ».

L

LAI : poème musical d'origine celtique. A côté du lai musical, il existe au Moyen Age un genre très intéressant pour la légende arthurienne, le lai narratif (qui n'est plus chanté) dont les plus connus sont ceux de Marie de France.

LICES : enceintes faites d'une palissade servant à protéger un château, ou espace compris entre les murs et cette enceinte.

LIEUE GALLOISE : une lieue, environ 4 km.

LIGE : le rapport du vassal au seigneur est noué par l'hommage. Mais il peut arriver qu'un vassal prête hommage à plusieurs seigneurs : dans ce cas, il existe l'« hommage-lige », qui l'emporte en importance sur tous les autres. De même le « seigneur-lige » a priorité sur les autres.

LIGNAGE : ensemble de ceux qui sont liés par le sang. « Être de haut lignage », de noble extraction.

M

MANCHE : la manche précieuse que la dame peut donner à son héros pour un tournoi ou un combat.

MANGONNEAU : machine à lancer des projectiles contre une place assiégée (les perrières lancent des projectiles plus gros).

MANTEL : le mantel est un vêtement élégant, un costume de cérémonie et d'apparat fait d'une belle étoffe. On peut le porter en voyage, mais il s'agit alors d'une occasion importante : message à transmettre, aller au-devant d'un roi, etc. Pour le roi et ses barons, le mantel est obligatoire.

MARC : mesure de poids spéciale utilisée pour les métaux précieux. Le marc des ateliers monétaires royaux pesait environ 245 grammes. On se servait de cette unité comme monnaie de compte.

MARCHE : province frontière et plus spécialement district militaire établi sur une frontière.

MARÉCHAL : serviteur chargé de prendre soin des chevaux, mais en fait il s'agit de l'une des grandes fonctions de cour.

MERCI : « crier merci » signifie implorer la grâce du vainqueur, demander sa pitié. Se mettre « en la merci de » : à la discrétion de.

N-O

NASAL DU HEAUME : pièce de métal fixée au heaume, destinée à protéger le nez et le haut du visage.

NONE : voir Heures.

ORFROI : galon d'or servant à border une banderole au bout de la lance, ou à faire des attaches d'une épée, ou la rêne d'une mule, etc.

P

PALAIS : salle d'apparat et de réception d'un château. Souvent « salle » et « palais » désignent le même lieu.

PALEFROI : cheval de promenade ou de voyage, par opposition à destrier, cheval de bataille.

PANONCEAU : traduit le mot « baniere ».

PARURES : terme héraldique désignant, dans l'équipement du chevalier, toutes les pièces portant les couleurs et armoiries distinctives de leur possesseur.

PÂTURON : partie inférieure de la jambe du cheval, comprise entre le boulet et la couronne, qui correspond à la première phalange.

PAVILLON : tente de forme ronde, alors que « tente » serait de forme allongée.

PENTECÔTE : date rituelle autour de laquelle se réunit la cour du roi Arthur.

PERRON : au bas de la grande salle, grosse pierre carrée qui sert de montoir aux cavaliers.

PETIT-GRIS : voir Vair.

POURPOINT : vêtement d'homme couvrant le corps jusqu'au bas des reins, parfois moins long. En général d'un tissu très riche.

PRIME : voir Heures.

PRUD'HOMME : homme qui se distingue à un degré éminent par la droiture, la loyauté, la sagesse (L. Foulet). En un sens général, désigne les gens de bien.

Q

QUARTIER : unité de mesure, valant le quart de l'aune, soit 30 cm. La toile d'Agamanor, dans le *Méliador* de Froissart, mesure donc environ 1,50 m.

QUINTAINE : poteau ou mannequin contre lequel on joutait.

R

RECREANTISE (recreant) : acte d'abandonner le combat, lâcheté.

ROBE : désigne l'ensemble d'un costume de chevalier : cotte, surcot et mantel.

ROGATIONS : cérémonies qui se déroulent pendant les trois jours avant l'Ascension.

RONCIN : cheval de charge ou monture pour valets et écuyers.

RONDEAU : genre lyrique à forme fixe comprenant un nombre restreint de vers, très en faveur du XIVe à la moitié du XVIe siècle.

S

SAGE (sagesse) : avisé, habile, de grande expérience, de bon jugement.

SAMIT : riche étoffe de soie, d'origine orientale, utilisée pour des robes de femmes, des bliauts (tuniques) et des mantels d'homme, mais aussi des tapis, des couvertures de lit, etc. (samit à orfrois).

SÉNÉCHAL : à l'origine fonction de présentation des plats, puis rapidement fonction très importante : celui qui l'exerçait avait des signes du pouvoir, bâton et chapeau. Voir Keu, sénéchal d'Arthur.

SERGENT : homme d'armes non noble.

SERVANTOIS (sirventes) : à l'origine poème satirique, écrit à la suite d'une circonstance ou d'un événement politique douloureux.

SERVIR : respecter le serment de fidélité à l'égard du seigneur dans les rapports féodo-vassaliques, à l'égard de la dame dans l'amour ait courtois. Le « service » est l'ensemble des obligations du vassal à l'égard du seigneur (obligations : service d'armes, de conseil, de justice), mais aussi de l'amant à l'égard de sa dame.

SEXTE : voir Heures.

SIGLATON : riche tissu d'origine orientale, souvent de couleur rouge.

SINOPLE (escu de) : héraldique, désigne la couleur verte ou rouge.

SOUDOIER : soldat qui reçoit une solde du seigneur au service de qui il combat ; le terme n'est pas péjoratif en ancien français ; il est parfois l'équivalent de « chevalier » (ex. : le Riche Soudoier).

SURCOT : corsage ou gilet. porté par-dessus la cotte.

T

TAILLOIR : plat en bois ou en métal pour découper la viande.

TENIR : avoir l'usage d'un bien sans en être complètement propriétaire. On « tient » sa terre de son seigneur.

TIERCE : voir Heures.

TOISE : mesure de longueur valant un peu moins de deux mètres.

V-Z

VAIR : fourrure de l'écureuil appelé petit-gris, utilisée pour doubler ou border l'étoffe d'un vêtement.

VALLET : jeune homme noble servant pendant plusieurs années à la cour d'un grand seigneur pour y faire son éducation, d'armes et de manières.

VASSAL : dans les textes littéraires le vassal est celui qui témoigne des vertus fondamentales du noble féodal, surtout la vaillance. En terme d'adresse, peut comporter une nuance d'insolence.

VAVASSEUR : homme de petite noblesse, il est le vassal d'un vassal. Il appparaît fréquemment dans le rôle d'un hôte accueillant.

VENTAILLE : partie mobile de la coiffe, capuchon de mailles qui recouvre le bas du visage audessous du nez, sous le casque.

VÊPRES : voir Heures.

VERMEIL : rouge. Le vermeil est souvent la couleur du bouclier (ex. : l'écu de Gauvain est dit de vermeil).

VILAIN : le paysan, le rustre.

VILENIE : acte ou comportement répréhensible, peu délicat (qu'on attribuerait à celui qui est d'origine paysanne, mais qui peut être le fait d'un noble).

VIRELAI (ou chanson balladée) : poème lyrique comprenant un couplet-refrain, alternant avec deux ou trois strophes sur rimes semblables, décomposables chacune en un quatrain à rimes croisées et une « coda » composée sur les rimes du refrain.

ZIBELINE : souvent la fourrure de zibeline entoure le col d'un mantel.

TABLE
DES NOMS PROPRES

Pour les noms de personnages, on trouvera ici les noms essentiels servant à comprendre les récits publiés dans ce volume, c'est-à-dire ceux des personnages qui ont un rôle fondamental dans la légende. Il ne s'agit pas nécessairement de noms qui apparaissent fréquemment dans les récits traduits, mais ils occupent — telle Guenièvre — une fonction essentielle dans la légende. Le lecteur ne devra pas oublier que, de texte à texte, une généalogie peut présenter des écarts. Les tableaux généalogiques placés en tête de volume mettent en relief les liens de parenté dans les lignages d'Arthur et de Gauvain, de Lancelot, de Perceval et de Tristan ; ils permettent de mieux comprendre les liens des personnages et les éventuelles variantes dans les structures de parenté.

Pour l'espace arthurien, les repères essentiels en sont ici répertoriés. Cependant il faut savoir qu'il existe de très nombreux flottements dans la localisation des toponymes. Les ouvrages très exhaustifs de G.D. West permettent de mesurer l'ampleur des hypothèses, et les diverses compréhensions d'un toponyme, d'un texte à l'autre :

G.D. WEST : *An Index of Proper Names in French Arthurian Prose Romances*, University of Toronto Press, 1978.

G.D. WEST : *An Index of Proper Names in French Arthurian Verse Romances 1150-1300*, University of Toronto Press, 1969.

L.F. FLUTRE . *Table des noms propres avec toutes leurs variantes figurant dans les romans du Moyen Age écrits en français ou en provençal*, Publications du Centre d'études supérieures de civilisation médiévale, Poitiers, 1962.

Les œuvres sont indiquées par abréviation : *Atre, Blandin, Caradoc, Épée, Gliglois, Hunbaut, Jaufré, Méliador, Méraugis, Merlin, Mule, Papegau, Perceval, Perlesvaus, Rigomer.*

A

AGAMANOR : chevalier d'origine normande, l'un des héros du roman *Méliador* où il se déguise en peintre pour déclarer son amour à Phénonée, fille du duc de Cornouailles et sœur de Méliador. *(Méliador)*

AGRAVAIN : fils du roi Lot d'Orcanie, neveu d'Arthur, frère de Gauvain, Guerrehet et Gaheret ; demi-frère de Mordret. *(Méraugis, Perceval)*

ALAIN LE GROS : l'un des douze fils de Bron le Roi Pêcheur ; père de Perceval ; cousin de Joséphé et de Galaad ; pour le *Perlesvaus*, voir Julain le Gros. *(Merlin, Perlesvaus)*

ALIS : empereur de Constantinople dans le roman de *Cligès*, oncle de Cligès. *(Méraugis).*

ANGLETERRE (souvent Bretagne) : il s'agit de la Grande Bretagne, royaume d'Arthur. Voir Logres. *(Atre, Caradoc, Gliglois, Méliador, Méraugis, Papegau, Perlesvaus, Rigomer)*

ARTHUR : roi de Bretagne, fils d'Uterpendragon, oncle de Gauvain et de ses frères ; demi-frère de Morgain. *(Atre, Caradoc, Epée, Gliglois, Hunbaut, Jaufré, Merlin, Mule, Papegau, Perceval, Perlesvaus, Rigomer)*

AUCTOR, ANTOR : père de Keu ; père adoptif d'Arthur qui lui a été confié par Merlin.

AVALON : lieu mythique, l'Ile d'Avalon est parfois identifiée avec Glastonbury dans le Somerset ; chez Geoffroy de Monmouth, l'*Insula Avallonis*, l'île des Pommes, est la demeure de Morgain et de ses sœurs. Il faut se rappeler qu'une île n'est pas nécessairement une île dans la mer, mais un endroit difficile d'accès. A partir de 1191, date de l'« invention » des tombes d'Arthur et de Guenièvre, les moines de Glastonbury firent de leur abbaye Avalon. Dans les récits, Avalon apparaît souvent comme une île, l'île mystérieuse vers laquelle Arthur, après la bataille finale contre Mordret à Salesbières, est emporté dans un navire par sa sœur Morgain et ses dames, dans le récit *La Mort le roi Artu*. Sur cette île, il y aura une chapelle pour les sépultures d'Arthur, Guenièvre et Lohot. *(Merlin, Perlesvaus, Rigomer)*

B

BAN DE BENOÏC : père de Lancelot et d'Hector des Mares ; grand-père de Galaad ; frère du roi Bohort de Gaunes ; oncle de Bohort et de Lionel, *(Perlesvaus)*

BÉDOIER : connétable d'Arthur. *(Caradoc, Merlin)*

BLANCHEFLEUR : dame de Bel Repaire, amante de Perceval. *(Perceval)*

BLAISE : confesseur de la mère de Merlin ; clerc vivant en Northumberland, par qui Merlin fait consigner tous les faits prodigieux de la Table Ronde. *(Merlin)*

BLANDIN DE CORNOUAILLE : héros du court roman en langue d'oc qui porte son nom, l'un des rares témoignages de la légende arthurienne dans le Midi ; il épouse Briande, princesse qu'il a délivrée. *(Blandin)*

BOHORT ROI DE GAUNES : père de Bohort et de Lionel ; frère du roi Ban de Benoïc.

BOHORT : frère aîné de Lionel, cousin germain de Lancelot et d'Hector, l'un des trois élus de la quête du Graal, les deux autres étant Perceval et Galaad. *(Merlin)*

BRETAGNE (GRANDE) : voir Angleterre.

BRETAGNE (PETITE) : elle correspond à la Bretagne actuelle, par opposition à la Grande Bretagne. *(Perlesvaus)*

BRON : beau-frère de Joseph d'Arimathie ; père de douze fils dont Alain ; grand-père de Perceval ; appelé le Roi Pêcheur car il pêche le poisson destiné à la table de Joseph. *(Merlin)*

BRUNISSEN DE MONBRUN : amante de Jaufré. *(Jaufré)*

C

CALOGRENANT : chevalier de la cour d'Arthur ; cousin d'Yvain. *(Méraugis, Perceval, Jaufré)*

CAMAALOT : château au pays de Galles où habite la dame veuve de Julain le Gros qu'il faut distinguer de la résidence d'Arthur qui porte le même nom. *(Perlesvaus)*

CAMAALOT : résidence d'Arthur, à l'entrée du royaume de Logres. *(Papegau, Perlesvaus)*

CARADOC DE VANNES : époux d'Ysave, nièce d'Arthur ; dupé par l'enchanteur Eliavrés ; père putatif de Caradoc. *(Caradoc)*

CARADOC : chevalier de la Table Ronde ; cousin de Gauvain ; fils d'Ysave et de l'enchanteur Eliavrés ; mari de Guinier, sœur de Cador ; il est souvent appelé Briebras en souvenir du serpent qui s'était enroulé autour de son bras. *(Atre, Caradoc, Hunbaut)*

CARADUS AU COURT BRAS : Caradoc Briebras. *(Jaufré)*

CARDUEIL (Cardoel, Carduel) : une des capitales du royaume d'Arthur, probablement sa résidence privilégiée (Carlisle en Cumberland ?). *(Atre, Caradoc, Épée, Gliglois, Hunbaut, Méraugis, Merlin, Mule, Perceval, Perlesvaus, Jaufré)*

CARLION : Caerleon-sur-Wysc dans le pays de Galles, lieu où Arthur tient fréquemment sa cour. *(Atre, Caradoc, Hunbaut, Perceval, Jaufré)*

CHASTIEFOL : nom de l'épée d'Arthur dans le récit le plus tardif de la légende. Voir Excalibur. *(Papegau)*

CHEVALIER À L'ÉPÉE : Gauvain dans *Le Chevalier à l'épée.*

CHEVALIER AU PAPEGAU : le roi Arthur lui-même, partant incognito pour l'aventure, accompagné d'un oiseau merveilleux. *(Papegau)*

CLAMADEU : seigneur des Iles qui envahit les terres de Blanchefleur ; vaincu par Perceval, il devient chevalier à la cour d'Arthur. *(Perceval)*

CLAMADOS DES OMBRES : fils du

Chevalier au Bouclier Vermeil de la Forêt des Ombres, qui a été tué par le jeune Perlesvaus. *(Perlesvaus)*

CLAUDAS : roi de la Terre Déserte, ennemi d'Arthur. *(Perlesvaus)*

CLIGÈS : fils d'Alexandre et de Soredamor ; neveu de Gauvain ; neveu d'Alis, empereur de Constantinople. *(Jaufré, Rigomer)*

CORBENIC : le Château du Graal, résidence et titre de Pellés, fils de Pellehan et oncle de Perceval, appelé aussi le Roi Mehaignié. A l'intérieur de Corbenic se trouve le Palais Aventureux où est conservé le Graal et où se déroule le service du Graal.

CORNOUAILLE (s) : presqu'île au sud-ouest de la Grande Bretagne (mais aussi parfois Cornouaille d'Armorique), souvent le royaume du roi Marc ; pays natal de Méraugis. *(Atre, Blandin, Caradoc, Jaufré, Méraugis, Rigomer)*

D

DAME AUX CHEVEUX BLONDS : fée qui détient la sagesse, amante du Chevalier au Papegau. *(Papegau)*

DANDRANE : sœur de Perlesvaus. *(Perlesvaus)*

E

ÉREC : fils du roi Lac, chevalier de la cour d'Arthur, époux d'Énide. *(Atre, Hunbaut, Merlin)*

ESPLUMOIR : demeure de Merlin, retraite de l'enchanteur connu pour ses métamorphoses (mues). Le nom provient-il d'une cage où seraient enfermés les oiseaux pendant la mue ? ou le mot viendrait-il d'une traduction mal comprise d'un terme de la *Vita Merlini* : emplumeor, celui qui de la plume écrit des caractères magiques ? (cf. Paul Zumthor). *(Merlin, Méraugis)*

EXCALIBUR (Excalibor) : provient d'un nom gallois *Caledbolg* dans les *Mabinogion* ; épée d'Arthur, forgée en Avalon ; après la bataille de Salesbières dans *La Mort Artu,* Excalibur est saisie par une main qui sort de l'eau du lac et la ramène dans les profondeurs. *(Merlin, Perceval)*

F

FENICE : épouse d'Alis empereur de Constantinople dans *Cligès,* elle est aimée de Cligès. *(Méraugis)*

FOSSE GOBÏENNE : lieu souterrain du chevalier de Rigomer, où des chevaliers de passage sont ensorcelés. *(Rigomer)*

G

GAHERIET : dernier fils du roi Lot d'Orcanie ; neveu d'Arthur ; frère de Gauvain, Agravain et Guerrehet ; demi-frère de Mordret. *(Hunbaut, Merlin, Méraugis, Mule, Perceval)*

GALAAD : fils de Lancelot et de la fille du roi Pellés ; nommé le Bon Chevalier ; descendant de Nascien, David et Salomon par son père ; descendant de Bron et du lignage des Rois Pêcheurs par sa mère. Il réussira à emporter le Graal à Sarras, en compagnie de Perceval et de Bohort.

GALLES : lieu de naissance de Perceval, où se trouvent les Vaux de Camaalot (hypothèse : est-ce le pays de Galles actuel, ou plus largement, le territoire occupé par les Bretons après la conquête des Angles et des Saxons ?). *(Atre, Caradoc, Gliglois, Merlin, Perlesvaus, Perceval)*

GASTE FORÊT : la forêt isolée où Perceval a passé son enfance auprès de sa mère veuve. *(Perceval)*

GAUNES : royaume de Bohort en Petite Bretagne.

GAUVAIN : fils aîné du roi Lot d'Orcanie ; neveu d'Arthur ; frère d'Agravain, de Guerrehet et de Gaheriet ; demi-frère de Mordret ; père de Guinglain le Bel Inconnu. *(Atre, Caradoc, Epée, Hunbaut, Gliglois, Jaufré, Méraugis, Mule, Perceval, Perlesvaus, Rigomer)*

GIRFLET : chevalier de la Table Ronde, fils de Do (voir Jaufré, fils de Doson). *(Caradoc, Hunbaut, Gliglois, Perceval, Mule)*

GLIGLOIS : fils d'un châtelain d'Allemagne, héros du récit qui porte son nom. *(Gliglois)*

GOLOËT : duc de Tintagel, époux d'Ygerne dont s'est épris le roi Uter, lequel réussit à se faire passer pour Goloët grâce à la magie de Merlin, il pourra ainsi engendrer Arthur. *(Perlesvaus)*

GORNEMANT DE GOORT : chevalier de la Table Ronde ; oncle de Blanchefleur, l'amie de Perceval. Il dispense à Perceval son éducation à la chevalerie. *(Perceval, Rigomer)*

GRAAL : plat mystérieux au centre du cortège énigmatique ; le Château du Graal est aussi nommé Eden ou Château des Ames, car l'âme de ceux qui y meurent va au Paradis. *(Merlin, Méraugis, Perceval, Perlesvaus)*

GRINGALET : cheval de Gauvain. *(Atre, Épée, Perceval)*

GUENIÈVRE : épouse du roi Arthur, fille du roi Léodegan (Guilalmier dans *Jaufré*).

GUERREHET : troisième fils du roi Lot d'Orcanie ; neveu d'Arthur ; frère de Gauvain, d'Agravain et de Gaheriet ; demi-frère de Mordret. *(Perceval)*

GUILALMIER : Guenièvre dans le roman de *Jaufré*.

GUILLOT ARDIT DE MIRAMAR : frère par serment de Blandin de Cornouaille. *(Blandin)*

GUINALOC : lévrier, frère de Caradoc, issu d'un accouplement de l'enchanteur Eliavrés avec une levrette (de même que Loriagort est frère de Caradoc, cheval de combat issu de l'accouplement avec une jument ; de même que Tortain, frère de Caradoc, est un sanglier issu de l'accouplement avec une truie). Châtiment de l'enchanteur. *(Caradoc)*

GUINIER : épouse de Caradoc. *(Caradoc)*

H

HERMONDINE : fille du roi d'Écosse, amie de Méliador. *(Méliador)*

HUNBAUT : chevalier de la Table Ronde, héros du récit qui porte son nom. *(Hunbaut)*

J-K

JAUFRÉ : fils de Doson ; chevalier de la cour du roi Arthur (il s'agit vraisemblablement de Girflet, fils de Do). *(Jaufré)*

JULAIN LE GROS DES VAUX DE CAMAALOT : père de Perlesvaus ; voir Alain le Gros pour Perceval. *(Perlesvaus)*

KEU : fils d'Antor, frère de lait et sénéchal d'Arthur, chevalier de la Table Ronde. *(Atre, Caradoc, Épée, Hunbaut, Jaufré, Méraugis, Merlin, Mule, Perceval)*

L

LANCELOT : fils du roi Ban de Benoïc ; demi-frère d'Hector ; cousin de Bohort et de Lionel ; père de Galaad. A sa naissance, son père, le roi Ban, meurt, l'enfant est emporté par la Dame du Lac qui l'élève, d'où son nom Lancelot du Lac ; il sauve le royaume d'Arthur, mais échoue dans la quête du Graal à cause de son amour adultère pour Guenièvre. *(Hun-*

baut, Jaufré, Merlin, Perlesvaus, Rigomer)

LÉODEGAN : roi de Carmelide ; père de Guenièvre, épouse du roi Arthur.

LIDOINE : amie de Méraugis, fille du roi de Cavalon. *(Méraugis)*

LINDESORES : château en Brocéliande *(Méraugis)*, et qui se trouve dans le pays de Landemore *(Gliglois, Méraugis)*

LIONEL : second fils du roi Bohort de Gaunes ; frère de Bohort ; cousin de Lancelot et Hector. *(Merlin, Perlesvaus)*

LOGRES : le royaume d'Angleterre. *(Atre, Épée, Méraugis, Merlin, Perceval)*

LOHOT : fils d'Arthur et de Guenièvre, qui a l'étrange habitude de s'endormir sur le corps des adversaires qu'il a tués, ce qui lui vaut d'être mis à mort durant son sommeil par Keu le sénéchal. *(Perlesvaus)*

LOT : roi d'Orcanie, père de Gauvain, Agravain, Guerrehet et Gaheriet, beau-frère d'Arthur. *(Hunbaut, Merlin, Papegau, Perceval, Perlesvaus)*

LUCAN : échanson d'Arthur. *(Caradoc, Perlesvaus)*

M-N

MÉLIADOR : héros du roman de Froissart ; fils du duc Patrice de Cornouailles, il épouse Hermondine, fille du roi d'Écosse. *(Méliador)*

MÉRAUGIS DE PORTLESGUEZ : fils naturel du roi Marc de Cornouaille. *(Méraugis)*

MERLIN : l'enchanteur né de l'union d'un incube et d'une jeune fille. Doué du don de prophétie et de métamorphose. Conseiller d'Uterpendragon et d'Arthur. Au moyen d'un enchantement, il favorise la conception d'Arthur. Il organise l'avènement d'Arthur et instaure la Table Ronde. *(Merlin, Méraugis, Perlesvaus, Papegau)*

MORDRET : neveu d'Arthur ; fils du roi Lot d'Orcanie et de la sœur du roi Arthur, parfois nommée Morcadès, femme du roi Lot ; en réalité fils incestueux d'Arthur ; mais dans *Perceval* en prose il est bien le fils légitime du roi Lot, donc le neveu d'Arthur et non son fils incestueux. Il est le traître du monde arthurien. *(Merlin)*

MORGAIN : demi-sœur du roi Arthur ; fille d'Ygerne et du duc de Tintagel, Goloët *(Merlin)* ; est dite fée de Montgibel. *(Papegau)*

NORTHUMBERLAND : région de l'Angleterre située au-dessus de l'estuaire de l'Humber. *(Merlin)*

P

PELLÉS : grand-père de Galaad ; parfois appelé roi de Corbenic. *(Perlesvaus)*

PENNEVOISEUSE : résidence d'Arthur, peut-être Penzance en Cornouailles ? parfois située près de Cardiff. *(Perlesvaus)*

PERCEVAL (Perlesvaus) : généalogie compliquée (voir tableau généalogique) ; frère d'Agloval et de Lamorat de Galles ; fils d'Alain ou de Pellinor de Listenois, plus généralement ; frère de Dandrane, selon les textes ; **Perlesvaus** : « perd-les-vaus », car le Seigneur des Marais avait enlevé à son père les Vaux de Camaalot. « Par-lui-fais » signifie que Perceval (Perlesvaus) « s'est fez par lui meïsme ». *(Caradoc, Hunbaut, Jaufré, Merlin, Perceval, Perlesvaus)*

PERLESVAUS : voir Perceval.

PHÉNONÉE : amie d'Agamanor dans le roman de Froissart. *(Méliador)*

PORTLESGUEZ : terre de Méraugis, en pays de Galles, parfois cette terre est identifiée avec la région de Saint-Brieuc dans les Côtes-du-Nord. *(Méraugis)*

R

Raoul : Raoul de Houdenc, auteur de *Méraugis de Portlesguez*. (*Méraugis*)

Rigomer : château aux ensorcellements que doit affronter Lancelot, il est situé en Irlande. *(Rigomer)*

Roi Mehaignié (Roi Pêcheur) : il est difficile d'évaluer son degré de parenté avec Perceval. Si l'on suit le roman de Chrétien de Troyes, il est de la famille de Perceval, à la fois le Roi Pêcheur et le Roi Mehaignié. Il ne guérira de sa blessure à la cuisse, qu'après avoir reçu la visite de Galaad. Dans *Perceval* le Roi Pêcheur est dédoublé : son père est le reclus qui vit de l'hostie portée par le Graal ; le Roi Pêcheur serait donc le cousin de Perceval, alors que primitivement il était son oncle. (*Merlin, Perceval*)

S

Sagremor : chevalier de la Table Ronde ; petit-fils de l'empereur Adrien de Constantinople souvent appelé le Desreé à cause de sa démesure et de son impétuosité (*Caradoc, Hunbaut, Merlin, Perceval, Perlesvaus, Rigomer*) Il existe dans *Méliador* un autre Sagremor, fils du roi d'Irlande.

Salesbières : Salisbury dans le Wiltshire. Dans *La Mort le roi Artu* la dernière bataille, au cours de laquelle Arthur affronte son fils bâtard Mordret, se déroule dans la plaine de Salesbières. C'est en cet endroit aussi qu'a lieu la bataille entre les Saxons et les armées de Pendragon et d'Uter.

Sarras : cité du Moyen-Orient. Galaad, Perceval et Bohort y emportent le Graal, la Lance et la Table du Graal, et c'est là que meurt Galaad, qui en devient le roi pour un temps, ainsi que Perceval.

T

Table Ronde : la table instituée par Merlin durant le règne d'Uterpendragon. Autour d'elle se rassemblent de nombreux chevaliers. Il s'agit de la troisième des trois tables, les deux autres étant la table de la dernière Cène et la table du Graal de Joseph d'Arimathie. Le nombre des chevaliers qui y sont admis est variable. (*Atre, Caradoc, Hunbaut, Jaufré, Merlin, Mule, Papegau, Perceval, Perlesvaus*)

Taulat de Rougemont : adversaire de Jaufré, rapidement évoqué dans *Hunbaut*. (*Jaufré*)

Tristan-qui-ne-rit : chevalier de la cour d'Arthur. (*Atre*)

Tristan : fils de Meliadus de Léonois, cousin de Méraugis de Portlesguez ; beau-frère de Kaherdin. (*Jaufré*)

U

Urien : roi de Gorre ; père d'Yvain, fils légitime, et d'Yvain l'Avoutre, fils bâtard ; frère de Lot ; oncle de Gauvain. (*Hunbaut, Perceval*)

Uterpendragon : père d'Arthur ; avec l'aide de Merlin il prend les traits de l'époux d'Ygerne, passe la nuit avec elle et engendre Arthur. (*Caradoc, Merlin, Perceval, Perlesvaus*)

V

Vaux de Camaalot : enlevés à la Dame Veuve, mère de Perlesvaus. (*Merlin, Perlesvaus*)

Vertigier (Vortiger) : roi usurpateur qui a trahi la cause des Bretons en s'alliant avec les Saxons.

Merlin et la tour de Vertigier. *(Merlin)*

Y

YDER : roi de Cornouaille. *(Atre, Caradoc, Hunbaut)*

YSAVE : nièce d'Arthur, épouse du roi Caradoc de Vannes. *(Caradoc)*

YVAIN L'AVOUTRE : fils naturel du roi Urien ; demi-frère d'Yvain. Les deux frères furent engendrés parallèlement. *(Perceval, Perlesvaus)*

YVAIN : fils du roi Urien ; demi-frère d'Yvain l'Avoutre ; neveu d'Arthur et de Lot. *(Caradoc, Épée, Hunbaut, Merlin, Mule, Perceval, Perlesvaus)*

TABLEAU CHRONOLOGIQUE

ŒUVRES [1] (latin, langue d'oc et langue d'oïl)	HISTOIRE	
	France	Angleterre
		v^e-vi^e siècles : invasions des Angles et des Saxons vers la (Grande) Bretagne. Les Bretons se replient vers l'Armorique qui devient la (Petite) Bretagne
début IXe siècle : Nennius. *Historia Brittonum*		ixe-xe siècle : incursions normandes en Angleterre et en France
2e moitié du Xe siècle : *Annales Cambriae*		911 : traité de Saint-Clair-sur-Epte 1019-1035 : empire anglo-scandinave du danois Knut le Grand
		1066-1087 : Guillaume, duc de Normandie, conquiert l'Angleterre et élimine la royauté saxonne
	1031-1060 : Henri Ier	1087-1100 : Guillaume le Roux
1re moitié du XIIe siècle : Guillaume de Malmesbury, *Gesta Regum Anglorum* 1134 : Geoffroy de Monmouth, *Prophetiae Merlini*	**1060-1108** : Philippe Ier	1100-1135 : Henri Ier Beauclerc
vers 1135 : Geoffroy de Monmouth, *Historia Regum Britanniae*	**1108-1137** : Louis VI le Gros	1135-1154 : Étienne de Blois
vers 1150 : Geoffroy de Monmouth, *Vita Merlini* **vers 1155** : Wace, *Roman de Brut* **vers 1155-1160** : *Roman d'Énéas* — *Roman de Thèbes* — Benoît de Sainte-Maure, *Roman de Troie* — Wace, *Roman de Rou* 1165 : Chrétien de Troyes, *Erec et Énide* 1170-1175 : Thomas, *Tristan* — Benoît de Sainte-Maure, *Chronique des ducs de Normandie* 1170-1180 : Marie de France, *Lais* — Chrétien de Troyes, *Cligès*, *Le Chevalier à la charrette*, *Le Chevalier au lion* 1181 : Chrétien de Troyes, * *Perceval ou le Conte du Graal* — Béroul, *Tristan*	**1137-1180** : Louis VII (épouse en 1137 Aliénor d'Aquitaine, qu'il répudie en 1152) **1152-1190** : Frédéric Ier Barberousse ** **1180-1223** : Philippe II (Philippe Auguste) **1190-1197** : Henri VI **	1154-1189 : Henri II Plantagenêt (épouse en 1152 Aliénor d'Aquitaine) 1170 : assassinat de Thomas Beckett **
vers 1200 : *Premières Continuations du Conte du Graal* (* *Le Livre de Caradoc*)		1189-1199 : Richard Ier Cœur de Lion 1199-1216 : Jean sans Terre (en 1202, Jean sans Terre, vassal du roi de France, condamné en cour royale de justice, perd ses fiefs français) 1216-1272 : Henri III

Œuvres littéraires	Rois de France / Événements	Empire / Angleterre
vers 1200-1210 : Robert de Boron, *Le Roman de l'Estoire dou Graal* — *Merlin et Perceval en prose*		1220-1250 : Frédéric II **
vers 1210 : *Méraugis de Portlesguez*		
1200-1210 : *Le Chevalier à l'épée* — *La Demoiselle à la mule* — *Durmart le Gallois*		
1215-1230 : *Perlesvaus* — *Jaufré* — *Lancelot en prose*	1223-1226 : Louis VIII	
vers 1225 : *Gliglois*	1226-1270 : Louis IX (Saint Louis)	
vers 1230 : *La Quête du Saint Graal* — *La Mort le roi Artu* — Troisième et Quatrième *Continuations du Conte du Graal* (Gerbert de Montreuil et Manessier)		
vers 1250 : *L'Atre périlleux*		
vers 1250-1275 : *Hunbaut* — *Les Merveilles de Rigomer* — *Claris et Laris*	1270-1285 : Philippe III le Hardi	1258-1265 : Simon de Montfort
	1285-1314 : Philippe IV le Bel	1272-1307 : Édouard Ier (épouse Marguerite, fille de Philippe le Hardi)
xive siècle : *Blandin de Cornouaille*		1307-1327 : Édouard II (épouse Isabelle, fille de Philippe le Bel)
	1314-1328 : les fils de Philippe le Bel, derniers Capétiens directs	1327-1377 : Édouard III (en 1337 : Édouard III renie sa fidélité vassalique au roi de France. Début de la guerre de Cent Ans)
	1328-1350 : Philippe VI de Valois	
	1346 : bataille de Crécy. Défaite de la chevalerie française	1348 : la Grande Peste
	1350-1364 : Jean II le Bon	
	1356 : bataille de Poitiers. Jean le Bon fait prisonnier	
	1360 : traité de Brétigny (très important recul français)	
	1364-1380 : Charles V	
entre 1383 et 1388 : Froissart, *Méliador*	1380-1422 : Charles VI	1377-1399 : Richard II (assassiné en 1400, le dernier des Plantagenêts directs)
fin du xive siècle ou début xve siècle : *Le Chevalier au Papegau*		1399-1413 : Henri IV de Lancastre
		1413-1422 : Henri V de Lancastre
	1415 : bataille d'Azincourt	

1. Pour les œuvres littéraires, il s'agit souvent de dates approximatives. Certaines œuvres se laissent moins facilement dater que d'autres. On indique de préférence une fourchette chronologique. Enfin, il ne faut pas oublier que la date d'un manuscrit n'est pas identique à la date de composition de l'œuvre. Pour évaluer les problèmes de datation et trouver des indications chronologiques supplémentaires, voir la *Chronologie approximative de la littérature française du Moyen Âge*, par Raphaël Lévy, Tübingen, 1957.

* Les œuvres marquées d'un astérisque figurent dans ce volume.

** Empire. Les dates indiquées sont celles du couronnement à Rome.

CARTES

CARTE DE LA DIFFUSION
DE LA LÉGENDE ARTHURIENNE EN EUROPE

Cette carte de la diffusion de la légende arthurienne en Europe indique les *principaux axes* de la circulation des textes écrits. Celle-ci a fait l'objet, ne l'oublions pas, de nombreuses controverses parmi les érudits. Il faut savoir aussi qu'il a existé très tôt une intense *transmission orale* de la légende. Pour illustrer la vitalité de cette diffusion, la présente carte propose quelques titres importants parmi d'autres et les noms des auteurs les plus connus, lorsqu'on a pu les identifier.

SCANDINAVIE

Merlinusspa
Tristrams saga ok Isöndar
Ivens saga Artuskappa (Yvain)
Möttuls saga (Mantel mautaillié)
Erex saga (Erec)
Parcevals saga
Ballades : Islande, Norvège, Danemark, îles Féroé.

ITALIE

Tristano Riccardiano
Tavola Ritonda
Storia di Merlino
Rusticien de Pise : *Palamède*
Cantari : La Pulzella Gaia, Carduino, La Morte di Tristano, Lancellotto...
La Spagna in Rima
Boccace
Dante

ESPAGNE, PORTUGAL

Storia del Sant Grasal
Libro de Josep Abarimatia
Baladro del sabio Merlin con sus profecias
Demanda del Sancto Grial con los maravillosos fechos de Lancarote y de Galaz su hijo
El cuento de Tristan de Leonis
Lais de Bretanha
Libro del caballero Zifar

ALLEMAGNE

Ulrich von Zatzikhoven : *Lanzelet*
Hartmann von Aue : *Erec*
Hartmann von Aue : *Iwein*
Eilhart von Oberg : *Tristrant*

Gottfried von Strassburg : *Tristan und Isolt*
Wolfram von Eschenbach : *Parzival*
Wirnt von Grafenberg : *Wigalois*
Heinrich von dem Türlin : *Diu Krône*

PAYS-BAS

Jacob van Maerlant : *Historie van den Grale*
Lodewijk van Velthem : *Merlijns Boek*
Perchevael
De Ridder metter Mouwen (Chevalier à la manche)
De Wrake van Ragisel (Vengeance Raguidel)
Walewein ende Keye
Lanzelet en het Hert met de Witte Voet (Lancelot et le cerf au pied blanc)
Ferguut

ANGLETERRE

Arthour and Merlin
Sir Tristrem
Sir Perceval of Galles
Gawain and the Green Knight
The Avowing of King Arthur
Holy Grail
Lancelot of the Laik
Sir Thomas Malory : *Tale of the Sankgreal, The Book of Sir Launcelot and Queen Guinevere, The Tale of the Death of King Arthur...*

PAYS DE GALLES

Peredur

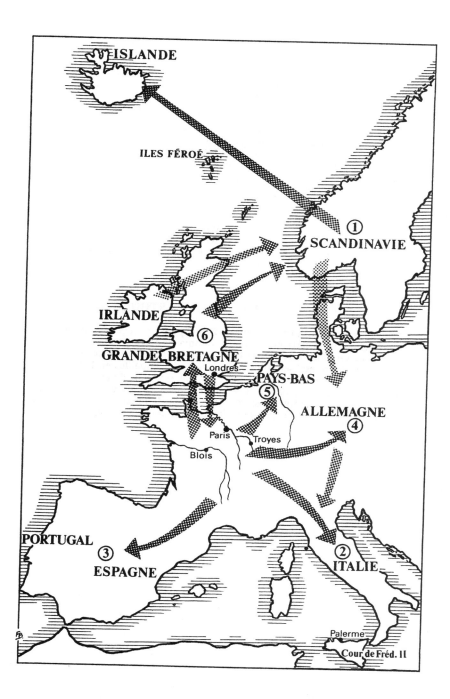

CARTE DE L'IMAGINAIRE ARTHURIEN

La géographie arthurienne montre à quel point le *réel* et le *rêve* peuvent s'imbriquer : si un certain nombre de toponymes correspondent à des lieux connus de Grande et de Petite Bretagne (avec des écarts de texte à texte : ainsi le roi Marc est, selon les récits, roi de Cornouailles en Petite ou en Grande Bretagne...), d'autres lieux ne relèvent que d'une topographie tout à fait imaginaire, ainsi le château du Graal à Corbenic, ou l'Île d'Avalon où le roi Arthur fut transporté blessé après la bataille de Salesbières, lieu mythique qui fut cependant assimilé avec l'abbaye, réelle, de Glastonbury.

BIBLIOGRAPHIE GÉNÉRALE

Cette bibliographie pourra être complétée par le très récent *Manuel biblio-graphique de la littérature française du Moyen Age*, 3ᵉ supplément par Fran-çois Vielliard et Jacques Monfrin, éd. du CNRS, 1986, couvrant la période 1960-1980. (Pour les années qui précèdent, voir *Manuel bibliographique de la littérature française du Moyen Age*, de Robert Bossuat, 1951, 1955 et 1961.)

Arturus Rex. Koning Artur en Nederlanden. La matière de Bretagne et les anciens Pays-Bas. Exposition, Louvain, Musée municipal, 1987.

BADEL Pierre-Yves : *Introduction à la vie littéraire du Moyen Age*, Paris, 1969, rééditions les années suivantes.

BAUMGARTNER Emmanuèle : « Le défi du chevalier rouge dans *Perceval* et *Jaufré* » dans *Le Moyen Age*, t. 83, 1977, p. 239-254.

BAUMGARTNER Emmanuèle : « Les techniques narratives dans le roman en prose », dans *The legacy of Chrétien de Troyes*, t. 1, p. 167-190.

BAUMGARTNER Emmanuèle : *L'Arbre et le pain. Essai sur La Queste Del Saint Graal.* Paris, 1981.

BAUMGARTNER Emmanuèle : « Les aventures du Graal », dans *Mélanges Charles Foulon*, I, 1980, p. 23-28.

BOUCHET Florence : « Froissart et la matière de Bretagne ; une écriture " déceptive " ? » (à paraître dans les *Actes du XVᵉ Congrès international arthurien*, ce colloque s'est tenu à Louvain en 1987).

BOZOKY Edina, « Roman arthurien et conte populaire : les règles de conduite et le héros élu », dans *Cahiers de civilisation médiévale*, t. 21, 1978, p. 31-36.

BOZOKY Edina : « Roman médiéval et conte populaire : le château désert », dans *Ethnologie française*, t. 4, 1974, p. 349-356.

BRAULT Gérard J. : *Early Blazon. Heraldic Terminology in the twelfth and thirteenth Centuries with special Reference to Arthurian Literature*, Oxford, 1972.

BROGSITTER Karl O. : *Artusepik*, Stuttgart, 1965 (Sammlung Metzler, 38).

BUMKE Joachim : *Höfische Kultur. Literatur und Gesellschaft im hohen Mittelalter*, Münich, 1986, 1987 4ᵉ éd.

CHENERIE Marie-Luce : *Le Chevalier errant dans les romans arthuriens en vers des XIIᵉ et XIIIᵉ siècles*, Genève, 1986.

DELBOUILLE Maurice : « Caerlion et Cardeuil, sièges de la cour d'Arthur », dans *Neuphilologische Mitteilungen*, t. 66, 1965, p. 431-446.

DRAGONETTI Roger : *La Vie de la lettre au Moyen Age (Le Conte du Graal)*, Paris, 1980 *(Connexions du champ freudien)*.

DUBY Georges : *Les Trois Ordres ou l'Imaginaire du féodalisme*, Paris, Bibliothèque des Histoire, 1978.

DUMÉZIL Georges : *Apollon sonore*, Paris 1982.

FLEURIOT Léon, LOZACH'MEUR Jean-Claude et PRAT Louis : *Récits et poèmes celtiques. Domaine brittonique vf-xvᵉ siècle*. Textes traduits. Préface de Pierre Jakez Helias, Stock Moyen Age, 1981.

FOULON Charles : « Le nom de Brocéliande », dans *Mélanges Pierre Le Gentil*, 1973, p. 257-263.

FOURQUET Jean : *Wolfram d'Eschenbach et le Conte del Graal. Les divergences de la tradition du Conte del Graal de Chrétien et leur importance pour l'explication du texte du Parzival*, Paris, 1966 (Publications de la faculté des lettres et sciences humaines de Paris-Sorbonne, série Études et Méthodes, 17).

FRAPPIER Jean : *Amour courtois et Table Ronde*, Genève, 1973 (Publications romanes et françaises, 126).

FRAPPIER Jean : *Chrétien de Troyes et le mythe du Graal. Étude sur Perceval ou le Conte du Graal*, Paris, 1972 et 2ᵉ éd. 1979.

FRAPPIER Jean : *Chrétien de Troyes. L'homme et l'œuvre*, Paris, 1957, nouv. éd. augm. 1969.

GALLAIS Pierre : *Perceval et l'initiation. Essais sur le dernier roman de Chrétien de Troyes, ses correspondances « orientales » et sa signification anthropologique*, Paris, 1972.

GALLAIS Pierre : « Bleheri, la cour de Poitiers et la diffusion des récits arthuriens sur le continent », dans *Actes du VIIᵉ congrès national de la Société française de littérature comparée*, Poitiers, 1965, Paris, 1967, p. 47-49.

GRISWARD Joël H. : « Le motif de l'épée jetée au lac : la mort d'Arthur et la mort de Batradz », *Romania* 90, 1969, p. 289-340 ; 473-514.

GRISWARD Joël H. : « Com ces trois goutes de sanc furent, Qui sor le blance noif parurent. » Note sur le motif littéraire, dans *Mélanges Félix Lecoy*, 1973, p. 157-164.

GRISWARD Joël H. : « Des Scythes aux Celtes. Le Graal et les talismans royaux des Indo-Européens », dans *Artus*, nº 14, été 1983, p. 15-22.

GRISWARD Joël H. : « Trois perspectives médiévales », dans *Georges Dumézil à la recherche des Indo-Européens*, Paris, 1979, p. 197-218.

GRISWARD Joël H. : « Uter Pendragon, Artur et l'idéologie royale des Indo-Européens. Structure trifonctionnelle et roman arthurien », dans *Europe*, « Le Moyen Age maintenant », 1983.

GUIETTE Robert : *Forme et Senefiance*, Genève, 1978.

KÖHLER Erich : *L'Aventure chevaleresque. Idéal et réalité dans le roman courtois. Études sur la forme des plus anciens poèmes d'Arthur et du Graal*, Paris, 1974 (Bibliothèque des Idées).

La Quête du Saint Graal : traduction par Emmanuèle Baumgartner, Paris, 1979.

LACY Norris J. : dir. *The Arthurian Encyclopedia*, New York et Londres, 1986 (ouvrage collectif).

LACY Norris J. et BUSBY Keith : dir. *The legacy of Chrétien de Troyes*, t. 1 et 2, Amsterdam, 1987.

LAMBERT Pierre-Yves : *Les Littératures celtiques*, Paris, 1981 (Que sais-je ?, 809).

LE GOFF Jacques et VIDAL-NAQUET Pierre : « Levi-Strauss en Brocéliande », *Critique* n° 325, juin 1974 ; également dans *L'Imaginaire médiéval* (Bibliothèque des Histoires), Paris, 1985.

LE GOFF Jacques : *L'Imaginaire médiéval. Essais*, Paris, Bibliothèque des Histoires, 1985.

LE RIDER Paule : *Le Chevalier dans le Conte du Graal de Chrétien de Troyes*, Paris, 1978.

LOOMIS Roger S. et L. H. : *Arthurian Legends in Medieval Art*, New York, 1938.

LOOMIS Roger S. : dir. *Arthurian Literature in the Middle Ages*, Oxford, 1959.

LOOMIS Roger S. : « Le folklore breton et les romans arthuriens », dans *Annales de Bretagne*, t. 56, 1949, p. 203-227.

LOOMIS Roger S. : *The Development of Arthurian Romance*, London, 1963.

LOOMIS Roger S. : *The Grail. From Celtic Myth to Christian Symbol*, Cardiff, New York, 1933.

LOTH Joseph : *Les Mabinogion*, Les Presses d'aujourd'hui, 1979 (rééd.).

MARKALE Jean : *Le Roi Arthur et la société celtique*, Paris, 1976.

MARKALE Jean : *Le Graal*, Paris, 1982.

MARX Jean : « La quête manquée de Gauvain », *Nouvelles Recherches sur la littérature arthurienne*, p. 205-227.

MARX Jean : « La vie et les aventures de la reine Guenièvre et la transformation de son personnage », dans *Journal des Savants*, 1965, p. 333-342 (également dans *Nouvelles Recherches sur la littérature arthurienne*, Paris, 1965).

MELA Charles : *La Reine et le Graal. La conjointure dans les romans du Graal de Chrétien de Troyes au Livre de Lancelot*, Paris, 1984.

MELA Charles : « Perceval », dans *Yale French Studies*, t. 55-56, 1977, p. 253-279.

MILLER Helen H. : *The Realms of Arthur. An Illustrated Journey through the Arthurian Legend*, London, 1970.

Ouvrage collectif : *Grundriss der romanischen Literaturen des Mittelalters*, vol. IV, 1 et 2 : *Le Roman jusqu'à la fin du XIII* siècles — *Le Roman aux XIV* et XV* siècles*. Heidelberg 1978 et ss.

PASTOUREAU Michel : *Les Chevaliers de la Table Ronde. Anthropologie d'une société imaginaire* (à paraître aux éditions Picard).

PASTOUREAU Michel : *Armorial des chevaliers de la Table Ronde*, Le Léopard d'or, 1983.

PASTOUREAU Michel : *Traité d'héraldique*. Préface de Jean Hubert, Paris, 1979 (Bibliothèque de la sauvegarde de l'art français).

PAYEN Jean-Charles : « L'enracinement folklorique du roman arthurien », dans *Travaux de linguistique et de littérature*, t. 16, 1, et *Mélanges Jean Rychner*, 1978, p. 427-439.

PAYEN Jean-Charles : « L'art du récit dans le *Merlin* de Robert de Boron, le *Didot-Perceval* et le *Perlesvaus* », dans *Romance Philology*, t. 17, 1963-64, p. 570-585.

PERENNEC René : « Adaptation et société. L'adaptation par Hartmann d'Aue du roman de Chrétien de Troyes *Érec et Énide* », dans *Études germaniques*, t. 38, 1973, p. 289-303.

PICKFORD C.E. : *L'Évolution du roman arthurien en prose vers la fin du Moyen Age*, Paris, 1960.

POIRION Daniel : « L'ombre mythique de Perceval dans le Conte du Graal », dans *Cahiers de civilisation médiévale* t. 16, 1973, p. 191-198.

POIRION Daniel : dir. *Précis de littérature française du Moyen Age*, Paris, 1983.

POIRION Daniel : *Résurgences. Mythe et littérature à l'âge du symbole (XIIe siècle)*, Paris, 1986.

REY-FLAUD Henri : « Le sang sur la neige », dans *Littérature*, n° 37, 1980, p. 15-34.

RIBARD Jacques : « De Chrétien de Troyes à Guillaume de Lorris : ces quêtes qu'on dit inachevées », dans *Senefiance*, n° 2, *Voyage, quête, pèlerinage dans la littérature et la civilisation médiévales*, 1978, p. 315-321.

ROSENBERG B.A. : « Folkloristes et médiévistes face au texte littéraire : problèmes de méthode », *Annales*, 1979, 2.

ROUBAUD Jacques : « Généalogie morale des rois pêcheurs. Deuxième fiction théorique à partir des romans du Graal », dans *Change*, n°s 16-17, 1973, *La Critique génératice*, p. 228-247.

SCHMOLKE-HASSELMANN Beate : *Der arthurische Versroman von Chrestien bis Froissart. Zur Geschischte einer Gattung*, Tübingen, 1980 (*Beihefte zur Zeitschrift für romanische Philologie*, 177).

STIENNON Jacques et LEJEUNE Rita : « La légende arthurienne dans la sculpture de la cathédrale de Modène », dans *Cahiers de civilisation médiévale*, t. 6, 1963, p. 281-290.

TAYLOR Janet H. M. : « The fourteenth century : context, text and intertext », dans *The Legacy of Chrétien de Troyes*, t. 1, p. 267-332.

VINAVER Eugène : « La fée Morgain et les aventures de Bretagne », dans *Mélanges J. Frappier*, 1970, p. 1077-1083.

VINAVER Eugène : *A la recherche d'une poétique médiévale*, chap. VII, « La création romanesque », p. 129-149.

WALTER Philippe : *Canicule. Essai de mythologie sur Yvain de Chrétien de Troyes*. Paris, 1988.

WEST G. D. : *An Index of Proper Names in French Arthurian Verse Romances 1150-1300*, Toronto, 1969 (University of Toronto Romance Series, 15).

WEST G. D. : *An Index of Proper Names in French Arthurian Prose Romances*, Toronto, 1978 (University of Toronto Romance Series, 35).

WOLEDGE Brian : « Bons vavasseurs et mauvais sénéchaux », dans *Mélanges Rita Lejeune*, 1969, p. 1263-1277.

ZINK Michel : « Chrétien et ses contemporains » dans *The Legacy of Chrétien de Troyes*, t. 1, p. 5-32.

TABLE DES MATIÈRES

PRÉFACE

ARBRES GÉNÉALOGIQUES

PERCEVAL LE GALLOIS OU LE CONTE DU GRAAL

PERLESVAUS, LE HAUT LIVRE DU GRAAL

MERLIN ET ARTHUR : LE GRAAL ET LE ROYAUME

LE LIVRE DE CARADOC

LE CHEVALIER A L'ÉPÉE

HUNBAUT

LA DEMOISELLE A LA MULE

L'ATRE PÉRILLEUX

GLIGLOIS

MÉRAUGIS DE PORTLESGUEZ

LE ROMAN DE JAUFRÉ

Pages 1187 et 1189, documents réalisés par Fernand Bunel

IMPRIMÉ EN ITALIE
PAR G. CANALE & C. S.p.A.
BORGARO TORINESE - TURIN